마플교과서

Your master plan. MAPL

수능과 내신의 수학개념서

마플교과서

수학 Ⅱ

마플교과서 수학 Ⅱ
ISBN : 978-89-94845-65-4 (53410)
발행일 : 2019년 1월 17일(1판 1쇄)
인쇄일 : 2024년 10월 16일
판/쇄 : 1판 13쇄

펴낸곳
희망에듀출판부 *(Heemang Institute, inc. Publishing dept.)*

펴낸이
임정선

주소 경기도 부천시 석천로 174 하성빌딩
(174, Seokcheon-ro, Bucheon-si, Gyeonggi-do, Republic of Korea)

교재 오류 및 문의
mapl@heemangedu.co.kr

희망에듀 홈페이지
http://www.heemangedu.co.kr

마플교재 인터넷 구입처
http://www.mapl.co.kr

교재 구입 문의
오성서적
Tel 032) 653-6653
Fax 032) 655-4761

핵심단권화 수학개념서

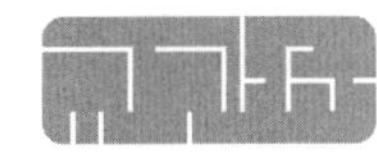

마플교과서 시리즈

내신 1등급 완성

마플시너지 시리즈

수능에 강하다!

마플총정리 시리즈

YOUR
MASTER
PLAN

INTRO

매시 업은 [으깨어서 하나로 뭉친다]는 의미로써 원래 DJ 뮤지션들이 여러 곡을 샘플링하거나 서로 다른 곡을 조합하여 새로운 곡을 만들어 내는 것을 의미하는 음악용어이나 IT(정보기술) 분야에서는 웹상에서 웹서비스 업체들이 제공하는 다양한 정보(콘텐츠)와 서비스를 혼합하여 새로운 서비스를 개발하는 것을 의미합니다. 즉 서로 다른 웹사이트의 콘텐츠를 조합하여 새로운 차원의 콘텐츠와 서비스를 창출하는 것을 말합니다.

마플 수학 교과서는 매시업(MASH UP)된 교재입니다

마플교과서는 학생 여러분이 수능과 내신을 효율적으로 준비할 수 있도록 교육과정에 따라 체계적으로 꾸며졌습니다.
한 눈에 모든 유형을 볼 수 있도록 구성된 신개념 교과서입니다.
또한 개정교과서의 핵심 내용정리, 학교 내신 빈출문제, 수능 기출 및 전국 연합 모의고사의 엄선된 문제로 구성된 단권화된 유형별 개념서입니다.

1 핵심내용과 문제를 단권화한 마플 교과서

고등학생들이 수학 공부에 좌절하는 이유는 공부 자체의 양이 많고, 전 범위 시험에 따른 효과적인 반복학습 요구량이 급증하기 때문입니다. 단권화를 완성해 놓으면 엄청난 위력이 발휘되지만 거기에 도달하기까지의 지루함, 진도의 느림 등 많은 어려움이 있습니다.
이에 마플 교과서는 이 한 권으로 시간의 효율화를 기할 수 있고, 최근의 학교시험 경향과, 수능 과정의 기본적인 개념 정리를 한 눈에 쉽게 파악할 수 있도록 단권화하여 정리하였습니다.

2 마플 교과서는 반복입니다

많은 문제를 풀기보다 학생스스로 자연스럽게 개념을 습득하고, 문제를 해결하는 수학적인 힘을 기르기 위해서는 반복학습이 중요합니다.
이에 마플 교과서는 개념정리의 보기문제와 개념익힘의 확인, 변형, 발전문제, 단원종합문제의 BASIC, NORMAL, TOUGH문제를 통하여 자동적으로 유사문제 및 변형된 다양한 문제를 접할 수 있어, 새로 개정된 수학과 교육과정에 맞추어 문제해결 능력, 수학적 추론 능력, 의사소통 능력을 키울 수 있습니다.

3 문제은행으로 구성된 교재

개념서 따로, 문제집 따로가 아닌 마플 교과서 한 권으로 두 가지 효과를 낼 수 있도록 문제은행식으로 구성되었습니다. 수학적 사고 능력이 능동적으로 키워질 수 있도록 구성된 교육과정에 따라 체계적인 문제흐름으로 문제를 구성하여 어떠한 형태의 문제라도 자신감있게 해결할 수 있도록 구성하였습니다.

끝으로 이 개념서를 통하여 학생 여러분의 수학적 창의성과 문제해결 능력이 크게 배양되어 학생이 꿈꾸는 희망이 실현되길 바랍니다.

희망에듀 출판부

목차

마플교과서 수학 II

마플보충

마플수능특강

동영상 강의

마플교과서 수학II
[마플수능특강]해설강의
바로가기

마플교과서특강

MAPLGUIDE

구성과 특징

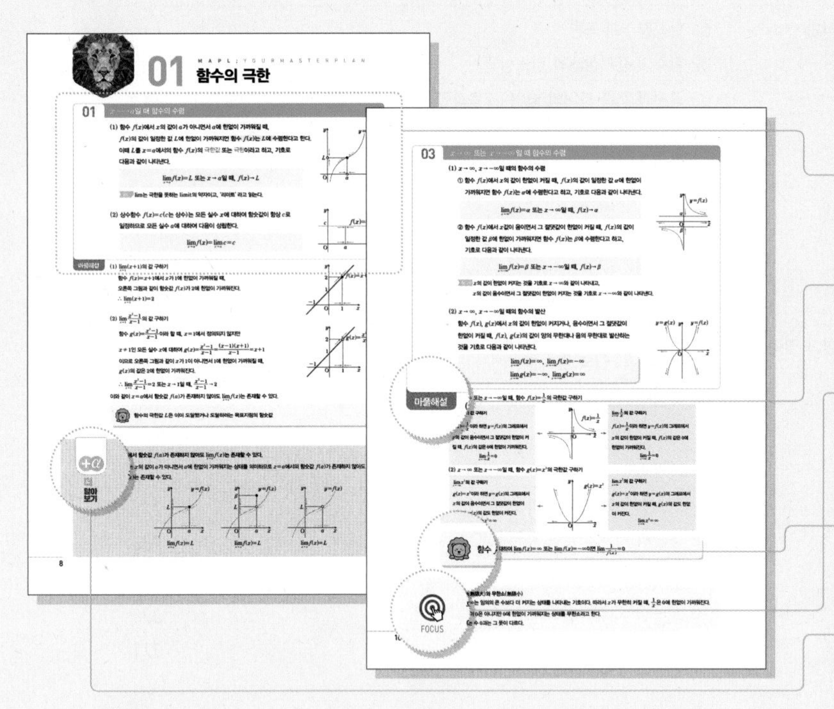

01 개념정리 단계
자세한 개념 설명 + [보기]의 일체화

개념정리
교육과정을 체계화하여 알기 편하게 구성하였고 교과서의 개념을 [보기]문제로 정리, 일체화를 꾀했습니다.

마플해설
개념의 원리나 공식 유도 과정 및 성질을 증명하여 개념의 완벽한 이해를 돕기 위한 부가 설명입니다.

FOCUS정리
주요 개념 정리와 마플해설 단계에서 배운 내용을 요약, 정리하여 학습 내용을 한 눈에 쉽게 상기할 수 있도록 요점 정리와 보충 학습이 가능하도록 했습니다.

Keypoint

마플해설에서 요점이나 중심을 두는 부분으로 핵심만을 쉽게 정리하여 암기할 수 있도록 제시된 내용입니다.

+α 더 알아보기
개념정리와 마플해설에서 필요한 세부적인 내용을 추가하여 정리하였습니다.

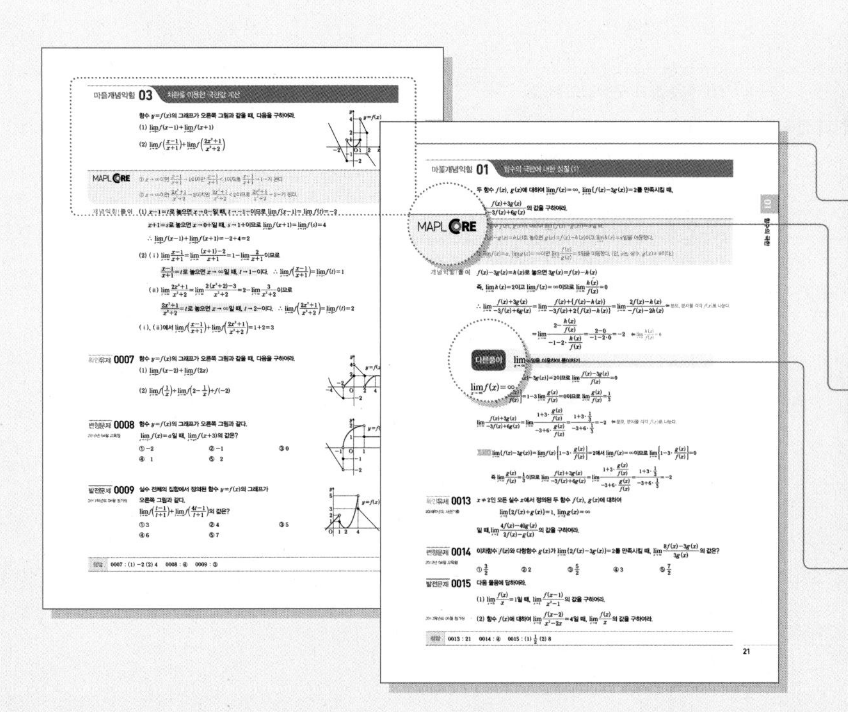

02 개념익힘 단계 PART1
핵심 개념을 아우르는 예시문제 연습

마플개념익힘
개념정리 단계를 통해 배운 개념을 적용할 수 있는 대표적인 핵심 유형 문제입니다. 마플코어에서 새로 도입할 내용과 원리의 실마리를 제공하고 마플 풀이를 통해서 개념을 확실하게 이해하게 하였습니다.

마플코어
학습한 내용의 핵심개념을 정리하여 개념 익힘 해결에 결정적 역할을 하는 실마리를 제공합니다. 보다 쉽게 문제와 개념을 연결해 해결할 수 있도록 도움을 줍니다.

다른 풀이
다각적으로 사고하는 연습이 필요하므로 다른 방법(교육과정 외의 개념 또는 특이한 풀이, 직관적인 풀이 등)으로 문제에 접근할 수 있도록 알려 줍니다.

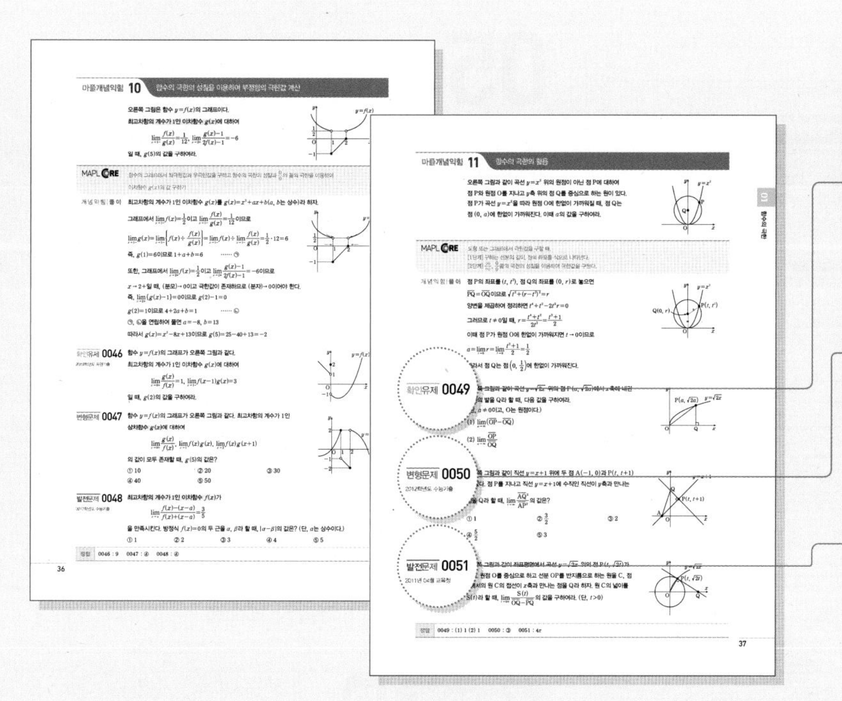

03 개념익힘 단계 PART2

확인유제 + 변형문제 + 발전문제

확인유제

개념익힘문제를 통해 익힌 풀이 과정을 반복 연습하면서 스스로 문제를 해결할 수 있는 힘을 키울 수 있습니다.

변형문제

개념익힘 및 확인유제보다 더 새롭고 강한 개념을 가지는 업그레이드된 문제입니다. 사고력을 키울 수 있는 문제로 구성되어 새로운 문제 적응력을 키울 수 있습니다.

발전문제

내신과 수능에서 개념익힘에 해당하는 종합적인 문제해결능력을 키울 수 있는 응용문제로서 고득점을 얻기 위한 중요한 문제로 구성되었습니다.

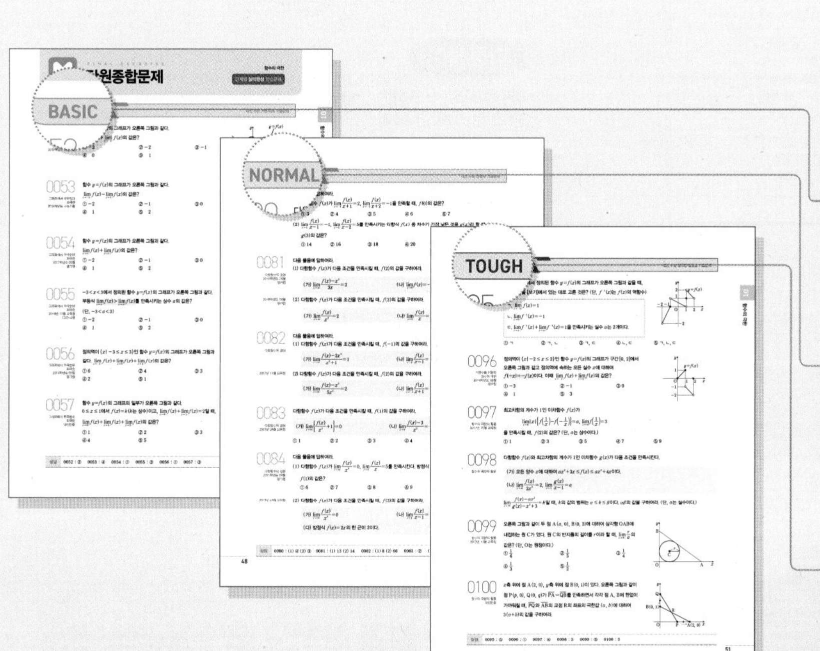

04 단원종합문제

BASIC + NORMAL + TOUGH

BASIC 내신, 수능 기본 대표기출문제

정답률 70%이상의 내신 기출문제와 교육청/평가원 기출문제로, 기본 계산문제와 내용 실수를 줄이도록 기존의 개념익힘문제를 반복할 수 있도록 구성된 문제입니다.

NORMAL 내신, 수능 변별력 기출문제

정답율 30%이하인 학교내신 1등급, 수능 1등급을 목표로 해서 변별력 있는 문제로 구성하였습니다.

서술형

복합적인 내용을 가진 변별력 높은 서술형 문제를 단계별로 서술하여 서술형 대비를 보다 체계적으로 할 수 있게 하였습니다.

TOUGH 내신, 수능 행복한 일등급 기출문제

각종 기출문제에서 오답률 70%이상의 문제로서 수학적 사고력을 기르고, 문제해결능력 및 추론문제로 구성된 수능 21, 29, 30번에 도전하는 수준 높은 문제로 구성하였습니다.

MAPLGUIDE

구성과 특징

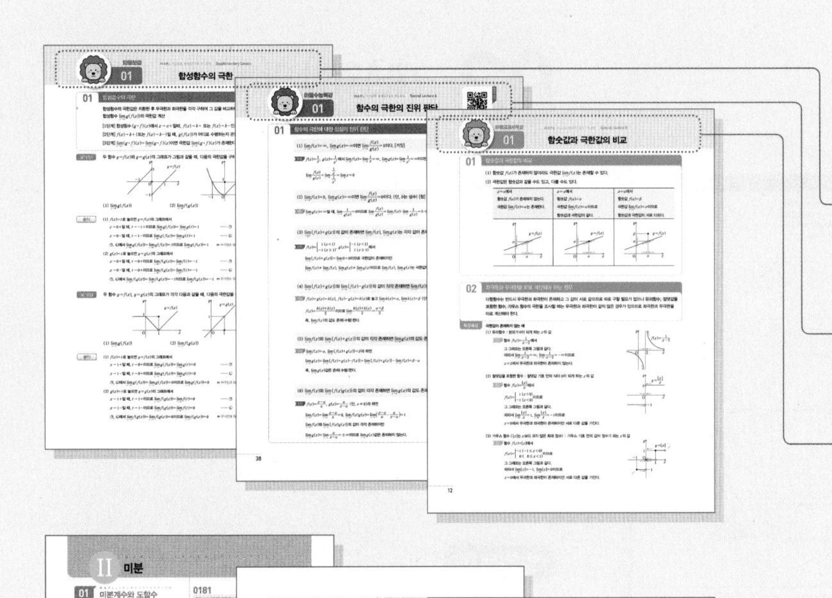

05 마플보충 / 마플특강
심층학습을 위한 추가 파트

마플보충

교육과정에서 다루고 있지 않지만 개념 이해와 문제 해결능력에 유용한 내용을 제시하여 수학적 원리의 이해도를 높일 수 있도록 했습니다.

마플수능특강

교육과정에서 다루는 새로운 개념 이해와 수능문제 해결능력에 유용한 내용을 제시하여 수학적 원리의 이해도를 높일 수 있도록 했습니다.

마플교과서특강

학교 교과서에서 수학적 사고력을 기르는 내용을 요점정리하여 추가했습니다.

06 정답과 해설
정답과 해설의 요소들

Keypoint

해설 내용에서 요점이나 중심을 두는 부분으로 핵심만을 쉽게 정리하여 암기할 수 있도록 제시된 내용입니다.

다른풀이

다각적으로 사고하는 연습이 필요하므로 다른 방법 (교육과정 외의 개념 또는 특이한 풀이, 직관적인 풀이 등)으로 문제에 접근할 수 있도록 알려줍니다.

$+\alpha$

해설부분의 추가적인 설명이 필요한 내용을 정리하였습니다.

수학 Ⅱ

Ⅰ 함수의 극한과 연속 Ⅱ 미분 Ⅲ 적분

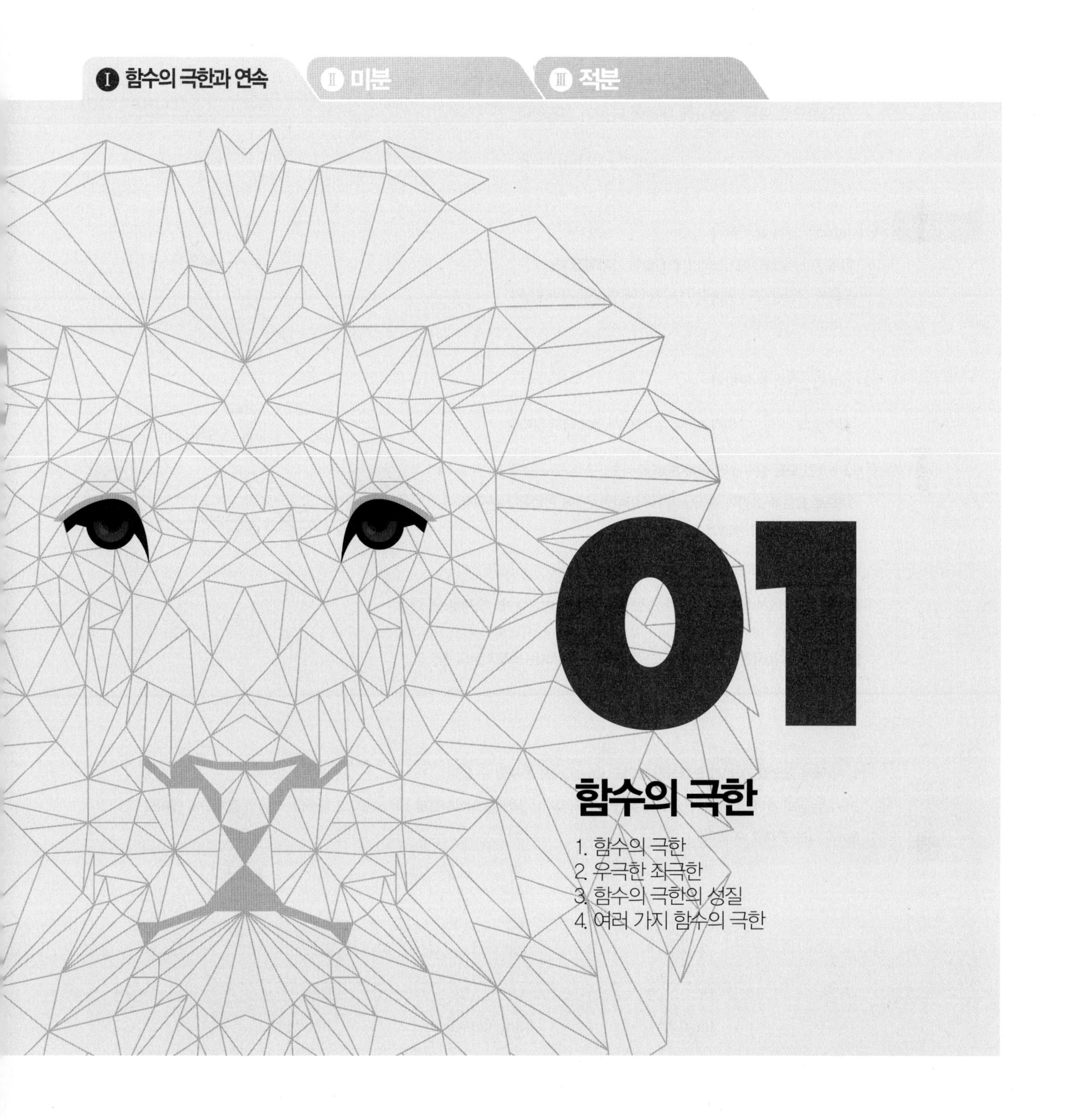

01 함수의 극한

1. 함수의 극한
2. 우극한 좌극한
3. 함수의 극한의 성질
4. 여러 가지 함수의 극한

01 함수의 극한

M A P L ; Y O U R M A S T E R P L A N

01 $x \longrightarrow a$일 때 함수의 수렴

(1) 함수 $f(x)$에서 x의 값이 a가 아니면서 a에 한없이 가까워질 때, $f(x)$의 값이 일정한 값 L에 한없이 가까워지면 함수 $f(x)$는 L에 수렴한다고 한다. 이때 L를 $x=a$에서의 함수 $f(x)$의 극한값 또는 극한이라고 하고, 기호로 다음과 같이 나타낸다.

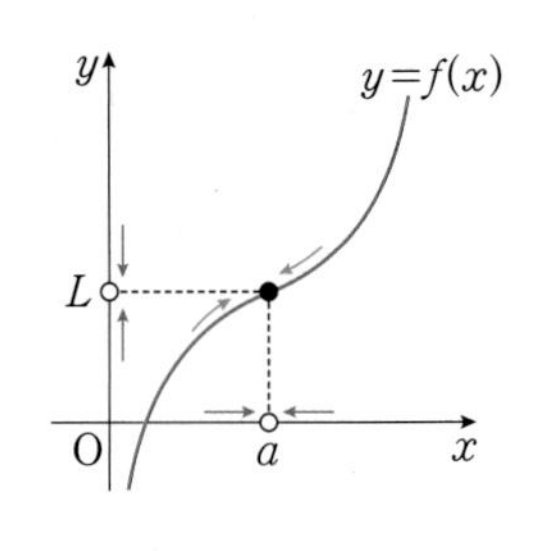

$$\lim_{x\to a} f(x)=L \text{ 또는 } x\to a\text{일 때, } f(x)\to L$$

EX lim는 극한을 뜻하는 limit의 약자이고, '리미트' 라고 읽는다.

(2) 상수함수 $f(x)=c$(c는 상수)는 모든 실수 x에 대하여 함숫값이 항상 c로 일정하므로 모든 실수 a에 대하여 다음이 성립한다.

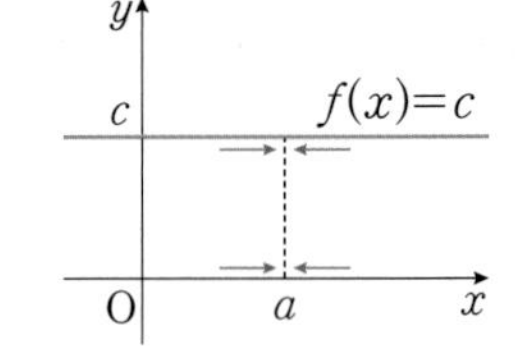

$$\lim_{x\to a} f(x)=\lim_{x\to a} c=c$$

마플해설

(1) $\lim\limits_{x\to 1}(x+1)$의 값 구하기

함수 $f(x)=x+1$에서 x가 1에 한없이 가까워질 때,
오른쪽 그림과 같이 함숫값 $f(x)$가 2에 한없이 가까워진다.
$\therefore \lim\limits_{x\to 1}(x+1)=2$

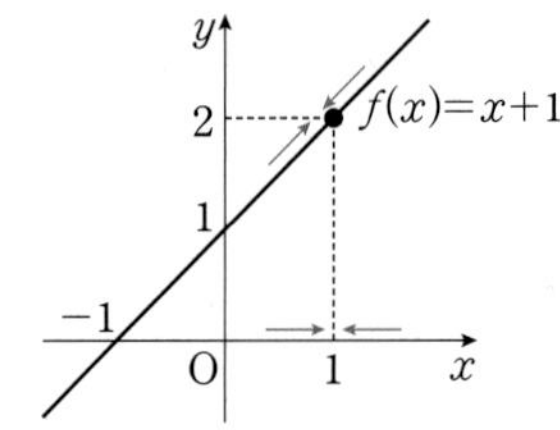

(2) $\lim\limits_{x\to 1}\dfrac{x^2-1}{x-1}$의 값 구하기

함수 $g(x)=\dfrac{x^2-1}{x-1}$이라 할 때, $x=1$에서 정의되지 않지만

$x\neq 1$인 모든 실수 x에 대하여 $g(x)=\dfrac{x^2-1}{x-1}=\dfrac{(x-1)(x+1)}{x-1}=x+1$

이므로 오른쪽 그림과 같이 x가 1이 아니면서 1에 한없이 가까워질 때,
$g(x)$의 값은 2에 한없이 가까워진다.

$\therefore \lim\limits_{x\to 1}\dfrac{x^2-1}{x-1}=2$ 또는 $x\to 1$일 때, $\dfrac{x^2-1}{x-1}\to 2$

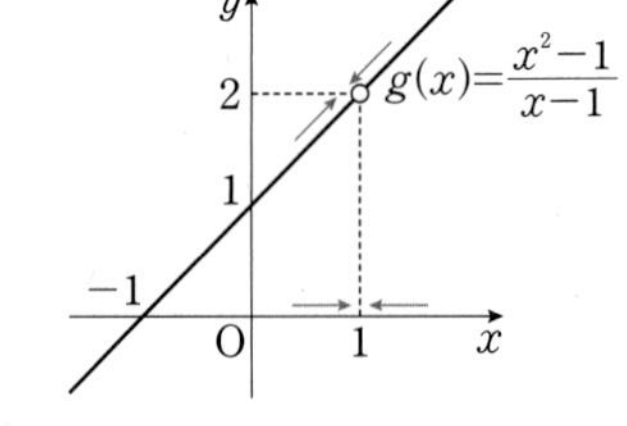

이와 같이 $x=a$에서 함숫값 $f(a)$가 존재하지 않아도 $\lim\limits_{x\to a} f(x)$는 존재할 수 있다.

함수의 극한값 L은 이미 도달했거나 도달하려는 목표지점의 함숫값

+α 더 알아보기

$x=a$에서 함숫값 $f(a)$가 존재하지 않아도 $\lim\limits_{x\to a} f(x)$는 존재할 수 있다.

$x\to a$는 x의 값이 a가 아니면서 a에 한없이 가까워지는 상태를 의미하므로 $x=a$에서의 함숫값 $f(a)$가 존재하지 않아도 $\lim\limits_{x\to a} f(x)$는 존재할 수 있다.

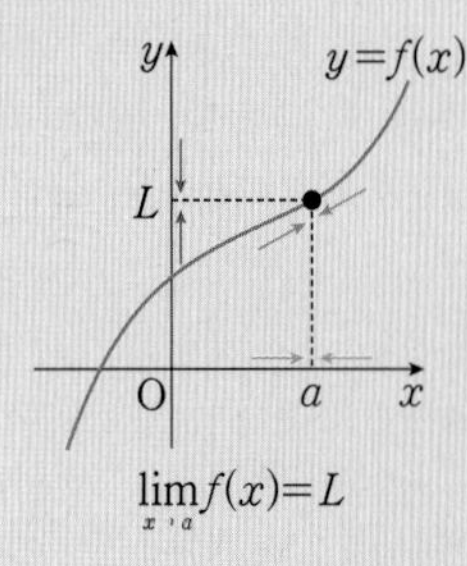

$\lim\limits_{x\to a} f(x)=L$

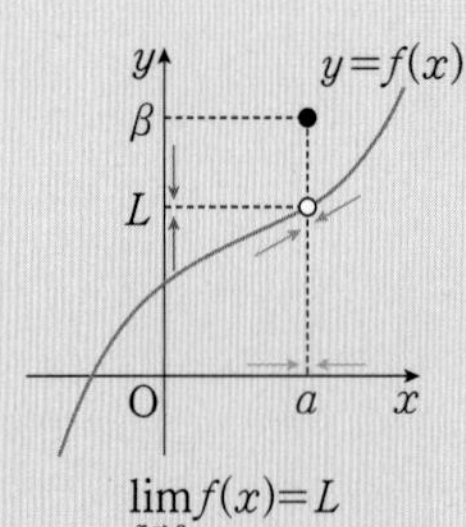

$\lim\limits_{x\to a} f(x)=L$

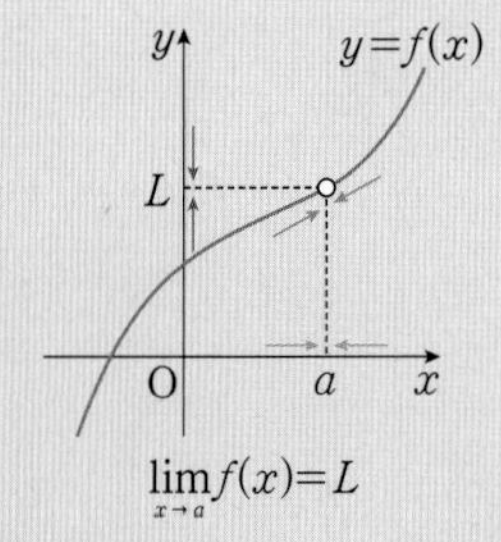

$\lim\limits_{x\to a} f(x)=L$

02 $x \longrightarrow a$일 때 함수의 발산

(1) 양의 무한대로 발산

함수 $f(x)$에서 x의 값이 a가 아니면서 a에 한없이 가까워질 때 $f(x)$의 값이 한없이 커지면 함수 $f(x)$는 '양의 무한대로 발산한다.' 고 하며 기호로 다음과 같이 나타낸다.

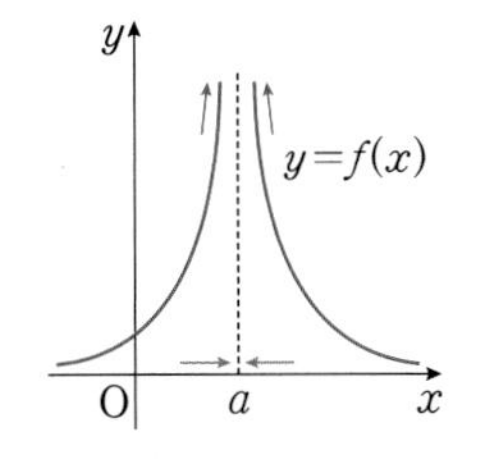

$$\lim_{x \to a} f(x) = \infty \text{ 또는 } x \to a\text{일 때, } f(x) \to \infty$$

참고 한없이 커지는 것을 기호로 ∞를 사용하여 나타내고 무한대(無限大)로 읽는다.
또, 음수이면서 그 절댓값이 한없이 커지는 것을 기호 $-\infty$를 사용하여 나타낸다.

주의 ∞는 한없이 커지는 상태를 나타내는 기호이지 수는 아니다.

(2) 음의 무한대로 발산

함수 $f(x)$에서 x의 값이 a가 아니면서 a에 한없이 가까워질 때 $f(x)$의 값이 음수이면서 그 절댓값이 한없이 커지면 함수 $f(x)$는 '음의 무한대로 발산한다.' 고 하며 기호로 다음과 같이 나타낸다.

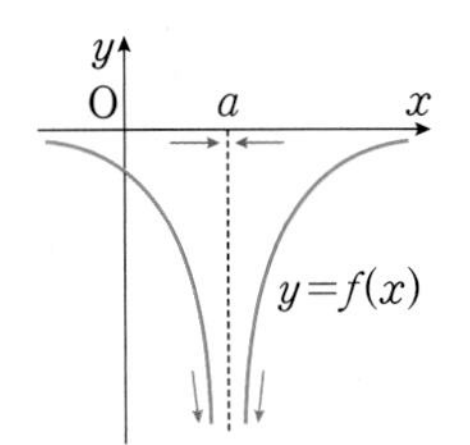

$$\lim_{x \to a} f(x) = -\infty \text{ 또는 } x \to a\text{일 때, } f(x) \to -\infty$$

$\lim_{x \to a} f(x) = \infty$는 함수 $f(x)$의 $x=a$에서의 극한값이 ∞라는 뜻이 아니라 $f(x)$의 값이 한없이 커지는 상태라는 것을 의미하므로 '극한값이 없다.' 고 한다.

마플해설

(1) $\lim_{x \to 0} \frac{1}{|x|}$의 값 구하기

함수 $f(x) = \frac{1}{|x|}$에서 $x \to 0$일 때, $f(x)$의 값은 한없이 커진다.

즉, $x \to 0$일 때 $f(x)$는 양의 무한대로 발산하므로 다음이 성립한다.

$\lim_{x \to 0} f(x) = \lim_{x \to 0} \frac{1}{|x|} = \infty$

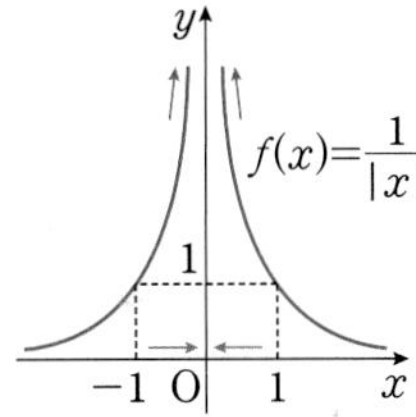

(2) $\lim_{x \to 0}\left(-\frac{1}{|x|}\right)$의 값 구하기

함수 $f(x) = -\frac{1}{|x|}$에서 $x \to 0$일 때, $f(x)$의 값은 음수이면서 그 절댓값이 한없이 커진다.

즉, $x \to 0$일 때 $f(x)$는 음의 무한대로 발산하므로 다음이 성립한다.

$\lim_{x \to 0} f(x) = \lim_{x \to 0}\left(-\frac{1}{|x|}\right) = -\infty$

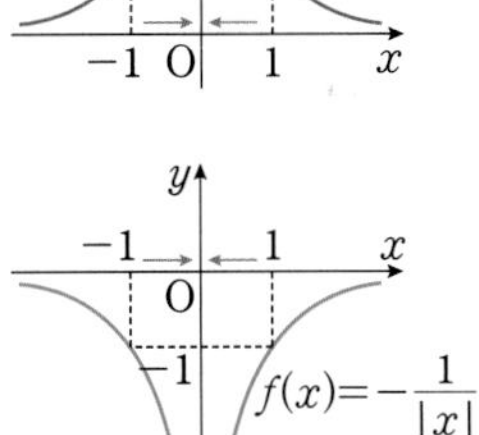

보기 01 다음 극한을 조사하여라.

(1) $\lim_{x \to 1} \frac{1}{|x-1|}$　　　(2) $\lim_{x \to 0}\left(-\frac{1}{x^2}\right)$

풀이

(1) $f(x) = \frac{1}{|x-1|}$이라 하면 $y=f(x)$의 그래프에서 x의 값이 1에 한없이 가까워질 때, $f(x)$의 값은 한없이 커진다.

즉, $\lim_{x \to 1} \frac{1}{|x-1|} = \infty$

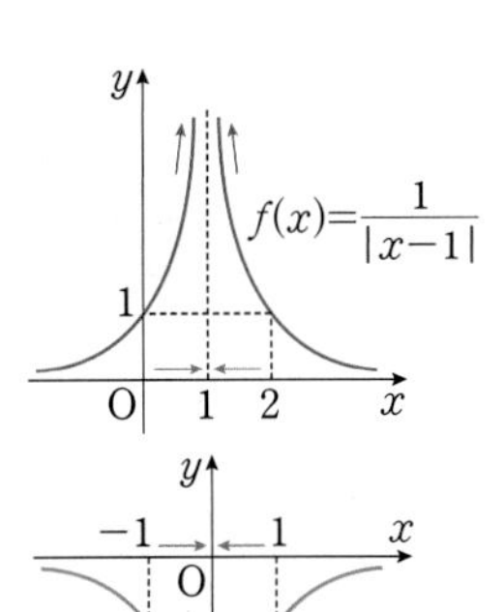

(2) $f(x) = -\frac{1}{x^2}$이라 하면 $y=f(x)$의 그래프에서 x의 값이 0에 한없이 가까워질 때, $f(x)$의 값은 음수이면서 그 절댓값이 한없이 커진다.

즉, $\lim_{x \to 0}\left(-\frac{1}{x^2}\right) = -\infty$

03 $x \to \infty$ 또는 $x \to -\infty$일 때 함수의 수렴

(1) $x \to \infty$, $x \to -\infty$일 때의 함수의 수렴

① 함수 $f(x)$에서 x의 값이 한없이 커질 때, $f(x)$의 값이 일정한 값 α에 한없이 가까워지면 함수 $f(x)$는 α에 수렴한다고 하고, 기호로 다음과 같이 나타낸다.

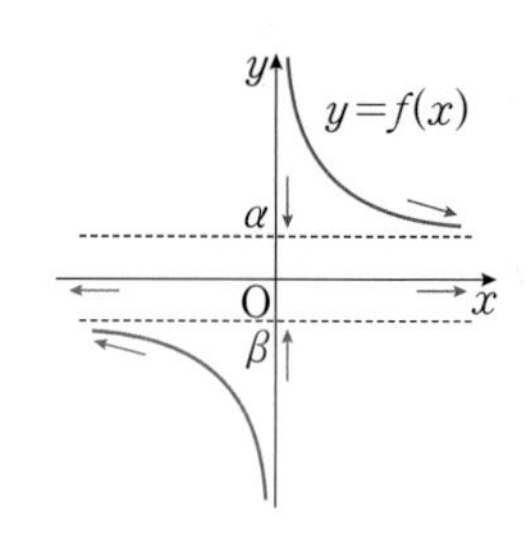

$$\lim_{x \to \infty} f(x) = \alpha \text{ 또는 } x \to \infty \text{일 때, } f(x) \to \alpha$$

② 함수 $f(x)$에서 x값이 음이면서 그 절댓값이 한없이 커질 때, $f(x)$의 값이 일정한 값 β에 한없이 가까워지면 함수 $f(x)$는 β에 수렴한다고 하고, 기호로 다음과 같이 나타낸다.

$$\lim_{x \to -\infty} f(x) = \beta \text{ 또는 } x \to -\infty \text{일 때, } f(x) \to \beta$$

참고 x의 값이 한없이 커지는 것을 기호로 $x \to \infty$와 같이 나타내고, x의 값이 음수이면서 그 절댓값이 한없이 커지는 것을 기호로 $x \to -\infty$와 같이 나타낸다.

(2) $x \to \infty$, $x \to -\infty$일 때의 함수의 발산

함수 $f(x)$, $g(x)$에서 x의 값이 한없이 커지거나, 음수이면서 그 절댓값이 한없이 커질 때, $f(x)$, $g(x)$의 값이 양의 무한대나 음의 무한대로 발산하는 것을 기호로 다음과 같이 나타낸다.

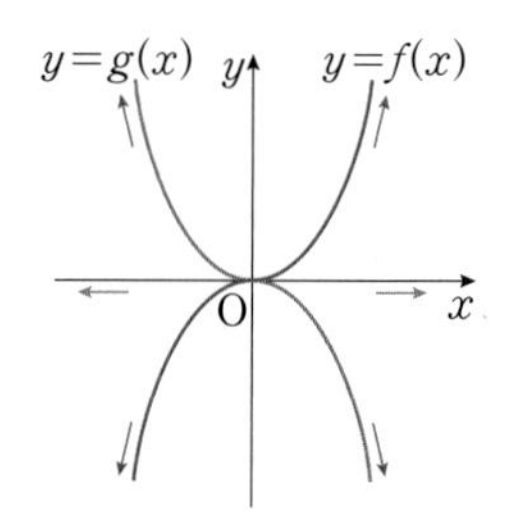

$$\lim_{x \to \infty} f(x) = \infty, \ \lim_{x \to -\infty} f(x) = -\infty$$
$$\lim_{x \to \infty} g(x) = -\infty, \ \lim_{x \to -\infty} g(x) = \infty$$

마플해설

(1) $x \to \infty$ 또는 $x \to -\infty$일 때, 함수 $f(x)=\frac{1}{x}$의 극한값 구하기

$\lim_{x \to -\infty} \frac{1}{x}$의 값 구하기

$f(x)=\frac{1}{x}$이라 하면 $y=f(x)$의 그래프에서 x의 값이 음수이면서 그 절댓값이 한없이 커질 때, $f(x)$의 값은 0에 한없이 가까워진다.

$$\lim_{x \to -\infty} \frac{1}{x} = 0$$

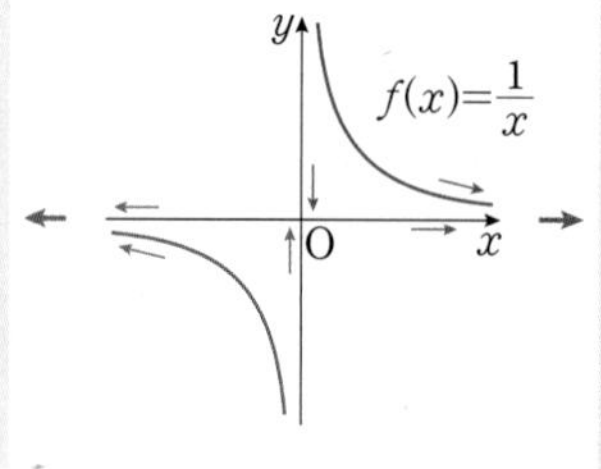

$\lim_{x \to \infty} \frac{1}{x}$의 값 구하기

$f(x)=\frac{1}{x}$이라 하면 $y=f(x)$의 그래프에서 x의 값이 한없이 커질 때, $f(x)$의 값은 0에 한없이 가까워진다.

$$\lim_{x \to \infty} \frac{1}{x} = 0$$

(2) $x \to \infty$ 또는 $x \to -\infty$일 때, 함수 $g(x)=x^2$의 극한값 구하기

$\lim_{x \to -\infty} x^2$의 값 구하기

$g(x)=x^2$이라 하면 $y=g(x)$의 그래프에서 x의 값이 음수이면서 그 절댓값이 한없이 커질 때, $g(x)$의 값도 한없이 커진다.

$$\lim_{x \to -\infty} x^2 = \infty$$

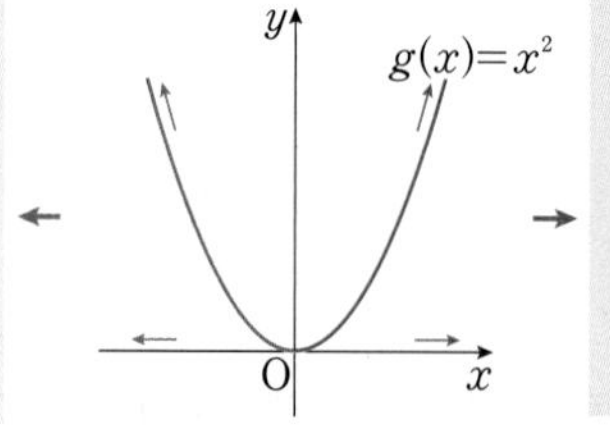

$\lim_{x \to \infty} x^2$의 값 구하기

$g(x)=x^2$이라 하면 $y=g(x)$의 그래프에서 x의 값이 한없이 커질 때, $g(x)$의 값도 한없이 커진다.

$$\lim_{x \to \infty} x^2 = \infty$$

함수 $f(x)$에 대하여 $\lim_{x \to \infty} f(x) = \infty$ 또는 $\lim_{x \to \infty} f(x) = -\infty$이면 $\lim_{x \to \infty} \frac{1}{f(x)} = 0$

FOCUS

무한대(無限大)와 무한소(無限小)

무한대 ∞는 임의의 큰 수보다 더 커지는 상태를 나타내는 기호이다. 따라서 x가 무한히 커질 때, $\frac{1}{x}$은 0에 한없이 가까워진다.

이와 같이 0은 아니지만 0에 한없이 가까워지는 상태를 무한소라고 한다.

무한소는 수 0과는 그 뜻이 다르다.

02 우극한 좌극한

MAPL; YOURMASTERPLAN

01 우극한과 좌극한

(1) 우극한

x가 a보다 크면서 a에 한없이 가까워질 때, $f(x)$의 값이 일정한 값 L에 한없이 가까워지면 L을 $x=a$에서의 함수 $f(x)$의 **우극한**이라 하고, 기호로 다음과 같이 나타낸다.

$$\lim_{x \to a+} f(x)=L \text{ 또는 } x \to a+\text{일 때, } f(x) \to L$$

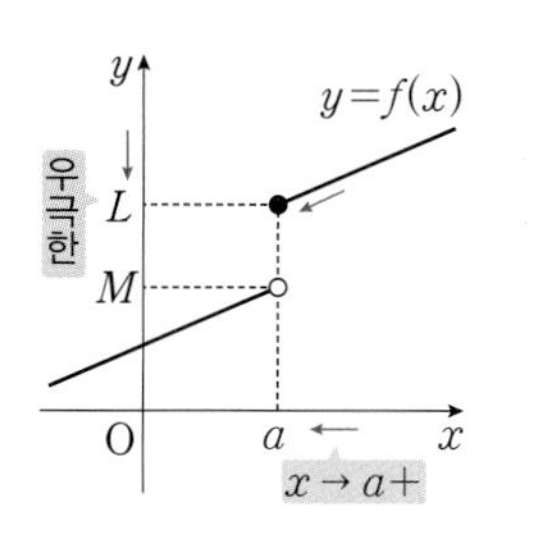

(2) 좌극한

x가 a보다 작으면서 a에 한없이 가까워질 때, $f(x)$의 값이 일정한 값 M에 한없이 가까워지면 M을 $x=a$에서의 함수 $f(x)$의 **좌극한**이라 하고, 기호로 다음과 같이 나타낸다.

$$\lim_{x \to a-} f(x)=M \text{ 또는 } x \to a-\text{일 때, } f(x) \to M$$

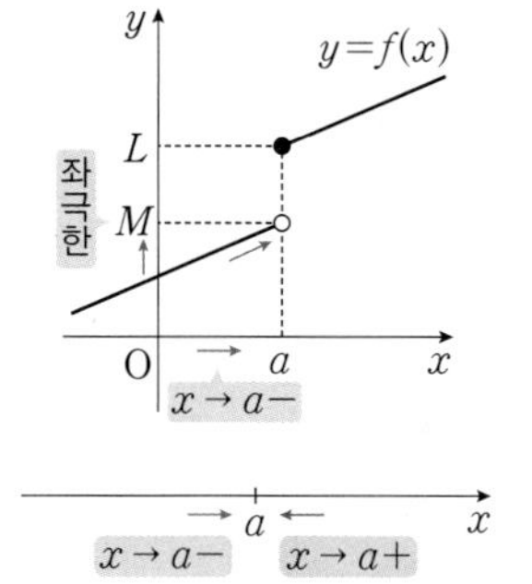

참고 ① $x \to a+$는 x가 a보다 크면서 a에 한없이 가까워지는 것을 나타낸다.
② $x \to a-$는 x가 a보다 작으면서 a에 한없이 가까워지는 것을 나타낸다.

$x \to a-$ a $x \to a+$ x

(3) 극한값 존재 조건

함수 $f(x)$에 대하여 $x=a$에서의 함수 $f(x)$의 극한값이 L이면 $x=a$에서의 $f(x)$의 **우극한과 좌극한이 모두 존재하고 그 값은 L과 같으며**, 극한값 $\lim_{x \to a} f(x)$가 존재한다.

또, 그 역도 성립한다.

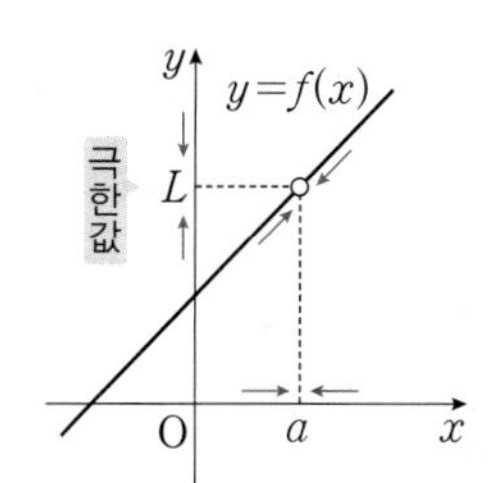

$$\lim_{x \to a+} f(x)=\lim_{x \to a-} f(x)=L \Longleftrightarrow \lim_{x \to a} f(x)=L$$

($\lim_{x \to a+} f(x)$: $x=a$에서의 $f(x)$의 우극한, $\lim_{x \to a-} f(x)$: $x=a$에서의 $f(x)$의 좌극한)

주의 함수 $f(x)$의 $x=a$에서의 우극한 또는 좌극한이 존재하지 않거나 좌극한과 우극한이 모두 존재하더라도 그 값이 같지 않으면 극한값 $\lim_{x \to a} f(x)$는 존재하지 않는다.

마플해설 함수 $f(x)$의 $x=a$에서의 우극한과 좌극한이 모두 존재하더라도 그 값이 같지 않으면 극한값 $\lim_{x \to a} f(x)$는 존재하지 않는다.

예를 들면 함수

$$f(x)=\frac{x^2-1}{|x-1|}=\begin{cases} x+1 & (x>1) \\ -x-1 & (x<1) \end{cases}$$

에 대하여 함수 $y=f(x)$의 그래프는 다음과 같고 극한값 $\lim_{x \to 1} f(x)$이 존재하지 않는다.

$f(x)$의 좌극한

함수 $f(x)$에서 $x \to 1-$일 때, $f(x)$의 값은 -2에 한없이 가까워진다. 이때 -2를 함수 $f(x)$의 $x=1$에서의 좌극한이라 한다.

$\lim_{x \to 1-} f(x)=-2$

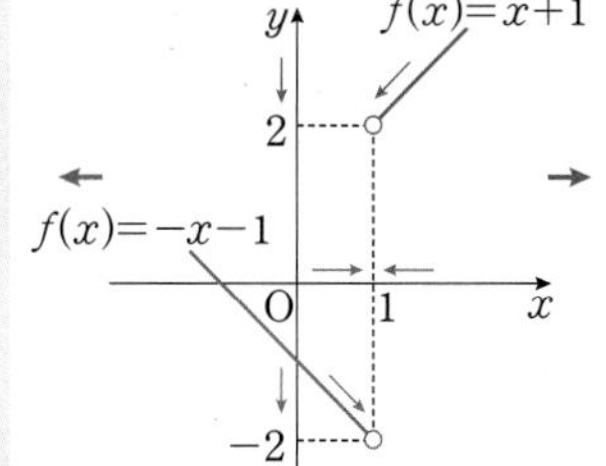

$f(x)$의 우극한

함수 $f(x)$에서 $x \to 1+$일 때, $f(x)$의 값은 2에 한없이 가까워진다. 이때 2를 함수 $f(x)$의 $x=1$에서의 우극한이라 한다.

$\lim_{x \to 1+} f(x)=2$

따라서 $\lim_{x \to 1+} f(x) \neq \lim_{x \to 1-} f(x)$이므로 극한값 $\lim_{x \to 1} f(x)$는 존재하지 않는다.

함숫값과 극한값의 비교

01 함숫값과 극한값의 비교

(1) 함숫값 $f(a)$가 존재하지 않더라도 극한값 $\lim\limits_{x \to a} f(x)$는 존재할 수 있다.

(2) 극한값은 함숫값과 같을 수도 있고, 다를 수도 있다.

$x=a$에서 함숫값 $f(a)$가 존재하지 않는다. 극한값 $\lim\limits_{x \to a} f(x)=\alpha$는 존재한다.	$x=a$에서 함숫값 $f(a)=\alpha$ 극한값 $\lim\limits_{x \to a} f(x)=\alpha$이므로 함숫값과 극한값이 같다.	$x=a$에서 함숫값 $f(a)=\beta$ 극한값 $\lim\limits_{x \to a} f(x)=\alpha$이므로 함숫값과 극한값이 서로 다르다.
$y=f(x)$	$y=f(x)$	$y=f(x)$

02 좌극한과 우극한을 따로 계산해야 하는 경우

다항함수는 반드시 우극한과 좌극한이 존재하고 그 값이 서로 같으므로 따로 구할 필요가 없으나 유리함수, 절댓값을 포함한 함수, 가우스 함수의 극한을 조사할 때는 우극한과 좌극한이 같지 않은 경우가 있으므로 좌극한과 우극한을 따로 계산해야 한다.

특강해설 **극한값이 존재하지 않는 예**

(1) 유리함수 : 분모가 0이 되게 하는 x의 값

EX 함수 $f(x)=\dfrac{1}{x-2}$에서

그 그래프는 오른쪽 그림과 같다.

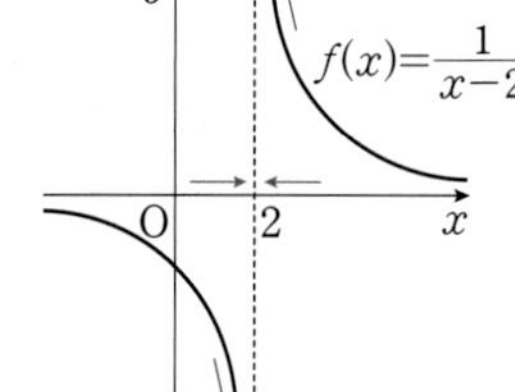

따라서 $\lim\limits_{x \to 2+} \dfrac{1}{x-2}=\infty$, $\lim\limits_{x \to 2-} \dfrac{1}{x-2}=-\infty$이므로

$x=2$에서 우극한과 좌극한이 존재하지 않는다.

(2) 절댓값을 포함한 함수 : 절댓값 기호 안의 식이 0이 되게 하는 x의 값

EX 함수 $f(x)=\dfrac{|x|}{x}$에서

$f(x)=\begin{cases} 1 & (x>0) \\ -1 & (x<0) \end{cases}$이므로

그 그래프는 오른쪽 그림과 같다.

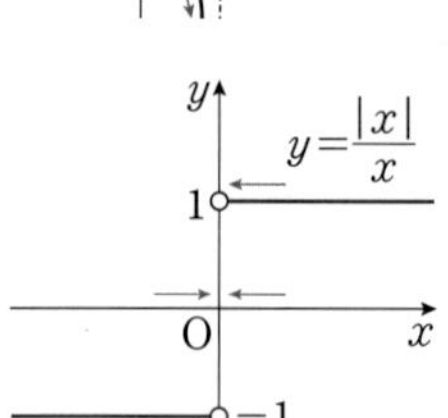

따라서 $\lim\limits_{x \to 0+} \dfrac{|x|}{x}=1$, $\lim\limits_{x \to 0-} \dfrac{|x|}{x}=-1$이므로

$x=0$에서 우극한과 좌극한이 존재하지만 서로 다른 값을 가진다.

(3) 가우스 함수 ($[x]$는 x보다 크지 않은 최대 정수) : 가우스 기호 안의 값이 정수가 되는 x의 값

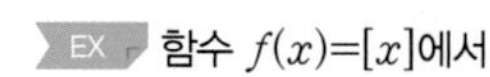
EX 함수 $f(x)=[x]$에서

$f(x)=\begin{cases} -1 & (-1 \le x<0) \\ 0 & (0 \le x<1) \end{cases}$이므로

그 그래프는 오른쪽 그림과 같다.

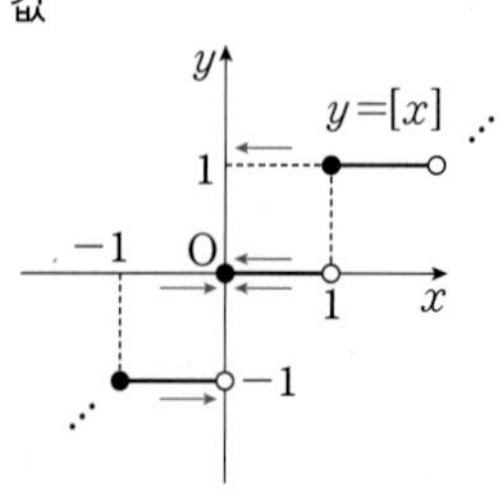

따라서 $\lim\limits_{x \to 0-} [x]=-1$, $\lim\limits_{x \to 0+} [x]=0$이므로

$x=0$에서 우극한과 좌극한이 존재하지만 서로 다른 값을 가진다.

마플개념익힘 01 그래프에서 함수의 좌극한과 우극한

$-2\le x\le 2$에서 정의된 함수 $y=f(x)$의 그래프가 오른쪽 그림과 같을 때, 다음 극한값을 구하여라.

(1) $\lim_{x\to-1+}f(x)$, $\lim_{x\to-1-}f(x)$을 각각 구하여라.

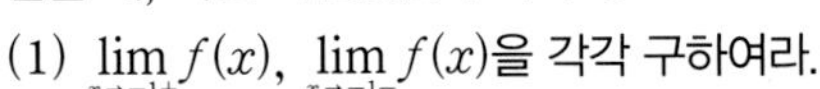

(2) $\lim_{x\to1+}f(x)$, $\lim_{x\to1-}f(x)$을 각각 구하여라.

(3) $f(0)+\lim_{x\to0-}f(x)$의 값을 구하여라.

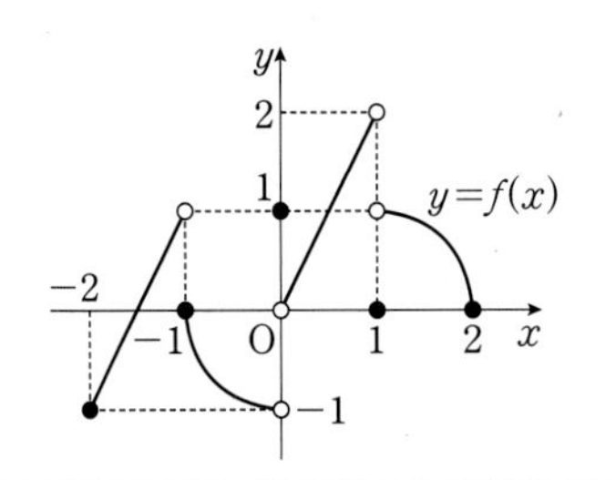

개념익힘 | 풀이

(1) 오른쪽 그림에서

$x\to-1+$일 때, $f(x)\to0$이므로 $\lim_{x\to-1+}f(x)=\mathbf{0}$

$x\to-1-$일 때, $f(x)\to1$이므로 $\lim_{x\to-1-}f(x)=\mathbf{1}$

(2) 오른쪽 그림에서

$x\to1+$일 때, $f(x)\to1$이므로 $\lim_{x\to1+}f(x)=\mathbf{1}$

$x\to1-$일 때, $f(x)\to2$이므로 $\lim_{x\to1-}f(x)=\mathbf{2}$

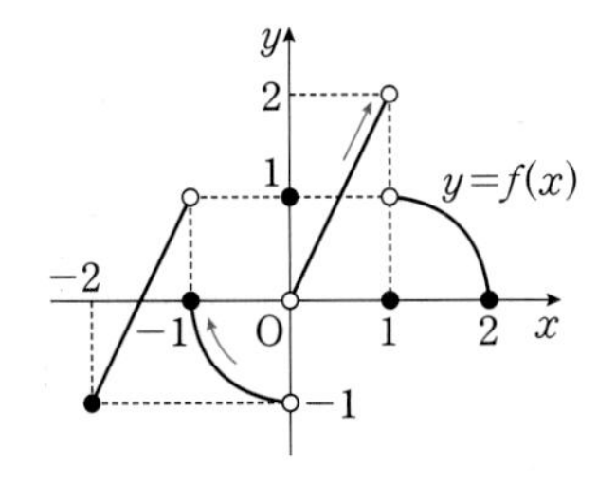

(3) $f(0)=1$이고 $x\to0-$일 때, $f(x)\to-1$이므로 $\lim_{x\to0-}f(x)=-1$

$\therefore\ f(0)+\lim_{x\to0-}f(x)=1+(-1)=\mathbf{0}$

확인유제 0001 다음 물음에 답하여라.

2018년 10월 교육청

(1) 함수 $y=f(x)$의 그래프가 오른쪽 그림과 같다.

$\lim_{x\to-1-}f(x)+\lim_{x\to1+}f(x)$의 값은?

① 1　② 2　③ 3　④ 4　⑤ 5

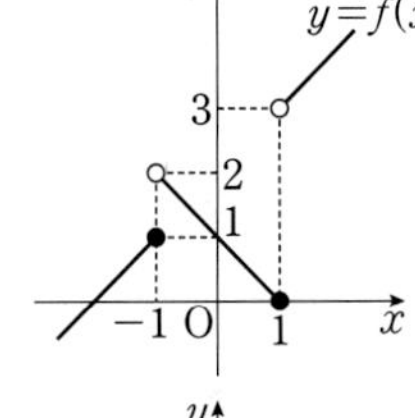

2018학년도 수능기출

(2) 함수 $y=f(x)$의 그래프가 오른쪽 그림과 같다.

$\lim_{x\to0-}f(x)+\lim_{x\to1+}f(x)$의 값은?

① 1　② 2　③ 3　④ 4　⑤ 5

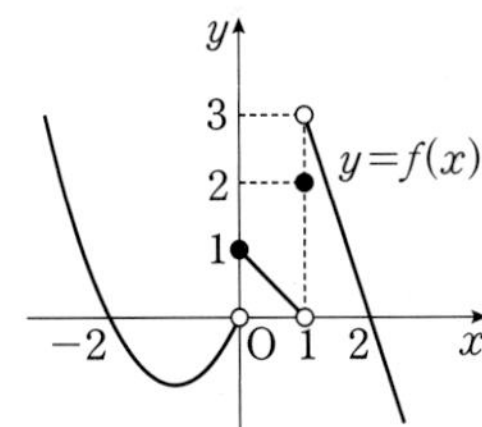

변형문제 0002 함수 $y=f(x)$의 그래프가 오른쪽 그림과 같다.

2016년 10월 교육청

일차함수 $g(x)$가 다음 조건을 만족시킬 때, $g(-5)$의 값은?

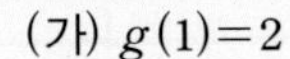

(가) $g(1)=2$

(나) $\lim_{x\to1}f(x)g(2x+1)$의 값이 존재한다.

① 4　② 5　③ 6　④ 7　⑤ 8

발전문제 0003 함수 $f(x)=\begin{cases}\dfrac{x^2}{4} & (|x|<2)\\ 0 & (|x|=2)\\ -|x|+4 & (|x|>2)\end{cases}$에 대하여 $\lim_{x\to a-}f(x)=2$를 만족시키는 상수 a의 값은?

2017년 10월 교육청

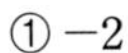

① -2　② -1　③ 0　④ 1　⑤ 2

정답 0001 : (1) ④ (2) ③　0002 : ⑤　0003 : ①

마플개념익힘 02 함수의 극한값 존재 조건

함수

$$f(x)=\begin{cases} x^2-4x+4 & (x>2) \\ -x+k & (x\le 2) \end{cases}$$

에 대하여 $\lim_{x\to 2}f(x)$의 값이 존재하도록 하는 상수 k의 값을 구하여라.

MAPL CORE 좌극한과 우극한이 같으면 극한값이 존재한다.
함수 $f(x)$에 대하여 $x=a$에서의 함수 $f(x)$의 극한값이 존재하면 우극한과 좌극한이 일치해야 한다.
$\lim_{x\to a}f(x)=\alpha \Longleftrightarrow \lim_{x\to a+}f(x)=\lim_{x\to a-}f(x)=\alpha$

개념익힘 | **풀이** $\lim_{x\to 2}f(x)$의 값이 존재하려면 $x=2$에서의 우극한과 좌극한이 일치해야 한다.

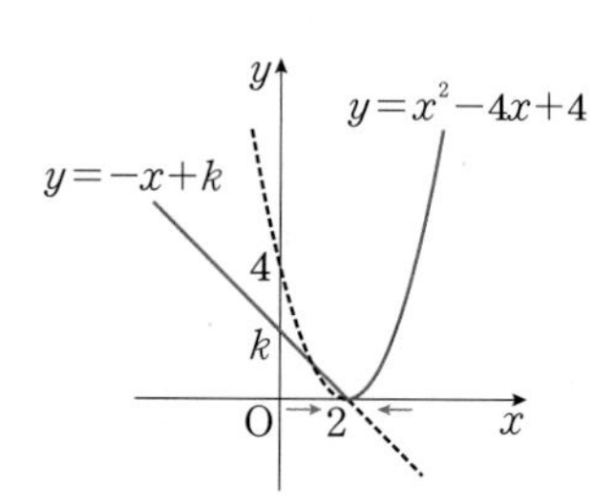

$x>2$일 때, $f(x)=x^2-4x+4$이므로

$\lim_{x\to 2+}f(x)=\lim_{x\to 2+}(x^2-4x+4)=4-8+4=0$ ⬅ 우극한

$x<2$일 때, $f(x)=-x+k$이므로

$\lim_{x\to 2-}f(x)=\lim_{x\to 2-}(-x+k)=-2+k$ ⬅ 좌극한

$\lim_{x\to 2}f(x)$의 값이 존재하기 위해서는 $\lim_{x\to 2+}f(x)=\lim_{x\to 2-}f(x)$

이어야 하므로 $-2+k=0$

$\therefore$ $\boldsymbol{k=2}$

확인유제 0004 다음 물음에 답하여라.

(1) 함수 $f(x)=\begin{cases} x^2+x-k & (x>3) \\ -2x+k & (x\le 3) \end{cases}$에 대하여 $\lim_{x\to 3}f(x)$의 값이 존재하기 위한 실수 k의 값을 구하여라.

(2) 함수 $f(x)=\begin{cases} -3x+k & (x\ge 1) \\ x^2-3x+2 & (x<1) \end{cases}$일 때, $\lim_{x\to 1+}f(x)=\lim_{x\to 1-}f(x)$을 만족하는 상수 k의 값을 구하여라.

변형문제 0005 함수 $f(x)=\begin{cases} \dfrac{x^2-9}{|x-3|} & (x>3) \\ a & (x\le 3) \end{cases}$에 대하여 극한값 $\lim_{x\to 3}f(x)$가 존재할 때, 상수 a의 값은?

① 2　② 4　③ 6　④ 8　⑤ 12

발전문제 0006 함수 $f(x)=\begin{cases} ax+b & (x<1,\ x>4) \\ 0 & (x=1) \\ x^2-4x+5 & (1<x\le 4) \end{cases}$ 에 대하여 $\lim_{x\to 1}f(x)$와 $\lim_{x\to 4}f(x)$의 값이 모두 존재하도록 하는 상수 a, b에 대하여 $a-b$의 값을 구하여라.

정답 0004 : (1) 9 (2) 3　0005 : ③　0006 : 0

마플개념익힘 03 치환을 이용한 극한값 계산

함수 $y=f(x)$의 그래프가 오른쪽 그림과 같을 때, 다음을 구하여라.

(1) $\lim_{x\to 0-}f(x-1)+\lim_{x\to 0+}f(x+1)$

(2) $\lim_{x\to\infty}f\left(\frac{x-1}{x+1}\right)+\lim_{x\to\infty}f\left(\frac{2x^2+1}{x^2+2}\right)$

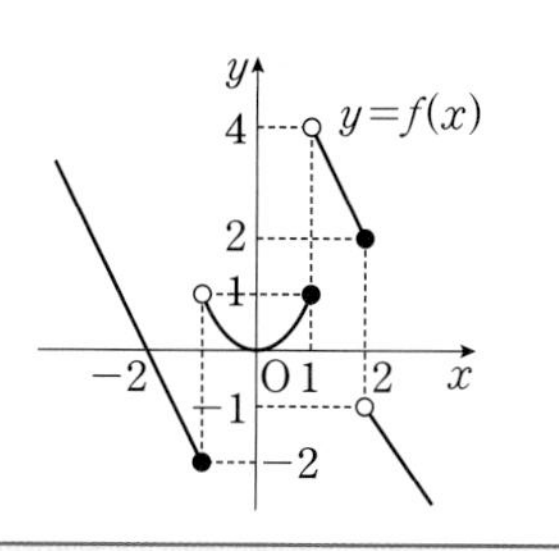

MAPL CORE

① $x\to\infty$이면 $\frac{x-1}{x+1}\to 1$이지만 $\frac{x-1}{x+1}<1$이므로 $\frac{x-1}{x+1}\to 1-$가 된다.

② $x\to\infty$이면 $\frac{2x^2+1}{x^2+2}\to 2$이지만 $\frac{2x^2+1}{x^2+2}<2$이므로 $\frac{2x^2+1}{x^2+2}\to 2-$가 된다.

개념익힘 | 풀이

(1) $x-1=t$로 놓으면 $x\to 0-$일 때, $t\to -1-$이므로 $\lim_{x\to 0-}f(x-1)=\lim_{t\to -1-}f(t)=-2$

$x+1=s$로 놓으면 $x\to 0+$일 때, $s\to 1+$이므로 $\lim_{x\to 0+}f(x+1)=\lim_{s\to 1+}f(s)=4$

$\therefore \lim_{x\to 0-}f(x-1)+\lim_{x\to 0+}f(x+1)=-2+4=\mathbf{2}$

(2) (ⅰ) $\lim_{x\to\infty}\frac{x-1}{x+1}=\lim_{x\to\infty}\frac{(x+1)-2}{x+1}=1-\lim_{x\to\infty}\frac{2}{x+1}$이므로

$\frac{x-1}{x+1}=t$로 놓으면 $x\to\infty$일 때, $t\to 1-$이다. $\therefore \lim_{x\to\infty}f\left(\frac{x-1}{x+1}\right)=\lim_{t\to 1-}f(t)=1$

(ⅱ) $\lim_{x\to\infty}\frac{2x^2+1}{x^2+2}=\lim_{x\to\infty}\frac{2(x^2+2)-3}{x^2+2}=2-\lim_{x\to\infty}\frac{3}{x^2+2}$이므로

$\frac{2x^2+1}{x^2+2}=t$로 놓으면 $x\to\infty$일 때, $t\to 2-$이다. $\therefore \lim_{x\to\infty}f\left(\frac{2x^2+1}{x^2+2}\right)=\lim_{t\to 2-}f(t)=2$

(ⅰ), (ⅱ)에서 $\lim_{x\to\infty}f\left(\frac{x-1}{x+1}\right)+\lim_{x\to\infty}f\left(\frac{2x^2+1}{x^2+2}\right)=1+2=\mathbf{3}$

확인유제 0007

함수 $y=f(x)$의 그래프가 오른쪽 그림과 같을 때, 다음을 구하여라.

(1) $\lim_{x\to 0-}f(x-2)+\lim_{x\to 1+}f(2x)$

(2) $\lim_{x\to\infty}f\left(\frac{1}{x}\right)+\lim_{x\to\infty}f\left(2-\frac{1}{x}\right)+f(-2)$

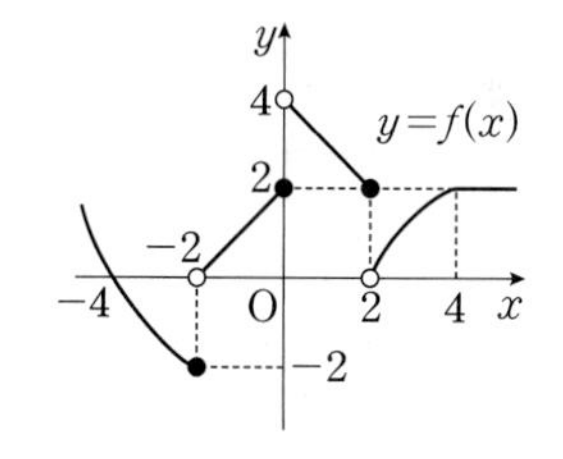

변형문제 0008

2015년 04월 교육청

함수 $y=f(x)$의 그래프가 오른쪽 그림과 같다.

$\lim_{x\to -1-}f(x)=a$일 때, $\lim_{x\to a+}f(x+3)$의 값은?

① -2　② -1　③ 0　④ 1　⑤ 2

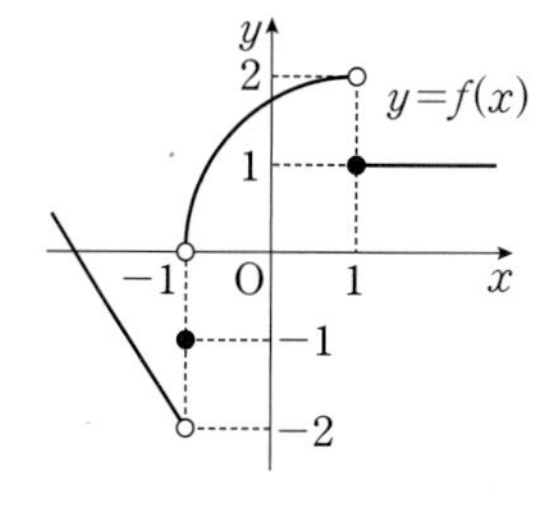

발전문제 0009

2011학년도 06월 평가원

실수 전체의 집합에서 정의된 함수 $y=f(x)$의 그래프가 오른쪽 그림과 같다.

$\lim_{t\to\infty}f\left(\frac{t-1}{t+1}\right)+\lim_{t\to -\infty}f\left(\frac{4t-1}{t+1}\right)$의 값은?

① 3　② 4　③ 5　④ 6　⑤ 7

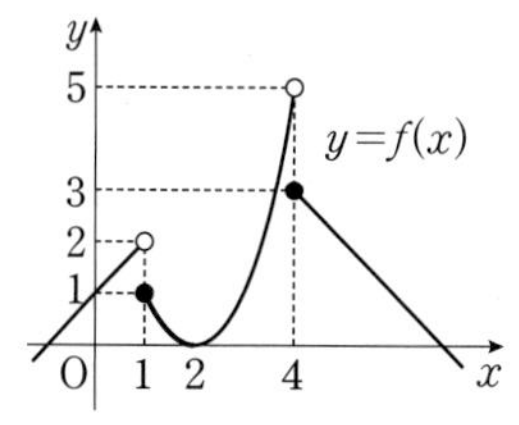

정답 0007 : (1) -2 (2) 4　0008 : ④　0009 : ③

마플개념익힘 04 가우스 함수의 극한

다음의 극한값을 구하여라. (단, $[x]$는 x보다 크지 않은 최대의 정수이다.)

(1) $\lim_{x\to1}([x]+1)$

(2) $\lim_{x\to1}\frac{[x]-1}{|x+1|}$

MAPL CORE 가우스 기호를 포함한 함수 $y=[x]$는 정수 n을 기준으로 그 값이 달라진다는 점을 주의해야 한다.
즉, $[x]$의 극한값은 모든 정수 n을 기준으로 좌극한과 우극한이 다르다.
① $n\le x<n+1$이면 $[x]=n$이고 $\lim_{x\to n+}[x]=n$
② $n-1\le x<n$이면 $[x]=n-1$이고 $\lim_{x\to n-}[x]=n-1$

개념익힘 | 풀이 (1) $1\le x<2$에서 $[x]=1$이므로 $\lim_{x\to1+}([x]+1)=2$ ...... ㉠

$0\le x<1$에서 $[x]=0$이므로 $\lim_{x\to1-}([x]+1)=1$ ...... ㉡

㉠, ㉡에서 $\lim_{x\to1+}([x]+1)\ne\lim_{x\to1-}([x]+1)$이므로 $\lim_{x\to1}([x]+1)$의 값은 **존재하지 않는다.**

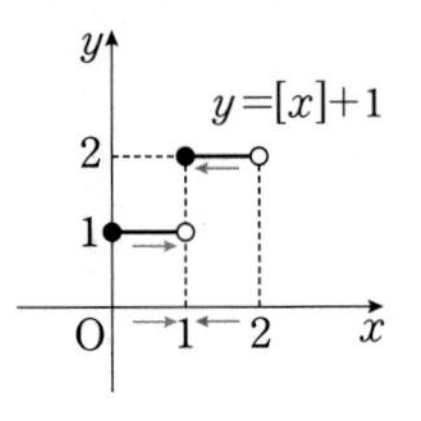

(2) $1\le x<2$에서 $[x]=1$이고 $|x+1|=x+1$이므로

$\lim_{x\to1+}\frac{[x]-1}{|x+1|}=\lim_{x\to1+}\frac{1-1}{x+1}=0$ ...... ㉠

$0\le x<1$에서 $[x]=0$이고 $|x+1|=x+1$이므로

$\lim_{x\to1-}\frac{[x]-1}{|x+1|}=\lim_{x\to1-}\frac{0-1}{x+1}=-\frac{1}{2}$ ...... ㉡

㉠, ㉡에서 $\lim_{x\to1+}\frac{[x]-1}{|x+1|}\ne\lim_{x\to1-}\frac{[x]-1}{|x+1|}$이므로 $\lim_{x\to1}\frac{[x]-1}{|x+1|}$의 값은 **존재하지 않는다.**

확인유제 0010 다음 중 옳지 않은 것은? (단, $[x]$는 x보다 크지 않은 최대의 정수이다.)

① $\lim_{x\to0+}\frac{[x]}{x}=0$　② $\lim_{x\to0-}\frac{[x]}{x}=\infty$　③ $\lim_{x\to0+}\frac{[x-1]}{x-1}=1$

④ $\lim_{x\to0-}\frac{[x+1]}{x+1}=0$　⑤ $\lim_{x\to2}[-x^2+4x-4]=0$

변형문제 0011 $\lim_{x\to k}\frac{[2x]}{[x]^2+x}=\alpha$일 때, 정수 k와 상수 α의 합 $k+\alpha$의 값은? (단, $[x]$는 x보다 크지 않은 최대의 정수이다.)

① 0　② 1　③ 2　④ 3　⑤ 4

발전문제 0012 함수 $f(x)=[x]^2+a[x]$에 대하여 $\lim_{x\to2}f(x)$의 값이 존재하기 위한 실수 a의 값을 구하여라.
(단, $[x]$는 x보다 크지 않은 최대의 정수이다.)

정답	0010 : ⑤　0011 : ③　0012 : -3

01 합성함수의 극한

01 합성함수의 극한

합성함수의 극한값은 치환한 후 우극한과 좌극한을 각각 구하여 그 값을 비교하여 구한다.

합성함수 $\lim_{x \to a} g(f(x))$의 극한값 계산

[1단계] 합성함수 $(g \circ f)(x)$에서 $x \to a+$일 때, $f(x) \to k+$ 또는 $f(x) \to k-$인지 판단한다.

[2단계] $f(x) \to k+$ (또는 $f(x) \to k-$)일 때, $g(f(x))$가 어디로 수렴하는지 관찰한다.

[3단계] $\lim_{x \to a-}(g \circ f)(x) = \lim_{x \to a+}(g \circ f)(x)$이면 극한값 $\lim_{x \to a}(g \circ f)(x)$가 존재한다.

보기 01 두 함수 $y=f(x)$와 $y=g(x)$의 그래프가 그림과 같을 때, 다음의 극한값을 구하여라.

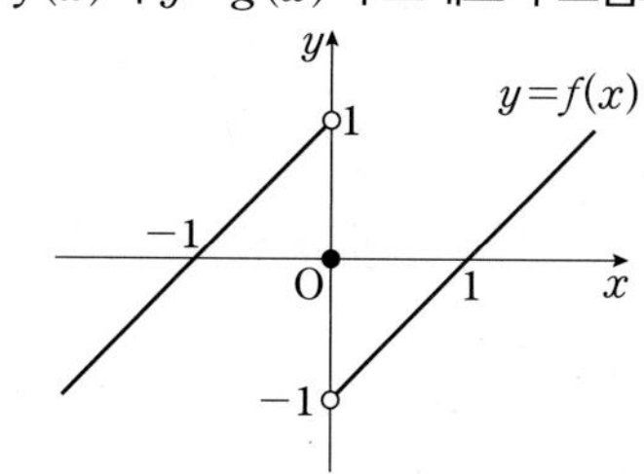

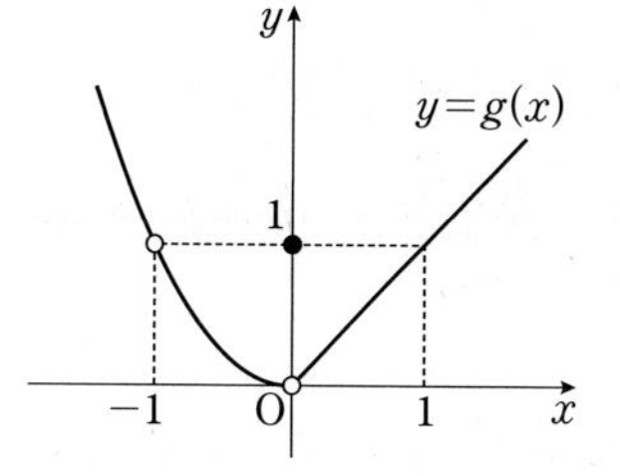

(1) $\lim_{x \to 0} g(f(x))$ (2) $\lim_{x \to 0} f(g(x))$

풀이 (1) $f(x)=t$로 놓으면 $y=f(x)$의 그래프에서

$x \to 0+$일 때, $t \to -1+$이므로 $\lim_{x \to 0+} g(f(x)) = \lim_{t \to -1+} g(t) = 1$ …… ㉠

$x \to 0-$일 때, $t \to 1-$이므로 $\lim_{x \to 0-} g(f(x)) = \lim_{t \to 1-} g(t) = 1$ …… ㉡

㉠, ㉡에서 $\lim_{x \to 0+} g(f(x)) = \lim_{x \to 0-} g(f(x)) = 1$이므로 $\lim_{x \to 0} g(f(x)) = 1$ ⬅ 우극한과 좌극한이 같다.

(2) $g(x)=t$로 놓으면 $y=g(x)$의 그래프에서

$x \to 0+$일 때, $t \to 0+$이므로 $\lim_{x \to 0+} f(g(x)) = \lim_{t \to 0+} f(t) = -1$ …… ㉠

$x \to 0-$일 때, $t \to 0+$이므로 $\lim_{x \to 0-} f(g(x)) = \lim_{t \to 0+} f(t) = -1$ …… ㉡

㉠, ㉡에서 $\lim_{x \to 0+} f(g(x)) = \lim_{x \to 0-} f(g(x)) = -1$이므로 $\lim_{x \to 0} f(g(x)) = -1$ ⬅ 우극한과 좌극한이 같다.

보기 02 두 함수 $y=f(x)$, $y=g(x)$의 그래프가 각각 다음과 같을 때, 다음의 극한값을 구하여라.

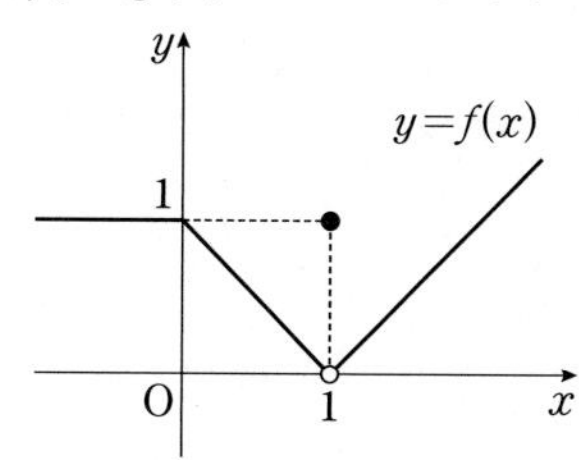

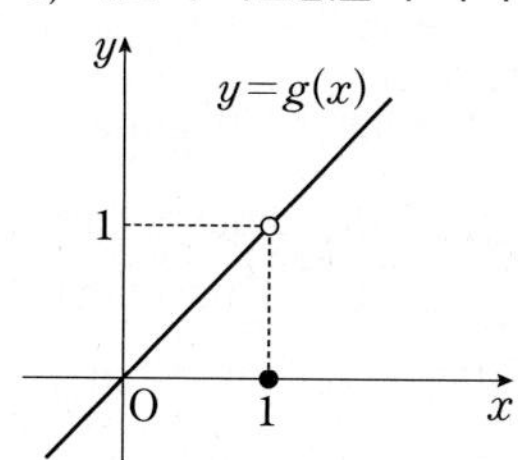

(1) $\lim_{x \to 1} g(f(x))$ (2) $\lim_{x \to 1} f(g(x))$

풀이 01 (1) $f(x)=t$로 놓으면 $y=f(x)$의 그래프에서

$x \to 1+$일 때, $t \to 0+$이므로 $\lim_{x \to 1+} g(f(x)) = \lim_{t \to 0+} g(t) = 0$ …… ㉠

$x \to 1-$일 때, $t \to 0+$이므로 $\lim_{x \to 1-} g(f(x)) = \lim_{t \to 0+} g(t) = 0$ …… ㉡

㉠, ㉡에서 $\lim_{x \to 1+} g(f(x)) = \lim_{x \to 1-} g(f(x)) = 0$이므로 $\lim_{x \to 1} g(f(x)) = 0$ ⬅ 우극한과 좌극한이 같다.

(2) $g(x)=t$로 놓으면 $y=g(x)$의 그래프에서

$x \to 1+$일 때, $t \to 1+$이므로 $\lim_{x \to 1+} f(g(x)) = \lim_{t \to 1+} f(t) = 0$ …… ㉠

$x \to 1-$일 때, $t \to 1-$이므로 $\lim_{x \to 1-} f(g(x)) = \lim_{t \to 1-} f(t) = 0$ …… ㉡

㉠, ㉡에서 $\lim_{x \to 1+} f(g(x)) = \lim_{x \to 1-} f(g(x)) = 0$이므로 $\lim_{x \to 1} f(g(x)) = 0$ ⬅ 우극한과 좌극한이 같다.

03 함수의 극한의 성질

M A P L ; Y O U R M A S T E R P L A N

01 함수의 극한의 성질

두 함수 $f(x)$, $g(x)$에서 x의 값이 a와 다른 값을 가지면서 a에 한없이 가까워질 때, $f(x)$, $g(x)$가 각각 α, β에 수렴하면 일반적으로 다음과 같은 성질이 성립한다.

두 함수 $f(x)$, $g(x)$에 대하여 $\lim_{x\to a}f(x)=\alpha$, $\lim_{x\to a}g(x)=\beta$(α, β는 실수)일 때,

(1) $\lim_{x\to a}cf(x)=c\lim_{x\to a}f(x)=c\alpha$ (단, c는 상수)

(2) $\lim_{x\to a}\{f(x)+g(x)\}=\lim_{x\to a}f(x)+\lim_{x\to a}g(x)=\alpha+\beta$

(3) $\lim_{x\to a}\{f(x)-g(x)\}=\lim_{x\to a}f(x)-\lim_{x\to a}g(x)=\alpha-\beta$

(4) $\lim_{x\to a}f(x)g(x)=\lim_{x\to a}f(x)\cdot\lim_{x\to a}g(x)=\alpha\beta$

(5) $\lim_{x\to a}\frac{f(x)}{g(x)}=\frac{\lim_{x\to a}f(x)}{\lim_{x\to a}g(x)}=\frac{\alpha}{\beta}$ (단, $\beta\neq0$)

함수의 극한의 성질은 극한값이 존재할 때에만 성립한다.

참고 $x\longrightarrow a$일 때뿐만 아니라 $x\longrightarrow a+$, $x\longrightarrow a-$, $x\longrightarrow\infty$, $x\longrightarrow-\infty$일 때에도 함수의 극한에 대한 기본 성질은 모두 성립한다. 이러한 함수의 극한에 대한 기본 성질을 이용하여 여러 가지 함수의 극한값을 구할 수 있다.

마플해설 함수의 극한에 대한 성질을 이용하여 극한값을 구한다.

(1) $\lim_{x\to3}2x=2\lim_{x\to3}x=2\cdot3=6$

(2) $\lim_{x\to1}(x+2)=\lim_{x\to1}x+\lim_{x\to1}2=1+2=3$

$$\begin{aligned}\lim_{x\to2}(2x^2+3x+5)&=\lim_{x\to2}2x^2+\lim_{x\to2}3x+\lim_{x\to2}5=2\lim_{x\to2}x^2+3\lim_{x\to2}x+\lim_{x\to2}5\\&=2\lim_{x\to2}x\cdot\lim_{x\to2}x+3\lim_{x\to2}x+5\\&=2\cdot2\cdot2+3\cdot2+5=19\end{aligned}$$

(3) $\lim_{x\to2}(x^2-3x)=\lim_{x\to2}x^2-3\lim_{x\to2}x=2\cdot2-3\cdot2=-2$

$\lim_{x\to-1}(x^3-2x-3)=\lim_{x\to-1}x^3-2\lim_{x\to-1}x-\lim_{x\to-1}3=(-1)^3-2\cdot(-1)-3=-1+2-3=-2$

(4) $\lim_{x\to2}(x+2)(x-1)=\lim_{x\to2}(x+2)\cdot\lim_{x\to2}(x-1)=4\cdot1=4$

$\lim_{x\to-1}(x+3)(x^2-2)=\lim_{x\to-1}(x+3)\cdot\lim_{x\to-1}(x^2-2)=(-1+3)\cdot(1-2)=-2$

(5) $\lim_{x\to0}\frac{x^2+3}{x-1}=\frac{\lim_{x\to0}(x^2+3)}{\lim_{x\to0}(x-1)}=\frac{\lim_{x\to0}x^2+\lim_{x\to0}3}{\lim_{x\to0}x-\lim_{x\to0}1}=\frac{0+3}{0-1}=-3$

$\lim_{x\to-2}\frac{2x-1}{x^2+2}=\frac{\lim_{x\to-2}(2x-1)}{\lim_{x\to-2}(x^2+2)}=\frac{2\lim_{x\to-2}x-\lim_{x\to-2}1}{\lim_{x\to-2}x^2+\lim_{x\to-2}2}=\frac{2\cdot(-2)-1}{(-2)^2+2}=-\frac{5}{6}$

FOCUS

두 함수 $f(x)$, $g(x)$에 대하여 $\lim_{x\to a}f(x)=L$, $\lim_{x\to a}g(x)=M$(L, M은 실수)이고 p, q, k은 상수일 때,

① $\lim_{x\to a}\{pf(x)+qg(x)+k\}=p\lim_{x\to a}f(x)+q\lim_{x\to a}g(x)+k=pL+qM+k$

② $\lim_{x\to a}\{pf(x)-qg(x)-k\}=p\lim_{x\to a}f(x)-q\lim_{x\to a}g(x)-k=pL-qM-k$

보기01 두 함수 $f(x)$, $g(x)$에 대하여

$$\lim_{x\to1}f(x)=3,\ \lim_{x\to1}g(x)=2$$

일 때, 다음 극한값을 구하여라.

(1) $\lim_{x\to1}\{3f(x)-2g(x)\}$ (2) $\lim_{x\to1}\frac{2f(x)+3g(x)}{\{g(x)\}^2}$

풀이 (1) $\lim_{x\to1}\{3f(x)-2g(x)\}=3\lim_{x\to1}f(x)-2\lim_{x\to1}g(x)$

$$=3\cdot3-2\cdot2=5$$

(2) $\lim_{x\to1}\frac{2f(x)+3g(x)}{\{g(x)\}^2}=\frac{2\lim_{x\to1}f(x)+3\lim_{x\to1}g(x)}{\lim_{x\to1}\{g(x)\}^2}$

$$=\frac{2\cdot3+3\cdot2}{2\cdot2}=\frac{12}{4}=3$$

보기02 두 함수 $f(x)=x-1$, $g(x)=\frac{1}{x-1}$에 대하여 $\lim_{x\to1}f(x)\lim_{x\to1}g(x)$를 다음과 같이 계산하였다. 풀이에서 잘못된 부분을 찾아 바르게 풀어라.

> $\lim_{x\to a}f(x)\lim_{x\to a}g(x)=\lim_{x\to a}\{f(x)g(x)\}$이므로
>
> $\lim_{x\to1}(x-1)\times\lim_{x\to1}\frac{1}{x-1}=\lim_{x\to1}\left\{(x-1)\times\frac{1}{x-1}\right\}=\lim_{x\to1}1=1$

풀이 $\lim_{x\to1}\frac{1}{x-1}$은 존재하지 않으므로 $\lim_{x\to1}(x-1)\times\lim_{x\to1}\frac{1}{x-1}\neq\lim_{x\to1}\left\{(x-1)\times\frac{1}{x-1}\right\}$이다.

함수의 극한에 대한 성질은 극한값이 존재할 때만 성립하므로 함수가 수렴할 때만 이용할 수 있다.

따라서 바르게 풀면 $\lim_{x\to1}(x-1)\times\lim_{x\to1}\frac{1}{x-1}=0\times\lim_{x\to1}\frac{1}{x-1}=0$

보기03 함수 $f(x)$에 대하여 $\lim_{x\to0}\frac{f(x)}{x}=3$일 때, 다음 극한값을 구하여라.

(1) $\lim_{x\to0}\frac{x+f(x)}{x-f(x)}$ (2) $\lim_{x\to0}\frac{2x^2+3f(x)}{3x^2-2f(x)}$

풀이 $\lim_{x\to0}\frac{f(x)}{x}=3$이므로 주어진 식의 분모와 분자를 각각 x로 나누면 ← $x\to0$일 때, $x\neq0$이므로 분모, 분자를 x로 나누면

(1) $\lim_{x\to0}\frac{x+f(x)}{x-f(x)}=\lim_{x\to0}\frac{1+\frac{f(x)}{x}}{1-\frac{f(x)}{x}}=\frac{\lim_{x\to0}1+\lim_{x\to0}\frac{f(x)}{x}}{\lim_{x\to0}1-\lim_{x\to0}\frac{f(x)}{x}}$

$$=\frac{1+3}{1-3}=-2$$

(2) $\lim_{x\to0}\frac{2x^2+3f(x)}{3x^2-2f(x)}=\lim_{x\to0}\frac{2x+3\cdot\frac{f(x)}{x}}{3x-2\cdot\frac{f(x)}{x}}=\frac{2\lim_{x\to0}x+3\lim_{x\to0}\frac{f(x)}{x}}{3\lim_{x\to0}x-2\lim_{x\to0}\frac{f(x)}{x}}$

$$=\frac{0+3\cdot3}{0-2\cdot3}=-\frac{3}{2}$$

02 함수의 극한의 대소 관계

두 함수 $f(x)$, $g(x)$에 대하여

$\lim_{x \to a} f(x) = \alpha$, $\lim_{x \to a} g(x) = \beta$($\alpha$, β는 실수)

일 때, a에 가까운 모든 실수 x에 대하여 다음이 성립한다.

(1) $f(x) \le g(x)$이면 $\lim_{x \to a} f(x) \le \lim_{x \to a} g(x)$, 즉 $\alpha \le \beta$

(2) 함수 $h(x)$에 대하여 $f(x) \le h(x) \le g(x)$이고 $\alpha = \beta$이면 $\lim_{x \to a} h(x) = \alpha$

⬅ 샌드위치(sandwich)의 정리 또는 압축 정리(squeeze theorem)

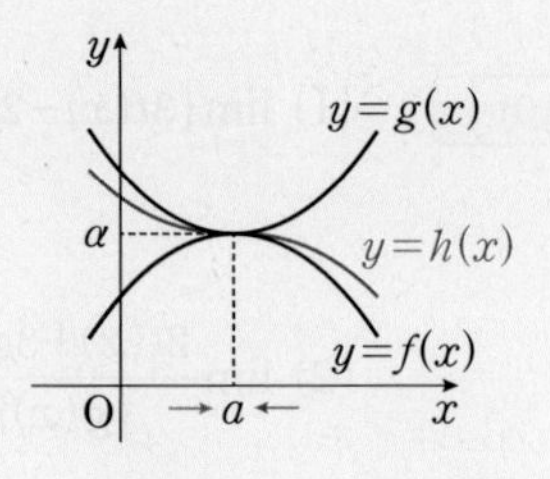

참고 함수의 극한의 대소 관계는 $x \to a$를

$x \to a-$, $x \to a+$, $x \to \infty$, $x \to -\infty$ 중 하나로 바꾸어도 성립한다.

$\lim_{x \to a} f(x) = \alpha$, $\lim_{x \to a} g(x) = \beta$($\alpha$, β는 실수)일 때, 함수의 극한의 대소 관계는 함수의 대소에서 등호가 없는 경우에도 성립한다.

① $f(x) < g(x)$이면 $\lim_{x \to a} f(x) \le \lim_{x \to a} g(x)$이므로 $\alpha \le \beta$

② $f(x) < h(x) < g(x)$이고 $\alpha = \beta$이면 $\lim_{x \to a} h(x) = \alpha$

마플해설

함수 $f(x) = -x^2 + 1$, $g(x) = x^2 + 1$, $h(x) = \frac{1}{2}x^2 + 1$의 그래프는 오른쪽 그림과 같고,

모든 실수 x에 대하여 부등식 $f(x) \le h(x) \le g(x)$가 성립한다.

이때 $\lim_{x \to 0} f(x) = \lim_{x \to 0} h(x) = \lim_{x \to 0} g(x) = 1$이고 0이 아닌 상수 a에 대하여

$\lim_{x \to a} f(x) < \lim_{x \to a} h(x) < \lim_{x \to a} g(x)$이다.

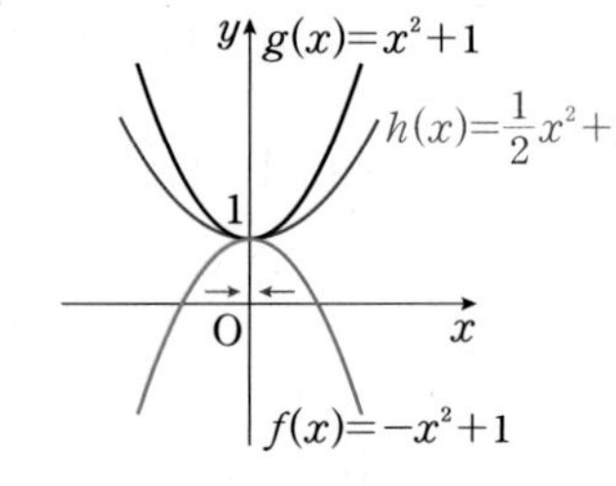

보기 04 다음 물음에 답하여라.

(1) 함수 $f(x)$가 모든 실수 x에 대하여 $2x - 1 \le f(x) \le x^2$를 만족시킬 때, $\lim_{x \to 1} f(x)$의 값을 구하여라.

(2) 두 함수 $f(x) = 2x + 1$, $g(x) = x^2 + 2$일 때, 함수 $h(x)$가 모든 실수 x에 대하여 $f(x) \le h(x) \le g(x)$를 만족시킬 때, $\lim_{x \to 1} h(x)$를 구하여라.

풀이

(1) $\lim_{x \to 1}(2x - 1) = 1$, $\lim_{x \to 1} x^2 = 1$이므로 함수의 극한의 대소 관계에 의하여 $\lim_{x \to 1} f(x) = 1$

(2) $\lim_{x \to 1} f(x) = \lim_{x \to 1}(2x + 1) = 3$, $\lim_{x \to 1} g(x) = \lim_{x \to 1}(x^2 + 2) = 3$이므로

함수의 극한의 대소 관계에 의하여 $\lim_{x \to 1} h(x) = 3$

함수의 극한의 대소 관계에서 주의 사항

① $f(x) < g(x)$인 경우, 반드시 $\lim_{x \to a} f(x) < \lim_{x \to a} g(x)$인 것은 아니다.

즉, $f(x) < g(x)$이지만 $\lim_{x \to a} f(x) = \lim_{x \to a} g(x)$인 경우도 있다.

예를 들면, 두 함수 $f(x) = 0$, $g(x) = \begin{cases} |x| & (x \ne 0) \\ 1 & (x = 0) \end{cases}$이면 모든 실수 x에 대하여

$f(x) < g(x)$이지만 $\lim_{x \to 0} f(x) = 0$, $\lim_{x \to 0} g(x) = 0$이므로 $\lim_{x \to 0} f(x) = \lim_{x \to 0} g(x)$이다.

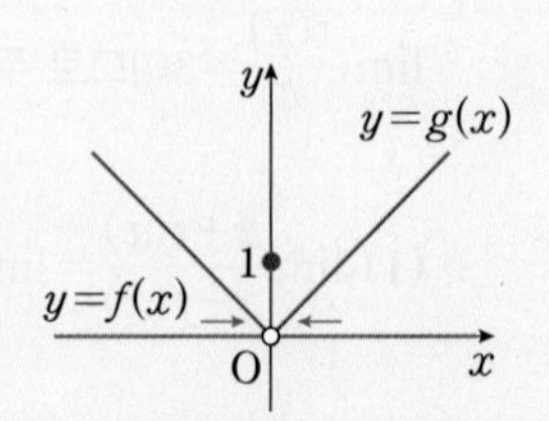

② $f(x) < h(x) < g(x)$이고 $\lim_{x \to a} f(x) = \lim_{x \to a} g(x) = \alpha$이면 $\lim_{x \to a} h(x) = \alpha$이다.

예를 들면, 함수 $f(x) = -x^2$, $g(x) = 2x^2$, $h(x) = x^2$이면 0에 가까운 모든 실수 x에 대하여 $f(x) < h(x) < g(x)$이지만 $\lim_{x \to 0} f(x) = \lim_{x \to 0} g(x) = 0$이므로 $\lim_{x \to 0} h(x) = 0$이다.

③ 모든 실수 x에 대하여 $f(x) \le g(x)$일 때,

$\lim_{x \to a} f(x) = \infty$이면 $\lim_{x \to a} g(x) = \infty$, $\lim_{x \to a} g(x) = -\infty$이면 $\lim_{x \to a} f(x) = -\infty$

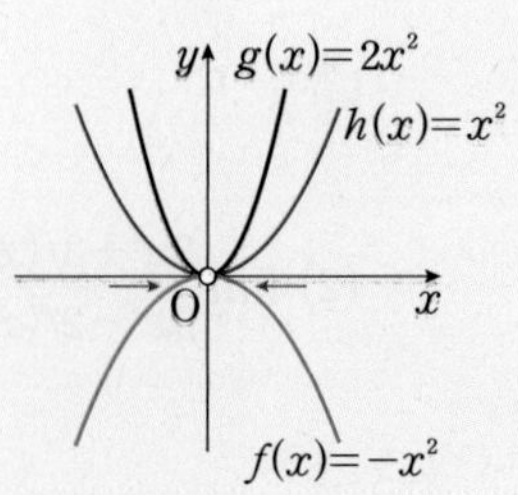

마플개념익힘 01 함수의 극한에 대한 성질 (1)

두 함수 $f(x)$, $g(x)$에 대하여 $\lim_{x\to\infty}f(x)=\infty$, $\lim_{x\to\infty}\{f(x)-3g(x)\}=2$를 만족시킬 때,

$\lim_{x\to\infty}\frac{f(x)+3g(x)}{-3f(x)+6g(x)}$의 값을 구하여라.

MAPL CORE

① 두 함수 $f(x)$, $g(x)$에 대하여 $\lim_{x\to a}\{f(x)-g(x)\}=\alpha$일 때,
$f(x)-g(x)=h(x)$로 놓으면 $g(x)=f(x)-h(x)$이고 $\lim_{x\to a}h(x)=\alpha$임을 이용한다.

② $\lim_{x\to\infty}f(x)=\alpha$, $\lim_{x\to\infty}g(x)=\infty$이면 $\lim_{x\to\infty}\frac{f(x)}{g(x)}=0$임을 이용한다. (단, α는 상수, $g(x)\neq 0$이다.)

개념익힘 | 풀이 $f(x)-3g(x)=h(x)$로 놓으면 $3g(x)=f(x)-h(x)$

즉, $\lim_{x\to\infty}h(x)=2$이고 $\lim_{x\to\infty}f(x)=\infty$이므로 $\lim_{x\to\infty}\frac{h(x)}{f(x)}=0$

$\therefore \lim_{x\to\infty}\frac{f(x)+3g(x)}{-3f(x)+6g(x)}=\lim_{x\to\infty}\frac{f(x)+\{f(x)-h(x)\}}{-3f(x)+2\{f(x)-h(x)\}}=\lim_{x\to\infty}\frac{2f(x)-h(x)}{-f(x)-2h(x)}$ ⬅ 분모, 분자를 각각 $f(x)$로 나눈다.

$=\lim_{x\to\infty}\frac{2-\frac{h(x)}{f(x)}}{-1-2\cdot\frac{h(x)}{f(x)}}=\frac{2-0}{-1-2\cdot 0}=\mathbf{-2}$ ⬅ $\lim_{x\to\infty}\frac{h(x)}{f(x)}=0$

다른풀이 $\lim_{x\to\infty}f(x)=\infty$임을 이용하여 풀이하기

$\lim_{x\to\infty}f(x)=\infty$, $\lim_{x\to\infty}\{f(x)-3g(x)\}=2$이므로 $\lim_{x\to\infty}\frac{f(x)-3g(x)}{f(x)}=0$

이때 $\lim_{x\to\infty}\left\{1-3\frac{g(x)}{f(x)}\right\}=1-3\lim_{x\to\infty}\frac{g(x)}{f(x)}=0$이므로 $\lim_{x\to\infty}\frac{g(x)}{f(x)}=\frac{1}{3}$

$\lim_{x\to\infty}\frac{f(x)+3g(x)}{-3f(x)+6g(x)}=\lim_{x\to\infty}\frac{1+3\cdot\frac{g(x)}{f(x)}}{-3+6\cdot\frac{g(x)}{f(x)}}=\frac{1+3\cdot\frac{1}{3}}{-3+6\cdot\frac{1}{3}}=\mathbf{-2}$

⬅ 분모, 분자를 각각 $f(x)$로 나눈다.

참고 $\lim_{x\to\infty}\{f(x)-3g(x)\}=\lim_{x\to\infty}f(x)\left\{1-3\cdot\frac{g(x)}{f(x)}\right\}=2$에서 $\lim_{x\to\infty}f(x)=\infty$이므로 $\lim_{x\to\infty}\left\{1-3\cdot\frac{g(x)}{f(x)}\right\}=0$

즉, $\lim_{x\to\infty}\frac{g(x)}{f(x)}=\frac{1}{3}$이므로 $\lim_{x\to\infty}\frac{f(x)+3g(x)}{-3f(x)+6g(x)}=\lim_{x\to\infty}\frac{1+3\cdot\frac{g(x)}{f(x)}}{-3+6\cdot\frac{g(x)}{f(x)}}=\frac{1+3\cdot\frac{1}{3}}{-3+6\cdot\frac{1}{3}}=-2$

확인유제 0013 (2008학년도 사관기출)

$x\neq 2$인 모든 실수 x에서 정의된 두 함수 $f(x)$, $g(x)$에 대하여

$$\lim_{x\to 2}\{2f(x)+g(x)\}=1,\ \lim_{x\to 2}g(x)=\infty$$

일 때, $\lim_{x\to 2}\frac{4f(x)-40g(x)}{2f(x)-g(x)}$의 값을 구하여라.

변형문제 0014 (2012년 04월 교육청)

이차함수 $f(x)$와 다항함수 $g(x)$가 $\lim_{x\to\infty}\{2f(x)-3g(x)\}=2$를 만족시킬 때, $\lim_{x\to\infty}\frac{8f(x)-3g(x)}{3g(x)}$의 값은?

① $\frac{3}{2}$ ② 2 ③ $\frac{5}{2}$ ④ 3 ⑤ $\frac{7}{2}$

발전문제 0015 다음 물음에 답하여라.

(1) $\lim_{x\to 0}\frac{f(x)}{x}=1$일 때, $\lim_{x\to 1}\frac{f(x-1)}{x^2-1}$의 값을 구하여라.

(2013학년도 06월 평가원) (2) 함수 $f(x)$에 대하여 $\lim_{x\to 2}\frac{f(x-2)}{x^2-2x}=4$일 때, $\lim_{x\to 0}\frac{f(x)}{x}$의 값을 구하여라.

정답 0013 : 21 0014 : ④ 0015 : (1) $\frac{1}{2}$ (2) 8

두 함수 $f(x)$, $g(x)$가

$$\lim_{x\to2}(x+1)f(x)=6,\ \lim_{x\to2}\frac{g(x)}{x+2}=1$$

을 만족시킬 때, $\lim_{x\to2}\frac{xf(x)}{g(x)}$의 값을 구하여라.

MAPL CORE 두 함수 $f(x)$, $g(x)$가 $x=a$에서 각각 수렴할 때,
함수의 극한에 대한 성질 (실수배, 합, 차, 곱, 몫)을 이용하여 극한값을 구한다.

개념익힘 | **풀이** $\lim_{x\to2}(x+1)f(x)=6$이고 $\lim_{x\to2}(x+1)=3$이므로

두 함수의 극한은 모두 수렴하고 함수의 극한의 성질에 의하여 두 극한을 나누어 극한값 $\lim_{x\to2}f(x)$를 구한다.

$$\lim_{x\to2}f(x)=\lim_{x\to2}\frac{(x+1)f(x)}{x+1}=\frac{\lim_{x\to2}(x+1)f(x)}{\lim_{x\to2}(x+1)}=\frac{6}{3}=2$$

$\lim_{x\to2}\frac{g(x)}{x+2}=1$이고 $\lim_{x\to2}(x+2)=4$이므로

두 함수의 극한은 모두 수렴하고 함수의 극한의 성질에 의하여 두 극한을 곱하여 극한값 $\lim_{x\to2}g(x)$를 구한다.

$$\lim_{x\to2}g(x)=\lim_{x\to2}\frac{(x+2)g(x)}{x+2}=\lim_{x\to2}(x+2)\cdot\lim_{x\to2}\frac{g(x)}{x+2}=4\cdot1=4$$

따라서 $\lim_{x\to2}f(x)=2$, $\lim_{x\to2}g(x)=4$이므로 $\lim_{x\to2}\frac{xf(x)}{g(x)}=\frac{\lim_{x\to2}x\cdot\lim_{x\to2}f(x)}{\lim_{x\to2}g(x)}=\frac{2\cdot2}{4}=\mathbf{1}$

확인유제 0016 다음 물음에 답하여라.

(1) 두 함수 $f(x)$, $g(x)$가 $\lim_{x\to2}\{f(x)+g(x)\}=10$, $\lim_{x\to2}\frac{g(x)}{x^2+x}=1$을 만족시킬 때,
$\lim_{x\to2}f(x)$의 값을 구하여라.

(2) 두 함수 $f(x)$, $g(x)$에 대하여 $\lim_{x\to1}f(x)=6$, $\lim_{x\to1}\{2f(x)-5g(x)\}=17$일 때,
$\lim_{x\to1}g(x)$의 값을 구하여라.

변형문제 0017 함수 $f(x)$가

2018학년도 수능기출

$$\lim_{x\to1}(x+1)f(x)=1$$

을 만족시킬 때, $\lim_{x\to1}(2x^2+1)f(x)=a$이다. $20a$의 값은?

① 10 ② 15 ③ 20 ④ 25 ⑤ 30

발전문제 0018 세 함수 $f(x)$, $g(x)$, $h(x)$가

$$\lim_{x\to1}(x+3)f(x)g(x)=8,\ \lim_{x\to1}\frac{f(x)h(x)}{2x+1}=2$$

를 만족시킬 때, $\lim_{x\to1}f(x)\{g(x)+h(x)\}$의 값을 구하여라.

정답 0016 : (1) 4 (2) −1 0017 : ⑤ 0018 : 8

04 여러 가지 함수의 극한

MAPL ; YOUR MASTER PLAN

01 함수의 극한값의 계산

$\frac{0}{0}$, $\frac{\infty}{\infty}$, $\infty-\infty$, $\infty\times 0$꼴을 부정형(不定型)이라고 한다. 부정형의 극한값은 각각의 함수가 수렴하고 분모가 0이 되지 않도록 식을 변형한 후 부정이 아닌 꼴로 변형하여 계산한다.

주어진 함수가 다음과 같은 경우가 될 때, 그 함수를 부정형이라고 한다.

(1) $x \to a$일 때, $\frac{0}{0}$의 꼴의 극한 ← $\lim_{x\to a}f(x)=0$, $\lim_{x\to a}g(x)=0$일 때, $\lim_{x\to a}\frac{f(x)}{g(x)}$의 극한

계산 방법
① 분모와 분자가 다항식일 때, ⇨ 분모 또는 분자를 인수분해한 후 공통인수는 약분한다.
② 분모 또는 분자에 근호 ($\sqrt{\ }$)가 포함된 식이 있을 때,
⇨ 분모 또는 분자에 근호가 있는 쪽을 먼저 유리화한 후 약분한다.

EX ① $\lim_{x\to 2}\frac{x^2-4}{x-2}=\lim_{x\to 2}\frac{(x-2)(x+2)}{x-2}$ ← 분자를 인수분해

$=\lim_{x\to 2}\frac{\cancel{(x-2)}(x+2)}{\cancel{x-2}}$ ← 공통인수를 약분한다.

$=\lim_{x\to 2}(x+2)=4$

② $\lim_{x\to 9}\frac{x-9}{\sqrt{x}-3}=\lim_{x\to 9}\frac{(x-9)(\sqrt{x}+3)}{(\sqrt{x}-3)(\sqrt{x}+3)}$ ← 분모를 유리화한다.

$=\lim_{x\to 9}\frac{\cancel{(x-9)}(\sqrt{x}+3)}{\cancel{x-9}}$ ← 공통인수를 약분한다.

$=\lim_{x\to 9}(\sqrt{x}+3)=\sqrt{9}+3=6$

(2) $x\to\infty$ 또는 $x\to-\infty$일 때, $\frac{\infty}{\infty}$의 꼴의 극한 ← $\lim_{x\to\infty}f(x)=\infty$, $\lim_{x\to\infty}g(x)=\infty$일 때, $\lim_{x\to\infty}\frac{f(x)}{g(x)}$의 극한

계산 방법
① 유리함수 ⇨ 분모의 최고차항으로 분모, 분자를 각각 나누어 $\lim_{x\to\infty}\frac{a}{x^n}=0$
임을 이용하여 극한값 계산 (단, a는 상수, n은 자연수)
② 함수 $f(x)$에서 $x\to-\infty$일 때, $x=-t$라 하면 $t\to\infty$이고, $f(x)=f(-t)$이므로
$\lim_{x\to-\infty}f(x)=\lim_{t\to\infty}f(-t)$의 꼴로 변형하여 구한다.
③ 무리함수 ⇨ 근호 밖의 최고차항으로 분모, 분자를 각각 나누어 $\lim_{x\to\infty}\frac{a}{x^n}=0$
임을 이용하여 극한값 계산 (단, a는 상수, n은 자연수)

EX ① $\lim_{x\to\infty}\frac{5x^2-4x+1}{2x^2+3x-5}=\lim_{x\to\infty}\frac{5-\frac{4}{x}+\frac{1}{x^2}}{2+\frac{3}{x}-\frac{5}{x^2}}=\frac{5}{2}$ ← x^2로 나누어 $\lim_{x\to\infty}\frac{1}{x^n}=0$임을 이용하여 구한다.

② $\lim_{x\to-\infty}\frac{-2x^3+x^2}{x^3+1}=\lim_{t\to\infty}\frac{2t^3+t^2}{-t^3+1}$ ← $x=-t$일 때, $x^3=-t^3$, $x^2=t^2$

$=\lim_{t\to\infty}\frac{2+\frac{1}{t}}{-1+\frac{1}{t^3}}$ ← 분모, 분자를 t^3으로 나눈다.

$=\frac{2+0}{-1+0}=-2$ ← $\lim_{t\to\infty}\frac{1}{t}=0$, $\lim_{t\to\infty}\frac{1}{t^3}=0$

③ $\lim_{x\to\infty}\frac{2x}{\sqrt{x^2+3}-4}=\lim_{x\to\infty}\frac{2}{\sqrt{1+\frac{3}{x^2}}-\frac{4}{x}}=2$ ← 분모, 분자를 x로 나누어 $\lim_{x\to\infty}\frac{1}{x^n}=0$임을 이용하여 구한다.

(3) $x\to\infty$일 때, $\infty-\infty$의 극한 ⬅ $\lim_{x\to\infty}f(x)=\infty$, $\lim_{x\to\infty}g(x)=\infty$일 때, $\lim_{x\to\infty}\{f(x)-g(x)\}$의 극한

계산 방법 ① 근호가 없는 다항함수 ⇨ 최고차항으로 묶어 $\infty\times a$ (단, $a\neq 0$인 상수)꼴로 변형하여 극한값 계산

$a>0$이면 ∞, $a<0$이면 $-\infty$

② 근호가 있을 때 ⇨ 유리화 하여 $\frac{\infty}{\infty}$꼴로 변형하여 극한값 계산한다.

EX ① $\lim_{x\to\infty}(x^2-2x)=\lim_{x\to\infty}x^2\left(1-\frac{2}{x}\right)=\infty$ ⬅ x^2으로 묶어 $\lim_{x\to\infty}\left(1-\frac{2}{x}\right)=1>0$

② $\lim_{x\to\infty}(\sqrt{x^2+3x}-x)=\lim_{x\to\infty}\frac{(\sqrt{x^2+3x}-x)(\sqrt{x^2+3x}+x)}{\sqrt{x^2+3x}+x}$ ⬅ 분자 유리화

$=\lim_{x\to\infty}\frac{3x}{\sqrt{x^2+3x}+x}$ ⬅ $\frac{\infty}{\infty}$꼴 이므로 x로 나누기

$=\lim_{x\to\infty}\frac{3}{\sqrt{1+\frac{3}{x}}+1}=\frac{3}{1+1}=\frac{3}{2}$ ⬅ $\lim_{x\to\infty}\frac{3}{x}=0$임을 이용하여 구한다.

(4) $\lim_{x\to\infty}f(x)=\infty$, $\lim_{x\to\infty}g(x)=0$일 때, $\lim_{x\to\infty}f(x)g(x)$

$\lim_{x\to a}f(x)=\infty$, $\lim_{x\to a}g(x)=0$일 때, $\lim_{x\to a}f(x)g(x)$ ⬅ $\infty\times 0$의 꼴

계산 방법 통분 또는 유리화하여 $\frac{0}{0}$, $\frac{\infty}{\infty}$, $\infty\times a$, $\frac{a}{\infty}$ (a는 상수)꼴로 변형한다.

EX ① $\lim_{x\to 0}\frac{1}{x}\left(1-\frac{1}{x+1}\right)=\lim_{x\to 0}\frac{1}{x}\cdot\frac{x+1-1}{x+1}$ ⬅ $\infty\times 0$꼴

$=\lim_{x\to 0}\frac{\cancel{x}}{\cancel{x}(x+1)}$ ⬅ 통분하여 약분한다.

$=\lim_{x\to 0}\frac{1}{x+1}=1$

② $\lim_{x\to\infty}x\left(1-\frac{x}{x+1}\right)=\lim_{x\to\infty}x\cdot\frac{x+1-x}{x+1}$ ⬅ $\infty\times 0$꼴

$=\lim_{x\to\infty}\frac{x}{x+1}$ ⬅ $\frac{\infty}{\infty}$꼴 이므로 x으로 분모 분자를 나눈다.

$=\lim_{x\to\infty}\frac{1}{1+\frac{1}{x}}=1$ ⬅ $\lim_{x\to\infty}\frac{1}{x}=0$임을 이용하여 구한다.

+α 더 알아보기

다음은 $\lim_{x\to-\infty}\frac{\sqrt{x^2+1}-3}{x+2}$의 값을 구하는 과정이다. 잘못된 부분을 찾아 바르게 풀어라.

$$\lim_{x\to-\infty}\frac{\sqrt{x^2+1}-3}{x+2}=\lim_{x\to-\infty}\frac{\sqrt{\frac{x^2+1}{x^2}}-\frac{3}{x}}{\frac{x+2}{x}}=\lim_{x\to-\infty}\frac{\sqrt{1+\frac{1}{x^2}}-\frac{3}{x}}{1+\frac{2}{x}}=\frac{1-0}{1+0}=1$$

해설1 $x\to-\infty$일 때, $x<0$이므로 $x=-\sqrt{x^2}$이므로 바르게 풀면

$$\lim_{x\to-\infty}\frac{\sqrt{x^2+1}-3}{x+2}=\lim_{x\to-\infty}\frac{\frac{\sqrt{x^2+1}}{x}-\frac{3}{x}}{1+\frac{2}{x}}=\lim_{x\to-\infty}\frac{-\sqrt{\frac{x^2+1}{x^2}}-\frac{3}{x}}{1+\frac{2}{x}}=\lim_{x\to-\infty}\frac{-\sqrt{1+\frac{1}{x^2}}-\frac{3}{x}}{1+\frac{2}{x}}=\frac{-1-0}{1+0}=-1$$

해설2 $-x=t$로 놓으면 $x\to-\infty$일 때, $t\to\infty$이므로 바르게 풀면

$$\lim_{x\to-\infty}\frac{\sqrt{x^2+1}-3}{x+2}=\lim_{t\to\infty}\frac{\sqrt{t^2+1}-3}{-t+2}=\lim_{t\to\infty}\frac{\sqrt{1+\frac{1}{t^2}}-\frac{3}{t}}{-1+\frac{2}{t}}=\frac{1-0}{-1+0}=-1$$

02 함수의 극한과 미정계수의 결정

(1) $\frac{0}{0}$꼴 : $x \to a$ 또는 $x \to -a$(a는 상수)일 때, 극한값이 상수인 경우

① $\lim_{x \to a} \frac{f(x)}{g(x)} = \alpha$($\alpha$는 상수)이고, $\lim_{x \to a} g(x) = 0$이면 $\lim_{x \to a} f(x) = 0$이다.

② $\lim_{x \to a} \frac{f(x)}{g(x)} = \alpha$($\alpha \neq 0$인 상수)이고, $\lim_{x \to a} f(x) = 0$이면 $\lim_{x \to a} g(x) = 0$이다.

(2) $\frac{\infty}{\infty}$꼴 : $x \to \infty$ 또는 $x \to -\infty$(a는 상수)일 때, 극한값이 상수인 경우

일반적으로 두 다항함수 $f(x)$와 $g(x)$에 대하여 $\lim_{x \to \infty} \frac{f(x)}{g(x)} = \alpha$($\alpha \neq 0$인 상수)이면 다음이 성립한다.

① $f(x)$와 $g(x)$의 차수는 같다.

② $\alpha = \frac{\{f(x)\text{의 최고차항의 계수}\}}{\{g(x)\text{의 최고차항의 계수}\}}$이다.

마플해설 **함수의 극한값에 대한 특수한 성질**

① $\lim_{x \to a} \frac{f(x)}{g(x)} = \alpha$($\alpha$는 상수)이고 $\lim_{x \to a} g(x) = 0$이면 $\lim_{x \to a} f(x) = 0$

설명 $\lim_{x \to a} \frac{f(x)}{g(x)} = \alpha$, $\lim_{x \to a} g(x) = 0$이면 함수의 극한에 대한 기본 성질에 의하여

$\lim_{x \to a} f(x) = \lim_{x \to a} \frac{f(x)}{g(x)} \cdot g(x) = \lim_{x \to a} \frac{f(x)}{g(x)} \cdot \lim_{x \to a} g(x) = \alpha \cdot 0 = 0$, 즉 $\lim_{x \to a} f(x) = 0$이다.

② $\lim_{x \to a} \frac{f(x)}{g(x)} = \alpha$($\alpha \neq 0$인 상수)이고 $\lim_{x \to a} f(x) = 0$이면 $\lim_{x \to a} g(x) = 0$

← α는 0이 아닌 상수임에 유의한다.

$\lim_{x \to 2} \frac{x-2}{x+1} = 0$에서 $\lim_{x \to 2}(x-2) = 0$이지만 $\lim_{x \to 2}(x+1) \neq 0$이다.

설명 $\lim_{x \to a} \frac{f(x)}{g(x)} = \alpha$ $(\alpha \neq 0)$, $\lim_{x \to a} f(x) = 0$이면 함수의 극한에 대한 기본 성질에 의하여

$\lim_{x \to a} g(x) = \lim_{x \to a} f(x) \div \lim_{x \to a} \frac{f(x)}{g(x)} = \frac{0}{\alpha} = 0$, 즉 $\lim_{x \to a} g(x) = 0$이다.

보기 01 다음 등식을 만족시키는 상수 b를 상수 a로 나타내고 상수 a, b의 값을 정하여라.

(1) $\lim_{x \to 2} \frac{ax+b}{x-2} = 3$ (2) $\lim_{x \to 2} \frac{x^2-4}{x+a} = b$ (단, $b \neq 0$)

풀이

(1) $\lim_{x \to 2} \frac{ax+b}{x-2} = 3$의 값이 존재하고 $\lim_{x \to 2}(x-2) = 0$이므로 ← (분모)→0

$\lim_{x \to 2}(ax+b) = 0$이어야 한다. ← (분자)→0

즉, $2a+b=0$이므로 $b=-2a$ …… ㉠

㉠을 주어진 등식에 대입하면

$\lim_{x \to 2} \frac{ax+b}{x-2} = \lim_{x \to 2} \frac{ax-2a}{x-2} = \lim_{x \to 2} \frac{a(x-2)}{x-2} = a$ $\therefore a=3$ ← $x-2$로 약분

$a=3$을 ㉠에 대입하면 $b=-6$

따라서 $a=3$, $b=-6$

(2) $\lim_{x \to 2} \frac{x^2-4}{x+a}$의 값이 존재하고 $\lim_{x \to 2}(x^2-4) = 0$이므로 ← (분자)→0

$\lim_{x \to 2}(x+a) = 0$이어야 한다. ← (분모)→0

즉, $2+a=0$이므로 $a=-2$ …… ㉡

㉡을 주어진 등식에 대입하면

$\lim_{x \to 2} \frac{x^2-4}{x+a} = \lim_{x \to 2} \frac{x^2-4}{x-2} = \lim_{x \to 2} \frac{(x-2)(x+2)}{x-2} = \lim_{x \to 2}(x+2) = 4$ $\therefore 4=b$ ← $\frac{0}{0}$꼴이므로 인수분해하여 $x-2$로 약분

따라서 $a=-2$, $b=4$

보기 02 다음 등식을 만족시키는 상수 b를 상수 a로 나타내고 상수 a, b의 값을 정하여라.

(1) $\lim_{x\to1}\frac{a\sqrt{x}+b}{x-1}=1$ (2) $\lim_{x\to9}\frac{x-9}{\sqrt{x}+a}=b$ (단, $b\neq0$)

풀이 (1) $\lim_{x\to1}\frac{a\sqrt{x}+b}{x-1}$의 값이 존재하고 $\lim_{x\to1}(x-1)=0$이므로 ⬅ (분모)→0

$\lim_{x\to1}(a\sqrt{x}+b)=0$이어야 한다. ⬅ (분자)→0

즉, $a+b=0$이므로 $b=-a$ ⋯⋯ ㉠

㉠을 주어진 등식에 대입하면

$$\lim_{x\to1}\frac{a\sqrt{x}+b}{x-1}=\lim_{x\to1}\frac{a\sqrt{x}-a}{x-1}=\lim_{x\to1}\frac{a(\sqrt{x}-1)(\sqrt{x}+1)}{(x-1)(\sqrt{x}+1)}$$
⬅ $\frac{0}{0}$꼴이므로 분자를 유리화

$$=\lim_{x\to1}\frac{a(x-1)}{(x-1)(\sqrt{x}+1)}=\lim_{x\to1}\frac{a}{\sqrt{x}+1}=\frac{a}{2}$$
⬅ $x-1$로 약분

즉, $\frac{a}{2}=1$이므로 $a=2$

$a=2$를 ㉠에 대입하면 $b=-2$

따라서 $a=2$, $b=-2$

(2) $\lim_{x\to9}\frac{x-9}{\sqrt{x}+a}$의 값이 존재하고 $\lim_{x\to9}(x-9)=0$이므로 ⬅ (분자)→0

$\lim_{x\to9}(\sqrt{x}+a)=0$이어야 한다. ⬅ (분모)→0

즉, $\sqrt{9}+a=0$이므로 $a=-3$ ⋯⋯ ㉠

㉠을 주어진 등식에 대입하면

$$\lim_{x\to9}\frac{x-9}{\sqrt{x}-3}=\lim_{x\to9}\frac{(x-9)(\sqrt{x}+3)}{(\sqrt{x}-3)(\sqrt{x}+3)}=\lim_{x\to9}\frac{(x-9)(\sqrt{x}+3)}{x-9}$$
⬅ $\frac{0}{0}$꼴이므로 분모를 유리화

$$=\lim_{x\to9}(\sqrt{x}+3)$$
⬅ $x-9$로 약분

$$=6$$

즉, $b=6$

따라서 $a=-3$, $b=6$

보기 03 다음 등식이 성립하도록 상수 a, b의 값을 정하여라.

(1) $\lim_{x\to\infty}\frac{3x^3+4x-1}{ax^3+2x^2+2}=\frac{1}{2}$ (2) $\lim_{x\to\infty}\frac{x+1}{ax^2+bx+1}=\frac{1}{5}$

풀이 (1) $\lim_{x\to\infty}\frac{3x^3+4x-1}{ax^3+2x^2+2}=\lim_{x\to\infty}\frac{3+\frac{4}{x^2}-\frac{1}{x^3}}{a+\frac{2}{x}+\frac{2}{x^3}}$의 극한값이 $\frac{1}{2}$이므로 $a\neq0$이고 $\frac{3}{a}=\frac{1}{2}$

$\therefore a=6$

(2) $\lim_{x\to\infty}\frac{x+1}{ax^2+bx+1}=\frac{1}{5}$에서 $a\neq0$이면 $\lim_{x\to\infty}\frac{x+1}{ax^2+bx+1}=\lim_{x\to\infty}\frac{\frac{1}{x}+\frac{1}{x^2}}{a+\frac{b}{x}+\frac{1}{x^2}}=0$

이므로 등호가 성립하지 않으므로 $a=0$이다.

$$\lim_{x\to\infty}\frac{x+1}{ax^2+bx+1}=\lim_{x\to\infty}\frac{1+\frac{1}{x}}{b+\frac{1}{x}}=\frac{1}{b}$$

따라서 $\frac{1}{b}=\frac{1}{5}$이므로 $b=5$ $\therefore a=0$, $b=5$

마플개념익힘 01 $\frac{0}{0}$ 꼴의 극한값

다음 극한값을 구하여라.

(1) $\lim_{x\to-1}\frac{x^2+4x+3}{x+1}$ (2) $\lim_{x\to1}\frac{\sqrt{x+3}-2}{x-1}$

MAPL CORE $\frac{0}{0}$의 꼴 극한값의 계산

① 분모와 분자가 다항식일 때, ⇨ 분모 또는 분자를 인수분해한 후 공통인수는 약분한다.

② 분모 또는 분자에 근호가 포함된 식이 있을 때, ⇨ 분모 또는 분자에 근호가 있는 쪽을 먼저 유리화한 후 약분한다.

개념익힘 | **풀이** (1) 분자를 인수분해한 후 공통인수는 약분한다.

$$\lim_{x\to-1}\frac{x^2+4x+3}{x+1}=\lim_{x\to-1}\frac{(x+1)(x+3)}{x+1}$$ ⇐ 분자 인수분해

$$=\lim_{x\to-1}\frac{\cancel{(x+1)}(x+3)}{\cancel{x+1}}$$ ⇐ 공통인수 약분, 즉 $x\to-1$일 때, $x+1$의 값은 0에 한없이 가까워 지지만 0은 아니므로 약분이 가능하다.

$$=\lim_{x\to-1}(x+3)=\mathbf{2}$$ ⇐ 극한값 계산

(2) 분모와 분자에 각각 $\sqrt{x+3}+2$를 곱하여 유리화 한다.

$$\lim_{x\to1}\frac{\sqrt{x+3}-2}{x-1}=\lim_{x\to1}\frac{(\sqrt{x+3}-2)(\sqrt{x+3}+2)}{(x-1)(\sqrt{x+3}+2)}$$ ⇐ 분자 유리화

$$=\lim_{x\to1}\frac{\cancel{x-1}}{\cancel{(x-1)}(\sqrt{x+3}+2)}$$ ⇐ 공통인수 약분

$$=\lim_{x\to1}\frac{1}{\sqrt{x+3}+2}=\mathbf{\frac{1}{4}}$$ ⇐ 극한값 계산

확인유제 0019

2015학년도 09월 평가원
2016학년도 09월 평가원

다음 극한값을 구하여라.

(1) $\lim_{x\to2}\frac{x^2-x-2}{x-2}$ (2) $\lim_{x\to7}\frac{x^2-4x-21}{x-7}$

(3) $\lim_{x\to3}\frac{x^2-3x}{\sqrt{x+1}-2}$ (4) $\lim_{x\to1}\frac{x^3-x^2+x-1}{\sqrt{x+8}-3}$

변형문제 0020

함수 $f(x)$가 $f(x)=\begin{cases}\frac{x-4}{\sqrt{x}-2} & (x\geq4)\\ \frac{x^2-2x-8}{x^2-5x+4} & (x<4)\end{cases}$ 로 정의된다. $\lim_{x\to4+}f(x)=a$, $\lim_{x\to4-}f(x)=b$일 때, $a+b$의 값은?

① 4 ② 6 ③ 8 ④ 10 ⑤ 12

발전문제 0021

다음 물음에 답하여라.

2001학년도 수능기출

(1) 다항함수 $f(x)$에 대하여

$$\lim_{x\to1}\frac{8(x^4-1)}{(x^2-1)f(x)}=1$$

일 때, $f(1)$의 값을 구하여라.

2017학년도 09월 평가원

(2) 다항함수 $f(x)$가

$$\lim_{x\to2}\frac{(x^2-4)f(x)}{x-2}=12$$

를 만족시킬 때, $f(2)$의 값을 구하여라.

정답 0019 : (1) 3 (2) 10 (3) 12 (4) 12 0020 : ② 0021 : (1) 16 (2) 3

함수 $f(x)$가

$$\lim_{x\to1}\frac{f(x)-6}{x-1}=5$$

를 만족시킬 때, $\lim_{x\to1}\frac{\{f(x)\}^2-6f(x)}{x^3-1}$의 값을 구하여라.

MAPL CORE $\frac{0}{0}$의 꼴에서 $x\to a$일 때,

[1단계] 극한값이 존재하고 (분모)$\to 0$이면 (분자)$\to 0$

[2단계] 구하고자 하는 식을 변형하여 조건식의 극한값을 대입하여 구한다.

개념익힘 | **풀이** $\lim_{x\to1}\frac{f(x)-6}{x-1}=5$에서 $x\to1$일 때, (분모)$\to0$이고 극한값이 존재하므로 (분자)$\to0$이어야 한다.

즉, $\lim_{x\to1}\{f(x)-6\}=0$이므로 $\lim_{x\to1}f(x)=6$

$$\lim_{x\to1}\frac{\{f(x)\}^2-6f(x)}{x^3-1}=\lim_{x\to1}\frac{\{f(x)-6\}f(x)}{(x-1)(x^2+x+1)}$$ ⬅ $a^3-b^3=(a-b)(a^2+ab+b^2)$

$$=\lim_{x\to1}\left\{\frac{f(x)-6}{x-1}\cdot\frac{f(x)}{x^2+x+1}\right\}$$

$$=\lim_{x\to1}\frac{f(x)-6}{x-1}\cdot\lim_{x\to1}\frac{f(x)}{x^2+x+1}$$

$$=5\cdot\frac{f(1)}{1^2+1+1}=5\cdot\frac{6}{3}=5\cdot2=\mathbf{10}$$

주의! $\lim_{x\to1}\frac{f(x)-6}{x-1}=5$는 하나의 식이지만 두 개의 조건이 있다.

즉, $\lim_{x\to1}\{f(x)-6\}=0$과 $\lim_{x\to1}\frac{f(x)-6}{x-1}=5$의 두 극한값을 나타내고 있다.

확인유제 0022 다음 물음에 답하여라.

(1) 다항함수 $f(x)$가

$$\lim_{x\to-3}\frac{f(x)+1}{x+3}=6$$

을 만족시킬 때, $\lim_{x\to-3}\frac{\{f(x)\}^2-10f(x)-11}{x^2-9}$의 값을 구하여라.

(2) 두 함수 $f(x)$, $g(x)$가

$$f(x)=xg(x)-x,\ \lim_{x\to1}\frac{g(x)-3x}{x-1}=2$$

를 만족시킬 때, $\lim_{x\to1}f(x)g(x)$의 값을 구하여라.

변형문제 0023 함수 $f(x)$에 대하여 $\lim_{x\to2}\frac{f(x)-3}{x-2}=5$일 때, $\lim_{x\to2}\frac{x-2}{\{f(x)\}^2-9}$의 값은?

2014학년도 06월 평가원

① $\frac{1}{81}$ ② $\frac{1}{21}$ ③ $\frac{1}{24}$ ④ $\frac{1}{27}$ ⑤ $\frac{1}{30}$

발전문제 0024 다항함수 $g(x)$에 대하여 극한값 $\lim_{x\to1}\frac{g(x)-2x}{x-1}$가 존재한다. 다항함수 $f(x)$가

2009학년도 06월 평가원

$$f(x)+x-1=(x-1)g(x)$$

를 만족시킬 때, $\lim_{x\to1}\frac{f(x)g(x)}{x^2-1}$의 값을 구하여라.

정답 0022 : (1) 12 (2) 6 0023 : ⑤ 0024 : 1

마플개념익힘 03 $\frac{\infty}{\infty}$ 꼴의 극한값

다음 극한값을 구하여라.

(1) $\lim_{x\to\infty}\frac{2x^2+4x+1}{x^2+1}$ (2) $\lim_{x\to\infty}\frac{2x-5}{4x^2-5x+1}$ (3) $\lim_{x\to\infty}\frac{\sqrt{x^2+1}-1}{x+1}$

MAPL CORE $\frac{\infty}{\infty}$의 꼴의 함수의 극한값 계산

① 유리함수 ⇨ 분모의 최고차항으로 분모, 분자를 각각 나눈다.

② 무리함수 ⇨ 근호 밖의 최고차항으로 분모, 분자를 각각 나눈다.

속해법 분모, 분자가 다항식인 $\frac{\infty}{\infty}$꼴의 극한값의 계산은 차수와 계수를 파악한다.

① (분자의 차수)<(분모의 차수)일 때, 0에 수렴한다.

② (분자의 차수)=(분모의 차수)일 때, 최고차항의 계수를 비교하여 구한다. (수렴한다.)

③ (분자의 차수)>(분모의 차수)일 때, $\pm\infty$로 발산한다.

개념익힘 | 풀이 (1) 분모의 최고차항이 x^2이므로 분모와 분자를 각각 x^2으로 나누면

$$\lim_{x\to\infty}\frac{2x^2+4x+1}{x^2+1}=\lim_{x\to\infty}\frac{2+\frac{4}{x}+\frac{1}{x^2}}{1+\frac{1}{x^2}}=\frac{\lim_{x\to\infty}\left(2+\frac{4}{x}+\frac{1}{x^2}\right)}{\lim_{x\to\infty}\left(1+\frac{1}{x^2}\right)}$$ ⬅ 함수의 극한에 대한 성질

$$=\frac{2}{1}=\mathbf{2}$$ ⬅ $\lim_{x\to\infty}\frac{1}{x}=0$, $\lim_{x\to\infty}\frac{1}{x^2}=0$

(2) 분모의 최고차항이 x^2이므로 분모와 분자를 각각 x^2으로 나누면

$$\lim_{x\to\infty}\frac{2x-5}{4x^2-5x+1}=\lim_{x\to\infty}\frac{\frac{2}{x}-\frac{5}{x^2}}{4-\frac{5}{x}+\frac{1}{x^2}}=\frac{\lim_{x\to\infty}\left(\frac{2}{x}-\frac{5}{x^2}\right)}{\lim_{x\to\infty}\left(4-\frac{5}{x}+\frac{1}{x^2}\right)}$$ ⬅ 함수의 극한에 대한 성질

$$=\frac{0}{4}=\mathbf{0}$$ ⬅ $\lim_{x\to\infty}\frac{1}{x}=0$, $\lim_{x\to\infty}\frac{1}{x^2}=0$

(3) 분모의 최고차항이 x이므로 분모와 분자를 각각 x로 나누면

$$\lim_{x\to\infty}\frac{\sqrt{x^2+1}-1}{x+1}=\lim_{x\to\infty}\frac{\sqrt{\frac{x^2+1}{x^2}}-\frac{1}{x}}{1+\frac{1}{x}}=\lim_{x\to\infty}\frac{\sqrt{1+\frac{1}{x^2}}-\frac{1}{x}}{1+\frac{1}{x}}$$

$$=\frac{\sqrt{1+0}-0}{1+0}=\mathbf{1}$$ ⬅ $\lim_{x\to\infty}\frac{1}{x}=0$, $\lim_{x\to\infty}\frac{1}{x^2}=0$

확인유제 0025 다음 극한값을 구하여라.

(1) $\lim_{x\to\infty}\frac{2x^2+x+5}{x^2-3x+1}$ (2) $\lim_{x\to\infty}\frac{x+3}{2x^2+5x+3}$ (3) $\lim_{x\to\infty}\frac{2x}{\sqrt{x^2+3}-4}$

변형문제 0026 다음 극한값을 구하여라.

2009학년도 06월 평가원
2010년 07월 교육청

(1) $\lim_{x\to-\infty}\frac{x+1}{\sqrt{x^2+x}-x}$ (2) $\lim_{x\to-\infty}\frac{x-\sqrt{x^2-1}}{x+1}$

발전문제 0027 $\lim_{x\to a}\frac{2x^2-(3+2a)x+3a}{x^2-3ax+2a^2}=1$일 때, $\lim_{x\to\infty}\frac{5x}{\sqrt{2+4ax^2}-3a}$의 값은?

① $\frac{1}{2}$ ② 1 ③ $\frac{3}{2}$ ④ 2 ⑤ $\frac{5}{2}$

정답 0025 : (1) 2 (2) 0 (3) 2 0026 : (1) $-\frac{1}{2}$ (2) 2 0027 : ⑤

마플개념익힘 04 $\infty-\infty$, $\infty\times 0$꼴 극한값의 계산

다음 극한값을 구하여라.

(1) $\lim_{x\to\infty}(\sqrt{x^2+2x}-x)$ (2) $\lim_{x\to\infty}(2x^3-4x^2+5x-1)$ (3) $\lim_{x\to 0}\frac{1}{x}\left(\frac{1}{x-1}+1\right)$

MAPL CORE

(1) $\infty-\infty$꼴 극한

① 근호가 없는 다항함수 ⇨ 최고차항으로 묶어 $\infty\times a$ (단, $a\neq 0$인 상수)꼴로 변형하여 극한값 계산한다.

$a>0$이면 ∞, $a<0$이면 $-\infty$

② 근호가 있을 때 ⇨ 유리화하여 $\frac{\infty}{\infty}$꼴로 변형하여 극한값 계산한다.

(2) $\infty\times 0$꼴 극한 ⇨ 괄호 안을 통분하여 $\frac{0}{0}$ 또는 $\frac{\infty}{\infty}$꼴로 변형한다.

개념익힘 | **풀이**

(1) 분모를 1로 보고, 분자를 유리화하면

$$\lim_{x\to\infty}(\sqrt{x^2+2x}-x)=\lim_{x\to\infty}\frac{(\sqrt{x^2+2x}-x)(\sqrt{x^2+2x}+x)}{\sqrt{x^2+2x}+x}$$

$$=\lim_{x\to\infty}\frac{2x}{\sqrt{x^2+2x}+x}=\lim_{x\to\infty}\frac{2}{\sqrt{1+\frac{2}{x}}+1}=\frac{2}{1+1}=\mathbf{1}$$

⬅ 무리식이 들어있는 $\infty-\infty$꼴이므로 분자를 유리화하여 $\frac{\infty}{\infty}$꼴로 변형

(2) $\infty-\infty$꼴의 다항함수이므로 최고차항으로 묶으면

$$\lim_{x\to\infty}(2x^3-4x^2+5x-1)=\lim_{x\to\infty}x^3\left(2-\frac{4}{x}+\frac{5}{x^2}-\frac{1}{x^3}\right)=\infty$$

즉, 주어진 식의 극한값은 존재하지 않는다.

(3) 괄호 안을 통분하면

$$\lim_{x\to 0}\frac{1}{x}\left(\frac{1}{x-1}+1\right)=\lim_{x\to 0}\frac{x}{x(x-1)}=\lim_{x\to 0}\frac{1}{x-1}=\frac{1}{0-1}=\mathbf{-1}$$

확인유제 0028 다음 극한값을 구하여라.

(1) $\lim_{x\to\infty}(\sqrt{x^2+3x}-x)$ (2) $\lim_{x\to-\infty}(4x^5+x^2+4)$ (3) $\lim_{x\to 0}\frac{1}{x}\left\{\frac{1}{(x+2)^2}-\frac{1}{4}\right\}$

변형문제 0029 다음 물음에 답하여라.

(1) $\lim_{x\to\infty}\frac{1}{x-\sqrt{x^2-2x+4}}$의 값은?

① -2 ② -1 ③ 0 ④ 1 ⑤ 2

(2) $\lim_{x\to-\infty}(\sqrt{x^2-2x+3}+x)$의 값은?

① -2 ② -1 ③ 0 ④ 1 ⑤ 2

발전문제 0030 자연수 n에 대하여 $\lim_{x\to\infty}\frac{x^n(\sqrt{x^4+1}-x^2)}{\sqrt{x^2+x}-x}=\alpha$일 때, $n+\alpha$의 값을 구하여라.

(단, α는 0이 아닌 실수이다.)

정답 0028 : (1) $\frac{3}{2}$ (2) 극한값이 없다. (3) $-\frac{1}{4}$ 0029 : (1) ④ (2) ④ 0030 : 3

마플개념익힘 05 함수의 극한과 미정계수의 결정 (1)

다음 등식을 만족하는 상수 a, b의 값을 구하여라.

(1) $\lim_{x\to-1}\frac{x^2+ax+b}{x+1}=3$ (2) $\lim_{x\to1}\frac{\sqrt{x^2+a}-b}{x-1}=\frac{1}{2}$

MAPL CORE 함수 $\frac{f(x)}{g(x)}$의 극한에서 $f(x)$, $g(x)$가 다항식일 때,

① $\lim_{x\to a}\frac{f(x)}{g(x)}=\alpha$ (α는 상수)이고, $\lim_{x\to a}g(x)=0$이면 $\lim_{x\to a}f(x)=0$이다.

② $\lim_{x\to a}\frac{f(x)}{g(x)}=\alpha$ ($\alpha\neq0$인 상수)이고, $\lim_{x\to a}f(x)=0$이면 $\lim_{x\to a}g(x)=0$이다.

개념익힘 | **풀이** (1) $x\to-1$일 때, (분모)$\to0$이고 극한값이 존재하므로 (분자)$\to0$이어야 한다.

즉, $\lim_{x\to-1}(x^2+ax+b)=0$이므로 $1-a+b=0$ $\therefore b=a-1$ ⋯⋯ ㉠

㉠을 주어진 식에 대입하면

$$\lim_{x\to-1}\frac{x^2+ax+a-1}{x+1}=\lim_{x\to-1}\frac{(x+1)(x+a-1)}{x+1}=\lim_{x\to-1}(x+a-1)=a-2$$

즉, $a-2=3$이므로 $a=5$

$a=5$를 ㉠에 대입하면 $b=4$

따라서 $a=\mathbf{5}$, $b=\mathbf{4}$이다.

(2) $x\to1$일 때, (분모)$\to0$이고 극한값이 존재하므로 (분자)$\to0$이어야 한다.

즉, $\lim_{x\to1}(\sqrt{x^2+a}-b)=0$이므로 $\sqrt{1+a}-b=0$ $\therefore b=\sqrt{1+a}$ ⋯⋯ ㉠

㉠을 주어진 식에 대입하면

$$\lim_{x\to1}\frac{\sqrt{x^2+a}-\sqrt{1+a}}{x-1}=\lim_{x\to1}\frac{(\sqrt{x^2+a}-\sqrt{1+a})(\sqrt{x^2+a}+\sqrt{1+a})}{(x-1)(\sqrt{x^2+a}+\sqrt{1+a})}$$

$$=\lim_{x\to1}\frac{x^2-1}{(x-1)(\sqrt{x^2+a}+\sqrt{1+a})}=\lim_{x\to1}\frac{x+1}{\sqrt{x^2+a}+\sqrt{1+a}}=\frac{2}{2\sqrt{1+a}}=\frac{1}{2}$$

즉, $\sqrt{1+a}=2$에서 $1+a=4$이므로 $a=3$

$a=3$를 ㉠에 대입하면 $b=2$

따라서 $a=\mathbf{3}$, $b=\mathbf{2}$이다.

확인유제 0031 다음 등식을 만족하는 상수 a, b의 값을 구하여라.

2010학년도 09월 평가원
2010학년도 수능기출

(1) $\lim_{x\to1}\frac{x^2+ax-b}{x^3-1}=3$ (2) $\lim_{x\to3}\frac{\sqrt{x+a}-b}{x-3}=\frac{1}{4}$

변형문제 0032 $\lim_{x\to-3}\frac{\sqrt{x^2-x-3}+ax}{x+3}=b$가 성립하도록 상수 a, b의 값을 정할 때, $a+b$의 값은?

2009학년도 09월 평가원

① $-\frac{5}{6}$ ② $-\frac{1}{2}$ ③ 0 ④ $\frac{1}{2}$ ⑤ $\frac{5}{6}$

발전문제 0033 $\lim_{x\to0}\frac{\sqrt{4x^2+2x+1}-(ax+1)}{x^2}=b$일 때, 상수 a, b에 대하여 $a+b$의 값을 구하여라.

정답 0031 : (1) $a=7$, $b=8$ (2) $a=1$, $b=2$ 0032 : ⑤ 0033 : $\frac{5}{2}$

삼차함수 $f(x)$에 대하여

$$\lim_{x\to-1}\frac{f(x)}{x+1}=6,\ \lim_{x\to2}\frac{f(x)}{x-2}=3$$

일 때, $f(3)$의 값을 구하여라.

MAPL CORE

[1단계] $\lim_{x\to a}\frac{f(x)}{g(x)}=\alpha$($\alpha$는 상수)에서 $\lim_{x\to a}g(x)=0$이면 $\lim_{x\to a}f(x)=0$임을 이용하기

[2단계] $\frac{0}{0}$꼴의 극한에서 인수분해한 후 공통인수를 약분하여 극한값 구한다.

개념익힘 | **풀이** $\lim_{x\to-1}\frac{f(x)}{x+1}=6$에서 $x\to-1$일 때, (분모)→0이고 극한값이 존재하므로 (분자)→0이어야 한다.

즉, $\lim_{x\to-1}f(x)=0$이므로 $f(-1)=0$ …… ㉠

$\lim_{x\to2}\frac{f(x)}{x-2}=3$에서 $x\to2$일 때, (분모)→0이고 극한값이 존재하므로 (분자)→0이어야 한다.

즉, $\lim_{x\to2}f(x)=0$이므로 $f(2)=0$ …… ㉡

㉠, ㉡에서 삼차함수 $f(x)$는 $(x+1)(x-2)$를 인수로 가지므로

$f(x)=(x+1)(x-2)(ax+b)$ ($a\neq0$, a, b는 상수)라고 하면

$\lim_{x\to-1}\frac{f(x)}{x+1}=\lim_{x\to-1}\frac{(x+1)(x-2)(ax+b)}{x+1}=\lim_{x\to-1}(x-2)(ax+b)=-3(-a+b)=6$

$\therefore a-b=2$ …… ㉢

$\lim_{x\to2}\frac{f(x)}{x-2}=\lim_{x\to2}\frac{(x+1)(x-2)(ax+b)}{x-2}=\lim_{x\to2}(x+1)(ax+b)=3(2a+b)=3$

$\therefore 2a+b=1$ …… ㉣

㉢, ㉣을 연립하여 풀면 $a=1$, $b=-1$

따라서 $f(x)=(x+1)(x-2)(x-1)$이므로 $f(3)=\mathbf{8}$

확인유제 0034 삼차함수 $f(x)$가

$$\lim_{x\to-1}\frac{f(x)}{x+1}=-3,\ \lim_{x\to2}\frac{f(x)}{x-2}=-6$$

을 만족시킬 때, $f(3)$의 값을 구하여라.

변형문제 0035 삼차함수 $f(x)$가 다음 조건을 만족시킬 때, $f(3)$의 값은?

2018년 08월 교육청

(가) $\lim_{x\to1}\frac{f(x)}{x^2-1}=1$ (나) $\lim_{x\to-1}\frac{f(x)}{x^2-1}=-1$

① 20 ② 22 ③ 24 ④ 26 ⑤ 28

발전문제 0036 최고차항의 계수가 1인 두 삼차함수 $f(x)$, $g(x)$가 다음 조건을 만족시킨다.

2015학년도 06월 평가원

(가) $g(1)=0$

(나) $\lim_{x\to n}\frac{f(x)}{g(x)}=(n-1)(n-2)$ $(n=1, 2, 3, 4)$

$g(5)$의 값을 구하여라.

정답 0034 : -12 0035 : ③ 0036 : 12

마플개념익힘 07 함수의 극한과 미정계수의 결정 (3)

다음 식을 만족하는 상수 a의 값을 구하여라.

(1) $\lim_{x\to\infty}(\sqrt{x^2+4x}-ax)=2$ (2) $\lim_{x\to\infty}(\sqrt{x^2+ax}-\sqrt{x^2-ax})=4$

MAPL CORE 근호가 있는 $\infty-\infty$꼴은 분모를 1로 보고 분자를 유리화 한다.
$\lim_{x\to\infty}(\sqrt{x^2+mx+n}-ax)=\alpha$이면 ⇨ 먼저 $a=1$이 되어야 한다.

개념익힘 | 풀이 (1) $a=0$ 또는 $a<0$이면 $\lim_{x\to\infty}(\sqrt{x^2+4x}-ax)=\infty$가 되므로 $a>0$이어야 한다.

이때 $\lim_{x\to\infty}(\sqrt{x^2+4x}-ax)=\lim_{x\to\infty}\dfrac{(\sqrt{x^2+4x}-ax)(\sqrt{x^2+4x}+ax)}{\sqrt{x^2+4x}+ax}$ ⬅ 분모를 1로 보고 분자를 유리화한다.

$=\lim_{x\to\infty}\dfrac{(1-a^2)x^2+4x}{\sqrt{x^2+4x}+ax}=\lim_{x\to\infty}\dfrac{(1-a^2)x+4}{\sqrt{1+\dfrac{4}{x}}+a}$ ⬅ 분모의 최고차항 x로 분모, 분자를 나눈다.

따라서 $1-a^2=0$, $a=-1$ 또는 $a=1$에서 $a=\mathbf{1}$ ($\because a>0$)

주의 $1-a^2\neq0$이면 위의 식에서 분자는 $1-a^2$과 같은 부호의 무한대로 발산하고, 분모는 $1+a$에 수렴하므로 극한값이 2라는 조건에 모순이다.

(2) 분모를 1로 보고, 분자를 유리화하면

$$\lim_{x\to\infty}(\sqrt{x^2+ax}-\sqrt{x^2-ax})=\lim_{x\to\infty}\frac{(x^2+ax)-(x^2-ax)}{\sqrt{x^2+ax}+\sqrt{x^2-ax}}$$

$$=\lim_{x\to\infty}\frac{2ax}{\sqrt{x^2+ax}+\sqrt{x^2-ax}}$$ ⬅ 분모의 최고차항 x로 분모, 분자를 나눈다.

$$=\lim_{x\to\infty}\frac{2a}{\sqrt{1+\frac{a}{x}}+\sqrt{1-\frac{a}{x}}}$$

$$=\frac{2a}{1+1}=a$$

$\therefore a=\mathbf{4}$

확인유제 0037 $\lim_{x\to\infty}(\sqrt{3x^2+ax}-\sqrt{3}x)=\sqrt{3}$일 때, 상수 a의 값은?

① 6 ② $6\sqrt{2}$ ③ 12 ④ $12\sqrt{2}$ ⑤ 24

변형문제 0038 다음 물음에 답하여라.

(1) $\lim_{x\to\infty}(\sqrt{x^2+ax+1}+bx)=\dfrac{1}{2}$이 성립하도록 하는 상수 a, b에 대하여 $a-b$의 값은?

① -2 ② -1 ③ 0 ④ 1 ⑤ 2

(2) $\lim_{x\to\infty}(\sqrt{x^2+x+1}+ax+b)=1$일 때, 상수 a, b에 대하여 $a+b$의 값은?

① -1 ② $-\dfrac{1}{2}$ ③ $\dfrac{1}{2}$ ④ $\dfrac{3}{2}$ ⑤ 5

발전문제 0039 $\lim_{x\to a}\dfrac{x^2-a^2}{x-a}=6$, $\lim_{x\to\infty}(\sqrt{x^2+ax}-\sqrt{x^2+bx})=5$일 때, 두 상수 a, b에 대하여 $a-b$의 값을 구하여라.

정답 0037 : ① 0038 : (1) ⑤ (2) ② 0039 : 10

x에 대한 다항함수 $f(x)$가

$$\lim_{x\to\infty}\frac{f(x)}{2x^2+x+1}=1,\ \lim_{x\to1}\frac{f(x)}{x^2+x-2}=2$$

을 만족할 때, $f(2)$의 값을 구하여라.

MAPL CORE

(1) $\frac{\infty}{\infty}$꼴의 극한 ⇨ x에 대한 다항함수 $f(x)$의 차수와 계수를 파악한다.

즉, $\lim_{x\to a}\frac{f(x)}{ax^n+bx^{n-1}+\cdots+cx+d}=k$($k$는 상수)이면 $f(x)=kax^n+b'x^{n-1}+\cdots+c'x+d'$

(2) $\frac{0}{0}$꼴의 극한 ⇨ x에 대한 다항함수 $f(x)$가 가지는 인수를 파악한다.

즉, $\lim_{x\to a}\frac{f(x)}{x-a}=k$($k$는 상수)이면 $f(a)=0$이므로 $f(x)=(x-a)g(x)$

참고 $\lim_{x\to0}\frac{f(x)}{x^2}=k$ ⇨ $f(x)=x^2(x^{n-2}+x^{n-1}+\cdots+k)$꼴인 n차 다항함수로 나타낼 수 있다.

개념익힘 | 풀이

$\lim_{x\to\infty}\frac{f(x)}{2x^2+x+1}=1$에서 $f(x)$는 최고차항의 계수가 2인 이차함수이다.

$\lim_{x\to1}\frac{f(x)}{x^2+x-2}=2$에서 $\lim_{x\to1}(x^2+x-2)=0$이므로 $\lim_{x\to1}f(x)=0$ ← (분모)→0이므로 (분자)→0이어야 한다.

즉, $f(1)=0$이므로 $f(x)$는 $x-1$을 인수로 갖는다.

$f(x)=2(x-1)(x+a)$(a는 상수)라 하면

$$\lim_{x\to1}\frac{f(x)}{x^2+x-2}=\lim_{x\to1}\frac{2(x-1)(x+a)}{(x-1)(x+2)}=\lim_{x\to1}\frac{2(x+a)}{x+2}=\frac{2(1+a)}{3}$$

즉, $\frac{2(1+a)}{3}=2$이므로 $a=2$

따라서 $f(x)=2(x-1)(x+2)=2x^2+2x-4$

$\therefore f(2)=\mathbf{8}$

다른풀이 $f(x)=2x^2+bx+c$로 놓고 풀이하기

$\lim_{x\to\infty}\frac{f(x)}{2x^2+x+1}=1$에서 $f(x)$는 최고차항의 계수가 2인 이차함수이므로 $f(x)=2x^2+bx+c$ (단, b, c는 상수)라 하자.

$\lim_{x\to1}\frac{f(x)}{x^2+x-2}=2$에서 $x\to1$일 때, 극한값이 존재하고 (분모)→0이므로 (분자)→0이어야 한다. 즉 $f(1)=0$이므로

$f(1)=2+b+c=0 \quad \therefore c=-b-2$ …… ㉠

㉠을 $f(x)$에 대입하면

$f(x)=2x^2+bx+c=2x^2+bx-(b+2)=(x-1)(2x+b+2)$

이므로

$$\lim_{x\to1}\frac{f(x)}{x^2+x-2}=\lim_{x\to1}\frac{(x-1)(2x+2+b)}{(x-1)(x+2)}=\lim_{x\to1}\frac{2x+2+b}{x+2}=\frac{4+b}{3}$$

즉, $\frac{4+b}{3}=2$에서 $b=2$이므로 ㉠에 대입하면 $c=-4$

따라서 $b=2$, $c=-4$이므로 $f(x)=2x^2+2x-4 \quad \therefore f(2)=8$

확인유제 0040 2012년 07월 교육청

x에 대한 다항함수 $f(x)$가 $\lim_{x\to\infty}\frac{x^2+3x+5}{f(x)}=\frac{1}{2}$, $\lim_{x\to1}\frac{f(x)}{x-1}=3$을 만족할 때, $f(2)$의 값을 구하여라.

변형문제 0041 2011년 04월 교육청

x에 대한 다항함수 $f(x)$가 $\lim_{x\to\infty}\frac{f(x)-3x^3}{x^2}=2$, $\lim_{x\to0}\frac{f(x)}{x}=2$를 만족할 때, $f(1)$의 값은?

① 1 ② 2 ③ 3 ④ 4 ⑤ 7

발전문제 0042

다음 물음에 답하여라.

2010학년도 06월 평가원

(1) 다항함수 $f(x)$가 $\lim_{x\to0+}\frac{x^3f\left(\frac{1}{x}\right)-1}{x^3+x}=5$, $\lim_{x\to1}\frac{f(x)}{x^2+x-2}=\frac{1}{3}$을 만족시킬 때, $f(2)$의 값을 구하여라.

2015학년도 06월 평가원

(2) 다항함수 $f(x)$가 $\lim_{x\to\infty}\frac{f(x)-x^3}{x^2}=-11$, $\lim_{x\to1}\frac{f(x)}{x-1}=-9$을 만족시킬 때, $\lim_{x\to\infty}xf\left(\frac{1}{x}\right)$의 값을 구하여라.

정답 0040 : 5 0041 : ⑤ 0042 : (1) 10 (2) 10

마플개념익힘 09 함수의 극한과 대소 관계

모든 양의 실수 x에 대하여 함수 $f(x)$가

$$2x^2+1<f(x)<2x^2+3$$

을 만족할 때, $\lim_{x\to\infty}\frac{f(x)}{x^2+1}$를 구하여라.

MAPL CORE $\lim_{x\to a}f(x)=\alpha$, $\lim_{x\to a}g(x)=\beta$ (단, α, β는 실수)일 때,

① $f(x)<g(x)$이면 $\alpha\le\beta$

② 함수 $h(x)$가 $f(x)<h(x)<g(x)$이고, $\alpha=\beta$이면 $\lim_{x\to a}h(x)=\alpha$

개념익힘 | **풀이** $x\neq0$일 때, $x^2+1>0$이므로

$2x^2+1<f(x)<2x^2+3$의 각 변을 x^2+1로 나누면

$\frac{2x^2+1}{x^2+1}<\frac{f(x)}{x^2+1}<\frac{2x^2+3}{x^2+1}$이 성립한다.

이때 $\lim_{x\to\infty}\frac{2x^2+1}{x^2+1}=\lim_{x\to\infty}\frac{2+\frac{1}{x^2}}{1+\frac{1}{x^2}}=2$, $\lim_{x\to\infty}\frac{2x^2+3}{x^2+1}=\lim_{x\to\infty}\frac{2+\frac{3}{x^2}}{1+\frac{1}{x^2}}=2$이다.

따라서 함수의 극한의 대소 관계에 의하여 $\lim_{x\to\infty}\frac{f(x)}{x^2+1}=\mathbf{2}$

확인유제 0043 다음 물음에 답하여라.

(1) 모든 양의 실수 x에 대하여 함수 $f(x)$가 $\frac{x^2}{x+1}<f(x)<\frac{x^3}{x^2+3}$을 만족할 때,

$\lim_{x\to\infty}\frac{f(x)}{x}$의 값을 구하여라.

(2) $x\neq1$인 모든 실수 x에 대하여 함수 $f(x)$가 $x^2-1<f(x)<2x^2-2x$을 만족할 때,

$\lim_{x\to1}\frac{f(x)}{x-1}$의 값을 구하여라.

변형문제 0044 함수 $f(x)$가 모든 실수 x에 대하여

$$-x^2+2x\le f(x)\le x^2+2x$$

를 만족시킬 때, $\lim_{x\to0+}\frac{\{f(x)\}^2}{x\{2x+f(x)\}}$의 값은?

① -2 ② -1 ③ 0 ④ 1 ⑤ 3

발전문제 0045 함수 $f(x)$가 모든 실수 x에 대하여 부등식

$$\sqrt{x^2+2x+3}\le f(x)\le\sqrt{x^2+2x+5}$$

를 만족시킬 때, $\lim_{x\to\infty}\{x-f(x)\}$의 값을 구하여라.

정답 0043 : (1) 1 (2) 2 0044 : ④ 0045 : -1

마플개념익힘 10 함수의 극한의 성질을 이용하여 부정형의 극한값 계산

오른쪽 그림은 함수 $y=f(x)$의 그래프이다.

최고차항의 계수가 1인 이차함수 $g(x)$에 대하여

$$\lim_{x\to1-}\frac{f(x)}{g(x)}=\frac{1}{12},\ \lim_{x\to2+}\frac{g(x)-1}{2f(x)-1}=-6$$

일 때, $g(5)$의 값을 구하여라.

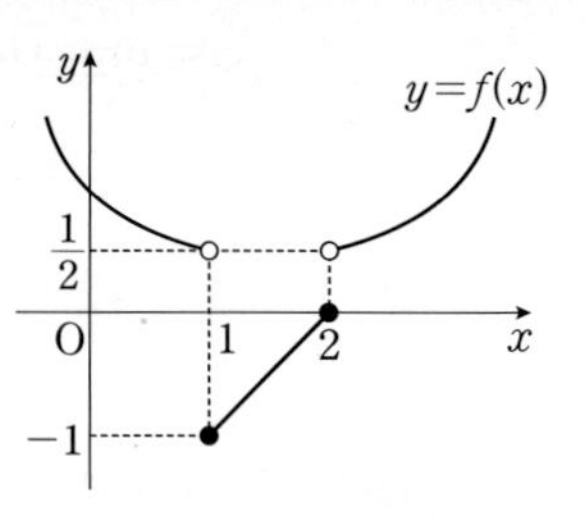

MAPL CORE 함수의 그래프에서 좌극한값과 우극한값을 구하고 함수의 극한의 성질과 $\frac{0}{0}$의 꼴의 극한을 이용하여 이차함수 $g(x)$의 값 구하기

개념익힘 | 풀이 최고차항의 계수가 1인 이차함수 $g(x)$를 $g(x)=x^2+ax+b$(a, b는 상수)라 하자.

그래프에서 $\lim_{x\to1-}f(x)=\frac{1}{2}$이고 $\lim_{x\to1-}\frac{f(x)}{g(x)}=\frac{1}{12}$이므로

$\lim_{x\to1-}g(x)=\lim_{x\to1-}\left\{f(x)\div\frac{f(x)}{g(x)}\right\}=\lim_{x\to1-}f(x)\div\lim_{x\to1-}\frac{f(x)}{g(x)}=\frac{1}{2}\cdot12=6$

즉, $g(1)=6$이므로 $1+a+b=6$ ······ ㉠

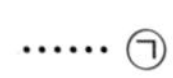

또한, 그래프에서 $\lim_{x\to2+}f(x)=\frac{1}{2}$이고 $\lim_{x\to2+}\frac{g(x)-1}{2f(x)-1}=-6$이므로

$x\to2+$일 때, (분모)→0이고 극한값이 존재하므로 (분자)→0이어야 한다.

즉, $\lim_{x\to2+}\{g(x)-1\}=0$이므로 $g(2)-1=0$

$g(2)=1$이므로 $4+2a+b=1$ ······ ㉡

㉠, ㉡을 연립하여 풀면 $a=-8$, $b=13$

따라서 $g(x)=x^2-8x+13$이므로 $g(5)=25-40+13=$ **-2**

확인유제 0046
2019학년도 사관기출

함수 $y=f(x)$의 그래프가 오른쪽 그림과 같다.

최고차항의 계수가 1인 이차함수 $g(x)$에 대하여

$$\lim_{x\to0+}\frac{g(x)}{f(x)}=1,\ \lim_{x\to1-}f(x-1)g(x)=3$$

일 때, $g(2)$의 값을 구하여라.

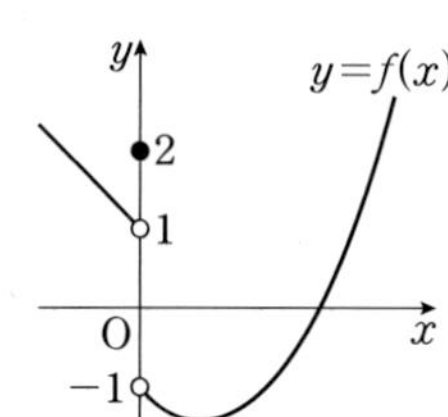
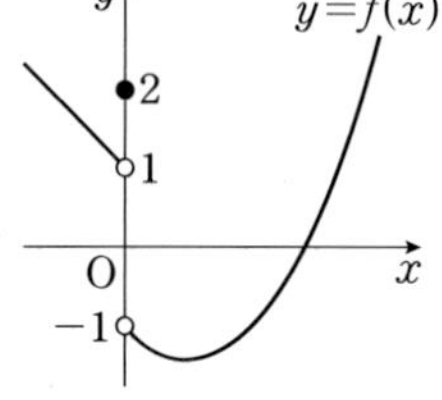

변형문제 0047

함수 $y=f(x)$의 그래프가 오른쪽 그림과 같다. 최고차항의 계수가 1인 삼차함수 $g(x)$에 대하여

$$\lim_{x\to0+}\frac{g(x)}{f(x)},\ \lim_{x\to1}f(x)g(x),\ \lim_{x\to2}f(x)g(x+1)$$

의 값이 모두 존재할 때, $g(5)$의 값은?

① 10 ② 20 ③ 30 ④ 40 ⑤ 50

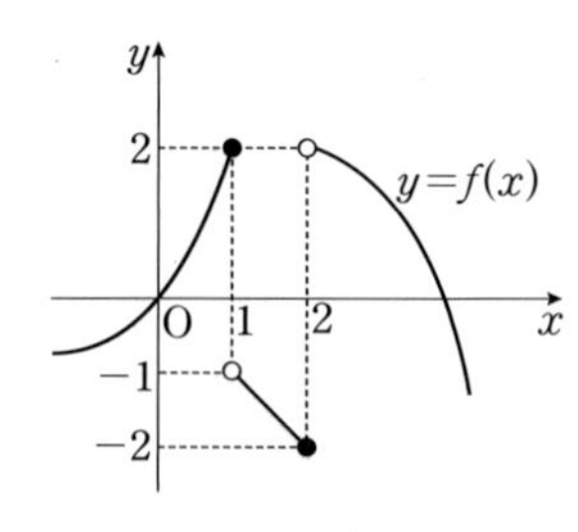

발전문제 0048
2017학년도 수능기출

최고차항의 계수가 1인 이차함수 $f(x)$가

$$\lim_{x\to a}\frac{f(x)-(x-a)}{f(x)+(x-a)}=\frac{3}{5}$$

을 만족시킨다. 방정식 $f(x)=0$의 두 근을 α, β라 할 때, $|\alpha-\beta|$의 값은? (단, a는 상수이다.)

① 1 ② 2 ③ 3 ④ 4 ⑤ 5

정답 0046 : 9 0047 : ④ 0048 : ④

마플개념익힘 11 함수의 극한의 활용

오른쪽 그림과 같이 곡선 $y=x^2$ 위의 원점이 아닌 점 P에 대하여 점 P와 원점 O를 지나고 y축 위의 점 Q를 중심으로 하는 원이 있다. 점 P가 곡선 $y=x^2$을 따라 원점 O에 한없이 가까워질 때, 점 Q는 점 $(0,\ a)$에 한없이 가까워진다. 이때 a의 값을 구하여라.

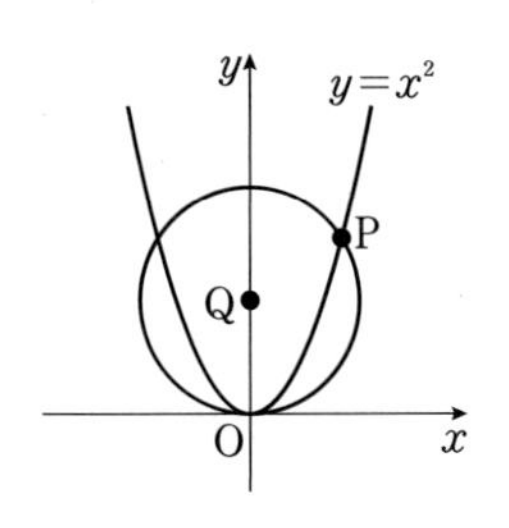

MAPL CORE 도형 또는 그래프에서 극한값을 구할 때,
[1단계] 구하는 선분의 길이, 점의 좌표를 식으로 나타낸다.
[2단계] $\frac{\infty}{\infty}$, $\frac{0}{0}$ 꼴의 극한의 성질을 이용하여 극한값을 구한다.

개념익힘 | 풀이 점 P의 좌표를 $(t,\ t^2)$, 점 Q의 좌표를 $(0,\ r)$로 놓으면

$\overline{\mathrm{PQ}}=\overline{\mathrm{OQ}}$이므로 $\sqrt{t^2+(r-t^2)^2}=r$

양변을 제곱하여 정리하면 $t^4+t^2-2t^2r=0$

그러므로 $t\neq0$일 때, $r=\dfrac{t^4+t^2}{2t^2}=\dfrac{t^2+1}{2}$

이때 점 P가 원점 O에 한없이 가까워지면 $t\to0$이므로

$a=\lim\limits_{t\to0}r=\lim\limits_{t\to0}\dfrac{t^2+1}{2}=\mathbf{\dfrac{1}{2}}$

따라서 점 Q는 점 $\left(0,\ \dfrac{1}{2}\right)$에 한없이 가까워진다.

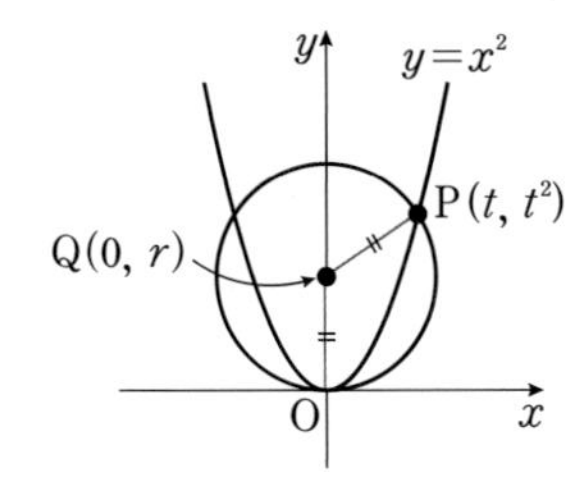

확인유제 0049

오른쪽 그림과 같이 곡선 $y=\sqrt{2x}$ 위의 점 $\mathrm{P}(a,\ \sqrt{2a})$에서 x축에 내린 수선의 발을 Q라 할 때, 다음 값을 구하여라.
(단, $a\neq0$이고, O는 원점이다.)

(1) $\lim\limits_{a\to\infty}(\overline{\mathrm{OP}}-\overline{\mathrm{OQ}})$

(2) $\lim\limits_{a\to\infty}\dfrac{\overline{\mathrm{OP}}}{\overline{\mathrm{OQ}}}$

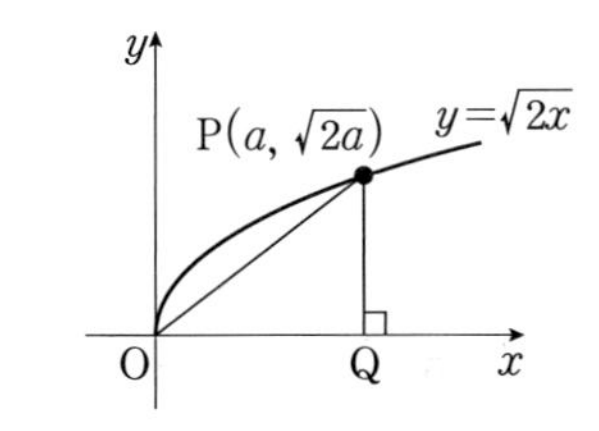

변형문제 0050

2012학년도 수능기출

오른쪽 그림과 같이 직선 $y=x+1$ 위에 두 점 $\mathrm{A}(-1,\ 0)$과 $\mathrm{P}(t,\ t+1)$이 있다. 점 P를 지나고 직선 $y=x+1$에 수직인 직선이 y축과 만나는 점을 Q라 할 때, $\lim\limits_{t\to\infty}\dfrac{\overline{\mathrm{AQ}}^2}{\overline{\mathrm{AP}}^2}$의 값은?

① 1 ② $\dfrac{3}{2}$ ③ 2 ④ $\dfrac{5}{2}$ ⑤ 3

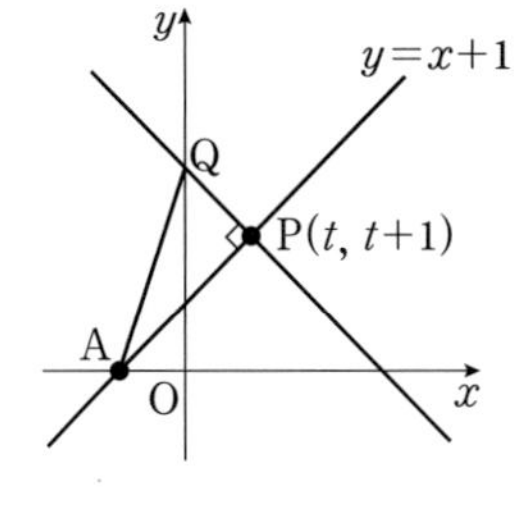

발전문제 0051

2011년 04월 교육청

오른쪽 그림과 같이 좌표평면에서 곡선 $y=\sqrt{2x}$ 위의 점 $\mathrm{P}(t,\ \sqrt{2t})$가 있다. 원점 O를 중심으로 하고 선분 OP를 반지름으로 하는 원을 C, 점 P에서의 원 C의 접선이 x축과 만나는 점을 Q라 하자. 원 C의 넓이를 $S(t)$라 할 때, $\lim\limits_{t\to0+}\dfrac{S(t)}{\overline{\mathrm{OQ}}-\overline{\mathrm{PQ}}}$의 값을 구하여라. (단, $t>0$)

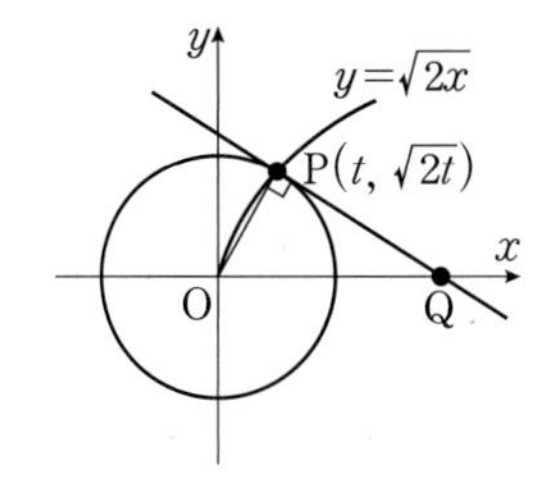

정답 0049 : (1) 1 (2) 1 0050 : ③ 0051 : 4π

함수의 극한의 진위 판단

01 함수의 극한에 대한 성질의 진위 판단

(1) $\lim_{x \to a} f(x)=\infty$, $\lim_{x \to a} g(x)=\infty$이면 $\lim_{x \to a} \frac{f(x)}{g(x)}=1$이다. [거짓]

반례 $f(x)=\frac{1}{x}$, $g(x)=\frac{1}{x^2}$에서 $\lim_{x \to 0} f(x)=\lim_{x \to 0} \frac{1}{x}=\infty$, $\lim_{x \to 0} g(x)=\lim_{x \to 0} \frac{1}{x^2}=\infty$이지만

$$\lim_{x \to 0} \frac{f(x)}{g(x)}=\lim_{x \to 0} \frac{\frac{1}{x}}{\frac{1}{x^2}}=\lim_{x \to 0} x=0$$

(2) $\lim_{x \to a} f(x)=b$, $\lim_{x \to a} g(x)=\infty$이면 $\lim_{x \to a} \frac{f(x)}{g(x)}=0$이다. (단, b는 상수) [참]

해설 $\lim_{x \to a} g(x)=\infty$일 때, $\lim_{x \to a} \frac{1}{g(x)}=0$이므로 $\lim_{x \to a} \frac{f(x)}{g(x)}=\lim_{x \to a} f(x) \cdot \lim_{x \to a} \frac{1}{g(x)}=b \cdot 0=0$

(3) $\lim_{x \to a} \{f(x)+g(x)\}$의 값이 존재하면 $\lim_{x \to a} f(x)$, $\lim_{x \to a} g(x)$는 각각 값이 존재한다. [거짓]

반례 $f(x)=\begin{cases} 1 & (x<1) \\ -1 & (x \ge 1) \end{cases}$, $g(x)=\begin{cases} -1 & (x<1) \\ 1 & (x \ge 1) \end{cases}$에서

$\lim_{x \to 1} \{f(x)+g(x)\}=\lim_{x \to 1} 0=0$이므로 극한값이 존재하지만

$\lim_{x \to 1-} f(x) \ne \lim_{x \to 1+} f(x)$, $\lim_{x \to 1-} g(x) \ne \lim_{x \to 1+} g(x)$이므로 $\lim_{x \to 1} f(x)$, $\lim_{x \to 1} g(x)$는 극한값이 존재하지 않는다.

(4) $\lim_{x \to a} \{f(x)+g(x)\}$와 $\lim_{x \to a} \{f(x)-g(x)\}$의 값이 각각 존재하면 $\lim_{x \to a} f(x)$의 값도 존재한다. [참]

해설 $f(x)+g(x)=h(x)$, $f(x)-g(x)=k(x)$로 놓고 $\lim_{x \to a} h(x)=\alpha$, $\lim_{x \to a} k(x)=\beta$ (단, α, β는 실수)라 하면

$f(x)=\frac{h(x)+k(x)}{2}$이므로 $\lim_{x \to a} \frac{h(x)+k(x)}{2}=\frac{\alpha+\beta}{2}$

즉, $\lim_{x \to a} f(x)$의 값도 존재(수렴)한다.

(5) $\lim_{x \to a} f(x)$와 $\lim_{x \to a} \{f(x)+g(x)\}$의 값이 각각 존재하면 $\lim_{x \to a} g(x)$의 값도 존재한다. [참]

해설 $\lim_{x \to a} f(x)=\alpha$, $\lim_{x \to a} \{f(x)+g(x)\}=\beta$라 하면

$\lim_{x \to a} g(x)=\lim_{x \to a} \{f(x)+g(x)-f(x)\}=\lim_{x \to a} \{f(x)+g(x)\}-\lim_{x \to a} f(x)=\beta-\alpha$

즉, $\lim_{x \to a} g(x)$값은 존재(수렴)한다.

(6) $\lim_{x \to a} f(x)$와 $\lim_{x \to a} \{f(x)g(x)\}$의 값이 각각 존재하면 $\lim_{x \to a} g(x)$의 값도 존재한다. [거짓]

반례 $f(x)=\frac{x-a}{a}$, $g(x)=\frac{a}{x-a}$ (단, $a \ne 0$)라 하면

$\lim_{x \to a} f(x)=\lim_{x \to a} \frac{x-a}{a}=0$, $\lim_{x \to a} f(x)g(x)=\lim_{x \to a} \left(\frac{x-a}{a} \cdot \frac{a}{x-a}\right)=1$

$\lim_{x \to a} f(x)$와 $\lim_{x \to a} \{f(x)g(x)\}$의 값이 각각 존재하지만

$\lim_{x \to a} g(x)=\lim_{x \to a} \frac{a}{x-a}=\pm\infty$이므로 $\lim_{x \to a} g(x)$값은 존재하지 않는다.

(7) $\lim_{x\to a}f(x)$와 $\lim_{x\to a}\{f(x)g(x)\}$의 값이 각각 존재하고 $\lim_{x\to a}f(x)\neq 0$이면 $\lim_{x\to a}g(x)$의 값도 존재한다. [참]

해설 $\lim_{x\to a}f(x)=\alpha(\alpha\neq 0)$, $\lim_{x\to a}f(x)g(x)=\beta$ (단, α, β는 실수)라 하면

$$\lim_{x\to a}g(x)=\lim_{x\to a}\left\{f(x)g(x)\cdot\frac{1}{f(x)}\right\}=\lim_{x\to a}f(x)g(x)\cdot\lim_{x\to a}\frac{1}{f(x)}=\beta\cdot\frac{1}{\alpha}=\frac{\beta}{\alpha}$$

(8) $\lim_{x\to a}g(x)$와 $\lim_{x\to a}\dfrac{f(x)}{g(x)}$의 값이 존재하면 $\lim_{x\to a}f(x)$의 값도 존재한다. [참]

해설 $\lim_{x\to a}g(x)=\alpha$, $\lim_{x\to a}\dfrac{f(x)}{g(x)}=\beta$ (단, α, β는 실수)라 하면

$$\lim_{x\to a}f(x)=\lim_{x\to a}\left\{g(x)\cdot\frac{f(x)}{g(x)}\right\}=\lim_{x\to a}g(x)\cdot\lim_{x\to a}\frac{f(x)}{g(x)}=\alpha\beta$$

즉, $\lim_{x\to a}f(x)$의 값은 존재(수렴)한다.

(9) $\lim_{x\to a}f(x)$와 $\lim_{x\to a}\dfrac{f(x)}{g(x)}$의 값이 존재하면 $\lim_{x\to a}g(x)$의 값도 존재한다. [거짓]

반례 $f(x)=\dfrac{a}{x+a}$, $g(x)=\dfrac{a}{x-a}$ (단, $a\neq 0$)라 하면

$\lim_{x\to a}f(x)=\lim_{x\to a}\dfrac{a}{x+a}=\dfrac{1}{2}$, $\lim_{x\to a}\dfrac{f(x)}{g(x)}=\lim_{x\to a}\left(\dfrac{a}{x+a}\cdot\dfrac{x-a}{a}\right)=\lim_{x\to a}\dfrac{x-a}{x+a}=0$이므로

$\lim_{x\to a}f(x)$와 $\lim_{x\to a}\dfrac{f(x)}{g(x)}$의 값이 각각 존재하지만

$\lim_{x\to a}g(x)=\lim_{x\to a}\dfrac{a}{x-a}=\pm\infty$이므로 $\lim_{x\to a}g(x)$값은 존재하지 않는다.

(10) $\lim_{x\to a}\{f(x)-g(x)\}=0$이면 $\lim_{x\to a}f(x)=\lim_{x\to a}g(x)$이다. [거짓]

반례 $f(x)=\begin{cases}x-1 & (x\leq 0)\\ x+1 & (x>0)\end{cases}$, $g(x)=\begin{cases}-x-1 & (x\leq 0)\\ 2x+1 & (x>0)\end{cases}$이라 하면

$\lim_{x\to 0}\{f(x)-g(x)\}$에 대하여 $\lim_{x\to 0-}\{f(x)-g(x)\}=\lim_{x\to 0-}2x=0$ ← 좌극한

$\lim_{x\to 0+}\{f(x)-g(x)\}=\lim_{x\to 0+}(-x)=0$ ← 우극한

이므로 $\lim_{x\to 0}\{f(x)-g(x)\}$의 값은 존재하지만 $\lim_{x\to 0}f(x)$, $\lim_{x\to 0}g(x)$의 값은 존재하지 않는다.

(11) $x\neq 0$인 모든 실수 x에 대하여 $f(x)<g(x)$이면 $\lim_{x\to 0}f(x)<\lim_{x\to 0}g(x)$이다. [거짓]

반례 $f(x)=\begin{cases}x+1 & (x<0)\\ -x+1 & (x>0)\end{cases}$, $g(x)=1(x\neq 0)$이면

$x\neq 0$인 모든 실수 x에 대하여 $f(x)<g(x)$이지만

$\lim_{x\to 0}f(x)=\lim_{x\to 0}g(x)=1$이다.

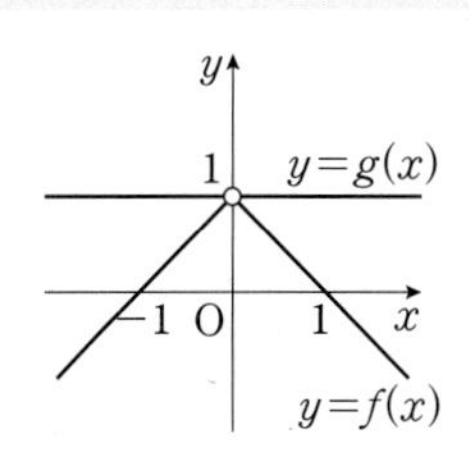

(12) 모든 실수 x에 대하여 $f(x)<g(x)<h(x)$이고 $\lim_{x\to\infty}\{h(x)-f(x)\}=0$이면 $\lim_{x\to\infty}g(x)$의 값이 존재한다. [거짓]

반례 $f(x)=x-\dfrac{1}{x^2+1}$, $g(x)=x$, $h(x)=x+\dfrac{1}{x^2+1}$이라 하면

$x-\dfrac{1}{x^2+1}<x<x+\dfrac{1}{x^2+1}$이고 $\lim_{x\to\infty}\{h(x)-f(x)\}=\lim_{x\to\infty}\dfrac{2}{x^2+1}=0$이지만 $\lim_{x\to\infty}g(x)=\lim_{x\to\infty}x=\infty$이다. [거짓]

수능특강문제 01

두 함수 $f(x)$, $g(x)$에 대한 다음 [보기] 중 옳은 것을 모두 고른 것은? (단, a는 실수)

ㄱ. $\lim_{x\to a}\{f(x)+g(x)\}$의 값이 존재하면 $\lim_{x\to a}f(x)$, $\lim_{x\to a}g(x)$의 값도 각각 존재한다.
ㄴ. $\lim_{x\to a}\{f(x)+g(x)\}$, $\lim_{x\to a}\{f(x)-g(x)\}$의 값이 존재하면 $\lim_{x\to a}f(x)$의 값도 존재한다.
ㄷ. $\lim_{x\to a}\{f(x)-g(x)\}=0$이면 $\lim_{x\to a}f(x)=\lim_{x\to a}g(x)$이다.

① ㄱ　② ㄴ　③ ㄷ　④ ㄱ, ㄴ　⑤ ㄱ, ㄴ, ㄷ

수능특강 풀이

STEP Ⓐ **함수의 극한의 성질을 이용하여 진위판단하기**

ㄱ. 반례 $f(x)=1-\frac{1}{x}$, $g(x)=\frac{1}{x}$일 때,
$\lim_{x\to 0}\{f(x)+g(x)\}=1$이지만 $\lim_{x\to 0}f(x)$, $\lim_{x\to 0}g(x)$의 값은 존재하지 않는다. [거짓]

ㄴ. $\lim_{x\to a}\{f(x)+g(x)\}=\alpha$, $\lim_{x\to a}\{f(x)-g(x)\}=\beta$ (α, β는 실수)라 하면
$$\lim_{x\to a}f(x)=\lim_{x\to a}\frac{\{f(x)+g(x)\}+\{f(x)-g(x)\}}{2}=\frac{\alpha+\beta}{2}$$ [참]

ㄷ. 반례 $f(x)=x+\frac{1}{x}$, $g(x)=\frac{1}{x}$일 때,
$\lim_{x\to 0}\{f(x)-g(x)\}=0$이지만 $\lim_{x\to 0}f(x)$, $\lim_{x\to 0}g(x)$의 값은 존재하지 않는다. [거짓]

따라서 옳은 것은 ㄴ뿐이다.

수능특강문제 02

두 함수 $f(x)$, $g(x)$에 대하여 [보기]의 설명 중 옳은 것을 모두 고른 것은?

ㄱ. $\lim_{x\to\infty}f(x)$와 $\lim_{x\to\infty}\{f(x)+g(x)\}$의 값이 모두 존재하면 $\lim_{x\to\infty}g(x)$의 값도 존재한다.
ㄴ. $\lim_{x\to\infty}f(x)$와 $\lim_{x\to\infty}f(x)g(x)$의 값이 모두 존재하면 $\lim_{x\to\infty}g(x)$의 값도 존재한다.
ㄷ. $\lim_{x\to\infty}f(x)$와 $\lim_{x\to\infty}\frac{g(x)}{f(x)}$의 값이 모두 존재하면 $\lim_{x\to\infty}g(x)$의 값도 존재한다. (단, $f(x)\neq 0$)

① ㄱ　② ㄷ　③ ㄱ, ㄷ　④ ㄴ, ㄷ　⑤ ㄱ, ㄴ, ㄷ

수능특강 풀이

STEP Ⓐ **함수의 극한의 성질을 이용하여 진위판단하기**

ㄱ. $\lim_{x\to\infty}f(x)=\alpha$, $\lim_{x\to\infty}\{f(x)+g(x)\}=\beta$ (α, β는 상수)라 하면
$\lim_{x\to\infty}g(x)=\lim_{x\to\infty}[\{f(x)+g(x)\}-f(x)]=\lim_{x\to\infty}\{f(x)+g(x)\}-\lim_{x\to\infty}f(x)=\beta-\alpha$
즉, $\lim_{x\to\infty}g(x)$의 값도 존재한다. [참]

ㄴ. 반례 $f(x)=\frac{1}{x}$, $g(x)=x$라 하면
$\lim_{x\to\infty}f(x)=\lim_{x\to\infty}\frac{1}{x}=0$, $\lim_{x\to\infty}f(x)g(x)=\lim_{x\to\infty}\left(\frac{1}{x}\cdot x\right)=\lim_{x\to\infty}1=1$이지만
$\lim_{x\to\infty}g(x)=\lim_{x\to\infty}x=\infty$이므로 $\lim_{x\to\infty}g(x)$값은 존재하지 않는다. (발산) [거짓]

ㄷ. $\lim_{x\to\infty}f(x)=\alpha$, $\lim_{x\to\infty}\frac{g(x)}{f(x)}=\beta$ (α, β는 상수)라 하면
$$\lim_{x\to\infty}g(x)=\lim_{x\to\infty}\left\{f(x)\cdot\frac{g(x)}{f(x)}\right\}=\lim_{x\to\infty}f(x)\cdot\lim_{x\to\infty}\frac{g(x)}{f(x)}=\alpha\beta$$
즉, $\lim_{x\to\infty}g(x)$의 값도 존재한다. [참]

따라서 옳은 것은 ㄱ, ㄷ이다.

수능특강문제 03

두 함수 $f(x)$, $g(x)$에 대한 다음 [보기] 중 옳은 것을 모두 고른 것은? (단, a는 실수)

ㄱ. $\lim_{x\to a}f(x)$와 $\lim_{x\to a}\{f(x)+g(x)\}$의 값이 존재하면 $\lim_{x\to a}g(x)$의 값도 존재한다.

ㄴ. $\lim_{x\to a}g(x)$의 값과 $\lim_{x\to a}\frac{f(x)}{g(x)}$의 값이 각각 존재하면 $\lim_{x\to a}f(x)$의 값도 존재한다.

ㄷ. $\lim_{x\to a}f(x)$와 $\lim_{x\to a}\frac{f(x)}{g(x)}$의 값이 각각 존재하면 $\lim_{x\to a}g(x)$의 값도 존재한다.

① ㄱ ② ㄴ ③ ㄱ. ㄴ ④ ㄴ, ㄷ ⑤ ㄱ, ㄴ, ㄷ

수능특강 풀이

STEP A 함수의 극한의 성질을 이용하여 진위판단하기

ㄱ. $\lim_{x\to a}f(x)=\alpha$, $\lim_{x\to a}\{f(x)+g(x)\}=\beta$ (α, β는 상수)라 하면

$\lim_{x\to a}g(x)=\lim_{x\to a}[\{f(x)+g(x)\}-f(x)]=\lim_{x\to a}\{f(x)+g(x)\}-\lim_{x\to a}f(x)=\beta-\alpha$

즉, $\lim_{x\to a}g(x)$의 값도 존재한다. [참]

ㄴ. $\lim_{x\to a}g(x)=\alpha$, $\lim_{x\to a}\frac{f(x)}{g(x)}=\beta$ (단, α, β는 실수)라 하면

$\lim_{x\to a}f(x)=\lim_{x\to a}\left\{g(x)\cdot\frac{f(x)}{g(x)}\right\}=\lim_{x\to a}g(x)\cdot\lim_{x\to a}\frac{f(x)}{g(x)}=\alpha\beta$

즉, $\lim_{x\to a}f(x)$의 값은 존재(수렴)한다. [참]

ㄷ. 반례 $f(x)=\frac{1}{x+1}$, $g(x)=\frac{1}{x-1}$이라 하면

$\lim_{x\to 1}f(x)=\lim_{x\to 1}\frac{1}{x+1}=\frac{1}{2}$, $\lim_{x\to 1}\frac{f(x)}{g(x)}=\lim_{x\to 1}\left(\frac{1}{x+1}\cdot\frac{x-1}{1}\right)=\lim_{x\to 1}\frac{x-1}{x+1}=0$이므로

$\lim_{x\to 1}f(x)$와 $\lim_{x\to 1}\frac{f(x)}{g(x)}$의 값이 각각 존재하지만 $\lim_{x\to 1}g(x)=\lim_{x\to 1}\frac{1}{x-1}=\pm\infty$이므로 $\lim_{x\to 1}g(x)$값은 존재하지 않는다. [거짓]

따라서 옳은 것은 ㄱ, ㄴ이다.

수능특강문제 04

두 함수 $f(x)$, $g(x)$에 대한 다음 [보기] 중 옳은 것을 모두 고른 것은? (단, a는 실수)

ㄱ. $\lim_{x\to a}f(x)$와 $\lim_{x\to a}g(x)$의 값이 존재하면 $\lim_{x\to a}\frac{f(x)}{g(x)}$의 값도 존재한다.

ㄴ. $\lim_{x\to a}f(x)$의 값과 $\lim_{x\to a}f(x)g(x)$의 값이 각각 존재하고 $\lim_{x\to a}f(x)\neq 0$이면 $\lim_{x\to a}g(x)$의 값이 존재한다.

ㄷ. $\lim_{x\to a}f(x)$와 $\lim_{x\to a}\frac{g(x)}{f(x)}$의 값이 존재하면 $\lim_{x\to a}g(x)$의 값이 존재한다.

① ㄱ ② ㄴ ③ ㄷ ④ ㄴ, ㄷ ⑤ ㄱ, ㄴ, ㄷ

수능특강 풀이

STEP A 함수의 극한의 성질을 이용하여 진위판단하기

ㄱ. 반례 $f(x)=x$, $g(x)=x^2$이라 하면

$\lim_{x\to 0}x=0$, $\lim_{x\to 0}x^2=0$이지만 $\lim_{x\to 0}\frac{x}{x^2}$의 값은 존재하지 않는다. [거짓]

ㄴ. $\lim_{x\to a}f(x)$, $\lim_{x\to a}f(x)g(x)$의 값이 존재하므로 $\lim_{x\to a}f(x)=\alpha$, $\lim_{x\to a}f(x)g(x)=\beta$ (α, β는 실수)라 하고

$f(x)g(x)=h(x)$로 놓으면 $\lim_{x\to a}h(x)=\beta$

$f(x)\neq 0$일 때, $g(x)=\frac{h(x)}{f(x)}$이고 $\lim_{x\to a}f(x)\neq 0$이므로 $\lim_{x\to a}g(x)=\lim_{x\to a}\frac{h(x)}{f(x)}=\frac{\beta}{\alpha}$

즉, $\lim_{x\to a}g(x)$의 값은 존재한다. [참]

ㄷ. $\lim_{x\to a}f(x)=\alpha$, $\lim_{x\to a}\frac{g(x)}{f(x)}=\beta$ (α, β는 상수)라 하면 $\lim_{x\to a}g(x)=\lim_{x\to a}\left\{f(x)\cdot\frac{g(x)}{f(x)}\right\}=\lim_{x\to a}f(x)\cdot\lim_{x\to a}\frac{g(x)}{f(x)}=\alpha\beta$

즉, $\lim_{x\to a}g(x)$의 값도 존재한다. [참]

따라서 옳은 것은 ㄴ, ㄷ이다.

수능특강문제 **05**

두 함수 $f(x)$, $g(x)$에 대한 다음 [보기] 중 옳은 것을 모두 고른 것은? (단, a는 실수)

ㄱ. $\lim_{x\to a}f(x)$와 $\lim_{x\to a}f(x)g(x)$의 값이 모두 존재하면 $\lim_{x\to a}g(x)$의 값이 존재한다.
ㄴ. 모든 실수 x에 대하여 $f(x)<g(x)$이면 $\lim_{x\to a}f(x)<\lim_{x\to a}g(x)$이다.
ㄷ. $\lim_{x\to 0}\frac{f(x)}{x}=\alpha$($\alpha$는 실수)이면 $\lim_{x\to 0}f(x)=0$이다.

① ㄱ ② ㄴ ③ ㄷ ④ ㄴ, ㄷ ⑤ ㄱ, ㄴ, ㄷ

수능특강 풀이

STEP Ⓐ **함수의 극한의 성질을 이용하여 진위판단하기**

ㄱ. 반례 $f(x)=x$, $g(x)=\frac{1}{x}$이라 하면

$\lim_{x\to 0}f(x)=\lim_{x\to 0}x=0$, $\lim_{x\to 0}f(x)g(x)=\lim_{x\to 0}x\cdot\frac{1}{x}=1$이지만

$\lim_{x\to 0}g(x)=\lim_{x\to 0}\frac{1}{x}$의 값은 존재하지 않는다. [거짓] ⬅[다른 반례] $f(x)=0$, $g(x)=\begin{cases}1 & (x\ge 0)\\-1 & (x<0)\end{cases}$이고 $a=0$

ㄴ. $f(x)=\begin{cases}0 & (x\ne 0)\\-1 & (x=0)\end{cases}$, $g(x)=x^2$이라 하면

모든 실수 x에 대하여 $f(x)<g(x)$이지만 $\lim_{x\to 0}f(x)=\lim_{x\to 0}g(x)=0$ [거짓]

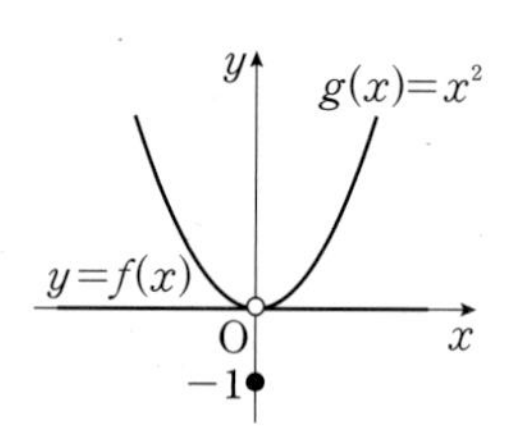

ㄷ. $\frac{f(x)}{x}=g(x)$라 하면 $f(x)=xg(x)$이고 $\lim_{x\to 0}g(x)=\alpha$이므로

$\lim_{x\to 0}f(x)=\lim_{x\to 0}xg(x)=\lim_{x\to 0}x\lim_{x\to 0}g(x)=0\cdot\alpha=0$ [참]

따라서 옳은 것은 ㄷ이다.

수능특강문제 **06**

다음 [보기]에서 세 함수 $f(x)$, $g(x)$, $h(x)$에 대한 설명으로 옳은 것을 있는 대로 고른 것은? (단, a는 실수)

ㄱ. $\lim_{x\to a}f(x)=\infty$, $\lim_{x\to a}g(x)=\infty$이면 $\lim_{x\to a}\{f(x)-g(x)\}=0$이다.
ㄴ. $\lim_{x\to a}\{f(x)+g(x)\}$의 값과 $\lim_{x\to a}\{f(x)-g(x)\}$의 값이 각각 존재하면 $\lim_{x\to a}f(x)$의 값도 존재한다.
ㄷ. 모든 양수 x에 대하여 $f(x)<g(x)$이고 $x\to a$일 때의 함수 $f(x)$, $g(x)$의 극한값이 각각 존재할 때, $\lim_{x\to a}f(x)<\lim_{x\to a}g(x)$이다.
ㄹ. 모든 실수 x에 대하여 $f(x)<g(x)<h(x)$이고 $\lim_{x\to\infty}\{h(x)-f(x)\}=0$이면 $\lim_{x\to\infty}g(x)$의 값이 존재한다.

① ㄱ ② ㄴ ③ ㄷ ④ ㄴ, ㄹ ⑤ ㄱ, ㄴ, ㄷ

수능특강 풀이

STEP Ⓐ **함수의 극한의 성질을 이용하여 진위판단하기**

ㄱ. 반례 $f(x)=\frac{2}{|x|}$, $g(x)=\frac{1}{|x|}$이라 하면

$\lim_{x\to 0}f(x)=\infty$, $\lim_{x\to 0}g(x)=\infty$이지만 $\lim_{x\to 0}\{f(x)-g(x)\}=\infty$ [거짓]

ㄴ. $f(x)+g(x)=h(x)$, $f(x)-g(x)=k(x)$로 놓고

$\lim_{x\to a}h(x)=\alpha$, $\lim_{x\to a}k(x)=\beta$(단, α, β는 실수)라 하면

$f(x)=\frac{h(x)+k(x)}{2}$이므로 $\lim_{x\to a}\frac{h(x)+k(x)}{2}=\frac{\alpha+\beta}{2}$

즉, $\lim_{x\to a}f(x)$의 값도 존재(수렴)한다. [참]

ㄷ. 반례 $f(x)=\begin{cases}x+2 & (x\le 2)\\-x+6 & (x>2)\end{cases}$, $g(x)=\begin{cases}4 & (x\ne 2)\\6 & (x=2)\end{cases}$이라 하면

모든 양수 x에 대하여 $f(x)<g(x)$이지만 $\lim_{x\to 2}f(x)=\lim_{x\to 2}g(x)=4$ [거짓]

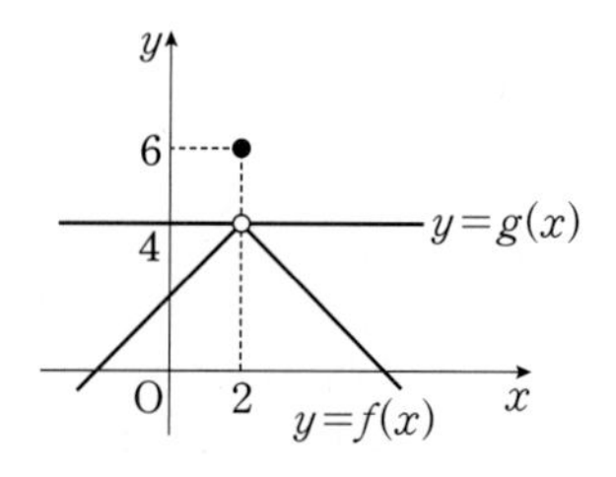

ㄹ. 반례 $f(x)=x-\frac{1}{x^2+1}$, $g(x)=x$, $h(x)=x+\frac{1}{x^2+1}$이라 하면

$x-\frac{1}{x^2+1}<x<x+\frac{1}{x^2+1}$이고 $\lim_{x\to\infty}\{h(x)-f(x)\}=\lim_{x\to\infty}\frac{2}{x^2+1}=0$이지만 $\lim_{x\to\infty}g(x)=\lim_{x\to\infty}x=\infty$이다. [거짓]

따라서 옳은 것은 ㄴ이다.

BASIC
내신 수능 기본 대표 기출문제

0052
그래프에서 우극한과 좌극한
2018학년도 사관기출

함수 $y=f(x)$의 그래프가 오른쪽 그림과 같다.

$\lim_{x\to1+}f(x)+\lim_{x\to-2-}f(x)$의 값은?

① -3 ② -2 ③ -1
④ 0 ⑤ 1

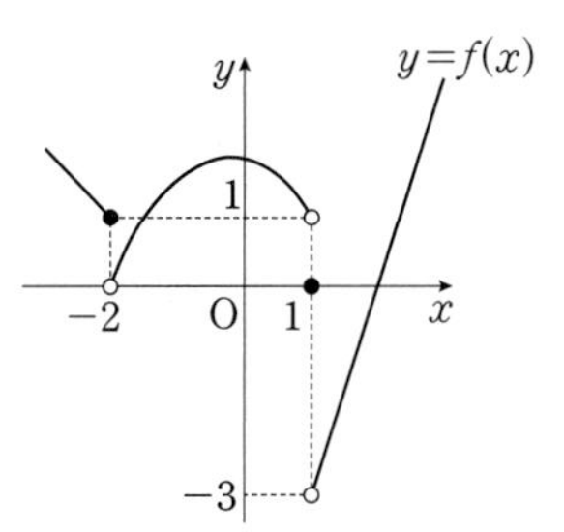

0053
그래프에서 우극한과 좌극한
2019학년도 수능기출

함수 $y=f(x)$의 그래프가 오른쪽 그림과 같다.

$\lim_{x\to-1-}f(x)-\lim_{x\to1+}f(x)$의 값은?

① -2 ② -1 ③ 0
④ 1 ⑤ 2

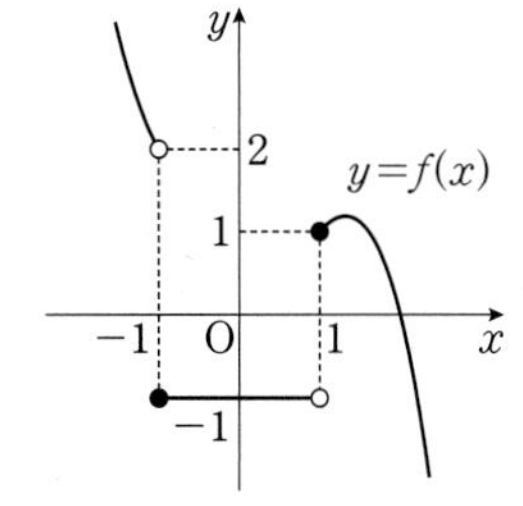

0054
그래프에서 우극한과 좌극한
2017학년도 09월 평가원

함수 $y=f(x)$의 그래프가 오른쪽 그림과 같다.

$\lim_{x\to0-}f(x)+\lim_{x\to1+}f(x)$의 값은?

① -2 ② -1 ③ 0
④ 1 ⑤ 2

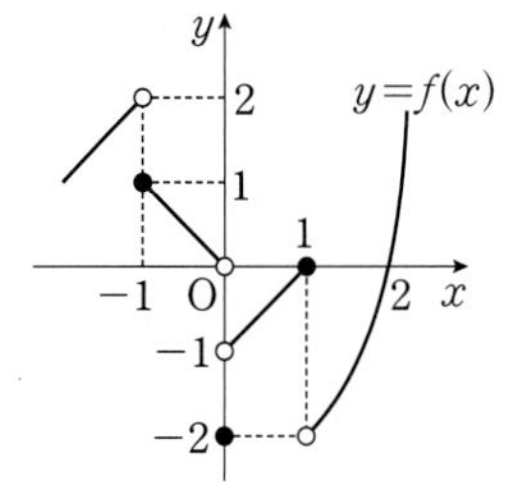

0055
그래프에서 우극한과 좌극한
2018년 11월 교육청 (고2) 나형

$-3<x<3$에서 정의된 함수 $y=f(x)$의 그래프가 오른쪽 그림과 같다.
부등식 $\lim_{x\to a-}f(x)>\lim_{x\to a+}f(x)$를 만족시키는 상수 a의 값은?
(단, $-3<a<3$)

① -2 ② -1 ③ 0
④ 1 ⑤ 2

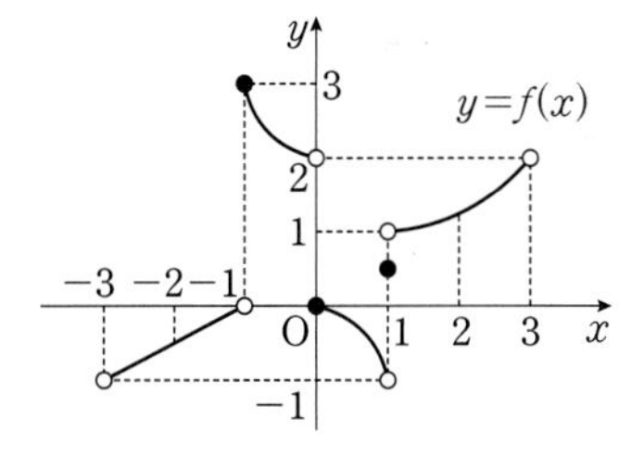

0056
그래프에서 우극한과 좌극한
2014학년도 05월 평가원

정의역이 $\{x\mid -3\le x\le 3\}$인 함수 $y=f(x)$의 그래프가 오른쪽 그림과 같다. $\lim_{x\to-1+}f(x)+\lim_{x\to0}f(x)+\lim_{x\to1+}f(x)$의 값은?

① 6 ② 4 ③ 3
④ 2 ⑤ 1

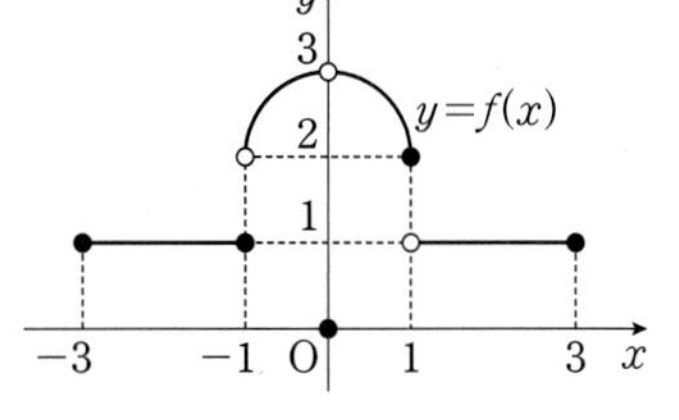

0057
그래프에서 우극한과 좌극한
내신빈출

함수 $y=f(x)$의 그래프의 일부가 오른쪽 그림과 같다.
$0\le x\le 1$에서 $f(x)=k$(k는 상수)이고, $\lim_{x\to0-}f(x)+\lim_{x\to1-}f(x)=2$일 때,

$\lim_{x\to0+}f(x)+\lim_{x\to1+}f(x)+\lim_{x\to2-}f(x)$의 값은?

① 1 ② 2 ③ 3
④ 4 ⑤ 5

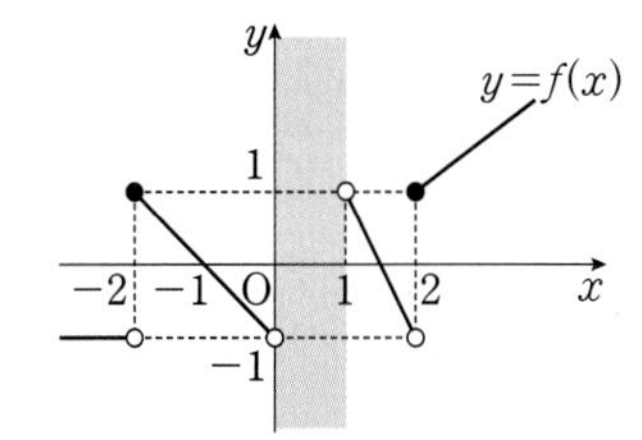

정답 0052 : ② 0053 : ④ 0054 : ① 0055 : ③ 0056 : ① 0057 : ③

0058

우극한과 좌극한
내신빈출

유리함수 $f(x)=\frac{1}{x+a}+b$가 다음 조건을 모두 만족시킬 때, 상수 a, b에 대하여 $a+b$의 값은?

(가) $\lim_{x\to\infty}f(x)=5$

(나) $x=2$에서 $f(x)$의 극한이 존재하지 않는다.

① -1　② 0　③ 1　④ 2　⑤ 3

0059

함수의 극한의 성질
2012학년도 06월
평가원

다음 물음에 답하여라.

(1) $\lim_{x\to1}\frac{x+1}{x^2+ax+1}=\frac{1}{9}$일 때, 상수 a의 값을 구하여라.

(2) 함수 $f(x)$에 대하여 $\lim_{x\to1}f(x)=5$일 때, $\lim_{x\to1}\frac{f(x)+3}{x+1}$의 값을 구하여라.

0060

우극한과 좌극한
내신빈출

다음 물음에 답하여라.

(1) 함수 $f(x)=\frac{x^2-4}{|x-2|}$에 대하여 $\lim_{x\to2+}f(x)-\lim_{x\to2-}f(x)$의 값을 구하여라.

(2) 함수 $f(x)=\frac{x^2+2x-3}{|x-1|}$에 대하여 $\lim_{x\to1+}f(x)=a$, $\lim_{x\to1-}f(x)=b$일 때, 상수 a, b에 대하여 ab의 값을 구하여라.

0061

치환을 이용한 함수의 극한
2016년 06월 교육청
(고2)

다음 물음에 답하여라.

(1) 함수 $y=f(x)$의 그래프가 오른쪽 그림과 같다.

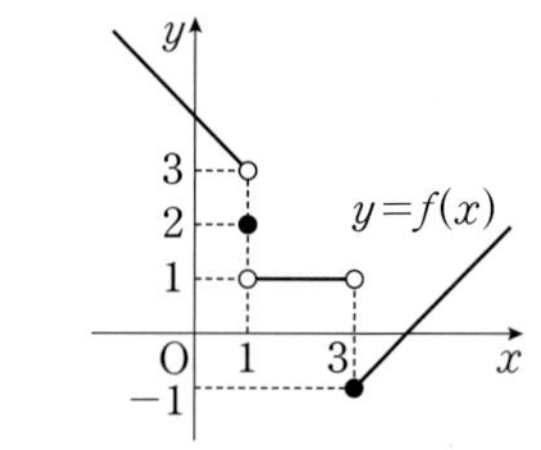

$\lim_{x\to1-}f(x)+\lim_{x\to2+}f(5-x)$의 값은?

① 1　② 2　③ 3
④ 4　⑤ 5

2017학년도 사관기출

(2) 함수 $f(x)$의 그래프가 오른쪽 그림과 같다.

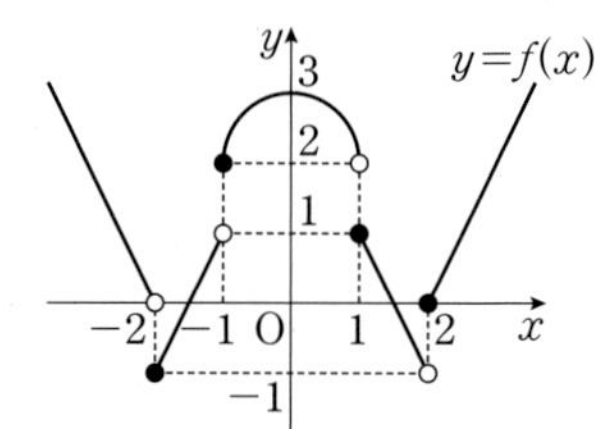

$\lim_{x\to1-}f(x)+\lim_{x\to0+}f(x-2)$의 값은?

① -2　② -1　③ 0
④ 1　⑤ 2

0062

치환을 이용한 함수의 극한
2014년 04 교육청

다음 물음에 답하여라.

(1) 함수 $y=f(x)$의 그래프가 오른쪽 그림과 같다.

$\lim_{x\to1+}f(x)f(1-x)$의 값은?

① -2　② -1　③ 0
④ 1　⑤ 2

(2) 함수 $y=f(x)$의 그래프가 오른쪽 그림과 같다.

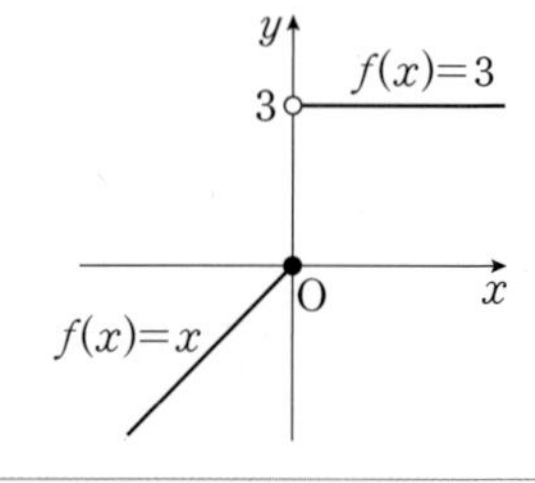

$\lim_{x\to1-}f(x)f(x-1)+\lim_{x\to-1+}f(x)f(x+1)$의 값은?

① -3　② -2　③ -1
④ 1　⑤ 2

정답 0058 : ⑤　0059 : (1) 16 (2) 4　0060 : (1) 8 (2) −16　0061 : (1) ④ (2) ④　0062 : (1) ⑤ (2) ①

0063

치환을 이용한 함수의 극한
내신빈출

다음 물음에 답하여라.

(1) 함수 $f(x)$에 대하여 $\lim_{x\to 2}\frac{f(x-2)}{x-2}$가 0이 아닌 일정한 값일 때, 극한값 $\lim_{x\to 0}\frac{3f(x)+x^2}{f(x)-x^2}$은?

① -3 ② -2 ③ 1 ④ 2 ⑤ 3

(2) 함수 $f(x)$가 $\lim_{x\to a}\frac{f(x-a)}{x-a}=2$를 만족시킬 때, $\lim_{x\to 0}\frac{2x+3f(x)}{3x^2+4f(x)}$의 값은? (단, a는 상수이다.)

① 1 ② 2 ③ 3 ④ 4 ⑤ 5

0064

함수의 극한의 성질
내신빈출

다음 물음에 답하여라.

(1) 두 함수 $f(x)$, $g(x)$가 $\lim_{x\to 0}\frac{f(x)}{x^2}=1$, $\lim_{x\to 0}\frac{g(x)}{x}=2$를 만족시킬 때, $\lim_{x\to 0}\frac{f(x)+x}{g(x)-x}$의 값은?

① -2 ② -1 ③ 1 ④ 2 ⑤ 3

(2) 두 함수 $f(x)$, $g(x)$에 대하여 $\lim_{x\to 1}\frac{f(x)}{x-1}=4$, $\lim_{x\to 1}\frac{g(x)}{x^2-1}=2$일 때, $\lim_{x\to 1}\frac{f(x)}{g(x)}$의 값은?

① -1 ② $-\frac{1}{2}$ ③ $\frac{1}{2}$ ④ 1 ⑤ $\frac{3}{2}$

0065

함수의 극한의 성질
내신빈출

다음 물음에 답하여라.

(1) 두 함수 $f(x)$, $g(x)$에 대하여 $\lim_{x\to\infty}f(x)=\infty$, $\lim_{x\to\infty}\{f(x)+3g(x)\}=1$일 때,

$\lim_{x\to\infty}\frac{f(x)+9g(x)}{f(x)-g(x)}$의 값을 구하여라.

(2) 두 함수 $f(x)$, $g(x)$가 $\lim_{x\to\infty}g(x)=\infty$, $\lim_{x\to\infty}\{f(x)-3g(x)\}=1$을 만족시킬 때,

$\lim_{x\to\infty}\frac{2f(x)+g(x)}{-3f(x)+2g(x)}$의 값을 구하여라.

(3) 두 함수 $f(x)$, $g(x)$가 다음 조건을 모두 만족시킨다.

> (가) $\lim_{x\to\infty}f(x)=\infty$
> (나) $\lim_{x\to\infty}\{2f(x)-g(x)\}=5$

$\lim_{x\to\infty}\frac{3f(x)+g(x)}{9f(x)-4g(x)}$의 값을 구하여라.

함수의 극한의 성질
2012학년도 06월 평가원

다음 물음에 답하여라.

(1) 함수 $f(x)=x^2+ax$가 $\lim_{x\to 0}\frac{f(x)}{x}=4$를 만족시킬 때, 상수 a의 값은?

① 4 ② 5 ③ 6 ④ 7 ⑤ 8

(2) 함수 $f(x)=x^2-ax$에 대하여 $\lim_{x\to 0}\frac{f(x)}{x}=-2$일 때, $\lim_{x\to\infty}\frac{ax^3+2f(x)}{xf(x)}$의 값은?

① 1 ② 2 ③ 3 ④ 4 ⑤ 5

0067

함수의 극한의 대소 관계
2012년 04월 교육청

다음 물음에 답하여라.

(1) 모든 양수 x에 대하여 함수 $f(x)$가 $\frac{2x-3}{x}<f(x)<\frac{2x^2+x}{x^2}$를 만족시킬 때, $\lim_{x\to\infty}f(x)$의 값은?

① -2 ② -1 ③ 0 ④ 1 ⑤ 2

(2) 함수 $f(x)$가 모든 양수 x에 대하여 $2x+1<f(x)<2x+3$을 만족시킬 때, $\lim_{x\to\infty}\frac{\{f(x)\}^2}{2x^2+1}$의 값은?

① -4 ② -2 ③ 0 ④ 2 ⑤ 4

정답 0063 : (1) ⑤ (2) ① 0064 : (1) ③ (2) ④ 0065 : (1) $-\frac{3}{2}$ (2) -1 (3) 5 0066 : (1) ① (2) ② 0067 : (1) ⑤ (2) ④

0068

함수의 극한의 대소 관계
2012년 04월 교육청

이차함수 $f(x)=2x^2-4x+5$의 그래프를 y축의 방향으로 a만큼 평행이동시킨 이차함수 $y=g(x)$의 그래프에 대하여 $y=f(x)$와 $y=g(x)$의 그래프 사이에 $y=h(x)$의 그래프가 존재할 때, $\lim_{x\to\infty}\frac{h(x)}{x^2}$의 값을 구하여라. (단, a는 양수)

0069

$\frac{0}{0}$꼴의 미정계수의 결정
2006학년도 수능기출

다음 물음에 답하여라.

(1) 두 상수 a, b가 $\lim_{x\to2}\frac{x^2-(a+2)x+2a}{x^2-b}=3$을 만족시킬 때, $a+b$의 값은?

① -6 ② -4 ③ -2 ④ 0 ⑤ 2

2008학년도 06월 평가원

(2) $\lim_{x\to a}\frac{x-a}{x^2+2x-3}=b$일 때, $a+b$의 값은? (단, $b>0$이고 a, b는 상수이다.)

① $\frac{5}{4}$ ② $\frac{7}{4}$ ③ $\frac{9}{4}$ ④ $\frac{11}{4}$ ⑤ $\frac{13}{4}$

0070

$\frac{0}{0}$꼴의 미정계수의 결정
2016년 11월 교육청 (고2)

다음 물음에 답하여라.

(1) 두 상수 a, b에 대하여 $\lim_{x\to3}\frac{x^2-4x+a}{\sqrt{x+1}-2}=b$일 때, $a+b$의 값은?

① 3 ② 5 ③ 7 ④ 9 ⑤ 11

2008학년도 06월 평가원

(2) 두 상수 a, b에 대하여 $\lim_{x\to1}\frac{\sqrt{2x+a}-\sqrt{x+3}}{x^2-1}=b$일 때, ab의 값은?

① 16 ② 4 ③ 1 ④ $\frac{1}{4}$ ⑤ $\frac{1}{16}$

0071

함수의 극한의 성질을 이용하여 극한값 구하기
내신빈출

다음 물음에 답하여라.

(1) 함수 $f(x)$에 대하여 $\lim_{x\to9}f(x)=3$일 때, 극한값 $\lim_{x\to9}\frac{(x-9)f(x)}{\sqrt{x}-3}$의 값은?

① 10 ② 12 ③ 14 ④ 16 ⑤ 18

(2) 함수 $f(x)$가 $\lim_{x\to0}\left\{\frac{f(x)}{x}+1\right\}=0$을 만족시킬 때, $\lim_{x\to0}\frac{f(x)-5x}{2f(x)+3x}$의 값은?

① -8 ② -6 ③ -4 ④ -2 ⑤ 0

0072

$\frac{0}{0}$꼴 극한의 계산
1994학년도 수능기출

서로 다른 두 실수 α, β에 대하여 $\alpha+\beta=1$일 때, $\lim_{x\to\infty}\frac{\sqrt{x+\alpha^2}-\sqrt{x+\beta^2}}{\sqrt{4x+\alpha}-\sqrt{4x+\beta}}$의 값은?

① 1 ② $\frac{1}{2}$ ③ 2 ④ $\frac{1}{4}$ ⑤ 4

0073

$x\to-\infty$인 무리식을 포함한 함수의 극한
내신빈출

$\lim_{x\to-\infty}\frac{\sqrt{x^2+1}-x}{2x+1}+\lim_{x\to-\infty}(\sqrt{x^2+x}+x)$의 값은?

① $-\frac{3}{2}$ ② -1 ③ $-\frac{1}{2}$ ④ $\frac{1}{2}$ ⑤ $\frac{3}{2}$

정답 0068 : 2 0069 : (1) ① (2) ① 0070 : (1) ⑤ (2) ④ 0071 : (1) ⑤ (2) ② 0072 : ③ 0073 : ①

0074

$\frac{0}{0}$, $\infty-\infty$꼴의 미정계수 결정
내신빈출

$\lim_{x\to a}\frac{x^2-a^2}{x-a}=8$, $\lim_{x\to\infty}(\sqrt{x^2+ax}-\sqrt{x^2+bx})=3$일 때, 상수 a, b에 대하여 $a+b$의 값은?

① 1 ② 2 ③ 3 ④ 4 ⑤ 5

0075

함수의 극한의 활용
2006학년도 06월 평가원

곡선 $y=\sqrt{x}$ 위의 점 $(t, \sqrt{t})$에서 점 $(1, 0)$까지의 거리를 d_1, 점 $(2, 0)$까지의 거리를 d_2라 할 때, $\lim_{t\to\infty}(d_1-d_2)$의 값은?

① 1 ② $\frac{1}{2}$ ③ $\frac{1}{4}$ ④ $\frac{1}{8}$ ⑤ 0

0076

함수의 극한
서술형

함수 $f(x)=\frac{x^2+x-2}{x-1}$의 그래프를 이용하여 $\lim_{x\to1}\frac{x^2+x-2}{x-1}$의 값을 구하는 과정을 다음 단계로 서술하여라.

[1단계] 함수 $f(x)=\frac{x^2+x-2}{x-1}$의 그래프를 그린다.

[2단계] $\lim_{x\to1}\frac{x^2+x-2}{x-1}$의 값을 구한다.

0077

그래프를 이용하여 극한값 구하기
서술형

함수 $f(x)=\frac{|x^2-4|}{x-2}$에 대하여 $\lim_{x\to2}f(x)$의 값이 존재하는지 다음 단계로 서술하여라.

[1단계] x의 값의 범위를 나누어 함수 $f(x)$의 그래프를 그린다.

[2단계] 함수의 그래프를 이용하여 좌극한과 우극한을 구한다.

[3단계] 좌극한과 우극한이 같은지를 확인한다.

0078

가우스함수의 극한값
서술형

x보다 크지 않은 최대의 정수를 $[x]$로 나타낸다. x의 값의 범위가 $-2\le x\le3$일 때, 함수 $f(x)=[x]$의 그래프를 그리고 다음 극한값을 다음 단계로 서술하여라.

[1단계] $-2\le x\le3$에서 $f(x)=[x]$의 그래프를 그린다.

[2단계] $\lim_{x\to-1+}f(x)$의 값을 구한다.

[3단계] $\lim_{x\to3-}f(x)$의 값을 구한다.

0079

그래프를 이용하여 극한값 구하기
서술형

함수 $y=f(x)$의 그래프는 오른쪽 그림과 같고 $\lim_{x\to-1-}f(x)=3$이다.
$f(-1)+\lim_{x\to-1+}f(x)$의 값을 구하는 과정을 다음 단계로 서술하여라.

[1단계] 상수 a의 값을 구한다.

[2단계] $f(-1)+\lim_{x\to-1+}f(x)$의 값을 구한다.

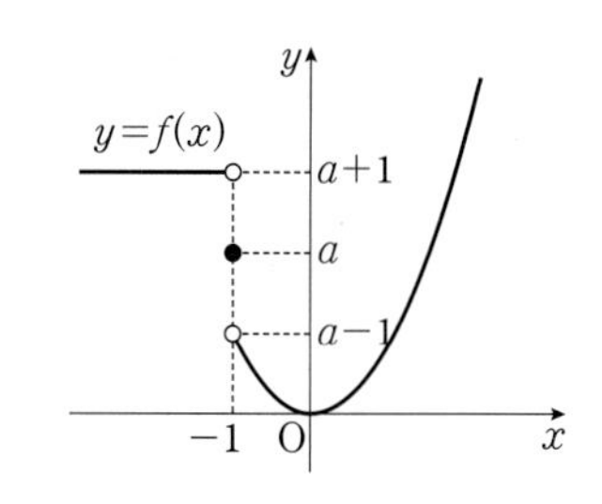

정답	0074 : ②	0075 : ①	0076 : 해설참조	0077 : 해설참조	0078 : 해설참조	0079 : 해설참조

0080

다항함수의 결정
내신빈출

다음 물음에 답하여라.

(1) 삼차함수 $f(x)$가 $\lim_{x\to-1}\frac{f(x)}{x+1}=2$, $\lim_{x\to-2}\frac{f(x)}{x+2}=-1$을 만족할 때, $f(0)$의 값은?

① 3 ② 4 ③ 5 ④ 6 ⑤ 7

(2) $\lim_{x\to1}\frac{f(x)}{x-1}=-1$, $\lim_{x\to2}\frac{f(x)}{x-2}=5$를 만족시키는 다항식 $f(x)$ 중 차수가 가장 낮은 것을 $g(x)$라 할 때, $g(3)$의 값은?

① 14 ② 16 ③ 18 ④ 20 ⑤ 22

0081

다항함수의 결정
2016학년도 09월 평가원

다음 물음에 답하여라.

(1) 다항함수 $f(x)$가 다음 조건을 만족시킬 때, $f(2)$의 값을 구하여라.

(가) $\lim_{x\to\infty}\frac{f(x)-x^3}{3x}=2$ (나) $\lim_{x\to0}f(x)=-7$

2018학년도 09월 평가원

(2) 다항함수 $f(x)$가 다음 조건을 만족시킬 때, $f(2)$의 값을 구하여라.

(가) $\lim_{x\to\infty}\frac{f(x)}{x^2}=2$ (나) $\lim_{x\to0}\frac{f(x)}{x}=3$

0082

다항함수의 결정

다음 물음에 답하여라.

(1) 다항함수 $f(x)$가 다음 조건을 만족시킬 때, $f(-1)$의 값을 구하여라.

(가) $\lim_{x\to\infty}\frac{f(x)-2x^3}{x^2+1}=1$ (나) $\lim_{x\to1}\frac{f(x)}{x-1}=2$

2017년 11월 교육청

(2) 다항함수 $f(x)$가 다음 조건을 만족시킬 때, $f(2)$의 값을 구하여라.

(가) $\lim_{x\to\infty}\frac{f(x)-x^3}{5x^2}=2$ (나) $\lim_{x\to-1}\frac{f(x)}{x+1}=-8$

0083

다항함수의 결정
2018년 04월 교육청

다항함수 $f(x)$가 다음 조건을 만족시킬 때, $f(1)$의 값을 구하여라.

(가) $\lim_{x\to\infty}\left\{\frac{f(x)}{x^2}+1\right\}=0$ (나) $\lim_{x\to0}\frac{f(x)-3}{x^2}=-1$

① 1 ② 2 ③ 3 ④ 4 ⑤ 5

0084

다항함수의 결정
2011학년도 09월 평가원

다음 물음에 답하여라.

(1) 다항함수 $f(x)$가 $\lim_{x\to\infty}\frac{f(x)}{x^3}=0$, $\lim_{x\to0}\frac{f(x)}{x}=5$를 만족시킨다. 방정식 $f(x)=x$의 한 근이 -2일 때, $f(1)$의 값은?

① 6 ② 7 ③ 8 ④ 9 ⑤ 10

2013년 04월 교육청

(2) 다항함수 $f(x)$가 다음 조건을 만족시킬 때, $f(3)$의 값을 구하여라.

(가) $\lim_{x\to\infty}\frac{f(x)}{x^3}=0$ (나) $\lim_{x\to1}\frac{f(x)}{x-1}=1$

(다) 방정식 $f(x)=2x$의 한 근이 2이다.

정답 0080 : (1) ④ (2) ③ 0081 : (1) 13 (2) 14 0082 : (1) 8 (2) 66 0083 : ② 0084 (1) ② (2) 14

0085

다항함수의 결정
내신빈출

다음 물음에 답하여라.

(1) 다항함수 $f(x)$가 다음 두 조건을 만족시킨다.

(가) $\lim_{x\to\infty}\frac{f(2x)}{4x^2}=3$　　(나) $\lim_{x\to1}\frac{f(x+1)}{x-1}=9$

$f(4)$의 값을 구하여라.

(2) 다항함수 $f(x)$가 다음 두 조건을 만족시킨다.

(가) $\lim_{x\to\infty}\frac{f(x)}{x^3}=0$　　(나) $\lim_{x\to\infty}\left\{xf\left(\frac{1}{x}\right)\right\}=3$

$f(1)=5$일 때, $f(2)$의 값을 구하여라.

0086

함수의 극한의 대소 관계
내신빈출

실수 전체의 집합에서 정의된 함수 $f(x)$가

$$2x^3-6x^2+4x\le f(x)\le x^4-2x^3+1$$

을 만족할 때, $\lim_{x\to1}\frac{f(x)}{x-1}$의 값은?

① -2　② -1　③ 0　④ 1　⑤ 3

0087

다항함수의 결정
내신빈출

다음 물음에 답하여라.

(1) 다항함수 $f(x)$가 다음 조건을 만족시킬 때, $a+f(3)$의 값은? (단, a는 상수)

$$\lim_{x\to0+}\frac{xf\left(\frac{1}{x}\right)-1}{2-x}=3,\ \lim_{x\to2}\frac{f(x)}{x^2-3x+2}=a$$

① 8　② 10　③ 12　④ 14　⑤ 16

(2) 최고차항의 계수가 양수인 다항함수 $f(x)$에 대하여

$$\lim_{x\to0+}\frac{xf\left(\frac{1}{x}\right)-2}{x-2}=-2,\ \lim_{x\to1}\frac{f(x)}{x^2-1}=a$$

일 때, $f(a)$의 값은? (단, a는 상수)

① 6　② 9　③ 12　④ 15　⑤ 18

0088

함수의 극한의 활용
2012학년도 06월
평가원

실수 t에 대하여 직선 $y=t$가 함수 $y=|x^2-1|$의 그래프와 만나는 점의 개수를 $f(t)$라 할 때, $\lim_{t\to1-}f(t)$의 값은?

① 1　② 2　③ 3　④ 4　⑤ 5

0089

도형에서 함수의
극한의 활용

오른쪽 그림과 같이 곡선 $y=x^2$ 위의 한 점 $\mathrm{P}(t,\ t^2)$과 세 점 $\mathrm{A}(2,\ 0)$, $\mathrm{B}(0,\ 4)$, $\mathrm{C}(2,\ 4)$가 있다. 삼각형 PBC와 삼각형 PCA의 넓이의 합을 $f(t)$라 할 때, $\lim_{t\to2+}\frac{f(t)}{t-2}$의 값을 구하여라. (단, $t>2$)

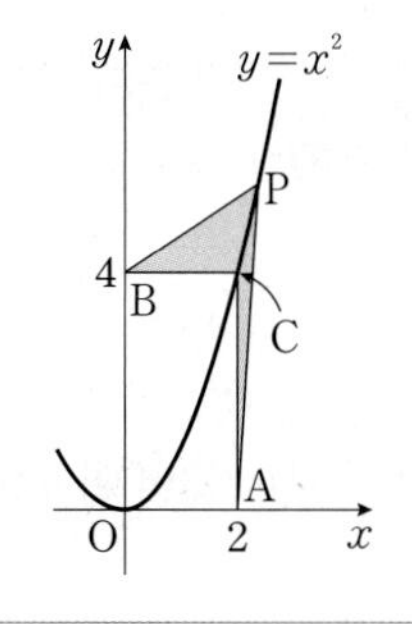

정답　0085 : (1) 30 (2) 14　0086 : ①　0087 : (1) ④ (2) ③　0088 : ④　0089 : 6

0090

도형에서 함수의 극한의 활용
2016년 09월 교육청 (고2)

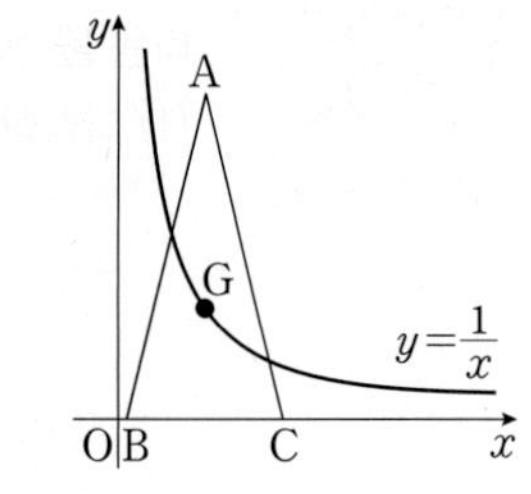

오른쪽 그림과 같이 제 1사분면 위에 있는 점 A와 x축 위의 서로 다른 두 점 B, C를 꼭짓점으로 하고 $\overline{AB}=\overline{AC}$인 삼각형 ABC의 무게중심 G가 곡선 $y=\frac{1}{x}$ 위에 있다. 점 G의 x좌표가 t, 삼각형 ABC의 넓이가 $3t$일 때, 선분 BC의 길이를 $f(t)$라 하자. $\lim_{t \to 1} \frac{f(t)-2t}{t-1}$의 값을 구하여라.

0091

도형에서 함수의 극한의 활용
2016년 04월 교육청

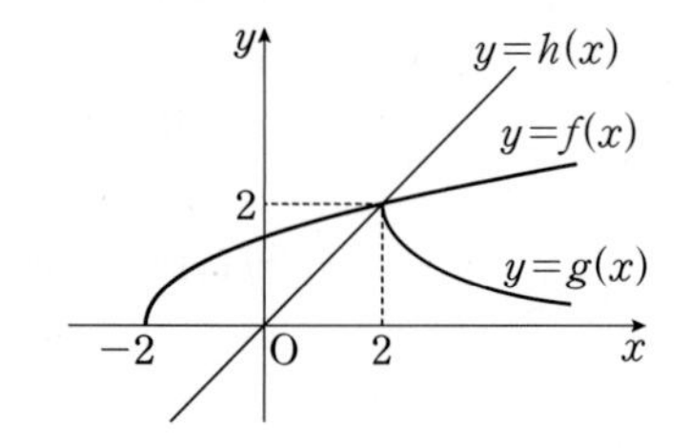

세 함수 $f(x)=\sqrt{x+2}$, $g(x)=-\sqrt{x-2}+2$, $h(x)=x$의 그래프가 오른쪽 그림과 같다. 함수 $y=h(x)$의 그래프 위의 점 P(a, a)를 지나고 x축에 평행한 직선이 함수 $y=f(x)$의 그래프와 만나는 점을 A, 함수 $y=g(x)$의 그래프와 만나는 점을 B라 하자. 점 B를 지나고 y축에 평행한 직선이 함수 $y=h(x)$의 그래프와 만나는 점을 C라 할 때, $\lim_{a \to 2-} \frac{\overline{BC}}{\overline{AB}}$의 값은? (단, $0<a<2$)

① $\frac{1}{5}$ ② $\frac{1}{4}$ ③ $\frac{1}{3}$ ④ $\frac{1}{2}$ ⑤ 1

0092

도형에서 함수의 극한의 활용
서술형

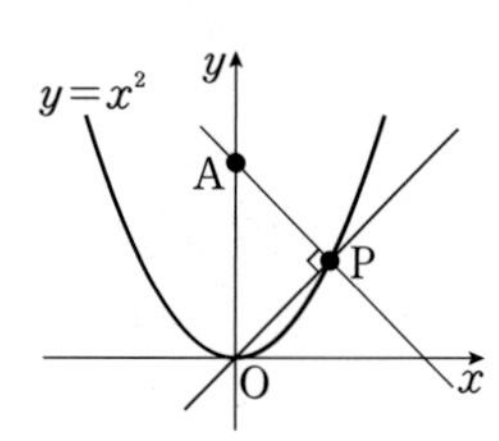

오른쪽 그림과 같이 곡선 $y=x^2$ 위의 점 P(t, t^2)에 대하여 점 P를 지나고 직선 OP에 수직인 직선 l과 y축과의 교점을 A라고 할 때, 다음 단계로 서술하여라. (단, O는 원점이고, $t>0$이다.)

[1단계] 직선 l의 방정식을 구한다.

[2단계] 직선 l이 y축과 만나는 점 A에 대하여 $\lim_{t \to 0} \overline{OA}$의 값을 구한다.

[3단계] $\lim_{t \to \infty}(\overline{OA}-\overline{OP})$의 값을 구한다.

0093

다항함수의 결정
서술형

다항함수 $f(x)$가 $\lim_{x \to \infty} \frac{f(x)-x^3}{x^2+1}=2$, $\lim_{x \to 1} \frac{f(x)}{x-1}=6$을 만족시킬 때, $\lim_{x \to -1} \frac{f(x)}{x+1}$을 구하는 과정을 다음 단계로 서술하여라.

[1단계] $\lim_{x \to \infty} \frac{f(x)-x^3}{x^2+1}=2$에서 다항함수 $f(x)$의 차수를 구한다.

[2단계] $\lim_{x \to 1} \frac{f(x)}{x-1}=6$에서 $f(x)$가 $x-1$를 인수로 가짐을 보인다.

[3단계] 다항함수 $f(x)$를 구한다.

[4단계] $\lim_{x \to -1} \frac{f(x)}{x+1}$를 구한다.

0094

다항함수의 결정
서술형

삼차함수 $f(x)$가 $\lim_{x \to 1} \frac{f(x)}{x-1}=-2$, $\lim_{x \to 2} \frac{f(x)}{x-2}=3$을 만족할 때, $\lim_{x \to -1} \frac{f(x)}{x+1}$을 구하는 과정을 다음 단계로 서술하여라.

[1단계] (분모)→0이고 극한값이 존재하므로 (분자)→0이어야 함을 이용하여 삼차함수 $f(x)$의 식을 작성한다.

[2단계] [1단계]에서 정한 삼차함수 $f(x)$를 $\lim_{x \to 1} \frac{f(x)}{x-1}=-2$, $\lim_{x \to 2} \frac{f(x)}{x-2}=3$에 대입하여 삼차함수 $f(x)$를 구한다.

[3단계] $\lim_{x \to -1} \frac{f(x)}{x+1}$의 값을 구한다.

정답 0090 : 2 0091 : ② 0092 : 해설참조 0093 : 해설참조 0094 : 해설참조

0095

역함수에서의 함수의 극한
내신빈출

$-2<x<2$에서 정의된 함수 $y=f(x)$의 그래프가 오른쪽 그림과 같을 때, 옳은 것만을 [보기]에서 있는 대로 고른 것은? (단, $f^{-1}(x)$는 $f(x)$의 역함수)

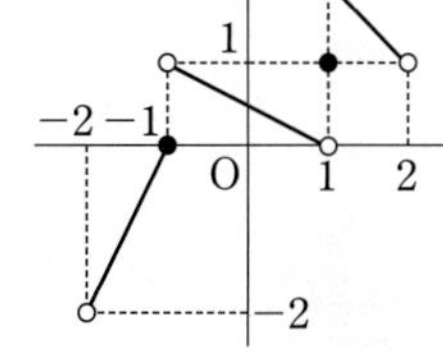

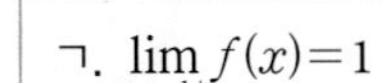

ㄱ. $\lim_{x\to-1+}f(x)=1$

ㄴ. $\lim_{x\to0-}f^{-1}(x)=-1$

ㄷ. $\lim_{x\to a-}f^{-1}(x)+\lim_{x\to a+}f^{-1}(x)=1$을 만족시키는 실수 a는 2개이다.

① ㄱ　② ㄱ, ㄴ　③ ㄱ, ㄷ　④ ㄴ, ㄷ　⑤ ㄱ, ㄴ, ㄷ

0096

기함수를 이용한 함수의 극한
2014학년도 09월 평가원

정의역이 $\{x|-2\le x\le 2\}$인 함수 $y=f(x)$의 그래프가 구간 $[0, 2]$에서 오른쪽 그림과 같고 정의역에 속하는 모든 실수 x에 대하여 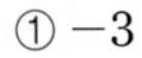 $f(-x)=-f(x)$이다. 이때 $\lim_{x\to-1+}f(x)+\lim_{x\to2-}f(x)$의 값은?

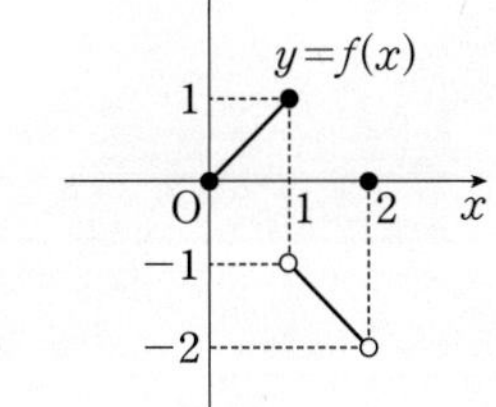

① -3　② -1　③ 0
④ 1　⑤ 3

0097

함수의 극한의 활용
2017년 10월 교육청

최고차항의 계수가 1인 이차함수 $f(x)$가

$$\lim_{x\to0}|x|\left\{f\left(\frac{1}{x}\right)-f\left(-\frac{1}{x}\right)\right\}=a,\ \lim_{x\to\infty}f\left(\frac{1}{x}\right)=3$$

을 만족시킬 때, $f(2)$의 값은? (단, a는 상수이다.)

① 1　② 3　③ 5　④ 7　⑤ 9

0098

함수의 극한의 활용

다항함수 $f(x)$와 최고차항의 계수가 1인 이차함수 $g(x)$가 다음 조건을 만족시킨다.

(가) 모든 양수 x에 대하여 $ax^2+3x\le f(x)\le ax^2+4x$이다.

(나) $\lim_{x\to\infty}\frac{f(x)}{2x^2}=2,\ \lim_{x\to1}\frac{g(x)}{x-1}=a$

$\lim_{x\to\infty}\frac{f(x)-ax^2}{g(x)-x^2+3}=k$일 때, k의 값의 범위는 $\alpha\le k\le\beta$이다. $\alpha\beta$의 값을 구하여라. (단, a는 실수이다.)

0099

함수의 극한의 활용
2013년 10월 교육청

오른쪽 그림과 같이 두 점 $A(a, 0)$, $B(0, 3)$에 대하여 삼각형 OAB에 내접하는 원 C가 있다. 원 C의 반지름의 길이를 r이라 할 때, $\lim_{a\to0+}\frac{r}{a}$의 값은? (단, O는 원점이다.)

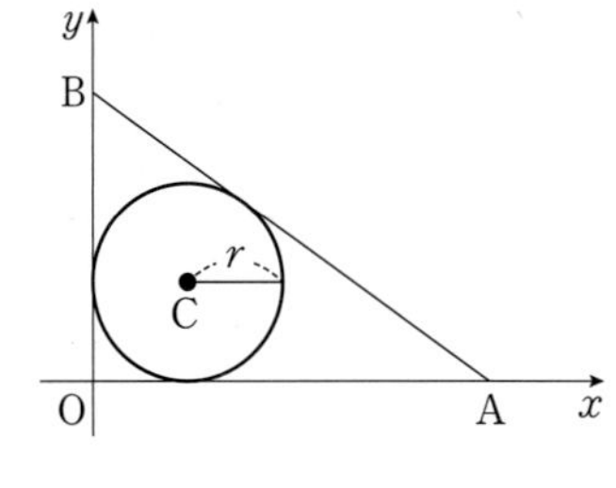

① $\frac{1}{6}$　② $\frac{1}{5}$　③ $\frac{1}{4}$
④ $\frac{1}{3}$　⑤ $\frac{1}{2}$

0100

함수의 극한의 활용
내신빈출

x축 위에 점 $A(2, 0)$, y축 위에 점 $B(0, 1)$이 있다. 오른쪽 그림과 같이 점 $P(p, 0)$, $Q(0, q)$가 $\overline{PA}=\overline{QB}$를 만족하면서 각각 점 A, B에 한없이 가까워질 때, $\overline{PQ}$와 $\overline{AB}$의 교점 R의 좌표의 극한값 (a, b)에 대하여 $3(a+b)$의 값을 구하여라.

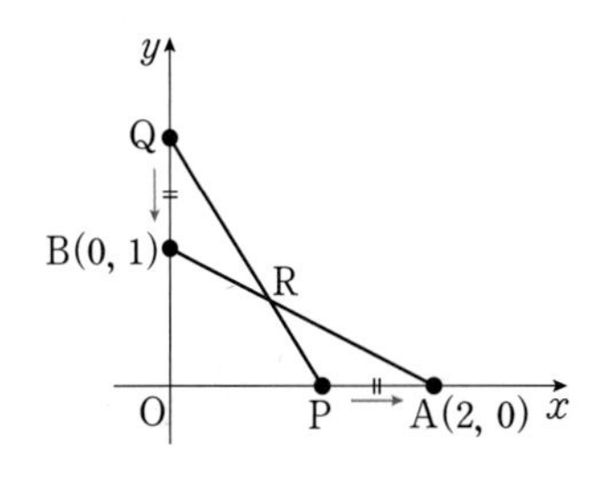

정답 0095 : ⑤　0096 : ①　0097 : ④　0098 : 3　0099 : ⑤　0100 : 5

© Photo by Jordan Stewart on Unsplash

저녁 바람이 부드럽게

한국의 절기 ⑬ '입추'

자료출처 : 한국민속대백과사전 http://folkency.nfm.go.kr

입추 무렵은 벼가 한창 익어가는 때여서 맑은 날씨가 계속되어야 한다. 조선 시대에는 입추가 지나서 비가 닷새 이상 계속되면 조정이나 각 고을에서는 비를 멎게 해달라는 기청제(祈晴祭)를 올렸다 한다.

입추는 곡식이 여무는 시기이므로 이날 날씨를 보고 점친다. 입추에 하늘이 청명하면 만곡(萬穀)이 풍년이라고 여기고, 이날 비가 조금만 내리면 길하고 많이 내리면 벼가 상한다고 여긴다. 또한 천둥이 치면 벼의 수확량이 적고 지진이 있으면 다음해 봄에 소와 염소가 죽는다고 점친다.

입추가 지난 뒤에는 어쩌다 늦더위가 있기도 하지만 밤에는 서늘한 바람이 불기 시작한다. 따라서 이때부터 가을 준비를 시작해야 한다. 특히 이때에 김장용 무와 배추를 심어 김장에 대비한다. 이 무렵에는 김매기도 끝나가고 농촌도 한가해지기 시작한다. 그래서 "어정 7월 건들 8월"이라는 말이 거의 전국적으로 전해진다. 이 말은 5월이 모내기와 보리 수확으로 매우 바쁜 달임을 표현하는 "발등에 오줌 싼다."와 좋은 대조를 이루는 말이다.

수능과 내신의 수학개념서

mapl 마플 교과서

MAPL SERIES www.mapl.co.kr

수학 II

Ⅰ 함수의 극한과 연속 Ⅱ 미분 Ⅲ 적분

02

함수의 연속

MAPL ; YOURMASTERPLAN

01 함수의 연속

01 구간

(1) 구간의 뜻

두 실수 a, $b(a<b)$에 대하여 실수의 집합을 구간으로 나타내기

집합		기호	수직선
$\{x\mid a\le x\le b\}$	⇨	$[a, b]$	$[a, b]$ (a ●—● b)
$\{x\mid a<x<b\}$	⇨	(a, b)	(a, b) (a ○—○ b)
$\{x\mid a\le x<b\}$	⇨	$[a, b)$	$[a, b)$ (a ●—○ b)
$\{x\mid a<x\le b\}$	⇨	$(a, b]$	$(a, b]$ (a ○—● b)

이때 $[a, b]$를 닫힌구간, (a, b)를 열린구간이라 하고,

$[a, b)$, $(a, b]$를 각각 반열린구간 또는 반닫힌구간이라고 한다.

(2) 임의의 실수 a에 대한 구간

구간		기호	수직선
$\{x\mid x\ge a\}$	⇨	$[a, \infty)$	$[a, \infty)$ (a ●→)
$\{x\mid x>a\}$	⇨	(a, ∞)	(a, ∞) (a ○→)
$\{x\mid x\le a\}$	⇨	$(-\infty, a]$	$(-\infty, a]$ (←● a)
$\{x\mid x<a\}$	⇨	$(-\infty, a)$	$(-\infty, a)$ (←○ a)

특히 실수 전체의 집합도 하나의 구간이며, 기호로 $(-\infty, \infty)$와 같이 나타낸다.

EX ① 함수 $f(x)=\sqrt{x-1}$의 정의역을 구간으로 나타내면 $[1, \infty)$이다.

② 함수 $f(x)=\frac{1}{x}$의 정의역을 구간의 기호로 나타내면 $(-\infty, 0)\cup(0, \infty)$이다.

보기 01 다음과 같은 실수의 집합을 구간의 기호를 써서 나타내어라.

(1) $\{x\mid -2\le x\le 3\}$ (2) $\{x\mid -1<x<2\}$ (3) $\{x\mid 2\le x<3\}$

(4) $\{x\mid -3<x\le -1\}$ (5) $\{x\mid x\ge 1\}$ (6) $\{x\mid x<3\}$

풀이 (1) $[-2, 3]$ (2) $(-1, 2)$ (3) $[2, 3)$

(4) $(-3, -1]$ (5) $[1, \infty)$ (6) $(-\infty, 3)$

보기 02 다음 함수의 정의역을 구간의 기호를 써서 나타내어라.

(1) $f(x)=\sqrt{4-x^2}$ (2) $f(x)=\frac{1}{x^2-1}$

풀이 (1) 주어진 함수의 정의역은 $4-x^2\ge 0$, 즉 $-2\le x\le 2$인 x의 값들의 집합이므로 기호로 나타내면 $[-2, 2]$

(2) 주어진 함수의 정의역은 $x^2-1\ne 0$, 즉 $x\ne -1$ 또는 $x\ne 1$인 x의 값들의 집합이므로 기호로 나타내면 $(-\infty, -1)\cup(-1, 1)\cup(1, \infty)$

02 함수의 연속과 불연속

일반적으로 함수 $f(x)$가 실수 a에 대하여 다음 세 조건을 만족할 때, 함수 $f(x)$는 $x=a$에서 연속이라고 한다.

(1) 함수 $f(x)$는 $x=a$에서 정의되어 있다. ← 함숫값 $f(a)$가 존재하는지 확인

(2) 극한값 $\lim_{x\to a} f(x)$가 존재한다. ← 좌극한과 우극한이 존재하고 일치하는지 확인

(3) $\lim_{x\to a} f(x)=f(a)$ ← 극한값과 함숫값이 일치하는지 확인

한편, 함수 $f(x)$가 $x=a$에서 연속이 아닐 때, $x=a$에서 불연속이라고 한다. 즉 위 세 조건 (1), (2), (3) 중에서 어느 하나라도 만족하지 않으면 함수 $f(x)$는 $x=a$에서 불연속이다.

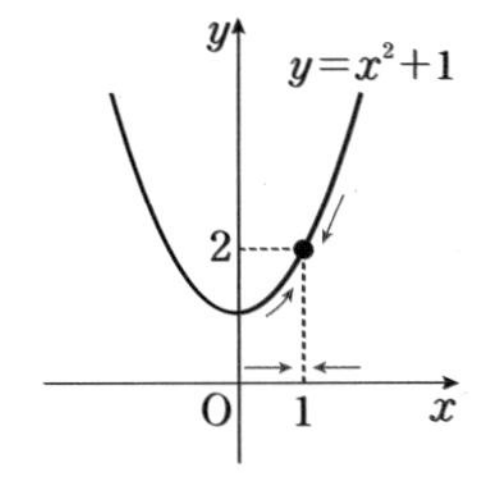

예를 들면 함수 $f(x)=x^2+1$은 $x=1$에서

(1) 함숫값이 존재 $f(1)=2$이므로 $x=1$에서 정의되어 있다. ← 함숫값이 존재

(2) 극한값이 존재 $\lim_{x\to 1}(x^2+1)=2$이므로 극한값 $\lim_{x\to 1} f(x)$가 존재한다. ← 극한값이 존재

(3) 극한값과 함숫값이 같은지 확인 $\lim_{x\to 1} f(x)=f(1)=2$ ← 극한값과 함숫값이 같은지 확인

따라서 함수 $f(x)$는 $x=1$에서 연속이다.

마플해설

세 함수 $f(x)=x+1$, $g(x)=\dfrac{x^2-1}{x-1}$, $h(x)=\begin{cases} \dfrac{x^2-1}{x-1} & (x\neq 1) \\ 1 & (x=1) \end{cases}$에 대하여

$y=f(x)$, $y=g(x)$, $y=h(x)$의 그래프는 다음 그림과 같다.

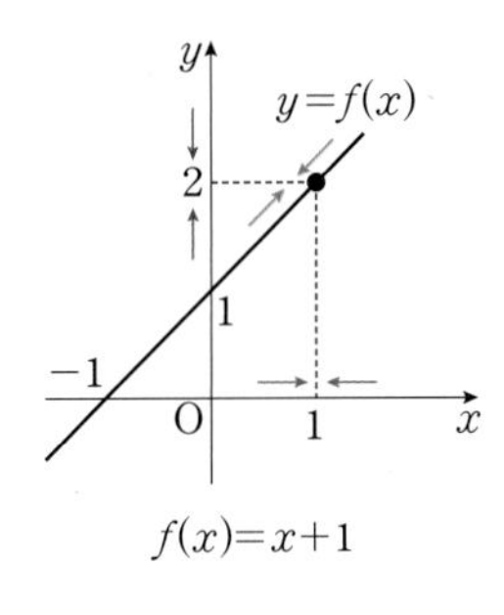

$f(x)=x+1$

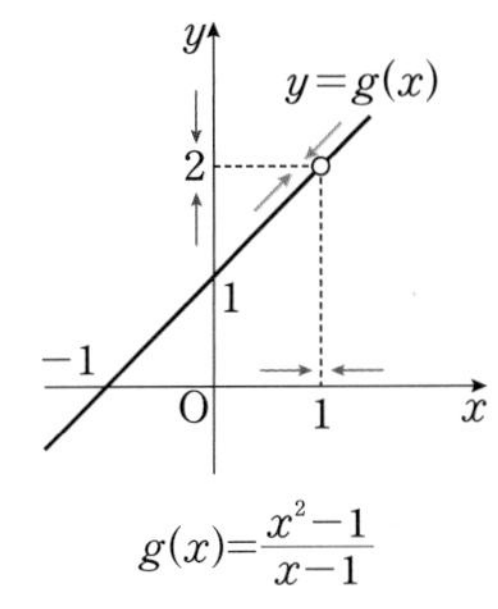

$g(x)=\dfrac{x^2-1}{x-1}$

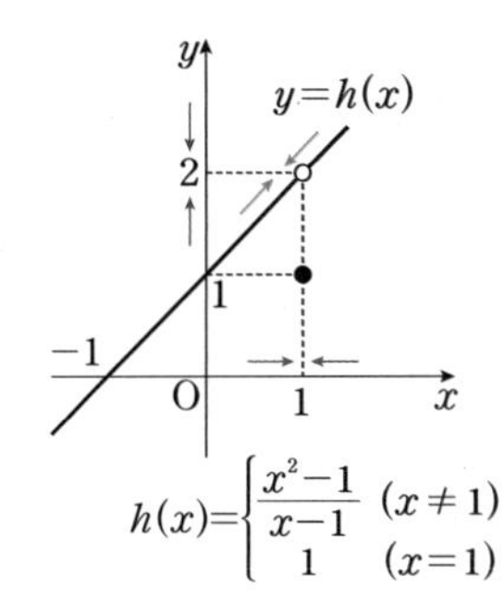

$h(x)=\begin{cases} \dfrac{x^2-1}{x-1} & (x\neq 1) \\ 1 & (x=1) \end{cases}$

함수 $f(x)=x+1$에서 $f(1)=2$이고 $\lim_{x\to 1} f(x)=2$이므로 $\lim_{x\to 1} f(x)=f(1)$임을 알 수 있다.

이것은 함수 $f(x)$의 그래프가 그림과 같이 $x=1$에서 이어져 있음을 뜻한다. ← 함숫값 $f(1)$이 정의되고, 극한값 $\lim_{x\to 1} f(x)$가 존재하며 $\lim_{x\to 1} f(x)=f(1)$이므로 $x=1$에서 연속이다.

한편, 함수 $g(x)=\dfrac{x^2-1}{x-1}$에서 $\lim_{x\to 1} g(x)=2$로 $x=1$에서의 극한값이 존재하지만, $x=1$에서 함숫값은 정의되지 않으므로 함수 $g(x)$의 그래프가 그림과 같이 $x=1$에서 끊어져 있음을 뜻한다.

또한, 함수 $h(x)=\begin{cases} \dfrac{x^2-1}{x-1} & (x\neq 1) \\ 1 & (x=1) \end{cases}$에서 $h(1)=1$로 $x=1$에서 정의되어 있고 $\lim_{x\to 1} h(x)=2$로 $x=1$에서의 극한값이 존재하지만 $\lim_{x\to 1} h(x)\neq h(1)$이므로 함수 $h(x)$의 그래프가 그림과 같이 $x=1$에서 끊어져 있음을 뜻한다.

$x=a$에서 함수 $f(x)$의 불연속인 경우

① 함수 $f(x)$에 대하여 $x=a$에서 함숫값이 정의되지 않을 때,

② 함수 $f(x)$에 대하여 $\lim_{x\to a} f(x)$의 값이 존재하지 않을 때,

③ 함수 $f(x)$에 대하여 $x=a$에서의 함숫값과 극한값이 다를 때,

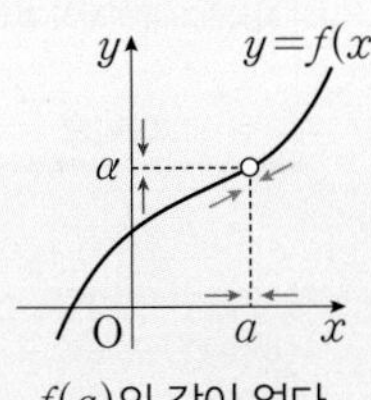

$f(a)$의 값이 없다.

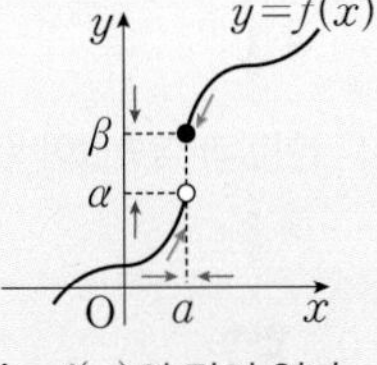

$\lim_{x\to a} f(x)$의 값이 없다.

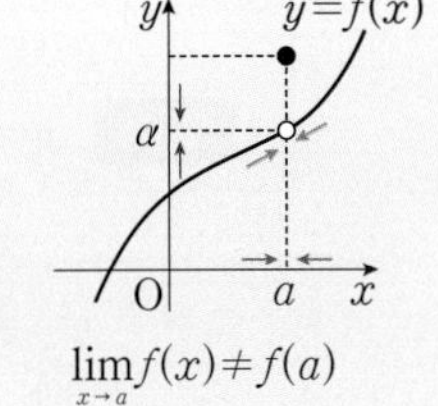

$\lim_{x\to a} f(x)\neq f(a)$

03 정의되어 있지 않은 점에서 극한값을 갖는 함수

함수 $f(x)=\dfrac{x^2+x-2}{x-1}$는 $x=1$에서 정의되지 않지만

$\lim\limits_{x\to1}f(x)=\lim\limits_{x\to1}\dfrac{x^2+x-2}{x-1}=\lim\limits_{x\to1}\dfrac{(x-1)(x+2)}{x-1}=\lim\limits_{x\to1}(x+2)=3$

이므로 극한값 $\lim\limits_{x\to1}f(x)$가 존재한다.

따라서 위 극한값을 $x=1$에서의 함숫값으로 갖는 연속함수를 정의할 수 있다.

즉, 다음과 같이 정의되는 함수

$$g(x)=\begin{cases}\dfrac{x^2+x-2}{x-1} & (x\neq1)\\ 3 & (x=1)\end{cases}$$

는 $x=1$에서 연속이다. 이와 같이 정의되어 있지 않은 점에서의 함수의 극한이 존재하면 그 극한값을 함숫값으로 갖는 연속함수를 정의할 수 있다.

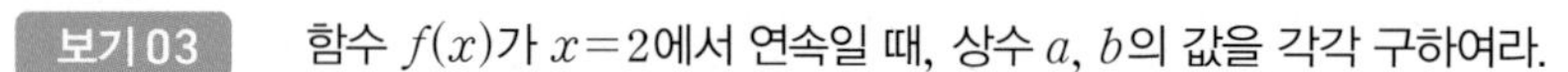

보기 03 함수 $f(x)$가 $x=2$에서 연속일 때, 상수 a, b의 값을 각각 구하여라.

$$f(x)=\begin{cases}\dfrac{x^2+ax-2}{x-2} & (x\neq2)\\ b & (x=2)\end{cases}$$

풀이 함수 $f(x)$가 $x=2$에서 연속이므로 $\lim\limits_{x\to2}f(x)$가 존재하고, 그 극한값은 $f(2)$와 같다.

$\lim\limits_{x\to2}\dfrac{x^2+ax-2}{x-2}=b$ ⬅ $\lim\limits_{x\to2}f(x)=f(2)$ ...... ㉠

㉠의 좌변에서 $x\to2$일 때, (분모)$\to0$이고 극한값이 존재하므로 (분자)$\to0$이어야 한다.

즉, $\lim\limits_{x\to2}(x^2+ax-2)=0$이므로 $2a+2=0$ $\therefore a=-1$ ...... ㉡

이때 ㉡을 ㉠에 대입하면 $\lim\limits_{x\to2}\dfrac{x^2-x-2}{x-2}=\lim\limits_{x\to2}\dfrac{(x-2)(x+1)}{x-2}=\lim\limits_{x\to2}(x+1)=3=b$

따라서 $a=-1$, $b=3$

보기 04 함수 $f(x)$가 $x>0$인 모든 실수 x에서 연속이고 등식 $(\sqrt{x}-2)f(x)=x^2-16$을 만족할 때, 다음을 구하여라.

(1) $x\neq4$일 때, 함수 $f(x)$를 구하여라.

(2) $f(4)$의 값을 구하여라.

풀이 (1) $\sqrt{x}-2\neq0$에서 $(\sqrt{x}-2)f(x)=x^2-16$의 양변을 $\sqrt{x}-2$로 나누면 $f(x)=\dfrac{x^2-16}{\sqrt{x}-2}$

(2) $x=4$에서 연속이므로 $\lim\limits_{x\to4}f(x)$가 존재하고, 그 극한값은 $f(4)$와 같다.

$f(4)=\lim\limits_{x\to4}\dfrac{x^2-16}{\sqrt{x}-2}=\lim\limits_{x\to4}(x+4)(\sqrt{x}+2)=32$

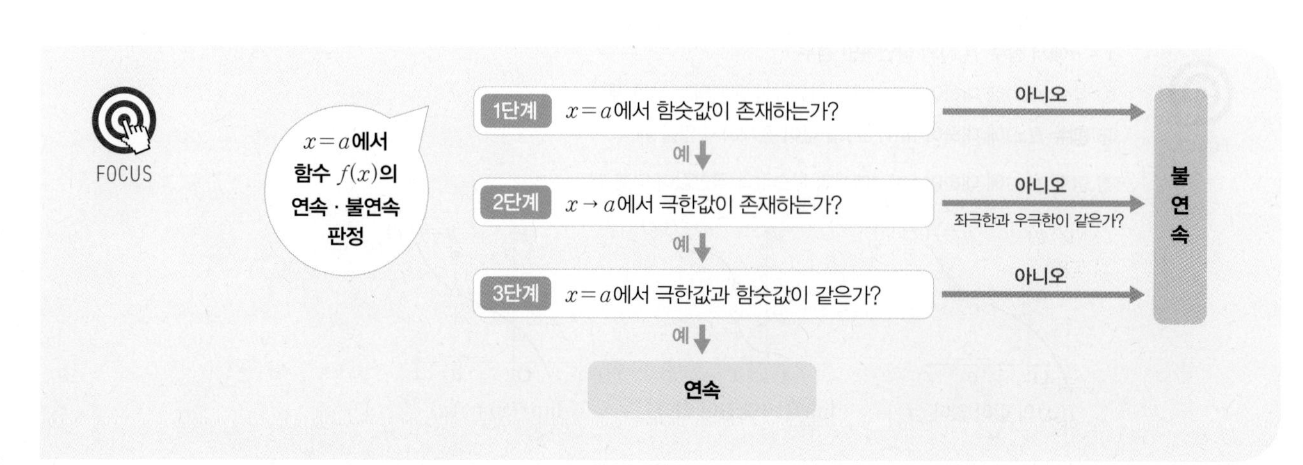

04 구간에서의 연속

(1) 닫힌구간 $[a, b]$에서 연속

함수 $f(x)$가 어떤 구간의 모든 점에서 연속일 때, 함수 $f(x)$는 구간에서 연속 또는 연속함수라 한다.
특히, 함수 $f(x)$가 다음 조건을 만족시킬 때, 닫힌구간 $[a, b]$에서 연속이라 한다.

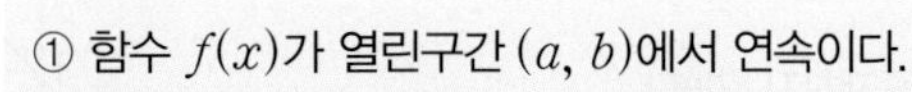

① 함수 $f(x)$가 열린구간 (a, b)에서 연속이다.
② $\lim_{x\to a+}f(x)=f(a)$, $\lim_{x\to b-}f(x)=f(b)$

즉, 오른쪽 그림과 같이 함수 $f(x)$는 $x=a$와 $x=b$에서 불연속이지만 열린구간 (a, b)에서 연속이고 $\lim_{x\to a+}f(x)=f(a)$, $\lim_{x\to b-}f(x)=f(b)$ 이므로 닫힌구간 $[a, b]$에서 연속이다.

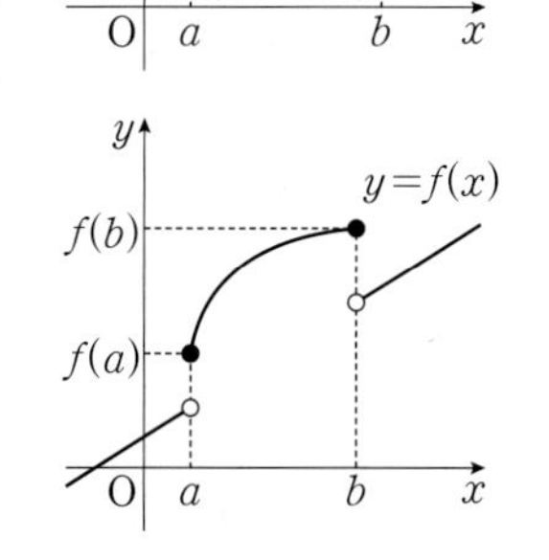

참고 어떤 구간에서 연속인 함수의 그래프는 그 구간에서 끊어지지 않고 이어진다.

(2) 주어진 구간에서 함수의 그래프를 이용한 연속성의 조사

함수 $y=f(x)$의 그래프가 주어진 구간에서 연속이다.
⇨ $f(x)$가 그 구간에 속하는 모든 점에 대하여 연속이다.
⇨ 그 구간에 속하는 모든 $x=a$에 대하여 $\lim_{x\to a}f(x)=f(a)$가 성립한다.

참고 구간 $[a, \infty)$에서 정의된 함수 $f(x)$가 구간 $[a, \infty)$에서 연속이라는 것은 함수 $f(x)$가 구간 (a, ∞)에서 연속이고 $\lim_{x\to a+}f(x)=f(a)$가 성립하는 것이다.

마플해설

(1) 함수 $f(x)=x^2-2x$는 닫힌구간 $[0, 2]$에서 연속임을 보인다.
함수 $f(x)$는 구간 $(0, 2)$에서 연속이고
$\lim_{x\to 0+}(x^2-2x)=f(0)$, $\lim_{x\to 2-}(x^2-2x)=f(2)$이다.
따라서 함수 $f(x)$는 닫힌구간 $[0, 2]$에서 연속이다.

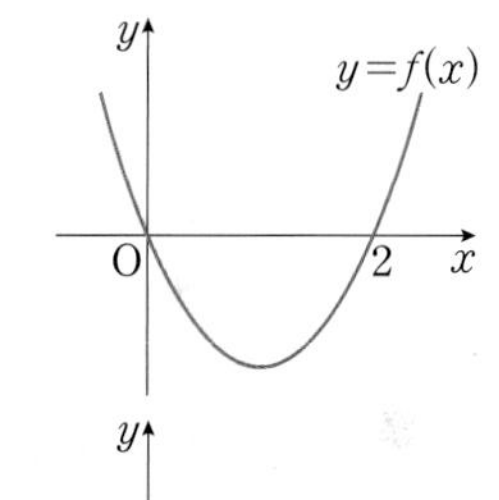

(2) 함수 $f(x)=\sqrt{x-1}$은 닫힌구간 $[1, \infty)$에서 연속임을 보인다.
함수 $f(x)$는 구간 $(1, \infty)$에서 연속이고
$\lim_{x\to 1+}f(x)=f(1)$이다.
따라서 함수 $f(x)$는 닫힌구간 $[1, \infty)$에서 연속이다.

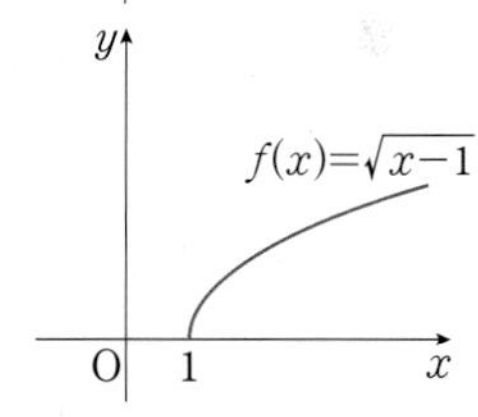

보기 05 다음 함수가 연속인 구간을 구하여라.

(1) $f(x)=x^2-4$ (2) $f(x)=\dfrac{x+1}{x-3}$ (3) $f(x)=\sqrt{2x-1}$

풀이

(1) 함수 $f(x)=x^2-4$는 모든 실수, 즉 구간 $(-\infty, \infty)$에서 연속이다.
(2) 함수 $f(x)=\dfrac{x+1}{x-3}$는 $x\neq 3$일 때, 즉 구간 $(-\infty, 3)$, $(3, \infty)$에서 연속이다.
(3) 함수 $f(x)=\sqrt{2x-1}$는 $2x-1\geq 0$일 때, 즉 구간 $\left[\frac{1}{2}, \infty\right)$에서 연속이다.

FOCUS

여러 가지 함수의 연속성
우리가 흔히 다루는 여러 가지 함수에서 연속이 되는 구간은 그 정의역을 통해 쉽게 찾을 수 있다.
① 다항함수 : 일차함수, 이차함수, …, 등 ➡ $(-\infty, \infty)$에서 연속
② 유리함수 : $y=\dfrac{f(x)}{g(x)}$ (단, $f(x)$, $g(x)$는 다항함수) ➡ $g(x)\neq 0$인 점에서 연속
③ 무리함수 : $y=\sqrt{f(x)}$ (단, $f(x)$는 다항함수) ➡ $f(x)\geq 0$인 구간에서 연속
④ 가우스 함수 : $y=[x]$ ➡ $x\neq n$에서 연속 (단, n은 정수)

불연속인 함수

01 $x=a$에서 함수 $f(x)$가 불연속인 경우

(1) 함수 $f(x)$에 대하여 $x=a$에서 함숫값이 정의되지 않을 때,

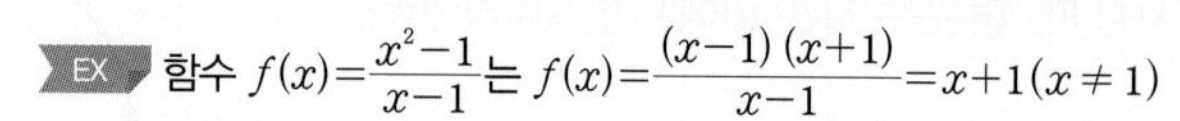

EX 함수 $f(x)=\dfrac{x^2-1}{x-1}$는 $f(x)=\dfrac{(x-1)(x+1)}{x-1}=x+1\,(x\neq 1)$

$x=1$일 때는 분모가 0이 되므로 함숫값 $f(1)$이 존재하지 않는다.

따라서 함수 $y=f(x)$의 그래프는 $x=1$에서 연결되지 않고 끊어져 있다.

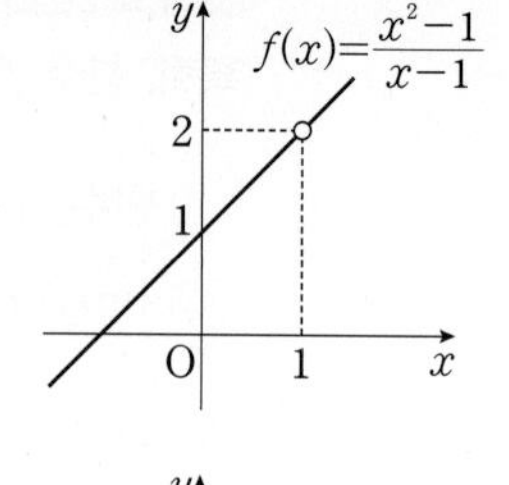

(2) 함수 $f(x)$에 대하여 $\lim\limits_{x\to a}f(x)$의 값이 존재하지 않을 때,

EX 함수 $f(x)=\begin{cases} x+1 & (x<1) \\ -x+2 & (x\geq 1)\end{cases}$는 $x=1$에서의 함숫값이 $f(1)=1$로 존재하고

또한, $\lim\limits_{x\to 1+}f(x)=1$, $\lim\limits_{x\to 1-}f(x)=2$에서 $\lim\limits_{x\to 1+}f(x)\neq \lim\limits_{x\to 1-}f(x)$이므로

$x=1$에서 극한값 $\lim\limits_{x\to 1}f(x)$는 존재하지 않는다.

따라서 함수 $y=f(x)$의 그래프는 $x=1$에서 연결되지 않고 끊어져 있다.

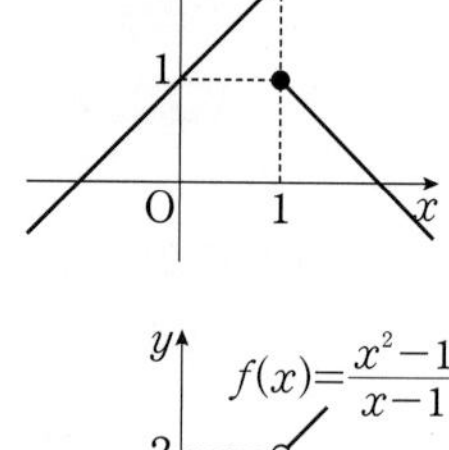

(3) 함수 $f(x)$에 대하여 $x=a$에서의 함숫값과 극한값이 다를 때,

EX 함수 $f(x)=\begin{cases} \dfrac{x^2-1}{x-1} & (x\neq 1) \\ 1 & (x=1)\end{cases}$에 대하여 $x=1$에서의 함숫값은 $f(1)=1$로 존재하고

또한, $\lim\limits_{x\to 1+}f(x)=2$, $\lim\limits_{x\to 1-}f(x)=2$이므로 $x=1$에서

극한값 $\lim\limits_{x\to 1}f(x)=2$이지만 $\lim\limits_{x\to 1}f(x)\neq f(1)$이다.

따라서 함수 $y=f(x)$의 그래프는 $x=1$에서 연결되지 않고 끊어져 있다.

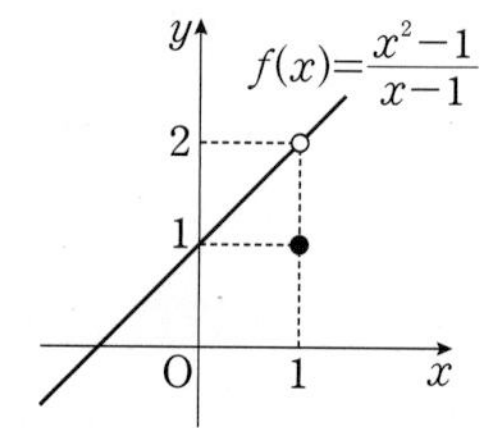

02 불연속 함수의 추정

(1) 한 실수에서만 불연속인 함수

실수 a에 대하여 $f(x)=\begin{cases} \dfrac{x-a}{|x-a|} & (x\neq a) \\ 0 & (x=a)\end{cases}$

이라 할 때, 이 함수의 그래프는 오른쪽 그림과 같으므로

$f(x)$는 $x=a$에서만 불연속임을 확인할 수 있다.

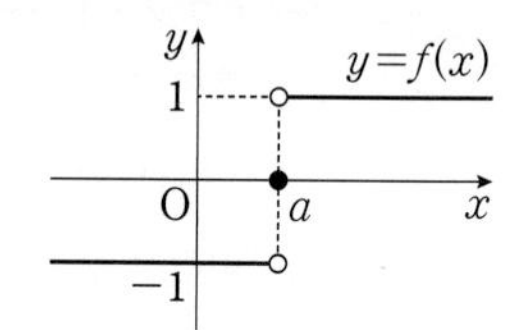

(2) 모든 정수에서 불연속인 함수

x보다 크지 않는 최대의 정수를 $[x]$라 할 때,

함수 $f(x)=[x]$의 그래프는 오른쪽 그림과 같다.

따라서 $f(x)$는 모든 정수에서 불연속임을 알 수 있다.

(3) 모든 유리수에서 불연속인 함수

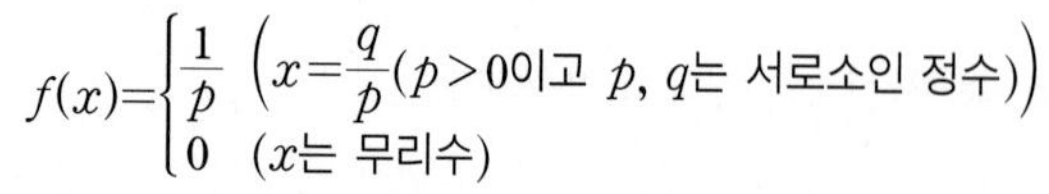

$$f(x)=\begin{cases} \dfrac{1}{p} & \left(x=\dfrac{q}{p}(p>0\text{이고 } p,\ q\text{는 서로소인 정수})\right) \\ 0 & (x\text{는 무리수})\end{cases}$$

은 독일의 수학자 토메가 발견한 것으로, 모든 유리수에서 불연속이다.

열린구간 $(0,1)$에서 이 함수의 그래프는 오른쪽 그림과 같다.

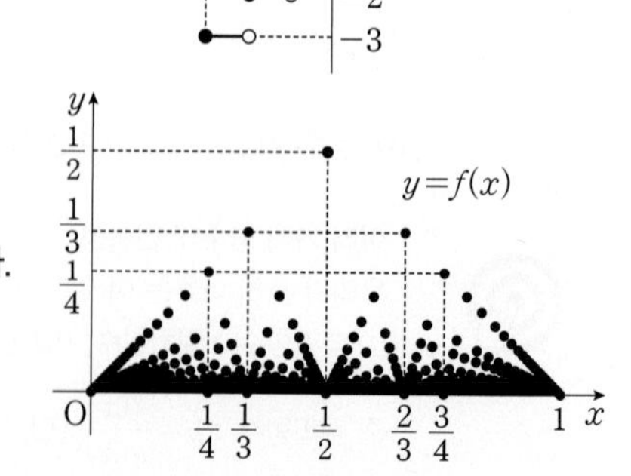

(4) 모든 실수에서 불연속인 함수

함수 $f(x)=\begin{cases} 1 & (x\text{는 유리수}) \\ 0 & (x\text{는 무리수})\end{cases}$

은 독일의 수학자 디리클레가 1837년에 발견한 것으로, 모든 실수에서 불연속이다.

마플개념익힘 01 함수의 연속성

다음 함수의 $x=1$에서의 연속성을 조사하여라. (단, $[x]$는 x보다 크지 않은 최대 정수이다.)

(1) $f(x)=\begin{cases} \dfrac{|x-1|}{x-1} & (x \neq 1) \\ 0 & (x=1) \end{cases}$ (2) $f(x)=[x]$

MAPL CORE 함수 $f(x)$가 $x=a$에서 연속이려면 다음 세 조건을 만족시켜야 한다.
(1) 함숫값 $f(a)$가 정의되어 있다. (2) 극한값 $\lim_{x \to a} f(x)$가 존재한다. (3) $\lim_{x \to a} f(x)=f(a)$

개념익힘 | **풀이** (1) $x>1$일 때, $f(x)=\dfrac{|x-1|}{x-1}=\dfrac{x-1}{x-1}=1$

$x<1$일 때, $f(x)=\dfrac{|x-1|}{x-1}=\dfrac{-(x-1)}{x-1}=-1$

$x=1$일 때, $f(x)=0$이므로 오른쪽 그림과 같다.

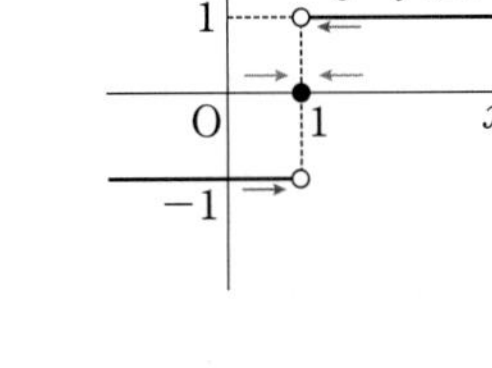

이때 $x=1$에서 함숫값을 구하면 $f(1)=0$이고

$x \to 1$일 때, 극한값을 구하면 $\lim_{x \to 1+} f(x)=1$, $\lim_{x \to 1-} f(x)=-1$이다.

따라서 극한값 $\lim_{x \to 1} f(x)$가 존재하지 않으므로 **불연속**이다.

(2) $-1 \le x < 0$일 때, $f(x)=[x]=-1$

$0 \le x < 1$일 때, $f(x)=[x]=0$

$1 \le x < 2$일 때, $f(x)=[x]=1$

⋮ ⋮

이므로 $y=f(x)$의 그래프는 오른쪽 그림과 같고

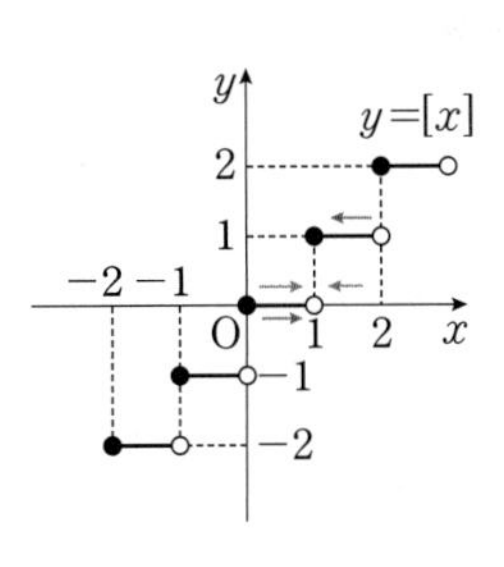

$x=1$에서 함숫값을 구하면 $f(1)=1$이고 $\lim_{x \to 1+} f(x)=1$, $\lim_{x \to 1-} f(x)=0$이다.

따라서 극한값 $\lim_{x \to 1} f(x)$이 존재하지 않으므로 **불연속**이다.

확인유제 0101 다음 함수의 $x=0$에서의 연속성을 조사하여라. (단, $[x]$는 x보다 크지 않은 최대 정수이다.)

(1) $f(x)=\begin{cases} -x^2+1 & (x \ge 0) \\ x^2-1 & (x<0) \end{cases}$ (2) $f(x)=\begin{cases} |x| & (x \neq 0) \\ 1 & (x=0) \end{cases}$ (3) $f(x)=x-[x]$

변형문제 0102 다음 중 $x=2$에서 연속인 함수는? (단, $[x]$는 x보다 크지 않은 최대 정수이다.)

① $f(x)=\dfrac{1}{x-2}$ ② $f(x)=\dfrac{|x-2|}{x-2}$ ③ $f(x)=\begin{cases} \sqrt{x-2} & (x \ge 2) \\ x & (x<2) \end{cases}$

④ $f(x)=\begin{cases} \dfrac{x^2-x-2}{x-2} & (x \neq 2) \\ 2 & (x=2) \end{cases}$ ⑤ $f(x)=\begin{cases} \dfrac{x^2-4}{x-2} & (x \neq 2) \\ 4 & (x=2) \end{cases}$

발전문제 0103 $x=1$에서 연속인 함수만을 [보기]에서 있는 대로 고른 것은? (단, $[x]$는 x보다 크지 않은 최대의 정수이다.)

ㄱ. $f(x)=\begin{cases} \dfrac{x^2+2x-3}{x-1} & (x \neq 1) \\ 4 & (x=1) \end{cases}$ ㄴ. $g(x)=\begin{cases} \dfrac{x^2-1}{x-1} & (x \neq 1) \\ 2 & (x=1) \end{cases}$ ㄷ. $h(x)=[x-1]$

① ㄱ ② ㄱ, ㄴ ③ ㄱ, ㄷ ④ ㄴ, ㄷ ⑤ ㄱ, ㄴ, ㄷ

정답 0101 : (1) 불연속 (2) 불연속 (3) 불연속 0102 : ⑤ 0103 : ②

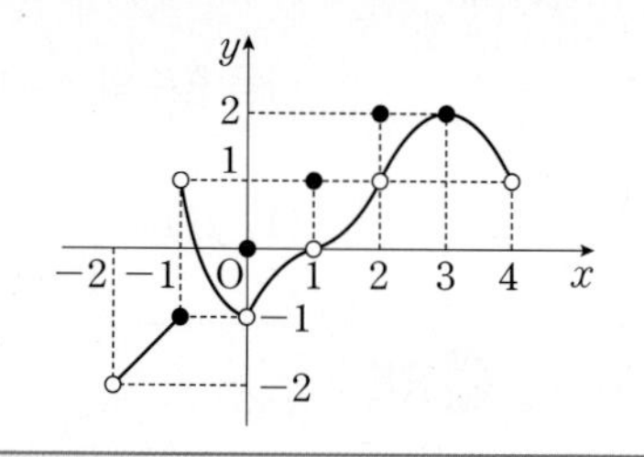

열린구간 $(-2,\ 4)$에서 정의된 함수 $y=f(x)$의 그래프가 오른쪽 그림과 같을 때, 다음 물음에 답하여라.

(1) 이 구간에서 $f(x)$가 극한값이 존재하지 않는 x의 값의 개수를 구하여라.

(2) 이 구간에서 $f(x)$가 불연속인 x의 값의 개수를 구하여라.

MAPL CORE 함수 $y=f(x)$의 그래프가 $x=a$에서 끊어져 있으면 ⇨ $x=a$에서 불연속이다.

함수 $f(x)$가 $x=a$에서 불연속인 이유	함숫값 $f(x)$가 정의되어 있지 않다.	극한값 $\lim_{x\to a}f(x)$가 존재하지 않는다.	$\lim_{x\to a}f(x)\neq f(a)$
함수 $y=f(x)$의 그래프			

개념익힘 | **풀이** $x=-1,\ x=0,\ x=1,\ x=2,\ x=3$에서 함수 $f(x)$의 연속성을 조사한다.

(i) $x\to-1$일 때의 극한값은 $\lim_{x\to-1+}f(x)=1,\ \lim_{x\to-1-}f(x)=-1$이므로 $\lim_{x\to-1+}f(x)\neq\lim_{x\to-1-}f(x)$

즉, $\lim_{x\to-1}f(x)$의 값이 존재하지 않으므로 $f(x)$는 $x=-1$에서 불연속이다.

(좌극한)≠(우극한)이면 극한값이 존재하지 않는다.

(ii) $x=0$에서의 함숫값은 $f(0)=0,\ x\to0$일 때의 극한값은 $\lim_{x\to0+}f(x)=\lim_{x\to0-}f(x)=-1$

즉, $\lim_{x\to0}f(x)\neq f(0)$이므로 $f(x)$는 $x=0$에서 불연속이다.

(iii) $x=1$에서의 함숫값은 $f(1)=1,\ x\to1$일 때의 극한값은 $\lim_{x\to1+}f(x)=\lim_{x\to1-}f(x)=0$

즉, $\lim_{x\to1}f(x)\neq f(1)$이므로 $f(x)$는 $x=1$에서 불연속이다.

(iv) $x=2$에서의 함숫값은 $f(2)=2,\ x\to2$일 때의 극한값은 $\lim_{x\to2+}f(x)=\lim_{x\to2-}f(x)=1$

즉, $\lim_{x\to2}f(x)\neq f(2)$이므로 $f(x)$는 $x=2$에서 불연속이다.

(v) $x=3$에서의 함숫값은 $f(3)=2,\ x\to3$일 때의 극한값은 $\lim_{x\to3+}f(x)=\lim_{x\to3-}f(x)=2$

즉, $\lim_{x\to3}f(x)=f(3)$이므로 $f(x)$는 $x=3$에서 연속이다.

(1) (i)에서 $x=-1$에서 $f(x)$가 극한값이 존재하지 않으므로 **1개**이다.

(2) (i)∼(iv)에서 $x=-1,\ x=0,\ x=1,\ x=2$에서 $f(x)$가 불연속이므로 **4개**이다.

확인유제 0104 열린구간 $(0,\ 4)$에서 정의된 함수 $y=f(x)$의 그래프가 오른쪽 그림과 같을 때, [보기]에서 옳은 것만을 있는 대로 고른 것은?

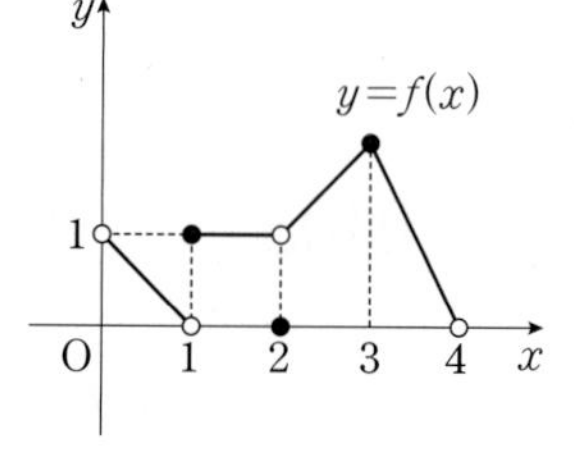

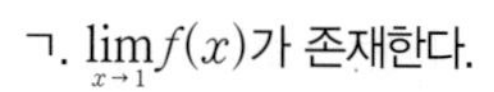

ㄱ. $\lim_{x\to1}f(x)$가 존재한다.

ㄴ. $f(x)$의 불연속인 점은 3개이다.

ㄷ. $\lim_{x\to2}f(x)=1$

① ㄱ　② ㄴ　③ ㄷ　④ ㄱ, ㄷ　⑤ ㄱ, ㄴ, ㄷ

정답 0104 : ③

변형문제 0105 다음 물음에 답하여라.

2012학년도 수능기출

(1) 함수 $y=f(x)$의 그래프가 그림과 같을 때, 옳은 것만을 [보기]에서 있는 대로 고른 것은?

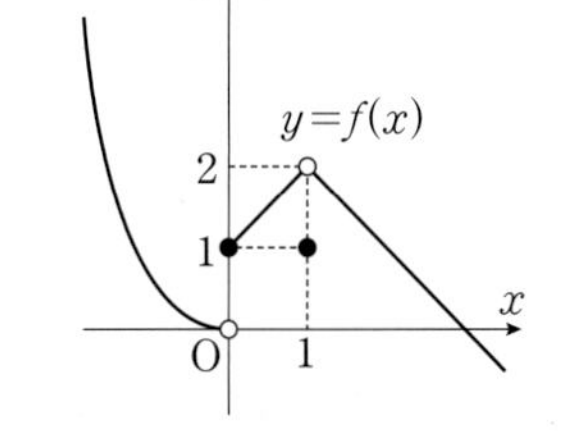

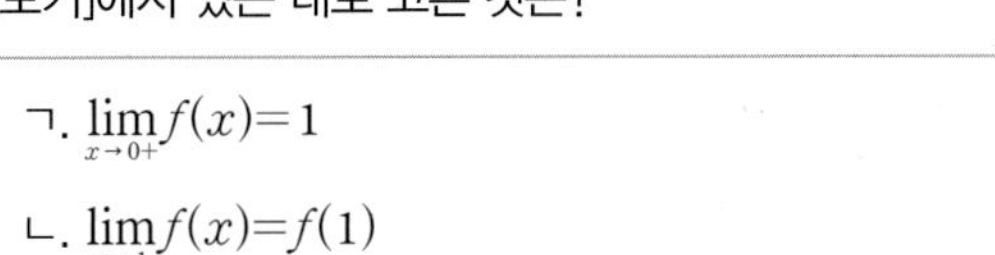

ㄱ. $\lim_{x \to 0+} f(x)=1$

ㄴ. $\lim_{x \to 1} f(x)=f(1)$

ㄷ. 함수 $(x-1)f(x)$은 $x=1$에서 연속이다.

① ㄱ　② ㄱ, ㄴ　③ ㄱ, ㄷ　④ ㄴ, ㄷ　⑤ ㄱ, ㄴ, ㄷ

2013년 10월 교육청

(2) 함수 $y=f(x)$의 그래프가 오른쪽 그림과 같다. [보기]에서 옳은 것만을 있는 대로 고른 것은?

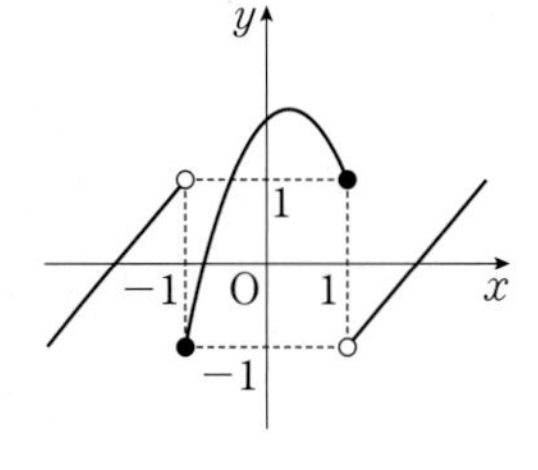

ㄱ. $\lim_{x \to -1-} f(x)+\lim_{x \to 1+} f(x)=0$

ㄴ. $\lim_{x \to 1} f(-x)$는 존재한다.

ㄷ. 함수 $f(x)f(-x)$는 $x=1$에서 연속이다.

① ㄱ　② ㄴ　③ ㄱ, ㄷ　④ ㄴ, ㄷ　⑤ ㄱ, ㄴ, ㄷ

발전문제 0106 다음 물음에 답하여라.

2012년 04월 교육청

(1) 실수 전체의 집합에서 정의된 함수 $y=f(x)$의 그래프의 일부가 오른쪽 그림과 같을 때, 옳은 것만을 [보기]에서 있는 대로 고른 것은?

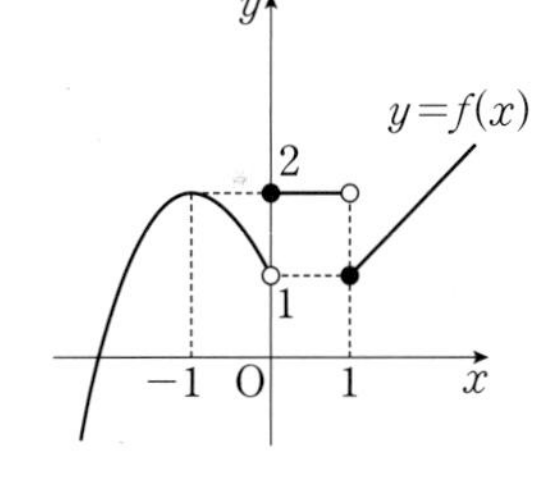

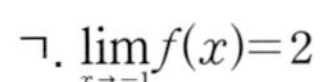

ㄱ. $\lim_{x \to -1} f(x)=2$

ㄴ. $\lim_{x \to -1+} f(-x)=f(1)$

ㄷ. 함수 $f(x)f(x+1)$은 $x=0$에서 연속이다.

① ㄱ　② ㄴ　③ ㄱ, ㄷ　④ ㄴ, ㄷ　⑤ ㄱ, ㄴ, ㄷ

2013학년도 수능기출

(2) 두 함수 $f(x)=\begin{cases} -1 & (|x| \geq 1) \\ x^2 & (|x|<1) \end{cases}$, $g(x)=\begin{cases} 1 & (|x| \geq 1) \\ -x^3 & (|x|<1) \end{cases}$에 대하여 옳은 것만을 [보기]에서 있는 대로 고른 것은?

ㄱ. $\lim_{x \to 1} f(x)g(x)=-1$

ㄴ. 함수 $g(x-1)$은 $x=0$에서 연속이다.

ㄷ. 함수 $f(x)g(x-1)$은 $x=1$에서 연속이다

① ㄱ　② ㄴ　③ ㄱ, ㄴ　④ ㄱ, ㄷ　⑤ ㄱ, ㄴ, ㄷ

정답 0105 : (1) ③ (2) ③　0106 : (1) ③ (2) ⑤

마플개념익힘 03 함수의 연속과 미정계수의 결정

2012학년도 06월 평가원

다음 함수가 모든 실수 x에서 연속이 되도록 실수 a, b의 값을 정하여라.

(1) $f(x)=\begin{cases} \dfrac{x^2+ax-10}{x-2} & (x \neq 2) \\ b & (x=2) \end{cases}$ (2) $f(x)=\begin{cases} \dfrac{\sqrt{x+6}+a}{x-3} & (x \neq 3) \\ b & (x=3) \end{cases}$

MAPL CORE $f(x)=\begin{cases} g(x) & (x \neq a) \\ b & (x=a) \end{cases}$일 때, 함수 $f(x)$가 $x=a$에서 연속이려면 $\lim\limits_{x \to a} g(x)=b$임을 이용한다.

개념익힘 | **풀이** (1) 함수 $f(x)$가 모든 실수 x에서 연속하려면 $x=2$에서 연속되어야 하므로

$\lim\limits_{x \to 2} f(x)=f(2)$을 만족한다. 즉 $\lim\limits_{x \to 2} \dfrac{x^2+ax-10}{x-2}=b$ ...... ㉠

㉠의 좌변에서 $x \to 2$일 때, (분모) $\to 0$이고 극한값이 존재하므로 (분자) $\to 0$이어야 한다.

즉, $\lim\limits_{x \to 2}(x^2+ax-10)=0$이므로 $4+2a-10=0$ $\therefore a=3$ ...... ㉡

이때 ㉡을 ㉠에 대입하면

$\lim\limits_{x \to 2} \dfrac{x^2+3x-10}{x-2}=\lim\limits_{x \to 2} \dfrac{(x+5)(x-2)}{x-2}=\lim\limits_{x \to 2}(x+5)=7$ $\therefore b=7$

$\therefore$ $a=\mathbf{3}$, $b=\mathbf{7}$

(2) 함수 $f(x)$가 모든 실수에서 연속이려면 $x=3$에서 연속이어야 하므로

$\lim\limits_{x \to 3} f(x)=f(3)$을 만족한다. 즉 $\lim\limits_{x \to 3} \dfrac{\sqrt{x+6}+a}{x-3}=b$ ...... ㉠

㉠의 좌변에서 $x \to 3$일 때, (분모)$\to 0$이고 극한값이 존재하므로 (분자) $\to 0$이어야 한다.

즉, $\lim\limits_{x \to 3}(\sqrt{x+6}+a)=0$이므로 $3+a=0$ $\therefore a=-3$ ...... ㉡

이때 ㉡을 ㉠에 대입하면

$\lim\limits_{x \to 3} \dfrac{\sqrt{x+6}-3}{x-3}=\lim\limits_{x \to 3} \dfrac{(\sqrt{x+6}-3)(\sqrt{x+6}+3)}{(x-3)(\sqrt{x+6}+3)}=\lim\limits_{x \to 3} \dfrac{1}{\sqrt{x+6}+3}=\dfrac{1}{3+3}=\dfrac{1}{6}=b$

$\therefore$ $a=\mathbf{-3}$, $b=\mathbf{\dfrac{1}{6}}$

확인유제 0107 다음 함수 $f(x)$가 모든 실수 x에서 연속이 되도록 실수 a, b의 값을 정하여라.

2018학년도 06월 평가원
2011년 04월 교육청

(1) $f(x)=\begin{cases} \dfrac{x^2-5x+a}{x-3} & (x \neq 3) \\ b & (x=3) \end{cases}$ (2) $f(x)=\begin{cases} \dfrac{a\sqrt{x+2}+b}{x-2} & (x \neq 2) \\ 2 & (x=2) \end{cases}$

변형문제 0108 함수 $f(x)=\begin{cases} \dfrac{a\sqrt{x}-b}{x-1} & (x \neq 1) \\ b^2 & (x=1) \end{cases}$이 $x=1$에서 연속일 때, $f(1)+f(9)$의 값은? (단, a, b는 상수, $b \neq 0$)

① $\dfrac{3}{8}$ ② $\dfrac{5}{12}$ ③ $\dfrac{1}{2}$ ④ 1 ⑤ $\dfrac{3}{2}$

발전문제 0109 함수 $f(x)=x^2-x+a$에 대하여 함수 $g(x)$를

2012학년도 09월 평가원

$$g(x)=\begin{cases} f(x+1) & (x \leq 0) \\ f(x-1) & (x>0) \end{cases}$$

이라 하자. 함수 $y=\{g(x)\}^2$이 $x=0$에서 연속일 때, 상수 a의 값을 구하여라.

정답 0107 : (1) $a=6$, $b=1$ (2) $a=8$, $b=-16$ 0108 : ① 0109 : $a=-1$

마플개념익힘 04 실수 전체의 집합에서 연속

2017년 11월 교육청

함수

$$f(x)=\begin{cases} x+k & (x \le 2) \\ x^2+4x+6 & (x>2) \end{cases}$$

가 실수 전체의 집합에서 연속일 때, 상수 k의 값을 구하여라.

MAPL CORE

함수 $g(x)$, $h(x)$가 연속함수일 때,

함수 $f(x)=\begin{cases} g(x) & (x \le a) \\ h(x) & (x>a) \end{cases}$가 실수전체의 집합에서 연속이기 위해서는 $x=a$에서 연속이어야 한다.

즉, $\lim_{x \to a-} g(x)=\lim_{x \to a+} h(x)=g(a)$이 성립한다.

개념익힘 | 풀이

함수 $f(x)$는 $x \le 2$, $x>2$에서 다항함수이므로 연속이다.

함수 $f(x)$가 실수 전체의 집합에서 연속이 되려면 함수 $f(x)$는 $x=2$에서 연속이어야 한다.

즉, $\lim_{x \to 2-} f(x)=\lim_{x \to 2+} f(x)=f(2)$이어야 한다.

$\lim_{x \to 2-} f(x)=\lim_{x \to 2-}(x+k)=2+k$ …… ㉠

$\lim_{x \to 2+} f(x)=\lim_{x \to 2+}(x^2+4x+6)=2^2+4 \cdot 2+6=18$ …… ㉡

$x=2$에서 함숫값은 $f(2)=2+k$ …… ㉢

위의 ㉠, ㉡, ㉢의 값이 같아야 하므로 $2+k=18$

따라서 $k=\mathbf{16}$

확인유제 0110

2015학년도 수능기출

함수

$$f(x)=\begin{cases} 2x+10 & (x<1) \\ x+a & (x \ge 1) \end{cases}$$

이 실수 전체의 집합에서 연속이 되도록 하는 상수 a의 값을 구하여라.

변형문제 0111

다음 물음에 답하여라.

2017학년도 06월 평가원

(1) 함수 $f(x)=\begin{cases} 4x^2-a & (x<1) \\ x^3+a & (x \ge 1) \end{cases}$이 실수 전체의 집합에서 연속일 때, 상수 a의 값은?

① $\frac{3}{2}$　② 2　③ $\frac{5}{2}$　④ 3　⑤ $\frac{7}{2}$

2017년 07월 교육청

(2) 함수 $f(x)=\begin{cases} 3x+6 & (x<2) \\ x^2+ax-4 & (x \ge 2) \end{cases}$가 실수 전체의 집합에서 연속일 때, 상수 a의 값은?

① 2　② 4　③ 6　④ 8　⑤ 10

발전문제 0112

2018학년도 09월 평가원

실수 전체의 집합에서 정의된 두 함수 $f(x)$와 $g(x)$에 대하여

$x<0$일 때, $f(x)+g(x)=x^2+4$

$x>0$일 때, $f(x)-g(x)=x^2+2x+8$

이다. 함수 $f(x)$가 $x=0$에서 연속이고 $\lim_{x \to 0-} g(x)-\lim_{x \to 0+} g(x)=6$일 때, $f(0)$의 값은?

① -3　② -1　③ 0　④ 1　⑤ 3

정답　0110 : $a=11$　0111 : (1) ① (2) ③　0112 : ⑤

마플개념익힘 05 $(x-a)f(x)$꼴 함수의 연속

모든 실수 x에서 연속인 함수 $f(x)$가

$$(x-1)f(x)=x^2+x-a$$

를 만족시킬 때, $f(1)$의 값을 구하여라. (단, a는 상수)

MAPL CORE 연속함수 $g(x)$에 대하여 함수 $f(x)$가 $(x-a)f(x)=g(x)$를 만족할 때, $f(x)=\dfrac{g(x)}{x-a}\ (x \neq a)$

이때 $f(x)$가 $x=a$에서 연속이면 $f(a)=\lim\limits_{x \to a}\dfrac{g(x)}{x-a}$

개념익힘 | **풀이** $x \neq 1$일 때, $f(x)=\dfrac{x^2+x-a}{x-1}$이므로

함수 $f(x)$가 모든 실수에서 연속이므로 $x=1$에서도 연속이다.

즉, $\lim\limits_{x \to 1}f(x)=f(1)$이 성립하여야 한다.

$\therefore \lim\limits_{x \to 1}\dfrac{x^2+x-a}{x-1}=f(1)$ …… ㉠

이때 $x \to 1$ 일 때, (분모)$\to 0$이고 극한값이 존재하므로 (분자)$\to 0$이어야 한다.

즉, $\lim\limits_{x \to 1}(x^2+x-a)=0$ 이므로 $1+1-a=0$ $\therefore a=2$

$a=2$를 ㉠에 대입하면

$f(1)=\lim\limits_{x \to 1}\dfrac{x^2+x-2}{x-1}=\lim\limits_{x \to 1}\dfrac{(x-1)(x+2)}{x-1}=3$

따라서 $f(1)=\mathbf{3}$

확인유제 0113 다음 물음에 답하여라.

(1) 실수 전체의 집합에서 연속인 함수 $f(x)$가 $(x+1)f(x)=x^2-2x-3$을 만족시킬 때, $f(-1)$의 값을 구하여라.

(2) $x \geq -7$인 모든 실수 x에서 연속인 함수 $f(x)$가 $(x-2)f(x)=\sqrt{x+7}-3$을 만족할 때, $f(2)$의 값을 구하여라.

변형문제 0114 $x \geq 1$인 모든 실수 x에서 연속인 함수 $f(x)$에 대하여

$$(x-2)f(x)=a\sqrt{x-1}+b,\ f(2)=1$$

을 만족시킬 때, 상수 a, b에 대하여 ab의 값은?

① -4 ② -3 ③ -2 ④ -1 ⑤ 1

발전문제 0115 다음 물에 답하여라.

(1) 모든 실수 x에서 연속인 함수 $f(x)$가

$$(x-3)f(x)=2x^2+ax-b$$

를 만족시키고, $f(4)=9$일 때, $f(3)$의 값을 구하여라. (단, a, b는 상수)

(2) 실수 전체의 집합에서 연속인 함수 $f(x)$가

$$(x^2-3x+2)f(x)=x^3+ax+b$$

를 만족시킬 때, $f(1)+f(2)$의 값을 구하여라. (단, a, b는 상수)

정답 0113 : (1) -4 (2) $\frac{1}{6}$ 0114 : ① 0115 : (1) 7 (2) 9

마플개념익힘 06 구간별로 정의된 함수의 연속

함수

$$f(x)=\begin{cases} ax+6 & (x\le -1 \text{ 또는 } x\ge 2) \\ x^2-4x+b & (-1<x<2) \end{cases}$$

가 실수 전체에서 연속이 되도록 하는 상수 a, b에 대하여 ab의 값을 구하여라.

MAPL CORE 구간별로 정의된 함수의 연속성 ⇨ 각 구간의 경계점에서의 연속성을 조사한다.
$x<a$에서 연속인 함수 $f(x)$와 $x\ge a$에서 연속인 함수 $g(x)$에 대하여
함수 $y=\begin{cases} f(x) & (x<a) \\ g(x) & (x\ge a) \end{cases}$가 모든 실수 x에서 연속이려면 $\lim_{x\to a-}f(x)=\lim_{x\to a+}g(x)=g(a)$이어야 한다.

개념익힘 | **풀이** 일차함수 $y=ax+6$와 이차함수 $y=x^2-4x+b$가 실수 전체에서 연속이므로

함수 $f(x)$는 $x=-1$, $x=2$를 제외한 모든 점에서 연속이다.

즉, 함수 $f(x)$가 실수 전체에서 연속이 되려면 $x=-1$, $x=2$에서만 연속이면 된다.

(i) $x=-1$에서 연속이므로

$\lim_{x\to -1-}f(x)=\lim_{x\to -1+}f(x)=f(-1)$

즉, $\lim_{x\to -1-}(ax+6)=\lim_{x\to -1+}(x^2-4x+b)=f(-1)$에서

$-a+6=5+b \quad \therefore a+b=1$ …… ㉠

(ii) $x=2$에서 연속이므로

$\lim_{x\to 2-}f(x)=\lim_{x\to 2+}f(x)=f(2)$

즉, $\lim_{x\to 2-}(x^2-4x+b)=\lim_{x\to 2+}(ax+6)=f(2)$에서

$-4+b=2a+6 \quad \therefore 2a-b=-10$ …… ㉡

㉠, ㉡을 연립하여 풀면 $a=-3$, $b=4$

따라서 $ab=(-3)\cdot 4=\mathbf{-12}$

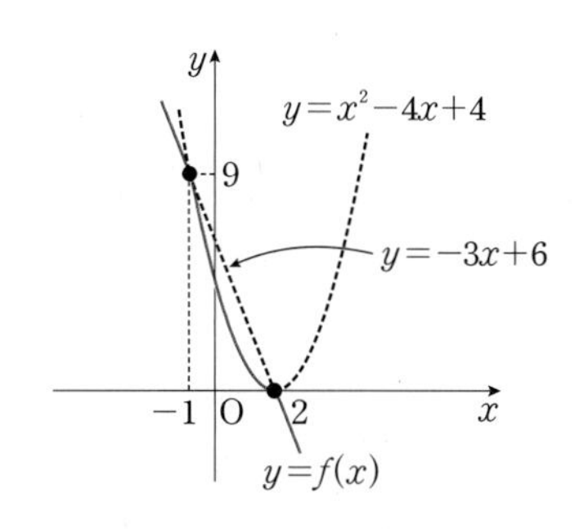

확인유제 0116

함수

$$f(x)=\begin{cases} ax-4 & (x\le -1 \text{ 또는 } x\ge 2) \\ x^3+x+b & (-1<x<2) \end{cases}$$

가 실수 전체에서 연속이 되도록 하는 상수 a, b에 대하여 ab의 값을 구하여라.

변형문제 0117

함수

$$f(x)=\begin{cases} 2x-3 & (a\le x\le b) \\ x^2-3x+1 & (x<a \text{ 또는 } x>b) \end{cases}$$

가 실수 전체의 집합에서 연속일때, $a+b$의 값은? (단, $a<b$이고 a, b는 상수이다.)

① 1 ② 2 ③ 3 ④ 4 ⑤ 5

발전문제 0118

2006학년도 09월 평가원

함수

$$f(x)=\begin{cases} x(x-1) & (|x|>1) \\ -x^2+ax+b & (|x|\le 1) \end{cases}$$

가 모든 실수 x에서 연속이 되도록 상수 a, b의 값을 정할 때, $a-b$의 값은?

① -3 ② -1 ③ 0 ④ 1 ⑤ 3

정답 0116 : -24 0117 : ⑤ 0118 : ①

2008년 07월 교육청

모든 실수 x에 대하여 연속인 함수 $f(x)$는 $f(x+4)=f(x)$를 만족시키고 닫힌구간 $[0, 4]$에서

$$f(x)=\begin{cases} 3x & (0 \le x < 1) \\ x^2+ax+b & (1 \le x \le 4) \end{cases}$$

이다. $f(10)$의 값을 구하여라

MAPL CORE

두 연속인 함수 $g(x)$, $h(x)$에 대하여 실수 전체의 집합에서 연속인 함수 $f(x)$가 $f(x+p)=f(x)$를 만족시키고

구간 $[a, c]$에서 $f(x)=\begin{cases} g(x) & (a \le x < b) \\ h(x) & (b \le x < c) \end{cases}$로 정의되면

$x=b$에서 연속이므로 $\lim_{x \to b-} g(x) = \lim_{x \to b+} h(x) = h(b)$

또한, $f(x+p)=f(x)$를 만족시키므로 $\lim_{x \to a+} g(x) = \lim_{x \to c-} h(x) = g(a)$ ⬅ 한 주기의 끝과 다음 주기의 시작이 연속이어야 한다.

개념익힘 | 풀이

함수 $f(x)$가 모든 실수 x에서 연속이므로 $f(x)$는 $x=1$에서도 연속이다.

즉, $\lim_{x \to 1-} f(x) = \lim_{x \to 1+} f(x) = f(1)$이어야 한다.

$\lim_{x \to 1-} f(x) = \lim_{x \to 1-} 3x = 3$

$\lim_{x \to 1+} f(x) = \lim_{x \to 1+} (x^2+ax+b) = 1+a+b$

$f(1)=1+a+b$이므로

$3=1+a+b \quad \therefore a+b=2$ …… ㉠

또한, $f(x+4)=f(x)$에 $x=0$을 대입하면

$f(0)=f(4)$이므로 $0=16+4a+b \quad \therefore 4a+b=-16$ …… ㉡

㉠, ㉡을 연립하여 풀면 $a=-6$, $b=8$

$$\therefore f(x)=\begin{cases} 3x & (0 \le x < 1) \\ x^2-6x+8 & (1 \le x \le 4) \end{cases}$$

따라서 $f(x+4)=f(x)$이므로 $f(10)=f(6)=f(2)=2^2-6 \cdot 2+8=\mathbf{0}$

확인유제 0119

2011년 03월 교육청

모든 실수 x에 대하여 연속인 함수 $f(x)$는 $f(x+5)=f(x)$를 만족시키고

$$f(x)=\begin{cases} 2x+a & (-2 \le x < 1) \\ x^2+bx+3 & (1 \le x \le 3) \end{cases}$$

이다. $f(2021)$의 값을 구하여라.

변형문제 0120

2014학년도 05월 평가원

함수 $f(x)$는 모든 실수 x에 대하여 $f(x+2)=f(x)$를 만족시키고

$$f(x)=\begin{cases} ax+1 & (-1 \le x < 0) \\ 3x^2+2ax+b & (0 \le x < 1) \end{cases}$$

이다. 함수 $f(x)$가 실수 전체의 집합에서 연속일 때, 두 상수 a, b에 대하여 $a+b$의 값은?

① -2 ② -1 ③ 0 ④ 1 ⑤ 2

발전문제 0121

모든 실수 x에 대하여 연속인 함수 $f(x)$가 닫힌구간 $[0, 4]$ 에서

$$f(x)=\begin{cases} x^2+ax-2b & (0 \le x < 2) \\ 2x-4 & (2 \le x \le 4) \end{cases}$$

이고 모든 실수 x에 대하여 $f(x-2)=f(x+2)$를 만족시킬 때, $a+b$의 값을 구하여라. (단, a, b는 상수)

정답 0119 : -3 0120 : ③ 0121 : -6

마플개념익힘 08 함수의 합, 곱, 몫의 연속

다음 물음에 답하여라.

(1) 두 함수 $f(x)=\begin{cases} x+1 & (x \le 0) \\ -x+a & (x>0) \end{cases}$, $g(x)=\begin{cases} x+3 & (x \le 1) \\ -x+a+2 & (x>1) \end{cases}$

에 대하여 함수 $f(x)+g(x)$가 $x=1$에서 연속이 되도록 하는 상수 a의 값을 정하여라.

(2) 두 함수 $f(x)=\begin{cases} 2x+1 & (x \ge 3) \\ -x+5 & (x<3) \end{cases}$, $g(x)=x+k$

에 대하여 함수 $f(x)g(x)$가 $x=3$에서 연속일 때, 상수 k의 값을 구하여라.

MAPL CORE 함수 $f(x)+g(x)$, $f(x)g(x)$가 $x=a$에서 연속이려면 $x=a$에서 함숫값과 극한값이 존재하는지 각각 구한 후 $\lim_{x\to a}\{f(x)+g(x)\}=f(a)+g(a)$, $\lim_{x\to a}f(x)g(x)=f(a)g(a)$임을 확인한다.

개념익힘 | **풀이** (1) $x=1$에서 함숫값은 $f(1)+g(1)=(-1+a)+(1+3)=a+3$

$$\lim_{x\to 1-}\{f(x)+g(x)\}=\lim_{x\to 1-}f(x)+\lim_{x\to 1-}g(x)=\lim_{x\to 1-}(-x+a)+\lim_{x\to 1-}(x+3)$$
$$=(-1+a)+4=a+3$$

$$\lim_{x\to 1+}\{f(x)+g(x)\}=\lim_{x\to 1+}f(x)+\lim_{x\to 1+}g(x)=\lim_{x\to 1+}(-x+a)+\lim_{x\to 1+}(-x+a+2)$$
$$=(-1+a)+(-1+a+2)=2a$$

함수 $f(x)+g(x)$가 $x=1$에서 연속이기 위해서는

$\lim_{x\to 1-}\{f(x)+g(x)\}=\lim_{x\to 1+}\{f(x)+g(x)\}=f(1)+g(1)$이어야 하므로 $a+3=2a$

$\therefore a=\mathbf{3}$

(2) $x=3$에서 함숫값은 $f(3)g(3)=(2\cdot3+1)(3+k)=21+7k$

$$\lim_{x\to 3-}f(x)g(x)=\lim_{x\to 3-}f(x)\cdot\lim_{x\to 3-}g(x)=\lim_{x\to 3-}(-x+5)\cdot\lim_{x\to 3-}(x+k)$$
$$=(-3+5)(3+k)=6+2k$$

$$\lim_{x\to 3+}f(x)g(x)=\lim_{x\to 3+}f(x)\cdot\lim_{x\to 3+}g(x)=\lim_{x\to 3+}(2x+1)\cdot\lim_{x\to 3+}(x+k)$$
$$=(2\cdot3+1)(3+k)=21+7k$$

함수 $f(x)g(x)$가 $x=3$에서 연속이기 위해서는

$\lim_{x\to 3-}f(x)g(x)=\lim_{x\to 3+}f(x)g(x)=f(3)g(3)$이어야 하므로 $21+7k=6+2k$

$\therefore k=\mathbf{-3}$

확인유제 0122 다음 물음에 답하여라.

(1) 두 함수 $f(x)=\begin{cases} -x+1 & (x<0) \\ x^3 & (x \ge 0) \end{cases}$, $g(x)=\begin{cases} x^2+3 & (x<0) \\ x+k & (x \ge 0) \end{cases}$

에 대하여 함수 $f(x)+g(x)$가 $x=0$에서 연속이 되도록 하는 상수 k의 값을 구하여라.

(2) 두 함수 $f(x)=x+k$, $g(x)=\begin{cases} x+3 & (x \ge 1) \\ -x+2 & (x<1) \end{cases}$

에 대하여 함수 $f(x)g(x)$가 $x=1$에서 연속일 때, 상수 k의 값을 구하여라.

변형문제 0123 다음 물음에 답하여라.

2015년 06월 교육청 (고2)

(1) 함수 $f(x)=\dfrac{x+1}{x^2+ax+2a}$이 실수 전체의 집합에서 연속이 되도록 하는 정수 a의 개수를 구하여라.

(2) 두 함수 $f(x)=x^3+2x+3$, $g(x)=x^2+ax+4$에 대하여 함수 $\dfrac{f(x)}{g(x)}$가 모든 실수 x에서 연속이 되도록 하는 정수 a의 개수를 구하여라.

정답 0122 : (1) 4 (2) -1 0123 : (1) 7개 (2) 7개

마플개념익힘 09 그래프가 주어진 함수의 합과 곱의 연속

2016년 06월 교육청 (고2)

두 함수 $y=f(x)$와 $y=g(x)$의 그래프가 그림과 같다. [보기]에서 항상 옳은 것을 모두 골라라.

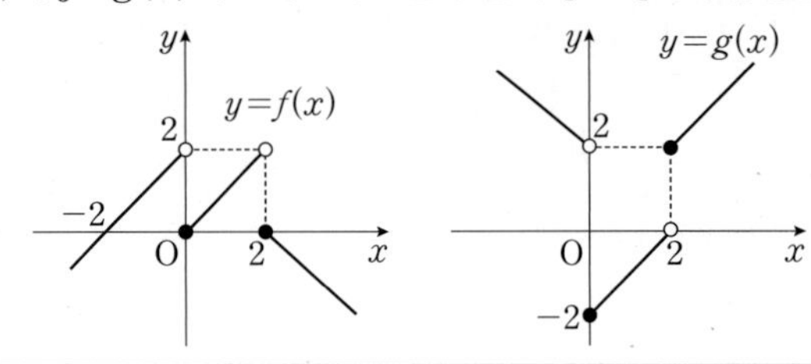

ㄱ. $\lim_{x\to0-}f(x)\cdot\lim_{x\to0+}g(x)=-4$

ㄴ. 함수 $f(x)+g(x)$는 $x=0$에서 연속이다.

ㄷ. 함수 $f(x)g(x)$는 $x=2$에서 연속이다.

MAPL CORE 함수 $f(x)+g(x)$, $f(x)g(x)$가 $x=a$에서 연속이려면 $x=a$에서 함숫값과 극한값이 존재하는지 각각 확인한 후 $\lim_{x\to a}\{f(x)+g(x)\}=f(a)+g(a)$, $\lim_{x\to a}f(x)g(x)=f(a)g(a)$임을 확인한다.

개념익힘 | 풀이 ㄱ. $\lim_{x\to0-}f(x)=2$, $\lim_{x\to0+}g(x)=-2$이므로 $\lim_{x\to0-}f(x)\cdot\lim_{x\to0+}g(x)=2\cdot(-2)=-4$ [참]

ㄴ. $f(0)+g(0)=0+(-2)=-2$ ⬅ $x=0$에서 함숫값

$\lim_{x\to0+}\{f(x)+g(x)\}=\lim_{x\to0+}f(x)+\lim_{x\to0+}g(x)=0+(-2)=-2$ ⬅ $x\to0+$에서 우극한

$\lim_{x\to0-}\{f(x)+g(x)\}=\lim_{x\to0-}f(x)+\lim_{x\to0-}g(x)=2+2=4$ ⬅ $x\to0-$에서 좌극한

즉, $\lim_{x\to0+}\{f(x)+g(x)\}\neq\lim_{x\to0-}\{f(x)+g(x)\}$이므로

함수 $f(x)+g(x)$는 $x=0$에서 불연속이다. [거짓]

ㄷ. $f(2)g(2)=0\cdot2=0$ ⬅ $x=2$에서 함숫값

$\lim_{x\to2+}\{f(x)g(x)\}=\lim_{x\to2+}f(x)\cdot\lim_{x\to2+}g(x)=0\cdot2=0$ ⬅ $x\to2+$에서 우극한

$\lim_{x\to2-}\{f(x)g(x)\}=\lim_{x\to2-}f(x)\cdot\lim_{x\to2-}g(x)=2\cdot0=0$ ⬅ $x\to2-$에서 좌극한

즉, $\lim_{x\to2}\{f(x)g(x)\}=f(2)g(2)$이므로 함수 $f(x)g(x)$는 $x=2$에서 연속이다. [참]

따라서 옳은 것은 ㄱ, ㄷ이다.

확인유제 0124 두 함수 $y=f(x)$와 $y=g(x)$와 그래프가 그림과 같다. [보기]에서 항상 옳은 것을 모두 고르면?

2007년 04월 교육청

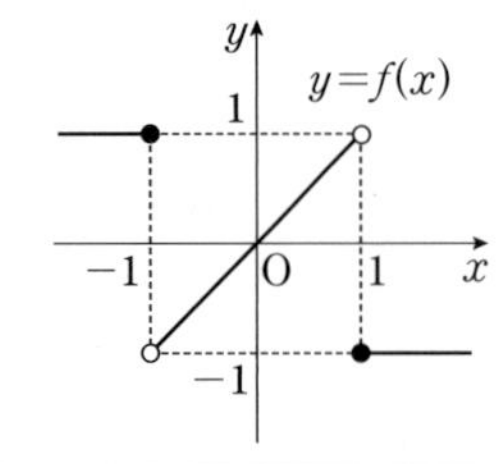

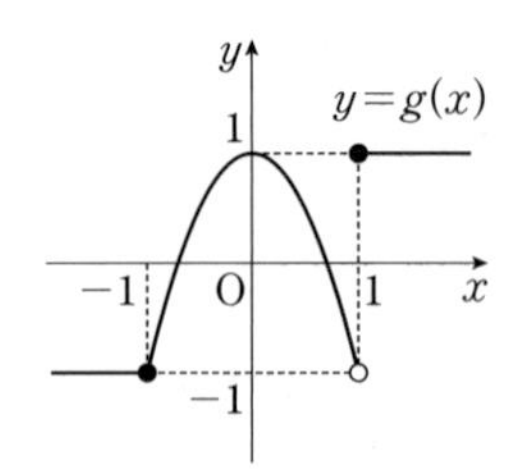

ㄱ. $\lim_{x\to1}f(x)g(x)=-1$

ㄴ. 함수 $y=f(x)g(x)$는 $x=-1$에서 연속이다.

ㄷ. 함수 $y=f(x)+g(x)$는 $x=1$에서 연속이다.

① ㄱ ② ㄴ ③ ㄱ, ㄷ ④ ㄴ, ㄷ ⑤ ㄱ, ㄴ, ㄷ

정답 0124 : ③

변형문제 0125 다음 물음에 답하여라.

(1) 두 함수 $y=f(x)$, $y=g(x)$의 그래프가 그림과 같다. [보기]에서 옳은 것만을 있는 대로 고른 것은?

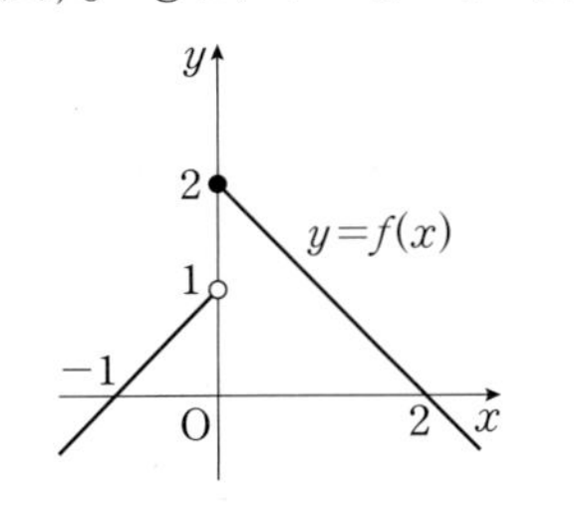

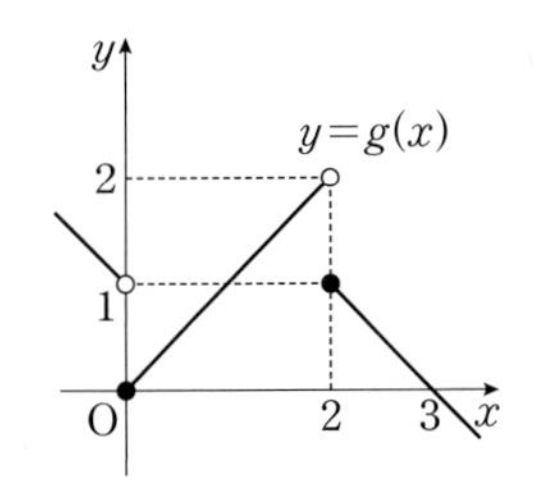

ㄱ. $\lim_{x\to0+}f(x)\cdot\lim_{x\to2-}g(x)=4$

ㄴ. 함수 $f(x)+g(x)$는 $x=0$에서 연속이다.

ㄷ. 함수 $f(x)g(x)$는 $x=2$에서 연속이다.

① ㄱ ② ㄷ ③ ㄱ, ㄴ ④ ㄴ, ㄷ ⑤ㄱ, ㄴ, ㄷ

(2) 두 함수 $y=f(x)$, $y=g(x)$의 그래프가 그림과 같다. [보기]에서 옳은 것만을 있는 대로 고른 것은?

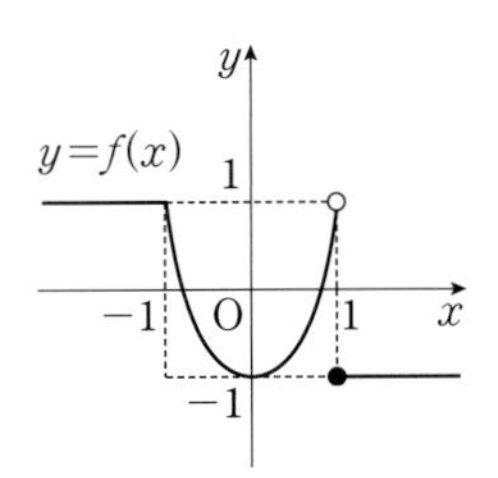

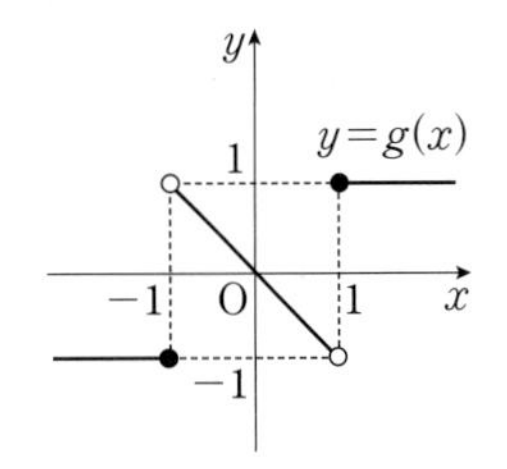

ㄱ. $\lim_{x\to1}\{f(x)+g(x)\}=0$

ㄴ. 함수 $f(x)-g(x)$는 $x=-1$에서 연속이다.

ㄷ. 함수 $f(x)g(x)$는 $x=1$에서 연속이다.

① ㄱ ② ㄷ ③ ㄱ, ㄷ ④ ㄴ, ㄷ ⑤ㄱ, ㄴ, ㄷ

발전문제 0126 두 함수 $y=f(x)$, $y=g(x)$의 그래프가 그림과 같을 때, [보기]에서 옳은 것만을 있는 대로 골라라.

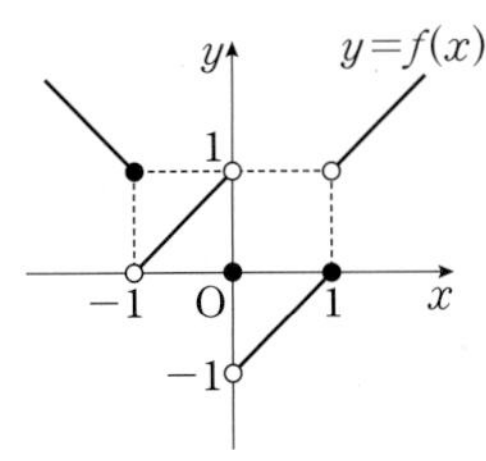

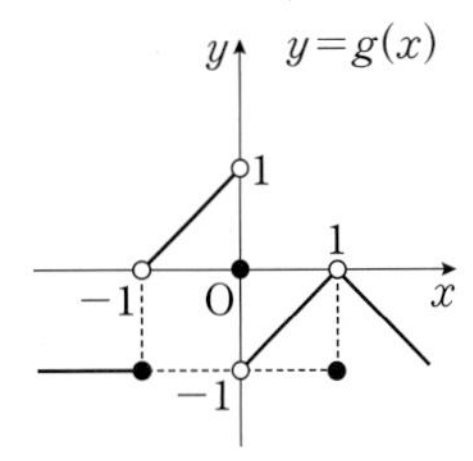

ㄱ. 함수 $f(x)+g(x)$는 $x=-1$에서 연속이다.

ㄴ. 함수 $f(x)+g(x)$는 $x=0$에서 연속이다.

ㄷ. 함수 $y=f(x)+g(x)$는 $x=1$에서 연속이다.

ㄹ. 함수 $f(x)g(x)$는 $x=-1$에서 연속이다.

ㅁ. 함수 $f(x)g(x)$는 $x=0$에서 연속이다.

ㅂ. 함수 $f(x)g(x)$는 $x=1$에서 연속이다.

정답 0125 : (1) ⑤ (2) ③ 0126 : ㄱ, ㅂ

마플개념익힘 10 $f(x)g_k(x)$가 연속이 되도록 하는 $g_k(x)$함수 구하기

함수 $y=f(x)$의 그래프가 오른쪽 그림과 같을 때, 함수 $f(x)g_k(x)$가 닫힌구간 $[-2, 1]$에서 연속이 되도록 하는 함수 $g_k(x)$ $(k=1, 2, 3)$로 알맞은 것만을 [보기]에서 있는 대로 골라라.

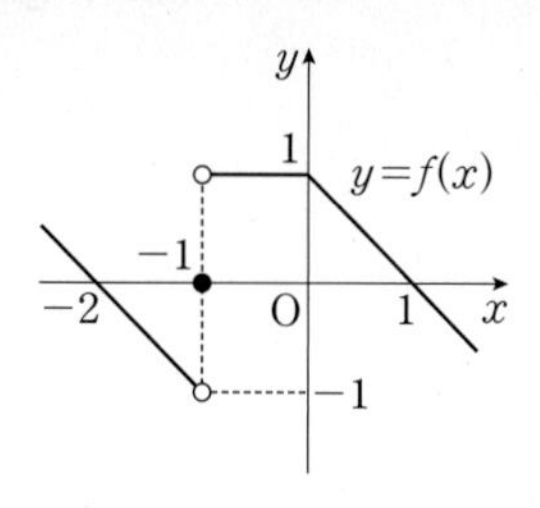

ㄱ. $g_1(x)=x^2-1$　　ㄴ. $g_2(x)=|x|-1$　　ㄷ. $g_3(x)=x-1$

MAPL CORE 함수 $f(x)g(x)$가 $x=a$에서 연속 ⇨ $\lim_{x\to a} f(x)g(x)=f(a)g(a)$

참고 함수 $f(x)$가 $x=a$에서 불연속, $g(x)$가 $x=a$에서 연속, 함수 $f(x)g(x)$가 $x=a$에서 연속 ⇨ $g(a)=0$

개념익힘 | 풀이 닫힌구간 $[-2, 1]$에서 함수 $f(x)$는 $x=-1$에서만 불연속이고 [보기]의 함수 $g(x)$는 모두 모든 실수에서 연속이므로 함수 $f(x)g(x)$는 $x=-1$에서 연속이어야 한다.

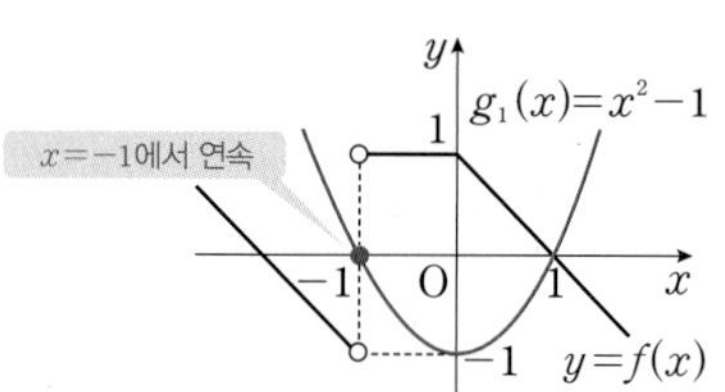

ㄱ. $\lim_{x\to -1+} f(x)g_1(x)=1\cdot 0=0$, $\lim_{x\to -1-} f(x)g_1(x)=(-1)\cdot 0=0$

$f(-1)g_1(-1)=0\cdot 0=0$

즉, $\lim_{x\to -1} f(x)g_1(x)=f(-1)g_1(-1)$이므로

함수 $f(x)g_2(x)$는 $x=-1$에서 연속이다.

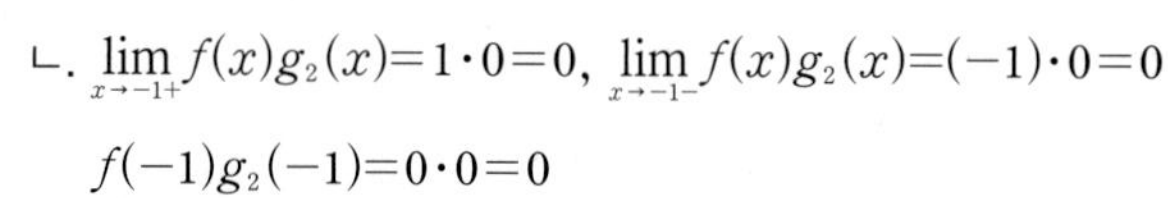

ㄴ. $\lim_{x\to -1+} f(x)g_2(x)=1\cdot 0=0$, $\lim_{x\to -1-} f(x)g_2(x)=(-1)\cdot 0=0$

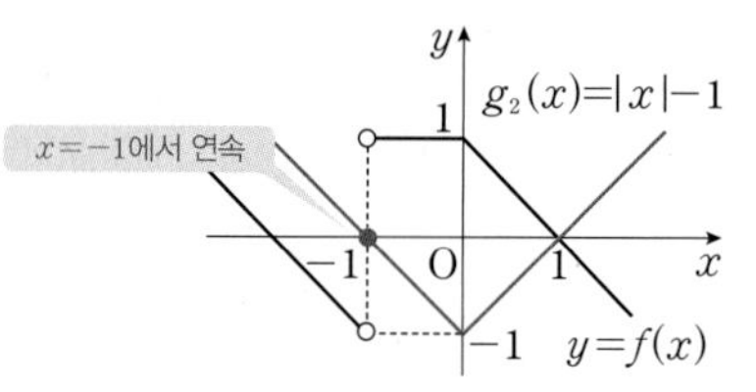

$f(-1)g_2(-1)=0\cdot 0=0$

즉, $\lim_{x\to -1} f(x)g_2(x)=f(-1)g_2(-1)$이므로

함수 $f(x)g_2(x)$는 $x=-1$에서 연속이다.

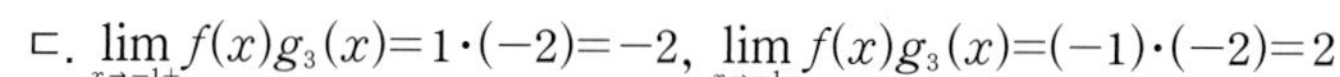

ㄷ. $\lim_{x\to -1+} f(x)g_3(x)=1\cdot(-2)=-2$, $\lim_{x\to -1-} f(x)g_3(x)=(-1)\cdot(-2)=2$

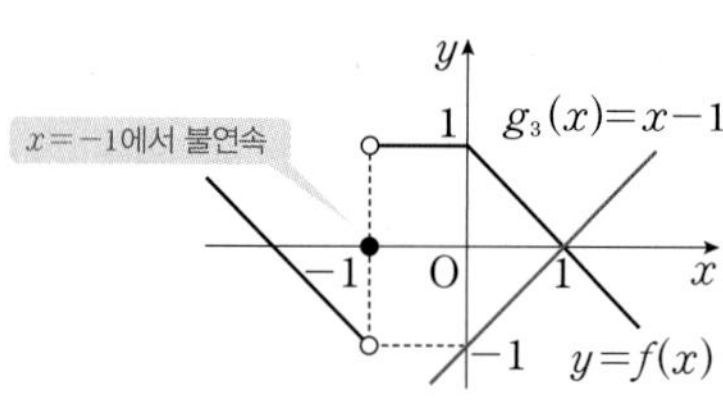

즉, $\lim_{x\to -1+} f(x)g_3(x)\neq \lim_{x\to -1-} f(x)g_3(x)$이므로

함수 $f(x)g_3(x)$는 $x=-1$에서 불연속이다.

따라서 주어진 조건을 만족시키는 함수 $g_k(x)$는 ㄱ, ㄴ이다.

확인유제 0127 함수 $f(x)=\begin{cases} x-2 & (x>1) \\ 0 & (-1\leq x\leq 1) \\ x+2 & (x<-1) \end{cases}$ 일 때, 함수 $f(x)g_k(x)$$(k=1, 2, 3)$가 실수 전체의 집합에서 연속이 되게 하는 함수 $g_k(x)$를 [보기]에서 있는 대로 고르면?

ㄱ. $g_1(x)=x^2-1$　　ㄴ. $g_2(x)=|x-1|$　　ㄷ. $g_3(x)=|x|-1$

① ㄱ　② ㄱ, ㄴ　③ ㄱ, ㄷ　④ ㄴ, ㄷ　⑤ ㄱ, ㄴ, ㄷ

변형문제 0128
1996학년도 수능기출

함수 $y=f(x)$의 그래프가 오른쪽 그림과 같이 주어져 있다. 아래의 그래프로 각각 주어진 함수 $y=g_1(x)$, $y=g_2(x)$, $y=g_3(x)$ 중에서 $f(x)$와 곱하여 얻어지는 함수 $y=f(x)g_k(x)$ $(k=1, 2, 3)$이 구간 $[-1, 3]$에서 연속이 되는 $g_k(x)$를 모두 고르면?

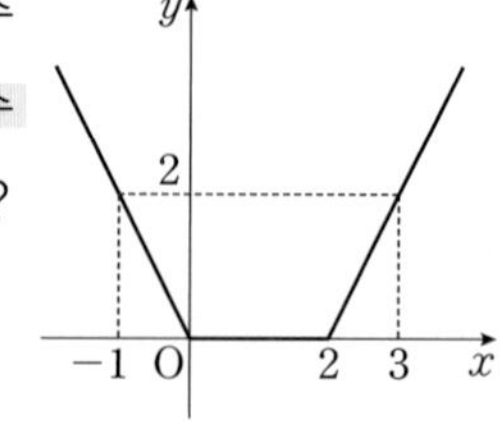

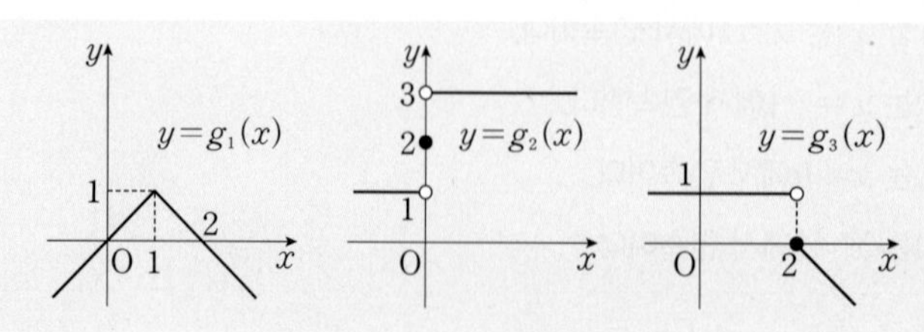

① $g_1(x)$　② $g_2(x)$　③ $g_1(x)$, $g_2(x)$　④ $g_1(x)$, $g_3(x)$　⑤ $g_1(x)$, $g_2(x)$, $g_3(x)$

정답 0127 : ③　0128 : ⑤

마플개념익힘 11 함수 $g(x)=\frac{f(x)+|f(x)|}{2}$, $h(x)=f(x)-f(-x)$의 연속

닫힌구간 $[-1, 1]$에서 정의된 함수 $y=f(x)$의 그래프가 오른쪽 그림과 같다.
닫힌구간 $[-1, 1]$에서 정의된 두 함수 $g(x)$, $h(x)$가

$$g(x)=\frac{f(x)+|f(x)|}{2},\ h(x)=f(x)-f(-x)$$

일 때, [보기]에서 옳은 것만을 있는 대로 골라라.

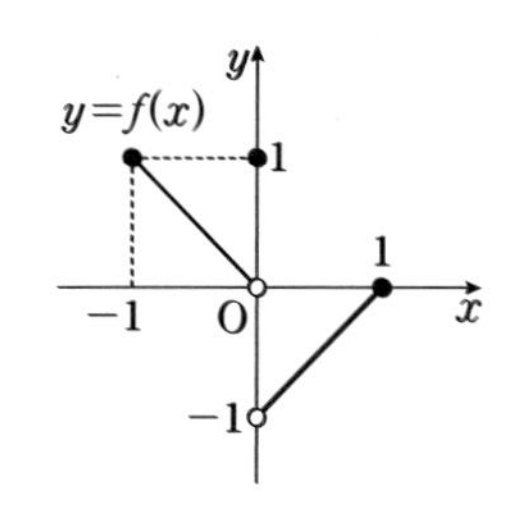

ㄱ. $\lim_{x\to0} g(x)=0$
ㄴ. 함수 $|h(x)|$는 $x=0$에서 연속이다.
ㄷ. 함수 $g(x)h(x)$는 닫힌구간 $[-1, 1]$에서 연속이다.

MAPL CORE

① $g(x)=\frac{f(x)+|f(x)|}{2}=\begin{cases} f(x) & (f(x)>0) \\ 0 & (f(x)<0) \end{cases}$

② $h(x)=f(x)-f(-x)$의 그래프 ⇨ $y=f(x)$의 그래프와 $y=-f(-x)$의 그래프를 더한 것이다.

개념익힘 | **풀이** $-1\le x\le 0$일 때, $f(x)>0$이고 $0<x\le 1$일 때, $f(x)\le 0$이므로

$$g(x)=\frac{f(x)+|f(x)|}{2}=\begin{cases} \frac{f(x)+f(x)}{2} & (-1\le x\le 0) \\ \frac{f(x)-f(x)}{2} & (0<x\le 1) \end{cases}$$

즉, $g(x)=\begin{cases} f(x) & (-1\le x\le 0) \\ 0 & (0<x\le 1) \end{cases}$이므로 함수 $y=g(x)$의 그래프는 오른쪽 그림과 같다.

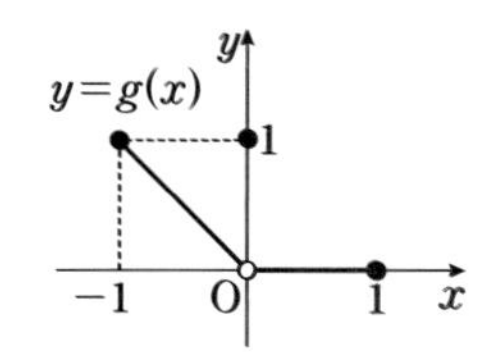

한편 함수 $y=-f(-x)$의 그래프는 함수 $y=f(x)$의 그래프를 원점에 대하여 대칭이동한 것과 같으므로 [그림1]과 같고 $h(x)=f(x)-f(-x)=f(x)+\{-f(-x)\}$이므로 함수 $y=h(x)$의 그래프는 [그림2]와 같다.

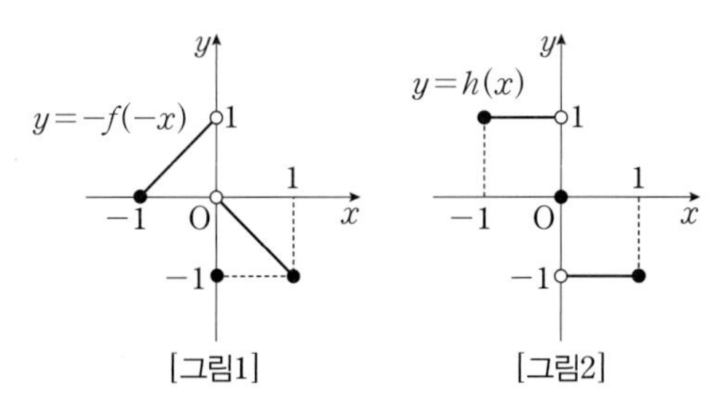

[그림1] [그림2]

ㄱ. $\lim_{x\to0+} g(x)=\lim_{x\to0-} g(x)=0$이므로 $\lim_{x\to0} g(x)=0$ [참]

ㄴ. 함수 $y=|h(x)|$의 그래프는 오른쪽 그림과 같다.
$|h(0)|=|0|=0$이고 $\lim_{x\to0}|h(x)|=1$이므로 $\lim_{x\to0}|h(x)|\ne|h(0)|$이다.
즉, $|h(x)|$는 $x=0$에서 불연속이다. [거짓]

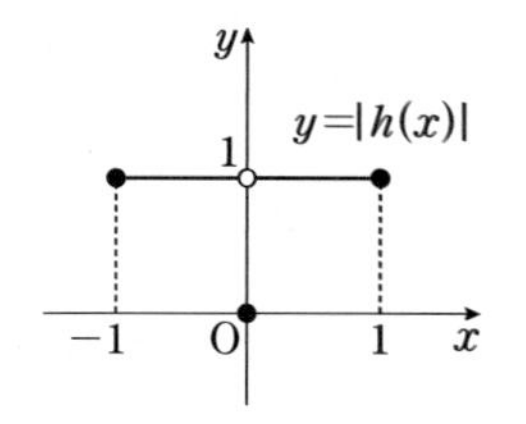

ㄷ. 두 함수 $g(x)$, $h(x)$는 모두 $x=0$을 제외한 닫힌구간 $[-1, 1]$에서 연속이므로 함수 $g(x)h(x)$가 $x=0$에서 연속이면 닫힌구간 $[-1, 1]$에서 연속이다.
이때 $g(0)h(0)=1\cdot 0=0$이고

$\lim_{x\to0+} g(x)h(x)=\lim_{x\to0+} g(x)\cdot\lim_{x\to0+} h(x)=0\cdot(-1)=0$,

$\lim_{x\to0-} g(x)h(x)=\lim_{x\to0-} g(x)\cdot\lim_{x\to0-} h(x)=0\cdot 1=0$

즉, $\lim_{x\to0} g(x)h(x)=g(0)h(0)$이므로 함수 $g(x)h(x)$는 $x=0$에서 연속이고
함수 $g(x)h(x)$는 닫힌구간 $[-1, 1]$에서 연속이다. [참]

따라서 옳은 것은 ㄱ, ㄷ이다.

확인유제 0129 다음 물음에 답하여라.

(1) 함수 $f(x)=\begin{cases} 0 & (|x|>1) \\ 1 & (x=1) \\ 1-|x| & (|x|<1) \\ -1 & (x=-1) \end{cases}$ 에 대하여 두 함수 $f(x)+f(-x)$, $f(x)-f(-x)$

가 불연속인 x의 값의 개수를 각각 m, n이라고 할 때, $m+n$의 값을 구하여라.

(2) 함수 $f(x)=\begin{cases} x+3 & (x<-1) \\ ax-1 & (-1\le x<1) \\ x-1 & (x\ge 1) \end{cases}$에 대하여 함수 $g(x)$를 $g(x)=\dfrac{f(x)+|f(x)|}{2}$

라 하자. 함수 $g(x)$가 실수 전체의 집합에서 연속이기 위한 상수 a의 값을 구하여라.

변형문제 0130 닫힌구간 $[-1, 1]$에서 정의된 함수 $y=f(x)$의 그래프가 그림과 같다.

2019학년도 09월 평가원

닫힌구간 $[-1, 1]$에서 두 함수 $g(x)$, $h(x)$가

$$g(x)=f(x)+|f(x)|,\ h(x)=f(x)+f(-x)$$

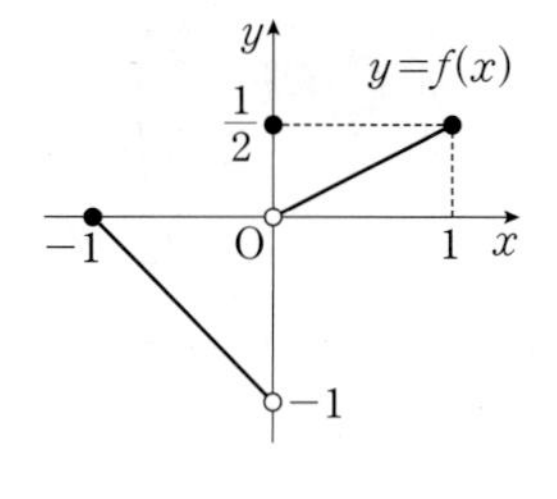

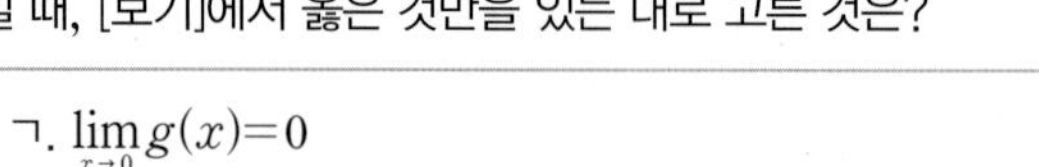

일 때, [보기]에서 옳은 것만을 있는 대로 고른 것은?

ㄱ. $\lim\limits_{x\to 0} g(x)=0$

ㄴ. 함수 $|h(x)|$는 $x=0$에서 연속이다.

ㄷ. 함수 $g(x)|h(x)|$는 $x=0$에서 연속이다.

① ㄱ ② ㄷ ③ ㄱ, ㄴ ④ ㄴ, ㄷ ⑤ ㄱ, ㄴ, ㄷ

발전문제 0131 다음 물음에 답하여라.

2008학년도 수능기출

(1) 열린구간 $(-2, 2)$에서 정의된 함수 $y=f(x)$의 그래프가 오른쪽 그림과 같다. 열린구간 $(-2, 2)$에서 함수 $g(x)$를

$$g(x)=f(x)+f(-x)$$

로 정의할 때, [보기]에서 옳은 것을 모두 고른 것은?

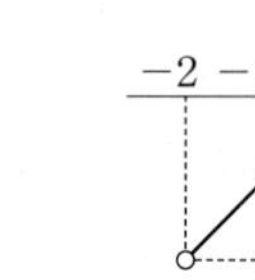

ㄱ. $\lim\limits_{x\to 0} f(x)$가 존재한다.

ㄴ. $\lim\limits_{x\to 0} g(x)$가 존재한다.

ㄷ. 함수 $g(x)$는 $x=1$에서 연속이다.

① ㄴ ② ㄷ ③ ㄱ, ㄴ ④ ㄱ, ㄷ ⑤ ㄴ, ㄷ

2011학년도 수능기출

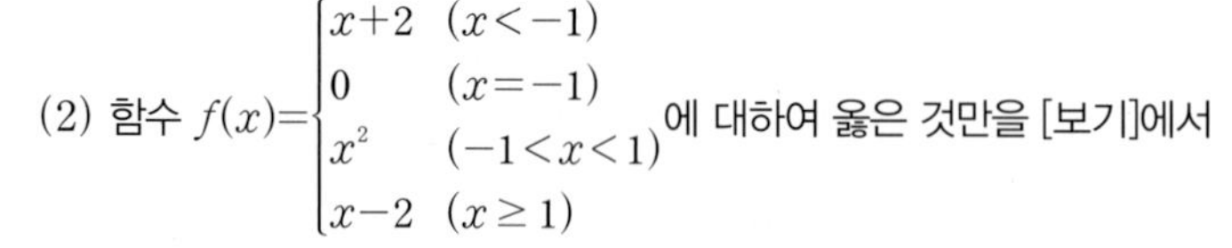

(2) 함수 $f(x)=\begin{cases} x+2 & (x<-1) \\ 0 & (x=-1) \\ x^2 & (-1<x<1) \\ x-2 & (x\ge 1) \end{cases}$에 대하여 옳은 것만을 [보기]에서

있는 대로 고른 것은?

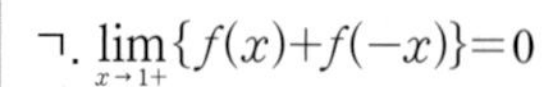

ㄱ. $\lim\limits_{x\to 1+}\{f(x)+f(-x)\}=0$

ㄴ. 함수 $f(x)-|f(x)|$가 불연속인 점은 1개이다.

ㄷ. 함수 $f(x)f(x-a)$가 실수 전체의 집합에서 연속이 되는 상수 a는 없다.

① ㄱ ② ㄱ, ㄴ ③ ㄱ, ㄷ ④ ㄴ, ㄷ ⑤ ㄱ, ㄴ, ㄷ

정답 0129 : (1) 2 (2) −3 0130 : ③ 0131 : (1) ⑤ (2) ②

마플개념익힘 12 합성함수에서의 연속성

실수 전체의 집합에서 정의된 함수 $f(x)$의 그래프가 오른쪽 그림과 같다.
함수 $g(x)=x^3+ax^2+bx+1$에 대하여 합성함수 $g(f(x))$가 모든 실수 x에서 연속일 때, $g(3)$의 값을 구하여라. (단, a, b는 상수)

합성함수 $(f\circ g)(x)$가 $x=a$에서 연속 $\Longleftrightarrow \lim_{x\to a+} f(g(x))=\lim_{x\to a-} f(g(x))=f(g(a))$

참고 2015개정교과과정에서는 합성함수의 연속을 다루지 않지만 주요 교과서 단원평가에서 다루므로 내신대비를 위해서 수록 정리합니다.

개념익힘 | 풀이 함수 $f(x)$가 $x=1$에서 불연속이고, 삼차함수 $g(x)$는 실수 전체에서 연속이다.
합성함수 $g(f(x))$가 모든 실수에서 연속이므로 $x=1$에서 연속이어야 한다.
즉 $\lim_{x\to 1+} g(f(x))=\lim_{x\to 1-} g(f(x))=g(f(1))$
$f(x)=t$로 놓으면 $y=f(x)$의 그래프에서
$x\to 1+$일 때, $t\to 2+$이므로 $\lim_{x\to 1+} g(f(x))=\lim_{t\to 2+} g(t)=g(2)=8+4a+2b+1=9+4a+2b$
$x\to 1-$일 때, $t\to 0-$이므로 $\lim_{x\to 1+} g(f(x))=\lim_{t\to 0-} g(t)=g(0)=1$
$g(f(1))=g(1)=1+a+b+1=2+a+b$
이므로 $9+4a+2b=1=2+a+b$가 성립하므로 $2a+b=-4$, $a+b=-1$
두 식을 연립하여 풀면 $a=-3$, $b=2$
따라서 $g(x)=x^3-3x^2+2x+1$이므로 $g(3)=27-27+6+1=$**7**

확인유제 0132 2013학년도 수능기출

실수 전체의 집합에서 정의된 함수 $y=f(x)$의 그래프는 그림과 같고 최고차항의 계수가 1인 삼차함수 $g(x)$에 대하여 $g(0)=3$이다. 합성함수 $(g\circ f)(x)$가 실수 전체의 집합에서 연속일 때, $g(3)$의 값은?

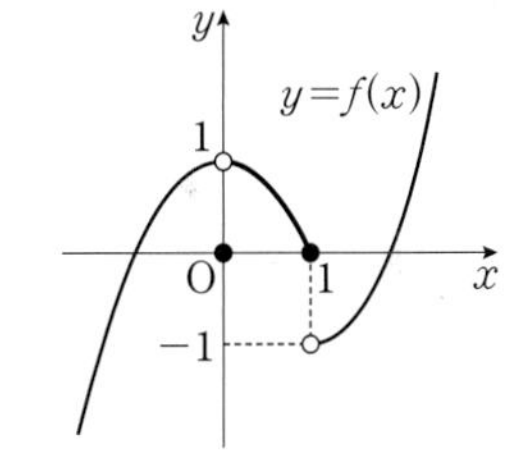

① 21 ② 24 ③ 27
④ 30 ⑤ 33

변형문제 0133 2014년 03월 평가원

두 함수

$$f(x)=\begin{cases} x^2-x+2a & (x\geq 1) \\ 3x+a & (x<1) \end{cases},\quad g(x)=x^2+ax+3$$

에 대하여 합성함수 $(g\circ f)(x)$가 실수 전체의 집합에서 연속이 되도록 하는 모든 상수 a의 값의 합은?

① $\frac{7}{4}$ ② $\frac{15}{8}$ ③ 2 ④ $\frac{17}{8}$ ⑤ $\frac{9}{4}$

발전문제 0134 다음 물음에 답하여라.

(1) 두 함수 $f(x)=\begin{cases} \dfrac{x-1}{|x-1|} & (x\neq 1) \\ 0 & (x=1) \end{cases}$, $g(x)=3x^2-2$에 대하여
합성함수 $(f\circ g)(x)$가 불연속이 되는 모든 실수 x의 값의 합을 구하여라.

(2) 오른쪽 그림은 실수 전체의 집합에서 정의된 함수 $y=f(x)$의 그래프이다. 함수 $f(x)$는 $x=1$, $x=2$, $x=3$에서만 불연속이다. 이차함수 $g(x)=x^2-4x+k$에 대하여 함수 $(f\circ g)(x)$가 $x=2$에서 불연속이 되도록 하는 모든 실수 k의 합을 구하여라.

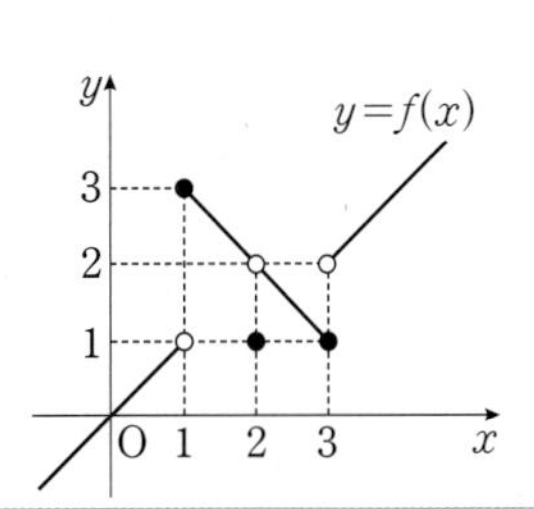

정답 0132 : ③ 0133 : ⑤ 0134 : (1) 0 (2) 13

MAPL ; YOURMASTERPLAN

02 연속함수의 성질

01 연속함수의 성질

(1) 연속함수의 성질

두 함수 $f(x)$, $g(x)$가 $x=a$에서 모두 연속이면 다음 함수도 $x=a$에서 연속이다.

① $cf(x)$ (단, c는 상수)	② $f(x)+g(x)$, $f(x)-g(x)$
③ $f(x)g(x)$	④ $\dfrac{f(x)}{g(x)}$ (단, $g(a)\neq 0$)

(2) 연속함수의 성질을 이용한 여러 가지 함수의 연속성

① 다항함수 : 일차함수 $f(x)=x$는 모든 실수에서 연속이므로 연속함수의 성질 ③에 의하여

함수 $f(x)=x^2$, $f(x)=x^3$, $f(x)=x^4$, $\cdots$, $f(x)=x^n$은 모든 실수에서 연속이다.

따라서 연속함수의 성질 ①, ②에 의하여 다항함수

$f(x)=a_nx^n+a_{n-1}x^{n-1}+\cdots+a_1x+a_0$ (a_0, a_1, $\cdots$, a_{n-1}, a_n은 상수)도 모든 실수에서 연속이다.

② 유리함수 : 두 다항함수 $f(x)$, $g(x)$에 대하여 유리함수 $\dfrac{f(x)}{g(x)}$는 연속함수의 성질 ④에 의하여

분모를 0으로 하는 x의 값을 제외한 모든 실수에서 연속이다.

③ 무리함수 : $y=\sqrt{f(x)}$ ($f(x)$는 다항함수)는 $f(x)\geq 0$인 구간에서 연속

마플해설 **연속함수의 성질의 증명**

함수 $f(x)$, $g(x)$가 $x=a$에서 연속이면

$$\lim_{x\to a}f(x)=f(a),\ \lim_{x\to a}g(x)=g(a)$$

이므로 함수의 극한에 관한 성질에 의하여 다음이 성립한다.

① $\lim_{x\to a}cf(x)=c\lim_{x\to a}f(x)=cf(a)$ (단, c는 상수)

② $\lim_{x\to a}\{f(x)+g(x)\}=\lim_{x\to a}f(x)+\lim_{x\to a}g(x)=f(a)+g(a)$

$\lim_{x\to a}\{f(x)-g(x)\}=\lim_{x\to a}f(x)-\lim_{x\to a}g(x)=f(a)-g(a)$

③ $\lim_{x\to a}f(x)g(x)=\lim_{x\to a}f(x)\cdot\lim_{x\to a}g(x)=f(a)g(a)$

④ $\lim_{x\to a}\dfrac{f(x)}{g(x)}=\dfrac{\lim_{x\to a}f(x)}{\lim_{x\to a}g(x)}=\dfrac{f(a)}{g(a)}$ (단, $g(a)\neq 0$)

따라서 함수 $cf(x)$, $f(x)+g(x)$, $f(x)-g(x)$, $f(x)g(x)$, $\dfrac{f(x)}{g(x)}$는 $x=a$에서 연속이다.

보기 01 두 함수 $f(x)=x+2$, $g(x)=x^2-3x+2$에 대하여 다음 함수의 연속인 구간을 구하여라.

(1) $f(x)g(x)$ (2) $f(x)+g(x)$ (3) $\dfrac{f(x)}{g(x)}$

풀이 두 함수 $f(x)=x+2$, $g(x)=x^2-3x+2$은 모든 실수 x에서 연속이다.

(1) 연속함수의 성질 ③에 의하여 함수 $f(x)g(x)=(x+2)(x^2-3x+2)$는 모든 실수에서 연속이다.

즉, 구간 $(-\infty,\ \infty)$에서 연속이다.

(2) 연속함수의 성질 ②에 의하여 함수 $f(x)+g(x)=x+2+x^2-3x+2$는 모든 실수에서 연속이다.

즉, 구간 $(-\infty,\ \infty)$에서 연속이다.

(3) 연속함수의 성질 ④에 의하여 함수 $\dfrac{f(x)}{g(x)}$는 $g(x)=x^2-3x+2\neq 0$인 모든 실수에서 연속이다.

즉, $x\neq 1$ 또는 $x\neq 2$일 때, 함수 $\dfrac{f(x)}{g(x)}$는 구간 $(-\infty,\ 1)$, $(1,\ 2)$, $(2,\ \infty)$에서 연속이다.

02 최대 · 최소 정리

함수 $f(x)$가 닫힌구간 $[a, b]$에서 연속이면 함수 $f(x)$는 이 구간에서 반드시 최댓값과 최솟값을 갖는다.
즉, 최대 · 최소 정리는 닫힌구간에서 연속인 함수에 대해서만 성립한다.

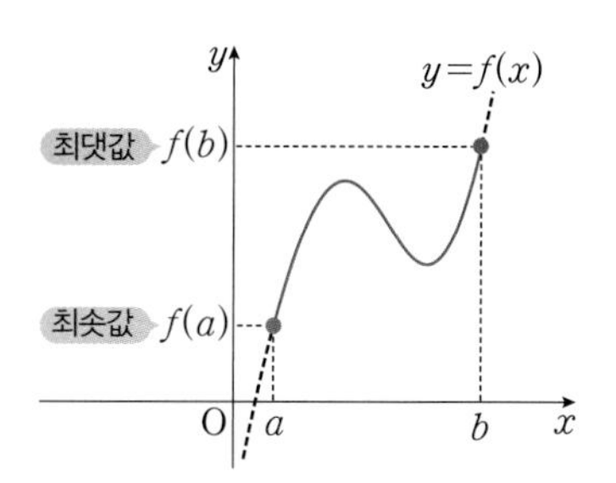

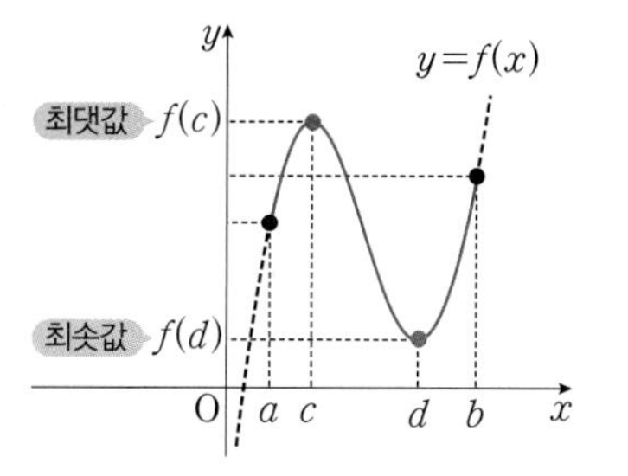

함수 $f(x)$가 닫힌구간 $[a, b]$에서 연속이면 반드시 최댓값과 최솟값이 존재한다. ← 역은 성립하지 않는다.

마플해설

① 닫힌구간 $[-1, 2]$에서 정의된 연속함수 $f(x)=x^2+1$의 그래프는 오른쪽 그림과 같고, 치역은 $[1, 5]$이다.
따라서 함수 $f(x)$는
$x=0$에서 최솟값 $f(0)=1$,
$x=2$에서 최댓값 $f(2)=5$
를 가진다.

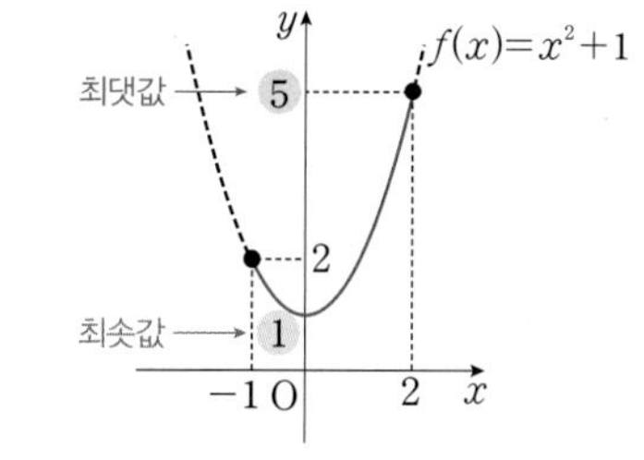

② 열린구간 $(-1, 2)$에서 정의된 함수 $g(x)=x^2+1$의 그래프는 오른쪽 그림과 같고, 치역은 $[1, 5)$이다.
따라서 함수 $g(x)$는 $x=0$에서 최솟값 $g(0)=1$을 가지지만 최댓값은 가지지 않는다.

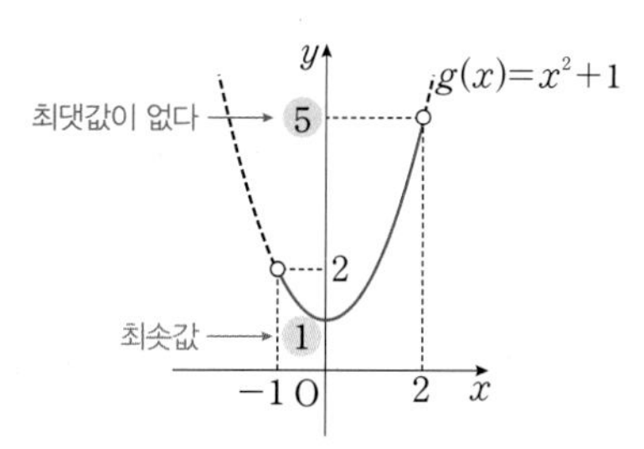

③ 열린구간 $(0, 2)$에서 정의된 함수 $h(x)=x^2+1$의 그래프는 오른쪽 그림과 같고, 치역은 $(0, 5)$이다.
따라서 함수 $h(x)$는 최댓값과 최솟값을 모두 가지지 않는다.

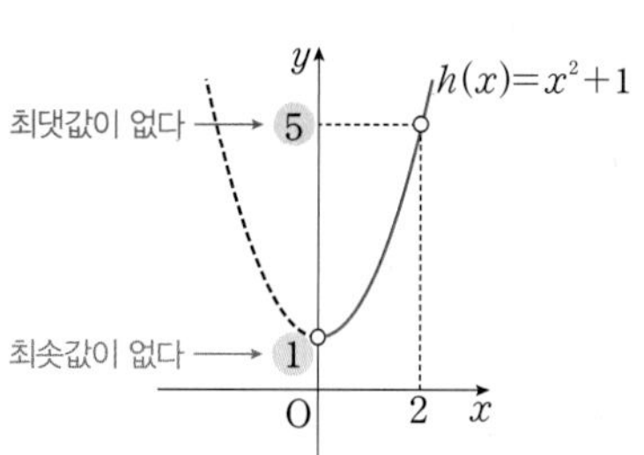

주의 ① 닫힌구간이 아닌 구간에서 정의된 연속함수는 최댓값과 최솟값을 가질 수도 있고 가지지 않을 수도 있다.
② 함수 $y=f(x)$가 연속이 아니면 닫힌구간에서도 최댓값과 최솟값을 갖지 않을 수 있다. ← FOCUS 참고

보기 02 주어진 구간에서 함수 $f(x)$의 최댓값과 최솟값을 구하여라.

(1) $f(x)=2x+3$ $[-1,\ 2]$　　(2) $f(x)=-x^2+4x+1$ $[-1,\ 3]$

(3) $f(x)=\dfrac{2}{x-1}$ $[2,\ 4]$　　(4) $f(x)=-\sqrt{x+2}+1$ $[-2,\ 2]$

풀이 (1) $f(x)=2x+3$은 구간 $[-1,\ 2]$에서 연속이므로
이 구간에서 최댓값과 최솟값이 존재한다.
따라서 함수 $f(x)$는
$x=2$일 때, 최댓값 $f(2)=7$
$x=-1$일 때, 최솟값 $f(-1)=1$을 갖는다.

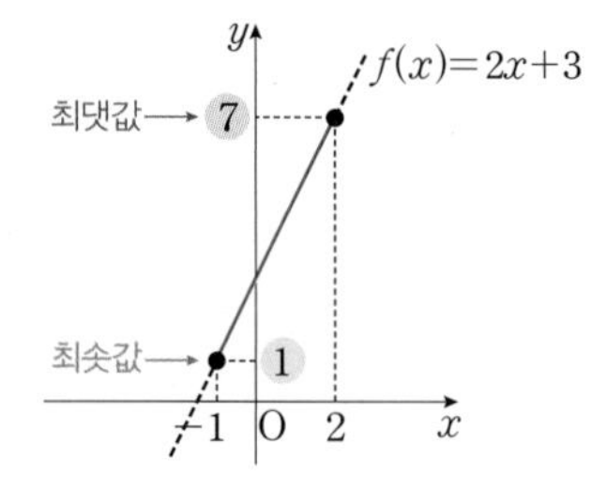

(2) $f(x)=-x^2+4x+1=-(x-2)^2+5$는 구간 $[-1,\ 3]$에서 연속이므로
이 구간에서 최댓값과 최솟값이 존재한다.
따라서 함수 $f(x)$는
$x=2$일 때, 최댓값 $f(2)=5$
$x=-1$일 때, 최솟값 $f(-1)=-4$를 갖는다.

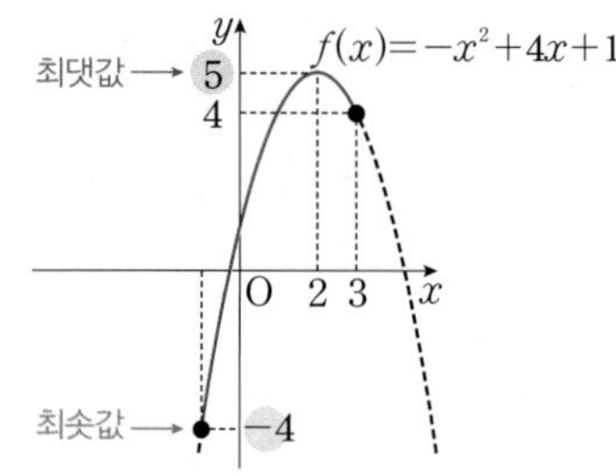

(3) $f(x)=\dfrac{2}{x-1}$는 구간 $[2,\ 4]$에서 연속이므로
이 구간에서 최댓값과 최솟값이 존재한다.
$x=2$일 때, 최댓값 $f(2)=2$
$x=4$일 때, 최솟값 $f(4)=\dfrac{2}{3}$를 갖는다.

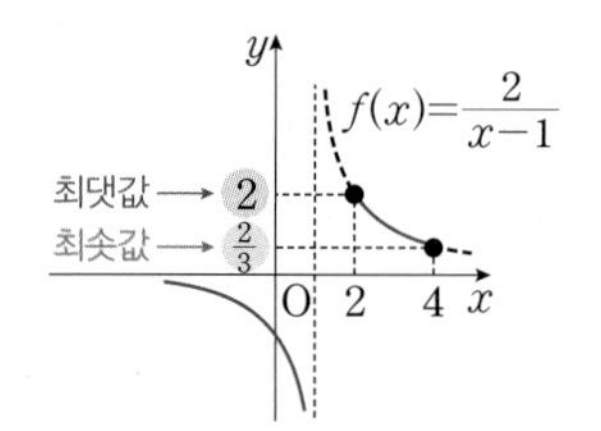

(4) $f(x)=-\sqrt{x+2}+1$는 구간 $[-2,\ 2]$에서 연속이므로
이 구간에서 최댓값과 최솟값이 존재한다.
$x=-2$일 때, 최댓값 $f(-2)=1$
$x=2$일 때, 최솟값 $f(2)=-1$를 갖는다.

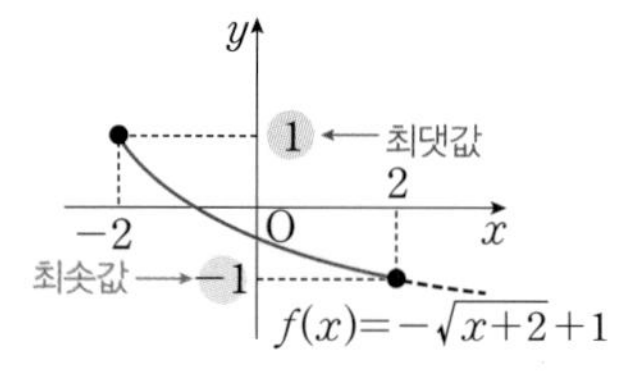

최대 · 최소 정리가 성립되지 않는 경우

(1) 닫힌구간이 아닌 구간에서는 최댓값과 최솟값이 존재하지 않을 수도 있다.
다음 그림과 같이 열린구간 $(a,\ b)$에서 연속인 세 함수 $f(x)$, $g(x)$, $h(x)$가 있다.

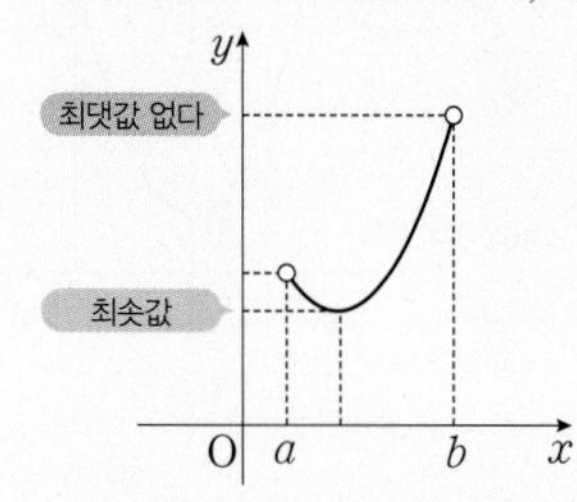

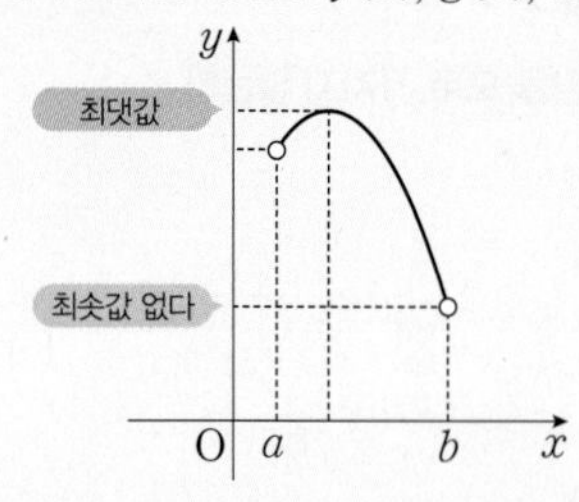

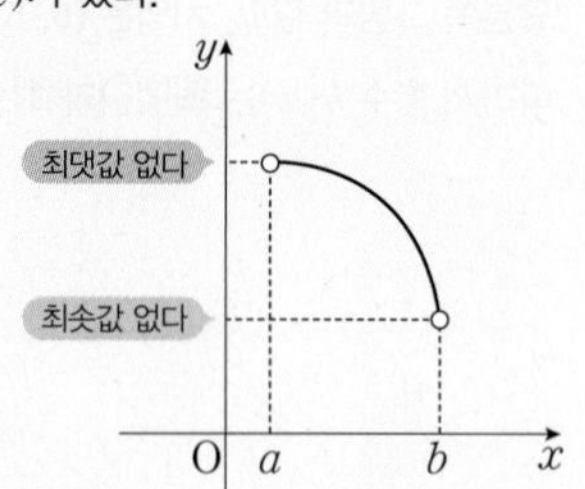

⇨ 닫힌구간 $[a,\ b]$가 아닌 구간에서 정의된 연속함수는 최댓값과 최솟값을 반드시 갖지는 않는다.

(2) 닫힌구간에서 불연속이면 최댓값과 최솟값이 존재하지 않을 수도 있다.

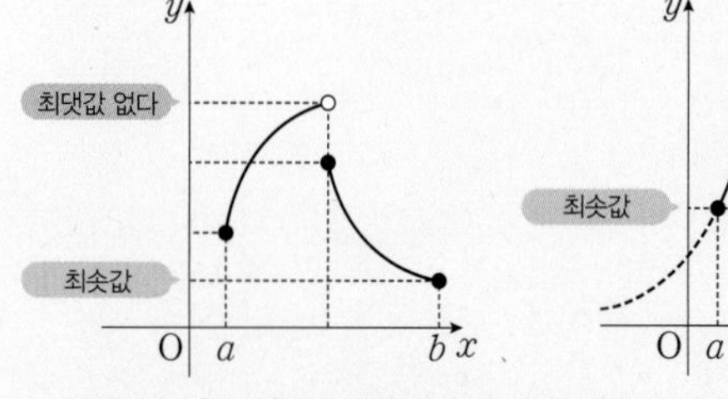

⇨ 닫힌구간 $[a,\ b]$에서 불연속이면 최댓값과 최솟값을 반드시 갖지는 않는다.

03 사잇값의 정리

함수 $f(x)$가 닫힌구간 $[a, b]$에서 연속이고 $f(a) \neq f(b)$이면 $f(a)$와 $f(b)$ 사이의 임의의 값 k에 대하여

$$f(c)=k\,(a<c<b)$$

를 만족하는 c가 열린구간 (a, b)에 적어도 하나 존재한다.

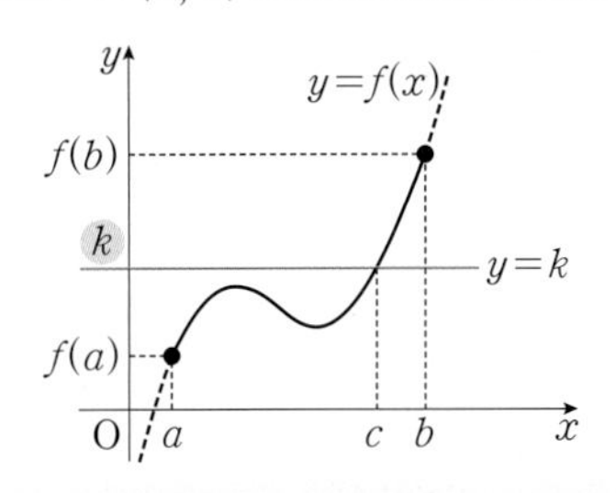

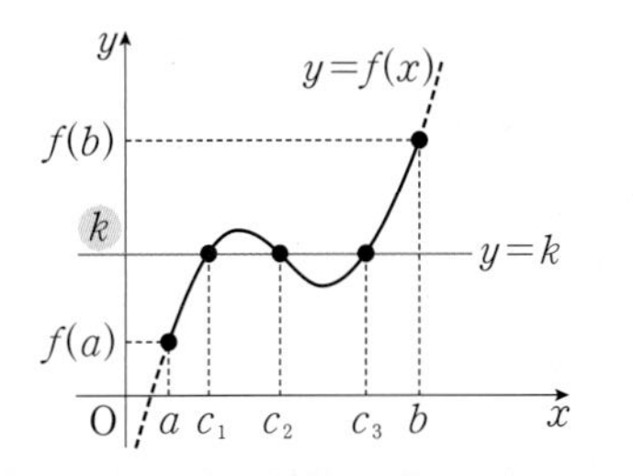

함수 $f(x)$가 닫힌구간 $[a, b]$에서 연속이고 $f(a) \neq f(b)$이면 $f(a)$와 $f(b)$ 사이의 임의의 값 k에 대하여 $f(c)=k$인 c가 a와 b 사이에 적어도 하나 존재한다.

마플해설

사잇값의 정리를 적용할 수 있는 예	사잇값의 정리를 적용할 수 없는 예
함수 $f(x)=x^2$일 때, $f(c)=2$인 c가 열린구간 $(1, 2)$에 적어도 하나 존재함을 보인다. 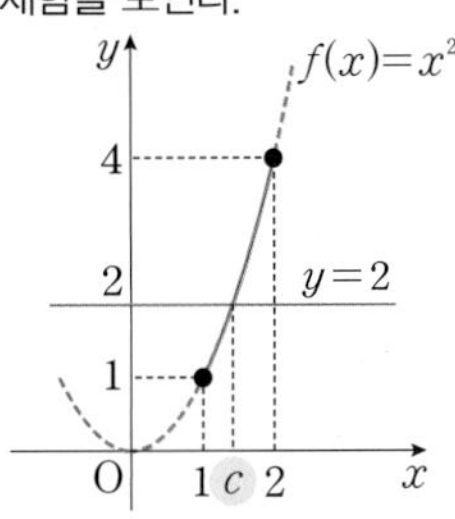 함수 $f(x)$는 닫힌구간 $[1, 2]$에서 연속이고 $f(1)=1$, $f(2)=4$이므로 $f(1) \neq f(2)$ 이때 $f(1)<2<f(2)$인 2에 대하여 $f(c)=2$인 c가 열린구간 $(1, 2)$에 적어도 하나 존재한다.	함수 $g(x)=\begin{cases} 1 & (x \leq 2) \\ 3 & (x>2) \end{cases}$일 때, $f(c)=2$인 c가 열린구간 $(1, 3)$에 존재하지 않음을 보인다. 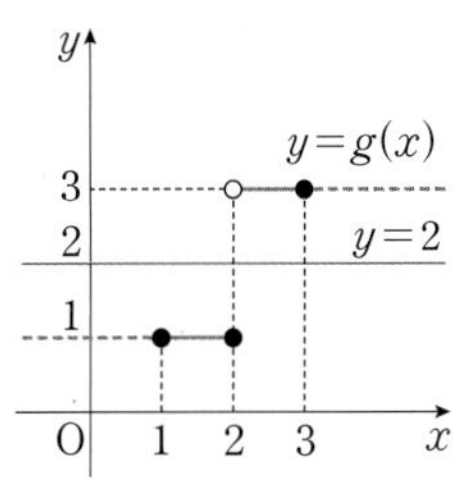 함수 $g(x)$는 $g(1) \neq g(3)$, 닫힌구간 $[1, 3]$에서 연속이 아니다. 이때 $g(1)<2<g(3)$인 2에 대하여 $g(c)=2$인 c가 열린구간 $(1, 3)$에 존재하지 않는다.

주의 사잇값 정리를 사용할 때, 주의 사항

① 함수가 닫힌구간에서 연속이라는 조건이 꼭 필요하다.

② 사잇값 정리로는 $f(c)=k$인 c가 a와 b 사이에 존재한다는 사실은 알 수 있지만, $f(c)=k$를 만족시키는 c의 값을 찾을 수 없다.

보기 03 다음 물음에 답하여라.

(1) 함수 $f(x)=x^2-2x-2$일 때, $f(c)=-1$가 c가 열린구간 $(1, 3)$에 적어도 하나 존재함을 보여라.

(2) 함수 $f(x)=\dfrac{3}{x-1}$일 때, $f(c)=2$인 c가 열린구간 $(2, 7)$에 적어도 하나 존재함을 보여라.

풀이

(1) 함수 $f(x)=x^2-2x-2$는 닫힌구간 $[1, 3]$에서 연속이고

$f(1)=-3$, $f(3)=1$이므로 $f(1) \neq f(3)$

이때 $k=-1$이면 $-3<k<1$이고 $f(c)=-1\,(1<c<3)$인

c가 열린구간 $(1, 3)$에 적어도 하나 존재한다.

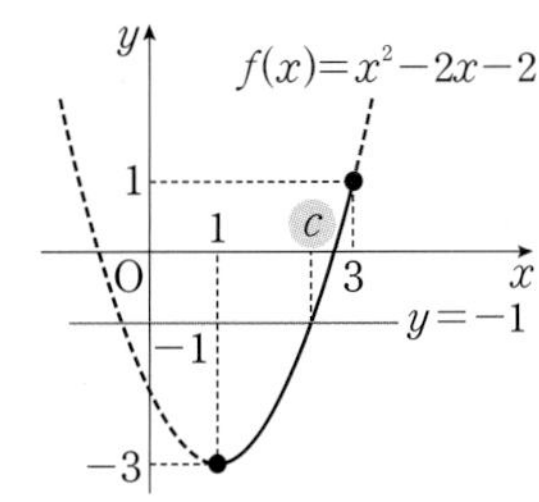

(2) 함수 $f(x)=\dfrac{3}{x-1}$는 닫힌구간 $[2, 7]$에서 연속이고

$f(2)=3$, $f(7)=\dfrac{1}{2}$이므로 $f(2) \neq f(7)$

이때 $k=2$이면 $\dfrac{1}{2}<k<3$이고 $f(c)=2\,(2<c<7)$인

c가 열린구간 $(2, 7)$에 적어도 하나 존재한다.

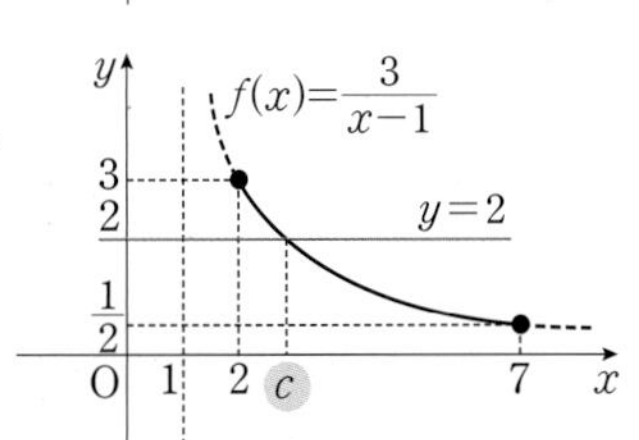

04 사잇값 정리와 방정식의 실근 (실근! 너 어디쯤 있니?)

(1) 사잇값의 정리의 활용

함수 $f(x)$가 닫힌구간 $[a, b]$에서 연속이고, $f(a)$와 $f(b)$가 서로 다른 부호를 가질 때, 즉 $f(a)f(b)<0$이면 사잇값 정리에 의하여 $f(c)=0$인 c가 열린구간 (a, b)에 적어도 하나 존재한다.

따라서 방정식 $f(x)=0$은 열린구간 (a, b)에서 적어도 하나의 실근을 갖는다. ← 방정식 $f(x)=0$의 실근은 함수 $y=f(x)$의 그래프가 x축과 만나는 점의 x좌표

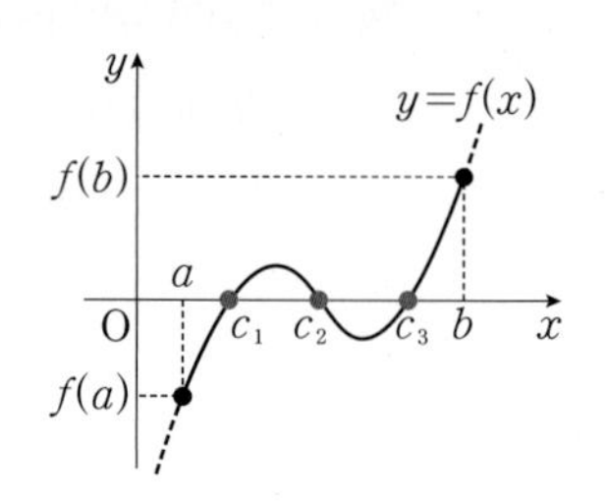

(2) 사잇값의 정리의 활용을 만족시키는 경우 실근이 정확히 몇 개 존재하는지 알 수 없지만 적어도 하나 존재한다.

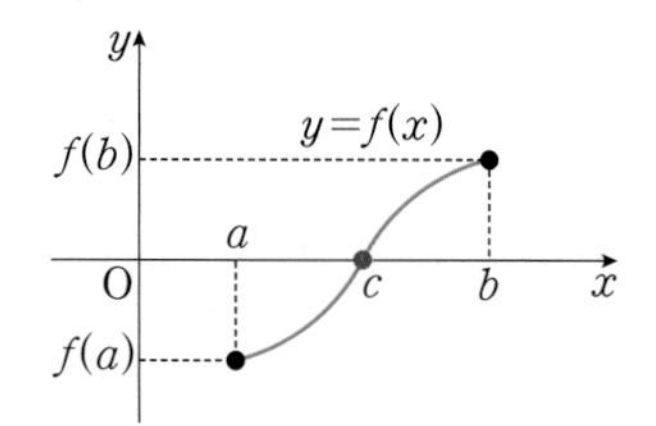

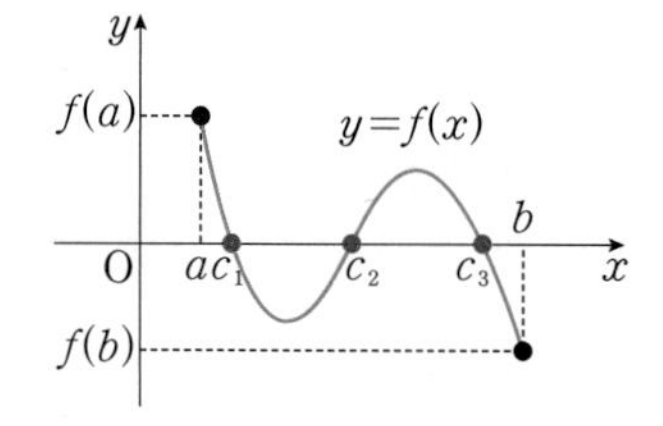

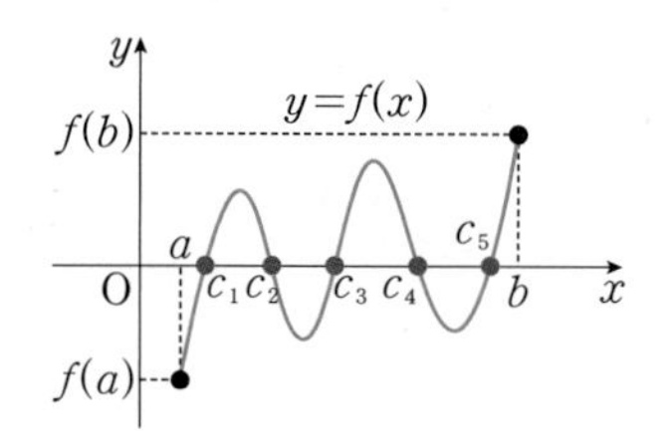

사잇값 정리를 이용하면 방정식 $f(x)=0$의 실근의 존재 유무를 판별할 수 있다.
이때 실근을 실제로 구하는 것이 아니라 단지 $f(x)=0$의 실근이 존재하는지 또는 존재하지 않는지를 확인하는 것이다.

마플해설

사잇값의 정리로부터 함수 $f(x)$가 닫힌구간 $[a, b]$에서 연속이고 $f(a)$와 $f(b)$의 부호가 서로 다르면, 즉 $f(a)<0<f(b)$ 또는 $f(a)>0>f(b)$이면 함수 $y=f(x)$의 그래프는 x축과의 교점을 갖는다.

즉, $f(c)=0$인 c가 열린구간 (a, b)에 적어도 하나 존재한다.

따라서 방정식 $f(x)=0$은 열린구간 (a, b)에서 적어도 하나의 실근을 가진다.

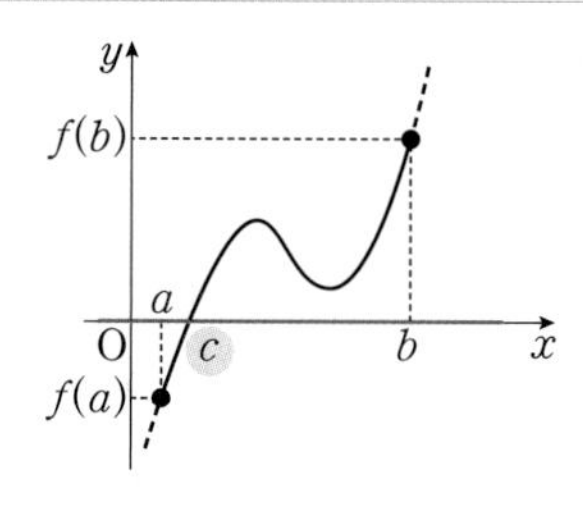

보기 04 다음 주어진 방정식이 열린구간에서 적어도 하나의 실근을 가짐을 보여라.

(1) 방정식 $x^3+2x^2-1=0$은 열린구간 $(0, 1)$에서 적어도 하나의 실근을 가짐을 보여라.

(2) 방정식 $x^4+3x^3+x-2=0$은 열린구간 $(0, 2)$에서 적어도 하나의 실근을 가짐을 보여라.

풀이

(1) $f(x)=x^3+2x^2-1$로 놓으면 함수 $f(x)$는 닫힌구간 $[0, 1]$에서 연속이고

$$f(0)=-1<0,\ f(1)=2>0\text{에서 } f(0)f(1)<0$$

이므로 사잇값 정리에 의하여 $f(c)=0$인 c가 열린구간 $(0, 1)$에 적어도 하나 존재한다.

따라서 방정식 $x^3+2x^2-1=0$은 열린구간 $(0, 1)$에서 적어도 하나의 실근을 가진다.

(2) $f(x)=x^4+3x^3+x-2$로 놓으면 함수 $f(x)$는 닫힌구간 $[0, 2]$에서 연속이고

$$f(0)=-2<0,\ f(2)=40>0\text{에서 } f(0)f(2)<0$$

이므로 사잇값의 정리에 의하여 $f(c)=0$인 c가 열린구간 $(0, 2)$에 적어도 하나 존재한다.

따라서 방정식 $x^4+3x^3+x-2=0$은 열린구간 $(0, 2)$에서 적어도 하나의 실근을 갖는다.

+α 더 알아보기

함수 $f(x)$가 닫힌구간 $[a, b]$에서 연속이지만 $f(a)f(b)>0$이면 방정식 $f(x)=0$은 열린구간 (a, b)에서 실근을 가질 수도 있고, 갖지 않을 수도 있으므로 함수 $y=f(x)$의 그래프를 그려 보아야 방정식 $f(x)=0$의 실근의 개수를 알 수 있다.

EX 함수 $f(x)=x^2$라 하면

$f(x)$는 닫힌구간 $[-1, 1]$에서 연속이고

$f(-1)=1>0,\ f(1)=1>0$이므로 $f(-1)f(1)>0$이지만

방성식 $f(x)=0$은 닫힌구간 $[-1, 1]$에서 실근 $x=0$을 갖는다.

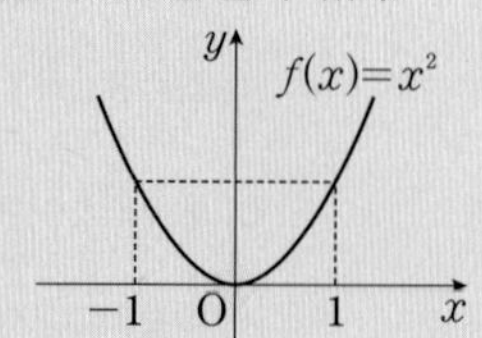

마플개념익힘 01 최대 · 최소 정리

다음 중 주어진 구간에서 최댓값과 최솟값을 반드시 갖는 것은?

① $f(x)=\frac{x^3}{x}$ $[-2, 2]$　　② $f(x)=x+1$ $(0, 1)$　　③ $f(x)=\log x$ $[1, 10]$

④ $f(x)=\frac{1}{x-1}+1$ $[0, 2]$　　⑤ $f(x)=3^x$ $(0, 1)$

MAPL CORE 함수 $f(x)$가 구간 $[a, b]$에서 연속이면 $f(x)$는 이 구간에서 반드시 최댓값과 최솟값을 갖는다.
(역은 성립하지 않는다.)

개념익힘 | 풀이 ① $f(x)=\frac{x^3}{x}=x^2(x\neq 0)$, $\lim_{x\to 0}f(x)=0$이지만 $f(0)$의 값은 존재하지 않는다.

곧, $x=0$에서 불연속이다. 그러므로 최솟값은 존재하지 않는다.

② 구간 $(0, 1)$에서 $f(x)=x+1$은 최댓값, 최솟값이 모두 존재하지 않는다.

③ 구간 $[1, 10]$에서 $f(x)=\log x$는 연속이므로 최댓값, 최솟값이 모두 존재하고

최댓값은 $f(10)=1$, 최솟값은 $f(1)=0$이다.

④ $f(x)=\frac{1}{x-1}+1$은 $x=1$에서 불연속이므로 구간 $[0, 2]$에서 최댓값, 최솟값이 모두 존재하지 않는다.

⑤ 구간 $(0, 1)$에서 $f(x)=3^x$은 최댓값, 최솟값이 모두 존재하지 않는다.

따라서 최댓값, 최솟값이 모두 존재하는 것은 ③이다.

확인유제 0135 주어진 구간에서 다음 함수의 최댓값과 최솟값을 구하여라.

(1) $f(x)=\frac{2x}{x+1}$ $[1, 5]$　　(2) $f(x)=\sqrt{2x-5}$ $[3, 7]$

변형문제 0136 함수 $y=f(x)$의 그래프에 대하여 다음 [보기] 중 옳은 것만을 있는 대로 고른 것은?

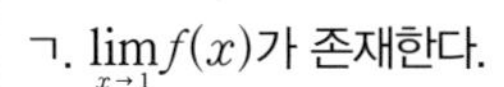
ㄱ. $\lim_{x\to 1}f(x)$가 존재한다.
ㄴ. $-1<a<2$인 실수 a에 대하여 $\lim_{x\to a}f(x)$가 존재한다.
ㄷ. 함수 $f(x)$는 닫힌구간 $[0, 3]$에서 최댓값이 존재한다.

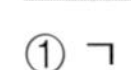
① ㄱ　　② ㄷ　　③ ㄱ, ㄴ
④ ㄱ, ㄷ　　⑤ ㄱ, ㄴ, ㄷ

발전문제 0137 닫힌구간 $[-2, 2]$에서 정의된 함수 $y=f(x)$의 그래프가 그림과 같다.
함수 $f(x)$에 대한 설명 중 옳은 것만을 [보기]에서 있는 대로 고른 것은?

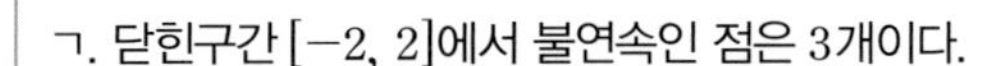
ㄱ. 닫힌구간 $[-2, 2]$에서 불연속인 점은 3개이다.
ㄴ. 닫힌구간 $[-2, 2]$에서 최댓값은 2, 최솟값은 -1이다.
ㄷ. $\lim_{x\to a}f(x)$의 값이 존재하지 않는 $a(-2<a<2)$의 개수는 2개이다.

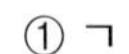
① ㄱ　　② ㄱ, ㄴ　　③ ㄱ, ㄷ
④ ㄴ, ㄷ　　⑤ ㄱ, ㄴ, ㄷ

정답 0135 : (1) 최댓값 $\frac{5}{3}$ 최솟값 1 (2) 최댓값 3 최솟값 1　0136 : ③　0137 : ③

마플개념익힘 02 사잇값 정리 (1)

방정식 $x^3+x-9=0$의 오직 하나의 실근을 가질 때, 다음 중 이 방정식의 실근이 존재하는 구간은?

① $(-2, -1)$ ② $(-1, 0)$ ③ $(0, 1)$ ④ $(1, 2)$ ⑤ $(2, 3)$

MAPL CORE 사잇값 정리와 방정식의 실근

함수 $f(x)$가 닫힌구간 $[a, b]$에서 연속이고 $f(a)$와 $f(b)$의 부호가 서로 다를 때,

$f(c)=0$

인 c가 열린구간 (a, b)에 적어도 하나 존재한다.

즉 방정식 $f(x)=0$은 열린구간 (a, b)에서 적어도 하나의 실근을 갖는다.

⇨ 방정식 $f(x)=0$의 실근이 존재하는 것을 보일 때 이용한다.

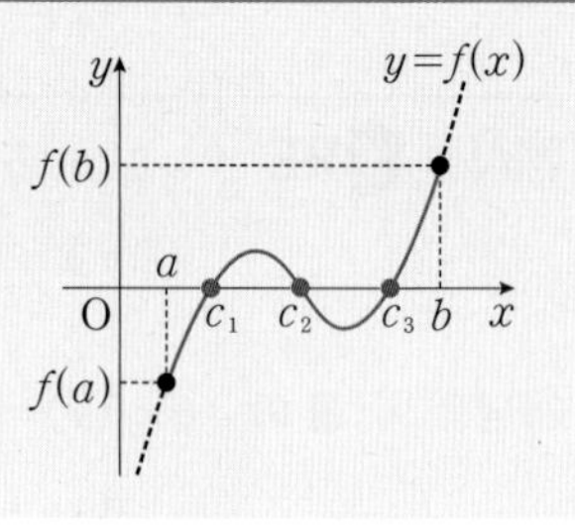

개념익힘 | 풀이 $f(x)=x^3+x-9$로 놓으면

함수 $f(x)$는 모든 실수 x에 대하여 연속이고

$f(-2)=-19<0,\ f(-1)=-11<0$

$f(0)=-9<0,\ f(1)=-7<0$

$f(2)=1>0,\ f(3)=21>0$

따라서 $f(1)f(2)<0$이므로 사잇값 정리에 의하여

주어진 방정식의 실근이 존재하는 구간은 $(1, 2)$이므로 ④번이다.

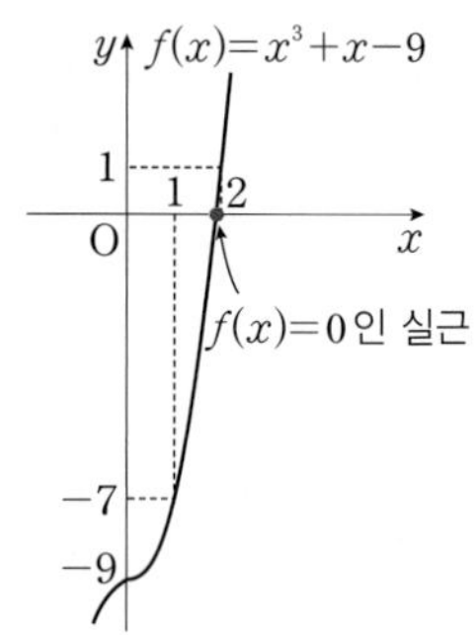

확인유제 0138 다음 [보기]의 방정식 중 열린구간 $(0, 1)$에서 적어도 하나의 실근을 갖는 것만을 있는 대로 고른 것은?

ㄱ. $x^2+3x-2=0$
ㄴ. $x^3-2x^2-x+1=0$
ㄷ. $x^4-2x^3-3x^2+1=0$

① ㄱ ② ㄱ, ㄴ ③ ㄱ, ㄷ ④ ㄴ, ㄷ ⑤ ㄱ, ㄴ, ㄷ

변형문제 0139 방정식 $x^3+\frac{1}{2}x+k-3=0$의 실근이 열린구간 $(0, 2)$에서 존재하도록 하는 정수 k의 개수는?

① 6 ② 7 ③ 8 ④ 9 ⑤ 10

발전문제 0140 $a<b<c$를 만족하는 실수 a, b, c에 대하여 이차방정식

$$(x-a)(x-b)+(x-b)(x-c)+(x-c)(x-a)=0$$

의 두 실근이 $\alpha, \beta\ (\alpha<\beta)$일 때, 다음 중 대소 관계로 옳은 것은?

① $a<\alpha<b<\beta<c$ ② $a<b<\alpha<\beta<c$ ③ $a<\alpha<b<c<\beta$
④ $\alpha<a<b<\beta<c$ ⑤ $\alpha<a<b<c<\beta$

정답 0138 : ⑤ 0139 : ③ 0140 : ①

마플개념익힘 03 사잇값 정리 (2)

연속함수 $f(x)$에 대하여

$$f(x)=f(-x),\ f(1)f(2)<0,\ f(3)f(4)<0$$

이 성립할 때, 방정식 $f(x)=0$이 실근은 적어도 몇 개인지 구하여라.

MAPL CORE 함수 $f(x)$가 닫힌구간 $[a, b]$에서 연속이고 $f(a)$와 $f(b)$의 부호가 서로 다를 때, $f(c)=0$인 c가 열린구간 (a, b)에 적어도 하나 존재한다.

① 함수 $f(x)$가 $f(-x)=f(x)$이면 함수 $f(x)$는 y축에 대하여 대칭인 함수 (우함수)

② 함수 $f(x)$가 $f(-x)=-f(x)$이면 함수 $f(x)$는 원점에 대하여 대칭인 함수 (기함수)

개념익힘 | 풀이 함수 $f(x)$가 모든 실수 x에 대하여 $f(x)=f(-x)$이므로

함수 $y=f(x)$의 그래프는 y축에 대하여 대칭이다.

즉, $f(1)f(2)<0$이므로 $f(-2)f(-1)<0$

$f(3)f(4)<0$이므로 $f(-4)f(-3)<0$

함수 $f(x)$는 연속함수이므로 사잇값 정리에 의하여

방정식 $f(x)=0$은 열린구간 $(1, 2)$, $(-2, -1)$, $(3, 4)$, $(-4, -3)$에서 각각 적어도 하나의 실근을 갖는다.

즉, 함수 $y=f(x)$의 그래프의 개형은 오른쪽 그림과 같다.

따라서 방정식 $f(x)=0$은 적어도 **4개**의 실근을 갖는다.

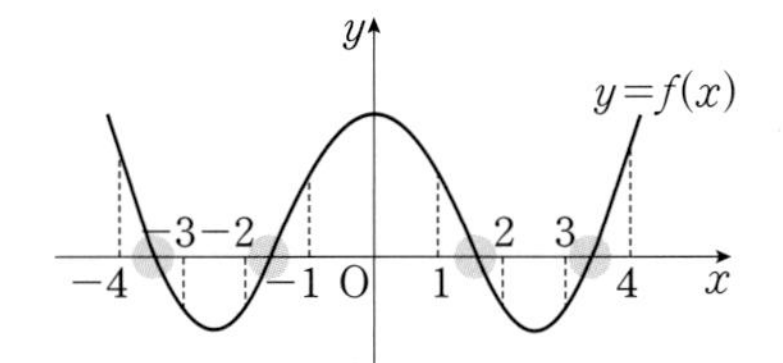

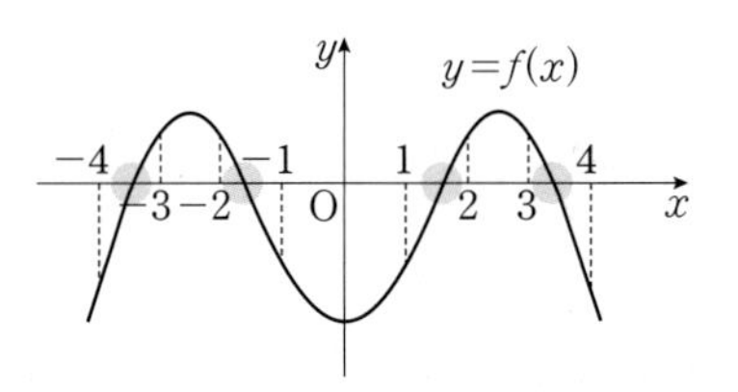

확인유제 0141 연속함수 $f(x)$에 대하여 다음 조건을 만족시킬 때, 방정식 $f(x)=0$의 실근은 적어도 몇 개인지 구하여라.

(가) 모든 실수 x에 대하여 $f(x)=f(-x)$

(나) $f(2)f(4)<0$

(다) $f(5)f(7)<0$

변형문제 0142 모든 실수 x에서 연속인 함수 $f(x)$에 대하여

$$f(0)=1,\ f(1)=3,\ f(2)=2,\ f(3)=1$$

일 때, 방정식 $x^2+1=xf(x)$의 실근은 열린구간 $(0, 3)$에서 적어도 n개 존재한다. n의 최댓값은?

① 2　② 3　③ 4　④ 5　⑤ 6

발전문제 0143 함수 $f(x)$가 닫힌구간 $[0, 1]$에서 연속이고

$$f(0)=2,\ f(1)=0$$

일 때, 실근이 열린구간 $(0, 1)$에 반드시 존재하는 방정식만을 [보기]에서 있는대로 고른것은?

ㄱ. $f(x)-2x=0$

ㄴ. $f(x)-x^2-1=0$

ㄷ. $f(x)-\frac{1}{x+2}=0$

① ㄱ　② ㄴ　③ ㄷ　④ ㄴ, ㄷ　⑤ ㄱ, ㄴ, ㄷ

정답 0141 : 4개　0142 : ①　0143 : ⑤

x에 대한 다항함수 $f(x)$가 다음을 만족시킨다.

(가) $\lim_{x \to 0} \frac{f(x)}{x}=1$ (나) $\lim_{x \to -1} \frac{f(x)}{x+1}=\frac{2}{3}$

구간 $[-1, 0]$에서 방정식 $f(x)=0$은 적어도 몇 개의 실근을 갖는지 구하여라.

MAPL CORE

$\lim_{x \to a} \frac{f(x)}{g(x)}=\alpha$($\alpha$는 상수)에서 $\lim_{x \to a} g(x)=0$이면 $\lim_{x \to a} f(x)=0$임을 이용하여 다항함수를 찾고 사잇값 정리를 이용하여 방정식의 실근의 개수를 찾는다.

개념익힘 | **풀이**

조건 (가)에서 $\lim_{x \to 0} \frac{f(x)}{x}=1$에서 $x \to 0$일 때, (분모)$\to 0$이고 극한값이 존재하므로 (분자)$\to 0$이어야 한다.

즉, $\lim_{x \to 0} f(x)=0$에서 $f(0)=0$ …… ㉠

조건 (나)에서 $\lim_{x \to -1} \frac{f(x)}{x+1}=\frac{2}{3}$에서

$x \to -1$일 때, (분모)$\to 0$이고 극한값이 존재하므로 (분자)$\to 0$이어야 한다.

즉, $\lim_{x \to -1} f(x)=0$이므로 $f(-1)=0$ …… ㉡

㉠, ㉡에서 $f(x)=x(x+1)g(x)$ (단, $g(x)$는 다항함수)로 놓을 수 있다. …… ㉢

㉢을 조건 (가)에 대입하면

$\lim_{x \to 0} \frac{f(x)}{x}=\lim_{x \to 0} \frac{x(x+1)g(x)}{x}=g(0)=1$

㉢을 조건 (나)에 대입하면

$\lim_{x \to -1} \frac{f(x)}{x+1}=\lim_{x \to -1} \frac{x(x+1)g(x)}{x+1}=-g(-1)=\frac{2}{3}$ $\quad \therefore g(-1)=-\frac{2}{3}$

이때 $g(x)$는 다항함수이므로 모든 실수 x에서 연속이고 $g(0)>0$, $g(-1)<0$이므로

$g(0)g(-1)=-\frac{2}{3}<0$이므로 사잇값 정리에 의하여 방정식 $g(x)=0$은 구간 $(-1, 0)$에서 적어도 한 개의 실근을 갖는다.

따라서 방정식 $f(x)=0$은 두 실근 -1, 0을 갖고 $g(x)=0$은 구간 $(-1, 0)$에서 적어도 한 개의 실근을 가지므로 구간 $[-1, 0]$에서 $f(x)=0$은 적어도 **3개**의 실근을 가진다.

확인유제 0144 다항함수 $f(x)$가 다음 두 조건을 모두 만족시킬 때, 방정식 $f(x)=0$은 구간 $[-1, 3]$에서 적어도 몇 개의 실근을 갖는지 구하여라

(가) $\lim_{x \to -1} \frac{f(x)}{x+1}=4$ (나) $\lim_{x \to 3} \frac{f(x)}{x-3}=8$

변형문제 0145 실수 전체의 집합에서 정의된 함수 $y=f(x)$의 그래프가 그림과 같을 때, [보기]에서 옳은 것만을 있는 대로 고른 것은? (단, $f(1)=f(3)=0$)

2016년 09월 교육청 (고2)

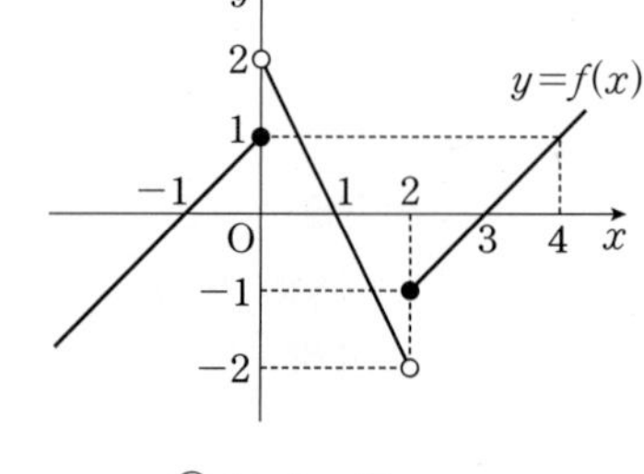

ㄱ. 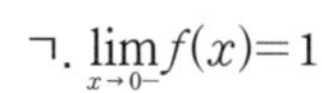 $\lim_{x \to 0-} f(x)=1$

ㄴ. 함수 $f(x)f(x+3)$은 $x=0$에서 연속이다.

ㄷ. 방정식 $f(x)f(x+1)+2x-5=0$은 열린구간 $(1, 3)$에서 적어도 하나의 실근을 갖는다.

① ㄱ ② ㄷ ③ ㄱ, ㄴ ④ ㄴ, ㄷ ⑤ ㄱ, ㄴ, ㄷ

정답 0144 : 3개 0145 : ⑤

사잇값 정리의 실생활 활용

01 햄 · 샌드위치 정리

사잇값의 정리를 이용하면 어느 도형의 넓이를 이등분하는 직선이 항상 존재함을 설명할 수 있다. 예를 들어 좌표평면 위에 오른쪽 그림과 같은 도형이 있을 때, x축과 평행한 직선이 x축을 출발하여 위쪽으로 움직이면 이 직선의 아래에 있는 도형의 넓이는 연속적으로 변한다. 따라서 사잇값의 정리에 의하여 주어진 도형의 넓이를 이등분하는 x축과 평행한 직선이 존재한다. 위와 같은 방법을 이용하면 햄이나 치즈 등이 들어간 샌드위치의 부피를 정확하게 이등분할 수 있음을 영국의 수학자 스톤(Stone. A. H. 1916~2000)과 미국의 통계학자 터키(Tukey. J. W 1915~2000)가 이것이 가능함을 수학적으로 증명했는데, 그 결과를 '햄 샌드위치 정리'(ham sandwich theorem)라 한다.
즉, 샌드위치 하나를 두 사람이 정확히 반으로 나눠서 먹을 수 있음을 사잇값의 정리를 이용하여 설명하면 다음과 같다.

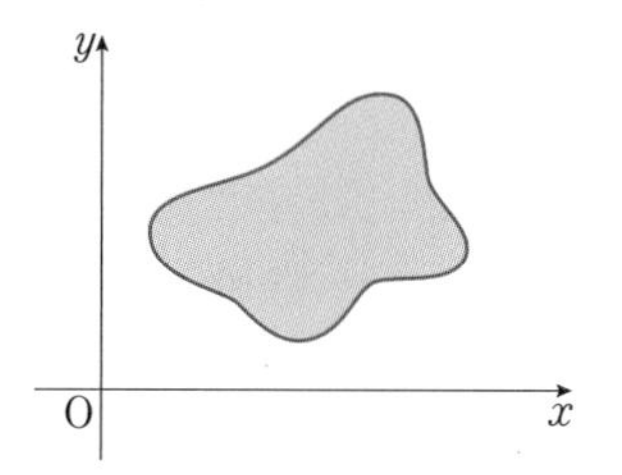

해설 오른쪽 그림과 같이 넓이가 S인 도형 A가 닫힌구간 $[a, b]$에 놓여 있다고 하자.

$x=a$와 $x=t$ 사이에 있는 도형의 넓이를 $f(t)$라고 하면

함수 $f(t)$는 닫힌구간 $[a, b]$에서 연속이고

$$f(a)=0,\ f(b)=S$$

이므로 사잇값의 정리에 의하여 $f(c)=\frac{S}{2}$인 c가 열린구간 (a, b)에 존재한다.

따라서 샌드위치의 두께가 다르다고 가정하고, 직선 $x=c$로 자르면 샌드위치를 정확히 반으로 자를 수 있다.

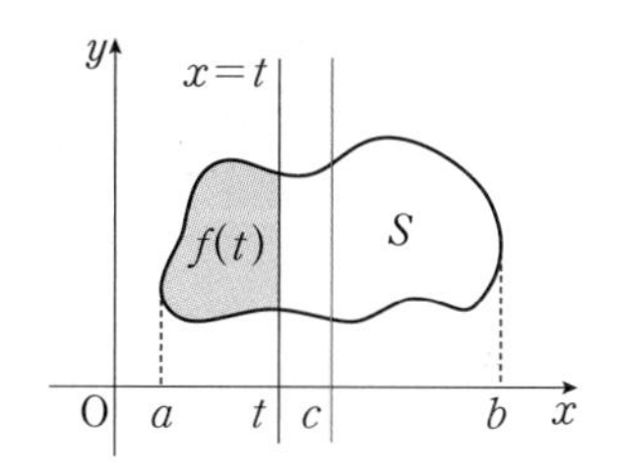

교과서특강문제 01 오른쪽 그림과 같이 좌표평면 위에 화살표 모양의 영역 R와 직선 $x=t(1\le t\le 6)$가 있을 때, 영역 R 중 직선 $x=t$의 왼쪽 부분의 넓이를 $f(t)$라 할 때, 다음 물음에 답하여라.

(1) $f(t)$를 식으로 나타내어라.

(2) 직선 $x=t$가 영역 R의 넓이를 이등분할 수 있음을 사잇값의 정리를 이용하여 설명하여라.

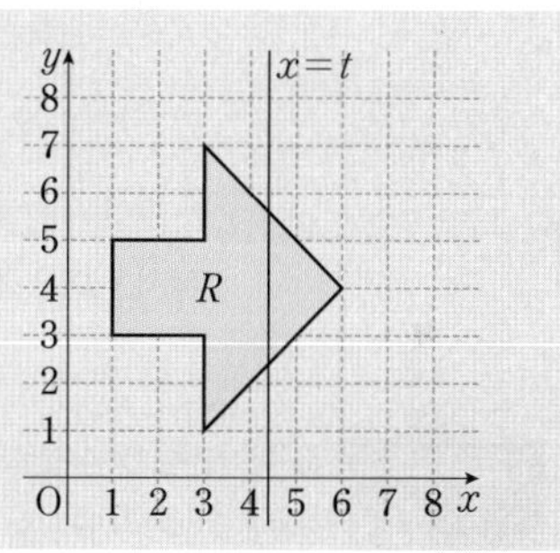

교과서특강 풀이 (1) (ⅰ) $1\le t\le 3$일 때,

직선 $x=t$의 왼쪽 부분의 넓이는 $f(t)=2(t-1)=2t-2$

(ⅱ) $3<t\le 6$일 때,

$$f(t)=4+\frac{1}{2}\{6+(-t+10)-(t-2)\}(t-3) \quad \leftarrow \text{직사각형과 사다리꼴의 넓이}$$

$$=-t^2+12t-23$$

(ⅰ), (ⅱ)에서 $f(t)=\begin{cases} 2t-2 & (1\le t\le 3) \\ -t^2+12t-23 & (3<t\le 6)\end{cases}$

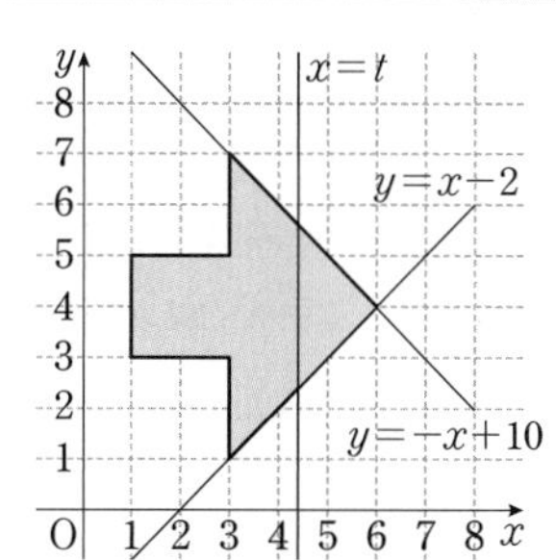

(2) 함수 $f(t)$는 닫힌구간 $[1, 6]$에서 연속이고

$f(1)=0$, $f(6)=13$이므로 사잇값의 정리에 따라 $f(c)=\frac{13}{2}$인 c가 열린구간 $(1, 6)$에 적어도 하나 존재한다.

따라서 직선 $x=t$가 영역 R의 넓이를 이등분할 수 있다.

교과서특강문제 02 좌표평면 위의 네 점 $\mathrm{O}(0, 0)$, $\mathrm{A}(6, 0)$, $\mathrm{B}(6, 3)$, $\mathrm{C}(2, 4)$를 꼭짓점으로 하는 사각형 OABC가 있다. 다음 물음에 답하여라.

(1) 원점을 지나고 사각형 OABC의 넓이를 이등분하는 직선의 방정식을 구하여라.

(2) 사각형 OABC의 내부의 임의의 한 점을 지나고 사각형 OABC의 넓이를 이등분하고 x축에 평행한 직선이 존재하는지를 사잇값의 정리를 이용하여 설명하여라.

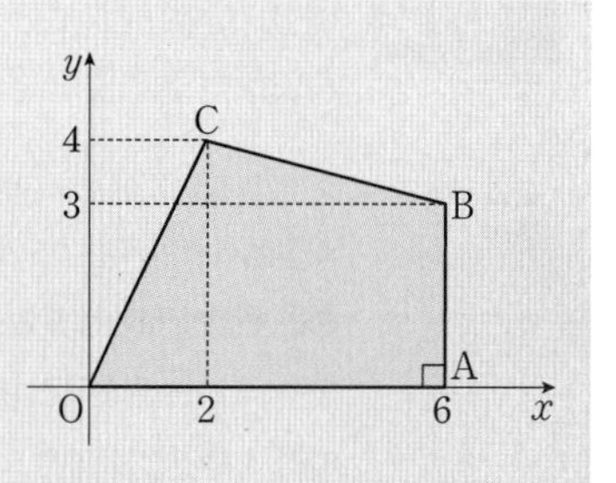

교과서특강 풀이

(1) 사각형 OABC의 넓이가 18이고 삼각형 OAB의 넓이가 9이다.

즉 원점 O(0, 0)와 점 B(6, 3)을 지나는 직선이 사각형 OABC의 넓이를 이등분한다.

따라서 구하는 직선의 방정식은 $y=\frac{1}{2}x$

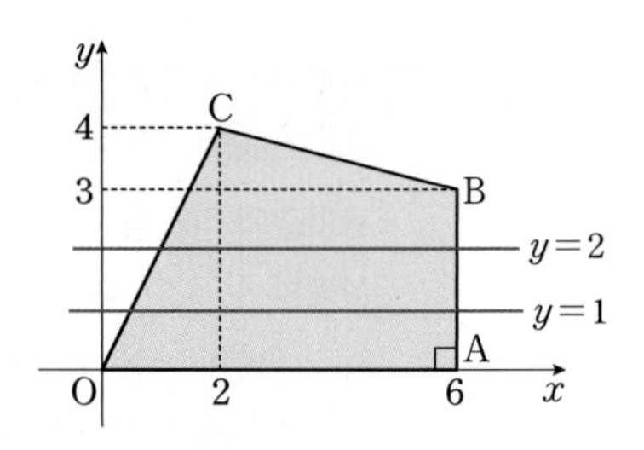

(2) x축과 평행한 직선이 변 OC와 만나는 점을 E, 변 AB와 만나는 점을 F라 하자.

직선 $y=1$일 때, 점 E의 좌표는 $\left(\frac{1}{2}, 1\right)$, 점 F의 좌표는 (6, 1)이다.

이때 사각형 OAFE의 넓이는 $\frac{23}{4}$, 사각형 EFBC의 넓이는 $\frac{49}{4}$이다.

직선 $y=2$일 때, 점 E의 좌표는 (1, 2), 점 F의 좌표는 (6, 2)이다.

이때 사각형 OAFE의 넓이는 11, 사각형 EFBC의 넓이는 7이다.

따라서 사각형 OABC의 넓이를 이등분하고 x축에 평행한 직선은 두 직선 $y=1$, $y=2$ 사이에 존재한다.

02 사잇값의 정리의 실생활 문제

윤재는 여름 방학을 맞이하여 한라산 국립공원에 갔다. 해발 750m인 성판악 코스 입구에서 오전 7시에 등반을 시작하여, 오후 1시에 해발 1950m의 정상인 백록담에 도착하였다.

다음 표는 윤재가 산에 오르는 동안 지나간 지점의 해발 고도를 나타낸 것이다.

지점(t)	A	B	C	D	E	F
해발 고도	800m	1000m	1300m	1200m	1700m	1800m

이때 윤재가 A지점에서 F지점을 지나는 동안 해발 1250m인 지점을 적어도 몇 번 통과하는지 구하여라.

해설 출발 후 시간 $t(7\le t\le 13)$일 때 윤재가 산에 오르는 동안 지나간 지점의 해발 고도의 높이를 $f(t)$라 하면

닫힌구간 [7, 13]에서 함수 $f(t)$는 연속이고

$f(B)=1000$, $f(C)=1300$이므로 사잇값의 정리에 의하여 $f(t)=1250$인 t가 열린구간 (B, C)에 적어도 하나 존재한다.

$f(C)=1300$, $f(D)=1200$이므로 사잇값의 정리에 의하여 $f(t)=1250$인 t가 열린구간 (C, D)에 적어도 하나 존재한다.

$f(D)=1200$, $f(E)=1700$이므로 사잇값의 정리에 의하여 $f(t)=1250$인 t가 열린구간 (D, E)에 적어도 하나 존재한다.

따라서 $f(t)=1250$인 지점 t는 열린구간 (B, C), (C, D), (D, E)에서 각각 적어도 하나씩 존재하므로 열린구간 (A, F)에서 적어도 세 개 존재한다.

교과서특강문제 03

어떤 버스가 A정류장을 출발하여 B정류장을 정차한 후 다시 출발하여 C정류장에 도착하였다. 이 버스가 A정류장에서 B정류장까지 갈 때와 B정류장에서 C정류장까지 갈 때의 최고 속력이 각각 시속 60km일 때, A정류장에서 C정류장으로 갈 때까지 이 버스의 속력이 시속 40km인 순간은 적어도 몇 번인지 구하여라.
(단, 버스는 정류장이 아닌 곳에서는 멈추지 않았다고 한다.)

교과서특강 풀이

버스가 A정류장을 출발한 지 t시간 후의 속력을 $f(t)$라 하면 B정류장에 갈 때까지 걸린 시간을 a시간이라 하면 함수 $f(t)$는 닫힌구간 $[0, a]$에서 연속이다.

이때 $f(t)=40$인 순간은 t가 적어도 두 번이다.

또한, B정류장에서 C정류장까지 갈 때의 걸린 시간을 b시간이라 하면 함수 $f(t)$는 닫힌구간 $[a, b]$에서 연속이다. 이때 $f(t)=40$인 순간은 t가 적어도 두 번이다.

따라서 $f(t)=40$인 t는 적어도 4번이다.

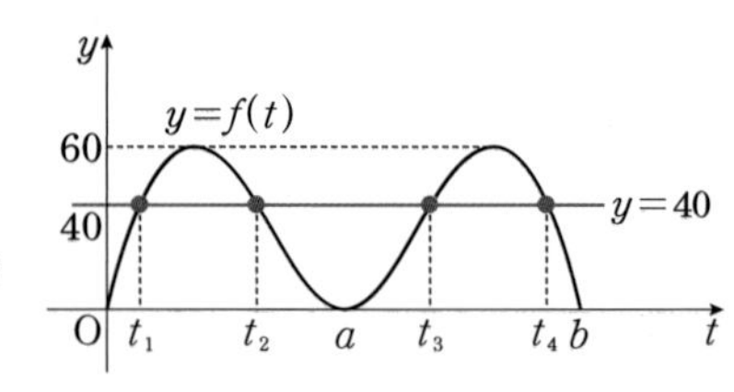

교과서특강문제 04

민규는 제주도에서 자전거 여행을 하였다. 자전거 여행 코스 중 중문 관광단지에서 서귀포까지의 거리는 14.9km이고 40분이 걸렸다. 중문 관광단지에서 출발하여 서귀포시에 도착하기까지 속력이 20km/시인 순간이 있었는지 사잇값의 정리를 이용하여 설명하여라.

교과서특강 풀이

중문 관광단지에서 서귀포시까지의 거리가 14.9km이고 40분이 걸렸으므로 평균속력은 22.35km/시이다. 그런데 출발 지점과 도착 지점에서의 속력은 0으로 평균보다 적으므로 이 구간에서의 최대 속력은 22.35km/시 보다 큼을 알 수 있다. 이 값을 M이라 하자.

중문 관광단지에서 출발하여 서귀포시에 도착할 때까지 걸린 시간을 t분이라 하고, 시각 t일 때의 속력을 $f(t)$km/시라 하면 함수 $f(t)$는 닫힌구간 [0, 40]에서 연속함수이다. 또, $f(t)$는 이 구간에서 최솟값 0과 최댓값 M을 가진다.

따라서 사잇값 정리에 의하여 속력이 0과 M 사이의 값 20인 순간이 열린구간 (0, 40)에서 반드시 있다.

01 함수의 연속의 진위 판단

(1) 함수 $f(x)$가 $x=a$에서 연속이면 $\{f(x)\}^2$도 $x=a$에서 연속이다. [참]

해설 함수 $f(x)$가 $x=a$에서 연속이므로 함수 $\{f(x)\}^2=f(x)f(x)$도 $x=a$에서 연속이다.

(2) 두 함수 $f(x)$, $g(x)$가 $x=a$에서 연속이면 함수 $\dfrac{f(x)}{g(x)}$도 $x=a$에서 연속이다. [거짓]

반례 두 함수 $f(x)$, $g(x)$는 $x=a$에서 연속이지만 $g(a)=0$이면 함수 $\dfrac{f(x)}{g(x)}$는 $x=a$에서 함숫값이 정의되지 않으므로 불연속이다.

(3) $f(x)$와 $f(x)+g(x)$가 연속함수이면 $g(x)$도 연속함수이다. [참]

해설 $h(x)=f(x)+g(x)$로 놓으면 $g(x)=h(x)-f(x)$

이때 $f(x)$와 $h(x)$가 연속이므로 $g(x)$도 연속함수이다.

(4) $f(x)$, $f(x)g(x)$가 연속이면 $g(x)$도 연속이다. [거짓]

반례 $f(x)=0$, $g(x)=\begin{cases}-1 (x\le 0)\\ 1(x>0)\end{cases}$이면 $f(x)g(x)=0$이므로 $f(x)$와 $f(x)g(x)$는 연속이지만

함수 $g(x)$는 $x=0$에서 불연속이다.

(5) $f(g(x))$가 연속함수이면 $g(x)$도 연속함수이다. [거짓]

반례 $f(x)=|x|$, $g(x)=\begin{cases}-1 (x\le 0)\\ 1(x>0)\end{cases}$이면 $f(g(x))=1$이므로 $f(g(x))$는 연속함수이지만

함수 $g(x)$는 $x=0$에서 불연속이다. [거짓]

(6) $x=a$에서 $f(x)$, $g(x)$가 불연속이면 반드시 $f(x)g(x)$도 불연속이다. [거짓]

반례 $f(x)=\begin{cases}-1 (x>0)\\ 1(x\le 0)\end{cases}$, $g(x)=\begin{cases}1 (x>0)\\ -1(x\le 0)\end{cases}$이면 $x=0$에서 $f(0)=1$, $g(0)=-1$이므로 $f(0)g(0)=-1$이고

$\lim\limits_{x\to 0-}f(x)=1$, $\lim\limits_{x\to 0-}g(x)=-1$이므로 $\lim\limits_{x\to 0-}f(x)g(x)=-1$

$\lim\limits_{x\to 0+}f(x)=-1$, $\lim\limits_{x\to 0+}g(x)=1$이므로 $\lim\limits_{x\to 0+}f(x)g(x)=-1$

따라서 $x=0$에서 $f(x)$, $g(x)$는 불연속이지만 $f(x)g(x)$는 $x=0$에서 연속이다.

(7) 두 함수 $f(x)$, $g(x)$가 모두 $x=a$에서 연속이면 합성함수 $(f\circ g)(x)$는 $x=a$에서 항상 연속이다. [거짓]

반례 두 함수 $f(x)=\begin{cases}1 (x\ge 0)\\ -1 (x<0)\end{cases}$, $g(x)=x-1$은 모두 $x=1$에서 연속이지만

합성함수 $(f\circ g)(x)=\begin{cases}1 (x\ge 1)\\ -1 (x<1)\end{cases}$은 $x=1$에서 불연속이다.

⬅ $f(x)=\dfrac{1}{x-2}$, $g(x)=x+1$이면 $x=1$에서 연속이지만 $f(g(x))$는 $x=1$에서 불연속이다.

(8) 실수 전체에서 정의된 두 함수 $f(x)$와 $g(x)$가 모두 연속이면 $(f\circ g)(x)$, $(g\circ f)(x)$는 모두 연속이다. [참]

해설 $f(x)=x^2$, $g(x)=x+1$은 실수 전체에서 연속이므로 $(f\circ g)(x)=f(g(x))=(x+1)^2$, $(g\circ f)(x)=g(f(x))=x^2+1$은 모두 실수 전체에서 연속이다.

수능특강문제 01 두 함수 $f(x)$, $g(x)$에 대하여 다음 [보기] 중 옳은 것을 모두 고른 것은? (단, a는 실수)

ㄱ. 두 함수 $f(x)$, $g(x)$가 모두 $x=a$에서 연속이면 $f(g(x))$도 $x=a$에서 연속이다.
ㄴ. 두 함수 $f(x)$, $g(x)$가 실수 전체의 집합에서 연속이면 $f(g(x))$, $g(f(x))$도 실수 전체에서 연속이다.
ㄷ. 두 함수 $f(x)$, $g(x)$가 모두 $x=a$에서 연속이면 함수 $\frac{f(x)}{g(x)}$도 $x=a$에서 연속이다.

① ㄱ ② ㄴ ③ ㄷ ④ ㄴ, ㄷ ⑤ ㄱ, ㄴ, ㄷ

수능특강 풀이

STEP Ⓐ **연속함수의 성질을 이용하여 진위판단하기**

ㄱ. 반례 $f(x)=\frac{1}{x-2}$, $g(x)=x+1$이면 $x=1$에서 연속이지만 $f(g(x))=\frac{1}{x-1}$은 $x=1$에서 불연속이다. [거짓]
ㄴ. 두 함수 $f(x)$, $g(x)$가 실수 전체의 집합에서 연속이면 $f(g(x))$, $g(f(x))$도 실수 전체에서 연속이다. [참]
ㄷ. 반례 $f(x)=x$, $g(x)=x-a$라 하면

두 함수 $f(x)$, $g(x)$는 모두 $x=a$에서 연속이지만 함수 $\frac{f(x)}{g(x)}$는 $x=a$에서 정의되지 않으므로 불연속이다. [거짓]

따라서 옳은 것은 ㄴ이다.

수능특강문제 02 두 함수 $f(x)$, $g(x)$에 대하여 다음 [보기] 중 옳은 것을 모두 고른 것은? (단, a는 실수)

ㄱ. 함수 $f(x)$가 $x=a$에서 연속이면 함수 $\{f(x)\}^2$도 $x=a$에서 연속이다.
ㄴ. $f(x)$와 $f(x)g(x)$가 연속함수이면 $g(x)$도 연속함수이다.
ㄷ. $f(x)$, $g(x)$가 모두 $x=a$에서 연속이면 $\frac{1}{f(x)g(x)}$도 $x=a$에서 연속이다.
ㄹ. $f(x)+g(x)$, $f(x)g(x)$가 모두 $x=a$에서 연속이면 $\frac{1}{f(x)}+\frac{1}{g(x)}$도 $x=a$에서 연속이다.

① ㄱ ② ㄴ ③ ㄱ, ㄷ ④ ㄱ, ㄴ, ㄹ ⑤ ㄱ, ㄴ, ㄷ, ㄹ

수능특강 풀이

STEP Ⓐ **연속함수의 성질을 이용하여 진위판단하기**

ㄱ. 함수 $f(x)$가 $x=a$에서 연속이므로 $\lim_{x\to a}f(x)=f(a)$

$\lim_{x\to a}\{f(x)\}^2=\lim_{x\to a}f(x)\times\lim_{x\to a}f(x)=f(a)\times f(a)=\{f(a)\}^2$

즉, 함수 $\{f(x)\}^2$는 $x=a$에서 연속이다. [참]

ㄴ. 반례 $f(x)=0$, $g(x)=\begin{cases}-1 & (x\le 0)\\ 1 & (x>0)\end{cases}$이면 $f(x)g(x)=0$이므로

$f(x)$와 $f(x)g(x)$는 연속함수이지만 함수 $g(x)$는 $x=0$에서 불연속이다. [거짓]

ㄷ. 반례 $f(x)=x$, $g(x)=x+1$이면 두 함수 $f(x)$, $g(x)$는 모두 $x=0$에서 연속이지만 $\frac{1}{f(x)g(x)}=\frac{1}{x(x+1)}$은

$x=0$에서 불연속이다. [거짓]

ㄹ. 반례 $f(x)=x$, $g(x)=x+1$이면 두 함수 $f(x)+g(x)=2x+1$, $f(x)g(x)=x^2+x$는 모두 $x=0$에서 연속이지만

$\frac{1}{f(x)}+\frac{1}{g(x)}=\frac{2x+1}{x(x+1)}$은 $x=0$에서 불연속이다. [거짓]

따라서 옳은 것은 ㄱ이다.

수능특강문제 03

두 함수 $f(x)$, $g(x)$에 대하여 [보기]의 설명 중 옳은 것만을 있는 대로 고른 것은?

> ㄱ. $f(x)$와 $f(x)+g(x)$가 $x=a$에서 연속이면 $g(x)$도 $x=a$에서 연속이다.
> ㄴ. $f(x)$ 와 $g(x)$가 $x=a$에서 불연속이면 $f(x)+g(x)$도 $x=a$에서 불연속이다.
> ㄷ. $f(x)$와 $g(x)$가 $x=a$에서 불연속이면 $f(x)g(x)$도 $x=a$에서 불연속이다.

① ㄱ　② ㄴ　③ ㄷ　④ ㄱ, ㄴ　⑤ ㄴ, ㄷ

수능특강 풀이

STEP A **연속함수의 성질을 이용하여 진위판단하기**

ㄱ. $f(x)$와 $f(x)+g(x)$가 $x=a$에서 연속이면 $\lim_{x\to a}f(x)=f(a)$, $\lim_{x\to a}\{f(x)+g(x)\}=f(a)+g(a)$

$\therefore \lim_{x\to a}g(x)=\lim_{x\to a}\{f(x)+g(x)-f(x)\}=\lim_{x\to a}\{f(x)+g(x)\}-\lim_{x\to a}f(x)=f(a)+g(a)-f(a)=g(a)$

즉, 함수 $g(x)$도 $x=a$에서 연속이다. [참]

ㄴ. 반례 $f(x)=\begin{cases}-1 & (x\le 0)\\ 0 & (x>0)\end{cases}$, $g(x)=\begin{cases}1 & (x\le 0)\\ 0 & (x>0)\end{cases}$이면 $f(x)$, $g(x)$가 $x=0$에서 불연속이지만

$\lim_{x\to 0}\{f(x)+g(x)\}=f(0)+g(0)=0$, 따라서 $f(x)+g(x)$도 $x=0$에서 연속이다. [거짓]

ㄷ. 반례 $f(x)=\begin{cases}1 & (x\le 0)\\ 0 & (x>0)\end{cases}$, $g(x)=\begin{cases}0 & (x\le 0)\\ 1 & (x>0)\end{cases}$이면 $f(x)$와 $g(x)$가 $x=0$에서 모두 불연속이지만

$\lim_{x\to 0}f(x)g(x)=f(0)g(0)=0$, 즉 $f(x)g(x)$는 $x=0$에서 연속이다. [거짓]

따라서 옳은 것은 ㄱ이다.

수능특강문제 04

2006학년도 06월 평가원

두 함수 $f(x)$, $g(x)$에 대하여 다음 중 옳은 것을 모두 고른 것은?

> ㄱ. $\lim_{x\to 0}f(x)$와 $\lim_{x\to 0}g(x)$가 모두 존재하지 않으면 $\lim_{x\to 0}\{f(x)+g(x)\}$도 존재하지 않는다.
> ㄴ. $y=f(x)$가 $x=0$에서 연속이면 $y=|f(x)|$도 $x=0$에서 연속이다.
> ㄷ. $y=|f(x)|$가 $x=0$에서 연속이면 $y=f(x)$도 $x=0$에서 연속이다.

① ㄴ　② ㄷ　③ ㄱ, ㄴ　④ ㄱ, ㄷ　⑤ ㄴ, ㄷ

수능특강 풀이

STEP A **연속함수의 성질을 이용하여 진위판단하기**

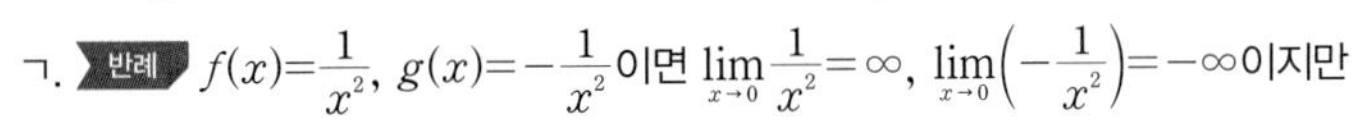

ㄱ. 반례 $f(x)=\frac{1}{x^2}$, $g(x)=-\frac{1}{x^2}$이면 $\lim_{x\to 0}\frac{1}{x^2}=\infty$, $\lim_{x\to 0}\left(-\frac{1}{x^2}\right)=-\infty$이지만

$\lim_{x\to 0}\left(\frac{1}{x^2}-\frac{1}{x^2}\right)=\lim_{x\to 0}0=0$이다. [거짓]

ㄴ. $y=f(x)$가 $x=0$에서 연속이므로 $\lim_{x\to 0}f(x)=f(0)$

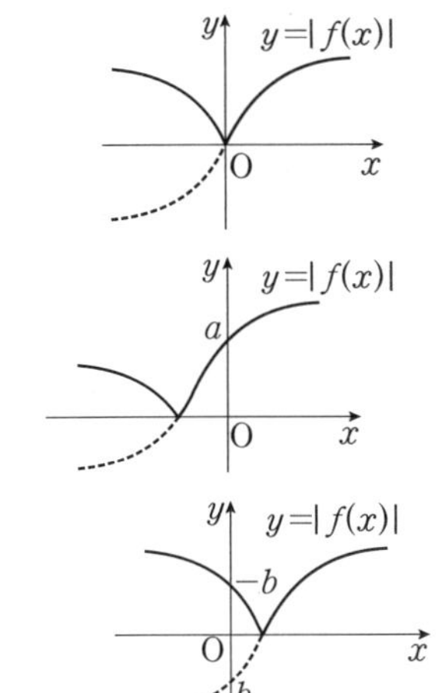

(ⅰ) $f(0)=0$인 경우

$\lim_{x\to 0+}|f(x)|=\lim_{x\to 0+}f(x)=f(0)=0$, $\lim_{x\to 0-}|f(x)|=\lim_{x\to 0-}\{-f(x)\}=f(0)=0$

$\therefore \lim_{x\to 0}|f(x)|=|f(0)|$

(ⅱ) $f(0)=a\,(a>0)$인 경우

$\lim_{x\to 0}|f(x)|=\lim_{x\to 0}f(x)=f(0)=a=|f(0)|$

(ⅲ) $f(0)=b\,(b<0)$인 경우

$\lim_{x\to 0}|f(x)|=\lim_{x\to 0}\{-f(x)\}=-f(0)=-b=|f(0)|$ ($\because b<0$)

(ⅰ), (ⅱ), (ⅲ)에서 $y=|f(x)|$도 $x=0$에서 연속이다. [참]

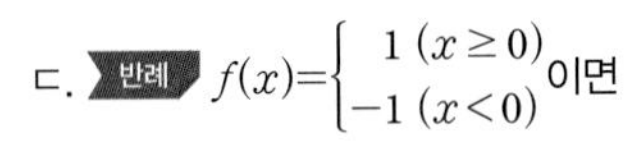

ㄷ. 반례 $f(x)=\begin{cases}1 & (x\ge 0)\\ -1 & (x<0)\end{cases}$이면

오른쪽 그림에서 $y=|f(x)|$는 $x=0$에서 연속이지만

$y=f(x)$는 $x=0$에서 불연속이다. [거짓]

따라서 옳은 것은 ㄴ이다.

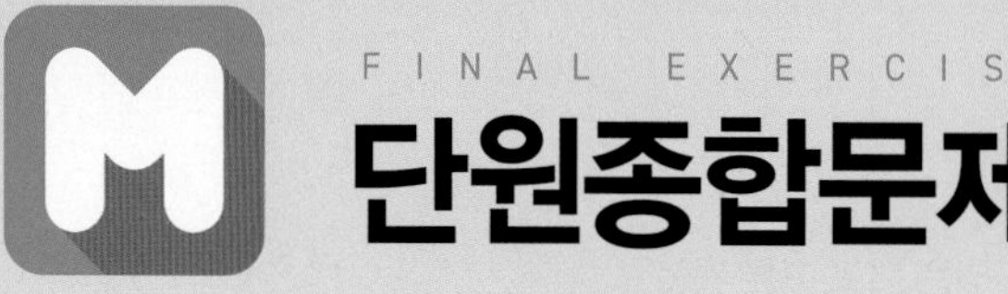

FINAL EXERCISE

단원종합문제

단계별 **실력완성** 연습문제

BASIC

내신 수능 기본 대표 기출문제

0146

함수의 극한값과 연속
내신빈출

열린구간 $(-2, 7)$에서 함수 $y=f(x)$의 그래프가 오른쪽 그림과 같다. 두 집합 A, B에 대하여

$$A=\left\{a \,\middle|\, \lim_{x\to a-}f(x) \neq \lim_{x\to a+}f(x),\ a\text{는 실수}\right\}$$

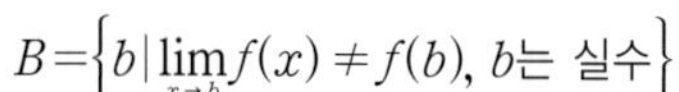

$$B=\left\{b \,\middle|\, \lim_{x\to b}f(x) \neq f(b),\ b\text{는 실수}\right\}$$

일 때, $n(A)+n(B)$의 값은?

(단, $n(A)$는 집합 A의 원소의 개수이다.)

① 6 ② 8 ③ 10 ④ 12 ⑤ 14

0147

함수의 연속과 미정계수의 결정
2017년 07월 교육청

함수

$$f(x)=\begin{cases} 3x+6 & (x<2) \\ x^2+ax-4 & (x\geq 2) \end{cases}$$

가 실수 전체의 집합에서 연속일 때, 상수 a의 값은?

① -6 ② -2 ③ 0 ④ 2 ⑤ 6

0148

함수의 연속과 미정계수의 결정
2008학년도 수능기출

다음 물음에 답하여라.

(1) 함수 $f(x)=\begin{cases} \dfrac{x^2+x-12}{x-3} & (x\neq 3) \\ a & (x=3) \end{cases}$가 모든 실수 x에서 연속일 때, 상수 a의 값은?

① 10 ② 9 ③ 8 ④ 7 ⑤ 6

(2) 함수 $f(x)=\begin{cases} \dfrac{x^2+ax-2}{x-1} & (x\neq 1) \\ b & (x=1) \end{cases}$가 실수 전체의 집합에서 연속일 때, 상수 a, b에 대하여 $a+b$의 값은?

① 2 ② 3 ③ 4 ④ 5 ⑤ 6

2015년 09월 교육청 (고2)

(3) 함수 $f(x)=\begin{cases} \dfrac{x^3-ax+1}{x-1} & (x\neq 1) \\ b & (x=1) \end{cases}$이 실수 전체의 집합에서 연속이 되도록 하는 두 상수 a, b에 대하여 $10a+b$의 값은?

① 18 ② 20 ③ 21 ④ 24 ⑤ 32

0149

$x=a$에서 연속
내신빈출

다음 물음에 답하여라

(1) $x\geq -3$인 모든 실수에서 연속인 함수 $f(x)$가 $(x-1)f(x)=\sqrt{x+3}-2$를 만족할 때, $f(1)$의 값은?

① $\frac{1}{5}$ ② $\frac{1}{4}$ ③ $\frac{1}{3}$ ④ $\frac{1}{2}$ ⑤ 1

(2) 실수 전체의 집합에서 연속인 함수 $f(x)$가 모든 실수 x에 대하여

$$(x-2)f(x)=\sqrt{x^2+5}-3$$

을 만족시킬 때, $f(2)$의 값은?

① $\frac{1}{3}$ ② $\frac{2}{3}$ ③ 1 ④ $\frac{4}{3}$ ⑤ $\frac{5}{3}$

정답 0146 : ④ 0147 : ⑤ 0148 : (1) ④ (2) ③ (3) ③ 0149 : (1) ② (2) ②

0150

함수의 연속과 미정계수의 결정 2016년 10월 교육청

다음 물음에 답하여라.

(1) 실수 전체의 집합에서 연속인 함수 $f(x)$가

$$(x-1)f(x)=x^2+3x+a$$

를 만족시킬 때, $a+f(1)$의 값은? (단, a는 상수이다.)

① 1 ② 2 ③ 3 ④ 4 ⑤ 5

(2) 실수 전체의 집합에서 연속인 함수 $f(x)$가 모든 실수 x에 대하여

$$(x-3)f(x)-x=x^2+k$$

를 만족시킬 때, $k+f(3)$의 값은? (단, k는 상수이다.)

① -6 ② -5 ③ -4 ④ -3 ⑤ -2

0151

함수의 연속과 미정계수의 결정 2011년 07월 교육청

다음 물음에 답하여라.

(1) 함수 $f(x)=\begin{cases} \dfrac{\sqrt{ax}-b}{x-1} & (x\neq 1) \\ 2 & (x=1) \end{cases}$가 $x=1$에서 연속이 되도록 하는 상수 a, b에 대하여 $a+b$의 값은?

① 18 ② 20 ③ 22 ④ 24 ⑤ 26

(2) 함수 $f(x)=\begin{cases} \dfrac{\sqrt{x+6}-a}{x-3} & (x\neq 3) \\ b & (x=3) \end{cases}$가 구간 $(0, \infty)$에서 연속일 때, ab의 값은? (단, a, b는 상수이다.)

① $\frac{1}{6}$ ② $\frac{1}{2}$ ③ $\frac{2}{3}$ ④ $\frac{3}{2}$ ⑤ 2

(3) 함수 $f(x)=\begin{cases} \dfrac{\sqrt{x+3}+a}{x^3-1} & (x\neq 1) \\ b & (x=1) \end{cases}$가 $x=1$에서 연속이 되도록 하는 상수 a, b에 대하여 ab의 값은?

① $-\frac{3}{2}$ ② $-\frac{1}{2}$ ③ $-\frac{1}{3}$ ④ $-\frac{1}{6}$ ⑤ $-\frac{1}{5}$

0152

구간별로 정의된 함수의 연속성 내신빈출

함수 $f(x)=\begin{cases} -x+b & (|x|<1) \\ x^2+ax-2 & (|x|\geq 1) \end{cases}$가 모든 실수에서 연속이 되도록 하는 상수 a, b에 대하여 ab의 값은?

① -3 ② -2 ③ -1 ④ 1 ⑤ 2

0153

$f(x)g(x)$가 $x=a$에서 연속일 조건 내신빈출

함수 $f(x)=\begin{cases} x+4 & (x\geq 2) \\ -x+3 & (x<2) \end{cases}$, $g(x)=x+k$에 대하여 함수 $f(x)g(x)$가 $x=2$에서 연속일 때, 상수 k의 값은?

① -3 ② -2 ③ -1 ④ 1 ⑤ 2

0154

함수의 그래프와 연속 2014년도 06월 평가원

함수 $y=f(x)$의 그래프가 오른쪽 그림과 같다.

[보기]에서 옳은 것만을 있는 대로 고른 것은?

ㄱ. $\lim_{x\to 0+}f(x)=1$

ㄴ. $\lim_{x\to 2-}f(x)=-1$

ㄷ. 함수 $|f(x)|$는 $x=2$에서 연속이다.

① ㄱ ② ㄴ ③ ㄱ, ㄷ ④ ㄴ, ㄷ ⑤ ㄱ, ㄴ, ㄷ

정답 0150 : (1) ① (2) ② 0151 : (1) ② (2) ② (3) ④ 0152 : ④ 0153 : ② 0154 : ③

0155
역함수와 연속함수
내신빈출

실수 전체의 집합에서 연속이고 역함수가 존재하는 함수 $f(x)$가

$$f^{-1}(6)=2,\ \lim_{x\to-1}f(x)=-3$$

을 만족시킬 때, $f^{-1}(-3)+\lim_{x\to2}f(x)$의 값은?

① 4 ② 5 ③ 7 ④ 9 ⑤ 11

0156
몫의 연속성 판단
내신빈출

이차함수 $f(x)=x^2-2\sqrt{2}x-4$에 대하여 함수 $\dfrac{f(x)}{f(x)+k}$가 실수 전체의 집합에서 연속이 되도록 하는 정수 k의 최솟값은?

① 6 ② 7 ③ 8 ④ 9 ⑤ 10

0157
사잇값 정리
내신빈출

모든 실수 x에서 연속인 함수 $f(x)$에 대하여

$$f(-2)=-1,\ f(-1)=1,\ f(0)=2,\ f(1)=0,\ f(2)=2,\ f(3)=-4$$

일 때, 방정식 $f(x)=0$은 열린구간 $(-2, 3)$에서 적어도 몇 개의 실근을 갖는가?

① 2 ② 3 ③ 6 ④ 8 ⑤ 10

0158
사잇값 정리
내신빈출

다음 물음에 답하여라.

(1) 다항함수 $f(x)$는 $f(1)=k+2,\ f(2)=k-5$를 만족시키고, 방정식 $f(x)=0$이 오직 하나의 실근을 가질 때 구간 $(1, 2)$에서 오직 하나의 실근을 갖도록 하는 정수 k의 개수는?

① 2 ② 4 ③ 6 ④ 8 ⑤ 10

(2) 방정식 $2x^3+x+k=0$이 오직 하나의 실근을 가질 때, 그 실근이 열린구간 $(-1, 1)$에서 존재하도록 하는 정수 k의 개수는?

① 5 ② 7 ③ 9 ④ 11 ⑤ 13

0159
실수 전체에서 연속이기 위한 조건
서술형

모든 실수에서 연속인 함수 $f(x)$가

$$(x-5)f(x)=x^2-x+a$$

를 만족시킬 때, $f(5)$의 값을 구하는 과정을 다음 단계로 서술하여라. (단, a는 상수)

[1단계] 모든 실수에서 연속이기 위한 조건을 구한다.

[2단계] 극한의 성질을 이용하여 상수 a의 값을 구한다.

[3단계] $f(5)$의 값을 구한다.

0160
사잇값의 정리
서술형

방정식 $x^3+x-1=0$은 열린구간 $(0, 1)$ 에서 적어도 하나의 실근을 가짐을 다음 단계로 서술하여라.

[1단계] $f(x)=x^3+x-1$라 할 때, 닫힌구간 $[0, 1]$에서 $f(x)$의 연속성과 $f(0),\ f(1)$의 값을 구한다.

[2단계] 사잇값의 정리를 이용하여 $f(c)=0$인 c가 존재함을 보인다.

[3단계] 실근을 가짐을 보인다.

정답 0155 : ② 0156 : ② 0157 : ② 0158 : (1) ③ (2) ① 0159 : 해설참조 0160 : 해설참조

0161

함수의 연속과 미정계수의 결정
내신빈출

실수 전체의 집합에서 정의된 함수

$$f(x)=\begin{cases}\dfrac{\sqrt{x+a}-\sqrt{1+bx}}{x^n} & (x\neq 0)\\ -1 & (x=0)\end{cases}$$

가 $x=0$에서 연속일 때, 상수 a, b, n에 대하여 $a+b+n$값을 구하여라. (단, n은 자연수)

0162

함수의 연속과 미정계수의 결정
2018년 10월 교육청

함수

$$f(x)=\begin{cases}x+2 & (x\leq a)\\ x^2-4 & (x>a)\end{cases}$$

에 대하여 함수 $|f(x)|$가 실수 전체의 집합에서 연속이 되도록 하는 모든 실수 a의 값의 합은?

① -3 ② -2 ③ -1 ④ 1 ⑤ 2

0163

함수의 연속과 미정계수의 결정
2005년 04월 교육청

다음 물음에 답하여라.

(1) $f(x)$가 다항함수일 때, 모든 실수에서 연속인 함수 $g(x)$를

$$g(x)=\begin{cases}\dfrac{f(x)-x^2}{x-1} & (x\neq 1)\\ k & (x=1)\end{cases}$$

로 정의하자. $\lim\limits_{x\to\infty}g(x)=2$일 때, $k+f(3)$의 값을 구하여라. (단, k는 상수)

(2) 다항함수 $f(x)$와 실수 전체의 집합에서 연속인 함수 $g(x)$에 대하여

$$g(x)=\begin{cases}\dfrac{xf(x)+4}{x^3-1} & (x\neq 1)\\ k & (x=1)\end{cases}$$

일 때, 다음 조건을 만족시킬 때, 상수 k의 값을 구하여라.

(가) 함수 $y=f(x)$의 그래프는 원점을 지난다.
(나) $\lim\limits_{x\to\infty}g(x)=2$

0164

함수의 합과 곱, 몫의 연속성
내신빈출

두 함수 $y=f(x)$, $y=g(x)$의 그래프가 그림과 같다. [보기]에서 $x=1$에서 연속인 함수만을 [보기]에서 있는 대로 고른 것은?

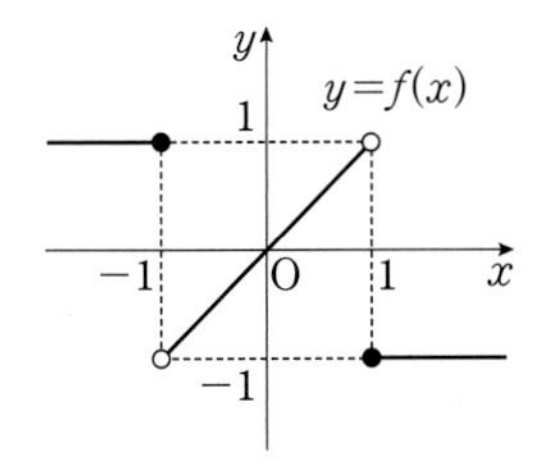

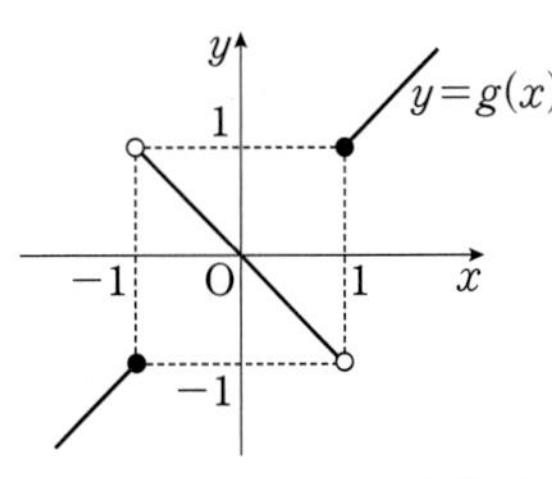

ㄱ. $f(x)+g(x)$	ㄴ. $f(x)g(x)$	ㄷ. $\dfrac{g(x)}{f(x)}$

① ㄱ ② ㄷ ③ ㄱ, ㄴ ④ ㄴ, ㄷ ⑤ ㄱ, ㄴ, ㄷ

정답 0161 : 5 0162 : ⑤ 0163 : (1) 15 (2) -2 0164 : ⑤

0165

함수의 연속과 미정계수의 결정
내신빈출

함수 $f(x)=\begin{cases} \frac{x+1}{x-2} & (x \neq 2) \\ 3 & (x=2) \end{cases}$에 대하여 함수 $(x^2+ax+b)f(x)$가 실수 전체의 집합에서 연속일 때, $b-a$의 값은? (단, a, b는 상수이다.)

① 2 ② 4 ③ 6 ④ 8 ⑤ 10

0166

조건에 알맞은 함수의 연속성 판단

함수 $y=f(x)$의 그래프가 오른쪽 그림과 같을 때, 옳은 것만을 [보기]에서 있는 대로 고른 것은?

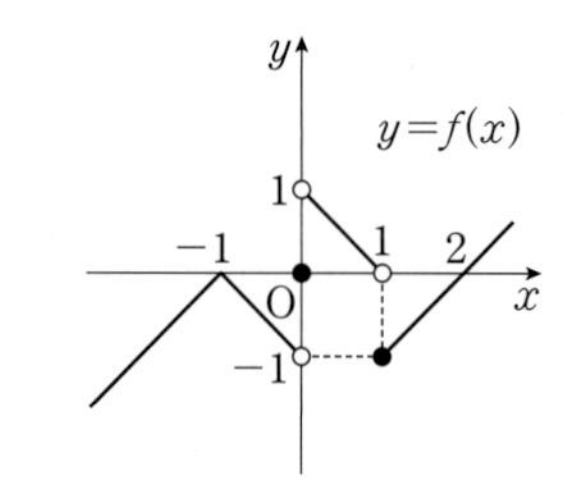

ㄱ. $\lim_{x \to 1} f(-x)=0$
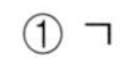

ㄴ. 함수 $(x+1)f(x)$는 $x=2$에서 연속이다.

ㄷ. 함수 $f(x)+f(-x)$는 $x=0$에서 연속이다.

① ㄱ ② ㄴ ③ ㄱ, ㄷ
④ ㄴ, ㄷ ⑤ ㄱ, ㄴ, ㄷ

0167

주기함수와 연속
내신빈출

다음 물음에 답하여라.

(1) 모든 실수 x에서 연속인 함수 $f(x)$가 닫힌구간 $[-1, 3]$에서

$$f(x)=\begin{cases} ax+1 & (-1 \leq x < 1) \\ -x^2-3ax+b & (1 \leq x \leq 3) \end{cases}$$

이고, 모든 실수 x에 대하여 $f(x+4)=f(x)$를 만족시킬 때, $f(102)$의 값을 구하여라. (단, a, b는 상수)

(2) $f(x+2)=f(x-2)$를 만족시키는 함수 $f(x)$가 모든 실수 x에서 연속이고, 구간 $(1, 5)$에서

$$f(x)=\begin{cases} 5-2x & (1 \leq x < 2) \\ ax+b & (2 \leq x < 5) \end{cases}$$

일 때, $f(11)$의 값을 구하여라.

0168

$f(x)g(x)$의 $x=a$에서 연속조건
2014년 11월 교육청

다음 물음에 답하여라.

(1) 함수 $f(x)=\begin{cases} 1 & (1 < x < 3) \\ 3-|x-2| & (x \leq 1,\ x \geq 3) \end{cases}$에 대하여 함수 $y=f(x)$의 그래프는 그림과 같다. 최고차항의 계수가 1인 이차함수 $g(x)$에 대하여 함수 $f(x)g(x)$가 실수 전체의 집합에서 연속일 때, $g(2)$의 값을 구하여라.

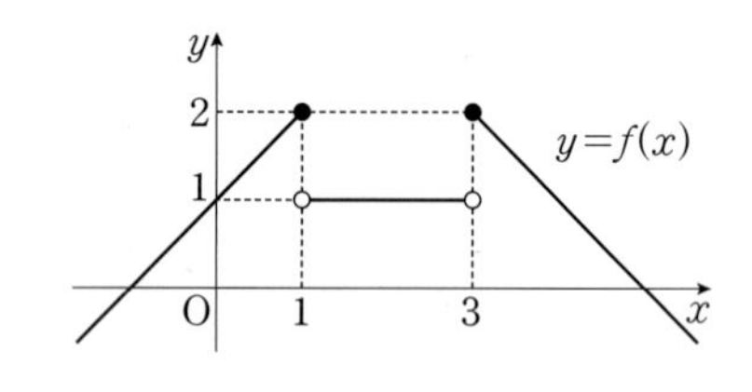

(2) 함수 $y=f(x)$의 그래프는 오른쪽 그림과 같고, 다항함수 $g(x)$는 다음 조건을 모두 만족시킨다. 이때 $g(4)$의 값을 구하여라

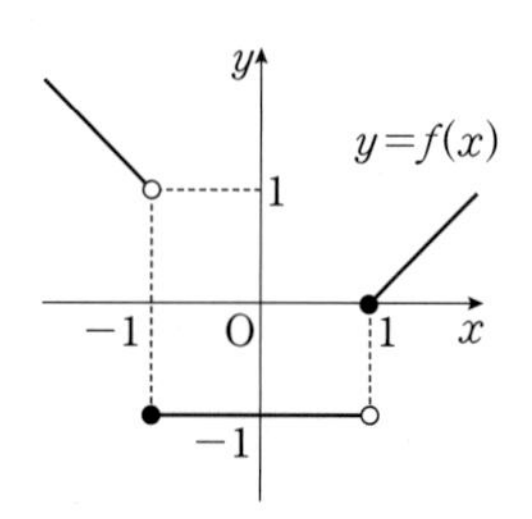

(가) $\lim_{x \to \infty} \frac{g(x)}{x^2+x+1}=2$

(나) 모든 실수 x에서 함수 $f(x)g(x)$는 연속이다.
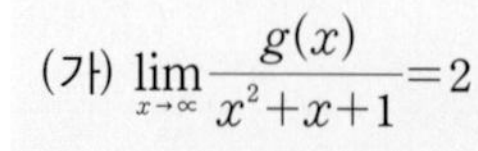

정답 0165 : ④ 0166 : ⑤ 0167 : (1) 2 (2) $\frac{5}{3}$ 0168 : (1) -1 (2) 30

0169

$f(x)g(x)$의 $x=a$에서 연속조건
2013학년도 수능기출

두 함수

$$f(x)=\begin{cases} -1 & (|x|\geq 1) \\ 1 & (|x|<1) \end{cases},\ g(x)=\begin{cases} 1 & (|x|\geq 1) \\ -x & (|x|<1) \end{cases}$$

에 대하여 옳은 것만을 [보기]에서 있는 대로 고른 것은?

ㄱ. $\lim_{x\to 1} f(x)g(x)=-1$
ㄴ. 함수 $g(x+1)$은 $x=0$에서 연속이다.
ㄷ. 함수 $f(x)g(x+1)$은 $x=-1$에서 연속이다.

① ㄱ ② ㄴ ③ ㄱ, ㄴ ④ ㄱ, ㄷ ⑤ ㄱ, ㄴ, ㄷ

0170

$f(x)\{f(x)+k\}$의 $x=a$에서 연속
2014학년도 06월 평가원

다음 물음에 답하여라.

(1) 함수 $f(x)=\begin{cases} x+2 & (x\leq 0) \\ -\frac{1}{2}x & (x>0) \end{cases}$의 그래프가 그림과 같다.

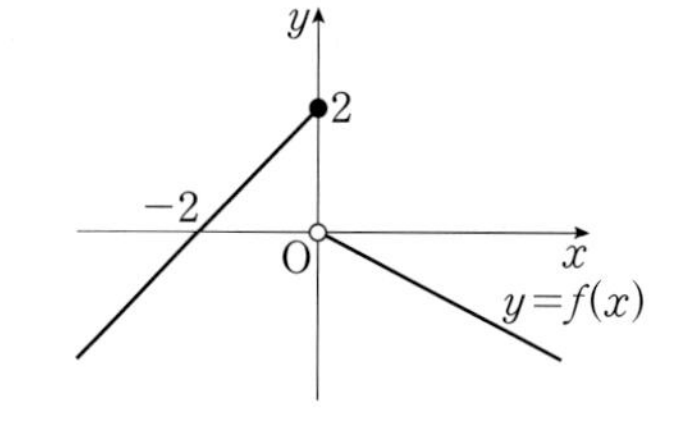

함수 $g(x)=f(x)\{f(x)+k\}$가 $x=0$에서 연속이 되도록 하는 상수 k의 값을 구하여라.

2015년 04월 교육청

(2) 함수 $f(x)=\begin{cases} x^2+1 & (|x|\leq 2) \\ -2x+3 & (|x|>2) \end{cases}$에 대하여

함수 $f(-x)\{f(x)+k\}$가 $x=2$에서 연속이 되도록 하는 상수 k의 값을 구하여라.

0171

사잇값 정리

두 함수

$$f(x)=2x^4-7x^3+x^2,\ g(x)=-2x^2-7x+1$$

의 그래프가 열린구간 $(-1, 0)$에서 적어도 하나의 교점을 가짐을 보여라.

0172

사잇값 정리
내신빈출

연속함수 $f(x)$에 대하여 $f(0)=1$, $f(1)=a^2-a-1$, $f(2)=13$이 성립한다.
방정식 $f(x)-x^2-4x=0$이 두 구간 $(0, 1)$, $(1, 2)$에서 각각 적어도 하나의 실근을 가지도록 하는 정수 a의 개수를 구하면?

① 2 ② 4 ③ 6 ④ 8 ⑤ 10

0173

사잇값 정리
내신빈출

닫힌구간 $[a, b]$에서 연속인 함수 $f(x)$에 대하여 [보기]에서 옳은 것만을 있는 대로 고른 것은? (단, $a<b$)

ㄱ. $f(a)f(b)<0$이면 방정식 $f(x)=0$은 닫힌구간 $[a, b]$에서 적어도 하나의 실근을 갖는다.
ㄴ. $f(a)f(b)=0$이면 방정식 $f(x)=0$은 닫힌구간 $[a, b]$에서 적어도 두 개의 실근을 갖는다.
ㄷ. $f(a)f(b)>0$이면 방정식 $f(x)=0$은 닫힌구간 $[a, b]$에서 실근을 갖지 않는다.

① ㄱ ② ㄴ ③ ㄱ, ㄴ ④ ㄱ, ㄷ ⑤ ㄱ, ㄴ, ㄷ

0174

사잇값 정리
서술형

좌표평면에서 중심이 $(1, 0)$이고 반지름의 길이가 1인 원을 C_1이라 하고, 실수 a에 대하여 중심이 $(a, 0)$이고 반지름의 길이가 2인 원을 C_2라고 하자. 원 C_1과 C_2의 교점의 개수를 $f(a)$라고 할 때, 다음 단계로 서술하여라.

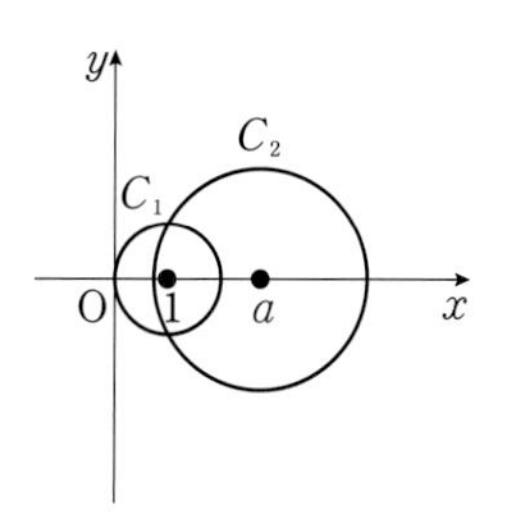

[1단계] 함수 $f(a)$의 그래프를 그려라.
[2단계] 함수 $f(a)$의 불연속점을 구하여라.

정답 0169 : ④ 0170 : (1) -2 (2) 16 0171 : 해설참조 0172 : ② 0173 : ① 0174 : 해설참조

0175

연속함수의 활용
2019학년도 수능기출

최고차항의 계수가 1인 삼차함수 $f(x)$에 대하여 실수 전체의 집합에서 연속인 함수 $g(x)$가 다음 조건을 만족시킨다.

(가) 모든 실수 x에 대하여 $f(x)g(x)=x(x+3)$이다.
(나) $g(0)=1$

$f(1)$이 자연수일 때, $g(2)$의 최솟값은?

① $\frac{5}{13}$ ② $\frac{5}{14}$ ③ $\frac{1}{3}$ ④ $\frac{5}{16}$ ⑤ $\frac{5}{17}$

0176

$f(x)$의 $x=a$에서 연속
2009년 04월 교육청

모든 실수에서 정의된 함수 $f(x)$가

$$f(x)=\begin{cases} \frac{ax}{x-1} & (|x|>1) \\ \frac{a}{1-x} & (|x|<1) \\ \frac{a}{2} & (|x|=1) \end{cases}$$

일 때, [보기]에서 옳은 것만을 있는 대로 고른 것은? (단, a는 실수이다.)

ㄱ. 함수 $f(x)$는 $x=-1$에서 연속이다.
ㄴ. 함수 $f(x)$가 모든 실수에서 연속이 되도록 하는 a의 값이 존재한다.
ㄷ. 방정식 $f(x)=a$는 한 개의 실근을 갖는다. (단, $a\neq0$)

① ㄱ ② ㄷ ③ ㄱ, ㄴ ④ ㄴ, ㄷ ⑤ ㄱ, ㄴ, ㄷ

0177

연속의 진위판단

함수 $y=f(x)$의 그래프가 오른쪽 그림과 같을 때, 옳은 것만을 [보기]에서 있는 대로 고른 것은?

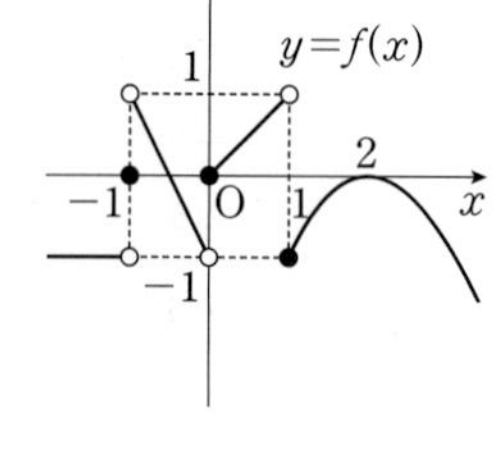

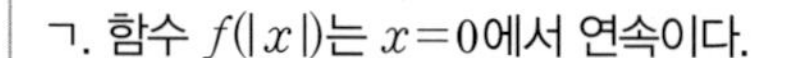
ㄱ. 함수 $f(|x|)$는 $x=0$에서 연속이다.
ㄴ. 함수 $|f(x)|$는 $x=2$에서 연속이다.
ㄷ. 두 함수 $f(x+a)$, $f(x-a)$가 모두 $x=0$에서 불연속이 되도록 하는 0이 아닌 실수 a가 존재한다.

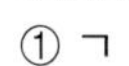
① ㄱ ② ㄷ ③ ㄱ, ㄴ ④ ㄱ, ㄷ ⑤ ㄱ, ㄴ, ㄷ

0178

연속함수의 활용

다음 물음에 답하여라.

(1) 실수 a에 대하여 집합 $\{x\,|\,x^2+2(a-2)x+a-2=0,\ x는\ 실수\}$의 원소의 개수를 $f(a)$라고 할 때, 함수 $f(a)$가 불연속인 모든 a의 값의 합은?

① 4 ② 5 ③ 6 ④ 7 ⑤ 8

2010학년도 수능기출

(2) 실수 a에 대하여 집합 $\{x\,|\,ax^2+2(a-2)x-(a-2)=0,\ x는\ 실수\}$의 원소의 개수를 $f(a)$라 할 때, 옳은 것만을 [보기]에서 있는 대로 고르면?

ㄱ. $\lim_{a\to0}f(a)=f(0)$
ㄴ. $\lim_{a\to c+}f(a)\neq\lim_{a\to c-}f(a)$인 실수 c는 2개이다.
ㄷ. 함수 $f(a)$가 불연속인 점은 3개이다.

① ㄱ ② ㄱ, ㄴ ③ ㄱ, ㄷ ④ ㄴ, ㄷ ⑤ ㄱ, ㄴ, ㄷ

정답 0175 : ① 0176 : ⑤ 0177 : ⑤ 0178 : (1) ② (2) ④

두 함수의 곱의 연속성

01 함수 $f(x)g(x)$가 $x=a$에서 연속

함수 $g(x)$가 $x=a$에서 연속일 때, $f(x)=\begin{cases} f_1(x) \ (x \geq a) \\ f_2(x) \ (x < a) \end{cases}$에 대하여 함수 $f(x)$가 $x=a$에서 불연속이고

함수 $f(x)g(x)$가 $x=a$에서 연속이려면 ⇨ $g(a)=0$이 성립한다.

$f(x)g(x)$가 모든 실수에서 연속일 때,

① $g(x)$가 일차함수이고 $f(x)$가 $x=\alpha$에서 불연속이면 ⇨ $g(\alpha)=0$이어야 한다.

② $g(x)$가 이차함수이고 $f(x)$가 $x=\alpha$, $x=\beta$에서 불연속이면 ⇨ $g(\alpha)=0$, $g(\beta)=0$이어야 한다.

수능특강문제 01

두 함수

$$f(x)=\begin{cases} x+3 (x \leq 1) \\ -x+2 (x > 1) \end{cases}, \ g(x)=x+a$$

에 대하여 함수 $f(x)g(x)$가 $x=1$에서 연속이 되도록 하는 상수 a의 값을 구하여라.

수능특강 풀이

STEP Ⓐ $x=1$에서 $f(x)g(x)$의 함숫값과 극한값 구하기

두 함수 $f(x)=\begin{cases} x+3 (x \leq 1) \\ -x+2 (x > 1) \end{cases}$, $g(x)=x+a$의 그래프는 오른쪽 그림과 같다.

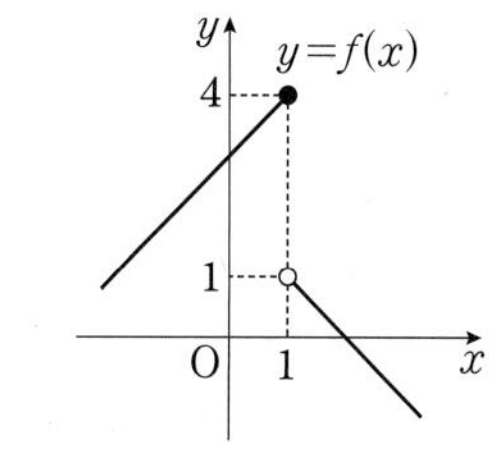

$\lim_{x \to 1+} f(x)g(x) = \lim_{x \to 1+} f(x) \lim_{x \to 1+} g(x) = \lim_{x \to 1+}(-x+2) \lim_{x \to 1+}(x+a) = (-1+2)\cdot(1+a) = a+1$

$\lim_{x \to 1-} f(x)g(x) = \lim_{x \to 1-} f(x) \lim_{x \to 1-} g(x) = \lim_{x \to 1-}(x+3) \lim_{x \to 1-}(x+a) = (1+3)\cdot(1+a) = 4a+4$

$x=1$에서 함숫값은 $f(1)g(1)=(1+3)\cdot(1+a)=4a+4$

STEP Ⓑ $x=1$에서 연속이 되도록 하는 상수 a의 값 구하기

함수 $f(x)g(x)$가 $x=1$에서 연속이려면 $\lim_{x \to 1+} f(x)g(x) = \lim_{x \to 1-} f(x)g(x) = f(1)g(1)$이어야 하므로

$a+1=4a+4$, $3a=-3$ $\therefore a=-1$

다른풀이 함수 $f(x)$가 $x=1$에서 불연속이므로 $g(1)=0$임을 이용하여 풀이하기

함수 $f(x)$가 $x=1$에서 불연속이고 $f(x)g(x)$가 $x=1$에서 연속이므로 $g(1)=0$이어야 한다.

즉, $g(1)=1+a=0$ $\therefore a=-1$

2017년 11월 교육청 (고2) 나형 16번

함수 $y=f(x)$의 그래프가 오른쪽 그림과 같다. 함수 $g(x)=x^2+ax-9$일 때, 함수 $f(x)g(x)$가 $x=1$에서 연속이 되도록 하는 상수 a의 값은?

① 6 ② 7 ③ 8
④ 9 ⑤ 10

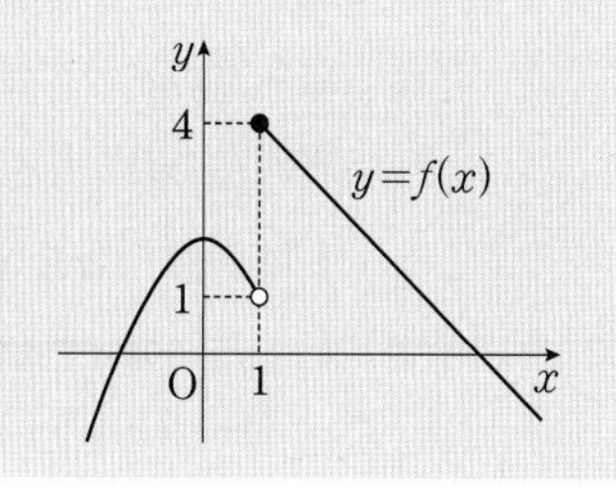

수능특강 풀이

STEP Ⓐ $x=1$에서 $f(x)g(x)$의 함숫값과 극한값 구하기

$\lim_{x \to 1-} f(x)g(x) = \lim_{x \to 1-} f(x) \lim_{x \to 1-} g(x) = 1\cdot(1+a-9) = a-8$

$\lim_{x \to 1+} f(x)g(x) = \lim_{x \to 1+} f(x) \lim_{x \to 1+} g(x) = 4\cdot(1+a-9) = 4(a-8)$

$x=1$에서 함숫값은 $f(1)g(1)=4(a-8)$

STEP Ⓑ $f(x)g(x)$가 $x=1$에서 연속이 되는 a 구하기

함수 $f(x)g(x)$가 $x=1$에서 연속이려면 $\lim_{x \to 1-} f(x)g(x) = \lim_{x \to 1-} f(x)g(x) = \lim_{x \to 1+} f(x)g(x) = f(1)g(1)$이어야 하므로

$a-8=4(a-8)$, $3a=24$ $\therefore a=8$

다른풀이 함수 $f(x)$가 $x=1$에서 불연속이므로 $g(1)=0$임을 이용하여 풀이하기

함수 $f(x)$가 $x=1$에서 불연속이고 $f(x)g(x)$가 $x=1$에서 연속이므로 $g(1)=0$이어야 한다. 즉, $g(1)=1+a-9=0$ $\therefore a=8$

수능특강문제 03 함수 $y=f(x)$의 그래프가 오른쪽 그림과 같다. 함수 $g(x)$가 $g(x)=ax-2$이고, 함수 $f(x)g(x)$가 $x=1$에서 연속일 때, 상수 a의 값을 구하여라.

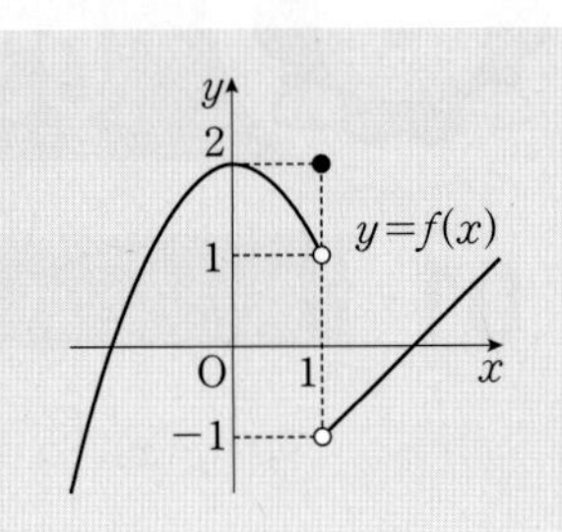

수능특강 풀이

STEP Ⓐ **$x=1$에서 $f(x)g(x)$의 함숫값과 극한값 구하기**

$\lim_{x\to1+}f(x)g(x)=\lim_{x\to1+}f(x)\cdot\lim_{x\to1+}g(x)=(-1)\cdot(a-2)=-a+2$

$\lim_{x\to1-}f(x)g(x)=\lim_{x\to1-}f(x)\cdot\lim_{x\to1-}g(x)=1\cdot(a-2)=a-2$

$x=1$에서 함숫값은 $f(1)g(1)=2\cdot(a-2)=2a-4$

STEP Ⓑ **$x=1$에서 연속이 되도록 하는 상수 a의 값 구하기**

함수 $f(x)g(x)$가 $x=1$에서 연속이려면 $\lim_{x\to1+}f(x)g(x)=\lim_{x\to1-}f(x)g(x)=f(1)g(1)$이어야 하므로

$-a+2=a-2=2a-4$

$\therefore a=2$

다른풀이 함수 $f(x)$가 $x=1$에서 불연속이므로 $g(1)=0$임을 이용하여 풀이하기

함수 $f(x)$가 $x=1$에서 불연속이고 $f(x)g(x)$가 $x=1$에서 연속이므로 $g(1)=0$이어야 한다.

즉, $g(1)=a-2=0$ $\therefore a=2$

수능특강문제 04
2013학년도 06월 평가원

최고차항의 계수 1인 이차함수 $f(x)$와 함수

$$g(x)=\begin{cases}-1 & (x\le0)\\ -x+1 & (0<x<2)\\ 1 & (x\ge2)\end{cases}$$

에 대하여 함수 $f(x)g(x)$가 실수 전체의 집합에서 연속이다.

$f(5)$의 값을 구하여라.

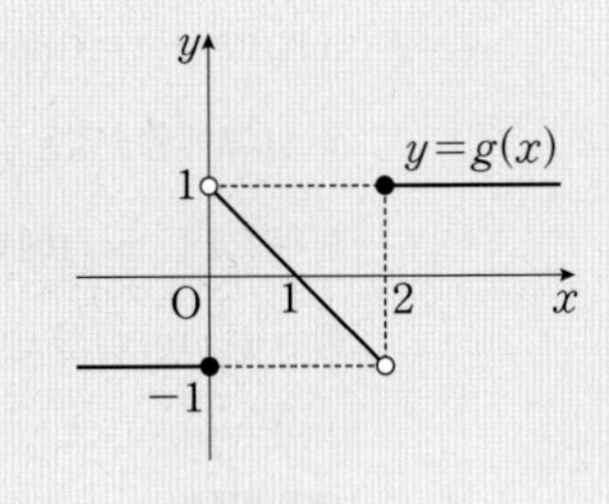

수능특강 풀이

STEP Ⓐ **이차함수 $f(x)=x^2+ax+b$라 놓고 $g(x)$가 불연속인 점 찾기**

$f(x)$의 최고차항의 계수가 1이므로 $f(x)=x^2+ax+b$(a, b는 실수)라 하면

함수 $f(x)$는 모든 실수에서 연속이고 함수 $g(x)$는 $x=0$, $x=2$에서 불연속이므로

함수 $f(x)g(x)$가 실수 전체 집합에서 연속이기 위해서는

함수 $f(x)g(x)$가 $x=0$, $x=2$에서 연속이어야 한다.

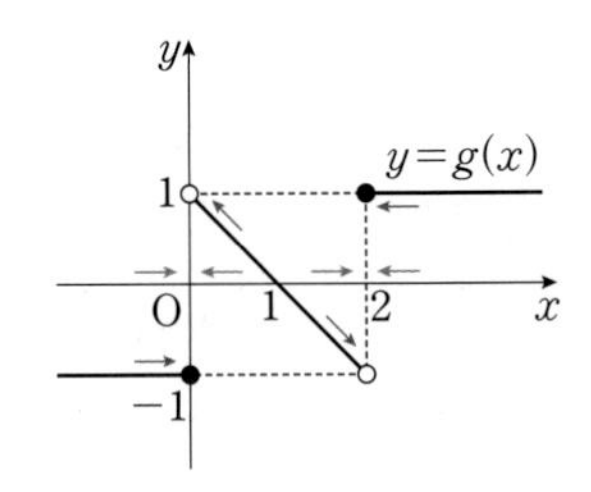

STEP Ⓑ **$f(x)g(x)$가 연속이 되도록 하는 $f(x)$ 구하기**

(ⅰ) $x=0$에서 연속이어야 하므로

$\lim_{x\to0+}f(x)g(x)=\lim_{x\to0+}f(x)\cdot\lim_{x\to0+}g(x)=b\cdot1=b$

$\lim_{x\to0-}f(x)g(x)=\lim_{x\to0-}f(x)\cdot\lim_{x\to0-}g(x)=b\cdot(-1)=-b$

$x=0$에서 함숫값은 $f(0)g(0)=b\cdot(-1)=-b$, 즉 $b=-b$이므로 $b=0$

(ⅱ) $x=2$에서 연속이어야 하므로

$\lim_{x\to2+}f(x)g(x)=\lim_{x\to2+}f(x)\cdot\lim_{x\to2+}g(x)=(4+2a)\cdot1=4+2a$

$\lim_{x\to2-}f(x)g(x)=\lim_{x\to2-}f(x)\lim_{x\to2-}g(x)=(4+2a)\cdot(-1)=-4-2a$

$x=2$에서 함숫값은 $f(2)g(2)=(4+2a)\cdot1=4+2a$, 즉 $4+2a=-4-2a$이므로 $a=-2$

(ⅰ), (ⅱ)에 의하여 $f(x)=x^2-2x$이므로 $f(5)=5^2-2\cdot5=15$

다른풀이 함수 $g(x)$가 $x=0$, $x=2$에서 불연속이므로 $f(0)=0$, $f(2)=0$임을 이용하여 풀이하기

$g(x)$가 $x=0$, $x=2$에서 불연속이고 $f(x)g(x)$가 실수 전체에서 연속이려면 $f(0)=0$, $f(2)=0$이어야 한다.

즉, $f(x)$의 최고차항의 계수가 1인 이차함수 $f(x)=x(x-2)$ $\therefore f(5)=5\cdot3=15$

수능특강문제 05
2015년 06월 교육청

두 함수

$$f(x)=\begin{cases} x & (x \geq 1) \\ -x & (x<1) \end{cases},\ g(x)=2x-a$$

에 대하여 함수 $f(x)g(x)$가 실수 전체의 집합에서 연속일 때, 상수 a의 값을 구하여라.

수능특강 풀이

STEP Ⓐ $f(x)g(x)$**가** $x=1$**에서 함숫값과 극한값을 구하기**

함수 $f(x)=\begin{cases} x & (x \geq 1) \\ -x & (x<1) \end{cases}$의 그래프는 오른쪽 그림과 같다.

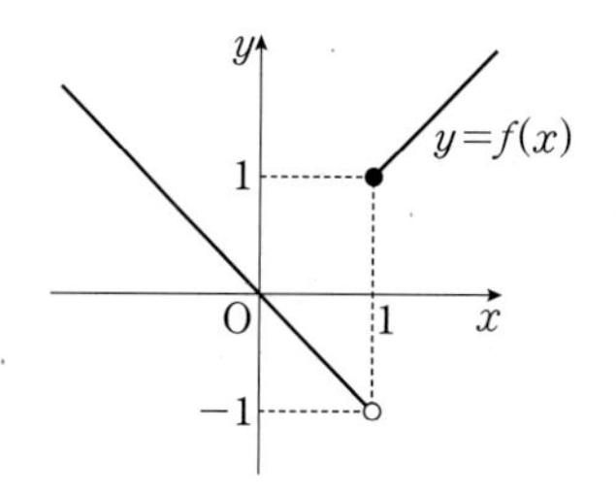

$\lim_{x \to 1+} f(x)g(x)=\lim_{x \to 1+} f(x) \lim_{x \to 1+} g(x)=1 \cdot (2-a)=2-a$

$\lim_{x \to 1-} f(x)g(x)=\lim_{x \to 1-} f(x) \lim_{x \to 1-} g(x)=(-1) \cdot (2-a)=a-2$

$x=1$에서 함숫값은 $f(1)g(1)=1 \cdot (2-a)=2-a$

STEP Ⓑ $x=1$**에서 연속이 되도록 하는 상수** a**의 값 구하기**

실수 전체의 집합에서 연속이기 위해서 $x=1$에서 연속이어야 하므로

$\lim_{x \to 1+} f(x)g(x)=\lim_{x \to 1-} f(x)g(x)=f(1)g(1)$이 성립해야 한다.

즉, $2-a=a-2 \quad \therefore a=2$

다른풀이 함수 $f(x)$가 $x=1$에서 불연속이므로 $g(1)=0$임을 이용하여 풀이하기

함수 $f(x)$가 $x=1$에서 불연속이고 $f(x)g(x)$가 $x=1$에서 연속이므로 $g(1)=0$이어야 한다.

즉, $g(1)=2-a=0 \quad \therefore a=2$

수능특강문제 06
2014년 07월 교육청

다항함수 $f(x)$가 $\lim_{x \to \infty} \frac{f(x)}{x^2}=1$, $\lim_{x \to 1} \frac{f(x)}{x-1}=k$를 만족시키고 함수 $g(x)$는 $g(x)=\begin{cases} x+1 (x \leq 2) \\ 2-x (x>2) \end{cases}$ 이다. 함수 $h(x)=f(x)g(x)$가 $x=2$에서 연속이 되도록 하는 상수 k의 값을 구하여라.

수능특강 풀이

STEP Ⓐ $\lim_{x \to \infty} \frac{f(x)}{x^2}=1$, $\lim_{x \to 1} \frac{f(x)}{x-1}=k$**를 만족하는 함수** $f(x)$ **결정하기**

$\lim_{x \to \infty} \frac{f(x)}{x^2}=1$에서 $f(x)$는 최고차항의 계수가 1인 이차함수이다.

$\lim_{x \to 1} \frac{f(x)}{x-1}=k$에서 $x \to 1$일 때, (분모)$\to 0$이고 극한값이 존재하므로 (분자)$\to 0$이어야 한다.

즉, $\lim_{x \to 1} f(x)=0$에서 $f(1)=0$

$\therefore f(x)=(x-1)(x-a)$($a$는 상수)

$\lim_{x \to 1} \frac{f(x)}{x-1}=\lim_{x \to 1} \frac{(x-1)(x-a)}{x-1}=\lim_{x \to 1}(x-a)=1-a=k \quad \cdots\cdots ㉠$

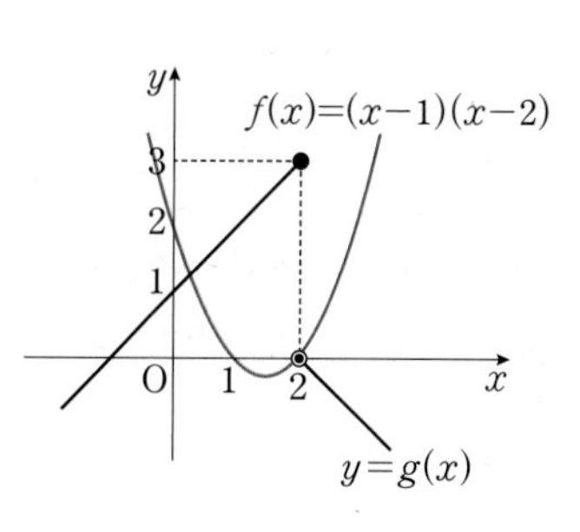

STEP Ⓑ $h(x)=f(x)g(x)$**가** $x=2$**에서 연속일 조건 이용하여** k **구하기**

$\lim_{x \to 2+} h(x)=\lim_{x \to 2+} f(x)g(x)=\lim_{x \to 2+} f(x) \lim_{x \to 2+} g(x)=(2-1) \cdot (2-a) \cdot 0=0$

$\lim_{x \to 2-} h(x)=\lim_{x \to 2-} f(x)g(x)=\lim_{x \to 2-} f(x) \lim_{x \to 2-} g(x)=(2-1)(2-a) \cdot (2+1)=3(2-a)$

$x=2$에서 함숫값은 $h(2)=f(2)g(2)=3(2-a)$

$h(x)=f(x)g(x)$가 $x=2$에서 연속이므로

$\lim_{x \to 2+} f(x)g(x)=\lim_{x \to 2-} f(x)g(x)=f(2)g(2)$이어야 하므로

$3(2-a)=0 \quad \therefore a=2$

따라서 $a=2$를 ㉠에 대입하면 $k=-1$

다른풀이 함수 $g(x)$가 $x=2$에서 불연속이므로 $f(2)=0$임을 이용하여 풀이하기

$g(x)$가 $x=2$에서 불연속이고 $f(x)g(x)$가 $x=2$에서 연속이므로 $f(2)=0$이어야 한다.

$f(2)=(2-1)(2-a)=0$이므로 $a=2$

02 함수 $f(x)g(x)$가 실수 전체에서 연속

함수 $f(x)$가 $x=a$에서 연속일 때, $f(x)g(x)$가 $x=a$에서 연속인 경우

① $g(x)$가 $x=a$에서 불연속이면 ⇨ $f(a)=0$이어야 한다.

② $g(x)$가 $x=a$에서 연속, 즉 $\lim_{x \to a+} g(x) = \lim_{x \to a-} g(x) = g(a)$이어야 한다.

수능특강문제 07

2016학년도 수능기출

두 함수

$$f(x)=\begin{cases} x+3 & (x \le a) \\ x^2-x & (x>a) \end{cases},\ g(x)=x-(2a+7)$$

에 대하여 함수 $f(x)g(x)$가 실수 전체의 집합에서 연속이 되도록 하는 모든 실수 a의 값의 곱을 구하여라.

수능특강 풀이

STEP Ⓐ **함수 $f(x)g(x)$가 $x=a$에서 연속임을 이해하기**

함수 $f(x)=\begin{cases} x+3 & (x \le a) \\ x^2-x & (x>a) \end{cases}$는 $x=a$를 제외한 실수 전체에서 연속이고 다항함수 $g(x)$는 실수 전체에서 연속이므로

$f(x)g(x)$가 실수 전체에서 연속이려면 $f(x)g(x)$가 $x=a$에서 연속이면 된다.

STEP Ⓑ **$\lim_{x \to a} f(x)g(x)=f(a)g(a)$를 이용하여 a 구하기**

$\lim_{x \to a-} f(x)g(x) = \lim_{x \to a-} (x+3)\{x-(2a+7)\}=(a+3)(-a-7)$

$\lim_{x \to a+} f(x)g(x) = \lim_{x \to a+} (x^2-x)\{x-(2a+7)\}=(a^2-a)(-a-7)$

$x=a$에서 함숫값은 $f(a)g(a)=(a+3)(-a-7)$

$f(x)g(x)$가 $x=a$에서 연속이므로 $\lim_{x \to a-} f(x)g(x) = \lim_{x \to a+} f(x)g(x) = f(a)g(a)$이어야 하므로

$(a+3)(-a-7)=(a^2-a)(-a-7)$이므로 $(-a-7)\{(a+3)-(a^2-a)\}=0$

$(a+7)(a^2-2a-3)=0$, $(a+7)(a-3)(a+1)=0$

$\therefore a=-7$ 또는 $a=-1$ 또는 $a=3$

따라서 모든 실수 a의 값의 곱은 $(-1)\cdot 3\cdot(-7)=21$

다른풀이 함수 $f(x)$가 $x=a$에서 연속일 때와 불연속일 때로 나누어 풀이하기

함수 $f(x)g(x)$가 실수 전체의 집합에서 연속이 되려면 함수 $f(x)$가 $x=a$에서 연속이거나 ⬅ 연속 × 연속 = 연속

$g(a)=0$이어야 한다. ⬅ 함수 $f(x)$가 $x=a$에서 불연속이면 $g(a)=0$

(ⅰ) 함수 $f(x)$가 $x=a$에서 연속일 때,

$\lim_{x \to a+} f(x) = f(a) = \lim_{x \to a-} f(x)$에서

$\lim_{x \to a+} f(x) = \lim_{x \to a+} (x^2-x) = a^2-a$

$\lim_{x \to a-} f(x) = \lim_{x \to a-} (x+3) = a+3$이므로

$a^2-a=a+3$, $a^2-2a-3=0$, $(a-3)(a+1)=0$

$\therefore a=-1$ 또는 $a=3$

(ⅱ) 함수 $f(x)$가 $x=a$에서 불연속일 때,

$g(a)=-a-7=0 \quad \therefore a=-7$

(ⅰ), (ⅱ)에 의하여 모든 실수 a의 값의 곱은 $(-1)\cdot 3\cdot(-7)=21$

2016년 04월 교육청

함수 $f(x)=x^2-8x+a$에 대하여 함수 $g(x)$를

$$g(x)=\begin{cases} 2x+5a & (x \geq a) \\ f(x+4) & (x<a) \end{cases}$$

라 할 때, 다음 조건을 만족시키는 모든 실수 a의 값의 곱을 구하여라.

(가) 방정식 $f(x)=0$의 열린구간 $(0,\ 2)$에서 적어도 하나의 실근을 갖는다.

(나) 함수 $f(x)g(x)$는 $x=a$에서 연속이다.

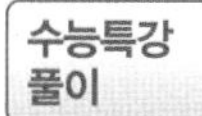

STEP Ⓐ **사잇값 정리를 이용한 a의 범위 구하기**

주어진 이차함수 $f(x)=(x-4)^2-16+a$는 축의 방정식이 $x=4$이고

조건 (가)에서 방정식 $f(x)=0$은 열린구간 $(0,\ 2)$에서 적어도 하나의 실근을 가지므로

$f(0)=a>0,\ f(2)=a-12<0$

$\therefore\ 0<a<12$

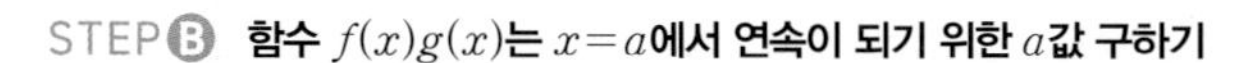

STEP Ⓑ **함수 $f(x)g(x)$는 $x=a$에서 연속이 되기 위한 a값 구하기**

$\lim_{x\to a+}f(x)g(x)=\lim_{x\to a+}f(x)\lim_{x\to a+}g(x)=\lim_{x\to a+}(x^2-8x+a)\lim_{x\to a+}(2x+5a)=(a^2-7a)\cdot 7a$

$\lim_{x\to a-}f(x)g(x)=\lim_{x\to a-}f(x)\lim_{x\to a-}g(x)=\lim_{x\to a-}(x^2-8x+a)\lim_{x\to a-}f(x+4)=(a^2-7a)\{(a+4)^2-8(a+4)+a\}$

$=(a^2-7a)(a^2+a-16)$

$x=a$에서 함숫값은 $f(a)g(a)=(a^2-7a)(2a+5a)=7a(a^2-7a)$

조건 (나)에서 함수 $f(x)g(x)$는 $x=a$에서 연속이므로

$\lim_{x\to a+}f(x)g(x)=\lim_{x\to a-}f(x)g(x)=f(a)g(a)$이어야 하므로

$(a^2-7a)\cdot 7a=(a^2-7a)(a^2+a-16)$

$(a^2-7a)(a^2-6a-16)=0,\ a(a-7)(a-8)(a+2)=0$

$\therefore\ a=7$ 또는 $a=8(\because\ 0<a<12)$

따라서 모든 실수 a의 값의 곱은 $7\cdot 8=56$

다른풀이 함수 $f(x)g(x)$는 $x=a$에서 연속일 조건을 이용하여 풀이하기

함수 $f(x)g(x)$는 $x=a$에서 연속이고 $f(x)=x^2-8x+a$는 모든 실수에서 연속이므로

STEP Ⓐ **$f(x)$가 $x=a$에서 $f(a)=0$임을 이용하기**

$g(x)$가 $x=a$에서 불연속이면 $f(a)=0$이어야 하므로

$f(a)=a^2-8a+a=0,\ a(a-7)=0$

$\therefore\ a=0$ 또는 $a=7$ ...... ㉠

STEP Ⓑ **$f(x)$가 연속이므로 $g(x)$가 $x=a$에서 연속임을 이용하기**

$g(x)$가 $x=a$에서 연속이면 되므로 ⬅ $f(x)$가 $x=a$에서 연속

$\lim_{x\to a+}g(x)=\lim_{x\to a-}g(x)=g(a)$

$\lim_{x\to a+}(2x+5a)=\lim_{x\to a-}f(x+4)$

$7a=f(a+4)=(a+4)^2-8(a+4)+a$

즉, $a^2-6a-16=0,\ (a-8)(a+2)=0$

$\therefore\ a=-2$ 또는 $a=8$ ...... ㉡

㉠, ㉡에서 $a=7$ 또는 $a=8$ $(\because\ 0<a<12)$

따라서 모든 실수 a의 값의 곱은 56

03 함수 $f(x)g(x)$, $\dfrac{g(x)}{f(x)}$가 실수 전체에서 연속

① 함수 $f(x)g(x)$가 $x=a$에서 연속이면 ⇨ $\lim_{x \to a} f(x)g(x)=f(a)g(a)$

② 함수 $\dfrac{g(x)}{f(x)}$가 $x=a$에서 연속이면 ⇨ $\lim_{x \to a} \dfrac{g(x)}{f(x)}=\dfrac{g(a)}{f(a)}$

수능특강문제 09
2017학년도 수능기출

두 함수

$$f(x)=\begin{cases} x^2-4x+6 & (x<2) \\ 1 & (x \geq 2) \end{cases}, \quad g(x)=ax+1$$

에 대하여 함수 $\dfrac{g(x)}{f(x)}$가 실수 전체의 집합에서 연속일 때, 상수 a의 값을 구하여라.

수능특강 풀이

STEP Ⓐ **함수 $\dfrac{g(x)}{f(x)}$가 실수 전체의 집합에서 연속일 조건 구하기**

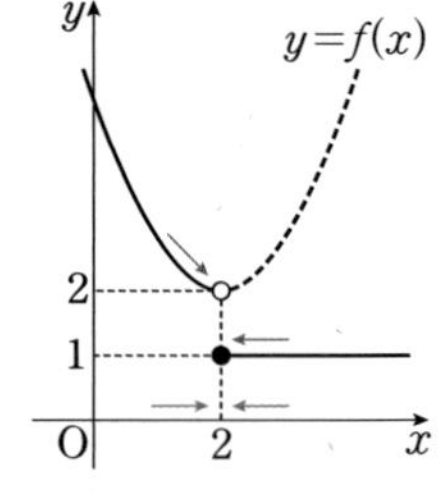

$x<2$일 때, $f(x)=x^2-4x+6=(x-2)^2+2>0$

$x \geq 2$일 때, $f(x)=1>0$

이므로 함수 $f(x)$는 실수 전체의 집합에서 $f(x)>0$

그런데 $f(x)$는 $x=2$에서만 연속이 아니므로 함수 $\dfrac{g(x)}{f(x)}$가 실수 전체의 집합에서 연속이기 위해서는 $x=2$에서 연속이어야 한다.

STEP Ⓑ **$x=2$에서 연속이 되도록 하는 a의 값 구하기**

$\lim_{x \to 2-} \dfrac{g(x)}{f(x)}=\lim_{x \to 2-} \dfrac{ax+1}{x^2-4x+6}=\dfrac{2a+1}{2}$

$\lim_{x \to 2+} \dfrac{g(x)}{f(x)}=\lim_{x \to 2+} \dfrac{ax+1}{1}=2a+1$

$x=2$에서 함숫값은 $\dfrac{g(2)}{f(2)}=2a+1$

함수 $\dfrac{g(x)}{f(x)}$가 $x=2$에서 연속이므로 $\lim_{x \to 2-} \dfrac{g(x)}{f(x)}=\lim_{x \to 2+} \dfrac{g(x)}{f(x)}=\dfrac{g(2)}{f(2)}$

따라서 $\dfrac{2a+1}{2}=2a+1$이므로 $2a+1=4a+2$, $2a=-1$ $\therefore a=-\dfrac{1}{2}$

수능특강문제 10
2016년 06월 교육청

함수 $f(x)=\begin{cases} x^2-4x+5 & (x \leq 2) \\ x-2 & (x>2) \end{cases}$와 최고차항의 계수가 1인 이차함수 $g(x)$에 대하여 함수 $\dfrac{g(x)}{f(x)}$가 실수 전체의 집합에서 연속일 때, $g(5)$의 값을 구하여라.

수능특강 풀이

STEP Ⓐ **$x=2$에서 $\dfrac{g(x)}{f(x)}$의 연속조건 구하기**

이차함수 $g(x)$는 실수 전체의 집합에서 연속이다.

함수 $f(x)$는 실수 전체의 집합에서 $f(x)>0$이고 $x=2$에서만 불연속이다.

함수 $\dfrac{g(x)}{f(x)}$가 실수 전체의 집합에서 연속이기 위해서는 $x=2$에서 연속이므로 $\lim_{x \to 2+} \dfrac{g(x)}{f(x)}=\lim_{x \to 2-} \dfrac{g(x)}{f(x)}=\dfrac{g(2)}{f(2)}$이 성립한다.

STEP Ⓑ **함수의 극한의 성질을 이용하여 $g(x)$ 구하기**

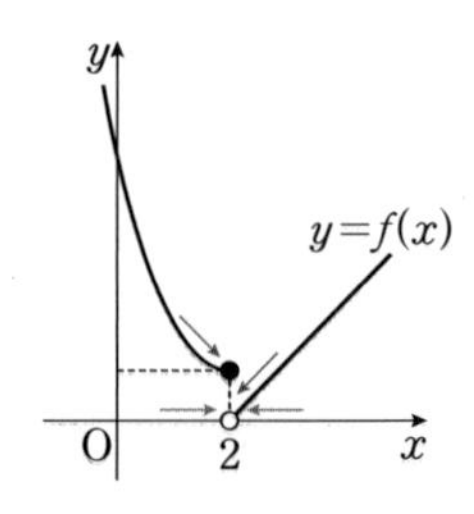

$\lim_{x \to 2+} \dfrac{g(x)}{x-2}=\lim_{x \to 2-} \dfrac{g(x)}{x^2-4x+5}=\dfrac{g(2)}{f(2)}$

$\lim_{x \to 2+} \dfrac{g(x)}{x-2}$가 존재하고 $x \to 2+$에서 (분모)$\to 0$이고 극한값이 존재하므로 (분자)$\to 0$이어야 한다.

즉, $\lim_{x \to 2+} g(x)=0$이므로 $g(2)=0$

이때 이차함수 $g(x)$를 $g(x)=(x-2)(x+a)$라 하면 ······ ㉠

$\lim_{x \to 2-} \dfrac{g(x)}{x^2-4x+5}=\dfrac{g(2)}{1}=0$이므로 $\lim_{x \to 2+} \dfrac{g(x)}{x-2}=0$이다.

㉠을 대입하면 $\lim_{x \to 2+} \dfrac{(x-2)(x+a)}{x-2}=\lim_{x \to 2+} (x+a)=2+a=0$ $\therefore a=-2$

따라서 $g(x)=(x-2)^2$이므로 $g(5)=3^2=9$

두 함수 $f(x)=\begin{cases} \frac{x}{x-2} & (x \neq 2) \\ 1 & (x=2) \end{cases}$, $g(x)=x^2+ax+b$에 대하여 함수 $f(x)g(x)$가 실수 전체의 집합에서 연속일 때, $g(5)$의 값을 구하여라. (단, a, b는 상수이다.)

수능특강 풀이

STEP A $f(x)g(x)$가 실수 전체의 집합에서 연속일 조건 구하기

$y=\frac{x}{x-2}=\frac{x-2+2}{x-2}=\frac{2}{x-2}+1$이므로 점근선의 방정식은 $x=2$, $y=1$이다.

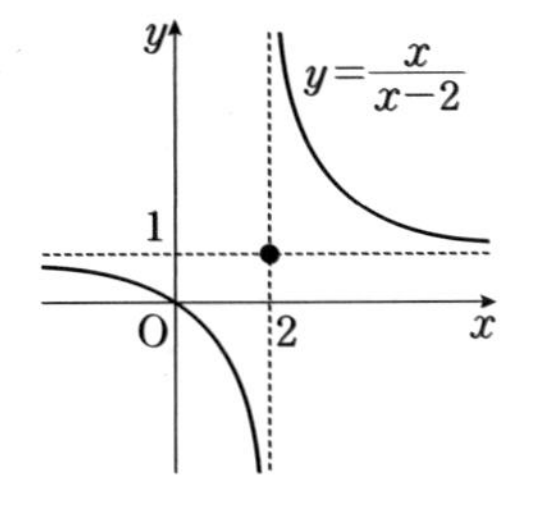

함수 $f(x)$는 $x \neq 2$인 모든 실수 x에서 연속이고, 함수 $g(x)$는 실수 전체의 집합에서 연속이므로 함수 $f(x)g(x)$가 $x=2$에서 연속이면 실수 전체의 집합에서 연속이다.

이때 함수 $f(x)g(x)$가 $x=2$에서 연속이므로 $\lim_{x \to 2} f(x)g(x)=f(2)g(2)$이어야 한다.

STEP B 함수의 극한의 성질을 이용하여 $g(x)$ 구하기

$x=2$에서 함숫값은 $f(2)g(2)=1\cdot(2^2+2a+b)$이므로

즉, $\lim_{x \to 2} \frac{x(x^2+ax+b)}{x-2}=4+2a+b$ …… ㉠

㉠에서 $x \to 2$일 때, (분모)$\to 0$이고 극한값이 존재하므로 (분자)$\to 0$이어야 한다.

즉, $\lim_{x \to 2} x(x^2+ax+b)=0$이므로 $2(4+2a+b)=0$

$\therefore b=-2a-4$ …… ㉡

㉡을 ㉠에 대입하면

$\lim_{x \to 2} \frac{x(x^2+ax-2a-4)}{x-2}=\lim_{x \to 2} \frac{x(x-2)(x+2+a)}{x-2}=\lim_{x \to 2} x(x+2+a)=2(4+a)=0$

$\therefore a=-4$

이것을 ㉡에 대입하면 $b=4$

따라서 $g(x)=x^2-4x+4=(x-2)^2$이므로 $g(5)=9$

2013년 07월 교육청

함수 $f(x)=\begin{cases} \frac{2}{x-2} & (x \neq 2) \\ 1 & (x=2) \end{cases}$와 이차함수 $g(x)$가 다음 두 조건을 만족시킨다.

(가) $g(0)=8$
(나) 함수 $f(x)g(x)$는 모든 실수에서 연속이다.

이때 $g(6)$의 값을 구하여라.

수능특강 풀이

STEP A $f(x)g(x)$가 모든 실수에서 연속이므로 함수 $f(x)g(x)$가 $x=2$에서도 연속임을 이해하기

$y=f(x)$의 그래프가 오른쪽 그림과 같으므로 $x=2$에서 불연속이므로 조건 (나)에서 함수 $f(x)g(x)$가 모든 실수에서 연속이려면 $x=2$에서 연속이 되어야 하므로 $\lim_{x \to 2} f(x)g(x)=f(2)g(2)$를 만족하여야 한다.

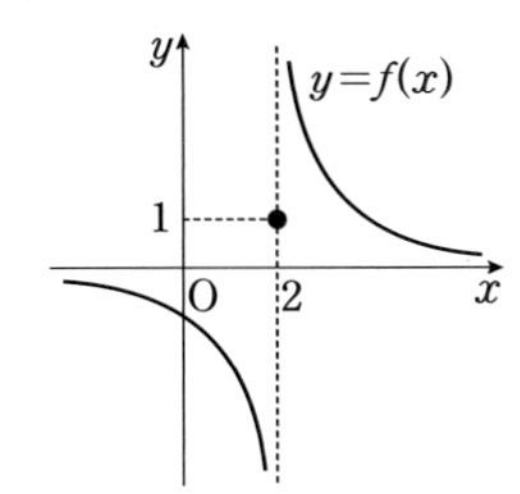

STEP B $x=2$에서 $f(x)g(x)$의 극한값 구하기

$\lim_{x \to 2} f(x)g(x)=\lim_{x \to 2} \frac{2g(x)}{x-2}=f(2)g(2)=g(2)$ ($\because f(2)=1$)이므로

$x \to 2$일 때, (분모)$\to 0$이고 극한값이 존재하므로 (분자)$\to 0$이어야 한다.

즉, $\lim_{x \to 2} 2g(x)=0$이므로 $g(2)=0$

이때 $g(x)$가 이차함수이므로 $g(x)=(x-2)(ax+b)$ ($a \neq 0$, a, b는 상수)로 놓으면

조건 (가)에서 $g(0)=8$이므로 $g(0)=-2b=8$ $\therefore b=-4$

$\therefore g(x)=(x-2)(ax-4)$

STEP C $g(x)$를 구하여 $g(6)$ 구하기

또한, $x=2$에서 연속이므로 $\lim_{x \to 2} f(x)g(x)=f(2)g(2)$

$\lim_{x \to 2} \frac{2(x-2)(ax-4)}{x-2}=\lim_{x \to 2} 2(ax-4)=2(2a-4)=1\cdot 0=0$ $\therefore a=2$

따라서 $g(x)=2(x-2)^2$이므로 $g(6)=2(6-2)^2=32$

수능특강문제 13

이차항의 계수가 1인 이차함수 $f(x)$에 대하여 함수 $\frac{x}{f(x)}$가 $x=2$, $x=-3$에서 불연속일 때, $f(5)$의 값은?

① 21 ② 22 ③ 23 ④ 24 ⑤ 25

수능특강 풀이

STEP Ⓐ **$\frac{x}{f(x)}$에서 $f(x)=0$인 x에서만 불연속임을 이용하기**

$g(x)=x$라 하면 두 다항함수 $f(x)$, $g(x)$는 실수 전체의 집합에서 연속이므로

함수 $\frac{g(x)}{f(x)}=\frac{x}{f(x)}$는 $f(x)=0$인 x에서만 불연속이다.

STEP Ⓑ **이차함수 $f(x)$의 식을 작성하여 $f(5)$의 값 구하기**

즉, 함수 $\frac{x}{f(x)}$가 $x=2$, $x=-3$에서 불연속이므로 이차방정식 $f(x)=0$은 $x=2$, $x=-3$를 근으로 갖는다.

이때 $f(x)$는 이차항의 계수가 1인 이차함수이므로 $f(x)=(x-2)(x+3)$

따라서 $f(5)=(5-2)(5+3)=3\cdot8=24$

수능특강문제 14

2019학년도 06월 평가원

이차함수 $f(x)$가 다음 조건을 만족시킨다.

(가) 함수 $\frac{x}{f(x)}$는 $x=1$, $x=2$에서 불연속이다.

(나) $\lim_{x\to2}\frac{f(x)}{x-2}=4$

$f(4)$의 값을 구하여라.

수능특강 풀이

STEP Ⓐ **$\frac{x}{f(x)}$에서 $f(x)=0$인 x에서만 불연속임을 이용하기**

$g(x)=x$라 하면 두 다항함수 $f(x)$, $g(x)$는 실수 전체의 집합에서 연속이므로 함수 $\frac{g(x)}{f(x)}=\frac{x}{f(x)}$는

$f(x)=0$인 x에서만 불연속이다.

STEP Ⓑ **이차함수 $f(x)$의 식을 작성하기**

조건 (가)에서 함수 $\frac{x}{f(x)}$가 $x=1$, $x=2$에서 불연속이므로 이차방정식 $f(x)=0$은 $x=1$, $x=2$를 근으로 갖는다.

이때 이차함수 $f(x)$의 이차항의 계수를 k라 하면 $f(x)=k(x-1)(x-2)$ …… ㉠

STEP Ⓒ **조건 (나)에서 이차항의 계수 구하기**

조건 (나)에 ㉠을 대입하면 $\lim_{x\to2}\frac{f(x)}{x-2}=4$

$\lim_{x\to2}\frac{f(x)}{x-2}=\lim_{x\to2}\frac{k(x-1)(x-2)}{x-2}=\lim_{x\to2}k(x-1)=k(2-1)=k$ $\therefore k=4$

따라서 $f(x)=4(x-1)(x-2)$이므로 $f(4)=4(4-1)(4-2)=4\cdot3\cdot2=24$

다른풀이 미분계수를 이용하여 풀이하기 ← 미분계수와 도함수 단원에서 배운다.

조건 (나)에서 $\lim_{x\to2}\frac{f(x)}{x-2}=4$이므로

$x\to2$일 때, (분모)→0이고 극한값이 존재하므로 (분자)→0이어야 한다.

즉, $\lim_{x\to2}f(x)=0$에서 $f(2)=0$

이때 $\lim_{x\to2}\frac{f(x)}{x-2}=\lim_{x\to2}\frac{f(x)-f(2)}{x-2}=f'(2)$이므로 $f'(2)=4$

㉠에서 $f(x)=k(x-1)(x-2)$이므로 $f'(x)=k(x-2)+k(x-1)$

$f'(2)=4$이므로 $f'(2)=k(2-1)=k$ $\therefore k=4$

따라서 $f(x)=4(x-1)(x-2)$이므로 $f(4)=4(4-1)(4-2)=4\cdot3\cdot2=24$

수능특강문제 15

2013학년도 09월 평가원

함수 $f(x)$가 $f(x)=\begin{cases} a & (x\le 1) \\ -x+2 & (x>1) \end{cases}$일 때, 옳은 것만을 [보기]에서 있는 대로 고른 것은? (단, a는 상수이다.)

ㄱ. $\lim_{x\to 1+} f(x)=1$

ㄴ. $a=0$이면 함수 $f(x)$는 $x=1$에서 연속이다.

ㄷ. 함수 $y=(x-1)f(x)$는 실수 전체의 집합에서 연속이다.

① ㄱ ② ㄴ ③ ㄱ, ㄷ ④ ㄴ, ㄷ ⑤ ㄱ, ㄴ, ㄷ

수능특강 풀이

STEP A $y=f(x)$**의 그래프를 이용하여 극한값과 연속성 판단하기**

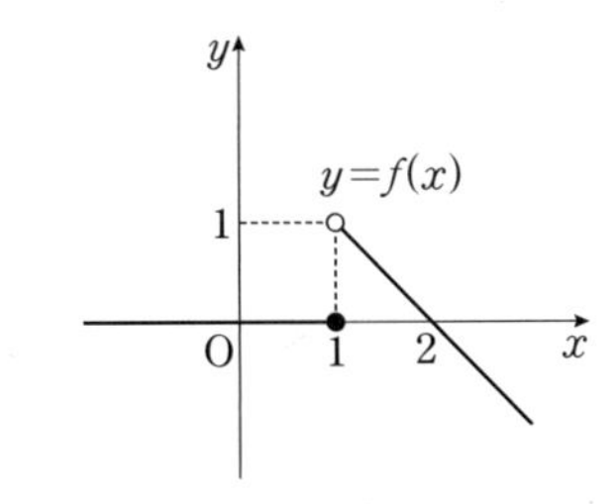

ㄱ. $x>1$에서 $f(x)=-x+2$이므로

$\lim_{x\to 1+} f(x)=\lim_{x\to 1+}(-x+2)=-1+2=1$ [참]

ㄴ. $x\le 1$에서 $f(x)=a$이므로 $a=0$일 때, $\lim_{x\to 1-} f(x)=\lim_{x\to 1-} a=\lim_{x\to 1-} 0=0$

ㄱ에서 $\lim_{x\to 1+} f(x)\ne \lim_{x\to 1-} f(x)$이므로 $\lim_{x\to 1} f(x)$가 존재하지 않는다.

즉, 함수 $f(x)$는 $x=1$에서 불연속이다. [거짓]

STEP B $x=1$**에서 연속성 조사하기**

ㄷ. 함수 $g(x)=(x-1)f(x)$라 하면

$\lim_{x\to 1+} g(x)=\lim_{x\to 1+}(x-1)f(x)=\lim_{x\to 1+}(x-1)(-x+2)=0$, $\lim_{x\to 1-} g(x)=\lim_{x\to 1-}(x-1)f(x)=\lim_{x\to 1-} a(x-1)=0$

$x=1$에서 함숫값은 $g(1)=(1-1)f(1)=0$이므로 $\lim_{x\to 1} g(x)=g(1)$, 즉 함수 $y=(x-1)f(x)$는 $x=1$에서 연속이다.

한편 $x>1$, $x\le 1$에서 함수 $f(x)$는 다항함수이므로 연속함수의 성질에 의해 함수 $y=(x-1)f(x)$는 실수 전체의 집합에서 연속이다. [참]

따라서 옳은 것은 ㄱ, ㄷ이다.

수능특강문제 16

2011학년도 06월 평가원 가형 11번

함수 $f(x)$가 $f(x)=\begin{cases} x^2 & (x\ne 1) \\ 2 & (x=1) \end{cases}$일 때, 옳은 것만을 [보기]에서 있는 대로 고른 것은?

ㄱ. $\lim_{x\to 1-} f(x)=\lim_{x\to 1+} f(x)$

ㄴ. 함수 $g(x)=f(x-a)$가 실수 전체의 집합에서 연속이 되도록 하는 실수 a가 존재한다.

ㄷ. 함수 $h(x)=(x-1)f(x)$는 실수 전체의 집합에서 연속이다.

① ㄱ ② ㄴ ③ ㄱ, ㄷ ④ ㄴ, ㄷ ⑤ ㄱ, ㄴ, ㄷ

수능특강 풀이

STEP A $x=1$**에서 좌극한 우극한 계산하기**

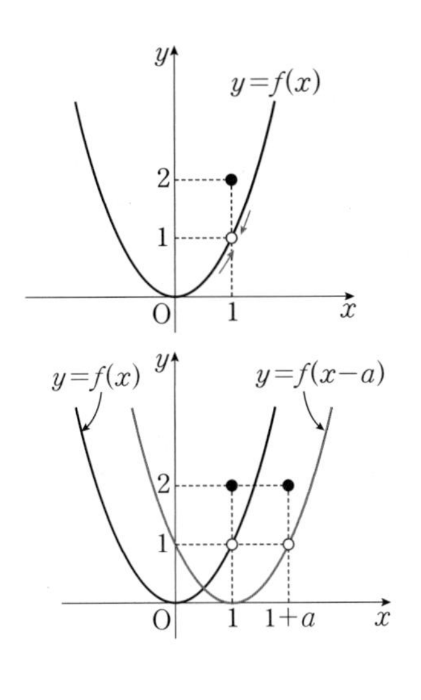

ㄱ. $\lim_{x\to 1-} f(x)=\lim_{x\to 1-} x^2=1$, $\lim_{x\to 1+} f(x)=\lim_{x\to 1+} x^2=1$

즉, $\lim_{x\to 1-} f(x)=\lim_{x\to 1+} f(x)=1$ [참]

STEP B 불연속인 점을 평행이동해도 불연속임을 이용하기

ㄴ. $g(x)=f(x-a)$의 그래프는 $f(x)$의 그래프를 x축으로 a만큼 평행이동한 것이다.

그런데 $f(x)$가 $x=1$에서 불연속이므로 $g(x)$는 $x=a+1$에서 불연속이다.

즉, 함수 $g(x)$가 실수전체의 집합에서 연속인 실수 a는 존재하지 않는다. [거짓]

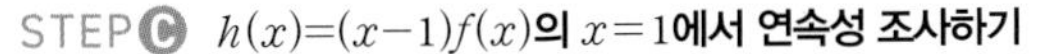

STEP C $h(x)=(x-1)f(x)$**의** $x=1$**에서 연속성 조사하기**

ㄷ. $y=x-1$은 실수 전체의 집합에서 연속이고 $y=f(x)$는 $x=1$에서 불연속이므로

$h(x)=(x-1)f(x)$가 $x=1$에서 연속이면 실수 전체의 집합에서 연속이다.

$\lim_{x\to 1-} h(x)=\lim_{x\to 1-}(x-1)f(x)=\lim_{x\to 1-}(x-1)x^2=0$

$\lim_{x\to 1+} h(x)=\lim_{x\to 1+}(x-1)f(x)=\lim_{x\to 1+}(x-1)x^2=0$

$x=1$에서 함숫값은 $h(1)=0$이므로 함수 $h(x)$는 $x=1$에서 연속이고 실수 전체집합에서 연속이다. [참]

따라서 옳은 것은 ㄱ, ㄷ이다.

수능특강문제 17

2013학년도 06월 평가원

함수

$$f(x)=\begin{cases} x & (|x|\geq 1) \\ -x & (|x|<1) \end{cases}$$

일 때, 옳은 것만을 [보기]에서 있는 대로 고른 것은?

ㄱ. 함수 $f(x)$가 불연속인 점은 2개이다.
ㄴ. 함수 $(x-1)f(x)$는 $x=1$에서 연속이다.
ㄷ. 함수 $\{f(x)\}^2$은 실수 전체의 집합에서 연속이다.

① ㄱ ② ㄴ ③ ㄱ, ㄷ ④ ㄴ, ㄷ ⑤ ㄱ, ㄴ, ㄷ

수능특강 풀이

STEP Ⓐ $y=f(x)$의 그래프를 이용하여 극한값과 연속성 판단하기

함수 $y=f(x)$의 그래프는 다음 그림과 같다.

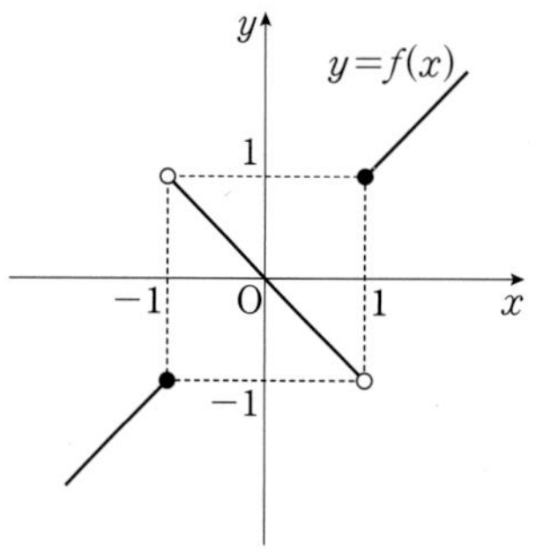

ㄱ. 함수 $f(x)$는 $x=-1$, $x=1$에서 불연속이므로 불연속인 점은 2개이다. [참]

ㄴ. $g(x)=(x-1)f(x)$라 하면

$g(1)=(1-1)\cdot f(1)=0\cdot 1=0$

$\lim_{x\to 1-}g(x)=\lim_{x\to 1-}(x-1)(-x)=0\cdot(-1)=0$

$\lim_{x\to 1+}g(x)=\lim_{x\to 1+}(x-1)x=0\cdot 1=0$

즉, $\lim_{x\to 1}g(x)=g(1)=0$이므로 함수 $g(x)$는 $x=1$에서 연속이다. [참]

STEP Ⓑ $h(x)=\{f(x)\}^2$의 $x=\pm 1$에서 연속성 조사하기

ㄷ. $h(x)=\{f(x)\}^2$이라 하면

(ⅰ) $x=-1$에서 연속성을 조사하면

$h(-1)=\{f(-1)\}^2=(-1)^2=1$

$\lim_{x\to -1-}h(x)=\lim_{x\to -1-}x^2=(-1)^2=1$

$\lim_{x\to -1+}h(x)=\lim_{x\to -1+}(-x)^2=1^2=1$

즉, $\lim_{x\to -1}h(x)=h(-1)=1$이므로 함수 $h(x)$는 $x=-1$에서 연속이다.

(ⅱ) $x=1$에서 연속성을 조사하면

$h(-1)=\{f(1)\}^2=1^2=1$

$\lim_{x\to 1-}h(x)=\lim_{x\to 1-}(-x)^2=(-1)^2=1$

$\lim_{x\to 1+}h(x)=\lim_{x\to 1+}x^2=1^2=1$

즉, $\lim_{x\to 1}h(x)=h(1)=1$이므로 함수 $h(x)$는 $x=1$에서 연속이다.

(ⅲ) $f(x)$가 $x\neq\pm 1$인 모든 실수에서 연속이므로 $\{f(x)\}^2$도 $x\neq\pm 1$인 모든 실수에서 연속이다.

(ⅰ)~(ⅲ)로 부터 함수 $\{f(x)\}^2$은 실수전체의 집합에서 연속이다. [참]

따라서 옳은 것은 ㄱ, ㄴ, ㄷ이다.

04 $f(x)f(x-a)$가 실수 전체의 집합에서 연속일 조건

함수 $f(x)$가 $x \neq 0$인 실수 전체의 집합에서 연속이고 함수 $f(x)f(x-a)$가 실수 전체에서 연속이려면

⇨ $f(x)f(x-a)$가 $x=0$, $x=a$에서 연속이어야 한다.

설명 함수 $f(x)$는 $x \neq 0$인 실수 전체의 집합에서 연속이고 함수 $f(x-a)$는 $x \neq a$인 실수 전체의 집합에서 연속이다.

즉, a의 값에 관계없이 함수 $f(x)f(x-a)$는 $x \neq 0$, $x \neq a$인 실수 전체의 집합에서 연속이다.

함수 $f(x)f(x-a)$가 실수 전체의 집합에서 연속이기 위해서는 함수 $f(x)f(x-a)$가 $x=0$, $x=a$에서 연속이어야 한다.

2014학년도 수능기출

함수

$$f(x)=\begin{cases} x+1 & (x \le 0) \\ -\frac{1}{2}x+7 & (x>0) \end{cases}$$

에 대하여 함수 $f(x)f(x-a)$가 $x=a$에서 연속이 되도록 하는 모든 실수 a의 값의 합을 구하여라.

수능특강 풀이

STEP A 함수 $f(x)$가 $x=0$에서 불연속이므로 함수 $f(x-a)$는 $x=a$에서 불연속임을 이해하기

$y=f(x)$의 그래프를 그리면 오른쪽 그림과 같이 함수 $f(x)$는 $x=0$에서 불연속이다.
또, $y=f(x-a)$의 그래프는 $y=f(x)$의 그래프를 x축의 방향으로 a만큼 평행이동한 것이므로 함수 $f(x-a)$는 $x=a$에서 불연속이다.

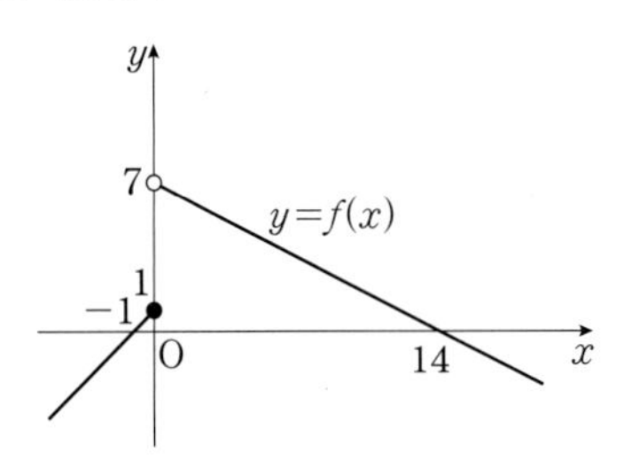

STEP B 함수 $f(x)f(x-a)$가 $x=a$에서 연속이 될 조건 구하기

즉, 함수 $f(x)f(x-a)$가 $x=a$에서 연속이 되려면 $x=a$에서 함수 $f(x)$의 극한값과 함숫값이 모두 0이어야 한다.

$\therefore \lim_{x \to a} f(x)=f(a)=0$

다음 그림과 같이 함수 $y=f(x)$의 그래프를 x축의 방향으로 각각 $a=-1$, $a=14$만큼 평행이동하면 $\lim_{x \to a} f(x)f(x-a)=f(a)f(0)=0$이 되어 함수 $f(x)f(x-a)$는 $x=a$에서 연속이다.

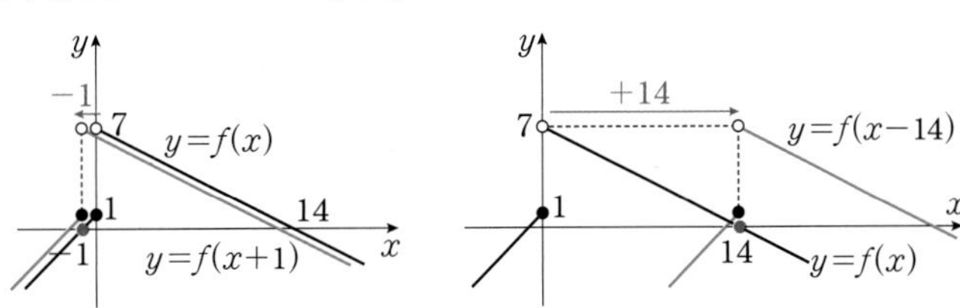

따라서 구하는 모든 실수 a의 값의 합은 $(-1)+14=13$

다른풀이 연속의 정의를 이용하여 풀이하기

함수 $f(x)$는 $x \neq 0$인 실수 전체의 집합에서 연속이고 함수 $f(x-a)$는 $x \neq a$인 실수 전체의 집합에서 연속이다.

즉, a의 값에 관계없이 함수 $f(x)f(x-a)$는 $x \neq 0$, $x \neq a$인 실수 전체의 집합에서 연속이다.

그러므로 함수 $f(x)f(x-a)$가 실수 전체의 집합에서 연속이기 위해서는 함수 $f(x)f(x-a)$가 $x=0$, $x=a$에서 연속이어야 한다.

(i) $a=0$일 때,

$\lim_{x \to a+} f(x)f(x-a)=\lim_{x \to 0+} \{f(x)\}^2=49$

$\lim_{x \to a-} f(x)f(x-a)=\lim_{x \to 0-} \{f(x)\}^2=1$

즉, $\lim_{x \to a+} f(x)f(x-a) \neq \lim_{x \to a-} f(x)f(x-a)$이므로 함수 $f(x)f(x-a)$는 $x=0$에서 불연속이다.

(ii) $a>0$일 때,

$f(a)f(0)=f(a)=-\frac{1}{2}a+7$, $\lim_{x \to a+} f(x)f(x-a)=\left(-\frac{1}{2}a+7\right)\cdot 7$, $\lim_{x \to a-} f(x)f(x-a)=\left(-\frac{1}{2}a+7\right)\cdot 1$

$-\frac{1}{2}a+7=\left(-\frac{1}{2}a+7\right)\times 7 \quad \therefore a=14$

(iii) $a<0$일 때,

$f(a)f(0)=f(a)=a+1$, $\lim_{x \to a+} f(x)f(x-a)=(a+1)\cdot 7$, $\lim_{x \to a-} f(x)f(x-a)=(a+1)\cdot 1$

$a+1=(a+1)\cdot 7 \quad \therefore a=-1$

따라서 모든 실수 a의 값의 합은 $14+(-1)=13$

수능특강문제 19

함수

$$f(x)=\begin{cases} -x-3 & (x<0) \\ x^2-4x+3 & (x \geq 0) \end{cases}$$

에 대하여 함수 $f(x)f(x-a)$가 실수 전체의 집합에서 연속이 되도록 하는 상수 a의 개수를 구하여라.

수능특강 풀이

함수 $f(x)$는 $x \neq 0$인 실수 전체의 집합에서 연속이고 함수 $f(x-a)$는 $x \neq a$인 실수 전체의 집합에서 연속이다.

즉 a의 값에 관계없이 함수 $f(x)f(x-a)$는 $x \neq 0$, $x \neq a$인 실수 전체의 집합에서 연속이다.

함수 $f(x)f(x-a)$가 실수 전체의 집합에서 연속이기 위해서는 함수 $f(x)f(x-a)$가 $x=0$, $x=a$에서 연속이어야 한다.

(ⅰ) $a=0$일 때, ⬅ $x=0$에서 함수 $f(x)$의 함숫값의 절댓값 $3=|-3|$이 같을 때 성립한다.

함수 $\{f(x)\}^2$은 $x=0$에서 연속이어야 한다.

$\lim_{x \to 0-}\{f(x)\}^2=(-3)^2=9$, $\lim_{x \to 0+}\{f(x)\}^2=3^2=9$,

$\{f(0)\}^2=3^2=9$이므로 $\lim_{x \to 0}\{f(x)\}^2=\{f(0)\}^2$

즉, 함수 $\{f(x)\}^2$은 $x=0$에서 연속이다.

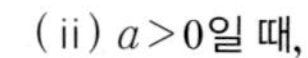

따라서 함수 $\{f(x)\}^2$은 실수 전체의 집합에서 연속이므로 $a=0$은 주어진 조건을 만족시킨다.

(ⅱ) $a>0$일 때,

함수 $f(x)f(x-a)$가 $x=0$, $x=a$에서 연속이어야 한다.

함수 $f(x)f(x-a)$가 $x=0$에서 연속이어야 하므로

$\lim_{x \to 0-}f(x)f(x-a)=\lim_{x \to 0+}f(x)f(x-a)=f(0)f(0-a)$

$(-3)\cdot f(-a)=3\cdot f(-a)=3\cdot f(-a)$이므로

$f(-a)=0$, $-(-a)-3=0$에서 $a=3$ …… ㉠

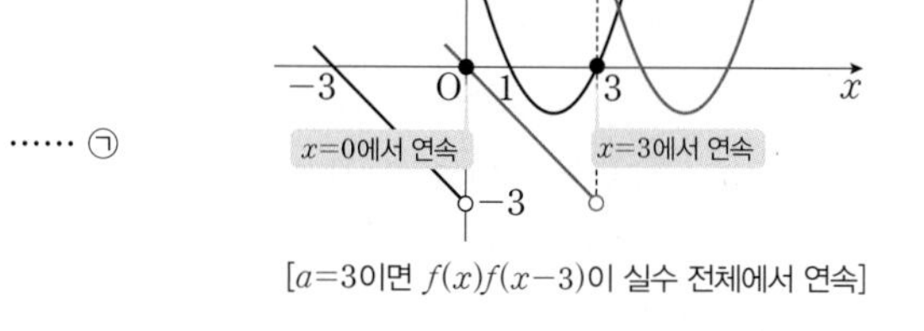

[$a=3$이면 $f(x)f(x-3)$이 실수 전체에서 연속]

또, 함수 $f(x)f(x-a)$가 $x=a$에서 연속이어야 하므로

$\lim_{x \to a-}f(x)f(x-a)=\lim_{x \to a+}f(x)f(x-a)=f(a)f(a-a)$

$f(a)\cdot(-3)=f(a)\cdot 3=f(a)\cdot 3$이므로 $f(a)=0$

$a^2-4a+3=0$, $(a-1)(a-3)=0$에서 $a=1$ 또는 $a=3$ …… ㉡

㉠, ㉡에서 $a=3$

(ⅲ) $a<0$일 때,

함수 $f(x)f(x-a)$가 $x=a$, $x=0$에서 연속이어야 한다.

함수 $f(x)f(x-a)$가 $x=a$에서 연속이어야 하므로

$\lim_{x \to a-}f(x)f(x-a)=\lim_{x \to a+}f(x)f(x-a)=f(a)f(a-a)$

$f(a)\cdot(-3)=f(a)\cdot 3=f(a)\cdot 3$이므로

$f(a)=0$, $-a-3=0$에서 $a=-3$ …… ㉢

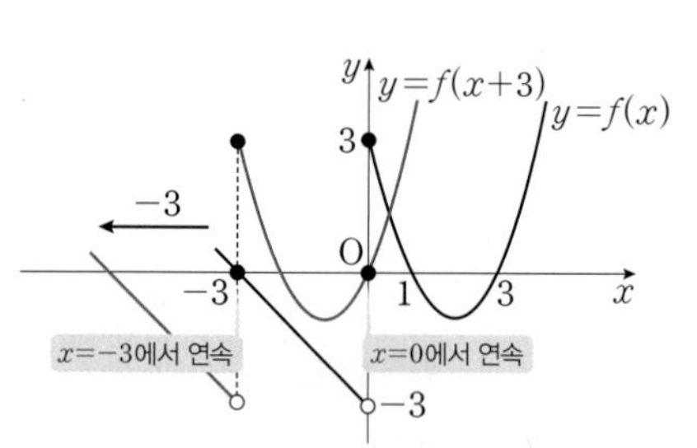

[$a=-3$이면 $f(x)f(x+3)$이 실수 전체에서 연속]

또, 함수 $f(x)f(x-a)$가 $x=0$에서 연속이어야 하므로

$\lim_{x \to 0-}f(x)f(x-a)=\lim_{x \to 0+}f(x)f(x-a)=f(0)f(0-a)$

$(-3)\cdot f(-a)=3\cdot f(-a)=3\cdot f(-a)$이므로

$f(-a)=0$, $(-a)^2-4(-a)+3=0$

$(a+1)(a+3)=0$에서 $a=-1$ 또는 $a=-3$ …… ㉣

㉢, ㉣에서 $a=-3$

(ⅰ)~(ⅲ)에서 구하는 a의 값은 $a=-3$ 또는 $a=0$ 또는 $a=3$

따라서 구하는 상수 a의 개수는 3개이다.

교점의 개수에 대한 연속

실수 t에 대하여 x에 대한 이차방정식 $x^2-4x+t-1=0$의 서로 다른 실근의 개수를 $f(t)$라 하자.
함수 $(t-a)f(t)$가 모든 실수 t에서 연속이 되도록 하는 상수 a의 값을 구하여라

수능특강 풀이

STEP A 이차방정식 $x^2-4x+t-1=0$의 서로 다른 실근의 개수 $f(t)$ 구하기

이차방정식 $x^2-4x+t-1=0$의 판별식을 D라 하면

$\frac{D}{4}=4-(t-1)=5-t$이므로

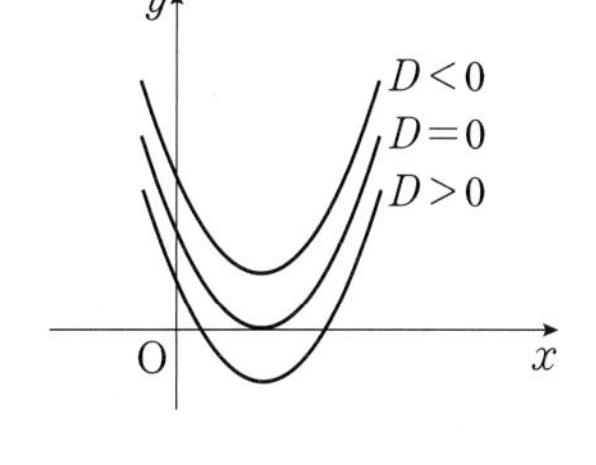

$D>0$, 즉 $t<5$일 때, 서로 다른 두 실근을 가지므로 $f(t)=2$

$D=0$, 즉 $t=5$일 때, 중근을 가지므로 $f(t)=1$

$D<0$, 즉 $t>5$일 때, 서로 다른 두 허근을 가지므로 $f(t)=0$

STEP B 함수 $f(t)$의 식을 이용하여 그리기

함수 $f(t)=\begin{cases} 2 & (t<5) \\ 1 & (t=5) \\ 0 & (t>5) \end{cases}$와 그 그래프는 오른쪽 그림과 같다.

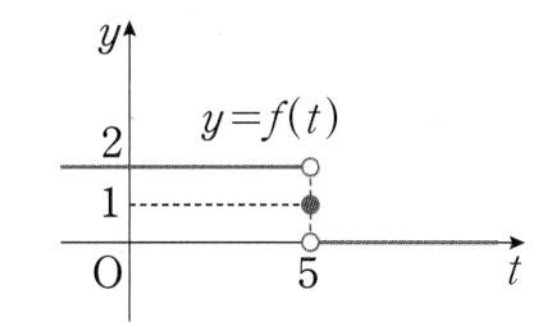

즉, 함수 $f(t)$는 $t=5$에서만 불연속이다.

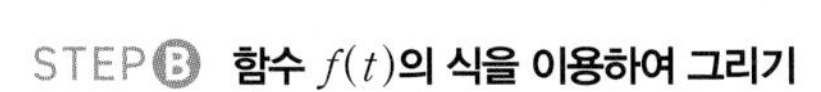

STEP C 함수 $(t-a)f(t)$가 모든 실수 t에서 연속이 되도록 하는 상수 a의 값 구하기

함수 $(t-a)f(t)$가 $t=5$에서 연속이면 모든 실수 t에서 연속이다.

이때 $(5-a)f(5)=(5-a)\cdot 1=5-a$이고

$\lim_{t\to 5+}(t-a)f(t)=\lim_{t\to 5+}(t-a)\cdot\lim_{t\to 5+}f(t)=(5-a)\cdot 0=0$

$\lim_{t\to 5-}(t-a)f(t)=\lim_{t\to 5-}(t-a)\cdot\lim_{t\to 5-}f(t)=(5-a)\cdot 2=2(5-a)$

이므로 함수 $(t-a)f(t)$가 $t=5$에서 연속이려면 $5-a=0=2(5-a)$이어야 한다.

따라서 $a=5$

수능특강문제 02

이차함수 $y=x^2-2x-1$의 그래프와 직선 $y=2x+k$가 만나는 서로 다른 점의 개수를 $f(k)$라 하자.
함수 $f(k)$는 $k=a$에서 불연속일 때, 실수 a의 값을 구하여라.

수능특강 풀이

STEP A 두 함수 $y=x^2-2x-1$, $2x+k$의 그래프가 만나는 점의 개수는 이차방정식 $x^2-4x-k-1=0$의 실근의 개수와 같음을 이용하기

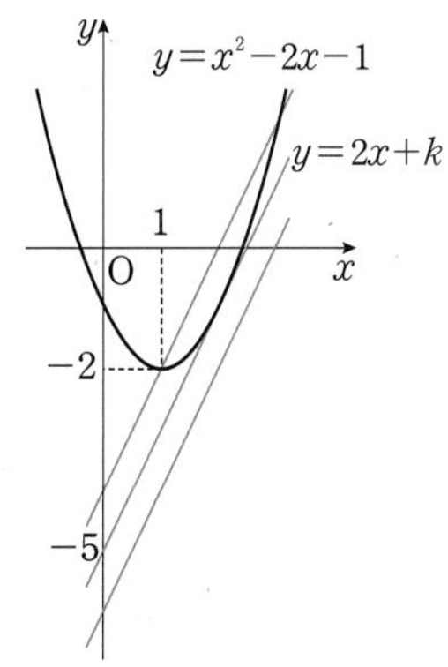

두 함수 $y=x^2-2x-1$, $y=2x+k$을 연립하면

$x^2-2x-1=2x+k$에서 $x^2-4x-k-1=0$ …… ㉠

x에 대한 이차방정식 ㉠의 판별식을 D라 하면 $\frac{D}{4}=(-2)^2-1\cdot(-k-1)=k+5$

(ⅰ) $k<-5$일 때, $\frac{D}{4}<0$이 되어 ㉠이 서로 다른 두 허근을 가지므로 $f(k)=0$

(ⅱ) $k=-5$일 때, $\frac{D}{4}=0$이 되어 ㉠이 중근을 가지므로 $f(k)=f(-5)=1$

(ⅲ) $k>-5$일 때, $\frac{D}{4}>0$이 되어 ㉠이 서로 다른 두 실근을 가지므로 $f(k)=2$

STEP B 함수 $f(k)$의 식을 이용하여 그리기

함수 $f(k)=\begin{cases} 0 & (k<-5) \\ 1 & (k=-5) \\ 2 & (k>-5) \end{cases}$와 그 그래프는 오른쪽 그림과 같다.

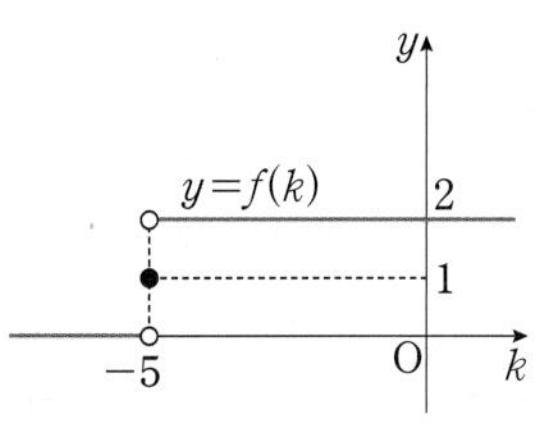

STEP C 불연속이 되는 실수 a 구하기

$\lim_{x\to -5-}f(k)=0$, $\lim_{x\to -5+}f(k)=2$이고 $\lim_{x\to -5-}f(k)\neq\lim_{x\to -5+}f(k)$이므로 함수 $f(k)$는 $k=-5$에서 불연속이다.

수능특강문제 03

실수 t에 대하여 직선 $y=t$가 함수 $y=|x^2-1|$의 그래프와 만나는 점의 개수를 $f(t)$라 하자.
함수 $f(t)$는 $t=a$에서 불연속일 때, 실수 a의 값을 구하여라.

수능특강 풀이

STEP Ⓐ $y=|x^2-1|$의 그래프를 그리기

$y=|x^2-1|$의 그래프는 $y=x^2-1$의 그래프에서 $y<0$인 부분을 x축에 대하여 대칭이동한 것이므로 다음 그림과 같다.

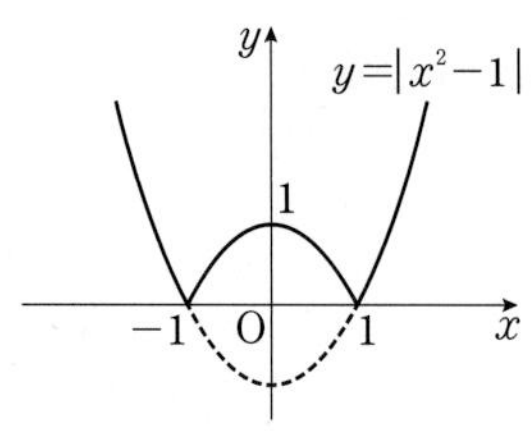

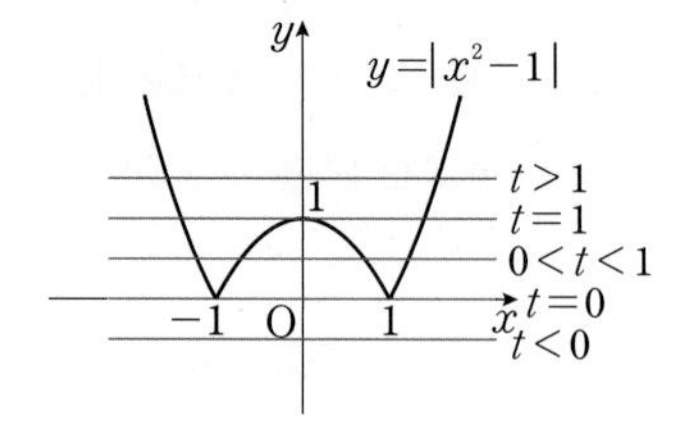

STEP Ⓑ 함수 $f(t)$의 식을 이용하여 그리기

함수 $f(t)=\begin{cases} 0 & (t<0) \\ 2 & (t=0) \\ 4 & (0<t<1) \\ 3 & (t=1) \\ 2 & (t>1) \end{cases}$와 그 그래프는 오른쪽 그림과 같다.

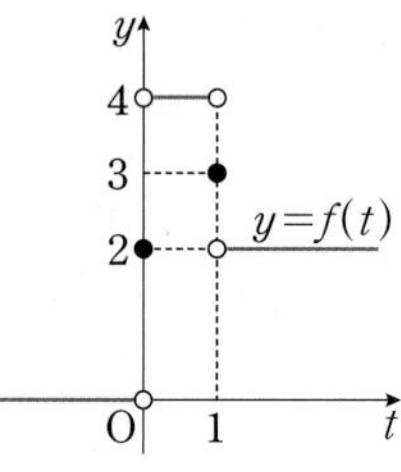

STEP Ⓒ 불연속이 되는 실수 a 구하기

$\lim_{t\to 0-}f(t)=0$, $\lim_{t\to 0+}f(t)=4$이고 $\lim_{t\to 0-}f(t)\neq \lim_{t\to 0+}f(t)$이므로 함수 $f(t)$는 $t=0$에서 불연속이다.

$\lim_{t\to 1-}f(t)=4$, $\lim_{t\to 1+}f(t)=2$이고 $\lim_{t\to 1-}f(t)\neq \lim_{t\to 1+}f(t)$이므로 함수 $f(t)$는 $t=1$에서 불연속이다.

따라서 불연속이 되는 실수 a는 0 또는 1이다.

2016학년도 06월 평가원 A형 29번

실수 t에 대하여 직선 $y=t$가 곡선 $y=|x^2-2x|$와 만나는 점의 개수를 $f(t)$라 하자. 최고차항의 계수가 1인 이차함수 $g(t)$에 대하여 함수 $f(t)g(t)$가 모든 실수 t에서 연속일 때, $f(3)+g(3)$의 값을 구하여라.

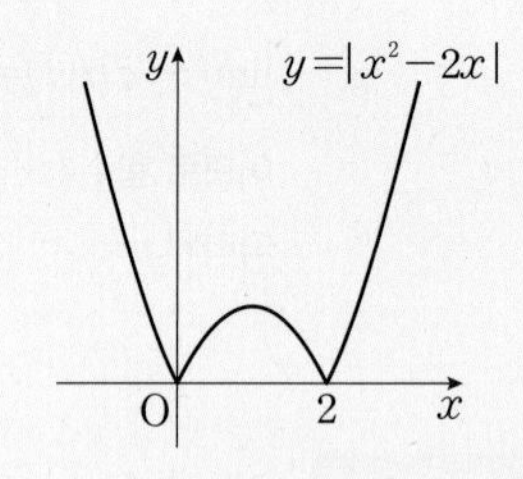

수능특강 풀이

STEP Ⓐ 점의 개수 $f(t)$의 그래프 그리기

$f(t)$는 $y=|x^2-2x|$의 그래프와 직선 $y=t$가 만나는 점의 개수이므로 위치에 따라 다음과 같은 함수가 만들어진다.

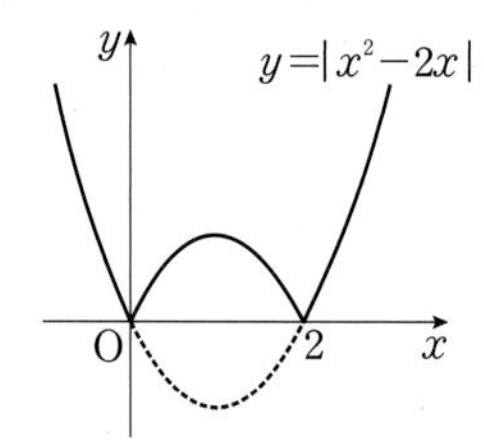

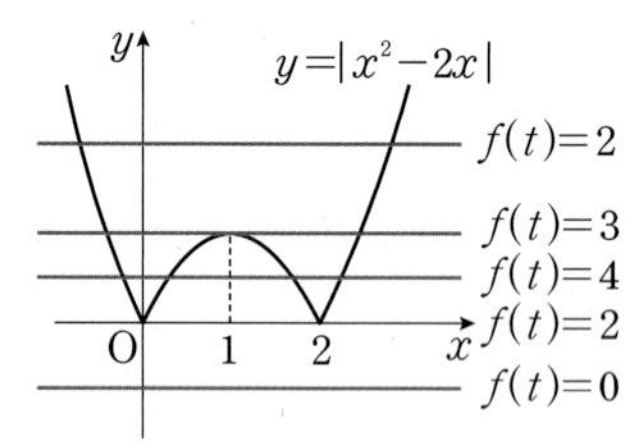

STEP Ⓑ 함수 $f(t)$의 식을 이용하여 그리기

함수 $f(t)=\begin{cases} 0 & (t<0) \\ 2 & (t=0) \\ 4 & (0<t<1) \\ 3 & (t=1) \\ 2 & (t>1) \end{cases}$와 그 그래프는 오른쪽 그림과 같다.

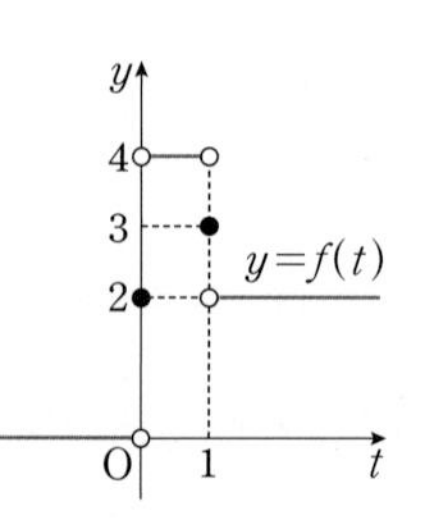

STEP Ⓒ $t=0$, $t=1$에서 함수 $f(t)g(t)$가 연속이 되도록 하는 $g(t)$ 구하기

이때 함수 $f(t)$는 $t=0$과 $t=1$에서 불연속이고 함수 $f(t)g(t)$가 모든 실수 t에서 연속이기 위해서는 $g(0)=0$, $g(1)=0$이어야 한다.

즉, $g(t)$는 최고차항의 계수가 1인 이차함수이므로 $g(t)=t(t-1)$

따라서 $f(3)+g(3)=2+6=8$

수능특강문제 **05**

실수 m에 대하여 직선 $y=m(x+2)$가 함수 $y=\begin{cases} x^2+x+2 & (x \ge -1) \\ 2x & (x<-1) \end{cases}$의 그래프와 만나는 점의 개수를 $f(m)$이라 하자. 이차항의 계수가 1인 이차함수 $g(m)$에 대하여 함수 $f(m)g(m)$가 실수 전체의 집합에서 연속일 때, $f(3)g(3)$의 값을 구하여라.

수능특강 풀이

STEP Ⓐ 직선과 함수가 만나는 점의 개수 $f(m)$의 식 작성하기

$x \ge -1$에서 직선 $y=m(x+2)$와 곡선 $y=x^2+x+2$가 접할 때의 m의 값을 구해 보면

$x^2+x+2=m(x+2)$

즉, 이차방정식 $x^2+(1-m)x+2(1-m)=0$의 판별식을 D라 하면

$D=(1-m)^2-4\times 2(1-m)=0$에서 $m^2+6m-7=0$

$\therefore m=-7$ 또는 $m=1$

이때 직선 $y=m(x+2)$와 곡선 $y=x^2+x+2$가 접하는

점 x의 좌표가 $m=-7$이면 -4이고, $m=1$이면 0이므로 $m=1$이다.

한편, 직선 $y=m(x+2)$는 m의 값에 관계없이 점 $(-2,\ 0)$을 지나고,

점 $(-1,\ 2)$를 지날 때, $m=2$이다.

$m>2$일 때는 아래쪽에서 $y=2x\,(x<-1)$의 그래프와 만나므로

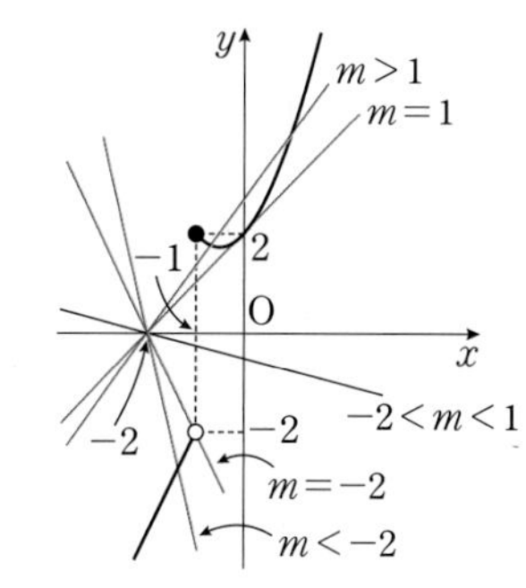

함수 $y=\begin{cases} x^2+x+2 & (x \ge -1) \\ 2x & (x<-1) \end{cases}$의 그래프와 만나는 점의 개수 $f(m)$은

오른쪽 그림과 같이 m의 값의 범위에 따라 달라진다.

즉, $f(m)=\begin{cases} 2 & (m>1) \\ 1 & (m=1) \\ 0 & (-2 \le m<1) \\ 1 & (m<-2) \end{cases}$

이고 함수 $y=f(m)$의 그래프는 오른쪽 그림과 같다.

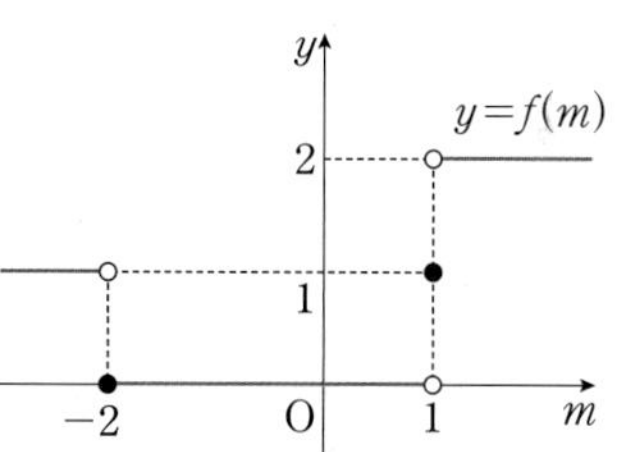

STEP Ⓑ 함수 $f(m)g(m)$이 실수 전체의 집합에서 연속이 되도록 하는 이차함수 $g(m)$의 식 작성하기

즉, 함수 $f(m)$은 $m=-2$, $m=1$에서 연속이고 함수 $g(m)$은 실수 전체의 집합에서 연속이므로

함수 $f(m)g(m)$이 $m=-2$, $m=1$에서 연속이면 실수 전체의 집합에서 연속이다.

$g(m)=m^2+am+b$ (a, b는 상수)라 하면

(i) $f(m)g(m)$이 $m=1$에서 연속인 경우

$f(1)g(1)=1(1+a+b)=1+a+b$

$\lim_{m\to 1+}f(m)g(m)=2(1+a+b)$, $\lim_{m\to 1-}f(m)g(m)=0(1+a+b)=0$

$1+a+b=0$ …… ㉠

(ii) $f(m)g(m)$이 $m=-2$에서 연속인 경우

$f(-2)g(-2)=0(4-2a+b)=0$

$\lim_{m\to -2+}f(m)g(m)=0(4-2a+b)=0$, $\lim_{m\to -2-}f(m)g(m)=1(4-2a+b)=4-2a+b$

$4-2a+b=0$ …… ㉡

㉠, ㉡을 연립하여 풀면 $a=1$, $b=-2$이므로 $g(m)=m^2+m-2$

STEP Ⓒ $f(3)g(3)$의 값 구하기

따라서 $f(3)g(3)=2\times 10=20$

다른풀이 함수 $f(m)$이 $m=-2$, $m=1$에서 불연속이므로 $g(-2)=0$, $g(1)=0$임을 이용하여 풀이하기

이때 함수 $f(m)$은 $m=-2$와 $m=1$에서 불연속이고 함수 $f(m)g(m)$이 모든 실수 m에서 연속이기 위해서는

$g(-2)=0$, $g(1)=0$이어야 한다.

즉, $g(m)$은 최고차항의 계수가 1인 이차함수이므로 $g(m)=(m+2)(m-1)$

따라서 $f(3)g(3)=2\cdot 10=20$

수능특강문제 06

2007학년도 수능기출

좌표평면에서 중심이 (0, 3)이고 반지름의 길이가 1인 원을 C라 하자. 양수 r에 대하여 $f(r)$을 반지름의 길이가 r인 원 중에서, 원 C와 한 점에서 만나고 동시에 x축에 접하는 원의 개수라 하자. [보기]에서 옳은 것을 모두 고른 것은?

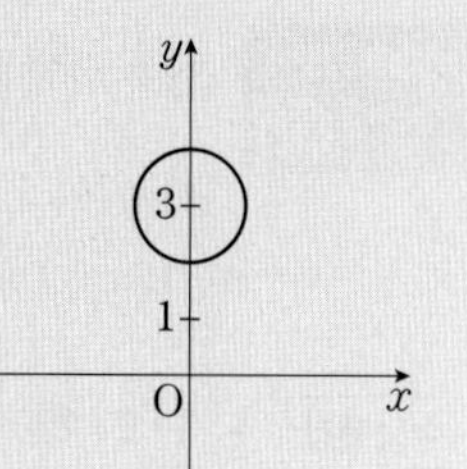

ㄱ. $f(2)=3$

ㄴ. $\lim_{r \to 1+} f(r)=f(1)$

ㄷ. 열린구간 (0, 4)에서 함수 $f(r)$의 불연속점은 2개이다.

① ㄱ ② ㄴ ③ ㄷ
④ ㄱ, ㄷ ⑤ ㄱ, ㄴ, ㄷ

수능특강 풀이

STEP A r의 값의 범위에 따른 $f(r)$ 구하기

(ⅰ) $0<r<1$일 때, $f(r)=0$ (ⅱ) $r=1$일 때, $f(r)=1$ (ⅲ) $1<r<2$일 때, $f(r)=2$

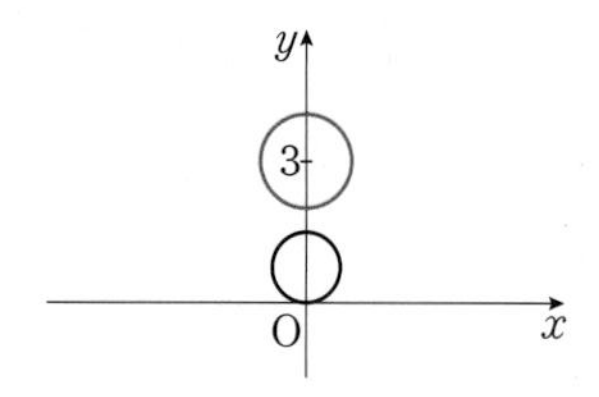

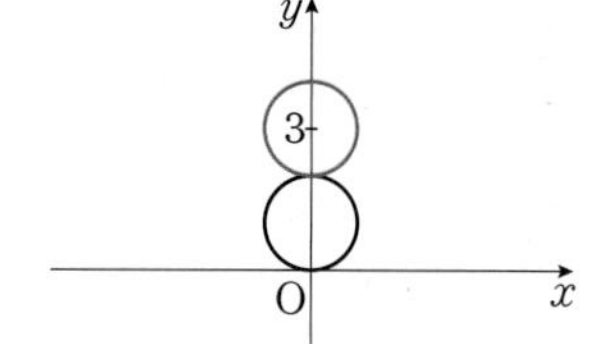

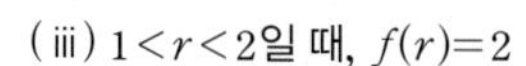

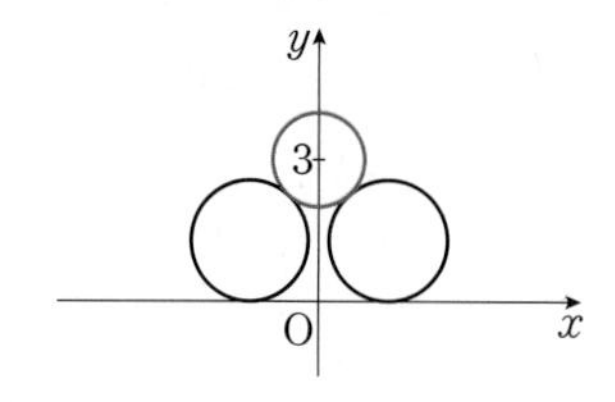

(ⅳ) $r=2$일 때, $f(r)=3$ (ⅴ) $r>2$일 때, $f(r)=4$

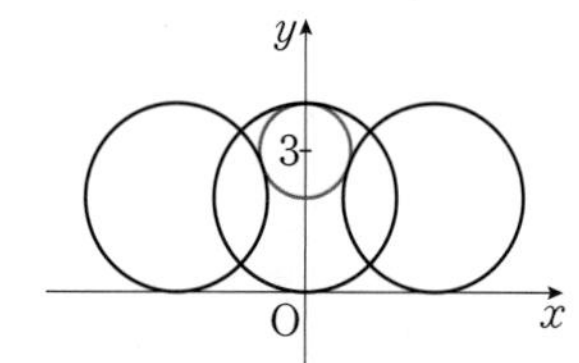

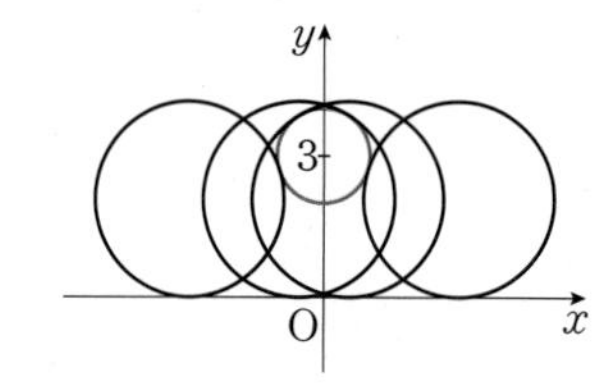

STEP B 그래프 $f(r)$에서 [보기]의 참, 거짓 판단하기

따라서 함수 $f(r)$의 그래프는 오른쪽 그림과 같다.

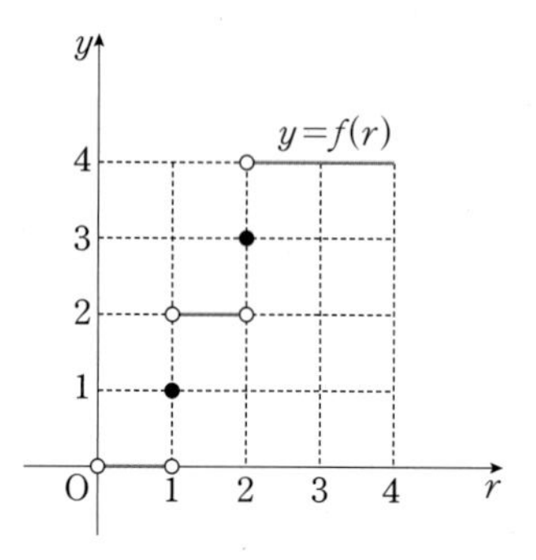

$$f(r)=\begin{cases} 0 & (0<r<1) \\ 1 & (r=1) \\ 2 & (1<r<2) \\ 3 & (r=2) \\ 4 & (r>2) \end{cases}$$

ㄱ. $f(2)=3$ [참]

ㄴ. $\lim_{r \to 1+} f(r)=2 \neq f(1)=1$ [거짓]

ㄷ. 그래프에서 구간 (0, 4)에서 불연속점은 2개($r=1$, 2일 때) [참]

따라서 옳은 것은 ㄱ, ㄷ이다.

양수 r에 대하여 함수 $y=|x|$의 그래프와 원 $(x-1)^2+(y-2)^2=r^2$이 만나는 점의 개수를 $f(r)$이라 하자. 함수 $f(r)$이 불연속인 점의 개수를 구하여라.

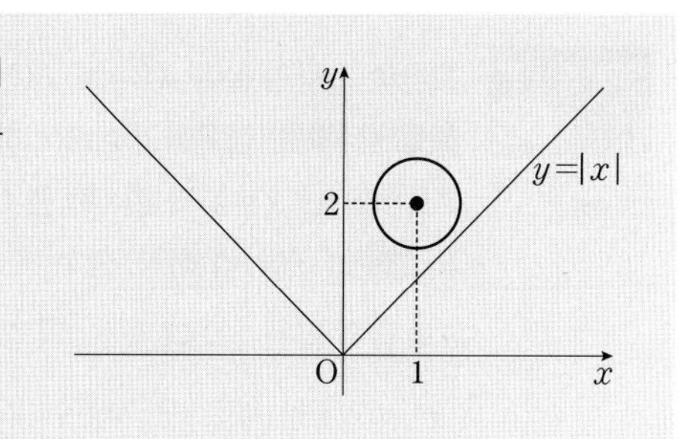

수능특강 풀이

STEP Ⓐ r의 값의 범위에 따른 $f(r)$ 구하기

원의 중심 $(1,\ 2)$와 직선 $x-y=0$ 사이의 거리는 $\dfrac{|1-2|}{\sqrt{1^2+(-1)^2}}=\dfrac{\sqrt{2}}{2}$이고

원의 중심 $(1,\ 2)$와 직선 $x+y=0$ 사이의 거리는 $\dfrac{|1+2|}{\sqrt{1^2+1^2}}=\dfrac{3\sqrt{2}}{2}$

원의 중심 $(1,\ 2)$와 원점 사이의 거리는 $\sqrt{5}$

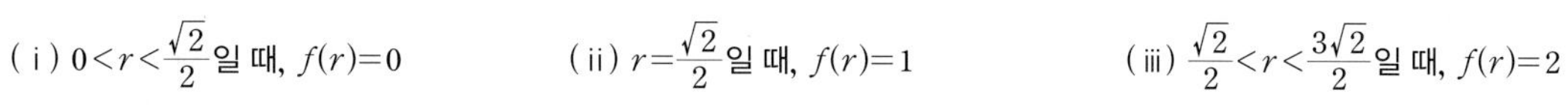
(ⅰ) $0<r<\dfrac{\sqrt{2}}{2}$일 때, $f(r)=0$ (ⅱ) $r=\dfrac{\sqrt{2}}{2}$일 때, $f(r)=1$ (ⅲ) $\dfrac{\sqrt{2}}{2}<r<\dfrac{3\sqrt{2}}{2}$일 때, $f(r)=2$

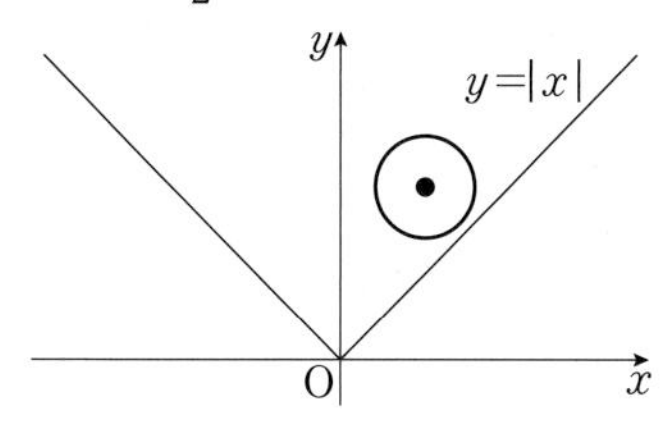

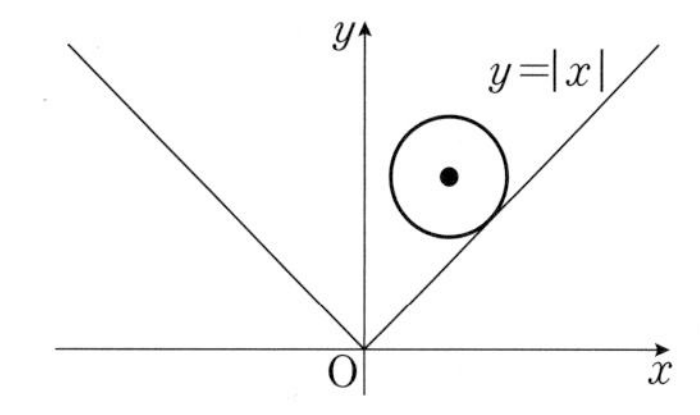

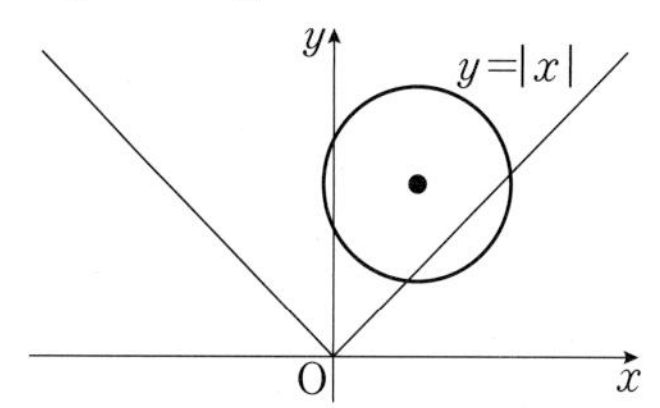

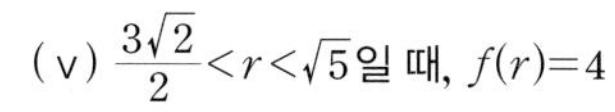
(ⅳ) $r=\dfrac{3\sqrt{2}}{2}$일 때, $f(r)=3$ (ⅴ) $\dfrac{3\sqrt{2}}{2}<r<\sqrt{5}$일 때, $f(r)=4$ (ⅵ) $r=\sqrt{5}$일 때, $f(r)=3$

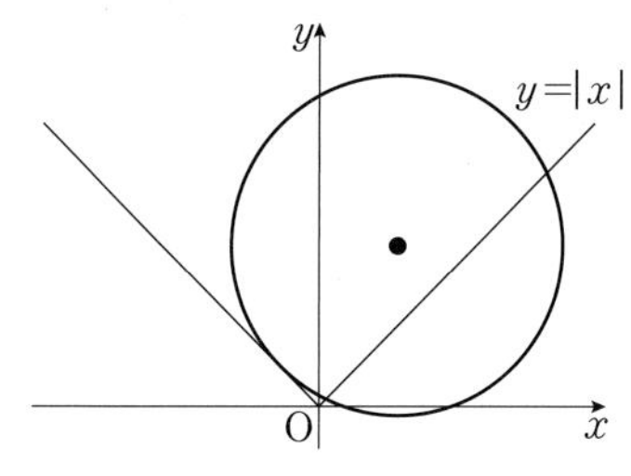

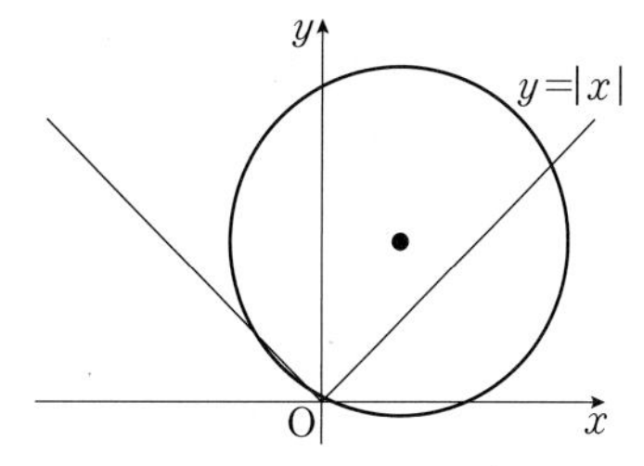

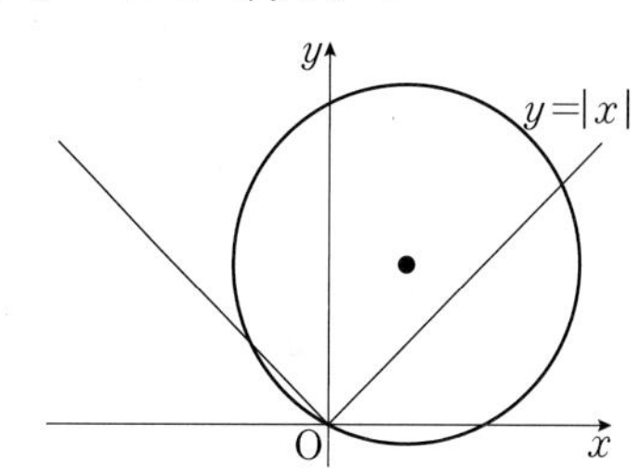

(ⅶ) $r>\sqrt{5}$일 때, $f(r)=2$

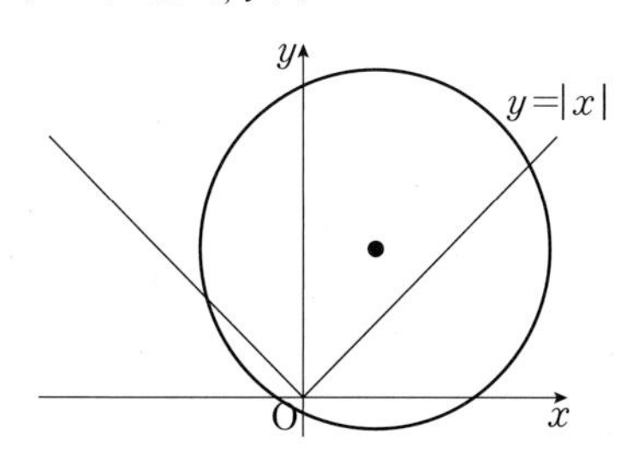

STEP Ⓑ 그래프 $f(r)$에서 불연속인 점의 개수 구하기

(ⅰ)~(ⅶ)에 의해 함수 $f(r)$의 그래프는 오른쪽과 같다.

$$f(r)=\begin{cases} 0 & \left(0<r<\dfrac{\sqrt{2}}{2}\right) \\ 1 & \left(r=\dfrac{\sqrt{2}}{2}\right) \\ 2 & \left(\dfrac{\sqrt{2}}{2}<r<\dfrac{3\sqrt{2}}{2}\right) \\ 3 & \left(r=\dfrac{3\sqrt{2}}{2}\right) \\ 4 & \left(\dfrac{3\sqrt{2}}{2}<r<\sqrt{5}\right) \\ 3 & (r=\sqrt{5}) \\ 2 & (r>\sqrt{5}) \end{cases}$$

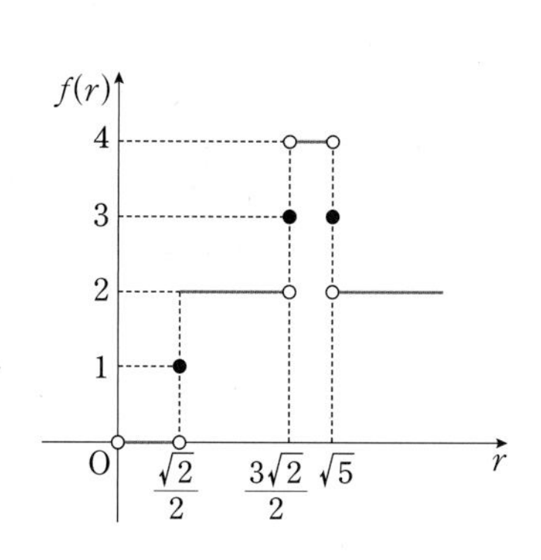

따라서 함수 $f(r)$이 $r=\dfrac{\sqrt{2}}{2},\ \dfrac{3\sqrt{2}}{2},\ \sqrt{5}$에서 불연속이므로 불연속인 점의 개수는 3개이다.

2017년 04월 교육청 가형 29번

오른쪽 그림과 같이 $\overline{AB}=4$, $\overline{BC}=3$, $\angle B=90°$인 삼각형 ABC의 변 AB 위를 움직이는 점 P를 중심으로 하고 반지름의 길이가 2인 원 O가 있다. $\overline{AP}=x(0<x<4)$라 할 때, 원 O가 삼각형 ABC와 만나는 서로 다른 점의 개수를 $f(x)$라 하자. 함수 $f(x)$가 $x=a$에서 불연속이 되는 모든 실수 a의 값의 합은 $\frac{q}{p}$이다. $p+q$의 값을 구하여라.

(단, p와 q는 서로소인 자연수이다.)

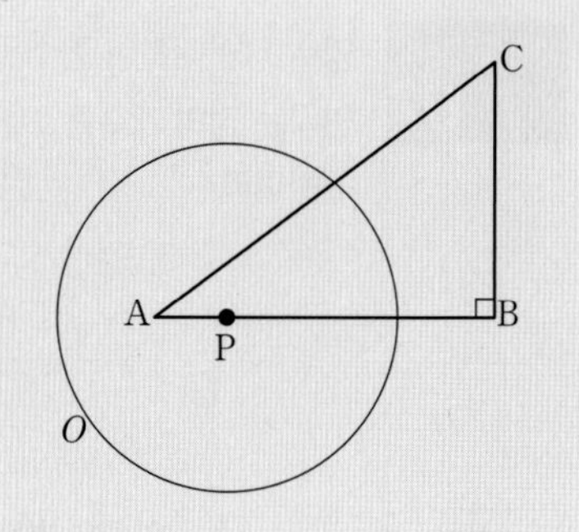

수능특강 풀이

STEP Ⓐ 원 O가 선분 CB에 접할 때, 삼각형 ABC와 서로 다른 점의 개수 $f(x)$ 구하기

(ⅰ) $x=2$일 때, 원 O가 삼각형 ABC와 만나는 서로 다른 점의 개수는 3이다.

$\therefore f(2)=3$

(ⅱ) $0<x<2$에서, 원 O가 삼각형 ABC와 만나는 서로 다른 점의 개수는 2이다.

$\therefore f(x)=2(0<x<2)$

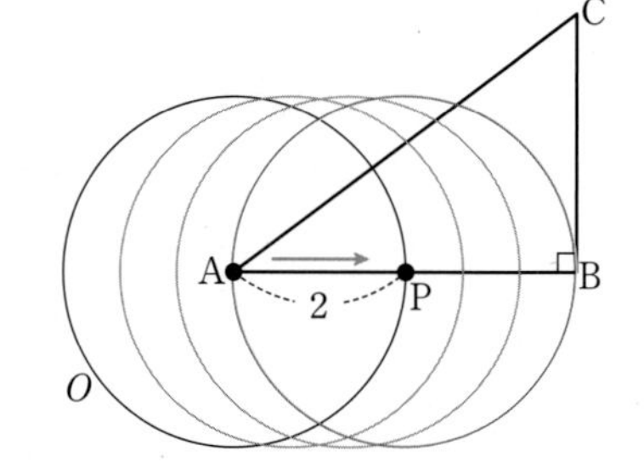

STEP Ⓑ 원 O가 선분 AC에 접할 때, 삼각형 ABC와 만나는 서로 다른 점의 개수 $f(x)$ 구하기

(ⅲ) 원 O가 선분 AC에 접할 때, 접하는 점을 H라 하면 삼각형 ABC와 삼각형 AHP는 닮음이므로 $\overline{AC}:\overline{BC}=\overline{AP}:\overline{HP}$

$5:3=x:2 \quad \therefore x=\frac{10}{3}$

$x=\frac{10}{3}$일 때, $f\left(\frac{10}{3}\right)=3$

(ⅳ) $2<x<\frac{10}{3}$에서 원 O가 삼각형 ABC와 만나는 서로 다른 점의 개수는 4이다.

$\therefore f(x)=4\left(2<x<\frac{10}{3}\right)$

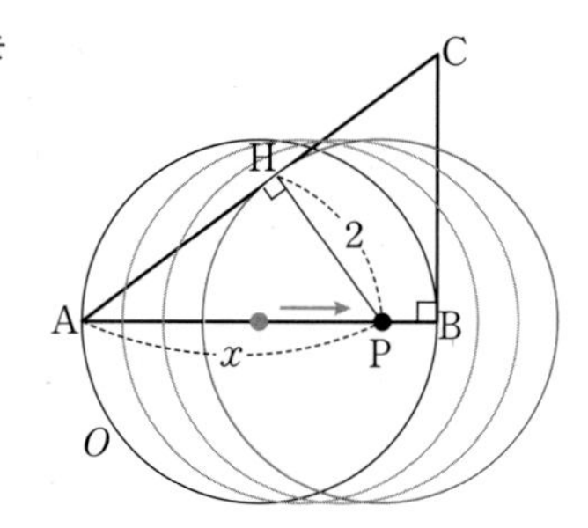

STEP Ⓒ $\frac{10}{3}<x<4$일 때, 삼각형 ABC와 만나는 서로 다른 점의 개수 $f(x)$ 구하기

(ⅴ) $\frac{10}{3}<x<4$에서 원 O가 삼각형 ABC와 만나는 서로 다른 점의 개수는 2이다.

$\therefore f(x)=2\left(\frac{10}{3}<x<4\right)$

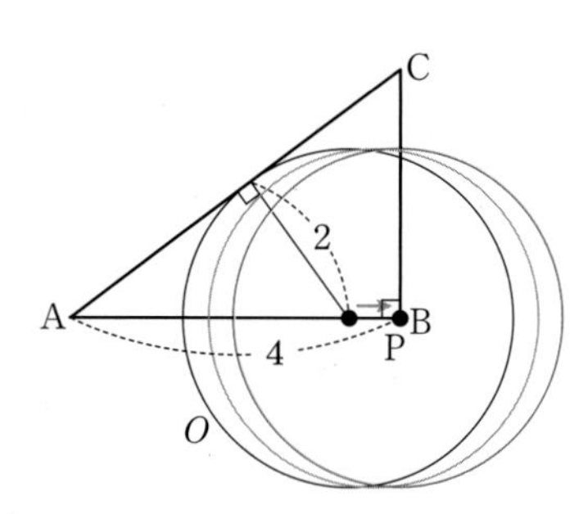

STEP Ⓓ 함수 $y=f(x)$를 그래프로 나타내어 불연속이 되는 a의 합 구하기

(ⅰ)~(ⅴ)에서 함수 $y=f(x)$를 그래프로 나타내면 오른쪽 그림과 같다.

$$f(x)=\begin{cases} 2 & (0<x<2) \\ 3 & (x=2) \\ 4 & \left(2<x<\frac{10}{3}\right) \\ 3 & \left(x=\frac{10}{3}\right) \\ 2 & \left(\frac{10}{3}<x<4\right) \end{cases}$$

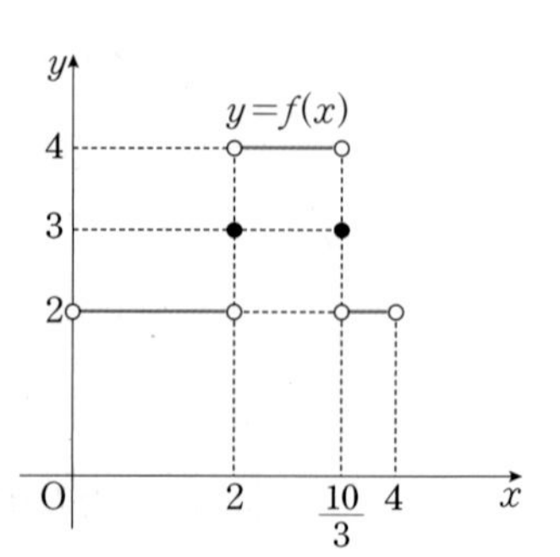

함수 $f(x)$가 $x=2$, $x=\frac{10}{3}$에서 불연속이므로 모든 실수 a의 값의 합은 $2+\frac{10}{3}=\frac{16}{3}$

따라서 $p=3$, $q=16$이므로 $p+q=19$

수학 Ⅱ

Ⅰ 함수의 극한과 연속 Ⅱ 미분 Ⅲ 적분

01 미분계수와 도함수

01 미분계수

MAPL; YOURMASTERPLAN

01 평균변화율

(1) 평균변화율의 정의

함수 $y=f(x)$에서 x의 증분 Δx에 대한 y의 증분 Δy의 비율

$$\frac{\Delta y}{\Delta x}=\frac{f(b)-f(a)}{b-a}=\frac{f(a+\Delta x)-f(a)}{\Delta x}$$

를 x의 값이 a에서 b까지 변할 때의 함수 $f(x)$의 **평균변화율**이라 한다.

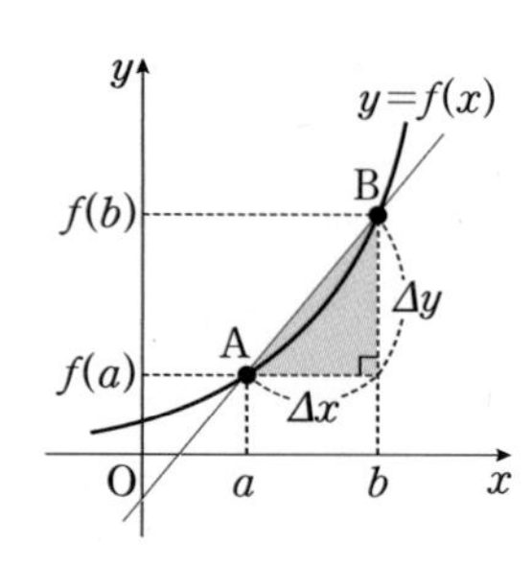

(2) 평균변화율의 여러 가지 표현

> 함수 $y=f(x)$에서 x의 값이 a에서 b까지 변할 때의 평균변화율
>
> $$\frac{\Delta y}{\Delta x}=\frac{f(b)-f(a)}{b-a}=\frac{f(a+\Delta x)-f(a)}{\Delta x}$$

참고 Δ는 차를 뜻하는 단어 Difference의 첫 글자 D에 해당하는 그리스 문자로 '델타(delta)' 라고 읽는다.
또한, Δx는 Δ와 x의 곱이 아닌 x의 증분을 나타내는 하나의 기호이다.

(3) 평균변화율의 기하학적 의미

위의 그래프에서 알 수 있듯이 함수 $f(x)$의 평균변화율은 곡선 $y=f(x)$ 위의 두 점 $\mathrm{A}(a,\ f(a))$, $\mathrm{B}(b,\ f(b))$를 지나는 **직선 AB의 기울기**를 나타낸다.

평균변화율과 직선의 기울기

$$\frac{\Delta y}{\Delta x}=\frac{f(b)-f(a)}{b-a}=\frac{f(a+\Delta x)-f(a)}{\Delta x}$$ ⬅ 두 점 $\mathrm{A}(a,\ f(a))$, $\mathrm{B}(b,\ f(b))$를 지나는 직선 AB의 기울기

마플해설 함수 $y=f(x)$에서 x의 값이 a에서 b까지 변할 때, 함숫값은 $f(a)$에서 $f(b)$까지 변한다.
이때 x의 값의 변화량 $b-a$를 x의 증분(增分)이라 하고, 이것을 기호로 Δx로 나타낸다.
또, y의 값의 변화량 $f(b)-f(a)$를 y의 증분이라 하고, 이것을 기호로 Δy로 나타낸다.
즉, $\Delta x=b-a$, $\Delta y=f(b)-f(a)=f(a+\Delta x)-f(a)$ ⬅ $b=a+\Delta x$
이때 x의 증분에 대한 y의 증분의 비율 $\frac{\Delta y}{\Delta x}=\frac{f(b)-f(a)}{b-a}=\frac{f(a+\Delta x)-f(a)}{\Delta x}$
를 x의 값이 a에서 b까지 변할 때, 함수 $y=f(x)$의 평균변화율이라고 한다.

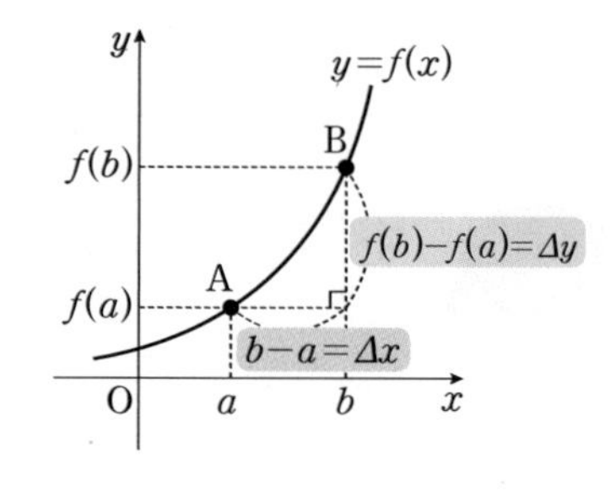

보기 01 함수 $f(x)=x^2+2$에서 x의 값이 다음과 같이 변할 때의 평균변화율을 구하여라.

(1) 1에서 2까지　　　　(2) a에서 $a+\Delta x$까지

풀이

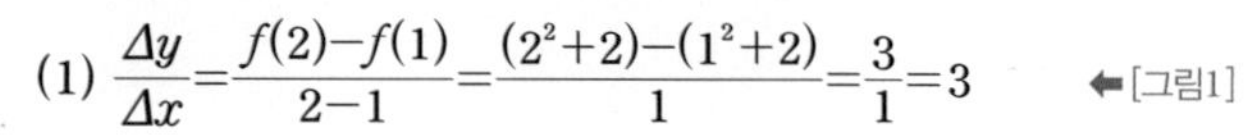

(1) $\frac{\Delta y}{\Delta x}=\frac{f(2)-f(1)}{2-1}=\frac{(2^2+2)-(1^2+2)}{1}=\frac{3}{1}=3$ ⬅ [그림1]

(2) $\frac{\Delta y}{\Delta x}=\frac{f(a+\Delta x)-f(a)}{\Delta x}=\frac{\{(a+\Delta x)^2+2\}-(a^2+2)\}}{\Delta x}$

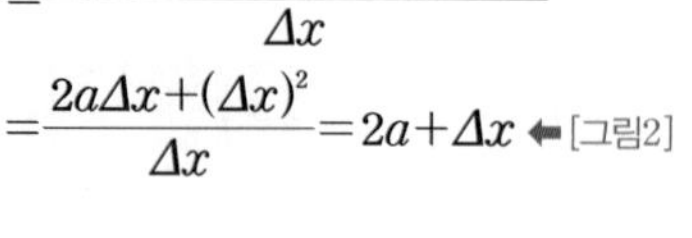

$=\frac{2a\Delta x+(\Delta x)^2}{\Delta x}=2a+\Delta x$ ⬅ [그림2]

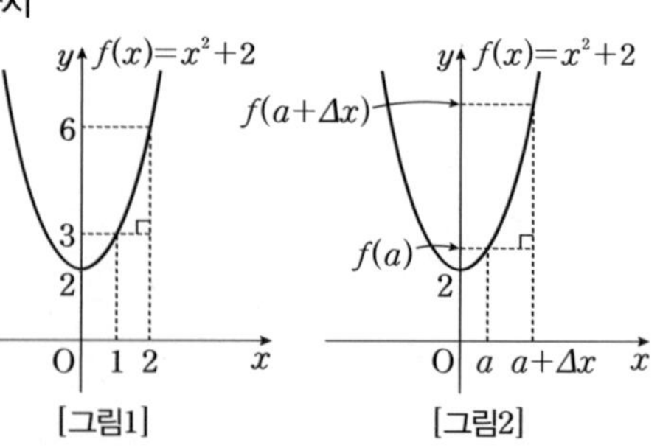

[그림1]　[그림2]

보기 02 함수 $f(x)=x^2+x$에 대하여 x의 값이 1에서 a까지 변할 때의 평균 변화율이 5일 때, 상수 a의 값을 구하여라. (단, $a>1$)

풀이 함수 $f(x)=x^2+x$에 대하여 x의 값이 1에서 a까지 변할 때의 평균 변화율은

$$\frac{\Delta y}{\Delta x}=\frac{f(a)-f(1)}{a-1}=\frac{(a^2+a)-2}{a-1}=\frac{(a-1)(a+2)}{a-1}=a+2$$

따라서 $a+2=5$이므로 $a=3$

02 미분계수

(1) 미분계수(또는 순간변화율)의 정의

함수 $y=f(x)$에서 x의 값이 a에서 $a+\Delta x$까지 변할 때의

평균변화율 $\dfrac{\Delta y}{\Delta x}$에 대하여 $\Delta x \to 0$일 때, 평균변화율의 극한값

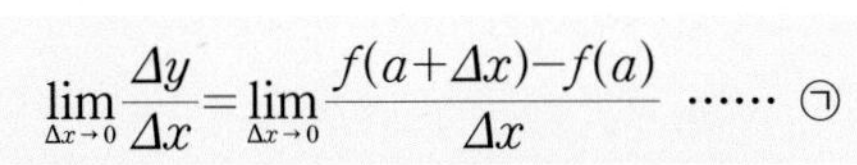

$$\lim_{\Delta x \to 0}\frac{\Delta y}{\Delta x}=\lim_{\Delta x \to 0}\frac{f(a+\Delta x)-f(a)}{\Delta x} \cdots\cdots ㉠$$

이 존재하면 함수 $y=f(x)$는 $x=a$에서 미분가능하다고 한다.

이때 이 극한값을 함수 $y=f(x)$의 $x=a$에서의 순간변화율 또는 미분계수라 하고,

기호로 $f'(a)$와 같이 나타낸다.

참고 미분계수 $f'(a)$는 'f 프라임 (prime) a' 라 읽는다.

(2) 미분계수의 여러 가지 표현

함수 $y=f(x)$에서 $x=a$에서의 미분계수는

$$f'(a)=\lim_{\Delta x \to 0}\frac{f(a+\Delta x)-f(a)}{\Delta x}=\lim_{h \to 0}\frac{f(a+h)-f(a)}{h}=\lim_{x \to a}\frac{f(x)-f(a)}{x-a}$$ ⬅ Δx 대신 h를 사용

참고 $a+\Delta x=x$로 놓으면 $\Delta x=x-a$이고 $\Delta x \to 0$일 때, $x \to a$이므로 $f'(a)=\lim\limits_{x \to a}\dfrac{f(x)-f(a)}{x-a}$이다.

(3) 미분계수의 기하학적 의미

함수 $y=f(x)$가 $x=a$에서 미분가능할 때, $x=a$에서의 미분계수 $f'(a)$는 곡선 $y=f(x)$ 위의 점 $(a, f(a))$에서의 접선의 기울기와 같다.

$x=a$에서의 미분계수와 접선의 기울기

$$f'(a)=\lim_{\Delta x \to 0}\frac{f(a+\Delta x)-f(a)}{\Delta x}$$ ⬅ 점 $(a, f(a))$에서의 접선의 기울기

마플해설 함수 $y=f(x)$의 그래프 위의 두 점 $\mathrm{A}(a, f(a))$, $\mathrm{B}(a+\Delta x, f(a+\Delta x))$에 대하여 점 B가 곡선 $y=f(x)$를 따라 점 A에 한없이 가까워지면 직선 AB는 점 A를 지나는 일정한 직선 AT에 한없이 가까워진다.
이 직선 AT를 점 A에서의 곡선 $y=f(x)$의 접선이라 하고, 점 A가 접점이 된다.
따라서 $\Delta x \to 0$일 때 직선 AB의 기울기의 극한값, 즉 함수 $y=f(x)$의 $x=a$에서의 미분계수

$$f'(a)=\lim_{\Delta x \to 0}\frac{\Delta y}{\Delta x}=\lim_{\Delta x \to 0}\frac{f(a+\Delta x)-f(a)}{\Delta x}$$

는 곡선 $y=f(x)$ 위의 점 $\mathrm{A}(a, f(a))$에서의 접선의 기울기를 나타낸다.

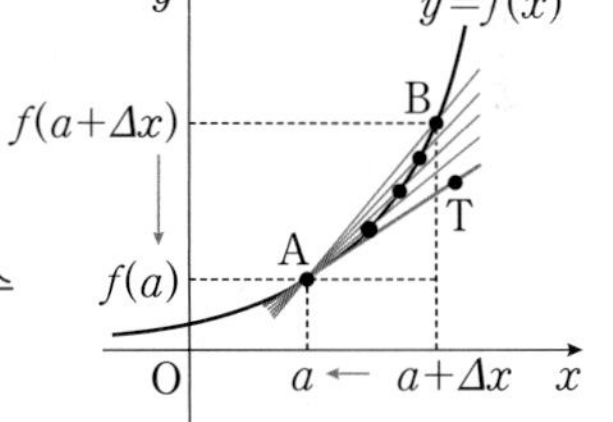

보기 03 다음 함수의 $x=1$에서의 미분계수를 구하여라.

(1) $f(x)=3x+2$ (2) $f(x)=x^2+4x$

풀이 (1) $f'(1)=\lim\limits_{\Delta x \to 0}\dfrac{f(1+\Delta x)-f(1)}{\Delta x}=\lim\limits_{\Delta x \to 0}\dfrac{\{3(1+\Delta x)+2\}-(3+2)}{\Delta x}=\lim\limits_{\Delta x \to 0}\dfrac{3\Delta x}{\Delta x}=3$

(2) $f'(1)=\lim\limits_{\Delta x \to 0}\dfrac{f(1+\Delta x)-f(1)}{\Delta x}=\lim\limits_{\Delta x \to 0}\dfrac{\{(1+\Delta x)^2+4(1+\Delta x)\}-(1^2+4\cdot 1)}{\Delta x}$

$=\lim\limits_{\Delta x \to 0}\dfrac{6\Delta x+(\Delta x)^2}{\Delta x}=\lim\limits_{\Delta x \to 0}(6+\Delta x)=6$

보기 04 곡선 $y=2x^2+x$ 위의 점 $(1, 3)$에서의 접선의 기울기를 구하여라.

풀이 $f(x)=2x^2+x$로 놓으면 함수 $f(x)$의 $x=1$에서의 미분계수 $f'(1)$이 구하는 접선의 기울기이므로

$f'(1)=\lim\limits_{h \to 0}\dfrac{f(1+h)-f(1)}{h}=\lim\limits_{h \to 0}\dfrac{\{2(1+h)^2+(1+h)\}-(2\cdot 1^2+1)}{h}$ ⬅ Δx 대신 h를 사용

$=\lim\limits_{h \to 0}\dfrac{5h+2h^2}{h}=\lim\limits_{h \to 0}(5+2h)=5$

미분계수와 등차중항

01 이차함수의 평균변화율과 미분계수의 성질

이차함수 $f(x)=ax^2+bx+c$에 대하여 구간 $[\alpha,\ \beta]$에서의 평균변화율과 그 구간의 중점 $x=\dfrac{\alpha+\beta}{2}$에서의 미분계수가 같다.

특강해설 다음은 이차함수 $f(x)=ax^2+bx+c$에 대하여 x의 값이 α에서 β까지 변할 때의 평균변화율과 $x=\dfrac{\alpha+\beta}{2}$에서의 순간변화율이 같음의 증명이다.

(ⅰ) x의 값이 α에서 β까지 변할 때의 평균변화율은

$$\frac{\Delta y}{\Delta x}=\frac{f(\beta)-f(\alpha)}{\beta-\alpha}=\frac{(a\beta^2+b\beta+c)-(a\alpha^2+b\alpha+c)}{\beta-\alpha}=a(\alpha+\beta)+b$$

(ⅱ) $x=\dfrac{\alpha+\beta}{2}$에서의 순간변화율은

$$f'\left(\frac{\alpha+\beta}{2}\right)=\lim_{h\to0}\frac{f\left(\frac{\alpha+\beta}{2}+h\right)-f\left(\frac{\alpha+\beta}{2}\right)}{h}$$

$$=\lim_{h\to0}\frac{a\left(\frac{\alpha+\beta}{2}+h\right)^2+b\left(\frac{\alpha+\beta}{2}+h\right)+c-\left\{a\left(\frac{\alpha+\beta}{2}\right)^2+b\left(\frac{\alpha+\beta}{2}\right)+c\right\}}{h}=a(\alpha+\beta)+b$$

(ⅰ), (ⅱ)로부터 이차함수에 대하여 닫힌구간 $[\alpha,\ \beta]$에서의 평균변화율과 $x=\dfrac{\alpha+\beta}{2}$에서의 순간변화율은 같음을 알 수 있다.

교과서특강문제 01 함수 $f(x)=x^2-3x$에 대하여 x의 값이 1에서 3까지 변할 때의 평균변화율과 $x=c$에서의 미분계수가 같을 때, 상수 c의 값을 구하여라.

교과서특강 풀이 함수 $f(x)=x^2-3x$에 대하여 닫힌구간 $[1,\ 3]$에서의 평균변화율은

$$\frac{\Delta y}{\Delta x}=\frac{f(3)-f(1)}{3-1}=\frac{(9-9)-(1-3)}{2}=1 \quad \cdots\cdots ㉠$$

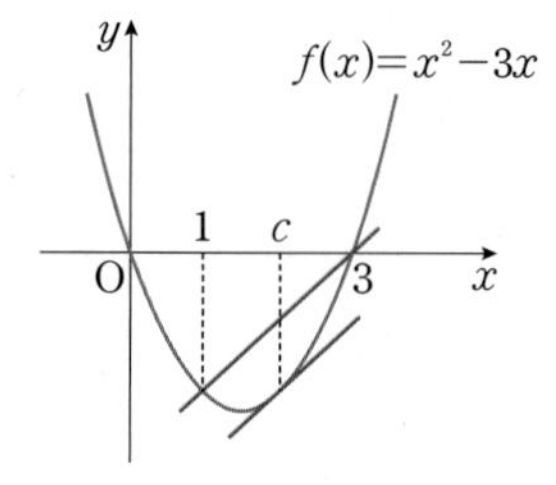

한편, 함수 $f(x)$의 $x=c$에서의 미분계수는

$$f'(c)=\lim_{h\to0}\frac{f(c+h)-f(c)}{h}$$

$$=\lim_{h\to0}\frac{\{(c+h)^2-3(c+h)\}-(c^2-3c)}{h}$$

$$=\lim_{h\to0}\frac{(2c-3+h)h}{h}=\lim_{h\to0}(2c-3+h)=2c-3 \quad \cdots\cdots ㉡$$

㉠과 ㉡에서 $2c-3=1$ $\therefore c=2$ ⬅ c는 1과 3의 중점이므로 $c=\dfrac{1+3}{2}=2$

교과서특강문제 02 함수 $f(x)=-x^2+6x-5$의 $x=4$에서의 미분계수와 닫힌구간 $[3,\ a]$에서 함수 $f(x)$의 평균변화율이 서로 같을 때, 상수 a의 값을 구하여라.

교과서특강 풀이 함수 $f(x)=-x^2+6x-5$에 대하여 닫힌구간 $[3,\ a]$에서의 평균변화율은

$$\frac{\Delta y}{\Delta x}=\frac{f(a)-f(3)}{a-3}=\frac{-a^2+6a-5-4}{a-3}=\frac{-(a-3)^2}{a-3}=-a+3 \quad \cdots\cdots ㉠$$

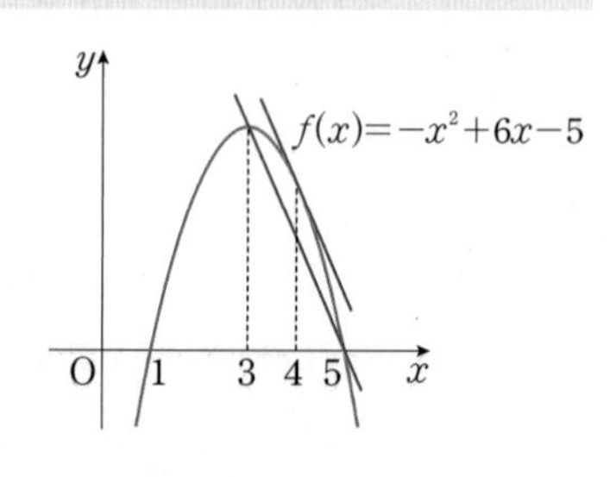

함수 $f(x)$의 $x=4$에서의 미분계수는

$$f'(4)=\lim_{x\to4}\frac{f(x)-f(4)}{x-4}=\lim_{x\to4}\frac{(-x^2+6x-5)-3}{x-4}$$

$$=\lim_{x\to4}\frac{-(x-2)(x-4)}{x-4}=\lim_{x\to4}(-x+2)=-2 \quad \cdots\cdots ㉡$$

㉠과 ㉡에서 $-a+3=-2$ $\therefore a=5$ ⬅ $x=4$는 3과 a의 중점이므로 $4=\dfrac{3+a}{2}$ $\therefore a=5$

마플개념익힘 01 평균변화율과 미분계수 (순간변화율)

함수 $f(x)=x^3-3x$에서 x의 값이 0에서 3까지 변할 때의 평균변화율과 $x=c$에서의 미분계수가 같을 때, 양수 c의 값을 구하여라.

MAPL CORE

① 함수 $y=f(x)$에서 x의 값이 a에서 b까지 변할 때의 평균변화율 ⇨ $\dfrac{\Delta y}{\Delta x}=\dfrac{f(b)-f(a)}{b-a}$

② 함수 $y=f(x)$에서 $x=a$에서의 미분계수 ⇨ $f'(a)=\lim\limits_{h\to 0}\dfrac{f(a+h)-f(a)}{h}=\lim\limits_{x\to a}\dfrac{f(x)-f(a)}{x-a}$

개념익힘 | 풀이 함수 $f(x)=x^3-3x$에서 x의 값이 0에서 3까지 변할 때의 평균변화율은

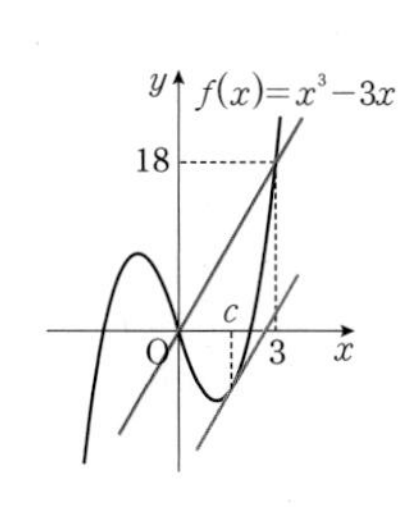

$\dfrac{\Delta y}{\Delta x}=\dfrac{f(3)-f(0)}{3-0}=\dfrac{18-0}{3}=6$ …… ㉠

함수 $f(x)=x^3-3x$의 $x=c$에서의 미분계수는

$f'(c)=\lim\limits_{h\to 0}\dfrac{f(c+h)-f(c)}{h}$

$=\lim\limits_{h\to 0}\dfrac{(c+h)^3-3(c+h)-(c^3-3c)}{h}$

$=\lim\limits_{h\to 0}\dfrac{3c^2h+3ch^2+h^3-3h}{h}$

$=\lim\limits_{h\to 0}(3c^2+3ch+h^2-3)=3c^2-3$ …… ㉡

㉠, ㉡에서 $3c^2-3=6$, $3c^2=9$ $\therefore c^2=3$

따라서 양수 c의 값은 $\boldsymbol{c=\sqrt{3}}$

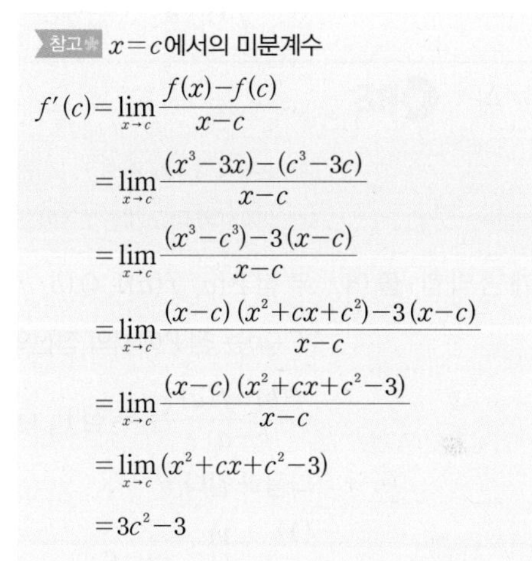
참고 $x=c$에서의 미분계수

$f'(c)=\lim\limits_{x\to c}\dfrac{f(x)-f(c)}{x-c}$

$=\lim\limits_{x\to c}\dfrac{(x^3-3x)-(c^3-3c)}{x-c}$

$=\lim\limits_{x\to c}\dfrac{(x^3-c^3)-3(x-c)}{x-c}$

$=\lim\limits_{x\to c}\dfrac{(x-c)(x^2+cx+c^2)-3(x-c)}{x-c}$

$=\lim\limits_{x\to c}\dfrac{(x-c)(x^2+cx+c^2-3)}{x-c}$

$=\lim\limits_{x\to c}(x^2+cx+c^2-3)$

$=3c^2-3$

확인유제 0179 함수 $f(x)=x^3-1$에 대하여 x가 1부터 4까지 변할 때의 평균변화율과 $x=c\,(1<c<4)$에서의 $f(x)$의 미분계수가 같아지는 c의 값을 구하여라.

변형문제 0180 다항함수 $y=f(x)$의 그래프는 오른쪽 그림과 같다. x가 a에서 b까지 변할 때, $f(x)$의 평균변화율과 $x=c$에서의 미분계수가 같게 되는 실수 c의 개수는? (단, $a<c<b$)

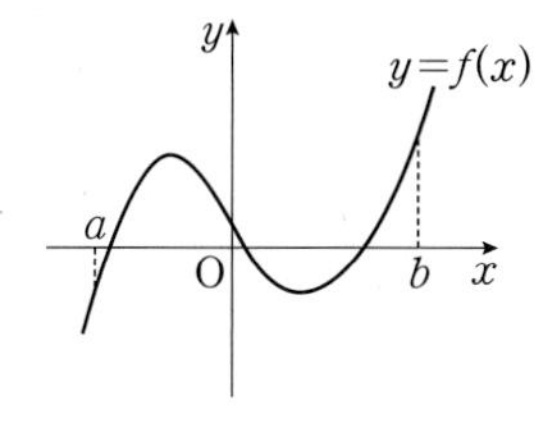

① 1개 ② 2개 ③ 3개

④ 4개 ⑤ 5개

발전문제 0181
2013학년도 06월 평가원

양의 실수 전체의 집합에서 증가하는 함수 $f(x)$가 $x=1$에서 미분가능하다. 1보다 큰 모든 실수 a에 대하여 점 $(1,\ f(1))$과 점 $(a,\ f(a))$ 사이의 거리가 a^2-1일 때, $f'(1)$의 값을 구하여라.

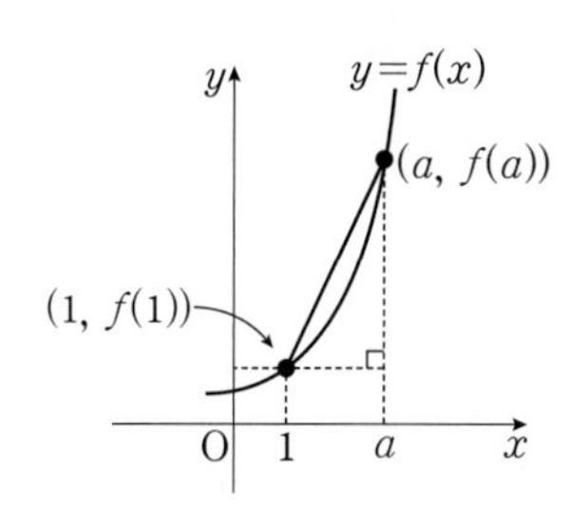

정답 0179 : $\sqrt{7}$ 0180 : ② 0181 : $\sqrt{3}$

마플개념익힘 02 평균변화율과 미분계수의 기하학적 의미

함수 $y=f(x)$의 그래프와 곡선 위의 서로 다른 두 점 $\mathrm{P}(a,\ f(a))$, $\mathrm{Q}(b,\ f(b))(a<b)$가 그림과 같을 때,

평균변화율과 미분계수의 기하학적 의미를 이용하여 $f'(a)$, $f'(b)$, $\dfrac{f(b)-f(a)}{b-a}$의 대소를 비교하여라.

(1)

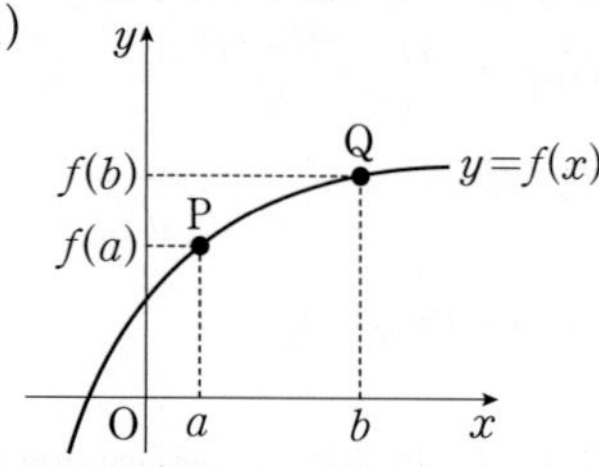

(2)

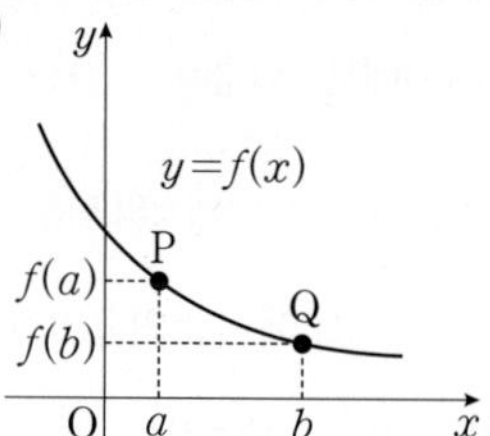

MAPL CORE

평균변화율 $\dfrac{f(b)-f(a)}{b-a}$는 두 점 $(a,\ f(a))$, $(b,\ f(b))$를 지나는 직선의 기울기

$x=a$에서의 미분계수 $f'(a)$는 곡선 $y=f(x)$ 위의 점 $(a,\ f(a))$에서의 접선의 기울기와 같다.

$x=b$에서의 미분계수 $f'(b)$는 곡선 $y=f(x)$ 위의 점 $(b,\ f(b))$에서의 접선의 기울기와 같다.

개념익힘 | 풀이 두 점 $\mathrm{P}(a,\ f(a))$, $\mathrm{Q}(b,\ f(b))$에 대하여

$f'(a)$는 점 P에서의 접선의 기울기와 같고 $f'(b)$는 점 Q에서의 접선의 기울기와 같다.

$\dfrac{f(b)-f(a)}{b-a}$는 두 점 P, Q를 지나는 직선의 기울기와 같으므로 아래 그림에서 세 기울기의 대소 관계를 구하면 다음과 같다.

(1)

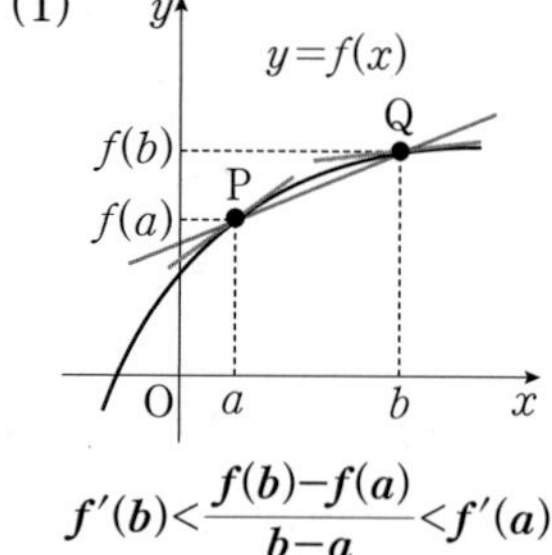

$$\boldsymbol{f'(b)<\frac{f(b)-f(a)}{b-a}<f'(a)}$$

(2)

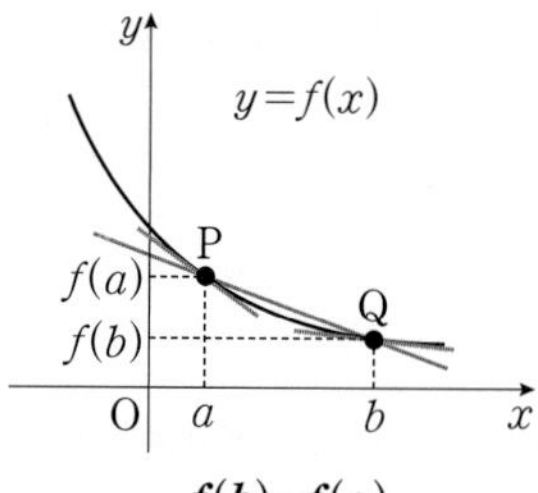

$$\boldsymbol{f'(a)<\frac{f(b)-f(a)}{b-a}<f'(b)}$$

확인유제 0182

1996학년도 수능기출

오른쪽 그림은 미분가능한 함수 $y=f(x)$와 $y=x$의 그래프이다.

$0<a<b$일 때, 다음 중 옳은 것을 모두 고르면?

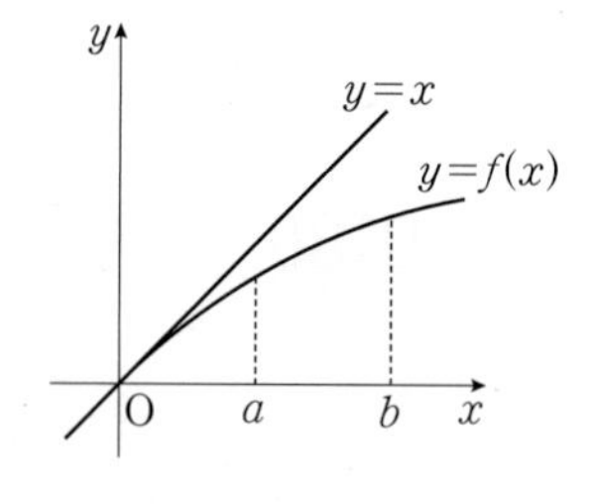

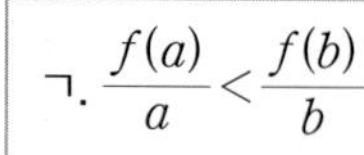

ㄱ. $\dfrac{f(a)}{a}<\dfrac{f(b)}{b}$

ㄴ. $f(b)-f(a)>b-a$

ㄷ. $f'(a)>f'(b)$

① ㄱ　② ㄴ　③ ㄷ　④ ㄱ, ㄴ　⑤ ㄴ, ㄷ

변형문제 0183

오른쪽 그림은 미분가능한 두 함수 $y=f(x)$, $y=x$의 그래프이다.

$0<a<b$일 때, 다음 [보기]에서 옳은 것만을 있는 대로 고르면?

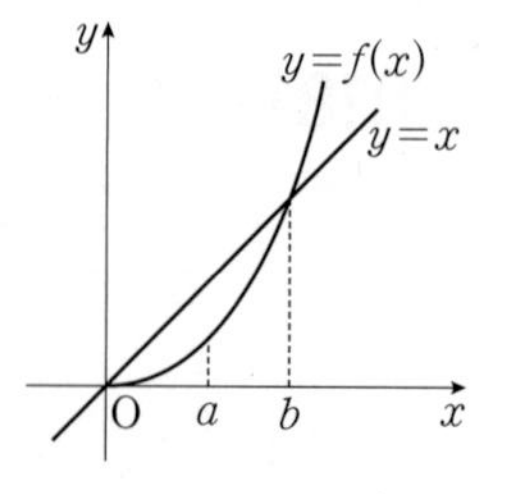

ㄱ. $\dfrac{f(a)}{a}>\dfrac{f(b)}{b}$　　ㄴ. $f'(a)<f'(b)$

ㄷ. $f(b)-f(a)>b-a$　　ㄹ. $f'(\sqrt{ab})>f'\left(\dfrac{a+b}{2}\right)$

① ㄱ, ㄹ　② ㄱ, ㄴ, ㄹ　③ ㄴ, ㄷ　④ ㄱ, ㄷ, ㄹ　⑤ ㄱ, ㄴ, ㄷ

정답 0182 : ③　0183 : ③

02 미분계수의 활용

MAPL; YOUR MASTER PLAN

01 미분계수를 이용한 극한값 계산 (1)

$f(x)$의 $x=a$에서의 미분계수 $f'(a)$가 존재하면

$$\lim_{\bullet\to0}\frac{f(a+\bullet)-f(a)}{\bullet}=f'(a)$$ ← ● 부분이 서로 같아야 $f'(a)$가 된다.

서로 같지 않으면 같게 만들어 주도록 한다.

(1) $\lim_{h\to0}\frac{f(a+h)-f(a)}{h}=f'(a)$

(2) $\lim_{h\to0}\frac{f(a+nh)-f(a)}{mh}=\frac{n}{m}f'(a)$

(3) $\lim_{h\to0}\frac{f(a+mh)-f(a+nh)}{h}=(m-n)f'(a)$

마플해설

(2) $\lim_{h\to0}\frac{f(a+nh)-f(a)}{mh}=\lim_{h\to0}\frac{f(a+nh)-f(a)}{nh}\cdot\frac{n}{m}=\frac{n}{m}f'(a)$

(3) $\lim_{h\to0}\frac{f(a+mh)-f(a+nh)}{h}=\lim_{h\to0}\frac{f(a+mh)-f(a)+f(a)-f(a+nh)}{h}$

$=\lim_{h\to0}\left\{\frac{f(a+mh)-f(a)}{h}-\frac{f(a+nh)-f(a)}{h}\right\}$

$=\lim_{h\to0}\left\{\frac{f(a+mh)-f(a)}{mh}\cdot m-\frac{f(a+nh)-f(a)}{nh}\cdot n\right\}$

$=f'(a)\cdot m-f'(a)\cdot n=(m-n)f'(a)$

보기 01 $f'(a)=1$인 다항함수 $f(x)$에 대하여 다음 극한값을 구하여라.

(1) $\lim_{h\to0}\frac{f(a+3h)-f(a)}{h}$

(2) $\lim_{h\to0}\frac{f(a-h)-f(a)}{h}$

(3) $\lim_{h\to0}\frac{f(a+3h)-f(a-2h)}{h}$

(4) $\lim_{h\to0}\frac{f(a+h^2)-f(a)}{h}$

풀이

(1) $\lim_{h\to0}\frac{f(a+3h)-f(a)}{h}=\lim_{h\to0}\frac{f(a+3h)-f(a)}{3h}\cdot3=f'(a)\cdot3=1\cdot3=3$

(2) $\lim_{h\to0}\frac{f(a-h)-f(a)}{h}=\lim_{h\to0}\frac{f(a-h)-f(a)}{-h}\cdot(-1)=f'(a)\cdot(-1)=1\cdot(-1)=-1$

(3) $\lim_{h\to0}\frac{f(a+3h)-f(a-2h)}{h}=\lim_{h\to0}\frac{f(a+3h)-f(a)+f(a)-f(a-2h)}{h}$

$=\lim_{h\to0}\left\{\frac{f(a+3h)-f(a)}{h}-\frac{f(a-2h)-f(a)}{h}\right\}$

$=\lim_{h\to0}\left\{\frac{f(a+3h)-f(a)}{3h}\cdot3-\frac{f(a-2h)-f(a)}{-2h}\cdot(-2)\right\}$

$=f'(a)\cdot3-f'(a)\cdot(-2)=f'(a)\cdot5=1\cdot5=5$

(4) $\lim_{h\to0}\frac{f(a+h^2)-f(a)}{h}=\lim_{h\to0}\frac{f(a+h^2)-f(a)}{h^2}\cdot h=f'(a)\cdot0=0$

02 미분계수를 이용한 극한값 계산 (2)

$f(x)$가 미분가능한 함수일 때

$$\lim_{x\to●}\frac{f(x)-f(●)}{x-●}=f'(●)$$ ← ●에 들어갈 부분이 서로 같아야 한다.
서로 같지 않으면 같게 만들어 주도록 한다.

(1) $\lim_{x\to a}\frac{f(x)-f(a)}{x-a}=f'(a)$

(2) $\lim_{x\to a}\frac{af(x)-xf(a)}{x-a}=af'(a)-f(a)$

(3) $\lim_{x\to a}\frac{x^2f(a)-a^2f(x)}{x-a}=2af(a)-a^2f'(a)$

마플해설

(2) $\lim_{x\to a}\frac{af(x)-xf(a)}{x-a}=\lim_{x\to a}\frac{af(x)-af(a)+af(a)-xf(a)}{x-a}$

$=\lim_{x\to a}\frac{a\{f(x)-f(a)\}-(x-a)f(a)}{x-a}$

$=\lim_{x\to a}a\cdot\frac{f(x)-f(a)}{x-a}-f(a)=af'(a)-f(a)$

(3) $\lim_{x\to a}\frac{x^2f(a)-a^2f(x)}{x-a}=\lim_{x\to a}\frac{x^2f(a)-a^2f(a)+a^2f(a)-a^2f(x)}{x-a}$

$=\lim_{x\to a}\frac{(x^2-a^2)f(a)-a^2\{f(x)-f(a)\}}{x-a}$

$=\lim_{x\to a}\frac{(x^2-a^2)f(a)}{x-a}-\lim_{x\to a}\frac{a^2\{f(x)-f(a)\}}{x-a}$

$=\lim_{x\to a}(x+a)f(a)-a^2\cdot f'(a)$

$=2af(a)-a^2f'(a)$

보기 02 $f(1)=3,\ f'(1)=2$인 다항함수 $f(x)$에 대하여 다음 극한값을 각각 구하여라.

(1) $\lim_{x\to 1}\frac{f(x)-f(1)}{x^2-1}$

(2) $\lim_{x\to 1}\frac{x^3-1}{f(x)-f(1)}$

(3) $\lim_{x\to 1}\frac{f(x^2)-f(1)}{x-1}$

(4) $\lim_{x\to 1}\frac{x^2f(1)-f(x^2)}{x-1}$

풀이

(1) $\lim_{x\to 1}\frac{f(x)-f(1)}{x^2-1}=\lim_{x\to 1}\frac{f(x)-f(1)}{x-1}\cdot\frac{1}{x+1}=f'(1)\cdot\frac{1}{2}=2\cdot\frac{1}{2}=1$

(2) $\lim_{x\to 1}\frac{x^3-1}{f(x)-f(1)}=\lim_{x\to 1}\frac{1}{\frac{f(x)-f(1)}{x-1}}\cdot(x^2+x+1)=\frac{1}{f'(1)}\cdot 3=\frac{3}{2}$

(3) $\lim_{x\to 1}\frac{f(x^2)-f(1)}{x-1}=\lim_{x\to 1}\frac{f(x^2)-f(1)}{x^2-1}\cdot(x+1)=f'(1)\cdot 2=2\cdot 2=4$

(4) $\lim_{x\to 1}\frac{x^2f(1)-f(x^2)}{x-1}=\lim_{x\to 1}\frac{x^2f(1)-f(1)+f(1)-f(x^2)}{x-1}$

$=\lim_{x\to 1}\left\{\frac{(x^2-1)f(1)}{x-1}-\frac{f(x^2)-f(1)}{x-1}\right\}$

$=\lim_{x\to 1}\left\{(x+1)f(1)-\frac{f(x^2)-f(1)}{x^2-1}\cdot(x+1)\right\}$

$=2f(1)-f'(1)\cdot 2=2\cdot 3-2\cdot 2=2$

마플개념익힘 01 미분계수를 이용한 함수의 극한값 계산 (1)

2011년 10월 교육청

다항함수 $f(x)$에 대하여 $f'(1)=3$일 때, 다음 극한값을 구하여라.

(1) $\lim_{h\to 0}\frac{f(1+2h)-f(1)}{h}$ (2) $\lim_{h\to 0}\frac{f(1-2h)-f(1+2h)}{h}$ (3) $\lim_{h\to 0}\frac{f(1+h+h^2)-f(1)}{h}$

MAPL CORE $\lim_{\square\to 0}\frac{f(a+\square)-f(a)}{\square}=f'(a)$ ⬅ □부분이 서로 같아야 $f'(a)$가 된다. 서로 같지 않으면 같게 만들어 주도록 한다.

개념익힘 | **풀이**

(1) $\lim_{h\to 0}\frac{f(1+2h)-f(1)}{h}=\lim_{h\to 0}\frac{f(1+2h)-f(1)}{2h}\cdot 2=2f'(1)=2\cdot 3=\mathbf{6}$

(2) $\lim_{h\to 0}\frac{f(1-2h)-f(1+2h)}{h}=\lim_{h\to 0}\frac{\{f(1-2h)-f(1)\}-\{f(1+2h)-f(1)\}}{h}$

$=\lim_{h\to 0}\frac{f(1-2h)-f(1)}{-2h}\cdot(-2)-\lim_{h\to 0}\frac{f(1+2h)-f(1)}{2h}\cdot 2$

$=-2f'(1)-2f'(1)=-4f'(1)=(-4)\cdot 3=\mathbf{-12}$

(3) $\lim_{h\to 0}\frac{f(1+h+h^2)-f(1)}{h}=\lim_{h\to 0}\frac{f(1+h+h^2)-f(1)}{h+h^2}\cdot\frac{h+h^2}{h}$

$=\lim_{h\to 0}\frac{f(1+h+h^2)-f(1)}{h+h^2}\cdot\lim_{h\to 0}\frac{h+h^2}{h}$ ⬅ $h\to 0$일 때, $h+h^2\to 0$

$=f'(1)\cdot\lim_{h\to 0}(1+h)$

$=f'(1)\cdot 1=3\cdot 1=\mathbf{3}$

확인유제 0184

다항함수 $y=f(x)$의 그래프의 위의 점 $(a,\ f(a))$에서의 접선의 기울기가 2일 때, 다음 극한값을 구하여라.

(1) $\lim_{h\to 0}\frac{f(a+5h)-f(a)}{h}$ (2) $\lim_{h\to 0}\frac{f(a+4h)-f(a+2h)}{h}$ (3) $\lim_{h\to 0}\frac{f(a+3h)-f(a+h^2)}{h}$

변형문제 0185

다음 물음에 답하여라.

(1) 다항함수 $f(x)$에 대하여 $f'(1)=2$일 때, $\lim_{h\to 0}\frac{1}{h}\sum_{k=1}^{20}\{f(1+kh)-f(1)\}$의 값은?

① 210 ② 410 ③ 420 ④ 430 ⑤ 440

2007년 05월 교육청

(2) 미분가능한 함수 $y=f(x)$에 대하여 $f'(1)=a$일 때, $\lim_{h\to 0}\frac{1}{h}\left\{\sum_{k=1}^{5}f(1+kh)-5f(1)\right\}=420$을 만족시키는 상수 a의 값은?

① 22 ② 24 ③ 26 ④ 28 ⑤ 30

발전문제 0186

다항함수 $f(x)$에 대하여 다음 물음에 답하여라.

(1) $f'(1)=6$일 때, $\lim_{x\to\infty}x\left\{f\left(1+\frac{2}{x}\right)-f\left(1-\frac{3}{x}\right)\right\}$의 값을 구하여라.

(2) $f'(1)=3$일 때, $\lim_{x\to\infty}x\left\{f\left(\frac{x+3}{x}\right)-f\left(\frac{x-1}{x}\right)\right\}$의 값을 구하여라.

정답 0184 : (1) 10 (2) 4 (3) 6 0185 : (1) ③ (2) ④ 0186 : (1) 30 (2) 12

마플개념익힘 02 미분계수를 이용한 함수의 극한값 계산 (2)

다항함수 $f(x)$에 대하여 $f(1)=1$, $f'(1)=3$일 때, 다음을 구하여라.

(1) $\lim_{x\to1}\frac{\{f(x)\}^2-1}{x-1}$ (2) $\lim_{x\to1}\frac{xf(x)-1}{x^2-1}$ (3) $\lim_{x\to1}\frac{\sqrt{f(x)}-\sqrt{f(1)}}{\sqrt{x}-1}$

MAPL CORE $\lim_{\Diamond\to\triangle}\frac{f(\Diamond)-f(\triangle)}{\Diamond-\triangle}=f'(\triangle)$ ⬅ ◇와 △에 들어갈 부분이 서로 같아야 한다. 서로 같지 않으면 같게 만들어 주도록 한다.

개념익힘 | **풀이**

(1) $\lim_{x\to1}\frac{\{f(x)\}^2-1}{x-1}=\lim_{x\to1}\frac{\{f(x)\}^2-\{f(1)\}^2}{x-1}$ ⬅ $f(1)=1$

$=\lim_{x\to1}\frac{f(x)-f(1)}{x-1}\cdot\{f(x)+f(1)\}$

$=f'(1)\cdot 2f(1)=3\cdot2\cdot1=\mathbf{6}$

(2) $\lim_{x\to1}\frac{xf(x)-1}{x^2-1}=\lim_{x\to1}\frac{1}{x+1}\cdot\frac{xf(x)-1}{x-1}$

$=\lim_{x\to1}\frac{1}{x+1}\cdot\frac{xf(x)-xf(1)+xf(1)-1}{x-1}$

$=\lim_{x\to1}\frac{1}{x+1}\left\{x\cdot\frac{f(x)-f(1)}{x-1}+\frac{xf(1)-1}{x-1}\right\}$ ⬅ $f(1)=1$이므로 $\lim_{x\to1}\frac{xf(1)-1}{x-1}=\lim_{x\to1}\frac{x-1}{x-1}=1$

$=\frac{1}{2}\{1\cdot f'(1)+1\}=\frac{1}{2}(3+1)=\mathbf{2}$

(3) $\lim_{x\to1}\frac{\sqrt{f(x)}-\sqrt{f(1)}}{\sqrt{x}-1}=\lim_{x\to1}\frac{\{\sqrt{f(x)}-\sqrt{f(1)}\}\{\sqrt{f(x)}+\sqrt{f(1)}\}}{(\sqrt{x}-1)(\sqrt{x}+1)}\cdot\frac{\sqrt{x}+1}{\sqrt{f(x)}+\sqrt{f(1)}}$

$=\lim_{x\to1}\frac{f(x)-f(1)}{x-1}\cdot\lim_{x\to1}\frac{\sqrt{x}+1}{\sqrt{f(x)}+\sqrt{f(1)}}$

$=f'(1)\cdot\frac{2}{2\sqrt{f(1)}}=3\cdot1=\mathbf{3}$

확인유제 0187 다음 물음에 답하여라.

(1) 다항함수 $f(x)$에 대하여 $f(1)=2$, $f'(1)=3$일 때, $\lim_{x\to1}\frac{f(x)-2}{x^2+x-2}$의 값을 구하여라.

(2) 다항함수 $f(x)$에 대하여 $f'(2)=4$, $f'(4)=3$일 때, $\lim_{x\to2}\frac{f(x^2)-f(4)}{f(x)-f(2)}$의 값을 구하여라.

변형문제 0188 다음 물음에 답하여라.

(1) 다항함수 $f(x)$에 대하여 $\lim_{x\to3}\frac{f(x)-5}{x^3-27}=1$이 성립할 때, $f(3)f'(3)$의 값을 구하여라.

2012학년도 06월 평가원

(2) 다항함수 $f(x)$에 대하여 $\lim_{x\to1}\frac{f(x)-2}{x^2-1}=3$일 때, $\frac{f'(1)}{f(1)}$의 값을 구하여라.

발전문제 0189 다음 물음에 답하여라. (단, a는 상수이다.)

2012년 07월 교육청

(1) 다항함수 $f(x)$에 대하여 $\lim_{x\to1}\frac{f(x)-f(1)}{x^2-1}=-1$일 때, $\lim_{h\to0}\frac{f(1-2h)-f(1+5h)}{h}$의 값을 구하여라.

2013년 10월 교육청

(2) 다항함수 $f(x)$에 대하여 $\lim_{x\to1}\frac{f(x)-a}{x-1}=3$일 때, $\lim_{h\to0}\frac{f(1+2h)-f(1-3h)}{h}$의 값을 구하여라.

정답 0187 : (1) 1 (2) 3 0188 : (1) 135 (2) 3 0189 : (1) 14 (2) 15

마플개념익힘 03 치환을 이용한 미분계수 계산

2009학년도 수능기출

다항함수 $f(x)$에 대하여

$$\lim_{x\to 2}\frac{f(x+1)-8}{x^2-4}=5$$

일 때, $f(3)+f'(3)$의 값을 구하여라.

MAPL CORE

[1단계] 복잡한 식은 적당히 치환하여 $h\to 0$, $x\to a$으로 만든다.

[2단계] 미분계수의 정의 $f'(a)=\lim_{h\to 0}\frac{f(a+h)-f(a)}{h}=\lim_{x\to a}\frac{f(x)-f(a)}{x-a}$를 이용한다.

개념익힘 | 풀이

$\lim_{x\to 2}\frac{f(x+1)-8}{x^2-4}=5$에서 $x\to 2$일 때, (분모)$\to 0$이고 극한값이 존재하므로 (분자)$\to 0$이어야 한다.

즉, $\lim_{x\to 2}\{f(x+1)-8\}=0$이므로 $f(3)-8=0$

$\therefore f(3)=8$ …… ㉠

$x-2=h$로 놓으면 $x\to 2$일 때, $h\to 0$이므로

$$\lim_{x\to 2}\frac{f(x+1)-8}{x^2-4}=\lim_{x\to 2}\frac{f(x+1)-8}{(x+2)(x-2)}$$
$$=\lim_{h\to 0}\frac{f(3+h)-f(3)}{(h+4)h}$$
$$=\lim_{h\to 0}\frac{f(3+h)-f(3)}{h}\cdot\lim_{h\to 0}\frac{1}{h+4}$$
$$=f'(3)\cdot\frac{1}{4}$$

이때 $\frac{1}{4}f'(3)=5$에서 $f'(3)=20$ …… ㉡

따라서 ㉠, ㉡에서 $f(3)+f'(3)=8+20=$**28**

참고 $x+1=t$로 놓으면 $x\to 2$일 때, $t\to 3$이고

$x^2-4=(t-1)^2-4=t^2-2t-3$이므로

$$\lim_{x\to 2}\frac{f(x+1)-8}{x^2-4}=\lim_{t\to 3}\frac{f(t)-8}{t^2-2t-3}$$
$$=\lim_{t\to 3}\frac{f(t)-f(3)}{(t-3)(t+1)}$$
$$=\lim_{t\to 3}\frac{f(t)-f(3)}{t-3}\cdot\lim_{t\to 3}\frac{1}{t+1}$$
$$=f'(3)\cdot\frac{1}{4}$$

이때 $\frac{1}{4}f'(3)=5$에서 $f'(3)=20$

확인유제 0190 다음 물음에 답하여라.

(1) 다항함수 $f(x)$에 대하여 $\lim_{x\to 2}\frac{x^2-4}{f(x-1)+4}=2$일 때, $f(1)+f'(1)$의 값을 구하여라.

(2) 다항함수 $f(x)$에 대하여 $f(0)=0$, $f'(0)=20$일 때, $\lim_{x\to 5}\frac{f(x-5)}{x^2-25}$의 값을 구하여라.

변형문제 0191 다항함수 $f(x)$에 대하여 $\lim_{x\to 1}\frac{f(x+1)-3}{x^2-1}=3$일 때,

$$\lim_{h\to 0}\frac{f(2+ah)-f(2)}{h}=6$$

을 만족시키는 상수 a의 값은?

① 1 ② 2 ③ 3 ④ 4 ⑤ 5

발전문제 0192 다항함수 $f(x)$에 대하여 $\lim_{x\to 0}\frac{f(x+1)-2}{x^2+2x}=3$일 때, $\lim_{x\to 1}\frac{f(x^2)-f(1)}{x-1}$의 값을 구하여라.

정답 0190 : (1) -2 (2) 2 0191 : ① 0192 : 12

마플개념익힘 04 관계식이 주어질 때 미분계수

실수전체에서 미분가능한 함수 $f(x)$가 모든 실수 x, y에 대하여

$$f(x+y)=f(x)+f(y)+2xy,\ f'(1)=3$$

을 만족할 때, 다음 물음에 답하여라.

(1) $f(0)$의 값을 구하여라.

(2) $f'(1)=3$을 이용하여 $f'(0)$의 값을 구하여라.

(3) $f'(3)$의 값을 구하여라.

MAPL CORE

[1단계] 주어진 등식에 적당한 수를 대입하여 필요한 함숫값을 구한다.

[2단계] 미분계수의 정의 $f'(a)=\lim_{h\to 0}\frac{f(a+h)-f(a)}{h}$에 주어진 등식과 함숫값을 대입한다.

개념익힘 | 풀이

(1) $f(x+y)=f(x)+f(y)+2xy$의 양변에 $x=y=0$을 대입하면

$f(0)=f(0)+f(0)$ $\therefore f(0)=\mathbf{0}$

(2)
$$\begin{aligned}f'(1)&=\lim_{h\to 0}\frac{f(1+h)-f(1)}{h}=\lim_{h\to 0}\frac{\{f(1)+f(h)+2\cdot 1\cdot h\}-f(1)}{h}\\&=\lim_{h\to 0}\frac{f(h)+2h}{h}=\lim_{h\to 0}\frac{f(h)}{h}+2\\&=\lim_{h\to 0}\frac{f(h)-f(0)}{h}+2 \quad \Leftarrow f(0)=0\\&=f'(0)+2 \quad \Leftarrow \lim_{h\to 0}\frac{f(h)-f(0)}{h-0}=f'(0)\end{aligned}$$

이때 $f'(1)=3$이므로 $f'(0)+2=3$ $\therefore f'(0)=\mathbf{1}$

(3)
$$\begin{aligned}f'(3)&=\lim_{h\to 0}\frac{f(3+h)-f(3)}{h}=\lim_{h\to 0}\frac{\{f(3)+f(h)+2\cdot 3\cdot h\}-f(3)}{h}\\&=\lim_{h\to 0}\frac{f(h)+6h}{h}=\lim_{h\to 0}\frac{f(h)}{h}+6\\&=\lim_{h\to 0}\frac{f(h)-f(0)}{h}+6 \quad \Leftarrow \lim_{h\to 0}\frac{f(h)-f(0)}{h-0}=f'(0)\\&=f'(0)+6=1+6=\mathbf{7}\end{aligned}$$

확인유제 0193 미분가능한 함수 $f(x)$가 모든 실수 x, y에 대하여

$$f(x+y)=f(x)+f(y)+xy,\ f'(2)=4$$

를 만족할 때, 다음 물음에 답하여라.

(1) $f(0)$의 값을 구하여라.

(2) $f'(2)=4$를 이용하여 $f'(0)$의 값을 구하여라.

(3) $f'(3)$을 구하여라.

변형문제 0194 함수 $f(x)$가 모든 실수 x, y에 대하여 $f(x+y)=f(x)+f(y)-1$을 만족시키고 $f'(2)=1$일 때, $f(0)+f'(1)$의 값은?

① -2 ② -1 ③ 0 ④ 1 ⑤ 2

발전문제 0195 미분가능한 함수 $f(x)$가 모든 실수 x, y에 대하여 $f(x+y)=f(x)+f(y)-xy$를 만족시키고 $f'(1)=5$일 때, $\sum_{k=1}^{10}f'(k)$의 값을 구하여라.

정답	0193 : (1) 0 (2) 2 (3) 5 0194 : ⑤ 0195 : 5

03 미분가능과 연속성

M A P L ; Y O U R M A S T E R P L A N

01 미분가능

(1) 미분가능의 정의

함수 $y=f(x)$에 대하여 $x=a$에서의 미분계수

$$f'(a)=\lim_{h\to 0}\frac{f(a+h)-f(a)}{h}=\lim_{x\to a}\frac{f(x)-f(a)}{x-a}$$

가 존재할 때, 함수 $y=f(x)$는 $x=a$에서 미분가능하다고 하며 $x=a$에서 미분계수 $f'(a)$가 존재하려면 (우미분계수)=(좌미분계수)이어야 한다.

참고 우미분계수: 평균변화율의 우극한

좌미분계수: 평균변화율의 좌극한

(2) 미분가능한 함수

함수 $f(x)$가 어떤 구간에 속하는 모든 x에 대하여 미분가능하면 함수 $f(x)$는 그 구간에서 미분가능하다고 한다.

특히, 함수 $f(x)$가 정의역에 속하는 모든 x의 값에서 미분가능하면 함수 $f(x)$는 미분가능한 함수라고 한다.

함수 $f(x)$가 $x=a$에서 불연속이면 $f(x)$는 $x=a$에서 미분가능하지 않다.
함수 $f(x)$가 $x=a$에서 미분계수가 존재하지 않으면 $f(x)$는 $x=a$에서 미분가능하지 않다.

마플해설 함수 $f(x)$의 $x=a$에서의 미분계수

$f'(a)=\lim_{h\to 0}\frac{f(a+h)-f(a)}{h}=\lim_{x\to a}\frac{f(x)-f(a)}{x-a}$가 존재할 때,

즉, $\lim_{x\to a-}\frac{f(x)-f(a)}{x-a}=\lim_{x\to a+}\frac{f(x)-f(a)}{x-a}$

이므로 $x=a$에서 왼쪽 곡선에서 나타내는 접선의 기울기($x=a$에서 평균변화율의 좌극한)와 오른쪽 곡선에서 나타나는 접선의 기울기($x=a$에서 평균변화율의 우극한)이 서로 같으면 함수 $f(x)$ 위의 점 $(a,\ f(a))$에서 접선은 유일하게 존재하고 함수 $y=f(x)$는 점 $(a,\ f(a))$에서 부드럽게 연결되어야 한다.

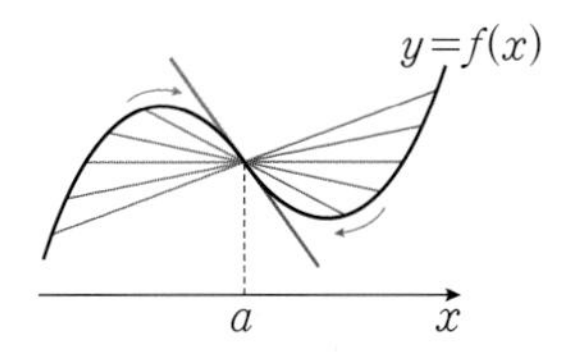

보기 01 함수 $f(x)=x^2+2$의 $x=0$에서의 미분가능성을 조사하여라.

풀이 $f'(0)=\lim_{h\to 0}\frac{f(0+h)-f(0)}{h}=\lim_{h\to 0}\frac{(h^2+2)-2}{h}=\lim_{h\to 0}\frac{h^2}{h}=\lim_{h\to 0}h=0$

따라서 $f'(0)$이 존재하므로 주어진 함수는 $x=0$에서 미분가능하다.

FOCUS

함수 $f(x)$에 대하여 $x=a$에서 미분가능성 조사

⇨ 미분계수 $f'(a)=\lim_{h\to 0}\frac{f(a+h)-f(a)}{h}$가 존재

⇨ $\lim_{h\to 0+}\frac{f(a+h)-f(a)}{h}=\lim_{h\to 0-}\frac{f(a+h)-f(a)}{h}$

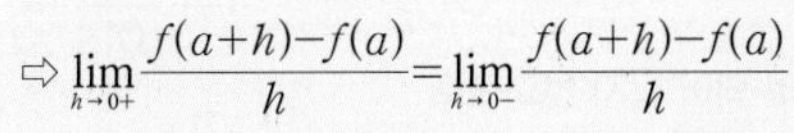

⇨ ($x=a$에서의 우미분계수)=($x=a$에서의 좌미분계수)임을 확인

미분가능한 점 ⟶ 부드러운(smooth curve) 점

02 미분가능성과 연속성의 성질

(1) 미분가능하면 연속이다. [참]

함수 $f(x)$가 $x=a$에서 미분가능하면 함수 $f(x)$는 $x=a$에서 연속이다. ← 그 역은 성립하지 않는다.

대우 함수 $f(x)$가 $x=a$에서 불연속이면 $x=a$에서 미분불가능하다.

증명 함수 $f(x)$가 $x=a$에서 미분가능하면 미분계수

$$f'(a)=\lim_{x\to a}\frac{f(x)-f(a)}{x-a}$$

가 존재하고, 이때 $f(a)$는 일정한 값이므로

$$\lim_{x\to a}\{f(x)-f(a)\}=\lim_{x\to a}\left\{\frac{f(x)-f(a)}{x-a}\cdot(x-a)\right\}$$

$$=\lim_{x\to a}\frac{f(x)-f(a)}{x-a}\cdot\lim_{x\to a}(x-a)$$

$$=f'(a)\cdot 0=0$$

따라서 $\lim_{x\to a}f(x)=f(a)$이므로 함수 $f(x)$는 $x=a$에서 연속이다.

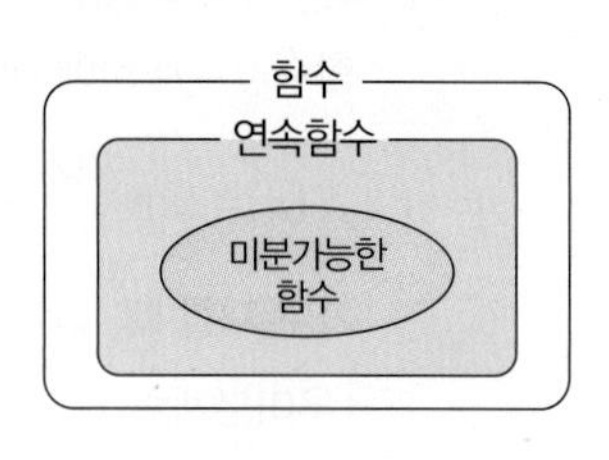

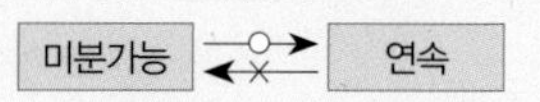

(2) 연속이면 미분가능하다. [거짓]

「함수 $f(x)$가 $x=a$에서 연속이면 $f(x)$는 $x=a$에서 미분가능하다.」는 반드시 성립하는 것은 아니다.

반례 함수 $f(x)=|x|$에 대하여 $x=0$에서 연속이지만 미분가능하지 않음을 보여라.

연속성 조사하기 $\lim_{x\to 0}f(x)=\lim_{x\to 0}|x|=0$, $f(0)=0$이므로 $\lim_{x\to 0}f(x)=f(0)$

즉, 함수 $f(x)=|x|$는 $x=0$에서 연속이다.

미분가능성 조사하기 $\lim_{x\to 0+}\frac{f(x)-f(0)}{x-0}=\lim_{x\to 0+}\frac{|x|}{x}=\lim_{x\to 0+}\frac{x}{x}=1$

$\lim_{x\to 0-}\frac{f(x)-f(0)}{x-0}=\lim_{x\to 0-}\frac{|x|}{x}=\lim_{x\to 0-}\frac{-x}{x}=-1$이므로

$f'(0)=\lim_{x\to 0}\frac{f(x)-f(0)}{x-0}$이 존재하지 않는다.

따라서 함수 $f(x)=|x|$는 $x=0$에서 연속이지만 미분가능하지 않다.

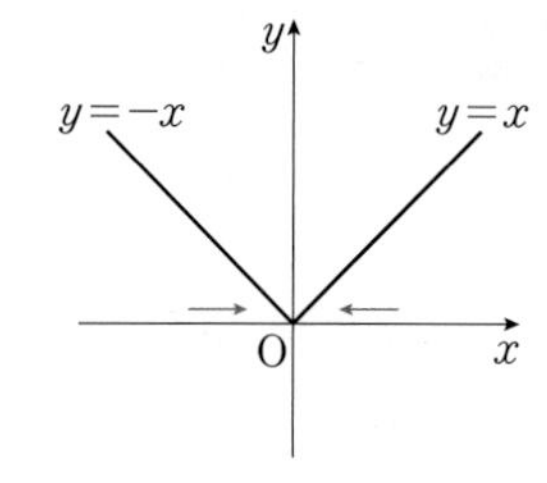

보기 02 함수 $f(x)=|x-1|$의 $x=1$에서 연속성과 미분가능성을 조사하여라.

풀이

연속성 조사하기 $f(1)=0$이고 $\lim_{x\to 1}f(x)=\lim_{x\to 1}|x-1|=0$이므로 $\lim_{x\to 1}f(x)=f(1)$

즉, 함수 $f(x)=|x-1|$은 $x=1$에서 연속이다.

미분가능성 조사하기 $\lim_{x\to 1+}\frac{f(x)-f(1)}{x-1}=\lim_{x\to 1+}\frac{|x-1|}{x-1}=\lim_{x\to 1+}\frac{x-1}{x-1}=1$,

$\lim_{x\to 1-}\frac{f(x)-f(1)}{x-1}=\lim_{x\to 1-}\frac{|x-1|}{x-1}=\lim_{x\to 1-}\frac{-(x-1)}{x-1}=-1$

이므로 $f'(1)$이 존재하지 않는다.

따라서 함수 $f(x)=|x-1|$은 $x=1$에서 연속이지만 미분가능하지 않다.

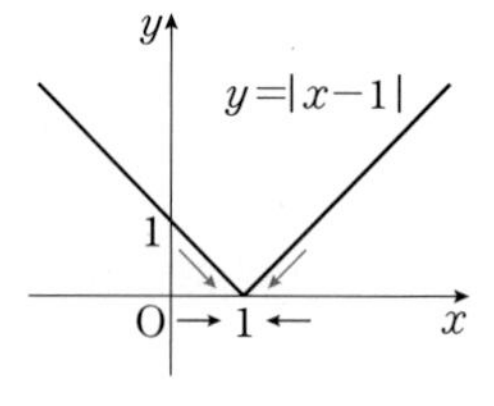

+α 더 알아보기

그래프의 모양과 미분가능성

함수 $y=|x-1|$은 $x=1$에서 미분가능하지 않는다. 이것을 함수의 그래프를 이용하면 곡선 $y=|x-1|$ 위의 점 $P(x, y)$를 점 $A(1, 0)$으로 한없이 가까이 보낼 때, 직선 AP의 변화를 살펴보자.

$x>1$일 때 직선 AP는 항상 직선 $y=x-1$이고,

$x<1$일 때, 직선 AP는 항상 직선 $y=-x+1$이다.

즉, $x=1$에서의 직선 AP의 기울기의 우극한은 1, 좌극한은 -1이 되어 같지 않으므로 점 A에서의 접선은 존재하지 않는다. 즉 함수 $f(x)$는 $x=1$에서 미분가능하지 않다.

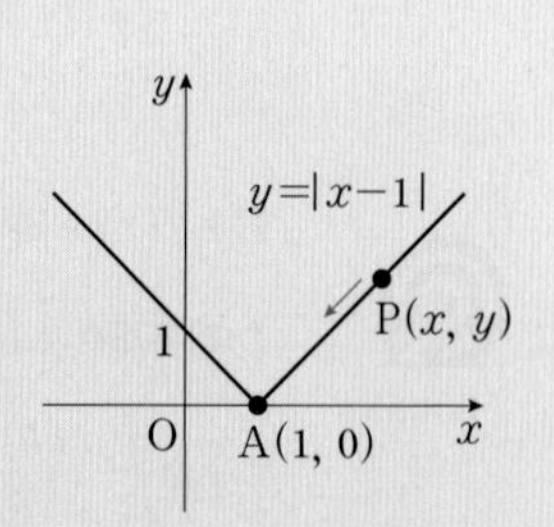

05 미분가능하지 않은 함수

01 미분가능하지 않은 함수

(1) 불연속인 함수

함수 $f(x)$가 $x=a$에서 미분가능하면 함수 $f(x)$는 $x=a$에서 연속이므로 그 대우

'함수 $f(x)$가 $x=a$에서 불연속이면 $x=a$에서 미분가능하지 않다.' 도 성립한다.

함숫값이 없다.	극한값이 없다.	함숫값과 극한값이 다르다.
$y=f(x)$	$y=f(x)$	$y=f(x)$

(2) 연속이지만 꺾인 점 또는 뾰족점 (첨점) (직선의 절댓값, 곡선의 절댓값)

함수 $f(x)$가 $x=a$에서 연속이지만 미분가능하지 않은 경우가 있다.

즉, $x \to a-$일 때와 $x \to a+$일 때의 미분계수가 다르면 $x=a$에서 연속이지만 미분가능하지 않다.

꺾인 그래프		뾰족한 그래프	
$y=f(x)$	$y=f(x)$	$y=f(x)$	$y=f(x)$

설명 함수 $y=f(x)$의 그래프가 $x=a$에서 뾰족한 모양이면 왼쪽 곡선에서 나타나는 접선의 기울기(좌미분계수)과 오른쪽 곡선에서 나타나는 접선의 기울기(우미분계수)가 서로 다르므로 $x=a$에서 미분계수 $f'(a)$가 존재하지 않으므로 미분가능하지 않다. 즉 미분가능한 곡선은 부드러운 곡선이어야 한다.

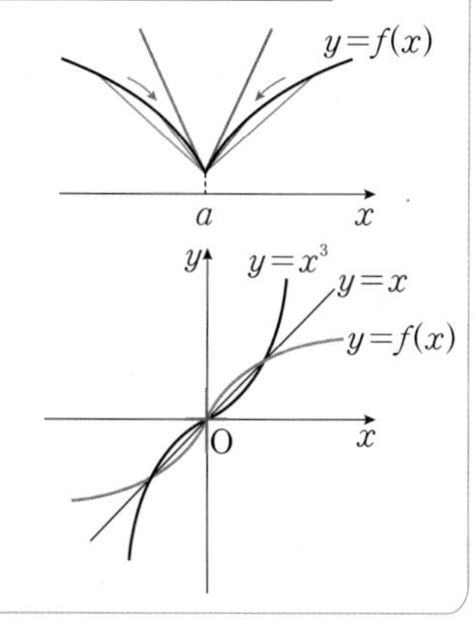

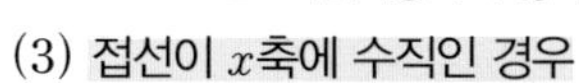

(3) 접선이 x축에 수직인 경우

⇨ 함수 $y=f(x)$의 그래프가 $x=a$에서 x축에 수직인 접선을 가지면 접선이 y축에 평행하여 기울기를 정의할 수 없다.

예 $y=x^3$에서 $y=x$에 대하여 대칭인 함수 $y=f(x)$의 $x=0$에서 미분계수는 존재하지 않는다.

교과서특강문제 01

오른쪽 그림은 함수 $y=f(x)$의 그래프이다. a, b, c, d, e, f 중에서 다음 물음에 답하여라.

(1) 함수 $f(x)$가 불연속인 x를 구하여라.

(2) 함수 $f(x)$가 연속이지만 미분가능하지 않은 x를 구하여라.

(3) 함수 $f(x)$가 미분가능하지 않은 x를 구하여라.

(4) 함수 $f(x)$가 미분가능한 x를 구하여라.

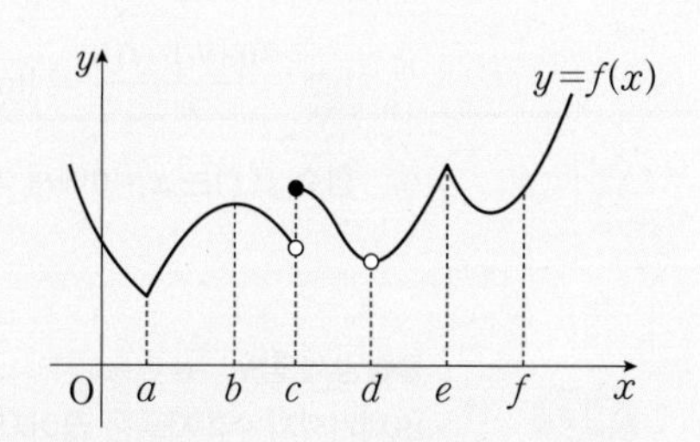

교과서특강 풀이

(1) $x=c$에서는 극한값이 존재하지 않고, $x=d$에서는 함숫값이 없으므로 불연속인 x는 $x=c$, $x=d$이다.

(2) 함수 $y=f(x)$의 그래프 위의 점 $(a,\ f(a))$, $(e,\ f(e))$에서 접선을 그을 수 없으므로 함수 $f(x)$는 $x=a$, $x=e$에서 연속이지만 미분가능하지 않다.

(3) 함수 $f(x)$가 미분가능하지 않은 점은 불연속점과 꺾인 점이므로 $x=a$, $x=c$, $x=d$, $x=e$이다.

(4) 함수 $f(x)$가 미분가능한 x는 $x=b$, $x=f$이다.

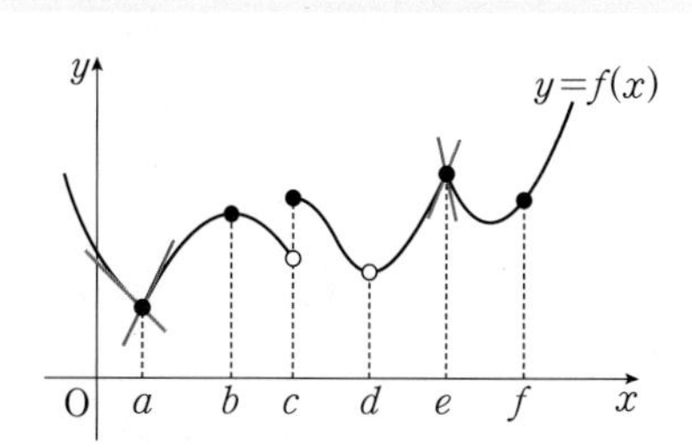

02 함수 $f(x)=x^n|x|$의 미분가능성

(1) $f(x)=\frac{|x|}{x}$ ⬅ $n=-1$일 때

함수 $f(x)=\frac{|x|}{x}$는 $x=0$에서 불연속이고 미분가능하지 않다.

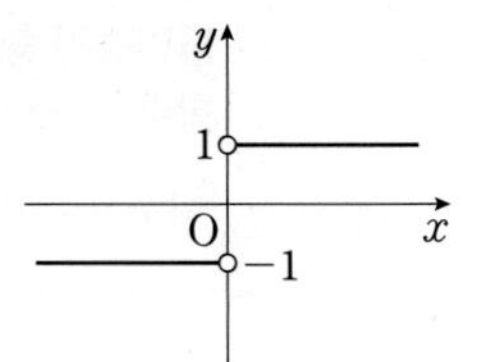

증명 $f(x)=\frac{|x|}{x}$라고 하면 $f(x)=\begin{cases} 1 & (x>0) \\ -1 & (x<0) \end{cases}$

함수 $f(x)$는 $x=0$에서 정의되지 않으므로 불연속이고, 미분가능하지 않다.

(2) $f(x)=|x|$ ⬅ $n=0$일 때

함수 $f(x)=|x|$는 $x=0$에서 연속이지만 미분가능하지 않다.

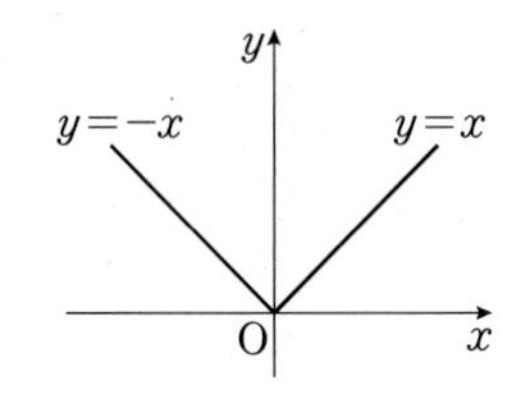

증명 $\lim_{x \to 0} f(x)=0=f(0)$이므로 함수 $f(x)$는 $x=0$에서 연속이다. 한편

$$\lim_{h \to 0+}\frac{f(0+h)-f(0)}{h}=\lim_{h \to 0+}\frac{|h|}{h}=\lim_{h \to 0+}\frac{h}{h}=1$$

$\lim_{h \to 0-}\frac{f(0+h)-f(0)}{h}=\lim_{h \to 0-}\frac{|h|}{h}=\lim_{h \to 0-}\frac{-h}{h}=-1$이므로 $\lim_{h \to 0}\frac{f(0+h)-f(0)}{h}$

이 존재하지 않는다. 따라서 함수 $f(x)$는 $x=0$에서 미분가능하지 않다.

(3) $f(x)=x|x|$ ⬅ $n=1$일 때

함수 $f(x)=x|x|$는 $x=0$에서 연속이고 미분가능하다.

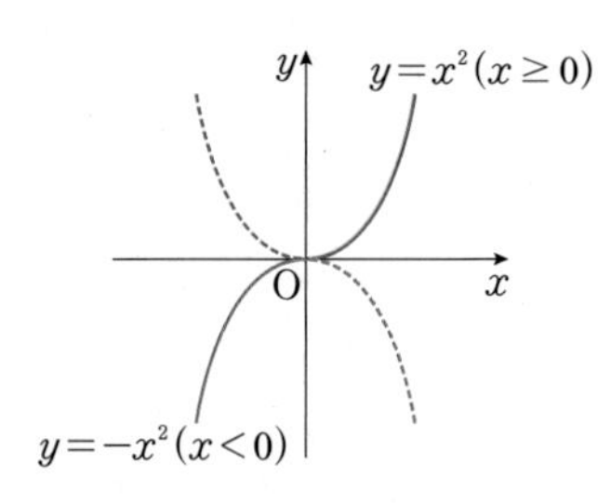

증명 $\lim_{x \to 0} f(x)=0=f(0)$이므로 함수 $f(x)$는 $x=0$에서 연속이다.

$$\lim_{h \to 0+}\frac{f(0+h)-f(0)}{h}=\lim_{h \to 0+}\frac{h|h|}{h}=\lim_{h \to 0+}h=0$$

$\lim_{h \to 0-}\frac{f(0+h)-f(0)}{h}=\lim_{h \to 0-}\frac{h|h|}{h}=\lim_{h \to 0-}(-h)=0$이므로

함수 $f(x)$는 $x=0$에서 미분가능하고 $f'(0)=0$이다.

(4) $f(x)=x^2|x|$ ⬅ $n=2$일 때

함수 $f(x)=x^2|x|$는 $x=0$에서 연속이고 미분가능하다.

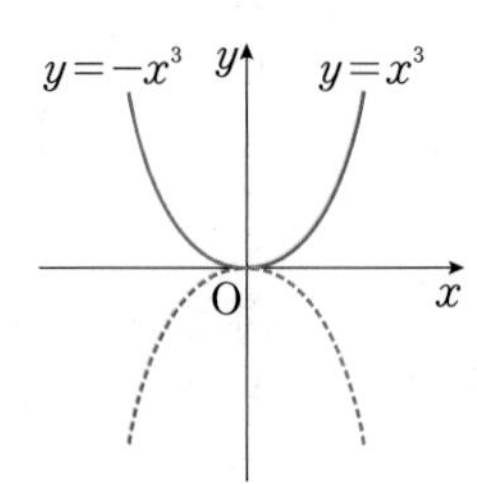

증명 $\lim_{x \to 0} f(x)=0=f(0)$이므로 함수 $f(x)$는 $x=0$에서 연속이다.

$$\lim_{h \to 0+}\frac{f(0+h)-f(0)}{h}=\lim_{h \to 0+}\frac{h^2|h|}{h}=\lim_{h \to 0+}h|h|=\lim_{h \to 0}h^2=0$$

$\lim_{h \to 0-}\frac{f(0+h)-f(0)}{h}=\lim_{h \to 0-}\frac{h^2|h|}{h}=\lim_{h \to 0-}h|h|=\lim_{h \to 0}(-h^2)=0$이므로

함수 $f(x)$는 $x=0$에서 미분가능하고 $f'(0)=0$이다.

+α 더 알아보기

블랑망제 함수 ⬅ 연속이지만 미분할 수 없는 함수

19세기까지 수학자들은 끊어지지 않은 연속함수는 모든 점에서 기울기를 구할 수 있는 미분가능한 함수라 생각하였다. 그런데 1834년 정의역의 모든 점에서 연속이지만 모든 점에서 미분불가능한 함수가 처음으로 발견되었다. 블랑망제 함수는 연속함수이지만 미분할 수 없는 세 번째 함수로 1903년 일본의 수학자 타카기가 발견하였다. 이 함수의 그래프는 처음에는 타카기 프랙털 곡선으로 불리다가 1980년대의 영국의 수학자 데이비드 톨이 함수의 그래프가 블랑망제를 잘랐을 때 나타나는 곡선과 비슷한 형태라는 점에 착안하여 블랑망제 함수곡선이라는 이름을 붙였다고 한다.

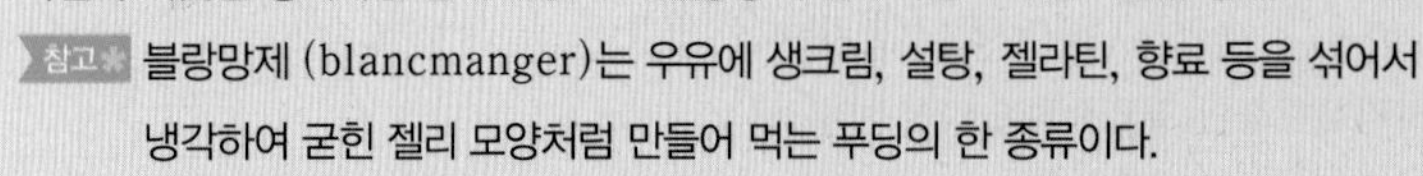

참고 블랑망제 (blancmanger)는 우유에 생크림, 설탕, 젤라틴, 향료 등을 섞어서 냉각하여 굳힌 젤리 모양처럼 만들어 먹는 푸딩의 한 종류이다.
이 푸딩을 티스푼으로 살짝 건드리면 양옆으로 찰랑거리며 흔들린다.
바이어슈트라스 함수 : 모든 짐에서 연속이나, 모든 점에서 미분 불능인 함수

마플개념익힘 01 연속성과 미분가능성

함수 $f(x)=|x^2-1|$에 대하여 $x=1$에서의 연속성과 미분가능성을 조사하여라.

MAPL CORE 그래프를 그려 판단하기가 매우 곤란할 때는 연속과 미분가능성의 정의를 이용한다.
(1) 함수 $f(x)$가 $x=a$에서 연속이면 $\lim_{x \to a} f(x)=f(a)$
(2) 함수 $f(x)$가 $x=a$에서 미분가능이면 미분계수 $f'(a)$가 존재, 즉 $\lim_{h \to 0}\frac{f(a+h)-f(a)}{h}$가 존재한다.

개념익힘 | 풀이 $f(x)=|x^2-1|$에서 $f(x)=\begin{cases} x^2-1 & (x^2 \geq 1) \\ 1-x^2 & (x^2<1) \end{cases}=\begin{cases} x^2-1 & (x \leq -1 \text{ 또는 } x \geq 1) \\ 1-x^2 & (-1<x<1) \end{cases}$

연속성 조사하기 $f(1)=|1^2-1|=0$이고

$\lim_{x \to 1+}(x^2-1)=\lim_{x \to 1-}(1-x^2)=0$이므로 $\lim_{x \to 1}f(x)=f(1)$

따라서 함수 $f(x)$가 **$x=1$에서 연속이다.**

미분가능성 조사하기 $x=1$에서 미분가능하기 위한 조건

$$\lim_{h \to 0+}\frac{f(1+h)-f(1)}{h}=\lim_{h \to 0+}\frac{\{(1+h)^2-1\}-(1^2-1)}{h}$$
$$=\lim_{h \to 0+}\frac{2h+h^2}{h}=\lim_{h \to 0+}(2+h)=2$$
$$\lim_{h \to 0-}\frac{f(1+h)-f(1)}{h}=\lim_{h \to 0-}\frac{\{1-(1+h)^2\}-(1^2-1)}{h}$$
$$=\lim_{h \to 0-}\frac{-2h-h^2}{h}=\lim_{h \to 0-}(-2-h)=-2$$

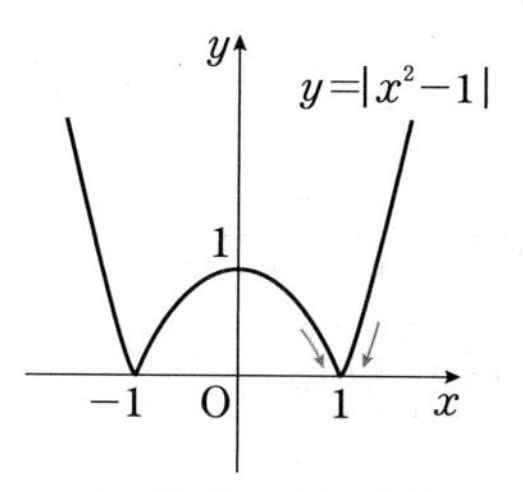

$x=\pm1$에서 뾰족점을 가지므로 $x=\pm1$에서 미분가능하지 않다.

따라서 $\lim_{h \to 0+}\frac{f(1+h)-f(1)}{h} \neq \lim_{h \to 0-}\frac{f(1+h)-f(1)}{h}$이므로

미분계수 $f'(1)$이 존재하지 않으므로 **$x=1$에서 미분가능하지 않다.**

확인유제 0196 다음 함수의 $x=0$에서 연속성과 미분가능성을 조사하여라.

(1) $f(x)=x+|x|$ (2) $g(x)=|x^2+x|$

변형문제 0197 다음 [보기]의 함수 중 $x=0$에서 미분가능인 것을 있는 대로 고른 것은?

ㄱ. $f(x)=x|x|$ ㄴ. $f(x)=x^2|x|$ ㄷ. $f(x)=\begin{cases} \frac{|x|}{x} & (x \neq 0) \\ 0 & (x=0) \end{cases}$

① ㄱ ② ㄴ ③ ㄷ ④ ㄱ, ㄴ ⑤ ㄱ, ㄷ

발전문제 0198 함수 $y=f(x)$의 그래프가 오른쪽 그림과 같을 때, 다음 [보기] 중 옳은 것을 고르면?

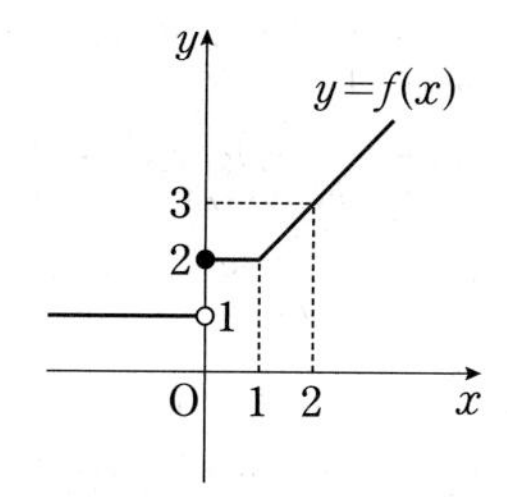

ㄱ. $f(x)$는 $x=1$에서 미분가능하다.
ㄴ. $xf(x)$는 $x=0$에서 미분가능하다.
ㄷ. $x^2f(x)$는 $x=0$에서 미분가능하다.

① ㄱ ② ㄴ ③ ㄷ ④ ㄱ, ㄴ ⑤ ㄴ, ㄷ

정답 0196 : (1) 연속이고 미분가능하지 않다. (2) 연속이고 미분가능하지 않다. 0197 : ④ 0198 : ③

마플개념익힘 02 그래프에서 미분가능성과 연속성

함수 $y=f(x)$의 그래프가 오른쪽 그림과 같을 때, 다음을 구하여라.

(1) 열린구간 $(-2,\ 4)$에서 불연속인 x의 값을 구하여라.

(2) 열린구간 $(-2,\ 4)$에서 미분가능하지 않은 x의 값을 구하여라.

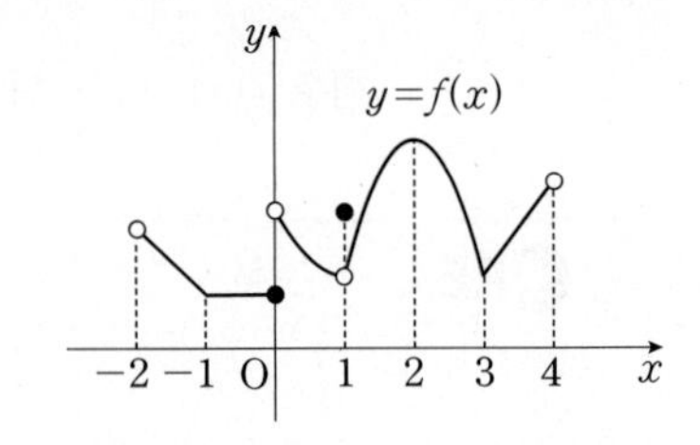

MAPL CORE 함수 $f(x)$가 $x=a$에서 미분가능하지 않은 경우

⇨ ① $x=a$에서 불연속인 경우

② $x=a$에서 연속이지만 그래프가 꺾이는 경우

개념익힘 | **풀이** (ⅰ) $x=0$에서 극한값 $\lim_{x\to0}f(x)$가 존재하지 않으므로 함수 $f(x)$는 $x=0$에서 불연속이다.

$x=1$에서 함숫값과 극한값 $\lim_{x\to1}f(x)$가 존재하지만 $f(1)\neq\lim_{x\to1}f(x)$이므로 $x=1$에서 불연속이다.

따라서 $\boldsymbol{x=0,\ x=1}$에서 불연속이다.

(ⅱ) 함수 $f(x)$가 $x=0,\ x=1$에서 불연속이므로 미분가능하지 않다.

$x=-1,\ x=3$에서 연속이지만 뾰족한 점에서는 미분계수 $f'(-1),\ f'(3)$이 존재하지 않으므로

함수 $f(x)$는 $x=-1,\ x=3$에서 미분가능하지 않다.

따라서 $\boldsymbol{x=-1,\ x=0,\ x=1,\ x=3}$에서 미분가능하지 않다.

확인유제 0199 열린구간 $(-3,\ 6)$에서 함수 $y=f(x)$의 그래프가 오른쪽 그림과 같을 때, $\lim_{x\to a}\dfrac{f(x)-f(a)}{x-a}$의 값이 존재하지 않는 실수 a의 개수는? (단, $-3<a<6$)

① 4 ② 5 ③ 6

④ 7 ⑤ 8

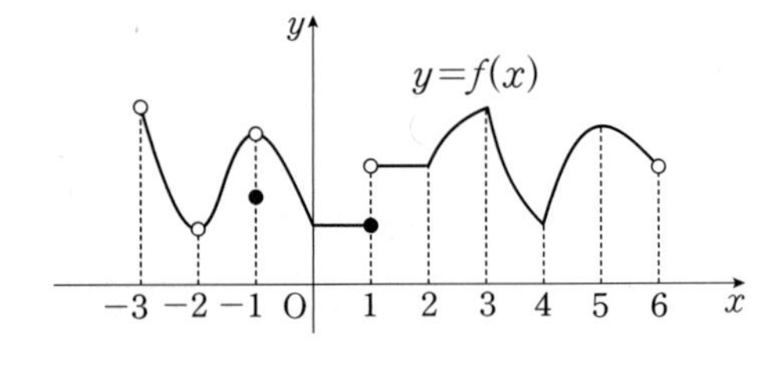

변형문제 0200 오른쪽 그림은 $-1<x<6$에서 정의된 함수 $y=f(x)$의 그래프를 나타낸 것이다. 다음 중 옳지 않은 것은?

① $f'(2)>0$

② $\lim_{x\to3}f(x)$가 존재한다.

③ 함수 $f(x)$가 불연속인 점은 2개이다.

④ 함수 $f(x)$가 미분가능하지 않은 점은 3개이다.

⑤ 함수 $f'(x)=0$인 점은 2개이다.

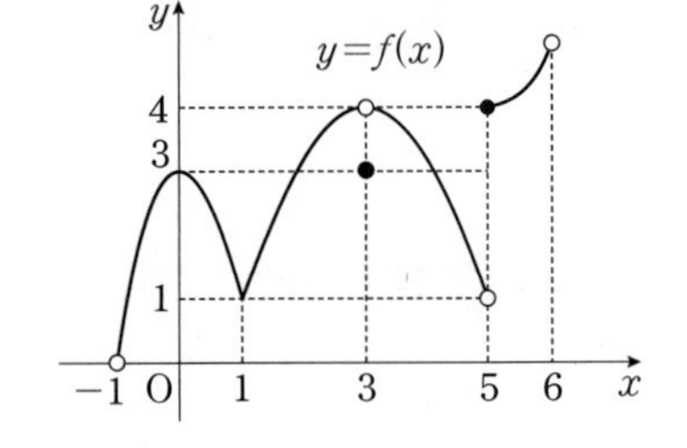

발전문제 0201 함수 $y=f(x)$의 그래프가 오른쪽 그림과 같을 때, 열린구간 $(-2,\ 5)$에서 함수 $f(x)$에 대한 설명으로 옳은 것은?

① $\lim_{x\to1}f(x)=3$

② 함수 $f(x)$가 불연속인 점은 4개이다.

③ $f'\left(-\dfrac{3}{2}\right)f'\left(\dfrac{5}{2}\right)>0$

④ 함수 $f(x)$가 미분가능하지 않은 점은 5개이다.

⑤ $f'(x)=0$인 점은 오직 3개뿐이다.

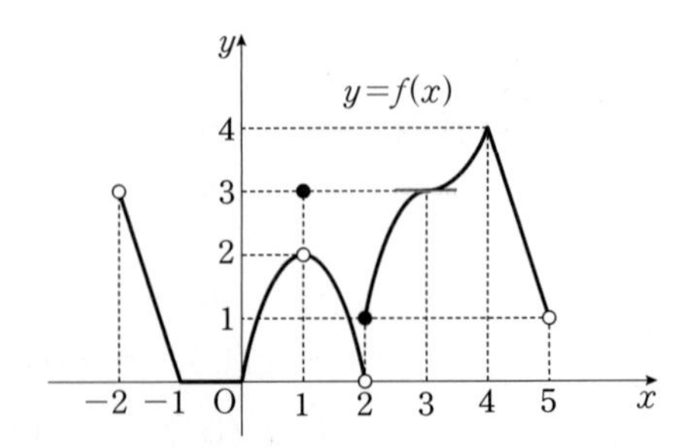

정답 0199 : ④ 0200 : ⑤ 0201 : ④

04 도함수

MAPL ; YOUR MASTER PLAN

01 도함수와 미분법

(1) 도함수의 뜻

함수 $f(x)$가 정의역 X에 속하는 모든 x에서 미분가능할 때, 정의역에 속하는 모든 x에 대하여 미분계수 $f'(x)$를 대응시키면 새로운 함수를 얻는다. 이 함수를 함수 $f(x)$의 **도함수**(導函數, derivative)라 하고, 기호로 ⬅ 導(이끌 도) 函(상자 함) 數(수 수)

$f'(x)$, y', $\dfrac{dy}{dx}$, $\dfrac{d}{dx}f(x)$

와 같이 나타낸다.

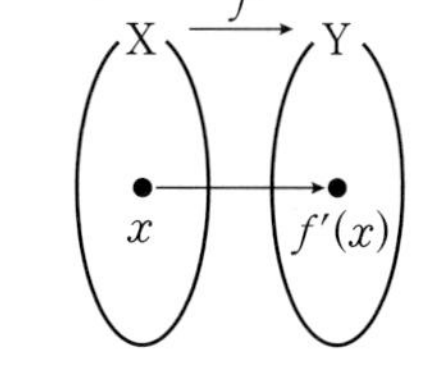

함수 $y=f(x)$의 도함수 $f'(x)$는 미분계수의 정의에 의하여 다음과 같다.

$$f'(x)=\lim_{\Delta x\to 0}\frac{\Delta y}{\Delta x}=\lim_{\Delta x\to 0}\frac{f(x+\Delta x)-f(x)}{\Delta x}=\lim_{h\to 0}\frac{f(x+h)-f(x)}{h}$$ ⬅ Δx 대신에 h를 대입하면

참고 함수 $f(x)$의 정의역의 각 원소 x에 $f'(x)$를 대응시키는 함수를 일컫는 '도함수(導函數)' 라는 용어는 원래의 함수 $f(x)$에서 유도 (誘導, derived)된 것이라는 뜻에서 붙여진 것이다.

$\dfrac{dy}{dx}$는 y를 x에 대하여 미분한다는 것을 뜻하는 기호이며 '디와이(dy), 디엑스(dx)' 라고 읽는다.

(2) 미분법의 뜻

함수 $y=f(x)$에서 도함수 $f'(x)$를 구하는 것은 '함수 $f(x)$를 x에 대하여 미분한다.' 고 하고, 그 계산법을 **미분법(微分法)**이라고 한다. ⬅ 微(작을 미) 分(나눌 분) 法(법 법)

또, $f(x)$의 $x=a$에서의 미분계수 $f'(a)$는 도함수 $f'(x)$식에 $x=a$를 대입한 값이다.

마플해설

y의 x에 대한 미분을 뜻하는 기호 $\dfrac{dy}{dx}$에서 d는 뒤에 붙은 변수가 극미하게 변하는 상태를 뜻하는 기호이다.
즉, x의 값이 극미하게 변하였을 때 (dx), 그에 따라 y의 값도 극미하게 변한다는 (dy),
그 때 두 값의 비율 $\left(\dfrac{dy}{dx}\right)$를 x에 대한 y의 순간변화율을 의미한다.

도함수 $f'(x)$는 곡선 $y=f(x)$ 위의 임의의 점에서의 접선의 기울기를 나타내는 함수이다.

보기 01 함수 $f(x)=x^2+2x$에 대하여 다음을 구하여라.

(1) 함수 $f(x)$의 도함수

(2) 함수 $f(x)$의 $x=2$에서의 미분계수

풀이

(1) $f'(x)=\displaystyle\lim_{h\to 0}\frac{f(x+h)-f(x)}{h}$ ⬅ 도함수의 정의

$=\displaystyle\lim_{h\to 0}\frac{(x+h)^2+2(x+h)-(x^2+2x)}{h}$

$=\displaystyle\lim_{h\to 0}\frac{h(2x+2)+h^2}{h}$

$=\displaystyle\lim_{h\to 0}(2x+2+h)=2x+2$

도함수 미분계수
$f'(x)$ $\xrightarrow{x=a\text{로 대입}}$ $f'(a)$

(2) 위 (1)에서 $f'(x)=2x+2$이므로

$x=2$에서의 미분계수는 $f'(2)=2\cdot2+2=6$ ⬅ $f'(x)=2x+2$에 $x=2$를 대입

더 알아보기

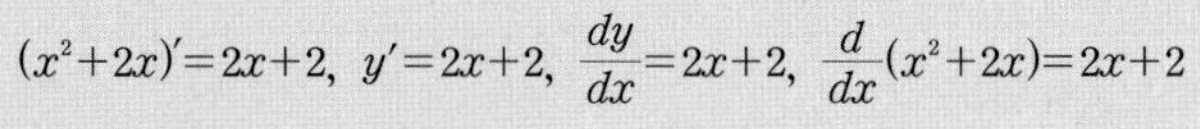

함수 $y=x^2+2x$의 도함수를 다음과 같이 나타내기도 한다.

$(x^2+2x)'=2x+2$, $y'=2x+2$, $\dfrac{dy}{dx}=2x+2$, $\dfrac{d}{dx}(x^2+2x)=2x+2$

02 $y=x^n$(n은 양의 정수)과 상수함수의 도함수

함수 $y=x^n$(n은 양의 정수)과 상수함수의 도함수

① $y=x^n$($n\geq 2$인 정수)의 도함수는 ⇨ $y'=nx^{n-1}$

② $y=x$의 도함수는 ⇨ $y'=1$

③ $y=c$(c는 상수)의 도함수는 ⇨ $y'=0$

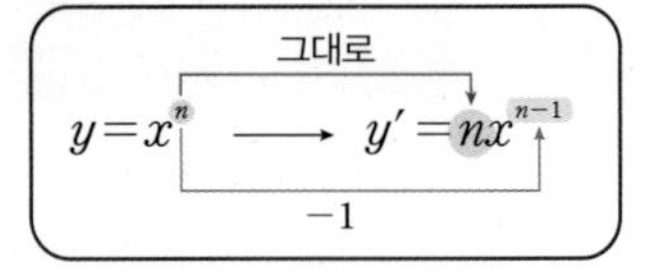

마플해설 도함수의 정의를 이용하여 함수 $y=x^n$(n은 양의 정수)의 도함수를 구해보자.

① 함수 $y=x^n$($n\geq 2$인 정수)에 대하여 $f(x)=x^n$이라 하면

$$\begin{aligned} f'(x)&=\lim_{h\to 0}\frac{f(x+h)-f(x)}{h}\\ &=\lim_{h\to 0}\frac{(x+h)^n-x^n}{h}\\ &=\lim_{h\to 0}\frac{\{(x+h)-x\}\{(x+h)^{n-1}+(x+h)^{n-2}x+\cdots+x^{n-1}\}}{h}\\ &=\lim_{h\to 0}\{(x+h)^{n-1}+(x+h)^{n-2}x+\cdots+x^{n-1}\}\\ &=\underbrace{x^{n-1}+x^{n-1}+\cdots+x^{n-1}}_{n\text{개}}=nx^{n-1}\end{aligned}$$

$x^n-a^n=(x-a)(x^{n-1}+ax^{n-2}+\cdots+a^{n-1})$ (단, n은 2 이상의 양의 정수)

a	1	0	0	$\cdots$	0	$-a^n$
		a	a^2	$\cdots$	a^{n-1}	a^n
	1	a	a^2		a^{n-1}	0

⬅ 자연수 $k(1\leq k\leq n)$에 대하여 $\lim_{h\to 0}(x+h)^{n-k}x^{k-1}=x^{n-k}x^{k-1}=x^{n-1}$

② 함수 $y=x$에 대하여 $f(x)=x$라고 하면

$$\begin{aligned} f'(x)&=\lim_{h\to 0}\frac{f(x+h)-f(x)}{h}\\ &=\lim_{h\to 0}\frac{(x+h)-x}{h}\\ &=\lim_{h\to 0}\frac{h}{h}=1\end{aligned}$$

③ 함수 $y=c$에 대하여 $f(x)=c$ (c는 상수)라고 하면

$$\begin{aligned} f'(x)&=\lim_{h\to 0}\frac{f(x+h)-f(x)}{h}\\ &=\lim_{h\to 0}\frac{c-c}{h}\\ &=\lim_{h\to 0}0=0\end{aligned}$$

보기 02 다음 함수의 도함수를 구하여라.

(1) $y=x^7$ (2) $y=x^{10}$ (3) $y=100$

풀이 (1) $y'=7x^{7-1}=7x^6$ (2) $y'=10x^{10-1}=10x^9$ (3) $y'=0$

보기 03 함수 $f(x)=x^{2n}$에 대하여 $f'(1)=10$일 때, 양의 정수 n의 값을 구하여라.

풀이 함수 $f(x)$의 도함수 $f'(x)$는 $f'(x)=2nx^{2n-1}$이므로 $x=1$에서 미분계수는

$f'(1)=2n\cdot 1^{2n-1}=2n$

따라서 $2n=10$이므로 $n=5$

더 알아보기

상수함수 $f(x)=c$에 대하여 $y=f(x)$의 그래프는 오른쪽 그림에서 직선 $y=c$이다.
이때 y축에 수직인 직선 위의 모든 점에서 접선의 기울기는 0이므로
상수함수 $f(x)=c$의 도함수는 $f'(x)=0$임을 알 수 있다.

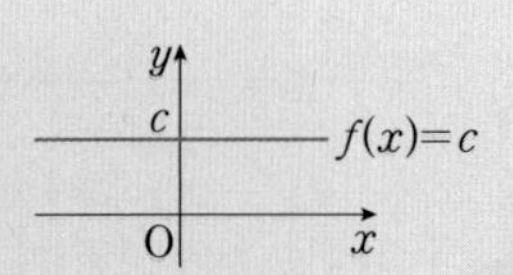

03 함수의 실수배, 합, 차의 미분법

두 함수 $f(x)$, $g(x)$가 미분가능할 때,

① $y=cf(x)$의 도함수는 ⇨ $y'=cf'(x)$ (c는 실수)

② $y=f(x)+g(x)$의 도함수는 ⇨ $y'=f'(x)+g'(x)$

③ $y=f(x)-g(x)$의 도함수는 ⇨ $y'=f'(x)-g'(x)$

참고 함수의 합, 차의 미분법은 세 개 이상의 함수에 대해서도 성립한다.

마플해설 미분가능한 함수의 실수배와 미분가능한 두 함수의 합, 차에 대한 미분법에 대하여 알아보자.

① 함수 $f(x)$가 미분가능할 때, 함수 $y=cf(x)$의 도함수를 구하면

$$y'=\lim_{h\to 0}\frac{cf(x+h)-cf(x)}{h}$$
$$=c\lim_{h\to 0}\frac{f(x+h)-f(x)}{h}$$
$$=cf'(x)$$

← $\lim_{x\to a}f(x)$가 존재할 때, $\lim_{x\to a}cf(x)=c\lim_{x\to a}f(x)$ (단, c는 상수)

② 두 함수 $f(x)$, $g(x)$가 미분가능할 때, 함수 $y=f(x)+g(x)$의 도함수를 구하면

$$y'=\lim_{h\to 0}\frac{\{f(x+h)+g(x+h)\}-\{f(x)+g(x)\}}{h}$$
$$=\lim_{h\to 0}\frac{\{f(x+h)-f(x)\}+\{g(x+h)-g(x)\}}{h}$$
$$=\lim_{h\to 0}\frac{f(x+h)-f(x)}{h}+\lim_{h\to 0}\frac{g(x+h)-g(x)}{h}$$
$$=f'(x)+g'(x)$$

← $\lim_{x\to a}f(x)$, $\lim_{x\to a}g(x)$가 존재할 때, $\lim_{x\to a}\{f(x)+g(x)\}=\lim_{x\to a}f(x)+\lim_{x\to a}g(x)$

③ 같은 방법으로 $y=f(x)-g(x)$의 도함수는 $y'=f'(x)-g'(x)$임을 알 수 있다.

보기 04 다음 함수를 미분하여라.

(1) $y=4x^3-6x^2+3x-1$ (2) $y=x^4-3x^3+2x^2$

풀이

(1) $y'=(4x^3-6x^2+3x-1)'$
$=(4x^3)'-(6x^2)'+(3x)'-(1)'$
$=4(x^3)'-6(x^2)'+3(x)'-(1)'$
$=4\cdot 3x^2-6\cdot 2x+3\cdot 1-0$
$=12x^2-12x+3$

(2) $y'=(x^4-3x^3+2x^2)'$
$=(x^4)'-(3x^3)'+(2x^2)'$
$=(x^4)'-3(x^3)'+2(x^2)'$
$=4x^3-3\cdot 3x^2+2\cdot 2x$
$=4x^3-9x^2+4x$

04 함수의 곱의 미분법

세 함수 $f(x)$, $g(x)$, $h(x)$가 미분가능할 때,

① $y=f(x)g(x)$의 도함수는 ⇨ $y'=f'(x)g(x)+f(x)g'(x)$

② $y=f(x)g(x)h(x)$의 도함수는 ⇨ $y'=f'(x)g(x)h(x)+f(x)g'(x)h(x)+f(x)g(x)h'(x)$

③ $y=\{f(x)\}^n$(n은 자연수)의 도함수는 ⇨ $y'=n\{f(x)\}^{n-1}\cdot f'(x)$ (미분)

마플해설 미분가능한 함수의 곱의 미분법에 대하여 알아보자.

① 두 함수 $f(x)$, $g(x)$가 미분가능할 때, 함수 $y=f(x)g(x)$의 도함수를 구하면

$$y'=\lim_{h\to0}\frac{f(x+h)g(x+h)-f(x)g(x)}{h}$$

$$=\lim_{h\to0}\frac{f(x+h)g(x+h)-f(x)g(x+h)+f(x)g(x+h)-f(x)g(x)}{h}$$ ⬅ 분자에서 $f(x)g(x+h)$를 빼고 더한다.

$$=\lim_{h\to0}\frac{\{f(x+h)-f(x)\}g(x+h)+f(x)\{g(x+h)-g(x)\}}{h}$$

$$=\lim_{h\to0}\frac{f(x+h)-f(x)}{h}\cdot\lim_{h\to0}g(x+h)+\lim_{h\to0}f(x)\cdot\lim_{h\to0}\frac{g(x+h)-g(x)}{h}$$ ⬅ $\lim_{x\to a}f(x)$, $\lim_{x\to a}g(x)$가 존재할 때, $\lim_{x\to a}\{f(x)g(x)\}=\lim_{x\to a}f(x)\cdot\lim_{x\to a}g(x)$

$$=f'(x)g(x)+f(x)g'(x)$$ ⬅ 함수 $g(x)$는 미분가능하면 연속이므로 $\lim_{h\to0}g(x+h)=g(x)$

② 세 함수 $f(x)$, $g(x)$, $h(x)$가 미분가능할 때, 함수 $y=f(x)g(x)h(x)$의 도함수를 구하면

$$y'=\{f(x)g(x)h(x)\}'$$
$$=\{f(x)g(x)\}'h(x)+\{f(x)g(x)\}h'(x)$$
$$=\{f'(x)g(x)+f(x)g'(x)\}h(x)+f(x)g(x)h'(x)$$
$$=f'(x)g(x)h(x)+f(x)g'(x)h(x)+f(x)g(x)h'(x)$$

$(fg)'=f'g+fg'$ (미분, 그대로 / 그대로, 미분)

③ 함수 $f(x)$가 미분가능할 때, 함수 $y=\{f(x)\}^n$ (n은 자연수)의 도함수를 구하면

$y'=n\{f(x)\}^{n-1}\cdot f'(x)$ ⬅ 마플특강 참고

더 알아보기

도함수와 그 기호의 역사

영국의 수학자 뉴턴(Newton, I., 1642~1727)은 물체의 운동과 그 변화(예를 들면 자동차가 간 거리, 자동차의 속도, 가속도)를 연구하면서 미분법을 발견하였으나 그는 이 사실을 발표하지 않았다.
뉴턴의 수많은 업적 중 가장 높이 평가 받는 것은 역학으로, 만유인력의 법칙을 비롯한 뉴턴 역학은 이후 자연과학의 모범이 되었다. 주요 저서로 [광학], [자연 철학의 수학적 원리(프린키피아)] 등이 있으며, 케임브리지 대학 교수, 조폐국 장관, 왕립 협회 회장 등을 지냈다.

10여 년이 지난 후 독일의 수학자 라이프니츠(Leibniz, G. W., 1646~1716)는 곡선 위의 한 점에서 접선의 기울기를 연구하면서 미분법을 발견하여 세상에 발표하였다. 이로 인해 영국과 독일의 수학자들은 오랜 기간 동안 미분법을 누가 먼저 발견하였는가에 대하여 논쟁을 하였다. 오늘날에는 뉴턴과 라이프니츠가 각각 독자적으로 미분을 발견했다고 보고 두 수학자의 업적을 모두 인정해 주고 있다. 또한, 도함수의 기호 $\frac{dy}{dx}$와 $\frac{d}{dx}f(x)$는 라이프니츠가 처음 사용했다. 여기서 dx는 매우 인접해 있는 x 사이의 차를 의미한다.
이 밖에도 라이프니츠는 미적분학의 기호와 용어를 도입했고, 이 기호와 용어들은 현재까지 쓰이고 있다.

도함수(Derived function)는 프랑스의 수학자 라그랑주(Lagrange.J.L.,1736~1813)가 그의 책 [해석함수론]에서 처음 사용했다.
여기서 derived는 도출된 이란 뜻인데, derived function은 도출된 함수라는 뜻의 한자 도함수(導函數)로 번역되었다. 또한, 라그랑주는 그의 책에서 기호 $f'(x)$와 y'을 처음 사용했는데, 여기서 기호 $f'(x)$를 $f(x)$의 도함수라고 명명했다.

보기 05 다음 함수를 미분하여라.

(1) $y=(2x-1)(x^2-3x+1)$　　(2) $y=(2x^2+5)(x^2-2)$

풀이 (1) $y'=(2x-1)'(x^2-3x+1)+(2x-1)(x^2-3x+1)'$

$=2\cdot(x^2-3x+1)+(2x-1)(2x-3)$

$=6x^2-14x+5$

(2) $y'=(2x^2+5)'(x^2-2)+(2x^2+5)(x^2-2)'$

$=(4x)(x^2-2)+(2x^2+5)(2x)$

$=8x^3+2x$

보기 06 다음 함수를 미분하여라.

(1) $y=(2x-1)(x+3)(3x+2)$　　(2) $y=(x^2+1)(x+1)(x^2-2x)$　　(3) $y=(2x-1)^5$

풀이 (1) $y'=\{(2x-1)(x+3)(3x+2)\}'$

$=(2x-1)'(x+3)(3x+2)+(2x-1)(x+3)'(3x+2)+(2x-1)(x+3)(3x+2)'$

$=2\cdot(x+3)(3x+2)+(2x-1)\cdot1\cdot(3x+2)+(2x-1)(x+3)\cdot3$

$=18x^2+38x+1$

(2) $y'=(x^2+1)'(x+1)(x^2-2x)+(x^2+1)(x+1)'(x^2-2x)+(x^2+1)(x+1)(x^2-2x)'$

$=(2x)(x+1)(x^2-2x)+(x^2+1)(1)(x^2-2x)+(x^2+1)(x+1)(2x-2)$

$=5x^4-4x^3-3x^2-2x-2$

(3) $y'=\{(2x-1)^5\}'=5(2x-1)^4(2x-1)'$　⬅ $y=\{f(x)\}^n \longrightarrow y'=n\{f(x)\}^{n-1}\cdot f'(x)$

$=5(2x-1)^4\cdot2=10(2x-1)^4$

보기 07 다음 함수를 미분하여라.

(1) $y=(x+2)^2(3x^2-1)$　　(2) $y=(7x+1)(2x-3)^2$

풀이 (1) $y'=\{(x+2)^2\}'(3x^2-1)+(x+2)^2(3x^2-1)'$　⬅ $y=f(x)g(x) \longrightarrow y'=f'(x)g(x)+f(x)g'(x)$

$=2\cdot(x+2)(3x^2-1)+(x+2)^2\cdot6x$

$=(x+2)(12x^2+12x-2)=2(x+2)(6x^2+6x-1)$

(2) $y'=(7x+1)'(2x-3)^2+(7x+1)\{(2x-3)^2\}'$

$=7\cdot(2x-3)^2+(7x+1)\cdot2(2x-3)\cdot(2x-3)'$

$=7(2x-3)^2+4(7x+1)(2x-3)$

$=(2x-3)(42x-17)$

더 알아보기

도함수에서 등호의 유무 관계

구간별로 정의된 함수의 도함수에서는 경계가 되는 점에서 우미분계수와 좌미분계수가 같은지 확인하여 등호의 유무를 결정한다.

함수	$f(x)=\begin{cases} x & (x\ge0) \\ x^2 & (x<0) \end{cases}$	$g(x)=\begin{cases} x^2+1 & (x\ge0) \\ x^3+1 & (x<0) \end{cases}$
도함수	$f'(x)=\begin{cases} 1 & (x>0) \\ 2x & (x<0) \end{cases}$	$g'(x)=\begin{cases} 2x & (x\ge0) \\ 3x^2 & (x<0) \end{cases}$
등호유무	함수 $f(x)$는 $x=0$에서 우미분계수와 좌미분계수가 같지 않으므로 등호를 빼서 나타낸다.	함수 $g(x)$는 $x=0$에서 우미분계수와 좌미분계수가 같은 경우에는 등호를 그대로 나타낸다.

주의 $x=0$에서 미분계수가 존재하지 않는 함수 $f(x)$를 $f'(x)=\begin{cases} 1 & (x\ge0) \\ 2x & (x<0) \end{cases}$와 같이 나타내지 않도록 주의한다.

06 함수 $y=\{f(x)\}^n$의 도함수를 세 가지 방법으로 구하기

01 곱의 미분법을 이용

함수 $f(x)$가 미분가능할 때, 함수 $y=\{f(x)\}^n$ (n은 자연수)의 도함수를 곱의 미분법을 이용하여 구하면

$y=\{f(x)\}^2=f(x)f(x)$이므로

➡ $y'=f'(x)f(x)+f(x)f'(x)=2f(x)f'(x)$

$y=\{f(x)\}^3=\{f(x)\}^2f(x)$이므로

➡ $y'=[\{f(x)\}^2]'f(x)+\{f(x)\}^2f'(x)$

$=2f(x)f'(x)f(x)+\{f(x)\}^2f'(x)$

$=3\{f(x)\}^2f'(x)$

마찬가지 방법으로 함수 $y=\{f(x)\}^4$의 도함수는 ➡ $y'=4\{f(x)\}^3f'(x)$

즉, 이와 같이 미분가능한 함수 $f(x)$에 대하여

$\{f(x)\}^n=f(x)\times f(x)\times f(x)\times\cdots\times f(x)$ ⬅ n개를 곱한다.

이므로 함수 $y=\{f(x)\}^n$ (n은 자연수)의 도함수는 곱의 미분법을 적용하면

$y'=n\{f(x)\}^{n-1}\cdot f'(x)$임을 알수있다.

02 도함수의 정의를 이용

함수 $f(x)$가 미분가능할 때, 함수 $y=\{f(x)\}^n$ (n은 자연수)의 도함수의 정의를 이용하여 구하면

$$y'=\lim_{h\to0}\frac{\{f(x+h)\}^n-\{f(x)\}^n}{h}$$ ⬅ $x^n-a^n=(x-a)(x^{n-1}+ax^{n-2}+\cdots+a^{n-1})$

$$=\lim_{h\to0}\frac{\{f(x+h)-f(x)\}[\{f(x+h)\}^{n-1}+\{f(x+h)\}^{n-2}f(x)+\cdots+f(x+h)\{f(x)\}^{n-2}+\{f(x)\}^{n-1}]}{h}$$

$$=\lim_{h\to0}\frac{f(x+h)-f(x)}{h}\times\lim_{h\to0}[\{f(x+h)\}^{n-1}+\{f(x+h)\}^{n-2}f(x)+\cdots+f(x+h)\{f(x)\}^{n-2}+\{f(x)\}^{n-1}]$$

$$=f'(x)\times[\underbrace{\{f(x)\}^{n-1}+\{f(x)\}^{n-1}+\cdots+\{f(x)\}^{n-1}+\{f(x)\}^{n-1}}_{n\text{개}}]$$

$$=f'(x)\times n\{f(x)\}^{n-1}$$

$$=n\{f(x)\}^{n-1}f'(x)$$

03 수학적 귀납법이용

함수 $f(x)$가 미분가능할 때, 함수 $y=\{f(x)\}^n$ (n은 자연수)의 도함수를 수학적 귀납법을 이용하여 증명하면

$y=\{f(x)\}^n$이면 $y'=n\{f(x)\}^{n-1}\cdot f'(x)$ ...... ㉠

(ⅰ) $n=1$일 때,

$y'=f'(x)$이므로 ㉠은 성립한다.

(ⅱ) $n=k$일 때, ㉠이 성립한다고 가정하면

$y'=k\{f(x)\}^{k-1}f'(x)$이므로

$n=k+1$일 때, $y=\{f(x)\}^{k+1}=\{f(x)\}^kf(x)$의 도함수는

$y'=[\{f(x)^k\}]'f(x)+\{f(x)\}^kf'(x)$

$=k\{f(x)\}^{k-1}f'(x)f(x)+\{f(x)\}^kf'(x)$

$=(k+1)\{f(x)\}^kf'(x)$

따라서 $n=k+1$일 때에도 ㉠이 성립한다.

(ⅰ), (ⅱ)에 의하여 모든 자연수 n에 대하여 ㉠이 성립한다.

마플개념익힘 01 미분법의 공식

다음 물음에 답하여라.

(1) 함수 $f(x)=x^{10}+x^9+x^8+\cdots+x^2+x+1$에 대하여 $f'(1)$의 값을 구하여라.

(2) 함수 $f(x)=\sum_{k=1}^{10} x^{2k-1}$에 대하여 $f'(1)$의 값을 구하여라.

MAPL CORE

(1) 함수 $y=x^n$과 상수함수의 도함수

① $y=x^n$ (n은 양의 정수)이면 $y'=nx^{n-1}$

② $y=c$ (c은 상수)이면 $y'=0$

(2) 함수의 실수 배, 합, 차의 미분법

③ $y=cf(x)$이면 $y'=cf'(x)$ (c는 실수)

④ $y=f(x)\pm g(x)$이면 $y'=f'(x)\pm g'(x)$

개념익힘 | **풀이**

(1) $f'(x)=10x^9+9x^8+8x^7+\cdots+2x+1$이므로

$$f'(1)=10+9+8+\cdots+2+1=\frac{10\cdot 11}{2}=\mathbf{55}$$

(2) $f(x)=x+x^3+x^5+\cdots+x^{19}$이므로

$f'(x)=1+3x^2+5x^4+\cdots+19x^{18}$

$$\therefore f'(1)=1+3+5+\cdots+19=\frac{10(1+19)}{2}=\mathbf{100}$$

확인유제 0202

다음 물음에 답하여라.

2019학년도 06월 평가원

(1) 함수 $f(x)=x^3-2x^2+4$에 대하여 $f'(3)$의 값을 구하여라.

2018학년도 06월 평가원

(2) 함수 $f(x)=5x^5+3x^3+x$에 대하여 $f'(1)$의 값을 구하여라.

변형문제 0203

2010년 07월 교육청

함수 $f(x)=\sum_{n=1}^{10}\frac{x^n}{n}$에 대하여 $f'(2)$의 값은?

① 127 ② 255 ③ 511 ④ 526 ⑤ 1023

발전문제 0204

다음 물음에 답하여라.

(1) 함수 $f(x)=x^3+5$에 대하여 $\sum_{n=1}^{10}\left\{\lim_{x\to n}\frac{f(x)-f(n)}{x-n}\right\}$의 값을 구하여라.

(2) 함수 $f(x)=x^2+12x-20$에 대하여 $\sum_{n=1}^{10}\left\{\lim_{h\to 0}\frac{f(n+h)-f(n)}{h}\right\}$의 값을 구하여라.

(3) 함수 $f(x)=\frac{1}{3}x^3+\frac{1}{2}x^2$에 대하여 $\sum_{n=1}^{10}\left\{\lim_{x\to n}\frac{x-n}{f(x)-f(n)}\right\}$의 값을 구하여라.

정답 0202 : (1) 15 (2) 35 0203 : ⑤ 0204 : (1) 1155 (2) 230 (3) $\frac{10}{11}$

마플개념익힘 02 곱의 미분법

다음 물음에 답하여라.

2012학년도 09월 평가원

(1) 함수 $f(x)=(x^3+5)(x^2-1)$에 대하여 $f'(1)$의 값을 구하여라.

(2) 함수 $f(x)=(2x^2-1)(x^2+x-2)$에 대하여 $f'(2)$의 값을 구하여라.

MAPL CORE 함수의 곱의 미분법

$y=f(x)g(x)$이면 $y'=f'(x)g(x)+f(x)g'(x)$

개념익힘 | **풀이** (1) $f(x)=(x^3+5)(x^2-1)$에서 x에 대하여 미분하면 $f'(x)=3x^2(x^2-1)+2x(x^3+5)$

따라서 $f'(1)=2\cdot6=\mathbf{12}$

(2) $f(x)=(2x^2-1)(x^2+x-2)$에서 $f'(x)=4x(x^2+x-2)+(2x^2-1)(2x+1)$

따라서 $f'(2)=32+35=\mathbf{67}$

확인유제 0205

다음 물음에 답하여라.

(1) 함수 $f(x)=(x^3+3x+1)(x^2-2x+3)$의 $x=1$에서의 미분계수를 구하여라.

(2) 함수 $f(x)=(x-1)(x-2)(x-3)$일 때, $f'(5)$의 값을 구하여라.

(3) 미분가능한 두 함수 $f(x)$, $g(x)$에 대하여 $f(1)=3$, $f'(1)=-1$을 만족하고 $g(x)=(x^3-2x^2)f(x)$일 때, $g'(1)$의 값을 구하여라.

변형문제 0206

다음 물음에 답하여라.

2012년 07월 교육청

(1) 함수 $f(x)=(x-1)(x-2)(x-3)\cdots(x-10)$에 대하여 $\dfrac{f'(1)}{f'(4)}$의 값을 구하여라.

2012학년도 사관기출

(2) 0이 아닌 서로 다른 세 실수 p, q, r에 대하여 삼차함수 $f(x)=(x-p)(x-q)(x-r)$라 할 때,

$\dfrac{p^2}{f'(p)}+\dfrac{q^2}{f'(q)}+\dfrac{r^2}{f'(r)}$의 값을 구하여라.

발전문제 0207

오른쪽 그림과 같이 최고차항의 계수가 1인 삼차함수 $y=f(x)$의 그래프와 직선 $y=k\,(k>0)$가 만나는 점의 x좌표가 a, b, c일 때, 다음 [보기]에서 옳은 것을 모두 고르면?

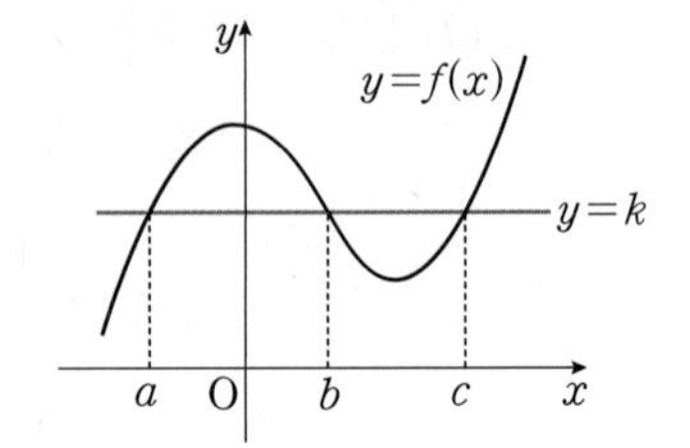

ㄱ. $f'(a)+f'(b)>0$
ㄴ. $f'(b)+f'(c)>0$
ㄷ. $f'(c)+f'(a)>0$

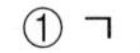

① ㄱ ② ㄴ ③ ㄱ, ㄷ ④ ㄴ, ㄷ ⑤ ㄱ, ㄴ, ㄷ

정답 0205 : (1) 12 (2) 26 (3) -2 0206 : (1) -84 (2) 1 0207 : ⑤

마플개념익힘 03 인수정리와 곱의 미분법

함수 $f(x)=x^3+ax^2+bx+c$에 대하여

$$f(2)=f(4)=f(8)$$

일 때, $f'(8)$의 값을 구하여라. (단, a, b, c는 상수)

MAPL CORE

① 최고차항이 p인 삼차함수 $f(x)$에 대하여 $f(a)=f(b)=f(c)=0$이면 $f(x)=p(x-a)(x-b)(x-c)$

해설 $f(a)=f(b)=f(c)=0$이면 $f(x)=0$은 최고차항의 계수가 p인 삼차식이므로 인수정리에 의하여 $f(x)=p(x-a)(x-b)(x-c)$이다.

② 최고차항이 p인 삼차함수 $f(x)$에 대하여 $f(a)=f(b)=f(c)$이면 $f(x)-k=p(x-a)(x-b)(x-c)$ (단, k는 상수)

해설 $f(a)=f(b)=f(c)=k$라 하면 $f(a)-k=0$, $f(b)-k=0$, $f(c)-k=0$이고 $f(x)-k=0$은 최고차항의 계수가 p인 삼차식이므로 인수정리에 의하여 $f(x)-k=p(x-a)(x-b)(x-c)$이다.

개념익힘 | **풀이** $f(2)=f(4)=f(8)=k$(k는 상수)라 하면 $f(2)-k=0$, $f(4)-k=0$, $f(8)-k=0$

$f(x)-k=0$은 최고차항의 계수가 1인 삼차식이므로 인수정리에 의하여

$f(x)-k=(x-2)(x-4)(x-8)$ ← $f(x)-k=0$은 $x-2$, $x-4$, $x-8$로 나누어떨어진다.

$\therefore f(x)=(x-2)(x-4)(x-8)+k$

이때 $f(x)$를 x에 대하여 미분하면

$f'(x)=(x-4)(x-8)+(x-2)(x-8)+(x-2)(x-4)$

따라서 $f'(8)=(8-2)(8-4)=6\cdot4=\mathbf{24}$

확인유제 0208

다음 물음에 답하여라.

(1) 삼차함수 $f(x)=x^3+ax^2+bx+c$가

$$f(-2)=f(0)=f(2)$$

를 만족시킬 때, $f'(3)$의 값을 구하여라. (단, a, b, c는 상수이다.)

2013년 11월 교육청 (고2)

(2) 삼차함수 $f(x)$가

$$f(0)=-3,\ f(1)=f(2)=f(3)=3$$

을 만족시킬 때, $f'(4)$의 값을 구하여라.

변형문제 0209

2013년 10월 교육청

최고차항의 계수가 1인 삼차함수 $f(x)$와 실수 a가 다음 조건을 만족시킬 때, $f'(a)$의 값을 구하여라.

(가) $f(a)=f(2)=f(6)$

(나) $f'(2)=-4$

발전문제 0210

2007년 10월 교육청

삼차항의 계수가 양수인 삼차함수 $f(x)$가 있다. 세 실수 a, b, c $(a<b<c)$에 대하여 $f(a)=f(b)=f(c)$가 성립할 때, 옳은 것을 [보기]에서 모두 고른 것은?

ㄱ. $f'(a)>0$

ㄴ. $f'(a)+f'(b)>0$

ㄷ. $f'(a)=f'(c)$이면 $b=\dfrac{a+c}{2}$이다.

① ㄱ ② ㄱ, ㄴ ③ ㄱ, ㄷ ④ ㄴ, ㄷ ⑤ ㄱ, ㄴ, ㄷ

정답 0208 : (1) 23 (2) 11 0209 : 5 0210 : ⑤

두 다항함수 $f(x)$, $g(x)$에 대하여

$$\lim_{x\to1}\frac{f(x)-2}{x-1}=3,\ \lim_{x\to1}\frac{g(x)+2}{x-1}=5$$

를 만족할 때, 함수 $h(x)=f(x)g(x)$에 대하여 $h'(1)$의 값을 구하여라.

MAPL CORE 함수 $f(x)$가 미분가능할 때, $\lim_{x\to a}\frac{f(x)-b}{x-a}=k$ (k는 상수)이면 $f(a)=b$, $f'(a)=k$임을 이용하여 곱의 미분법 $\{f(x)g(x)\}'=f'(x)g(x)+f(x)g'(x)$을 구한다.

개념익힘 | **풀이** $\lim_{x\to1}\frac{f(x)-2}{x-1}=3$에서 $x\to1$에서 (분모)$\to0$이고 극한값이 존재하므로 (분자)$\to0$이어야 한다.

즉, $\lim_{x\to1}\{f(x)-2\}=0$이므로 $f(1)=2$

또한, $\lim_{x\to1}\frac{f(x)-2}{x-1}=\lim_{x\to1}\frac{f(x)-f(1)}{x-1}=f'(1)=3$ $\therefore f(1)=2,\ f'(1)=3$

$\lim_{x\to1}\frac{g(x)+2}{x-1}=5$에서 $x\to1$에서 (분모)$\to0$이고 극한값이 존재하므로 (분자)$\to0$이어야 한다.

즉, $\lim_{x\to1}\{g(x)+2\}=0$이므로 $g(1)=-2$

또한, $\lim_{x\to1}\frac{g(x)+2}{x-1}=\lim_{x\to1}\frac{g(x)-g(1)}{x-1}=g'(1)=5$ $\therefore g(1)=-2,\ g'(1)=5$

따라서 $h(x)=f(x)g(x)$에서 $h'(x)=f'(x)g(x)+f(x)g'(x)$이므로

$h'(1)=f'(1)g(1)+f(1)g'(1)=3\cdot(-2)+2\cdot5=\mathbf{4}$

확인유제 0211 다음 물음에 답하여라.

2000학년도 수능기출

(1) 두 다항함수 $f(x)$, $g(x)$가 $\lim_{x\to3}\frac{f(x)-2}{x-3}=1$, $\lim_{x\to3}\frac{g(x)-1}{x-3}=2$를 만족할 때, 함수 $y=f(x)g(x)$의 $x=3$에서의 미분계수를 구하여라.

2013학년도 06월 평가원

(2) 다항함수 $f(x)$가 $\lim_{x\to1}\frac{f(x)-5}{x-1}=9$를 만족시킨다. $g(x)=xf(x)$라 할 때, $g'(1)$의 값을 구하여라.

변형문제 0212 다음 물음에 답하여라.

(1) 오른쪽 그림과 같이 다항함수 $y=f(x)$의 그래프에서 $x=1$인 점에서의 접선을 l이라 할 때, 함수 $g(x)=(x^2+2x+2)f(x)$에 대하여 $g'(1)$의 값은?

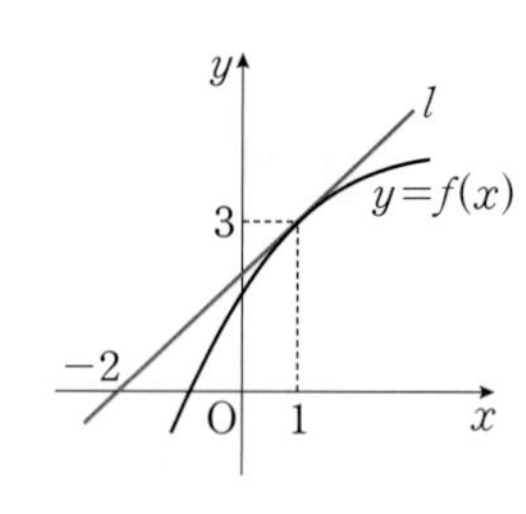

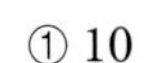

① 10 ② 12 ③ 16
④ 17 ⑤ 24

2014학년도 06월 평가원

(2) 다항함수 $f(x)$에 대하여 곡선 $y=f(x)$ 위의 점 $(2, 1)$에서의 접선의 기울기가 2이다. $g(x)=x^3f(x)$일 때, $g'(2)$의 값은?

① 24 ② 26 ③ 28
④ 30 ⑤ 32

발전문제 0213 두 다항함수 $f(x)$, $g(x)$에 대하여 $\lim_{x\to2}\frac{f(x)+1}{x-2}=3$, $\lim_{x\to2}\frac{g(x)-3}{x-2}=1$이 성립할 때,

2014학년도 사관기출

$\lim_{x\to2}\frac{f(x)g(x)-f(2)g(2)}{x-2}$의 값을 구하여라.

정답 0211 : (1) 5 (2) 14 0212 : (1) ④ (2) ③ 0213 : 8

마플개념익힘 05 미분계수와 미분법을 이용한 극한값 계산

다음 물음에 답하여라.

2015년 10월 교육청
(1) 함수 $f(x)=x^2+ax$에 대하여 $\lim_{h \to 0} \frac{f(1+h)-f(1)}{2h}=6$일 때, 상수 a의 값을 구하여라.

2017년 11월 교육청
(2) 함수 $f(x)=x^2-ax+3$에 대하여 $\lim_{h \to 0} \frac{f(2+h)-f(2)}{h}=1$일 때, 상수 a의 값을 구하여라.

(3) $\lim_{x \to 1} \frac{x^9-5x^3+10x-6}{x-1}$의 값을 구하여라.

MAPL CORE

① $\lim_{h \to 0} \frac{f(a+mh)-f(a)}{nh}=\frac{m}{n}f'(a)$을 이용하여 주어진 미지수 구하기

② 함수가 주어진 경우이면 미분계수의 변형공식을 이용하여 주어진 식을 $\lim_{x \to a} \frac{f(x)-f(a)}{x-a}$ 꼴로 고쳐 미분계수의 정의를 이용한다.

개념익힘 | **풀이**

(1) $\lim_{h \to 0} \frac{f(1+h)-f(1)}{2h}=\frac{1}{2}\lim_{h \to 0} \frac{f(1+h)-f(1)}{h}=\frac{1}{2}f'(1)$

이때 $f(x)=x^2+ax$에서 $f'(x)=2x+a$이므로 $f'(1)=2+a$

$\frac{1}{2}f'(1)=\frac{1}{2}(2+a)=6$이므로 $a=\mathbf{10}$

(2) $\lim_{h \to 0} \frac{f(2+h)-f(2)}{h}=f'(2)=1$

$f(x)=x^2-ax+3$에서 $f'(x)=2x-a$이므로 $f'(2)=4-a=1$

$\therefore a=\mathbf{3}$

(3) $f(x)=x^9-5x^3+10x$라고 하면 $f(1)=6$이므로

$\lim_{x \to 1} \frac{x^9-5x^3+10x-6}{x-1}=\lim_{x \to 1} \frac{f(x)-f(1)}{x-1}=f'(1)$

한편 $f'(x)=9x^8-15x^2+10$이므로 $f'(1)=9-15+10=\mathbf{4}$

참고 로피탈정리

$\lim_{x \to 1} \frac{(x^9-5x^3+10x-6)'}{(x-1)'}$

$=\lim_{x \to 1} \frac{9x^8-15x^2+10}{1}$

$=9-15+10=4$

FOCUS

로피탈 정리

함수 $f(x)$, $g(x)$가 a를 포함하는 구간에서 미분가능하고 $f(a)=0$, $g(a)=0$, $g'(x)\neq 0$이며

$x \to a$일 때, $\frac{f'(x)}{g'(x)}$가 극한값이 존재하면 $\lim_{x \to a} \frac{f(x)}{g(x)}=\lim_{x \to a} \frac{f'(x)}{g'(x)}=\frac{f'(a)}{g'(a)}$이 성립한다.

확인유제 0214 다음 물음에 답하여라.

2014학년도 06월 평가원
(1) 함수 $f(x)=x^3-x$에 대하여 $\lim_{h \to 0} \frac{f(1+3h)-f(1)}{2h}$의 값을 구하여라.

(2) 함수 $f(x)=2x^3+x^2-4x+5$에 대하여 $\lim_{h \to 0} \frac{f(1+h)-f(1-h)}{2h}$의 값을 구하여라.

(3) 함수 $f(x)=-x^3+8x+1$에 대하여 $\lim_{x \to 1} \frac{f(x^2)-f(1)}{x-1}$의 값을 구하여라.

변형문제 0215 자연수 n에 대하여 $a_n=\lim_{x \to 1} \frac{x^n+5x-6}{x-1}$이라 할 때, $\sum_{n=1}^{15} a_n$의 값을 구하여라.

발전문제 0216 다음 물음에 답하여라.

2011학년도 06월 평가원
(1) 함수 $f(x)=2x^4-3x+1$에 대하여 $\lim_{x \to \infty} x\left\{f\left(1+\frac{3}{x}\right)-f\left(1-\frac{2}{x}\right)\right\}$의 값을 구하여라.

(2) 함수 $f(x)=ax^2+x+4$에 대하여 $\lim_{x \to \infty} x\left\{f\left(2+\frac{1}{x}\right)-f\left(2-\frac{1}{x}\right)\right\}=10$일 때, $f(3)$의 값을 구하여라.

(단, a는 상수)

정답 0214 : (1) 3 (2) 4 (3) 10　0215 : 195　0216 : (1) 25 (2) 16

다음 물음에 답하여라.

(1) 이차함수 $f(x)$가 $f(2)=6$, $f'(0)=2$, $f'(1)=4$를 만족시킬 때, $f(3)$의 값을 구하여라.

(2) 이차함수 $f(x)$가 $f(0)=1$이고 모든 실수 x에 대하여 $2f(x)+3x=(x+2)f'(x)$를 만족할 때, $f(2)$의 값을 구하여라.

MAPL CORE

$f(x)$와 $f'(x)$의 관계식이 주어진 항등식의 미정계수법
임의의 실수 x에 대하여 등식이 성립하면 이 식은 x에 대한 항등식이다.
도함수 $f'(x)$를 구하여 주어진 관계식에 대입한 후 계수비교를 통해 미정계수를 구한다.

개념익힘 | **풀이**

(1) $f(x)=ax^2+bx+c\,(a\neq0,\ a,\ b,\ c$는 상수)라 하면

$f(2)=4a+2b+c=6$ ······ ㉠

도함수 $f'(x)=2ax+b$이므로 $f'(0)=b=2$ ······ ㉡

$f'(1)=2a+b=4$ ······ ㉢

㉠, ㉡, ㉢을 연립하여 풀면 $a=1$, $b=2$, $c=-2$

따라서 $f(x)=x^2+2x-2$이므로 $f(3)=9+6-2=\mathbf{13}$

(2) $f(x)=ax^2+bx+c\,(a\neq0,\ a,\ b,\ c$는 상수)라 하면

$f'(x)=2ax+b$이므로 주어진 등식에 대입하면

$2(ax^2+bx+c)+3x=(x+2)(2ax+b)$

$2ax^2+(2b+3)x+2=2ax^2+(4a+b)x+2b$

이 식은 x에 대한 항등식이므로

$2b+3=4a+b$ ······ ㉠

$2=2b$ ······ ㉡

㉠, ㉡을 연립하여 풀면 $a=1$, $b=1$

따라서 $f(x)=x^2+x+1$이므로 $f(2)=4+2+1=\mathbf{7}$

확인유제 0217 이차함수 $f(x)$가 $f(0)=1$이고 임의의 실수 x에 대하여

$$(x+1)f'(x)-2f(x)+5=0$$

을 만족할 때, $f(2)$의 값을 구하여라.

변형문제 0218 2019학년도 06월 평가원

함수 $f(x)=ax^2+b$가 모든 실수 x에 대하여

$$4f(x)=\{f'(x)\}^2+x^2+4$$

를 만족시킨다. $f(2)$의 값은? (단, a, b는 상수이다.)

① 3 ② 4 ③ 5 ④ 6 ⑤ 7

발전문제 0219 2011년 07월 교육청

다음 물음에 답하여라.

(1) 최고차항의 계수가 1인 다항함수 $f(x)$가 $f(x)f'(x)=2x^3-9x^2+5x+6$을 만족할 때, $f(-3)$의 값을 구하여라.

(2) 다항함수 $f(x)$가 다음을 만족할 때, $f(4)$의 값을 구하여라.

(가) $f(-1)=8$
(나) 모든 실수 x에 대하여 $2f(x)=(x-1)f'(x)$

정답 0217 : -11 0218 : ① 0219 : (1) 16 (2) 18

마플개념익힘 07 미분계수와 대칭인 함수의 활용

다음 물음에 답하여라.

(1) 이차함수 $y=f(x)$의 그래프가 y축에 대하여 대칭이고 $f'(1)=4$일 때, $\sum_{k=1}^{10} f'(k)$의 값을 구하여라.

(2) 삼차함수 $y=f(x)$의 그래프가 원점에 대하여 대칭이고 $f(1)=-1$, $f'(1)=1$일 때, $\sum_{k=1}^{5} f'(k-3)$의 값을 구하여라.

MAPL CORE

① 다항함수 $f(x)$가 y축에 대하여 대칭인 함수이면 $f(-x)=f(x)$ ⬅ 우함수

⇨ 다항함수 중 지수가 짝수차 함수, 상수함수 (예) $f(x)=x^2+2$, $f(x)=5$

② 다항함수 $f(x)$가 원점에 대하여 대칭인 함수이면 $f(-x)=-f(x)$ ⬅ 기함수

⇨ 다항함수 중 지수가 홀수차 함수이고 $f(0)=0$을 만족한다. (예) $f(x)=x^3+3x$

개념익힘 | **풀이**

(1) 이차함수 $y=f(x)$의 그래프가 y축에 대하여 대칭이므로 $f(-x)=f(x)$가 성립한다.

$f(x)=ax^2+b$ (단, $a\neq0$)로 놓으면 $f'(x)=2ax$에서 $f'(1)=2a=4$ $\therefore a=2$

따라서 $f'(x)=4x$이므로 $\sum_{k=1}^{10} f'(k)=\sum_{k=1}^{10} 4k=4\cdot\frac{10\cdot11}{2}=\mathbf{220}$

(2) 삼차함수 $y=f(x)$의 그래프가 원점에 대하여 대칭이므로 $f(-x)=-f(x)$가 성립한다.

$f(x)=ax^3+bx$ (단, $a\neq0$, b는 상수)라 놓으면 $f'(x)=3ax^2+b$

$f(1)=a+b=-1$, $f'(1)=3a+b=1$을 연립하여 풀면 $a=1$, $b=-2$

즉, $f(x)=x^3-2x$이므로 $f'(x)=3x^2-2$

따라서 $\sum_{k=1}^{5} f'(k-3)=f'(-2)+f'(-1)+f'(0)+f'(1)+f'(2)=10+1-2+1+10=\mathbf{20}$

확인유제 0220 삼차함수 $f(x)$가 다음 조건을 만족시킬 때, $f(3)$의 값은?

(가) 모든 실수 x에 대하여 $f(-x)=-f(x)$이다.

(나) $f'(0)=10$, $f'(1)=7$

① 3　② 5　③ 7　④ 9　⑤ 11

변형문제 0221 다항함수 $f(x)$가 모든 실수 x에 대하여 다음 조건을 만족한다.

2016학년도 경찰대기출

(가) $f(-x)=-f(x)$　(나) $\lim_{x\to1}\frac{f(1)-f(-x)}{x^2-1}=3$

$f(-1)=2$일 때, $\lim_{x\to-1}\frac{\{f(x)\}^2-4}{x+1}$의 값은?

① -24　② -12　③ 0　④ 12　⑤ 24

발전문제 0222 함수 $y=f(x)$의 그래프는 y축에 대하여 대칭이고, $f'(2)=-3$, $f'(4)=6$일 때,

2010학년도 06월 평가원

$\lim_{x\to-2}\frac{f(x^2)-f(4)}{f(x)-f(2)}$의 값은?

① -8　② -4　③ 4　④ 8　⑤ 12

정답 0220 : ① 0221 : ① 0222 : ①

마플개념익힘 08 미분가능을 이용한 미정계수 결정 (1)

실수 전체의 집합에서 정의된 함수

$$f(x)=\begin{cases} -x^2+a & (x<1) \\ 2x^2+bx+4 & (x\ge 1) \end{cases}$$

이 $x=1$에서 미분가능할 때, a^2+b^2의 값을 구하여라. (단, a, b는 상수이다.)

MAPL CORE

$f(x)=\begin{cases} g(x) & (x\ge a) \\ h(x) & (x<a) \end{cases}$가 $x=a$에서 미분가능할 조건

[1단계] $x=a$에서 함수 $f(x)$가 연속이므로 $\lim_{x\to a} g(x)=h(a)$

[2단계] $x=a$에서 미분계수가 존재하므로 $g'(a)=h'(a)$

참고 미분가능의 미정계수 구하는 방법

[방법1] 미분계수의 정의를 활용하는 경우

[방법2] 미분법을 활용하는 경우

개념익힘 | 풀이

함수 $f(x)$는 각 구간에서 다항함수이므로 $x\ne 1$인 모든 실수에서 미분가능하므로 $x=1$에서만 미분가능할 조건을 고려한다.

(i) 함수 $f(x)$가 $x=1$에서 미분가능하므로 $x=1$에서 연속이다.

$\lim_{x\to 1-} f(x)=\lim_{x\to 1+} f(x)=f(1)$이어야 하므로 $\lim_{x\to 1-}(-x^2+a)=\lim_{x\to 1+}(2x^2+bx+4)$

$-1+a=2+b+4 \quad \therefore a-b=7$ ...... ㉠

(ii) $x=1$에서 미분계수 $f'(1)=\lim_{x\to 1}\dfrac{f(x)-f(1)}{x-1}\left(\text{또는 } f'(1)=\lim_{h\to 0}\dfrac{f(1+h)-f(1)}{h}\right)$이 존재한다.

$$\lim_{x\to 1-}\frac{f(x)-f(1)}{x-1}=\lim_{x\to 1-}\frac{-x^2+a-(-1+a)}{x-1}=\lim_{x\to 1-}\frac{-(x+1)(x-1)}{x-1}=-\lim_{x\to 1-}(x+1)=-2$$

$$\lim_{x\to 1+}\frac{f(x)-f(1)}{x-1}=\lim_{x\to 1+}\frac{(2x^2+bx+4)-(6+b)}{x-1}$$

$$=\lim_{x\to 1+}\frac{2x^2+bx-(2+b)}{x-1}=\lim_{x\to 1+}\frac{(x-1)(2x+2+b)}{x-1}$$

$$=\lim_{x\to 1+}(2x+2+b)=4+b$$

$-2=4+b$에서 $b=-6$

따라서 ㉠에서 $a=1$, $b=-6$이므로 $a^2+b^2=\mathbf{37}$

y, x, O, −1, 1, 2, $y=2x^2-6x+4$, $y=-x^2+1$

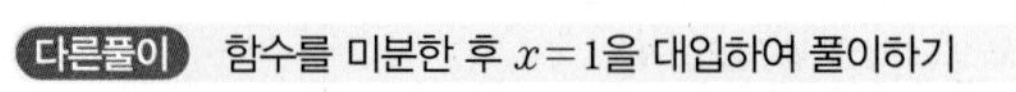

다른풀이 함수를 미분한 후 $x=1$을 대입하여 풀이하기

함수 $f(x)$를 미분하면 $f'(x)=\begin{cases} -2x & (x<1) \\ 4x+b & (x>1) \end{cases}$

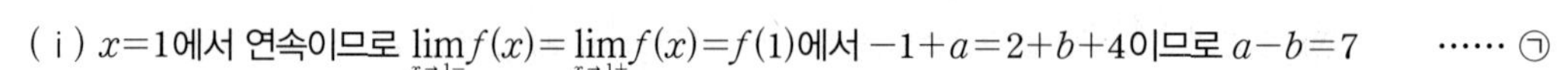

(i) $x=1$에서 연속이므로 $\lim_{x\to 1-} f(x)=\lim_{x\to 1+} f(x)=f(1)$에서 $-1+a=2+b+4$이므로 $a-b=7$ ...... ㉠

(ii) $f(x)$는 $x=1$에서 미분가능하므로 $f'(1)=\lim_{x\to 1-}(-2x)=\lim_{x\to 1+}(4x+b)$에서 $-2=4+b$ ...... ㉡

따라서 ㉠, ㉡을 연립하여 풀면 $a=1$, $b=-6$

확인유제 0223 다음 물음에 답하여라.

2013학년도 수능기출

(1) 함수 $f(x)=\begin{cases} x^3+ax & (x<1) \\ bx^2+x+1 & (x\ge 1) \end{cases}$이 $x=1$에서 미분가능할 때, 상수 a, b에 대하여 $a+b$의 값을 구하여라.

2018학년도 06월 평가원

(2) 함수 $f(x)=\begin{cases} x^2+ax+b & (x\le -2) \\ 2x & (x>-2) \end{cases}$가 실수 전체의 집합에서 미분가능할 때, 상수 a, b에 대하여 $a+b$의 값을 구하여라.

변형문제 0224 함수 $f(x)=\begin{cases} -x^2+ax+2 & (x\ge 2) \\ 2x+b & (x<2) \end{cases}$가 모든 실수 x에서 미분가능할 때, $f(1)+f(4)$의 값은? (단, a, b는 상수)

2013년 07월 교육청

① 16 ② 18 ③ 20 ④ 24 ⑤ 36

발전문제 0225 함수 $f(x)=\begin{cases} -3x+a & (x<-1) \\ x^3+bx^2+cx & (-1\le x<1) \\ -3x+d & (x\ge 1) \end{cases}$가 모든 실수 x에 대하여 미분가능하도록 네 실수 a, b, c, d의 값을 정할 때, $a+b+c+d$의 값을 구하여라.

2009년 10월 교육청

정답 0223 : (1) 7 (2) 10 0224 : ② 0225 : −6

마플개념익힘 09 미분가능을 이용한 미정계수 결정 (2)

오른쪽 그림은 $y=2$와 $y=x+1$의 그래프의 일부분이다.
두 점 $A(0, 1)$, $B(2, 2)$ 사이의 구간 $[0, 2]$에서 정의된 이차함수 $f(x)=ax^2+bx+c$의 그래프로 연결하여 그래프 전체를 나타내는 함수가 실수 전체에서 미분가능하도록 a, b, c의 값을 구하여라.

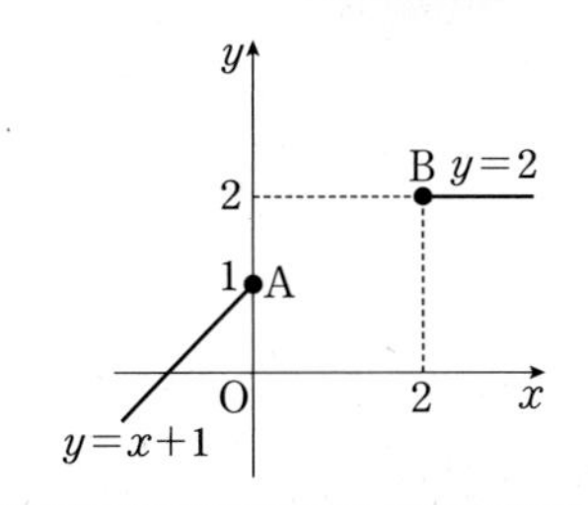

MAPL CORE $f(x)=\begin{cases} g(x) & (x \ge a) \\ h(x) & (x<a) \end{cases}$가 $x=a$에서 미분가능하기 위한 조건

[1단계] $x=a$에서의 좌극한과 우극한이 같아 극한값이 존재하고 그 극한값과 함숫값이 같아 연속이어야 한다.
즉, $f(a)=\lim_{x \to a+} g(x)=\lim_{x \to a-} h(x)$이므로 $g(a)=h(a)$

[2단계] $x=a$에서 미분계수가 존재하므로 좌미분계수와 우미분계수가 같아야 한다.
즉, $f'(a)=\lim_{x \to a+} g'(x)=\lim_{x \to a-} h'(x)$이므로 $g'(a)=h'(a)$

개념익힘 | 풀이 주어진 함수가 $(-\infty, \infty)$에서 미분가능하려면 $x=0$, $x=2$일 때도 연속이고 미분가능이어야 한다.

$f(x)=\begin{cases} x+1 & (x<0) \\ ax^2+bx+c & (0 \le x \le 2) \\ 2 & (x>2) \end{cases}$이므로

$f'(x)=\begin{cases} 1 & (x<0) \\ 2ax+b & (0<x<2) \\ 0 & (x>2) \end{cases}$

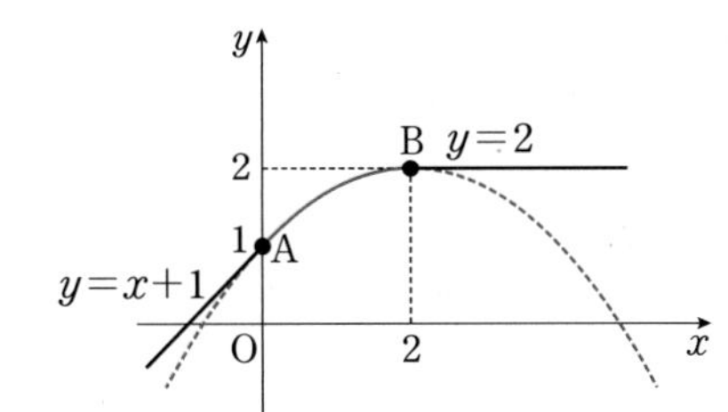

(i) $x=0$에서 미분가능하면 $x=0$에서 연속이므로

$f(0)=\lim_{x \to 0-}(x+1)=\lim_{x \to 0+}(ax^2+bx+c)$ $\therefore f(0)=c=1$ …… ㉠

$x=0$에서 미분계수가 존재하므로 $f'(0)=\lim_{x \to 0-} f'(x)=\lim_{x \to 0+} f'(x)$ $\therefore f'(0)=b=1$ …… ㉡

(ii) $x=2$에서 미분가능하면 $x=2$에서 연속이므로

$f(2)=\lim_{x \to 2-}(ax^2+bx+c)=\lim_{x \to 2+} 2$ $\therefore f(2)=4a+2b+c=2$ …… ㉢

$x=2$에서 미분계수가 존재하므로 $f'(2)=\lim_{x \to 2-} f'(x)=\lim_{x \to 2+} f'(x)$ $\therefore f'(2)=4a+b=0$ …… ㉣

㉠, ㉡, ㉢, ㉣을 연립하여 풀면 $\mathbf{a=-\frac{1}{4}, b=1, c=1}$

확인유제 0226
1998학년도 수능기출

오른쪽 그림은 함수 $y=1$과 함수 $y=0$의 그래프의 일부이다. 두 점 $A(0, 1)$, $B(1, 0)$ 사이를 $0 \le x \le 1$에서 정의된 함수 $y=ax^3+bx^2+cx+1$의 그래프를 이용하여 연결하였다. 이렇게 연결된 그래프 전체를 나타내는 함수가 구간 $(-\infty, \infty)$에서 미분가능하도록 상수 a, b, c의 값을 정할 때, $a^2+b^2+c^2$의 값을 구하여라.

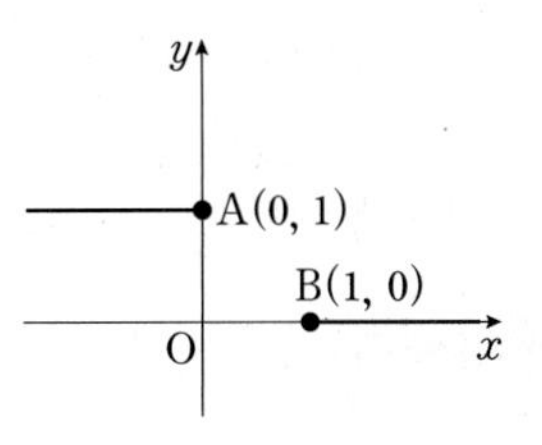

변형문제 0227 이차함수 $f(x)=ax^2+bx+c$에 대하여 함수 $g(x)$를 $g(x)=\begin{cases} -x-1 & (x<-1) \\ f(x) & (-1 \le x<1) \\ x-1 & (x \ge 1) \end{cases}$로 정의한다.

함수 $g(x)$가 모든 실수 x에 대하여 미분가능하도록 상수 a, b, c의 값을 정할 때, $a+b-c$의 값을 구하여라.

발전문제 0228
2005년 10월 교육청

삼차함수 $f(x)=x^3+3x^2-9x$에 대하여 함수 $g(x)$를 $g(x)=\begin{cases} f(x) & (x<a) \\ m-f(x) & (a \le x<b) \\ n+f(x) & (x \ge b) \end{cases}$로 정의한다.

함수 $g(x)$가 모든 실수 x에서 미분가능하도록 상수 a, b와 m, n의 값을 정할 때, $m+n$의 값을 구하여라.

정답 0226 : 13 0227 : 1 0228 : 118

M A P L ; Y O U R M A S T E R P L A N

05 미분법과 다항식의 나눗셈

01 $(x-a)^2$으로 나눌 때, 미분을 이용하여 나머지 구하기

다항식 $f(x)$를 $(x-a)^2$으로 나누었을 때 나머지를 $R(x)$라 하면

⇨ $R(x)=f'(a)x+f(a)-af'(a)$

마플해설 다항식 $f(x)$를 $(x-a)^2$으로 나누었을 때 몫을 $Q(x)$, 나머지를 $R(x)=px+q$ (p, q는 상수)라고 하면

$f(x)=(x-a)^2Q(x)+px+q$ …… ㉠

㉠의 양변에 $x=a$를 대입하면 $f(a)=ap+q$ …… ㉡

㉠의 양변을 x에 대하여 미분하면 $f'(x)=2(x-a)Q(x)+(x-a)^2Q'(x)+p$이고

$x=a$를 대입하면 $f'(a)=p$ …… ㉢

㉢을 ㉡에 대입하면 $q=f(a)-af'(a)$이다.

따라서 나머지 $R(x)=f'(a)x+f(a)-af'(a)$

보기 01 다항식 x^8-x^5+5를 $(x-1)^2$으로 나누었을 때의 나머지를 구하여라.

풀이 다항식 x^8-x^5+5를 $(x-1)^2$으로 나누었을 때의 몫을 $Q(x)$, 나머지를 $ax+b$ (a, b는 상수)라고 하면

$x^8-x^5+5=(x-1)^2Q(x)+ax+b$ …… ㉠

나머지 정리와 인수정리를 이용하여 나머지 구하기		미분을 이용하여 나머지 구하기
㉠의 양변에 $x=1$을 대입하면 $5=a+b$ $\therefore b=5-a$ …… ㉡ 즉, $x^8-x^5+5=(x-1)^2Q(x)+ax+5-a$ $x^8-x^5=(x-1)^2Q(x)+a(x-1)$ ⇐ $x^5(x^3-1)=x^5(x-1)(x^2+x+1)$ 좌변을 인수분해한 후 양변을 $x-1$로 나누면 $x^5(x^2+x+1)=(x-1)Q(x)+a$ …… ㉢ ㉢의 양변에 $x=1$을 대입하면 $a=3$ $a=3$을 ㉡에 대입하면 $b=5-a=2$ 따라서 구하는 나머지는 $3x+2$이다.	VS	㉠의 양변에 $x=1$을 대입하면 $5=a+b$ $\therefore b=5-a$ …… ㉡ ㉠의 양변을 x에 대하여 미분하면 $8x^7-5x^4=2(x-1)Q(x)+(x-1)^2Q'(x)+a$ …… ㉢ ㉢에 양변에 $x=1$을 대입하면 $a=3$ $a=3$을 ㉡에 대입하면 $b=5-a=2$ 따라서 구하는 나머지는 $3x+2$이다.

02 $(x-a)^2$으로 나누어떨어질 때의 조건

(1) 다항식 $f(x)$가 $(x-a)^2$으로 나누어떨어질 조건 또는 $f(x)=0$이 $x=a$를 이중근으로 가질 조건

⇨ $f(a)=0$, $f'(a)=0$

(2) 다항식 $f(x)$가 $f(a)=0$, $f'(a)=0$을 만족시키면

⇨ $f(x)$는 $(x-a)^2$을 인수로 가진다.

마플해설 다항식 $f(x)$가 $(x-a)^2$으로 나누어떨어질 때, 몫을 $Q(x)$라 하면 $f(x)=(x-a)^2Q(x)$ …… ㉠

㉠의 양변에 $x=a$를 대입하면 $f(a)=0$

㉠의 양변을 x에 대하여 미분하면 $f'(x)=2(x-a)Q(x)+(x-a)^2Q'(x)$이고 $x=a$를 대입하면 $f'(a)=0$

따라서 $f(a)=0$, $f'(a)=0$

보기 02 다항식 x^5+ax+b를 $(x+1)^2$으로 나누어떨어지도록 하는 상수 a, b에 대하여 $a+b$의 값을 구하여라.

풀이 다항식 x^5+ax+b를 $(x+1)^2$으로 나누었을 때의 몫을 $Q(x)$라 하면

$x^5+ax+b=(x+1)^2Q(x)$ …… ㉠

㉠의 양변에 $x=-1$를 대입하면 $-1-a+b=0$ …… ㉡

㉠의 양변을 x에 대하여 미분하면 $5x^4+a=2(x+1)Q(x)+(x+1)^2Q'(x)$ …… ㉢

㉢의 양변에 $x=-1$을 대입하면 $5+a=0$ $\therefore a=-5$

$a=-5$을 ㉡에 대입하면 $b=-4$

따라서 $a=-5$, $b=-4$이므로 $a+b=-9$

마플개념익힘 01 미분을 이용하여 완전제곱식으로 나눈 나머지

다음 물음에 답하여라.

(1) 다항식 $x^{200}-200x^2+px+q$가 $(x-1)^2$으로 나누어떨어질 때, 두 상수 p, q의 값을 구하여라.

(2) 다항식 x^4-ax^2+b를 $(x+1)^2$으로 나누었을 때의 나머지가 $2x-1$일 때, 상수 a, b의 값을 구하여라.

MAPL CORE

(1) 다항식 $f(x)$를 $(x-a)^2$으로 나누었을 때 나머지 $R(x)$는

⇨ $R(x)=f'(a)x+f(a)-af'(a)$

(2) 다항식 $f(x)$가 $(x-a)^2$으로 나누어떨어질 조건 또는 $f(x)=0$이 $x=a$를 이중근으로 가질 조건은

⇨ $f(a)=0,\ f'(a)=0$

개념익힘 | **풀이**

(1) 몫을 $Q(x)$라고 하면 $x^{200}-200x^2+px+q=(x-1)^2Q(x)$ …… ㉠

㉠에 $x=1$을 대입하면 $1-200+p+q=0$ …… ㉡

㉠의 양변을 x에 대하여 미분하면

$200x^{199}-400x+p=2(x-1)Q(x)+(x-1)^2Q'(x)$

이 식의 양변에 $x=1$을 대입하면 $200-400+p=0$ $\therefore p=200$

㉡에 $p=200$을 대입하면 $q=-1$

$\therefore$ **$p=200,\ q=-1$**

(2) 몫을 $Q(x)$라고 하면 $x^4-ax^2+b=(x+1)^2Q(x)+2x-1$ …… ㉠

㉠의 양변에 $x=-1$을 대입하면 $1-a+b=-3$ …… ㉡

㉠의 양변을 x에 대하여 미분하면

$4x^3-2ax=2(x+1)Q(x)+(x+1)^2Q'(x)+2$ …… ㉢

㉢의 양변에 $x=-1$을 대입하면 $-4+2a=2$ $\therefore a=3$

$a=3$을 ㉡에 대입하면 $1-3+b=-3$ $\therefore b=-1$

따라서 **$a=3,\ b=-1$**

확인유제 0229 다항식 x^n+1을 $(x-1)^2$으로 나눈 나머지를 a_nx+b_n이라고 할 때, $\sum_{k=1}^{10}(a_k-b_k)$의 값을 구하여라.

변형문제 0230 오른쪽 그림과 같이 다항함수 $y=f(x)$의 그래프에서 $x=1$에서의 접선을 l이라 하고 $f(x)$를 $(x-1)^2$으로 나눈 나머지를 $R(x)$라고 할 때, $R(2)$의 값은?

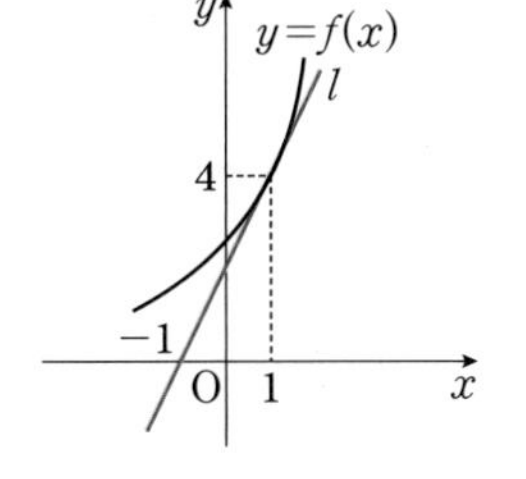

① 4 ② 6 ③ 8
④ 10 ⑤ 16

발전문제 0231 다음 물음에 답하여라.

(1) 다항식 $f(x)$에 대하여 $\lim_{x\to 2}\frac{f(x)-a}{x-2}=4$이고 $f(x)$를 $(x-2)^2$으로 나눈 나머지를 $bx+3$이라 할 때, $a+b$의 값을 구하여라.

(2) 다항함수 $f(x)$에 대하여 $f(x)$를 $(x-1)^2$으로 나눈 나머지가 $3x+2$일 때, 곡선 $y=x^2f(x)$ 위의 $x=1$인 점에서의 접선의 기울기를 구하여라.

정답 0229 : 90 0230 : ② 0231 : (1) 15 (2) 13

BASIC

내신 수능 기본 대표 기출문제

0232

도함수와 미분계수
2016학년도 09월 평가원
2015학년도 06월 평가원

다음 물음에 답하여라.

(1) 함수 $f(x)=x^2-2x-12$에 대하여 $f'(5)$의 값을 구하여라.

(2) 함수 $f(x)=x^2+x+3$에 대하여 $f'(10)$의 값을 구하여라.

0233

도함수와 미분계수
2014학년도 09월 평가원
2015년 09월 교육청 (고2)

다음 물음에 답하여라.

(1) 함수 $f(x)=7x^3-ax+3$에 대하여 $f'(1)=2$를 만족시키는 상수 a의 값을 구하여라.

(2) 함수 $f(x)=2x^3+ax$에 대하여 $f'(1)=30$을 만족시키는 상수 a의 값을 구하여라.

0234

평균변화율
내신빈출

다음 물음에 답하여라.

(1) 함수 $f(x)=x^3-ax$에서 x의 값이 1에서 3까지 변할 때의 평균변화율이 8일 때, 상수 a의 값은?

① 1 ② 2 ③ 3 ④ 4 ⑤ 5

(2) 함수 $f(x)=x^3-kx^2$에서 x의 값이 -2에서 0까지 변할 때의 평균변화율과 0에서 3까지 변할 때의 평균변화율이 같을 때, 상수 k의 값은?

① 1 ② 3 ③ 5 ④ 7 ⑤ 9

0235

평균변화율의 활용
내신빈출

구간 $[1, 6]$에서 함수 $f(x)=(x-3)^2$의 그래프가 오른쪽 그림과 같을 때, 함수 $g(x)=\dfrac{f(x)-f(1)}{x-1}\,(1<x\le 6)$에 대하여 다음 [보기]에서 옳은 것을 모두 고르면?

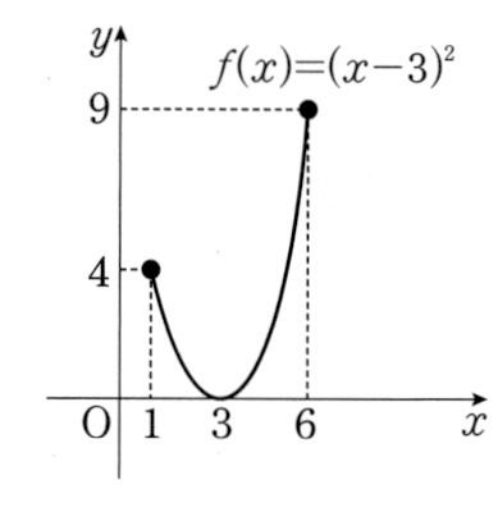

ㄱ. $g(5)<g(6)$
ㄴ. $g(x)=0$인 x의 값은 1개이다.
ㄷ. $g(5)<f'(5)$

① ㄱ ② ㄴ ③ ㄱ, ㄷ ④ ㄴ, ㄷ ⑤ ㄱ, ㄴ, ㄷ

0236

평균변화율과 미분계수
내신빈출

다항함수 $y=f(x)$의 그래프가 오른쪽 그림과 같을 때, 다음 중 옳은 것은? (단, a, b, c, d, e는 상수이다.)

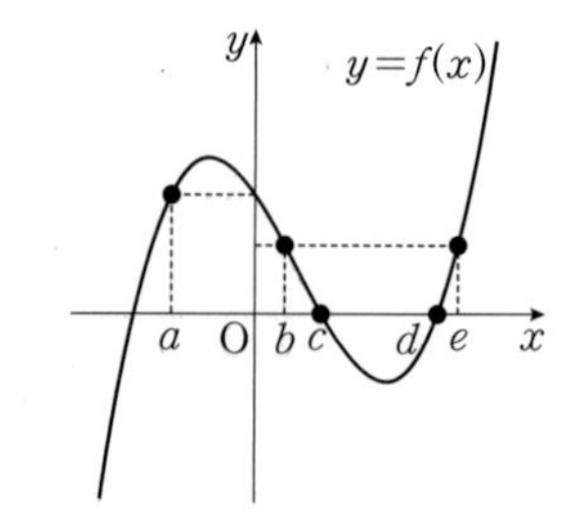

① $f'(a)<f'(b)$
② $f'(b)>f'(d)$
③ $\dfrac{f(d)-f(a)}{d-a}>f'(e)$
④ $\dfrac{f(e)-f(c)}{e-c}>f'(e)$
⑤ $\dfrac{f(e)-f(a)}{e-a}<f'(a)$

정답 0232 : (1) 8 (2) 21 0233 : (1) 19 (2) 24 0234 : (1) ⑤ (2) ① 0235 : ⑤ 0236 : ⑤

0237

평균변화율과 미분계수
2007년 07월 교육청

다음 물음에 답하여라.

(1) 함수 $f(x)=3x^2-2x$에 대하여 x의 값이 0에서 a까지 변할 때의 평균변화율과 $x=1$에서의 미분계수가 같을 때, 상수 a의 값은?

① 2 ② 3 ③ 4 ④ 5 ⑤ 6

2015년 09월 교육청 (고2)

(2) 함수 $f(x)=2x^3-x+1$에서 x의 값이 -1에서 2까지 변할 때의 평균변화율과 $f'(k)$의 값이 서로 같을 때, 양수 k의 값은?

① 1 ② $\frac{5}{4}$ ③ $\frac{3}{2}$ ④ $\frac{7}{4}$ ⑤ 2

2016년 10월 교육청

(3) 함수 $f(x)=x^3+ax$에서 x의 값이 0에서 2까지 변할 때의 평균변화율이 9일 때, $f'(3)$의 값은? (단, a는 상수이다.)

① 27 ② 29 ③ 31 ④ 32 ⑤ 35

0238

미분계수의 정의를 이용한 극한값 계산
2014학년도 수능기출

다음 물음에 답하여라.

(1) 함수 $f(x)=2x^2+ax$에 대하여 $\lim_{h\to0}\frac{f(1+h)-f(1)}{h}=6$일 때, 상수 a의 값은?

① -4 ② -2 ③ 0 ④ 2 ⑤ 4

(2) 함수 $f(x)=x^2+ax$에 대하여 $\lim_{h\to0}\frac{f(1+h)-f(1)}{h}=3$을 만족시킬 때, $f(3)$의 값은? (단, a는 상수이다.)

① 10 ② 12 ③ 14 ④ 16 ⑤ 18

2009년 07월 교육청

(3) 함수 $f(x)=x^2-6x+5$에 대하여 $\lim_{h\to0}\frac{f(a+h)-f(a-h)}{h}=8$을 만족하는 상수 a의 값은?

① 5 ② 6 ③ 7 ④ 8 ⑤ 9

0239

미분계수의 정의를 이용한 극한값 계산
내신빈출

함수 $f(x)=(x-1)(3x^2+2)$에 대하여 $\lim_{h\to0}\frac{f(1+3h)-f(1)}{h}$의 값은?

① 5 ② 10 ③ 15 ④ 20 ⑤ 25

0240

미분계수의 정의를 이용한 극한값 계산
내신빈출

다음 물음에 답하여라.

(1) 다항함수 $y=f(x)$ 위의 점 $(2,\ f(2))$에서의 접선의 기울기가 3일 때, $\lim_{h\to0}\frac{f(2+3h)-f(2)}{h}$의 값은?

① 1 ② 3 ③ 5 ④ 7 ⑤ 9

(2) 다항함수 $y=f(x)$ 위의 점 $(3,\ f(3))$에서의 접선의 기울기가 3일 때, $\lim_{x\to3}\frac{f(x)-f(3)}{x^2-9}$의 값은?

① $\frac{1}{4}$ ② $\frac{1}{3}$ ③ $\frac{1}{2}$ ④ 1 ⑤ 2

0241

미분계수의 정의를 이용한 극한값
2013년 10월 교육청

다음 물음에 답하여라.

(1) 다항함수 $f(x)$에 대하여 $\lim_{x\to2}\frac{f(x)-1}{x-2}=2$일 때, $\lim_{h\to0}\frac{f(2+h)-f(2-h)}{h}$의 값은?

① -2 ② -1 ③ 1 ④ 2 ⑤ 4

(2) 함수 $f(x)=x^5-x^4+x^3$에 대하여 $\lim_{x\to\infty}x\left\{f\left(1+\frac{3}{x}\right)-f\left(1-\frac{4}{x}\right)\right\}$의 값은?

① 21 ② 24 ③ 28 ④ 29 ⑤ 32

정답 0237 : (1) ① (2) ① (3) ④ 0238 : (1) ④ (2) ② (3) ① 0239 : ③ 0240 : (1) ⑤ (2) ③ 0241 : (1) ⑤ (2) ③

0242

다항함수 $f(x)$의 결정
내신빈출

다항함수 $f(x)$가

$$\lim_{x\to\infty}\frac{f(x)}{2x^3+3x-1}=1,\ \lim_{x\to 0}\frac{f'(x)}{x}=2$$

를 만족시킬 때, $f'(1)$의 값은?

① 6 ② 7 ③ 8 ④ 9 ⑤ 10

0243

미분계수의 정의를 이용한 극한값 계산
2015학년도 경찰대기출

함수 $f(n)$이 $f(n)=\lim_{x\to 1}\frac{x^n+3x-4}{x-1}$일 때, $\sum_{n=1}^{10}f(n)$의 값은?

① 65 ② 70 ③ 75 ④ 80 ⑤ 85

0244

미분계수의 정의를 이용한 극한값 계산
내신빈출

다음 물음에 답하여라.

(1) 함수 $f(x)=x^2+7ax+b$에 대하여 $\lim_{x\to 2}\frac{f(x+1)-8}{x^2-4}=5$일 때, $f(2)$의 값을 구하여라. (단, a, b는 상수)

(2) 함수 $f(x)=x^3+ax+b$가 $\lim_{x\to 1}\frac{f(x+1)-3}{x^2-1}=4$를 만족시킬 때, $f(1)$의 값을 구하여라. (단, a, b는 상수)

0245

평균변화율과 미분계수
내신빈출

함수 $f(x)=2x^3+ax^2-x$의 그래프 위의 점 $(1,\ f(1))$에서의 접선이 원점을 지날 때, $f(2)$의 값은? (단, a는 상수)

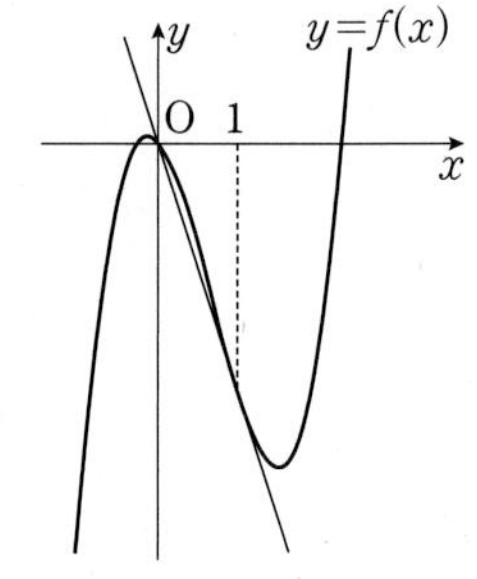

① -4 ② -3 ③ -2
④ -1 ⑤ 1

0246

곱의 미분법의 활용
내신빈출

모든 실수에서 미분가능한 함수 $y=f(x)$의 그래프의 개형이 오른쪽 그림과 같다. $g(x)=xf(x)$로 정의되는 함수 $g(x)$에 대하여 다음 중 집합 $\left\{x \,\middle|\, \frac{dg(x)}{dx}>0\right\}$의 원소인 것은?

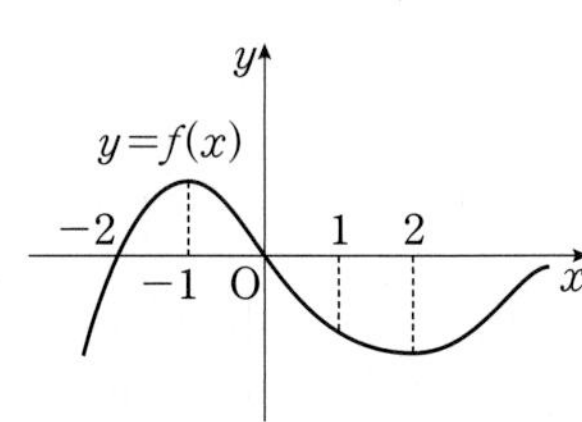

① -2 ② -1 ③ 0
④ 1 ⑤ 2

0247

미분계수와 곱의 미분법
2015학년도 사관기출

다음 물음에 답하여라.

(1) 다항함수 $f(x)$가 $\lim_{x\to 2}\frac{f(x)-3}{x-2}=4$를 만족시킨다. 함수 $g(x)=x^2f(x)$에 대하여 $g'(2)$의 값은?

① 20 ② 24 ③ 28 ④ 32 ⑤ 36

(2) 다항함수 $f(x)$가 $\lim_{x\to 1}\frac{f(x)-3}{x^2-1}=4$를 만족시킨다. 함수 $g(x)=x^3f(x)$에 대하여 $g'(1)$의 값은?

① 15 ② 17 ③ 19 ④ 21 ⑤ 23

(3) 다항함수 $f(x)$에 대하여 곡선 $y=f(x)$ 위의 점 $(2,\ 4)$에서의 접선의 기울기는 5이다. 곡선 $y=xf(x)$ 위의 $x=2$인 점에서의 접선의 기울기는?

① 10 ② 12 ③ 14 ④ 16 ⑤ 18

정답 0242 : ③ 0243 : ⑤ 0244 : (1) -11 (2) 0 0245 : ③ 246 : ② 247 : (1) ③ (2) ② (3) ③

0248

곱의 미분법
2016년 09월 교육청
(고2)

다음 물음에 답하여라.

(1) 두 다항함수 $f(x)$, $g(x)$가

$$\lim_{x \to 0} \frac{f(x)-2}{x}=3,\ \lim_{x \to 3} \frac{g(x-3)-1}{x-3}=6$$

을 만족시킨다. 함수 $h(x)=f(x)g(x)$일 때, $h'(0)$의 값은?

① 11 ② 12 ③ 13 ④ 14 ⑤ 15

(2) 다항함수 $f(x)$가 $\lim_{x \to 0} \frac{(x+2)f(x)-6}{x}=7$을 만족시킬 때, $f'(0)$의 값은?

① 2 ② 4 ③ 6 ④ 8 ⑤ 10

0249

곱의 미분법
2015년 09월 교육청
(고2)

다음 물음에 답하여라.

(1) 다항함수 $f(x)$에 대하여 $f(1)=1$, $f'(1)=2$이고 함수 $g(x)=x^2+3x$일 때,

$\lim_{x \to 1} \frac{f(x)g(x)-f(1)g(1)}{x-1}$의 값은?

① 11 ② 12 ③ 13 ④ 14 ⑤ 15

(2) 다항함수 $f(x)$와 함수 $g(x)=x^2+3x-1$이

$$\lim_{x \to 1} \frac{f(x)g(x)-6}{x-1}=19$$

를 만족시킬 때, $f(1)+f'(1)$의 값은?

① 1 ② 2 ③ 3 ④ 4 ⑤ 5

0250

곱의 미분법
2008학년도 09월
평가원

다음 물음에 답하여라.

(1) 두 다항함수 $f(x)$, $g(x)$가 다음 조건을 만족시킬 때, $g'(0)$의 값을 구하여라.

> (가) $f(0)=1$, $f'(0)=-6$, $g(0)=4$
>
> (나) $\lim_{x \to 0} \frac{f(x)g(x)-4}{x}=0$

(2) 미분가능한 함수 $f(x)$와 최고차항의 계수가 1인 이차함수 $g(x)$가 다음 조건을 만족시킬 때, $g(3)$의 값은?

> (가) $\lim_{h \to 0} \frac{f(1+h)g(1+h)-f(1)g(1)}{h}=12$
>
> (나) $f(1)=6$, $f'(1)=3$

① 6 ② 8 ③ 10 ④ 12 ⑤ 14

0251

미분가능성과
미정계수의 결정

다음 물음에 답하여라.

(1) 함수 $f(x)=\begin{cases} -x^2+ax+2 & (x \le 0) \\ 3x+b & (x>0) \end{cases}$이 $x=0$에서 미분가능할 때, 상수 a, b에 대하여 $a+b$의 값은?

① 1 ② 2 ③ 3 ④ 4 ⑤ 5

2017학년도 09월
평가원

(2) 함수 $f(x)=\begin{cases} ax^2+1 & (x<1) \\ x^4+a & (x \ge 1) \end{cases}$이 $x=1$에서 미분가능할 때, 상수 a의 값은?

① 1 ② 2 ③ 3 ④ 4 ⑤ 5

(3) 함수 $f(x)=\begin{cases} x^2+ax-1 & (x<2) \\ bx^2+12x-11 & (x \ge 2) \end{cases}$이 모든 실수 x에서 미분가능할 때, $f(1)+f(4)$의 값은?

(단, a, b는 상수이다.)

① 11 ② 13 ③ 15 ④ 17 ⑤ 19

정답 0248 : (1) ⑤ (2) ① 0249 : (1) ③ (2) ⑤ 0250 : (1) 24 (2) ② 0251 : (1) ⑤ (2) ② (3) ③

0252
미분가능성과 미정계수의 결정
내신빈출

다음 물음에 답하여라.

(1) 실수 전체의 집합에서 미분가능한 함수 $f(x)$와 연속인 함수 $g(x)$가 모든 실수 x에 대하여

$$(x^2-1)g(x)=f(x),\ f'(1)=1$$

을 만족시킬 때, $g(1)$의 값은?

① $-\frac{1}{2}$ ② $-\frac{1}{4}$ ③ 0 ④ $\frac{1}{4}$ ⑤ $\frac{1}{2}$

(2) 실수 전체의 집합에서 미분가능한 함수 $f(x)$가 모든 실수 x에 대하여

$$(x-2)f(x)=x^3+ax-4$$

를 만족시킬 때, $f(2)+f'(2)$의 값은? (단, a는 상수이다.)

① 12 ② 14 ③ 16 ④ 18 ⑤ 20

0253
미분가능성과 미정계수의 결정
내신빈출

다음 물음에 답하여라.

(1) 함수 $f(x)=|x-1|(x+a)$가 $x=1$에서 미분가능하도록 하는 실수 a의 값은?

① -2 ② -1 ③ 0 ④ 1 ⑤ 3

(2) 일차함수 $f(x)$가 다음 조건을 만족시킬 때, $f(3)$의 값은?

(가) $f(2)=5$
(나) 함수 $|x-1|f(x)$는 $x=1$에서 미분가능하다.

① 5 ② 10 ③ 15 ④ 20 ⑤ 25

0254
연속과 미분가능하지 않는 함수의 진위판단
내신빈출

다음 [보기]의 함수 중 $x=0$에서 연속이지만 미분가능하지 않은 함수의 개수는? (단, $[x]$는 x보다 크지 않은 최대의 정수이다.)

ㄱ. $f(x)=[x]$
ㄴ. $f(x)=\begin{cases} \frac{|x|}{x} & (x\neq 0) \\ 0 & (x=0) \end{cases}$
ㄷ. $f(x)=\sqrt{x^2}$
ㄹ. $f(x)=x|x|$
ㅁ. $f(x)=x+|x|$

① 1 ② 2 ③ 3 ④ 4 ⑤ 5

0255
미분가능성과 연속성의 진위판단
내신빈출

오른쪽 그림은 열린구간 $(-1, 6)$에서 정의된 함수 $y=f(x)$의 그래프이다. 이 그래프에 대한 설명 중 옳지 않은 것은?

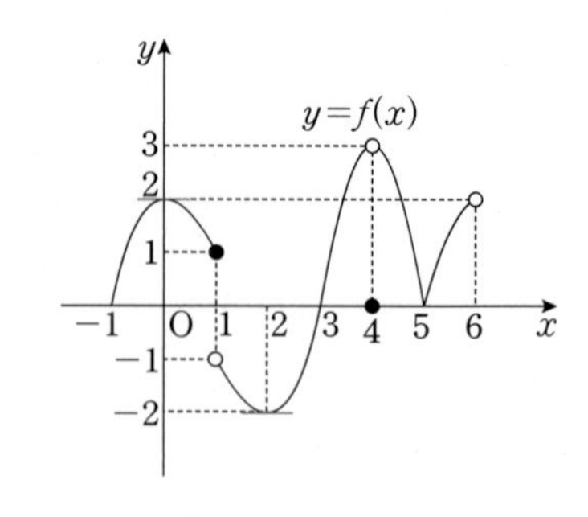

① $\lim_{x\to 3}\frac{f(x)-f(3)}{x-3}>0$이다.

② $\lim_{x\to 4}f(x)=f(4)$는 존재한다.

③ $f(x)$가 미분가능하지 않은 점은 3개이다.

④ $f'(x)=0$인 점은 2개이다.

⑤ $xf(x)$가 불연속인 점은 2개이다.

0256
다항식의 나눗셈에서 곱의 미분법 활용
내신빈출

다항식 x^4+ax^2+b를 $(x-1)^2$으로 나누었을 때의 나머지가 $-2x+1$이다. 상수 a, b에 대하여 ab의 값은?

① -3 ② -2 ③ -1 ④ 1 ⑤ 3

정답 0252 : (1) ⑤ (2) ③ 0253 : (1) ② (2) ② 0254 : ② 0255 : ② 0256 : ①

0257

평균변화율과 미분계수
서술형

함수 $f(x)=x^2+2x+2$에 대하여 x의 값이 -1에서 a까지 변할 때의 평균변화율과 $x=1$에서 미분계수가 같을 때, 상수 a의 값을 구하는 과정을 다음 단계로 서술하여라.

[1단계] 함수 $f(x)$에 대하여 x의 값이 -1에서 a까지 변할 때의 평균변화율을 구한다.

[2단계] 함수 $f(x)$에 대하여 $x=1$에서 미분계수를 구한다.

[3단계] 평균변화율과 미분계수가 같음을 이용하여 a의 값을 구한다.

0258

함수의 극한과 미분계수
서술형

모든 실수 x에서 미분가능한 함수 $f(x)$에 대하여 $\lim_{x\to2}\frac{f(x)-5}{x^3-8}=\frac{1}{6}$이 성립할 때, $f(2)+f'(2)$의 값을 구하는 과정을 다음 단계로 서술하여라.

[1단계] $f(2)$의 값을 구한다.

[2단계] 미분계수의 정의를 이용하여 $f'(2)$의 값을 구한다.

[3단계] $f(2)+f'(2)$의 값을 구한다.

0259

미분계수와 곱의 이분법
2015학년도 사관기출
서술형

다항함수 $f(x)$가 $\lim_{x\to2}\frac{f(x)-2}{x-2}=3$을 만족시킨다. 함수 $g(x)=x^2f(x)$에 대하여 $g'(2)$값을 구하는 과정을 다음 단계로 서술하여라.

[1단계] $f(2)$의 값을 구한다.

[2단계] 미분계수의 정의를 이용하여 $f'(2)$의 값을 구한다.

[3단계] $g'(2)$의 값을 구한다.

0260

함수의 연속성과 미분가능성
서술형

함수 $f(x)=\begin{cases} x^2 & (x\ge0) \\ x & (x<0) \end{cases}$에 대하여 $x=0$에서 연속성과 미분가능성을 다음 단계로 서술하여라.

[1단계] $x=0$에서 연속성을 보인다.

[2단계] $x=0$에서 미분가능성을 보인다.

[3단계] 함수 $f(x)$가 $x=a$에서 미분가능하면 $x=a$에서 연속임을 증명한다.

0261

미분을 이용하여 완전제곱식으로 나눈 나머지
서술형

다항식 $x^{10}+5x^2+1$을 $(x-1)^2$으로 나누었을 때의 나머지를 구하는 과정을 다음 단계로 서술하여라.

[1단계] 나머지를 $ax+b$로 놓고 나눗셈의 관계식을 정리한다.

[2단계] 항등식의 수치대입법을 이용하여 a, b의 관계식을 구한다.

[3단계] 곱의 미분법에서 수치대입법을 이용하여 상수 a, b의 값을 구하여 나머지를 구한다.

정답	0257 : 해설참조	0258 : 해설참조	0259 : 해설참조	0260 : 해설참조	0261 : 해설참조

0262

미분계수의 활용
2007학년도 06월
평가원

두 다항함수 $f_1(x)$, $f_2(x)$가 다음 세 조건을 만족시킬 때, 상수 k의 값은?

(가) $f_1(0)=0$, $f_2(0)=0$

(나) $f_i'(0)=\lim\limits_{x\to 0}\dfrac{f_i(x)+2kx}{f_i(x)+kx}$ $(i=1, 2)$

(다) $y=f_1(x)$와 $y=f_2(x)$의 원점에서의 접선이 서로 직교한다.

① $\dfrac{1}{2}$ ② $\dfrac{1}{4}$ ③ 0 ④ $-\dfrac{1}{4}$ ⑤ $-\dfrac{1}{2}$

0263

미분계수의 정의와
극한값 계산
2005년 05월 교육청

다음 물음에 답하여라.

(1) 미분가능한 함수 $f(x)$가 $f(1)=0$, $\lim\limits_{x\to 1}\dfrac{\{f(x)\}^2-2f(x)}{1-x}=10$을 만족시킬 때, $x=1$에서의 미분계수 $f'(1)$의 값은?

① 2 ② 3 ③ 4 ④ 5 ⑤ 6

2018학년도 수능기출

(2) 최고차항의 계수가 1이고 $f(1)=0$인 삼차함수 $f(x)$가 $\lim\limits_{x\to 2}\dfrac{f(x)}{(x-2)\{f'(x)\}^2}=\dfrac{1}{4}$을 만족시킬 때, $f(3)$의 값은?

① 4 ② 6 ③ 8 ④ 10 ⑤ 12

0264

미분가능하지 않은
점의 개수
내신빈출

오른쪽 그림과 같이 삼차함수 $y=f(x)$의 그래프가 점 $(-1, 0)$을 지나고 $x=2$에서 x축에 접할 때, 세 함수

$$y=|f(x)|,\ y=|f(-x)|,\ y=f(|x|)$$

의 그래프에서 미분가능하지 않은 점의 개수를 각각 a, b, c라 할 때, $2a+b+c$의 값은?

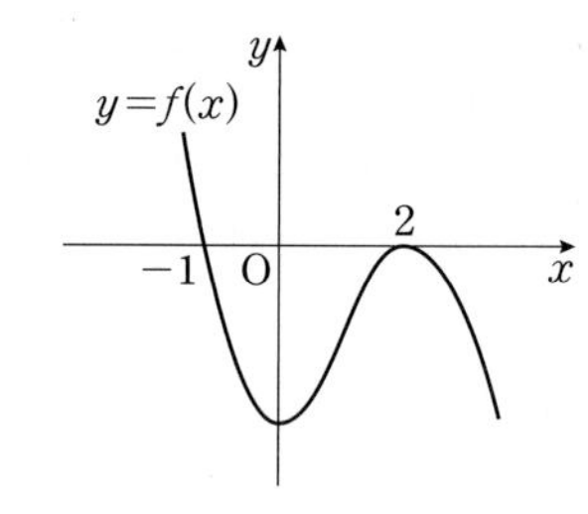

① 2 ② 3 ③ 4 ④ 6 ⑤ 8

0265

미분계수의 정의를
이용한 극한값 계산

다항함수 $f(x)$가 다음 조건을 만족시킨다

(가) $f(-x)=-f(x)$

(나) $\lim\limits_{h\to 0}\dfrac{f(-1+3h)+f(1)}{2h}=6$

$\lim\limits_{x\to -1}\dfrac{f(x)+f(1)}{x^2-1}$의 값을 구하여라.

0266

미분계수와 곱의 미분법
내신빈출

다음 물음에 답하여라.

(1) 미분가능한 두 함수 $f(x)$, $g(x)$에 대하여 $\lim\limits_{h\to 0}\dfrac{f(1-2h)-f(1)}{h}=3$, $g(x)=x(x+1)f(x)$가 성립하고 $g'(1)=-1$일 때, $f(1)$의 값은?

① $-\dfrac{3}{2}$ ② -1 ③ $\dfrac{2}{3}$ ④ $\dfrac{3}{2}$ ⑤ 1

(2) 두 다항함수 $f(x)$, $g(x)$에 대하여 $\lim\limits_{h\to 0}\dfrac{f(1+h)-f(1-h)}{h}=8$, $g(x)=x^3f(x)$가 성립하고 $f(1)=3$일 때, $g'(1)$의 값을 구하여라.

정답 0262 : ① 0263 : (1) ④ (2) ④ 0264 : ② 0265 : -2 0266 : (1) ③ (2) 13

0267

다항식의 나눗셈에서 함수의 곱의 미분법
내신빈출

다음 물음에 답하여라.

(1) 이차 이상의 다항식 $f(x)$에 대하여 $\lim_{x\to 2}\frac{f(x)+3}{x-2}=-2$일 때, $f(x)$를 $(x-2)^2$으로 나눈 나머지를 $R(x)$라 할 때, $R(-1)$의 값을 구하여라.

(2) 다항함수 $y=f(x)$의 그래프 위의 점 $(2,\ -1)$에서의 접선의 기울기가 -3이다. $f(x)$를 $(x-2)^2$으로 나눈 나머지를 $R(x)$라 할 때, $R(-6)$의 값을 구하여라.

0268

미분가능성과 미정계수의 결정
내신빈출

다음과 같이 정의된 함수 $f(x)$가 있다.

$$f(x)=\begin{cases} x^3+ax^2+bx & (x\ge 1)\\ 2x^2+1 & (x<1)\end{cases}$$

$f(x)$가 $x=1$에서 미분가능할 때, $\lim_{h\to 0}\frac{f(1+2h)-f(1-h)}{h}$의 값을 구하여라. (단, a, b는 상수이다.)

0269

미분가능성과 미정계수의 결정
내신빈출

함수 $g(x)$는 일차함수이고 $g\left(\frac{1}{2}\right)=0$이다. 함수

$$f(x)=\begin{cases} -x^2-4x+a & (x<-1)\\ g(x) & (-1\le x\le 1)\\ x^2-4x+b & (x>1)\end{cases}$$

은 모든 실수 x에서 미분가능하고 그래프의 일부분이 그림과 같다. 상수 a, b에 대하여 $a+b$의 값을 구하여라.

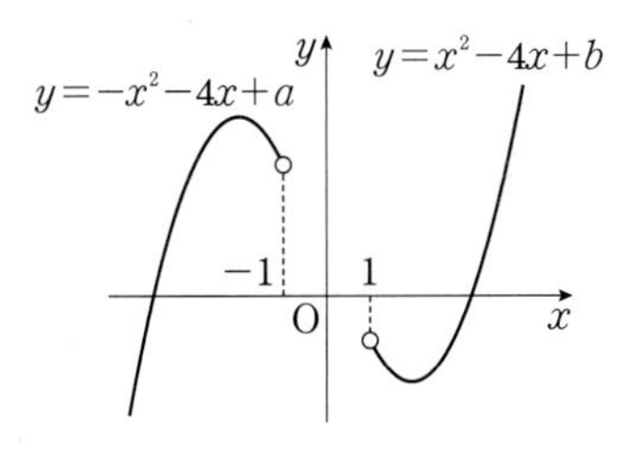

0270

그래프에서 접선의 기울기와 미분계수
2013학년도 05월 평가원

$x>0$에서 함수 $f(x)$가 미분가능하고

$$2x\le f(x)\le 3x$$

이다. $f(1)=2$이고 $f(2)=6$일 때, $f'(1)+f'(2)$의 값은?

① 8　② 7　③ 6　④ 5　⑤ 4

0271

항등식으로 표현된 함수식과 미분
내신빈출

실수 전체에서 미분가능한 함수 $f(x)$가 모든 실수 x, y에 대하여

$$f(x+y)=f(x)+f(y),\ f'(0)=3$$

을 만족할 때, $f'(3)-f'(1)$의 값은?

① 0　② 1　③ 2　④ 3　⑤ 4

0272

관계식이 주어진 경우의 미분계수
서술형

미분가능한 함수 $f(x)$가 모든 x, y에 대하여

$$f(x+y)=f(x)+f(y)+xy$$

를 만족시키고 $f'(1)=5$일 때, $f'(x)$를 구하는 과정을 다음 단계로 서술하여라.

[1단계] $f(0)$의 값을 구하여라.

[2단계] $f'(1)=5$를 이용하여 $f'(0)$의 값을 구하여라.

[3단계] $f'(3)$의 값을 구하여라.

[4단계] 도함수의 정의를 이용하여 $f'(x)$를 구하여라.

정답 0267 : (1) 3 (2) 23　0268 : 12　0269 : 2　0270 : ④　0271 : ①　0272 : 해설참조

0273

미분계수의 활용
2015학년도 09월 평가원
오답률 71.3%

최고차항의 계수가 1인 다항함수 $f(x)$가 다음 조건을 만족시킬 때, $f(3)$의 값은?

(가) $f(0)=-3$

(나) 모든 양의 실수 x에 대하여 $6x-6 \le f(x) \le 2x^3-2$이다.

① 36 ② 38 ③ 40 ④ 42 ⑤ 44

0274

미분가능의 활용
2019학년도 경찰대 기출

다항함수 $g(x)$와 자연수 k에 대하여 함수 $f(x)$가 다음과 같다.

$$f(x)=\begin{cases} x+1 & (x \le 0) \\ g(x) & (0<x<2) \\ k(x-2)+1 & (x \ge 2) \end{cases}$$

함수 $f(x)$가 모든 실수 x에 대하여 미분가능하도록 하는 가장 낮은 차수의 다항함수 $g(x)$에 대하여 $\frac{1}{4}<g(1)<\frac{3}{4}$일 때, k의 값을 구하여라.

0275

다항함수 $f(x)$의 결정
2011학년도 06월 평가원

최고차항의 계수가 1이 아닌 다항함수 $f(x)$가 다음 조건을 만족시킬 때, $f'(1)$의 값을 구하여라.

(가) $\lim_{x\to\infty}\frac{\{f(x)\}^2-f(x^2)}{x^3f(x)}=4$

(나) $\lim_{x\to 0}\frac{f'(x)}{x}=4$

0276

미분가능의 활용
내신빈출

함수 $f(x)=x^3-2x$에 대하여 함수 $g(x)$는 다음과 같다.

$$g(x)=\begin{cases} f(x) & (x<-1) \\ f(x+p)+q & (x \ge -1) \end{cases}$$

함수 $g(x)$가 실수 전체의 집합에서 미분가능할 때, $p+q$의 값을 구하여라. (단, p, q는 0이 아닌 상수이다)

0277

미분법과 미분계수의 활용
2009학년도 수능기출

다항함수 $f(x)$와 두 자연수 m, n이

$$\lim_{x\to\infty}\frac{f(x)}{x^m}=1,\ \lim_{x\to\infty}\frac{f'(x)}{x^{m-1}}=a,\ \lim_{x\to 0}\frac{f(x)}{x^n}=b,\ \lim_{x\to 0}\frac{f'(x)}{x^{n-1}}=9$$

를 모두 만족시킬 때, 옳은 것만을 [보기]에서 있는 대로 고른 것은? (단, a, b는 실수이다.)

ㄱ. $m \ge n$
ㄴ. $ab \ge 9$
ㄷ. $f(x)$가 삼차함수이면 $am=bn$이다.

① ㄱ ② ㄷ ③ ㄱ, ㄴ ④ ㄴ, ㄷ ⑤ ㄱ, ㄴ, ㄷ

0278

미분가능의 진위판단
2007학년도 수능기출

함수 $f(x)$가 $f(x)=\begin{cases} 1-x & (x<0) \\ x^2-1 & (0 \le x < 1) \\ \frac{2}{3}(x^3-1) & (x \ge 1) \end{cases}$일 때, [보기]에서 옳은 것을 모두 고른 것은?

ㄱ. $f(x)$는 $x=1$에서 미분가능하다.
ㄴ. $|f(x)|$는 $x=0$에서 미분가능하다.
ㄷ. $x^kf(x)$가 $x=0$에서 미분가능하도록 하는 최소의 자연수 k는 2이다.

① ㄱ ② ㄴ ③ ㄱ, ㄷ ④ ㄴ, ㄷ ⑤ ㄱ, ㄴ, ㄷ

정답 0273 : ① 0274 : 3 0275 : 19 0276 : 4 0277 : ⑤ 0278 : ③

미분가능과 극한값

01 미분가능의 진위판단

(1) 함수 $f(x)$가 $x=a$에서 미분가능하면 $f'(a)=\lim_{h\to 0}\frac{f(a+h)-f(a)}{h}$가 존재한다. [참]

설명 $\lim_{h\to 0}\frac{f(a+h)-f(a)}{h}$가 존재하면 $\lim_{h\to 0-}\frac{f(a+h)-f(a)}{h}=\lim_{h\to 0+}\frac{f(a+h)-f(a)}{h}$이어야 한다.
$x=a$에서 우미분계수와 좌미분계수가 같아야 한다.

참고 함수 $f(x)$가 $x=a$에서 미분가능하면 $x=a$에서 연속이다. (단, a는 실수)

(2) $\lim_{h\to 0}\frac{f(a+h^{2n})-f(a)}{h^{2n}}$ (단, n은 자연수)가 존재하면 $f'(a)$가 존재한다. [거짓]

설명 $h^{2n}=t$로 놓으면 $h\to 0$이면 $t\to 0+$이므로

$\lim_{h\to 0}\frac{f(a+h^{2n})-f(a)}{h^{2n}}=\lim_{t\to 0+}\frac{f(a+t)-f(a)}{t}$의 값이 존재하지만

$\lim_{t\to 0-}\frac{f(a+t)-f(a)}{t}$가 존재하는지와, 존재할 때 우미분계수와 같은지는 알 수 없다. [거짓]

> $x=a$에서 미분가능하면
> $\Longleftrightarrow x=a$에서 미분계수가 존재
> $\Longleftrightarrow x=a$에서 우미분계수와 좌미분계수가 같아야 한다.

(3) $\lim_{h\to 0}\frac{f(a+h^{2n-1})-f(a)}{h^{2n-1}}$ (단, n은 자연수)가 존재하면 $f'(a)$가 존재한다. [참]

설명 $h^{2n-1}=t$로 놓으면 $h\to 0+$이면 $t\to 0+$, $h\to 0-$이면 $t\to 0-$

즉, $\lim_{h\to 0}\frac{f(a+h^{2n-1})-f(a)}{h^{2n-1}}=\lim_{t\to 0}\frac{f(a+t)-f(a)}{t}$가 존재하므로 $x=a$에서 미분가능하다. [참]

(4) $\lim_{h\to 0}\frac{f(a+mh)-f(a-nh)}{h}$가 존재하면 $f'(a)$가 존재한다. [거짓]

반례 $f(x)=|x-1|$일 때,

$$\lim_{h\to 0}\frac{f(1+h)-f(1-h)}{2h}=\lim_{h\to 0}\frac{|1+h-1|-|1-h-1|}{2h}=\lim_{h\to 0}\frac{|h|-|-h|}{2h}=\lim_{h\to 0}\frac{|h|-|h|}{2h}=0$$

즉, $\lim_{h\to 0}\frac{f(1+h)-f(1-h)}{2h}=0$으로 존재하지만 함수 $f(x)$는 $f'(1)$이 존재하지 않는다.

⬅ $f(x)=|x-1|$에서는 $\lim_{h\to 0}\frac{f(1+h)-f(1-h)}{2h}=2f'(1)$라 할 수 없다.

(5) 함수 $f(x)$가 $x=a$에서 연속이고 $x=a$에서 우미분계수를 α, 좌미분계수를 β라 하자. (단, α, β는 상수)

$m\neq\pm n$일 때, $\lim_{h\to 0}\frac{f(a+mh)-f(a-nh)}{h}$가 존재하면 $f'(a)$가 존재한다. [참]

설명 $\lim_{h\to 0+}\frac{f(a+h)-f(a)}{h}=\alpha$, $\lim_{h\to 0-}\frac{f(a+h)-f(a)}{h}=\beta$라 하면

$$\begin{aligned}\lim_{h\to 0+}\frac{f(a+mh)-f(a-nh)-f(a)+f(a)}{h}&=\lim_{h\to 0+}\frac{f(a+mh)-f(a)}{h}-\lim_{h\to 0+}\frac{f(a-nh)-f(a)}{h}\\&=\lim_{h\to 0+}\frac{f(a+mh)-f(a)}{h}+\lim_{t\to 0-}\frac{f(a+nt)-f(a)}{t}\end{aligned}$$

⬅ $-h=t$로 놓으면 $h\to 0+$이면 $t\to 0-$

$$\begin{aligned}&=\lim_{h\to 0+}\frac{f(a+mh)-f(a)}{mh}\cdot m+\lim_{t\to 0-}\frac{f(a+nt)-f(a)}{nt}\cdot n\\&=m\alpha+n\beta \qquad \cdots\cdots ㉠\end{aligned}$$

$$\begin{aligned}\lim_{h\to 0-}\frac{f(a+mh)-f(a-nh)-f(a)+f(a)}{h}&=\lim_{h\to 0-}\frac{f(a+mh)-f(a)}{h}-\lim_{h\to 0-}\frac{f(a-nh)-f(a)}{h}\\&=\lim_{h\to 0-}\frac{f(a+mh)-f(a)}{h}+\lim_{t\to 0+}\frac{f(a+nt)-f(a)}{t}\end{aligned}$$

⬅ $-h=t$로 놓으면 $h\to 0-$이면 $t\to 0+$

$$\begin{aligned}&=\lim_{h\to 0-}\frac{f(a+mh)-f(a)}{mh}\cdot m+\lim_{t\to 0+}\frac{f(a+nt)-f(a)}{nt}\cdot n\\&=m\beta+n\alpha \qquad \cdots\cdots ㉡\end{aligned}$$

㉠, ㉡에서 $m\alpha+n\beta=m\beta+n\alpha$이면 $(m-n)(\alpha-\beta)=0$, $m\neq n$이면 $\alpha=\beta$이므로 $f'(a)$가 존재한다. [참]

수능특강문제 01 함수 $f(x)$에 대하여 옳은 것만을 [보기]에서 있는 대로 고른 것은?

ㄱ. 함수 $f(x)$가 $x=a$에서 미분가능하면 $x=a$에서 연속이다. (단, a는 실수)

ㄴ. 극한값 $\lim_{h\to 0}\frac{f(a+h)-f(a-h)}{2h}$가 존재하면 함수 $f(x)$는 $x=a$에서 미분가능하다. (단, a는 실수)

ㄷ. 극한값 $\lim_{h\to 0}\frac{f(a+h^2)-f(a)}{h^2}$가 존재하면 함수 $f(x)$는 $x=a$에서 미분가능하다.

① ㄱ ② ㄷ ③ ㄱ, ㄴ ④ ㄴ, ㄷ ⑤ ㄱ, ㄴ, ㄷ

수능특강 풀이

ㄱ. 함수 $f(x)$가 $x=a$에서 미분가능하면 $\lim_{x\to a}\frac{f(x)-f(a)}{x-a}=f'(a)$이므로

$$\lim_{x\to a}\{f(x)-f(a)\}=\lim_{x\to a}\frac{f(x)-f(a)}{x-a}\cdot(x-a)=\lim_{x\to a}\frac{f(x)-f(a)}{x-a}\cdot\lim_{x\to a}(x-a)=f'(a)\cdot 0=0$$

즉, $\lim_{x\to a}f(x)=f(a)$이므로 함수 $f(x)$는 $x=a$에서 연속이다. [참]

ㄴ. 반례 함수 $f(x)=|x-a|$의 경우

$$\lim_{h\to 0}\frac{f(a+h)-f(a-h)}{2h}=\lim_{h\to 0}\frac{|a+h-a|-|a-h-a|}{2h}=\lim_{h\to 0}\frac{|h|-|h|}{2h}=0$$

함수 $f(x)=|x-a|$는 $x=a$에서 미분가능하지 않다. [거짓]

ㄷ. 반례 함수 $f(x)=|x-a|$의 경우

극한값 $\lim_{h\to 0}\frac{f(a+h^2)-f(a)}{h^2}=\lim_{h\to 0}\frac{|a+h^2-a|-|a-a|}{h^2}=\lim_{h\to 0}\frac{|h^2|}{h^2}=\lim_{h\to 0}\frac{h^2}{h^2}=1$이지만

함수 $f(x)=|x-a|$는 $x=a$에서 미분가능하지 않다. [거짓]

따라서 옳은 것은 ㄱ뿐이다.

더 알아보기

$\lim_{h\to 0}\frac{f(a+mh)-f(a-nh)}{h}$의 값은 다음와 같다.

① 함수 $f(x)$가 $x=a$에서 미분가능하면 $(m+n)f'(a)$와 같다.

② $x=a$에서 미분가능하지 않으면 함수의 극한값의 성질을 이용하여 직접 계산한다.

설명 $f(x)=\begin{cases} x & (x\neq 0) \\ 1 & (x=0)\end{cases}$일 때, ← $x=0$에서 불연속

$\lim_{h\to 0}\frac{f(0+mh)-f(0-nh)}{h}=\lim_{h\to 0}\frac{mh-(-nh)}{h}=m+n$으로 극한값이 존재하지만 $f'(0)$은 존재하지 않는다.

수능특강문제 02

2008학년도 06월 평가원

함수 $f(x)$에 대하여 [보기]에서 항상 옳은 것을 모두 고른 것은?

ㄱ. $\lim_{h\to0}\frac{f(1+h)-f(1)}{h}=0$이면 $\lim_{x\to1}f(x)=f(1)$이다.

ㄴ. $\lim_{h\to0}\frac{f(1+h)-f(1)}{h}=0$이면 $\lim_{h\to0}\frac{f(1+h)-f(1-h)}{2h}=0$이다.

ㄷ. $f(x)=|x-1|$일 때, $\lim_{h\to0}\frac{f(1+h)-f(1-h)}{2h}=0$이다.

① ㄱ　② ㄷ　③ ㄱ, ㄴ　④ ㄴ, ㄷ　⑤ ㄱ, ㄴ, ㄷ

수능특강 풀이

ㄱ. $\lim_{h\to0}\frac{f(1+h)-f(1)}{h}=f'(1)=0$이므로

함수 $f(x)$는 $x=1$에서의 미분계수 $f'(1)$이 존재한다.

즉, 함수 $f(x)$가 $x=1$에서 미분가능하므로 $x=1$에서 연속이다.

$\therefore \lim_{x\to1}f(x)=f(1)$ [참]

ㄴ. $\lim_{h\to0}\frac{f(1+h)-f(1)}{h}=f'(1)=0$이므로

$$\lim_{h\to0}\frac{f(1+h)-f(1-h)}{2h}=\frac{1}{2}\lim_{h\to0}\frac{f(1+h)-f(1)+f(1)-f(1-h)}{h}$$
$$=\frac{1}{2}\lim_{h\to0}\left\{\frac{f(1+h)-f(1)}{h}+\frac{f(1-h)-f(1)}{-h}\right\}$$
$$=\frac{1}{2}f'(1)+\frac{1}{2}f'(1)=f'(1)=0 \text{ [참]}$$

ㄷ. $f(x)=|x-1|$일 때, $\lim_{h\to0}\frac{f(1+h)-f(1-h)}{2h}=\lim_{h\to0}\frac{|1+h-1|-|1-h-1|}{2h}=\lim_{h\to0}\frac{|h|-|-h|}{2h}=\lim_{h\to0}\frac{|h|-|h|}{2h}=0$

$\therefore \lim_{h\to0}\frac{f(1+h)-f(1-h)}{2h}=0$ [참]

따라서 옳은 것은 ㄱ, ㄴ, ㄷ이다.

참고 함수 $f(x)=|x-1|$은 $x=1$에서 미분 불가능이므로 $f'(1)\neq\lim_{h\to0}\frac{f(1+h)-f(1-h)}{2h}$

참고 함수의 극한의 성질을 이용

ㄱ. $\lim_{h\to0}\frac{f(1+h)-f(1)}{h}=0$에서 $h\to0$일 때,

(분모)→0이고 극한값이 존재하므로

(분자)→0이어야 한다.

즉 $\lim_{h\to0}\{f(1+h)-f(1)\}=0$이므로

$\lim_{h\to0}f(1+h)=f(1)$ ⬅ $1+h=x$로 치환

$\therefore \lim_{x\to1}f(x)=f(1)$

수능특강문제 03

함수 $f(x)$에 대하여 [보기]에서 옳은 것만을 있는 대로 고른 것은?

ㄱ. $\lim_{h\to0}\frac{f(1+2h)-f(1)}{h}=1$이면 $f(1)=\lim_{x\to1}f(x)$이다.

ㄴ. 함수 $f(x)$가 $x=1$에서 미분가능하면 $\lim_{h\to0}\frac{f(1+h)-f(1-h)}{h}=2f'(1)$이다.

ㄷ. $f(x)=|x-1|$일 때, $\lim_{h\to0}\frac{f(1+h)-f(1-h)}{h}$의 값은 존재하지 않는다.

① ㄱ　② ㄴ　③ ㄱ, ㄴ　④ ㄴ, ㄷ　⑤ ㄱ, ㄴ, ㄷ

수능특강 풀이

ㄱ. $\lim_{h\to0}\frac{f(1+2h)-f(1)}{h}=1$이므로 $\lim_{h\to0}\frac{f(1+2h)-f(1)}{2h}\cdot2=2f'(1)=1$ $\therefore f'(1)=\frac{1}{2}$

함수 $f(x)$가 $x=1$에서 미분가능하므로 $x=1$에서 연속이다.

즉, $f(1)=\lim_{x\to1}f(x)$이다. [참]

ㄴ. 함수 $f(x)$가 $x=1$에서 미분가능하면 $f'(1)$이 존재한다.

$$\lim_{h\to0}\frac{f(1+h)-f(1-h)}{h}=\left\{\lim_{h\to0}\frac{f(1+h)-f(1)}{h}+\lim_{h\to0}\frac{f(1-h)-f(1)}{-h}\right\}=2f'(1)\text{이다. [참]}$$

ㄷ. $f(x)=|x-1|$일 때, $\lim_{h\to0}\frac{f(1+h)-f(1-h)}{h}=\lim_{h\to0}\frac{|1+h-1|-|1-h-1|}{h}=\lim_{h\to0}\frac{|h|-|-h|}{h}=\lim_{h\to0}\frac{|h|-|h|}{h}=0$

즉, $\lim_{h\to0}\frac{f(1+h)-f(1-h)}{h}$의 값은 존재한다. [거짓]

따라서 옳은 것은 ㄱ, ㄴ이다.

수능특강문제 04 삼차함수 $f(x)=x^2(x-1)$에 대하여 $g(x)=|f(x)|$라 할 때, [보기]에서 옳은 것만을 있는 대로 고른 것은?

ㄱ. $\lim_{h\to0}\frac{g(h)}{h}=f'(0)$

ㄴ. $\lim_{h\to0}\frac{g(1+h)-g(1)}{h}$이 존재한다.

ㄷ. $\lim_{h\to0}\frac{g(1+h)-g(1-h)}{h}=2f'(1)$

① ㄱ ② ㄴ ③ ㄱ, ㄴ ④ ㄴ, ㄷ ⑤ ㄱ, ㄴ, ㄷ

수능특강 풀이

ㄱ. $f(x)=x^2(x-1)$에서 $f'(0)=\lim_{h\to0}\frac{f(0+h)-f(0)}{h}$이므로

$f'(0)=\lim_{h\to0}\frac{h^2(h-1)-0}{h}=\lim_{h\to0}h(h-1)=0$

한편 $\lim_{h\to0-}\frac{g(h)}{h}=\lim_{h\to0-}\frac{-h^2(h-1)}{h}=0$

$\lim_{h\to0+}\frac{g(h)}{h}=\lim_{h\to0+}\frac{-h^2(h-1)}{h}=0$

$\therefore \lim_{h\to0}\frac{g(h)}{h}=0$, 즉 $\lim_{h\to0}\frac{g(h)}{h}=f'(0)$ [참]

ㄴ. $g(x)=\begin{cases}-f(x) & (x<1)\\ f(x) & (x\ge1)\end{cases}$이고 $g(1)=|f(1)|=0$ ⬅ $f(x)=x^2(x-1)$

$\lim_{h\to0-}\frac{g(1+h)-g(1)}{h}=\lim_{h\to0-}\frac{-(1+h)^2(1+h-1)}{h}=-1$

$\lim_{h\to0+}\frac{g(1+h)-g(1)}{h}=\lim_{h\to0+}\frac{(1+h)^2(1+h-1)}{h}=1$

즉, 극한값이 존재하지 않는다. [거짓]

ㄷ. $\lim_{h\to0-}\frac{g(1+h)-g(1-h)}{h}=\lim_{h\to0-}\frac{-f(1+h)-f(1-h)}{h}$

$=\lim_{h\to0-}\frac{-(1+h)^2h-(1-h)^2(-h)}{h}$

$=\lim_{h\to0-}\{-(1+h)^2+(1-h)^2\}$

$=-1+1=0$

$\lim_{h\to0+}\frac{g(1+h)-g(1-h)}{h}=\lim_{h\to0+}\frac{f(1+h)+f(1-h)}{h}$

$=\lim_{h\to0+}\frac{(1+h)^2h+(1-h)^2(-h)}{h}$

$=\lim_{h\to0+}\{(1+h)^2-(1-h)^2\}$

$=1-1=0$

한편 $2f'(1)=2\lim_{h\to0}\frac{f(1+h)-f(1)}{h}=2\lim_{h\to0}\frac{(h+1)^2h}{h}=2\lim_{h\to0}(h+1)^2=2\cdot1=2$

$\lim_{h\to0}\frac{g(1+h)-g(1-h)}{h}\neq2f'(1)$ [거짓]

따라서 옳은 것은 ㄱ이다.

수능특강문제 05

2013학년도 사관기출

모든 실수 x에서 정의된 함수 $f(x)$가 $x=a$에서 미분가능하기 위한 필요충분조건인 것만을 [보기]에서 있는 대로 고른 것은?

ㄱ. $\lim_{h\to 0}\frac{f(a+h^2)-f(a)}{h^2}$의 값이 존재한다.

ㄴ. $\lim_{h\to 0}\frac{f(a+h^3)-f(a)}{h^3}$의 값이 존재한다.

ㄷ. $\lim_{h\to 0}\frac{f(a+h)-f(a-h)}{2h}$의 값이 존재한다.

① ㄱ ② ㄴ ③ ㄷ ④ ㄱ, ㄷ ⑤ ㄴ, ㄷ

수능특강 풀이

▶ $f(x)$가 $x=a$에서 미분가능하기 위한 필요충분조건은 $f(x)$가 $x=a$에서 연속이고 $x=a$에서

$f'(a)=\lim_{h\to 0-}\frac{f(a+h)-f(a)}{h}=\lim_{h\to 0+}\frac{f(a+h)-f(a)}{h}$가 존재해야 한다. ⬅ 좌미분계수와 우미분계수가 같아야 한다.

ㄱ. $h^2=t$로 놓으면 $h\to 0$, $t\to 0+$이므로

$\lim_{h\to 0}\frac{f(a+h^2)-f(a)}{h^2}=\lim_{t\to 0+}\frac{f(a+t)-f(a)}{t}$의 값이 존재하지만 ⬅ 우미분계수만 존재한다.

$\lim_{t\to 0-}\frac{f(a+t)-f(a)}{t}$가 존재하는지와, 존재할 때 우미분계수와 같은지는 알 수 없다. [거짓]

ㄴ. $h^3=t$로 놓으면 $h\to 0+$이면 $t\to 0+$, $h\to 0-$이면 $t\to 0-$

즉, $\lim_{h\to 0}\frac{f(a+h^3)-f(a)}{h^3}=\lim_{t\to 0}\frac{f(a+t)-f(a)}{t}$가 존재하므로 $x=a$에서 미분가능하다. [참]

ㄷ. 반례 $f(x)=|x-a|$일 때, $\lim_{h\to 0}\frac{f(a+h)-f(a-h)}{2h}=\lim_{h\to 0}\frac{|h|-|-h|}{2h}=0$

$x=a$일 때, $\lim_{h\to 0}\frac{f(a+h)-f(a-h)}{2h}$의 값이 존재하지만

함수 $f(x)=|x-a|$는 $x=a$에서 미분가능하지 않다. [거짓]

따라서 옳은 것은 ㄴ이다.

참고 함수 $f(x)$가 $x=a$에서 미분가능하면 $f'(a)=\lim_{h\to 0}\frac{f(a+h)-f(a)}{h}$가 존재해야한다.

이때 $f'(a)$가 존재하는 경우

$\lim_{h\to 0}\frac{f(a+h^2)-f(a)}{h^2}=\lim_{t\to 0+}\frac{f(a+t)-f(a)}{t}=f'(a)$

$\lim_{h\to 0}\frac{f(a+h)-f(a-h)}{2h}=\lim_{h\to 0}\frac{1}{2}\left\{\frac{f(a+h)-f(a)}{h}+\frac{f(a-h)-f(a)}{-h}\right\}=\frac{1}{2}\{f'(a)+f'(a)\}=f'(a)$

$\lim_{h\to 0}\frac{f(a+h^3)-f(a)}{h^3}=\lim_{t\to 0}\frac{f(a+t)-f(a)}{t}=f'(a)$

$f'(a)$가 존재하는 경우는 ㄱ, ㄴ, ㄷ 모두 성립한다.

하지만 $f(x)=|x-a|$인 경우 $x=a$에서 미분불가능하지만

$\lim_{h\to 0}\frac{f(a+h^2)-f(a)}{h^2}=\lim_{h\to 0}\frac{|h^2|}{h^2}=1$

$\lim_{h\to 0}\frac{f(a+h)-f(a-h)}{2h}=\lim_{h\to 0}\frac{|h|-|-h|}{2h}=0$

즉 ㄱ, ㄷ은 함수 $f(x)$가 $x=a$에서 미분가능하기 위한 필요조건이다.

또한, $h^3=t$라 하면 $h\to 0+$일 때, $h^3\to 0+$이므로 $t\to 0+$이고 $h\to 0-$일 때, $h^3\to 0-$이므로 $t\to 0-$이다.

이때 $\lim_{h\to 0}\frac{f(a+h^3)-f(a)}{h^3}=\lim_{t\to 0}\frac{f(a+t)-f(a)}{t}$이므로

$\lim_{h\to 0}\frac{f(a+h^3)-f(a)}{h^3}$의 값이 존재하면 $\lim_{t\to 0}\frac{f(a+t)-f(a)}{t}$

즉, $\lim_{h\to 0}\frac{f(a+h)-f(a)}{h}$의 값이 존재한다.

따라서 ㄴ은 $f(x)$가 $x=a$에서 미분가능하기 위한 필요충분조건이다.

마플수능특강 06

함수 $y=f(2k-x)$의 그래프의 미분가능

01 $y=f(2k-x)$의 그래프의 미분가능

① 두 함수 $y=f(x)$, $y=f(2k-x)$의 그래프는 $x=k$에 대하여 대칭이다.

설명 $\dfrac{x+(2k-x)}{2}=k$이므로 함수 $y=f(2k-x)$의 그래프는

함수 $y=f(x)$의 그래프와 직선 $x=k$에 대하여 대칭이다.

예를 들면 $y=f(2-x)$의 그래프는 $y=f(x)$의 그래프와 $x=1$에 대하여 대칭이다.

② 함수 $f(x)$가 실수 전체에서 미분가능일 때 $g(x)=\begin{cases} f(x) & (x \geq k) \\ f(2k-x) & (x<k) \end{cases}$에 대하여 함수 $y=g(x)$의 그래프는

$x=k$에 대하여 대칭이이므로 함수 $y=g(x)$가 실수 전체의 집합에서 미분가능하기 위해서는 $f'(k)=0$이다.

수능특강문제 01

2006학년도 09월 평가원

이차함수 $y=f(x)$의 그래프가 직선 $x=3$에 대하여 대칭일 때, 다음 중 옳은 것을 모두 고른 것은?

ㄱ. $y=f(x)$에서 x의 값이 -1에서 7까지 변할 때의 평균변화율은 0이다.
ㄴ. 두 실수 a, b에 대하여 $a+b=6$이면 $f'(a)+f'(b)=0$이다.
ㄷ. $\sum_{k=1}^{15} f'(k-3)=0$

① ㄱ ② ㄷ ③ ㄱ, ㄴ ④ ㄴ, ㄷ ⑤ ㄱ, ㄴ, ㄷ

수능특강 풀이

이차함수 $y=f(x)$의 그래프는 직선 $x=3$에 대하여 대칭이므로 $f(x)=p(x-3)^2+q$ (단, p, q는 상수, $p \neq 0$)으로 놓을 수 있다.

ㄱ. 이차함수 $y=f(x)$가 $x=3$에 대칭이므로 $f(7)=f(-1)$

-1에서 7까지 평균변화율은 $\dfrac{f(7)-f(-1)}{7-(-1)}=0$ [참]

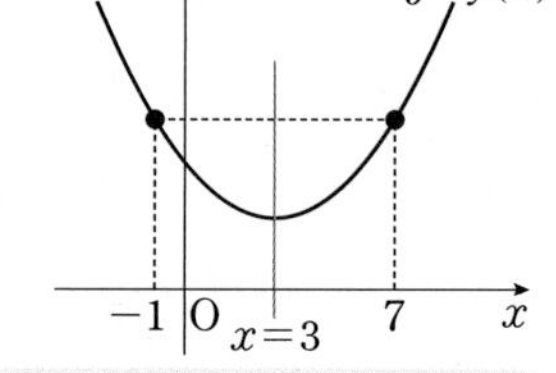

함수 $y=f(x)$가 $x=a$에 대하여 대칭이면 ⇨ $f(a-x)=f(a+x)$

ㄴ. $f'(x)=2p(x-3)$이고 $a+b=6$이므로

$f'(a)+f'(b)=2p(a-3)+2p(b-3)=2p(a+b-6)=0$ [참]

다른풀이 $x=3$에 대칭을 이용하여 풀이하기

$a+b=6$에서 $\dfrac{a+b}{2}=3$이므로 이차함수 $y=f(x)$의 그래프의

$x=a$에서의 접선과 $x=b$에서 접선은 $x=3$에 대하여 대칭이다.

즉, 두 접선의 기울기는 절댓값은 같고 부호가 다르므로

$f'(a)=-f'(b)$ $\therefore f'(a)+f'(b)=0$ [참]

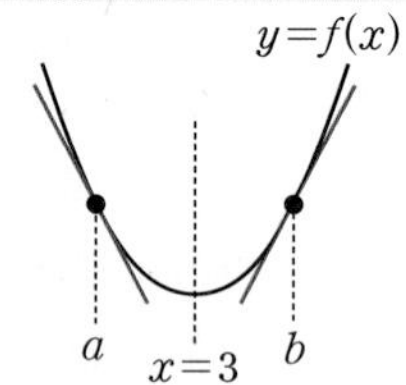

ㄷ. $\sum_{k=1}^{15} f'(k-3)=\sum_{k=1}^{15} 2p(k-3-3)=2p\sum_{k=1}^{15}(k-6)=2p\left(\dfrac{15 \cdot 16}{2}-6 \cdot 15\right)=60p$ ⇐ $f(x)=p(x-3)^2+q$에서 $f'(x)=2p(x-3)$

이때 $p \neq 0$이므로 $60p \neq 0$ [거짓]

다른풀이 직접 시그마의 성질을 이용하여 풀이하기

$$\sum_{k=1}^{15} f'(k-3)=f'(-2)+f'(-1)+f'(0)+\cdots+f'(10)+f'(11)+f'(12)$$

$$=\{f'(-2)+f'(8)\}+\{f'(-1)+f'(7)\}+\{f'(0)+f'(6)\}+\{f'(1)+f'(5)\}+\{f'(2)+f'(4)\}+f'(3)+f'(9)+f'(10)+f'(11)+f'(12)$$

$$=f'(3)+f'(9)+f'(10)+f'(11)+f'(12)$$

$$=0+2p(9-3)+2p(10-3)+2p(11-3)+2p(12-3)$$

$$=12p+14p+16p+18p$$

$$=60p \neq 0 (\because p \neq 0)$$ [거짓]

따라서 옳은 것은 ㄱ, ㄴ이다.

수능특강문제 02

2015년 03월 교육청

삼차함수 $f(x)=x^3-x^2-9x+1$에 대하여 함수 $g(x)$를 $g(x)=\begin{cases} f(x) & (x \geq k) \\ f(2k-x) & (x < k) \end{cases}$라 하자.

함수 $g(x)$가 실수 전체의 집합에서 미분가능 하도록 하는 모든 실수 k의 값의 합을 $\frac{q}{p}$라 할 때, p^2+q^2의 값을 구하여라. (단, p와 q는 서로소인 자연수이다.)

수능특강 풀이 다항함수 $f(x)$는 실수 전체의 집합에서 미분가능하므로 직선 $x=k$에 대하여 대칭인 함수 $g(x)$가 실수 전체의 집합에서 미분가능하기 위해서는 $x=k$에서 미분가능하면 된다.

$$\lim_{x\to k-}\frac{g(x)-g(k)}{x-k}=\lim_{x\to k-}\frac{f(2k-x)-f(k)}{x-k}$$
$$=\lim_{x\to k-}\left[\frac{\{(2k-x)^3-(2k-x)^2-9(2k-x)+1\}}{x-k}-\frac{(k^3-k^2-9k+1)}{x-k}\right]$$
$$=\lim_{x\to k-}\left[(k-x)\cdot\frac{\{(2k-x)^2+k(2k-x)+k^2-(3k-x)-9\}}{x-k}\right]=-3k^2+2k+9$$

$$\lim_{x\to k+}\frac{g(x)-g(k)}{x-k}=\lim_{x\to k+}\frac{f(x)-f(k)}{x-k}$$
$$=\lim_{x\to k+}\frac{(x^3-x^2-9x+1)-(k^3-k^2-9k+1)}{x-k}$$
$$=\lim_{x\to k+}\frac{(x-k)\{x^2+kx+k^2-(x+k)-9\}}{x-k}$$
$$=3k^2-2k-9$$

$\lim_{x\to k-}\frac{g(x)-g(k)}{x-k}=\lim_{x\to k+}\frac{g(x)-g(k)}{x-k}$이므로 $-3k^2+2k+9=3k^2-2k-9$

$\therefore 3k^2-2k-9=0$

이차방정식의 근과 계수의 관계에 의하여 구하는 모든 실수 k의 값의 합은 $\frac{2}{3}$

따라서 $p=3$, $q=2$이므로 $p^2+q^2=13$

다른풀이 미분법을 이용하여 풀이하기

함수 $f(x)$가 $x=k$에서 미분가능하므로 $g'(k)$가 존재해야 한다.

$g'(x)=\begin{cases} f'(x) & (x > k) \\ -f'(2k-x) & (x < k) \end{cases}$에서

$g'(k)=\lim_{x\to k+}f'(x)=\lim_{x\to k-}\{-f'(2k-x)\}$에서 $f'(k)=-f'(k)$이므로 $f'(k)=0$

$f(x)=x^3-x^2-9x+1$에서 $f'(x)=3x^2-2x-9$

이때 $f'(k)=3k^2-2k-9=0$이므로 근과 계수의 관계에 의하여 구하는 모든 실수 k의 값의 합은 $\frac{2}{3}$

따라서 $p=3$, $q=2$이므로 $p^2+q^2=13$

다른풀이 함수의 선대칭 관계를 이용하여 풀이하기

STEP A **$f(x)$와 $f(2k-x)$가 $x=k$에 대하여 대칭임을 이용하기**

$\frac{x+(2k-x)}{2}=k$이므로 두 함수 $y=f(x)$, $y=f(2k-x)$의 그래프는 $x=k$에 대하여 대칭이다.

즉, 함수 $y=g(x)$의 그래프는 직선 $x=k$에 대하여 대칭이므로 함수 $y=g(x)$의 그래프가 $x=k$에 대하여 대칭이면서 $g(x)$가 $x=k$에서 미분가능하기 위해서는 $g'(k)=0$이어야 한다.

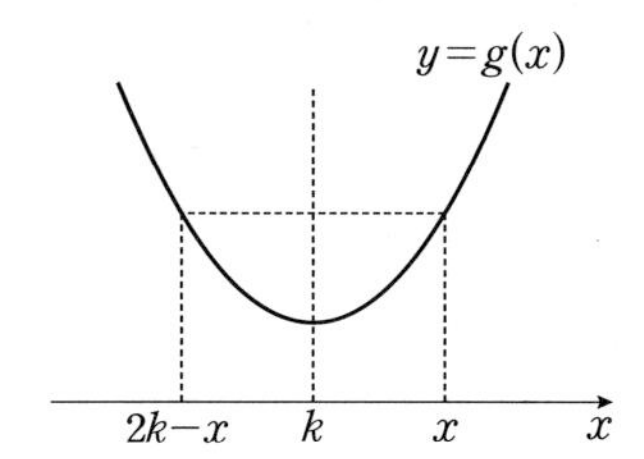

STEP B **$g'(k)=0$을 만족하는 k의 값의 합 구하기**

$x \geq k$에서 $g(x)=f(x)$이므로 $g'(k)=f'(k)=3k^2-2k-9=0$

이차방정식의 근과 계수의 관계에 의하여 구하는 모든 실수 k의 값의 합은 $\frac{2}{3}$이므로 $p=3$, $q=2$

따라서 $p^2+q^2=3^2+2^2=13$

02 주기함수의 그래프의 미분가능

연속함수 $f(x)$의 주기가 p인 주기함수 $y=f(x)$을 표현하면 다음과 같다. (단, p는 상수이다.)

① $f(x+p)=f(x)$

② $f\left(x-\frac{p}{2}\right)=f\left(x+\frac{p}{2}\right)$

참고 함수 $f(x)$가 상수 a, b에 대하여 $f(x+a)=f(x+b)(a<b)$를 만족하면 $f(x+b-a)=f(x)$이다.

즉, 함수 $f(x)$에 대하여 $f(x-p)=f(x+p)$이면 $f(x)=f(x+2p)$이다.

특강해설 상수함수가 아닌 함수 $f(x)$에서 정의역에 속하는 모든 x에 대하여

$$f(x+p)=f(x)$$

를 만족시키는 0이 아닌 상수 p가 존재할 때, 함수 $f(x)$를 주기함수라 한다.

또, $f(x+p)=f(x)$를 만족시키는 상수 p의 값 중에서 최소의 양수를 함수 $f(x)$의 주기라 한다.

수능특강문제 03

실수 전체에서 정의된 함수 $f(x)$가 다음 두 조건을 만족한다.

(가) $f(x)=x^2-4x+1$ (단, $0\le x\le 4$)　　(나) $f(x)=f(x+4)$

$\lim_{h\to 0}\frac{f(5+h)+f(5+3h)-2f(5)}{h}$의 값을 구하여라.

수능특강 풀이

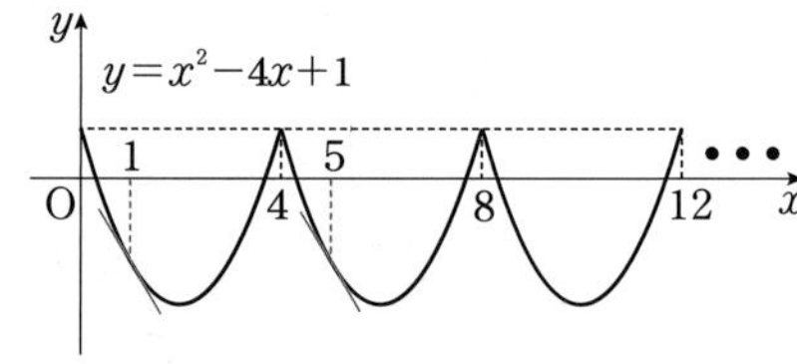

조건 (가)에서 $f'(x)=2x-4(0\le x\le 4)$

조건 (나)에서 $f(x)=f(x+4)$가 성립하므로

$f(5+h)=f(1+h)$, $f(5+3h)=f(1+3h)$, $f(5)=f(1)$이다.

$$\begin{aligned}\lim_{h\to 0}\frac{f(5+h)+f(5+3h)-2f(5)}{h}&=\lim_{h\to 0}\frac{f(1+h)+f(1+3h)-2f(1)}{h}\\&=\lim_{h\to 0}\frac{f(1+h)-f(1)}{h}+\lim_{h\to 0}\frac{f(1+3h)-f(1)}{3h}\times 3\\&=f'(1)+3f'(1)\quad \Leftarrow f'(5)=f'(1)=-2\\&=4f'(1)=-8\end{aligned}$$

수능특강문제 04

실수 전체에서 정의된 함수 $f(x)$가 다음 두 조건을 만족한다.

(가) $f(x)=-x^2+2x+3$ (단, $-2\le x\le 4$)　　(나) $f(x)=f(x+6)$

이때 $\sum_{k=1}^{10}\lim_{h\to 0}\frac{f(k+h)-f(k-h)}{2h}$의 값을 구하여라.

수능특강 풀이

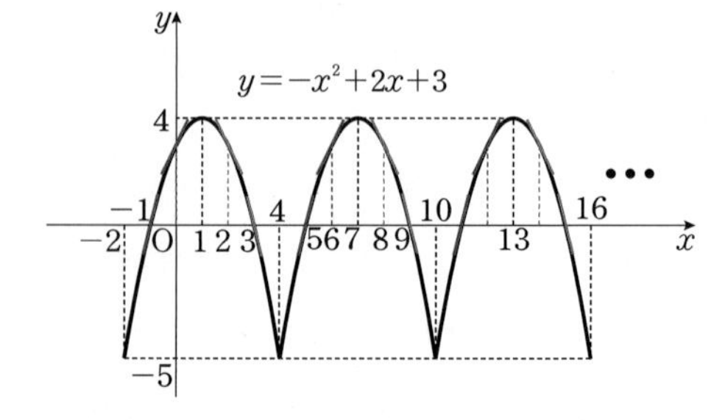

조건 (가), (나)를 이용하여 오른쪽 그림과 같은 그래프를 얻을 수 있고

$x=6n-2$ (n은 자연수)에서 미분불가능임을 알 수 있다.

먼저 $k=4$인 경우 $f(x)=\begin{cases}-(x-1)^2+4 & (-2\le x\le 4)\\-(x-7)^2+4 & (4\le x\le 10)\end{cases}$이므로

$$\lim_{h\to 0+}\frac{f(4+h)-f(4-h)}{2h}=\lim_{h\to 0+}\frac{-(h-3)^2+4-\{-(3-h)^2+4\}}{2h}=0$$

$$\lim_{h\to 0-}\frac{f(4+h)-f(4-h)}{2h}=\lim_{h\to 0-}\frac{-(3+h)^2+4-\{-(-3-h)^2+4\}}{2h}=0$$

$\therefore \lim_{h\to 0}\frac{f(4+h)-f(4-h)}{2h}=0$, 마찬가지로 $\lim_{h\to 0}\frac{f(10+h)-f(10-h)}{2h}=0$

$f(x)$는 주기가 6인 주기함수이므로 $f'(5)=f'(-1)$, $f'(6)=f'(0)$, $f'(7)=f'(1)$, $f'(8)=f'(2)$, $f'(9)=f'(3)$이다.

$f(x)=-x^2+2x+3(-2\le x\le 4)$이므로 $f'(x)=-2x+2(-2<x<4)$

$$\begin{aligned}\sum_{k=1}^{10}\lim_{h\to 0}\frac{f(k+h)-f(k-h)}{2h}&=f'(1)+f'(2)+f'(3)+0+f'(5)+\cdots+f'(9)+0\\&=2\{f'(1)+f'(2)+f'(3)\}+f'(-1)+f'(0)=2\{0+(-2)+(-4)\}+4+2=-6\end{aligned}$$

수능특강문제 05 2014년 10월 교육청

최고차항의 계수가 1인 삼차함수 $f(x)$에 대하여 함수 $g(x)$가 다음 조건을 만족시킨다.

(가) $0 \le x < 2$일 때, $g(x)=\begin{cases} f(x) & (0 \le x < 1) \\ f(2-x) & (1 \le x < 2) \end{cases}$이다.

(나) 모든 실수 x에 대하여 $g(x+2)=g(x)$이다.

(다) 함수 $g(x)$는 실수 전체의 집합에서 미분가능하다.

$g(6)-g(3)=\dfrac{q}{p}$라 할 때, $p+q$의 값을 구하여라. (단, p와 q는 서로소인 자연수이다.)

수능특강 풀이

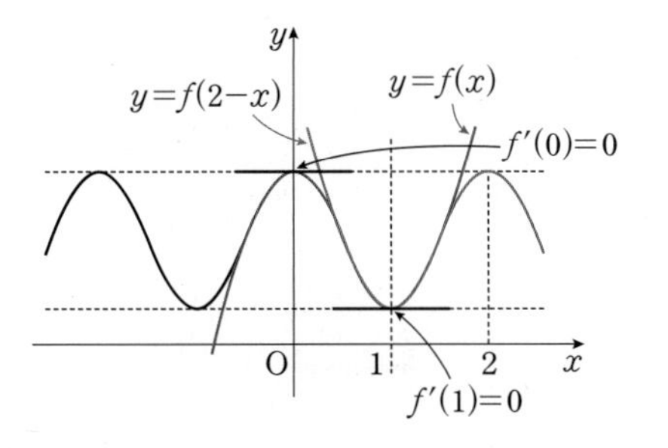

조건 (가)에서 $y=f(2-x)$의 그래프가 $y=f(x)$와 $x=1$에서 대칭이고

조건 (다)에서 $g(x)$는 실수 전체의 집합에서 미분가능하므로

조건 (나)에서 주기가 2인 함수를 그리면 오른쪽 그림과 같다.

이때 $f'(0)=0$, $f'(1)=0$이므로 최고차항의 계수가 1인 삼차함수 $f(x)$를

$f(x)=x^3+ax^2+bx+c$로 놓으면 $f'(x)=3x^2+2ax+b$에서

$f'(0)=b=0$ …… ㉠

$f'(1)=3+2a+b=0$ …… ㉡

㉠, ㉡에서 $a=-\dfrac{3}{2}$ $\therefore f(x)=x^3-\dfrac{3}{2}x^2+c$

조건 (나)에서 함수 $g(x)$는 주기가 2인 주기함수이고 실수 전체의 집합에서 연속이므로

$g(6)=g(0)=f(0)$, $g(3)=g(1)=f(1)$

$g(6)-g(3)=g(0)-g(1)=f(0)-f(1)=c-\left(-\dfrac{1}{2}+c\right)=\dfrac{1}{2}$

따라서 $p+q=2+1=3$

다른풀이 도함수를 이용하여 미분가능을 이용하여 $f(x)$ 풀이하기

STEP A 함수 $g(x)$가 실수 전체의 집합에서 미분가능함을 이용하기

$0 \le x < 2$일 때, $g(x)=\begin{cases} f(x) & (0 \le x < 1) \\ f(2-x) & (1 \le x < 2) \end{cases}$에서 $g'(x)=\begin{cases} f'(x) & (0 < x < 1) \\ -f'(2-x) & (1 < x < 2) \end{cases}$

$g(x)$는 주기가 2인 주기함수이며 실수 전체의 집합에서 미분가능하다.

함수 $g(x)$가 $x=1$에서 미분가능하므로 $f'(1)=-f'(1)$ ← $\lim\limits_{x\to1-}\dfrac{g(x)-g(1)}{x-1}=\lim\limits_{x\to1+}\dfrac{g(x)-g(1)}{x-1}$

함수 $g(x)$가 $x=0$에서 미분가능하므로 $f'(0)=-f'(0)$ ← $\lim\limits_{x\to0-}\dfrac{g(x)-g(0)}{x-0}=\lim\limits_{x\to0+}\dfrac{g(x)-g(0)}{x-0}$

$\therefore f'(1)=f'(0)=0$

$f(x)=x^3+ax^2+bx+c$ (a, b, c는 상수)라 하면 $f'(x)=3x^2+2ax+b$이므로

$f'(1)=3+2a+b=0$ …… ㉠

$f'(0)=b=0$ …… ㉡

㉠, ㉡을 연립하여 풀면 $a=-\dfrac{3}{2}$, $b=0$ $\therefore f(x)=x^3-\dfrac{3}{2}x^2+c$

STEP B $g(x)$가 주기함수임을 이용하여 두 함숫값의 차를 구하기

조건 (나)에서 함수 $g(x)$는 주기가 2인 주기함수이고 실수 전체의 집합에서

연속이므로 $g(6)=g(0)=f(0)$, $g(3)=g(1)=f(1)$

$\therefore g(6)-g(3)=f(0)-f(1)=c-\left(1-\dfrac{3}{2}+c\right)=\dfrac{1}{2}$

따라서 $p=2$, $q=1$이므로 $p+q=3$

참고 조건을 만족하는 $y=g(x)$의 그래프는 다음과 같다.

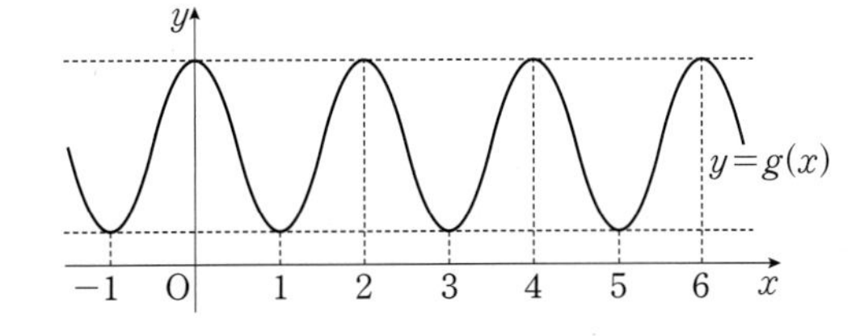

© Photo by Dawid Zawila on Unsplash

귀뚜라미 우는 들녘에서

한국의 절기 ⑭ '처서'

자료출처 : 한국민속대백과사전 http://folkency.nfm.go.kr

아침저녁으로 신선한 기운을 느끼게 되는 계절이기에 "처서가 지나면 모기도 입이 비뚤어진다."라고 한다. 이 속담처럼 처서의 서늘함 때문에 파리, 모기의 극성도 사라져가고, 귀뚜라미가 하나둘씩 나오기 시작한다. 또 이 무렵은 음력 7월 15일 백중(百中)의 호미씻이[洗鋤宴]도 끝나는 시기여서 농사철 중에 비교적 한가한 때이기도 하다. 그래서 "어정 칠월 건들 팔월"이란 말도 한다. 어정거리면서 칠월을 보내고 건들거리면서 팔월을 보낸다는 말인데, 다른 때보다 그만큼 한가한 농사철이라는 것을 재미있게 표현한 말이다.처서에 비가 오면 독의 곡식도 준다고 한다. 처서에 오는 비를 '처서비[處暑雨]'라고 하는데, 처서비에 '십리에 천석 감한다.'라고 하거나 '처서에 비가 오면 독 안의 든 쌀이 줄어든다.'라고 한다. 처서에 비가 오면 그동안 잘 자라던 곡식도 흉작을 면치 못하게 된다는 뜻이다. 맑은 바람과 왕성한 햇살을 받아야만 나락이 입을 벌려 꽃을 올리고 나불거려야 하는데, 비가 내리면 나락에 빗물이 들어가고 결국 제대로 자라지 못해 썩기 때문이다. 이는 처서 무렵의 날씨가 얼마나 중요한가를 보여주는 체득적(體得的)인 삶의 지혜가 반영된 말들이다.

수능과 내신의 수학개념서

수학 Ⅱ

Ⅰ 함수의 극한과 연속 Ⅱ 미분 Ⅲ 적분

02

접선의 방정식과 평균값 정리

1. 접선의 방정식
2. 두 곡선의 공통인 접선
3. 평균값 정리

MAPL ; YOUR MASTER PLAN

01 접선의 방정식

01 접선의 방정식

(1) 접선의 기울기

함수 $f(x)$가 $x=a$에서 미분가능할 때, 곡선 $y=f(x)$ 위의 점 $\mathrm{P}(a,\ f(a))$에서의 접선의 기울기는 $x=a$에서의 미분계수 $f'(a)=\lim_{x\to a}\frac{f(x)-f(a)}{x-a}$와 같다.

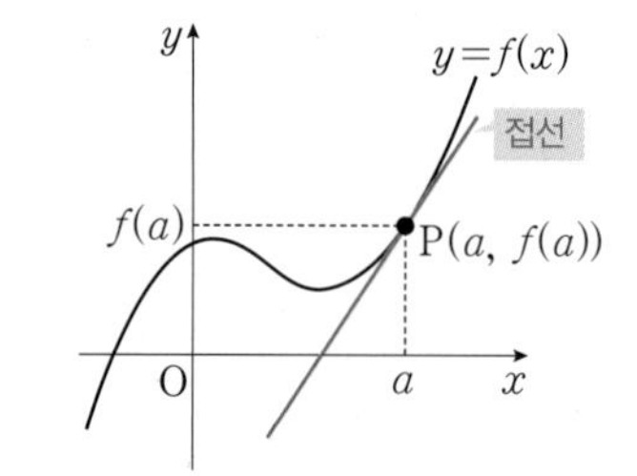

(2) 접선의 방정식

곡선 $y=f(x)$ 위의 점 $\mathrm{P}(a,\ f(a))$에서의 접선의 방정식

⇨ 점 $(a,\ f(a))$를 지나고 기울기가 $f'(a)$인 직선이다.

⇨ 접선의 방정식 $y-f(a)=f'(a)(x-a)$ (└ 기울기: $f'(a)$)

마플해설 점 $(x_1,\ y_1)$을 지나고 기울기가 m인 직선의 방정식은 $y-y_1=m(x-x_1)$이다.

접선이 x축의 양의 방향과 이루는 각을 θ라 하면 접선의 기울기 ⇨ $f'(a)=\tan\theta$

참고 $\tan 30^\circ=\frac{1}{\sqrt{3}}$ $\quad \xLeftrightarrow{180^\circ-\theta} \quad$ $\tan 150^\circ=-\frac{1}{\sqrt{3}}$

$\tan 45^\circ=1$ $\quad\Longleftrightarrow\quad$ $\tan 135^\circ=-1$

$\tan 60^\circ=\sqrt{3}$ $\quad\quad$ $\tan 120^\circ=-\sqrt{3}$

보기 01 다음 곡선 위의 점에서 접선의 기울기를 구하여라.

(1) $y=x^2-2x+3$ $(0,\ 3)$ (2) $y=x^3+3x^2-2$ $(1,\ 2)$

풀이 (1) $f(x)=x^2-2x+3$로 놓으면 $f'(x)=2x-2$이므로 $f'(0)=2\cdot 0-2=-2$

(2) $f(x)=x^3+3x^2-2$로 놓으면 $f'(x)=3x^2+6x$이므로 $f'(1)=3\cdot 1^2+6\cdot 1=9$

곡선 밖의 점, 곡선상의 점에서 접선의 개수

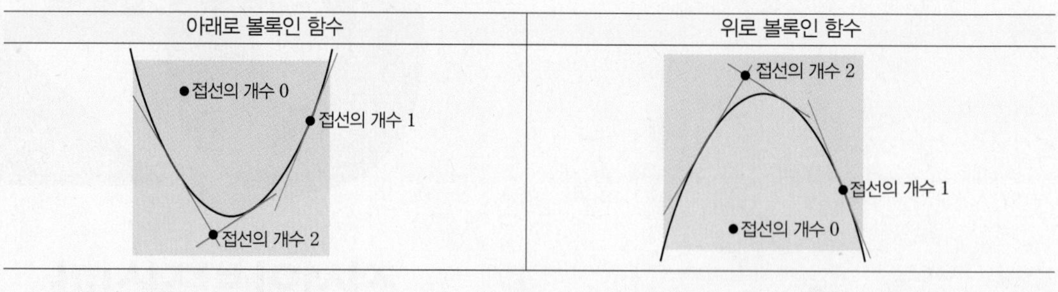

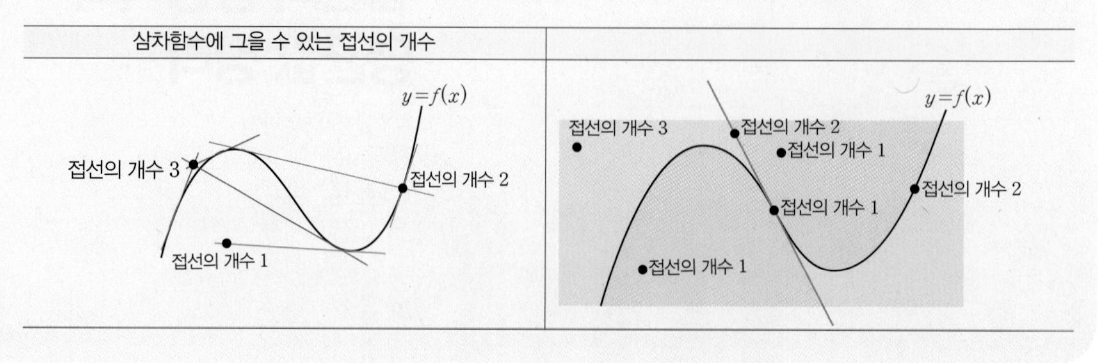

02 곡선 $y=f(x)$ 위의 점 $(a,\ f(a))$에서의 접선의 방정식

(1) 접점의 좌표 $(a,\ f(a))$가 주어진 경우 ⬅ 기울기를 구하는 것이 핵심

함수 $f(x)$가 $x=a$에 미분가능할 때,

[1단계] 접선의 기울기 $f'(a)$를 구한다.

[2단계] 접선의 방정식 $y-f(a)=f'(a)(x-a)$를 구한다.

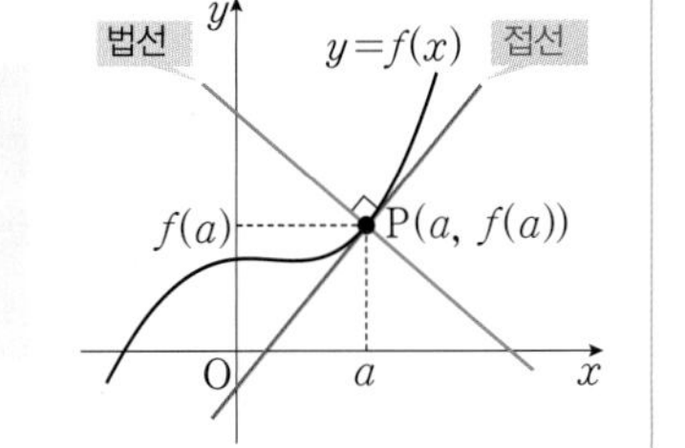

(2) 접선에 수직인 직선의 방정식 (법선)

곡선 $y=f(x)$ 위의 점 $P(a,\ f(a))$에서

[1단계] 접선의 기울기가 $f'(a)$이므로 이에 수직인 직선의 기울기

$-\dfrac{1}{f'(a)}$를 구한다. ⬅ 두 직선이 수직이면 두 직선의 기울기의 곱이 -1이다.

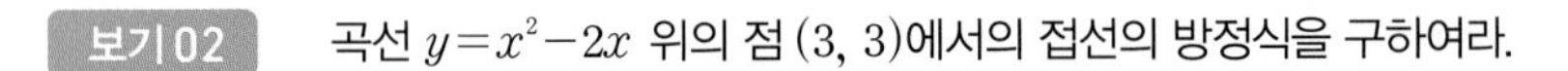

[2단계] 접선에 수직인 직선의 방정식 $y-f(a)=-\dfrac{1}{f'(a)}(x-a)$를 구한다.

보기 02 곡선 $y=x^2-2x$ 위의 점 $(3,\ 3)$에서의 접선의 방정식을 구하여라.

풀이 $f(x)=x^2-2x$로 놓으면 $f'(x)=2x-2$

점 $(3,\ 3)$에서의 접선의 기울기는

$$f'(3)=2\cdot3-2=4$$

따라서 구하는 접선의 방정식은 $y-3=4(x-3)$

$\therefore\ y=4x-9$

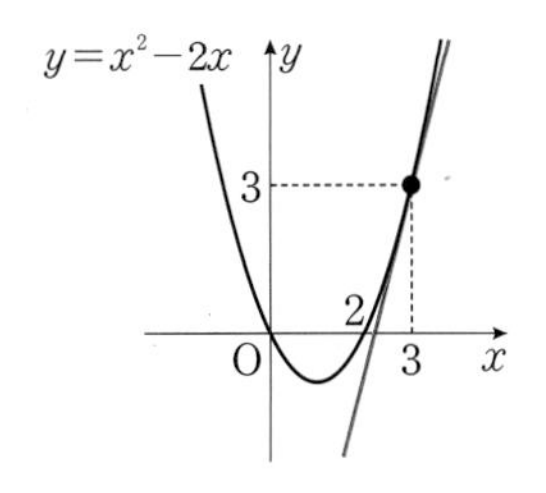

03 곡선 $y=f(x)$에 접하고 기울기가 m인 접선의 방정식

곡선 $y=f(x)$의 접선의 기울기가 m인 접선의 방정식 ⬅ 접점을 구하는 것이 핵심

[1단계] 접점의 좌표를 $(a,\ f(a))$로 놓는다.

[2단계] $f'(a)=m$임을 이용하여 a값과 접점의 좌표 $(a,\ f(a))$를 구한다.

[3단계] 접선의 방정식 $y-f(a)=m(x-a)$를 구한다.

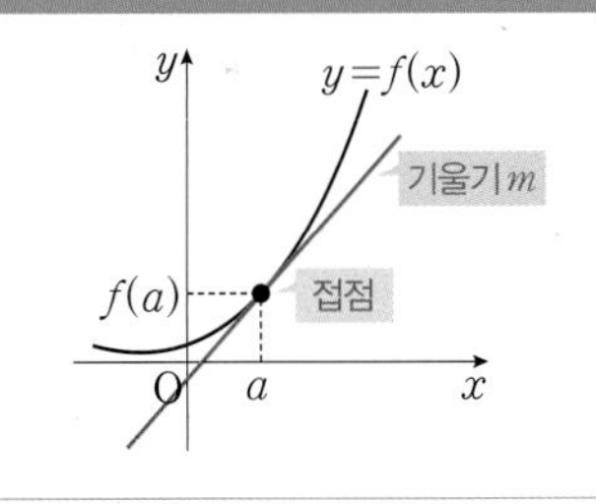

보기 03 곡선 $y=-x^2+4x$에 접하고 기울기가 -2인 접선의 방정식을 구하여라.

풀이 $f(x)=-x^2+4x$로 놓으면 $f'(x)=-2x+4$

접점의 좌표를 $(a,\ -a^2+4a)$라 하면 접선의 기울기가 -2이므로

$f'(a)=-2a+4=-2\quad\therefore\ a=3$

따라서 접점의 좌표는 $(3,\ 3)$이므로 구하는 접선의 방정식은

$y-3=-2(x-3)$

$\therefore\ y=-2x+9$

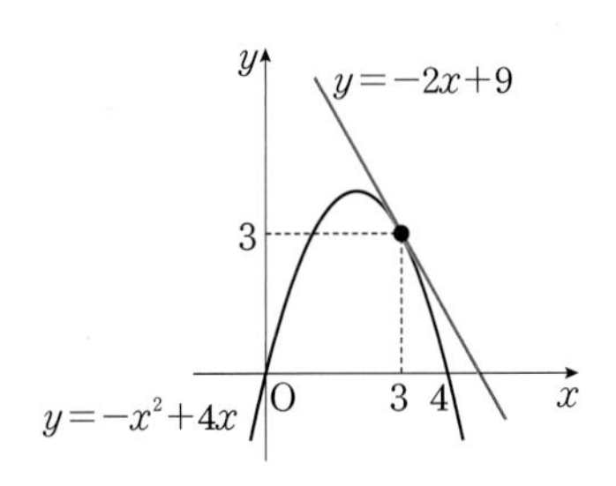

FOCUS

접선의 다양한 형태와 활용

① 접선이 곡선을 스쳐 지나가는 형태 ② 접선이 곡선을 뚫고 지나가는 형태 ③ 접선이 접점 외에 다른 점에서 곡선과 만나는 형태

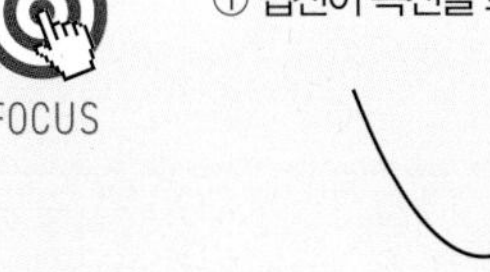

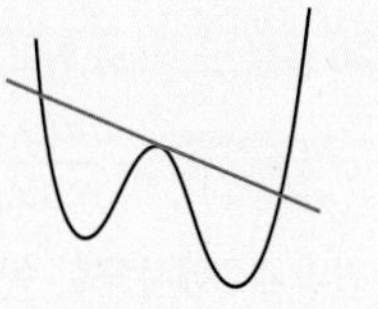

04 곡선 $y=f(x)$ 밖의 한 점 $(x_1,\ y_1)$에서 곡선에 그은 접선의 방정식

곡선 $y=f(x)$ 밖의 한 점 $(x_1,\ y_1)$이 주어진 경우 ⬅ 접점의 좌표를 $(a,\ f(a))$로 놓고 a의 값을 구하는 것이 핵심

[1단계] 접점의 좌표를 $(a,\ f(a))$로 놓는다.

[2단계] 접선의 기울기가 $f'(a)$이므로 접선의 방정식을 구한다.

$$y-f(a)=f'(a)(x-a) \qquad \cdots\cdots ㉠$$

[3단계] 곡선 밖의 한 점 $(x_1,\ y_1)$을 ㉠에 대입하여 a의 값을 구한다.

[4단계] 구한 a의 값을 ㉠에 대입하여 접선의 방정식을 구한다.

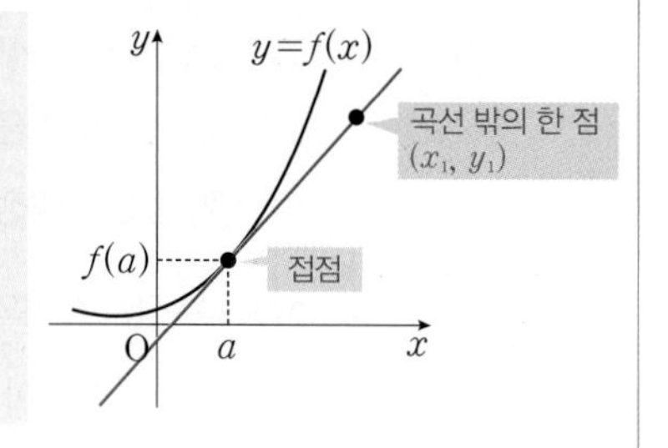

보기 04 다음 물음에 답하여라.

(1) 점 $(0,\ -2)$에서 곡선 $y=x^2-1$에 그은 접선의 방정식을 구하여라.

(2) 점 $(1,\ 4)$에서 곡선 $y=-x^2+x+3$에 그은 접선의 방정식을 구하여라.

풀이

(1) $f(x)=x^2-1$로 놓으면 $f'(x)=2x$

접점의 좌표를 $(a,\ a^2-1)$라 하면 $x=a$에서의 접선의 기울기는

$f'(a)=2a$이므로 접선의 방정식은

$y-(a^2-1)=2a(x-a)$ $\qquad\cdots\cdots$ ㉠

이 접선이 점 $(0,\ -2)$를 지나므로 $-2-(a^2-1)=2a(0-a)$

$a^2-1=0$ $\quad\therefore a=-1$ 또는 $a=1$

따라서 구하는 접선의 방정식은 ㉠에서

(i) $a=-1$일 때 $y=-2x-2$ $\quad$ (ii) $a=1$일 때 $y=2x-2$

(2) $f(x)=-x^2+x+3$로 놓으면 $f'(x)=-2x+1$

접점의 좌표를 $(a,\ -a^2+a+3)$라 하면 $x=a$에서의 접선의 기울기는

$f'(a)=-2a+1$이므로 접선의 방정식은

$y-(-a^2+a+3)=(-2a+1)(x-a)$ $\qquad\cdots\cdots$ ㉠

이 접선이 점 $(1,\ 4)$를 지나므로 $4-(-a^2+a+3)=(-2a+1)(1-a)$

$a^2-2a=0,\ a(a-2)=0$ $\quad\therefore a=0$ 또는 $a=2$

따라서 구하는 접선의 방정식은 ㉠에서

(i) $a=0$일 때 $y=x+3$ $\quad$ (ii) $a=2$일 때 $y=-3x+7$

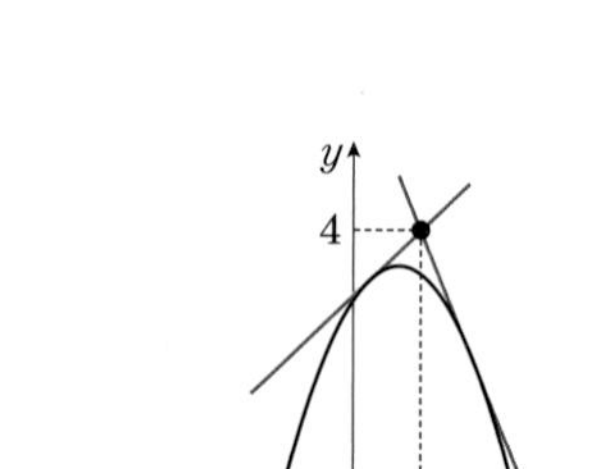

접선의 방정식을 이용하여 방정식 $f(x)=0$의 실근 α에 가까운 값 구하기 ⬅ 뉴턴의 방법(Newton's Method)

$\sqrt{5},\ \sqrt[3]{2},\ \sqrt[4]{7}$과 같은 거듭제곱근의 근삿값을 직접 계산하기는 매우 어렵다.

그러나 접선의 방정식을 이용하면 그 근삿값을 구할 수 있다.

다음은 $x=\sqrt{5}$가 이차방정식 $x^2-5=0$의 한 실근임을 이용하여 $\sqrt{5}$의 근삿값을 구하는 방법이다.

① $f(x)=x^2-5$로 놓고 $f(\alpha)=0$을 만족하는 양수 α에 가까운 적당한 값 x_1을 잡는다.

② 곡선 $y=f(x)$ 위의 점 $(x_1,\ f(x_1))$에서의 접선의 방정식을 구하면

$$y-f(x_1)=f'(x_1)(x-x_1)$$

③ 이 접선과 x축과의 교점의 x좌표를 x_2라고 하면 위 ②의 식으로부터

$$x_2=x_1-\frac{f(x_1)}{f'(x_1)}$$

④ 곡선 $y=f(x)$ 위의 점 $(x_n,\ f(x_n))$에서의 접선과 x축과의 교점의 x좌표를 x_{n+1}이라 하면

$$x_{n+1}=x_n-\frac{f(x_n)}{f'(x_n)}$$

위의 과정에서 구한 수열 $x_1,\ x_2,\ \cdots,\ x_n,\ \cdots$은 방정식 $x^2-5=0$의 한 실근 α에 수렴한다.

마플개념익힘 01 접선의 기울기를 이용한 미분계수

다음 물음에 답하여라.

(1) 곡선 $y=x^4-3x^2+1$ 위의 점 $(1, -1)$에서의 접선이 직선 $ax+y-3=0$과 평행할 때, 상수 a의 값을 구하여라.

(2) 곡선 $y=f(x)$ 위의 점 $(2, f(2))$에서 접선의 기울기가 2일 때, $\lim_{h\to 0}\frac{f(2+3h)-f(2)}{h}$의 값을 구하여라.

MAPL CORE 곡선 $y=f(x)$ 위의 점 $P(a, f(a))$에서의 접선의 기울기는 $x=a$에서의 미분계수 $f'(a)$와 같다.

개념익힘 | **풀이** (1) $f(x)=x^4-3x^2+1$로 놓으면 $f'(x)=4x^3-6x$이므로 $x=1$에서 미분계수는 $f'(1)=-2$

즉, 접선의 기울기가 -2이다.

한편 직선 $ax+y-3=0$, 즉 $y=-ax+3$의 기울기는 $-a$이므로

$-a=-2$ $\quad\therefore$ $\boldsymbol{a=2}$ ← 평행하면 기울기가 같다.

(2) 곡선 $y=f(x)$ 위의 점 $(2, f(2))$에서 접선의 기울기가 2이므로

$x=2$에서 미분계수는 $f'(2)=2$

이때 $\lim_{h\to 0}\frac{f(2+3h)-f(2)}{h}=\lim_{h\to 0}\frac{f(2+3h)-f(2)}{3h}\cdot 3=3f'(2)=\mathbf{6}$

확인유제 0279 다음 물음에 답하여라.

(1) 곡선 $y=f(x)$와 직선 $y=x+1$이 점 $(2, 3)$에서 접할 때, $\lim_{h\to 0}\frac{f(2+h)-f(2-h)}{h}$의 값을 구하여라.

2005년 10월 교육청

(2) 미분가능한 함수 $y=f(x)$의 그래프 위의 한 점 $(2, 1)$에서의 접선의 방정식이 $y=3x-5$일 때, $\lim_{x\to\infty}\frac{x}{2}\left\{f\left(2+\frac{1}{3x}\right)-f(2)\right\}$의 값을 구하여라.

변형문제 0280 삼차함수 $f(x)=x^3+ax^2+9x+3$의 그래프 위의 점 $(1, f(1))$에서의 접선의 방정식이 $y=2x+b$이다. $a+b$의 값은? (단, a, b는 상수이다.)

2013학년도 수능기출

① 1 ② 2 ③ 3 ④ 4 ⑤ 5

발전문제 0281 오른쪽 그림과 같이 삼차함수 $f(x)=-x^3+4x^2-3x$의 그래프 위의 점 $(a, f(a))$에서 기울기가 양의 값인 접선을 그어 x축과 만나는 점을 A, 점 $B(3, 0)$에서 접선을 그어 두 접선이 만나는 점을 C, 점 C에서 x축에 수선을 그어 만나는 점을 D라 하고, $\overline{AD}:\overline{DB}=3:1$일 때, a의 값들의 곱을 구하여라.

2007년 07월 교육청

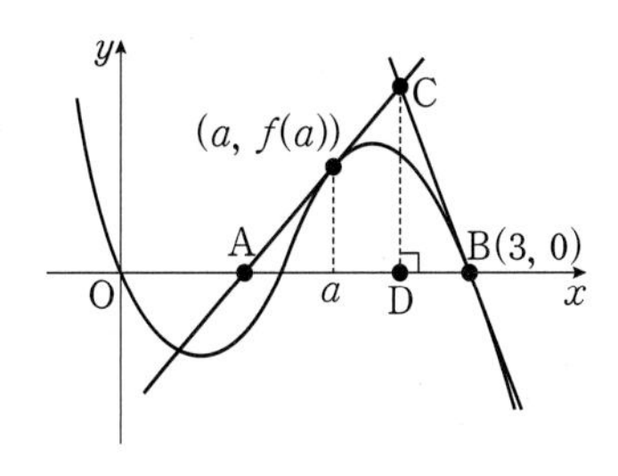

정답 0279 : (1) 2 (2) $\frac{1}{2}$ 0280 : ① 0281 : $\frac{5}{3}$

마플개념익힘 02 접선에 수직인 직선의 방정식

2012년 10월 교육청

곡선 $f(x)=\frac{2}{3}x^3+ax$ 위의 두 점 $(0,\ f(0))$, $(1,\ f(1))$에서의 접선이 서로 수직일 때, 상수 a의 값을 구하여라.

MAPL CORE ① 미분가능한 함수 $f(x)$에 대하여 곡선 $y=f(x)$ 위의 점 $(a,\ f(a))$에서의 접선의 기울기는 $f'(a)$
② 서로 수직인 두 직선의 기울기를 $m_1 m_2$이라 하면 $m_1 m_2=-1$ ⬅ 두 접선이 수직이므로 기울기의 곱이 -1

개념익힘 | 풀이 $f(x)=\frac{2}{3}x^3+ax$에서 $f'(x)=2x^2+a$

점 $(0,\ f(0))$에서의 접선의 기울기는 $f'(0)=a$

점 $(1,\ f(1))$에서의 접선의 기울기는 $f'(1)=2+a$

두 점에서의 접선이 수직이므로 기울기의 곱이 -1이므로

$f'(0)f'(1)=a(2+a)=-1$ ⬅ $m_1 m_2=-1$

$a^2+2a+1=0$, $(a+1)^2=0$

따라서 $\boldsymbol{a=-1}$

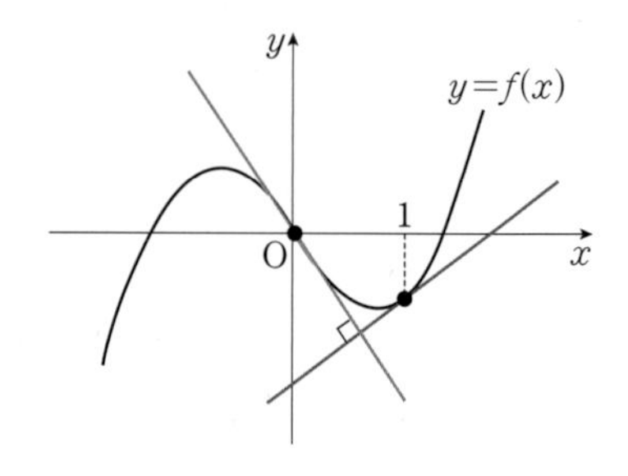

확인유제 0282 곡선 $y=x^3-ax+b$ 위의 점 $(1,\ 1)$에서의 접선과 수직인 직선의 기울기가 $-\frac{1}{2}$이다. 두 상수 $a,\ b$에 대하여 $a+b$의 값을 구하여라.

2017학년도 수능기출

변형문제 0283 함수 $f(x)=x(x-3)(x-a)$의 그래프 위의 점 $(0,\ 0)$에서의 접선과 점 $(3,\ 0)$에서의 접선이 서로 수직이 되도록 하는 모든 실수 a의 값의 합은?

2017학년도 사관기출

① $\frac{3}{2}$ ② 2 ③ $\frac{5}{2}$ ④ 3 ⑤ $\frac{7}{2}$

발전문제 0284 삼차함수 $f(x)$에 대하여 곡선 $y=f(x)$ 위의 점 $(1,\ f(1))$에서의 접선과 직선 $y=-\frac{1}{3}x+2$가 서로 수직일 때, $\lim_{x\to\infty}x\left\{f\left(1+\frac{1}{2x}\right)-f\left(1-\frac{1}{3x}\right)\right\}$의 값은?

2014년 04월 교육청

① $\frac{5}{6}$ ② 1 ③ $\frac{5}{4}$ ④ $\frac{5}{3}$ ⑤ $\frac{5}{2}$

정답 0282 : 2 0283 : ④ 0284 : ⑤

마플개념익힘 03 접점의 좌표가 주어진 접선의 방정식

곡선 $y=x^3-3x^2+4$에 대하여 다음에 답하여라.

(1) 이 곡선 위의 점 $(1,\ 2)$에서의 접선의 방정식을 구하여라.

(2) 이 곡선 위의 점 $(1,\ 2)$를 지나고, 이 점에서의 접선에 수직인 직선의 방정식을 구하여라.

접점의 좌표 $(a,\ f(a))$가 주어지는 경우 ⇨ 기울기 구하는 것이 핵심

[1단계] 접점의 좌표 $(a,\ f(a))$에서 접선의 기울기 $f'(a)$를 구한다.

[2단계] 접선의 방정식 : $y-f(a)=f'(a)(x-a)$

법선의 방정식 : $y-f(a)=-\dfrac{1}{f'(a)}(x-a)$

개념익힘 | **풀이**

(1) $f(x)=x^3-3x^2+4$로 놓으면 $f'(x)=3x^2-6x$이므로 $x=1$에서의 미분계수는

$f'(1)=3-6=-3$

즉, 점 $(1,\ 2)$를 지나고 접선의 기울기가 -3이므로

즉, 접선의 방정식은 $y-2=-3(x-1)$ $\therefore$ $\boldsymbol{y=-3x+5}$

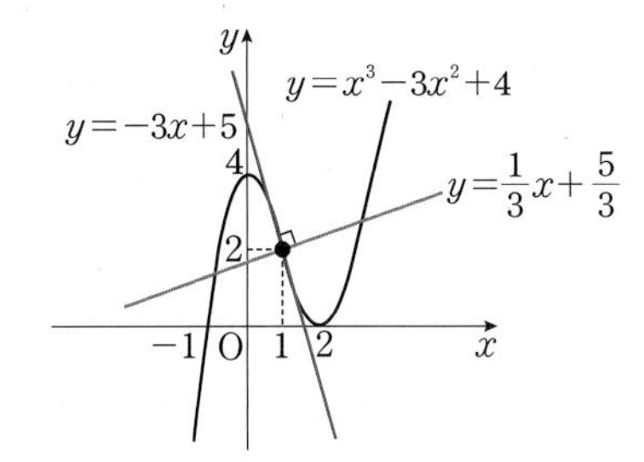

(2) $f(x)=x^3-3x^2+4$로 놓으면 $f'(x)=3x^2-6x$이므로

$x=1$에서의 미분계수는 $f'(1)=3-6=-3$

즉, 점 $(1,\ 2)$에서의 접선의 기울기는 -3이므로 이 접선에 수직인

직선의 기울기는 $\dfrac{1}{3}$이다.

구하는 직선의 방정식은 $y-2=\dfrac{1}{3}(x-1)$ $\therefore$ $\boldsymbol{y=\dfrac{1}{3}x+\dfrac{5}{3}}$

확인유제 0285

다음 물음에 답하여라

(1) 곡선 $y=x^3-2x^2+3x-4$ 위의 점 $(2,\ 2)$에서의 접선의 방정식을 구하여라.

(2) 곡선 $y=-x^3-2x^2+3$ 위의 점 $(-1,\ 2)$를 지나고 이 점에서의 접선과 수직인 직선의 방정식을 구하여라.

변형문제 0286

다음 물음에 답하여라.

2012학년도 06월 평가원

(1) 곡선 $y=x^3-x^2+a$ 위의 점 $(1,\ a)$에서의 접선이 점 $(0,\ 12)$를 지날 때, 상수 a의 값을 구하여라.

① 11 ② 12 ③ 13 ④ 15 ⑤ 16

2015학년도 06월 평가원

(2) 곡선 $y=-x^3+2x$ 위의 점 $(1,\ 1)$에서의 접선이 점 $(-10,\ a)$를 지날 때, a의 값은?

① 8 ② 12 ③ 14 ④ 16 ⑤ 18

발전문제 0287

다음 물음에 답하여라.

2013학년도 06월 평가원

(1) 곡선 $y=x^3-5x$ 위의 점 $\mathrm{A}(1,\ -4)$에서의 접선이 점 A가 아닌 점 B에서 곡선과 만난다. 선분 AB의 길이는?

① $\sqrt{30}$ ② $\sqrt{35}$ ③ $2\sqrt{10}$

④ $3\sqrt{5}$ ⑤ $5\sqrt{2}$

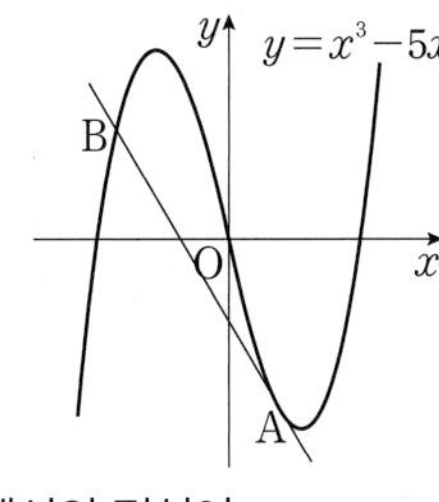

2017년 07월 교육청

(2) 최고차항의 계수가 1인 삼차함수 $f(x)$에 대하여 곡선 $y=f(x)$ 위의 점 $(2,\ 4)$에서의 접선이 점 $(-1,\ 1)$에서 이 곡선과 만날 때, $f'(3)$의 값은?

① 10 ② 11 ③ 12 ④ 13 ⑤ 14

정답 0285 : (1) $y=7x-12$ (2) $y=-x+1$ 0286 : (1) ③ (2) ② 0287 : (1) ④ (2) ①

마플개념익힘 04 접선에 수직인 직선의 방정식의 활용

곡선 $y=x^3+ax^2+ax-2a-1$이 실수 a의 값에 관계없이 항상 지나는 점을 P, Q라고 하자.
이때 두 점 P, Q에서의 접선이 서로 수직일 때, 모든 실수 a의 값의 합을 구하여라.

MAPL CORE [1단계] 접점의 좌표, $(a,\ f(a))$에서 접선의 기울기 $f'(a)$를 구한다.

법선의 기울기 $-\frac{1}{f'(a)}$를 구한다.

[2단계] 법선의 방정식 : $y-f(a)=-\frac{1}{f'(a)}(x-a)$

a의 값에 관계없이 성립하는 등식
$ma+n=0$이 a에 관한 항등식 $\Longleftrightarrow$ $m=0,\ n=0$

개념익힘 | **풀이** $y=x^3+ax^2+ax-2a-1$을 a에 대하여 정리하면
$(x^2+x-2)a+(x^3-1-y)=0$이고, 이 식은 a에 대한 항등식이므로

$x^2+x-2=0$ …… ㉠

$x^3-1-y=0$ …… ㉡

㉠에서 $(x-1)(x+2)=0$ $\therefore$ $x=1$ 또는 $x=-2$

㉡에 대입하면 $y=0$ 또는 $y=-9$이다.

즉, 곡선 $y=x^3+ax^2+ax-2a-1$은 a의 값에 관계없이 항상 두 점 $\mathrm{P}(1,\ 0)$, $\mathrm{Q}(-2,\ -9)$를 지난다.

$f(x)=x^3+ax^2+ax-2a-1$로 놓으면 $f'(x)=3x^2+2ax+a$이므로

점 $\mathrm{P}(1,\ 0)$에서의 접선의 기울기는 $f'(1)=3+3a$,

점 $\mathrm{Q}(-2,\ -9)$에서의 접선의 기울기는 $f'(-2)=12-3a$

이때 두 점 $\mathrm{P}(1,\ 0)$, $\mathrm{Q}(-2.\ -9)$에서의 접선이 서로 수직이므로

$(3+3a)(12-3a)=-1$ ⬅ 두 접선이 수직이므로 기울기의 곱이 -1

$\therefore$ $9a^2-27a-37=0$

따라서 이차방정식의 근과 계수의 관계에 의하여 구하는 모든 상수 a의 합은 $\frac{27}{9}=\mathbf{3}$

확인유제 0288 곡선 $y=x^3-ax^2+2ax+1$이 실수 a의 값에 관계없이 항상 지나는 점을 P, Q라 할 때, 두 점 P, Q에서의 접선이 수직이 되도록 하는 모든 실수 a의 값의 합을 구하여라.

변형문제 0289 다음 물음에 답하여라.

(1) 오른쪽 그림과 같이 곡선 $y=x^2$ 위를 움직이는 점 $\mathrm{P}(t,\ t^2)$이 있다. 점 P를 지나고 점 P에서의 접선과 수직인 직선의 y축과 만나는 점을 $\mathrm{Q}(0,\ g(t))$라 할 때, $\lim_{t\to 0}g(t)$의 값을 구하여라.

(2) 오른쪽 그림과 같이 곡선 $y=x^3$ 위를 움직이는 점 $\mathrm{P}(t,\ t^3)$이 있다. 점 P를 지나고 점 P에서의 접선과 수직인 직선이 y축과 만나는 점을 $\mathrm{Q}(0,\ h(t))$라 할 때, $\lim_{t\to\infty}\frac{h(t)}{t^3}$의 값을 구하여라.

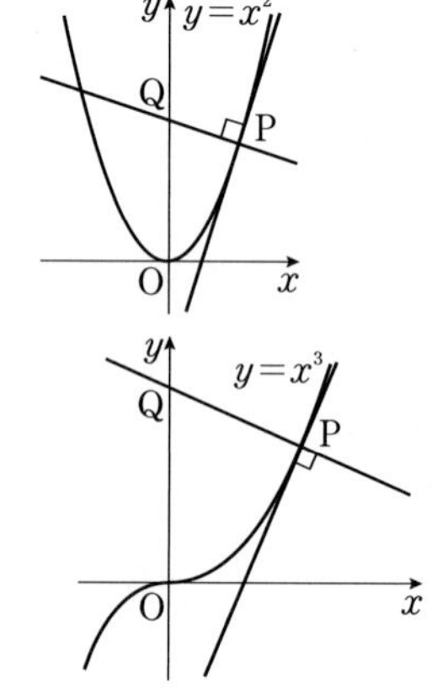

발전문제 0290 곡선 $y=x^3$ 위의 점 $\mathrm{P}(t,\ t^3)$에서의 접선을 l이라 하고, 점 P를 지나고 직선 l에 수직인 직선을 m이라 하자.
직선 l의 x절편을 $f(t)$, 직선 m의 y절편을 $g(t)$라 할 때, $\lim_{t\to\infty}\frac{g(t)}{t^2\times f(t)}$의 값을 구하여라. (단, $t\neq 0$)

정답 0288 : 6 0289 : (1) $\frac{1}{2}$ (2) 1 0290 : $\frac{3}{2}$

마플개념익힘 05 미분계수를 이용한 극한값과 접선의 방정식

다항함수 $f(x)$에 대하여

$$\lim_{x\to 2}\frac{f(x)-2}{x-2}=3$$

일 때, 곡선 $y=f(x)$ 위의 점 $(2,\ f(2))$에서의 접선의 방정식을 구하여라.

MAPL CORE $\lim_{x\to a}\frac{f(x)-b}{x-a}=c$ (a, b, c는 상수)이면 $f(a)=b$, $f'(a)=c$

임을 이용하여 곡선 $y=f(x)$ 위의 점 $x=a$에서의 접선의 방정식을 구한다.

개념익힘 | 풀이 $\lim_{x\to 2}\frac{f(x)-2}{x-2}=3$에서 $x\to 2$일 때, (분모)$\to 0$이고 극한값이 존재하므로 (분자)$\to 0$이다.

즉, $\lim_{x\to 2}\{f(x)-2\}=0$에서 $f(2)=2$

또한, $\lim_{x\to 2}\frac{f(x)-2}{x-2}=\lim_{x\to 2}\frac{f(x)-f(2)}{x-2}=f'(2)=3$

곡선 $y=f(x)$ 위의 점 $(2,\ f(2))$에서의 접선의 기울기는 $f'(2)=3$이다.

따라서 점 $(2,\ 2)$을 지나고 기울기가 3인 접선의 방정식은 $y-2=3\cdot(x-2)$

$\therefore$ $\boldsymbol{y=3x-4}$

확인유제 0291 다항함수 $f(x)$가

$$\lim_{x\to 1}\frac{f(x)}{x-1}=1$$

을 만족할 때, 곡선 $y=f(x)$ 위의 $x=1$인 점에서의 접선의 방정식을 구하여라.

변형문제 0292 두 다항함수 $f(x)$, $g(x)$가 다음 조건을 만족시킨다.

(가) $\lim_{x\to 2}\frac{f(x)-2}{x-2}=-3$ (나) $g(x)=(x-1)^2$

곡선 $y=f(x)g(x)$ 위의 점 중 x좌표가 2인 점에서의 접선의 방정식은 $y=ax+b$일 때, 상수 a, b에 대하여 $a+b$의 값은?

① 1 ② 2 ③ 3 ④ 4 ⑤ 5

발전문제 0293 다음 물음에 답하여라.

(1) 다항함수 $f(x)$가 다음 조건을 만족시킨다.

(가) $\lim_{x\to\infty}\frac{f(x)}{x^2+2x-3}=5$ (나) $\lim_{x\to 0}\frac{f(x)}{x}=2$

함수 $y=f(x)$의 그래프 위의 점 $(2,\ f(2))$에서의 접선의 방정식이 $y=ax+b$일 때, 상수 a, b에 대하여 $a+b$의 값을 구하여라.

2016학년도 수능기출

(2) 두 다항함수 $f(x)$, $g(x)$가 다음 조건을 만족시킨다.

(가) $g(x)=x^3f(x)-7$ (나) $\lim_{x\to 2}\frac{f(x)-g(x)}{x-2}=2$

곡선 $y=g(x)$ 위의 점 $(2,\ g(2))$에서의 접선의 방정식이 $y=ax+b$일 때, a^2+b^2의 값을 구하여라.
(단, a, b는 상수이다.)

정답 0291 : $y=x-1$ 0292 : ① 0293 : (1) 2 (2) 97

마플개념익힘 06 기울기가 주어진 접선의 방정식

곡선 $y=2x^3+x+5$에 대하여 다음 접선의 방정식을 구하여라.

(1) 직선 $y=x+3$에 평행한 접선의 방정식

(2) 직선 $x+7y=0$과 수직인 접선의 방정식

MAPL CORE 곡선 $y=f(x)$에 접하고 기울기가 m인 직선의 방정식
➡ 접점의 좌표를 $(a,\ f(a))$로 놓고 $f'(a)=m$임을 이용하여 접점의 좌표를 구한다.

(1) $f(x)=2x^3+x+5$로 놓으면 $f'(x)=6x^2+1$

접점의 좌표를 $(a,\ 2a^3+a+5)$라 하면 직선 $y=x+3$에 평행하므로

접선의 기울기는 1이다. ⬅ 두 접선이 평행이므로 기울기는 같다.

$f'(a)=6a^2+1=1 \quad \therefore a=0$

따라서 접점의 좌표가 $(0,\ 5)$이므로 구하는 접선의 방정식은 $y-5=1\cdot(x-0)$

$\therefore$ $\boldsymbol{y=x+5}$

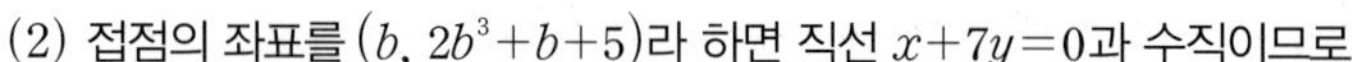

(2) 접점의 좌표를 $(b,\ 2b^3+b+5)$라 하면 직선 $x+7y=0$과 수직이므로

접선의 기울기가 7이다. ⬅ 두 접선이 수직이므로 기울기의 곱이 -1

$f'(b)=6b^2+1=7 \quad \therefore b=-1$ 또는 $b=1$

$b=-1$일 때, 접점의 좌표는 $(-1,\ 2)$이므로 접선의 방정식은

$y-2=7\cdot(x+1) \quad \therefore y=7x+9$

$b=1$일 때, 접점의 좌표는 $(1,\ 8)$이므로 접선의 방정식은

$y-8=7\cdot(x-1) \quad \therefore y=7x+1$

따라서 접선의 방정식은 $\boldsymbol{y=7x+9}$ **또는** $\boldsymbol{y=7x+1}$

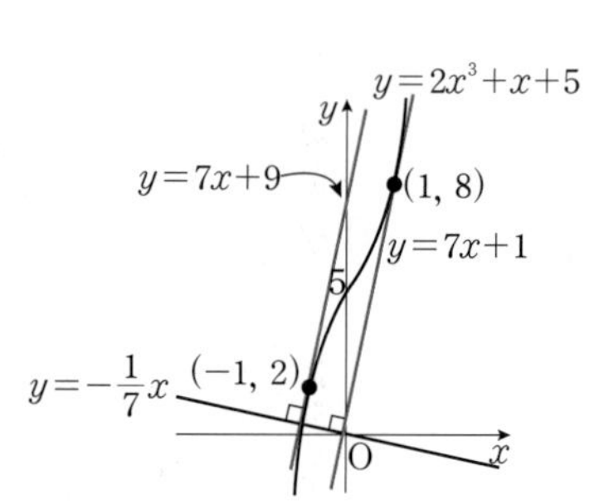

확인유제 0294 다음 물음에 답하여라.

(1) 곡선 $f(x)=x^3-12x+3$에 접하고 직선 $y=-9x+2$에 평행한 직선의 방정식을 구하여라.

(2) 곡선 $f(x)=x^3-4x+3$에 접하고 직선 $y=x-1$에 수직인 직선의 방정식을 구하여라.

변형문제 0295 다음 물음에 답하여라.

2011년 10월 교육청

(1) 삼차함수 $f(x)=2x^3+3x^2-10x+9$의 그래프 위의 점 $(a,\ b)$에서 접선의 기울기가 2일 때, $10(a+b)$의 값을 구하여라. (단, $a>0$)

2007학년도 수능기출

(2) 곡선 $f(x)=x^4-4x^3+6x^2+4$의 그래프 위의 점 $(a,\ b)$에서의 접선의 기울기가 4일 때, a^2+b^2의 값을 구하여라.

발전문제 0296 다음 물음에 답하여라.

2007년 07월 교육청

(1) 곡선 $y=x^3-4x^2$에 접하고 기울기가 2인 직선은 두 개가 있다.
이 두 접선의 접점의 x좌표를 각각 α, β라 할 때, $\alpha+\beta$의 값을 구하여라.

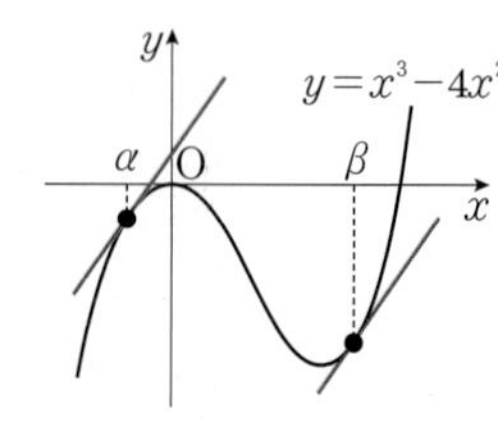

2013학년도 05월 평가원

(2) 오른쪽 그림과 같이 정사각형 ABCD의 두 꼭짓점 A, C는 y축 위에 있고 두 꼭짓점 B, D는 x축 위에 있다. 변 AB와 변 CD가 각각 삼차함수 $y=x^3-5x$의 그래프에 접할 때, 정사각형 ABCD의 둘레의 길이를 구하여라.

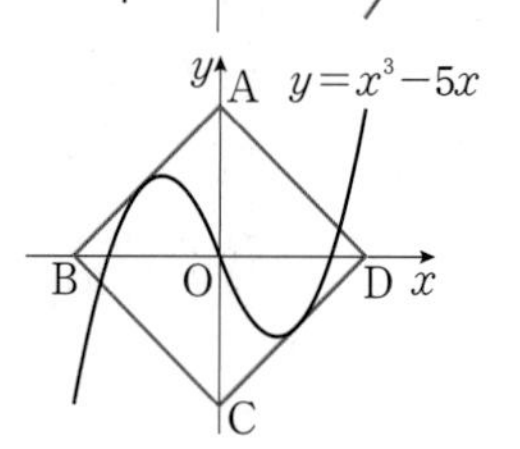

정답 0294 : (1) $y=-9x+1$ 또는 $y=-9x+5$ (2) $y=-x+5$ 또는 $y=-x+1$ 0295 : (1) 50 (2) 50 0296 : (1) $\frac{8}{3}$ (2) 32

곡선 $y=x^2+3x$ 위의 점 $\mathrm{A}(1, 4)$와 이 곡선이 x축의 음의 부분과 만나는 점 $\mathrm{B}(-3, 0)$이 오른쪽 그림과 같이 주어졌다. 곡선 위의 점 $\mathrm{P}(a, b)$를 잡아 삼각형 ABP의 넓이를 최대가 되게 할 때, $a+b$의 값을 구하여라. (단, $a<0$, $b<0$)

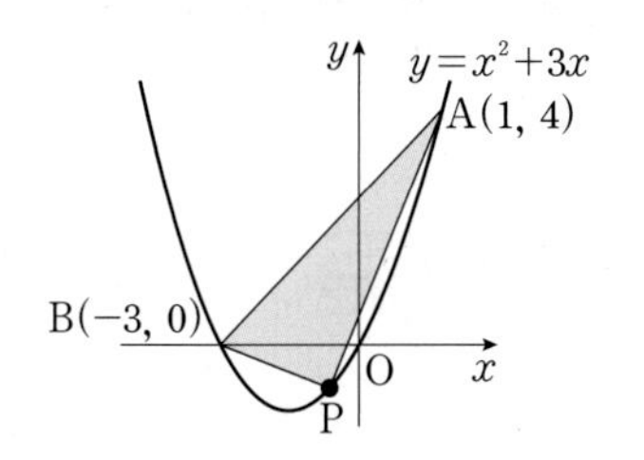

개념익힘 | **풀이**

$\overline{\mathrm{AB}}$의 길이는 일정하므로 삼각형 ABP의 넓이를 결정하는 것은 점 P에서 직선 AB까지의 거리이다. 점 P에서 직선 AB까지의 거리(또는 높이)가 최대일 때, 삼각형의 넓이도 최대이다.

길이가 최대가 되는 것은 직선 AB가 함수의 그래프와 만나면서 최대한 아래쪽으로 평행이동 되었을 때, 즉 함수의 그래프와 한 점에서 만났을 때이다.

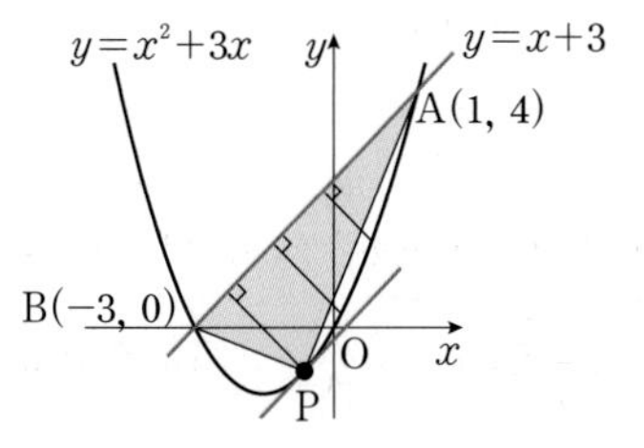

직선 AB의 기울기가 $\dfrac{4-0}{1-(-3)}=1$이므로 삼각형 ABP의 넓이가 최대가 되기 위해서는 기울기가 1인 접점을 구하면 되므로 $y'=2x+3=1$

$\therefore x=-1$

따라서 $\mathrm{P}(-1, -2)$이므로 $\boldsymbol{a+b=-3}$

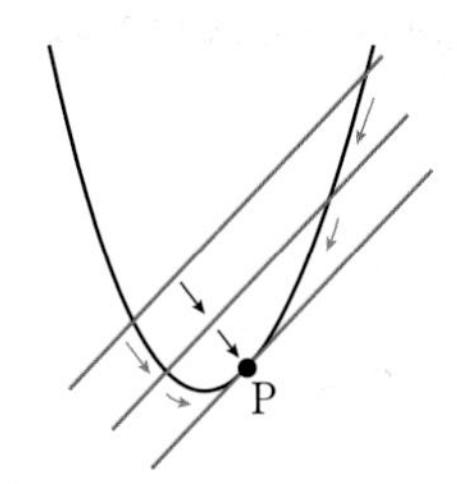

참고 $\mathrm{P}(-1, -2)$에서 직선 AB, 즉 $x-y+3=0$까지의 거리는

$\dfrac{|-1+2+3|}{\sqrt{2}}=2\sqrt{2}$이고 선분 $\mathrm{AB}=4\sqrt{2}$이므로

삼각형 ABP의 넓이의 최댓값은 $\dfrac{1}{2}\cdot 2\sqrt{2}\cdot 4\sqrt{2}=8$이다.

확인유제 0297 다음 물음에 답하여라.

(1) 함수 $f(x)=-x^2+4x+1$의 그래프 위에 두 점 $\mathrm{A}(1, 4)$, $\mathrm{B}(4, 1)$과 두 점 A, B 사이를 움직이는 점 P가 있다. 삼각형 ABP의 넓이가 최대가 될 때, 점 P의 x좌표를 구하여라.

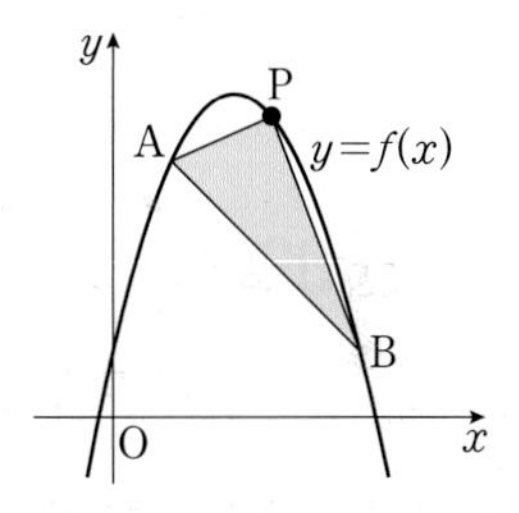

2013학년도 09월 평가원

(2) 닫힌구간 $[0, 2]$에서 정의된 함수

$$f(x)=ax(x-2)^2\left(a>\frac{1}{2}\right)$$

에 대하여 곡선 $y=f(x)$와 직선 $y=x$의 교점 중 원점 O가 아닌 점을 A라 하자. 점 P가 원점으로부터 점 A까지 곡선 $y=f(x)$ 위를 움직일 때, 삼각형 OAP의 넓이가 최대가 되는 점 P의 x좌표가 $\dfrac{1}{2}$이다. 상수 a의 값은?

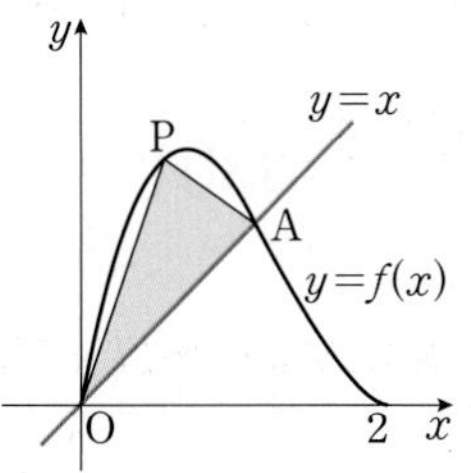

① $\dfrac{5}{4}$ ② $\dfrac{4}{3}$ ③ $\dfrac{17}{12}$ ④ $\dfrac{3}{2}$ ⑤ $\dfrac{19}{12}$

변형문제 0298

2014년 07월 교육청

곡선 $y=x^3-5x^2+4x+4$ 위에 세 점 $\mathrm{A}(-1, -6)$, $\mathrm{B}(2, 0)$, $\mathrm{C}(4, 4)$가 있다. 곡선 위에서 두 점 A, B 사이를 움직이는 점 P와 곡선 위에서 두 점 B, C 사이를 움직이는 점 Q에 대하여 사각형 AQCP의 넓이가 최대가 되도록 하는 두 점 P, Q의 x좌표의 곱을 구하여라.

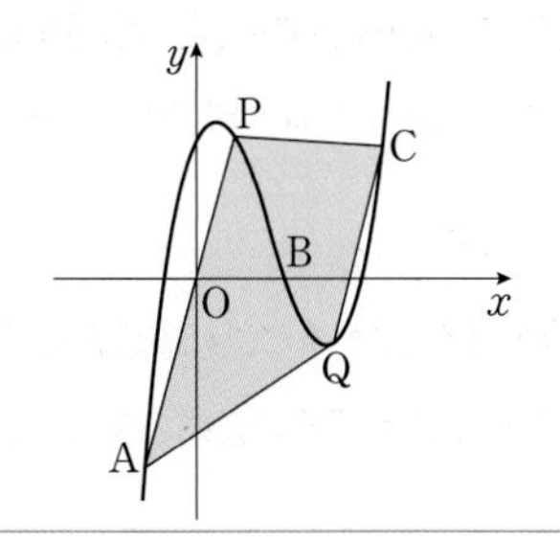

정답 0297 : (1) $\dfrac{5}{2}$ (2) ② 0298 : $\dfrac{2}{3}$

곡선 $y=x^2+1$ 위의 점과 직선 $y=2x-1$ 사이의 거리의 최솟값을 구하여라.

MAPL CORE 곡선 $y=f(x)$와 곡선과 만나지 않는 직선 $y=mx+n$ 사이의 최소 거리는 곡선 $y=f(x)$에 접하고 기울기가 m인 접선의 접점과 직선 $y=mx+n$ 사이의 거리와 같다.

참고 점 $(x_1,\ y_1)$과 직선 $ax+by+c=0$ 사이의 거리 d는 $d=\dfrac{|ax_1+by_1+c|}{\sqrt{a^2+b^2}}$

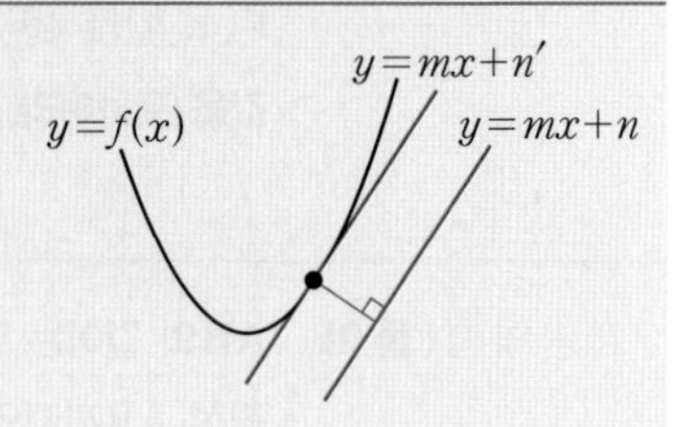

개념익힘 | 풀이 곡선 $y=x^2+1$ 위의 점과 직선 $y=2x-1$ 사이의 거리의 최솟값은 이 직선과 평행하고 곡선에 접하는 접선의 접점과 직선 $y=2x-1$ 사이의 거리와 같다.

$f(x)=x^2+1$로 놓으면 $f'(x)=2x$

접점의 좌표를 $(a,\ a^2+1)$이라 할 때, 접선의 기울기가 2이려면

$f'(a)=2a=2$이므로 $a=1$

즉, 접점의 좌표는 $(1,\ 2)$이다.

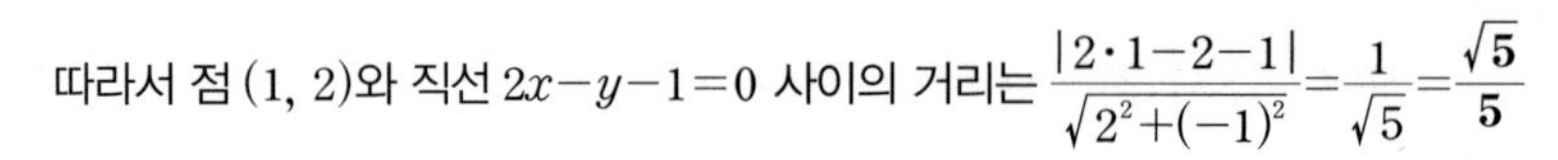

따라서 점 $(1,\ 2)$와 직선 $2x-y-1=0$ 사이의 거리는 $\dfrac{|2\cdot1-2-1|}{\sqrt{2^2+(-1)^2}}=\dfrac{1}{\sqrt{5}}=\dfrac{\sqrt{5}}{5}$

확인유제 0299 곡선 $y=-2x^2+x+1$ 위의 점 P와 직선 $y=x+5$ 사이의 거리의 최솟값을 구하여라.

변형문제 0300 곡선 $y=\dfrac{1}{3}x^3+\dfrac{11}{3}(x>0)$ 위를 움직이는 점 P와 직선 $x-y-10=0$ 사이의 거리를 최소가 되게 하는 곡선 위의 점 P의 좌표를 $(a,\ b)$라 할 때, $a+b$의 값을 구하여라.

2015학년 09월 평가원

발전문제 0301 다음 물음에 답하여라.

(1) 오른쪽 그림과 같이 곡선 $y=2x^2+5x+4$ 위의 임의의 점 P와 직선 $y=x-1$ 위의 두 점 A$(1,\ 0)$, B$(3,\ 2)$로 삼각형 PAB를 만들 때, 삼각형 PAB의 넓이의 최솟값을 구하여라.

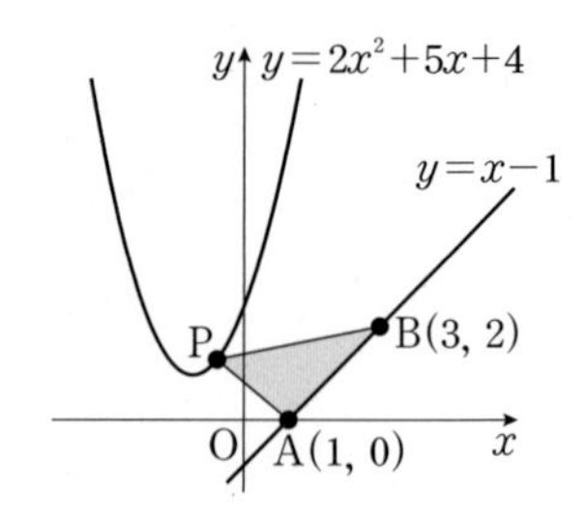

(2) 삼차함수 $f(x)=-x^3+3x^2+x$에 대하여 곡선 $y=f(x)$ 위의 원점 O에서의 접선과 곡선 $y=f(x)$의 교점 중 원점 O가 아닌 점을 A라 하자. 점 P가 곡선 $y=f(x)$ 위에서 원점과 점 A 사이를 움직일 때, 삼각형 OAP의 넓이의 최댓값을 구하여라.

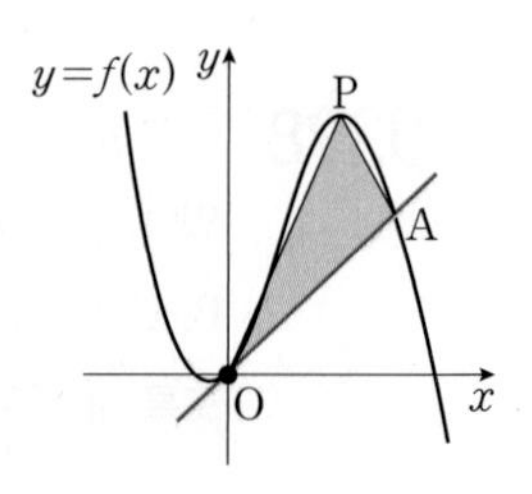

정답 0299 : $2\sqrt{2}$ 0300 : 5 0301 : (1) 3 (2) 6

마플개념익힘 09 곡선 밖의 한 점에서 곡선에 그은 접선의 방정식

점 $(0, -1)$에서 곡선 $y=x^3-x+1$에 그은 접선의 방정식을 구하여라.

MAPL CORE

곡선 밖의 점을 지나는 접선 ⇨ 접점의 좌표를 $(t, f(t))$로 놓고 t의 값을 구하는 것이 핵심

[1단계] 접점을 $(t, f(t))$라 하면 접선 $y-f(t)=f'(t)(x-t)$

[2단계] 곡선 밖의 점(주어진 점)을 접선에 대입하여 접점을 구한다.

[3단계] 접선의 방정식에 대입하여 접선을 구한다.

개념익힘 | 풀이

$f(x)=x^3-x+1$로 놓으면 $f'(x)=3x^2-1$

접점의 좌표를 (t, t^3-t+1)이라 하면

접선의 기울기는 $f'(t)=3t^2-1$

이므로 접선의 방정식은

$y-(t^3-t+1)=(3t^2-1)(x-t)$

$\therefore y=(3t^2-1)x-2t^3+1$ …… ㉠

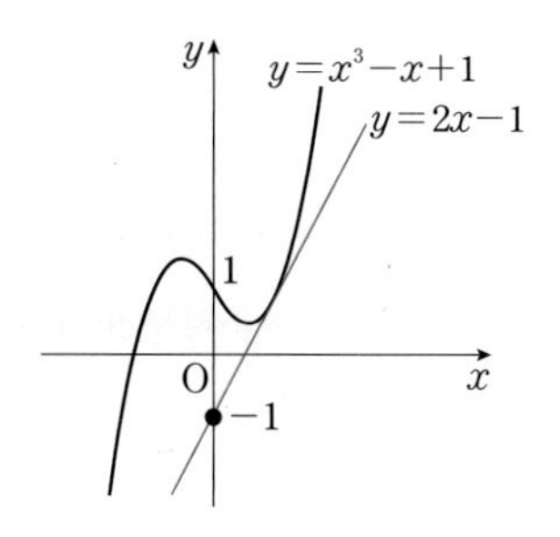

이 접선이 점 $(0, -1)$을 지나므로

$-1=-2t^3+1$, $t^3=1$ $\therefore t=1$ ($\because t$는 실수) ← $t^3-1=(t-1)(t^2+t+1)=0$

따라서 $t=1$을 ㉠에 대입하면 접선의 방정식은 $\boldsymbol{y=2x-1}$

확인유제 0302 점 $(1, -1)$에서 곡선 $y=x^2-x$에 그은 두 접선의 접점을 각각 P, Q라 할 때, 선분 PQ의 길이는?

① 2 ② $\sqrt{5}$ ③ $2\sqrt{2}$ ④ $\sqrt{13}$ ⑤ $3\sqrt{2}$

변형문제 0303 다음 물음에 답하여라.

(1) 2012학년도 09월 평가원

점 $(0, -4)$에서 곡선 $y=x^3-2$에 그은 접선이 x축과 만나는 점의 좌표를 $(a, 0)$이라 할 때, a의 값은?

① $\frac{7}{6}$ ② $\frac{4}{3}$ ③ $\frac{3}{2}$ ④ $\frac{5}{3}$ ⑤ $\frac{11}{6}$

(2) 2016년 11월 교육청 (고2)

함수 $f(x)=x^3-ax$에 대하여 점 $(0, 16)$에서 곡선 $y=f(x)$에 그은 접선의 기울기가 8일 때, $f(a)$의 값은? (단, a는 상수이다.)

① 24 ② 36 ③ 48 ④ 60 ⑤ 72

발전문제 0304 오른쪽 그림과 같이 점 $(0, 2)$에서 곡선 $y=x^3-2x$에 그은 접선이 곡선과 접하는 점을 A, 곡선과 만나는 점을 B라 할 때, $\overline{AB}$의 길이는?

① $\sqrt{15}$ ② $\sqrt{17}$ ③ $3\sqrt{2}$ ④ $2\sqrt{3}$ ⑤ $2\sqrt{5}$

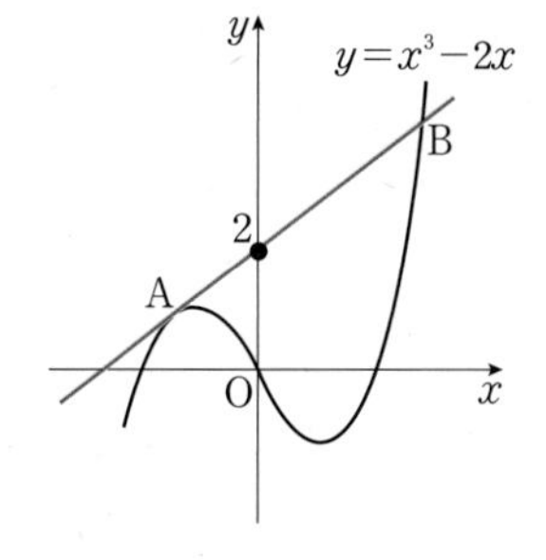

정답 0302 : ③ 0303 : (1) ② (2) ③ 0304 : ③

02 두 곡선의 공통인 접선

M A P L ; Y O U R M A S T E R P L A N

01 두 곡선에 그은 공통접선

(1) 두 곡선 $y=f(x)$, $y=g(x)$가 점 $(a,\ b)$에서 서로 접하면
두 곡선이 점 $(a,\ b)$에서 공통인 접선을 가진다.

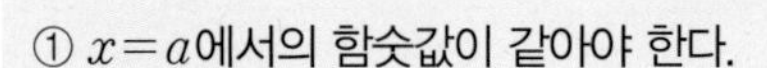

① $x=a$에서의 함숫값이 같아야 한다.
⇨ $f(a)=g(a)=b$
② $x=a$에서의 접선의 기울기가 같아야 한다.
⇨ $f'(a)=g'(a)$

(2) 두 곡선 $y=f(x)$, $y=g(x)$가 점 $(a,\ b)$에서 서로 수직으로 만나면

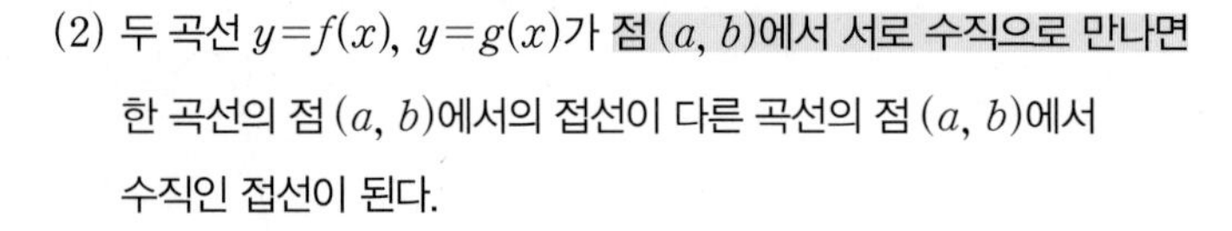

한 곡선의 점 $(a,\ b)$에서의 접선이 다른 곡선의 점 $(a,\ b)$에서
수직인 접선이 된다.

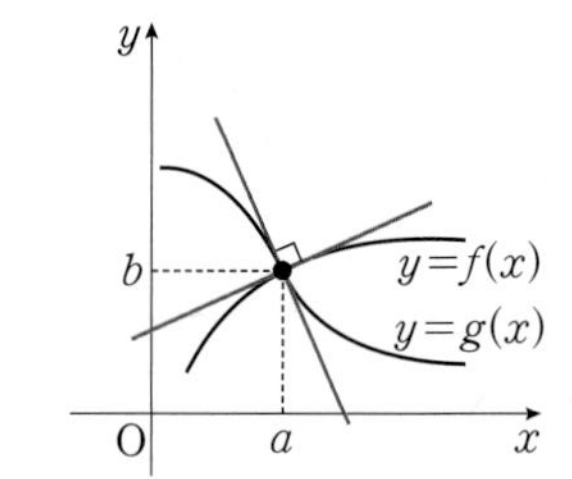

① $x=a$에서의 함숫값이 같아야 한다.
⇨ $f(a)=g(a)=b$
② $x=a$에서의 두 곡선의 기울기의 곱은 -1이다.
⇨ $f'(a)\cdot g'(a)=-1$ (단, $f'(a)\neq0$, $g'(a)\neq0$)

(3) 두 곡선 $y=f(x)$, $y=g(x)$의 공통접선의 접점이 서로 다른 경우
곡선 $y=f(x)$ 위의 점 $\mathrm{P}(a,\ f(a))$과 곡선 $y=g(x)$ 위의 점 $\mathrm{Q}(b,\ g(b))$에서의 접선이 서로 일치할 때, 두 접선의 기울기가 같고 y절편끼리 서로 같다.
즉, 두 점에서의 접선의 기울기와 두 점을 연결한 직선의 기울기가 같다.
$f'(a)=g'(b)=\dfrac{g(b)-f(a)}{b-a}$ (단, $a\neq b$)

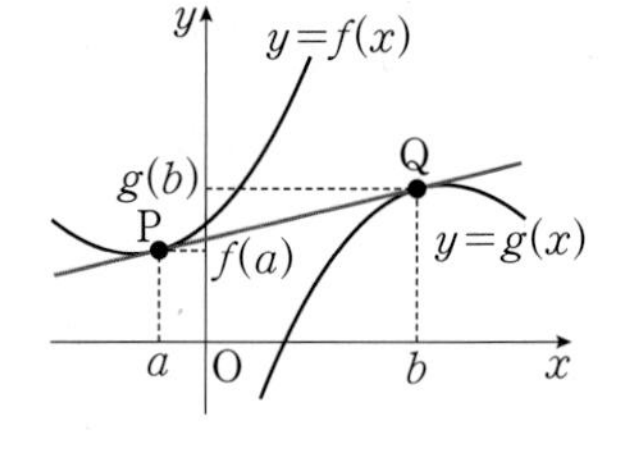

보기 01 두 곡선 $y=ax^3-x$, $y=bx^2+c$가 점 $(1,\ 0)$을 지나고 이 점에서 공통접선을 가질 때, 상수 a, b, c의 값을 구하여라.

풀이 $f(x)=ax^3-x$, $g(x)=bx^2+c$로 놓으면 $f'(x)=3ax^2-1$, $g'(x)=2bx$
두 곡선이 점 $(1,\ 0)$을 지나므로 $f(1)=0$, $g(1)=0$ $\therefore a-1=0,\ b+c=0$ …… ㉠
$x=1$에서 접하므로 $f'(1)=g'(1)$ $\therefore 3a-1=2b$ …… ㉡
㉠, ㉡을 연립하여 풀면 $a=1$, $b=1$, $c=-1$

보기 02 두 곡선 $y=x^3$과 $y=ax^2+bx$가 점 $(1,\ 1)$에서 만나고 이 점에서의 접선이 서로 수직일 때, 상수 a, b의 값을 구하여라.

풀이 $f(x)=x^3$, $g(x)=ax^2+bx$로 놓으면 $f'(x)=3x^2$, $g'(x)=2ax+b$
두 곡선이 점 $(1,\ 1)$을 지나므로 $f(1)=1$, $g(1)=1$ $\therefore a+b=1$ …… ㉠
$x=1$에서 두 곡선의 접선이 수직으로 만나므로 $f'(1)\cdot g'(1)=-1$
$3\cdot(2a+b)=-1$ $\therefore 2a+b=-\dfrac{1}{3}$ …… ㉡
㉠, ㉡을 연립하여 풀면 $a=-\dfrac{4}{3}$, $b=\dfrac{7}{3}$

마플특강익힘 01 두 곡선의 공통인 접선

다음 물음에 답하여라.

(1) 두 곡선 $y=ax^2+b$, $y=x^3+bx$가 $x=1$인 점에서 접할 때, 상수 a, b에 대하여 $a-b$값을 구하여라.

(2) 두 곡선 $y=x^2$, $y=a-x^2$의 교점에서의 접선이 서로 수직으로 만날 때, 상수 a의 값을 구하여라.

MAPL CORE 미분가능한 두 함수 $y=f(x)$, $y=g(x)$에 대하여

① 두 곡선이 $x=a$에서 공통인 접선을 가지면

[1단계] 함숫값이 같아야 한다. ⇨ $f(a)=g(a)$

[2단계] 기울기가 같아야 한다. ⇨ $f'(a)=g'(a)$

② 두 곡선이 $x=a$에서 접선이 서로 수직으로 만나면

[1단계] 함숫값이 같아야 한다. ⇨ $f(a)=g(a)$

[2단계] 기울기의 곱이 -1이다. ⇨ $f'(a)\cdot g'(a)=-1$

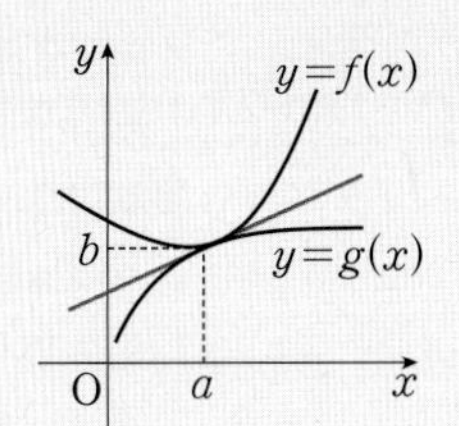

개념익힘 | **풀이**

(1) $f(x)=ax^2+b$, $g(x)=x^3+bx$로 놓으면 $f'(x)=2ax$, $g'(x)=3x^2+b$

두 곡선이 $x=1$인 점에서 접하므로 $f(1)=g(1)$

$a+b=1+b$ $\therefore a=1$

또, 두 곡선이 $x=1$인 점에서 공통의 접선을 가지면 기울기가 같으므로 $f'(1)=g'(1)$

$2a=3+b$ …… ㉠

이때 $a=1$을 ㉠에 대입하면 $2=3+b$ $\therefore b=-1$

$\therefore a-b=1-(-1)=\mathbf{2}$

(2) $f(x)=x^2$, $g(x)=a-x^2$으로 놓으면 $f'(x)=2x$, $g'(x)=-2x$

두 곡선이 $x=t$에서 만난다고 하면 $f(t)=g(t)$에서 $t^2=a-t^2$

$\therefore a=2t^2$ …… ㉠

또한, 두 곡선의 접선이 수직으로 만나므로 $f'(t)\cdot g'(t)=-1$

$2t\cdot(-2t)=-1$ $\therefore t^2=\frac{1}{4}$

따라서 ㉠에 대입하면 $a=\mathbf{\frac{1}{2}}$

확인유제 0305 다음 물음에 답하여라.

(1) 두 곡선 $y=ax^3-x$, $y=bx^2+c$가 점 $(1, 0)$을 지나고, 이 점에서 공통접선을 가질 때, 상수 a, b, c에 대하여 $a+b+c$값을 구하여라.

(2) 두 곡선 $y=-x^2+3$, $y=ax^2-1$의 교점에서 두 곡선의 접선이 서로 수직일 때, 상수 a의 값을 구하여라.

변형문제 0306 두 함수 $y=-x^2+4$, $y=2x^2+ax+b$의 그래프가 점 $\mathrm{A}(2, 0)$에서 만나고, 점 A에서 공통인 접선을 가질 때, 상수 a, b에 대하여 $a+b$의 값은?

2014학년도 사관기출

① 4 ② 5 ③ 6 ④ 7 ⑤ 8

발전문제 0307 두 함수 $f(x)=x^3-3x^2+2ax+8$, $g(x)=-x^2+ax$의 그래프가 한 점에서 접할 때, 상수 a의 값을 구하여라.

정답 0305 : (1) 1 (2) $\frac{1}{15}$ 0306 : ① 0307 : -4

마플특강익힘 02 두 곡선에 공통인 접선의 미정계수 결정

2011년 04월 교육청

곡선 $y=2x^2+1$ 위의 점 $(-1,\ 3)$에서의 접선이 곡선 $y=2x^3-ax+3$에 접할 때, 상수 a의 값을 구하여라.

MAPL CORE 두 곡선이 공통인 접선을 가지는 경우

① 접점이 서로 같은 경우

두 곡선 $y=f(x)$, $y=g(x)$가 점 $(a,\ b)$에서 서로 접하면 두 곡선이 모두 점 $(a,\ b)$를 지나고, 이 점에서의 접선의 기울기가 서로 같다.

즉, $x=a$에서 함숫값과 미분계수가 같다. $f(a)=g(a)=b$, $f'(a)=g'(a)$

② 접점이 서로 다른 경우

곡선 $y=f(x)$ 위의 점 $\mathrm{P}(a,\ f(a))$과 곡선 $y=g(x)$ 위의 점 $\mathrm{Q}(b,\ g(b))$에서의 접선이 서로 일치할 때, 두 접선의 기울기가 같고 y 절편끼리 서로 같다.

즉, 두 점에서의 접선의 기울기와 두 점을 연결한 직선의 기울기가 같다.

$f'(a)=g'(b)=\dfrac{g(b)-f(a)}{b-a}$ (단, $a\neq b$)

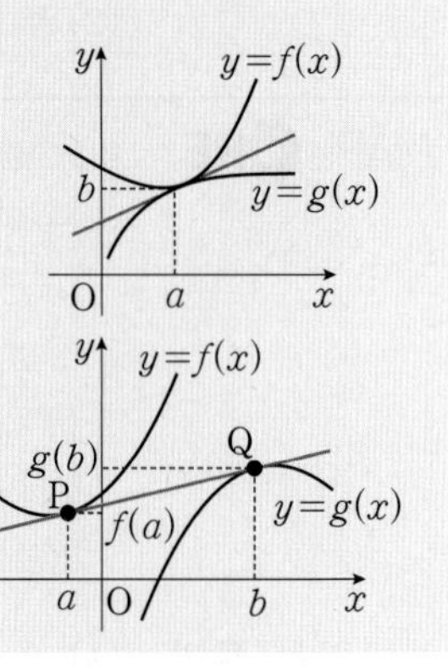

개념익힘 | 풀이 $f(x)=2x^2+1$로 놓으면 $f'(x)=4x$

곡선 $y=f(x)$ 위의 점 $(-1,\ 3)$에서의 접선의 기울기는 $f'(-1)=-4$이므로

이때 접선의 방정식은 $y-3=-4(x+1)$, 즉 $y=-4x-1$ …… ㉠

또한, 곡선 $y=2x^3-ax+3$에 접하는 접점을 $(t,\ 2t^3-at+3)$라 하면

이 점에서의 접선의 기울기는 $6t^2-a$

접선의 방정식은 $y-(2t^3-at+3)=(6t^2-a)(x-t)$

$y=(6t^2-a)x-4t^3+3$ …… ㉡

㉡이 ㉠과 일치해야 하므로 $6t^2-a=-4$, $-4t^3+3=-1$

따라서 $t=1$이므로 $6t^2-a=-4$에 대입하면 $\boldsymbol{a=10}$

다른풀이 두 점을 지난 직선의 기울기를 이용하여 풀이하기

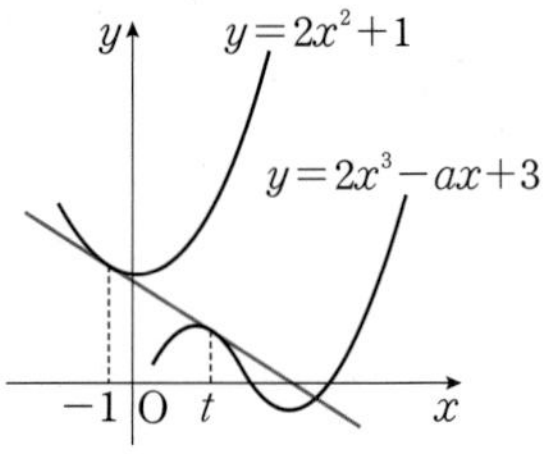

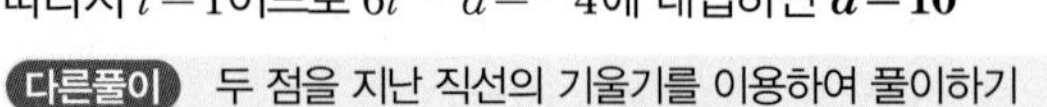

$f(x)=2x^2+1$로 놓으면 $f'(x)=4x$이므로 $(-1,\ 3)$에서의 접선의 기울기는 $f'(-1)=-4$

또, $g(x)=2x^3-ax+3$으로 놓고 접점의 좌표를 $(t,\ g(t))$라 하면

$g'(t)=6t^2-a=-4$ $\therefore a-4=6t^2$ …… ㉠

또한, 두 점 $(-1,\ 3)$, $(t,\ 2t^3-at+3)$을 지나는 직선의 기울기가 -4와 같으므로

$\dfrac{2t^3-at+3-3}{t-(-1)}=-4$, $2t^3-at=-4(t+1)$, $2t^3-(a-4)t+4=0$ …… ㉡

㉠을 ㉡에 대입하면 $2t^3-6t^3+4=0$, $t^3=1$ $\therefore t=1$ ($\because t$는 실수)

따라서 $t=1$이므로 ㉠에서 $a=10$이다.

확인유제 0308 2010학년도 09월 평가원

곡선 $y=x^2$ 위의 점 $(-2,\ 4)$에서의 접선이 곡선 $y=x^3+ax-2$에 접할 때, 상수 a의 값은?

① -9 ② -7 ③ -5 ④ -3 ⑤ -1

변형문제 0309

곡선 $y=x^3+2x^2+ax$가 직선 $y=3x+8$과 접할 때, 상수 a의 값은?

① -6 ② -5 ③ -4 ④ -3 ⑤ -1

발전문제 0310 2015년 07월 교육청

두 함수 $f(x)=x^2$과 $g(x)=-(x-3)^2+k\,(k>0)$에 대하여 곡선 $y=f(x)$ 위의 점 $\mathrm{P}(1,\ 1)$에서의 접선을 l이라 하자. 직선 l에 곡선 $y=g(x)$가 접할 때의 접점을 Q, 곡선 $y=g(x)$와 x축이 만나는 두 점을 각각 R, S라 할 때, 삼각형 QRS의 넓이를 구하여라.

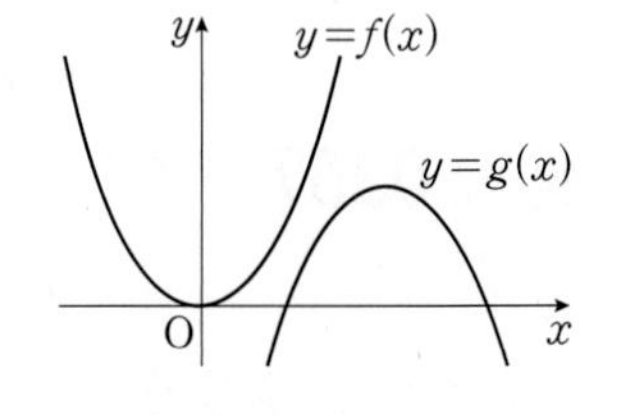

정답 0308 : ② 0309 : ⑤ 0310 : 6

마플특강익힘 03 직선과 삼차함수가 두 점에서 만나기 위한 조건

직선 $y=mx+2$가 곡선 $y=-x^3+2x$와 서로 다른 두 점에서 만날 때, 상수 m의 값을 구하여라.

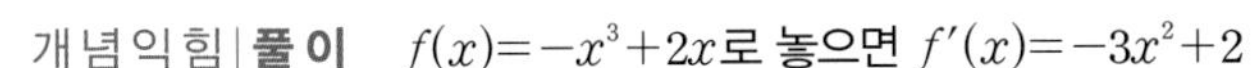

MAPL CORE 직선 $y=f(x)$와 삼차함수 $y=g(x)$의 그래프가 서로 다른 두 점에서 만나는 경우는

➡ 직선과 삼차함수의 그래프가 접해야 한다.

주의! 방정식 $f(x)=k$의 서로 다른 실근의 개수는 곡선 $y=f(x)$와 직선 $y=k$(상수함수)의 교점의 개수와 같다.
하지만 기울기가 미지수인 직선에서는 접선의 방정식을 유도하여 구한다.

개념익힘 | **풀이** $f(x)=-x^3+2x$로 놓으면 $f'(x)=-3x^2+2$

직선과 곡선의 그래프가 서로 다른 두 점에서 만나는 경우는 오른쪽 그림과 같이 직선과 삼차함수 $y=f(x)$의 그래프가 접해야 한다.

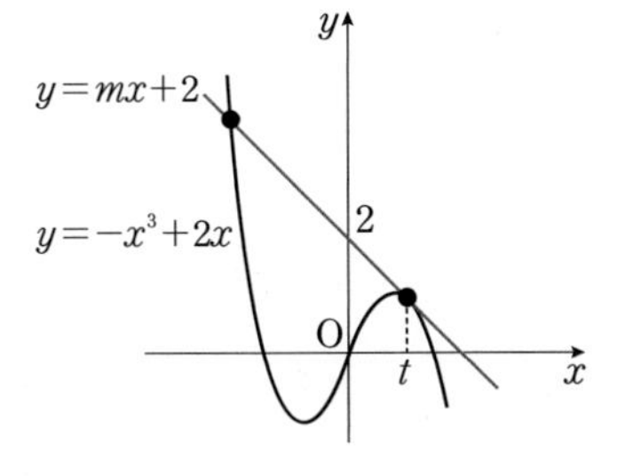

$f(x)=-x^3+2x$의 접점을 $(t,\ -t^3+2t)$라 하면

이 점에서의 접선의 기울기가 $f'(t)=-3t^2+2$이므로

접선의 방정식은 $y-(-t^3+2t)=(-3t^2+2)(x-t)$

$\therefore y=(-3t^2+2)x+2t^3$ …… ㉠

이때 ㉠이 $y=mx+2$와 일치해야 하므로

$-3t^2+2=m$ …… ㉡

$2t^3=2$ …… ㉢

㉢에서 $t=1$ ($\because t$는 실수)이므로 ㉡에 대입하면 $\boldsymbol{m=-1}$

확인유제 0311

2011학년도 사관기출

다음 물음에 답하여라.

(1) 직선 $y=mx+8$이 곡선 $y=x^3+2x^2-3x$와 서로 다른 두 점에서 만날 때, 실수 m의 값은?

① $\frac{1}{2}$ ② $\frac{2}{3}$ ③ 1 ④ $\frac{3}{2}$ ⑤ 2

(2) 직선 $y=ax+3$이 곡선 $y=x^3-bx+1$와 서로 다른 두 점에서 만날 때, 상수 a, b에 대하여 $a+b$의 값은?

① 1 ② 2 ③ 3 ④ 4 ⑤ 5

변형문제 0312

2015학년도 수능기출

직선 $y=5x+k$와 함수 $f(x)=x(x+1)(x-4)$의 그래프가 서로 다른 두 점에서 만날 때, 양수 k의 값은?

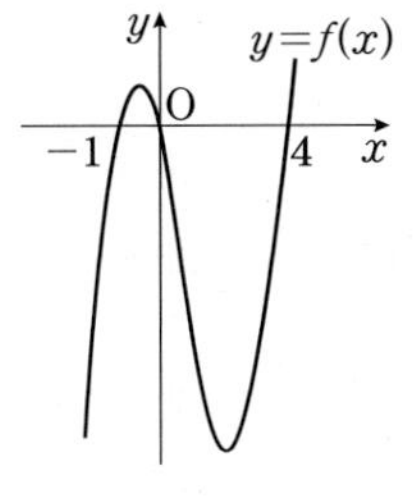

① 5 ② $\frac{11}{2}$ ③ 6

④ $\frac{13}{2}$ ⑤ 7

발전문제 0313

2016년 09월 교육청

함수 $f(x)=\frac{1}{3}x^3+a$의 역함수를 $g(x)$라 하자. 두 함수 $y=f(x)$와 $y=g(x)$의 그래프가 서로 다른 두 점에서 만나도록 하는 모든 상수 a의 값의 곱을 구하여라.

정답 0311 : (1) ③ (2) ③ 0312 : ① 0313 : $-\frac{4}{9}$

03 평균값 정리

MAPL ; YOURMASTERPLAN

01 롤의 정리

함수 $f(x)$가 닫힌구간 $[a, b]$에서 연속이고 열린구간 (a, b)에서 미분가능할 때,

$f(a)=f(b)$

이면 곡선 $y=f(x)$ 위의 두 점 $A(a, f(a))$, $B(b, f(b))$를 지나는 직선 AB는 기울기가 0이므로 x축에 평행하다. 이때 직선 AB를 y축의 방향으로 평행이동하면 곡선 $y=f(x)$와 접하는 경우가 생긴다.

즉, 곡선 $y=f(x)$에 접하고 x축에 평행한 직선이 존재한다.

이때 접점을 $(c, f(c))$라고 하면 $f'(c)=0(a<c<b)$이다.

이와 같은 성질로부터 다음이 성립하는데 이를 롤의 정리라고 한다.

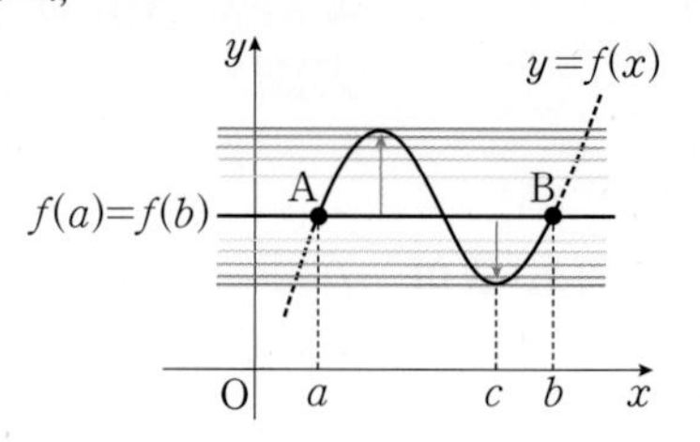

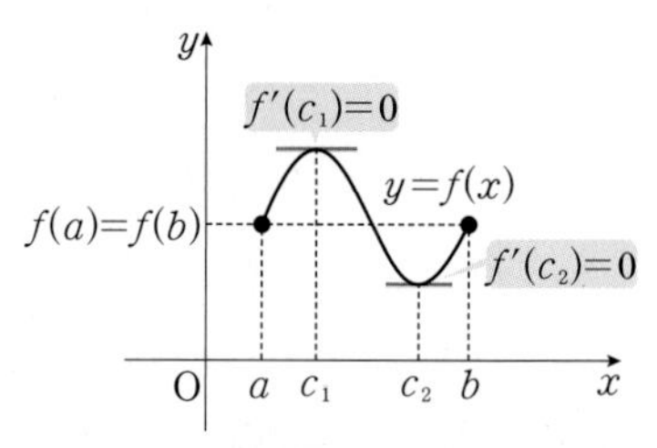

> 함수 $f(x)$가 닫힌구간 $[a, b]$에서 연속이고 열린구간 (a, b)에서 미분가능할 때, $f(a)=f(b)$이면 $f'(c)=0$인 c가 a와 b 사이에 적어도 하나 존재한다.

 롤의 정리는 열린구간 (a, b)에서 곡선 $y=f(x)$의 접선이 x축과 평행하게 되는 곳이 적어도 하나 존재함을 뜻한다.

마플해설 **최대 · 최소의 정리를 이용하여 롤의 정리를 증명**

함수 $f(x)$가 닫힌구간 $[a, b]$에서 연속이면 함수 $f(x)$는 그 구간에서 최댓값과 최솟값을 갖는다. 이를 이용하여 롤의 정리를 증명한다.

(ⅰ) 함수 $f(x)$가 상수함수일 때,

열린구간 (a, b)에 속하는 모든 c에 대하여 $f'(c)=0$이다.

(ⅱ) 함수 $f(x)$가 상수함수가 아닐 때,

$f(a)=f(b)$이므로 a와 b를 제외한 $x=c(a<c<b)$에서 최댓값과 최솟값 중 적어도 하나를 가진다.

① $x=c$에서 최댓값을 가질 때, $a<c+h<b$를 만족시키는 임의의 h에 대하여 $f(c+h)\le f(c)$, 즉 $f(c+h)-f(c)\le 0$이므로

$f(x)$의 $x=c$에서의 우극한과 좌극한은 각각

$\lim_{h\to0+}\frac{f(c+h)-f(c)}{h}\le 0$, $\lim_{h\to0-}\frac{f(c+h)-f(c)}{h}\ge 0$

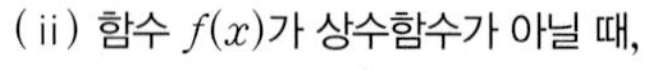

그런데 함수 $f(x)$는 $x=c$에서 미분가능하므로 위의 좌극한과 우극한이 같다.

즉, $0\le\lim_{h\to0+}\frac{f(c+h)-f(c)}{h}=\lim_{h\to0-}\frac{f(c+h)-f(c)}{h}\le 0$이므로 $f'(c)=\lim_{h\to0}\frac{f(c+h)-f(c)}{h}=0$이다.

② $x=c$에서 최솟값을 가질 때도 $f'(c)=0$임을 보일 수 있다.

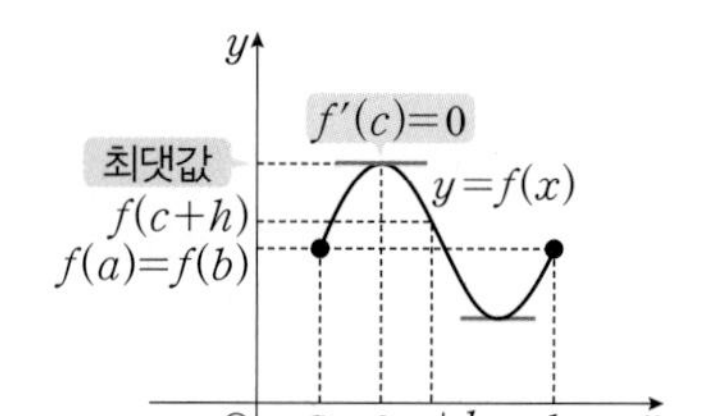

보기 01 함수 $f(x)=-x^2+4x$에 대하여 닫힌구간 $[0, 4]$에서 롤의 정리를 만족하는 상수 c의 값을 구하여라.

풀이 함수 $f(x)=-x^2+4x$는 닫힌구간 $[0, 4]$에서 연속이고 열린구간 $(0, 4)$에서 미분가능하며 $f(0)=f(4)$이므로 롤의 정리에 의해 $f'(c)=0$인 c가 구간 $(0, 4)$에 적어도 하나 존재한다. 이때 c의 값은 $f'(x)=-2x+4$이므로 $f'(c)=-2c+4=0$

$\therefore c=2$

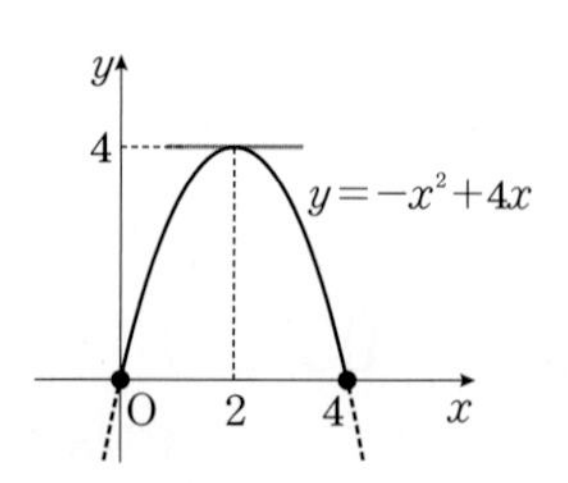

FOCUS

롤의 정리가 성립하기 위한 조건

함수 $f(x)$가 닫힌구간 $[a, b]$에서 연속이고 $f(a)=f(b)$이지만, 열린구간 (a, b)에서 미분가능하지 않으면 롤의 정리가 성립하지 않는 경우가 있다. 예를 들어 함수 $f(x)=|x|$에 대하여 $f(x)$는 닫힌구간 $[-1, 1]$에서 연속이고 $f(-1)=f(1)=1$이지만 $f(x)=|x|$는 $x=0$에서 미분가능하지 않으므로 롤의 정리를 적용할 수 없다.

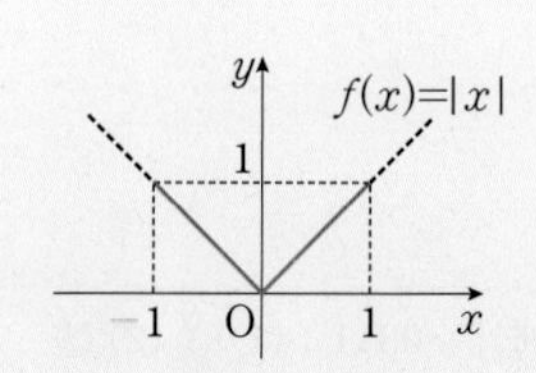

02 평균값 정리

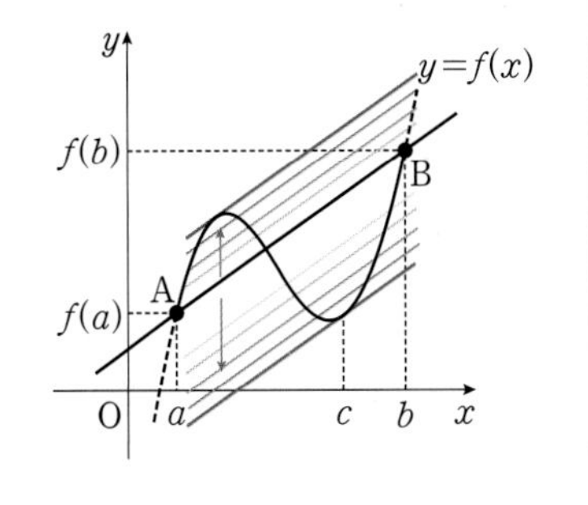

함수 $f(x)$가 닫힌구간 $[a, b]$에서 연속이고 열린구간 (a, b)에서 미분가능하면 곡선 $y=f(x)$ 위의 두 점 $\mathrm{A}(a, f(a))$, $\mathrm{B}(b, f(b))$를 지나는 직선의 기울기가

$$\frac{f(b)-f(a)}{b-a}$$

이다. 롤의 정리에서와 같이 열린구간 (a, b)에서 직선 AB 위의 위쪽 또는 아래쪽에 곡선의 일부분이 있을 때, 직선 AB를 y축의 방향으로 평행이동하면 이 곡선과 접하고 기울기가 $\frac{f(b)-f(a)}{b-a}$는 직선이 존재한다.

이때 접점을 $(c, f(c))$라고 하면

$$f'(c)=\frac{f(b)-f(a)}{b-a} \quad (a<c<b)$$

이다. 따라서 열린구간 (a, b)에서 곡선 $y=f(x)$는 기울기가 $f'(c)$인 접선을 가짐을 알 수 있다. 이와 같이 롤의 정리를 $f(a) \neq f(b)$인 경우까지 확장하여 롤의 정리를 일반화하면 다음이 성립하는데 이를 **평균값 정리**라고 한다.

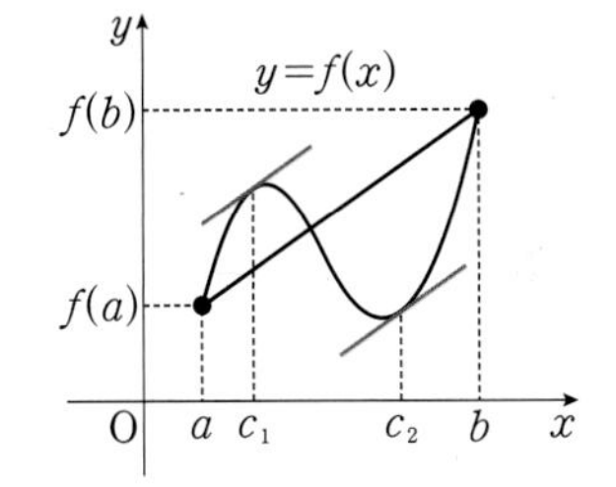

> 함수 $f(x)$가 닫힌구간 $[a, b]$에서 연속이고 열린구간 (a, b)에서 미분가능할 때,
>
> $$\frac{f(b)-f(a)}{b-a}=f'(c)$$
>
> 인 c가 a와 b 사이에 적어도 하나 존재한다.

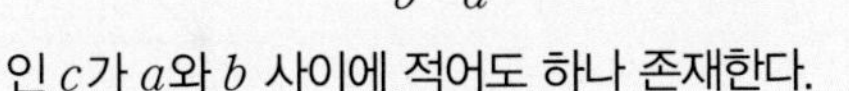

평균값 정리는 곡선 $y=f(x)$ 위 두 점 $\mathrm{A}(a, f(a))$, $\mathrm{B}(b, f(b))$에 대하여 열린구간 (a, b)에서 직선 AB와 평행한 접선을 갖는 접점이 곡선 위에 적어도 하나 존재함을 뜻한다.

마플해설 **롤의 정리를 이용하여 평균값의 정리를 증명**

함수 $y=f(x)$의 그래프 위의 두 점 $\mathrm{A}(a, f(a))$, $\mathrm{B}(b, f(b))$를 지나는 직선의 방정식을 $y=g(x)$라고 하면

$$g(x)=\frac{f(b)-f(a)}{b-a}(x-a)+f(a)$$

이때 $h(x)=f(x)-g(x)$라 하면

$$h(x)=f(x)-g(x)=f(x)-\left\{\frac{f(b)-f(a)}{b-a}(x-a)+f(a)\right\}$$

이므로 함수 $h(x)$는 닫힌구간 $[a, b]$에서 연속이고 열린구간 (a, b)에서 미분가능하며

$h(a)=h(b)=0$ ⬅ 어떤 구간에서 두 함수 $f(x)$, $g(x)$가 연속이면 그 구간에서 함수 $f(x)-g(x)$도 연속이다. 또, 어떤 구간에서 두 함수 $f(x)$, $g(x)$가 미분가능하면 그 구간에서 함수 $f(x)-g(x)$도 미분가능하다.

이다.

따라서 롤의 정리에 의하여

$$h'(c)=f'(c)-g'(c)=f'(c)-\frac{f(b)-f(a)}{b-a}=0 \quad \Leftarrow g'(c)=\frac{f(b)-f(a)}{b-a}$$

인 c가 a와 b 사이에 적어도 하나 존재한다.

즉, $f'(c)=\frac{f(b)-f(a)}{b-a}$를 만족하는 c가 a와 b 사이에서 적어도 하나 존재한다.

FOCUS

롤의 정리와 평균값 정리의 차이점

평균값 정리에서 $f(a)=f(b)$인 경우가 롤의 정리이므로 평균값 정리는 롤의 정리를 일반화한 것이라고 볼 수 있다.

	평균값 정리 (Mean Value Theorem)		롤의 정리(Rolle Theorem)
조건	함수 $f(x)$가 닫힌구간 $[a, b]$에서 연속이고 열린구간 (a, b)에서 미분가능할 때,	VS	함수 $f(x)$가 닫힌구간 $[a, b]$에서 연속이고 열린구간 (a, b)에서 미분가능할 때, $f(a)=f(b)$이면
결론	$\frac{f(b)-f(a)}{b-a}=f'(c)$ c가 a와 b 사이에 적어도 하나 존재한다.		$f'(c)=0$ c가 a와 b 사이에 적어도 하나 존재한다.

보기 02 함수 $f(x)=x^2$에 대하여 닫힌구간 $[0, 2]$에서 평균값 정리를 만족시키는 상수 c의 값을 구하여라.

풀이 [과정1] **평균값 정리를 만족시키는 상수가 존재하는지 확인하기**

함수 $f(x)=x^2$은 닫힌구간 $[0, 2]$에서 연속이고

열린구간 $(0, 2)$에서 미분가능하므로 평균값 정리에 의하여

$$\frac{f(2)-f(0)}{2-0}=\frac{4-0}{2-0}=f'(c)$$

인 c가 구간 $(0, 2)$에 적어도 하나 존재한다.

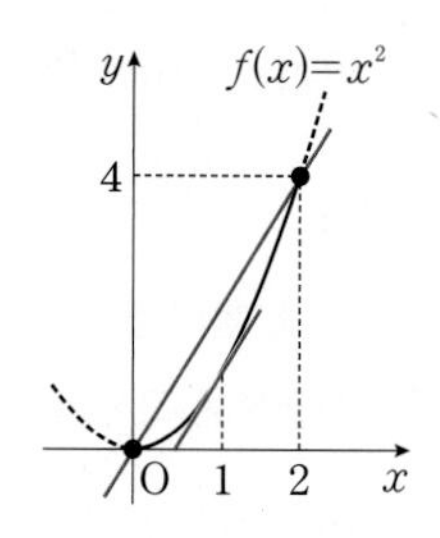

[과정2] **c의 값 구하기**

이때 $f'(x)=2x$이므로 $f'(c)=2c$

따라서 구하는 c의 값은 $2c=2$ $\therefore c=1$

보기 03 함수 $f(x)=-x^2+4x$에 대하여 닫힌구간 $[0, 3]$에서 평균값 정리를 만족시키는 상수 c의 값을 구하여라.

풀이 [과정1] **평균값 정리를 만족시키는 상수가 존재하는지 확인하기**

함수 $f(x)=-x^2+4x$은 닫힌구간 $[0, 3]$에서 연속이고

열린구간 $(0, 3)$에서 미분가능하므로 평균값 정리에 의하여

$$\frac{f(3)-f(0)}{3-0}=\frac{3-0}{3-0}=1=f'(c)$$

인 c가 구간 $(0, 3)$에 적어도 하나 존재한다.

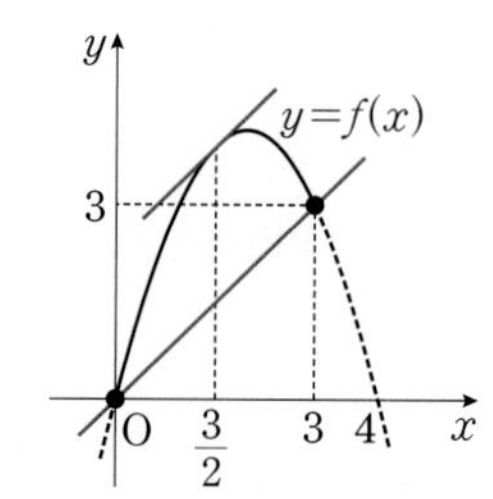

[과정2] **c의 값 구하기**

이때 $f'(x)=-2x+4$이므로 $f'(c)=-2c+4$

따라서 구하는 c의 값은 $-2c+4=1$ $\therefore c=\frac{3}{2}$

보기 04 함수 $y=f(x)$는 닫힌구간 $[a, b]$에서 연속이고 열린구간 (a, b)에서 미분가능하다. 함수 $y=f(x)$의 그래프가 오른쪽 그림과 같을 때,

$\frac{f(b)-f(a)}{b-a}=f'(c)$를 만족하는 c의 개수를 구하여라.

(단, $a<c<b$)

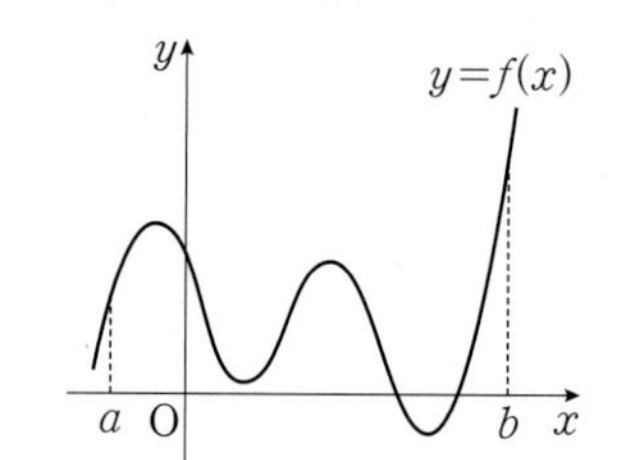

풀이 $y=f(x)$의 그래프에서 $\frac{f(b)-f(a)}{b-a}=f'(c)$는 두 점 $(a, f(a))$, $(b, f(b))$를 이은 선분의 기울기와 접점 c에서의 접선의 기울기가 같다는 것이므로 그래프에서 두 점을 잇는 선분의 기울기와 같은 기울기를 갖는 접선의 접점을 찾으면 된다.

따라서 등식 $\frac{f(b)-f(a)}{b-a}=f'(c)$를 만족하는 c의 개수는 4개이다.

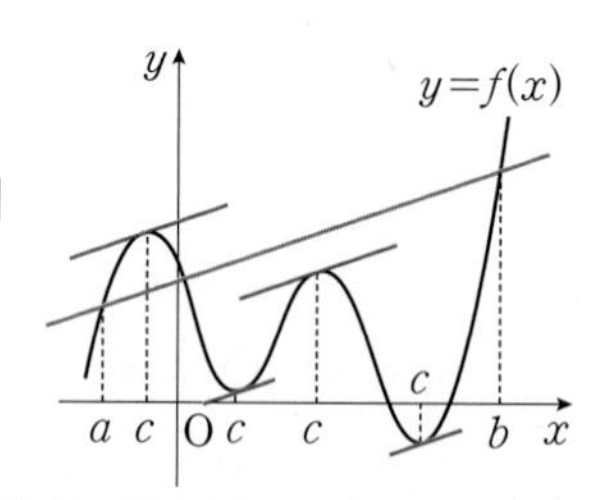

+α 더 알아보기

다음은 $h>0$일 때, 2 이상의 자연수 n에 대하여

$$(1+h)^n>1+nh$$

가 성립함을 평균값 정리를 이용하여 증명하여라.

증명 2 이상의 자연수 n에 대하여 함수 $f(x)=x^n$이라 하면 함수 $f(x)$는 양수 h에 대하여 닫힌구간 $[1, 1+h]$에서 연속이고 열린구간 $(1, 1+h)$에서 미분가능하므로 평균값 정리에 의하여

$\frac{f(1+h)-f(1)}{(1+h)-1}=f'(c)$인 c가 열린구간 $(1, 1+h)$에 적어도 하나 존재한다.

이때 $f'(c)=nc^{n-1}$이고 $c>1$일 때, $c^{n-1}>1$이므로 $\frac{(1+h)^n-1}{h}=nc^{n-1}>n$

$(1+h)^n-1>nh$에서 $(1+h)^n>1+nh$가 성립한다.

03 상수함수와 평균값 정리

(1) 함수 $f(x)$가 닫힌구간 $[a, b]$에서 연속이고 열린구간 (a, b)에서 미분가능할 때,
열린구간 (a, b)의 모든 x에 대하여

$f'(x)=0$

이면 함수 $f(x)$는 닫힌구간 $[a, b]$에서 상수함수이다.

증명 [과정1] 닫힌구간 $[a, x]$에서의 평균값 정리를 확인하기

$a<x\le b$인 임의의 x에 대하여 함수 $f(x)$가 닫힌 구간 $[a, x]$에서 연속이고

열린구간 (a, x)에서 미분가능하므로 평균값 정리에 의하여

$$\frac{f(x)-f(a)}{x-a}=f'(c)$$

인 c가 열린구간 (a, x)에 적어도 하나 존재한다.

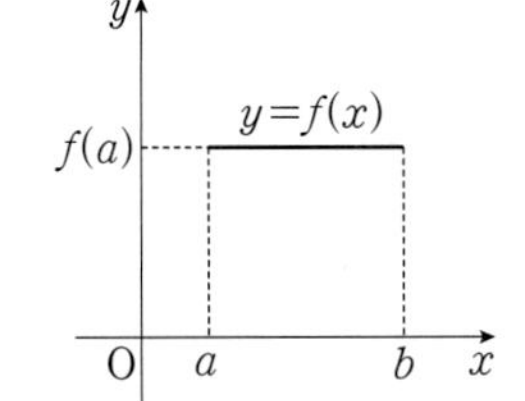

[과정2] 모든 x에서 $f'(x)=0$임을 이용하기

이때 $f'(c)=0$이므로 $\frac{f(x)-f(a)}{x-a}=0$에서 $f(x)=f(a)$이다.

따라서 함수 $f(x)$는 닫힌구간 $[a, b]$에서 상수함수이다.

(2) 두 함수 $f(x)$, $g(x)$가 닫힌 구간 $[a, b]$에서 연속이고, 열린구간 (a, b)에서 미분가능 할 때,
열린구간 (a, b)의 모든 x에 대하여 다음이 성립한다.

$f'(x)=g'(x)$이면 닫힌구간 $[a, b]$에서 $f(x)=g(x)+c$(c는 상수)

증명 $h(x)=f(x)-g(x)$라 하면 $h(x)$는 닫힌구간 $[a, b]$에서 연속이고, 열린구간 (a, b)에서 미분가능하다.

한편, $h'(x)=f'(x)-g'(x)$이고 열린구간 (a, b)의 모든 x에서 $f'(x)=g'(x)$이므로 $h'(x)=0$

$h(x)$는 닫힌구간 $[a, b]$에서 상수함수이므로

$f(x)-g(x)=c$(c는 상수)

따라서 $f(x)=g(x)+c$(c는 상수)이다.

← 함수 $f(x)$가 닫힌 구간 $[a, b]$에서 연속이고 열린구간 (a, b)에서 미분가능할 때, 열린구간 (a, b)의 모든 x에 대하여 $f'(x)=0$이면 함수 $f(x)$는 닫힌구간 $[a, b]$에서 상수함수이다.

주의 도함수가 같다고 해서 원래 함수도 같은 것은 아님을 말해주고 있다.

더 알아보기

실수 전체에서 미분가능한 함수 $f(x)$의 도함수 $f'(x)$가 0이 아닌 상수이면 $f(x)$는 x에 대한 일차함수이다.

증명 $f'(x)=a$($a\ne0$, a는 상수)라고 하면 임의의 실수 x에 대하여 함수 $f(x)$는 열린구간 $(0, x)$에서

평균값 정리를 만족한다. 따라서 $\frac{f(x)-f(0)}{x-0}=f'(c)$인 c가 열린구간 $(0, x)$에 적어도 하나 존재한다.

한편, $f'(x)=a$이므로 $\frac{f(x)-f(0)}{x-0}=a$, 즉 $f(x)=ax+f(0)$이다.

따라서 함수 $f(x)$는 x에 대한 일차함수이다.

마플개념익힘 01 평균값 정리

다음 물음에 답하여라.

(1) 함수 $f(x)=x^2-4x+5$에 대하여 구간 $[1, 3]$에서 롤의 정리를 만족하는 상수 c의 값을 구하여라.

(2) 함수 $f(x)=x^2-1$에 대하여 구간 $[-1, 2]$에서 평균값 정리를 만족하는 상수 c의 값을 구하여라.

MAPL CORE

(1) 롤의 정리

함수 $f(x)$가 닫힌구간 $[a, b]$에서 연속이고 열린구간 (a, b)에서 미분가능할 때,

$f(a)=f(b)$이면 $f'(c)=0$인 c가 열린구간 (a, b)에 적어도 하나 존재한다.

(2) 평균값 정리

함수 $f(x)$가 닫힌구간 $[a, b]$에서 연속이고, 열린구간 (a, b)에서 미분가능할 때,

$\dfrac{f(b)-f(a)}{b-a}=f'(c)$인 c가 열린구간 (a, b)에 적어도 하나 존재한다.

개념익힘 | **풀이**

(1) 함수 $f(x)$는 다항함수이므로 닫힌구간 $[1, 3]$에서 연속이고

열린구간 $(1, 3)$에서 미분가능하고 $f(1)=2$, $f(3)=2$이다.

롤의 정리에 의해 $f'(c)=0$인 c가 구간 $(1, 3)$에 적어도 하나 존재한다.

이때 c의 값은 $f'(x)=2x-4$이므로 $f'(c)=2c-4=0$

$\therefore \boldsymbol{c=2}$

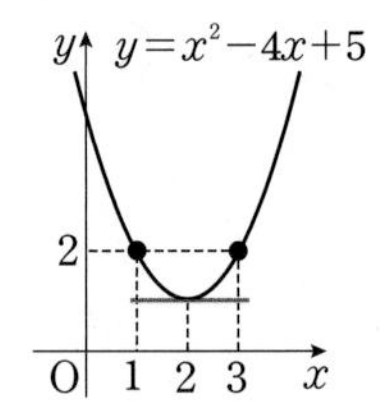

(2) 함수 $f(x)$는 다항함수이므로 닫힌구간 $[-1, 2]$에서 연속이고

열린구간 $(-1, 2)$에서 미분가능하므로 평균값 정리에 의하여

$\dfrac{f(2)-f(-1)}{2-(-1)}=f'(c)$인 c가 구간 $(-1, 2)$에서 적어도 하나 존재한다.

이때 $\dfrac{f(2)-f(-1)}{2-(-1)}=\dfrac{3-0}{3}=1$

$f'(x)=2x$에서 $f'(c)=2c$이므로 $1=2c$ $\quad \therefore \boldsymbol{c=\frac{1}{2}}$

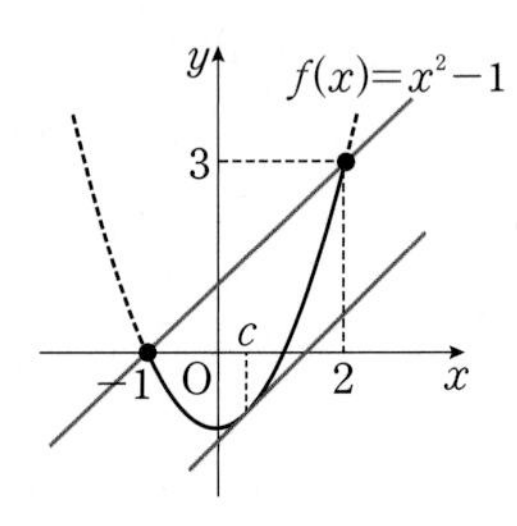

확인유제 0314 다음 물음에 답하여라.

(1) 함수 $f(x)=x^2-6x+1$에 대하여 닫힌구간 $[1, 5]$에서 롤의 정리를 만족하는 상수 c의 값을 구하여라.

(2) 함수 $f(x)=-x^2+3x$에 대하여 닫힌구간 $[0, 2]$에서 평균값 정리를 만족하는 상수 c의 값을 구하여라.

변형문제 0315 모든 실수 x에 대하여 미분가능한 함수 $f(x)$가 $\lim_{x\to\infty}f'(x)=1$을 만족시킬 때, $\lim_{x\to\infty}\{f(x+1)-f(x-1)\}$의 값은?

① 2 ② 3 ③ 4 ④ 5 ⑤ 6

발전문제 0316 다음 물음에 답하여라.

(1) 다항함수 $y=f(x)$의 그래프가 다음 조건을 모두 만족시킬 때, $f(2)$의 최댓값을 구하여라.

> (가) 점 $(0, 2)$를 지난다.
> (나) x좌표가 0보다 크고 2보다 작은 함수의 그래프 위의 임의의 점에서의 접선의 기울기가 4 이하이다.

(2) 미분가능한 함수 $f(x)$가 다음 조건을 만족시킬 때, $f(1)$의 최댓값과 최솟값의 합을 구하여라.

> (가) 모든 실수 x에 대하여 $|f'(x)|\le 5$이다.
> (나) $f(0)=2$

정답 0314 : (1) 3 (2) 1 0315 : ① 0316 : (1) 10 (2) 4

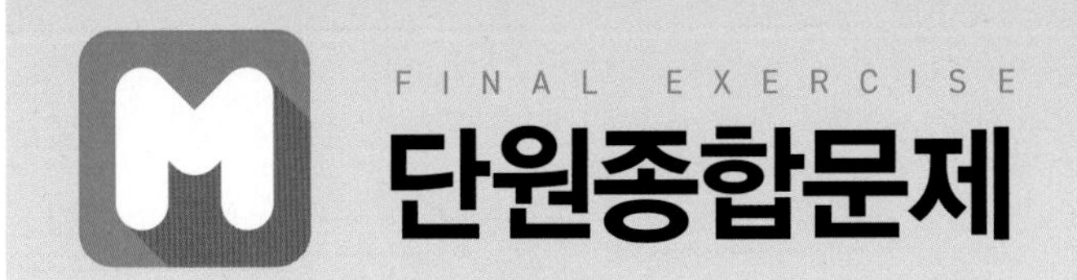

BASIC

내신 수능 기본 대표 기출문제

0317

곡선 위의 점에서 접선의 기울기 2005년 07월 교육청

다음 물음에 답하여라.

(1) 곡선 $y=(x^2-1)(2x+1)$ 위의 점 $(1,\ 0)$에서 접하는 직선의 기울기는?

① 2 ② 3 ③ 4 ④ 5 ⑤ 6

2018학년도 사관기출

(2) 곡선 $y=x^3-4x$ 위의 점 $(-2,\ 0)$에서의 접선의 기울기는?

① 4 ② 5 ③ 6 ④ 7 ⑤ 8

0318

곡선 위의 점에서 접선의 기울기 내신빈출

다음 물음에 답하여라.

(1) 함수 $f(x)=x^3+ax^2-2$에 대하여 곡선 $y=f(x)$ 위의 점 $(-2,\ f(-2))$에서의 접선의 기울기가 4일 때, 상수 a의 값은?

① -2 ② -1 ③ 0 ④ 1 ⑤ 2

(2) 삼차함수 $f(x)=x^3+ax^2-7x+11$의 그래프 위의 점 $(1,\ f(1))$에서의 접선의 방정식이 $y=6x+b$일 때, 상수 a, b에 대하여 $a+b$의 값은?

① 3 ② 5 ③ 7 ④ 9 ⑤ 11

0319

접점이 주어진 접선의 방정식 2012학년도 수능기출

다음 물음에 답하여라.

(1) 곡선 $y=-x^3+4x$ 위의 점 $(1,\ 3)$에서의 접선의 방정식이 $y=ax+b$일 때, 상수 a, b에 대하여 $10a+b$의 값은?

① 10 ② 12 ③ 14 ④ 16 ⑤ 18

2013년 07월 교육청

(2) 곡선 $y=x^3+6x^2-11x+7$ 위의 점 $(1,\ 3)$에서의 접선의 방정식을 $y=mx+n$이라 할 때, 상수 m, n에 대하여 $m-n$의 값은?

① 5 ② 7 ③ 9 ④ 11 ⑤ 13

0320

접점이 주어진 접선의 방정식 2017년 11월 교육청 (고2)

다음 물음에 답하여라.

(1) 곡선 $y=x^3-5x$ 위의 점 $(2,\ -2)$에서의 접선의 방정식이 $y=mx+n$일 때, 두 상수 m, n에 대하여 $m+n$의 값은?

① -5 ② -6 ③ -7 ④ -8 ⑤ -9

2016년 09월 교육청 (고2)

(2) 곡선 $y=x^3+x^2-2x+4$ 위의 점 $(1,\ 4)$에서의 접선의 방정식이 $y=mx+n$일 때, 상수 m, n에 대하여 $m-n$의 값은?

① 2 ② $\frac{5}{2}$ ③ 3 ④ $\frac{7}{2}$ ⑤ 4

0321

접점이 주어진 접선의 방정식 내신빈출

다음 물음에 답하여라.

(1) 곡선 $y=x^3+ax+b$ 위의 점 $(1,\ 1)$에서 그은 접선이 원점을 지날 때, 상수 a, b에 대하여 ab의 값은?

① -6 ② -4 ③ -2 ④ 4 ⑤ 6

(2) 곡선 $y=x^3+ax^2-ax+2$ 위의 점 $(1,\ 3)$에서의 접선이 점 $(a,\ 8)$을 지날 때, 상수 a의 값은? (단, $a>0$)

① 1 ② 2 ③ 3 ④ 4 ⑤ 5

정답 0317 : (1) ⑤ (2) ⑤ 0318 : (1) ⑤ (2) ④ 0319 : (1) ② (2) ① 0320 : (1) ⑤ (2) ① 0321 : (1) ② (2) ②

0322

접점이 주어진 접선의 방정식
2010학년도 09월 평가원

다음 물음에 답하여라.

(1) 곡선 $y=x^3+2$ 위의 점 $\mathrm{P}(a, -6)$에서의 접선의 방정식을 $y=mx+n$이라 할 때, 세 상수 a, m, n에 대하여 $a+m+n$의 값은?

① 20 ② 24 ③ 28 ④ 32 ⑤ 36

(2) 곡선 $y=x^3+x+a$ 위의 점 $(1, b)$에서의 접선의 y절편이 -5일 때, 상수 a의 값은?

① -5 ② -4 ③ -3 ④ -2 ⑤ -1

0323

접점이 주어진 접선의 방정식
내신빈출

다항함수 $f(x)$에 대하여 곡선 $y=f(x)$ 위의 점 $(1, f(1))$에서의 접선의 방정식이 $y=2x+3$이다. 함수

$$g(x)=xf(x)$$

에 대하여 곡선 $y=g(x)$ 위의 점 $(1, g(1))$에서의 접선의 방정식은?

① $y=5x+1$ ② $y=5x$ ③ $y=6x-1$ ④ $y=7x-2$ ⑤ $y=7x-3$

0324

접선과 삼각형의 넓이
2002년 07월 교육청

다음 물음에 답하여라.

(1) 곡선 $f(x)=x^2-9$와 x축과의 교점을 각각 A, B라 하자. 두 점 A, B에서 곡선 $f(x)$에 접하는 두 직선과 x축으로 둘러싸인 삼각형의 넓이를 구하여라.

2011년 10월 교육청

(2) 곡선 $y=x^3-2x$ 위의 점 $(2, 4)$에서의 접선과 x축, y축으로 둘러싸인 삼각형의 넓이를 S라 할 때, $10S$의 값을 구하여라.

0325

접선의 방정식과 함수의 극한
내신빈출

다항함수 $f(x)$에 대하여 $\lim_{x\to1}\frac{f(x)-3}{x^3-1}=\frac{2}{3}$일 때, 곡선 $y=f(x)$ 위의 점 $(1, f(1))$에서의 접선의 방정식은?

① $y=2x$ ② $y=2x+1$ ③ $y=2x+2$ ④ $y=2x+3$ ⑤ $y=2x+4$

0326

접선의 방정식과 함수의 극한
내신빈출

다음 물음에 답하여라.

(1) 다항함수 $f(x)$에 대하여 $\lim_{x\to0}\frac{f(x+1)}{x}=2$일 때, 곡선 $y=f(x)$ 위의 점 $(1, f(1))$에서의 접선의 x절편을 a, y절편을 b라 할 때, 상수 a, b에 대하여 $a+b$의 값을 구하여라.

(2) 다항함수 $f(x)$가 $\lim_{x\to3}\frac{f(x-1)-4}{x-3}=1$을 만족시킬 때, 곡선 $y=f(x)$ 위의 점 $(2, f(2))$에서의 접선이 x축, y축과 만나는 점을 각각 A, B라 하자. 두 점 A, B 사이의 거리는?

① $\sqrt{2}$ ② 2 ③ $2\sqrt{2}$ ④ 4 ⑤ $4\sqrt{2}$

0327

접선에 수직인 직선의 방정식

다음 물음에 답하여라.

(1) 곡선 $y=(x^2-3)^2$ 위의 점 $(2, 1)$을 지나고, 이 점에서의 접선과 수직인 직선이 점 $(10, a)$를 지날 때, 상수 a의 값은?

① 0 ② 2 ③ 3 ④ 4 ⑤ 5

2014년 07월 교육청

(2) 곡선 $y=2x^3+ax+b$ 위의 점 $(1, 1)$에서의 접선과 수직인 기울기가 $-\frac{1}{2}$이다. 상수 a, b에 대하여 a^2+b^2의 값은?

① 25 ② 27 ③ 29 ④ 31 ⑤ 33

정답 0322 : (1) ③ (2) ③ 0323 : ④ 0324 : (1) 54 (2) 128 0325 : ② 0326 : (1) -1 (2) ③ 0327 : (1) ① (2) ①

0328

기울기가 주어진 접선의 방정식
2014학년도 06월 평가원

다음 물음에 답하여라.

(1) 곡선 $y=x^3-3x^2+x+1$ 위의 서로 다른 두 점 A, B에서의 접선이 평행하다. 점 A의 x좌표가 3일 때, 점 B에서의 접선의 y절편의 값은?

① 5 ② 6 ③ 7 ④ 8 ⑤ 9

(2) 곡선 $y=-x^2+4$ 위의 두 점 A(0, 4), B(2, 0)이 있다. 곡선 위의 한 점 P에서의 접선 l이 직선 AB와 평행할 때, 접선 l의 방정식은 $y=ax+b$이다. 두 상수 a, b에 대하여 $a+b$의 값은?

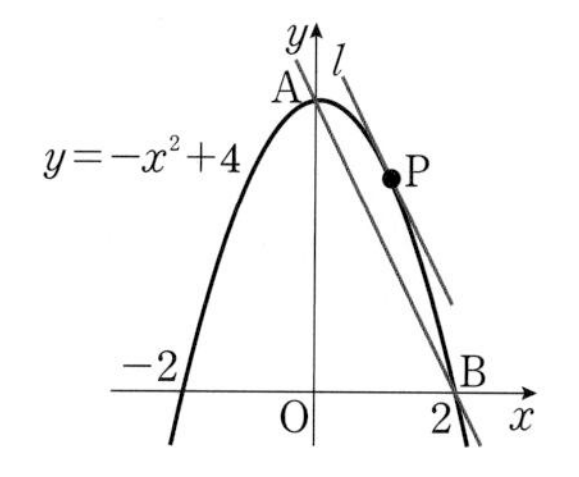

① 2 ② 3 ③ 4
④ 5 ⑤ 6

0329

기울기가 주어질 때, 접선의 방정식
내신빈출

곡선 $y=x^2-3x+a$와 직선 $y=-x+3$이 접할 때, 상수 a의 값은?

① 0 ② 2 ③ 4 ④ 6 ⑤ 8

0330

기울기가 주어질 때, 접선의 방정식
내신빈출

함수 $f(x)=x^3-6x+2$ 위에는 접선의 기울기가 6인 접점이 2개가 있다. 이때 두 점 사이의 거리는?

① $2\sqrt{3}$ ② $4\sqrt{3}$ ③ $2\sqrt{5}$ ④ $4\sqrt{5}$ ⑤ $6\sqrt{5}$

0331

곡선 밖의 점에서 접선의 방정식
내신빈출

점 (0, 3)에서 곡선 $y=x^3+5$에 그은 접선의 접점을 지나고, 접선에 수직인 직선의 방정식이 $(4, a)$를 지날 때, a의 값은?

① 1 ② 2 ③ 3 ④ 4 ⑤ 5

0332

접선의 기울기의 활용
내신빈출

디음 물음에 답하여라.

(1) 곡선 $y=-\frac{2}{3}x^3-2x^2+x+\frac{1}{3}$ 위의 점에서 접하는 접선 중에서 기울기가 최대인 접선의 방정식이 점 $(a, 7)$을 지날 때, 상수 a의 값은?

① 1 ② 2 ③ 3 ④ 4 ⑤ 5

(2) 곡선 $y=x^3-6x^2+9x$ 위의 점에서 접하는 접선 중에서 기울기가 최소인 접선의 방정식이 점 $(1, k)$를 지날 때, 상수 k의 값은?

① 1 ② 2 ③ 3 ④ 4 ⑤ 5

0333

평균값 정리
내신빈출

사차함수 $y=f(x)$의 그래프가 오른쪽 그림과 같을 때, 등식

$\frac{f(b)-f(a)}{b-a}=f'(c)$를 만족시키는 상수 c의 개수는? (단, $a<c<b$)

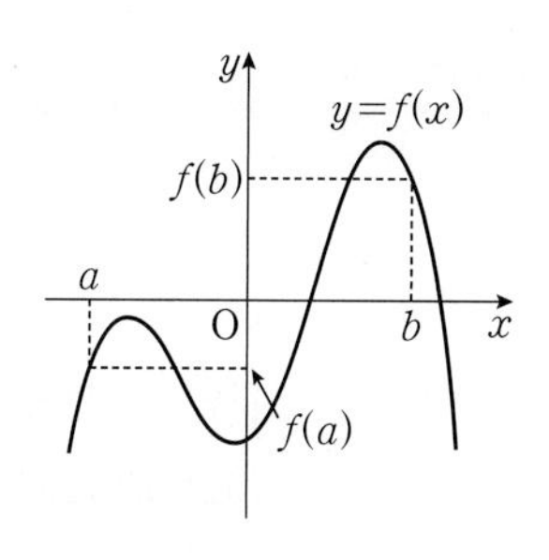

① 1 ② 2 ③ 3
④ 4 ⑤ 5

정답 0328 : (1) ② (2) ② 0329 : ③ 0330 : ④ 0331 : ⑤ 0332 : (1) ② (2) ⑤ 0333 : ③

0334

롤의 정리를 이용한 상수 c값 구하기
내신빈출

다음 물음에 답하여라.

(1) 함수 $f(x)=x^3-3x^2+2x$에 대하여 닫힌구간 $[0, 2]$에서 롤의 정리를 만족시키는 모든 상수 c의 값의 합은?

① 1 ② $\frac{3}{2}$ ③ 2 ④ $\frac{5}{2}$ ⑤ 3

(2) 함수 $f(x)=x^2(x-a)$에 대하여 닫힌구간 $[0, a]$에서 롤의 정리를 만족시키는 c의 값이 $\frac{2}{3}$일 때, 실수 a의 값은?

① $\frac{1}{2}$ ② 1 ③ $\frac{3}{2}$ ④ 2 ⑤ $\frac{5}{2}$

0335

평균값 정리를 이용한 상수 c값 구하기
내신빈출

다음 물음에 답하여라.

(1) 함수 $f(x)=-x^2+4x-2$에 대하여 닫힌구간 $[1, 4]$에서 평균값 정리를 만족시키는 c의 값은?

① $\frac{1}{2}$ ② 1 ③ $\frac{3}{2}$ ④ 2 ⑤ $\frac{5}{2}$

(2) 함수 $f(x)=x^2-3$에 대하여 닫힌구간 $[-1, a]$에서 평균값 정리를 만족시키는 c의 값이 $\frac{1}{2}$일 때, 실수 a의 값은?

① 1 ② 2 ③ 3 ④ 4 ⑤ 5

0336

평균값의 정리의 활용
내신빈출

다음 물음에 답하여라.

(1) 함수 $f(x)=x^2$에 대하여 닫힌구간 $[0, a+h]$에서

$$f(a+h)=f(a)+hf'(a+kh)$$

를 만족시키는 실수 k의 값은? (단, $h>0$, $0<k<1$)

① $\frac{1}{4}$ ② $\frac{1}{3}$ ③ $\frac{1}{2}$ ④ $\frac{2}{3}$ ⑤ $\frac{3}{4}$

(2) 이차함수 $f(x)=x^2+ax+b$에 대하여

$$\frac{f(x+h)-f(x)}{h}=f'(x+ph) \text{ (단, } h>0,\ 0<p<1)$$

를 만족시키는 실수 p의 값은? (단, a, b는 상수이다.)

① $\frac{1}{5}$ ② $\frac{1}{4}$ ③ $\frac{1}{3}$ ④ $\frac{1}{2}$ ⑤ $\frac{2}{3}$

0337

롤의 정리와 평균값의 정리
서술형

함수 $f(x)=x^2-3x-4$에 대하여 다음 단계로 서술하여라.

[1단계] 닫힌구간 $[-1, 4]$에서 롤의 정리를 만족시키는 실수 c의 값을 구하여라.

[2단계] 닫힌구간 $[0, 2]$에서 평균값 정리를 만족시키는 실수 c의 값을 구하여라

0338

평균값 정리
서술형

함수 $f(x)=x^3+5$에 대하여 닫힌구간 $[-1, 2k]$에서 평균값 정리를 만족시키는 상수의 값이 k일 때, k의 값을 구하는 과정을 다음 단계로 서술하여라.

[1단계] 도함수 $f'(x)$를 구한다.

[2단계] 닫힌구간 $[-1, 2k]$에서 함수 $f(x)$에 대한 평균값 정리를 서술한다.

[3단계] [2단계]의 관계식으로 부터 상수 k의 값을 구한다.

정답 0334 : (1) ③ (2) ② 0335 : (1) ⑤ (2) ② 0336 : (1) ③ (2) ④ 0337 : (1) $\frac{3}{2}$ (2) 1 0338 : 해설참조

0339

기울기가 주어진 접선의 방정식 내신빈출

오른쪽 그림과 같이 정사각형 ABCD의 두 꼭짓점 A, C는 y축 위에 있고, 두 꼭짓점 B, D는 x축 위에 있다. 변 AD와 변 BC가 각각 삼차함수 $y=-x^3+2x$의 그래프에 접할 때, 정사각형 ABCD의 넓이를 구하여라.

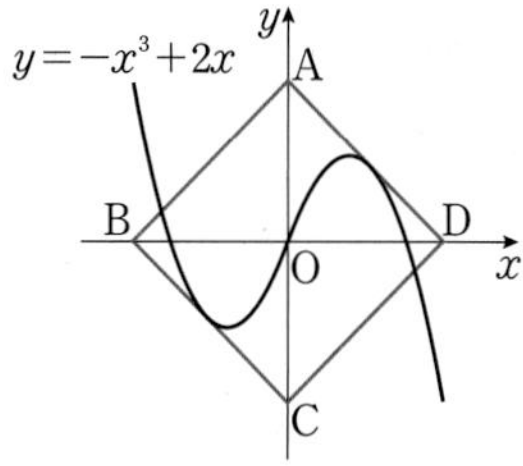

0340

접점이 주어진 접선의 방정식 내신빈출

곡선 $y=x^3+ax^2+(2a-1)x+a+2$는 a의 값에 관계없이 항상 일정한 점 P를 지난다. 이 점 P에서의 접선의 방정식을 $y=mx+n$이라 할 때, 상수 m, n에 대하여 $m+n$의 값은?

① 2 ② 4 ③ 6 ④ 8 ⑤ 10

0341

공통접선의 방정식 내신빈출

곡선 $y=x^3-x$ 위의 점 $(1, 0)$에서의 접선이 곡선 $y=-x^2+10x+a$에 접할 때, 상수 a의 값은?

① -10 ② -12 ③ -14 ④ -16 ⑤ -18

0342

접선의 기울기의 활용 내신빈출

곡선 $y=2x^3-ax^2+8x+1$에 접하고 직선 $y=2x-3$에 평행한 직선이 존재하지 않도록 하는 모든 정수 a의 개수는?

① 8 ② 9 ③ 10 ④ 11 ⑤ 13

0343

접점이 주어진 접선의 활용 2007학년도 09월 평가원

곡선 $y=x^3$ 위의 점 $\mathrm{P}(t, t^3)$에서의 접선과 원점사이의 거리를 $f(t)$라 하면 $\lim_{t\to\infty}\frac{f(t)}{t}=\alpha$일 때, 30α의 값을 구하여라

0344

접선과 삼각형의 넓이 내신빈출

다음 물음에 답하여라.

(1) 원점 O에서 곡선 $y=x^4-3x^2+6$에 그은 두 접선의 접점을 각각 A, B라 할 때, 삼각형 OAB의 넓이를 구하여라.

(2) 원점 O에서 곡선 $y=x^4-x^2+2$에 그은 두 접선의 접점과 원점이 이루는 삼각형의 넓이를 구하여라.

정답 0339 : 8 0340 : ③ 0341 : ⑤ 0342 : ④ 0343 : 20 0344 : (1) $4\sqrt{2}$ (2) 2

0345

곡선 밖의 점에서 접선의 방정식
내신빈출

점 $(-1, 0)$에서 곡선 $y=-x^2+k$에 그은 두 접선이 서로 수직일 때, 상수 k의 값은?

① $-\frac{1}{4}$ ② $-\frac{1}{2}$ ③ -1 ④ $\frac{1}{4}$ ⑤ $\frac{1}{2}$

0346

롤의 정리를 이용한 상수 c값 구하기
내신빈출

함수 $f(x)=x^3-6x^2+9x+1$에 대하여 닫힌구간 $[0, a]$에서 롤의 정리를 만족시키는 상수의 값이 c일 때, 상수 a, c에 대하여 $a+c$의 값은?

① 1 ② 2 ③ 3 ④ 4 ⑤ 5

0347

곡선 위의 점에서 접선의 방정식의 활용
2013년 10월 교육청

삼차함수 $f(x)=x^3+ax$가 있다. 곡선 $y=f(x)$ 위의 점 $\mathrm{A}(-1, -1-a)$에서의 접선이 이 곡선과 만나는 다른 한 점을 B라 하자. 또, 곡선 $y=f(x)$ 위의 점 B에서의 접선이 이 곡선과 만나는 다른 한 점을 C라 하자. 두 점 B, C의 x좌표를 각각 b, c라 할 때, $f(b)+f(c)=-80$을 만족시킨다. 상수 a의 값은?

① 8 ② 10 ③ 12 ④ 14 ⑤ 16

0348

접선의 방정식의 활용
2015학년도 사관기출

곡선 $y=\frac{1}{3}x^3-x$ 위의 점 중에서 제 1사분면에 있는 한 점을 $\mathrm{P}(a, b)$라 하자. 점 P에서의 접선이 y축과 만나는 점을 Q라 하고, 점 P를 지나고 x축에 평행한 직선이 y축과 만나는 점을 R이라 하자. $\overline{\mathrm{OQ}} : \overline{\mathrm{OR}}=3 : 1$일 때, ab의 값은? (단, O는 원점이다.)

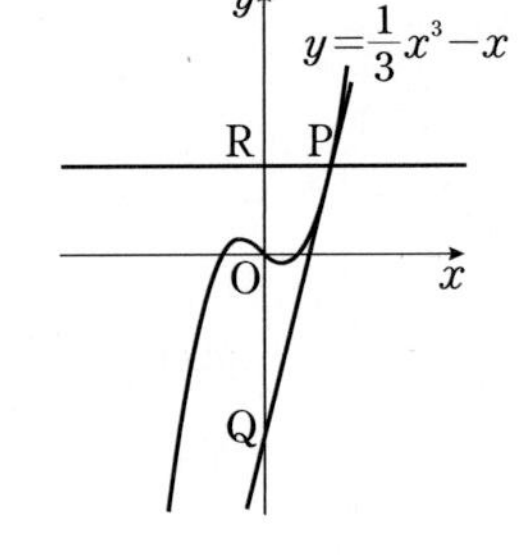

① 9 ② 12 ③ 15
④ 18 ⑤ 21

0349

수학적 귀납법을 이용하여 수열 $\{a_n\}$의 일반항 구하기
내신빈출

곡선 $y=x^2$ 위의 점 $(2, 4)$에서의 접선과 x축과의 교점을 $(a_1, 0)$, 점 (a_1, a_1^2)에서의 접선과 x축과의 교점을 $(a_2, 0)$, 점 (a_2, a_2^2)에서의 접선과 x축과의 교점을 $(a_3, 0)$, …이라 하자. 이와 같은 과정을 계속해서 얻은 수열 $\{a_n\}$에서 a_{11}의 값을 구하여라.

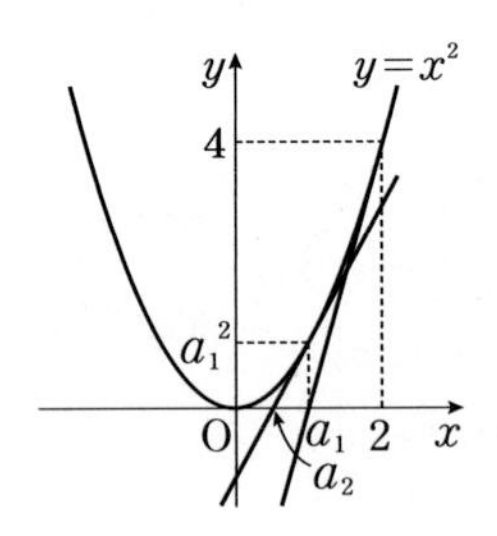

0350

접선의 기울기와 함수의 극한
내신빈출

최고차항의 계수가 1인 삼차함수 $f(x)$가 다음 조건을 만족시킨다.

(가) 직선 $y=x+1$이 함수 $y=f(x)$의 그래프와 점 $(1, 2)$에서 접한다.

(나) $\lim_{x\to1}\frac{f(x)-(x+1)}{(x-1)\{f'(x)-x\}}=\frac{1}{3}$

$f(3)$의 값은?

① 8 ② 10 ③ 12 ④ 14 ⑤ 16

정답 0345 : ① 0346 : ④ 0347 : ③ 0348 : ④ 0349 : $\frac{1}{1024}$ 0350 : ①

0351
기울기가 주어진 접선의 방정식의 활용

$x\le 5$에서 정의된 함수 $f(x)=\frac{1}{3}x^3-x^2-x$가 있다. 두 점 A$(-3, 0)$, B$(0, 6)$과 곡선 $y=f(x)$ 위의 점 P에 대하여 삼각형 ABP의 넓이가 최소가 되게 하는 점 P를 Q라 하고 그 점에서의 접선이 $y=f(x)$와 다시 만나는 점을 R이라 할 때, 이 두 점 Q, R 사이의 거리를 구하여라.

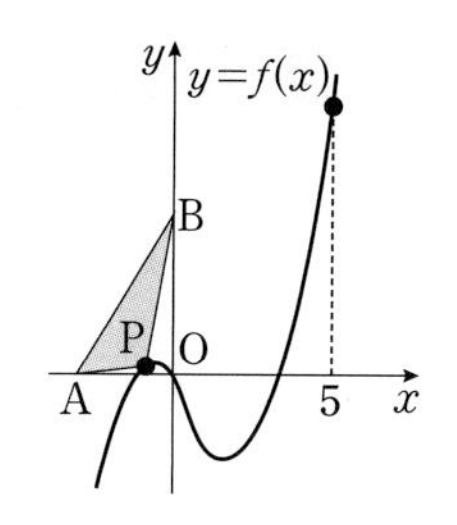

0352
기울기가 주어질 때, 접선의 활용 서술형

오른쪽 그림과 같이 곡선 $y=-x^2+x+2$ 위의 두 점 A$(0, 2)$, B$(2, 0)$을 지나는 직선을 l이라 할 때, 곡선 위의 점 P에 대하여 삼각형 ABP의 넓이의 최댓값을 다음 단계로 서술하여라.

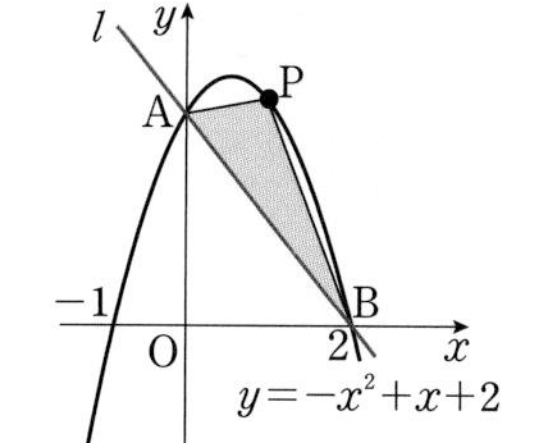

[1단계] 직선 l과 평행하고 곡선 $y=-x^2+x+2$에 접하는 직선의 방정식을 구한다.

[2단계] 제1 사분면에 있는 곡선 $y=-x^2+x+2$위의 점과 직선 l 사이의 거리의 최댓값을 구한다.

[3단계] 삼각형 ABP의 넓이의 최댓값을 구한다.

0353
곡선 밖의 한 점에서 접선의 방정식 서술형

원점에서 곡선 $y=x^4+12$에 그은 접선이 점 $(k, 16\sqrt{2})$를 지날 때, k의 값을 구하는 과정을 다음 단계로 서술하여라. (단, 접점은 제1사분면에 있다.)

[1단계] 접점의 x좌표를 a로 놓고 접선의 방정식을 구한다.

[2단계] 이 접선이 원점을 지날 때, 양수 a의 값을 구한다.

[3단계] 원점에서 곡선 $y=x^4+12$에 그은 접선의 방정식을 구한다.

[4단계] 이 접선이 점 $(k, 16\sqrt{2})$를 지날 때, k의 값을 구한다.

0354
평균값 정리 서술형

다항함수 $f(x)$가 닫힌구간 $[0, 2]$에 속하는 모든 x에 대하여 $f'(x)\le 5$이고, $f(0)=3$일 때, $f(2)$의 최댓값을 구하는 과정을 다음 단계로 서술하여라.

[1단계] 닫힌구간 $[0, 2]$에서 함수 $f(x)$에 대한 평균값 정리를 서술한다.

[2단계] $f'(x)\le 5$이고 $f(0)=3$을 이용하여 $f(2)$의 최댓값을 구한다.

0355
롤의 정리의 증명 서술형

다음 롤의 정리를 다음 단계로 서술하여라.

> 함수 $f(x)$가 닫힌구간 $[a, b]$에서 연속이고 열린구간 (a, b)에서 미분가능 할 때, $f(a)=f(b)$이면 $f'(c)=0$인 c가 열린구간 (a, b)에 적어도 하나 존재한다.

[1단계] 함수 $f(x)$가 상수함수인 경우 증명하여라.

[2단계] 함수 $f(x)$가 상수함수가 아닌 경우 $f(a)=f(b)$이므로 함수 $f(x)$는 열린구간 (a, b)에 속하는 어떤 c에서 최댓값을 가질 때, 증명하여라.

[3단계] 함수 $f(x)$가 상수함수가 아닌 경우 $f(a)=f(b)$이므로 함수 $f(x)$는 열린구간 (a, b)에 속하는 어떤 c에서 최솟값을 가질 때, 증명하여라.

정답 0351 : $6\sqrt{5}$ 0352 : 해설참조 0353 : 해설참조 0354 : 해설참조 0355 : 해설참조

0356

함수의 극한과 접선의 기울기
2018년 07월 교육청

최고차항의 계수가 1이고 $f(0)=2$인 삼차함수 $f(x)$가

$$\lim_{x\to 1}\frac{f(x)-x^2}{x-1}=-2$$

를 만족시킨다. 곡선 $y=f(x)$ 위의 점 $(3,\ f(3))$에서의 접선의 기울기를 구하여라.

0357

곡선 밖의 점에서 접선의 방정식
2008학년도 06월 평가원

양수 a에 대하여 점 $(a,\ 0)$에서 곡선 $y=3x^3$에 그은 접선과 점 $(0,\ a)$에서 곡선 $y=3x^3$에 그은 접선이 서로 평행할 때, $90a$의 값을 구하여라.

0358

곡선 밖의 점에서 접선의 방정식의 활용
내신빈출

다음 물음에 답하여라.

(1) 점 $(1,\ k)$에서 곡선 $y=x^3-2x+1$에 서로 다른 세 개의 접선을 그을 때, 세 접점의 x좌표는 등차수열을 이룬다고 한다. 이때 상수 k의 값을 구하여라.

(2) 곡선 밖의 점 $(a,\ 3)$에서 곡선 $y=x^3-3x^2+3$에 서로 다른 두 개의 접선을 그을 때, 상수 a의 값을 구하여라.

0359

접선의 방정식의 활용
2011학년도 06월 평가원

삼차함수 $f(x)=x(x-\alpha)(x-\beta)$와 두 실수 $a,\ b$에 대하여 $g(x)$를

$$g(x)=f(a)+(b-a)f'(x)$$

라 하자.

$a<0,\ \alpha<b<\beta$일 때, 옳은 것만을 [보기]에서 있는 대로 고른 것은?

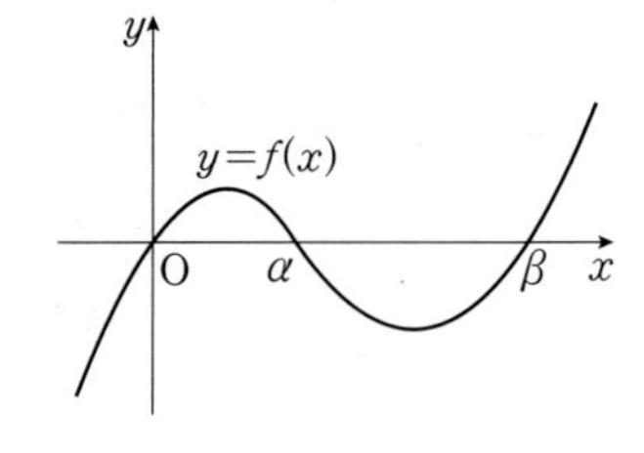

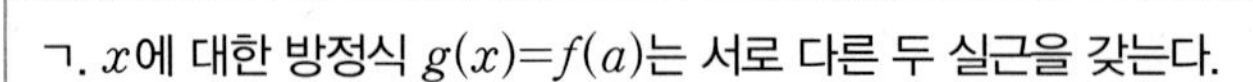

ㄱ. x에 대한 방정식 $g(x)=f(a)$는 서로 다른 두 실근을 갖는다.
ㄴ. $g(b)>f(a)$
ㄷ. $g(a)>f(b)$

① ㄱ　② ㄴ　③ ㄱ, ㄴ　④ ㄱ, ㄷ　⑤ ㄱ, ㄴ, ㄷ

0360

접선과 평행사변형의 넓이
2018학년도 06월 평가원

함수 $f(x)=\frac{1}{3}x^3-kx^2+1$ ($k>0$인 상수)의 그래프 위의 서로 다른 두 점 A, B에서의 접선 $l,\ m$의 기울기가 모두 $3k^2$이다. 곡선 $y=f(x)$에 접하고 x축에 평행한 두 직선과 접선 $l,\ m$으로 둘러싸인 도형의 넓이가 24일 때, k의 값은?

① $\frac{1}{2}$　② 1　③ $\frac{3}{2}$　④ 2　⑤ $\frac{5}{2}$

0361

미분가능과 접선의 활용
2018학년도 수능기출

두 실수 a와 k에 대하여 두 함수 $f(x)$와 $g(x)$는

$$f(x)=\begin{cases}0 & (x\le a)\\ (x-1)^2(2x+1) & (x>a)\end{cases},\quad g(x)=\begin{cases}0 & (x\le k)\\ 12(x-k) & (x>k)\end{cases}$$

이고, 다음 조건을 만족시킨다.

(가) 함수 $f(x)$는 실수 전체의 집합에서 미분가능하다.
(나) 모든 실수 x에 대하여 $f(x)\ge g(x)$이다.

k의 최솟값이 $\frac{q}{p}$일 때, $a+p+q$의 값을 구하여라. (단, p와 q는 서로소인 자연수이다.)

정답 0356 : 20　0357 : 20　0358 : (1) $-\frac{1}{2}$ (2) $\frac{1}{3}$　0359 : ④　0360 : ③　0361 : 32

수능과 내신의 수학개념서

수학 Ⅱ

Ⅰ 함수의 극한과 연속 Ⅱ 미분 Ⅲ 적분

03

함수의 극대 극소와 그래프

1. 함수의 증가와 감소
2. 함수의 극대와 극소
3. 함수의 그래프
4. 도함수의 그래프와 함수의 개형
5. 절댓값 함수의 미분가능

MAPL ; YOURMASTERPLAN

01 함수의 증가와 감소

01 함수의 증가와 감소

함수 $f(x)$가 어떤 구간에 속하는 임의의 두 수 x_1, x_2에 대하여 다음과 같이 정의한다.

(1) $x_1<x_2$일 때, $f(x_1)<f(x_2)$이면 함수 $f(x)$는 이 구간에서 증가한다고 한다.

(2) $x_1<x_2$일 때, $f(x_1)>f(x_2)$이면 함수 $f(x)$는 이 구간에서 감소한다고 한다.

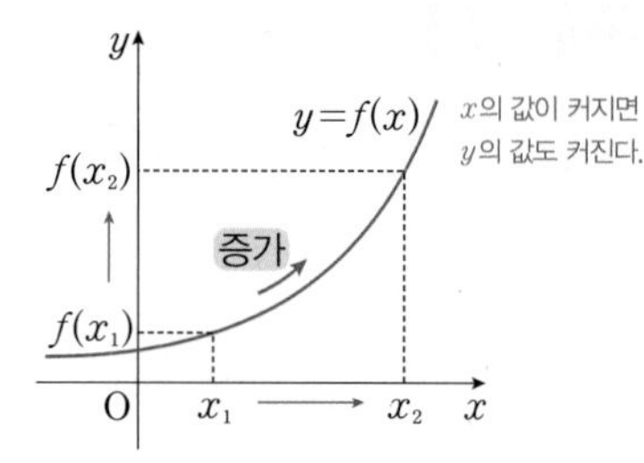

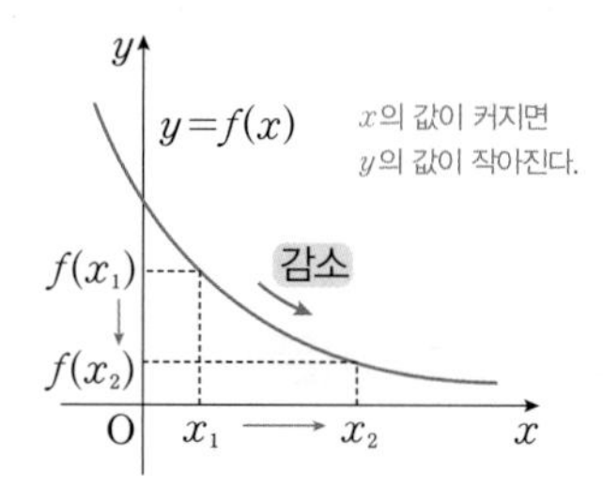

참고 함수 $f(x)$가 정의역의 모든 x의 값에 대하여 함숫값이 증가하면 $f(x)$를 증가함수라고 하고,
함수 $f(x)$가 정의역의 모든 x의 값에 대하여 함숫값이 감소하면 $f(x)$를 감소함수라고 한다.

마플해설 함수 $y=f(x)$의 그래프에서 $x>0$일 때, x의 값이 증가하면 y의 값이 증가하고,
$x<0$일 때, x의 값이 증가하면 y의 값이 감소함을 알 수 있다.
이제 위의 정의에 따라 함수 $f(x)$의 증가와 감소를 살펴본다.

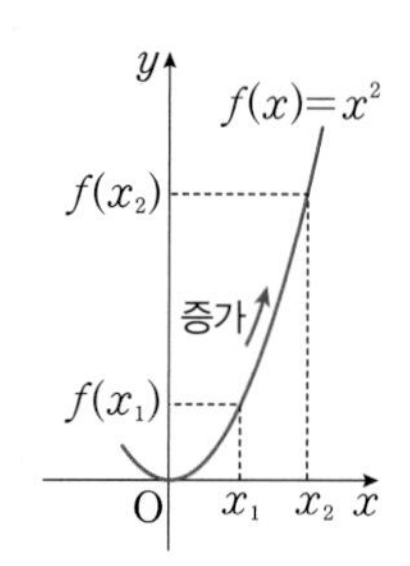

(1) 함수 $f(x)=x^2$이 구간 $[0, \infty)$에서 증가함을 보인다.

$0\le x_1<x_2$인 임의의 두 실수 x_1, x_2에 대하여

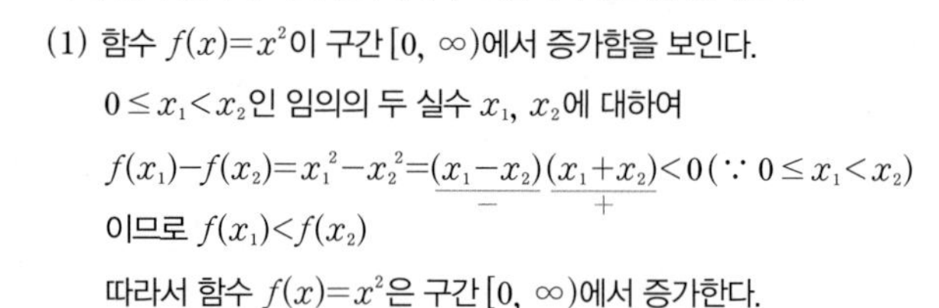

$f(x_1)-f(x_2)=x_1^2-x_2^2=\underset{-}{\underline{(x_1-x_2)}}\underset{+}{\underline{(x_1+x_2)}}<0\ (\because 0\le x_1<x_2)$

이므로 $f(x_1)<f(x_2)$

따라서 함수 $f(x)=x^2$은 구간 $[0, \infty)$에서 증가한다.

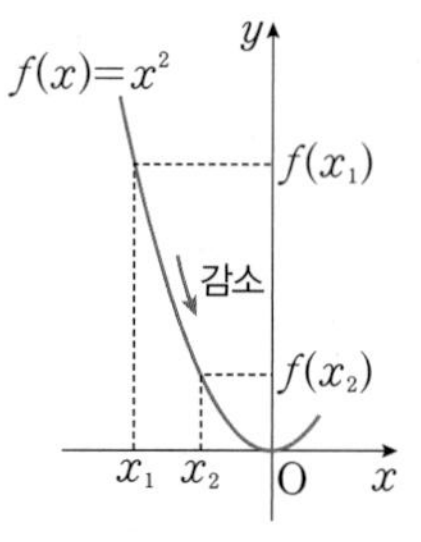

(2) 함수 $f(x)=x^2$이 구간 $(-\infty, 0]$에서 감소함을 보인다.

$x_1<x_2\le 0$인 임의의 두 실수 x_1, x_2에 대하여

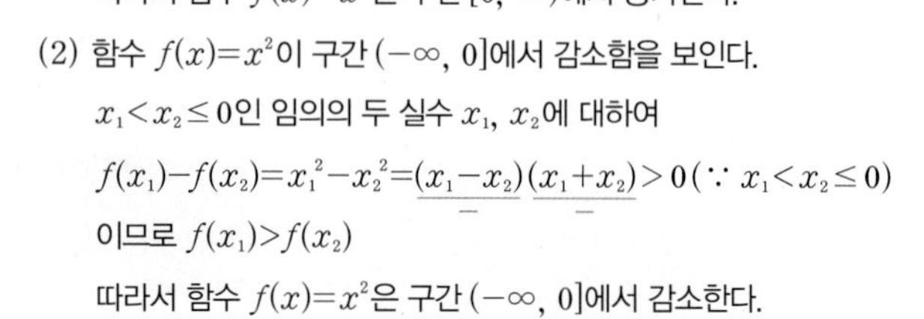

$f(x_1)-f(x_2)=x_1^2-x_2^2=\underset{-}{\underline{(x_1-x_2)}}\underset{-}{\underline{(x_1+x_2)}}>0\ (\because x_1<x_2\le 0)$

이므로 $f(x_1)>f(x_2)$

따라서 함수 $f(x)=x^2$은 구간 $(-\infty, 0]$에서 감소한다.

보기 01 다음 구간에서 함수가 증가하는지 감소하는지 판별하여라.

(1) $f(x)=x^3\ (-\infty, \infty)$ (2) $f(x)=-x^3\ (-\infty, \infty)$

풀이 (1) $x_1<x_2$인 임의의 두 실수 x_1, x_2에 대하여

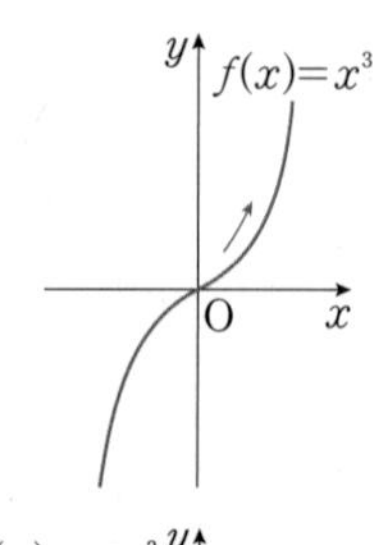

$f(x_1)-f(x_2)=x_1^3-x_2^3=(x_1-x_2)(x_1^2+x_1x_2+x_2^2)$이고

$x_1^2+x_1x_2+x_2^2=\left(x_1+\frac{x_2}{2}\right)^2+\frac{3}{4}x_2^2>0$이므로

$f(x_1)-f(x_2)<0$, 즉 $f(x_1)<f(x_2)$이다.

따라서 $f(x)$는 구간 $(-\infty, \infty)$에서 증가한다.

(2) $x_1<x_2$인 임의의 두 실수 x_1, x_2에 대하여

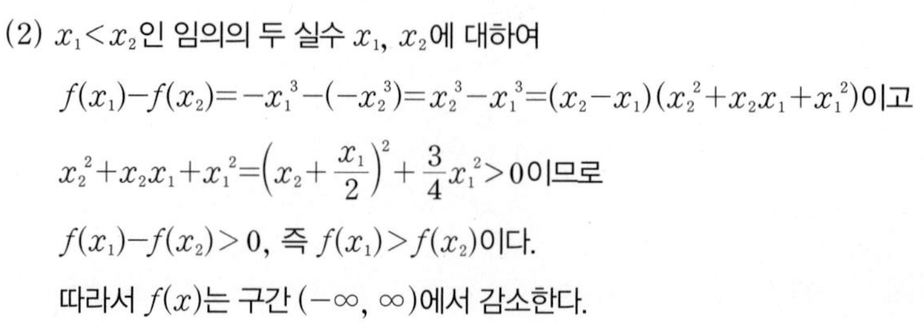

$f(x_1)-f(x_2)=-x_1^3-(-x_2^3)=x_2^3-x_1^3=(x_2-x_1)(x_2^2+x_2x_1+x_1^2)$이고

$x_2^2+x_2x_1+x_1^2=\left(x_2+\frac{x_1}{2}\right)^2+\frac{3}{4}x_1^2>0$이므로

$f(x_1)-f(x_2)>0$, 즉 $f(x_1)>f(x_2)$이다.

따라서 $f(x)$는 구간 $(-\infty, \infty)$에서 감소한다.

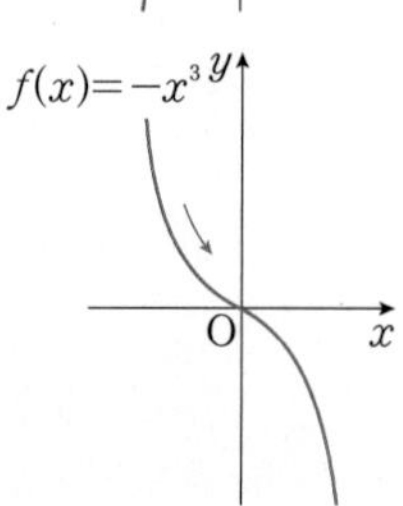

02 함수의 증가, 감소와 도함수의 부호

도함수를 이용하여 함수의 증가와 감소를 다음과 같이 판정할 수 있다.

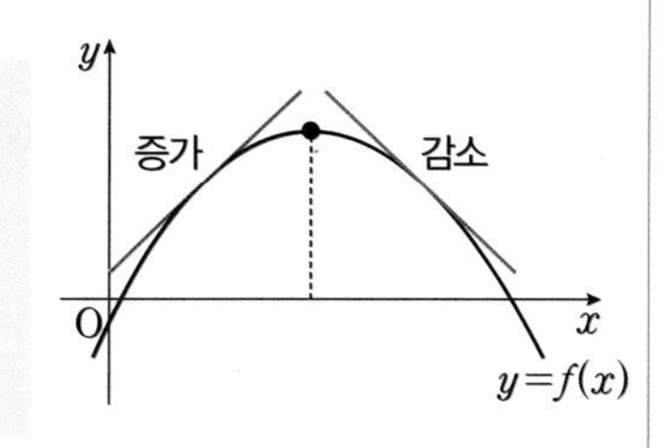

함수 $y=f(x)$가 어떤 열린구간에서 미분가능하고, 이 구간의 모든 x에 대하여

(1) $f'(x)>0$이면 $f(x)$는 이 구간에서 증가한다.

(2) $f'(x)<0$이면 $f(x)$는 이 구간에서 감소한다.

(3) $f'(x)=0$이면 $f(x)$는 이 구간에서 상수함수이다.

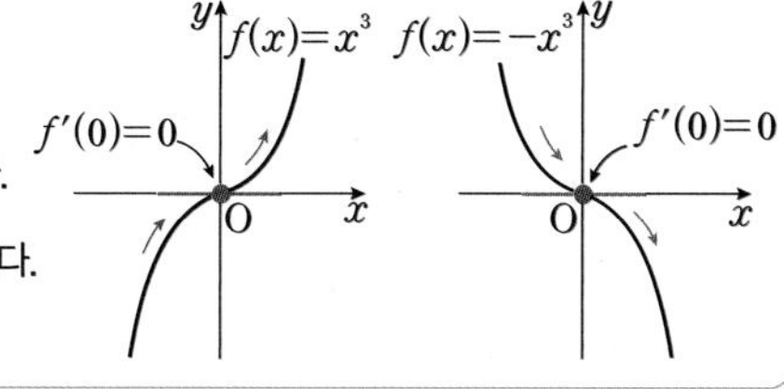

참고 일반적으로 위의 성질의 역은 성립하지 않는다.

$f(x)=x^3$은 구간 $(-\infty, \infty)$에서 증가이지만 $f'(x)=3x^2$에서 $f'(0)=0$이고

$f(x)=-x^3$은 구간 $(-\infty, \infty)$에서 감소이지만 $f'(x)=-3x^2$에서 $f'(0)=0$이다.

즉, $f'(x)=0$이 되는 x의 값은 증가하는 구간이나 감소하는 구간에 포함될 수 있다.

마플해설 **평균값 정리를 이용하여 함수의 증가, 감소와 미분계수의 부호 사이의 관계를 알아보자.**

함수 $f(x)$가 닫힌구간 $[a, b]$에서 연속이고, 열린구간 (a, b)에서 미분가능하면 평균값 정리에 의해 열린구간 (a, b)에 속하고 $x_1<x_2$인 두 수 x_1, x_2에 대하여 $\dfrac{f(x_2)-f(x_1)}{x_2-x_1}=f'(c)$인 c가 열린구간 (x_1, x_2)에 존재한다.

$f'(x)$의 부호에 따라 다음과 같이 두 가지 경우로 나누어 생각할 수 있다.

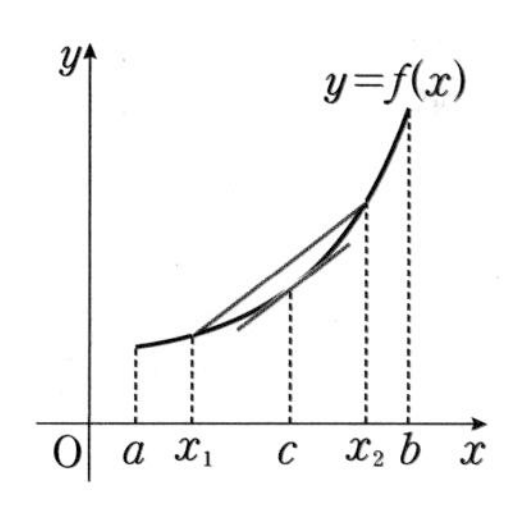

(1) 열린구간 (a, b)의 임의의 x에서 $f'(x)>0$인 경우

$\dfrac{f(x_2)-f(x_1)}{x_2-x_1}=f'(c)$에서 $f'(c)>0$이고 $x_2-x_1>0$이므로

$f(x_2)-f(x_1)>0$이다. 즉 $f(x_1)<f(x_2)$

따라서 구간 $[a, b]$에 속하는 임의의 두 수 x_1, x_2에 대하여 $x_1<x_2$일 때,

$f(x_1)<f(x_2)$이므로 함수 $f(x)$는 이 구간에서 증가한다.

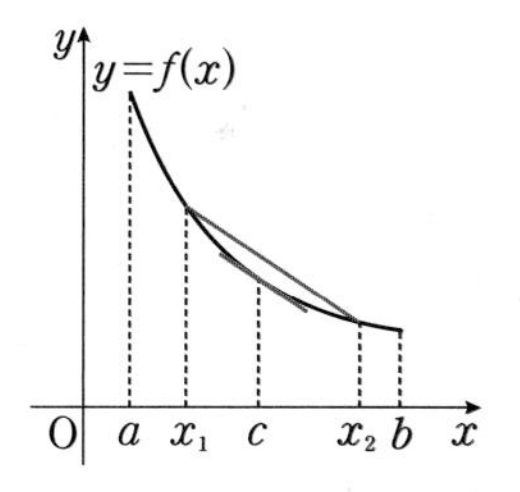

(2) 열린구간 (a, b)의 임의의 x에서 $f'(x)<0$인 경우

$\dfrac{f(x_2)-f(x_1)}{x_2-x_1}=f'(c)$에서 $f'(c)<0$이고 $x_2-x_1>0$이므로

$f(x_2)-f(x_1)<0$이다. 즉 $f(x_1)>f(x_2)$

따라서 구간 $[a, b]$에 속하는 임의의 두 수 x_1, x_2에 대하여 $x_1<x_2$일 때,

$f(x_1)>f(x_2)$이므로 함수 $f(x)$는 이 구간에서 감소한다.

보기 02 오른쪽 그림은 사차함수 $f(x)$의 도함수 $y=f'(x)$의 그래프이다.
함수 $f(x)$가 증가하는 구간과 감소하는 구간을 각각 구하여라.

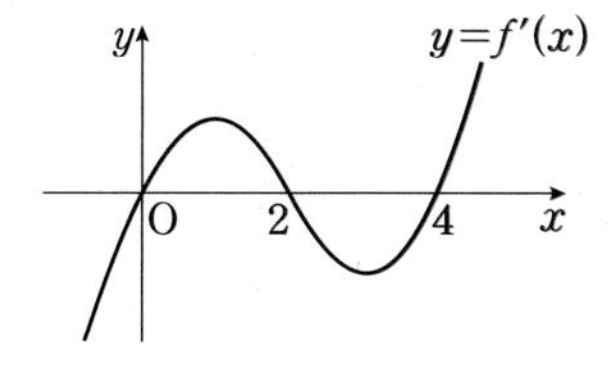

풀이 $f'(x)$의 부호를 조사하여 $f(x)$의 증가와 감소를 표로 나타내면 다음과 같다.

x	$\cdots$	0	$\cdots$	2	$\cdots$	4	$\cdots$
$f'(x)$	$-$	0	$+$	0	$-$	0	$+$
$f(x)$	↘		↗		↘		↗

함수 $f(x)$는 구간 $(-\infty, 0]$, $[2, 4]$에서 감소하고, 구간 $[0, 2]$, $[4, \infty)$에서 증가한다.

$f'(x)=0$인 x의 좌우에서 $f'(x)$가 증가하다가 감소(또는 감소하다가 증가)할 때,
$f'(x)=0$을 만족시키는 x의 값은 증가하는 구간과 감소하는 구간에 모두 포함될 수 있다.

미분가능한 함수에서 도함수의 부호를 조사하여 함수의 증가와 감소를 표로 나타낸 증감표를 구하는 방법

[1단계] $f'(x)=0$이 되는 x의 값을 모두 구한다.

[2단계] [1단계]에서 구한 x의 값의 좌우에서 $f'(x)$의 부호를 조사하여 증가와 감소를 판정한다.

[3단계] 증가와 감소를 표로 나타내는 증감표를 그린다.

참고 이때 함수가 증가하면 "↗"로, 함수가 감소로 판정되면 "↘"로 나타낸다.

보기 03 다음 함수가 증가하는 구간과 감소하는 구간을 각각 조사하여라.

(1) $f(x)=x^3-3x^2$ (2) $f(x)=-x^3-6x^2-12x$

풀이 (1) $f(x)=x^3-3x^2$에서 $f'(x)=3x^2-6x=3x(x-2)$

$f'(x)=0$에서 $x=0$ 또는 $x=2$

$f'(x)$의 부호를 조사하여 $f(x)$의 증가와 감소를 표로 나타내면 다음과 같다.

x	$\cdots$	0	$\cdots$	2	$\cdots$
$f'(x)$	$+$	0	$-$	0	$+$
$f(x)$	↗	0	↘	-4	↗

따라서 함수 $f(x)$는 구간 $(-\infty,\ 0]$에서 증가하고, 구간 $[0,\ 2]$에서 감소하며 구간 $[2,\ \infty)$에서 증가한다.

(2) $f(x)=-x^3-6x^2-12x$에서 $f'(x)=-3x^2-12x-12=-3(x+2)^2$

$f'(x)=0$에서 $x=-2$

$f'(x)$의 부호를 조사하여 $f(x)$의 증가와 감소를 표로 나타내면 다음과 같다.

x	$\cdots$	-2	$\cdots$
$f'(x)$	$-$	0	$-$
$f(x)$	↘	8	↘

함수 $f(x)$는 구간 $(-\infty,\ -2]$, $[-2,\ \infty)$에서 감소한다. 즉 $x=-2$의 좌우에서 감소하므로

이 함수는 실수 전체의 구간 $(-\infty,\ \infty)$에서 감소한다.

03 함수의 증가 또는 감소하기 위한 조건

함수의 증가와 감소의 판정을 일반적으로 정리하면

함수 $f(x)$가 어떤 열린구간에서 미분가능하고 이 구간의 모든 x에 대하여

(1) $f(x)$가 증가하면 이 구간의 모든 x에 대하여 $f'(x)\ge 0$이다.

(2) $f(x)$가 감소하면 이 구간의 모든 x에 대하여 $f'(x)\le 0$이다.

주의! 일반적으로 위의 성질의 역은 성립하지 않지만 $f'(x)=0$인 x의 좌우에서 $f'(x)>0$일 때와 $f'(x)<0$일 때면 위의 역은 성립한다. 또한, 삼차함수 $f(x)$는 위의 역이 성립한다.

도함수의 부호와 함수의 증가, 감소

함수 $f(x)$가 어떤 열린구간에서 미분가능하고, 그 구간에 속하는 모든 x에 대하여

① $f'(x)>0$이면 $f(x)$가 증가 $f'(x)<0$이면 $f(x)$가 감소	VS	② 함수 $f(x)$가 증가하면 $f'(x)\ge 0$ 함수 $f(x)$가 감소하면 $f'(x)\le 0$

FOCUS

다음 각 명제의 참, 거짓을 판단하고, 거짓인 것은 적절한 반례를 보여라.

① 미분가능한 함수 $f(x)$가 어떤 구간에서 증가하면 $f'(x)>0$이다. [거짓]

반례 함수 $f(x)=x^3$은 $(-\infty,\ \infty)$에서 증가한다.

그러나 $f'(x)=3x^2$에서 $f'(0)=0$이므로 $f'(x)=0$인 x가 존재한다.

② 어떤 구간의 모든 x에 대하여 $f'(x)\ge 0$이면 그 구간에서 $f(x)$는 증가한다. [거짓]

반례 함수 $f(x)=3$은 모든 x에 대하여 $f'(x)=0$이므로 $f'(x)\ge 0$을 만족한다.

그러나 $f(x)=3$은 상수함수이므로 증가함수도 감소함수도 아니다.

함수의 증가상태와 감소상태

01 함수의 증가상태와 감소상태

(1) 함수의 증가상태와 감소상태

함수 $y=f(x)$가 $x=a$에서 미분가능하고 충분히 작은 임의의 양수 h에 대하여

① $f(a-h)<f(a)<f(a+h)$일 때, $x=a$에서 증가상태에 있다.

② $f(a-h)>f(a)>f(a+h)$일 때, $x=a$에서 감소상태에 있다.

(2) 함수의 증가상태, 감소상태와 미분계수의 부호 사이의 관계

함수 $y=f(x)$가 $x=a$에서 미분가능할 때,

① $f'(a)>0$이면 $f(x)$는 $x=a$에서 증가상태에 있다.

⇨ $x=a$에서의 접선의 기울기가 양수이면 $x=a$에서 증가상태에 있다.

② $f'(a)<0$이면 $f(x)$는 $x=a$에서 감소상태에 있다.

⇨ $x=a$에서의 접선의 기울기가 음수이면 $x=a$에서 감소상태에 있다.

일반적으로 위의 역은 성립하지 않는다.

예를 들어 함수 $f(x)=x^3$은 $x=0$에서 증가상태에 있지만 $f'(0)=0$이다.

참고 증가와 감소는 구간에서 정의되는 개념이고, 증가상태와 감소상태는 한 점에서 정의되는 개념이다.
일반적으로 함수 $f(x)$가 어떤 구간에서 증가하면 $f(x)$는 그 구간의 임의의 점에서 증가상태에 있고,
어떤 구간에서 감소하면 $f(x)$는 그 구간의 임의의 점에서 감소상태에 있다.

보기 01 다음 함수가 $x=2$에서 증가상태에 있는지 감소상태에 있는지 조사하여라.

(1) $y=x^3-3x+2$ (2) $y=x^4-3x^3+2x$

풀이

(1) $f(x)=x^3-3x+2$라고 하면 $f'(x)=3x^2-3$에서 $f'(2)=3\cdot2^2-3>0$이므로 증가상태

(2) $f(x)=x^4-3x^3+2x$라고 하면 $f'(x)=4x^3-9x^2+2$에서 $f'(2)=4\cdot2^3-9\cdot2^2+2<0$이므로 감소상태

보기 02 다음 물음에 답하여라.

(1) 함수 $f(x)=x^3+ax^2-x+1$이 $x=1$에서 증가상태에 있을 때, 상수 a의 값의 범위를 구하여라.

(2) 함수 $f(x)=2x^3-15x^2+36x+3$이 $x=k$에서 감소상태일 때, 상수 k의 값의 범위를 구하여라.

풀이

(1) 함수 $f(x)=x^3+ax^2-x+1$에서 $f'(x)=3x^2+2ax-1$이고 $f'(x)=0$은 서로 다른 두 실근을 가지므로
3차함수 $f(x)$는 극점을 갖는다.
함수 $f(x)$는 $x=1$에서 증가상태이면 $f'(1)=2+2a>0$이므로 $\therefore a>-1$

(2) 함수 $f(x)=2x^3-15x^2+36x+3$에서 $f'(x)=6x^2-30x+36=6(x-2)(x-3)$
함수 $f(x)$는 $x=k$에서 감소상태이면 $f'(k)=6(k-2)(k-3)<0$이므로 $\therefore 2<k<3$

FOCUS

함수의 그래프를 직접 그려서 함수의 증가와 감소를 직관적으로 판정하는 것이 가장 편리하지만 복잡한 함수의 경우 그래프를 그리는데 어려움이 있고 쉽게 함수의 증가와 감소를 판정하기 어렵다.
이때 복잡한 함수의 그래프를 그리지 않아도 한 번에 함수의 증가와 감소를 판정하려면 함수의 증가상태, 감소상태와 미분계수의 부호 사이의 관계에서 범위를 확장하여 생각한다.
즉, 함수 $f(x)$의 도함수 $f'(x)$가 어떤 구간에서 항상 $f'(x)>0$이면 $f(x)$는 이 구간의 모든 x에서 증가상태에 있으므로 $f(x)$는 이 구간에서 증가한다.
또, 함수 $f(x)$의 도함수 $f'(x)$가 어떤 구간에서 항상 $f'(x)<0$이면 $f(x)$는 이 구간의 모든 x에서 감소상태에 있으므로 $f(x)$는 이 구간에서 감소한다.

마플개념익힘 01 삼차함수가 증가, 감소하기 위한 조건

다음 물음에 답하여라.

(1) 함수 $f(x)=x^3+ax^2+2ax$가 구간 $(-\infty, \infty)$에서 증가하도록 하는 실수 a의 값의 범위를 구하여라.

(2) 함수 $f(x)=-\frac{1}{3}x^3+ax^2+ax$가 구간 $(-\infty, \infty)$에서 감소하도록 하는 실수 a값의 범위를 구하여라.

MAPL CORE

상수함수가 아닌 다항함수 $f(x)$가 어떤 구간에서 미분가능할 때

(1) $f(x)$가 주어진 구간에서 증가하면 $f'(x)\ge 0$이다.

(2) $f(x)$가 주어진 구간에서 감소하면 $f'(x)\le 0$이다.

모든 실수 x에 대하여
이차부등식이 $ax^2+bx+c\ge 0$
일 조건은 ⇨ $a>0,\ D\le 0$

개념익힘 | 풀이

(1) 삼차함수 $f(x)$가 $(-\infty, \infty)$에서 증가하려면 모든 실수 x에 대하여

$f'(x)=3x^2+2ax+2a\ge 0$이어야 한다.

즉, 이차방정식 $f'(x)=3x^2+2ax+2a=0$의 판별식을 D라 하면

$D\le 0$이어야 한다. ⬅ 이차함수 $y=f'(x)$가 x축에 접하거나 x축보다 위에 있어야 한다.

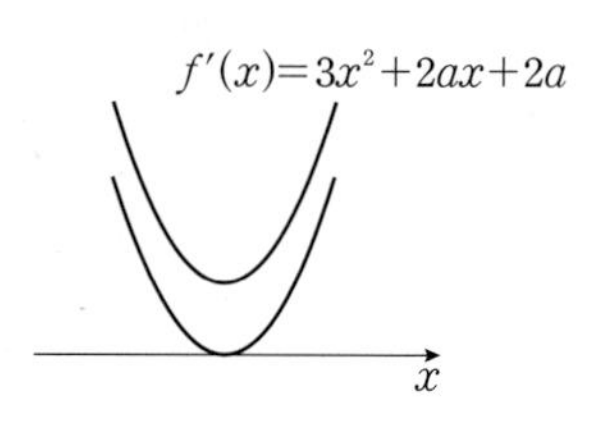

$\frac{D}{4}=a^2-6a\le 0,\ a(a-6)\le 0$

$\therefore$ **$0\le a\le 6$**

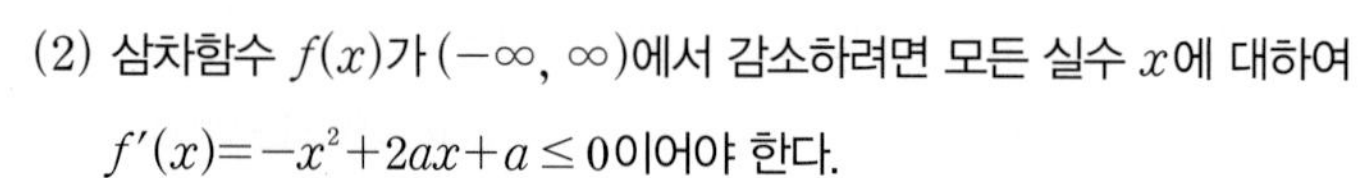

(2) 삼차함수 $f(x)$가 $(-\infty, \infty)$에서 감소하려면 모든 실수 x에 대하여

$f'(x)=-x^2+2ax+a\le 0$이어야 한다.

즉, 이차방정식 $f'(x)=-x^2+2ax+a=0$의 판별식을 D라 하면

$D\le 0$이어야 한다. ⬅ 이차함수 $y=f'(x)$가 x축에 접하거나 x축보다 아래에 있어야 한다.

x

$f'(x)=-x^2+2ax+a$

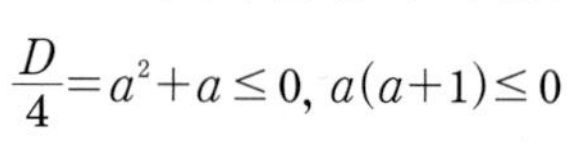

$\frac{D}{4}=a^2+a\le 0,\ a(a+1)\le 0$

$\therefore$ **$-1\le a\le 0$**

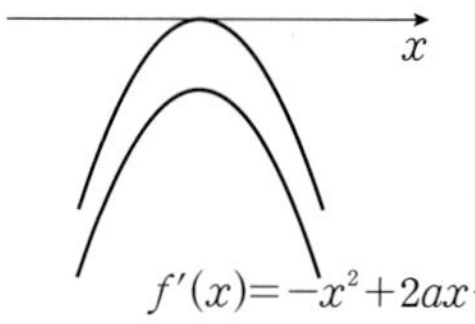

확인유제 0362

2012학년도 06월 평가원

다음 물음에 답하여라.

(1) 삼차함수 $f(x)=x^3+ax^2+2ax$가 임의의 실수 $x_1,\ x_2$에 대하여

$x_1<x_2$이면 $f(x_1)<f(x_2)$

가 성립하도록 하는 실수 a의 최댓값을 M, 최솟값을 m이라 할 때, $M-m$의 값을 구하여라.

(2) 삼차함수 $f(x)=-x^3+ax^2-3x+9$가 임의의 실수 $x_1,\ x_2$에 대하여

$x_1<x_2$이면 $f(x_1)>f(x_2)$

가 성립하도록 하는 실수 a의 최댓값을 M, 최솟값을 m이라 할 때, $M-m$의 값을 구하여라.

변형문제 0363

2012학년도 09월 평가원

역함수 존재
⟷ 일대일 대응
⟷ 증가 또는 감소함수

함수 $f(x)=\frac{1}{3}x^3-ax^2+3ax$의 역함수가 존재하도록 하는 상수 a의 최댓값은?

① 3　② 4　③ 5　④ 6　⑤ 7

발전문제 0364

임의의 실수 t에 대하여 직선 $y=t$가 곡선 $y=\frac{1}{3}x^3+ax^2+(5a-4)x+2$와 만나는 점의 개수를 $g(t)$라 하자. $g(t)$가 실수 전체의 집합에서 연속이 되도록 하는 정수 a의 개수는?

① 3　② 4　③ 6　④ 8　⑤ 10

정답　0362: (1) 6 (2) 6　0363: ①　0364: ②

마플개념익힘 02 주어진 구간에서 증가와 감소

다음 물음에 답하여라.

(1) 함수 $f(x)=x^3-3x^2+2ax+5$가 열린구간 $(1,\ 3)$에서 감소하도록 하는 실수 a의 값의 범위를 구하여라.

(2) 함수 $f(x)=-x^3-ax^2+9x+2$가 열린구간 $(-1,\ 1)$에서 증가하도록 하는 실수 a의 값의 범위를 구하여라.

MAPL CORE

삼차함수 $y=f(x)$가 특정한 구간 $(a,\ b)$에서 증가하거나 특정한 구간 $(c,\ d)$에서 감소하는 조건으로부터 미정계수를 구하는 경우, $y=f'(x)$의 그래프를 이용한다.

① 함수 $f(x)$가 증가구간에서 $f'(x)\geq 0$이다. ⇨ $f'(a)\geq 0,\ f'(b)\geq 0$

② 함수 $f(x)$가 감소구간에서 $f'(x)\leq 0$이다. ⇨ $f'(c)\leq 0,\ f'(d)\leq 0$

참고 $f'(x)=0$이 되는 x의 값은 증가하는 구간이나 감소하는 구간에 포함될 수 있다.

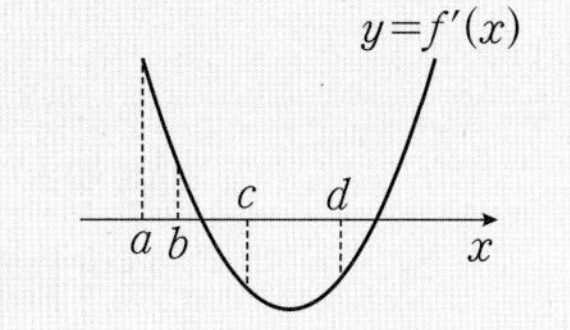

개념익힘 | **풀이**

(1) 함수 $f(x)$가 열린구간 $(1,\ 3)$에서 감소하려면

$1<x<3$에서 $f'(x)=3x^2-6x+2a\leq 0$이어야 하므로

$f'(1)\leq 0,\ f'(3)\leq 0$이어야 한다.

$f'(1)=3-6+2a\leq 0\quad \therefore a\leq \frac{3}{2}$ ⋯⋯ ㉠

$f'(3)=27-18+2a\leq 0\quad \therefore a\leq -\frac{9}{2}$ ⋯⋯ ㉡

㉠, ㉡을 동시에 만족하는 a값의 범위는 $\boldsymbol{a\leq -\frac{9}{2}}$이다.

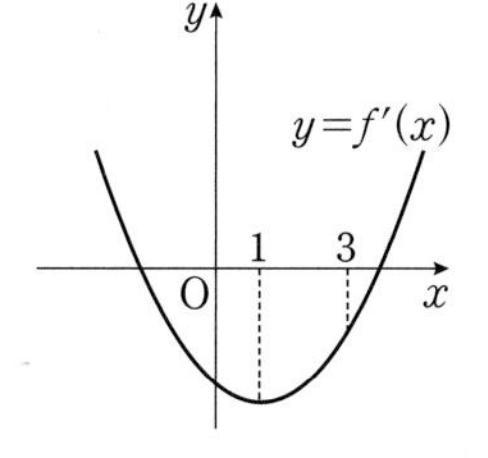

(2) 함수 $f(x)$가 열린구간 $(-1,\ 1)$에서 증가하려면

$-1<x<1$에서 $f'(x)=-3x^2-2ax+9\geq 0$이어야 하므로

$f'(-1)\geq 0,\ f'(1)\geq 0$이어야 한다.

$f'(-1)=-3+2a+9\geq 0\quad \therefore a\geq -3$ ⋯⋯ ㉠

$f'(1)=-3-2a+9\geq 0\quad \therefore a\leq 3$ ⋯⋯ ㉡

㉠, ㉡을 동시에 만족하는 a값의 범위는 $\boldsymbol{-3\leq a\leq 3}$이다.

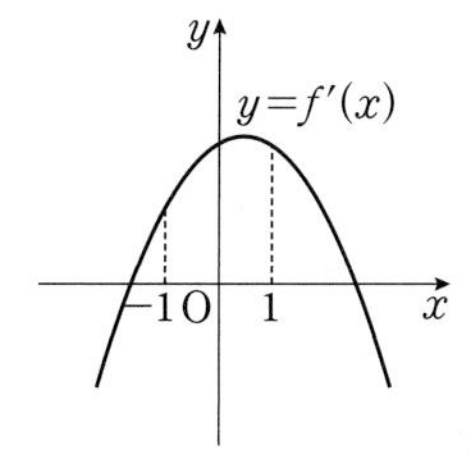

확인유제 0365 다음 물음에 답하여라.

(1) 함수 $f(x)=-x^3+x^2+ax-4$가 열린구간 $(1,\ 2)$에서 증가하도록 하는 실수 a의 값의 범위를 구하여라.

(2) 함수 $f(x)=x^3+ax^2-9x+1$이 열린구간 $(-1,\ 2)$에서 감소하도록 하는 실수 a의 값의 범위를 구하여라.

변형문제 0366 함수 $f(x)=x^3+ax^2-9x$가 $1<x<2$에서 감소하고, $x>3$에서 증가하기 위한 모든 정수 a의 개수는?

① 0 ② 1 ③ 2 ④ 3 ⑤ 4

발전문제 0367 함수

2011년 09월 평가원

$$f(x)=x^3-(a+2)x^2+ax$$

에 대하여 곡선 $y=f(x)$ 위의 점 $(t,\ f(t))$에서의 접선의 y절편을 $g(t)$라 하자.

함수 $g(t)$가 열린구간 $(0,\ 5)$에서 증가할 때, a의 최솟값을 구하여라.

정답 0365 : (1) $a\geq 8$ (2) $-3\leq a\leq -\frac{3}{4}$ 0366 : ④ 0367 : 13

02 함수의 극대와 극소

M A P L ; Y O U R M A S T E R P L A N

01 극대와 극소의 뜻

(1) 함수 $f(x)$에서 $x=a$를 포함하는 어떤 열린구간에서 $f(a)$의 값이 가장 큰 경우와 가장 작은 경우

① 함수 $f(x)$에서 $x=a$를 포함하는 어떤 열린 구간에 속하는 모든 x에 대하여

$$f(x) \leq f(a)$$

이면 함수 $f(x)$는 $x=a$에서 극대가 된다고 하고,

그때의 함숫값 $f(a)$를 극댓값이라고 한다.

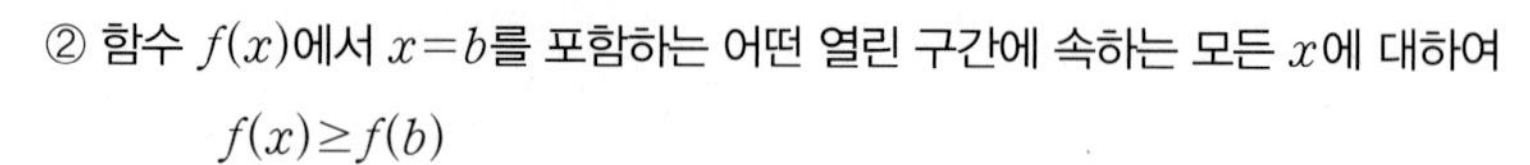

② 함수 $f(x)$에서 $x=b$를 포함하는 어떤 열린 구간에 속하는 모든 x에 대하여

$$f(x) \geq f(b)$$

이면 함수 $f(x)$는 $x=b$에서 극소가 된다고 하고,

그때는 함숫값 $f(b)$를 극솟값이라고 한다.

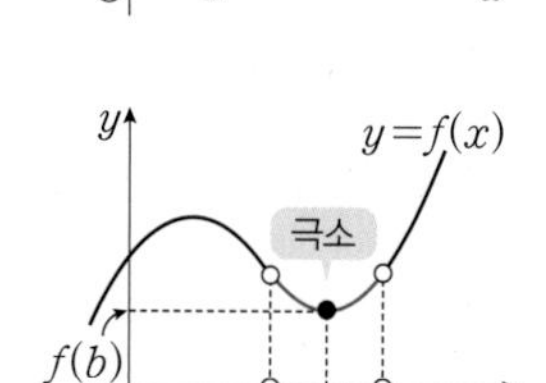

이때 극댓값과 극솟값을 통틀어 극값이라고 한다.

참고 함수 $f(x)$가 $x=a$에서 극대이면 $f(a)$가 $x=a$를 포함하는 충분히 작은 구간에서 최댓값이라는 것을 뜻한다.

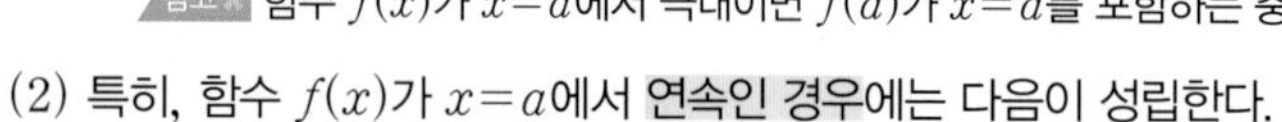

(2) 특히, 함수 $f(x)$가 $x=a$에서 연속인 경우에는 다음이 성립한다.

① $x=a$의 좌우에서 $f(x)$가 증가하다 감소하면 $f(x)$는 $x=a$에서 극대이다.

② $x=a$의 좌우에서 $f(x)$가 감소하다 증가하면 $f(x)$는 $x=a$에서 극소이다.

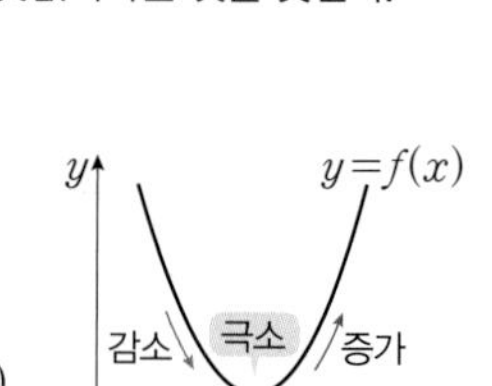

참고 극댓값은 극솟값보다 항상 큰 것은 아니다.

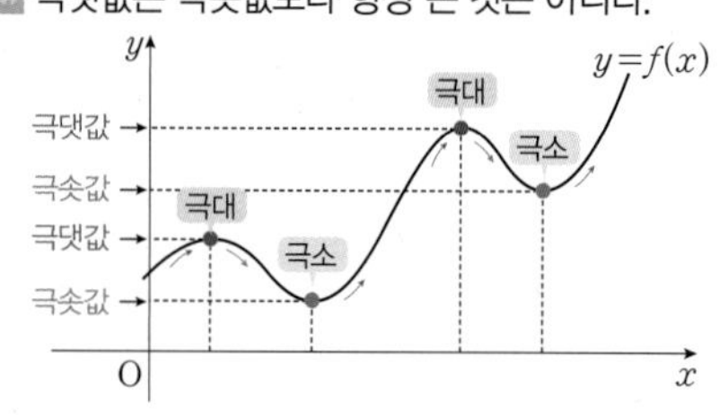

마플해설 함수 $f(x)$의 극대 극소

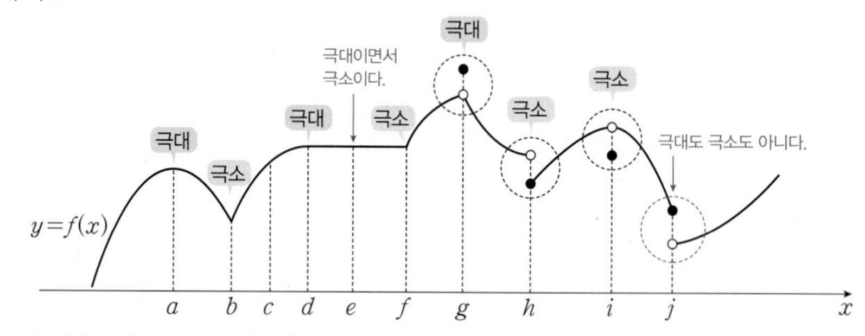

① $x=a$의 주변에서 $f(x) \leq f(a)$이므로 함수 $f(x)$는 $x=a$에서 극대이다.

② $x=b$의 주변에서 $f(x) \geq f(b)$이므로 함수 $f(x)$는 $x=b$에서 극소이다.

③ $x=c$의 주변에서 $x<c$이면 $f(x) \leq f(c)$이고 $x>c$이면 $f(x) \geq f(c)$이므로 $x=c$에서 극대도, 극소도 아니다.

④ $x=d$의 주변에서 $f(x) \leq f(d)$이므로 함수 $f(x)$는 $x=d$에서 극대이다.

⑤ $x=e$의 주변에서 $f(x) \leq f(e)$, $f(x) \geq f(e)$가 동시에 성립하므로 함수 $f(x)$는 $x=e$에서 극대이면서 동시에 극소이다.

주의 구간 (d, f)의 모든 실수에서 극값이 존재한다. ⬅ 상수함수

⑥ $x=f$의 주변에서 $f(x) \geq f(f)$이므로 함수 $f(x)$는 $x=f$에서 극소이다.

⑦ $x=g$의 주변에서 $f(x) \leq f(g)$이므로 함수 $f(x)$는 $x=g$에서 극대이다.

⑧ $x=h$의 주변에서 $f(x) \geq f(h)$이므로 함수 $f(x)$는 $x=h$에서 극소이다.

⑨ $x=i$의 주변에서 $f(x) \geq f(i)$이므로 함수 $f(x)$는 $x=i$에서 극소이다.

⑩ $x=j$의 주변에서 $f(x) \leq f(j)$도 $f(x) \geq f(j)$도 아니므로 함수 $f(x)$는 $x=j$에서 극대도, 극소도 아니다.

보기01 함수 $y=f(x)$의 그래프가 오른쪽 그림과 같을 때, 다음을 구하여라.

(1) 극대가 되는 x의 값과 그때의 극댓값

(2) 극소가 되는 x의 값과 그때의 극솟값

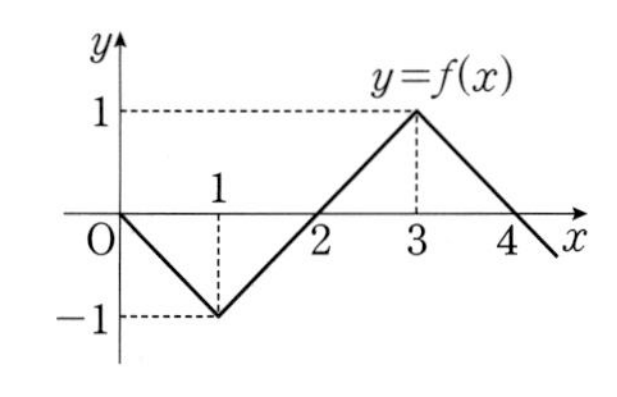

풀이 함수 $f(x)$에서 $x=a$를 포함하는 어떤 열린구간에서 $f(a)$의 값이 가장 큰 경우와 가장 작은 경우를 이용하여 극대 극소를 구하면 다음과 같다.

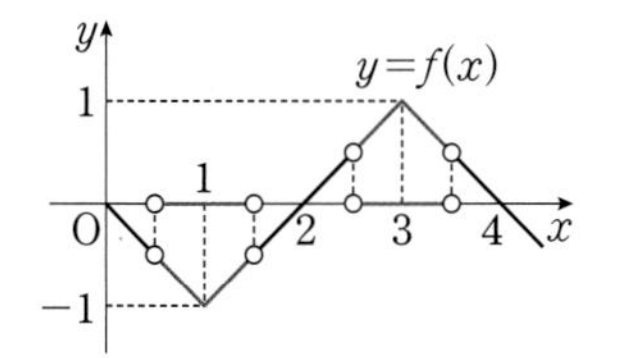

(1) 실수 3을 포함하는 열린구간에 속하는 모든 x에 대하여

$f(x)\le f(3)$이므로 $x=3$에서 극대이고 극댓값은 $f(3)=1$이다.

(2) 실수 1을 포함하는 열린구간에 속하는 모든 x에 대하여

$f(x)\ge f(1)$이므로 $x=1$에서 극소이고 극솟값은 $f(1)=-1$이다.

보기02 함수 $y=f(x)$의 그래프가 오른쪽 그림과 같을 때, 다음을 구하여라.

(1) 극대가 되는 x의 값

(2) 극소가 되는 x의 값

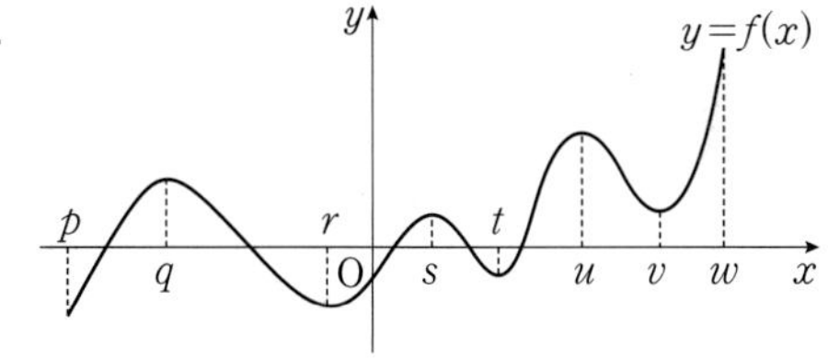

풀이 함수 $f(x)$가 $x=a$에서 연속인 경우에서 극대 극소를 구하면 다음과 같다.

(1) $x=a$의 좌우에서 $f(x)$가 증가하다 감소하면 $f(x)$는 $x=a$에서 극대가 되므로

x는 q, s, u이다.

(2) $x=a$의 좌우에서 $f(x)$가 감소하다 증가하면 $f(x)$는 $x=a$에서 극소가 되므로

x는 r, t, v이다.

극댓값과 극솟값의 오해!

① 극댓값과 최댓값, 극솟값과 최솟값은 일치하는 개념이 아니다.

② 극댓값이 극솟값보다 반드시 큰 것은 아니다.

즉, 극댓값이 극솟값보다 작은 경우도 있다.

③ 하나의 함수에서 극값은 여러 개 존재할 수 있다.

④ $x=c$에서 미분가능하지 않을 때에도 $x=c$에서 극값을 가질 수 있다.

⑤ 상수함수는 모든 실수에서 극댓값과 극솟값을 갖는다.

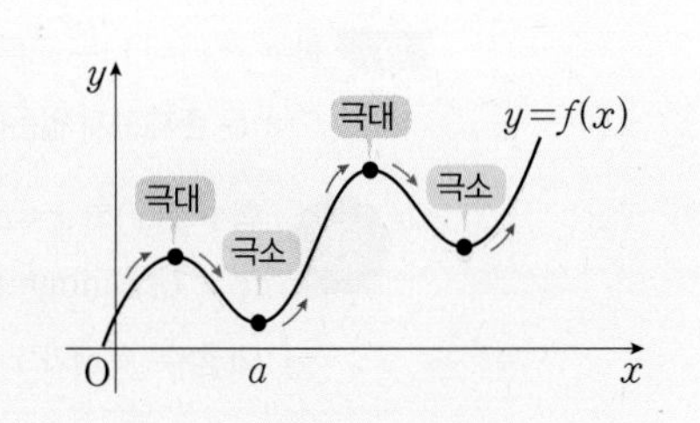

02 극값과 미분계수의 관계

함수 $f(x)$가 실수 a를 포함하는 어떤 열린구간에서 미분가능하고 $x=a$에서 극값을 가질 때, 미분계수 $f'(a)$의 값을 알아보면 다음이 성립한다.

함수 $f(x)$가 미분가능하고 $x=a$에서 극값을 가지면 $f'(a)=0$

주의 위의 성질의 역은 일반적으로 성립하지 않는다.
예를들면, $f(x)=x^3$에 대하여 $f'(x)=3x^2$이므로 $f'(0)=0$이지만 $x=0$에서 극값을 갖지 않는다.

마플해설 **함수 $f(x)$가 $x=a$에서 극값을 갖고 a를 포함하는 열린 구간에서 미분가능할 때, 함수의 극값을 판정하는 방법**

① 함수 $f(x)$가 $x=a$에서 미분가능하고 극댓값을 가지면
절댓값이 충분히 작은 실수 $h(h\neq 0)$이라 하면 $f(a+h)-f(a)\leq 0$이므로 다음과 같다.

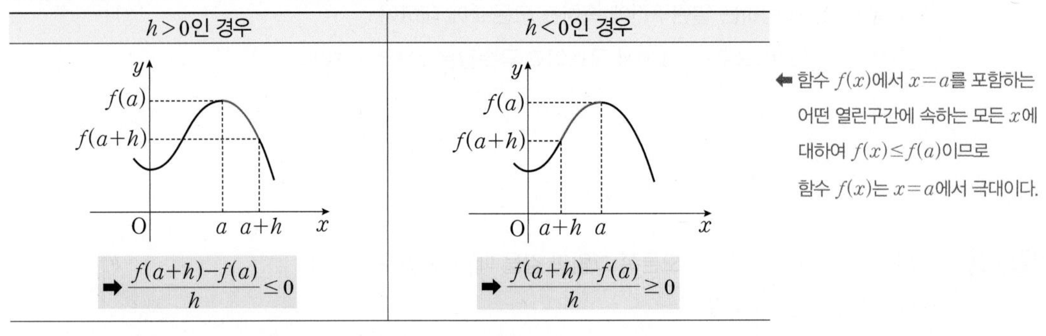

그런데 함수 $f(x)$는 $x=a$에서 미분가능하므로 우극한과 좌극한이 같다. ⬅ $x=a$에서 좌미분계수와 우미분계수가 같다.

$0\leq \lim_{h\to 0-}\dfrac{f(a+h)-f(a)}{h}=\lim_{h\to 0+}\dfrac{f(a+h)-f(a)}{h}\leq 0$이다.

따라서 $f'(a)=0$ ⬅ 함수의 극한의 대소 관계

② 같은 방법으로 함수 $f(x)$가 $x=a$에서 미분가능하고 극솟값을 가질 때도 $f'(a)=0$임을 보일 수 있다.

극값에 대하여 거짓인 명제

(1) $f'(a)=0$이지만 극값이 존재하지 않는 경우
미분가능한 함수 $f(x)$에 대하여 $f'(a)=0$이라고 해서 함수 $f(x)$가 $x=a$에서 반드시 극값을 갖는 것은 아니다.

EX 함수 $f(x)=x^3$에 대하여 $f'(x)=3x^2$이므로 $f'(0)=0$이지만 모든 실수에서 $f(x)$는 증가하므로 $x=0$에서 극값을 갖지 않는다.

(2) 미분가능하지 않지만 극값을 갖는 경우
함수 $f(x)$가 $x=a$에서 극값을 갖더라도 $f'(a)$가 존재하지 않을 수도 있다.

EX 함수 $f(x)=|x|$는 오른쪽 그림과 같이 $x=0$에서 극솟값 0을 갖지만 $f'(0)$은 존재하지 않는다.

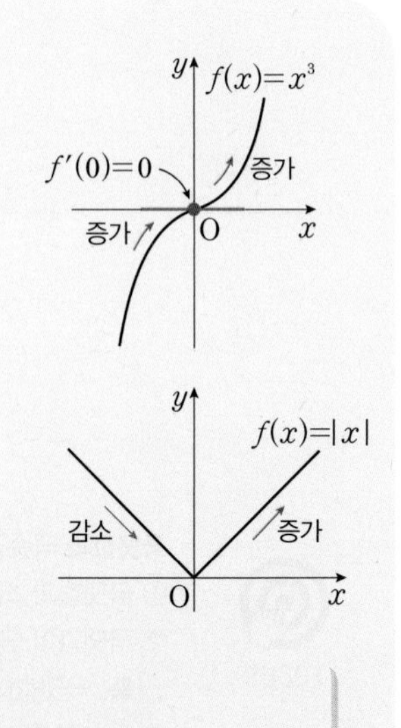

함수 $f(x)$가 $x=a$에서 연속일 때
① $f'(a)=0$이면 함수 $f(x)$는 $x=a$에서 극값을 갖는다. ⬅ 거짓인 명제
② 함수 $f(x)$가 $x=a$에서 극값을 가지면 $f'(a)=0$이다. ⬅ 거짓인 명제

03 함수의 극대와 극소의 판정 (도함수의 부호를 이용하여 판정)

미분가능한 함수 $f(x)$의 극대와 극소를 도함수 $f'(x)$의 부호를 이용하여 판정하면 다음과 같다.

(1) 극대가 되는 경우

미분가능한 함수 $f(x)$에 대하여 $f'(a)=0$이고 $x=a$의 좌우에서 $f'(x)$의 부호가 양$(+)$에서 음$(-)$으로 바뀌면 $f(x)$는 $x=a$ 좌우에서 증가하다가 감소하므로 $x=a$에서 극대이고, 극댓값은 $f(a)$이다.

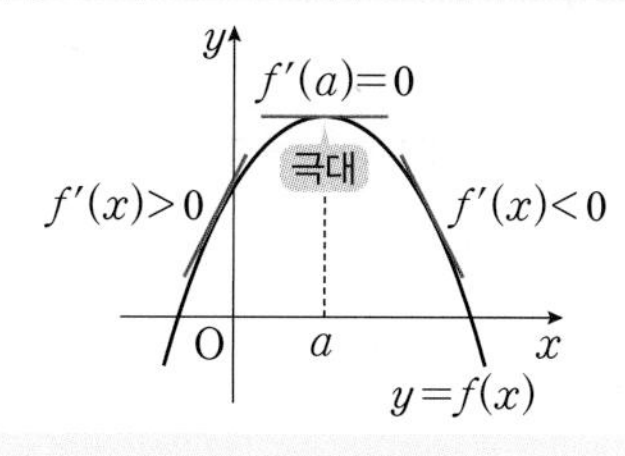

[증감표]

x	$\cdots$	a	$\cdots$
$f'(x)$	$+$	0	$-$
$f(x)$	↗	극대	↘

(2) 극소가 되는 경우

미분가능한 함수 $f(x)$에 대하여 $f'(a)=0$이고 $x=a$의 좌우에서 $f'(x)$의 부호가 음$(-)$에서 양$(+)$으로 바뀌면 $f(x)$는 $x=a$ 좌우에서 감소하다가 증가하므로 $x=a$에서 극소이고, 극솟값은 $f(a)$이다.

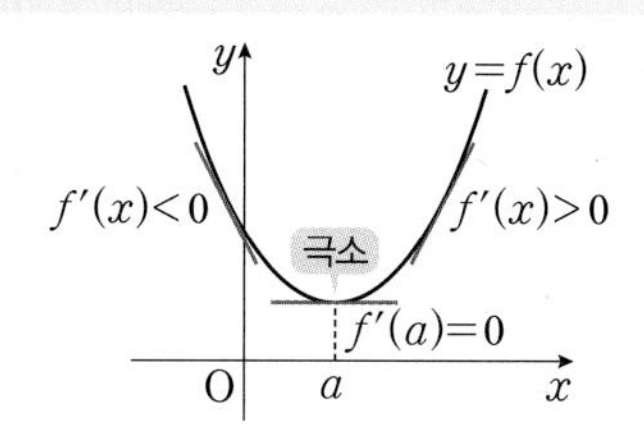

[증감표]

x	$\cdots$	a	$\cdots$
$f'(x)$	$-$	0	$+$
$f(x)$	↘	극소	↗

마플해설

함수 $f(x)$가 a를 포함하는 어떤 열린 구간에서 미분가능하고 $f'(a)=0$일 때,
이 함수가 $x=a$에서 극댓값 또는 극솟값을 가질 조건을 알아보자.
$f'(a)=0$이고 x의 값이 바뀔 때,
$x=a$의 좌우에서 $f'(x)$의 부호가 양$(+)$에서 음$(-)$으로 바뀐다고 하자.
이때 충분히 작은 양수 h에 대하여 x의 값이 $a-h$에서 a로 증가할 때,
$f(x)$는 증가하고, x의 값이 a에서 $a+h$로 증가할 때, $f(x)$는 감소한다.

$$a-h<x<a\text{일 때 } f(x)<f(a),\ a<x<a+h\text{일 때 } f(a)>f(x)$$

이다. 따라서 함수 $f(x)$는 $x=a$에서 극대가 된다.
같은 방법으로 $f'(a)=0$이고, x의 값이 바뀔 때,
$f'(x)$의 부호가 $x=a$의 좌우에서 음$(-)$에서 양$(+)$으로 바뀌면
함수 $f(x)$는 $x=a$에서 극소가 됨을 알 수 있다.

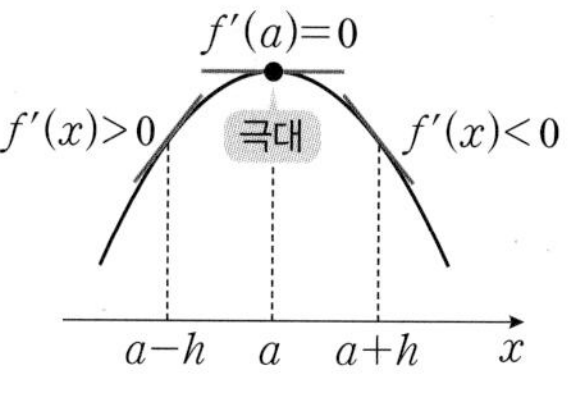

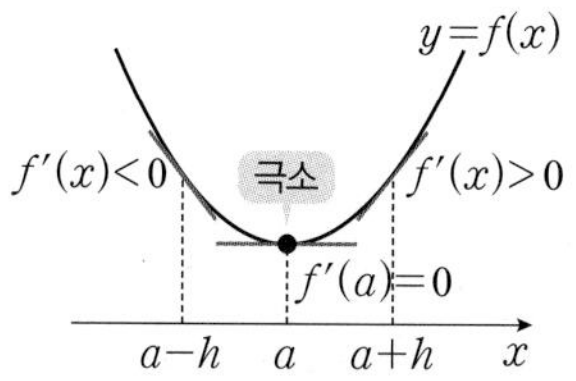

함수의 극대, 극소의 판정

함수 $f(x)$가 미분가능하고 $f'(a)=0$일 때, $x=a$의 좌우에서

① $f'(x)$의 부호가 양 $(+)$에서 음 $(-)$으로 바뀌면 $f(x)$는 $x=a$에서 극대이다.

② $f'(x)$의 부호가 음 $(-)$에서 양 $(+)$으로 바뀌면 $f(x)$는 $x=a$에서 극소이다.

보기 03 도함수 $f'(x)$의 오른쪽 그림에서, 함수 $f(x)$의 그래프에서 극대 또는 극소가 되는 x의 값을 구하여라.

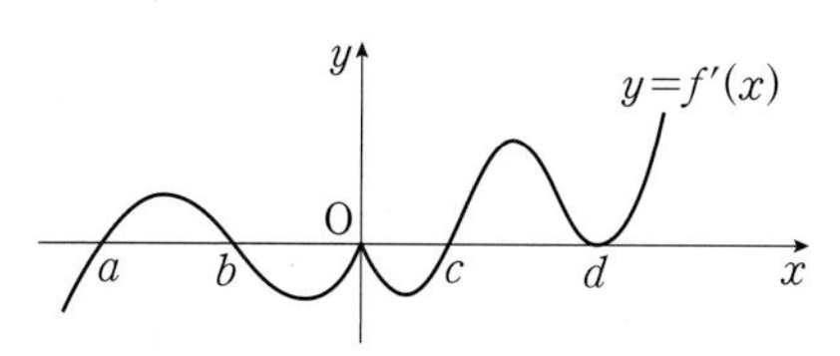

풀이 $y=f'(x)$의 그래프가 x축과 만나는 점의 x좌표, 즉 $f'(x)=0$으로 하는 x는 $x=a,\ b,\ 0,\ c,\ d$이므로
함수 $f(x)$의 증가와 감소를 표로 나타내면 다음과 같다.

x	$\cdots$	a	$\cdots$	b	$\cdots$	0	$\cdots$	c	$\cdots$	d	$\cdots$
$f'(x)$	$-$	0	$+$	0	$-$	0	$-$	0	$+$	0	$+$
$f(x)$	↘	극소	↗	극대	↘		↘	극소	↗		↗

따라서 극대가 되는 x는 $x=b$, 극소가 되는 x는 $x=a,\ x=c$이다.

04 미분가능한 함수의 극대, 극소 구하기

미분가능한 함수 $f(x)$의 극대와 극소를 다음 순서로 구한다.

[1단계] $f'(x)$를 구하여 $f'(x)=0$이 되는 x의 값을 구한다.

[2단계] 그 값의 좌우에서 $f'(x)$의 부호를 조사하여 증가와 감소를 표로 나타낸다.

[3단계] 함수 $f(x)$의 극대와 극소를 구한다.

보기 04 다음 함수의 극값을 구하여라.

(1) $f(x)=2x^3-6x+5$ (2) $f(x)=-x^3-3x^2+9x+10$

풀이 (1) $f'(x)=6x^2-6=6(x^2-1)=6(x+1)(x-1)$

$f'(x)=0$에서 $x=-1$ 또는 $x=1$

$f'(x)$의 부호를 조사하여 $f(x)$의 증가와 감소를 표로 나타내면 다음과 같다.

x	$\cdots$	-1	$\cdots$	1	$\cdots$
$f'(x)$	$+$	0	$-$	0	$+$
$f(x)$	↗	9	↘	1	↗

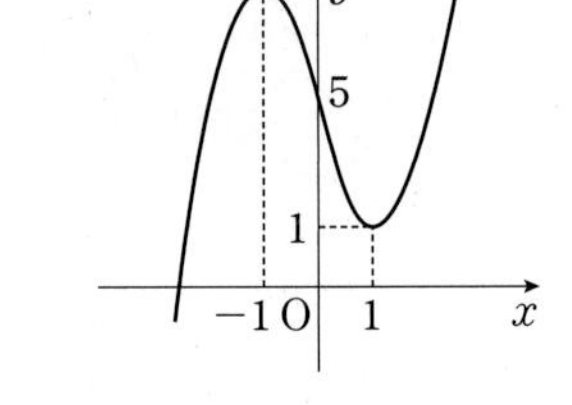

따라서 함수 $f(x)$는 $x=-1$에서 극대이고, 극댓값은 $f(-1)=9$

$x=1$에서 극소이고, 극솟값은 $f(1)=1$

(2) $f'(x)=-3x^2-6x+9=-3(x+3)(x-1)$

$f'(x)=0$에서 $x=-3$ 또는 $x=1$

$f'(x)$의 부호를 조사하여 $f(x)$의 증가와 감소를 표로 나타내면 다음과 같다.

x	$\cdots$	-3	$\cdots$	1	$\cdots$
$f'(x)$	$-$	0	$+$	0	$-$
$f(x)$	↘	-17	↗	15	↘

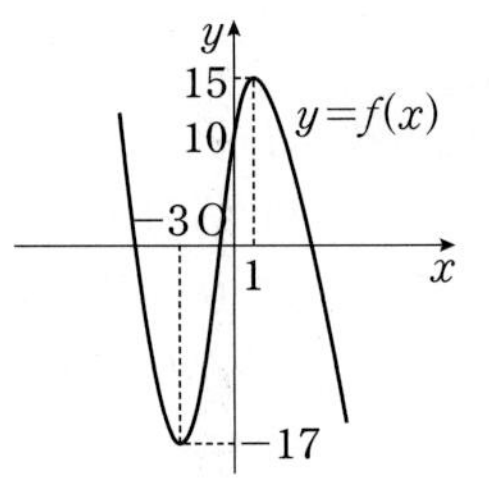

따라서 함수 $f(x)$는 $x=-3$에서 극소이고, 극솟값은 $f(-3)=-17$

$x=1$에서 극대이고, 극댓값은 $f(1)=15$

보기 05 함수 $f(x)=x^3+ax^2+bx+3$이 $x=-1$에서 극댓값을 갖고 $x=3$에서 극솟값을 가질 때, 상수 a, b의 값과 극값을 구하여라.

풀이 $f(x)=x^3+ax^2+bx+3$에서 $f'(x)=3x^2+2ax+b$

함수 $f(x)$가 $x=-1$, $x=3$에서 극값을 가지므로 $f'(-1)=0$, $f'(3)=0$이다.

$f'(-1)=3-2a+b=0$ …… ㉠

$f'(3)=27+6a+b=0$ …… ㉡

㉠, ㉡을 연립하여 풀면 $a=-3$, $b=-9$

따라서 $f(x)=x^3-3x^2-9x+3$이므로

극댓값은 $f(-1)=-1-3+9+3=8$

극솟값은 $f(3)=27-27-27+3=-24$

미분가능하지 않는 함수 $y=f(x)$에서 극댓값과 극솟값을 가질 수 있다.

① $x=a$의 주변에서 $f(x)\ge f(a)$이므로 함수 $f(x)$는 $x=a$에서 극소이다.

② $x=b$의 주변에서 $f(x)\ge f(b)$이므로 함수 $f(x)$는 $x=b$에서 극소이다.

③ $x=c$의 주변에서 $f(x)\le f(c)$이므로 함수 $f(x)$는 $x=c$에서 극대이다.

④ $x=d$의 주변에서 $f(x)\le f(d)$이므로 함수 $f(x)$는 $x=d$에서 극대이다.

⑤ $x=e$의 주변에서 $f(x)\ge f(e)$이므로 함수 $f(x)$는 $x=e$에서 극소이다.

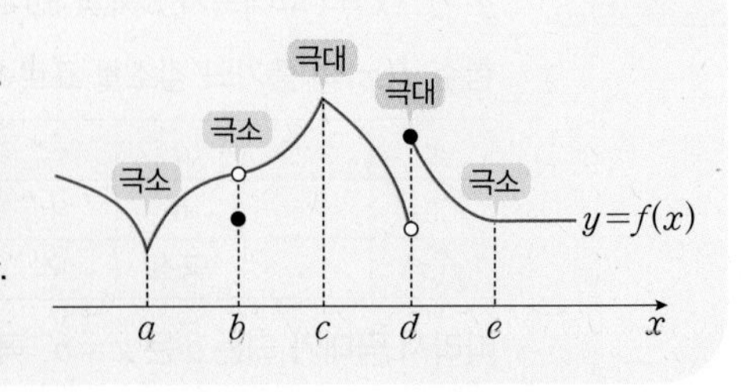

마플개념익힘 01 함수의 극대와 극소

다음 함수 $f(x)$의 극값을 구하고, 함수 $y=f(x)$의 그래프를 그려라.

(1) $f(x)=2x^3-3x^2-12x-7$ (2) $f(x)=x^4-2x^2+2$

MAPL CORE 미분가능한 함수 $f(x)$의 극대와 극소를 다음 순서로 구한다.
[1단계] $f'(x)=0$이 되는 x의 값을 구한다.
[2단계] 그 값의 좌우에서 $f'(x)$의 부호를 조사하여 증감표를 만든 후 그래프의 개형을 그린다.
[3단계] 함수 $f(x)$의 극대와 극소를 판정한다.

개념익힘 | **풀이** (1) $f(x)=2x^3-3x^2-12x-7$에서

$f'(x)=6x^2-6x-12=6(x+1)(x-2)$

$f'(x)=0$에서 $x=-1$ 또는 $x=2$

함수 $f(x)$의 증가와 감소를 표로 나타내면 다음과 같다.

x	$\cdots$	-1	$\cdots$	2	$\cdots$
$f'(x)$	$+$	0	$-$	0	$+$
$f(x)$	↗	0	↘	-27	↗

함수 $f(x)$는 $x=-1$에서 극대이고 **극댓값은 $f(-1)=0$**

$x=2$에서 극소이고 **극솟값은 $f(2)=-27$**을 갖는다.

따라서 함수 $y=f(x)$의 그래프는 오른쪽 그림과 같다.

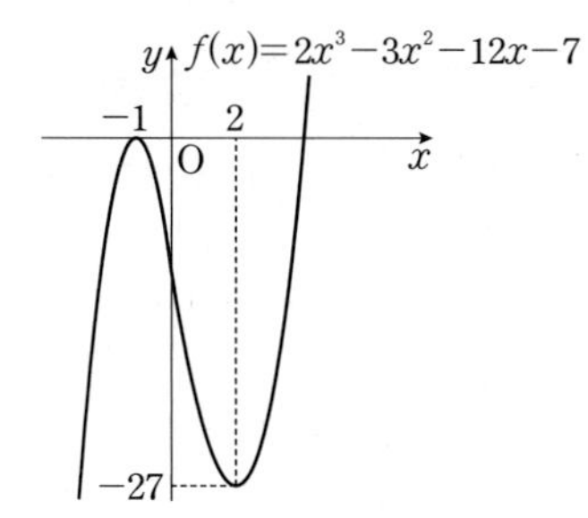

(2) $f(x)=x^4-2x^2+2$에서

$f'(x)=4x^3-4x=4x(x+1)(x-1)$

$f'(x)=0$에서 $x=-1$ 또는 $x=0$ 또는 $x=1$

함수 $f(x)$의 증가와 감소를 표로 나타내면 다음과 같다.

x	$\cdots$	-1	$\cdots$	0	$\cdots$	1	$\cdots$
$f'(x)$	$-$	0	$+$	0	$-$	0	$+$
$f(x)$	↘	1	↗	2	↘	1	↗

함수 $f(x)$는 $x=-1$, $x=1$에서 극소이고 **극솟값은 $f(-1)=f(1)=1$**

$x=0$에서 극대이고 **극댓값은 $f(0)=2$**

따라서 함수 $y=f(x)$의 그래프는 오른쪽 그림과 같다.

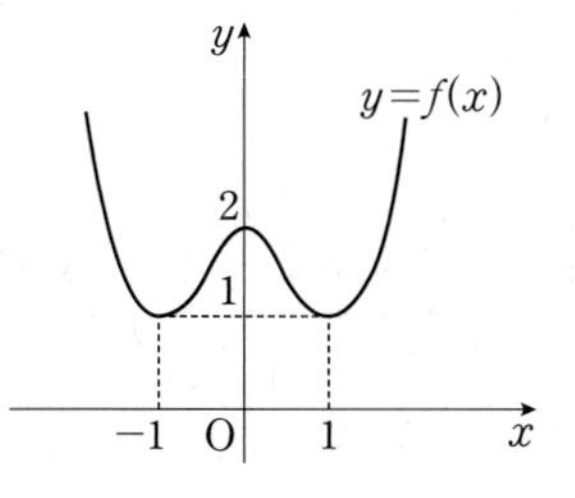

확인유제 0368
2003학년도 05월 평가원

다음 물음에 답하여라.

(1) 함수 $f(x)=x^3-9x^2+24x+5$의 극댓값과 극솟값을 구하여라.

(2) 함수 $f(x)=-x^4+4x^3+2$의 극댓값을 구하여라.

변형문제 0369
2009년 10월 교육청

삼차함수 $f(x)=-x^3+3x+1$이 $x=\alpha$, $x=\beta$에서 극값을 가질 때, 두 점 $(\alpha,\ f(\alpha))$, $(\beta,\ f(\beta))$를 지나는 직선의 기울기는?

① 1 ② 2 ③ 3 ④ 4 ⑤ 5

발전문제 0370
2009년 06월 평가원

함수 $f(x)=\frac{1}{3}x^3-x^2-3x$는 $x=a$에서 극솟값 b를 가진다. 함수 $y=f(x)$의 그래프 위의 점 $(2,\ f(2))$에서 접하는 직선을 l이라 할 때, 점 $(a,\ b)$에서 직선 l까지의 거리가 d이다. $90d^2$의 값을 구하여라.

정답 0368: (1) 극댓값 25, 극솟값 21 (2) 29 0369: ② 0370: 16

다음 물음에 답하여라.

(1) 함수 $f(x)=-2x^3+ax^2+bx+c$는 $x=1$에서 극솟값 -4를 가지며, $x=2$에서는 극댓값을 가질 때, 극댓값을 구하여라. (단, a, b, c는 상수이다.)

(2) 함수 $f(x)=x^3-3x^2+a$의 극솟값이 5일 때, $f(x)$의 극댓값을 구하여라. (단, a는 상수이다.)

MAPL CORE 미분가능한 함수 $y=f(x)$가 $x=a$에서 극값 b를 가진다.
⇨ $f(a)=b$, $f'(a)=0$

개념익힘 | **풀이** (1) $f'(x)=-6x^2+2ax+b$이고 $f(x)$는 $x=1$과 $x=2$에서 극값을 가지므로

$f'(1)=-6+2a+b=0$ …… ㉠

$f'(2)=-24+4a+b=0$ …… ㉡

㉠, ㉡을 연립하여 풀면 $a=9$, $b=-12$

즉, $f(x)=-2x^3+9x^2-12x+c$

또, $x=1$에서 극솟값이 -4이므로 $f(1)=-2+9-12+c=-4$ $\therefore c=1$

$f(x)=-2x^3+9x^2-12x+1$

따라서 $x=2$에서 극대이고 극댓값은 $f(2)=-16+36-24+1=\mathbf{-3}$

참고 이차방정식 $f'(x)=-6x^2+2ax+b=0$의 두 근이 1, 2이므로 근과 계수의 관계에 의하여
$1+2=\frac{2a}{6}$, $1\cdot2=\frac{b}{-6}$
$\therefore a=9$, $b=-12$

(2) $f(x)=x^3-3x^2+a$에서 $f'(x)=3x^2-6x=3x(x-2)$

$f'(x)=0$에서 $x=0$ 또는 $x=2$

함수 $f(x)$의 증가와 감소를 표로 나타내면 다음과 같다.

x	$\cdots$	0	$\cdots$	2	$\cdots$
$f'(x)$	$+$	0	$-$	0	$+$
$f(x)$	↗	극대	↘	극소	↗

이때 $x=2$에서 극소이고 극솟값은 $f(2)=8-12+a=5$ $\therefore a=9$

따라서 $x=0$에서 극대이고 극댓값은 $f(0)=a$이므로 **9**이다.

확인유제 0371 다음 물음에 답하여라.

(1) 함수 $f(x)=x^3+ax^2+9x+b$가 $x=1$에서 극댓값 0을 가질 때, 상수 a, b의 값을 구하여라. (2007학년도 06월 평가원)

(2) 함수 $f(x)=2x^3-12x^2+ax-4$가 $x=1$에서 극댓값 M을 가질 때, $a+M$의 값을 구하여라. (단, a는 상수이다.) (2014학년도 수능기출)

변형문제 0372 다음 물음에 답하여라. (단, a, b는 상수)

(1) 함수 $f(x)=x^3+ax^2-b$가 $x=-2$에서 극댓값 2를 가질 때, 이 함수의 극솟값은?

① -2 ② -1 ③ 0 ④ 2 ⑤ 6

(2) 함수 $f(x)=x^3+ax^2+bx+30$이 $x=3$에서 극솟값 3을 가질 때, 이 함수의 극댓값은?

① -27 ② -20 ③ -9 ④ 27 ⑤ 35

발전문제 0373 (2014학년도 06월 평가원)

함수 $f(x)=\begin{cases} a(3x-x^3) & (x<0) \\ x^3-ax & (x\geq 0) \end{cases}$의 극댓값이 5일 때, $f(2)$의 값은? (단, a는 상수이다.)

① 5 ② 7 ③ 9 ④ 11 ⑤ 13

정답 0371: (1) $a=-6$, $b=-4$ (2) 22 0372: (1) ① (2) ⑤ 0373: ⑤

마플개념익힘 03 다항함수의 극대 극소의 활용

다항함수 $f(x)$에 대하여 함수 $g(x)$를

$$g(x)=(x^2+2x)f(x)$$

라 하자. 함수 $g(x)$가 $x=2$에서 극댓값 32를 갖는다고 할 때, $f'(2)$의 값을 구하여라.

MAPL CORE 함수 $g(x)$가 $x=2$에서 극댓값 32를 가지면 ➡ $g'(2)=0$, $g(2)=32$ 임을 이용하여 $f(2)$, $f'(2)$의 값 구하기

개념익힘 | **풀이** $g(x)=(x^2+2x)f(x)$에서

$g'(x)=(2x+2)f(x)+(x^2+2x)f'(x)$ …… ㉠

$g(x)$가 $x=2$에서 극댓값을 가지므로 $g'(2)=0$

㉠의 양변에 $x=2$를 대입하면 $g'(2)=6f(2)+8f'(2)=0$

$\therefore 6f(2)+8f'(2)=0$ …… ㉡

또, $g(x)$가 $x=2$에서 극댓값이 32이므로 $g(2)=32$

$g(2)=8f(2)=32 \quad \therefore f(2)=4$ ⬅ $g(x)=(x^2+2x)f(x)$에 $x=2$를 대입한다.

$f(2)=4$를 ㉡에 대입하면 $6\cdot4+8f'(2)=0$

따라서 $f'(2)=\mathbf{-3}$

확인유제 0374 2015학년도 수능기출

두 다항함수 $f(x)$와 $g(x)$가 모든 실수 x에 대하여

$$g(x)=(x^3+2)f(x)$$

를 만족시킨다. $g(x)$가 $x=1$에서 극솟값 24를 가질 때, $f(1)-f'(1)$의 값을 구하여라.

변형문제 0375 미분가능한 함수 $f(x)$는 $x=-1$에서 극댓값 5를 갖는다.

$$g(x)=(3x+1)f(x)$$

라 할 때, 곡선 $y=g(x)$의 $x=-1$인 점에서의 접선의 y절편은?

① 1 ② 2 ③ 3 ④ 5 ⑤ 6

발전문제 0376 다음 물음에 답하여라.

(1) 삼차함수 $f(x)$가 다음 조건을 모두 만족시킬 때, 함수 $f(x)$의 극댓값을 구하여라.

(가) $\lim_{x\to0}\frac{f(x)}{x}=-12$

(나) $x=1$에서 극솟값 -7을 갖는다.

2012년 03월 교육청

(2) 다항함수 $f(x)$는 다음 조건을 만족시킨다.

(가) $\lim_{x\to\infty}\frac{f(x)}{x^3}=1$

(나) $x=-1$과 $x=2$에서 극값을 갖는다.

$\lim_{h\to0}\frac{f(3+h)-f(3-h)}{h}$의 값을 구하여라.

정답 0374: 16 0375: ④ 0376: (1) 20 (2) 24

마플개념익힘 04 x축에 접하는 삼차함수의 그래프

다음 물음에 답하여라.

(1) 함수 $y=x^3-6x^2+9x+k$의 그래프와 x축이 접할 때, 모든 상수 k의 값을 구하여라.

(2) 최고차항의 계수가 1인 삼차함수 $y=f(x)$가 $x=1$에서 극댓값을 갖고, $x=2$에서 x축과 접할 때 $f(4)$의 값을 구하여라.

MAPL CORE

① 극값을 갖는 삼차함수 $y=f(x)$의 그래프가 x축에 접한다.

⇨ 삼차함수 $f(x)$의 그래프가 x축과 서로 다른 두 점에서 만난다.

⇨ 삼차함수 $f(x)$의 극댓값 또는 극솟값이 0이다.

② 삼차함수 $y=f(x)$의 그래프가 $x=a$에서 x축에 접하기 위한 조건

⇨ $f(a)=f'(a)=0$

⇨ $f(x)$는 $(x-a)^2$의 인수를 가진다.

⇨ $f(x)=k(x-a)^2(x-b)$ (단, $a \neq b$, $k \neq 0$)

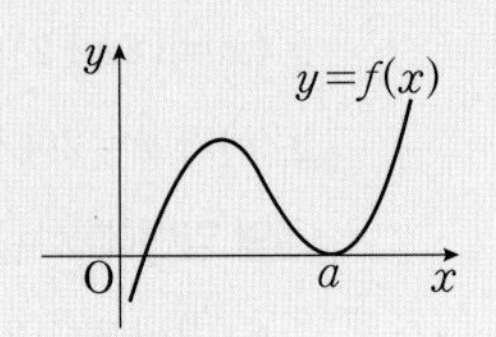

개념익힘 | 풀이

(1) $f(x)=x^3-6x^2+9x+k$로 놓으면 $f'(x)=3x^2-12x+9=3(x-1)(x-3)$

$f'(x)=0$에서 $x=1$ 또는 $x=3$

함수 $f(x)$의 증가와 감소를 표로 나타내면 다음과 같다.

x	$\cdots$	1	$\cdots$	3	$\cdots$
$f'(x)$	+	0	−	0	+
$f(x)$	↗	극대	↘	극소	↗

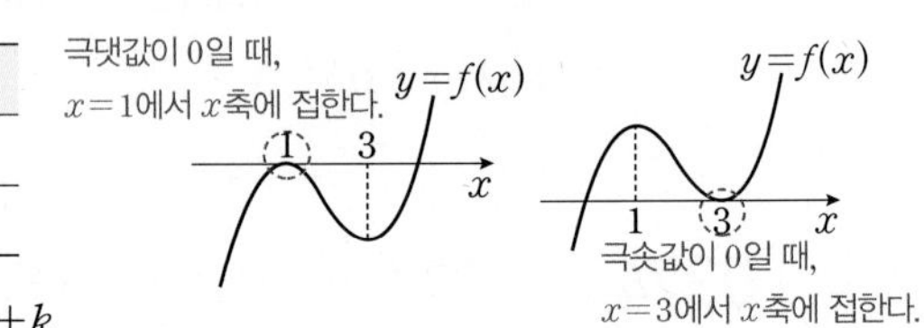

함수 $f(x)$가 $x=1$에서 극대이고 극댓값은 $f(1)=4+k$,

$x=3$에서 극소이고 극솟값은 $f(3)=k$

이때 함수 $f(x)$의 그래프가 x축에 접하려면 극댓값 또는 극솟값이 0이어야 한다.

$f(1)=4+k=0$에서 $k=-4$, $f(3)=k$에서 $k=0$

따라서 $\boldsymbol{k=-4}$ **또는** $\boldsymbol{k=0}$

(2) 삼차함수 $f(x)$가 $x=2$에서 x축에 접하므로 다항식 $f(x)$는 $(x-2)^2$을 인수로 갖는다.

즉, 최고차항의 계수가 1인 삼차함수 $f(x)$를 $f(x)=(x-2)^2(x+a)$ (단, a는 상수)로 놓으면

$f'(x)=2(x-2)(x+a)+(x-2)^2$

$f(x)$가 $x=1$에서 극대이므로 $f'(1)=-2(a+1)+1=0$

$\therefore a=-\dfrac{1}{2}$

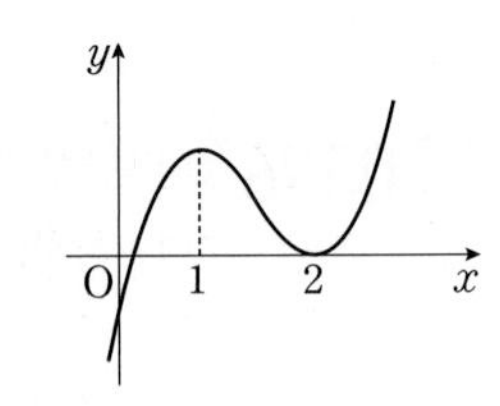

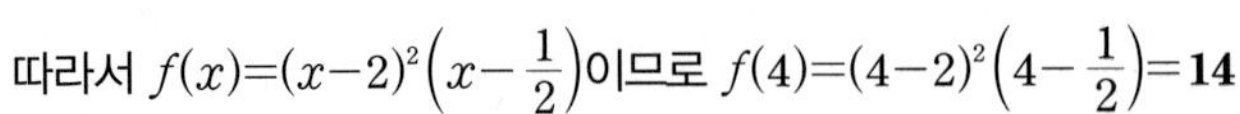

따라서 $f(x)=(x-2)^2\left(x-\dfrac{1}{2}\right)$이므로 $f(4)=(4-2)^2\left(4-\dfrac{1}{2}\right)=\mathbf{14}$

확인유제 0377 다음 물음에 답하여라.

(1) 함수 $y=x^3-3x^2-9x+a$의 그래프가 x축과 서로 다른 두 점에서 만날 때, 모든 상수 a 값의 합을 구하여라.

2001학년도 수능기출

(2) 삼차함수 $y=x^3-3ax^2+4a$의 그래프가 x축에 접할 때, 양수 a의 값을 구하여라.

정답 0377: (1) 22 (2) 1

변형문제 0378 다음 물음에 답하여라.

(1) 최고차항의 계수가 1인 삼차함수 $f(x)$가

$$f(1)=f'(1)=0,\ f(0)=2$$

을 만족할 때, 함수 $f(x)$의 극댓값은?

① 2 ② 4 ③ 6 ④ 8 ⑤ 10

2001학년도 수능기출

(2) 삼차함수 $y=f(x)$가 서로 다른 세 실수 a, b, c에 대하여

$$f(a)=f(b)=0,\ f'(a)=f'(c)=0$$

을 만족시킨다. c를 a와 b로 나타내면?

① $a+b$ ② $\frac{a+b}{2}$ ③ $\frac{a+b}{3}$ ④ $\frac{a+2b}{3}$ ⑤ $\frac{2a+b}{3}$

발전문제 0379 다음 물음에 답하여라.

(1) 함수 $f(x)=(x-1)(x^2+ax+b)$가 다음 조건을 만족시킬 때, 상수 a, b에 대하여 $a+b$의 값은? (단, $f'(1)\neq 0$)

(가) 함수 $y=f(x)$의 그래프는 x축과 서로 다른 두 점에서 만난다.
(나) 함수 $y=f(x)$의 그래프는 직선 $y=4$와 서로 다른 두 점에서 만난다.

① 2 ② 4 ③ 6 ④ 8 ⑤ 10

2018학년도 사관기출

(2) 최고차항의 계수가 1이고 다음 조건을 만족시키는 모든 삼차함수 $f(x)$에 대하여 $f(6)$의 최댓값과 최솟값의 합은?

(가) $f(2)=f'(2)=0$
(나) 모든 실수 x에 대하여 $f'(x)\geq -3$이다.

① 128 ② 144 ③ 160 ④ 176 ⑤ 192

정답 0378: (1) ② (2) ④ 0379: (1) ④ (2) ①

사차함수 $f(x)=x^4+ax^3-bx^2+cx+6$이 다음 두 조건을 만족시킬 때, $f(3)$의 값을 구하여라. (단, $b>0$)

(가) 모든 실수 x에 대하여 $f(-x)=f(x)$이다.
(나) 함수 $f(x)$는 극솟값 2를 갖는다.

MAPL CORE

① 다항함수 $f(x)$가 y축에 대하여 대칭이면 $f(-x)=f(x)$ ⇨ $f'(-x)=-f'(x)$ ⬅ 우함수
이때 다항함수 $y=f'(x)$는 원점에 대하여 대칭이므로 원점을 반드시 지난다. 즉 $f'(0)=0$이다.
예를 들면 $f(x)=x^{2n}$ (단, $n=0, 1, 2, \cdots$), 즉 지수가 짝수차인 다항함수, 상수함수

② 다항함수 $f(x)$가 원점에 대하여 대칭이면 $f(-x)=-f(x)$ ⇨ $f'(-x)=f'(x)$ (역은 성립하지 않는다.) ⬅ 기함수
예를 들면 $f(x)=x^{2n+1}$ (단, $n=0, 1, 2, \cdots$), 즉 지수가 홀수차인 다항함수

③ 다항함수 $f(x)$가 $f(a-x)=f(b+x)$을 만족하면 ⇨ 함수 $f(x)$는 $x=\frac{a+b}{2}$에 대칭인 함수이다.

개념익힘 | 풀이

조건 (가)에서 $f(x)=x^4+ax^3-bx^2+cx+6$이
모든 실수 x에 대하여 $f(-x)=f(x)$이므로
$a=0,\ c=0$ ➡ 지수가 짝수차인 함수, 상수함수

$\therefore\ f(x)=x^4-bx^2+6$

$f'(x)=4x^3-2bx=2x(2x^2-b)$

$f'(x)=0$에서 $x=-\frac{\sqrt{2b}}{2}$ 또는 $x=0$ 또는 $x=\frac{\sqrt{2b}}{2}$

참고 사차함수 $f(x)$가 $f(-x)=f(x)$이므로
$x^4+ax^3-bx^2+cx+6=x^4-ax^3-bx^2-cx+6$
$\therefore\ ax^3+cx=0$
모든 실수 x에 대하여 성립하려면 $a=0,\ c=0$

$f(x)$의 증가와 감소를 표로 나타내면 다음과 같다.

x	$\cdots$	$-\frac{\sqrt{2b}}{2}$	$\cdots$	0	$\cdots$	$\frac{\sqrt{2b}}{2}$	$\cdots$
$f'(x)$	$-$	0	$+$	0	$-$	0	$+$
$f(x)$	↘	극소	↗	6	↘	극소	↗

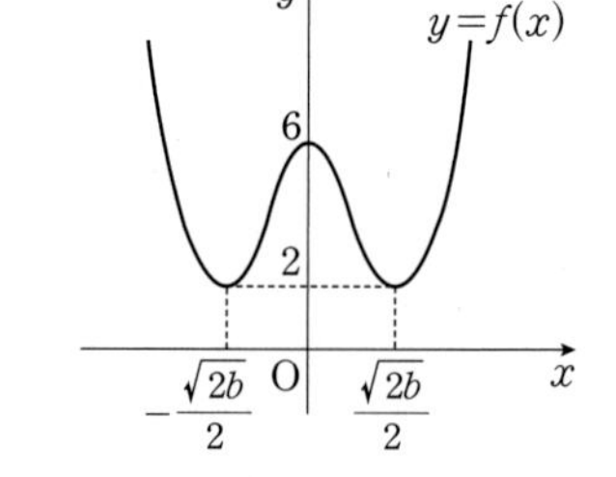

함수 $f(x)$는 $x=-\frac{\sqrt{2b}}{2},\ x=\frac{\sqrt{2b}}{2}$에서 극소이고 극솟값은

$f\left(\pm\frac{\sqrt{2b}}{2}\right)=\frac{b^2}{4}-b\cdot\frac{b}{2}+6=-\frac{b^2}{4}+6$을 갖는다.

즉, 조건(나)에서 함수 $f(x)$의 극솟값이 2이므로 $-\frac{b^2}{4}+6=2,\ b^2=16,\ b>0$이므로 $b=4$

따라서 $f(x)=x^4-4x^2+6$이므로 $f(3)=3^4-4\cdot3^2+6=\mathbf{51}$

확인유제 0380 사차함수 $f(x)=x^4+ax^3+bx^2+cx+6$이 다음 조건을 만족할 때, $f(3)$의 값을 구하여라.

2008학년도 06월 평가원

(가) 모든 실수 x에 대하여 $f(-x)=f(x)$
(나) 함수 $f(x)$는 극솟값 -10을 갖는다.

정답 0380: 15

변형문제 0381 다음 물음에 답하여라.

(1) 삼차함수 $f(x)$는 다음 조건을 만족시킨다.

(가) 모든 실수 x에 대하여 $f(-x)=-f(x)$이다.
(나) 함수 $g(x)=f(x)-18x$는 $x=1$에서 극댓값 2를 갖는다.

함수 $f(x)+g(x)$의 극댓값은?

① 26　② 28　③ 30　④ 32　⑤ 34

2009학년도 06월 평가원

(2) 모든 계수가 정수인 삼차함수 $y=f(x)$는 다음 조건을 만족시킨다.

(가) 모든 실수 x에 대하여 $f(-x)=-f(x)$이다.
(나) $f(1)=5$
(다) $1<f'(1)<7$

함수 $y=f(x)$의 극댓값은 m이다. m^2의 값을 구하여라.

2012년 10월 교육청

(3) 최고차항의 계수가 1인 삼차함수 $f(x)$가 다음 조건을 만족시킬 때, $f(x)$의 극댓값을 구하여라.

(가) 모든 실수 x에 대하여 $f'(x)=f'(-x)$이다.
(나) 함수 $f(x)$는 $x=1$에서 극솟값 0을 갖는다.

발전문제 0382 다음 물음에 답하여라.

2007년 07월 교육청

$f(a+x)=f(a-x)$
$\Longleftrightarrow x=a$에 대하여 대칭

(1) 원점을 지나는 최고차항의 계수가 1인 사차함수 $y=f(x)$가 다음 두 조건을 만족한다.

(가) $f(2+x)=f(2-x)$
(나) $x=1$에서 극솟값을 갖는다.

이때 $f(x)$의 극댓값을 α라 할 때, α^2의 값을 구하여라.

(2) 최고차항의 계수가 1인 삼차함수 $f(x)$와 그 도함수 $f'(x)$가 다음 조건을 모두 만족시킬 때, 함수 $f(x)$의 극댓값과 극솟값의 차를 구하여라.

(가) 함수 $f(x)$는 $x=-1$에서 극댓값을 갖는다.
(나) 모든 실수 x에서 $f'(1-x)=f'(1+x)$

정답 0381 : (1) ④ (2) 32 (3) 4　0382 : (1) 64 (2) 32

03 함수의 그래프

MAPL ; YOUR MASTER PLAN

01 함수의 그래프

미분가능한 함수 $y=f(x)$의 그래프는 다음의 순서를 따라 그 그래프의 개형을 그릴 수 있다.

[1단계] $f'(x)=0$이 되는 $x=a$의 값을 구한다.
[2단계] $f'(x)$의 부호의 변화를 조사하여 함수 $f(x)$의 증가와 감소를 표로 나타내고, 극값을 구한다.
[3단계] 함수 $y=f(x)$의 그래프와 x축 또는 y축의 교점의 좌표를 구한다.
[4단계] 함수 $y=f(x)$의 그래프의 개형을 그린다.

참고 그래프의 개형은 그래프의 대략적인 모양을 말하고
함수 $y=f(x)$의 그래프와 x축의 교점의 좌표를 구하기 어려운 경우에는 생략할 수 있다.

보기 01 다음 함수의 그래프의 개형을 그려라.

(1) $f(x)=x^3-6x^2+9x+1$　　　(2) $f(x)=x^4-4x^3+4x^2+2$

풀이 (1) $f'(x)=3x^2-12x+9=3(x^2-4x+3)=3(x-1)(x-3)$

$f'(x)=0$에서 $x=1$ 또는 $x=3$

함수 $f(x)$의 증가, 감소를 표로 나타내면 다음과 같다.

x	$\cdots$	1	$\cdots$	3	$\cdots$
$f'(x)$	+	0	−	0	+
$f(x)$	↗	5	↘	1	↗

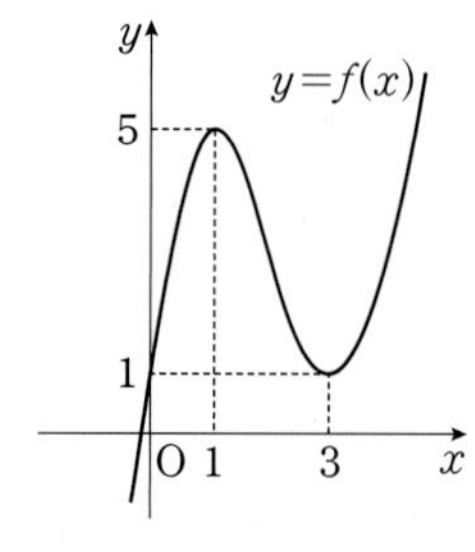

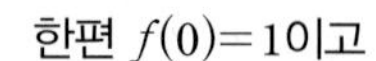
한편 $f(0)=1$이고

$x=1$에서 극대이고, 극댓값은 $f(1)=5$

$x=3$에서 극소이고, 극솟값은 $f(3)=1$

따라서 함수 $y=f(x)$의 그래프는 오른쪽 그림과 같다.

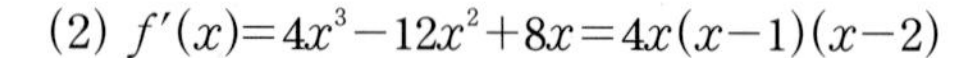
(2) $f'(x)=4x^3-12x^2+8x=4x(x-1)(x-2)$

$f'(x)=0$에서 $x=0$ 또는 $x=1$ 또는 $x=2$

함수 $f(x)$의 증가, 감소를 표로 나타내면 다음과 같다.

x	$\cdots$	0	$\cdots$	1	$\cdots$	2	$\cdots$
$f'(x)$	−	0	+	0	−	0	+
$f(x)$	↘	2	↗	3	↘	2	↗

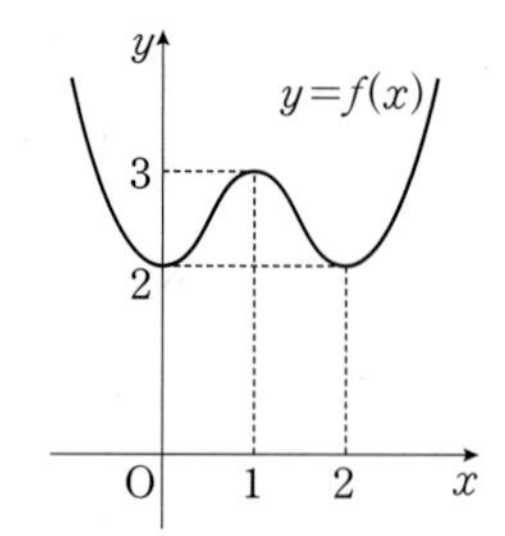

한편 $f(0)=2$이고

$x=0$에서 극소이고 극솟값 $f(0)=2$

$x=1$에서 극대이고 극댓값 $f(1)=3$

$x=2$에서 극대이고 극솟값 $f(2)=2$

따라서 함수 $y=f(x)$의 그래프는 오른쪽 그림과 같다.

삼차함수 사차함수의 대략적인 그래프 모양 (극값이 존재하는 경우)

(1) 삼차함수의 그래프는 x^3의 계수가 양이면 오른쪽 그림 ①과 같은 모양이고, x^3의 계수가 음이면 그림 ②와 같은 모양이 된다.

(2) 사차함수의 그래프는 x^4의 계수가 양이면 오른쪽 그림 ③과 같은 모양이고, x^4의 계수가 음이면 그림 ④와 같은 모양이 된다.

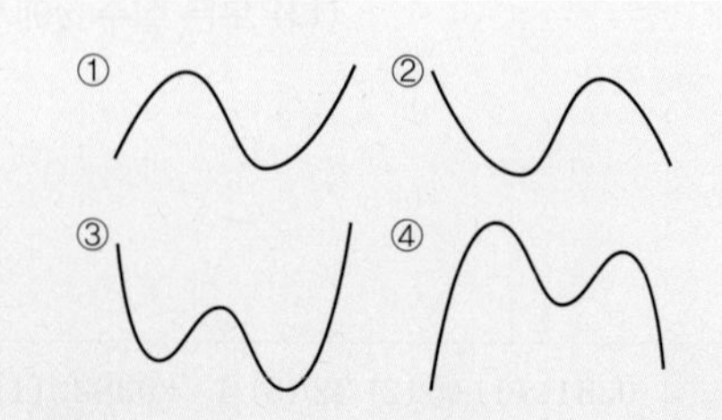

02 삼차함수가 극값을 가질 조건

(1) 삼차함수 $f(x)$가 극값을 갖는다. ← 극댓값과 극솟값을 모두 갖는다.

⇨ 이차방정식 $f'(x)=0$이 서로 다른 두 실근을 갖는다.

⇨ 이차방정식 $f'(x)=0$의 판별식을 D라 하면 $D>0$이다.

(2) 삼차함수 $f(x)$가 극값을 갖지 않는다. ← 극댓값과 극솟값을 모두 갖지 않는다.

⇨ 이차방정식 $f'(x)=0$이 중근을 갖거나 서로 다른 두 허근을 갖는다.

⇨ 이차방정식 $f'(x)=0$의 판별식을 D라 하면 $D\le 0$이다.

마플해설 삼차함수 $f(x)=ax^3+bx^2+cx+d$의 그래프는 $a>0$일 때, 다음 3가지 중 어느 하나가 된다.

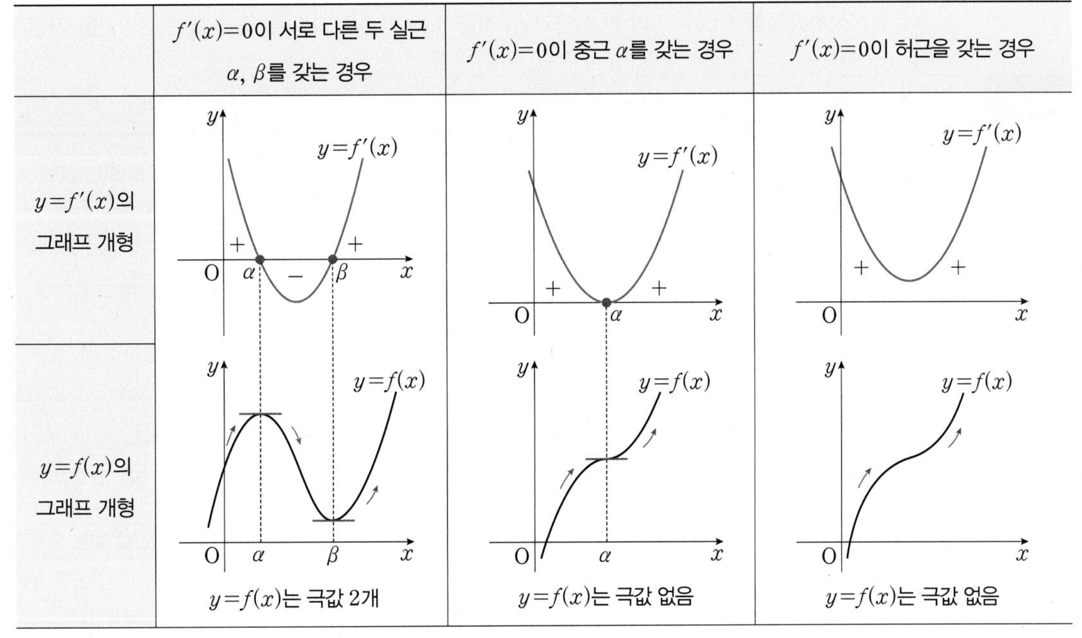

	$f'(x)=0$이 서로 다른 두 실근 α, β를 갖는 경우	$f'(x)=0$이 중근 α를 갖는 경우	$f'(x)=0$이 허근을 갖는 경우
$y=f'(x)$의 그래프 개형			
$y=f(x)$의 그래프 개형	$y=f(x)$는 극값 2개	$y=f(x)$는 극값 없음	$y=f(x)$는 극값 없음

$a<0$인 경우도 같은 방법으로 그래프를 그려보면 삼차함수 $f(x)$는 방정식 $f'(x)=0$이 서로 다른 두 실근을 가지면 극댓값과 극솟값을 모두 갖고, 중근이나 서로 다른 두 허근을 가지면 극값을 갖지 않음을 알 수 있다.

보기 02 함수 $f(x)=x^3+ax^2+ax+1$이 있다.

(1) $f(x)$가 극댓값과 극솟값을 가질 때, 상수 a의 값의 범위를 구하여라.

(2) $f(x)$가 극값을 가지지 않을 때, 상수 a의 값의 범위를 구하여라.

풀이 $f(x)=x^3+ax^2+ax+1$에서 $f'(x)=3x^2+2ax+a$

(1) 삼차함수 $f(x)$가 극값을 가지려면 $f'(x)$의 부호가 바뀌는 부분이 있어야 한다.

즉, 이차방정식 $f'(x)=0$이 서로 다른 두 실근을 가져야 하므로 $3x^2+2ax+a=0$의 판별식을 D라 하고

$\frac{D}{4}=a^2-3a>0$, $a(a-3)>0$

$\therefore a<0$ 또는 $a>3$

(2) 함수 $f(x)$가 극값을 갖지 않을 조건은 이차방정식 $f'(x)=0$이 중근 또는 허근을 가져야 하므로

$3x^2+2ax+a=0$의 판별식을 D라 하면

$\frac{D}{4}=a^2-3a\le 0$, $a(a-3)\le 0$

$\therefore 0\le a\le 3$

03 사차함수가 극값을 가질 조건

(1) 최고차항이 양수일 때, ⬅ 항상 극솟값을 갖는다.

① 사차함수 $f(x)$가 극댓값을 갖는다.

⇨ 삼차방정식 $f'(x)=0$이 서로 다른 세 실근을 가진다.

② 사차함수 $f(x)$가 극댓값을 갖지 않는다.

⇨ 삼차방정식 $f'(x)=0$이 한 실근과 두 허근 또는 한 실근과 다른 중근 또는 삼중근을 가질 때이다.

(2) 최고차항이 음수일 때, ⬅ 항상 극댓값을 갖는다.

① 사차함수 $f(x)$가 극솟값을 갖는다.

⇨ 삼차방정식 $f'(x)=0$이 서로 다른 세 실근을 가진다.

② 사차함수 $f(x)$가 극솟값을 갖지 않는다.

⇨ 삼차방정식 $f'(x)=0$이 한 실근과 두 허근 또는 한 실근과 다른 중근 또는 삼중근을 가질 때이다.

마플해설 사차함수 $f(x)=ax^4+bx^3+cx^2+dx+e$의 그래프는 $a>0$일 때, 다음 네 가지 중 어느 하나가 된다.

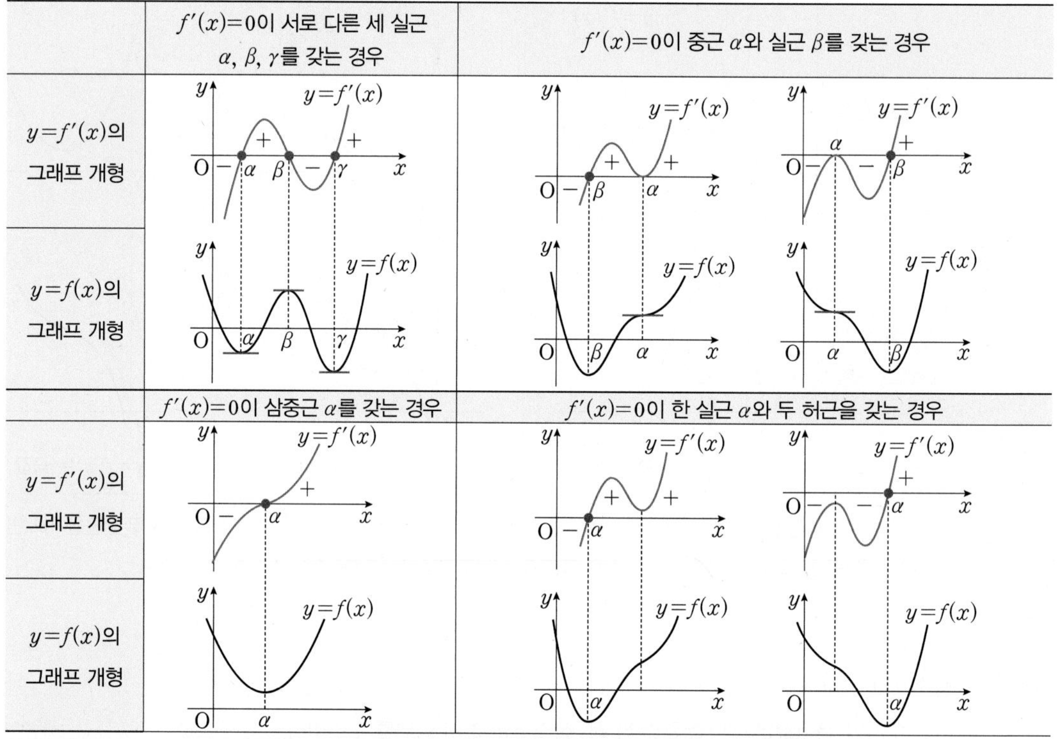

위의 그림에서 $a>0$인 경우 사차함수 $f(x)$는 방정식 $f'(x)$의 근에 관계없이 항상 극솟값을 갖지만, $f'(x)=0$이 서로 다른 세 실근을 갖는 경우에만 극댓값을 가짐을 알 수 있다.

보기 03 함수 $f(x)=x^4-4x^3+2kx^2+3$에 대하여 다음 조건을 만족시키도록 하는 상수 k값의 범위를 구하여라.

(1) 함수 $f(x)$가 극댓값을 가진다. (2) 함수 $f(x)$가 극댓값을 가지지 않는다.

풀이 (1) $f(x)=x^4-4x^3+2kx^2+3$에서 $f'(x)=4x^3-12x^2+4kx=4x(x^2-3x+k)$

함수 $f(x)$가 극댓값을 가지려면 삼차방정식 $f'(x)=0$이 서로 다른 세 실근을 가져야 한다.

즉, 이차방정식 $x^2-3x+k=0$이 0이 아닌 서로 다른 두 실근을 가져야 하므로 $k\neq 0$ …… ㉠

이때 이차방정식 $x^2-3x+k=0$의 판별식을 D라고 하면 $D=9-4k>0$ $\therefore k<\frac{9}{4}$ …… ㉡

㉠, ㉡에서 $k<0$ 또는 $0<k<\frac{9}{4}$

(2) 함수 $f(x)$가 극댓값을 가지지 않을 조건은 함수 $f(x)$가 극댓값을 가질 조건의 부정을 이용하는 경우이다.

이때 (1)에서 함수 $f(x)$가 극댓값을 가지도록 하는 상수 k값의 범위가 $k<0$ 또는 $0<k<\frac{9}{4}$이므로

함수 $f(x)$가 극댓값을 가지지 않도록 하는 상수 k값의 범위는 $k=0$ 또는 $k\geq\frac{9}{4}$

마플개념익힘 01 삼차함수가 극값을 가질 조건

2005학년도 06월 평가원

삼차함수 $f(x)=x^3+(a-1)x^2+(a-1)x+1$에 대하여 다음 물음에 답하여라.

(1) $f(x)$가 극댓값과 극솟값을 가질 때, 상수 a의 값의 범위를 구하여라.

(2) $f(x)$가 극값을 갖지 않을 때, 상수 a의 값의 범위를 구하여라.

MAPL CORE 삼차함수 $f(x)$에 대하여

(1) 극값을 가질 조건 ⇨ 이차방정식 $f'(x)=0$이 서로 다른 두 실근을 갖는다. (판별식 D에 대하여 $D>0$)

(2) 극값을 갖지 않을 조건 ⇨ 이차방정식 $f'(x)=0$이 중근 또는 허근 (판별식 D에 대하여 $D\le 0$)

개념익힘 | **풀이** $f(x)=x^3+(a-1)x^2+(a-1)x+1$에서 $f'(x)=3x^2+2(a-1)x+(a-1)$

(1) 삼차함수 $f(x)$가 극값을 가지려면 $f'(x)$의 부호가 바뀌는 부분이 있어야 한다.

즉, 이차방정식 $f'(x)=0$이 서로 다른 두 실근을 가져야 하므로

$f'(x)=3x^2+2(a-1)x+(a-1)=0$의 판별식을 D라 하면

$\frac{D}{4}=(a-1)^2-3(a-1)>0$, $a^2-5a+4>0$, $(a-1)(a-4)>0$

$\therefore$ **$a<1$ 또는 $a>4$**

(2) 삼차함수 $f(x)$가 극값을 갖지 않을 조건은 이차방정식 $f'(x)=0$이 중근 또는 허근을 가져야 하므로

$f'(x)=3x^2+2(a-1)x+(a-1)=0$의 판별식을 D라 하면

$\frac{D}{4}=(a-1)^2-3(a-1)\le 0$, $a^2-5a+4\le 0$, $(a-1)(a-4)\le 0$

$\therefore$ **$1\le a\le 4$**

삼차함수 $f(x)=ax^3+bx^2+cx+d$가 극값을 갖지 않을 조건

⟺ 증가함수 또는 감소함수

⟺ 일대일 함수일 조건 : $x_1\ne x_2$이면 $f(x_1)\ne f(x_2)$인 함수가 될 조건

⟺ 일대일대응일 조건

⟺ 역함수를 가질 조건

⟺ $f'(x)=0$의 판별식 $D\le 0$

확인유제 0383 다음 물음에 답하여라.

(1) 함수 $f(x)=x^3+ax^2+(6-a)x+1$이 극댓값과 극솟값을 모두 가질 때, 실수 a의 값의 범위를 구하여라.

(2) 실수 전체의 집합에서 함수 $f(x)=-2x^3+ax^2+ax$가 일대일대응이 되도록 하는 실수 a의 범위를 구하여라.

변형문제 0384 다음 물음에 답하여라.

2014년 04월 교육청

(1) 삼차함수 $f(x)=x^3+ax^2+(a^2-4a)x+3$이 극값을 갖도록 하는 모든 정수 a의 개수는?

① 5 ② 6 ③ 7 ④ 8 ⑤ 9

2015학년도 사관기출

(2) 삼차함수 $f(x)=x^3+ax^2+(a+6)x+2$가 극값을 갖지 않도록 하는 정수 a의 개수는?

① 8 ② 9 ③ 10 ④ 11 ⑤ 12

발전문제 0385 함수 $f(x)=x^3-ax^2+(a^2-2a)x$는 극댓값과 극솟값을 모두 갖고,

함수 $g(x)=\frac{1}{3}x^3+ax^2+(5a-4)x+2$는 극댓값과 극솟값을 갖지 않을 때, 상수 a의 범위를 구하여라.

정답 0383: (1) $a<-6$ 또는 $a>3$ (2) $-6\le a\le 0$ 0384: (1) ① (2) ③ 0385: $1\le a<3$

함수 $f(x)=x^3-3x^2+ax+1$이 $-1<x<2$에서 극댓값과 극솟값을 모두 가질 때,
상수 a의 값의 범위를구하여라.

MAPL CORE 이차함수의 그래프를 이용하여 이차방정식의 근의 위치를 판별할 때, ➡ 판별식, 경계에서의 함숫값, 축의 위치를 조사한다.
이차방정식이 $ax^2+bx+c=0\,(a>0)$에서 $f(x)=ax^2+bx+c$로 놓으면 이차방정식의 근의 위치 판별은 다음과 같다.

① 두 근이 모두 p보다 클 조건 ➡ $D\geq 0,\ f(p)>0,\ -\dfrac{b}{2a}>p$의 공통범위

② 두 근이 모두 p보다 작을 조건 ➡ $D\geq 0,\ f(p)>0,\ -\dfrac{b}{2a}<p$의 공통범위

③ 두 근 사이에 p가 있을 조건 ➡ $f(p)<0$

개념익힘 | **풀이** $f(x)=x^3-3x^2+ax+1$에서 $f'(x)=3x^2-6x+a$

$-1<x<2$에서 극댓값과 극솟값을 모두 가지려면

이차방정식 $f'(x)=0$의 서로 다른 두 실근이 -1과 2 사이에 있어야 한다.

즉, 이차방정식 $f'(x)=0$이 $-1<x<2$에서 서로 다른 두 실근을 가져야 한다.

(ⅰ) $f'(x)=0$의 판별식을 D라고 하면 $D>0$이어야 하므로

$\dfrac{D}{4}=9-3a>0 \quad \therefore a<3$

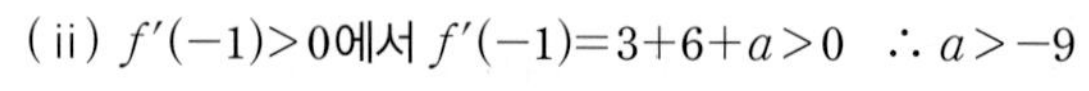

(ⅱ) $f'(-1)>0$에서 $f'(-1)=3+6+a>0 \quad \therefore a>-9$

$f'(2)>0$에서 $f'(2)=12-12+a>0 \quad \therefore a>0$

(ⅲ) 이차함수 $y=f'(x)$의 그래프의 축의 방정식은 $x=1$이므로 -1과 2 사이에 있다.

(ⅰ), (ⅱ), (ⅲ)에서 구하는 a의 값의 범위는 $\mathbf{0<a<3}$

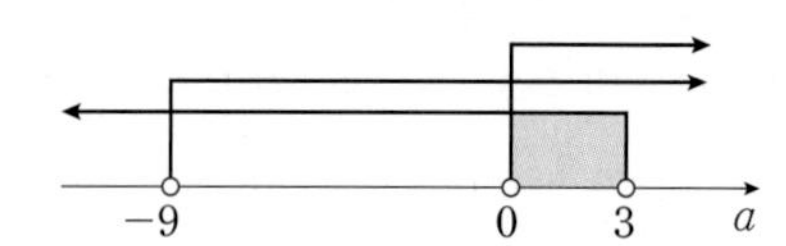

확인유제 0386 함수 $f(x)=x^3+3x^2+ax$가 $-2<x<0$에서 극댓값과 극솟값을 모두 갖도록 하는 실수 a의 값의 범위를 구하여라.

변형문제 0387 함수 $f(x)=x^3+(a+1)x^2+ax+3$이 $-2<x<-1$에서 극댓값을 갖고, $x>-1$에서 극솟값을 갖기 위한 정수 a의 개수는?

① 0 ② 1 ③ 2 ④ 3 ⑤ 4

발전문제 0388 직선 $x=a$가 곡선 $f(x)=x^3-ax^2-100x+10$의 극대가 되는 점과 극소가 되는 점 사이를 지날 때, 정수 a의 개수를 구하여라.
2009년 07월 교육청

정답 0386: $0<a<3$ 0387: ② 0388: 19개

마플개념익힘 03 사차함수가 극값을 가질 조건

사차함수 $f(x)=x^4+4x^3-4ax^2+1$에 대하여 다음 물음에 답하여라.

(1) $f(x)$가 극댓값을 가질 때, 실수 a의 값의 범위를 구하여라.

(2) $f(x)$가 극값을 하나만 갖기 위한 실수 a의 값의 범위를 구하여라.

MAPL CORE 최고차항의 계수가 양수인 사차함수 $f(x)$에 대하여

① 극댓값을 가질 조건 ⇨ $f'(x)=0$이 서로 다른 세 실근을 가진다.

② 극댓값을 갖지 않을 조건 ⇨ $f'(x)=0$이 한 실근과 두 허근 또는 한 실근과 다른 중근 또는 삼중근을 가질 때이다.

⇨ 극댓값을 가질 조건을 구한 후 그 조건을 부정하여 구한다.

참고 최고차항의 계수가 양수일 때, 사차함수 $f(x)$가

① 극댓값을 갖는 경우 ⟺ 극솟값을 2개 갖는 경우

② 극댓값을 갖지 않는 경우 ⟺ 극솟값만 갖는 경우 ⟺ 극값을 하나만 갖는 경우

개념익힘 | 풀이 (1) $f(x)=x^4+4x^3-4ax^2+1$에서 $f'(x)=4x^3+12x^2-8ax=4x(x^2+3x-2a)$

$f(x)$가 극댓값을 가지려면 삼차방정식 $f'(x)=0$이 서로 다른 세 실근을 가져야 하므로

삼차방정식 $4x(x^2+3x-2a)=0$의 한 근이 $x=0$이므로

$x^2+3x-2a=0$은 0아닌 서로 다른 두 실근을 가져야 한다.

(i) $g(x)=x^2+3x-2a$이라 하면 $g(x)=0$은 0을 제외한 근을 가져야 하므로

$g(0)=-2a\neq0 \quad \therefore a\neq0$

(ii) 이차방정식 $g(x)=x^2+3x-2a=0$이 서로다른 두 실근을 가져야 하므로 판별식을 D라 하면

$D=9+8a>0 \quad \therefore a>-\frac{9}{8}$

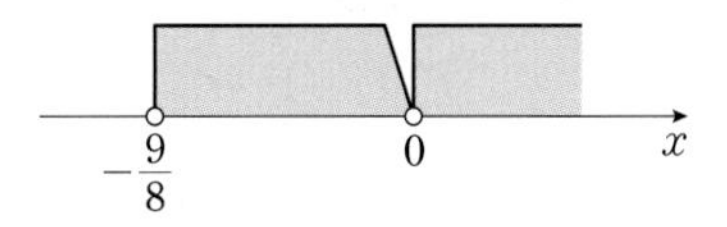

(i), (ii)에서 공통 범위를 구하면 $-\frac{9}{8}<a<0$ 또는 $a>0$

(2) 최고차항의 계수가 양수인 사차함수가 극값을 하나만 갖는다는 것은 사차함수가 극댓값을 갖지 않는다는 것을 뜻하므로 (1)에서 $f(x)$가 극댓값을 갖기 위한 실수 a의 범위가 $-\frac{9}{8}<a<0$ 또는 $a>0$이므로

$f(x)$가 극댓값을 갖지 않기 위한 실수 a의 값의 범위는

$\boldsymbol{a=0}$ **또는** $\boldsymbol{a\leq-\frac{9}{8}}$ ← 극댓값을 가질 조건을 구한 후 그 조건을 부정

확인유제 0389 사차함수 $f(x)=-x^4+4x^3+2ax^2$에 대하여 다음 물음에 답하여라.

(1) $f(x)$가 극솟값을 가질 때, 실수 a의 값의 범위를 구하여라.

(2) $f(x)$가 극댓값만 갖기 위한 실수 a의 값의 범위를 구하여라.

변형문제 0390 함수 $f(x)=\frac{1}{2}x^4+(a-1)x^2-2ax$가 극댓값을 갖지 않도록 하는 실수 a의 최솟값은?

① -2 ② -1 ③ $\frac{1}{4}$ ④ $\frac{1}{2}$ ⑤ 1

발전문제 0391 사차함수 $f(x)=\frac{1}{4}x^4+\frac{1}{3}(a+1)x^3-ax$가 $x=\alpha$, γ에서 극소, $x=\beta$에서 극대일 때, 실수 a의 값의 범위는? (단, $\alpha<0<\beta<\gamma<3$)

2007년 07월 교육청

① $-\frac{9}{2}<a<-4$ ② $-4<a<-\frac{7}{2}$ ③ $-\frac{7}{2}<a<-3$

④ $-3<a<\frac{5}{2}$ ⑤ $-\frac{5}{2}<a<2$

정답 0389: (1) $-\frac{9}{4}<a<0$ 또는 $a>0$ (2) $a=0$ 또는 $a\leq-\frac{9}{4}$ 0390: ① 0391: ①

마플개념익힘 04 삼차방정식 $f(x)=f(\alpha)$의 실근의 활용 고난도 문제

최고차항의 계수가 1인 삼차함수 $f(x)$가 다음 조건을 만족시킬 때, $f(5)-f(1)$의 값을 구하여라.

> (가) 함수 $f(x)$는 $x=1$에서 극대이고, $x=\alpha$에서 극소이다.
> (나) 방정식 $f(x)=f(0)$은 서로 다른 두 실근을 갖는다.

MAPL CORE

삼차함수 $f(x)$에 대하여 $x=\alpha$에서 극대, $x=\beta$에서 극소라 하면

① 방정식 $f(x)=f(\alpha)$와 $f(x)=f(\beta)$는 각각 서로 다른 두 실근을 가진다. 또한 역도 성립한다.

② 방정식 $f(x)=f(k)$가 서로 다른 세 실근을 가지려면
⇨ 상수함수 $y=f(k)$는 $f(\beta)<f(k)<f(\alpha)$이어야 한다.

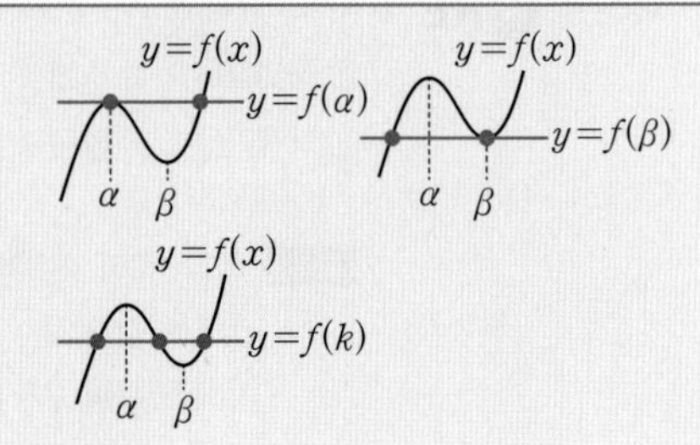

개념익힘 | 풀이

삼차함수 $f(x)$의 삼차항의 계수가 양수이므로 조건 (가)에서 $1<\alpha$이다.

또한, 조건 (나)에서 $f(0)$은 극댓값 또는 극솟값과 같다.

그런데 $0<1<\alpha$이므로 $f(0)$은 극솟값과 같으므로 $f(0)=f(\alpha)$이다.

즉, 최고차항의 계수가 1인 삼차함수 $f(x)$에 대하여

$f(x)-f(0)=x(x-\alpha)^2$으로 놓으면 $f(x)=x(x-\alpha)^2+f(0)$

양변을 x에 대하여 미분하면 $f'(x)=(x-\alpha)^2+x\cdot 2(x-\alpha)$

이때 함수 $f(x)$가 $x=1$에서 극대이므로

$f'(1)=(1-\alpha)^2+2(1-\alpha)=0$, $\alpha^2-4\alpha+3=0$, $(\alpha-1)(\alpha-3)=0$

$\alpha>1$이므로 $\alpha=3$

따라서 $f(x)=x(x-3)^2+f(0)$이므로 $f(5)-f(1)=\{20+f(0)\}-\{4+f(0)\}=$ **16**

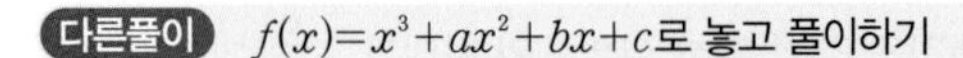

다른풀이 $f(x)=x^3+ax^2+bx+c$로 놓고 풀이하기

삼차함수 $f(x)$의 삼차항의 계수가 양수이므로 조건 (가)에서 $1<\alpha$이다.

또한, 조건 (나)에서 $f(0)$은 극댓값 또는 극솟값과 같다.

그런데 $0<1<\alpha$이므로 $f(0)$은 극솟값과 같으므로 $f(0)=f(\alpha)$이다.

이때 $f(x)=x^3+ax^2+bx+c$ (a, b, c는 상수)로 놓으면

$f'(x)=3x^2+2ax+b$ …… ㉠

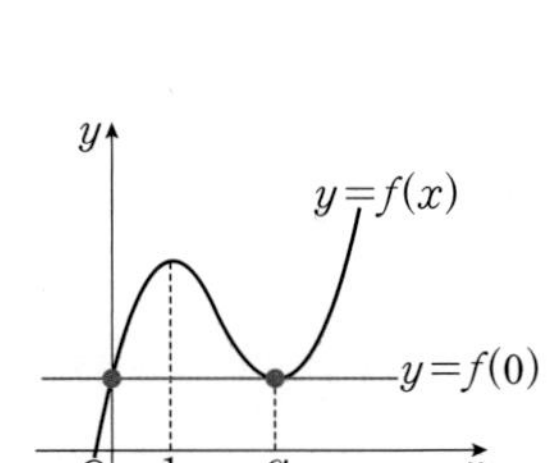

방정식 $f'(x)=0$의 두 실근이 1, α이므로

$f'(x)=3(x-1)(x-\alpha)=3x^2-(3\alpha+3)x+3\alpha$ ← $f(x)$의 최고차항이 x^3이다.

이므로 ㉠과 일치하므로 $2a=-(3\alpha+3)$, $b=3\alpha$ …… ㉡

또한, $f(\alpha)=f(0)$이므로 $\alpha^3+a\alpha^2+b\alpha+c=c$

$\alpha^3+a\alpha^2+b\alpha=0$

$\alpha\neq 0$이므로 $\alpha^2+a\alpha+b=0$ …… ㉢

$f'(\alpha)=0$이므로 $3\alpha^2+2a\alpha+b=0$ …… ㉣

㉢, ㉣에서 $2\alpha^2+a\alpha=0$, $2\alpha+a=0$ $\therefore a=-2\alpha$

㉡에서 $-4\alpha=-(3\alpha+3)$에서 $\alpha=3$

$a=-2\alpha=-2\times 3=-6$, $b=3\alpha=3\times 3=9$이므로 $f(x)=x^3-6x^2+9x+c$

$f(5)=20+c$, $f(1)=4+c$이므로 $f(5)-f(1)=(20+c)-(4+c)=16$

확인유제 0392 최고차항의 계수가 1인 삼차함수 $f(x)$가 다음 조건을 만족시킨다.

2017년 10월 교육청

(가) $f'\left(\frac{11}{3}\right)<0$

(나) 함수 $f(x)$는 $x=2$에서 극댓값 35를 갖는다.

(다) 방정식 $f(x)=f(4)$는 서로 다른 두 실근을 갖는다.

$f(0)$의 값은?

① 12 ② 13 ③ 14 ④ 15 ⑤ 16

변형문제 0393 최고차항의 계수가 1이고 $f(0)=0$인 삼차함수 $f(x)$가 다음 조건을 만족시킨다.

2018년 07월 교육청

(가) $f(2)=f(5)$

(나) 방정식 $f(x)-p=0$의 서로 다른 실근의 개수가 2가 되게 하는 실수 p의 최댓값은 $f(2)$이다.

함수 $f(x)$는 $x=a$에서 극솟값 m을 가질 때, $a+m$의 값은?

① 16 ② 18 ③ 20 ④ 22 ⑤ 24

발전문제 0394 삼차함수 $f(x)$가 다음 조건을 만족시킨다.

2017학년도 09월 평가원

(가) $x=-2$에서 극댓값을 갖는다.

(나) $f'(-3)=f'(3)$

[보기]에서 옳은 것만을 있는 대로 고른 것은?

ㄱ. 도함수 $f'(x)$는 $x=0$에서 최솟값을 갖는다.

ㄴ. 방정식 $f(x)=f(2)$는 서로 다른 두 실근을 갖는다.

ㄷ. 곡선 $y=f(x)$ 위의 점 $(-1, f(-1))$에서의 접선은 점 $(2, f(2))$를 지난다.

① ㄱ ② ㄷ ③ ㄱ, ㄴ ④ ㄴ, ㄷ ⑤ ㄱ, ㄴ, ㄷ

정답 0392: ④ 0393: ③ 0394: ⑤

최고차항의 계수가 1인 삼차함수 $f(x)$가 다음 조건을 모두 만족시킬 때, $f(3)$의 값을 구하여라.

(가) 함수 $f(x)$는 $x=0$에서 극댓값 2를 갖는다.
(나) 방정식 $|f(x)|=2$의 서로 다른 실근의 개수는 4이다.

MAPL CORE

극댓값이 $a(a>0)$인 삼차함수 $f(x)$에 대하여
$f(-x)=-f(x)$인 삼차함수 $f(x)$에 대하여
방정식 $|f(x)|=a(a>0)$의 서로 다른 실근의 개수가 4이면

⇨ 삼차함수 $f(x)$의 극댓값은 a, 극솟값은 $-a$이어야 한다.

개념익힘 | **풀이** $f(x)=x^3+ax^2+bx+c$(a, b, c는 상수)라 하면 $f'(x)=3x^2+2ax+b$

조건 (가)에서 $f(0)=c=2$, $f'(0)=b=0$

조건 (나)에서 방정식 $|f(x)|=2$의 실근은 함수 $y=|f(x)|$의 그래프와 직선 $y=2$의 교점의 x좌표이므로 서로 다른 실근의 개수가 4이려면 함수 $f(x)$의 극솟값이 -2이어야 한다. 즉 함수 $y=f(x)$의 그래프는 오른쪽 그림과 같아야 한다.

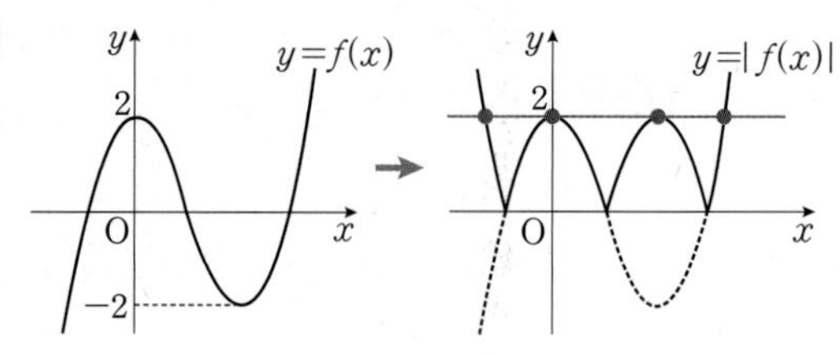

$f'(x)=3x^2+2ax=x(3x+2a)$이므로

$f'(x)=0$에서 $x=0$ 또는 $x=-\frac{2}{3}a$

$f\left(-\frac{2}{3}a\right)=\left(-\frac{2}{3}a\right)^3+a\left(-\frac{2}{3}a\right)^2+2=\frac{4}{27}a^3+2=-2$

즉, $a^3=-27$ $\therefore a=-3$ ($\because a$는 실수)

따라서 $f(x)=x^3-3x^2+2$이므로 $f(3)=27-27+2=\mathbf{2}$

확인유제 0395
2012학년도 수능기출

다음 물음에 답하여라.

(1) 최고차항의 계수가 1인 삼차함수 $f(x)$가 모든 실수 x에 대하여 $f(-x)=-f(x)$를 만족시킨다. 방정식 $|f(x)|=2$의 서로 다른 실근의 개수가 4일 때, $f(3)$의 값은?

① 12 ② 14 ③ 16 ④ 18 ⑤ 20

(2) 최고차항의 계수가 1인 사차함수 $f(x)$가 $f(0)=0$이고 모든 실수 x에 대하여 $f(-x)=f(x)$를 만족시킨다. 방정식 $|f(x)|=4$의 실근의 개수가 4일 때, $f(3)$의 값은?

① 25 ② 30 ③ 35 ④ 40 ⑤ 45

변형문제 0396
2014년 07월 교육청

최고차항의 계수가 1이고 $f(0)<f(2)$인 사차함수 $f(x)$가 모든 실수 x에 대하여 $f(2+x)=f(2-x)$를 만족시킨다. 방정식 $f(|x|)=1$의 서로 다른 실근의 개수가 3일 때, 함수 $f(x)$의 극댓값은?

① 11 ② 13 ③ 15 ④ 17 ⑤ 19

발전문제 0397
2017학년도 06월 평가원
오답률 70%

삼차함수 $f(x)$의 도함수 $y=f'(x)$의 그래프가 오른쪽 그림과 같을 때, [보기]에서 옳은 것만을 있는 대로 고른 것은?

ㄱ. $f(0)<0$이면 $|f(0)|<|f(2)|$이다.
ㄴ. $f(0)f(2)\geq 0$이면 함수 $|f(x)|$가 $x=a$에서 극소인 a의 값의 개수는 2이다.
ㄷ. $f(0)+f(2)=0$이면 방정식 $|f(x)|=f(0)$의 서로 다른 실근의 개수는 4이다.

① ㄱ ② ㄱ, ㄴ ③ ㄱ, ㄷ ④ ㄴ, ㄷ ⑤ ㄱ, ㄴ, ㄷ

정답 0395: (1) ④ (2) ⑤ 0396: ④ 0397: ⑤

삼차함수의 그래프의 성질

01 삼차함수의 그래프의 성질 (1)

모든 삼차함수 $f(x)$의 그래프는 다음과 같은 성질을 갖는다.

(1) 이차함수 $y=f'(x)$의 그래프의 축을 직선 $x=t$라 하면
삼차함수 $y=f(x)$의 그래프는 점 $(t,\ f(t))$에 대하여 대칭이다.

(2) 삼차함수 $y=f(x)$의 그래프 위의 서로 다른 두 점 $(\alpha,\ f(\alpha))$, $(\beta,\ f(\beta))$
에서의 접선의 기울기가 서로 같으면, 즉 $f'(\alpha)=f'(\beta)$이면
이차함수 $y=f'(x)$의 그래프는 직선 $x=\dfrac{\alpha+\beta}{2}$에 대하여
대칭이고 (1)에 의하여
삼차함수 $y=f(x)$의 그래프는 점 $\left(\dfrac{\alpha+\beta}{2},\ f\left(\dfrac{\alpha+\beta}{2}\right)\right)$에 대하여 대칭이다.

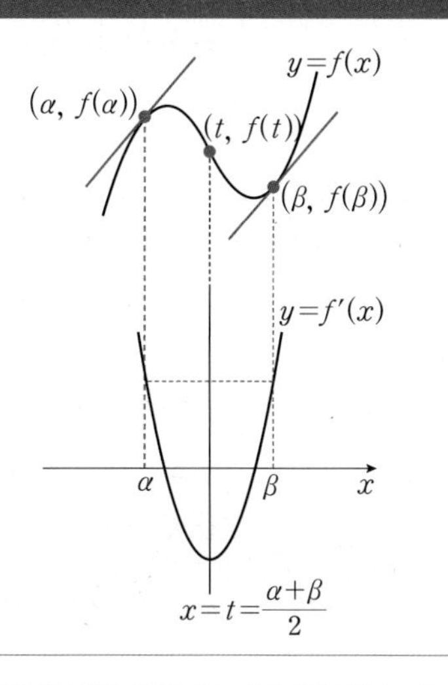

수능특강문제 01 (2014학년도 06월 평가원)

삼차함수 $y=x^3-3x^2+x+1$ 위의 서로 다른 두 점 A, B에서의 접선이 서로 평행하다. 점 A의 x좌표가 3일 때, 점 B에서의 접선의 y절편의 값은?

① 5 ② 6 ③ 7 ④ 8 ⑤ 9

수능특강 풀이

$f(x)=x^3-3x^2+x+1$로 놓으면 $f'(x)=3x^2-6x+1=3(x-1)^2-2$
이차함수 $f'(x)$는 $x=1$에 대하여 대칭이므로 삼차함수 $y=f(x)$의 그래프는
점 $(1,\ f(1))$, 즉 $(1,\ 0)$에 대하여 대칭이다.
두 점 A, B에서의 접선이 서로 평행하므로 두 점 A, B는 점 $(1,\ 0)$에 대하여
대칭이다. A의 x좌표가 3이므로 점 B의 x좌표는 -1이다.
즉, 점 B의 x좌표가 -1이므로 $f(-1)=(-1)^3-3\times(-1)^2+(-1)+1=-4$
접선의 기울기는 $f'(-1)=f'(3)=10$이므로
점 $B(-1,\ -4)$에서 접선의 방정식은 $y-(-4)=10\{x-(-1)\}$
$\therefore\ y=10x+6$
따라서 접선의 y절편은 $y=10\cdot0+6=6$

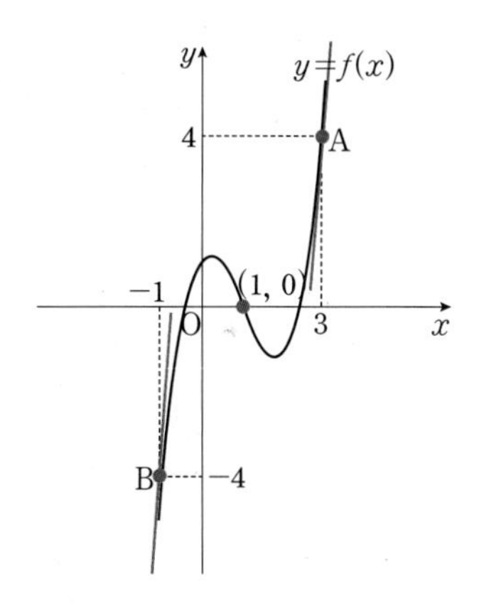

수능특강문제 02

함수 $f(x)=x^3+3x^2+x$에 대하여 곡선 $y=f(x)$ 위의 서로 다른 두 점 $A(a,\ f(a))$, $B(b,\ f(b))$에서의 접선을 각각 l, m이라 하면 두 직선 l, m은 서로 평행하다. 선분 AB의 중점 M에서 곡선 $y=f(x)$에 그은 접선이 직선 l과 수직일 때, ab의 값을 구하여라. (단, a, b는 실수이다.)

수능특강 풀이

$f(x)=x^3+3x^2+x$에서 $f'(x)=3x^2+6x+1=3(x+1)^2-2$
이차함수 $f'(x)$는 $x=-1$에 대하여 대칭이므로 삼차함수 $y=f(x)$의 그래프는
점 $(-1,\ f(-1))$, 즉 $(-1,\ 1)$에 대하여 대칭이다.
이때 두 점 A, B에서의 접선이 서로 평행하므로 두 점 A, B는 점 $(-1,\ 1)$에 대하여
대칭이다. 즉 선분 AB의 중점 M의 좌표는 $(-1,\ 1)$이다.

$\dfrac{a+b}{2}=-1$, $\dfrac{f(a)+f(b)}{2}=1$

이때 $f'(-1)=3-6+1=-2$이므로 점 $M(-1,\ 1)$에서의 접선의 기울기는 -2이고,
두 직선 l, m의 기울기는 $\dfrac{1}{2}$이다.
두 실수 a, b는 방정식 $f'(x)=\dfrac{1}{2}$, 즉 $3x^2+6x+1=\dfrac{1}{2}$, $6x^2+12x+1=0$
의 두 실근이므로 이차방정식의 근과 계수의 관계에 의하여 $ab=\dfrac{1}{6}$

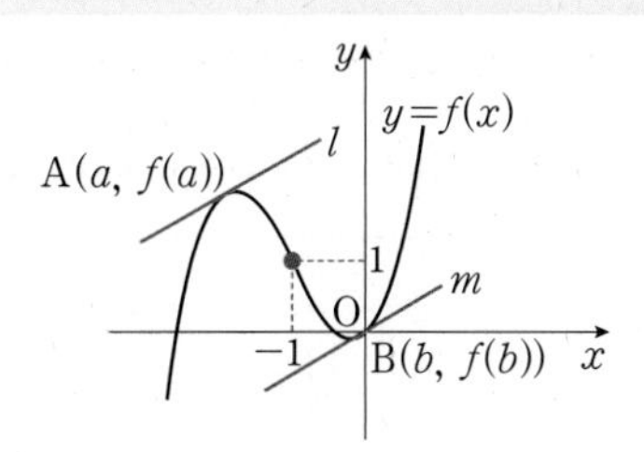

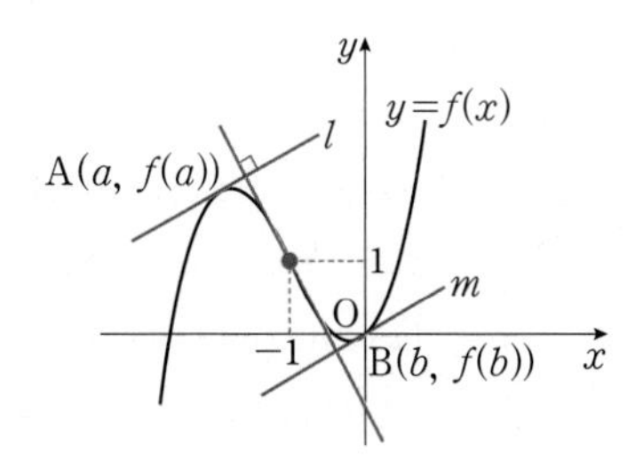

02 삼차함수의 그래프의 성질 (2)

(1) 극값을 가지는 모든 삼차함수 $f(x)$는 항상 오른쪽 그림과 같은 길이 관계를 갖는다. 직사각형 8개는 서로 합동이며, 오른쪽 그림에서 표시한 길이는 $1:\sqrt{3}:2$의 비를 갖는다.

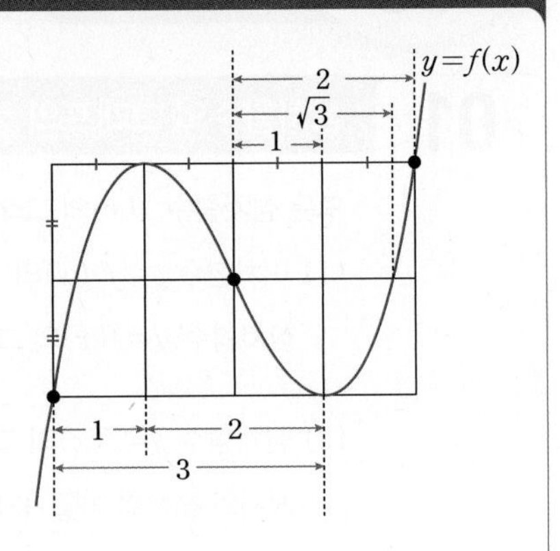

(2) $f(x)=k(x-\alpha)(x-\beta)^2(k>0,\ \alpha<\beta)$에서

극대가 되는 x에서 x축과 교점 $(\alpha,\ 0)$, $(\beta,\ 0)$까지의 길이의 비가 $1:2$이다.

해설 $f(x)=k(x-\alpha)(x-\beta)^2$에서 $f'(x)=k(x-\beta)^2+2k(x-\alpha)(x-\beta)=k(x-\beta)\{x-\beta+2(x-\alpha)\}$

$f'(x)=0$에서 $x=\beta$ 또는 $x=\dfrac{2\alpha+\beta}{3}$

즉, 극대가 되는 x는 $x=\dfrac{2\alpha+\beta}{3}$이므로 x축과의 교점 $(\alpha,\ 0)$, $(\beta,\ 0)$을 $1:2$로 내분하는 지점임을 알 수 있다.

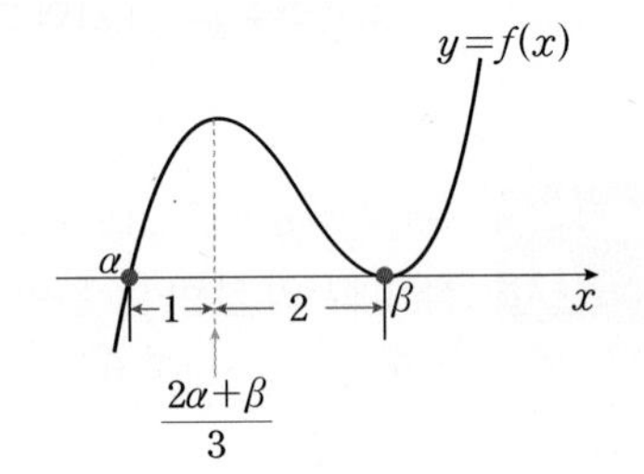

마찬가지로 $f(x)=k(x-\beta)^2(x-\alpha)(k>0,\ \beta<\alpha)$일 때에도 성립한다.

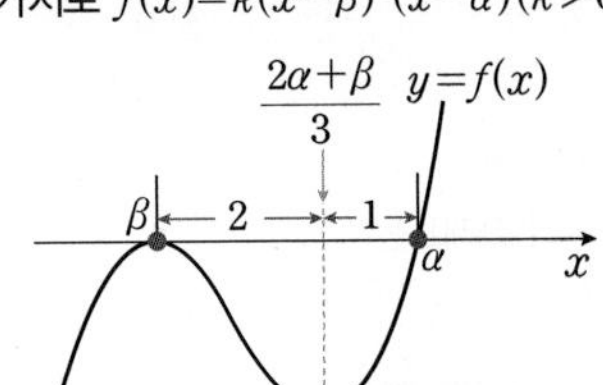

예를 들면 $f(x)=3(x-1)(x-3)^2$이라 할 때 삼차함수의 그래프의 특징을 이용하여 $x=\dfrac{5}{3}$에서 극댓값을 가짐을 알 수 있다.

해설 $x=k$에서 극댓값을 갖는다고 하면

$k-1:3-k=1:2$이므로 $3-k=2k-2\quad\therefore x=\dfrac{5}{3}$

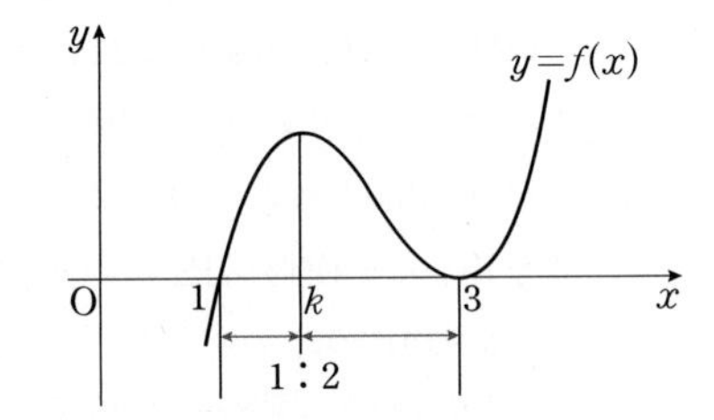

수능특강문제 03 삼차함수 $f(x)=x^3-6x^2+9x-2$의 극값을 구하고 그래프의 특징을 말하여라.

수능특강 풀이 $f(x)=x^3-6x^2+9x-2$에서

$f'(x)=3x^2-12x+9=3(x^2-4x+3)=3(x-1)(x-3)$ ← $f'(x)=3(x-2)^2-3$이므로 축은 $x=2$

$f'(x)=0$에서 $x=1$ 또는 $x=3$

함수 $f(x)$의 증가와 감소를 표로 나타내면 다음과 같다.

x	$\cdots$	1	$\cdots$	3	$\cdots$
$f'(x)$	+	0	−	0	+
$f(x)$	↗	2	↘	−2	↗

한편 $f(0)=-2$이고

$x=1$에서 극대이고 극댓값은 $f(1)=2$

$x=3$에서 극소이고 극솟값은 $f(3)=-2$

또한 x축과의 교점의 좌표는 $f(x)=x^3-6x^2+9x-2=0$

$(x-2)(x^2-4x+1)=0\quad\therefore x=2$ 또는 $x=2\pm\sqrt{3}$

따라서 함수 $y=f(x)$의 그래프는 오른쪽 그림과 같다.

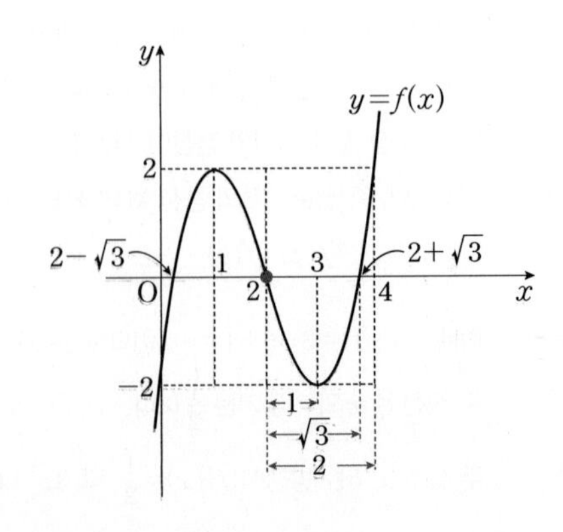

04 도함수의 그래프와 함수의 개형

M A P L ; Y O U R M A S T E R P L A N

01 도함수의 그래프를 이용하여 함수의 그래프 그리기

$f'(x)$의 그래프 개형을 보고 $f(x)$의 그래프 그리기

(1) $f'(x)$의 그래프에서 가장 먼저 조사할 것은 부호의 변화이다.

⇨ 부호가 변하는 곳에서 극값을 갖는다.

(2) $f'(x)$의 그래프가 x축에 접할 때는 $f'(x)$가 완전제곱식의 인수를 갖는 경우이다.

⇨ 접선의 기울기가 0인 증가함수 또는 감소함수의 그래프를 그린다.

참고 $f'(x)$의 그래프가 x축에 접하면서 $f'(x)$의 좌우에서 부호가 바뀌지 않을 때, $f(x)$가 증가함수 또는 감소함수의 그래프를 그린다.

예를 들면 오른쪽 그림과 같다.

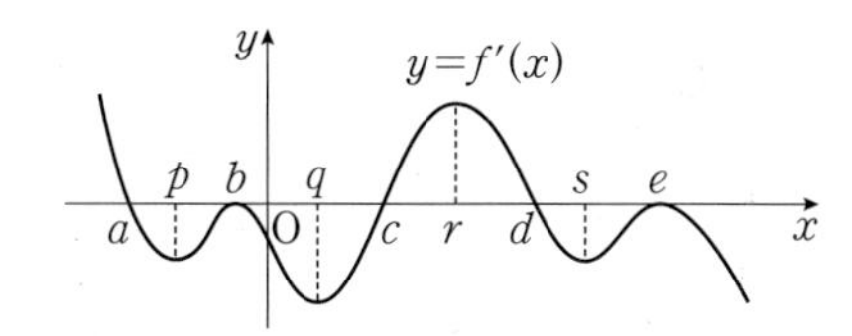

주의 주어진 그래프가 $y=f(x)$의 그래프인지, $y=f'(x)$의 그래프인지를 먼저 확인해야 한다.

마플해설 $y=f(x)$의 도함수 $y=f'(x)$의 그래프가 오른쪽 그림과 같을 때, x축과 만나는 점 $f'(x)=0$을 만족시키는 경우는 $x=a$, $x=b$, $x=c$, $x=d$, $x=e$의 부호가

① $x=a$에서 $f'(x)$가 양 ⟶ 음으로 바뀌므로 $f(x)$는 $x=a$에서 극대

② $x=b$에서 $f'(x)$가 음 ⟶ 양으로 바뀌므로 $f(x)$는 $x=b$에서 극소

③ $x=c$에서 $f'(x)$가 양 ⟶ 양으로 부호가 바뀌지 않으므로 $x=c$에서는 극값을 가지지 않는다.

④ $x=d$에서 $f'(d)$는 존재하지 않으나 $f'(x)$가 양 ⟶ 음으로 바뀌므로 $f(x)$는 $x=d$에서 극대 ⬅ $x=d$에서 미분불가능

⑤ $x=e$에서 $f'(x)$가 음 ⟶ 양으로 바뀌므로 $f(x)$는 $x=e$에서 극소

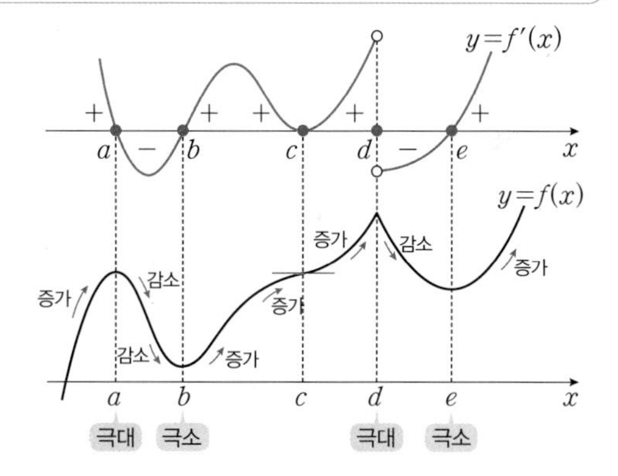

보기 01 $y=f'(x)$의 그래프가 오른쪽 그림과 같을 때, 함수 $y=f(x)$에서 극댓값과 극솟값을 가지는 x의 좌표를 각각 구하여라.

y $y=f'(x)$ p b q s e a O c r d x

풀이 주어진 함수 $y=f'(x)$의 그래프에서 $f'(x)=0$인 x의 값은

$x=a$, $x=b$, $x=c$, $x=d$, $x=e$이므로

$f'(x)$의 부호가 양에서 음으로 바뀌는 극대인 점의 x좌표는 $x=a$, $x=d$

$f'(x)$의 부호가 음에서 양으로 바뀌는 극소인 점의 x좌표는 $x=c$

보기 02 연속함수 $f(x)$의 도함수 $y=f'(x)$의 그래프가 오른쪽 그림과 같을 때, [보기]에서 옳은 것을 모두 고른 것은?

ㄱ. $y=f(x)$는 $x=a$일 때 극대이다.

ㄴ. $y=f(x)$는 $x=b$에서 극값을 갖지 않는다.

ㄷ. 구간 (b, c)에서 $f(x)$는 증가한다.

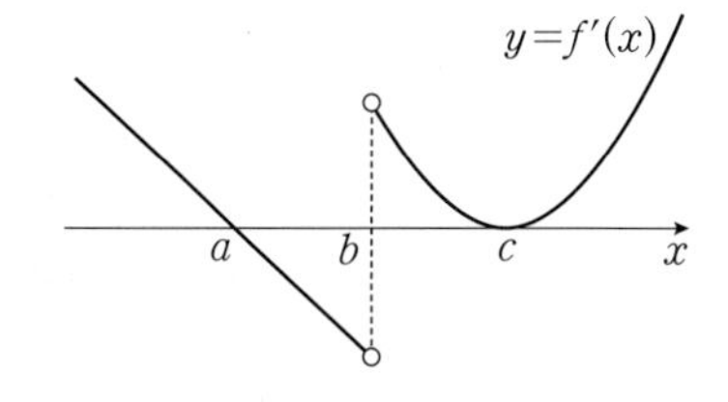

풀이 ㄱ. $x=a$일 때, $f'(x)$의 부호가 양에서 음으로 바뀌므로 극대이다. [참]

ㄴ. $x=b$일 때, $f'(x)$의 부호가 음에서 양으로 바뀌므로 극소이다. [거짓]

ㄷ. $f'(x)>0$이므로 구간 (b, c)에서 $f(x)$는 증가한다. [참]

따라서 옳은 것은 ㄱ, ㄷ이다.

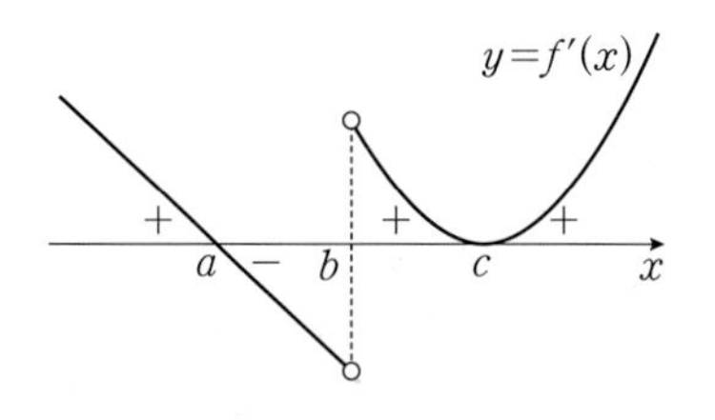

마플개념익힘 01 도함수 $f'(x)$의 그래프를 이용한 $f(x)$의 그래프 해석

함수 $f(x)$의 도함수 $y=f'(x)$의 그래프가 오른쪽 그림과 같을 때, [보기] 중 옳은 것을 모두 골라라.

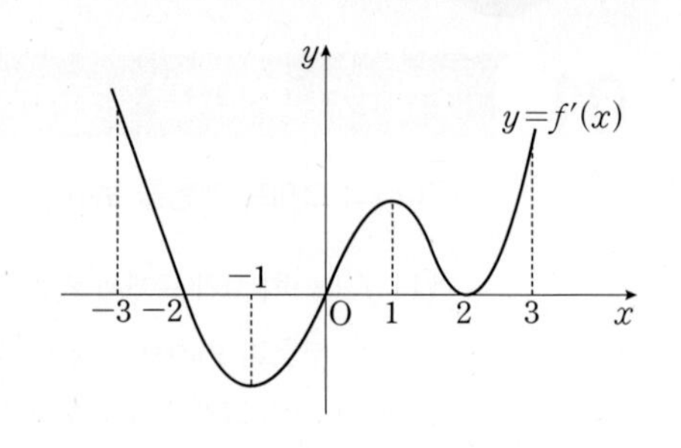

> ㄱ. $f(x)$는 닫힌구간 $[-1, 1]$에서 증가한다.
> ㄴ. $f(x)$는 $x=0$에서 극소이다.
> ㄷ. $f(x)$는 $x=2$에서 극솟값을 갖는다.
> ㄹ. 닫힌구간 $[-3, 3]$에서 $f(x)$의 극값은 2개이다.

MAPL CORE 함수 $y=f'(x)$의 그래프에서 $x=a$의 좌우에서 $f'(x)$의 부호가 어떻게 바뀌는지 살핀다.
[1단계] 양에서 음으로 바뀌면 ⇨ $x=a$에서 극댓값 $f(a)$
[2단계] 음에서 양으로 바뀌면 ⇨ $x=a$에서 극솟값 $f(a)$

개념익힘 | 풀이 ㄱ. $f(x)$는 닫힌구간 $[-1, 0]$에서 감소하고 닫힌구간 $[0, 1]$에서 증가한다. [거짓]

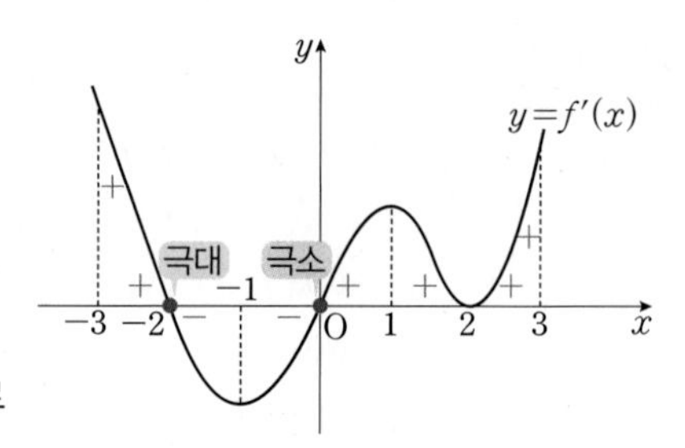

ㄴ. $x=0$의 좌우에서 $f'(x)$의 부호가 $(-)$에서 $(+)$로 바뀌므로 극소이다. [참]
ㄷ. $f'(2)=0$이지만 $x=2$의 좌우에서 $f'(x)$의 부호가 바뀌지 않으므로 $f(x)$는 $x=2$에서 극솟값을 갖지 않는다. [거짓]
ㄹ. $x=-2$의 좌우에서 $f'(x)$의 부호가 $(+)$에서 $(-)$로 바뀌므로 극대이다.
즉, 닫힌구간 $[-3, 3]$에서 $x=-2$에서 극대, $x=0$에서 극소를 가지므로 $f(x)$의 극값은 2개이다. [참]
따라서 옳은 것은 ㄴ, ㄹ이다.

확인유제 0398 다음 물음에 답하여라.
1996학년도 수능기출

(1) 함수 $y=f(x)$의 도함수 $y=f'(x)$의 그래프가 오른쪽 그림과 같을 때, 다음 중 옳은 것은?

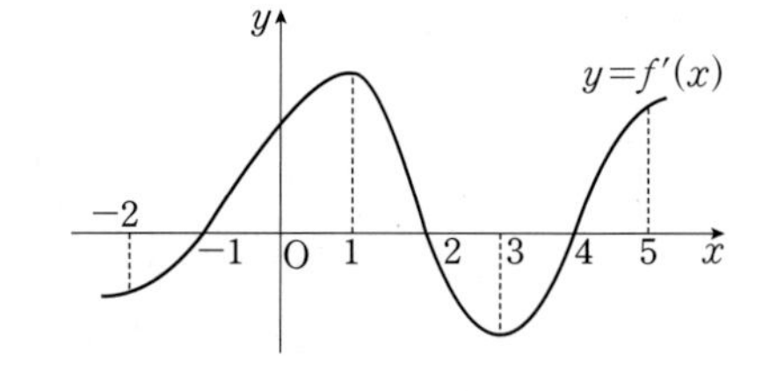

① $f(x)$는 닫힌구간 $[-2, 1]$에서 증가한다.
② $f(x)$는 닫힌구간 $[1, 3]$에서 감소한다.
③ $f(x)$는 닫힌구간 $[4, 5]$에서 증가한다.
④ $f(x)$는 $x=2$에서 극소이다.
⑤ $f(x)$는 $x=3$에서 극소이다.

(2) 열린구간 $(-5, 5)$에서 함수 $f(x)$의 도함수 $y=f'(x)$의 그래프가 다음 그림과 같다. [보기]에서 옳은 것만을 있는 대로 고른 것은?

> ㄱ. $f(x)$는 닫힌구간 $[-4, 0]$에서 증가한다.
> ㄴ. $f(x)$는 $x=0$에서 극댓값을 갖는다.
> ㄷ. $f(x)$는 $x=3$에서 극댓값을 갖는다.
> ㄹ. 열린구간 $(-5, 5)$에서 $f(x)$가 극값을 갖는 x의 값은 3개이다.

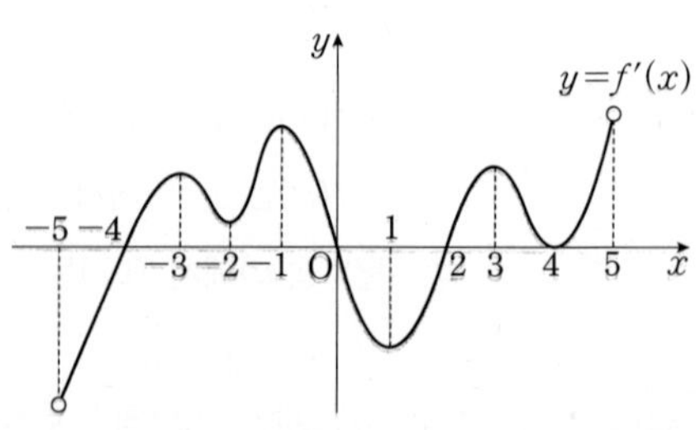

① ㄱ ② ㄴ, ㄷ ③ ㄷ, ㄹ
④ ㄱ, ㄴ, ㄹ ⑤ ㄴ, ㄷ, ㄹ

정답 0398: (1) ③ (2) ④

변형문제 0399 다음 물음에 답하여라.

(1) 연속함수 $y=f(x)$의 도함수 $y=f'(x)$의 그래프가 오른쪽 그림과 같을 때, 다음 중 옳은 것은?

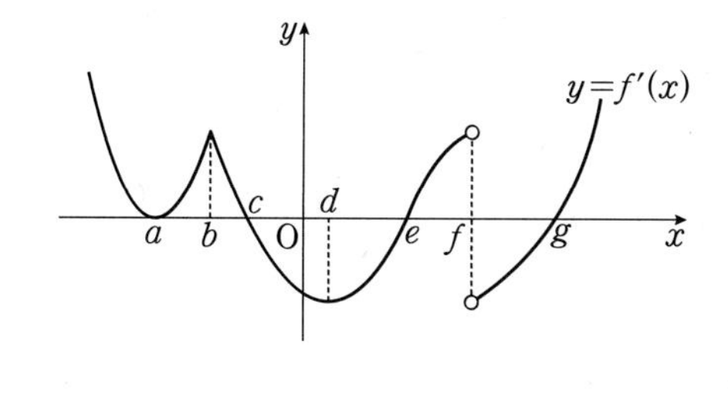

① $f(x)$는 $x=b$에서 미분가능하지 않다.

② $f(x)$는 $x=d$에서 극값을 갖는다.

③ $f(x)$는 극댓값을 3개 갖는다.

④ $f(x)$는 극솟값을 2개 갖는다.

⑤ $f(x)$는 $x=c$에서 극댓값 0을 갖는다.

(2) 함수 $y=f(x)$의 도함수 $y=f'(x)$의 그래프가 오른쪽 그림과 같을 때, 다음 중 옳은 것은?

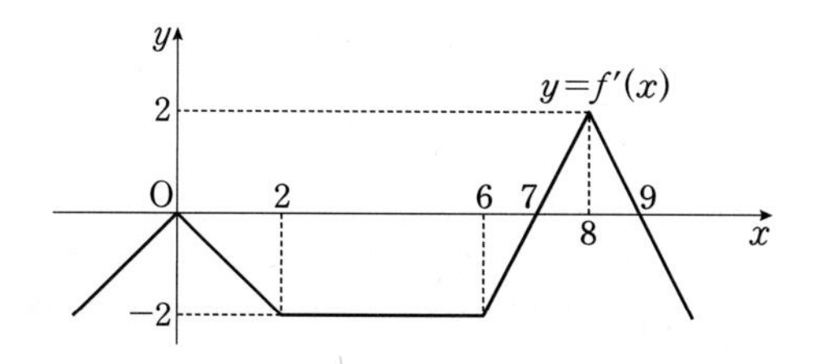

① $f(x)$의 극값은 3개이다.

② $f(x)$는 $x=8$일 때 극댓값은 2이다.

③ $2<x<6$에서 $f(x)$는 상수함수이다.

④ $f(x)$는 $x=0$에서 미분가능하지 않다.

⑤ $0<x<7$일 때, $f(x)$는 감소한다.

발전문제 0400 다음 물음에 답하여라.

2011년 07월 교육청

(1) 오른쪽 그림은 삼차함수 $f(x)$의 도함수 $f'(x)$의 그래프이다. 함수 $f(x)$에 대한 설명 중 [보기]에서 옳은 것만을 있는 대로 고른 것은?

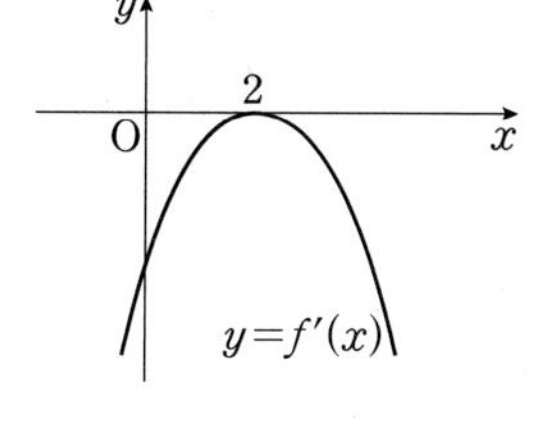

ㄱ. 함수 $f(x)$는 열린구간 $(0, 2)$에서 감소한다.
ㄴ. 함수 $f(x)$는 $x=2$에서 극댓값을 갖는다.
ㄷ. 함수 $y=f(x)$의 그래프는 x축과 오직 한 점에서 만난다.

① ㄱ ② ㄴ ③ ㄱ, ㄷ ④ ㄴ, ㄷ ⑤ ㄱ, ㄴ, ㄷ

(2) 미분가능한 함수 $f(x)$의 도함수 $f'(x)$에 대하여 함수 $y=xf'(x)$의 그래프가 오른쪽 그림과 같다. 옳은 것만을 [보기]에서 있는 대로 고른 것은? (단, $f'(-1)=f'(1)=0$)

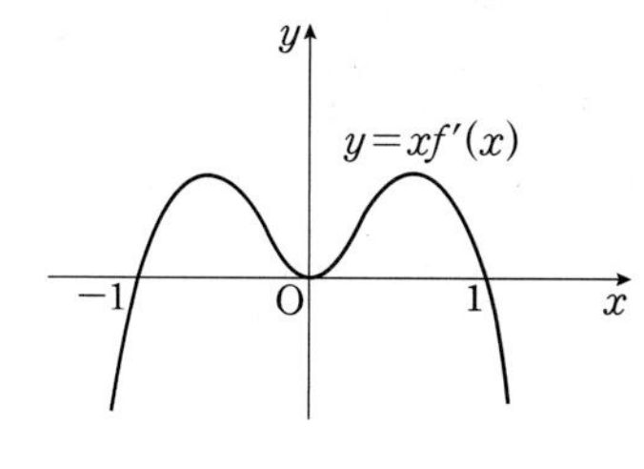

ㄱ. 함수 $f(x)$는 $x=-1$에서 극댓값을 갖는다.
ㄴ. 함수 $f(x)$는 $x=0$에서 극솟값을 갖는다.
ㄷ. 열린구간 $(0, 1)$에서 $f(x)$는 증가한다.

① ㄱ ② ㄴ ③ ㄱ, ㄷ ④ ㄴ, ㄷ ⑤ ㄱ, ㄴ, ㄷ

(3) 오른쪽 그림은 삼차함수 $y=f(x)$의 도함수 $y=f'(x)$의 그래프가 두 점 $(a, 0)$, $(b, 0)$을 지나고, $f'(x)$의 최솟값은 -2이다. [보기]에서 옳은 것만을 있는 대로 고른 것은? (단, $a<b$)

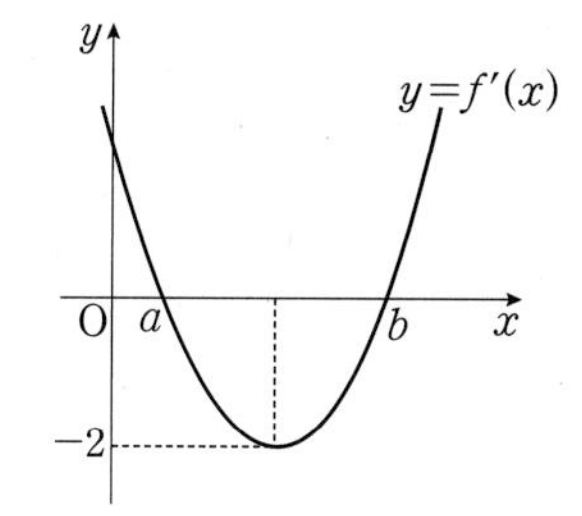

ㄱ. 함수 $f(x)$는 열린구간 (a, b)에서 감소한다.
ㄴ. 함수 $y=f(x)+x$가 열린구간 (c, d)에서 감소하면 $d-c<b-a$이다.
ㄷ. 함수 $y=f(x)+2x$는 실수 전체의 집합에서 증가한다.

① ㄱ ② ㄱ, ㄴ ③ ㄱ, ㄷ ④ ㄴ, ㄷ ⑤ ㄱ, ㄴ, ㄷ

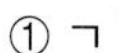

정답 0399: (1) ④ (2) ⑤ 0400: (1) ③ (2) ⑤ (3) ⑤

마플개념익힘 02 삼차함수의 계수의 부호 결정

$f(x)=ax^3+bx^2+cx+d$의 그래프가 오른쪽 그림과 같을 때,
a, b, c, d의 부호를 구하여라.

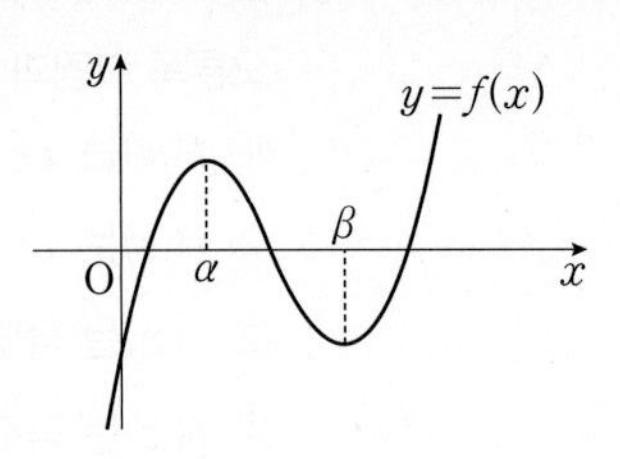

MAPL CORE 삼차함수 $f(x)=ax^3+bx^2+cx+d$의 계수의 부호 결정

① 최고차항의 계수 부호 결정
$x \to \infty$일 때 $f(x) \to \infty$이므로 $a>0$, $x \to \infty$일 때 $f(x) \to -\infty$이므로 $a<0$

② y절편의 부호 결정
$f(x)$가 그래프가 y축의 양의 부분에서 만나면 $d>0$, $f(x)$가 그래프가 y축의 음의 부분에서 만나면 $d<0$

③ b, c의 계수 부호 결정
$f'(x)=3ax^2+2bx+c=0$의 두 실근이 α, β이므로 근과 계수에 의해 부호를 결정한다.

개념익힘 | **풀이** 함수 $f(x)=ax^3+bx^2+cx+d$의 그래프에서 $x \to \infty$일 때,
$f(x) \to \infty$이므로 $a>0$
또, $x=0$일 때 y축의 음의 부분과 만나므로 $d<0$
한편, $f'(x)=3ax^2+2bx+c$에서
방정식 $f'(x)=0$의 두 실근은 α, β이고 α, β는 서로 다른 두 양수이므로
근과 계수의 관계에 의하여 $\alpha+\beta=-\dfrac{2b}{3a}>0$, $\alpha\beta=\dfrac{c}{3a}>0$ …… ㉠
$f'(0)=c$이므로 $c>0$
이때 $a>0$이므로 ㉠에서 $b<0$, $c>0$
따라서 $\boldsymbol{a>0, b<0, c>0, d<0}$이다.

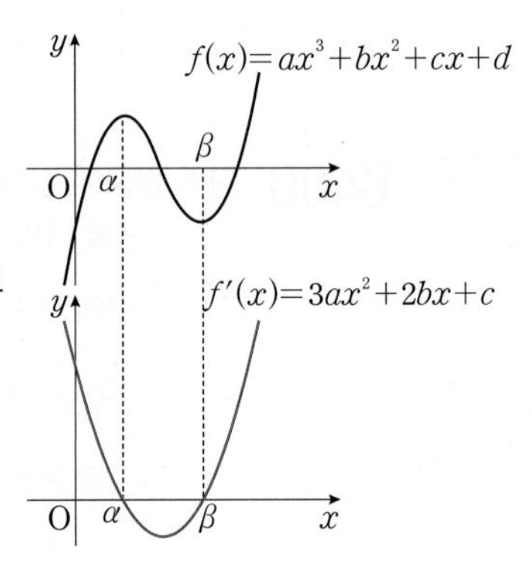

확인유제 0401 함수 $f(x)=ax^3+bx^2+cx+d$의 그래프가 오른쪽 그림과 같을 때,
다음 중 그 값이 양수인 것은? (단, $\alpha+\beta>0$)

① ab　　② ac　　③ bc
④ bd　　⑤ cd

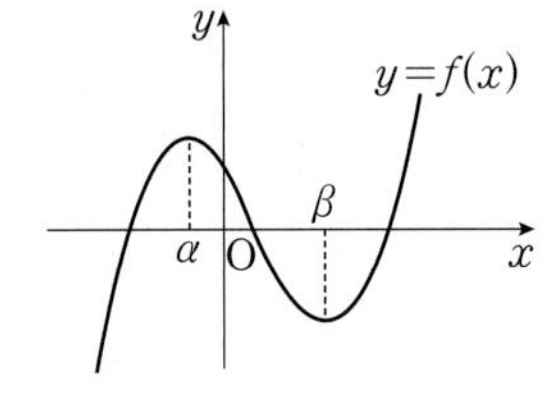

변형문제 0402 다음 물음에 답하여라.

(1) 삼차함수 $f(x)=ax^3+bx^2+cx+d$의 그래프가 오른쪽 그림과 같이
$x=\alpha$, $x=\beta$에서 극값을 가질 때,
$\dfrac{a}{|a|}+\dfrac{2b}{|b|}+\dfrac{3c}{|c|}+\dfrac{4d}{|d|}$의 값을 구하여라. (단, a, b, c, d는 상수)

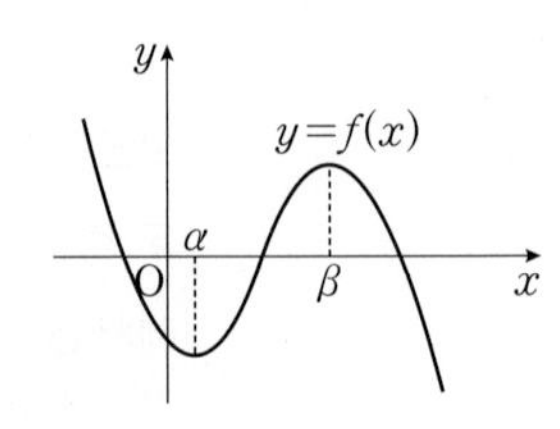

(2) 함수 $f(x)=-x^3+ax^2+bx+c$의 그래프가 오른쪽 그림과 같을 때,
$\dfrac{|a|}{a}+\dfrac{2|b|}{b}+\dfrac{|c|}{c}$의 값을 구하여라. (단, a, b, c는 0이 아닌 상수)

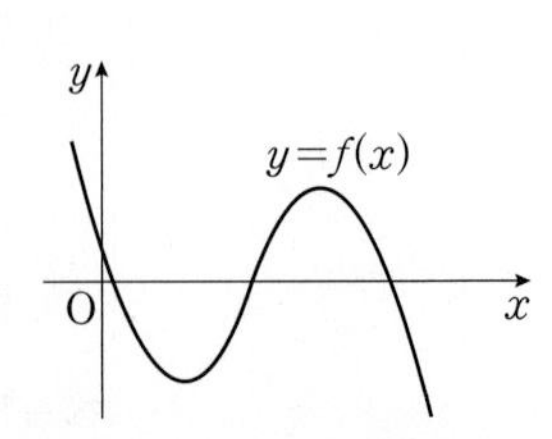

정답 0401: ③ 0402: (1) -6 (2) 0

마플개념익힘 03 $f'(x)$의 그래프를 이용한 $f(x)$의 해석

다항함수 $y=f(x)$의 도함수 $y=f'(x)$의 그래프가 오른쪽 그림과 같을 때, 다음 중 함수 $y=f(x)$의 그래프의 개형이 될 수 있는 것은?

①
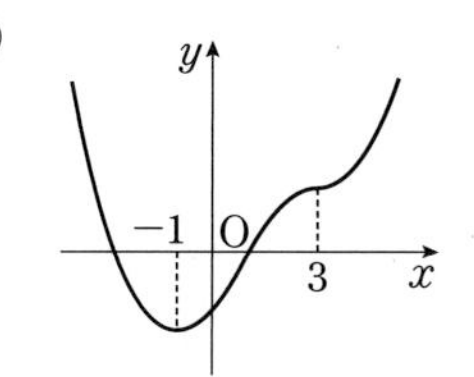

②
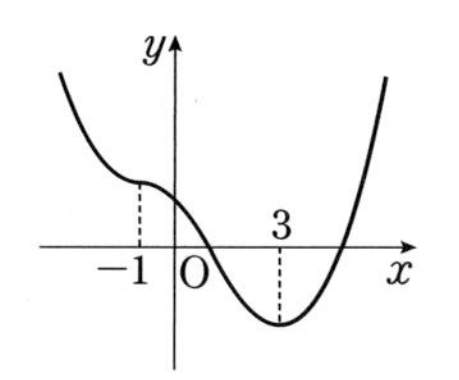

③
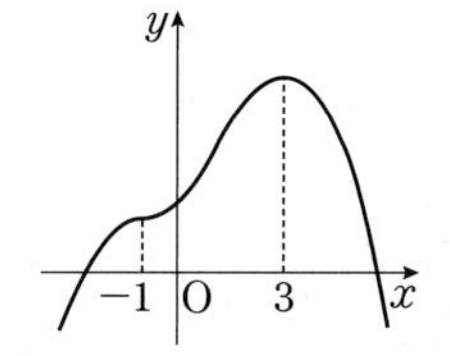

④
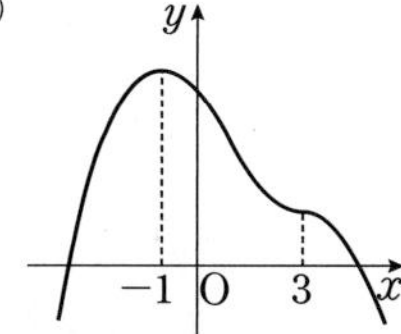

⑤
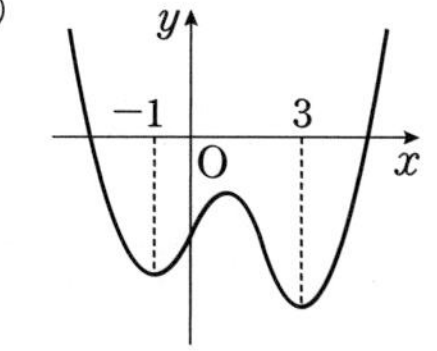

MAPL CORE 도함수의 극대 극소의 판단 예시

① $x=a$에서 $f'(x)$의 부호가 음에서 양으로 바뀌므로 $f(x)$는 $x=a$에서 극소

② $x=b$에서 $f'(x)$의 부호가 양에서 음으로 바뀌므로 $f(x)$는 $x=b$에서 극대

③ $x=c$에서 $f'(x)$의 부호가 음에서 음으로 바뀌므로 $f(x)$는 $x=c$에서 감소한다.

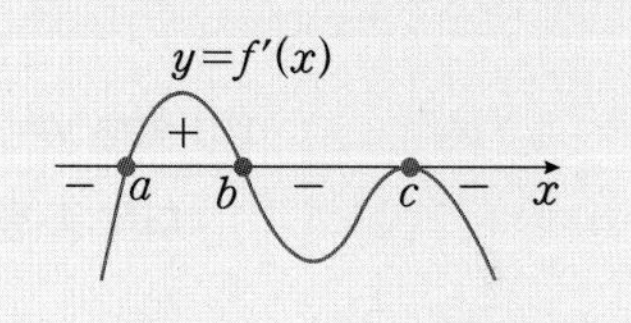

개념익힘 | 풀이 $y=f'(x)$의 그래프가 x축과 만나는 점의 x좌표가 -1, 3이므로

$f'(x)=0$에서 $x=-1$ 또는 $x=3$

함수 $f(x)$의 증가와 감소를 조사하면 다음 표와 같다.

x	$\cdots$	-1	$\cdots$	3	$\cdots$
$f'(x)$	$-$	0	$-$	0	$+$
$f(x)$	↘		↘	극소	↗

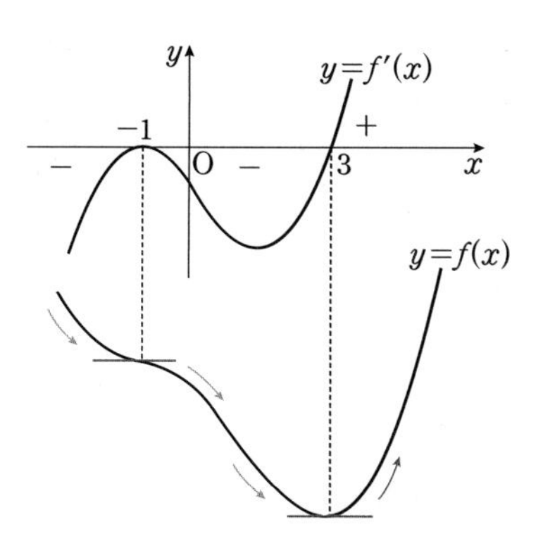

함수 $f(x)$는 $x<3$일 때 감소하고, $x>3$일 때 증가하므로 $x=3$에서 극소이다. 또 $x=-1$의 좌우에서 $f'(x)$의 부호가 바뀌지 않으므로 $f(x)$는 $x=-1$에서 극값을 갖지 않는다.

따라서 함수 $y=f(x)$의 그래프의 개형이 될 수 있는 것은 ②이다.

확인유제 0403

함수 $f(x)$에 대하여 $y=f'(x)$의 그래프의 개형이 다음과 같을 때, $y=f(x)$의 그래프의 개형으로 가장 적당한 것은?

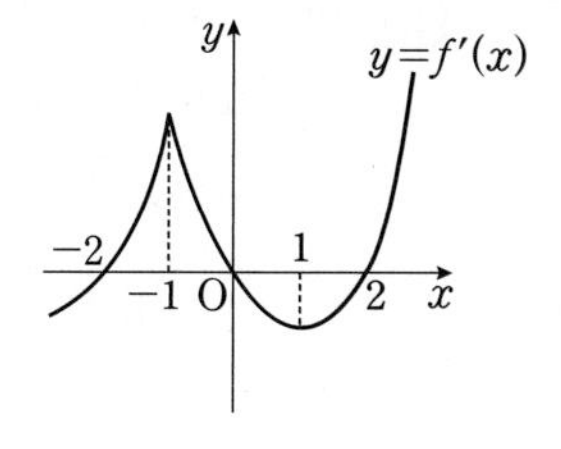

①
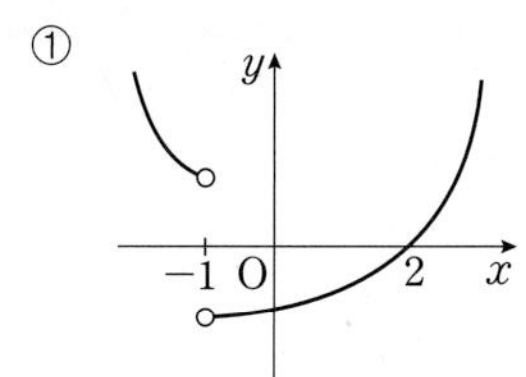

②
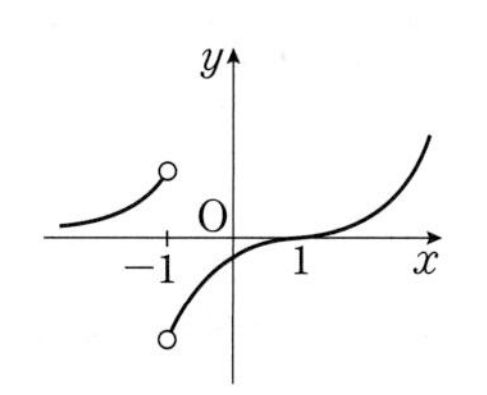

③
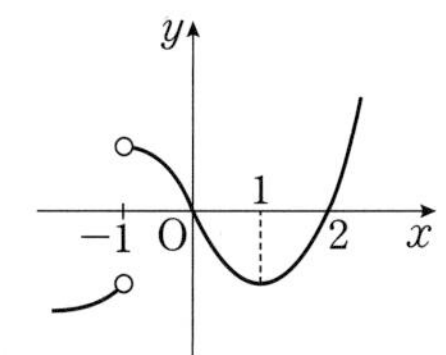

④
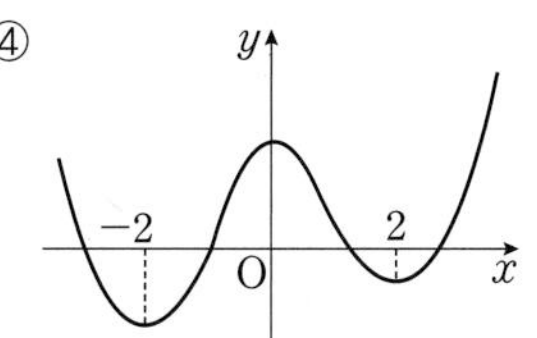

⑤
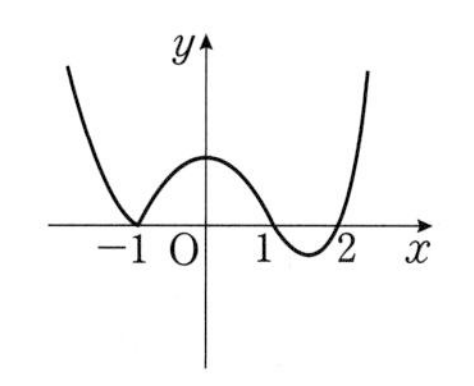

정답 0403: ④

변형문제 0404 다음 물음에 답하여라.

(1) 함수 $y=f(x)$의 도함수 $y=f'(x)$의 그래프가 오른쪽 그림과 같을 때, 다음 중 함수 $y=f(x)$의 그래프의 개형이 될 수 있는 것은?

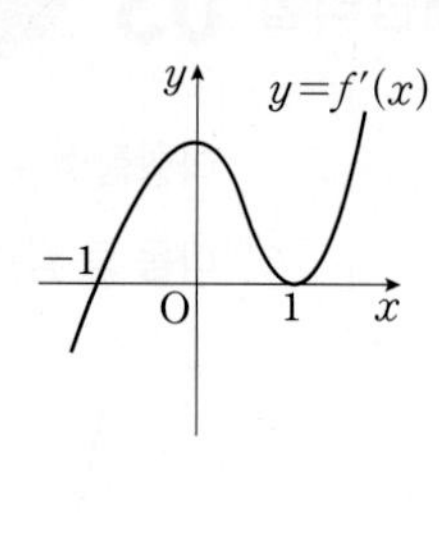

①
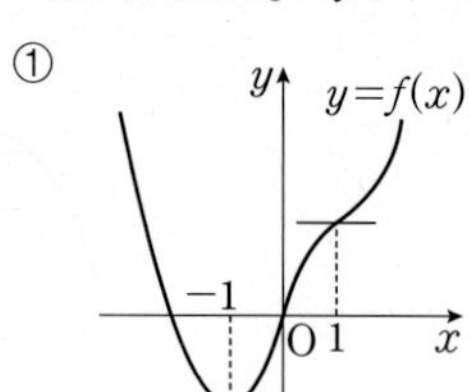

②
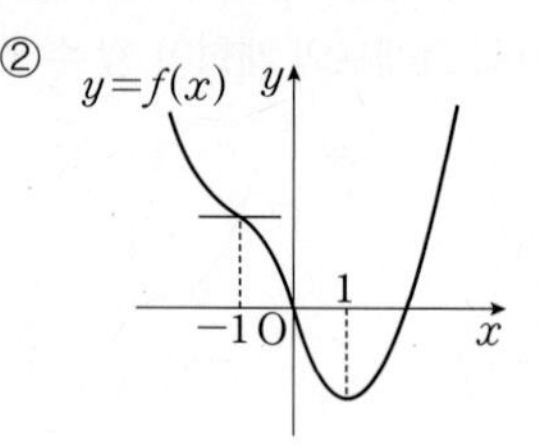

③
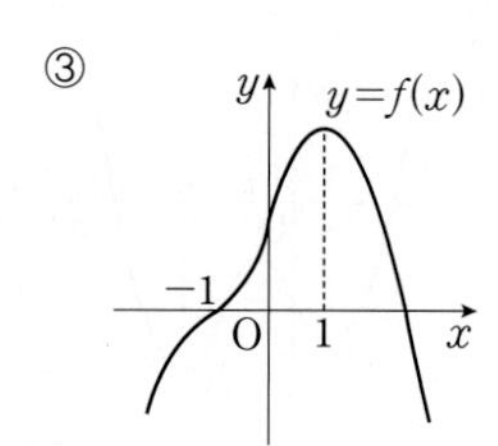

④
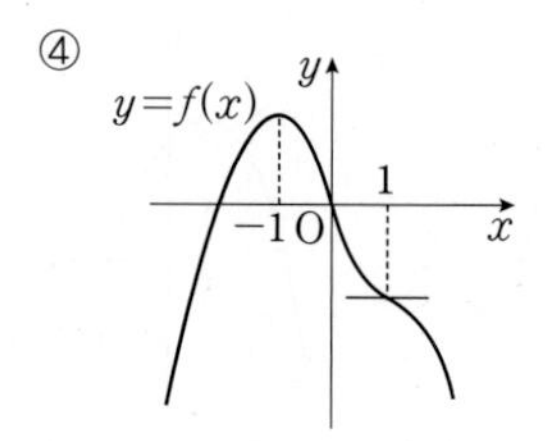

⑤
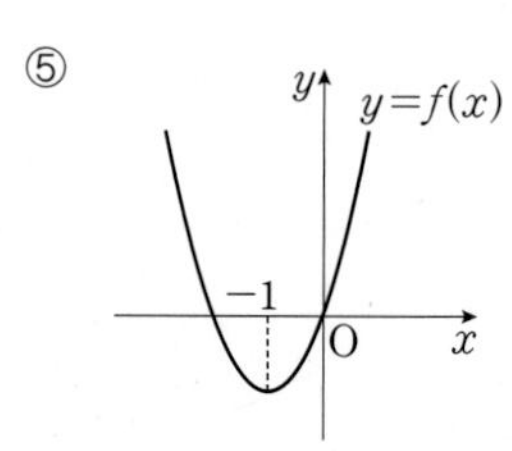

(2) 함수 $y=f(x)$의 도함수 $y=f'(x)$의 그래프가 오른쪽 그림과 같을 때, 다음 중 함수 $y=f(x)$의 그래프의 개형이 될 수 있는 것은?

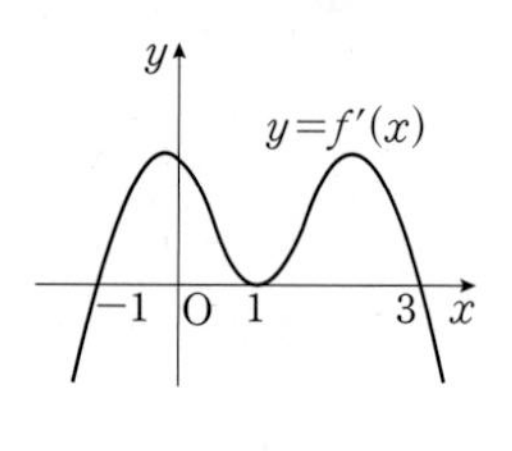

①
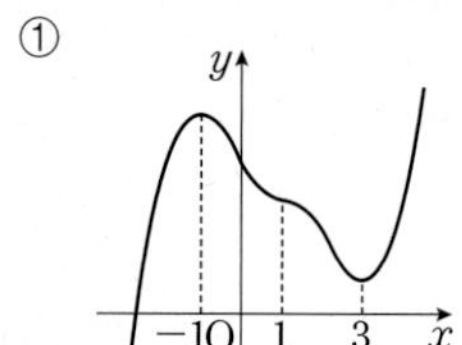

②
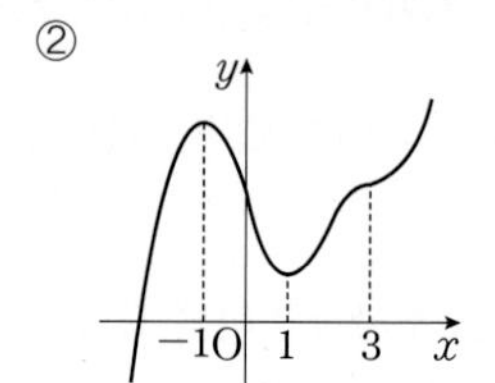

③
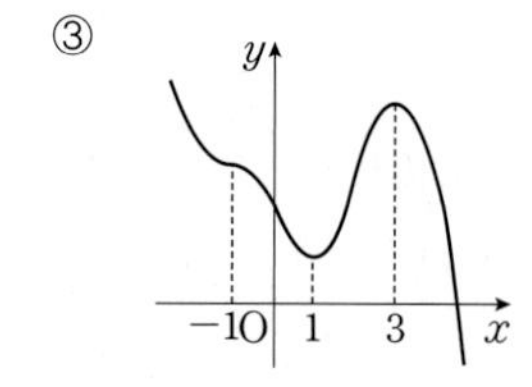

④
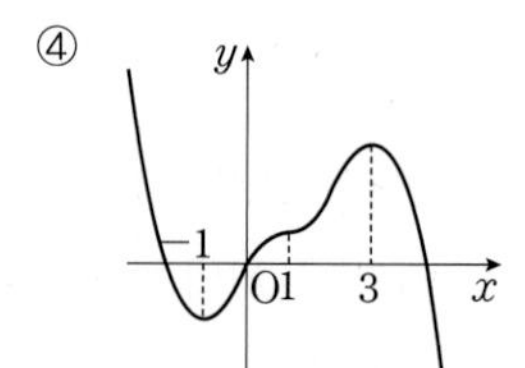

⑤
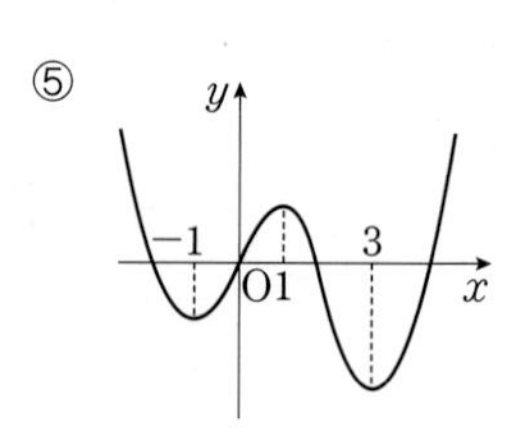

발전문제 0405 $-3<x<3$에서 연속인 함수 $y=f(x)$의 도함수 $y=f'(x)$의 그래프는 오른쪽 그림과 같다. 옳은 것만을 [보기]에서 있는 대로 고른 것은? (단, $f(0)=0$)

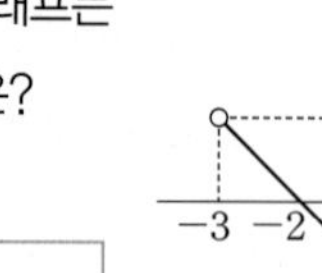
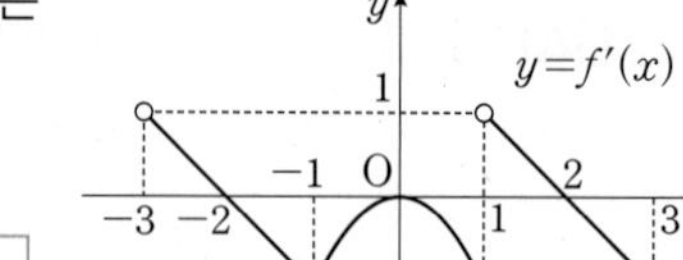

> ㄱ. $\lim_{x \to 1+} f'(x)=-1$
>
> ㄴ. $f(-2)>0$
>
> ㄷ. 구간 $(-3,\ 3)$에서 함수 $f(x)$는 오직 3개의 극값을 가진다.

① ㄱ　② ㄴ　③ ㄷ　④ ㄱ, ㄷ　⑤ ㄴ, ㄷ

정답　0404: (1) ① (2) ④　0405: ⑤

마플개념익힘 04 도함수를 이용한 함수 $f(x)$의 활용

2005학년도 06월 평가원

세 실수 a, b, c에 대하여 사차함수 $f(x)$의 도함수 $f'(x)$가 $f'(x)=(x-a)(x-b)(x-c)$일 때, 다음 중 항상 옳은 것을 모두 골라라.

> ㄱ. $a=b=c$이면, 방정식 $f(x)=0$은 실근을 갖는다.
> ㄴ. $a=b\neq c$이고 $f(a)<0$이면, 방정식 $f(x)=0$은 서로 다른 두 실근을 갖는다.
> ㄷ. $a<b<c$이고 $f(b)<0$이면, 방정식 $f(x)=0$은 서로 다른 두 실근을 갖는다.

개념익힘 | 풀이

ㄱ. $a=b=c$이면 $f'(x)=(x-a)^3$이고, $f'(x)=0$에서 $x=a$이다.

x	$\cdots$	a	$\cdots$
$f'(x)$	$-$	0	$+$
$f(x)$	↘	극소	↗

극솟값 $f(a)>0$인 경우 $f(x)=0$인 실근이 존재하지 않는다. [거짓]

반례 $f(x)=\frac{1}{4}(x-1)^4+2$이면 $f'(x)=(x-1)^3$이지만 방정식 $f(x)=0$의 실근은 없다.

ㄴ. $a=b\neq c\,(a<c)$이고 $f(a)<0$이면

$f'(x)=(x-a)^2(x-c)$이고 $f'(x)=0$에서 $x=a$ 또는 $x=c$

x	$\cdots$	a	$\cdots$	c	$\cdots$
$f'(x)$	$-$	0	$-$	0	$+$
$f(x)$	↘		↘	극소	↗

$x=c$에서만 극솟값을 갖고 $f(a)<0$이고 $f(c)<0$이므로 $f(x)=0$은 서로 다른 두 실근을 갖는다. [참]

ㄷ. $a<b<c$이고 $f(b)<0$이면

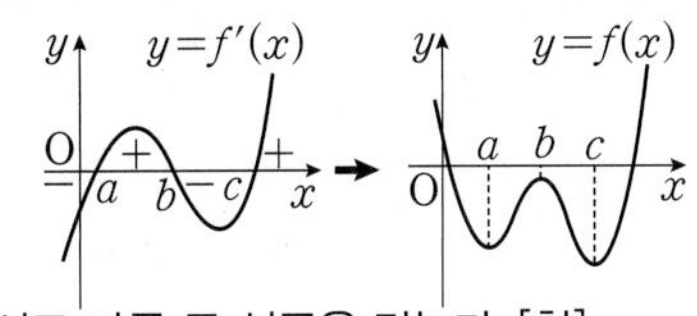

x	$\cdots$	a	$\cdots$	b	$\cdots$	c	$\cdots$
$f'(x)$	$-$	0	$+$	0	$-$	0	$+$
$f(x)$	↘	극소	↗	극대	↘	극소	↗

$x=b$에서 극댓값 $f(b)$를 갖고 $f(b)<0$이므로 방정식 $f(x)=0$은 서로 다른 두 실근을 갖는다. [참]

따라서 옳은 것은 ㄴ, ㄷ이다.

확인유제 0406 최고차항의 계수가 양수인 사차함수 $f(x)$에 대하여 방정식 $f'(x)=0$의 실근이 a, b, c뿐일 때, [보기]에서 옳은 것만을 있는 대로 골라라.

> ㄱ. $a=b=c$이면 함수 $f(x)$는 극댓값을 갖지 않는다.
> ㄴ. $a=b\neq c\,(a<c)$이고 $f(c)>0$이면 방정식 $f(x)=0$의 실근은 존재하지 않는다.
> ㄷ. $a<b<c$이고 $f(a)f(c)<0$이면 방정식 $f(x)=0$은 서로 다른 두 실근을 갖는다.

변형문제 0407 삼차함수 $y=f(x)$의 도함수 $y=f'(x)$의 그래프가 오른쪽 그림과 같을 때, 다음 [보기]에서 옳은 것만을 있는 대로 골라라.

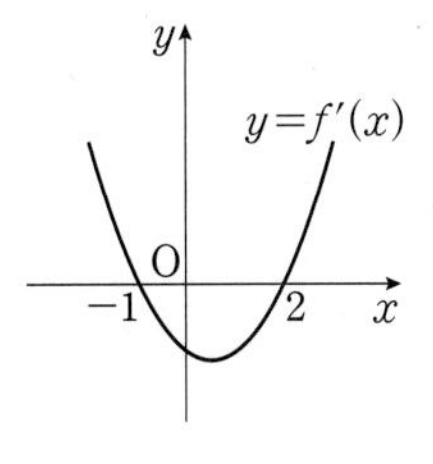

> ㄱ. $f(-1)f(2)>0$이면 $y=f(x)$의 그래프는 x축과 오직 한 점에서 만난다.
> ㄴ. $f(-1)f(2)=0$이면 $y=f(x)$의 그래프는 x축과 서로 다른 두 점에서 만난다.
> ㄷ. $f(-1)f(2)<0$이면 $y=f(x)$의 그래프는 x축과 서로 다른 세 점에서 만난다.

발전문제 0408 최고차항의 계수가 양수인 사차함수 $y=f(x)$의 도함수 $y=f'(x)$의 그래프가 x축과 서로 다른 세 점 $\mathrm{A}(\alpha, 0)$, $\mathrm{B}(\beta, 0)$, $\mathrm{C}(\gamma, 0)\,(\alpha<\beta<\gamma)$에서 만난다. 옳은 것만을 [보기]에서 있는 대로 골라라.

2011학년도 사관기출

> ㄱ. 방정식 $f(x)=k$(k는 실수)가 서로 다른 세 실근을 가지면 함수 $f(x)$의 극댓값은 k이다.
> ㄴ. $f(\alpha)f(\beta)f(\gamma)<0$이면 방정식 $f(x)=0$은 서로 다른 두 실근을 가진다.
> ㄷ. 방정식 $f(x)=0$이 서로 다른 네 실근을 갖기 위한 필요충분조건은 $f(\alpha)<0$, $f(\gamma)<0$이다.

정답 0406: ㄱ, ㄴ, ㄷ　0407: ㄱ, ㄴ, ㄷ　0408: ㄴ

마플개념익힘 05 다항함수 $h(x)=f(x)-g(x)$의 극대 극소의 활용

2012학년도 06월 평가원

삼차함수 $f(x)$의 도함수의 그래프와 이차함수 $g(x)$의 도함수의 그래프가 오른쪽 그림과 같다. 함수 $h(x)$를 $h(x)=f(x)-g(x)$라 하자. $f(0)=g(0)$일 때, 옳은 것만을 [보기]에서 있는 대로 골라라.

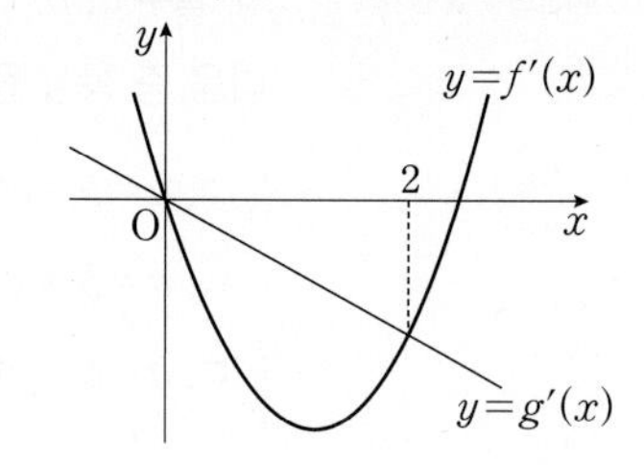

> ㄱ. $0<x<2$에서 $h(x)$는 감소한다.
> ㄴ. $h(x)$는 $x=2$에서 극솟값을 갖는다.
> ㄷ. 방정식 $h(x)=0$은 서로 다른 세 실근을 갖는다.

MAPL CORE $h(x)=f(x)-g(x)$의 극값을 구할 때는 다음의 순서로 구한다.
[1단계] $h'(x)=0$인 x의 값을 구한다.
[2단계] [1단계]에서 구한 x의 값의 좌우에서 $h'(x)$의 부호를 조사하여 증감표를 만든다.

개념익힘 | 풀이 ㄱ. $0<x<2$에서 $f'(x)<g'(x)$이므로 $h'(x)=f'(x)-g'(x)<0$
즉, $h(x)$는 감소한다. [참]

ㄴ. $h(x)=f(x)-g(x)$에서 $h'(x)=f'(x)-g'(x)$
$h'(x)=0$에서 $f'(x)=g'(x)$인 x좌표를 $x=0$ 또는 $x=2$
$h(x)$의 증가와 감소를 표로 나타내면 다음과 같다.

x	$\cdots$	0	$\cdots$	2	$\cdots$
$h'(x)$	+	0	−	0	+
$h(x)$	↗	극대	↘	극소	↗

즉, $x=0$에서 극댓값, $x=2$에서 극솟값을 갖는다. [참]

ㄷ. $x=0$에서 극대이고 극댓값은 $h(0)=f(0)-g(0)=0$
오른쪽과 같은 그래프가 된다.
방정식 $h(x)=0$은 서로 다른 두 실근을 갖는다. [거짓]

따라서 옳은 것은 ㄱ, ㄴ이다.

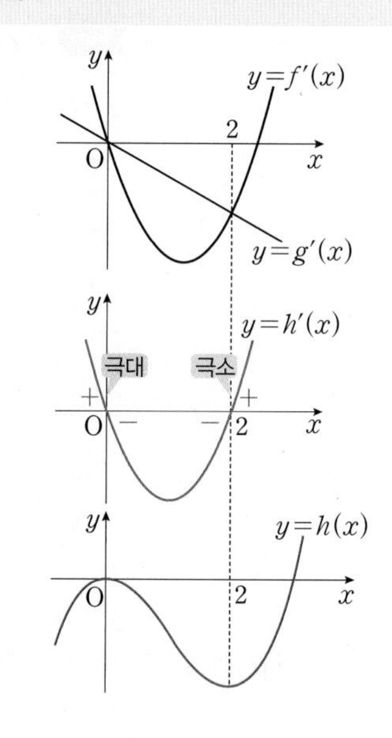

확인유제 0409

다음 물음에 답하여라.

(1) 삼차함수 $y=f(x)$의 도함수와 이차함수 $y=g(x)$의 도함수의 그래프가 오른쪽 그림과 같다. $h(x)=f(x)-g(x)$라 하고 $f(0)=g(0)$일 때, [보기]에서 옳은 것만을 있는 대로 고른 것은?

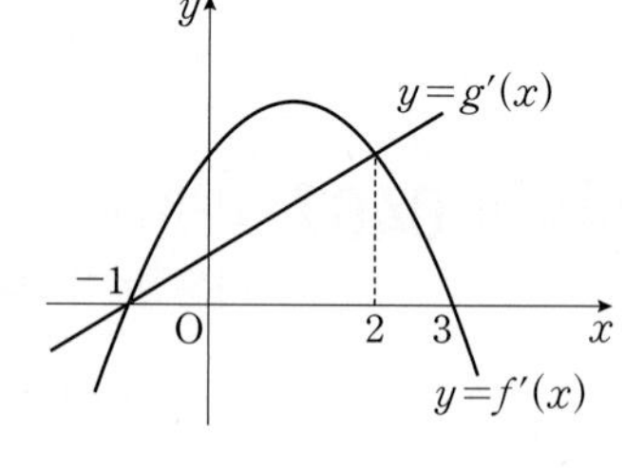

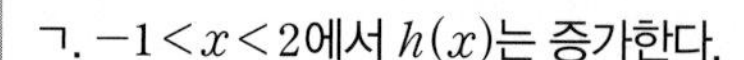

> ㄱ. $-1<x<2$에서 $h(x)$는 증가한다.
> ㄴ. 함수 $h(x)$는 $x=2$에서 극댓값을 갖는다.
> ㄷ. 방정식 $h(x)=0$은 서로 다른 세 실근을 갖는다.

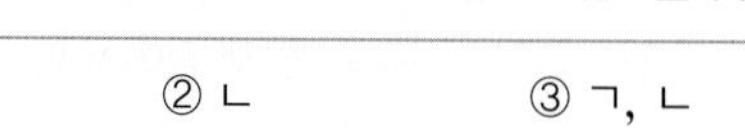

① ㄱ ② ㄴ ③ ㄱ, ㄴ ④ ㄴ, ㄷ ⑤ ㄱ, ㄴ, ㄷ

(2) 최고차항의 계수가 1인 삼차함수 $f(x)$의 도함수 $y=f'(x)$의 그래프와 이차함수 $g(x)$의 도함수 $y=g'(x)$의 그래프가 오른쪽 그림과 같다. $h(x)=f(x)-g(x)$라 할 때, $h(1)=0$이다.

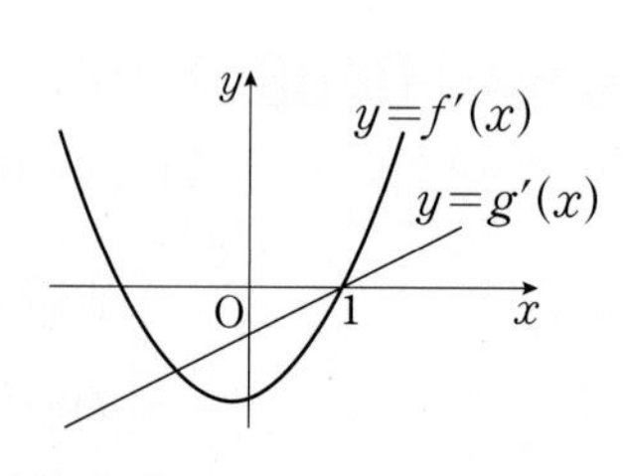

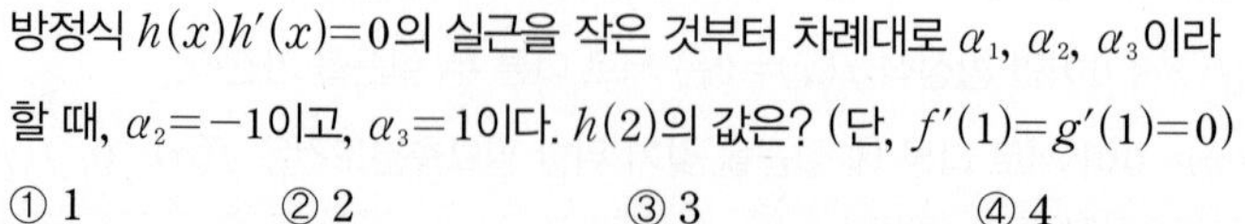

방정식 $h(x)h'(x)=0$의 실근을 작은 것부터 차례대로 α_1, α_2, α_3이라 할 때, $\alpha_2=-1$이고, $\alpha_3=1$이다. $h(2)$의 값은? (단, $f'(1)=g'(1)=0$)

① 1 ② 2 ③ 3 ④ 4 ⑤ 5

성답 0409: (1) ⑤ (2) ④

변형문제 0410 다음 물음에 답하여라.

(1) 삼차함수 $f(x)$와 사차함수 $g(x)$의 도함수 $y=f'(x)$, $y=g'(x)$의 그래프가 다음 그림과 같을 때, 함수 $h(x)=f(x)-g(x)$가 극소인 x의 값은?

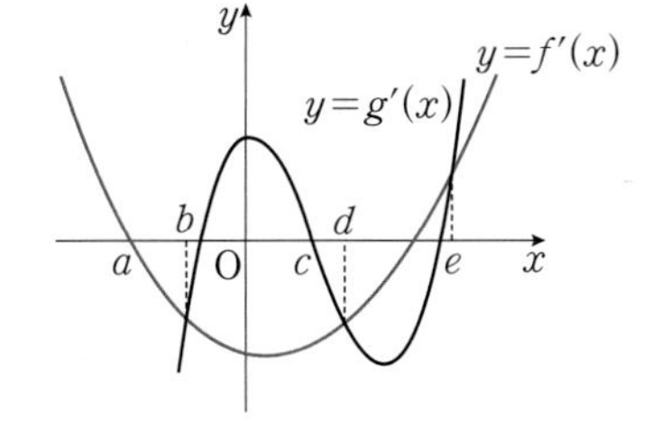

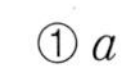
① a ② b ③ c

④ d ⑤ e

(2) 사차함수 $f(x)$의 도함수 $y=f'(x)$의 그래프와 이차함수 $g(x)$의 도함수 $y=g'(x)$의 그래프가 오른쪽 그림과 같다.
$y=f'(x)$와 $y=g'(x)$의 그래프의 교점의 x좌표가 b, e이고 함수 $h(x)=f(x)-g(x)$가 극소일 때의 x의 값은?

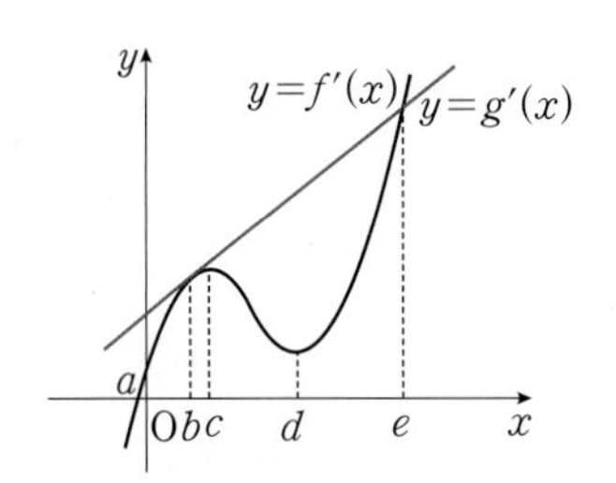

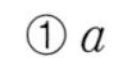
① a ② b ③ c
④ d ⑤ e

발전문제 0411 다음 물음에 답하여라.

2009년 05월 교육청

(1) 오른쪽 그림은 삼차함수 $y=f(x)$와 사차함수 $y=g(x)$의 도함수 $y=f'(x)$와 $y=g'(x)$의 그래프이다. 옳은 것을 [보기]에서 모두 고르면? (단, $f'(0)=0$, $g'(0)=0$)

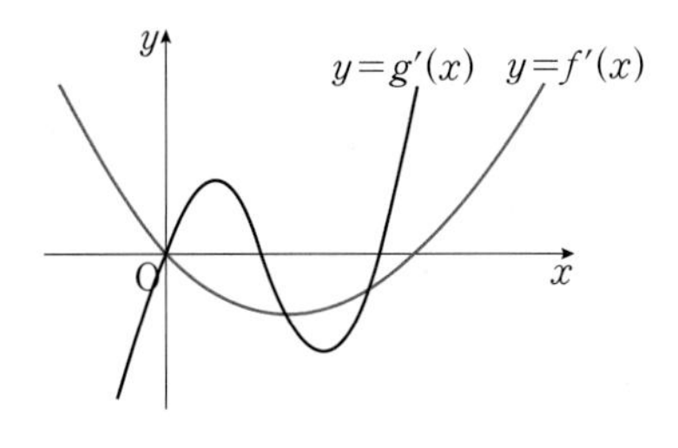

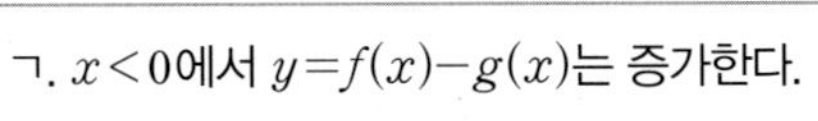
ㄱ. $x<0$에서 $y=f(x)-g(x)$는 증가한다.
ㄴ. $y=f(x)-g(x)$는 한 개의 극솟값을 갖는다.
ㄷ. $h(x)=f'(x)-g'(x)$라 할 때, $h'(x)=0$은 서로 다른 2개의 양의 실근을 갖는다.

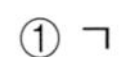
① ㄱ ② ㄴ

③ ㄱ, ㄴ ④ ㄴ, ㄷ ⑤ ㄱ, ㄴ, ㄷ

2016년 07월 교육청

(2) 오른쪽 그림과 같이 두 삼차함수 $f(x)$, $g(x)$의 도함수 $y=f'(x)$, $y=g'(x)$의 그래프가 만나는 서로 다른 두 점의 x좌표는 a, $b\,(0<a<b)$이다. 함수 $h(x)$를 $h(x)=f(x)-g(x)$라 할 때, [보기]에서 옳은 것만을 있는 대로 고른 것은? (단, $f'(0)=7$, $g'(0)=2$)

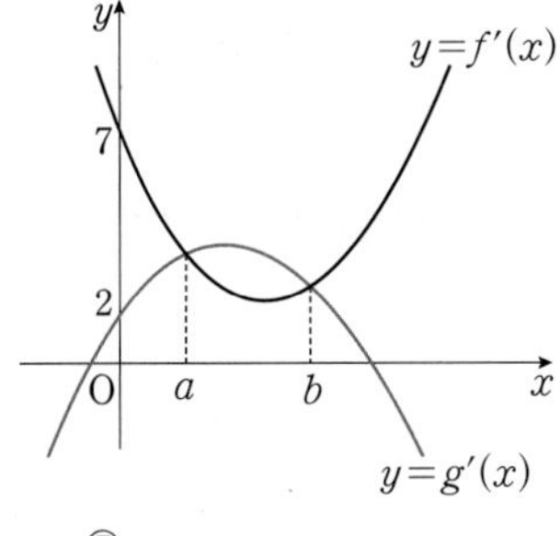

ㄱ. 함수 $h(x)$는 $x=a$에서 극댓값을 갖는다.
ㄴ. $h(b)=0$이면 방정식 $h(x)=0$의 서로 다른 실근의 개수는 2이다.
ㄷ. $0<\alpha<\beta<b$인 두 실수 α, β에 대하여 $h(\beta)-h(\alpha)<5(\beta-\alpha)$이다.

① ㄱ ② ㄷ ③ ㄱ, ㄴ ④ ㄴ, ㄷ ⑤ ㄱ, ㄴ, ㄷ

정답 0410: (1) ④ (2) ⑤ 0411: (1) ⑤ (2) ⑤

오른쪽 그림과 같이 일차함수 $y=f(x)$의 그래프와 최고차항의 계수가 1인 사차함수 $y=g(x)$의 그래프는 x좌표가 -2, 1인 두 점에서 접한다. 함수 $h(x)=g(x)-f(x)$라 할 때, 함수 $h(x)$의 극댓값을 구하여라.

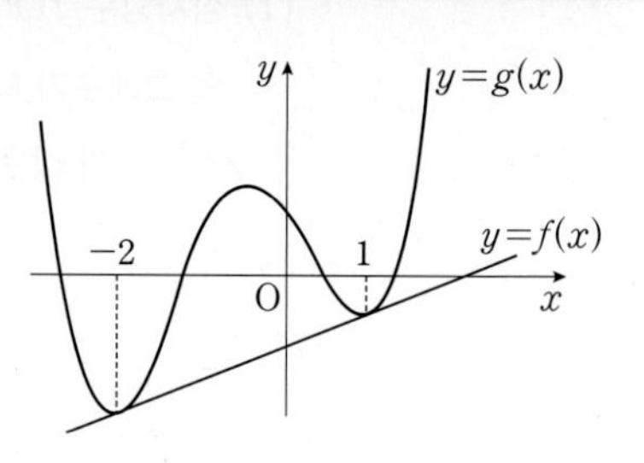

MAPL CORE $h(x)$가 사차함수임을 알고 두 함수 $y=f(x)$와 $y=g(x)$의 그래프의 교점의 x좌표가 -2, 1임을 이용하여 함수 $h(x)=f(x)-g(x)$의 식 작성하기

개념익힘 | **풀이** $f(x)$가 일차함수이고 $g(x)$가 사차함수이므로 함수 $h(x)=g(x)-f(x)$는 사차함수이다.

즉 사차방정식 $h(x)=g(x)-f(x)=0$의 실근은

두 함수 $y=f(x)$, $y=g(x)$의 그래프의 교점이고 교점의 x좌표는 -2, 1이다.

이 점에서 두 함수 $y=f(x)$, $y=g(x)$의 그래프가 서로 접하므로

$h(x)=g(x)-f(x)=(x+2)^2(x-1)^2$ ($\because$ 최고차항의 계수는 1이다.)

$h'(x)=2(x+2)(x-1)^2+(x+2)^2\cdot2(x-1)=2(x+2)(x-1)(2x+1)$

$h'(x)=0$에서 $x=-2$ 또는 $x=-\frac{1}{2}$ 또는 $x=1$

함수 $h(x)$의 증가와 감소를 표로 나타내면 다음과 같다.

x	$\cdots$	-2	$\cdots$	$-\frac{1}{2}$	$\cdots$	1	$\cdots$
$h'(x)$	$-$	0	$+$	0	$-$	0	$+$
$h(x)$	↘	극소	↗	극대	↘	극소	↗

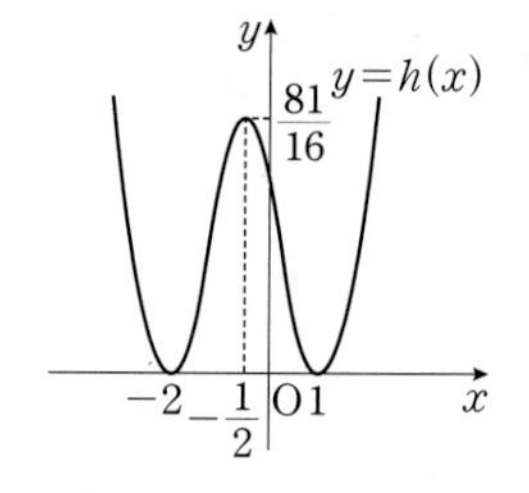

따라서 $x=-\frac{1}{2}$일 때, 극대이고 극댓값은 $h\left(-\frac{1}{2}\right)=\left(\frac{3}{2}\right)^2\cdot\left(-\frac{3}{2}\right)^2=\mathbf{\frac{81}{16}}$

확인유제 0412
2017학년도 06월 평가원

삼차함수 $y=f(x)$와 일차함수 $y=g(x)$의 그래프가 오른쪽 그림과 같고 $f'(b)=f'(d)=0$이다.
함수 $y=f(x)g(x)$는 $x=p$와 $x=q$에서 극소이다.
다음 중 옳은 것은? (단, $p<q$)

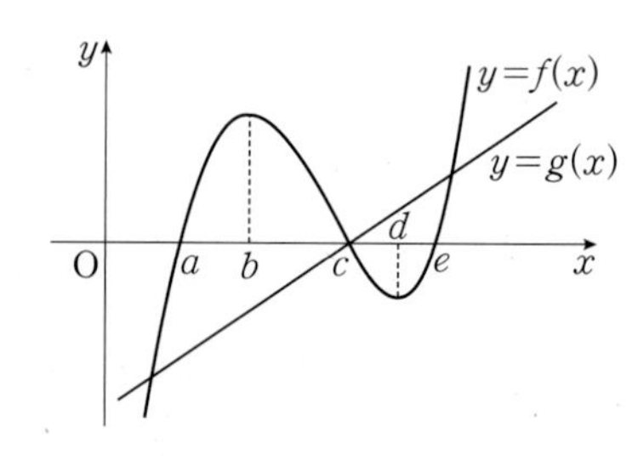

① $a<p<b$이고 $c<q<d$
② $a<p<b$이고 $d<q<e$
③ $b<p<c$이고 $c<q<d$
④ $b<p<c$이고 $d<q<e$
⑤ $c<p<d$이고 $d<q<e$

변형문제 0413
2018학년도 경찰대기출

$1\le k<l<m\le 10$인 세 자연수 k, l, m에 대하여 함수 $f(x)$의 도함수 $f'(x)$가

$$f'(x)=(x+1)^k x^l (x-1)^m$$

일 때, $x=0$에서 $f(x)$가 극댓값을 갖도록 하는 순서쌍 $(k,\ l,\ m)$의 개수를 구하여라.

발전문제 0414
2018학년도 09월 평가원

두 삼차함수 $f(x)$와 $g(x)$가 모든 실수 x에 대하여

$$f(x)g(x)=(x-1)^2(x-2)^2(x-3)^2$$

을 만족시킨다. $g(x)$의 최고차항의 계수가 3이고, $g(x)$가 $x=2$에서 극댓값을 가질 때, $f'(0)=\frac{q}{p}$이다.

$p+q$의 값을 구하여라. (단, p와 q는 서로소인 자연수이다.)

정답 0412: ② 0413: 20 0414: 10

05 절댓값 함수의 미분가능

MAPL ; YOUR MASTER PLAN

01 절댓값을 포함한 함수의 미분가능

실수 전체의 집합에서 미분가능한 함수 $f(x)$에 대하여 함수 $g(x)=|f(x)|$라 할 때, 실수 a에 대하여

(1) 함수 $g(x)=|f(x)|$가 $x=a$에서 미분가능하기 위한 조건

① $f(a)\neq 0$일 때, $f(a)>0$이거나 $f(a)<0$인 경우

② $f(a)=0$일 때, $f'(a)=0$인 경우 ← 꺾어 올린 그래프가 뾰족점이 없이 부드럽게 이어져야 한다.

(2) 함수 $g(x)=|f(x)|$가 $x=a$에서 미분가능하지 않는 경우

$f(a)=0$일 때, $f'(a)\neq 0$인 경우 ← $x=a$에서 함수 $g(x)$는 꺾인 점인 경우

참고

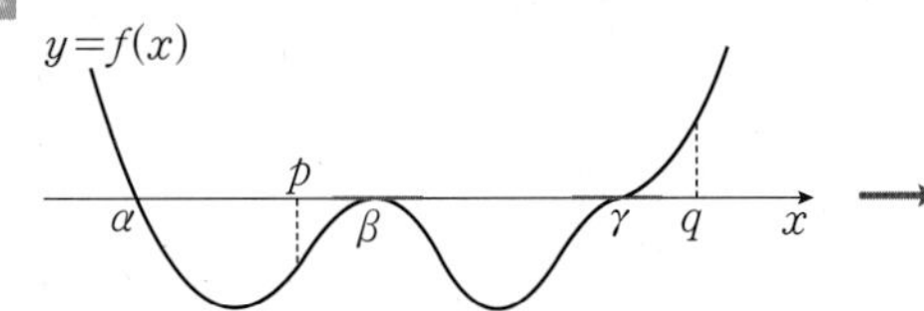

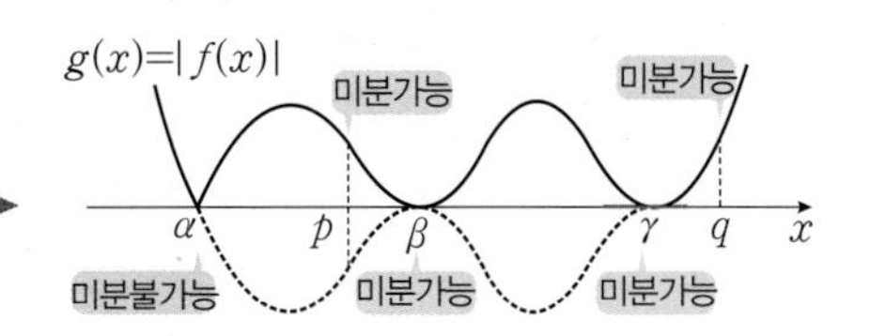

마플해설 실수 전체의 집합에서 미분가능한 함수 $f(x)$에 대하여 함수 $g(x)=|f(x)|$라 할 때, 실수 a에 대하여

(i) $f(a)>0$인 경우

$$\lim_{x\to a}\frac{g(x)-g(a)}{x-a}=\lim_{x\to a}\frac{f(x)-f(a)}{x-a}=f'(a)$$

이므로 함수 $g(x)=|f(x)|$는 $x=a$에서 미분가능하다.

(ii) $f(a)<0$인 경우

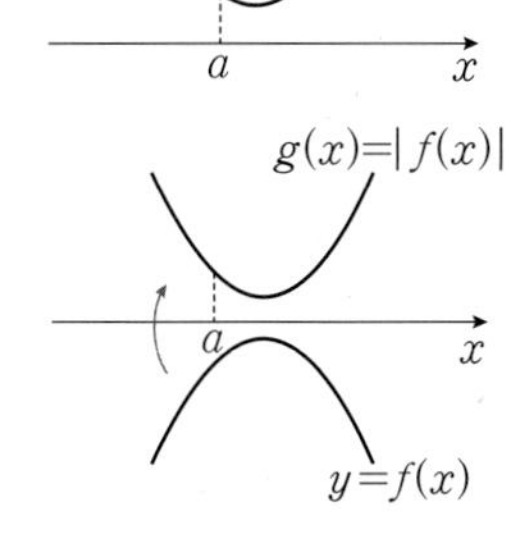

$$\lim_{x\to a}\frac{g(x)-g(a)}{x-a}=\lim_{x\to a}\frac{\{-f(x)\}-\{-f(a)\}}{x-a}=-f'(a)$$

이므로 함수 $g(x)=|f(x)|$는 $x=a$에서 미분가능하다.

(iii) $f(a)=0$인 경우

① $f'(a)>0$이면 ($x<a$일 때, $f(x)<0$)이고 ($x>a$일 때, $f(x)>0$)이므로

$$\lim_{x\to a-}\frac{g(x)-g(a)}{x-a}=\lim_{x\to a-}\frac{\{-f(x)\}-\{-f(a)\}}{x-a}=-f'(a)$$

$$\lim_{x\to a+}\frac{g(x)-g(a)}{x-a}=\lim_{x\to a+}\frac{f(x)-f(a)}{x-a}=f'(a)$$

이때 $-f'(a)\neq f'(a)$이므로 함수 $g(x)$는 $x=a$에서 미분가능하지 않다.

② $f'(a)<0$이면 ($x<a$일 때, $f(x)>0$)이고 ($x>a$일 때, $f(x)<0$)이므로

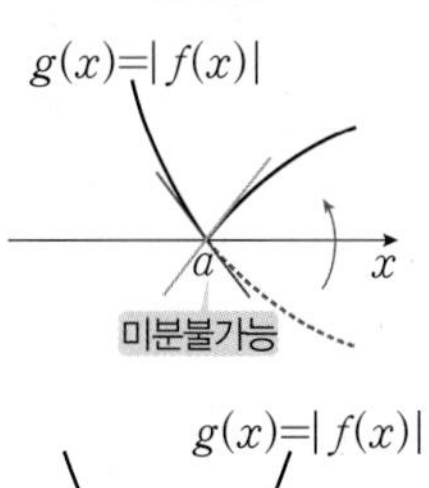

$$\lim_{x\to a-}\frac{g(x)-g(a)}{x-a}=\lim_{x\to a-}\frac{f(x)-f(a)}{x-a}=f'(a)$$

$$\lim_{x\to a+}\frac{g(x)-g(a)}{x-a}=\lim_{x\to a+}\frac{\{-f(x)\}-\{-f(a)\}}{x-a}=-f'(a)$$

이때 $f'(a)\neq -f'(a)$이므로 함수 $g(x)$는 $x=a$에서 미분가능하지 않다.

③ $f'(a)=0$일 때, ← 꺾어 올린 그래프가 뾰족점이 없이 부드럽게 이어져야 한다.

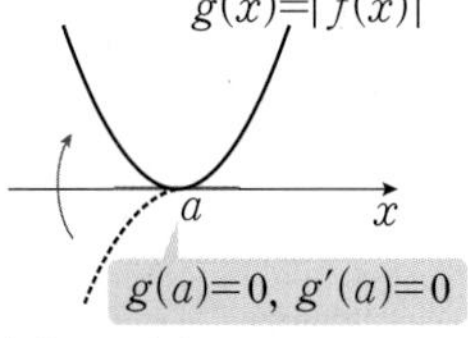

$$\lim_{x\to a-}\frac{g(x)-g(a)}{x-a}=\lim_{x\to a+}\frac{g(x)-g(a)}{x-a}=0$$

함수 $g(x)$는 $x=a$에서 미분가능하여 $g'(a)=0$이다.

즉, $f(a)=0$일 때, 함수 $g(x)=|f(x)|$가 $x=a$에서 미분가능하기 위한 조건은 $f'(a)=0$이다.

실수 전체의 집합에서 미분가능한 함수 $f(x)$에 대하여 함수 $g(x)=|f(x)|$가 미분가능하기 위한 조건

① 모든 실수 x에 대하여 $f(x)\geq 0$ 또는 $f(x)\leq 0$

② $f(x)=0$인 x에 대하여 $f'(x)=0$

보기 01 다음 물음에 답하여라.

(1) 함수 $f(x)=(x+2)(x+1)(x-1)(x-2)$에 대하여 $g(x)=|f(x)|$라 할 때, 미분가능하지 않은 x의 값을 구하여라.

(2) 함수 $f(x)=(x-1)(x-2)(x-3)^2$에 대하여 $g(x)=|f(x)|$라 할 때, 미분가능하지 않은 x의 값을 구하여라.

(3) 함수 $f(x)=(x-1)(x-3)^3$에 대하여 $g(x)=|f(x)|$라 할 때, 미분가능하지 않은 x의 값을 구하여라.

풀이 (1) 함수 $f(x)=(x+2)(x+1)(x-1)(x-2)$에 대하여 $g(x)=|f(x)|$의 그래프가 다음과 같다.

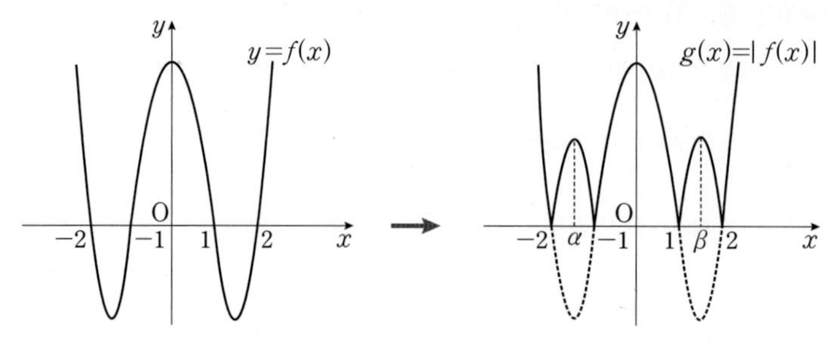

따라서 미분가능하지 않은 x의 값은 $-2,\ -1,\ 1,\ 2$이다.

참고 $g(x)=|f(x)|$의 증가와 감소를 표로 나타내면 다음과 같다.

x	$\cdots$	-2	$\cdots$	α	$\cdots$	-1	$\cdots$	0	$\cdots$	1	$\cdots$	β	$\cdots$	2	$\cdots$
$f'(x)$	$-$		$+$	0	$-$		$+$	0	$-$		$+$	0	$-$		$+$
$f(x)$	↘	극소	↗	극대	↘	극소	↗	극대	↘	극소	↗	극대	↘	극소	↗

$g(x)=|f(x)|$가 극소가 되는 x의 값은 $-2,\ -1,\ 1,\ 2$이다.

(2) 함수 $f(x)=(x-1)(x-2)(x-3)^2$에 대하여 $g(x)=|f(x)|$의 그래프가 다음과 같다.

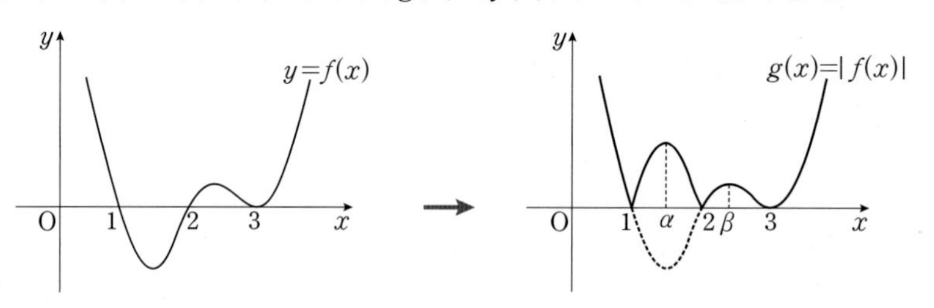

따라서 미분가능하지 않은 x의 값은 $1,\ 2$이다.

참고 $g(x)=|f(x)|$의 증가와 감소를 표로 나타내면 다음과 같다.

x	$\cdots$	1	$\cdots$	α	$\cdots$	2	$\cdots$	β	$\cdots$	3	$\cdots$
$f'(x)$	$-$		$+$	0	$-$		$+$	0	$-$	0	$+$
$f(x)$	↘	극소	↗	극대	↘	극소	↗	극대	↘	극소	↗

$g(x)=|f(x)|$가 극소가 되는 x의 값은 $1,\ 2,\ 3$이다.

(3) 함수 $f(x)=(x-1)(x-3)^3$에 대하여 $g(x)=|f(x)|$의 그래프가 다음과 같다.

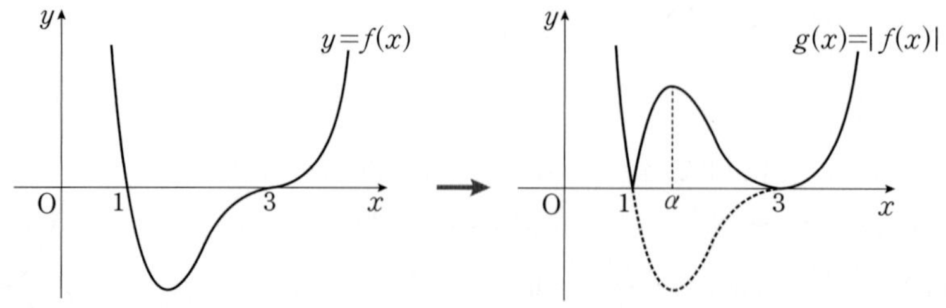

따라서 미분가능하지 않은 x의 값은 1이다.

참고 $g(x)=|f(x)|$의 증가와 감소를 표로 나타내면 다음과 같다.

x	$\cdots$	1	$\cdots$	α	$\cdots$	3	$\cdots$
$f'(x)$	$-$		$+$	0	$-$	0	$+$
$f(x)$	↘	극소	↗	극대	↘	극소	↗

$g(x)=|f(x)|$가 극소가 되는 x의 값은 $1,\ 3$이다.

보기02 자연수 n에 대하여 함수 $f(x)=x^3+3x^2-9x+n$일 때, 함수 $g(x)=|f(x)|$의 미분가능하지 않은 점이 1개가 되도록 하는 n의 범위를 구하여라.

풀이 $f(x)=x^3+3x^2-9x+n$에서 $f'(x)=3x^2+6x-9=3(x+3)(x-1)$

$f'(x)=0$에서 $x=-3$ 또는 $x=1$이므로

함수 $f(x)$의 증가와 감소를 표로 나타내면 다음과 같다.

x	$\cdots$	-3	$\cdots$	1	$\cdots$
$f'(x)$	$+$	0	$-$	0	$+$
$f(x)$	↗	극대	↘	극소	↗

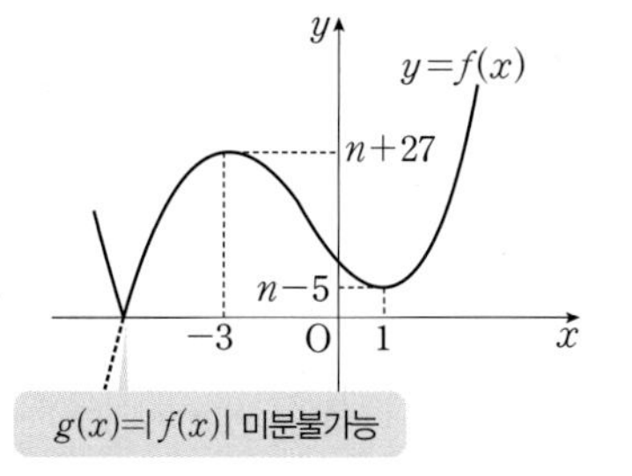

함수 $f(x)$는 $x=-3$에서 극대이고 극댓값 $f(-3)=n+27$

$x=1$에서 극소이고 극솟값 $f(1)=n-5$를 갖는다.

이때 $f(-3)=n+27>0$이므로 함수 $g(x)=|f(x)|$의 미분가능하지 않은 점이 1개가 되려면 $y=f(x)$의 그래프가 오른쪽 그림과 같아야 한다.

따라서 $f(1)=n-5\geq 0$이므로 $n\geq 5$

보기03 함수 $f(x)=x^3-3x^2-9x+a$에 대하여 함수 $g(x)=|f(x)|$라 하자. $g(x)$는 $x=\alpha$, $x=\beta(\alpha<\beta)$에서 극댓값을 가질 때, a의 범위를 구하여라.

풀이 $f(x)=x^3-3x^2-9x+a$에서

$f'(x)=3x^2-6x-9=3(x^2-2x-3)=3(x+1)(x-3)$

$f'(x)=0$에서 $x=-1$ 또는 $x=3$

함수 $f(x)$의 증가와 감소를 표로 나타내면 다음과 같다.

x	$\cdots$	-1	$\cdots$	3	$\cdots$
$f'(x)$	$+$	0	$-$	0	$+$
$f(x)$	↗	$a+5$	↘	$a-27$	↗

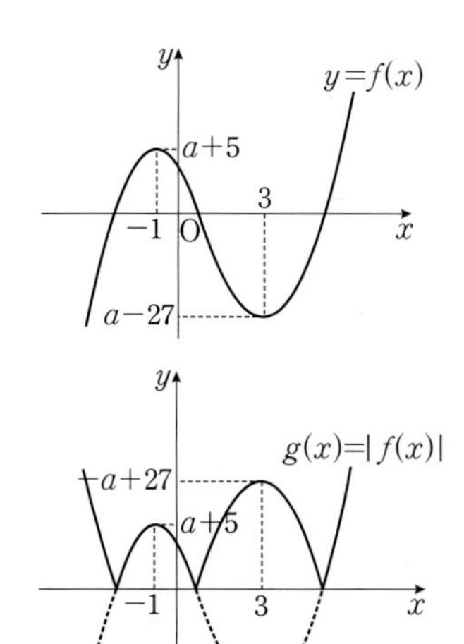

따라서 함수 $f(x)$는 $x=-1$에서 극대이고 극댓값 $f(-1)=a+5$

$x=3$에서 극소이고 극솟값 $f(3)=a-27$을 가진다.

$g(x)=|f(x)|$가 $x=\alpha$, $x=\beta(\alpha<\beta)$에서 극댓값을 가지려면

$a+5>0$이고 $a-27<0$

$\therefore -5<a<27$

참고 $g(x)=|f(x)|$가 두개의 극댓값이 존재할 때, 즉 극솟값이 3개가 존재하기 위한 a의 범위를 구하는 문제이다.

02 함수 $|f(x)-t|$의 미분가능

$y=|f(x)-t|$의 그래프는 함수 $y=f(x)$의 그래프를 y축으로 $-t$만큼 평행이동한 후 x축 아래 부분을 접어올린 그래프이므로 함수 $y=f(x)$의 그래프를 직선 $y=t$를 기준으로 그 아랫부분에 있는 그래프를 직선 $y=t$ 위로 꺾어 올린 그래프의 모양이다.

$y=|f(x)-t|$의 그래프 그리기

[1단계] 함수 $y=f(x)-t$의 그래프는 함수 $y=f(x)$의 그래프를 y축의 방향으로 $-t$만큼 평행이동 시킨다.

[2단계] $y=|f(x)-t|$의 그래프는 함수 $y=f(x)-t$의 그래프에서 x축 아래에 있는 부분을 x축에 대하여 대칭이동시켜 위로 꺾어 올린 모양이다.

즉, t의 값에 따라 $y=|f(x)-t|$의 그래프의 형태가 달라지기 때문에 미분가능한 점의 개수가 달라진다.

실수 전체의 집합에서 미분가능한 함수 $f(x)$에 대하여 함수 $g(x)=|f(x)-t|$라 할 때, 실수 a에 대하여

(1) 함수 $g(x)=|f(x)-t|$가 $x=a$에서 미분가능하기 위한 조건

$f(a)=t$일 때, $f'(a)=0$인 경우 ⬅ $x=a$에서 $f'(x)=0$인 x가 중근이 존재하는 경우

(2) 함수 $g(x)=|f(x)-t|$가 $x=a$에서 미분가능하지 않은 경우

$f(a)=t$일 때, $f'(a)\neq 0$인 경우 ⬅ $x=a$에서 함수 $g(x)$는 꺾인점인 경우

참고 $y=|f(x)-k|$의 그래프는 다음 순서대로 그린다.

[1단계] $y=f(x)$의 그래프를 그린다.	[2단계] y축 방향으로 $-k$만큼 평행이동한다.	[3단계] 곡선의 x축에 대하여 대칭으로 꺾어 올린다.
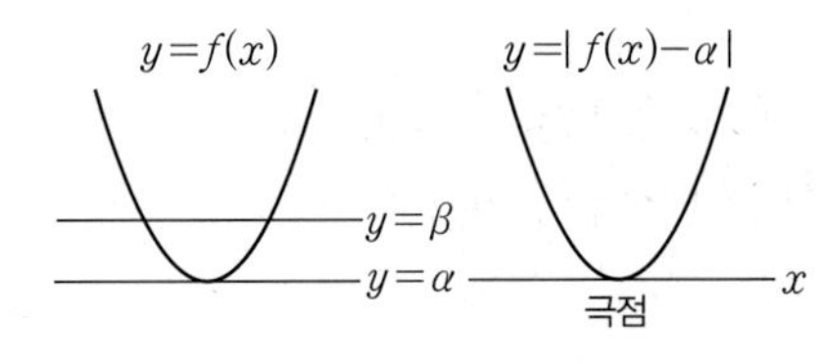	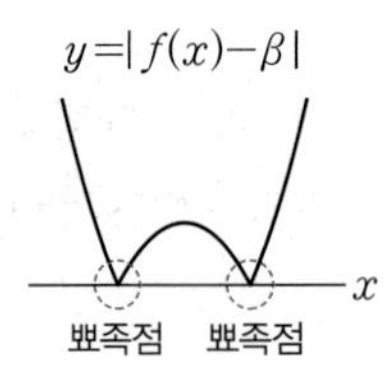	y, $y=\|f(x)-k\|$, O, x, $a-k$

마플해설 ① 함수 $g(x)=|f(x)-t|$가 미분가능, 미분가능하지 않은 경우

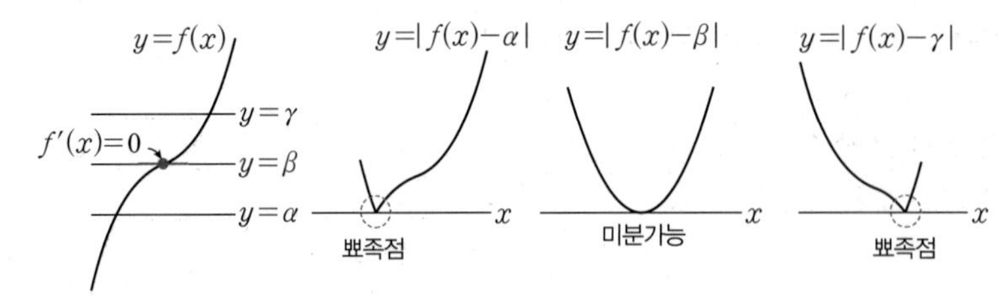

② 함수 $g(x)=|f(x)-t|$가 미분가능, 미분가능하지 않은 경우

$y=f(x)$, $f'(x)=0$, $y=\gamma$, $y=\beta$, $y=\alpha$ / $y=|f(x)-\alpha|$ 뾰족점 / $y=|f(x)-\beta|$ 미분가능 / $y=|f(x)-\gamma|$ 뾰족점

03 함수 $|f(x)-t|$의 미분불가능한 점의 개수인 함수 $g(t)$의 그래프

사차함수 $y=f(x)$의 그래프와 임의의 양수 a, b, c에 대하여 $y=|f(x)-t|$의 미분불가능한 점의 개수를 $g(t)$라 할 때, $y=g(t)$의 그래프를 그리면 다음과 같다.

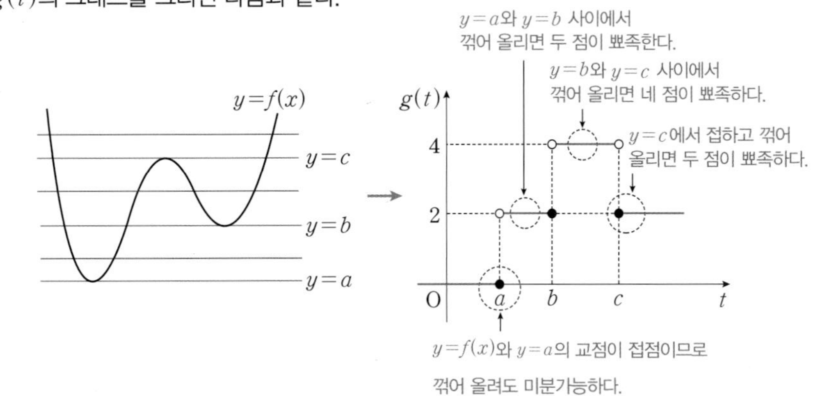

사차함수 $y=f(x)$의 극값에서 함수 $g(t)$는 불연속이다.
즉, $t=a$, b, c일 때, 함수 $g(t)$는 불연속이다.

보기 04 사차함수 $f(x)=x^4-8x^3+18x^2-16x+7$에 대하여 실수 t에 대하여

$$y=|f(x)-t|$$

의 미분불가능한 점의 개수를 $g(t)$라 할 때, $y=g(t)$의 그래프를 그려라.

풀이 $f(x)=x^4-8x^3+18x^2-16x+7$에서

$f'(x)=4x^3-24x^2+36x-16=4(x-1)^2(x-4)$

함수 $f(x)$의 증가와 감소를 표로 나타내면 다음과 같다.

x	$\cdots$	1	$\cdots$	4	$\cdots$
$f'(x)$	$-$	0	$-$	0	$+$
$f(x)$	↘	$f(1)$	↘	극소	↗

이때 $f(1)=2$이고 $x=4$에서 극소이고 극솟값은 $f(4)=-25$

즉, 함수 $f(x)$의 그래프의 개형과 실수 t에 대한 함수 $g(t)$의 값은 그림과 같다.

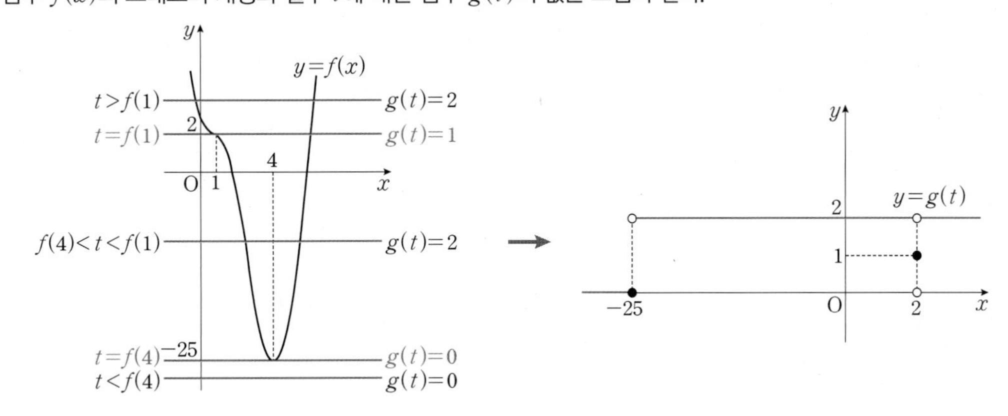

삼차함수 $f(x)=2x^3+ax^2$에 대하여

$$g(x)=|f(x)|$$

라 할 때, $g(x)$가 실수 전체에서 미분가능하도록 하는 상수 a의 값을 구하여라.

MAPL CORE 실수 전체의 집합에서 미분가능한 함수 $f(x)$에 대하여 함수 $g(x)=|f(x)|$가 미분가능하기 위한 조건

① 모든 실수 x에 대하여 $f(x)\geq 0$ 또는 $f(x)\leq 0$

② $f(k)=0$일 때, $f'(k)=0$ ⬅ 꺾어 올린 그래프가 뾰족점이 없이 부드럽게 이어져야 한다.

$f(x)=2x^3+ax^2=x^2(2x+a)$이므로

방정식 $f(x)=0$에서 $x=0$ 또는 $x=-\frac{a}{2}$

즉, 함수 $g(x)$의 그래프는 $x=0$, $x=-\frac{a}{2}$에서 x축과 만나고

$f(x)=2x^3+ax^2$의 그래프에서 x축 아래에 있는 부분을 위로 꺾어 올려 그린 그래프이므로 다음과 같다.

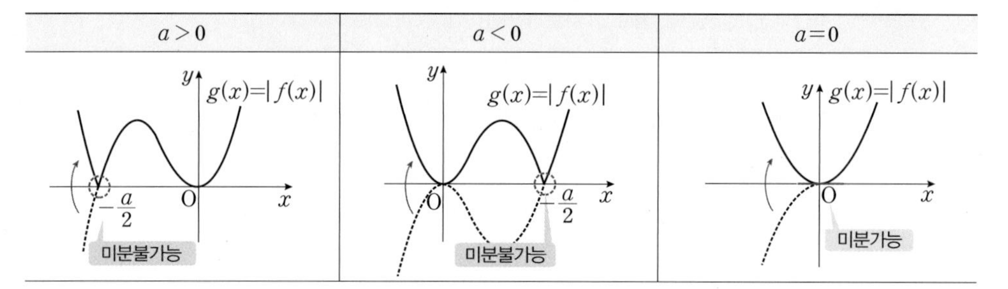

이때 위의 그림과 같이 $a>0$ 또는 $a<0$이면 함수 $g(t)$는 $t=-\frac{a}{2}$에서 좌미분계수와 우미분계수의 값이 서로 다르므로 미분불가능하다.

따라서 $g(x)=|f(x)|$가 실수 전체의 집합에서 미분가능하려면 $-\frac{a}{2}=0$이어야 하므로 $\mathbf{a=0}$

다른풀이 실수전체의 집합에서 미분가능한 함수 $f(x)$에 대하여 $f(k)=0$일 때, $g(x)=|f(x)|$가 $x=k$에서 미분가능하기 위한 조건은 $f'(k)=0$임을 이용하여 풀이하기

$f(x)=2x^3+ax^2=x^2(2x+a)$

방정식 $f(x)=0$에서 $x=0$ 또는 $x=-\frac{a}{2}$이므로

$g(x)=|f(x)|$가 실수 전체의 집합에서 미분가능하려면

$f'(0)=0$, $f'\left(-\frac{a}{2}\right)=0$을 만족시켜야 한다.

이때 $f'(x)=6x^2+2ax$이므로 a의 값에 관계없이 $f'(0)=0$이 성립하므로

$f'\left(-\frac{a}{2}\right)=\frac{1}{2}a^2=0$에서 $a=0$

확인유제 0415 2015년 07월 교육청

최고차항의 계수가 1인 사차함수 $f(x)$에 대하여 함수 $g(x)=|f(x)|$가 다음 조건을 만족시킨다.

(가) $g(x)$는 $x=1$에서 미분가능하고 $g(1)=g'(1)$이다.

(나) $g(x)$는 $x=-1$, $x=0$, $x=1$에서 극솟값을 갖는다.

$g(2)$의 값은?

① 2 ② 4 ③ 6 ④ 8 ⑤ 10

정답 0415: ③

변형문제 0416 다음 물음에 답하여라.

2016학년도 수능기출

(1) 다음 조건을 만족시키는 모든 삼차함수 $f(x)$에 대하여 $\frac{f'(0)}{f(0)}$의 최댓값을 M, 최솟값을 m이라 하자. Mm의 값은?

(가) 함수 $|f(x)|$는 $x=-1$에서만 미분가능하지 않다.
(나) 방정식 $f(x)=0$은 닫힌구간 $[3, 5]$에서 적어도 하나의 실근을 갖는다.

① $\frac{1}{15}$ ② $\frac{1}{10}$ ③ $\frac{2}{15}$ ④ $\frac{1}{6}$ ⑤ $\frac{1}{5}$

(2) 다음 조건을 만족하는 삼차함수 $f(x)$에 대하여 $\frac{f'(1)}{f(1)}$의 최댓값은?

(가) 함수 $f(x)$의 최고차항의 계수는 1이다.
(나) 함수 $|f(x)|$는 $x=0$에서만 미분가능하지 않다.
(다) 방정식 $f(x)=0$은 닫힌구간 $[4, 6]$에서 적어도 하나의 실근을 갖는다.

① $\frac{1}{15}$ ② $\frac{1}{5}$ ③ $\frac{1}{3}$ ④ $\frac{7}{15}$ ⑤ $\frac{3}{5}$

변형문제 0417 다음 물음에 답하여라.

(1) 최고차항의 계수가 1인 삼차함수 $f(x)$가 다음 조건을 만족시킬 때, 함수 $f(x)$의 극솟값은?

(가) $f(0)=8$
(나) 함수 $|f(x)|$는 $x=-2$에서만 미분가능하지 않다.
(다) 방정식 $f(x)=0$의 서로 다른 실근의 개수는 2이다.

① -4 ② -2 ③ 0 ④ 2 ⑤ 4

(2) 최고차항의 계수가 1이고 상수항을 포함한 모든 항의 계수가 정수인 삼차함수 $f(x)$가 다음 조건을 만족시킬 때, $f(4)$의 값은?

(가) 방정식 $f(x)=0$은 서로 다른 세 실근을 갖는다.
(나) 함수 $|f(x)|$는 $x=3$에서 극댓값 1을 갖는다.
(다) $f'(0)\times f'(1)=-12$

① 2 ② 4 ③ 6 ④ 8 ⑤ 10

발전문제 0418 최고차항의 계수가 1인 삼차함수 $f(x)$가 다음 조건을 만족시킨다.

(가) 함수 $\frac{1}{f(x)}$이 정의되지 않는 서로 다른 x의 값의 개수는 2이다.
(나) 함수 $|f(x)|$의 모든 극값의 합은 $\frac{108}{27}$이다.

[보기]에서 옳은 것만을 있는 대로 고른 것은?

ㄱ. 함수 $y=f(x)$의 그래프가 x축과 만나는 서로 다른 점의 개수는 2이다.
ㄴ. 함수 $|f(x)|$의 서로 다른 극값의 개수는 2이다.
ㄷ. 방정식 $f'(x)=0$의 두 근의 차는 2이다.

① ㄱ ② ㄷ ③ ㄱ, ㄴ ④ ㄴ, ㄷ ⑤ ㄱ, ㄴ, ㄷ

정답 0416: (1) ⑤ (2) ⑤ 0417: (1) ③ (2) ② 0418: ⑤

마플개념익힘 02 함수 $g(x)=|f(x)-t|$의 그래프 고난도 문제

함수 $f(x)=x^4-6x^2-8x+13$과 실수인 상수 k에 대하여 함수 $g(x)$를 $g(x)=|f(x)-k|$로 정의할 때, 함수 $g(x)$가 $x=a$에서만 미분가능하지 않도록 하는 k의 값과 그때의 a의 값을 구하여라.

개념익힘 | **풀이** $f(x)=x^4-6x^2-8x+13$에서

$f'(x)=4x^3-12x-8=4(x+1)^2(x-2)$

$f'(x)=0$에서 $x=-1$ 또는 $x=2$

함수 $y=f(x)$의 증가와 감소를 표로 나타내면 다음과 같다.

x	$\cdots$	-1	$\cdots$	2	$\cdots$
$f'(x)$	$-$	0	$-$	0	$+$
$f(x)$	↘	16	↘	극소	↗

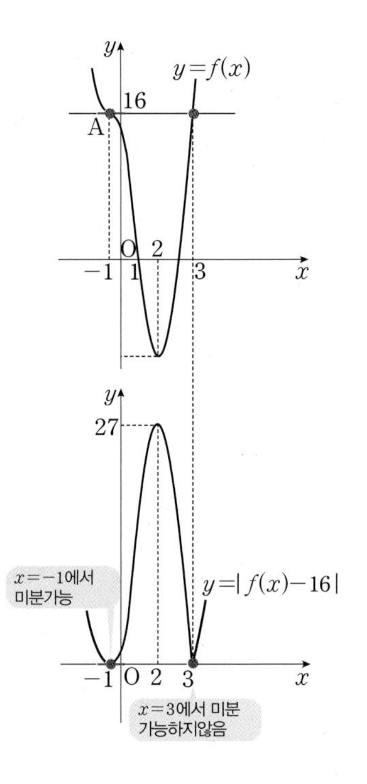

이때 $|f(x)-k|$가 $x=a$에서만 미분가능하지 않으므로 오른쪽 그림 같이 극소가 아니면서 접선의 기울기가 0이 되는 점을 x축이 지나야 한다.

즉, 사차함수 $y=f(x)$의 점 $\mathrm{A}(-1,\ 16)$이 y축의 방향으로 -16만큼 평행이동하여야 하므로 $k=16$

또한, 이때 미분가능하지 않은 점의 x좌표 a는

$f(a)=16,\ a\neq-1$에서 $a^4-6a^2-8a+13=16$

$a^4-6a^2-8a-3=0,\ (a+1)^3(a-3)=0 \quad \therefore a=3(\because a\neq-1)$

따라서 $\boldsymbol{k=16,\ a=3}$

확인유제 0419 다음 물음에 답하여라.

(1) 오른쪽 그림은 극댓값이 3, 극솟값이 1인 삼차함수 $y=f(x)$의 그래프를 나타낸 것이다. 함수 $g(x)=|f(x)-k|$ (k는 정수)의 모든 극값들의 합이 2일 때, 함수 $g(x)$의 극대 또는 극소인 점의 개수를 a라 하자. $k+a$가 취할 수 있는 모든 값들의 합을 구하여라.

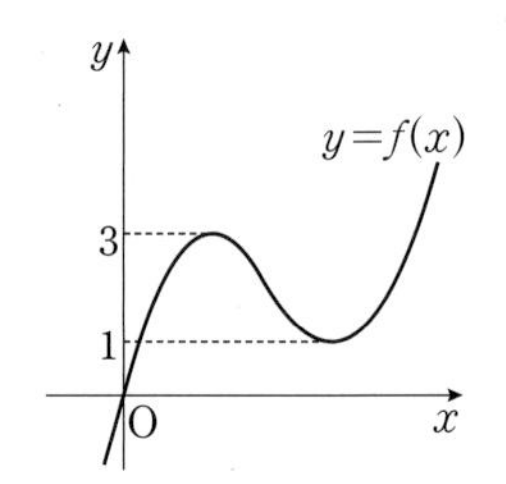

(2) 함수 $f(x)=2x^3-9x^2+12x-5$에 대하여 함수 $g(x)=|f(x)+a|$는 $x=k$에서만 미분가능하지 않을 때, 양수 a의 값의 범위를 구하여라. (단, k는 상수)

변형문제 0420 사차함수 $f(x)$가 다음 조건을 만족시킬 때, $\dfrac{f'(5)}{f'(3)}$의 값을 구하여라.

2009학년도 06월 평가원

(가) 함수 $f(x)$는 $x=2$에서 극값을 갖는다.
(나) 함수 $|f(x)-f(1)|$은 오직 $x=a(a>2)$에서만 미분가능하지 않다.

발전문제 0421 좌표평면에서 최고차항의 계수가 1인 삼차함수 $f(x)$와 원점을 지나는 직선 $y=g(x)$가 다음 조건을 만족시킨다.

2016년 11월 교육청

(가) 함수 $f(x)$는 $x=0$에서 극댓값 27을 갖는다.
(나) 함수 $|f(x)-g(x)|$는 $x=-3$에서만 미분가능하지 않다.
(다) 곡선 $y=f(x)$와 직선 $y=g(x)$는 서로 다른 두 점에서 만난다.

함수 $f(x)$의 극솟값을 구하여라.

정답 0419: (1) 17 (2) $a\geq1$ 0420: 12 0421: 23

마플개념익힘 03 함수 $g(x)=|f(x)-t|$가 미분 불가능한 경우 고난도 문제

2017년 11월 교육청

최고차항의 계수가 1인 사차함수 $f(x)$가 있다. 실수 t에 대하여 함수 $|f(x)-t|$가 미분가능하지 않은 서로 다른 점의 개수를 $g(t)$라 할 때, 함수 $f(x)$, $g(t)$가 다음 조건을 만족시킨다.

(가) 방정식 $f'(x)=0$의 실근은 1, 4뿐이다.
(나) 함수 $g(t)$는 $t=2$와 $t=-25$에서만 불연속이다.
(다) 방정식 $f(x)=0$은 4보다 큰 실근을 갖는다.

$f(-1)$의 값을 구하여라.

개념익힘 | **풀이** $f(x)$는 최고차항의 계수가 1인 사차함수이므로

$f(x)=x^4+ax^3+bx^2+cx+d$라 하면

$f'(x)=4x^3+3ax^2+2bx+c$

조건 (가)에서 방정식 $f'(x)=0$의 실근이 1, 4뿐이므로

$f'(x)=4(x-1)(x-4)^2$이거나 $f'(x)=4(x-1)^2(x-4)$

(i) $f'(x)=4(x-1)(x-4)^2$일 때,

함수 $f(x)$의 증가와 감소를 표로 나타내면 다음과 같다.

x	$\cdots$	1	$\cdots$	4	$\cdots$
$f'(x)$	$-$	0	$+$	0	$+$
$f(x)$	↘	극소	↗	$f(4)$	↗

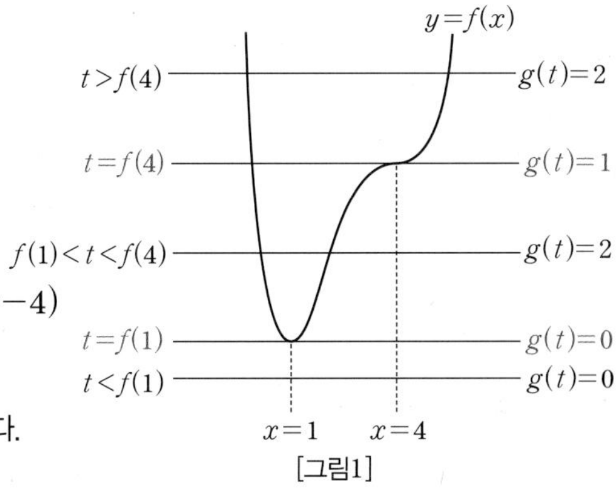

[그림1]

즉 함수 $f(x)$의 그래프의 개형과 실수 t에 대한 함수 $g(t)$의 값은 오른쪽 [그림1]과 같다.

함수 $g(t)$는 $t=f(1)$, $t=f(4)$에서 불연속이므로

조건 (나)에 의하여 $f(1)=-25$, $f(4)=2$

따라서 함수 $f(x)$의 그래프는 [그림2]와 같다.

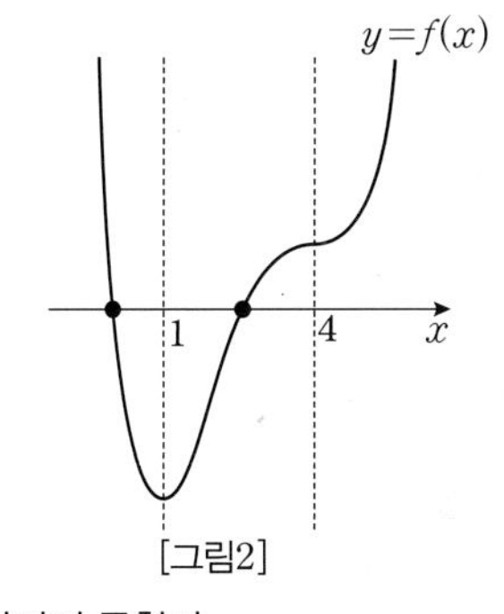

[그림2]

이때 방정식 $f(x)=0$의 두 실근이 모두 4보다 작으므로 (다)를 만족시키지 못한다.

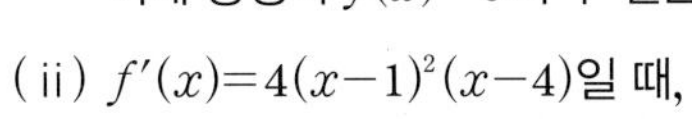
(ii) $f'(x)=4(x-1)^2(x-4)$일 때,

함수 $f(x)$의 증가와 감소를 표로 나타내면 다음과 같다.

x	$\cdots$	1	$\cdots$	4	$\cdots$
$f'(x)$	$-$	0	$-$	0	$+$
$f(x)$	↘	$f(1)$	↘	극소	↗

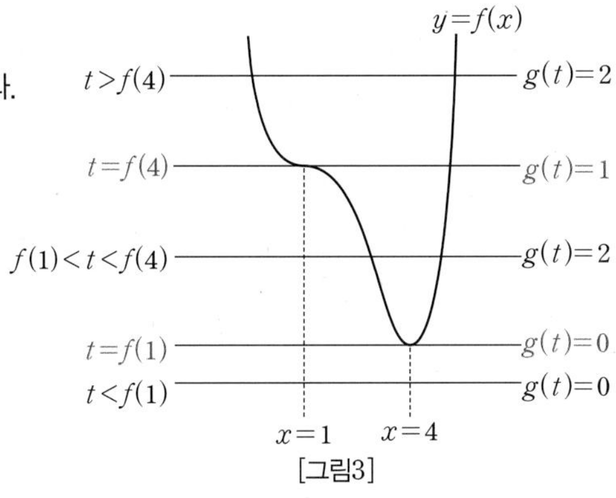

[그림3]

즉 함수 $f(x)$의 그래프의 개형과 실수 t에 대한 함수 $g(t)$의 값은 그림과 같다.

함수 $g(t)$는 $t=f(4)$, $t=f(1)$에서 불연속이므로

조건 (나)에 의하여 $f(1)=2$, $f(4)=-25$

따라서 함수 $f(x)$의 그래프는 [그림4]와 같다.

이때 방정식 $f(x)=0$은 4보다 큰 실근을 갖는다.

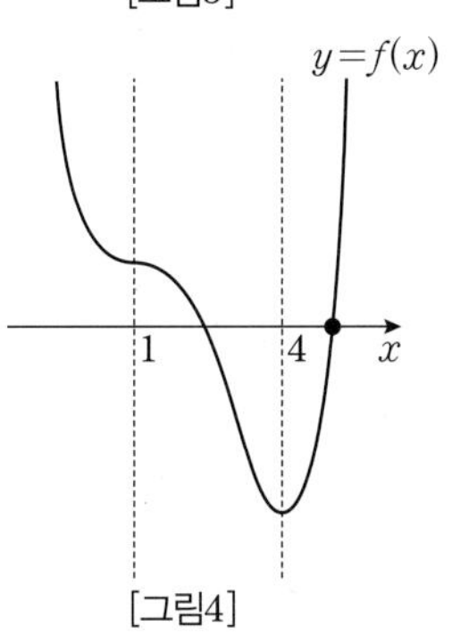

[그림4]

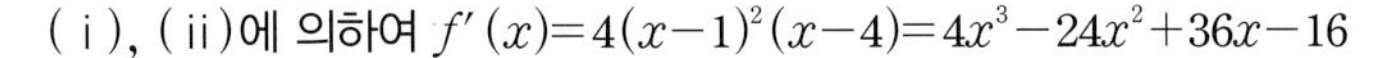
(i), (ii)에 의하여 $f'(x)=4(x-1)^2(x-4)=4x^3-24x^2+36x-16$

$\therefore a=-8,\ b=18,\ c=-16$

또한, $f(1)=2$이므로 $d=7$ ⬅ $f(4)=-25$이므로 $d=7$

따라서 $f(x)=x^4-8x^3+18x^2-16x+7$이므로

$f(-1)=1+8+18+16+7=$ **50**

확인유제 0422 2011학년도 수능기출

최고차항의 계수가 1이고 $f(0)=3$, $f'(3)<0$인 사차함수 $f(x)$가 있다.
실수 t에 대하여 집합 S를

$$S=\{a \mid \text{함수 } |f(x)-t| \text{가 } x=a \text{에서 미분가능하지 않다.}\}$$

라 하고 집합 S의 원소의 개수를 $g(t)$라 하자. 함수 $g(t)$가 $t=3$과 $t=19$에서만 불연속일 때, $f(-2)$의 값을 구하여라.

변형문제 0423 2018년 10월 교육청

사차함수 $f(x)$가 다음 조건을 만족시킨다.

(가) $f'(x)=x(x-2)(x-a)$ (단, a는 실수)
(나) 방정식 $|f(x)|=f(0)$은 실근을 갖지 않는다.

[보기]에서 옳은 것만을 있는 대로 고른 것은?

ㄱ. $a=0$이면 방정식 $f(x)=0$은 서로 다른 두 실근을 갖는다.
ㄴ. $0<a<2$이고 $f(a)>0$이면, 방정식 $f(x)=0$은 서로 다른 네 실근을 갖는다.
ㄷ. 함수 $|f(x)-f(2)|$가 $x=k$에서만 미분가능하지 않으면 $k<0$이다.

① ㄱ ② ㄷ ③ ㄱ, ㄷ
④ ㄴ, ㄷ ⑤ ㄱ, ㄴ, ㄷ

발전문제 0424

최고차항의 계수가 1인 삼차함수 $f(x)$가 다음 조건을 만족시킨다.

(가) 방정식 $f(x)=f(2)$는 서로 다른 두 실근을 갖는다.
(나) $f'(-1)=f'(3)$

함수 $|f(x)-f(2)|$의 극댓값이 자연수일 때, $f(3)-f(1)$의 값을 구하여라.

정답 0422: 147 0423: ③ 0424: 2

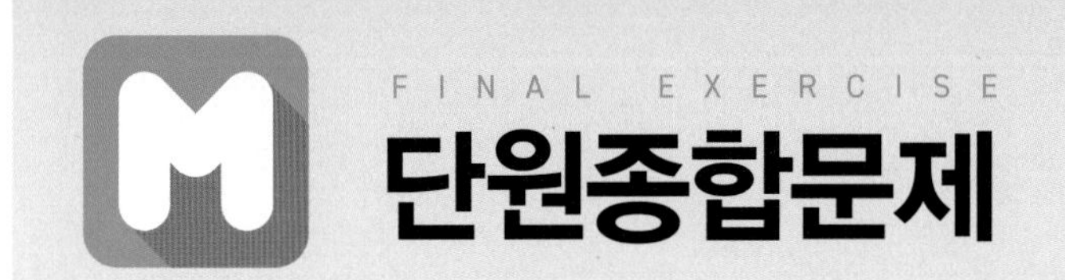

BASIC

내신 수능 기본 대표 기출문제

0425
함수의 증가와 감소
2016학년도 06월
평가원

함수 $f(x)=\frac{1}{3}x^3-9x+3$이 열린구간 $(-a, a)$에서 감소할 때, 양수 a의 최댓값은?

① 1 ② 2 ③ 3 ④ 4 ⑤ 5

0426
함수의 증가와 감소
내신빈출

다음 물음에 답하여라.

(1) 함수 $f(x)=x^3+ax^2+ax+3$가 임의의 두 실수 x_1, x_2에 대하여

$x_1<x_2$이면 $f(x_1)<f(x_2)$

를 만족하도록 하는 정수 a의 개수는?

① 2 ② 3 ③ 4 ④ 5 ⑤ 6

(2) 함수 $f(x)=-x^3+ax^2-3x+1$가 임의의 두 실수 x_1, x_2에 대하여

$f(x_1)=f(x_2)$이면 $x_1=x_2$

를 만족시키는 정수 a의 개수는?

① 3 ② 5 ③ 7 ④ 9 ⑤ 11

0427
삼차함수의 역함수
존재조건
내신빈출

다음 물음에 답하여라.

(1) 함수 $f(x)=x^3-ax^2+ax+3$의 역함수가 존재하도록 하는 모든 정수 a의 개수는?

① 2 ② 4 ③ 5 ④ 6 ⑤ 8

(2) 실수 전체의 집합에서 정의된 함수 $f(x)=-x^3+kx^2-2kx+1$의 역함수가 존재하기 위한 정수 k의 개수는?

① 3 ② 5 ③ 7 ④ 9 ⑤ 11

0428
구간에서 함수의
증가 감소
내신빈출

다음 물음에 답하여라.

(1) 함수 $f(x)=-x^3+x^2+ax+1$이 열린구간 $(1, 3)$에서 증가할 때, 실수 a의 최솟값은?

① 15 ② 17 ③ 19 ④ 21 ⑤ 23

(2) 함수 $f(x)=x^3+3x^2+ax-4$가 열린구간 $(-2, 1)$에서 감소하도록 하는 실수 a의 최댓값은?

① -10 ② -9 ③ -7 ④ -6 ⑤ -5

0429
구간에서
증가하는 함수
내신빈출

열린구간 $(0, 10)$에서 정의된 함수 $f(x)$의 도함수 $y=f'(x)$의 그래프가 그림과 같다.

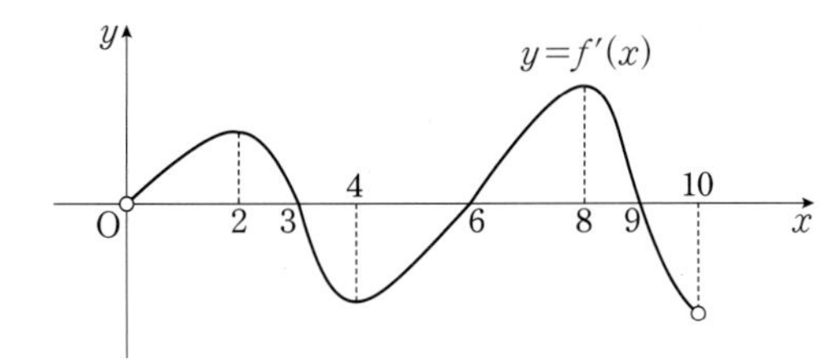

함수 $f(x)$가 열린구간 $\left(a-\frac{1}{5}, a+\frac{1}{5}\right)$에서 증가하도록 하는 모든 자연수 a의 값의 합은?

① 18 ② 21 ③ 24 ④ 27 ⑤ 30

정답 0425: ③ 0426: (1) ③ (2) ③ 0427: (1) ② (2) ③ 0428: (1) ④ (2) ② 0429: ①

0430

함수의 진위판단
내신빈출

다음 물음에 답하여라.

(1) 오른쪽 그림은 $-1<x<7$에서 정의된 함수 $y=f(x)$의 그래프를 나타낸 것이다. 다음 중 옳지 않은 것은?

① $f'(0)>0$이다.

② $\lim_{x \to 5} f(x)$는 존재한다.

③ $f(x)$의 미분불가능인 점은 3개이다.

④ $f'(x)=0$인 점은 2개이다.

⑤ $f(x)$의 극댓값은 존재하지만, 극솟값은 존재하지 않는다.

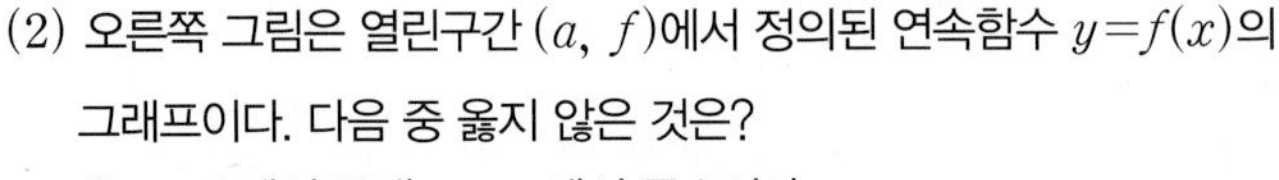

(2) 오른쪽 그림은 열린구간 $(a,\ f)$에서 정의된 연속함수 $y=f(x)$의 그래프이다. 다음 중 옳지 않은 것은?

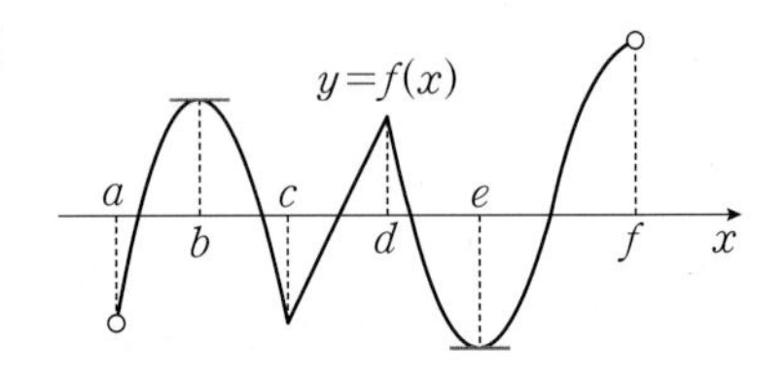

① $x=b$에서 극대, $x=e$에서 극소이다.

② 구간 $(b,\ c)$, $(d,\ e)$에서 함수 $f(x)$는 감소한다.

③ $x=c$에서 극소이다.

④ $x=d$에서 극대이다.

⑤ $x=c$와 $x=d$에서 미분가능하다.

0431

함수의 극대 극소
2008학년도 수능기출

다음 물음에 답하여라.

(1) 함수 $f(x)=x^3-12x$가 $x=a$에서 극댓값 b를 가질 때, 상수 a, b에 대하여 $a+b$의 값을 구하여라.

(2) 함수 $f(x)=-x^3+3x^2+a$의 극댓값이 7일 때, 함수 $f(x)$의 극솟값은? (단, a는 상수이다.)

① 1 ② 2 ③ 3 ④ 4 ⑤ 5

0432

함수의 극값과
미정계수의 결정
2019학년도 수능기출

다음 물음에 답하여라.

(1) 함수 $f(x)=x^3-3x+a$의 극댓값이 7일 때, 상수 a의 값은?

① 1 ② 2 ③ 3 ④ 4 ⑤ 5

2013년 10월 교육청

(2) 함수 $f(x)=x^3-x^2-5x+k$의 극댓값이 20일 때, 상수 k의 값은?

① 13 ② 14 ③ 15 ④ 16 ⑤ 17

2015학년도 06월
평가원

(3) 함수 $f(x)=x^3-9x^2+24x+a$의 극댓값이 10일 때, 상수 a의 값은?

① -12 ② -10 ③ -8 ④ -6 ⑤ -4

0433

함수의 극값과
미정계수의 결정
내신빈출

함수 $f(x)=x^3-3x^2-9x+k$의 극댓값과 극솟값의 절댓값이 같고 그 부호가 서로 다를 때, 상수 k의 값은?

① 8 ② 10 ③ 11 ④ 13 ⑤ 15

0434

함수의 극값과
미정계수의 결정
내신빈출

다음 물음에 답하여라.

(1) 함수 $f(x)=x^3+ax^2+bx+c$는 $x=0$에서 극댓값 2를 갖고, $x=2$에서는 극솟값을 가질 때, 극솟값은?

① -4 ② -2 ③ 0 ④ 2 ⑤ 6

(2) 함수 $f(x)=x^3+ax^2+bx+c$가 $x=1$에서 극댓값을 갖고, $x=3$에서 극솟값 -6을 갖는다고 한다. 이 함수의 극댓값은?

① -4 ② -2 ③ 0 ④ 3 ⑤ 6

정답 0430: (1) ⑤ (2) ⑤ 0431: (1) 14 (2) ③ 0432: (1) ⑤ (2) ⑤ (3) ② 0433: ③ 0434: (1) ② (2) ②

0435

삼차함수가 극값을 가질 조건
내신빈출

함수 $f(x)=x^3+ax^2+bx+c$의 도함수 $y=f'(x)$의 그래프가 오른쪽 그림과 같다. 함수 $f(x)$의 극댓값이 5일 때, 상수 a, b, c의 값과 극솟값의 합은?

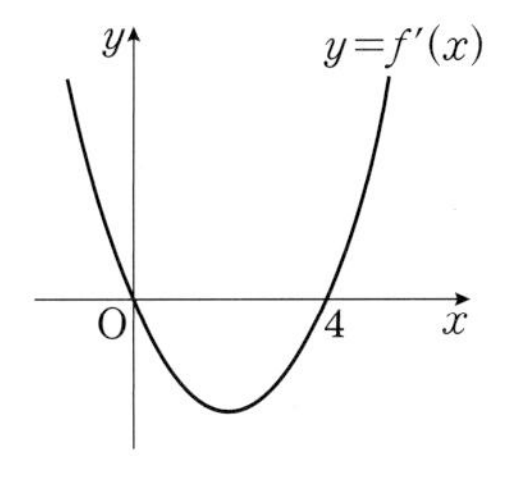

① -32　② -30　③ -28
④ -26　⑤ -24

0436

함수의 극값과 미정계수의 결정
2011학년도 수능기출

다음 물음에 답하여라.

(1) 함수 $f(x)=(x-1)^2(x-4)+a$의 극솟값이 10일 때, 상수 a의 값을 구하여라.

(2) 사차함수 $f(x)=x^2(3x^2+4x-12)+a$의 극댓값이 10일 때, 모든 극솟값의 합은? (단, a는 상수이다.)

① -11　② -13　③ -15　④ -17　⑤ -19

0437

삼차함수의 극값의 활용
내신빈출

다음 물음에 답하여라.

(1) 함수 $f(x)=x^3+ax^2+ax+3$이 $x=\alpha$, $x=\beta$에서 각각 극값을 갖는다. 두 점 $(\alpha, f(\alpha))$, $(\beta, f(\beta))$를 지나는 직선의 기울기가 -4일 때, 양수 a의 값은? (단, $\alpha\neq\beta$이다.)

① 4　② 5　③ 6　④ 7　⑤ 8

(2) 함수 $f(x)=-2x^3+6a^2x+1$이 $x=\alpha$, $x=\beta(\alpha\neq\beta)$에서 극값을 갖는다. 두 점 $(\alpha, f(\alpha))$, $(\beta, f(\beta))$를 지나는 직선의 기울기가 36일 때, 양수 a의 값은? (단, $\alpha\neq\beta$이다.)

① $\sqrt{2}$　② $\sqrt{3}$　③ 2　④ $2\sqrt{2}$　⑤ 3

0438

삼차함수의 극값과 미정계수의 결정
내신빈출

함수 $f(x)=x^3-\frac{3}{2}ax^2-6a^2x$의 극댓값과 극솟값의 차가 $\frac{1}{2}$일 때, 상수 a의 값은? (단, $a>0$)

① $\frac{1}{5}$　② $\frac{1}{4}$　③ $\frac{1}{3}$　④ $\frac{1}{2}$　⑤ 2

0439

사차함수의 극대 극소
내신빈출

함수 $f(x)=\frac{1}{4}x^4-2x^2+1$의 그래프에서 극대 또는 극소가 되는 세 점을 꼭짓점으로 하는 삼각형의 넓이는?

① 2　② 4　③ 6　④ 8　⑤ 10

0440

삼차함수가 극값을 가질 조건
내신빈출

함수 $f(x)=x^3+ax^2+3x+5$는 극값을 갖고, 함수 $g(x)=x^3+ax^2-2ax+3$은 극값을 갖지 않도록 하는 정수 a의 합은?

① -25　② -20　③ -15　④ -10　⑤ -5

정답　0435: ③　0436: (1) 14 (2) ④　0437: (1) ③ (2) ⑤　0438: ③　0439: ④　0440: ③

0441

심차함수가 극값을 가질 조건
내신빈출

함수 $f(x)=x^3+ax^2+(a+18)x+a$의 그래프를 x축에 대하여 대칭이동하고 다시 y축의 방향으로 b만큼 평행이동하였더니 함수 $y=g(x)$의 그래프가 되었다. 함수 $f(x)-g(x)$가 극값을 가지도록 하는 a의 범위가 $a<p$ 또는 $a>q$일 때, 상수 p, q에 대하여 $p+q$의 값은?

① -5 ② -3 ③ -1 ④ 1 ⑤ 3

0442

삼차함수가 주어진 구간에서 극값을 가질 조건

다음 물음에 답하여라.

(1) 삼차함수 $f(x)=x^3-kx^2-k^2x+3$이 $-2<x<2$에서 극댓값을 갖고, $x>2$에서 극솟값을 갖기 위한 정수 k의 개수는?

① 0 ② 1 ③ 2 ④ 3 ⑤ 4

(2) 삼차함수 $f(x)=-2x^3+ax^2+4a^2x-3$이 $-1<x<1$에서 극솟값, $x>1$에서 극댓값을 갖기 위한 실수 a의 값의 범위가 $p<a<q$일 때, 상수 p, q에 대하여 $p+q$의 값은?

① $\frac{3}{2}$ ② 2 ③ $\frac{5}{2}$ ④ 3 ⑤ $\frac{7}{2}$

(3) 함수 $f(x)=x^3-2x^2+ax+1$이 열린구간 $(-1, 2)$에서 극댓값과 극솟값을 모두 갖도록 하는 정수 a의 개수는?

① 2 ② 3 ③ 4 ④ 5 ⑤ 6

0443

함수의 극값의 활용
내신빈출

함수 $f(x)=x^3-3x^2-9x+4$의 그래프 위의 점 $(-2, 2)$에서의 접선의 방정식을 $y=g(x)$라 할 때, 함수 $y=f(x)-g(x)$의 극댓값은?

① 0 ② 2 ③ 4 ④ 6 ⑤ 8

0444

도함수의 그래프와 극대 극소
내신빈출

오른쪽 그림은 삼차함수 $y=f(x)$의 도함수 $y=f'(x)$에 대하여 함수 $y=xf'(x)$의 그래프가 그림과 같이 원점에서 x축과 접할 때, 다음 중 $f(x)$의 극솟값을 나타낸 것은?

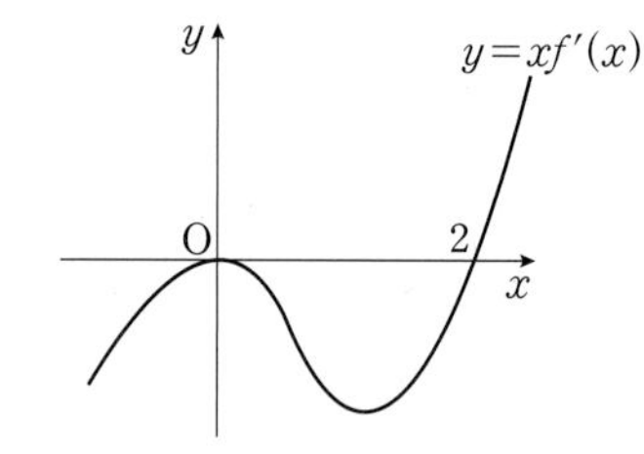

① $f(-2)$ ② $f(-1)$ ③ $f(0)$
④ $f(1)$ ⑤ $f(2)$

0445

극대 극소의 진위판단
내신빈출

모든 실수에서 미분가능한 함수 $f(x)$에 대하여 [보기]의 옳은 것만을 있는 대로 고른 것은?

ㄱ. 모든 실수 x에 대하여 $f'(x)>0$이면 함수 $f(x)$는 실수 전체의 집합에서 증가한다.
ㄴ. 모든 실수전체의 집합에서 함수 $f(x)$가 증가하면 모든 실수 x에 대하여 $f'(x)>0$이다.
ㄷ. 다항함수 $f(x)$가 $x=a$에서 극값을 가지면 $f'(a)=0$이다.
ㄹ. $f'(a)=0$이면 함수 $f(x)$는 $x=a$에서 극값을 갖는다.

① ㄱ ② ㄱ, ㄷ ③ ㄷ, ㄹ ④ ㄱ, ㄴ, ㄹ ⑤ ㄱ, ㄴ, ㄷ

정답 0441: ⑤ 0442: (1) ④ (2) ③ (3) ④ 0443: ① 0444: ⑤ 0445: ②

0446

$y=f'(x)$의 그래프를 이용한 $y=f(x)$의 해석
내신빈출

함수 $f(x)$의 도함수 $y=f'(x)$의 그래프가 오른쪽 그림과 같을 때, 다음 중 옳은 것은?

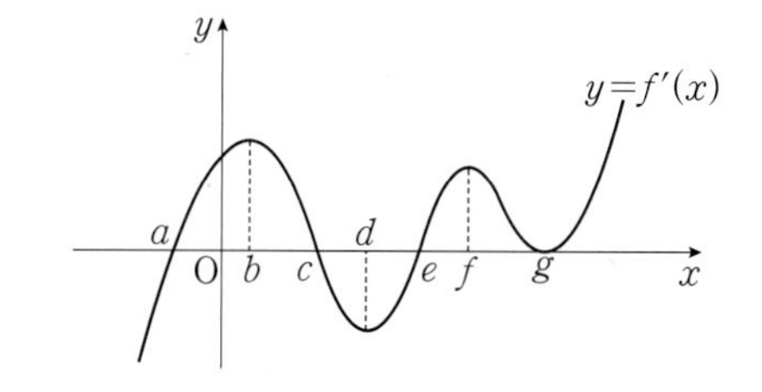

① $f(x)$는 $x=b$에서 극대이다.
② $f(x)$는 $x=c$에서 극소이다.
③ $f(x)$는 $x=d$에서 극소이다.
④ $f(x)$는 닫힌구간 $[b,\ d]$에서 감소한다.
⑤ $f(x)$는 닫힌구간 $[f,\ g]$에서 증가한다.

0447

$y=f'(x)$의 그래프를 이용한 $y=f(x)$의 해석
내신빈출

다음 물음에 답하여라.

(1) 미분가능한 연속함수 $f(x)$의 도함수 $y=f'(x)$의 그래프가 오른쪽 그림과 같고 $f(-1)<0<f(3)<f(1)$일 때, 옳은 것만을 [보기]에서 있는 대로 고른 것은?

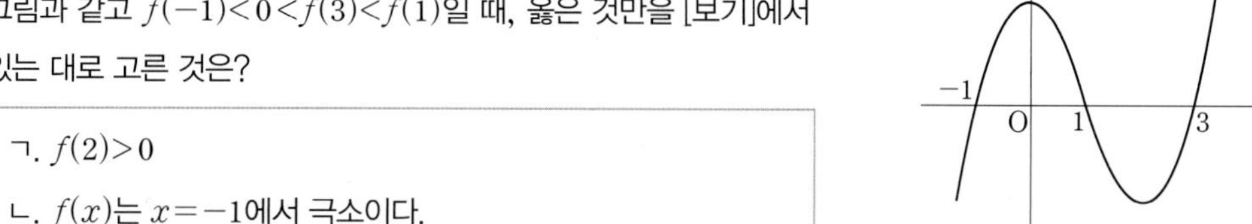

ㄱ. $f(2)>0$
ㄴ. $f(x)$는 $x=-1$에서 극소이다.
ㄷ. $y=f(x)$의 그래프는 x축과 서로 다른 네 점에서 만난다.

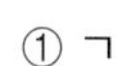

① ㄱ ② ㄱ, ㄴ ③ ㄱ, ㄷ
④ ㄴ, ㄷ ⑤ ㄱ, ㄴ, ㄷ

(2) 오른쪽 그림은 사차함수 $f(x)$의 도함수 $y=f'(x)$의 그래프이다. $f(\alpha)<f(\gamma)<0<f(\beta)$일 때, [보기] 중 옳은 것만을 있는 대로 고른 것은?

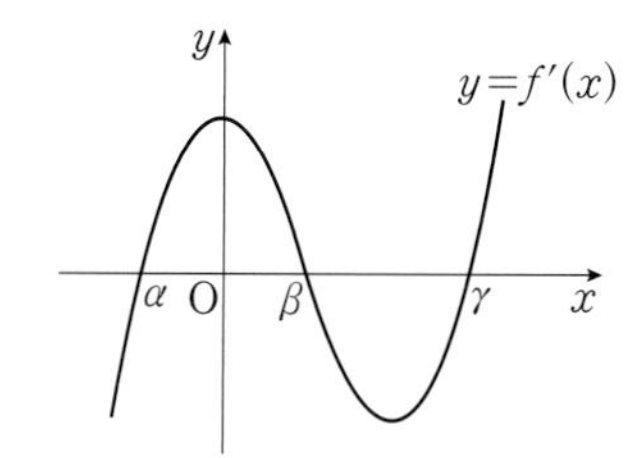

ㄱ. $f(x)$는 $x=\beta$에서 극대이다.
ㄴ. $f(\beta-x)=f(\beta+x)$
ㄷ. $y=f(x)$의 그래프는 x축과 네 개의 교점을 갖는다.

① ㄱ ② ㄴ ③ ㄱ, ㄷ
④ ㄴ, ㄷ ⑤ ㄱ, ㄴ, ㄷ

0448

$y=f'(x)$의 그래프를 이용한 $y=f(x)$의 해석
내신빈출

미분가능한 함수 $y=f(x)$의 도함수 $y=f'(x)$의 그래프가 오른쪽 그림과 같을 때, [보기] 중 옳은 것만을 있는 대로 고른 것은? (단, $f(4)=0$)

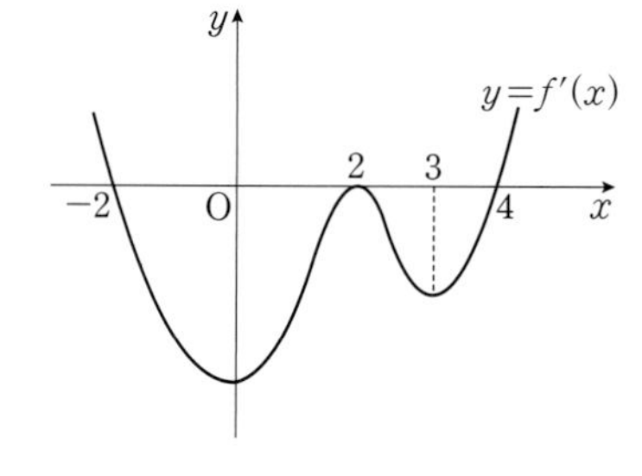

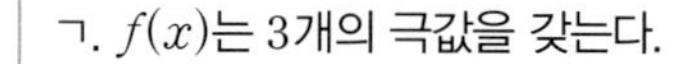

ㄱ. $f(x)$는 3개의 극값을 갖는다.
ㄴ. $f(x)$는 $x=-2$일 때 극값을 갖는다.
ㄷ. $f(x)$는 구간 $(0,\ 2)$에서 감소한다.
ㄹ. $f(x)$의 그래프는 $x=4$에서 x축에 접한다.

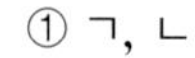

① ㄱ, ㄴ ② ㄴ, ㄹ ③ ㄱ, ㄷ
④ ㄱ, ㄴ, ㄹ ⑤ ㄴ, ㄷ, ㄹ

0449

함수의 극대 극소와 미정계수의 결정
서술형

함수 $f(x)=2x^3-9x^2+12x+2$에 대하여 다음 단계로 서술하여라.

[1단계] 도함수 $f'(x)$를 구하고 $f'(x)=0$인 x의 값을 구한다.
[2단계] 함수 $f(x)$의 증가와 감소를 나타내는 표를 작성하여 극댓값과 극솟값을 각각 구한다.
[3단계] 함수 $f(x)$의 그래프의 개형을 그린다.

정답 0446: ⑤ 0447: (1) ② (2) ③ 0448: ⑤ 0449: 해설참조

0450

함수의 증가 감소
2010년 10월 교육청

함수 $f(x)=x^3+6x^2+15|x-2a|+3$이 실수 전체의 집합에서 증가하도록 하는 실수 a의 최댓값은?

① $-\frac{5}{2}$　② -2　③ $-\frac{3}{2}$　④ -1　⑤ $-\frac{1}{2}$

0451

함수의 극대 극소를 이용한 미정계수의 결정
내신빈출

다음 물음에 답하여라.

(1) 삼차함수 $f(x)$가 다음 조건을 모두 만족시킬 때, $f(1)$의 값은?

(가) $x=-3$에서 극댓값 1을 갖는다.
(나) 곡선 $y=f(x)$ 위의 점 $(0, 1)$에서의 접선의 방정식은 $y=9x+1$이다.

① 13　② 14　③ 17　④ 18　⑤ 20

(2) 삼차함수 $f(x)$가 다음 조건을 모두 만족시킬 때, $f(x)$의 극솟값은?

(가) $x=-1$에서 극댓값 7을 갖는다.
(나) 곡선 $y=f(x)$ 위의 점 $(0, 0)$에서의 접선의 방정식은 $y=-12x$이다.

① -30　② -20　③ -10　④ 10　⑤ 20

0452

함수의 극대 극소를 이용한 미정계수의 결정
내신빈출

삼차함수 $f(x)$에 대하여

$$\lim_{x\to0}\frac{f(x)-5}{x}=12,\ \lim_{x\to-2}\frac{f(x)-9}{x+2}=-24$$

가 성립한다. 함수 $f(x)$는 $x=\alpha$에서 극댓값을, $x=\beta$에서 극솟값을 가진다고 할 때, $\alpha-\beta$의 값을 구하여라.

0453

x축에 접하는 함수의 그래프
내신빈출

다음 물음에 답하여라.

(1) 함수 $f(x)=x^3+ax^2+bx$에 대하여 곡선 $y=f(x)$가 오른쪽 그림과 같고 극댓값이 0, 극솟값이 -4일 때, 상수 a, b에 대하여 $a+b$의 값은?

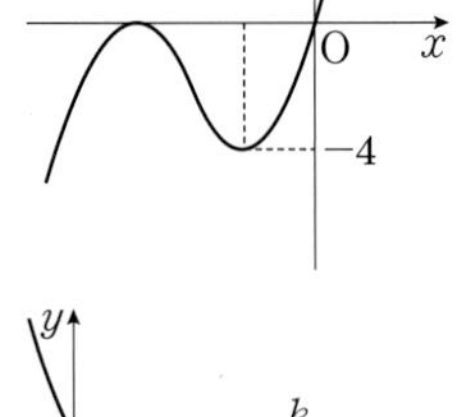

① 10　② 11　③ 12
④ 13　⑤ 15

(2) 함수 $f(x)=-x^3+px^2+qx$의 그래프가 오른쪽 그림과 같다.

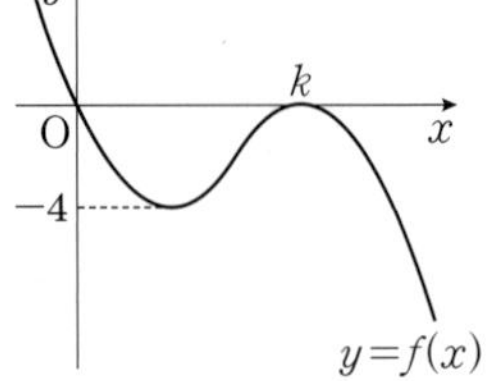

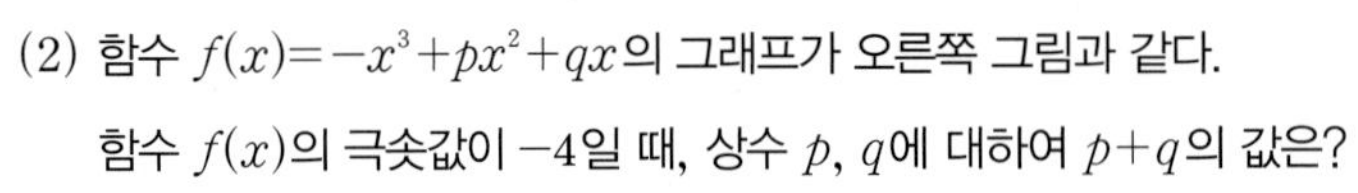
함수 $f(x)$의 극솟값이 -4일 때, 상수 p, q에 대하여 $p+q$의 값은?

① -5　② -3　③ -1
④ 1　⑤ 3

0454

대칭성을 이용한 극대 극소의 활용
2008년 10월 교육청

오른쪽 그림은 원점 O에 대하여 대칭인 삼차함수 $f(x)$의 그래프이다. 곡선 $y=f(x)$와 x축이 만나는 점 중 원점이 아닌 점을 각각 A, B라 하고 함수 $f(x)$의 극대, 극소인 점을 각각 C, D라 하자. 점 D의 x좌표가 $\frac{1}{2}$이고 사각형 ADBC의 넓이가 $\sqrt{3}$일 때, 함수 $f(x)$의 극댓값은?

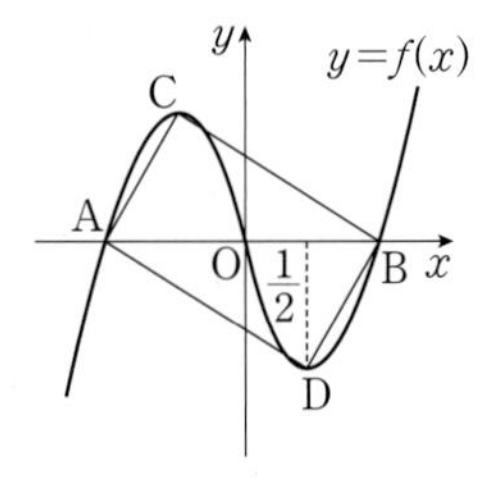

① 1　② $\frac{4}{3}$　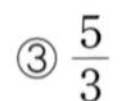 ③ $\frac{5}{3}$

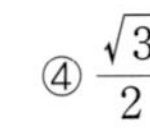
④ $\frac{\sqrt{3}}{2}$　⑤ $\sqrt{2}$

정답　0450: ①　0451: (1) ③ (2) ②　0452: 3　0453: (1) ⑤ (2) ②　0454: ①

0455

곱의 미분의 활용

삼차함수 $y=f(x)$, $y=g(x)$의 그래프가 오른쪽 그림과 같고, 다음 조건을 만족시킨다.

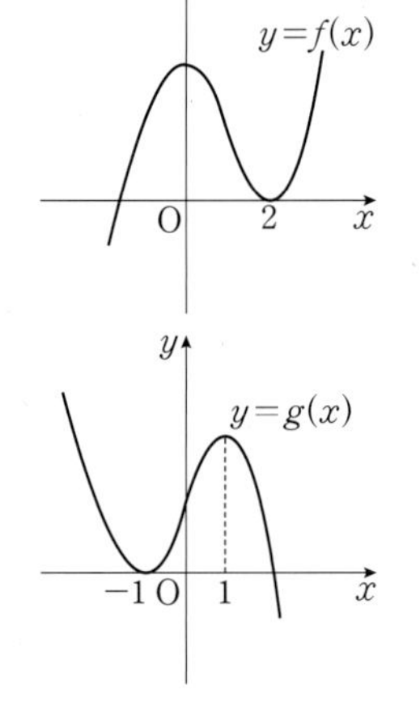

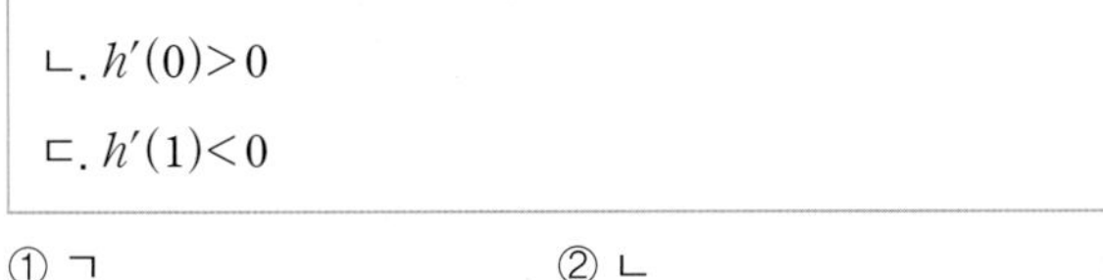

(가) 함수 $f(x)$는 $x=0$, $x=2$에서 극값을 가지고 극솟값은 0이다.

(나) 함수 $g(x)$는 $x=-1$, $x=1$에서 극값을 가지고 극솟값은 0이다.

$h(x)=f(x)g(x)$라 할 때, 옳은 것만을 [보기]에서 있는 대로 고른 것은?

ㄱ. $h'(-1)>0$

ㄴ. $h'(0)>0$

ㄷ. $h'(1)<0$

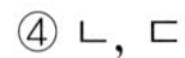

① ㄱ ② ㄴ ③ ㄱ, ㄴ
④ ㄴ, ㄷ ⑤ ㄱ, ㄴ, ㄷ

0456

$y=f'(x)$의 그래프를 이용한 $y=f(x)$의 해석
2010학년도 06월 평가원

서로 다른 두 실수 α, β가 사차방정식 $f(x)=0$의 근일 때, 옳은 것만을 [보기]에서 있는 대로 고른 것은?

ㄱ. $f'(\alpha)=0$이면 다항식 $f(x)$는 $(x-\alpha)^2$으로 나누어떨어진다.

ㄴ. $f'(\alpha)f'(\beta)=0$이면 방정식 $f(x)=0$은 허근을 갖지 않는다.

ㄷ. $f'(\alpha)f'(\beta)>0$이면 방정식 $f(x)=0$은 서로 다른 네 실근을 갖는다.

① ㄱ ② ㄷ ③ ㄱ, ㄴ ④ ㄴ, ㄷ ⑤ ㄱ, ㄴ, ㄷ

0457

$h(x)=f(x)-g(x)$의 증가, 감소의 도함수의 값의 부호
내신빈출

다음 물음에 답하여라.

(1) 사차함수 $f(x)$와 삼차함수 $g(x)$의 도함수 $y=f'(x)$, $y=g'(x)$의 그래프가 오른쪽 그림과 같을 때, 함수 $h(x)=f(x)-g(x)$가 극대가 되는 x의 값은?

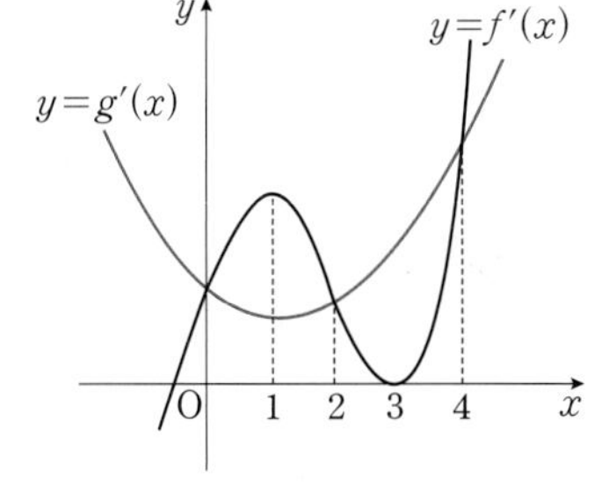

① 0 ② 1 ③ 2
④ 3 ⑤ 4

(2) 곡선 $y=f'(x)$와 직선 $y=g'(x)$가 오른쪽 그림과 같이 세 점에서 만나고 $g(\beta)<f(\beta)$일 때, 함수 $h(x)=f(x)-g(x)$가 x축과 만나는 점의 개수는?

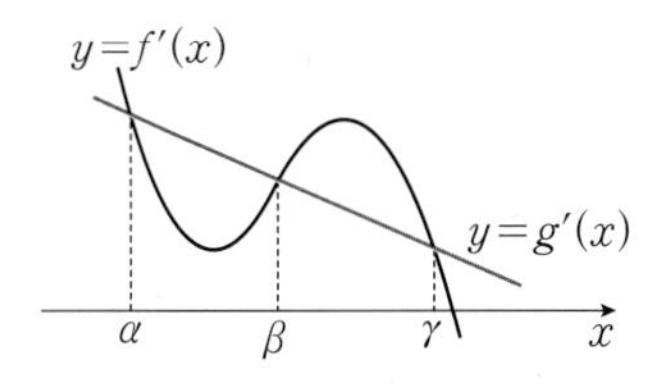

① 0 ② 1 ③ 2
④ 3 ⑤ 4

0458

다항함수의 극대 극소의 활용

사차함수 $f(x)$의 도함수 $y=f'(x)$의 그래프가 오른쪽 그림과 같을 때, [보기]에서 옳은 것만을 있는 대로 고른 것은? (단, $f'(-2)=f'(0)=f'(2)=0$)

ㄱ. 함수 $f(x)$가 열린구간 $(a, a+1)$에서 감소할 때, 실수 a의 최댓값은 1이다.

ㄴ. 함수 $f(x)$가 극솟값을 가지는 x의 값은 2개이다.

ㄷ. $f(0)=0$이면 방정식 $f(x)f'(x+2)=0$의 서로 다른 실근의 개수는 6이다.

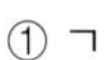

① ㄱ ② ㄷ ③ ㄱ, ㄴ
④ ㄴ, ㄷ ⑤ ㄱ, ㄴ, ㄷ

정답 0455: ④ 0456: ⑤ 0457: (1) ③ (2) ③ 0458: ③

0459

$f'(x)$의 그래프에서 $f(x)$의 그래프 그리기
2012년 10월 교육청

오른쪽 그림과 같이 함수 $f(x)$의 도함수 $f'(x)$의 그래프가 y축에 대하여 대칭이고 $x>0$일 때, 위로 볼록하다. 함수 $f(x)$에 대하여 옳은 것만을 [보기]에서 있는 대로 고른 것은? (단, $f'(-1)=f'(0)=f'(1)=0$)

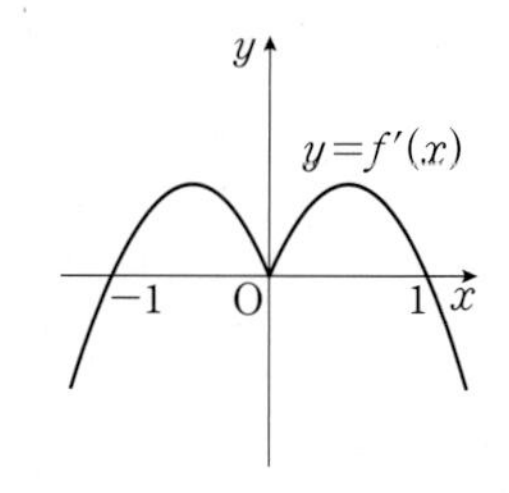

ㄱ. 함수 $f(x)$는 $x=0$에서 극값을 갖는다.
ㄴ. $f(0)=0$이면 함수 $f(x)$의 극댓값과 극솟값의 합은 0이다.
ㄷ. $f(1)<0$이면 방정식 $f(x)=0$은 오직 하나의 실근을 갖는다.

① ㄱ ② ㄴ ③ ㄷ ④ ㄱ, ㄴ ⑤ ㄴ, ㄷ

0460

다항함수의 극대 극소의 활용
2015년 11월 교육청

최고차항의 계수가 양수인 사차함수 $y=f(x)$의 도함수 $y=f'(x)$의 그래프가 오른쪽 그림과 같다. 양수 α에 대하여 $f'(\alpha)>-2$이고 $f(0)=0$이다. 함수 $h(x)$를 $h(x)=f(x)+2x$라 할 때, [보기]에서 옳은 것만을 있는 대로 고른 것은? (단, 함수 $f'(x)$는 $x=\alpha$에서 극소이다.)

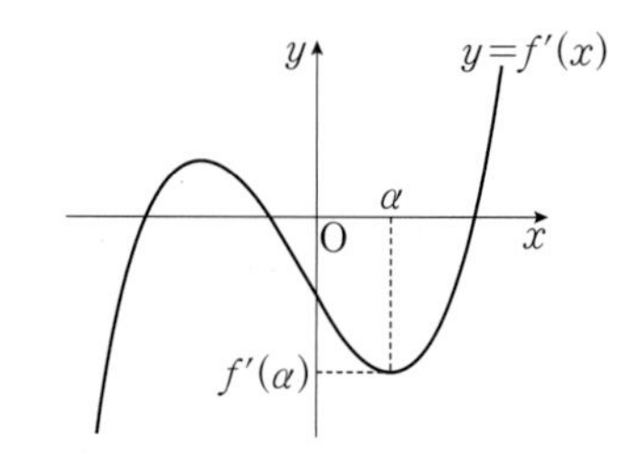

ㄱ. $h'(\alpha)>0$
ㄴ. 함수 $y=h(x)$는 열린구간 $(0, \alpha)$에서 감소한다.
ㄷ. 방정식 $h(x)=0$은 서로 다른 두 실근을 갖는다.

① ㄱ ② ㄴ ③ ㄱ, ㄴ ④ ㄱ, ㄷ ⑤ ㄴ, ㄷ

0461

극대 극소와 접선의 방정식

함수 $f(x)=-(x+1)^2$에 대하여 함수 $g(x)$는 다음과 같다.

$$g(x)=\begin{cases} f(x) & (x<0) \\ f(-x) & (0\le x<3) \\ f(x-6) & (x\ge 3) \end{cases}$$

함수 $y=g(x)$의 그래프에서 극소가 되는 두 점을 각각 A, B라 하고 두 점 A, B 사이를 움직이는 곡선 $y=g(x)$ 위의 점을 P라 하자. 삼각형 ABP의 넓이가 최대가 되도록 하는 점 P의 x좌표를 a라 할 때, $20a$의 값은?

① 10 ② 20 ③ 30 ④ 40 ⑤ 50

0462

함수의 극대 극소와 미정계수의 결정
서술형

함수 $f(x)=x^3+ax^2+bx+c$는 $x=1$에서 극댓값, $x=3$에서 극솟값을 갖고 극댓값이 극솟값의 3배일 때, 함수 $f(x)$의 극댓값을 구하는 과정을 다음 단계로 서술하여라. (단, a, b, c는 상수)

[1단계] 함수 $f(x)$가 $x=1$에서 극대, $x=3$에서 극소임을 이용하여 상수 a, b의 값을 구한다.
[2단계] 함수 $f(x)$가 극솟값을 갖고 극댓값이 극솟값의 3배임을 이용하여 상수 c의 값을 구한다.
[3단계] 함수 $f(x)$의 극댓값을 구한다.

0463

극대 극소의 활용
서술형

삼차함수 $f(x)=x^3-3x^2+2x$에 대하여 곡선 $y=f(x)$ 위의 한 점 $\mathrm{P}(t,\ f(t))$에서의 접선의 y절편을 $g(t)$라 할 때, 함수 $g(t)$의 극댓값과 극솟값의 합을 구하는 과정을 다음 단계로 서술하여라.

[1단계] 곡선 $y=f(x)$ 위의 한 점 $\mathrm{P}(t,\ f(t))$에서의 접선의 y절편 $g(t)$를 구한다.
[2단계] 함수 $g(t)$의 증가와 감소를 표로 나타낸다.
[3단계] 함수 $g(t)$의 극댓값과 극솟값의 합을 구한다.

0464

극대 극소의 활용
서술형

최고차항의 계수가 2인 삼차함수 $f(x)$가 $x=-2$에서 극댓값을 가지고, $\displaystyle\lim_{x\to 0}\frac{f(x)}{x}=-12$를 만족시킨다. 이때 함수 $f(x)$의 극솟값을 구하는 과정을 다음 단계로 서술하여라.

[1단계] $\displaystyle\lim_{x\to 0}\frac{f(x)}{x}=-12$에서 $f(0)$, $f'(0)$의 값을 구한다.
[2단계] $f(x)=2x^3+ax^2+bx+c$ (단, a, b, c는 상수)로 놓고 $f(0)$, $f'(0)$의 값을 이용하여 상수 c, b를 구하고 $f'(-2)$의 값을 이용하여 상수 a의 값을 구하여 삼차함수 $f(x)$를 구한다.
[3단계] 삼차함수 $f(x)$의 극솟값을 구한다.

정답 0459: ⑤ 0460: ④ 0461 : ③ 0462: 해설참조 0463: 해설참조 0464: 해설참조

0465
사차함수의 활용
2015년 10월 교육청

함수 $f(x)=x^4-16x^2$에 대하여 다음 조건을 만족시키는 모든 정수 k값의 제곱의 합을 구하여라.

(가) 구간 $(k,\ k+1)$에서 $f'(x)<0$이다.　　(나) $f'(k)f'(k+2)<0$

0466
사차함수의 진위판단
2018학년도 수능기출

최고차항의 계수가 1인 사차함수 $f(x)$가 다음 조건을 만족시킨다.

(가) $f'(0)=0,\ f'(2)=16$

(나) 어떤 양수 k에 대하여 두 열린구간 $(-\infty,\ 0),\ (0,\ k)$에서 $f'(x)<0$이다.

[보기]에서 옳은 것만을 있는 대로 고른 것은?

ㄱ. 방정식 $f'(x)=0$은 열린구간 $(0,\ 2)$에서 한 개의 실근을 갖는다.
ㄴ. 함수 $f(x)$는 극댓값을 갖는다.
ㄷ. $f(0)=0$이면 모든 실수 x에 대하여 $f(x)\geq -\frac{1}{3}$이다.

① ㄱ　② ㄴ　③ ㄱ, ㄷ　④ ㄴ, ㄷ　⑤ ㄱ, ㄴ, ㄷ

0467
삼차함수의 진위판단
2019학년도 06월 평가원

상수 $a,\ b$에 대하여 삼차함수 $f(x)=x^3+ax^2+bx$가 다음 조건을 만족시킨다.

(가) $f(-1)>-1$　　(나) $f(1)-f(-1)>8$

[보기]에서 옳은 것만을 있는 대로 고른 것은?

ㄱ. 방정식 $f'(x)=0$은 서로 다른 두 실근을 갖는다.
ㄴ. $-1<x<1$일 때, $f'(x)\geq 0$이다.
ㄷ. 방정식 $f(x)-f'(k)x=0$의 서로 다른 실근의 개수가 2가 되도록 하는 모든 실수 k의 개수는 4이다.

① ㄱ　② ㄱ, ㄴ　③ ㄱ, ㄷ　④ ㄴ, ㄷ　⑤ ㄱ, ㄴ, ㄷ

0468
절댓값 함수의 미분가능성
2014학년도 수능기출

다음 물음에 답하여라.

(1) 좌표평면에서 삼차함수 $f(x)=x^3+ax^2+bx$와 실수 t에 대하여 곡선 $y=f(x)$ 위의 점 $(t,\ f(t))$에서의 접선이 y축과 만나는 점을 P라 할 때, 원점에서 점 P까지의 거리를 $g(t)$라 하자. 함수 $f(x)$와 함수 $g(t)$가 다음 조건을 만족시킬 때, $f(3)$의 값을 구하여라. (단, $a,\ b$는 상수이다.)

(가) $f(1)=2$
(나) 함수 $g(t)$는 실수 전체의 집합에서 미분가능하다.

2016학년도 09월 평가원

(2) 실수 t에 대하여 직선 $x=t$가 두 함수 $y=x^4-4x^3+10x-30,\ y=2x+2$의 그래프와 만나는 점을 각각 A, B라 할 때, 점 A와 점 B 사이의 거리를 $f(t)$라 하자.

$$\lim_{h\to 0+}\frac{f(t+h)-f(t)}{h}\times\lim_{h\to 0-}\frac{f(t+h)-f(t)}{h}\leq 0$$

을 만족시키는 모든 실수 t의 값의 합을 구하여라.

0469
역함수와 삼차함수의 활용
2019학년도 09월 평가원

최고차항의 계수가 양수인 삼차함수 $f(x)$에 대하여 방정식 $(f\circ f)(x)=x$의 모든 실근이 $0,\ 1,\ a,\ 2,\ b$이다.

$$f'(1)<0,\ f'(2)<0,\ f'(0)-f'(1)=6$$

일 때, $f(5)$의 값을 구하여라. (단, $1<a<2<b$)

정답　0465: 17　0466: ③　0467: ③　0468: (1) 30 (2) 5　0469 : 40

실근의 개수의 연속 불연속

01 실근의 개수를 함수로 하는 그래프

다항함수 $f(x)$에 대하여 방정식 $f(x)=t$의 실근의 개수를 $g(t)$라 하면

함수 $y=f(x)$와 상수함수 $y=t$의 교점의 개수인 함수 $y=g(t)$의 그래프는 다음과 같다.

(1) 함수 $g(t)$가 모든 실수에서 연속인 경우

다항함수 $f(x)$가 증가함수이거나 감소함수이다.

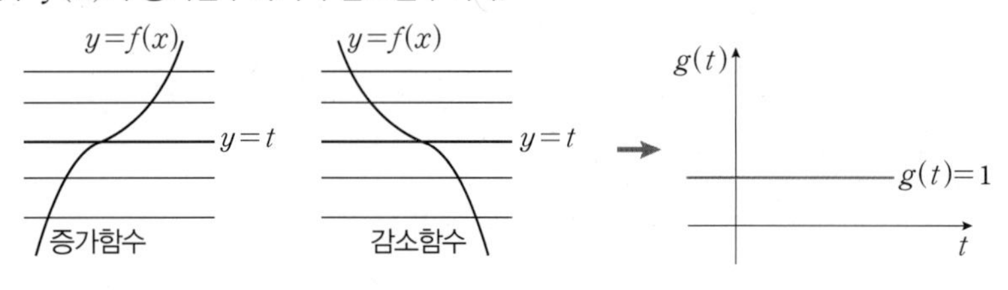

(2) 함수 $g(t)$의 불연속인 점의 개수가 2인 경우

① $f(x)$가 삼차함수이면 ⇨ $f(x)$가 극대, 극소가 존재한다.

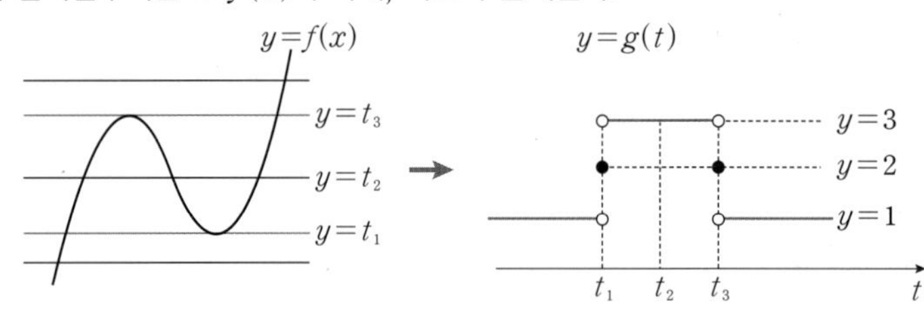

② 함수 $f(x)$가 사차함수이면 ⇨ $f(x)$의 두 극댓값 또는 극솟값이 서로 같다.

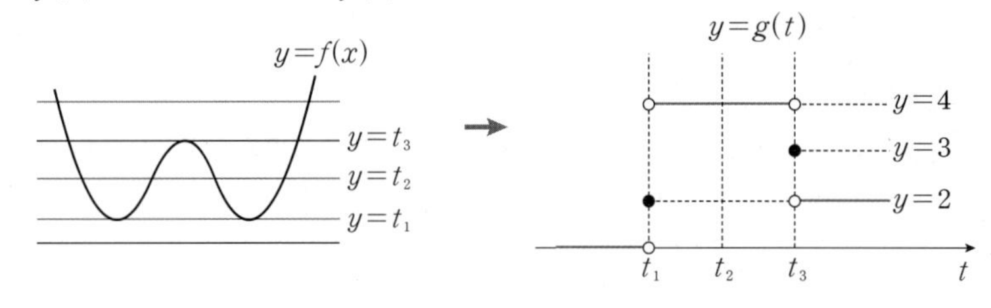

(3) 함수 $g(t)$의 불연속인 점의 개수가 3인 경우

$f(x)$가 사차함수이면 ⇨ $f(x)$가 극값이 세 개 존재하고 극값이 모두 다르다.

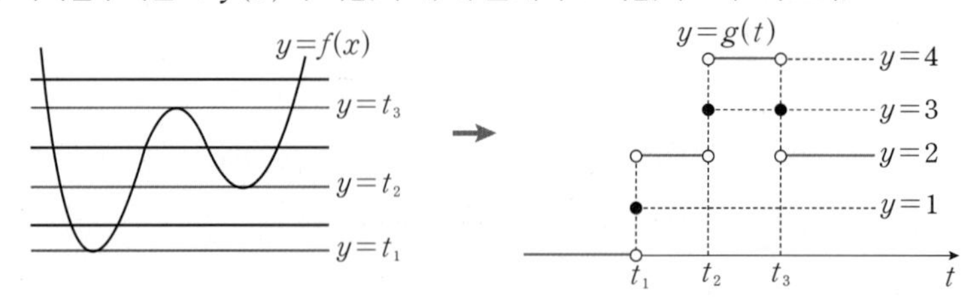

수능특강문제 01

2016학년도 사관기출

임의의 실수 t에 대하여 x에 대한 방정식

$$2x^3+ax^2+6x-3=t$$

의 서로 다른 실근의 개수를 $g(t)$라 하자. $g(t)$가 실수 전체의 집합에서 연속이 되도록 하는 정수 a의 개수는?

① 9　② 10　③ 11　④ 12　⑤ 13

수능특강 풀이

STEP A　$g(t)$가 실수전체의 집합에서 연속이 되려면 실수 t에 대하여 실근의 개수가 일정하므로 함수 $f(x)$는 증가함수임을 이해하기

$f(x)=2x^3+ax^2+6x-3$이라 하면 방정식 $2x^3+ax^2+6x-3=t$의 실근은 $y=f(x)$의 그래프와 직선 $y=t$의 교점의 x좌표와 같다.

이때 함수 $f(x)$의 극값이 존재하면 직선 $y=t$가 $f(x)$의 극점을 지날 때,

함수 $g(t)$의 불연속점이 생기므로 함수 $g(t)$가 연속이려면 최고차항이 양수인 함수 $f(x)$가 극점을 갖지 않는 증가함수이어야 한다.

이때 $y=f(x)$의 그래프와 직선 $y=t$의 교점은 항상 1개이므로 $g(t)=1$

즉, $f(x)=2x^3+ax^2+6x-3$은 모든 실수에서 증가함수이다.

STEP B　모든 실수 x에 대하여 $f'(x)\geq 0$을 만족하는 a의 범위 구하기

함수 $f(x)$가 극값을 갖지 않은 증가함수이므로 모든 실수 x에 대하여 $f'(x)=6x^2+2ax+6\geq 0$이어야 한다.

이차방정식 $6x^2+2ax+6=0$의 판별식을 D라 하면 $\frac{D}{4}=a^2-36\leq 0$

$\therefore -6\leq a\leq 6$

따라서 정수 a의 개수는 $6-(-6)+1=13$

수능특강문제 02

2015년 09월 교육청

최고차항의 계수가 1이고 $f(0)=-20$인 삼차함수 $f(x)$가 있다.

실수 t에 대하여 직선 $y=t$와 함수 $y=f(x)$의 그래프가 만나는 점의 개수 $g(t)$는

$$g(t)=\begin{cases}1 & (t<-4 \text{ 또는 } t>0)\\ 2 & (t=-4 \text{ 또는 } t=0)\\ 3 & (-4<t<0)\end{cases}$$

이다. $f(9)$의 값을 구하여라.

수능특강 풀이

STEP A　조건을 만족하는 $y=f(x)$의 그래프의 개형 그리기

최고차항의 계수가 1인 삼차함수 $f(x)$에 대하여 주어진 조건에 의하여

$y=-4$ 또는 $y=0$과 $y=f(x)$의 그래프가 만나는 점의 개수가 2이고

$f(0)=-20$이므로 $y=f(x)$의 그래프는 오른쪽과 같다.

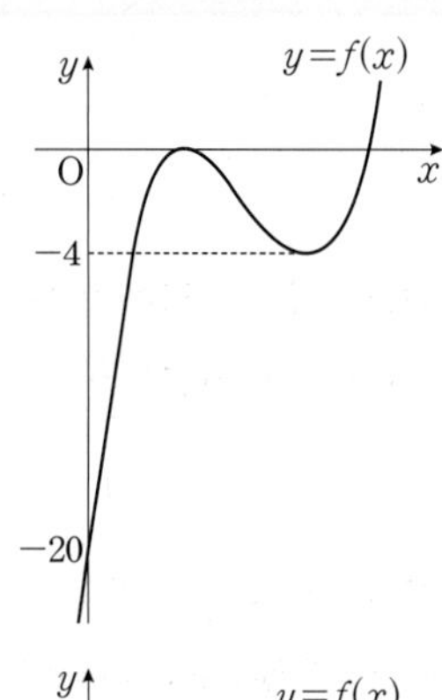

STEP B　삼차함수 $y=f(x)$를 구하여 $f(9)$ 구하기

함수 $y=f(x)$의 그래프가 x축과 만나는 점의 x좌표를 a, $b\,(a<b)$라 하면

$f(x)=(x-a)^2(x-b)$이므로

$f'(x)=2(x-a)(x-b)+(x-a)^2=(x-a)(3x-a-2b)$

$f'(x)=0$에서 $x=a$ 또는 $x=\frac{a+2b}{3}$

이때 $f\left(\frac{a+2b}{3}\right)=-4$이므로 $f\left(\frac{a+2b}{3}\right)=\frac{4}{27}(a-b)^3=-4$

$(a-b)^3=-27$에서 $a-b=-3$

$\therefore b=a+3$　　　　…… ㉠

또한, $f(0)=-20$이므로 $f(0)=-a^2b=-a^2(a+3)=-20$

$a^3+3a^2-20=0$, $(a-2)(a^2+5a+10)=0$

$\therefore a=2$ ($\because a^2+5a+10>0$)

$\therefore a=2$를 ㉠에 대입하면 $b=5$

따라서 $f(x)=(x-2)^2(x-5)$이므로 $f(9)=7^2\cdot 4=196$

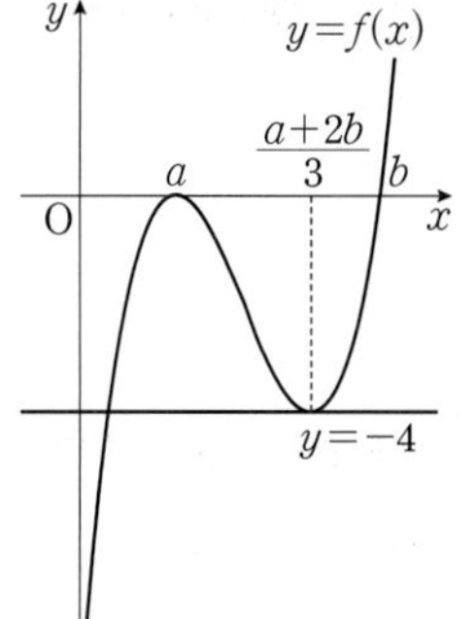

수능특강문제 03
2015년 11월 교육청

삼차함수 $f(x)$와 실수 t에 대하여 곡선 $y=f(x)$와 직선 $y=t$가 만나는 서로 다른 점의 개수를 $g(t)$라 하자. 함수 $f(x)$, $g(x)$는 다음 조건을 만족시킨다.

> (가) 함수 $g(x)$는 $x=0$, $x=6$에서 불연속이다.
> (나) 함수 $f(x)g(x)$는 모든 실수에서 연속이다.
> (다) $f(5)f(7)<0$

$f(-4)$의 값을 구하여라.

수능특강 풀이

STEP Ⓐ 조건을 만족하는 삼차함수 $f(x)$ 구하기

조건 (가)에서 함수 $g(x)$가 $x=0$, $x=6$에서 불연속이므로
함수 $f(x)$의 극솟값은 0, 극댓값은 6이고 함수 $g(x)$의 그래프는 오른쪽 그림과 같다.

조건 (나)에서 함수 $f(x)g(x)$는

$$f(x)g(x)=\begin{cases} f(x) & (x<0,\ x>6) \\ 2f(x) & (x=0,\ x=6) \\ 3f(x) & (0<x<6) \end{cases}$$

함수 $f(x)g(x)$는 모든 실수에서 연속이므로
$\lim_{x\to 0}f(x)g(x)=f(0)g(0)$, $\lim_{x\to 6}f(x)g(x)=f(6)g(6)$이어야 한다.
$\therefore f(0)=0,\ f(6)=0$

즉 함수 $f(x)$의 그래프의 개형은 [그림1] 또는 [그림2] 중 하나이다.

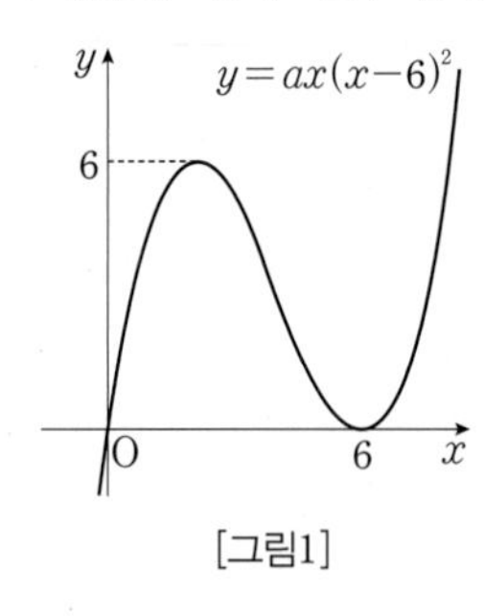

[그림1]

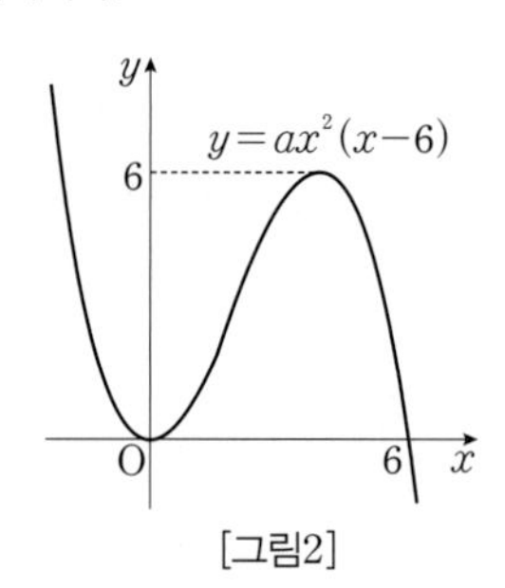

[그림2]

이때 조건 (다)에서 $f(5)f(7)<0$이므로 함수 $f(x)$의 그래프는 [그림2]와 같다.
$\therefore f(x)=ax^2(x-6)\,(a<0)$

STEP Ⓑ 극댓값이 6임을 이용하여 $f(-4)$ 구하기

$f(x)=ax^2(x-6)$에서 $f'(x)=3ax(x-4)$
$f'(x)=0$에서 $x=0$ 또는 $x=4$
함수 $f(x)$의 증가와 감소를 표로 나타내면 다음과 같다.

x	$\cdots$	0	$\cdots$	4	$\cdots$
$f'(x)$	$-$	0	$+$	0	$-$
$f(x)$	↘	극소	↗	극대	↘

함수 $f(x)$는 $x=4$에서 극대이고 극댓값을 가지므로 $f(4)=-32a=6$

$\therefore a=-\frac{3}{16}$

$\therefore f(x)=-\frac{3}{16}x^2(x-6)$

따라서 $f(-4)=-\frac{3}{16}\cdot(-4)^2\cdot(-4-6)=30$

최고차항의 계수가 1인 삼차함수 $f(x)$와 실수 k에 대하여 방정식 $|f(x)|=k$의 서로 다른 실근의 개수를 $g(k)$라 하자. 함수 $y=g(k)$의 그래프가 오른쪽 그림과 같고,

$$f(1)\neq 0,\ f'(1)=0$$

일 때, $f(4)$의 최댓값을 구하여라.

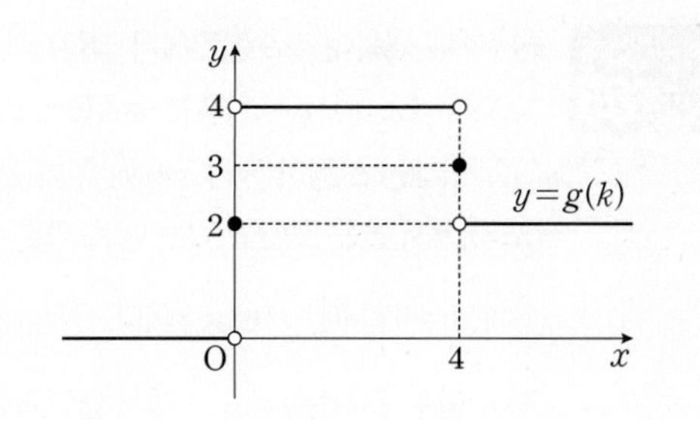

수능특강 풀이

STEP A $g(0)=2$을 만족하는 삼차함수 $f(x)$의 식 작성하기

$g(0)=2$이므로 방정식 $|f(x)|=0$의 실근은 2개이다.

즉, 삼차방정식 $f(x)=0$의 서로 다른 실근은 2개이므로 $f(x)=0$의 실근을 α, β라 하고 이 중 중근을 β라 하자.

최고차항의 계수가 1인 삼차함수 $f(x)=(x-\alpha)(x-\beta)^2$

$f'(x)=(x-\beta)^2+2(x-\alpha)(x-\beta)=(x-\beta)(3x-2\alpha-\beta)$

$f'(x)=0$의 실근은 β 또는 $\dfrac{2\alpha+\beta}{3}$

$f'(1)=0$이므로 $\beta=1$ 또는 $\dfrac{2\alpha+\beta}{3}=1$

$\beta=1$인 경우 $f(1)=0$이므로 주어진 조건을 만족시키지 않는다. ⬅ $f(1)\neq 0$

즉, $\dfrac{2\alpha+\beta}{3}=1$에서 $2\alpha+\beta=3$이므로 $\beta=3-2\alpha$ ...... ㉠

$f(x)=(x-\alpha)(x-\beta)^2$에 ㉠을 대입하면

$f(x)=(x-\alpha)(x-3+2\alpha)^2$

$g(0)=2$, $g(4)=3$이므로 함수 $y=f(x)$의 그래프는

$\alpha>\beta$인 경우와 $\alpha<\beta$인 경우로 나누면 다음과 같다.

STEP B $g(4)=3$을 만족하는 삼차함수 $f(x)$을 구하여 $f(4)$의 값 구하기

(i) $\alpha>\beta$인 경우 $g(4)=3$이므로

$f(1)=-4$를 만족한다.

$f(1)=(1-\alpha)(1-3+2\alpha)^2=4(1-\alpha)^3=-4$에서 $\alpha=2$

$\alpha=2$를 ㉠에 대입하면 $\beta=-1$

즉, $f(x)=(x+1)^2(x-2)$이므로 $f(4)=5^2\cdot 2=50$

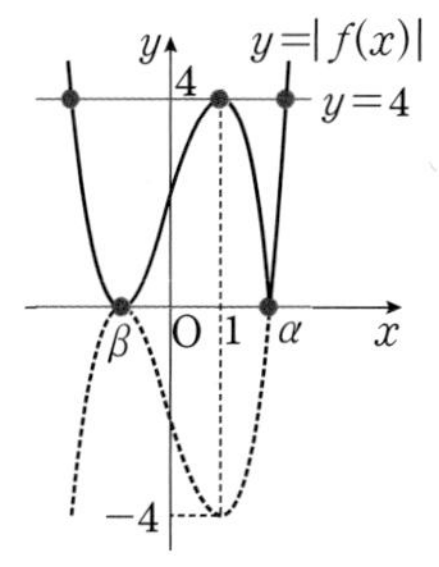

(ii) $\alpha<\beta$인 경우 $g(4)=3$이므로

$f(1)=-4$를 만족한다.

$f(1)=(1-\alpha)(1-3+2\alpha)^2=4(1-\alpha)^3=4$에서 $\alpha=0$

$\alpha=0$를 ㉠에 대입하면 $\beta=3$

즉, $f(x)=x(x-3)^2$이므로 $f(4)=4\cdot 1^2=4$

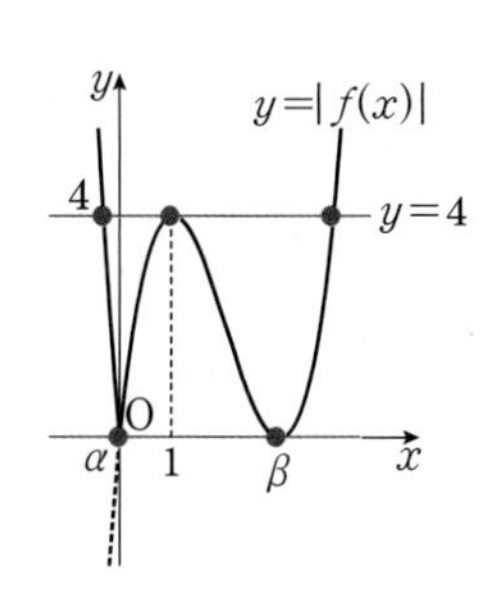

(i), (ii)에서 $f(4)$의 최댓값은 50이다.

수능특강문제 **05**

2018년 11월 교육청

실수 t에 대하여 좌표평면에서 집합

$$\{(x,\ y) \mid y=x \text{ 또는 } y=(x-a)^2-a\} \text{ (단, } a\text{는 실수)}$$

가 나타내는 도형이 직선 $x+y=t$와 만나는 점의 개수를 $f(t)$라 하자.
[보기]에서 옳은 것만을 있는 대로 고른 것은?

ㄱ. $a=0$일 때, $f(0)=2$이다.

ㄴ. 함수 $f(t)$는 $t=-\frac{1}{4}$에서 불연속이다.

ㄷ. 함수 $f(t)$가 $t=\alpha$에서 불연속이 되는 실수 α의 개수가 2인 모든 a의 값의 합은 $\frac{1}{4}$이다.

① ㄱ ② ㄱ, ㄴ ③ ㄱ, ㄷ ④ ㄴ, ㄷ ⑤ ㄱ, ㄴ, ㄷ

수능특강 풀이

STEP Ⓐ $a=0$일 때, 교점의 개수를 구하여 참임을 보이기

ㄱ. $a=0$일 때, 집합 $\{(x,\ y) \mid y=x \text{ 또는 } y=x^2\}$이 나타내는 도형과 직선 $x+y=0$을 좌표평면에 나타내면 오른쪽 그림과 같다.

$x^2=-x$에서 $x=0$ 또는 $x=-1$

$a=0$일 때, $f(0)=2$이다. [참]

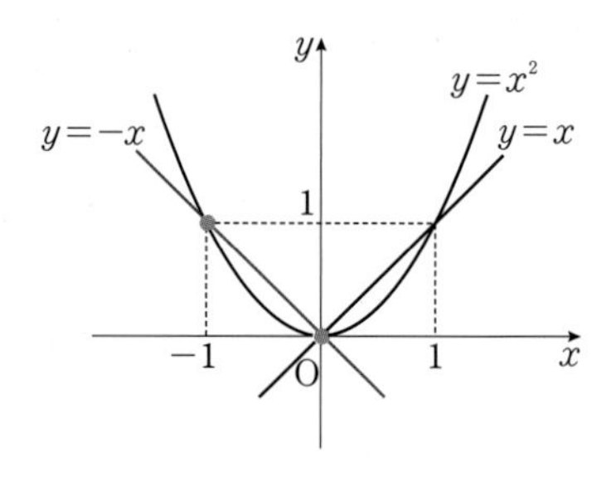

STEP Ⓑ 이차방정식의 판별식을 이용하여 참임을 판단하기

ㄴ. $x+y=-\frac{1}{4}$과 $y=(x-a)^2-a$를 연립하여 정리하면

$x^2-(2a-1)x+a^2-a+\frac{1}{4}=0$

이 이차방정식의 판별식을 D_1이라 하면

$D_1=(2a-1)^2-4\left(a^2-a+\frac{1}{4}\right)=0$이므로 직선 $x+y=-\frac{1}{4}$과 곡선 $y=(x-a)^2-a$는 한 점에서 만난다.

따라서 $t=-\frac{1}{4}$을 경계로 $f(t)$의 값이 변화한다.

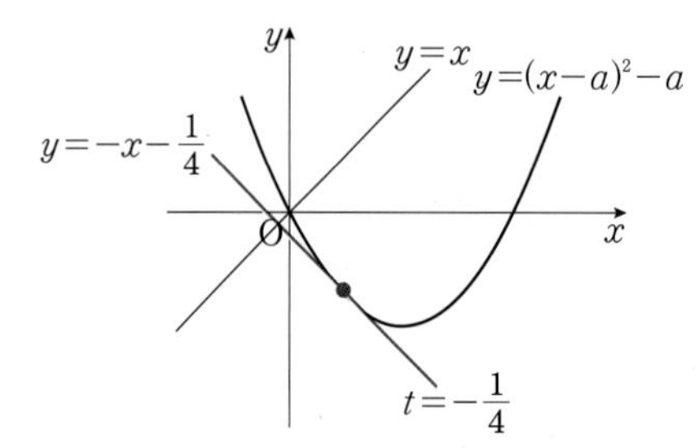

즉 $\lim_{t \to -\frac{1}{4}-} f(t)=1$, $\lim_{t \to -\frac{1}{4}+} f(t)=3$이므로 $f(t)$는 $t=-\frac{1}{4}$에서 불연속이다. [참]

STEP Ⓒ 불연속이 되는 실수 α의 개수가 2인 a의 값 구하기

ㄷ. 직선 $y=x$와 이차함수 $y=(x-a)^2-a$의 위치관계에 따른 교점의 개수를 다음과 같이 나타낸다.

(ⅰ) $y=x$와 $y=(x-a)^2-a$가 만나지 않을 때,

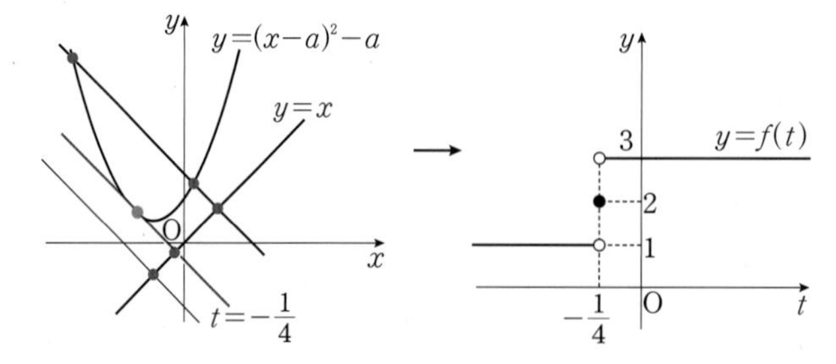

즉, 함수 $f(t)$의 불연속인 점의 개수가 1이다.

(ii) $y=x$와 $y=(x-a)^2-a$가 한 점에서 만날 때,

곡선 $y=(x-a)^2-a$와 직선 $y=x$가 접할 때의 a의 값을 구하자.

$(x-a)^2-a=x$에서 이를 정리하면 $x^2-(2a+1)x+a^2-a=0$

이 이차방정식의 판별식을 D_2라 하면 $D_2=(2a+1)^2-4(a^2-a)=8a+1$

$D_2=0$에서 $a=-\frac{1}{8}$

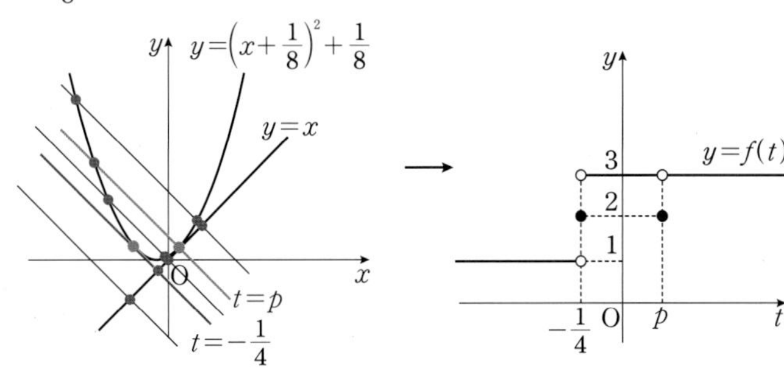

즉 함수 $f(t)$의 불연속인 점의 개수가 2이므로 그때의 a는 $a=-\frac{1}{8}$

(iii) $y=x$와 $y=(x-a)^2-a$가 두 점에서 만날 때,

① 곡선 $y=(x-a)^2-a$가 $y=-x-\frac{1}{4}$과 접하는 점을 $y=x$가 지나는 경우

곡선 $y=(x-a)^2-a$가 두 직선 $y=x$, $y=-x-\frac{1}{4}$이 만나는 점 $\left(-\frac{1}{8}, -\frac{1}{8}\right)$을 지나므로

$-\frac{1}{8}=\left(-\frac{1}{8}-a\right)^2-a$를 정리하면

$\left(a-\frac{3}{8}\right)^2=0 \quad \therefore a=\frac{3}{8}$

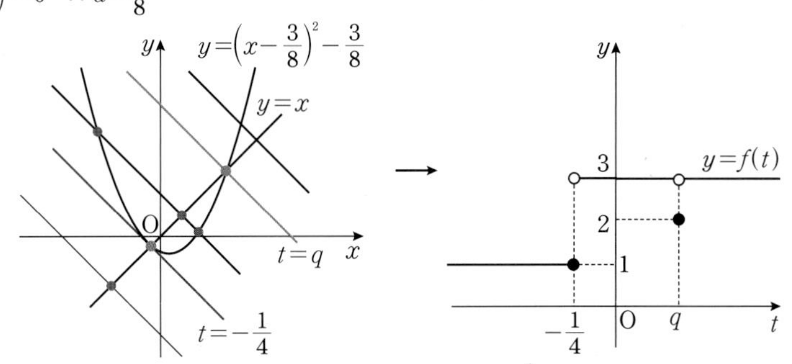

즉, 함수 $f(t)$의 불연속인 점의 개수가 2이므로 그때의 a는 $a=\frac{3}{8}$

② 곡선 $y=(x-a)^2-a$가 두 직선 $y=x$, $y=-x-\frac{1}{4}$이 만나는 점을 지나지 않는 경우

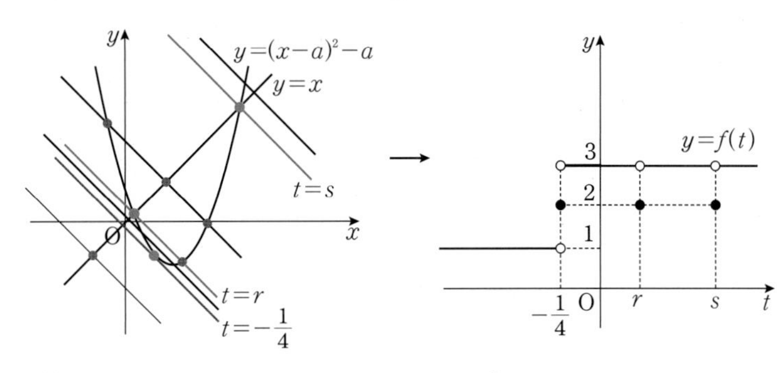

즉, 함수 $f(t)$의 불연속인 점의 개수가 3이다.

(i)~(iii)에 의하여 함수 $f(t)$가 $t=\alpha$에서 불연속이 되는 실수 α의 개수가 2일 때, a의 값은 $-\frac{1}{8}$, $\frac{3}{8}$이다.

즉, 모든 a의 값의 합은 $-\frac{1}{8}+\frac{3}{8}=\frac{1}{4}$이다. [참]

따라서 옳은 것은 ㄱ, ㄴ, ㄷ이다.

2017년 07월 교육청

실수 t에 대하여 x에 대한 사차 방정식

$$(x-1)\{x^2(x-3)-t\}=0$$

의 서로 다른 실근의 개수를 $f(t)$라 하자. 다항함수 $g(x)$가 다음 조건을 만족시킨다.

(가) $\lim_{x \to \infty} \frac{g(x)}{x^4}=0$

(나) $g(-3)=6$

함수 $f(t)g(t)$가 실수 전체의 집합에서 연속일 때, $g(1)$의 값을 구하여라.

수능특강 풀이

STEP Ⓐ 서로 다른 실근의 개수를 $f(t)$의 그래프 그리기

사차방정식 $(x-1)\{x^2(x-3)-t\}=0$에서 $x=1$ 또는 $x^2(x-3)-t=0$

$x^2(x-3)-t=0$의 서로 다른 실근의 개수는 $y=x^2(x-3)$의 그래프와 직선 $y=t$의 교점의 개수와 같다.

이때 $y=x^2(x-3)$에서 $y'=2x(x-3)+x^2=3x(x-2)$

$y'=0$에서 $x=0$ 또는 $x=2$

함수 y의 증가와 감소를 표로 나타내면 다음과 같다.

x	$\cdots$	0	$\cdots$	2	$\cdots$
y'	+	0	−	0	+
y	↗	0	↘	−4	↗

$x=0$일 때, 극대이고 극댓값은 0, $x=2$일 때, 극소이고 극솟값은 −4 이므로 함수 y의 그래프는 다음과 같다.

이때 사차방정식의 서로 다른 실근의 개수 $f(t)$는 다음과 같다.

$$f(t)=\begin{cases} 2 & (t<-4) \\ 3 & (t=-4) \\ 4 & (-4<t<-2 \text{ 또는 } -2<t<0) \\ 3 & (t=-2) \\ 4 & (-2<t<0) \\ 3 & (t=0) \\ 2 & (t>0) \end{cases}$$

⬅ $t=-2$에서 $x=1$의 근이 중복된다.

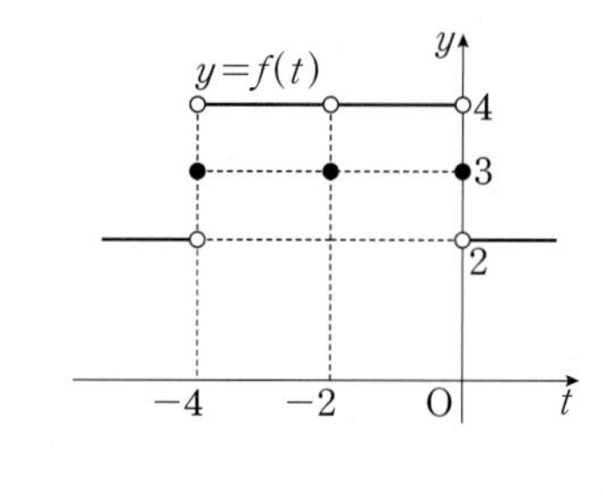

함수 $f(t)$는 $t=-4,\ -2,\ 0$에서 불연속이다.

STEP Ⓑ $f(t)g(t)$가 실수 전체의 집합에서 연속이기

이때 함수 $f(t)$는 $t\neq-4,\ t\neq-2,\ t\neq0$인 실수 t에서 연속이고 다항함수 $g(t)$는 모든 실수 t에서 연속이다.

그러므로 함수 $f(t)g(t)$는 연속함수의 성질에 의해 $t\neq-4,\ t\neq-2,\ t\neq0$인 모든 실수 t에서 연속이다.

두 함수 $f(x),\ g(x)$가 $x=a$에서 연속이면 $f(x)g(x)$도 $x=a$에서 연속이다.

즉, 함수 $f(t)g(t)$가 모든 실수 t에서 연속이기 위해서는 $t=-4,\ -2,\ 0$에서 연속이어야 하므로

방정식 $g(t)=0$의 근이 $-4,\ -2,\ 0$을 가져야 한다.

조건 (가)에서 $g(x)$가 삼차 이하의 다항함수이므로 $g(x)=ax(x+2)(x+4)(a\neq0)$이라 하면

조건 (나)에서 $g(-3)=6$이므로 $-3a\cdot(-1)\cdot1=6$ $\therefore a=2$ $\therefore g(x)=2x(x+2)(x+4)$

따라서 $g(1)=2\cdot1\cdot3\cdot5=30$

참고 함수 $f(t)g(t)$가 실수 전체의 집합에서 연속이기 위해서는 $t=-4,\ -2,\ 0$에서 연속이어야 한다.

(ⅰ) $t=-4$일 때, $\lim_{t\to-4-}f(t)g(t)=2g(-4)$, $\lim_{t\to-4+}f(t)g(t)=4g(-4)$, $f(-4)g(-4)=3g(-4)$

$t=-4$에서 연속이므로 $2g(-4)=4g(-4)=3g(-4)$ $\therefore g(-4)=0$

(ⅱ) $t=-2$일 때, $\lim_{t\to-2-}f(t)g(t)=4g(-2)$, $\lim_{t\to-2+}f(t)g(t)=4g(-2)$, $f(-2)g(-2)=3g(-2)$

$t=-2$에서 연속이므로 $4g(-2)=3g(-2)$ $\therefore g(-2)=0$

(ⅲ) $t=-0$일 때, $\lim_{t\to0-}f(t)g(t)=4g(0)$, $\lim_{t\to0+}f(t)g(t)=2g(0)$, $f(0)g(0)=3g(0)$

$t=0$에서 연속이므로 $4g(0)=2g(0)=3g(0)$ $\therefore g(0)=0$

(ⅰ)~(ⅲ)에서 $g(-4)=g(-2)=g(0)=0$이 성립한다.

조건 (가)에서 $g(x)$가 삼차 이하의 다항함수이므로 $g(x)=ax(x+2)(x+4)(a\neq0)$이라 하면

조건 (나)에서 $g(-3)=6$이므로 $a=2$

따라서 $g(x)=2x(x+2)(x+4)$이므로 $g(1)=30$

2018학년도 09월 평가원

삼차함수 $f(x)$와 실수 t에 대하여 곡선 $y=f(x)$와 직선 $y=-x+t$의 교점의 개수를 $g(t)$라 하자. [보기]에서 옳은 것만을 있는 대로 고른 것은?

ㄱ. $f(x)=x^3$이면 함수 $g(t)$는 상수함수이다.

ㄴ. 삼차함수 $f(x)$에 대하여 $g(1)=2$이면 $g(t)=3$인 t가 존재한다.

ㄷ. 함수 $g(t)$가 상수함수이면 삼차함수 $f(x)$의 극값은 존재하지 않는다.

① ㄱ ② ㄷ ③ ㄱ, ㄴ ④ ㄴ, ㄷ ⑤ ㄱ, ㄴ, ㄷ

수능특강 풀이

STEP Ⓐ **$f(x)=x^3$이면 함수 $g(t)$는 상수함수임을 판단하기**

곡선 $y=f(x)$와 직선 $y=-x+t$의 교점의 개수는 방정식 $f(x)=-x+t$의 서로 다른 실근의 개수와 같다.

ㄱ. 곡선 $f(x)=x^3$과 직선 $y=-x+t$는 한 점에서 만나므로 $g(t)=1$

즉, 함수 $g(t)$는 상수함수이다. [참]

참고 $f(x)=x^3$이면 $x^3=-x+t$

$x^3+x-t=0$ ...... ㉠

$h(x)=x^3+x-t$라 하면 $h'(x)=3x^2+1>0$이므로 $h(x)$는 증가함수이다.

즉 모든 실수 t에 대하여 방정식 ㉠의 실근의 개수는 1이다.

$g(t)=1$이고 함수 $g(t)$는 상수함수이다. [참]

STEP Ⓑ **$g(1)=2$이면 $g(t)=3$인 t가 존재함을 판단하기**

ㄴ. 삼차함수 $y=f(x)$의 그래프와 직선 $y=-x+1$의 교점의 개수가 2개인 경우는 다음과 같은 경우이다.

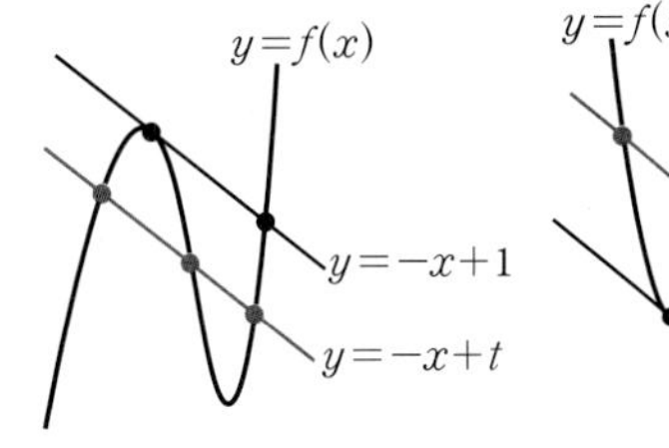

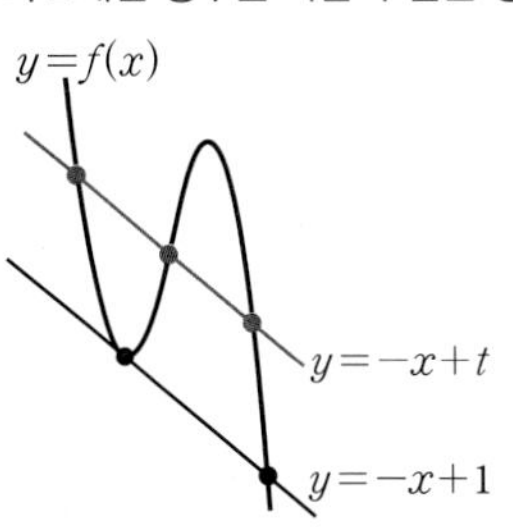

즉, 삼차함수 $y=f(x)$의 그래프와 직선 $y=-x+t$가 세 점에서 만나도록 하는 실수 t가 존재한다. [참]

STEP Ⓒ **$g(t)$가 상수함수일 때, $f(x)$가 극값을 가지는 반례 구하기**

ㄷ. 반례 삼차함수 $f(x)=x^3-x$라 하면 $f'(x)=3x^2-1=-1$ $\therefore x=0$

즉, $x=0$에서 곡선의 접선의 방정식이 $y=-x$이므로 $g(t)$가 상수함수이다.

한편 $f'(x)=3x^2-1=0$

$x=-\frac{\sqrt{3}}{3}$ 또는 $x=\frac{\sqrt{3}}{3}$에서 $f(x)$는 극값을 가진다. [거짓]

따라서 옳은 것은 ㄱ, ㄴ이다.

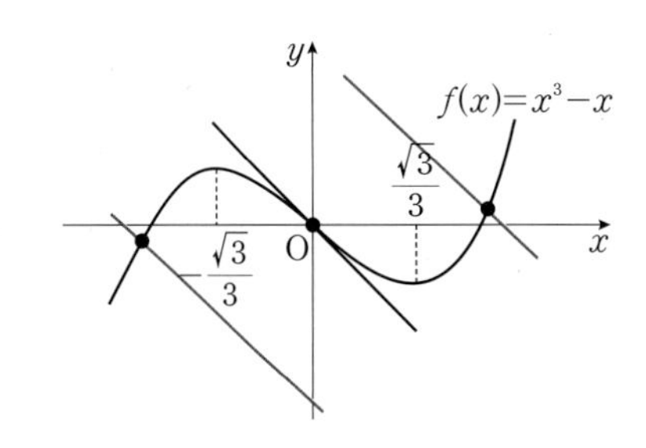

참고 $f(x)=x^3+x^2$일 때, $x^3+x^2=-x+t$

$x^3+x^2+x-t=0$

$h(x)=x^3+x^2+x-t$라 하면 $h'(x)=3x^2+2x+1>0$이므로

$h(x)$는 증가함수이고 $h(x)=0$의 실근의 개수는 1이다.

즉, 모든 실수 t에 대하여 $g(t)=1$이고 $g(t)$는 상수함수이다.

한편 $f'(x)=3x^2+2x=0$

$x=0$ 또는 $x=-\frac{2}{3}$에서 $f(x)$는 극값을 가진다.

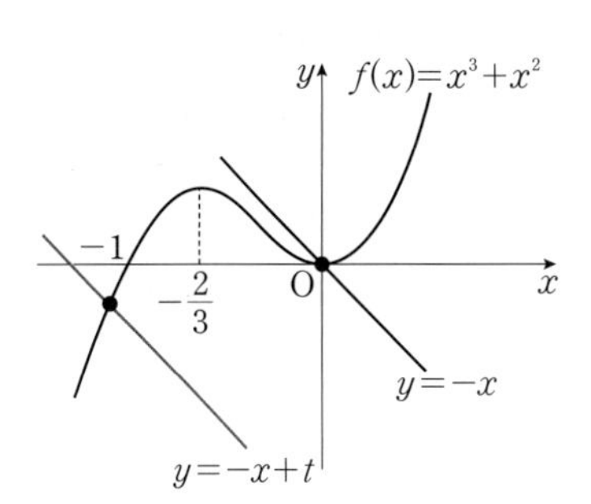

02 원점을 지나는 직선과 실근의 개수를 함수로 하는 그래프

[1단계] 주어진 조건을 이용하여 미지수를 구하고 함수 $y=f(x)$의 그래프 그리기

[2단계] 함수 $y=f(x)$와 직선 $y=mx$가 접할 때를 기준으로 두 곡선의 위치관계를 파악하여 교점의 개수를 구하고 진위판단한다.

수능특강문제 08

함수 $f(x)$가 모든 실수 x에 대하여 미분가능한 함수

$$f(x)=\begin{cases} 2x-4 & (x \ge a) \\ x^3-3x^2+2x & (x < a) \end{cases}$$

이고 실수 m에 대하여 직선 $y=mx$와 함수 $y=f(x)$의 그래프가 만나는 서로 다른 점의 개수를 $g(m)$이라 할 때, $\sum_{k=1}^{6a} g\left(\frac{10}{k}\right)$의 값을 구하여라. (단, a는 상수이다.)

수능특강 풀이

STEP Ⓐ 함수 $f(x)$가 모든 실수에서 미분가능하기 위한 a의 값 구하기

함수 $f(x)$가 모든 실수 x에 대하여 미분가능하므로 함수 $f(x)$는 $x=a$에서 연속이다.

즉, $\lim_{x \to a+} f(x) = \lim_{x \to a-} f(x) = f(a)$를 만족시킨다.

$\lim_{x \to a+} f(x) = \lim_{x \to a+}(2x-4)=2a-4$, $\lim_{x \to a-} f(x) = \lim_{x \to a-}(x^3-3x^2+2x)=a^3-3a^2+2a$

$f(a)=2a-4$이므로 $a^3-3a^2+2a=2a-4$

즉, $a^3-3a^2+4=0$, $(a-2)^2(a+1)=0$이므로 $a=-1$ 또는 $a=2$ …… ㉠

함수 $f(x)$는 $x=a$에서 미분가능하므로 $\lim_{h \to 0+} \frac{f(a+h)-f(a)}{h} = \lim_{h \to 0-} \frac{f(a+h)-f(a)}{h}$를 만족시킨다.

$$\lim_{h \to 0+} \frac{f(a+h)-f(a)}{h} = \lim_{h \to 0+} \frac{\{2(a+h)-4\}-(2a-4)}{h} = 2$$

$$\lim_{h \to 0-} \frac{f(a+h)-f(a)}{h} = \lim_{h \to 0-} \frac{\{(a+h)^3-3(a+h)^2+2(a+h)\}-(2a-4)}{h} = 3a^2-6a+2$$

이므로 $2=3a^2-6a+2$ ⬅ $f'(x)=\begin{cases} 2 & (x>a) \\ 3x^2-6x+2 & (x<a) \end{cases}$에서 $x=a$에서 미분계수가 존재하므로 $2=3a^2-6a+2$

즉, $3a(a-2)=0$에서 $a=0$ 또는 $a=2$ …… ㉡

㉠, ㉡을 동시에 만족하는 a의 값은 $a=2$

STEP Ⓑ $g(2)=1$임을 이용하여 함수 $g(m)$ 구하기

$x^3-3x^2+2x=x(x-1)(x-2)$이므로 함수 $y=f(x)$의 그래프는 오른쪽 그림과 같다.

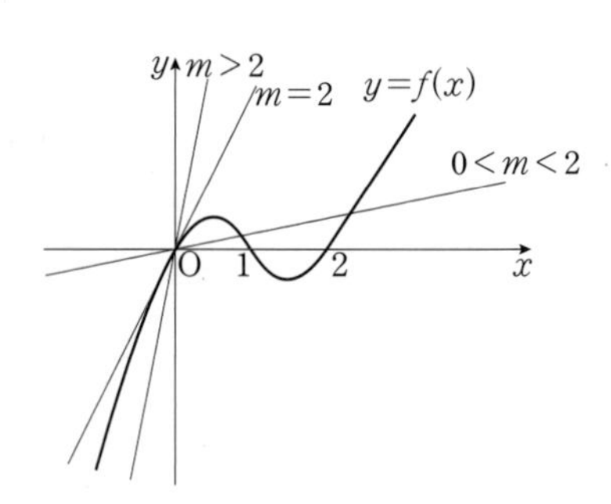

$f'(x)=\begin{cases} 2 & (x>2) \\ 3x^2-6x+2 & (x<2) \end{cases}$이므로 $f'(0)=2$

즉, 함수 $y=f(x)$ 위의 점 $(0, 0)$에서의 접선의 방정식이 $y=2x$이므로

$m=2$일 때, $g(2)=1$

$0<m<2$일 때, $g(m)=3$

$m>2$일 때, $g(m)=2$

STEP Ⓒ $\sum_{k=1}^{6a} g\left(\frac{10}{k}\right)$의 값 구하기

자연수 k에 대하여

$\frac{10}{k}>2$, 즉 $k<5$일 때, $g\left(\frac{10}{k}\right)=2$

$\frac{10}{k}=2$, 즉 $k=5$일 때, $g\left(\frac{10}{k}\right)=1$

$\frac{10}{k}<2$, 즉 $k>5$일 때, $g\left(\frac{10}{k}\right)=3$

따라서 $\sum_{k=1}^{6a} g\left(\frac{10}{k}\right) = \sum_{k=1}^{12} g\left(\frac{10}{k}\right) = 2 \times 4 + 1 + 3 \times 7 = 30$

수능특강문제 **09** 삼차함수 $f(x)=x^3-9x^2+ax+b$가 $x=2$일 때, 극댓값 20을 갖는다. 실수 k에 대하여 곡선 $y=f(x)$와 직선 $y=k$가 만나는 서로 다른 점의 개수를 $g(k)$, 실수 m에 대하여 곡선 $y=f(x)$와 직선 $y=mx$가 만나는 서로 다른 점의 개수를 $h(m)$이라 할 때, [보기]에서 옳은 것만을 있는 대로 고른 것은? (단, a, b는 상수이다.)

ㄱ. $g(k)=3$이 되는 정수 k의 개수는 3이다.
ㄴ. $h(m)=3$이 되는 정수 m의 최솟값은 3이다.
ㄷ. $\sum_{m=1}^{29} h(m)=80$

① ㄱ　② ㄴ　③ ㄱ, ㄴ　④ ㄱ, ㄷ　⑤ ㄱ, ㄴ, ㄷ

수능특강 풀이

STEP Ⓐ $x=2$**일 때 극댓값 20이므로** $f'(2)=0$, $f(2)=20$**임을 이용하여** a, b**의 값 구하기**

$f(x)=x^3-9x^2+ax+b$에서 $f'(x)=3x^2-18x+a$이므로

함수 $f(x)$가 $x=2$일 때 극댓값 20을 가지므로 $f'(2)=0$, $f(2)=20$

$f'(2)=12-36+a=0$에서 $a=24$

$f(2)=8-36+48+b=20$이므로 $b=0$ $\therefore f(x)=x^3-9x^2+24x$

STEP Ⓑ **함수** $f(x)$**의 증가, 감소를 표로 나타내어 참임을 보인다.**

ㄱ. $f'(x)=3x^2-18x+24=3(x^2-6x+8)=3(x-2)(x-4)$

$f'(x)=0$에서 $x=2$ 또는 $x=4$

함수 $f(x)$의 증가, 감소를 표로 나타내면 다음과 같다.

x	$\cdots$	2	$\cdots$	4	$\cdots$
$f'(x)$	$+$	0	$-$	0	$+$
$f(x)$	↗	극대	↘	극소	↗

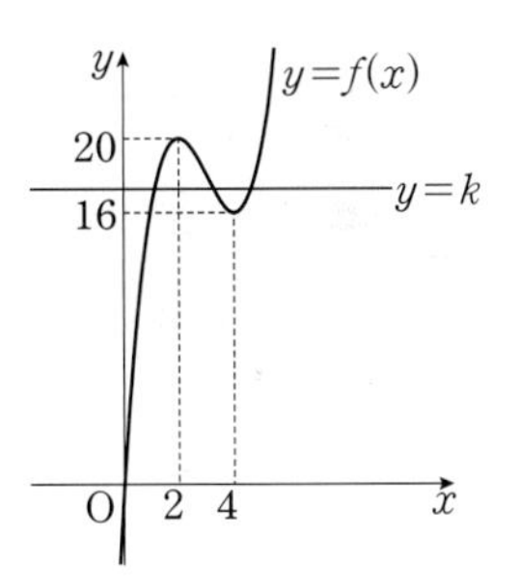

$x=4$일 때, 극소이고 극솟값은 $f(4)=64-144+96=16$

$16<k<20$일 때, 곡선 $f(x)$와 직선 $y=k$가 서로 다른 세 점에서 만나므로 정수 k는 3개다. [참]

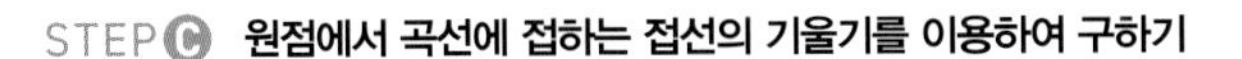
STEP Ⓒ **원점에서 곡선에 접하는 접선의 기울기를 이용하여 구하기**

ㄴ. 곡선 $y=f(x)$에 직선 $y=mx$가 접하는 접점의 좌표를 $(t,\ t^3-9t^2+24t)$이라 하면

$f'(t)=3t^2-18t+24$이므로 접선의 방정식은

$y-(t^3-9t^2+24t)=(3t^2-18t+24)(x-t)$

이 직선이 원점을 지나므로 $-(t^3-9t^2+24t)=(3t^2-18t+24)(0-t)$

$t^2-9t+24=3t^2-18t+24$, $2t^2-9t=0$, $t(2t-9)=0$

$\therefore t=0$ 또는 $t=\frac{9}{2}$

$f'(0)=24$, $f'\left(\frac{9}{2}\right)=\frac{15}{4}$이므로 m의 값이 $\frac{15}{4}$ 또는 24일 때 곡선 $y=f(x)$와 직선 $y=mx$는 접하며 서로 다른 두 점에서 만나고, $\frac{15}{4}<m<24$, $m>24$일 때, 서로 다른 세 점에서 만난다.

즉, $h(m)=3$이 되는 정수 m의 최솟값은 4이다. [거짓]

ㄷ. $\sum_{m=1}^{29} h(m)=\sum_{m=1}^{3} h(m)+\sum_{m=4}^{23} h(m)+h(24)+\sum_{m=25}^{29} h(m)=3\cdot1+20\cdot3+1\cdot2+5\cdot3=80$ [참]

따라서 옳은 것은 ㄱ, ㄷ이다.

참고 곡선 $y=f(x)$와 직선 $y=mx$가 만나는 서로 다른 점의 개수는 방정식 $x^3-9x^2+24x=mx$의 서로 다른 실근의 개수와 같다.

$x(x^2-9x+24-m)=0$ …… ㉠에서 $x=0$ 또는 $x^2-9x+24-m=0$ …… ㉡

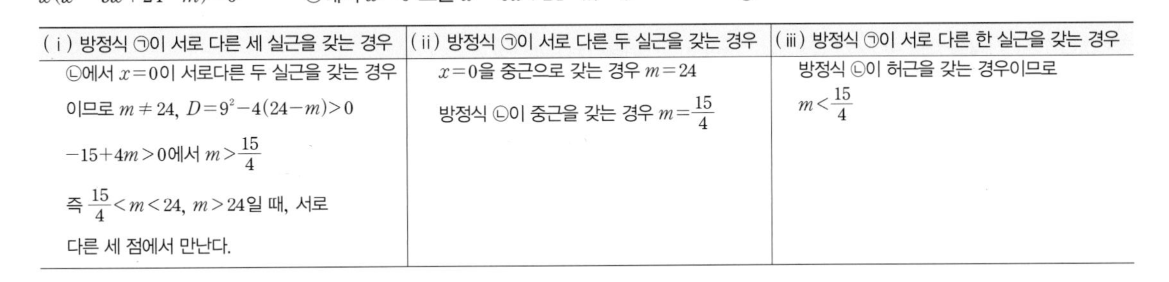

(ⅰ) 방정식 ㉠이 서로 다른 세 실근을 갖는 경우	(ⅱ) 방정식 ㉠이 서로 다른 두 실근을 갖는 경우	(ⅲ) 방정식 ㉠이 서로 다른 한 실근을 갖는 경우
㉡에서 $x=0$이 서로다른 두 실근을 갖는 경우이므로 $m\neq24$, $D=9^2-4(24-m)>0$ $-15+4m>0$에서 $m>\frac{15}{4}$ 즉 $\frac{15}{4}<m<24$, $m>24$일 때, 서로 다른 세 점에서 만난다.	$x=0$을 중근으로 갖는 경우 $m=24$ 방정식 ㉡이 중근을 갖는 경우 $m=\frac{15}{4}$	방정식 ㉡이 허근을 갖는 경우이므로 $m<\frac{15}{4}$

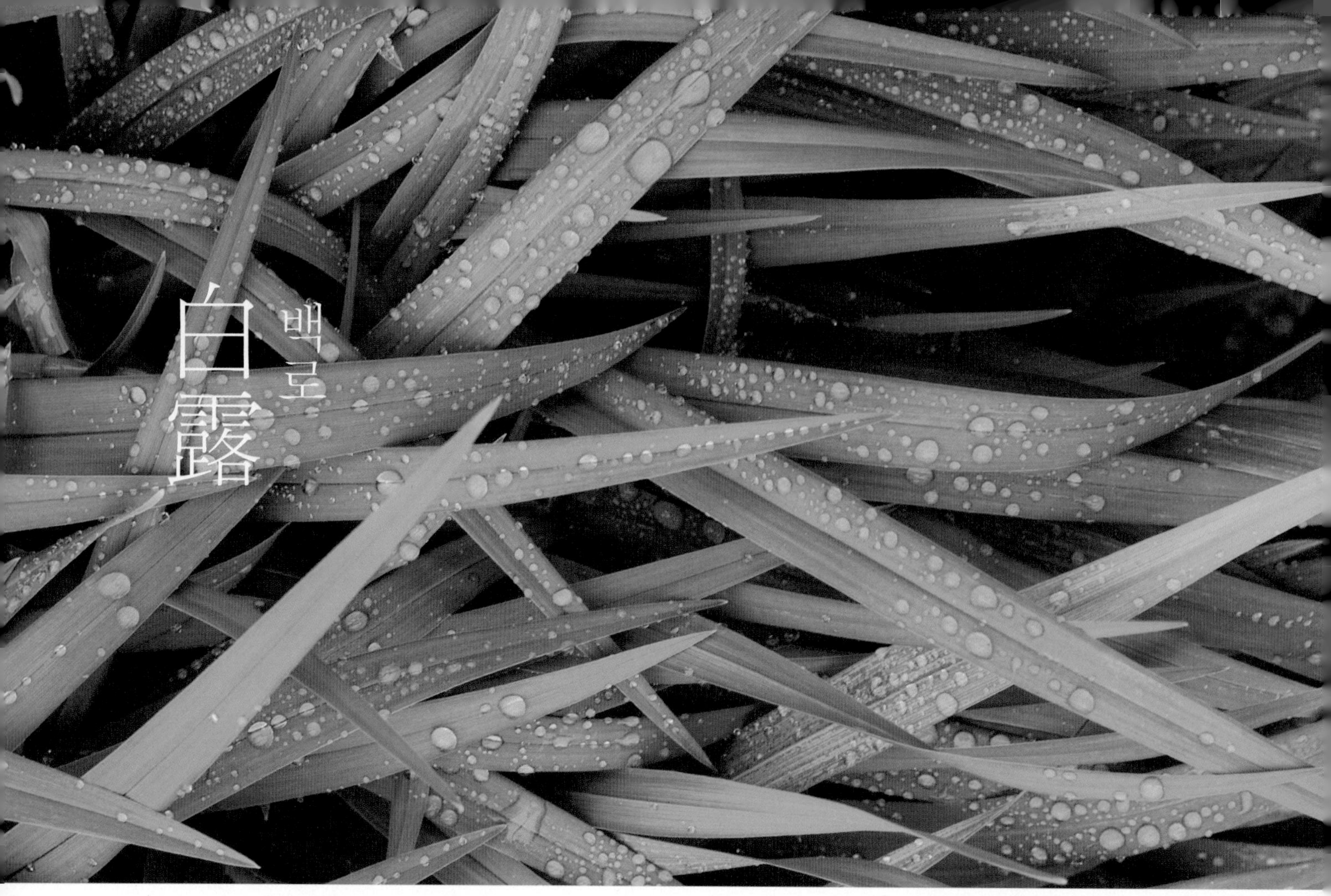

© Photo by Sylwia Pietruszka on Unsplash

간밤 소리없이 내려앉은 이슬방울

한국의 절기 ⑮ '백로'

자료출처 : 한국민속대백과사전 http://folkency.nfm.go.kr

백로는 흰 이슬이라는 뜻으로 이때쯤이면 밤에 기온이 이슬점 이하로 내려가 풀잎이나 물체에 이슬이 맺히는 데서 유래한다. 가을의 기운이 완연히 나타나는 시기로 옛 중국 사람들은 백로부터 추분까지의 시기를 5일씩 삼후(三候)로 나누어 특징을 말하였는데, 초후(初候)에는 기러기가 날아오고, 중후(中侯)에는 제비가 강남으로 돌아가며, 말후(末候)에는 뭇 새들이 먹이를 저장한다고 한다. 백로 무렵에는 장마가 걷힌 후여서 맑은 날씨가 계속된다. 하지만 간혹 남쪽에서 불어오는 태풍과 해일로 곡식의 피해를 겪기도 한다. 백로 다음에 오는 중추는 서리가 내리는 시기이다. 전남에서는 백로 전에 서리가 내리면 시절이 좋지 않다고 한다. 볏논의 나락은 늦어도 백로가 되기 전에 여물어야 한다. 벼는 늦어도 백로 전에 패어야 하는데 서리가 내리면 찬바람이 불어 벼의 수확량이 줄어든다. 백로가 지나서 여문 나락은 결실하기 어렵다. 백로는 대개 음력 8월 초순에 들지만 간혹 7월 말에 들기도 한다. 7월에 든 백로는 계절이 빨라 참외나 오이가 잘 된다고 한다. 한편 8월 백로에 비가 오면 대풍이라고 생각한다. 경남 섬지방에서는 "8월 백로에 비가 오면 십리 천석을 늘린다."라는 말이 전하면서 비가 오는 것을 풍년의 징조로 생각한다. 또 백로 무렵이면 조상의 묘를 찾아 벌초를 시작하고, 고된 여름농사를 다 짓고 추수할 때까지 잠시 일손을 쉬는 때이므로 부녀자들은 근친을 가기도 한다.

수능과 내신의 수학개념서

mapl 마플 교과서

MAPL SERIES www.mapl.co.kr

수학 Ⅱ

Ⅰ 함수의 극한과 연속 | Ⅱ 미분 | Ⅲ 적분

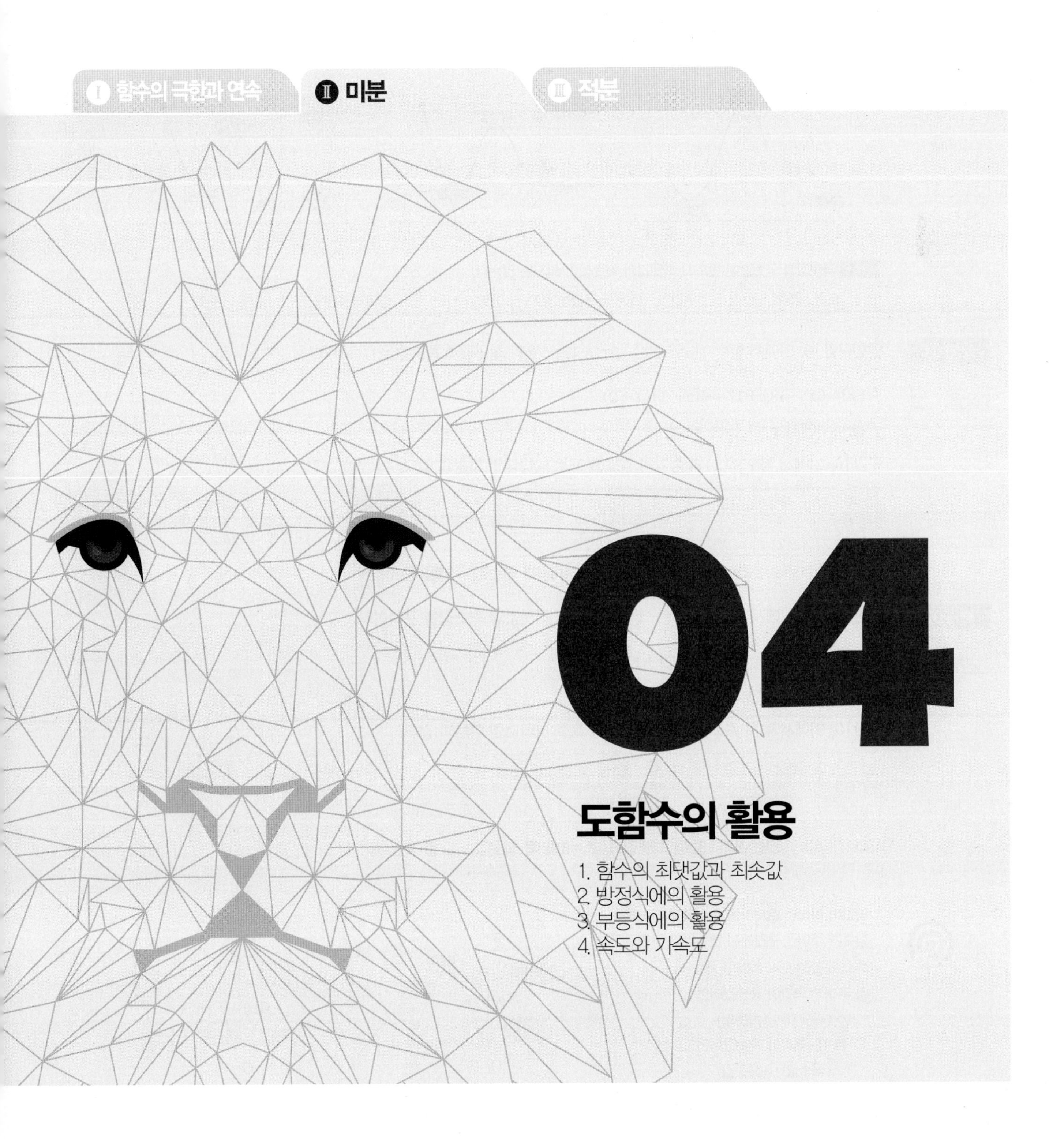

04 도함수의 활용

1. 함수의 최댓값과 최솟값
2. 방정식에의 활용
3. 부등식에의 활용
4. 속도와 가속도

M A P L ; Y O U R M A S T E R P L A N

01 함수의 최댓값과 최솟값

01 함수의 최대와 최소

함수 $f(x)$가 닫힌구간 $[a, b]$에서 연속이면 최대 · 최소 정리에 의하여 $f(x)$는 이 구간에서 반드시 최댓값과 최솟값을 가진다. 이때, 닫힌구간 $[a, b]$에서 함수 $f(x)$의 최댓값과 최솟값은 다음과 같은 순서로 구한다.

[1단계] 양 끝 값인 함숫값 $f(a)$와 $f(b)$를 구한다.

[2단계] 닫힌구간 $[a, b]$에서 함수 $f(x)$의 극댓값과 극솟값을 구한다.

[3단계] 함숫값 $f(a)$, $f(b)$와 모든 극값 중 가장 큰 값이 $f(x)$의 최댓값이고 가장 작은 값이 $f(x)$의 최솟값이다.

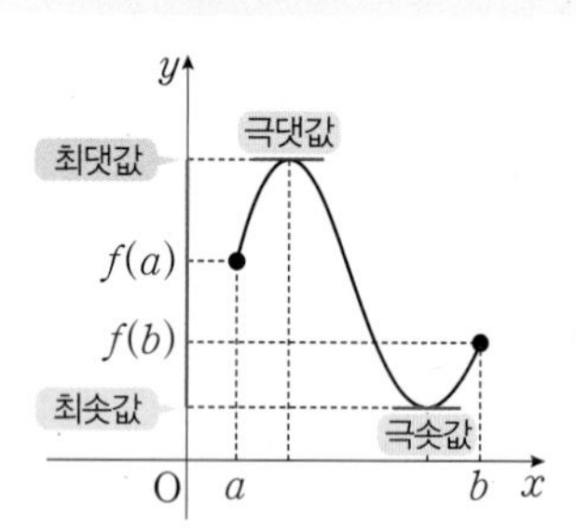

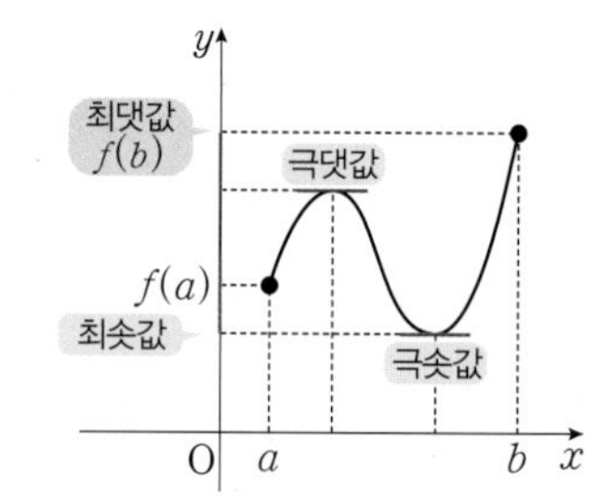

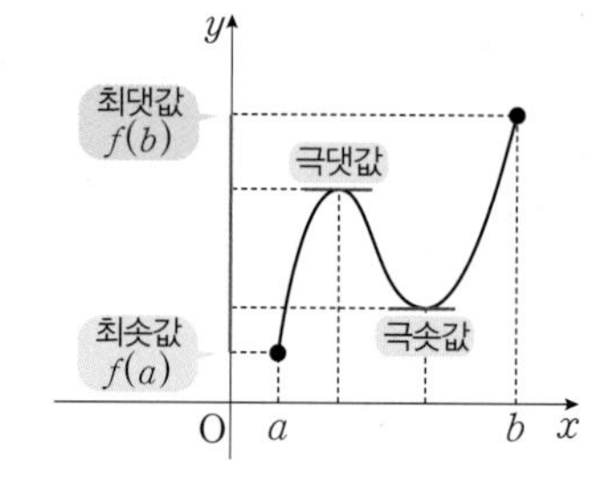

주의! 극댓값과 극솟값이 반드시 최댓값과 최솟값이 되지는 않는다.
또한, 함수 $f(x)$가 닫힌구간 $[a, b]$에서 극값을 갖지 않으면 $f(a)$와 $f(b)$ 중에서 최댓값과 최솟값을 갖는다.

보기 01 닫힌구간 $[0, 2]$에서 함수 $f(x)=2x^3-9x^2+12x-2$의 최댓값과 최솟값을 구하여라.

풀이 $f'(x)=6x^2-18x+12=6(x-1)(x-2)$

$f'(x)=0$에서 $x=1$ 또는 $x=2$

구간 $[0, 2]$에서 함수 $f(x)$의 증가와 감소를 표로 나타내면 다음과 같다.

x	0	⋯	1	⋯	2
$f'(x)$		+	0	−	0
$f(x)$	−2	↗	3	↘	2

따라서 함수 $f(x)$는 $x=1$일 때 최댓값 3, $x=0$일 때 최솟값 −2를 갖는다.

보기 02 닫힌구간 $[0, 3]$에서 함수 $f(x)=-x^3+3x+4$의 최댓값과 최솟값을 구하여라.

풀이 $f'(x)=-3x^2+3=-3(x-1)(x+1)$이므로

$f'(x)=0$에서 $x=-1$ 또는 $x=1$

구간 $[0, 3]$에서 함수 $f(x)$의 증가와 감소를 표로 나타내면 다음과 같다.

x	0	⋯	1	⋯	3
$f'(x)$		+	0	−	0
$f(x)$	4	↗	6	↘	−14

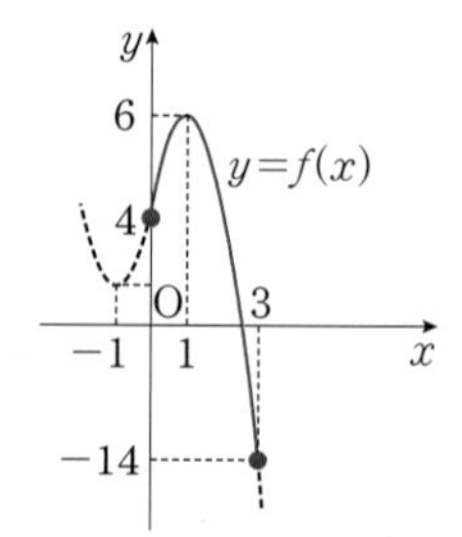

따라서 함수 $f(x)$는 $x=1$일 때 최댓값 6, $x=3$일 때 최솟값 −14를 갖는다.

극값이 하나만 존재하는 함수의 최대 · 최소

함수가 주어진 구간에서 연속이고 닫힌구간 $[a, b]$에서 극값이 오직 하나 존재할 때,

① 주어진 극값이 극댓값이면
⇨ (극댓값)=(최댓값)

② 주어진 극값이 극솟값이면
⇨ (극솟값)=(최솟값)

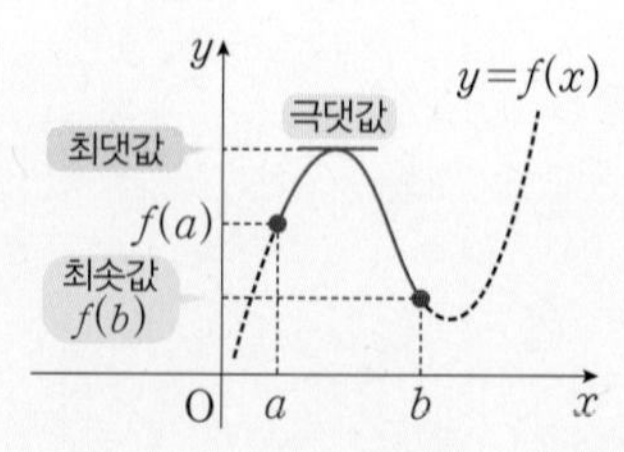

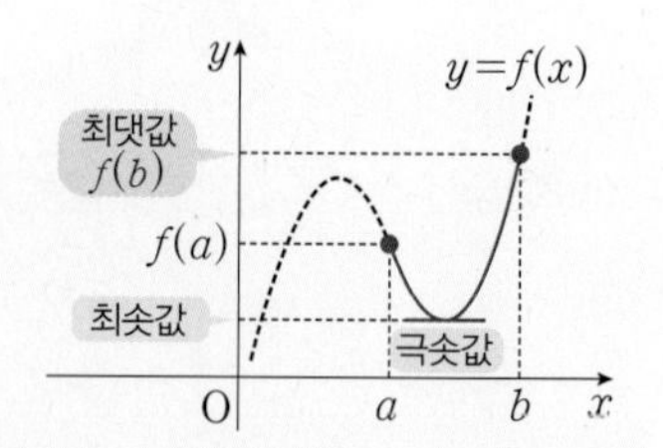

02 미정계수를 포함한 함수의 최대 · 최소

[1단계] 닫힌구간 $[a, b]$에서 함수 $f(x)$의 극값과 양 끝값에서의 함숫값을 비교하여 최댓값과 최솟값을 구한다.

[2단계] [1단계]에서 구한 최댓값과 최솟값을 비교하여 미정계수를 구한다.

참고 함수 $f(x)$가 열린구간 (a, b)에서 정의된 경우, 최댓값이나 최솟값이 존재하지 않을 수 있다.

보기 03 닫힌구간 $[-1, 4]$에서 함수 $f(x)=x^3-9x^2+24x+a$의 최댓값과 최솟값의 합이 -20일 때, 상수 a의 값을 구하여라.

풀이 함수 $f(x)=x^3-9x^2+24x+a$에서 $f'(x)=3x^2-18x+24=3(x-2)(x-4)$

$f'(x)=0$에서 $x=2$ 또는 $x=4$

구간 $[-1, 4]$에서 함수 $f(x)$의 증가와 감소를 표로 나타내면 다음과 같다.

x	-1	$\cdots$	2	$\cdots$	4
$f'(x)$	$+$	$+$	0	$-$	0
$f(x)$	$-34+a$	↗	$20+a$	↘	$16+a$

함수 $f(x)$는 $x=2$에서 최댓값 $20+a$, $x=-1$에서 최솟값 $-34+a$이다.

이때 최댓값과 최솟값의 합이 -20이므로

$(20+a)+(-34+a)=-20$, $-14+2a=-20$ $\therefore a=-3$

03 함수의 최대 · 최소의 활용

함수의 최대 · 최소의 활용 문제는 도형의 길이, 넓이나 부피와 관련된 것들이 대부분이다.
이러한 문제들을 해결하는 방법은 다음과 같다.

[1단계] 주어진 조건에 적합한 변수를 정하여 미지수 x로 놓고 그 값의 범위를 구한다.

[2단계] 도형의 길이, 넓이, 부피 등을 함수 $f(x)$로 나타낸다. ⬅ 한 변수에 관한 식으로 정리

[3단계] 함수의 그래프를 이용하여 함수 $f(x)$의 증감과 극대 · 극소를 이용하여 최댓값 또는 최솟값을 구한다.

보기 04 오른쪽 그림과 같이 직사각형 ABCD의 두 꼭짓점 A, D가 곡선 $y=6-x^2$ 위에 있고 두 꼭짓점 B, C가 x축 위에 있을 때, 직사각형 ABCD의 넓이의 최댓값을 구하여라. (단, 점 D는 제1사분면 위의 점이다.)

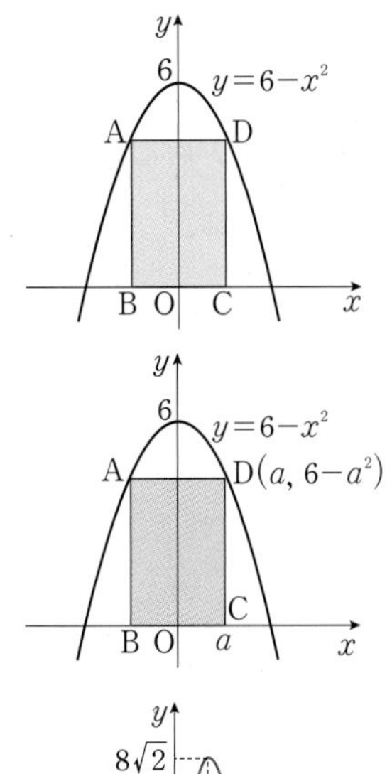

풀이 오른쪽 그림과 같이 직사각형 ABCD의 꼭짓점 D의 x좌표를 $a(0<a<\sqrt{6})$라 하면

$\mathrm{A}(-a, 6-a^2)$, $\mathrm{B}(-a, 0)$, $\mathrm{C}(a, 0)$, $\mathrm{D}(a, 6-a^2)$

이므로 $\overline{\mathrm{AD}}=2a$, $\overline{\mathrm{AB}}=6-a^2$

직사각형 ABCD의 넓이를 $S(a)$라 하면

$S(a)=2a(6-a^2)=-2a^3+12a$

$S'(a)=-6a^2+12=-6(a^2-2)=-6(a+\sqrt{2})(a-\sqrt{2})$

$S'(a)=0$에서 $a=-\sqrt{2}$ 또는 $a=\sqrt{2}$

$0<a<\sqrt{6}$에서 함수 $S(a)$의 증가와 감소를 표로 나타내면 다음과 같다.

a	(0)	$\cdots$	$\sqrt{2}$	$\cdots$	$(\sqrt{6})$
$S'(a)$		$+$	0	$-$	
$S(a)$		↗	극대	↘	

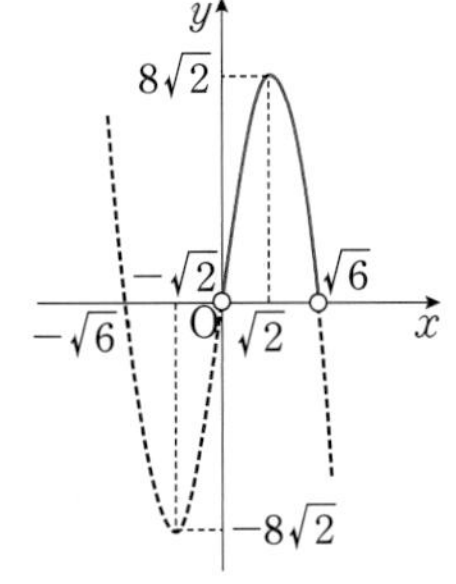

따라서 함수 $S(a)$는 $a=\sqrt{2}$일 때, 극대이면서 최대이므로

직사각형 ABCD 넓이의 최댓값은 $S(\sqrt{2})=8\sqrt{2}$

마플개념익힘 01 함수의 최대 · 최소

다음 함수의 주어진 구간에서 최댓값과 최솟값을 구하여라.

(1) $f(x)=2x^3-3x^2-12x$ $[-2,\ 3]$　　(2) $f(x)=3x^4-4x^3-1$ $[0,\ 2]$

MAPL CORE 다항함수 $f(x)$가 닫힌구간 $[a,\ b]$에서 극값을 가질 때

① $f(x)$의 최댓값 : 극댓값과 $f(a)$, $f(b)$중에서 최대인 것이다.

② $f(x)$의 최솟값 : 극솟값과 $f(a)$, $f(b)$중에서 최소인 것이다.

개념익힘 | 풀이 (1) $f(x)=2x^3-3x^2-12x$에서

$f'(x)=6x^2-6x-12=6(x+1)(x-2)$

$f'(x)=0$에서 $x=-1$ 또는 $x=2$

닫힌구간 $[-2,\ 3]$에서 함수 $f(x)$의 증가와 감소를 표로 나타내면 다음과 같다.

x	-2	$\cdots$	-1	$\cdots$	2	$\cdots$	3
$f'(x)$		$+$	0	$-$	0	$+$	
$f(x)$	-4	↗	7	↘	-20	↗	-9

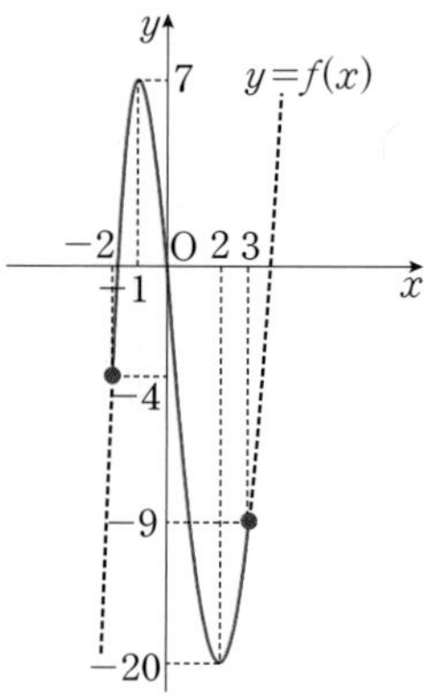

따라서 함수 $f(x)$는 $x=-1$일 때 최댓값 $f(-1)=\mathbf{7}$,

$x=2$일 때 최솟값 $f(2)=\mathbf{-20}$이다.

(2) $f(x)=3x^4-4x^3-1$에서

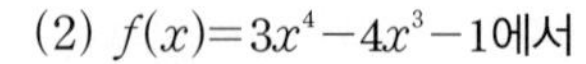

$f'(x)=12x^3-12x^2=12x^2(x-1)$

$f'(x)=0$에서 $x=0$ 또는 $x=1$

닫힌구간 $[0,\ 2]$에서 함수 $f(x)$의 증가와 감소를 표로 나타내면 다음과 같다.

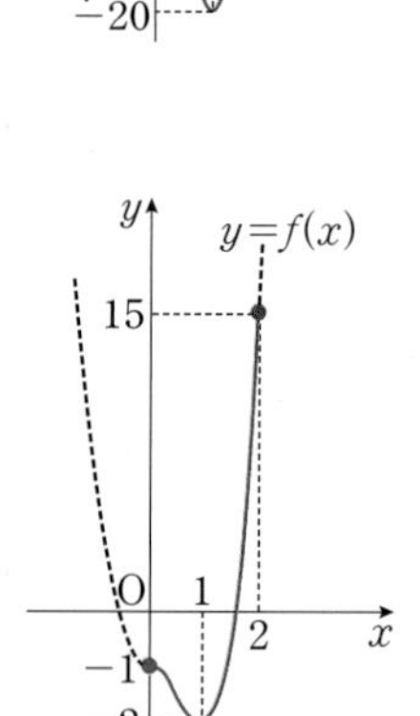

x	0	$\cdots$	1	$\cdots$	2
$f'(x)$	0	$-$	0	$+$	
$f(x)$	-1	↘	-2	↗	15

따라서 함수 $f(x)$는 $x=2$일 때 최댓값 $f(2)=\mathbf{15}$,

$x=1$일 때 최솟값 $f(1)=\mathbf{-2}$이다.

확인유제 0470 주어진 구간에서 함수 $f(x)$의 최댓값과 최솟값을 구하여라.

(1) $f(x)=x^3+3x^2-9x+4$ $[-4,\ 2]$　　(2) $f(x)=x^4+4x^3-16x$ $[-3,\ 2]$

변형문제 0471 다음 물음에 답하여라.

(1) 닫힌구간 $[-2,\ 3]$에서 함수 $f(x)=-x^3+ax^2+bx-1$이 $x=-1$에서 극솟값 -6을 가질 때, 함수 $f(x)$의 최댓값은?

① 1　② 13　③ 17　④ 23　⑤ 26

(2) 오른쪽 그림은 함수 $f(x)=x^3+ax^2+bx+c$의 도함수 $y=f'(x)$의 그래프이다. 함수 $f(x)$의 극댓값이 5일 때, 닫힌구간 $[-2,\ 3]$에서 최댓값은?

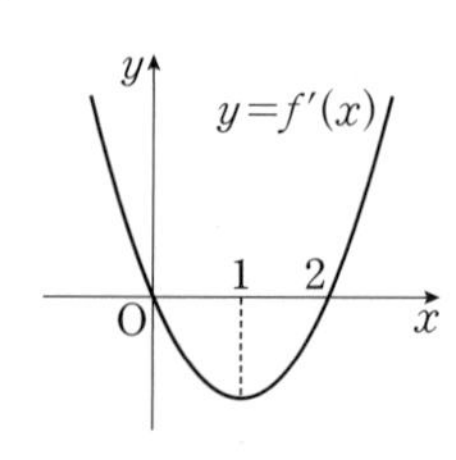

① 5　② 10　③ 15

④ 20　⑤ 25

발전문제 0472 닫힌구간 $[-1,\ 3]$에서 함수 $f(x)=|x^4-6x^2-8x-3|$의 최댓값과 최솟값을 각각 M, m이라 할 때, $M+m$의 값을 구하여라.

정답 0470 : (1) 최댓값 31, 최솟값 -1 (2) 최댓값 21, 최솟값 -11　0471 : (1) ⑤ (2) ①　0472 : 27

마플개념익힘 02 미정계수를 포함한 함수의 최댓값과 최솟값

닫힌구간 $[1, 3]$에서 함수 $f(x)=ax^3-3ax^2+b$의 최댓값이 10, 최솟값이 2일 때, 두 상수 a, b에 대하여 $a+b$의 값을 구하여라. (단, $a>0$)

MAPL CORE 최대 · 최소가 주어진 함수의 미정계수 결정

다항함수 $f(x)$에 대하여 닫힌구간 $[a, b]$에서 함수 $f(x)$의 극댓값, 극솟값, $f(a)$, $f(b)$의 값을 구하면 이 중에서 가장 큰 값과 가장 작은 값이 각각 이 구간에서의 함수 $f(x)$의 최댓값과 최솟값이다.

개념익힘 | **풀이** $f(x)=ax^3-3ax^2+b$에서

$f'(x)=3ax^2-6ax=3ax(x-2)$

$f'(x)=0$에서 $x=0$ 또는 $x=2$

구간 $[1, 3]$에서 함수 $f(x)$의 증가와 감소를 표로 나타내면 다음과 같다.

x	1	$\cdots$	2	$\cdots$	3
$f'(x)$		$-$	0	$+$	
$f(x)$	$-2a+b$	↘	$-4a+b$	↗	b

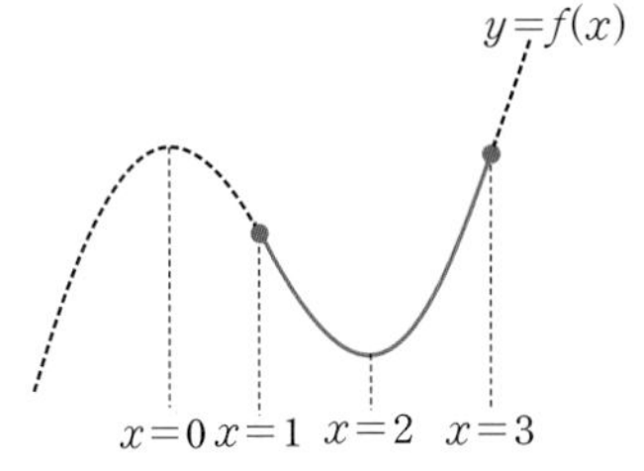

이때 $a>0$이므로 $b-4a<b-2a<b$

함수 $f(x)$는 $x=3$일 때 최댓값 $f(3)=b$, $x=2$일 때 최솟값 $f(2)=-4a+b$이다.

즉, $b=10$, $-4a+b=2$를 연립하여 풀면 $a=2$, $b=10$

따라서 $a+b=$**12**

확인유제 0473

구간 $[-1, 2]$에서 정의된 함수 $f(x)=ax^3-6ax^2+b$ $(a>0)$의 최댓값이 3이고 최솟값이 -29일 때, 상수 a, b에 대하여 $a+b$의 값을 구하여라.

변형문제 0474

2013학년도 06월 평가원

다음 물음에 답하여라.

(1) 닫힌구간 $[1, 4]$에서 함수 $f(x)=x^3-3x^2+a$의 최댓값을 M, 최솟값을 m이라 하자. $M+m=20$일 때, 상수 a의 값은?

① 1 ② 2 ③ 3 ④ 4 ⑤ 5

(2) 닫힌구간 $[-2, 3]$에서 함수 $f(x)=2x^3+3x^2-12x-a$의 최솟값이 -10일 때, 함수 $f(x)$의 최댓값은? (단, a는 상수이다.)

① 36 ② 38 ③ 40 ④ 42 ⑤ 46

발전문제 0475

2017학년도 06월 평가원

양수 a에 대하여 함수

$$f(x)=x^3+ax^2-a^2x+2$$

가 닫힌구간 $[-a, a]$에서 최댓값 M, 최솟값 $\frac{14}{27}$를 갖는다. $a+M$의 값을 구하여라.

정답 0473 : 5 0474 : (1) ④ (2) ④ 0475 : 12

마플개념익힘 03 최대 최소의 활용 – 거리

오른쪽 그림과 같이 x축 위의 점 $\mathrm{A}(3,\ 0)$과 곡선 $y=x^2$ 위의 점 P와의 거리를 l이라 할 때, l의 최솟값을 구하여라.

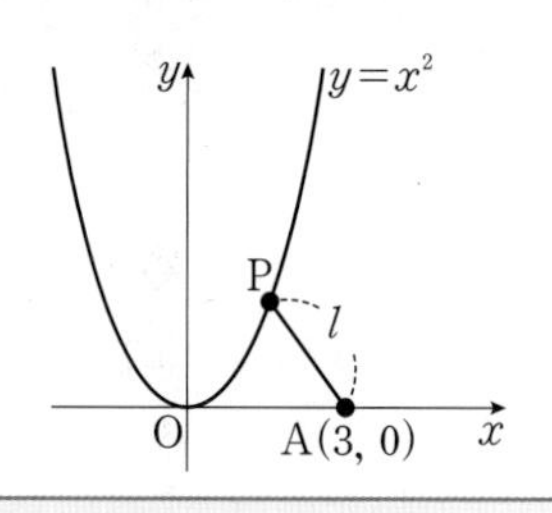

MAPL CORE

[1단계] 두 점 사이의 거리를 구한 다음 이를 $f(x)$로 놓는다.

[2단계] $f(x)$의 증가와 감소를 표로 나타내어 최댓값 또는 최솟값을 구한다.

주의! 연속인 함수에서 극값이 하나뿐일 때, 최대, 최소

① 극댓값이 유일하게 주어지면 (최댓값)=(극댓값)

② 극솟값이 유일하게 주어지면 (최솟값)=(극솟값)

개념익힘 | 풀이 곡선 $y=x^2$ 위의 점 $\mathrm{P}(a,\ a^2)$라 하면 $l=\sqrt{(a-3)^2+a^4}$이다.

$f(a)=(a-3)^2+a^4=a^4+a^2-6a+9$로 놓으면

함수 $f(a)$가 최소일 때, l도 최소이다.

$f'(a)=4a^3+2a-6=2(a-1)(2a^2+2a+3)$

$f'(a)=0$에서 $a=1(\because 2a^2+2a+3>0)$

증가와 감소를 표로 나타내면 오른쪽 그림과 같다.

a	$\cdots$	1	$\cdots$
$f'(x)$	$-$	0	$+$
$f(x)$	↘	극소	↗

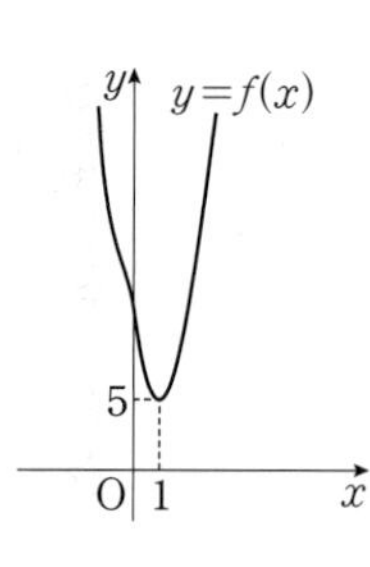

따라서 $a=1$일 때, 극소이면서 최소이므로 점 $\mathrm{P}(1,\ 1)$에서

$f(a)$의 최솟값은 $f(1)=5$를 가지므로 l의 최솟값은 $\sqrt{5}$이다.

다른풀이 수직조건을 이용하여 풀이하기

점 P의 좌표를 $(t,\ t^2)$이라 하면 오른쪽 그림과 같이 점 P에서의 접선과 두 점 $\mathrm{A}(3,\ 0)$, $\mathrm{P}(t,\ t^2)$을 잇는 직선이 수직일 때, l이 최소가 된다.

점 P에서의 접선의 기울기는 $y'=2x$에서 $2t$이므로 $2t\cdot\dfrac{t^2-0}{t-3}=-1$,

$2t^3+t-3=0,\ (t-1)(2t^2+2t+3)=0$

이때 $2t^2+2t+3=2\left(t+\dfrac{1}{2}\right)^2+\dfrac{5}{2}>0$이므로 $t=1$

따라서 $\mathrm{P}(1,\ 1)$이고 l의 최솟값은 $\sqrt{(1-3)^2+1^4}=\sqrt{5}$이다.

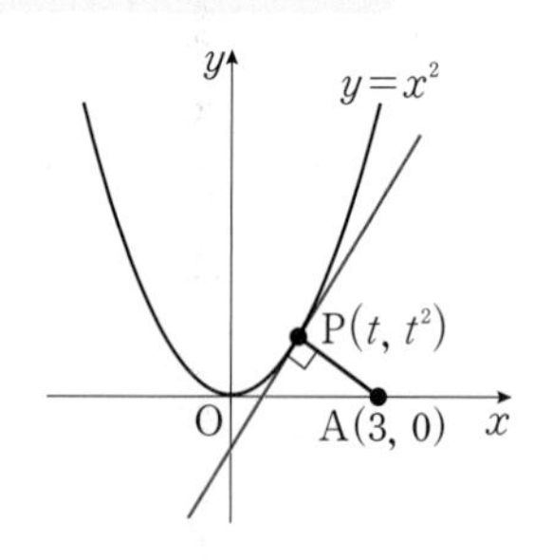

확인유제 0476 이차함수 $y=x^2-x-1$의 그래프 위의 한 점을 P라 하자. 선분 OP의 길이가 최소일 때, 점 P의 좌표는 $(a,\ b)$이다. 두 상수 $a,\ b$에 대하여 $b-a$의 값을 구하여라. (단, O는 원점이다.)

변형문제 0477 오른쪽 그림과 같이 곡선 $y=x^2$ 위를 움직이는 점 P와 원 $(x-3)^2+y^2=1$ 위를 움직이는 점 Q가 있을 때, 선분 PQ의 길이의 최솟값을 구하여라.

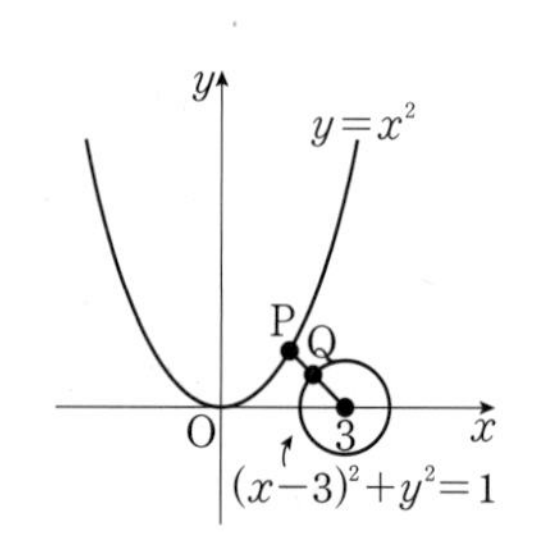

발전문제 0478 $\mathrm{O}(0,\ 0)$, $\mathrm{A}(10,\ 0)$인 두 점 O, A가 있다. 점 P가 곡선 $y=x^2+1$ 위를 움직일 때, $\overline{\mathrm{OP}}^2+\overline{\mathrm{AP}}^2$의 최솟값을 구하여라.

정답 0476 : $\frac{1}{4}$ 0477 : $\sqrt{5}-1$ 0478 : 90

마플개념익힘 04 최대 최소의 활용 – 넓이

오른쪽 그림과 같이 꼭짓점 A, D는 곡선 $y=x(4\sqrt{3}-x)$ 위에 있고, 꼭짓점 B, C는 x축 위에 놓인 직사각형 ABCD의 넓이의 최댓값을 구하여라.

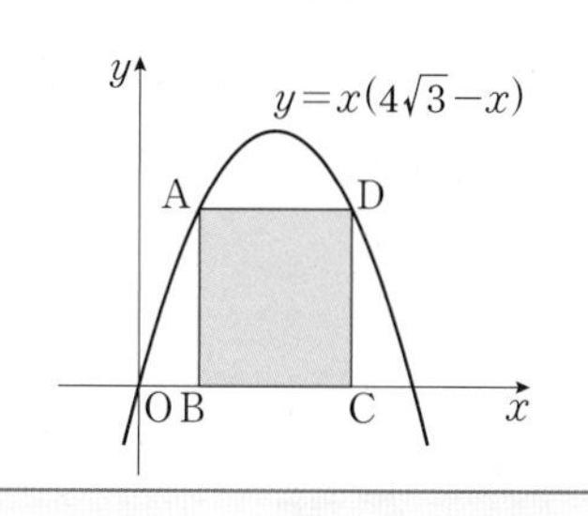

MAPL CORE

[1단계] 직사각형의 각 꼭짓점의 좌표를 구한다.

[2단계] 도형의 넓이를 a에 대한 식으로 나타내고 이를 $S(a)$로 놓는다

[3단계] $S(a)$의 증가와 감소를 표로 나타내어 최댓값 또는 최솟값을 구한다.

개념익힘 | 풀이

도형에서의 최댓값과 최솟값은 극값에서 생긴다.

오른쪽 그림과 같이 곡선 $y=x(4\sqrt{3}-x)$는 직선 $x=2\sqrt{3}$에 대해서 대칭이므로 직사각형 ABCD의 꼭짓점 C의 좌표를 $(2\sqrt{3}+a,\ 0)(0<a<2\sqrt{3})$라 하면

$A(2\sqrt{3}-a,\ 12-a^2)$, $B(2\sqrt{3}-a,\ 0)$, $D(2\sqrt{3}+a,\ 12-a^2)$이므로

$\overline{AD}=2a$, $\overline{AB}=12-a^2$

직사각형 ABCD의 넓이를 $S(a)$라 하면 $S(a)=2a(12-a^2)=-2a^3+24a$

$S'(a)=-6a^2+24=-6(a+2)(a-2)$

$S'(a)=0$에서 $a=-2$ 또는 $a=2$

$0<a<2\sqrt{3}$에서 함수 $S(a)$의 증가와 감소를 표로 나타내면 다음과 같다.

a	(0)	$\cdots$	2	$\cdots$	$(2\sqrt{3})$
$S'(a)$		$-$	0	$+$	
$S(a)$		↗	극대	↘	

따라서 함수 $S(a)$는 $a=2$일 때 극대이면서 최대이므로

직사각형 ABCD 넓이의 최댓값은 $S(2)=-16+48=\mathbf{32}$

확인유제 0479 오른쪽 그림과 같이 꼭짓점 A, D는 곡선 $y=9-x^2$ 위에 있고, 꼭짓점 B, C는 x축 위에 놓인 직사각형 ABCD의 넓이의 최댓값을 구하여라. (단, 점 D는 제1사분면 위의 점이다.)

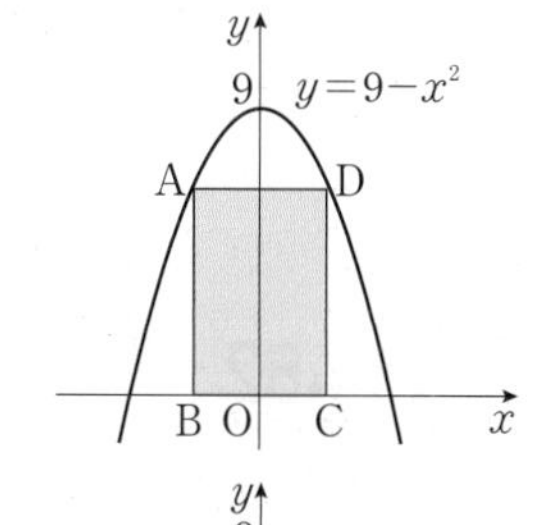

변형문제 0480 두 점 $A(-3,\ 0)$, $B(3,\ 0)$에서 x축과 만나는 곡선 $y=9-x^2$이 있다. 오른쪽 그림과 같이 이 곡선과 x축으로 둘러싸인 부분에 내접한 사다리꼴 ABCD의 넓이의 최댓값은?

① 12　② 16　③ 24　④ 28　⑤ 32

발전문제 0481 오른쪽 그림과 같이 좌표평면 위에 네 점 $O(0,\ 0)$, $A(8,\ 0)$, $B(8,\ 8)$, $C(0,\ 8)$을 꼭짓점으로 하는 정사각형 OABC와 한 변의 길이가 8이고 네 변이 좌표축과 평행한 정사각형 PQRS가 있다. 점 P가 점 $(-1,\ -6)$에서 출발하여 포물선 $y=-x^2+5x$를 따라 움직이도록 정사각형 PQRS를 평행이동 시킨다. 평행이동시킨 정사각형과 정사각형 OABC가 겹치는 부분의 넓이의 최댓값을 $\frac{q}{p}$라 할 때, $p+q$의 값을 구하여라. (단, p와 q는 서로소인 자연수이다)

2008학년도 06월 평가원

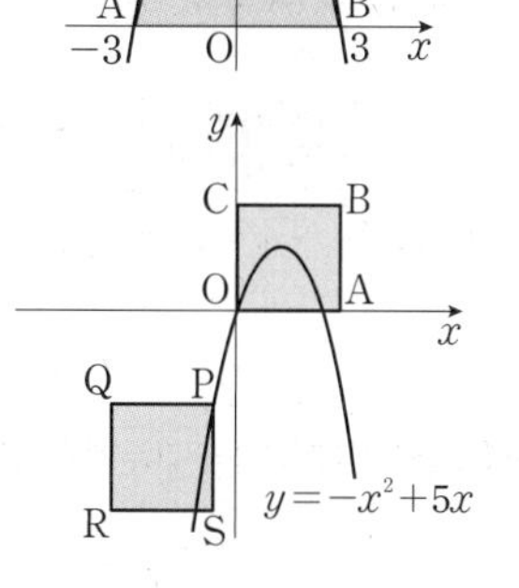

정답 0479 : $12\sqrt{3}$　0480 : ⑤　0481 : 527

마플개념익힘 05 최대 최소의 활용 – 입체도형의 부피

한 변의 길이가 a cm인 정사각형의 종이의 네 귀퉁이에서 같은 크기의 정사각형을 잘라내고, 남은 부분의 종이를 접어서 뚜껑이 없는 직육면체 모양의 상자를 만들려고 한다. 상자의 부피가 최대가 되도록 할 때, 잘라 낸 정사각형의 한 변의 길이와 부피의 최댓값을 구하여라.

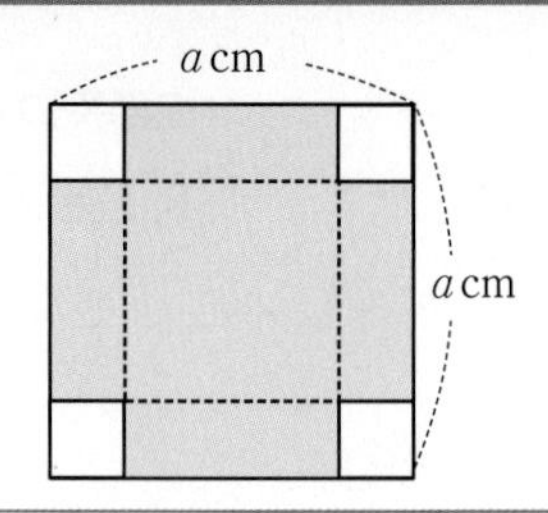

MAPL CORE

[1단계] 제한범위를 구한다.
[2단계] 조건식에서 한 문자로 부피의 식을 유도한다.
[3단계] 직육면체의 부피를 증가와 감소의 표로 나타내어 최댓값 또는 최솟값을 구한다.

개념익힘 | 풀이 잘라낸 정사각형의 한 변의 길이를 x cm라 하면 x의 값의 범위는

$x>0,\ a-2x>0$에서 $0<x<\frac{a}{2}$

이때 상자의 높이는 x cm, 밑변인 정사각형의 넓이는 $(a-2x)^2\ \text{cm}^2$이므로

만들려는 상자의 부피를 $V(x)\ \text{cm}^3$라 하면

$V(x)=x(a-2x)^2=4x^3-4ax^2+a^2x$ $\left(\text{단, } 0<x<\frac{a}{2}\right)$

$V'(x)=12x^2-8ax+a^2=(2x-a)(6x-a)$

$V'(x)=0$에서 $x=\frac{a}{6}$ 또는 $x=\frac{a}{2}$

열린구간 $\left(0,\ \frac{a}{2}\right)$에서 함수 $V(x)$의 증가와 감소를 표로 나타내면 다음과 같다.

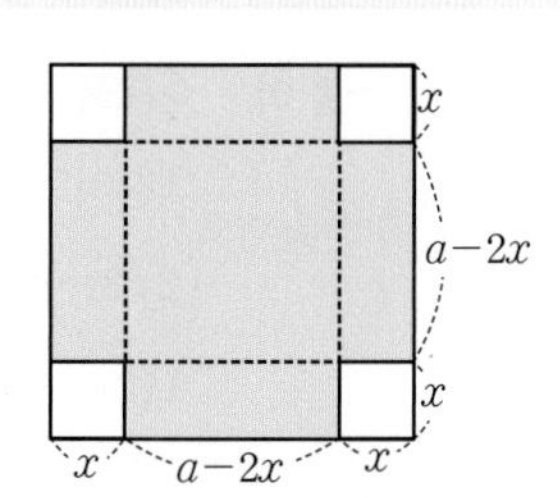

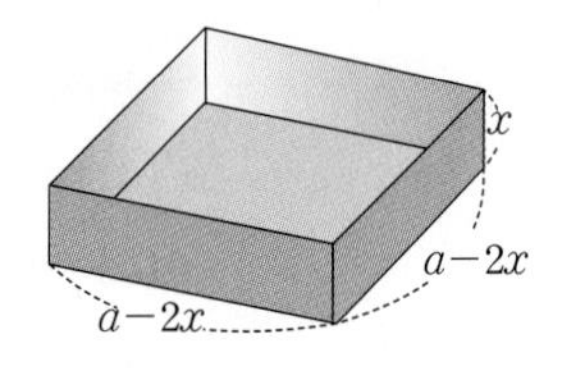

x	(0)	$\cdots$	$\frac{a}{6}$	$\cdots$	$\left(\frac{a}{2}\right)$
V'		$+$	0	$-$	
V		↗	극대	↘	

따라서 함수 $V(x)$는 $x=\frac{a}{6}$에서 극대이면서 최대이므로 최댓값은

$V\left(\frac{a}{6}\right)=\frac{a}{6}\left(a-\frac{a}{3}\right)^2=\mathbf{\frac{2}{27}a^3\ cm^3}$ ← 잘라낸 정사각형의 한 변의 길이는 $\frac{a}{6}$ cm

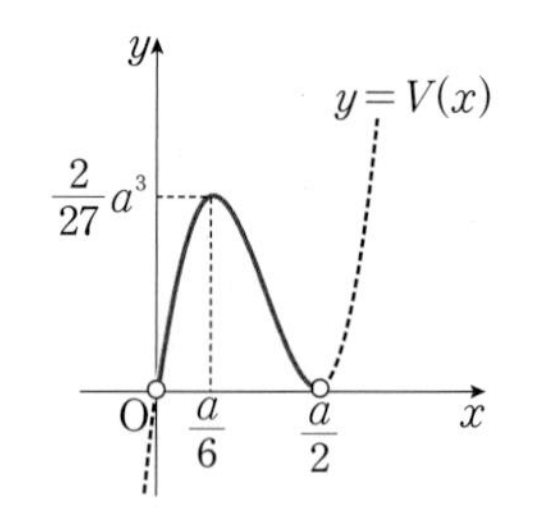

확인유제 0482 오른쪽 그림과 같이 가로의 길이가 15 cm, 세로의 길이가 8 cm인 직사각형 모양의 종이가 있다. 네 모퉁이에서 크기가 같은 정사각형 모양의 종이를 잘라 낸 후 남는 부분을 접어서 뚜껑이 없는 직육면체 모양의 상자를 만들려고 한다. 이 상자의 부피가 최대가 되도록 할 때, 정사각형의 한 변의 길이를 구하여라. (단, 종이의 두께는 무시한다.)

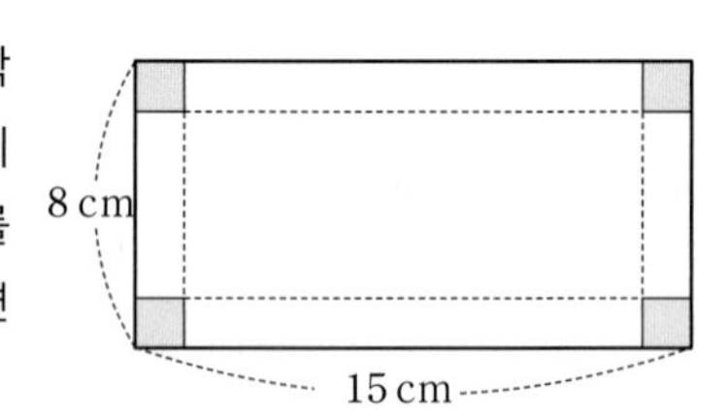

변형문제 0483 오른쪽 그림과 같이 한 변의 길이가 a인 정삼각형 모양의 종이의 세 꼭짓점에서 합동인 사각형을 잘라 내어 뚜껑이 없는 삼각기둥 모양의 상자를 만들려고 한다. 상자의 부피가 최대가 되도록 할 때, x의 길이와 삼각기둥의 부피의 최댓값을 구하여라.

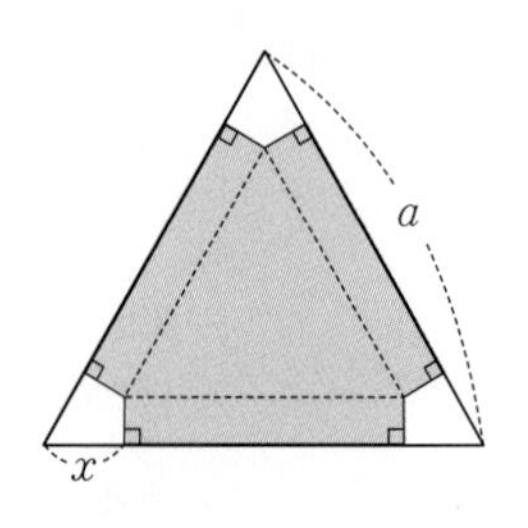

정답 0482 : $\frac{5}{3}$ cm 0483 : $\frac{a}{6}$, $\frac{a^3}{54}$

마플개념익힘 06 최대 최소의 활용 – 부피

오른쪽 그림과 같이 밑면의 반지름의 길이가 10 cm이고, 높이가 20 cm인 원뿔에 내접하는 원기둥이 있다.
이 원기둥의 부피가 최대일 때, 밑면의 반지름의 길이와 부피의 최댓값을 구하여라.

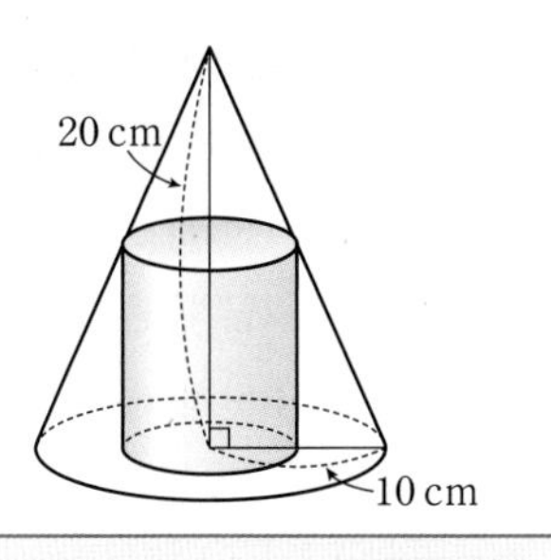

MAPL CORE
[1단계] 제한범위를 구한다.
[2단계] 밑면의 반지름의 길이가 r이고 높이가 h인 원기둥의 부피를 한 문자로 나타낸다.
[3단계] 원기둥의 부피를 증가와 감소의 표로 나타내어 최댓값 또는 최솟값을 구한다.

개념익힘 | **풀이** 원기둥 밑면의 반지름의 길이를 r cm, 높이를 h cm라 하면
삼각형 AOB 와 삼각형 AO′B′은 서로 닮음이므로
$10:20=r:(20-h)$에서 $2r=20-h$ $\therefore h=20-2r$
이때 $r>0$, $h=20-2r>0$이므로 $0<r<10$
원기둥의 부피를 $V(r)\text{cm}^3$라 하면
$V(r)=\pi r^2h=\pi r^2(20-2r)$
$V'(r)=2\pi r(20-2r)-2\pi r^2=2\pi r(20-3r)$
$V'(r)=0$에서 $r=0$ 또는 $r=\frac{20}{3}$

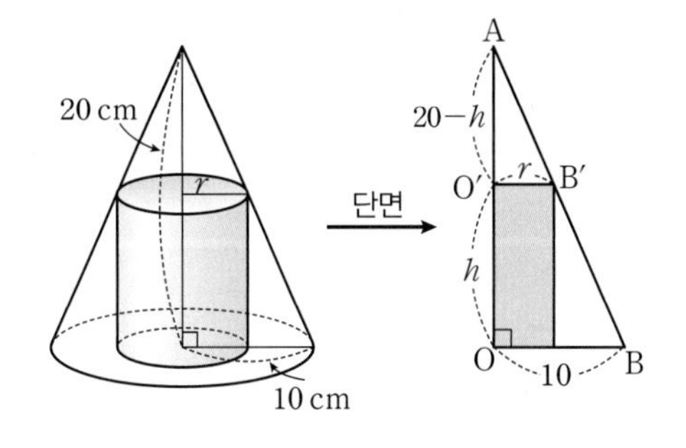

$0<r<10$일 때 $V(r)$의 증가와 감소를 표로 나타내면 다음과 같다.

r	(0)	…	$\frac{20}{3}$	…	(10)
$V'(r)$		+	0	−	
$V(r)$		↗	극대	↘	

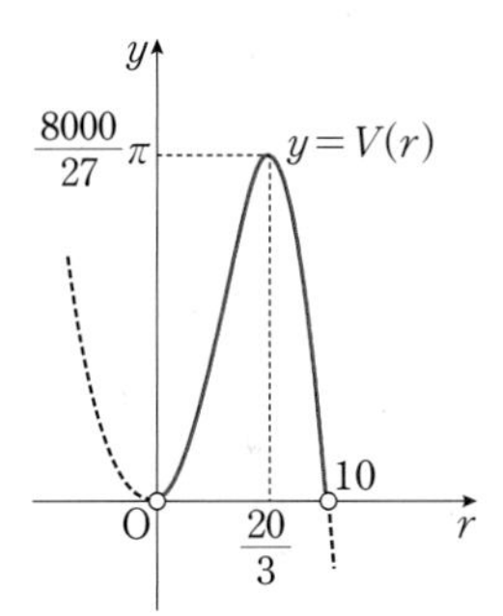

따라서 $r=\frac{20}{3}$ cm일 때, 원기둥의 부피의 최댓값은 $\mathbf{\frac{8000}{27}\pi\ cm^3}$이다.

확인유제 0484 오른쪽 그림과 같이 밑면의 반지름의 길이가 3 cm이고 높이가 12 cm인 원뿔이 있다. 이 원뿔에 내접하는 원기둥 중에서 부피가 최대인 원기둥의 밑면의 반지름의 길이와 부피의 최댓값을 구하여라.

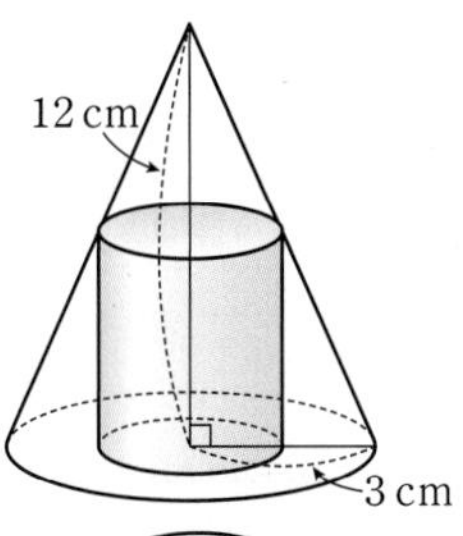

변형문제 0485 오른쪽 그림과 같이 반지름의 길이가 6 cm인 구에 원기둥이 내접하고 있다.
이 원기둥의 부피가 최대일 때, 원기둥의 높이는? (단, 단위는 cm)

① $2\sqrt{3}$ ② $3\sqrt{3}$ ③ $4\sqrt{3}$
④ $5\sqrt{3}$ ⑤ $6\sqrt{3}$

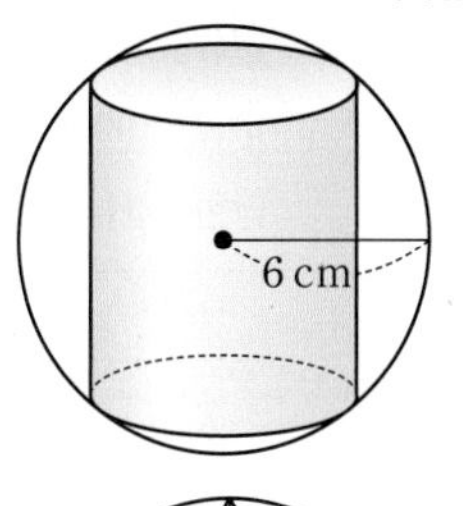

발전문제 0486 반지름의 길이가 20인 구에 오른쪽 그림과 같이 원뿔이 내접하고 있다.
원뿔의 부피가 최대가 될 때의 원뿔의 높이를 구하여라.

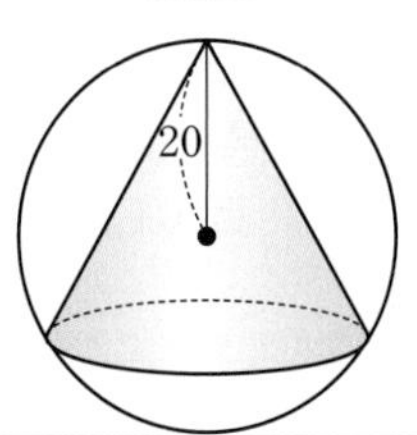

정답 0484 : 2 cm, $16\pi\ \text{cm}^3$ 0485 : ③ 0486 : $\frac{80}{3}$

치환을 이용한 함수의 최대 최소

01 합성함수의 최대 최소

[1단계] 반복되는 식을 t로 치환하고 t의 범위를 구한다.

[2단계] 함수 $g(t)$에 대하여 $g'(t)=0$이 되는 t의 값을 구한다.

[3단계] t의 값의 범위에서 함수 $g(t)$의 증가와 감소를 표로 나타내어 최댓값과 최솟값 구한다.

수능특강문제 01

닫힌구간 $[-1,\ 2]$에서 함수

$$f(x)=(-x^2+2x+2)^3-6(-x^2+2x+2)^2+9(-x^2+2x+2)+2$$

의 최댓값과 최솟값을 각각 $M,\ m$이라 할 때, $M+m$의 값을 구하여라.

수능특강 풀이

$t=-x^2+2x+2$로 놓으면

$t=-(x-1)^2+3$이므로

$-1\le x\le 2$일 때, $-1\le t\le 3$

$g(t)=t^3-6t^2+9t+2$라 하면

$g'(t)=3t^2-12t+9=3(t-1)(t-3)$

$g'(t)=0$에서 $t=1$ 또는 $t=3$

닫힌구간 $[-1,\ 3]$에서 함수 $g(t)$의 증가와 감소를 표로 나타내면 다음과 같다.

t	-1	$\cdots$	1	$\cdots$	3
$g'(t)$		$+$	0	$-$	0
$g(t)$	-14	↗	6	↘	2

함수 $g(t)$는 $t=1$일 때 최댓값 $g(1)=6$, $t=-1$일 때 최솟값 $g(-1)=-14$

따라서 $M+m=6+(-14)=-8$

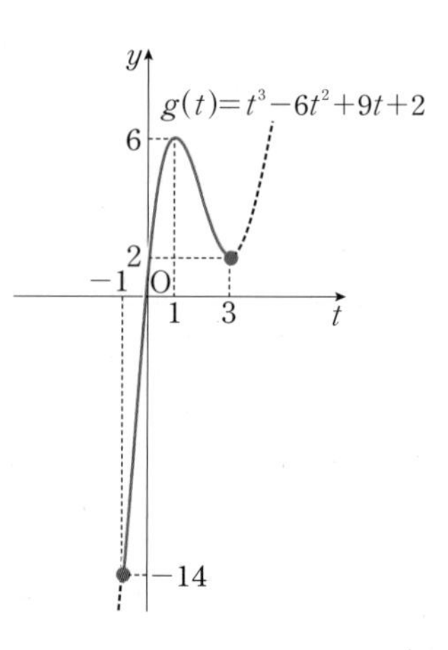

수능특강문제 02

닫힌구간 $[-1,\ 1]$에서 함수

$$f(x)=-(x^2-2x-1)^3+3(x^2-2x-1)^2-6$$

의 최댓값과 최솟값을 각각 $M,\ m$이라 할 때, $M+m$의 값을 구하여라.

수능특강 풀이

$t=x^2-2x-1$로 놓으면

$t=(x-1)^2-2$이므로

$-1\le x\le 1$일 때, $-2\le t\le 2$

$g(t)=-t^3+3t^2-6$이라 하면

$g'(t)=-3t^2+6t=-3t(t-2)$

$g'(t)=0$에서 $t=0$ 또는 $t=2$

닫힌구간 $[-2,\ 2]$에서 함수 $g(t)$의 증가와 감소를 표로 나타내면 다음과 같다.

t	-2	$\cdots$	0	$\cdots$	2
$g'(t)$		$-$	0	$+$	0
$g(t)$	14	↘	-6	↗	-2

함수 $g(t)$는 $t=-2$일 때 최댓값 $g(-2)=14$, $t=0$일 때 최솟값 $g(0)=-6$

따라서 $M+m=14+(-6)=8$

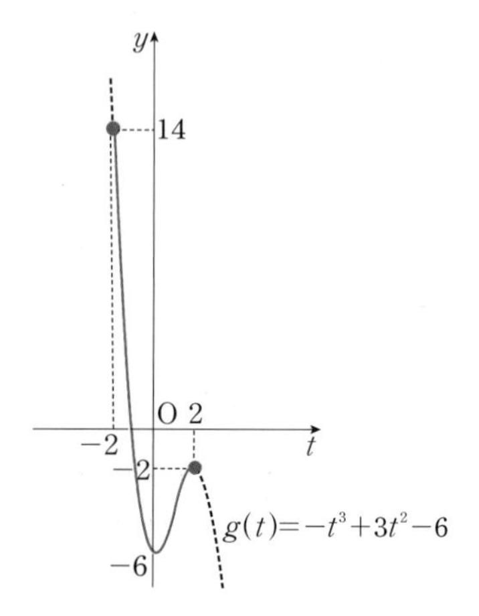

02 로그함수의 최대 최소

[1단계] 주어진 범위에서 $\log_a x=t$로 치환하여 t의 범위를 구한다.

[2단계] 함수 $f(t)$에 대하여 $f'(t)=0$이 되는 t의 값을 구한다.

[3단계] t의 값의 범위에서 함수 $f(t)$의 증가와 감소를 표로 나타내어 최댓값과 최솟값 구한다.

수능특강문제 03 $1\le x\le 100$일 때, 함수

$$y=-(\log x)^3+6(\log x)^2-9\log x-1$$

의 최댓값을 M, 최솟값을 m이라 할 때, $M+m$의 값을 구하여라.

수능특강 풀이 $y=-(\log x)^3+6(\log x)^2-9\log x-1$

$\log x=t$로 놓으면 $1\le x\le 100$일 때, $\log 1\le \log x\le \log 100$ $\therefore 0\le t\le 2$

$f(t)=-t^3+6t^2-9t-1$이라 하면

$f'(t)=-3t^2+12t-9=-3(t^2-4t+3)=-3(t-1)(t-3)$

$f'(t)=0$에서 $t=1$ 또는 $t=3$

닫힌구간 [0, 2]에서 함수의 증가와 감소를 표로 나타내면 다음과 같다.

t	0	$\cdots$	1	$\cdots$	2
$f'(t)$	$-$	$-$	0	$+$	$+$
$f(t)$	-1	↘	-5	↗	-3

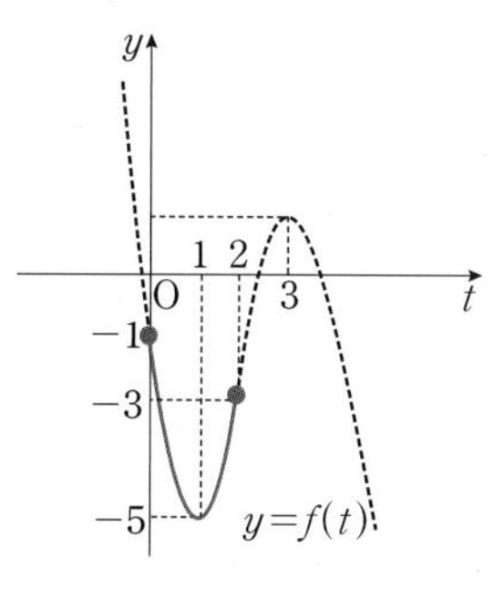

함수 $f(t)$는 $t=0$일 때 최댓값 $f(0)=-1$, $t=1$일 때, 최솟값 $f(1)=-5$이다.

따라서 $M+m=-1+(-5)=-6$

수능특강문제 04 $\frac{1}{2}\le x\le 4$에서, 함수

$$y=a(\log_2 x)\left(\log_2 \frac{x}{8}\right)^2$$

의 최댓값이 4일 때, 이 함수의 최솟값을 구하여라. (단, $a>0$)

수능특강 풀이 $f(x)=a(\log_2 x)\left(\log_2 \frac{x}{8}\right)^2=a(\log_2 x)(\log_2 x-\log_2 8)^2=a(\log_2 x)(\log_2 x-3)^2$

$\log_2 x=t$로 놓으면 $\frac{1}{2}\le x\le 4$일 때, $\log_2 \frac{1}{2}\le \log_2 x\le \log_2 4$

$\therefore -1\le t\le 2$

$f(t)=at(t-3)^2=a(t^3-6t^2+9t)$이라 하면

$f'(t)=a(3t^2-12t+9)=3a(t-1)(t-3)$

$f'(t)=0$에서 $t=1$ 또는 $t=3$

닫힌구간 $[-1, 2]$에서 함수 $f(t)$의 증가와 감소를 표로 나타내면 다음과 같다.

t	-1	$\cdots$	1	$\cdots$	2
$f'(t)$		$+$	0	$-$	
$f(t)$	$-16a$	↗	$4a$	↘	$2a$

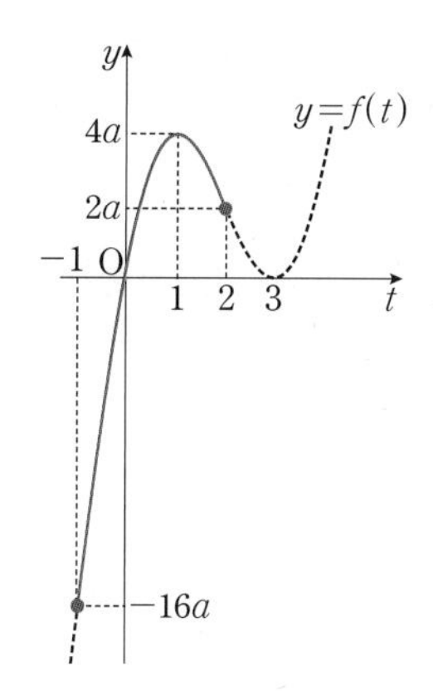

함수 $f(t)$는 $t=1$일 때, 최댓값이 4이므로 $f(1)=4a=4$

$\therefore a=1$

따라서 $t=-1$일 때, 최솟값은 $f(-1)=-16a=-16$

03 삼각함수의 최대 최소

[1단계] 삼각함수 사이의 관계 $\cos^2 x=1-\sin^2 x$과 $\sin^2 x=1-\cos^2 x$를 이용하여 한 종류의 삼각함수로 통일한다.

[2단계] $\sin x$(또는 $\cos x$)$=t$로 치환하여 t의 범위를 구한다.

[3단계] 함수 $f(t)$에 대하여 $f'(t)=0$이 되는 t의 값을 구한다.

[4단계] t의 값의 범위에서 함수 $f(t)$의 증가와 감소를 표로 나타내어 최댓값과 최솟값 구한다.

수능특강문제 05

$0\le x\le 2\pi$에서 함수

$$y=\cos^3 x+2\sin^2 x-1$$

의 최댓값을 M, 최솟값을 m이라 할 때, $M+m$의 값을 구하여라.

수능특강 풀이

$f(x)=\cos^3 x+2\sin^2 x-1$이라 하면

$f(x)=\cos^3 x+2(1-\cos^2 x)-1$ ⇐ $\sin^2 x=1-\cos^2 x$

$=\cos^3 x-2\cos^2 x+1$

이때 $\cos x=t$로 놓으면 $-1\le t\le 1$

$f(t)=t^3-2t^2+1$에서

$f'(t)=3t^2-4t=t(3t-4)$

$f'(t)=0$에서 $t=0$ 또는 $t=\frac{4}{3}$

구간 $[-1, 1]$에서 함수의 증가 감소를 표로 나타내면 다음과 같다.

t	-1	$\cdots$	0	$\cdots$	1
$f'(t)$		$+$	0	$-$	
$f(t)$	-2	↗	1	↘	0

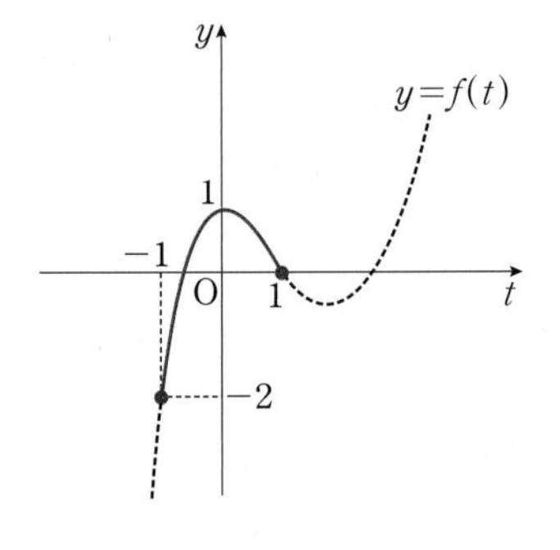

함수 $f(t)$는 $t=0$에서 극댓값 $f(0)=1$을 갖는다.

함수 $f(t)$는 $t=-1$일 때 최솟값 $f(-1)=-2$, $t=0$일 때 최댓값 $f(0)=1$

따라서 $M+m=1+(-2)=-1$

수능특강문제 06

$0\le x\le 2\pi$에서 함수

$$f(x)=2\sin^3 x+5\cos^2 x+a$$

의 최댓값이 7일 때, $f(x)$의 최솟값을 구하여라. (단, a는 실수)

수능특강 풀이

$f(x)=2\sin^3 x+5\cos^2 x+a$

$=2\sin^3 x+5(1-\sin^2 x)+a$ ⇐ $\cos^2 x=1-\sin^2 x$

$=2\sin^3 x-5\sin^2 x+5+a$

이때 $\sin x=t$로 놓으면 $-1\le t\le 1$

$f(t)=2t^3-5t^2+5+a$에서

$f'(t)=6t^2-10t=t(6t-10)$

$f'(t)=0$에서 $t=0$ 또는 $t=\frac{5}{3}$

구간 $[-1, 1]$에서 함수의 증가와 감소를 표로 나타내면 다음과 같다.

t	-1	$\cdots$	0	$\cdots$	1
$f'(t)$		$+$	0	$-$	
$f(t)$	$-2+a$	↗	극대	↘	$2+a$

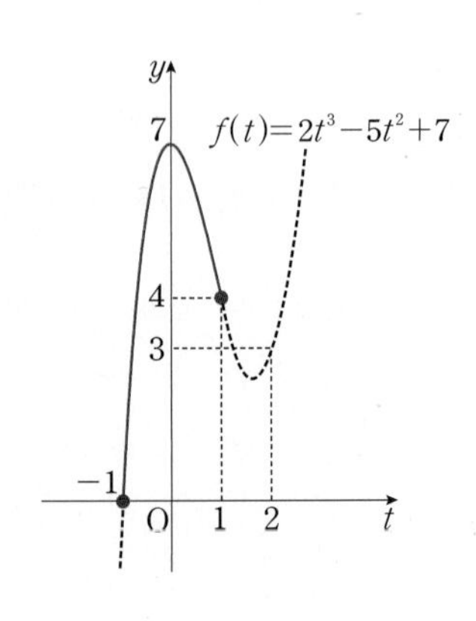

함수 $f(t)$는 $t=0$에서 극대이고 최대이므로 최댓값 $f(0)=5+a=7$

$\therefore a=2$

따라서 $-1\le t\le 1$에서 최솟값은 $f(-1)=-2+a=0$

경제수학

01 이익이 최대가 되는 가격

어느 커피전문점의 와플(waffle)의 단가를 조정하기 위하여 다음 보고서를 작성하였다.
하루이익이 최대가 되게 하는 와플의 1 g당 가격을 다음 단계로 구한다.

와플 보고서

(1) 현재 상황

가격	하루판매량	하루생산비용
1 g당 18원	48000 g	650000원

(2) 가격을 1 g당 x원 올렸을 때, 예상 상황

하루판매량	하루홍보비용
$100x^2$g 감소	20000원 추가

(단, 가격과 판매량에서 상관없이 하루 생산 비용은 일정하다.)

참고 와플(waffle)은 밀가루, 버터, 달걀 등이 들어간 반죽을 격자 무늬의 와플 틀에 넣고 구워낸 납작한 케이크이다

[1단계] 와플의 가격을 1 g당 x원 올렸을 때의 하루 이익을 식으로 나타내어라.
(단, 전체 비용은 하루 생산 비용과 하루 홍보 비용을 합한 것이다.)

해설 와플의 1 g당 가격 : $18+x$원

하루 판매량 : $48000\text{ g}-100x^2\text{g}$

전체 비용 : $650000+20000=670000$ (원)

(하루 이익)=(와플의 1 g당 가격)×(하루 판매량)−(전체비용)

$=(18+x)(48000-100x^2)-670000$

$=-100x^3-1800x^2+48000x+194000$(원)

[2단계] 하루 이익이 최대가 되게 하는 와플의 1 g당 가격을 구하여라.

해설 $x>0$, $48000-100x^2>0$에서 $0<x<4\sqrt{30}$

$f(x)=-100x^3-1800x^2+48000x+194000$이라 하면

$f'(x)=-300x^2-3600x+48000=-300(x+20)(x-8)$

$f'(x)=0$에서 $x=-20$ 또는 $x=8$

열린구간 $(0,\ 4\sqrt{30})$에서 함수 $f(x)$의 증가와 감소를 표로 나타내면 다음과 같다.

x	(0)	$\cdots$	8	$\cdots$	$(4\sqrt{30})$
$f'(x)$		+	0	−	
$f(x)$		↗	극대	↘	

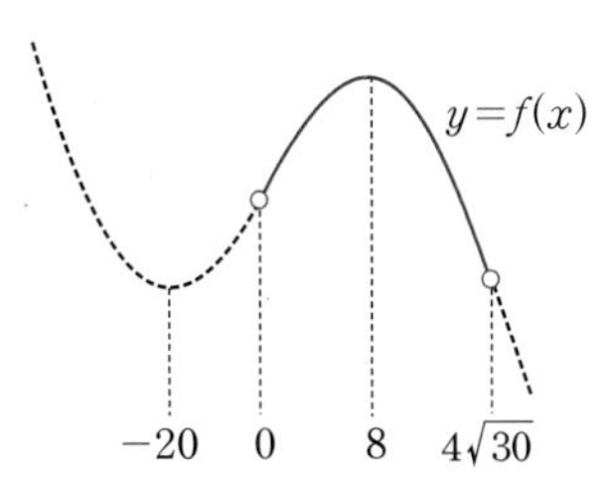

따라서 함수 $f(x)$는 $x=8$에서 극대이면서 최대이므로 하루 이익이 최대가 되게 하는 와플의 1 g당 가격은 $18+8=26$(원)

교과서특강문제 **01**

수지는 첨단 농법으로 원예작물을 재배하여 매달 140 kg의 작물을 판매하고 있다. 판매가격은 1 kg당 40000원이고 생산하는데 드는 비용은 생산량에 관계없이 매달 3000000원이다. 조사에 따르면 판매 가격을 1 kg당 $1000x^2$원 내릴 때, 매달 판매량은 $20x$ kg 증가하는 것으로 나타났다. 한 달 수익이 최대가 되게 하는 1 kg당 판매가격을 구하여라.

교과서특강 풀이 ▶ 판매가격을 1 kg당 $(40000-1000x^2)$원으로 내리면 한 달 판매량은 $(140+20x)$ kg

$x>0$, $40000-1000x^2>0$에서 $0<x<2\sqrt{10}$

한 달 수익을 $f(x)$원이라 하면

$f(x)=(40000-1000x^2)(140+20x)-3000000$

$\quad=20000(-x^3-7x^2+40x+130)$

이때 $g(x)=-x^3-7x^2+40x+130$이라 하면

$g'(x)=-3x^2-14x+40=-(x-2)(3x+20)$

$g'(x)=0$에서 $x=-\frac{20}{3}$ 또는 $x=2$

열린구간 $(0, 2\sqrt{10})$에서 함수 $g(x)$의 증가와 감소를 표로 나타내면 다음과 같다.

x	(0)	$\cdots$	2	$\cdots$	$(2\sqrt{10})$
$g'(x)$		$+$	0	$-$	
$g(x)$		↗	극대	↘	

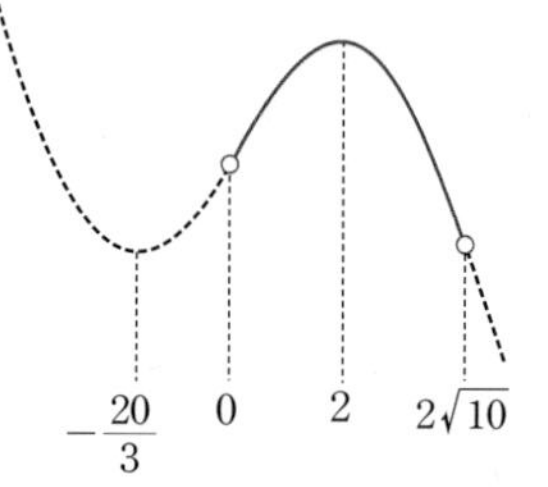

따라서 함수 $g(x)$는 $x=2$에서 극대이면서 최대이고 $g(x)$가 최대일 때 $f(x)$도 최대이므로 한 달 수익이 최대가 되게 하는 1 kg당 판매가격은 $40000-1000\times2^2=36000$(원)

교과서특강문제 **02**

제품 P를 하루에 x kg 생산하는데 드는 생산 비용 $f(x)$가 $f(x)=x^3-60x^2+1200x+4500$(원)이라고 한다. 이 제품의 1 kg당 판매가격이 1200원일 때, 이익을 최대로 하기 위해 하루에 생산해야 할 제품 P의 양을 구하여라.

교과서특강 풀이 ▶ 제품 P를 x kg 생산할 때, 얻을 수 있는 이익은 $1200x-f(x)$(원)이다.

$g(x)=1200x-f(x)\,(x>0)$로 놓으면

$g(x)=1200x-(x^3-60x^2+1200x+4500)=-x^3+60x^2-4500$

$g'(x)=-3x^2+120x=-3x(x-40)$

$g'(x)=0$에서 $x=0$ 또는 $x=40$

$x>0$에서 함수 $g(x)$의 증가와 감소를 표로 나타내면 다음과 같다.

x	(0)	$\cdots$	40	$\cdots$
$g'(x)$		$+$	0	$-$
$g(x)$		↗	극대	↘

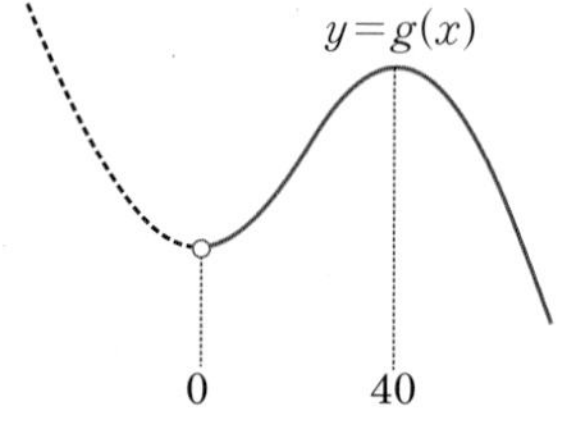

따라서 함수 $g(x)$는 $x=40$에서 최대이므로 이익을 최대로 하기 위해서는 제품 P를 하루에 40 kg 생산해야 한다.

교과서특강문제 **03**

어느 운송회사가 일정한 크기의 물품을 시내에서 x km 떨어진 곳에 배달하는데 드는 비용은 $(180x+4425)$원이다. 이때, 배달 요금으로 $(2x^3+3x^2+a)$원을 받는다면 이 회사가 손해를 보지 않기 위한 a의 최솟값을 구하여 보자. (단, a는 상수)

교과서특강 풀이 ▶ 손해를 보지 않기 위해서는 부등식 $2x^3+3x^2+a\geq180x+4425$가 성립해야 한다.

즉, $f(x)=2x^3+3x^2-180x+a-4425$라고 하면 $x\geq0$일 때, $f(x)\geq0$이어야 한다.

$f'(x)=6x^2+6x-180=6(x^2+x-30)=6(x-5)(x+6)$

$f'(x)=0$에서 $x=5\,(\because x\geq0)$

$x\geq0$에서 함수 $f(x)$의 증가와 감소를 표로 나타내면 다음과 같다.

x	0	$\cdots$	5	$\cdots$
$f'(x)$		$-$		$+$
$f(x)$		↘	극소	↗

$x\geq0$일 때, $f(x)$는 $x=5$에서 극소이면서 최소이므로 최솟값은 $f(5)=a-5000$

이 회사가 손해를 보지 않기 위해서는 $f(5)=a-5000\geq0$

따라서 a의 최솟값은 5000이다.

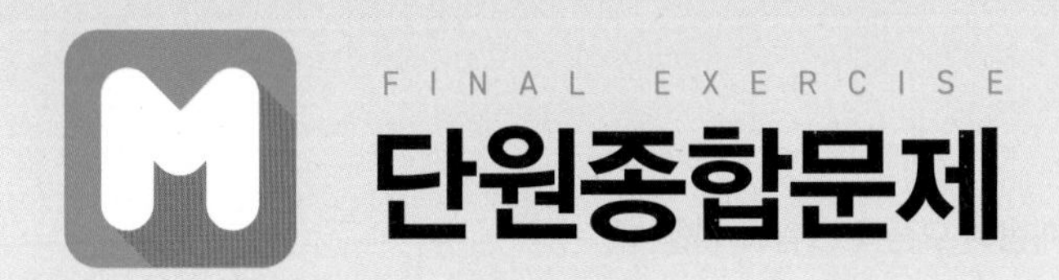

BASIC

내신 수능 기본 대표 기출문제

0487

함수의 최대 최소
2009학년도 09월 평가원
2018학년도 06월 평가원

다음 물음에 답하여라.

(1) 닫힌구간 $[-2, 0]$에서 함수 $f(x)=x^3-3x^2-9x+8$의 최댓값은?

① 7 ② 9 ③ 11 ④ 13 ⑤ 15

(2) 닫힌구간 $[-1, 3]$에서 함수 $f(x)=x^3-3x+5$의 최솟값은?

① 1 ② 2 ③ 3 ④ 4 ⑤ 5

0488

함수의 최대 최소

다음 물음에 답하여라.

(1) 닫힌구간 $[-2, 3]$에서 함수 $f(x)=-x^3+3x^2-6$의 최댓값과 최솟값을 각각 M, m이라 할 때, $M+m$의 값은?

① 4 ② 6 ③ 8 ④ 10 ⑤ 12

2017년 11월 교육청 (고2)

(2) 닫힌구간 $[1, 4]$에서 함수 $f(x)=x^3-3x^2+8$의 최댓값을 M, 최솟값을 m이라 할 때, $M+m$의 값은?

① 28 ② 32 ③ 36 ④ 40 ⑤ 44

0489

미정계수를 포함한 함수의 최대 최소
내신빈출

함수 $f(x)=x^3+ax^2+bx+2$가 $x=2$에서 극솟값 -2를 가질 때, 함수 $f(x)$의 구간 $[0, 3]$에서의 최댓값은?

① 1 ② 2 ③ 3 ④ 4 ⑤ 5

0490

미정계수를 포함한 함수의 최대 최소
내신빈출

다음 물음에 답하여라.

(1) 닫힌구간 $[0, 4]$에서 함수 $f(x)=ax^3-3ax^2+b$가 최댓값 11, 최솟값 -9를 가질 때, 상수 a, b에 대하여 $a+b$의 값은? (단, $a>0$)

① 4 ② 2 ③ 0 ④ -2 ⑤ -4

(2) 닫힌구간 $[1, 4]$에서 정의된 함수 $f(x)=ax^4-4ax^3+b\,(a>0)$가 최댓값 3, 최솟값 -6을 가질 때, 상수 a, b에 대하여 ab의 값은?

① 1 ② 2 ③ 4 ④ 6 ⑤ 8

0491

미정계수를 포함한 함수의 최대 최소
내신빈출

다음 물음에 답하여라.

(1) 닫힌구간 $[-2, 2]$에서 함수 $f(x)=2x^3-6x^2+a$의 최댓값이 3일 때, 최솟값은? (단, a는 상수이다.)

① -31 ② -33 ③ -35 ④ -37 ⑤ -39

(2) 닫힌구간 $[1, 3]$에서 함수 $f(x)=2x^3-9x^2+12x+a$의 최솟값이 3일 때, 최댓값은? (단, a는 상수이다.)

① 6 ② 7 ③ 8 ④ 9 ⑤ 10

2014년 07월 교육청

(3) 닫힌구간 $[-2, 2]$에서 함수 $f(x)=-x^3+3x^2+a$의 최솟값이 -4일 때, 최댓값은? (단, a는 상수이다.)

① 16 ② 18 ③ 20 ④ 22 ⑤ 24

0492

미정계수를 포함한 함수의 최대 최소
내신빈출

닫힌구간 $[-2, 2]$에서 함수 $f(x)=x^4-2x^2+a$의 최댓값을 M, 최솟값을 m이라 하자. $M+m=13$일 때, 상수 a의 값은?

① 1 ② 2 ③ 3 ④ 4 ⑤ 5

정답 0487 : (1) ④ (2) ③ 0488 : (1) ③ (2) ① 0489 : ② 0490 : (1) ⑤ (2) ① 0491 : (1) ④ (2) ③ (3) ① 0492 : ③

0493

구간이 주어진 함수의 최대 최소
내신빈출

삼차함수 $f(x)$에 대하여 그 도함수의 그래프의 개형이 오른쪽 그림과 같을 때, 닫힌구간 $[-1, 2]$에서의 함수 $f(x)$의 최댓값은?

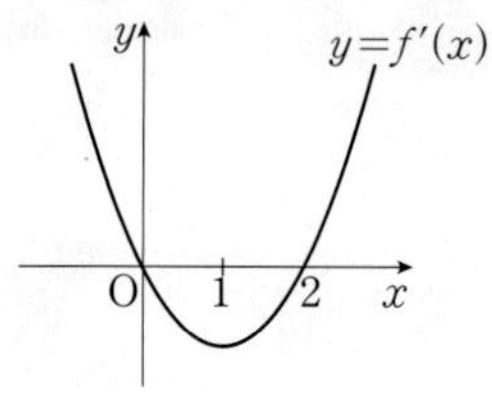

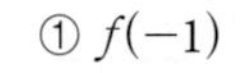

① $f(-1)$　② $f(0)$　③ $f(1)$
④ $f(2)$　⑤ $f(-2)$

0494

합성함수의 최대 최소
내신빈출

다음 물음에 답하여라.

(1) 두 함수 $f(x)$, $g(x)$가

$$f(x)=x^3-3x+4,\ g(x)=x^2-4x+3$$

일 때, 합성함수 $(f\circ g)(x)$의 최솟값은?

① 1　② 2　③ 3　④ 4　⑤ 5

(2) $0\le x\le 3$일 때, 함수

$$f(x)=(x^2-2x+2)^3-3(x^2-2x+2)^2+1$$

의 최댓값을 M, 최솟값을 m이라 할 때, $M+m$의 값은?

① 24　② 36　③ 48　④ 60　⑤ 72

0495

삼각함수의 최대 최소

다음 물음에 답하여라.

(1) 함수 $f(x)=2\sin^3 x+3\cos^2 x$의 최댓값과 최솟값을 각각 M, m이라 할 때, $M+m$의 값은?

① 0　② 1　③ 2　④ 3　⑤ 4

2011년 10월 교육청

(2) 실수 전체의 집합에서 정의된 두 함수

$$f(x)=x^3+3x^2+2,\ g(x)=\sin x$$

가 있다. 이때, 합성함수 $(f\circ g)(x)$의 최댓값과 최솟값의 합은?

① 6　② 8　③ 10　④ 12　⑤ 14

0496

접선의 기울기의 활용
2013년 04월 교육청

곡선 $y=\frac{1}{2}x^4-2x^3+8(x>0)$ 위의 점에서 그은 접선 중에서 기울기가 최소인 접선과 x축, y축으로 둘러싸인 도형의 넓이를 구하여라.

0497

최대 최소의 활용
내신빈출

오른쪽 그림과 같이 곡선 $y=x^2-6x+9$ 위의 점 (a, b)에서의 접선과 x축 및 y축으로 둘러싸인 부분의 넓이가 최대가 되도록 하는 실수 a, b에 대하여 $a+b$의 값은? (단, $0<a<3$)

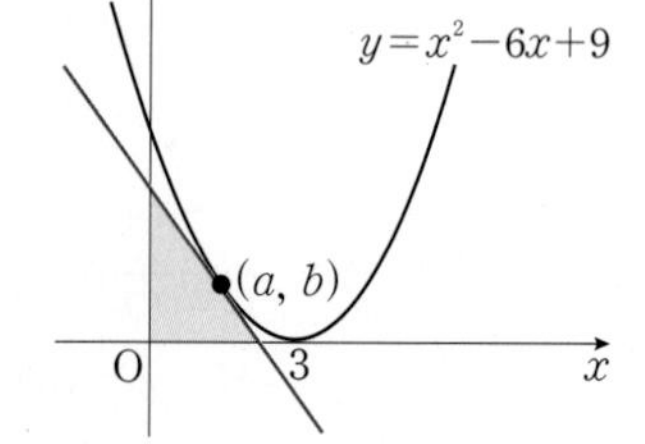

① 2　② 3　③ 5
④ 7　⑤ 9

정답　0493 : ②　0494 : (1) ② (2) ③　0495 : (1) ② (2) ②　0496 : 16　0497 : ③

0498 최대 최소를 이용한 미정계수의 결정

함수 $f(x)=x^3-6x^2+9x+a$에 대하여 닫힌구간 $[1, 4]$에서 함수 $|f(x)|$의 최댓값이 6일 때, 이 구간에서 함수 $f(x)$의 최댓값은? (단, $a<0$)

① -4　② -2　③ 0　④ 2　⑤ 4

0499 최대 최소의 활용 내신빈출

다음 물음에 답하여라.

(1) 오른쪽 그림과 같이 곡선 $y=-x^2+6x$의 제 1사분면 위의 한 점 P에서 x축에 내린 수선의 발을 H라 할 때, 삼각형 POH의 넓이의 최댓값을 구하여라.

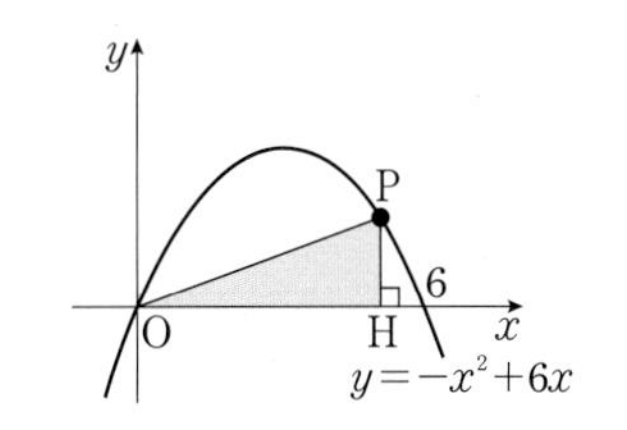

(2) 오른쪽 그림과 같이 곡선 $y=\frac{1}{2}x^2-2$, $y=-\frac{1}{2}x^2+2$로 둘러싸인 도형에 내접하는 직사각형 PQRS의 넓이의 최댓값을 구하여라.
(단, 점 P는 제 1사분면 위의 점이다.)

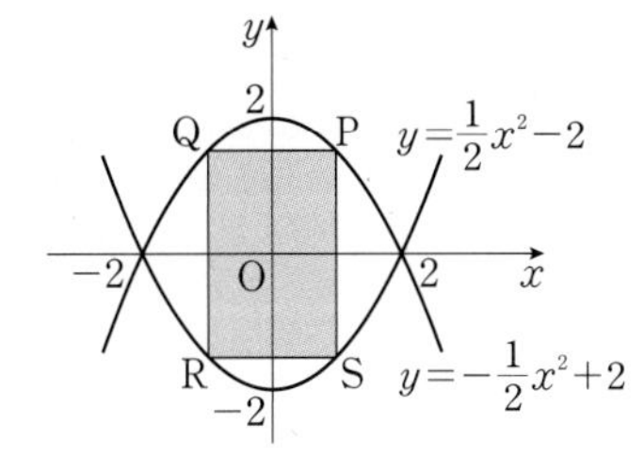

0500 최대 최소의 활용 내신빈출

다음 물음에 답하여라.

(1) 삼차함수 $f(x)=x(x-4)^2$에 대하여 곡선 $y=f(x)$ 위의 점 $P(t, f(t))$ $(0<t<4)$에서 x축, y축에 내린 수선의 발을 각각 Q, R이라 하자. 사각형 OQPR의 넓이의 최댓값을 구하여라. (단, O는 원점이다.)

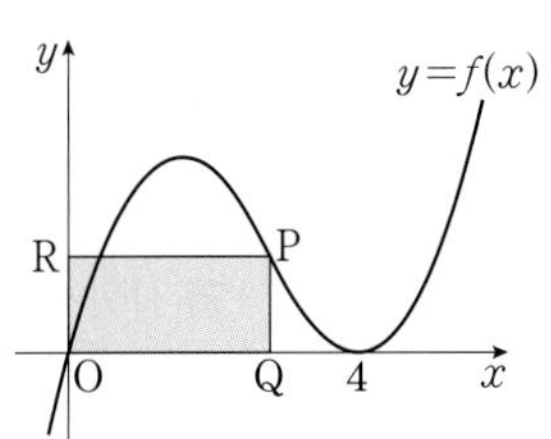

(2) 함수 $f(x)=x^3-4x^2+4$에 대하여 그림과 같이 곡선 $y=f(x)$위의 점 $A(0, 4)$에서의 접선 l이 곡선 $y=f(x)$와 제 1사분면에서 만나는 점을 B라 하자. 곡선 $y=f(x)$위에서 두 점 A, B를 제외하고 두 점 A, B사이를 움직이는 점 P에서 직선 l에 내린 수선의 발을 H라 할 때, 삼각형 APH의 넓이의 최댓값을 구하여라.

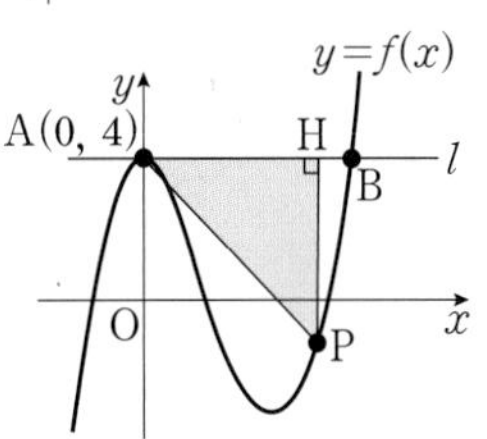

0501 최대 최소의 활용 2011년 04월 교육청

[그림1]과 같이 가로의 길이가 12 cm, 세로의 길이가 6 cm인 직사각형 모양의 종이가 있다. 네 모퉁이에서 크기가 같은 정사각형 모양의 종이를 잘라 낸 후 남는 부분을 접어서 [그림2]와 같이 뚜껑이 없는 직육면체 모양의 상자를 만들려고 한다. 이 상자의 부피의 최댓값을 $M\text{ cm}^3$라 할 때, $\frac{\sqrt{3}}{3}M$의 값을 구하여라.
(단, 종이의 두께는 무시한다.)

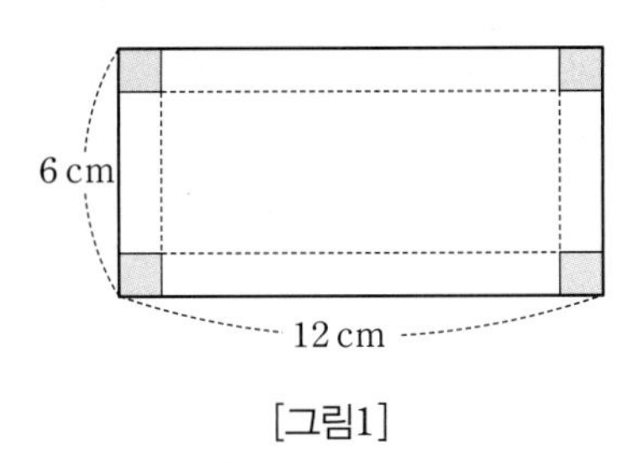

[그림1]

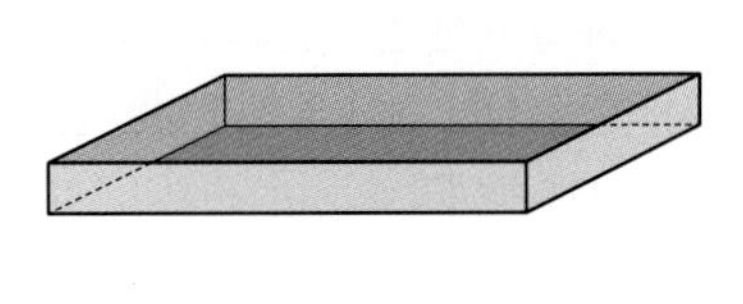

[그림2]

정답　0498 : ②　0499 : (1) 16 (2) $\frac{32\sqrt{3}}{9}$　0500 : (1) 16 (2) $\frac{27}{2}$　0501 : 24

0502

최대 최소의 넓이의 활용 내신빈출

다음 물음에 답하여라.

(1) 오른쪽 그림과 같이 반지름의 길이가 8인 구에 내접하는 원뿔이 있다. 이 원뿔의 부피가 최대일 때, 원뿔의 높이는?

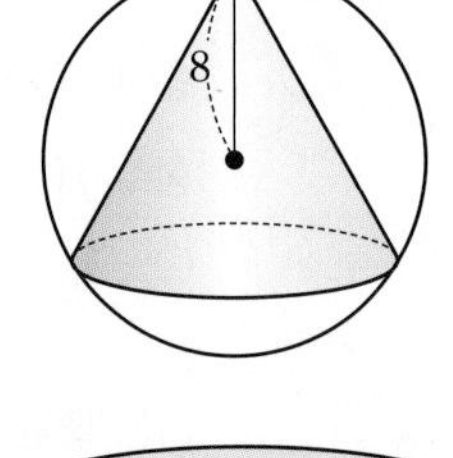

① $\frac{16}{3}$ ② $\frac{19}{3}$ ③ $\frac{31}{3}$

④ $\frac{32}{3}$ ⑤ $\frac{35}{3}$

(2) 반지름의 길이가 8 cm인 부채꼴 모양의 종이로 오른쪽 그림과 같은 원뿔 모양의 그릇을 만들려고 한다. 그릇의 용량을 최대로 할 때, 이 그릇의 높이는? (단, 단위는 cm)

① $\frac{2\sqrt{3}}{3}$ ② $\frac{4\sqrt{3}}{3}$ ③ $2\sqrt{3}$

④ $\frac{8\sqrt{3}}{3}$ ⑤ $\frac{10\sqrt{3}}{3}$

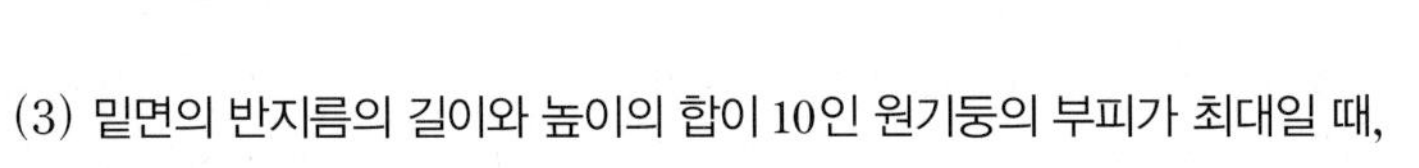

(3) 밑면의 반지름의 길이와 높이의 합이 10인 원기둥의 부피가 최대일 때, 밑면의 반지름의 길이는?

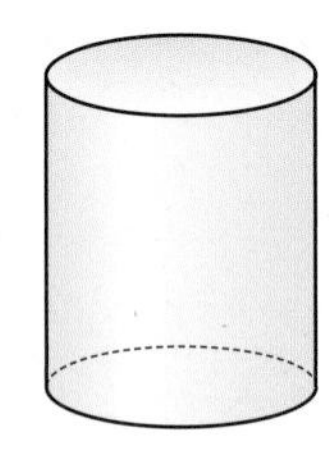

① $\frac{14}{3}$ ② $\frac{17}{3}$ ③ $\frac{20}{3}$

④ $\frac{23}{3}$ ⑤ $\frac{26}{3}$

0503

최대 최소의 넓이의 활용 서술형

두 점 $A(-2, 0)$, $B(2, 0)$에서 x축과 만나는 곡선 $y=4-x^2$이 있다. 오른쪽 그림과 같이 이 곡선과 x축으로 둘러싸인 부분에 내접하는 사다리꼴 ABCD의 넓이의 최댓값을 구하는 과정을 다음 단계로 서술하여라.

[1단계] 점 C의 x좌표를 a라 하고 선분 CD의 길이를 a에 대한 식으로 나타낸다.

[2단계] 사다리꼴 ABCD의 넓이 $S(a)$를 구한다.

[3단계] 사다리꼴 ABCD의 넓이의 최댓값을 구한다.

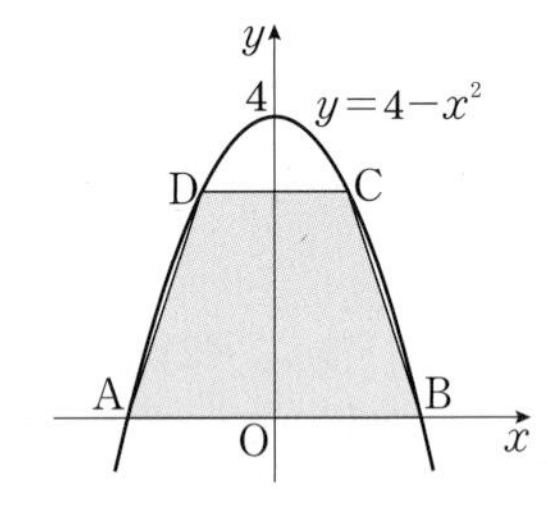

0504

최대 최소의 부피의 활용 서술형

한 변의 길이가 12 cm인 정사각형 모양의 종이가 있다. 오른쪽 그림과 같이 네 귀퉁이에서 같은 크기의 정사각형 모양을 잘라 낸 후, 접어서 뚜껑이 없는 직육면체 모양의 상자를 만들려고 한다. 다음 단계로 서술하여라.

[1단계] 네 귀퉁이의 정사각형의 한 변의 길이 x의 값의 범위를 구한다.

[2단계] 뚜껑이 없는 직육면체 모양의 상자의 부피를 $V(x)$라 할 때, $V(x)$를 구한다.

[3단계] 부피가 최대일 때, x의 값과 그때의 최댓값을 구한다.

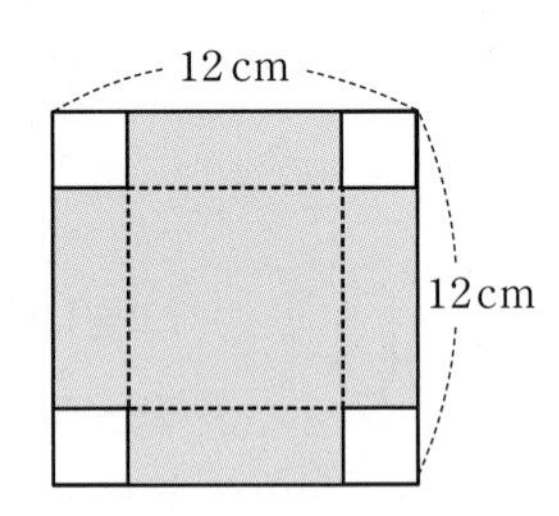

0505

최대 최소의 부피의 활용 서술형

오른쪽 그림과 같이 한 변의 길이가 12인 정삼각형 모양의 종이의 세 꼭짓점에서 합동인 사각형을 잘라 내어 뚜껑이 없는 삼각기둥 모양의 상자를 만들려고 한다. 다음 단계로 서술하여라.

[1단계] x의 값의 범위를 구한다.

[2단계] 삼각기둥의 높이 h를 x로 나타낸다.

[3단계] 삼각기둥의 부피를 $V(x)$라 할 때, $V(x)$를 구한다.

[4단계] 삼각기둥의 부피의 최댓값을 구한다.

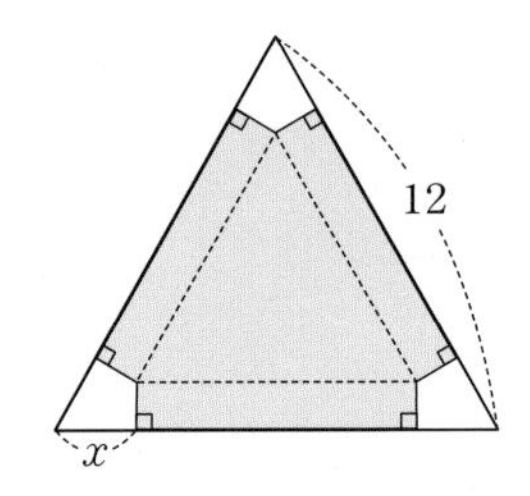

정답 0502 : (1) ④ (2) ④ (3) ③ 0503 : 해설참조 0504 : 해설참조 0505 : 해설참조

0506

최대 최소의 넓이의 활용
2010학년도 04월 평가원

좌표평면 위에 점 $A(0, 2)$가 있다. $0<t<2$일 때, 원점 O와 직선 $y=2$ 위의 점 $P(t, 2)$를 잇는 선분 OP의 수직이등분선과 y축의 교점을 B라 하자. 삼각형 ABP의 넓이를 $f(t)$라 할 때, $f(t)$의 최댓값은 $\frac{b}{a}\sqrt{3}$이다. $a+b$의 값을 구하여라. (단, a, b는 서로소인 자연수이다.)

0507

최대 최소의 넓이의 활용
2012학년도 06월 평가원

오른쪽 그림과 같이 한 변의 길이가 1인 정사각형 ABCD의 두 대각선의 교점의 좌표는 (0, 1)이고, 한 변의 길이가 1인 정사각형 EFGH의 두 대각선의 교점은 곡선 $y=x^2$ 위에 있다. 두 정사각형의 내부의 공통부분의 넓이의 최댓값은? (단, 정사각형의 모든 변은 x축 또는 y축에 평행하다.)

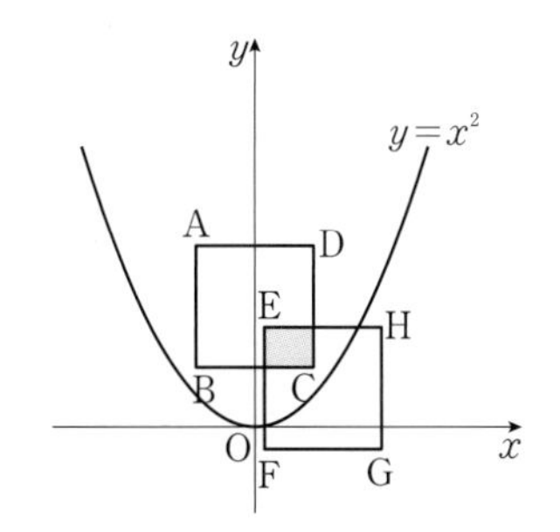

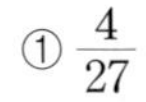

① $\frac{4}{27}$ ② $\frac{1}{6}$ ③ $\frac{5}{27}$
④ $\frac{11}{54}$ ⑤ $\frac{2}{9}$

0508

최대 최소의 넓이의 활용
2014학년도 사관기출

두 곡선 $y=x^3$, $y=-x^3+2x$의 교점 중 제 1사분면에 있는 점을 A라 하고, 두 곡선 $y=x^3$, $y=-x^3+2x$와 직선 $x=k\,(0<k<1)$의 교점을 각각 B, C라 하자. 사각형 OBAC의 넓이가 최대가 되도록 하는 실수 k의 값은? (단, O는 원점이다.)

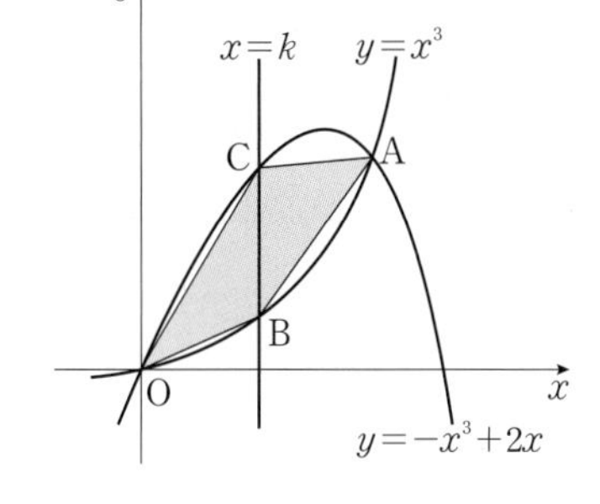

① $\frac{1}{3}$ ② $\frac{\sqrt{3}}{4}$ ③ $\frac{\sqrt{2}}{3}$
④ $\frac{1}{2}$ ⑤ $\frac{\sqrt{3}}{3}$

0509

최대 최소의 활용
2015학년도 사관기출

오른쪽 그림과 같이 좌표평면에서 곡선 $y=\frac{1}{2}x^2$ 위의 점 중에서 제 1 사분면에 있는 점 $A\left(t, \frac{1}{2}t^2\right)$을 지나고 x축에 평행한 직선이 직선 $y=-x+10$과 만나는 점을 B라 하고, 두 점 A, B에서 x축에 내린 수선의 발을 각각 C, D라 하자. 직사각형 ACDB의 넓이가 최대일 때, $10t$의 값을 구하여라. (단, 점 A의 x좌표는 점 B의 x좌표보다 작다.)

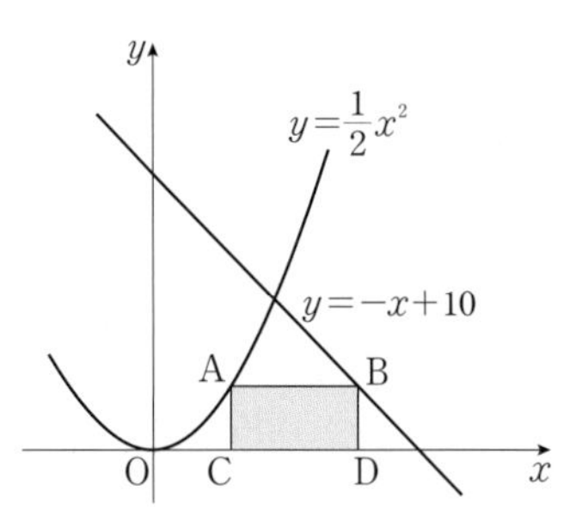

0510

최대 최소의 활용
2019학년도 경찰대기출

곡선 $y=x^2-8x+17$ 위의 점 $P(t, t^2-8t+17)$에서의 접선이 y축과 만나는 점을 Q, 점 P를 지나고 x축에 평행한 직선이 y축과 만나는 점을 R이라 하고 삼각형 PQR의 넓이를 $S(t)$라 하자. $1\le t\le 3$일 때, $S(t)$가 최대가 되는 t의 값은?

① $\frac{4}{3}$ ② $\frac{5}{3}$ ③ 2 ④ $\frac{7}{3}$ ⑤ $\frac{8}{3}$

0511

최대 최소와 미분가능
2011학년도 09월 평가원

함수 $f(x)=-3x^4+4(a-1)x^3+6ax^2\,(a>0)$과 실수 t에 대하여 $x\le t$에서 $f(x)$의 최댓값을 $g(t)$라 하자. 함수 $g(t)$가 실수 전체의 집합에서 미분가능하도록 하는 a의 최댓값을 구하여라.

정답 0506 : 11　0507 : ①　0508 : ⑤　0509 : 25　0510 : ⑤　0511 : 1

02 방정식에의 활용

M A P L ; Y O U R M A S T E R P L A N

01 방정식의 실근과 함수의 그래프

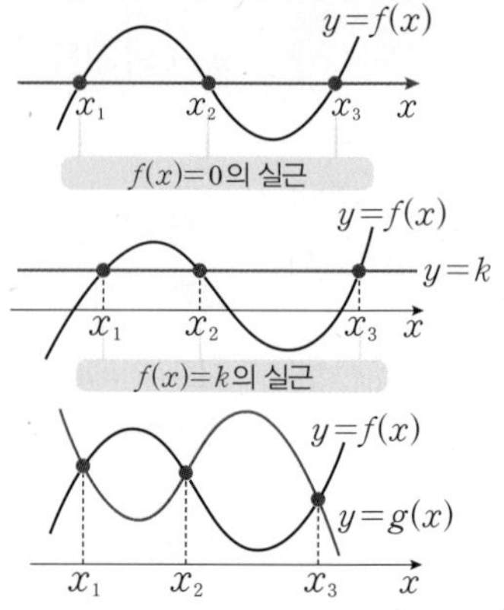
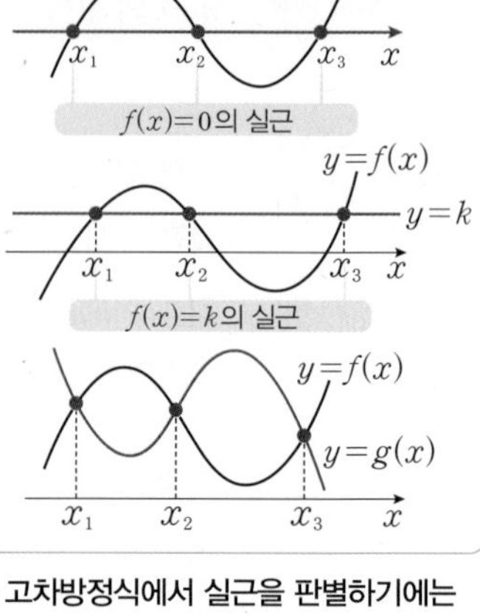

(1) 방정식 $f(x)=0$의 실근

⇨ 함수 $y=f(x)$의 그래프와 x축과의 교점의 x좌표이다.

예를 들면 오른쪽 그래프에서 방정식 $f(x)=0$의 실근은 $x=x_1,\ x_2,\ x_3$이다.

(2) 방정식 $f(x)=k$의 실근

⇨ 함수 $y=f(x)$의 그래프와 직선 $y=k$의 교점의 x좌표이다.

예를 들면 오른쪽 그래프에서 방정식 $f(x)=k$의 실근은 $x=x_1,\ x_2,\ x_3$이다.

(3) 방정식 $f(x)=g(x)$의 실근

⇨ 두 함수 $y=f(x)$, $y=g(x)$의 그래프의 교점의 x좌표이다.

예를 들면 오른쪽 그래프에서 방정식 $f(x)=g(x)$의 실근은 $x=x_1,\ x_2,\ x_3$이다.

마플해설 **이차방정식에서 판별식을 이용하여 쉽게 근의 종류를 판별할 수 있지만 인수분해가 되지 않은 고차방정식에서 실근을 판별하기에는 어렵다.** 하지만 방정식 $f(x)=0$의 실근과 함수 $y=f(x)$의 그래프와의 관계를 이용하여 고차방정식에서 서로 다른 실근의 개수를 쉽게 구할 수 있다. 방정식 $f(x)=g(x)$에서 $f(x)-g(x)=0$이므로 방정식 $f(x)=g(x)$의 실근의 개수는 함수 $y=f(x)-g(x)$의 그래프와 x축과의 교점의 x좌표이다.

보기 01 다음 방정식의 서로 다른 실근의 개수를 구하여라.

(1) $x^3-3x^2+3=0$　　(2) $x^3-3x-2=0$　　(3) $x^4-2x^2-1=0$

풀이 (1) $f(x)=x^3-3x^2+3$라 하면 $f'(x)=3x^2-6x=3x(x-2)$

$f'(x)=0$에서 $x=0$ 또는 $x=2$

함수 $f(x)$의 증가와 감소를 표로 나타내고 그 그래프를 그리면 다음과 같다.

x	$\cdots$	0	$\cdots$	2	$\cdots$
$f'(x)$	$+$	0	$-$	0	$+$
$f(x)$	↗	3	↘	-1	↗

따라서 함수 $y=f(x)$의 그래프는 x축과 서로 다른 세 점에서 만나므로

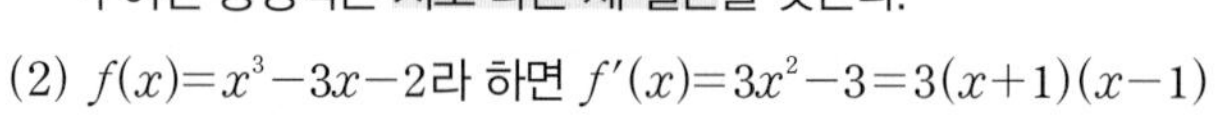

주어진 방정식은 서로 다른 세 실근을 갖는다.

(2) $f(x)=x^3-3x-2$라 하면 $f'(x)=3x^2-3=3(x+1)(x-1)$

$f'(x)=0$에서 $x=-1$ 또는 $x=1$

함수 $f(x)$의 증가와 감소를 표로 나타내고 그 그래프를 그리면 다음과 같다.

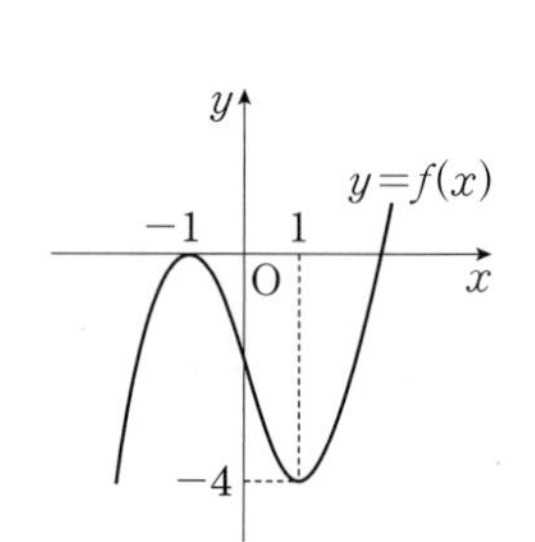

x	$\cdots$	-1	$\cdots$	1	$\cdots$
$f'(x)$	$+$	0	$-$	0	$+$
$f(x)$	↗	0	↘	-4	↗

따라서 함수 $y=f(x)$의 그래프는 x축과 한 점에서 만나고 접하므로

주어진 방정식은 하나의 실근과 하나의 중근을 갖는다.

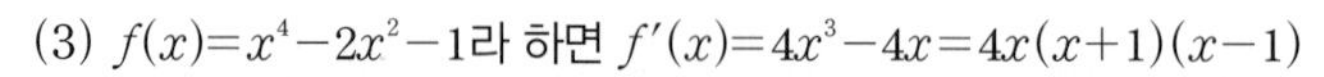

(3) $f(x)=x^4-2x^2-1$라 하면 $f'(x)=4x^3-4x=4x(x+1)(x-1)$

$f'(x)=0$에서 $x=-1$ 또는 $x=0$ 또는 $x=1$

함수 $f(x)$의 증가와 감소를 표로 나타내고 그 그래프를 그리면 다음과 같다.

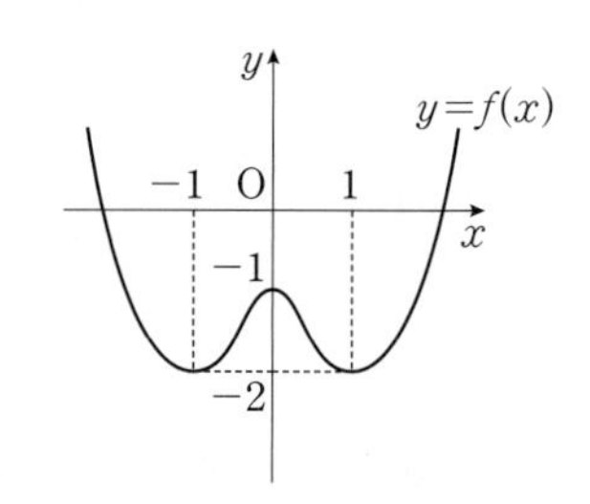

x	$\cdots$	-1	$\cdots$	0	$\cdots$	1	$\cdots$
$f'(x)$	$-$	0	$+$	0	$-$	0	$+$
$f(x)$	↘	-2	↗	-1	↘	-2	↗

따라서 함수 $y=f(x)$의 그래프는 x축과 서로 다른 두 점에서 만나므로

주어진 방정식은 서로 다른 두 실근을 갖는다.

02 도함수를 이용하여 삼차방정식의 실근의 개수 판별

이차방정식 $ax^2+bx+c=0(a\neq0)$에서의 판별식 $D=b^2-4ac$의 부호를 이용하여 실근의 개수를 판별할 수 있으나, 삼차방정식 $ax^3+bx^2+cx+d=0$에서는 삼차함수 $f(x)=ax^3+bx^2+cx+d(a>0)$의 도함수를 이용하여 실근의 개수를 알 수 있다.

방법1 삼차방정식의 도함수를 이용한 실근의 개수 판별

(1) 삼차함수 $f(x)=ax^3+bx^2+cx+d$가 극값을 가질 때

삼차함수 $f(x)=ax^3+bx^2+cx+d(a>0)$의 도함수 $f'(x)$는 이차함수이다. 이차방정식 $f'(x)=0$이 서로 다른 두 실근 α, $\beta(\alpha<\beta)$를 가질 때, 삼차함수 $f(x)$는 극댓값과 극솟값을 모두 가지므로 삼차방정식 $f(x)=0$의 실근의 개수는 다음과 같다.

① 서로 다른 세 실근을 가질 조건

$y=f(x)$의 그래프가 x축과 서로 다른 세 점에서 만나야 하므로 극댓값과 극솟값의 부호가 다르다는 것을 의미한다.

[판별법] (극댓값)×(극솟값)<0, 즉 $f(\alpha)f(\beta)<0$

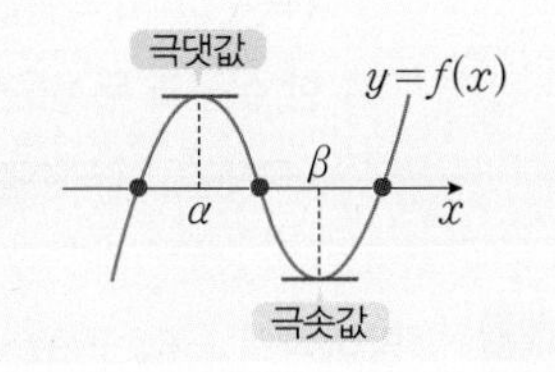

② 서로 다른 두 실근(중근과 다른 한 근)을 가질 조건

$y=f(x)$의 그래프가 x축과 접해야 하므로 극댓값 또는 극솟값이 0임을 의미한다.

[판별법] (극댓값)×(극솟값)$=0$, 즉 $f(\alpha)f(\beta)=0$

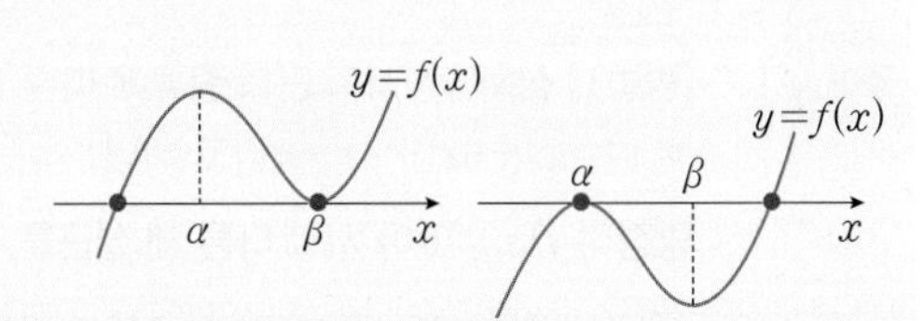

③ 한 실근과 두 허근을 가질 조건

$y=f(x)$의 그래프가 x축과 오직 한 점에서 만나야 하므로 극댓값과 극솟값의 부호가 같다는 것을 의미한다.

[판별법] (극댓값)×(극솟값)>0, 즉 $f(\alpha)f(\beta)>0$

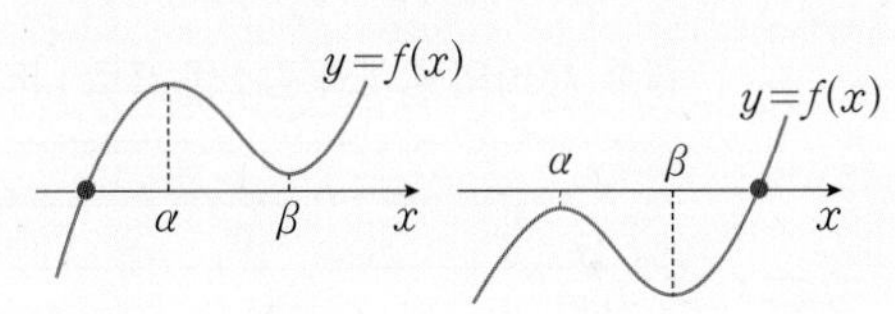

(2) 삼차함수 $f(x)=ax^3+bx^2+cx+d$가 극값을 가지지 않을 때,

이차방정식 $f'(x)=0$이 중근을 가지거나 서로 다른 두 허근을 가지면 $y=f(x)$의 그래프의 개형은 아래 그림과 같으므로 항상 하나의 실근을 가진다.

참고 $a>0$이면 $f(x)$는 구간 $(-\infty, \infty)$에서 증가하고 $\lim_{x\to\infty}f(x)=\infty$, $\lim_{x\to-\infty}f(x)=-\infty$이다.

$a<0$이면 $f(x)$는 구간 $(-\infty, \infty)$에서 감소하고 $\lim_{x\to\infty}f(x)=-\infty$, $\lim_{x\to-\infty}f(x)=\infty$이다.

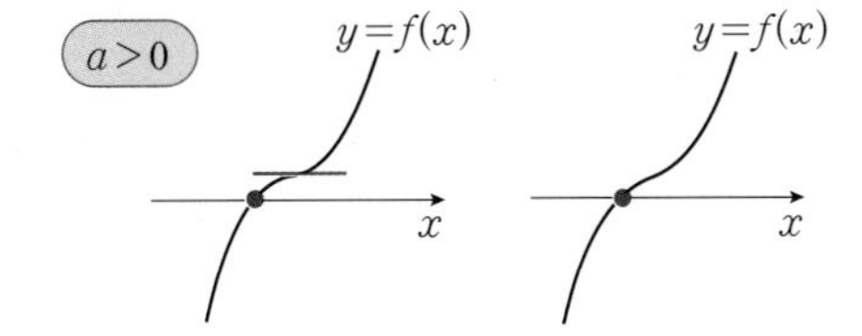

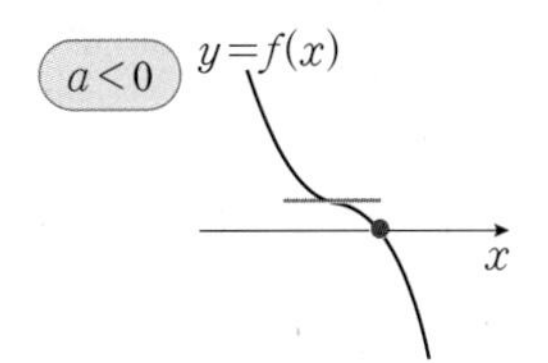

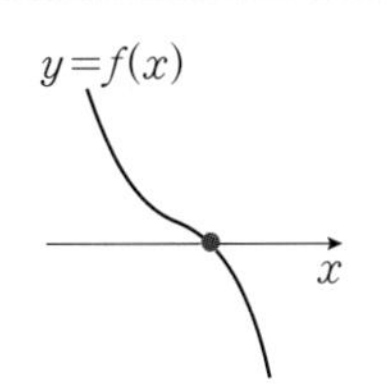

방법2 삼차방정식을 분리하여 두 그래프로 나누어 교점을 판별

방정식 $f(x)=k$의 실근은 함수 $y=f(x)$의 그래프와 직선 $y=k$의 교점의 x좌표와 같으므로 $y=f(x)$의 그래프를 그린 다음 조건을 만족하도록 직선 $y=k$를 움직인다.

주의 미정계수를 포함한 삼차방정식의 해결 문제는 삼차방정식의 근의 판별보다는 삼차방정식을 $f(x)=k$와 같이 나누어 두 그래프 $y=f(x)$와 $y=k$의 교점의 위치에 따른 문제 해결을 하는 것이 더 효과적이다.

보기 02 방정식 $2x^3+3x^2=a$의 서로 다른 실근의 개수를 실수 a의 값에 따라 조사하여라.

풀이 삼차방정식의 근의 종류에 따른 판별

$f(x)=2x^3+3x^2-a$이라 하면 $f'(x)=6x^2+6x=6x(x+1)$

$f'(x)=0$에서 $x=-1$ 또는 $x=0$

함수 $f(x)$의 증가와 감소를 표로 나타내고 그 그래프를 그리면 다음과 같다.

x	$\cdots$	-1	$\cdots$	0	$\cdots$
$f'(x)$	$+$	0	$-$	0	$+$
$f(x)$	↗	$1-a$	↘	$-a$	↗

(1) 서로 다른 세 실근을 가질 a의 범위는

(극댓값)×(극솟값)<0이므로 $(1-a)\cdot(-a)<0$ $\therefore 0<a<1$

(2) 한 실근과 중근을 가질 a의 범위는

(극댓값)×(극솟값)$=0$이므로 $(1-a)\cdot(-a)=0$ $\therefore a=0$ 또는 $a=1$

(3) 한 실근과 두 허근을 가질 a의 범위는

(극댓값)×(극솟값)>0이므로 $(1-a)\cdot(-a)>0$ $\therefore a<0$ 또는 $a>1$

보기 03 방정식 $x^3-6x^2+9x-a=0$이 서로 다른 세 개의 실근을 갖도록 하는 실수 a의 값의 범위를 정하여라.

풀이 [방법1] 삼차방정식의 근의 종류에 따른 판별

$f(x)=x^3-6x^2+9x-a$라고 하면

방정식 $f(x)=0$이 서로 다른 세 실근을 가지려면 함수 $f(x)$의 극댓값과 극솟값이 서로 다른 부호이어야 한다.

$f'(x)=3x^2-12x+9=3(x-1)(x-3)$이므로

$f'(x)=0$에서 $x=1$ 또는 $x=3$

함수 $f(x)$의 증가와 감소를 표로 나타내면 다음과 같다.

x	$\cdots$	1	$\cdots$	3	$\cdots$
$f'(x)$	$+$	0	$-$	0	$+$
$f(x)$	↗	$4-a$	↘	$-a$	↗

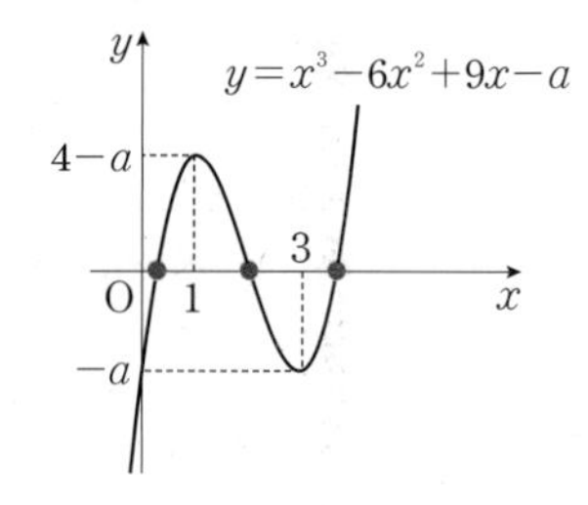

따라서 삼차방정식 $f(x)=0$이 서로 다른 세 실근을 가질 조건인

$f(1)f(3)<0$에서 $(4-a)(-a)<0$ $\therefore 0<a<4$

[방법2] 삼차방정식을 분리하여 두 그래프로 나누어 교점을 판별

방정식 $x^3-6x^2+9x-a=0$에서 $x^3-6x^2+9x=a$이므로 주어진 방정식의 실근의 개수는

$y=x^3-6x^2+9x$의 그래프와 직선 $y=a$의 교점의 개수와 같다.

$f(x)=x^3-6x^2+9x$라고 하면

$f'(x)=3x^2-12x+9=3(x-1)(x-3)$

$f'(x)=0$에서 $x=1$ 또는 $x=3$

함수 $f(x)$의 증가와 감소를 표로 나타내고 그 그래프를 그리면 다음과 같다.

x	$\cdots$	1	$\cdots$	3	$\cdots$
$f'(x)$	$+$	0	$-$	0	$+$
$f(x)$	↗	4	↘	0	↗

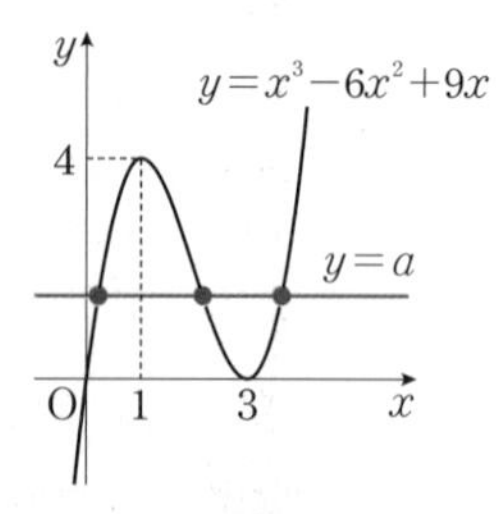

따라서 주어진 방정식이 서로 다른 세 실근을 갖도록 하는 a의 값의 범위는 $0<a<4$이다.

FOCUS

삼차함수 $y=f(x)$의 극값에 대하여 다음이 성립하는 경우 삼차방정식 $f(x)=0$의 서로 다른 실근의 개수를 각각 구하여라.

① 극값이 존재하지 않은 경우 ⇨ 실근이 1개

② 극댓값과 극솟값이 부호가 같은 경우 ⇨ 실근이 1개

③ 극댓값과 극솟값의 부호가 서로 다른 경우 ⇨ 실근이 3개

마플개념익힘 01 삼차방정식 $f(x)=k$의 근의 위치

삼차방정식 $2x^3-3x^2-k=0$에 대하여 다음 물음에 답하여라.
(1) 서로 다른 세 실근을 가지도록 하는 실수 k의 값의 범위를 정하여라.
(2) 이중근과 하나의 실근을 가지도록 하는 실수 k의 값의 범위를 구하여라.
(3) 서로 다른 두 양근과 하나의 음근을 갖도록 하는 실수 k의 값의 범위를 구하여라.

MAPL CORE 방정식 $f(x)=k$의 서로 다른 실근의 개수는 곡선 $y=f(x)$와 직선 $y=k$의 교점의 개수와 같다.

개념익힘 | 풀이 방정식 $2x^3-3x^2-k=0$에서 $2x^3-3x^2=k$이므로 주어진 방정식의 실근의 개수는
$y=2x^3-3x^2$의 그래프와 직선 $y=k$의 교점의 개수이다.
$f(x)=2x^3-3x^2$로 놓으면 $f'(x)=6x^2-6x=6x(x-1)$
$f'(x)=0$에서 $x=0$ 또는 $x=1$
함수 $f(x)$의 증가와 감소를 표로 나타내고 그 그래프를 그리면
다음과 같다.

x	$\cdots$	0	$\cdots$	1	$\cdots$
$f'(x)$	+	0	−	0	+
$f(x)$	↗	0	↘	−1	↗

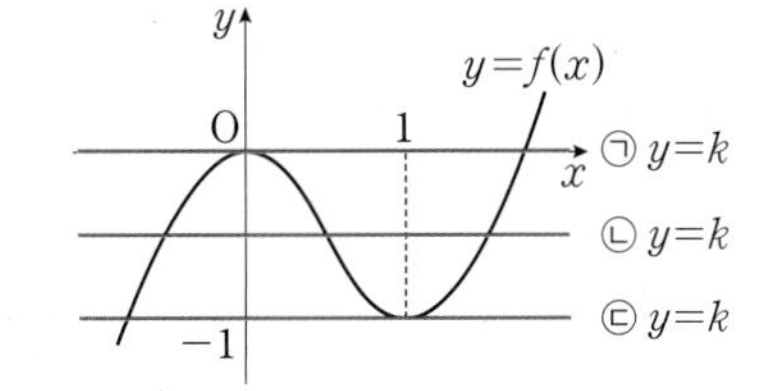

(1) 서로 다른 세 실근을 갖는 경우는 교점이 세 개이므로 ㉡과 같은 경우이다.
$\therefore$ $\boldsymbol{-1<k<0}$
(2) 이중근과 하나의 실근을 갖는 경우는 교점이 두 개이므로 ㉠, ㉢과 같은 경우이다.
$\therefore$ $\boldsymbol{k=-1}$ **또는** $\boldsymbol{k=0}$
(3) 서로 다른 두 양근과 하나의 음근을 갖는 경우는 $x<0$에서의 교점이 한 개이고
$x>0$에서의 교점이 두 개이므로 ㉡과 같은 경우이다.
$\therefore$ $\boldsymbol{-1<k<0}$

확인유제 0512 x에 대한 삼차방정식 $x^3-3x-a=0$이 다음 조건을 만족할 때, 상수 a의 값의 범위를 구하여라.
(1) 서로 다른 세 실근을 갖도록 하는 실근 a의 값의 범위를 구하여라.
(2) 이중근과 하나의 실근을 가지도록 하는 실수 a의 값의 범위를 구하여라.
(3) 서로 다른 두 음근과 하나의 양근을 갖도록 하는 실수 a의 값의 범위를 구하여라.

변형문제 0513 다음 물음에 답하여라.
2019학년도 09월 평가원
(1) 방정식 $x^3-3x^2-9x-k=0$의 서로 다른 실근의 개수가 3이 되도록 하는 정수 k의 최댓값은?
① 2 ② 4 ③ 6 ④ 8 ⑤ 10

2015년 07월 교육청
(2) 삼차방정식 $x^3+3x^2-9x+4-k=0$이 서로 다른 세 실근을 갖도록 하는 모든 정수 k의 개수는?
① 28 ② 31 ③ 34 ④ 37 ⑤ 40

발전문제 0514 함수 $f(x)=2x^3-3x^2-12x-10$의 그래프를 y축의 방향으로 a만큼 평행이동 시켰더니 함수 $y=g(x)$의 그래프가 되었다. 방정식 $g(x)=0$이 서로 다른 두 실근만을 갖도록 하는 모든 a의 값의 합을 구하여라.
2005학년도 06월 평가원

정답 0512 : (1) $-2<a<2$ (2) $a=-2$ 또는 $a=2$ (3) $0<a<2$ 0513 : (1) ② (2) ② 0514 : 33

마플개념익힘 02 두 곡선의 교점의 개수

곡선 $y=x^3+6x^2+10x-2$와 직선 $y=x-k$가 서로 다른 세 점에서 만나기 위한 상수 k값의 범위를 구하여라.

MAPL CORE 두 곡선 $y=f(x)$, $y=g(x)$의 교점의 개수는 $h(x)=f(x)-g(x)$의 그래프와 x축의 교점의 개수를 이용하여 구할 수 있다.

개념익힘 | 풀이 곡선 $y=x^3+6x^2+10x-2$와 직선 $y=x-k$가 서로 다른 세 점에서 만나려면

방정식 $x^3+6x^2+10x-2=x-k$, 즉 $x^3+6x^2+9x-2+k=0$이 서로 다른 세 실근을 가져야 한다.

즉 곡선 $y=-x^3-6x^2-9x+2$와 직선 $y=k$가 서로 다른 세 점에서 만나야 한다.

$f(x)=-x^3-6x^2-9x+2$라 하면

$f'(x)=-3x^2-12x-9=-3(x+3)(x+1)$

$f'(x)=0$에서 $x=-3$ 또는 $x=-1$

함수 $f(x)$의 증가와 감소를 표로 나타내고 그 그래프를 그리면 다음과 같다.

x	$\cdots$	-3	$\cdots$	-1	$\cdots$
$f'(x)$	$-$	0	$+$	0	$-$
$f(x)$	↘	극소	↗	극대	↘

$x=-3$에서 극솟값 2이고 $x=-1$에서 극댓값이 6이므로

$f(x)=-x^3-6x^2-9x+2$의 그래프는 오른쪽 그림과 같다.

따라서 곡선 $y=f(x)$와 $y=k$가 서로 다른 세 점에서 만나도록 하는 k의 값의 범위는 $2<k<6$이다.

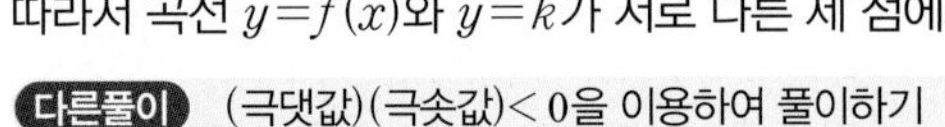

$f(x)=x^3+6x^2+9x-2+k$로 놓으면 $f'(x)=3x^2+12x+9=3(x+3)(x+1)$

$f'(x)=0$에서 $x=-3$ 또는 $x=-1$

함수 $f(x)$의 증가와 감소를 표로 나타내면 다음과 같다.

x	$\cdots$	-3	$\cdots$	-1	$\cdots$
$f'(x)$	$+$	0	$-$	0	$+$
$f(x)$	↗	$k-2$	↘	$k-6$	↗

$x=-3$일 때, 극대이고 극댓값 $f(-3)=k-2$, $x=-1$일 때, 극소이고 극솟값 $f(-1)=k-6$

이때 방정식 $f(x)=0$이 서로 다른 세 실근을 가지려면 극댓값과 극솟값의 부호가 다르므로

$f(-3)f(-1)<0$에서 $(k-2)(k-6)<0$ $\quad\therefore \mathbf{2<k<6}$

확인유제 0515 곡선 $y=2x^3-3x^2$과 직선 $y=12x+k$가 서로 다른 세 점에서 만나도록 하는 실수 k의 값의 범위를 구하여라.

변형문제 0516 다음 물음에 답하여라.

(1) 두 곡선 $y=x^3-2x^2-10x+a$, $y=4x^2+5x-a$가 서로 다른 두 점에서 만나도록 하는 모든 a의 값의 합은?

① 46 ② 47 ③ 48 ④ 49 ⑤ 50

2007학년도 06월 평가원

(2) 두 함수 $f(x)=x^4-4x+a$, $g(x)=-x^2+2x-a$의 그래프가 오직 한 점에서 만날 때, a의 값은?

① 1 ② 2 ③ 3 ④ 4 ⑤ 5

발전문제 0517 두 함수 $f(x)=3x^3-x^2-3x$, $g(x)=x^3-4x^2+9x+a$에 대하여 $f(x)=g(x)$가 서로 다른 두 개의 양의 실근과 한 개의 음의 실근을 갖도록 하는 모든 정수 a의 개수는?

2016학년도 06월 평가원

① 6 ② 7 ③ 8 ④ 9 ⑤ 10

정답 0515 : $-20<k<7$ 0516 : (1) ① (2) ② 0517 : ①

마플개념익힘 03 도함수 $f'(x)$의 그래프에서 $y=f(x)$의 실근의 개수와 부호

사차함수 $f(x)$의 도함수 $y=f'(x)$의 그래프가 오른쪽 그림과 같다.

$$f(0)=3,\ f(1)=5,\ f(3)=-2$$

일 때, 다음 [보기] 중 옳은 것만을 있는 대로 골라라.

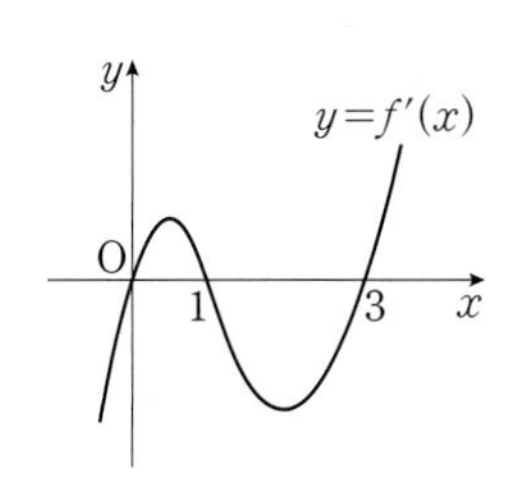

ㄱ. 함수 $f(x)$의 극솟값은 오직 하나이다.
ㄴ. 함수 $f(x)$의 극댓값은 5이다.
ㄷ. 방정식 $f(x)-4=0$은 서로 다른 네 실근을 가진다.

MAPL CORE $f(x)=k$의 실근의 개수를 구하는 문제는 다음과 같이 해결한다.
[1단계] 함수 $y=f(x)$의 그래프를 그린다.
[2단계] 직선 $y=k$를 위, 아래로 움직여 교점의 개수를 조사한다.

개념익힘 | 풀이 $f'(x)$의 부호를 조사하여 함수 $f(x)$의 증가와 감소를 표로 나타내면 다음과 같다.

x	$\cdots$	0	$\cdots$	1	$\cdots$	3	$\cdots$
$f'(x)$	$-$	0	$+$	0	$-$	0	$+$
$f(x)$	↘	3	↗	5	↘	-2	↗

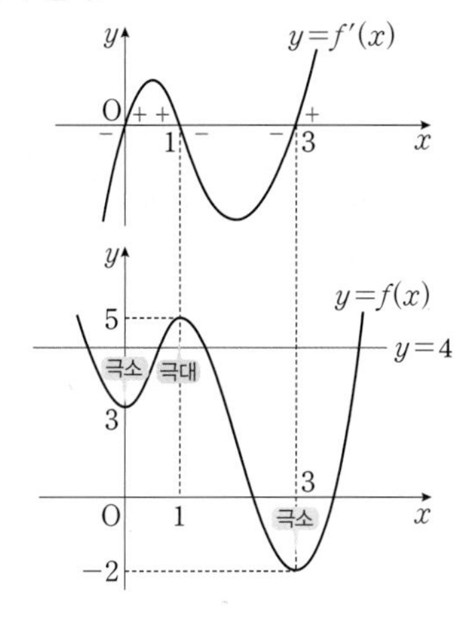

함수 $f(x)$는

$x=0$, $x=3$에서 극소이고 극솟값은 $f(0)=3$, $f(3)=-2$

$x=1$에서 극대이고 극댓값은 $f(1)=5$이므로

$y=f(x)$의 그래프의 개형을 그리면 오른쪽 그림과 같다.

ㄱ. 함수 $f(x)$는 $x=0$, $x=3$에서 극소이고 극솟값을 갖는다. [거짓]

ㄴ. 함수 $f(x)$의 극댓값은 5이다. [참]

ㄷ. 곡선 $y=f(x)$와 직선 $y=4$가 서로 다른 네 점에서 만나므로
방정식 $f(x)-4=0$은 서로 다른 네 실근을 가진다. [참]

따라서 옳은 것은 ㄴ, ㄷ이다.

확인유제 0518

다음 물음에 답하여라.

(1) 사차함수 $f(x)$에 대하여 $y=f'(x)$의 그래프가 오른쪽 그림과 같다.

$$f(-2)=5,\ f(1)=-5,\ f(3)=-1,\ f(0)=-3$$

일 때, 방정식 $|f(x)|-3=0$의 실근의 개수를 구하면?

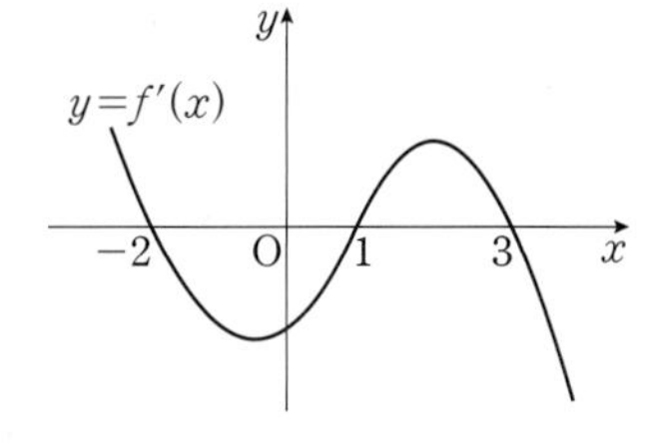

① 4　② 5　③ 6
④ 7　⑤ 8

(2) 삼차함수 $f(x)$의 도함수 $y=f'(x)$의 그래프가 오른쪽 그림과 같다.
$f(0)=0$일 때, 방정식 $f(x)=k$가 서로 다른 두 실근을 갖도록 하는 양수 k의 값은?

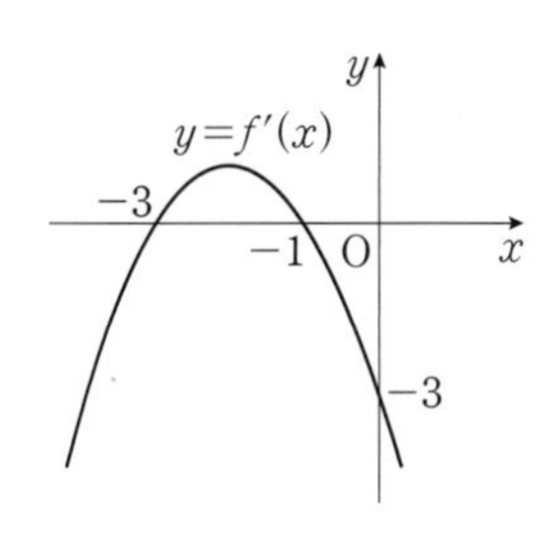

① $\frac{3}{2}$　② $\frac{4}{3}$　③ 2
④ $\frac{5}{2}$　⑤ $\frac{7}{2}$

정답 0518 : (1) ③ (2) ②

변형문제 0519 다음 물음에 답하여라.

(1) 다항함수 $f(x)$에 대하여 함수 $y=f'(x)$의 그래프가 오른쪽 그림과 같고

$$f'(a)=f'(b)=f'(c)=0$$

이다. 함수 $f(x)$가 다음 조건을 만족시킨다.

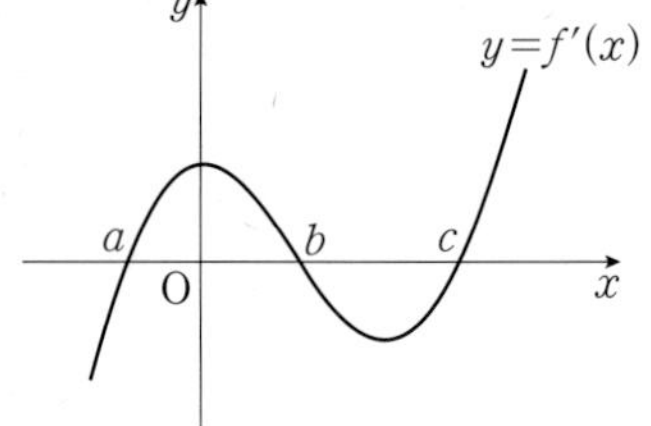

(가) $f(0)=0$

(나) $\{f(a)-f(c)\}f(b)f(c)>0$

(다) 두 상수 k, l에 대하여 $k=f(a)$이고 $0<l<f(b)$

이때 방정식 $f(x)-k=0$의 서로 다른 실근의 개수를 p, 방정식 $f(x)-l=0$의 서로 다른 실근의 개수를 q라 하자. $p+q$의 값은?

① 3 ② 4 ③ 5 ④ 6 ⑤ 7

(2) 최고차항의 계수가 양수인 삼차함수 $y=f(x)$가 다음 두 조건을 만족한다.

(가) $f'(-2)=0$

(나) $f(2)=f'(2)=0$

방정식 $f(x)=k$가 서로 다른 세 실근을 갖고 음의 실근 2개, 양의 실근 1개가 존재하도록 하는 실수 k의 값의 범위가 $4<k<8$이다.

이때 방정식 $f(x)=l$이 서로 다른 세 실근을 갖고 양의 실근 2개, 음의 실근 1개가 존재하도록 하는 모든 정수 l의 합은? (단, k, l은 상수)

① 4 ② 6 ③ 8 ④ 10 ⑤ 12

발전문제 0520 6차 다항함수 $y=f(x)$를 미분하여 다음과 같은 증감표를 완성하였다.

x	$\cdots$	-2	$\cdots$	0	$\cdots$	1	$\cdots$	3	$\cdots$
$f'(x)$	$+$	0	$-$	0	$+$	0	$-$	0	$-$
$f(x)$		5		2		5		-1	

다음 [보기]에서 항상 옳은 것을 모두 고르면?

ㄱ. 극댓값과 극솟값의 총합은 11이다.
ㄴ. 방정식 $f(x)=0$은 한 개의 음근과 한 개의 양근을 갖는다.
ㄷ. 상수 a의 값에 따라 방정식 $f(x)-a=0$은 최대 5개의 실근을 갖는다.
ㄹ. 방정식 $f(x)-5=0$의 서로 다른 두 실근은 -2, 1이다.

① ㄱ, ㄴ ② ㄴ, ㄷ ③ ㄱ, ㄷ ④ ㄴ, ㄹ ⑤ ㄷ, ㄹ

정답 0519 : (1) ③ (2) ② 0520 : ④

마플개념익힘 04 곡선 밖의 점에서 접선의 개수

점 $\mathrm{A}(1,\ k)$에서 곡선 $y=x^3$에 서로 다른 세 개의 접선을 그을 수 있도록 하는 실수 k값의 범위를 구하여라.

MAPL CORE

[1단계] 곡선 위의 접점의 좌표를 $(a,\ f(a))$라 하여 접선의 방정식을 구한다.

[2단계] [1단계]에서 구한 접선이 점 $\mathrm{A}(1,\ k)$를 지남을 이용하여 k와 a 사이의 관계식을 구한다.

[3단계] (방정식의 실근의 개수)=(접점의 개수)=(접선의 개수)임을 이용하여 실수 a의 값의 범위를 구한다.

개념익힘 | 풀이 $f(x)=x^3$이라 하면 $f'(x)=3x^2$

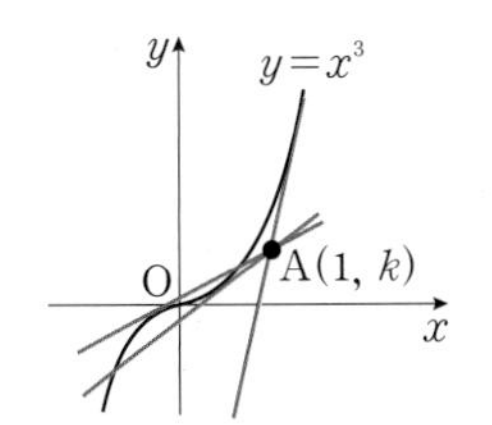

접점의 좌표를 $(a,\ a^3)$이라 하면 접선의 방정식은 $y-a^3=3a^2(x-a)$

$\therefore\ y=3a^2x-2a^3$

이 접선이 점 $(1,\ k)$를 지나므로 $k=3a^2-2a^3$ …… ㉠

접점이 3개가 존재하려면 ㉠이 서로 다른 세 실근을 가져야 한다.

[방법1] 방정식 $k=3a^2-2a^3$의 실근의 개수는 $y=-2a^3+3a^2$과 직선 $y=k$의 교점의 개수와 같음을 이용하기

$g(a)=-2a^3+3a^2$이라 하면 $g'(a)=-6a^2+6a=-6a(a-1)$이므로

$g'(a)=0$에서 $a=0$ 또는 $a=1$

$g'(a)$의 부호를 조사하여 함수 $g(a)$의 증가와 감소를 표로 나타내면 다음과 같다.

a	…	0	…	1	…
$g'(a)$	−	0	+	0	−
$g(a)$	↘	0	↗	1	↘

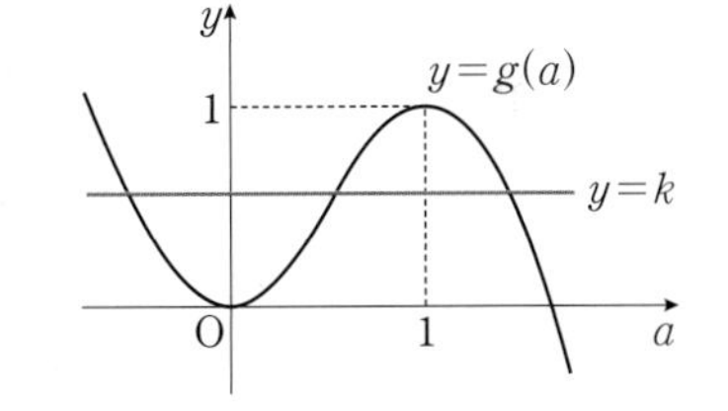

함수 $g(a)$는 $x=0$일 때, 극소이고 극솟값은 $g(0)=0$

$x=1$일 때, 극대이고 극댓값은 $g(1)=1$

따라서 함수 $y=g(a)$의 그래프가 오른쪽 그림과 같으므로

직선 $y=k$의 교점의 개수가 3개이기 위한 k의 값의 범위는 $0<k<1$

[방법2] 방정식 $2a^3-3a^2+k=0$이 서로 다른 세 실근을 가지려면 (극댓값)×(극솟값)<0임을 이용하기

$h(a)=2a^3-3a^2+k$라 하면 $h'(a)=6a^2-6a$

$h'(a)=0$에서 $a=0$ 또는 $a=1$

$h'(a)$의 부호를 조사하여 함수 $h(a)$의 증가와 감소를 표로 나타내면 다음과 같다.

a	…	0	…	1	…
$h'(a)$	+	0	−	0	+
$h(a)$	↗	극대	↘	극소	↗

$a=0$일 때, 극대이고 극댓값은 $h(0)=k$

$a=1$일 때, 극소이고 극솟값은 $h(1)=-1+k$

따라서 방정식 $h(a)=0$이 서로 다른 세 실근을 가지려면 (극댓값)×(극솟값)<0이어야 하므로

$h(0)h(1)<0$에서 $k(-1+k)<0$ $\therefore\ \mathbf{0<k<1}$

확인유제 0521 점 $\mathrm{P}(1,\ a)$에서 곡선 $y=x^3-3x$에 세 개의 접선을 그을 수 있도록 하는 a값의 범위를 구하여라.

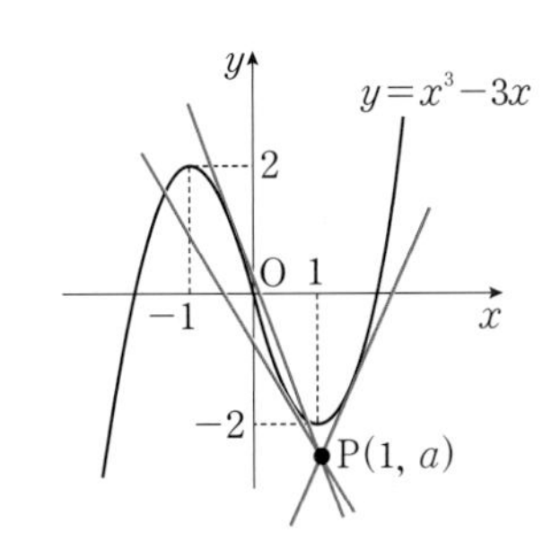

정답 0521 : $-3<a<-2$

변형문제 0522 함수 $f(x)=x^3+3x^2$에 대하여 다음 조건을 만족시키는 정수 a의 최댓값을 M이라 할 때, M^2의 값은?

2015년 10월 교육청

(가) 점 $(-4, a)$를 지나고 곡선 $y=f(x)$에 접하는 직선이 세 개있다.
(나) 세 접선의 기울기의 곱은 음수이다.

① 4 ② 9 ③ 16 ④ 25 ⑤ 36

발전문제 0523 다음 물음에 답하여라.

2019학년도 수능기출

(1) 최고차항의 계수가 1인 삼차함수 $f(x)$와 최고차항의 계수가 -1인 이차함수 $g(x)$가 다음 조건을 만족시킨다.

(가) 곡선 $y=f(x)$ 위의 점 $(0, 0)$에서의 접선과 곡선 $y=g(x)$ 위의 점 $(2, 0)$에서의 접선은 모두 x축이다.
(나) 점 $(2, 0)$에서 곡선 $y=f(x)$에 그은 접선의 개수는 2이다.
(다) 방정식 $f(x)=g(x)$는 오직 하나의 실근을 갖는다.

$x>0$인 모든 실수 x에 대하여

$$g(x) \le kx-2 \le f(x)$$

를 만족시키는 실수 k의 최댓값과 최솟값을 각각 α, β라 할 때, $\alpha-\beta=a+b\sqrt{2}$이다.
a^2+b^2의 값을 구하여라. (단, a, b는 유리수이다.)

2018년 10월 교육청

(2) 최고차항의 계수가 1인 삼차함수 $f(x)$와 실수 t가 다음 조건을 만족시킨다.

등식 $-1=f'(a)(t-a)+f(a)$를 만족시키는 실수 a의 값이 6 하나뿐이기 위한 필요충분조건은 $-2<t<k$이다.

$f(8)$의 값을 구하여라. (단, k는 -2보다 큰 상수이다.)

정답 0522 : ② 0523 : (1) 5 (2) 39

03 부등식에의 활용

MAPL ; YOUR MASTER PLAN

01 부등식 $f(x)\ge 0$ 또는 $f(x)\le 0$의 증명

(1) 모든 실수에서 성립하는 부등식의 증명 ⬅ 주어진 구간에서 최댓값과 최솟값이 주어진 경우

다항함수의 그래프를 이용하여 x에 대한 부등식 $f(x)\ge 0$, $f(x)\ge k$(k는 상수), $f(x)\ge g(x)$등이 성립함을 증명할 수 있다.

	모든 실수 x에 대하여 $f(x)\ge 0$의 증명	모든 실수 x에 대하여 $f(x)\ge k$(k는 상수)의 증명	모든 실수 x에 대하여 $f(x)\ge g(x)$의 증명
그래프	$y=f(x)$, 최소, x	$y=f(x)$, $y=k$, 최소, x / $y=f(x)-k$, 최소, x	$y=f(x)-g(x)$, 최소, x
증명방법	($f(x)$의 최솟값)≥ 0 임을 보인다.	[방법1] ($f(x)$의 최솟값)$\ge k$임을 보인다. [방법2] ($f(x)-k$의 최솟값)≥ 0임을 보인다.	$F(x)=f(x)-g(x)$로 놓고 ($F(x)$의 최솟값)≥ 0을 보인다.

(2) $x>a$에서 성립하는 부등식의 증명

$x>a$에서 부등식이 성립함을 증명할 때는 다음 성질을 이용한다.

① $x>a$에서 부등식 $f(x)>0$ 증명

[방법1] $x>a$에서 함수 $f(x)$에 대하여 최솟값 >0임을 보인다.

[방법2] $x>a$에서 함수 $f(x)$의 최솟값이 존재하지 않는 경우 증명

증명 $x>a$에서 $f(x)$가 증가함수이고 $f(a)\ge 0$임을 보인다.

즉, $f'(x)\ge 0$, $f(a)\ge 0$임을 보여서 증명한다.

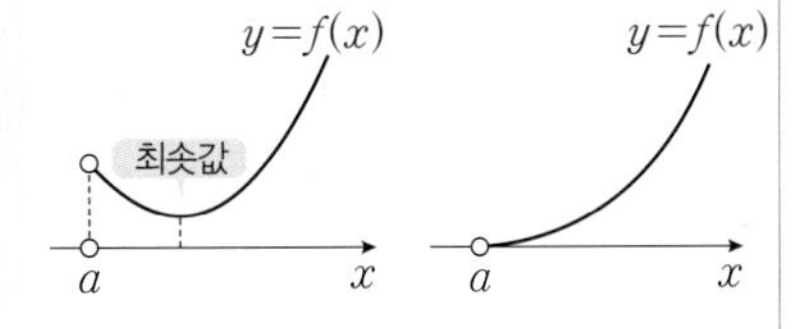

② $x>a$에서 부등식 $f(x)<0$ 증명

[방법1] $x>a$에서 함수 $f(x)$에 대하여 최댓값 <0임을 보인다.

[방법2] $x>a$에서 함수 $f(x)$의 최댓값이 존재하지 않는 경우 증명

증명 $x>a$에서 $f(x)$가 감소함수이고 $f(a)\le 0$임을 보인다.

즉, $f'(x)\le 0$, $f(a)\le 0$임을 보여서 증명한다.

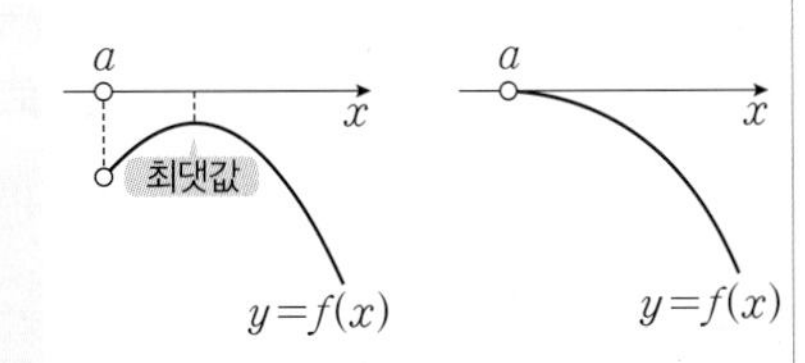

$x>a$에서 $f'(x)\ge 0$, $f(a)\ge 0$ ⇨ $x>a$에서 $f(x)>0$

$x>a$에서 $f'(x)\le 0$, $f(a)\le 0$ ⇨ $x>a$에서 $f(x)<0$

참고 주어진 구간에서 최댓값과 최솟값이 주어지지 않은 경우

어떤 구간에서 부등식 $f(x)>0$($f(x)<0$)인 것을 보일 때, 주어진 구간에서 함수 $f(x)$의 최솟값(최댓값)이 존재하는 경우에는 최솟값 >0 (최댓값 <0)인 것을 보이면 되었다. 그런데 함수 $f(x)$의 극값이 주어진 구간에 속하지 않아 최댓값 또는 최솟값을 구할 수 없는 경우가 있다. 이럴 때는 주어진 함수가 그 구간에서 증가하는지 감소하는지를 확인하여 부등식을 증명할 수 있다.

FOCUS

닫힌구간 $[a, b]$에서 성립하는 부등식

다항함수 $f(x)$에 대하여 닫힌구간 $[a, b]$에서 $f(x)\ge 0$의 증명

① 닫힌구간 $[a, b]$에서 $f'(x)\ge 0$이고 $f(a)\ge 0$임을 보인다.

② 닫힌구간 $[a, b]$에서 $f'(x)\le 0$이고 $f(b)\ge 0$임을 보인다.

③ 닫힌구간 $[a, b]$에서 극값이 존재하면 최솟값을 구하여 ($f(x)$의 최솟값)≥ 0임을 보인다.

보기 01 다음 부등식이 성립함을 보여라.

(1) $x \geq 0$일 때, 부등식 $2x^3 > 3x^2 - 2$가 성립함을 증명하여라.

(2) 모든 실수 x에 대하여 $x^4 + 4x + 3 \geq 0$이 성립함을 증명하여라.

풀이 (1) $f(x) = 2x^3 - (3x^2 - 2) = 2x^3 - 3x^2 + 2$로 놓으면

$f'(x) = 6x^2 - 6x = 6x(x-1)$

$f'(x) = 0$에서 $x = 0$ 또는 $x = 1$

구간 $[0, \infty)$에서 함수 $f(x)$의 증가와 감소를 표로 나타내고 그 그래프를 그리면 다음과 같다.

x	0	$\cdots$	1	$\cdots$
$f'(x)$	0	$-$	0	$+$
$f(x)$	2	↘	1	↗

함수 $f(x)$는 $x = 1$에서 극소이면서 최소이다.

즉, 함수 $f(x)$의 최솟값이 1이므로 $f(x) > 0$

따라서 $x \geq 0$일 때, $2x^3 > 3x^2 - 2$가 성립한다.

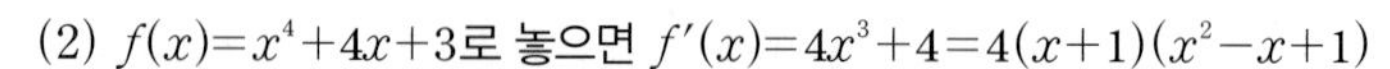

(2) $f(x) = x^4 + 4x + 3$로 놓으면 $f'(x) = 4x^3 + 4 = 4(x+1)(x^2 - x + 1)$

$f'(x) = 0$에서 $x = -1$

함수 $f(x)$의 증가와 감소를 표로 나타내면 다음과 같다.

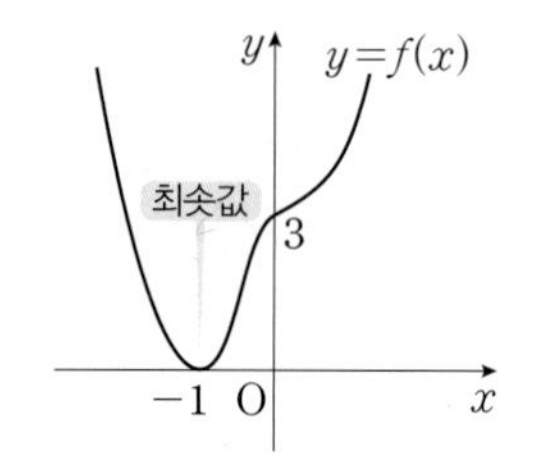

x	$\cdots$	-1	$\cdots$
$f'(x)$	$-$	0	$+$
$f(x)$	↘	0	↗

모든 실수 x에 대하여 함수 $f(x)$는 $x = -1$에서 극소이면서 최소이다.

즉, 함수 $f(x)$의 최솟값이 0이므로 $f(x) \geq 0$이다.

따라서 모든 실수 x에 대하여 $x^4 + 4x + 3 \geq 0$이 성립한다.

보기 02 $x > 1$일 때, 부등식 $2x^3 > 3x^2 - 1$이 성립함을 증명하여라.

풀이 $f(x) = 2x^3 - 3x^2 + 1$로 놓으면 $f'(x) = 6x^2 - 6x = 6x(x-1)$

$x > 1$에서 $f'(x) > 0$이므로 함수 $f(x)$는 $x > 1$에서 증가한다.

그런데 $f(1) = 2 - 3 + 1 = 0$이므로 $x > 1$에서 $f(x) > 0$

즉, $2x^3 - 3x^2 + 1 > 0$이다.

따라서 $x > 1$일 때, $2x^3 > 3x^2 - 1$이 성립한다.

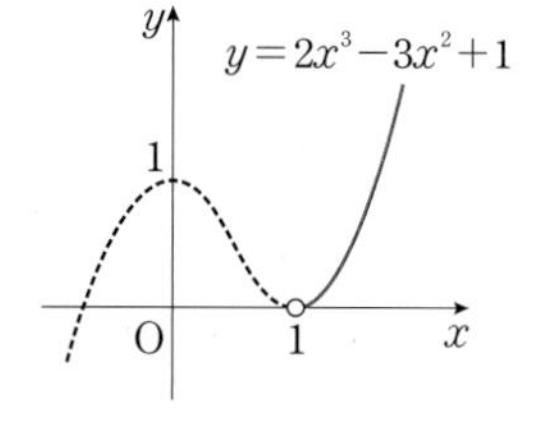

보기 03 다음은 2 이상의 자연수 n에 대하여 $x > 1$일 때, 부등식 $x^n > n(x-1)$이 성립함을 증명한 것이다.

> $f(x) = x^n - n(x-1)$로 놓으면 $x > 1$일 때,
>
> $f'(x) = nx^{n-1} - n = n(x^{n-1} - 1)$ [(가)] 0이므로
>
> $f(x)$는 [(나)] 함수이다.
>
> 이때 $f(1) =$ [(다)] 이므로 $x^n > n(x-1)$

위의 증명에서 (가), (나), (다)에 알맞은 순서대로 적어본다.

풀이 $f(x) = x^n - n(x-1)$로 놓으면 $f'(x) = nx^{n-1} - n = n(x^{n-1} - 1)$

$x > 1$이고 $n \geq 2$이므로 $x^{n-1} - 1 > 0$

$\therefore f'(x) = n(x^{n-1} - 1) \boxed{>} 0$

따라서 $x > 1$에서 $f(x)$는 [증가]함수이다.

이때 $f(1) = \boxed{1 > 0}$이므로 $f(x) > 0 \quad \therefore x^n > n(x-1)$

마플개념익힘 01 부등식이 항상 성립할 조건 (1)

다음 물음에 답하여라.

(1) $x>0$일 때, 부등식 $2x^3-3x^2-12x+k\geq 0$이 성립하도록 하는 실수 k의 범위를 구하여라.

(2) 모든 실수 x에 대하여 부등식 $3x^4-4x^3+k\geq 0$이 항상 성립하도록 하는 실수 k의 값의 범위를 구하여라.

MAPL CORE 어떤 구간에서 부등식 $f(x)\geq 0$이 성립함을 보이려면 그 구간에서 함수 $f(x)$의 최솟값이 0보다 크거나 같음을 보이면 된다.

개념익힘 | 풀이 (1) $f(x)=2x^3-3x^2-12x+k$로 놓으면

$f'(x)=6x^2-6x-12=6(x+1)(x-2)$

$f'(x)=0$에서 $x=-1$ 또는 $x=2$

$x>0$일 때, $f'(x)$의 부호를 조사하여 함수 $f(x)$의 증가와 감소를 표로 나타내고

그 그래프를 그리면 오른쪽 그림과 같다.

x	(0)	$\cdots$	2	$\cdots$
$f'(x)$		$-$	0	$+$
$f(x)$	k	↘	$k-20$	↗

함수 $f(x)$는 $x=2$에서 극소이면서 최소이다.

즉, 최솟값은 $f(2)=k-20$이므로

$x>0$일 때, $f(x)\geq 0$이려면 $f(2)\geq 0$이어야 하므로

$k-20\geq 0 \quad \therefore\ \boldsymbol{k\geq 20}$

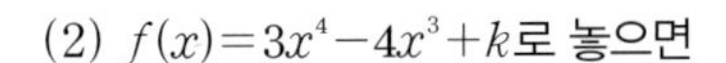

(2) $f(x)=3x^4-4x^3+k$로 놓으면

$f'(x)=12x^3-12x^2=12x^2(x-1)$

$f'(x)=0$에서 $x=0$ 또는 $x=1$

$f'(x)$의 부호를 조사하여 함수 $f(x)$의 증가와 감소를 표로 나타내고

그 그래프를 그리면 오른쪽 그림과 같다.

x	$\cdots$	0	$\cdots$	1	$\cdots$
$f'(x)$	$-$	0	$-$	0	$+$
$f(x)$	↘	k	↘	극소	↗

함수 $f(x)$는 $x=1$일 때, 극소이면서 최소이다.

즉, 최솟값은 $f(1)=-1+k$이므로

모든 실수 x에 대하여 $f(x)\geq 0$이려면 $f(1)\geq 0$이어야 하므로 $-1+k\geq 0$

$\therefore\ \boldsymbol{k\geq 1}$

확인유제 0524 다음 물음에 답하여라.

(1) $x>0$에서 부등식 $x^3-6x^2+9x+k>0$이 성립하도록 하는 실수 k의 범위를 구하여라.

(2) 모든 실수 x에 대하여 부등식 $2x^4-4x^2\geq k$가 성립하도록 하는 k의 범위를 구하여라.

변형문제 0525 모든 실수 x에 대하여 부등식 $x^4+2ax^2-4(a+1)x+a^2\geq 0$이 성립하도록 하는 양수 a의 최솟값은?

① 1　② 2　③ 3　④ 4　⑤ 5

발전문제 0526 두 함수 $f(x)=5x^3-10x^2+k$, $g(x)=5x^2+2$에 대하여 열린구간 $(0, 3)$에서 부등식 $f(x)\geq g(x)$가 성립하도록 하는 상수 k의 최솟값을 구하여라.

2006학년도 06월 평가원

정답 0524 : (1) $k>0$ (2) $k\leq -2$　0525 : ③　0526 : 22

마플개념익힘 02 부등식이 항상 성립할 조건 (2)

두 함수 $f(x)=x^4+2x^3-x^2-9x$, $g(x)=2x^3+5x^2-x-a$가 모든 실수 x에 대하여 부등식 $f(x)>g(x)$를 만족할 때, 실수 a의 값의 범위를 구하여라.

MAPL CORE 어떤 구간에서 부등식 $f(x)\ge g(x)$가 성립함을 보이려면 $h(x)=f(x)-g(x)$로 놓고 주어진 구간에서 부등식 $h(x)\ge 0$임을 보이면 된다.
즉, 모든 실수 x에 대하여 부등식 $f(x)>0$이 성립 ⇨ 함수 $f(x)$의 최솟값이 m일 때, $m>0$을 보인다.

개념익힘 | **풀이** $f(x)>g(x)$에서 $f(x)-g(x)>0$

$h(x)=f(x)-g(x)$이라 하면

$h(x)=x^4+2x^3-x^2-9x-(2x^3+5x^2-x-a)$

$\quad=x^4-6x^2-8x+a$

$h'(x)=4x^3-12x-8=4(x^3-3x-2)=4(x+1)^2(x-2)$

$h'(x)=0$에서 $x=-1$ 또는 $x=2$

$h'(x)$의 부호를 조사하여 함수 $h(x)$의 증가와 감소를 표로 나타내고 그 그래프를 그리면 오른쪽 그림과 같다.

x	$\cdots$	-1	$\cdots$	2	$\cdots$
$h'(x)$	$-$	0	$-$	0	$+$
$h(x)$	↘	$a+3$	↘	극소	↗

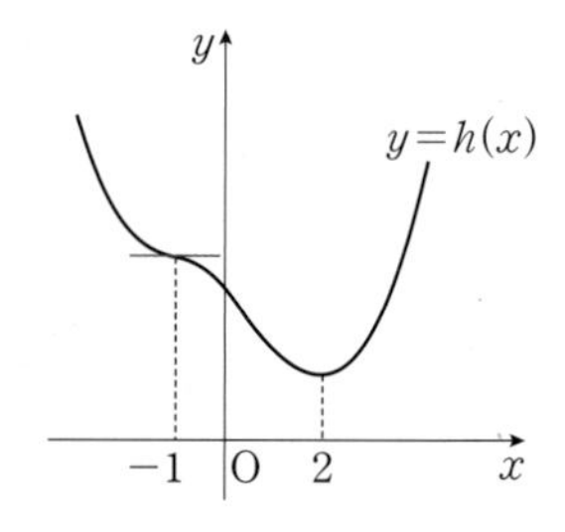

함수 $h(x)$는 $x=2$에서 극소이면서 최소이므로 최솟값은 $h(2)=a-24$

모든 실수 x에 대하여 주어진 부등식이 성립하려면 $a-24>0$

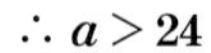
$\therefore\ \boldsymbol{a>24}$

확인유제 0527 2017학년도 사관기출

두 함수 $f(x)=x^4-4x^3+12x$, $g(x)=2x^2+a$가 모든 실수 x에 대하여 $f(x)\ge g(x)$를 만족할 때, 실수 a의 최댓값은?

① -11 ② -10 ③ -9 ④ -8 ⑤ -7

변형문제 0528

두 함수 $f(x)=x^4+x^2-6x$, $g(x)=-2x^2-16x+a$에 대하여 다음 물음에 답하여라.

(1) 모든 실수 x에 대하여 $f(x)\ge g(x)$가 성립하도록 하는 상수 a의 값의 범위를 구하여라.

(2) 임의의 두 실수 x_1, x_2에 대하여 $f(x_1)\ge g(x_2)$가 성립하도록 하는 상수 a의 값의 범위를 구하여라.

발전문제 0529 2005학년도 09월 평가원

함수 $f(x)$가 다음과 같다.

$$f(x)=\begin{cases}-x+2 & (x\le 1)\\ x^3 & (x>1)\end{cases}$$

모든 실수 x에 대하여 부등식 $f(x)\ge k(x-1)+1$이 성립하도록 하는 실수 k의 최댓값과 최솟값의 합은?

① -2 ② -1 ③ 0 ④ 1 ⑤ 2

정답 0527 : ③ 0528 : (1) $a\le -6$ (2) $a\le -36$ 0529 : ⑤

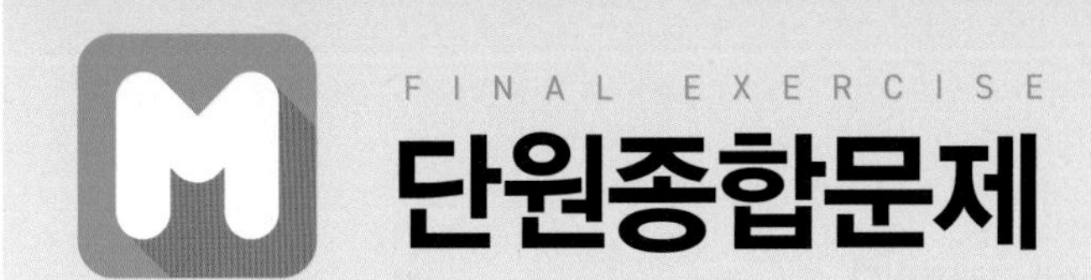

BASIC

내신 수능 기본 대표 기출문제

0530
삼차방정식의 실근의 개수
2003학년도 수능기출

다음 물음에 답하여라.

(1) 방정식 $x^3-3x^2-k=0$이 서로 다른 세 실근을 갖도록 하는 정수 k의 개수는?

① 1 ② 2 ③ 3 ④ 4 ⑤ 5

(2) x에 대한 삼차방정식 $x^3-6x^2-n=0$이 서로 다른 세 실근을 갖도록 하는 정수 n의 개수는?

① 21 ② 25 ③ 31 ④ 35 ⑤ 41

(3) 방정식 $x^3-3a^2x+8a=0$의 서로 다른 실근의 개수가 2일 때, 양수 a의 값은?

① $\frac{1}{2}$ ② 1 ③ $\frac{3}{2}$ ④ 2 ⑤ $\frac{5}{2}$

0531
방정식 $f(x)=k$의 실근의 개수

다음 물음에 답하여라.

(1) 곡선 $y=x^3-x$와 직선 $y=2x+k$가 서로 다른 세 점에서 만나도록 하는 상수 k의 값의 범위는?

① $-3<k<-1$ ② $-2<k<2$ ③ $-1<k<3$
④ $0<k<4$ ⑤ $1<k<5$

(2) 곡선 $y=2x^3-3x^2+x$와 직선 $y=x+k$가 서로 다른 세 점에서 만나기 위한 상수 k의 값의 범위는?

① $-1<k<0$ ② $0<k<1$ ③ $1<k<2$
④ $2<k<3$ ⑤ $3<k<4$

0532
방정식의 실근의 부호
내신빈출

다음 물음에 답하여라.

(1) 방정식 $4x^3-3x-a=0$이 하나의 음의 실근과 서로 다른 두 양의 실근을 갖게 하는 실수 a의 값의 범위는?

① $-2<a<-1$ ② $-1<a<0$ ③ $0<a<1$
④ $1<a<2$ ⑤ $2<a<3$

(2) 방정식 $2x^3-1=6x+k$가 서로 다른 두 개의 양의 근과 한 개의 음의 근을 갖도록 하는 실수 k의 값의 범위는?

① $-5<k<-1$ ② $-5<k<0$ ③ $0<k<3$
④ $-5<k<3$ ⑤ $-1<k<0$

0533
방정식 $f(x)=k$의 실근의 개수
내신빈출

삼차함수 $f(x)=x^3-6x^2+9$를 y축의 방향으로 a만큼 평행이동시킨 함수를 $y=g(x)$라 하자. 이때 방정식 $g(x)=0$이 서로 다른 두 개의 양의 실근과 한 개의 음의 실근을 갖는 정수 a의 개수는?

① 12 ② 17 ③ 22 ④ 27 ⑤ 31

0534
방정식 $f(x)=g(x)$의 실근의 개수
내신빈출

다음 물음에 답하여라.

(1) 두 함수 $y=x^3-6x^2$, $y=-9x+2a$의 그래프가 한 점에서 만나도록 하는 자연수 a의 최솟값은?

① 3 ② 4 ③ 5 ④ 6 ⑤ 7

(2) 두 곡선 $y=x^3-3x^2-4x$, $y=5x+k$가 서로 다른 두 점에서 만날 때, 양수 k의 값은?

① 3 ② 5 ③ 7 ④ 9 ⑤ 11

정답 0530 : (1) ③ (2) ③ (3) ④ 0531 : (1) ② (2) ① 0532 : (1) ② (2) ① 0533 : ⑤ 0534 : (1) ① (2) ②

0535

방정식 $f(x)=k$의 실근의 개수
내신빈출

오른쪽 그림은 삼차함수 $f(x)$의 도함수 $y=f'(x)$의 그래프이다. $f(-1)=6$, $f(2)=2$일 때, 방정식 $f(x)-3=0$의 서로 다른 실근의 개수는?

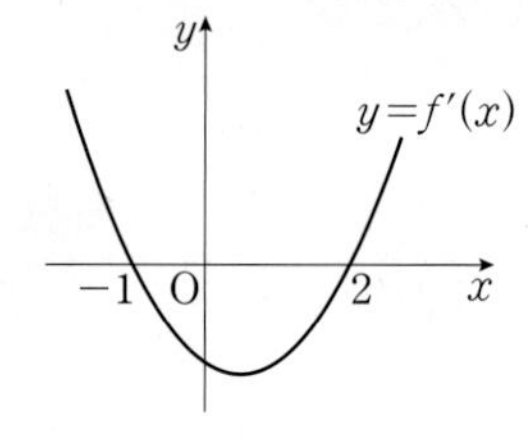

① 0　　② 1　　③ 2
④ 3　　⑤ 4

0536

$x \ge 0$일 때, 부등식이 성립할 조건

다음 $x \ge 0$일 때, 부등식 $x^3 \ge 3x^2-4$가 성립함을 증명하는 과정이다.

> $f(x)=x^3-(3x^2-4)=x^3-3x^2+4$라 하면
> $$f'(x)=3x^2-6x=3x(x-2)$$
> 함수 $f(x)$는 $x=$ (가) 에서 극소이면서 최소이다.
> 이때 함수 $f(x)$의 최솟값은 (나) 이므로
> $x \ge 0$인 모든 실수 x에 대하여 $f(x)=x^3-3x^2+4 \ge$ (나)
> 이므로 $x^3 \ge 3x^2-4$

위의 (가), (나)에 알맞은 수를 각각 a, b라 할 때, $a+b$의 값은?

① 1　　② 2　　③ 3　　④ 4　　⑤ 5

0537

$x \ge 0$일 때, 부등식이 성립할 조건

다음 물음에 답하여라.

(1) $x \ge 0$일 때, 부등식 $x^3+3x^2-9x-1 \ge k$가 항상 성립하도록 하는 실수 k의 최댓값은?

① -10　　② -8　　③ -6　　④ -4　　⑤ -2

(2) $x \ge 0$일 때, 부등식 $x^3-2x^2-4x \ge p$을 만족시키는 실수 p의 최댓값은?

① -8　　② -4　　③ 0　　④ 4　　⑤ 8

0538

모든 실수에서 부등식이 성립할 조건

다음 물음에 답하여라.

(1) 모든 실수 x에 대하여 부등식 $x^4-6x^2-8x+a \ge 0$이 성립하기 위한 실수 a의 최솟값은?

① 16　　② 18　　③ 20　　④ 22　　⑤ 24

2017년 11월 교육청 (고2)

(2) 모든 실수 x에 대하여 부등식 $x^4-4x-a^2+a+9 \ge 0$이 항상 성립하도록 하는 정수 a의 개수는?

① 6　　② 7　　③ 8　　④ 9　　⑤ 10

(3) 모든 실수 x에 대하여 부등식 $x^4+4k^3x+3 \ge 0$이 항상 성립하도록 하는 정수 k의 개수는?

① 3　　② 4　　③ 5　　④ 6　　⑤ 7

0539

부등식 $f(x) \ge 0$에의 활용
내신빈출

두 함수

$$f(x)=x^4+3x^3-2x^2-9x,\ g(x)=3x^3+4x^2-x+a$$

가 모든 실수 x에 대하여 부등식 $f(x) \ge g(x)$를 만족할 때, 상수 a의 최댓값은?

① -25　　② -24　　③ -23　　④ -22　　⑤ -21

정답　0535 : ④　0536 : ②　0537 : (1) ③ (2) ①　0538 : (1) ⑤ (2) ① (3) ①　0539 : ②

0540

부등식 $f(x)\ge g(x)$에의 활용 내신빈출

다음 물음에 답하여라.

(1) 두 함수

$$f(x)=x^3+x^2+x,\ g(x)=4x^2+x+k$$

에 대하여 닫힌구간 [1, 3]에서 부등식 $f(x)\ge g(x)$가 항상 성립하도록 하는 실수 k의 최댓값은?

① -5　② -4　③ -3　④ -2　⑤ -1

(2) 두 함수

$$f(x)=x^4+x^2-6x,\ g(x)=-2x^2-16x+a$$

가 닫힌구간 $[-2, 0]$에서 부등식 $f(x)>g(x)$를 만족시킬 때, 실수 a의 값의 범위는?

① $a<-6$　② $a<-4$　③ $a<-2$　④ $a>2$　⑤ $a>4$

0541

부등식 $f(x)\ge g(x)$에의 활용 내신빈출

$0\le x\le 4$에서 부등식 $1\le x^3-3x^2+k\le 25$가 항상 성립하도록 하는 정수 k의 개수는?

① 3　② 4　③ 5　④ 6　⑤ 8

0542

부등식 $f(x)=g(x)$에의 활용

실수 x에 대한 3차방정식 $x^3-3x=t-2$의 실수 t의 값에 따른 실근의 개수를 $f(t)$라 하자. 실수 t에 대한 방정식 $f(t)=at+1$이 실근을 갖게 하는 양의 실수 a의 최솟값은?

① $\frac{1}{4}$　② $\frac{1}{3}$　③ 2　④ 3　⑤ 4

0543

부등식 $f(x)=g(x)$에의 활용

함수 $f(x)=2x^3+3x^2-12x$에 대하여 방정식 $\{f(x)\}^2=k$가 서로 다른 5개의 실근을 갖도록 하는 상수 k의 값은? (단, $k>0$)

① 25　② 36　③ 49　④ 64　⑤ 81

0544

방정식과 부등식의 활용

사차함수 $y=f(x)$의 도함수 $y=f'(x)$의 그래프가 그림과 같이 $x=-1$에서 x축에 접하고 점 (3, 0)을 지날 때, 옳은 것만을 [보기]에서 있는 대로 고른 것은?

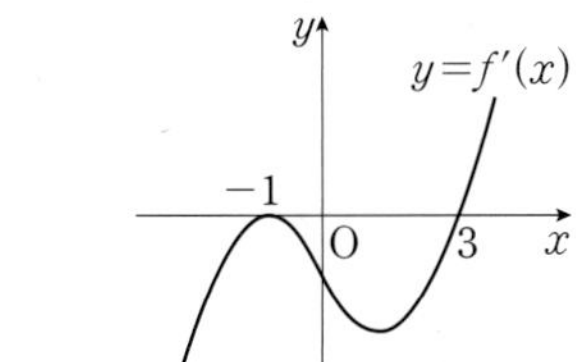

ㄱ. 함수 $f(x)$는 $x=-1$에서 극댓값을 가진다.
ㄴ. 모든 실수 x에 대하여 부등식 $f(x)\ge f(3)$이 성립한다.
ㄷ. $a\ne -1$일 때, $f(-1)=f(a)$를 만족시키는 실수 a에 대하여 함수 $f(x)$는 구간 $x\ge -a$에서 항상 최솟값을 가진다.

① ㄱ　② ㄱ, ㄴ　③ ㄱ, ㄷ　④ ㄴ, ㄷ　⑤ ㄱ, ㄴ, ㄷ

정답 0540 : (1) ② (2) ①　0541 : ③　0542 : ①　0543 : ③　0544 : ④

0545

증감표를 이용한 실근의 개수
내신빈출

다음 표는 사차함수 $f(x)$의 증가와 감소를 나타낸 것이다.

x	$\cdots$	-1	$\cdots$	1	$\cdots$	2	
$f'(x)$	$-$	0	$+$	0	$-$	0	$+$
$f(x)$	↘	$a-21$	↗	$a+11$	↘	$a+6$	↗

방정식 $f(x)=10$이 서로 다른 세 실근을 갖도록 상수 a의 값을 정할 때, 모든 a의 값의 합을 구하여라.

0546

방정식이 실근을 가질 조건
서술형

방정식 $2x^3+6x^2+k=0$의 서로 다른 실근의 개수를 실수 k의 범위에 따라 조사하려고 할 때, 다음을 서술하여라.

[1단계] $f(x)=2x^3+6x^2$이라 할 때, 함수 $f(x)$의 그래프의 개형을 그린다.

[2단계] 곡선 $y=f(x)$와 직선 $y=-k$의 교점의 개수를 k의 값의 범위에 따라 조사한다.

[3단계] [2단계]의 결과를 이용하여 방정식 $2x^3+6x^2+k=0$의 서로 다른 세 실근을 갖도록 하는 실수 k의 범위를 구한다.

0547

방정식이 실근을 가질 조건
서술형

두 함수 $f(x)=4x^3+x^2-3x$, $g(x)=2x^3+4x^2+9x+a$에 대하여 방정식 $f(x)=g(x)$가 서로 다른 두 개의 양의 실근과 한 개의 음의 실근을 갖도록 하는 모든 정수 a의 개수를 구하는 과정을 다음 단계로 서술하여라.

[1단계] 방정식 $f(x)=g(x)$을 다시 a와 $h(x)$로 분리하여 $h'(x)=0$이 되는 x의 값을 구한다.

[2단계] $h'(x)$의 부호를 조사하여 함수 $h(x)$의 증가와 감소를 표로 나타내어 그래프를 그린다.

[3단계] 곡선 $y=h(x)$와 직선 $y=a$의 두 교점의 x좌표가 양이고 한 교점의 x좌표가 음이 되도록 하는 a의 범위를 구한다.

[4단계] 정수 a의 개수를 구한다.

0548

방정식이 실근을 가질 조건
서술형

함수 $f(x)=x^3-3x-1$일 때, 방정식 $|f(x)|=a$의 서로 다른 실근의 개수가 3이다. 양수 a의 값을 구하는 과정을 다음 단계로 서술하여라.

[1단계] 함수 $y=|f(x)|$의 그래프를 그린다.

[2단계] 함수 $y=|f(x)|$의 그래프와 직선 $y=a$가 서로 다른 세 점에서 만날 때 양수 a의 값을 구한다.

0549

곡선 밖의 점에서 접선의 개수
서술형

점 $\mathrm{A}(0, a)$에서 곡선 $y=x^3+3x^2+2x$에 서로 다른 세 접선을 그을 수 있을 때, 실수 a의 값의 범위를 구하는 과정을 다음 단계로 서술하여라.

[1단계] 곡선 위의 접점의 좌표를 (t, t^3+3t^2+2t)라 하여 접선의 방정식을 구한다.

[2단계] [1단계]에서 구한 접선이 점 $\mathrm{A}(0, a)$를 지남을 이용하여 a와 t 사이의 관계식을 구한다.

[3단계] 접선의 개수가 3이 되도록 하는 실수 a의 값의 범위를 구한다.

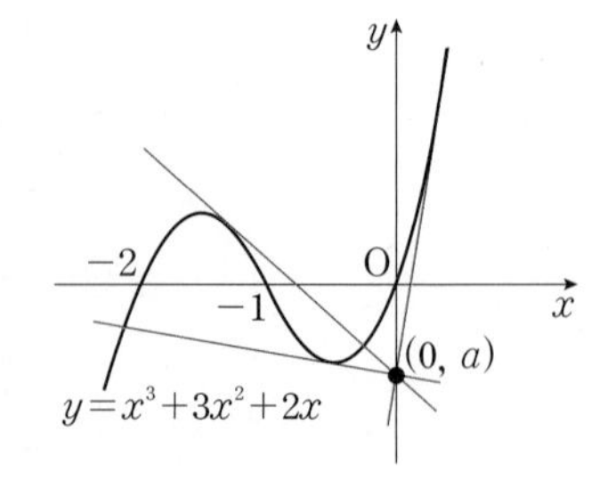

정답 0545 : 3 0546 : 해설참조 0547 : 해설참조 0548 : 해설참조 0549 : 해설참조

0550
방정식 $f(x)=k$의 실근의 개수

방정식 $x^4-4x^3+4x^2-k=0$의 서로 다른 실근의 개수가 3일 때, 상수 k의 값은?

① 1 ② 2 ③ 3 ④ 4 ⑤ 5

0551
방정식 $f(x)=k$의 실근의 개수
2019학년도 사관기출

자연수 n에 대하여 삼차함수 $y=n(x^3-3x^2)+k$의 그래프가 x축과 만나는 점의 개수가 3이 되도록 하는 정수 k의 개수를 a_n이라 할 때, $\sum_{n=1}^{10} a_n$의 값은?

① 195 ② 200 ③ 205 ④ 210 ⑤ 215

0552
방정식이 실근을 가질 조건
2014년 10월 교육청

자연수 k에 대하여 삼차방정식 $x^3-12x+22-4k=0$의 양의 실근의 개수를 $f(k)$라 하자.
$\sum_{k=1}^{10} f(k)$의 값을 구하여라.

0553
방정식 $f(x)=k$의 실근의 개수

다음 물음에 답하여라.

(1) 함수 $f(x)=x^3-6x^2+9x-1$에 대하여 방정식 $|f(x)|=k$의 서로 다른 실근의 개수를 $g(k)$라 할 때, $\sum_{k=0}^{10} g(k)$의 값을 구하여라.

(2) 자연수 n에 대하여 삼차방정식 $|2x^3-9x^2+12|=n$의 서로 다른 실근의 개수를 a_n이라 할 때, $\sum_{n=1}^{20} a_n$의 값을 구하여라.

0554
방정식의 실근의 개수의 활용
2013학년도 경찰대기출

다음을 만족시키는 한 자리 자연수 a의 개수는?

방정식 $x^3-x^2-ax-3=0$이 서로 다른 세 실근을 가진다.

① 1 ② 2 ③ 3 ④ 4 ⑤ 5

0555
부등식이 항상 성립할 조건
2016학년도 06월 평가원

자연수 n에 대하여 최고차항의 계수가 1이고 다음 조건을 만족시키는 삼차함수 $f(x)$의 극댓값을 a_n이라 하자.

(가) $f(n)=0$
(나) 모든 실수 x에 대하여 $(x+n)f(x)\geq 0$이다.

a_n이 자연수가 되도록 하는 n의 최솟값은?

① 1 ② 2 ③ 3 ④ 4 ⑤ 5

정답 0550 : ① 0551 : ④ 0552 : 13 0553 : (1) 29 (2) 92 0554 : ④ 0555 : ③

M A P L ; Y O U R M A S T E R P L A N

04 속도와 가속도

01 수직선 위의 운동에서의 속도와 가속도

점 P가 수직선 위를 움직일 때, 시각 t에서의 점 P의 위치를 좌표 x로 나타내면 x는 t에 대한 함수이므로 $x=f(t)$로 나타낼 수 있다.

(1) 위치의 변화량과 평균속도

시각 t에서 $t+\Delta t$까지의 점 P의 위치의 변화량 Δx는

$$\Delta x=f(t+\Delta t)-f(t)$$

시각 t에서 $t+\Delta t$까지의 점 P의 평균속도는 함수 $f(t)$의 평균변화율과 같으므로

$$\frac{\Delta x}{\Delta t}=\frac{f(t+\Delta t)-f(t)}{\Delta t}$$ ⬅ (평균속도)$=\frac{(\text{위치의 변화량})}{(\text{시간의 변화량})}$

(2) 속도와 속력

위치 $x=f(t)$의 시각 t에서 순간변화율을 점 P의 순간속도 또는 속도라고 하고 기호 v로 나타낸다.

$$v=\lim_{\Delta t\to 0}\frac{\Delta x}{\Delta t}=\lim_{\Delta t\to 0}\frac{f(t+\Delta t)-f(t)}{\Delta t}=\frac{dx}{dt}=f'(t)$$

이때 속도의 절댓값 $|v|$를 시각 t에서의 점 P의 속력이라 한다.

(3) 가속도

속도 $v=g(t)$의 시각 t에서 순간변화율을 점 P의 가속도라 하고, 기호 a로 나타낸다.

$$a=\lim_{\Delta t\to 0}\frac{\Delta v}{\Delta t}=\lim_{\Delta t\to 0}\frac{g(t+\Delta t)-g(t)}{\Delta t}=\frac{dv}{dt}=g'(t)$$

위치 $x=f(t)$ → 시각 t에서의 미분 → 속도 $v=\frac{dx}{dt}=f'(t)$ → 시각 t에서의 미분 → 가속도 $a=\frac{dv}{dt}$

마플해설 수직선 위를 움직이는 점 P의 시각 t에서의 위치 x의 함수 $x=f(t)$일 때, 속도 $v=f'(t)$의 부호는 점 P의 운동 방향을 나타낸다.

$v>0$이면 $x=f(t)$는 증가하므로 점 P의 운동 방향은 양의 방향이다.

$v<0$이면 $x=f(t)$는 감소하므로 점 P의 운동 방향은 음의 방향이다.

$v=f'(a)=0$이고 $t=a$의 전후에서 $f'(t)$의 부호가 바뀌면 $t=a$에서 점 P의 운동 방향이 바뀐다.

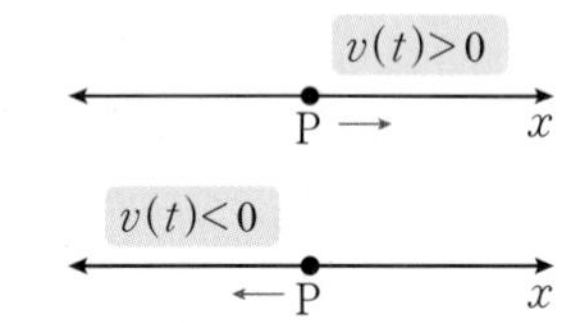

속도의 부호가 바뀌는 순간은 진행 방향이 바뀌는 순간을 의미한다. → $v(a)=0$이고 $t=a$의 좌우에서 $v(t)$의 부호가 바뀌면 진행 방향이 바뀐다.

보기 01 수직선 위를 움직이는 점 P의 시각 t에서의 좌표 x가 $x=t^3-3t^2$일 때, 다음을 구하여라.

(1) $t=0$에서 $t=1$까지의 평균속도를 구하여라.

(2) 시각 $t=1$에서의 점 P의 속도와 가속도를 구하여라.

(3) 점 P가 운동방향을 바꾸는 시각을 구하여라.

풀이 (1) $t=0$에서 $t=1$까지의 평균 속도는 $\frac{\Delta x}{\Delta t}=\frac{f(1)-f(0)}{1-0}=f(1)-f(0)=-2$ ⬅ $f(t)=x=t^3-3t^2$

(2) 시각 t에서의 점 P의 속도를 v, 가속도를 a라 하면 $v=\frac{dx}{dt}=3t^2-6t$, $a=\frac{dv}{dt}=6t-6$

따라서 $t=1$에서 점 P의 속도와 가속도는 $v=3\cdot 1^2-6\cdot 1=-3$, $a=6\cdot 1-6=0$

(3) 점 P가 운동방향을 바꾸는 순간의 속도는 0이므로 $v=0$에서

$v=\frac{dx}{dt}=3t^2-6t=3t(t-2)=0$

그런데 $t>0$이므로 $t=2$

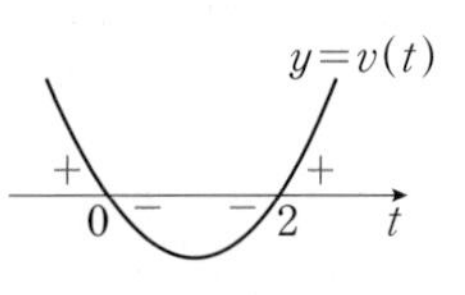

따라서 $0<t<2$일 때 $v<0$이고, $t>2$일 때 $v>0$이므로 점 P가 운동방향을 바꾸는 시각은 2이다.

보기 02 수직선 위를 움직이는 점 P의 시각 t에서의 위치가 $x=t^3-6t^2+9t$일 때, 다음을 구하여라.

(1) $t=3$일 때, 점 P의 속도와 가속도를 각각 구하여라.

(2) 출발할 때를 제외하고 점 P가 원점을 지날 때의 시각을 구하여라.

(3) 점 P가 운동 방향을 바꾸는 시각을 모두 구하여라.

풀이 (1) 시각 t에서의 속도를 v, 가속도를 a라 하면

$v=\dfrac{dx}{dt}=3t^2-12t+9$, $a=\dfrac{dv}{dt}=6t-12$이므로

$t=3$일 때, 점 P의 속도와 가속도는

$v=3\cdot3^2-12\cdot3+9=0$, $a=6\cdot3-12=6$

(2) 점 P가 원점을 지나면 $x=0$이므로

$t^3-6t^2+9t=0$, $t(t-3)^2=0$

$\therefore t=0$ 또는 $t=3$

따라서 출발할 때를 제외하고 점 P가 원점을 지날 때의 시각은 $t=3$이다.

(3) 점 P가 운동 방향을 바꾸는 순간의 속도는 $v=0$이므로

$v=3t^2-12t+9=0$에서 $3(t^2-4t+3)=0$, $3(t-1)(t-3)=0$

$\therefore t=1$ 또는 $t=3$

따라서 점 P가 운동 방향을 바꾸는 시각은 $t=1$ 또는 $t=3$이다.

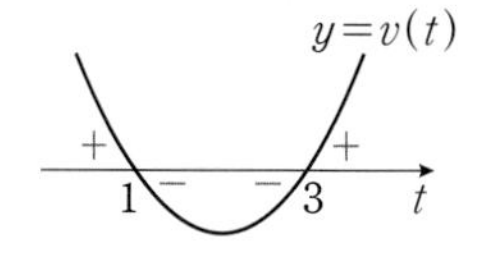

보기 03 수직선 위를 움직이는 점 P의 시각 $t(t\geq0)$에서의 속도 $v=f(t)$의 그래프가 오른쪽 그림과 같을 때, 점 P가 운동 방향을 바꾸는 횟수를 구하여라.

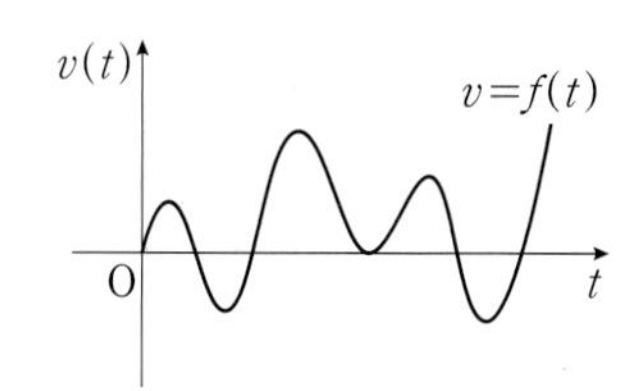

풀이 오른쪽 그림과 같이 점 P의 시각 t에서의 속도 $v=f(t)$의 그래프가 t축과 만나는 점의 t좌표를 각각 a, b, c, d, e라 하면 $v=f(t)$의 부호는 $t=a$, $t=b$, $t=d$, $t=e$에서 바뀌므로 점 P가 운동 방향을 바꾸는 횟수는 4이다.

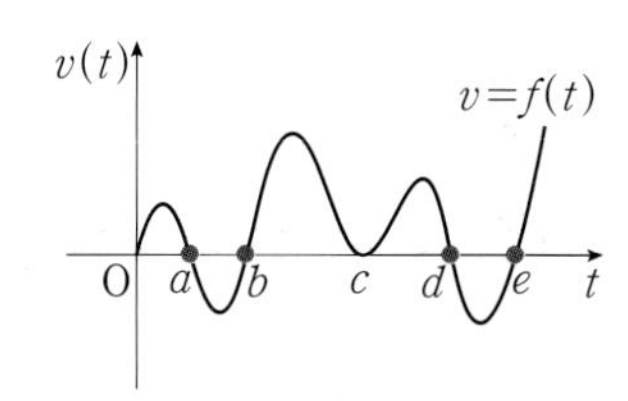

위치와 속도의 그래프

수직선 위를 움직이는 점 P의 시각 $t(t\geq0)$에 대한 위치 x의 함수 $x=f(t)$의 그래프와 속도 v의 함수 $v=f'(t)$가 아래 그림과 같을 때, 점 P의 운동상태를 확인하면 다음과 같다.

$t=t_1$에서 위치는 증가하다가 감소한다.
⇨ 양의 방향으로 움직이다가 음의 방향으로 움직인다.
⇨ 속도의 부호 양(+)에서 음(−)으로 변한다.
⇨ $t=t_1$에서 운동방향이 바뀐다.

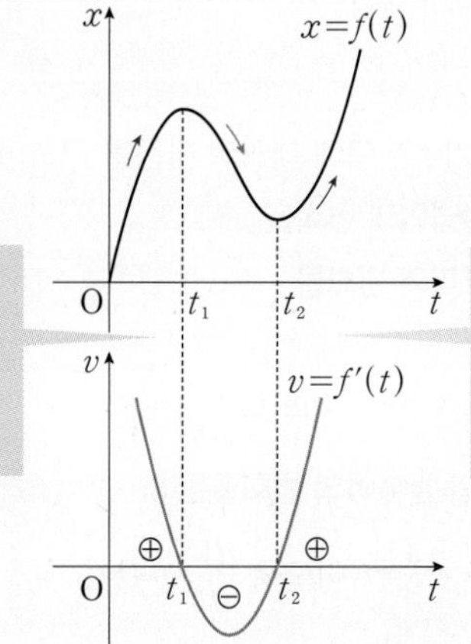

$t=t_2$에서 위치는 감소하다가 증가한다.
⇨ 음의 방향으로 움직이다가 양의 방향으로 움직인다.
⇨ 속도의 부호 음(−)에서 양(+)으로 변한다.
⇨ $t=t_2$에서 운동방향이 바뀐다.

02 시각에 대한 변화율

시각 t에서의 길이가 l인 도형, 넓이가 S인 도형, 부피가 V인 도형이 시간이 Δt만큼 경과한 후 길이가 Δl만큼, 넓이가 ΔS만큼, 부피가 ΔV만큼 변했다고 하면 시각 t에서의 길이, 넓이, 부피의 변화율은 다음과 같다.

(1) 길이의 변화율 (고드름의 증가)

시각 t일 때, 길이 l인 물체의 길이가 Δt만큼 시간이 지난 후에 Δl만큼 변했다고 하면

시각 t에서의 길이 l의 변화율 ⇨ $\lim_{\Delta t \to 0} \frac{\Delta l}{\Delta t} = \frac{dl}{dt}$

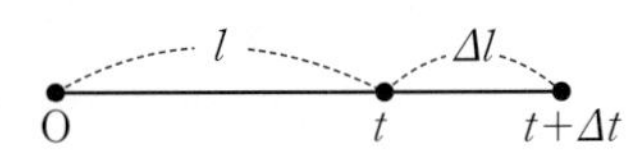

(2) 넓이의 변화율 (소리의 전달, 물결의 파면)

시각 t일 때, 넓이 S인 물체의 넓이가 Δt만큼 시간이 지난 후에 ΔS만큼 변했다고 하면

시각 t에서의 넓이 S의 변화율 ⇨ $\lim_{\Delta t \to 0} \frac{\Delta S}{\Delta t} = \frac{dS}{dt}$

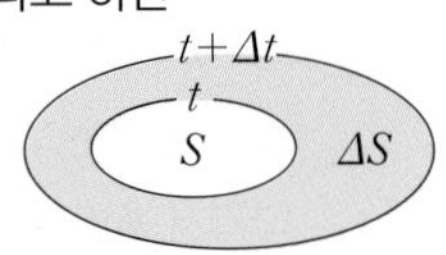

(3) 부피의 변화율 (열팽창, 수은주)

시각 t일 때, 부피 V인 물체의 부피가 Δt만큼 시간이 지난 후에 ΔV만큼 변했다고 하면

시각 t에서의 부피 V의 변화율 ⇨ $\lim_{\Delta t \to 0} \frac{\Delta V}{\Delta t} = \frac{dV}{dt}$

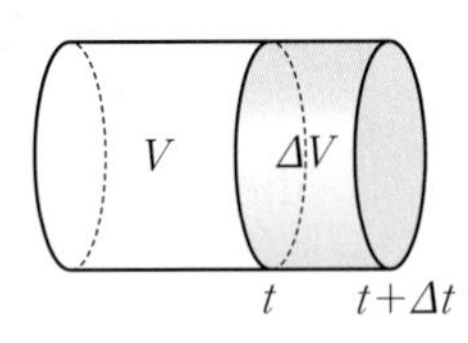

보기 04 어떤 물체의 시각 t에서의 길이 l이 다음과 같을 때, $t=2$에서의 물체의 길이의 변화율을 구하여라.

(1) $l=-5t^2+3t-2$　　(2) $l=t^3+2t^2+t+1$

풀이 (1) $\frac{dl}{dt}=-10t+3$이므로 $t=2$에서의 물체의 길이의 변화율은 $-10\cdot2+3=-17$

(2) $\frac{dl}{dt}=3t^2+4t+1$이므로 $t=2$에서의 물체의 길이의 변화율은 $3\cdot2^2+4\cdot2+1=12+8+1=21$

보기 05 잔잔한 호수에 돌을 던지면 동심원의 파문을 이룬다. 바깥쪽의 파문의 반지름이 매초 20 cm의 비율로 커질 때, 3초 후에 있어서 바깥쪽의 파문의 넓이의 증가율을 구하여라.

풀이 파문이 생기고 t초 후 파문의 반지름의 길이를 r, 파문의 넓이를 S라고 하면 $r=20t$이므로

$S=\pi r^2=\pi(20t)^2=400\pi t^2$　$\therefore \frac{dS}{dt}=800\pi t$

따라서 $t=3$에서의 원의 넓이의 변화율은 $800\pi\cdot3=2400\pi\ (\mathrm{cm}^2/초)$

보기 06 시각 t에서의 반지름의 길이가 t인 구에 대하여 다음을 구하여라.

(1) 시각 $t=2$일 때, 구의 겉넓이의 변화율

(2) 시각 $t=2$일 때, 구의 부피의 변화율

풀이 (1) 구의 겉넓이를 S라 하면 $S=4\pi t^2$이므로 $\frac{dS}{dt}=8\pi t$

즉, 시각 $t=2$일 때, 구의 겉넓이의 변화율은 $8\pi\cdot2=16\pi$

(2) 구의 부피를 V라 하면 $V=\frac{4}{3}\pi t^3$이므로 $\frac{dV}{dt}=4\pi t^2$

즉, 시각 $t=2$일 때, 구의 부피의 변화율은 $4\pi\cdot2^2=16\pi$

참고 반지름의 길이가 r인 구에 대하여

① 구의 겉넓이는 $S=4\pi r^2$

② 구의 부피는 $V=\frac{4}{3}\pi r^3$

마플개념익힘 01 위로 던진 물체의 위치와 속도

수평인 지면으로부터 25 m 높이에서 20 m/s의 속도로 수직 위로 던져 올린 물체의 t초 후의 높이 x m가 $x=25+20t-5t^2$일 때, 다음을 구하여라.

(1) 이 물체가 최고 높이에 도달했을 때까지 걸린 시간과 그때 높이를 구하여라.

(2) 이 물체가 지면에 떨어지는 순간의 속도를 구하여라.

(3) 물체가 땅에 떨어질 때까지 움직인 거리를 구하여라.

MAPL CORE 수직방향으로 던져 올린 물체의 높이 x가 $x=f(t)$로 나타내어질 때, $v=\dfrac{dx}{dt}=f'(t)$, $a=\dfrac{dv}{dt}=v'(t)$

(1) 위치 $x=0$일 때, 조건

① 땅에 떨어질 때 ② 원래 위치로 돌아올 때

(2) 속도 $v=0$일 때, 조건

① 최고 높이에 도달할 때 ② 운동방향을 바꿀 때 ③ 운동이 정지할 때

개념익힘 | 풀이 (1) t초 후의 물체의 속도를 v m/s라 하면

$$v=\frac{dx}{dt}=20-10t$$

최고 높이에서 물체의 속도는 $v=0$이므로 $v=20-10t=0$에서 $t=2$초

즉, 물체가 최고 높이에 도달할 때까지 걸린 시간은 2초이고

그때의 높이는 $x=25+20\cdot2-5\cdot2^2=\mathbf{45\,(m)}$

(2) 물체가 지면에 닿는 순간의 높이는 $x=0$이므로

$x=25+20t-5t^2=0$에서 $-5(t+1)(t-5)=0$

그런데 $t>0$이므로 $t=5$

따라서 물체가 지면에 닿는 순간의 속도는 $v=20-10\cdot5=\mathbf{-30\,(m/s)}$

(3) 최고 지점의 높이가 45 m이므로 지면으로부터 25 m 높이에서 똑바로 위로 던진 물체가 지면에 떨어질 때까지 움직인 거리는 $20+45=\mathbf{65\,(m)}$

확인유제 0556

지면에서 30 m/s의 속도로 지면과 수직 위로 쏘아 올린 물체의 t초 후의 높이 x m가

$$x=30t-5t^2$$

일 때, 다음을 구하여라.

(1) 이 물체가 최고 높이에 도달했을 때까지 걸린 시간과 그때 높이를 구하여라.

(2) 이 물체가 지면에 떨어지는 순간의 속도를 구하여라.

(3) 물체가 땅에 떨어질 때까지 움직인 거리를 구하여라.

변형문제 0557

x축 위를 움직이는 점 P의 시각 t에서의 위치 x는 $x=t^3-6t^2+5t$라 할 때, 다음 물음에 답하여라.

(1) 점 P가 마지막으로 원점을 지날 때의 속도를 구하여라.

(2) $0\le t\le3$에서 최대속력을 구하여라.

발전문제 0558

2009학년도 06월 평가원

수직선 위를 움직이는 두 점 P, Q의 시각 t일 때의 위치는 각각

$$\mathrm{P}(t)=\frac{1}{3}t^3+4t-\frac{2}{3},\ \mathrm{Q}(t)=2t^2-10$$

이다. 두 점 P, Q의 속도가 같아지는 시각을 a, 그 순간 두 점 P, Q 사이의 거리를 b라 할 때, $a+b$의 값을 구하여라.

정답 0556 : (1) 3초, 45m (2) -30 m/s (3) 90m 0557 : (1) 20 (2) 7 0558 : 14

마플개념익힘 02 $v=0$인 경우의 위치와 움직인 거리

어떤 열차가 제동을 건 후 t초 동안 움직인 거리를 x m라 하면

$$x=60t-5t^2$$

이다. 다음 물음에 답하여라.

(1) 제동을 건 지 t초 후의 열차의 속도와 가속도를 구하여라.

(2) 제동을 건 후 열차가 정지할 때까지 걸린 시간과 움직인 거리를 구하여라.

MAPL CORE 어떤 열차가 제동을 건 후 t초 동안 움직인 거리를 x라 할 때,

(1) 열차가 제동을 건지 t초 후의 속도 ⇨ $\dfrac{dx}{dt}$

(2) 열차가 정지 할 때의 속도 ⇨ $v=0$

개념익힘 | 풀이 (1) 제동을 건 지 t초 후의 속도를 v, 가속도를 a라 하면

$v=\dfrac{dx}{dt}=\mathbf{60-10t\,(m/s)}$ ⬅ 열차가 제동을 건 다음 t초 후의 속도는 거리(길이)의 변화율과 같다.

$a=\dfrac{dv}{dt}=\mathbf{-10\,(m/s^2)}$

(2) 열차가 정지한 순간 열차의 속도는 $v=0$이므로 $60-10t=0$ $\therefore t=6$초

즉, 열차가 정지할 때까지 걸린 시간은 6초이다.

이때 제동을 건 후 6초 만에 열차가 정지하고 그때까지 움직인 거리는

$x=60\cdot6-5\cdot6^2=\mathbf{180\,(m)}$

확인유제 0559 직선도로를 달리던 자동차에 제동을 건 후 t초 동안 달린 거리를 x m라고 하면 t와 x 사이에는

$$x=30t-5t^2$$

의 관계가 있다고 한다. 다음을 구하여라.

(1) 자동차에 제동을 건 후 그 자동차가 정지할 때까지 걸린 시간과 그 사이에 움직인 거리를 구하여라.

(2) 제동을 건 순간의 가속도를 구하여라.

변형문제 0560
2018학년도 06월 평가원

수직선 위를 움직이는 점 P의 시각 $t\,(t>0)$에서의 위치 x가

$$x=t^3-12t+k\ (k\text{는 상수})$$

이다. 점 P의 운동 방향이 원점에서 바뀔 때, k의 값은?

① 10 ② 12 ③ 14 ④ 16 ⑤ 18

발전문제 0561
2008학년도 06월 평가원

오른쪽 그림과 같이 편평한 바닥에 60°로 기울어진 경사면과 반지름의 길이가 0.5 m인 공이 있다. 이 공의 중심은 경사면과 바닥이 만나는 점에서 바닥에 수직으로 높이가 21 m인 위치에 있다. 이 공을 자유낙하 시킬 때, t초 후 공의 중심의 높이 $h(t)$는 $h(t)=21-5t^2$(m)라고 한다. 공이 경사면과 처음으로 충돌하는 순간, 공의 속도는? (단, 경사면의 두께와 공기의 저항은 무시한다.)

① -20 m/초 ② -17 m/초 ③ -15 m/초
④ -12 m/초 ⑤ -10 m/초

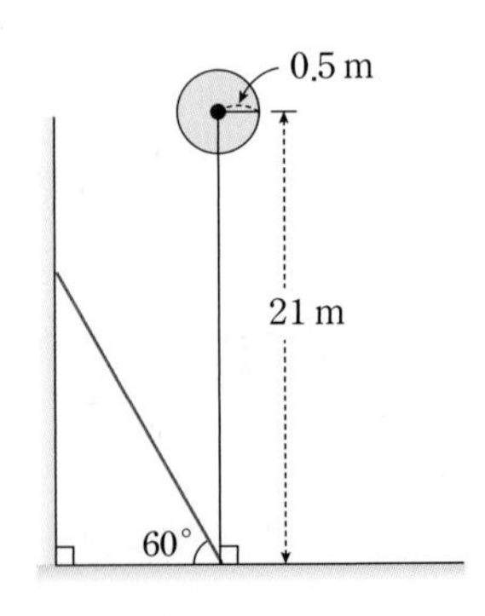

정답 0559 : (1) $t=3$, $x=45$ (2) $-10\,\text{m/s}^2$ 0560 : ④ 0561 : ①

마플개념익힘 03 속도와 가속도

수직선 위를 움직이는 점 P의 시각 $t(t \geq 0)$에서의 위치 x가

$$x=-t^3+t^2+5t$$

이다. 점 P의 방향이 바뀌는 시각에서 점 P의 가속도를 구하여라.

MAPL CORE 수직선 위를 움직이는 점 P의 시각 t에서의 위치가 $x=f(t)$일 때,

① 속도 $v=\dfrac{dx}{dt}=f'(t)$

② 가속도 $a=\dfrac{dv}{dt}=v'(t)$

③ 점 P가 운동방향을 바꾸는 시각 t ⇨ $v=f'(t)=0$임을 이용하기

개념익힘 | 풀이 점 P의 시각 $t(t \geq 0)$에서의 위치 x가 $x=-t^3+t^2+5t$이므로

점 P의 시각 $t(t \geq 0)$에서의 속도 v는 $v=\dfrac{dx}{dt}=-3t^2+2t+5=(-3t+5)(t+1)$

점 P의 시각 $t(t \geq 0)$에서의 가속도 a는 $a=\dfrac{dv}{dt}=-6t+2$

이때 점 P의 방향이 바뀌는 시각에서의 속도는 0이다.

즉 $(-3t+5)(t+1)=0$에서 점 P의 방향이 바뀌는 시간은 $t=\dfrac{5}{3}(t \geq 0)$이다.

따라서 $t=\dfrac{5}{3}$에서의 가속도는 $(-6)\cdot\dfrac{5}{3}+2=\mathbf{-8}$

확인유제 0562 수직선 위를 움직이는 점 P의 시각 $t(t \geq 0)$에서의 위치 x가

$$x=-\frac{1}{3}t^3+2t^2-3t+1$$

이다. 점 P의 속도가 최대인 순간의 점 P의 가속도를 구하여라

변형문제 0563 다음 물음에 답하여라.

2019학년도 09월 평가원

(1) 수직선 위를 움직이는 점 P의 시각 $t(t \geq 0)$에서의 위치 x가

$$x=t^3-5t^2+at+5$$

이다. 점 P가 움직이는 방향이 바뀌지 않도록 하는 자연수 a의 최솟값은?

① 9 ② 10 ③ 11 ④ 12 ⑤ 13

2019학년도 06월 평가원

(2) 수직선 위를 움직이는 점 P의 시각 $t(t \geq 0)$에서의 위치 x가

$$x=t^3+at^2+bt \ (a,\ b\text{는 상수})$$

이다. 시각 $t=1$에서 점 P가 운동 방향을 바꾸고, 시각 $t=2$에서 점 P의 가속도는 0이다. $a+b$의 값은?

① 3 ② 4 ③ 5 ④ 6 ⑤ 7

발전문제 0564 수직선 위를 움직이는 점 P의 시각 $t(t \geq 0)$에서의 위치 x가

2019학년도 수능기출

$$x=-\frac{1}{3}t^3+3t^2+k \ (k\text{는 상수})$$

이다. 점 P의 가속도가 0일 때, 점 P의 위치는 40이다. k의 값을 구하여라.

정답 0562 : 0 0563 : (1) ① (2) ① 0564 : 22

마플개념익힘 04 속도의 방정식에서의 활용

수직선 위를 움직이는 두 점 P, Q의 시각 t에서의 좌표를 각각 $t^4-6t^3+12t^2$, mt라고 하자.
두 점 P, Q의 속도가 같아지는 순간이 세 번 있다고 할 때, m의 범위를 구하여라.

MAPL CORE 수직선 위를 움직이는 두 점 P, Q에 대하여 시각 t에서의 점 P의 위치 $x_p=f(t)$, 점 Q의 위치 $x_q=g(t)$일 때,
① 두 점 P, Q가 만나는 시각 ⇨ 방정식 $f(t)=g(t)$의 근
② 두 점 P, Q의 속도가 같게 되는 시각 ⇨ 방정식 $f'(t)=g'(t)$의 근
③ 선분 PQ의 중점 M의 위치 ⇨ $x_m=\dfrac{f(t)+g(t)}{2}$

개념익힘 | **풀이** 시각 t에서의 두 점 P, Q의 속도를 각각 v_{P}, v_{Q}라 하면

$v_{\text{P}}=\dfrac{dx}{dt}=4t^3-18t^2+24t$, $v_{\text{Q}}=\dfrac{dx}{dt}=m$

두 점 P, Q의 속도가 같게 되는 때가 세 번 있으려면 $v_{\text{P}}=v_{\text{Q}}$를 만족시키는 시각 $t\,(t>0)$의 값이 3개 존재해야 하므로 t에 대한 방정식 $4t^3-18t^2+24t=m$이 양의 서로 다른 세 실근을 가져야 한다.

즉, 곡선 $y=4t^3-18t^2+24t$와 직선 $y=m$이 양의 서로 다른 세 점에서 만나야 하므로

$f(t)=4t^3-18t^2+24t$이라 하면

$f'(t)=12t^2-36t+24=12(t-1)(t-2)$

$f'(t)=0$에서 $t=1$ 또는 $t=2$

$f'(t)$의 부호를 조사하여 $f(t)$의 증가와 감소를 표로 나타내면 다음과 같다.

t	0	$\cdots$	1	$\cdots$	2	$\cdots$
$f'(t)$		$+$	0	$-$	0	$+$
$f(t)$		↗	10	↘	8	↗

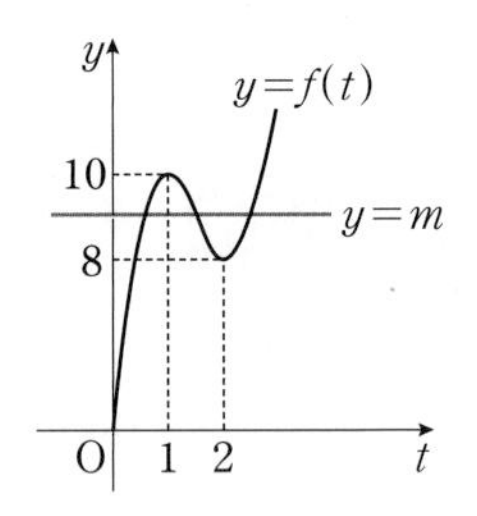

따라서 $t>0$일 때, $y=f(t)$의 그래프는 오른쪽 그림과 같으므로

곡선 $y=f(t)$와 직선 $y=m$이 음이 아닌 서로 다른 세 점에서 만나려면

$\boldsymbol{8<m<10}$

확인유제 0565 수직선 위를 움직이는 두 점 P, Q의 시각 t에서의 위치가 각각 $t^2(t^2-8t+18)$, mt일 때,
점 P의 속도와 점 Q의 속도가 같게 되는 때가 3회 있도록 실수 m의 값의 범위를 구하여라.

변형문제 0566 2013학년도 06월 평가원

수직선 위를 움직이는 두 점 P, Q의 시각 t일 때의 위치는 각각 $f(t)=2t^2-2t$, $g(t)=t^2-8t$이다.
두 점 P와 Q가 서로 반대방향으로 움직이는 시각 t의 범위는?

① $\dfrac{1}{2}<t<4$ ② $1<t<5$ ③ $2<t<5$ ④ $\dfrac{3}{2}<t<6$ ⑤ $2<t<8$

발전문제 0567 2005년 07월 교육청

원점 O를 동시에 출발하여 수직선 위를 움직이는 두 점 P, Q의 t분 후의 좌표를 각각 x_p, x_q라 하면

$$x_p=2t^3-9t^2,\ x_q=t^2+8t$$

이다. 선분 PQ의 중점을 M이라 할 때, 두 점 P, Q가 원점을 출발한 후 4분 동안 세 점 P, Q, M이 움직이는 방향을 바꾼 횟수를 각각 a, b, c라고 하자. 이때 $a+b+c$의 값을 구하여라.

정답 0565 : $0<m<16$ 0566 : ① 0567 : 3

마플개념익힘 05 위치와 속도 그래프를 이용한 문제

수직선 위를 움직이는 점 P가 원점을 출발한 후 $t\,(0 \le t \le 6)$초 후의 속도 $v(t)$가 오른쪽 그림과 같을 때, 다음 [보기] 중 옳은 것을 모두 골라라.

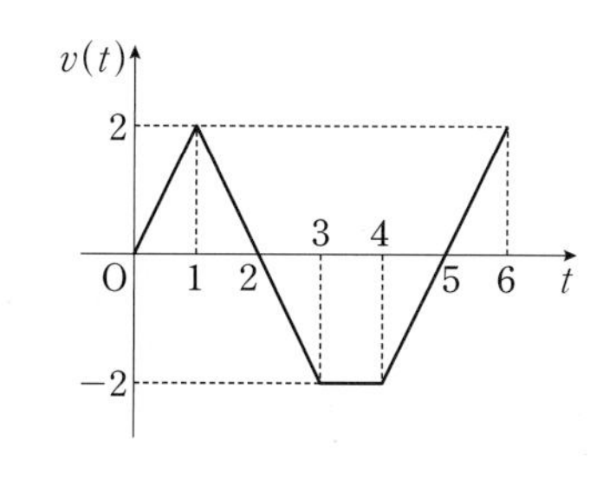

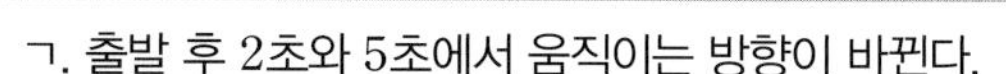

ㄱ. 출발 후 2초와 5초에서 움직이는 방향이 바뀐다.
ㄴ. 출발 후 2초에서 점 P의 위치는 원점이다.
ㄷ. 출발 후 3초부터 4초 사이에는 가속도가 0이다.

MAPL CORE 직선 위를 움직이는 점 P의 시각 t에서의 미분가능한 속도 $v(t)=f'(t)$의 그래프가 주어질 때,

① $v(t)>0$ ⇨ 점 P는 양의 방향으로 움직인다.
② $v(t)<0$ ⇨ 점 P는 음의 방향으로 움직인다.
③ $v(t)$의 부호가 바뀌는 시각 t에서 점 P는 운동방향을 바꾼다.
④ $t=a$인 점에서 접선의 기울기는 $t=a$인 점에서의 가속도이다. ⇨ 점 P가 극점에 있을 때, 점 P의 가속도는 0이다.

개념익힘 | 풀이 ㄱ. $y=v(t)$의 그래프에서 $t=2$에서는 속도가 양에서 음으로 바뀌고, $t=5$에서는 속도가 음에서 양으로 바뀌므로 2초와 5초에서 움직이는 방향이 바뀐다. [참]

ㄴ. 원점을 출발한 후 2초까지 수직선의 양의 방향으로 움직이므로 출발 후 2초에서 점 P의 위치는 원점이 아니다. [거짓]

ㄷ. $3 \le t \le 4$에서의 속도가 $v(t)=-2$이므로 가속도는 $a=\dfrac{dv}{dt}=0$, 즉 가속도가 0이다. [참]

따라서 옳은 것은 ㄱ, ㄷ이다.

확인유제 0568 수직선 위를 움직이는 점 P의 시각 t에서의 속도 $v(t)$의 그래프가 오른쪽 그림과 같을 때, [보기] 중 옳은 것을 모두 고르면?

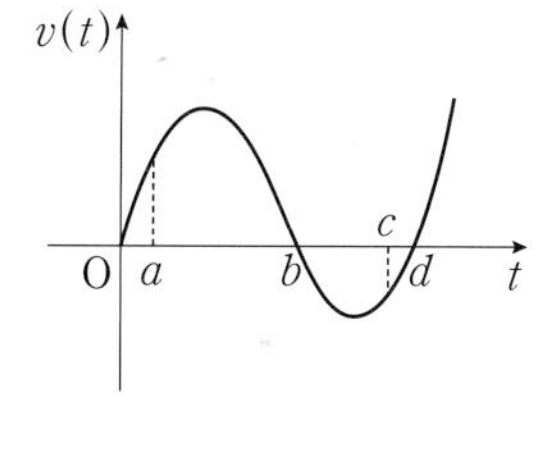

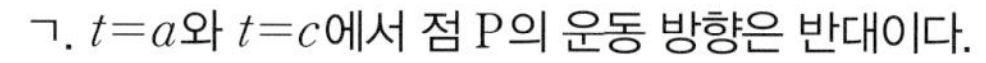

ㄱ. $t=a$와 $t=c$에서 점 P의 운동 방향은 반대이다.
ㄴ. $t=b$에서 점 P의 운동 방향이 바뀐다.
ㄷ. $t=c$에서 점 P의 가속도는 음의 값이다.

① ㄴ ② ㄷ ③ ㄱ, ㄴ ④ ㄱ, ㄷ ⑤ ㄱ, ㄴ, ㄷ

변형문제 0569 수직선 위를 움직이는 점 P의 시각 t에서의 위치 $x(t)$의 그래프가 오른쪽 그림과 같을 때, 다음 [보기] 중 옳은 것을 모두 고르면?

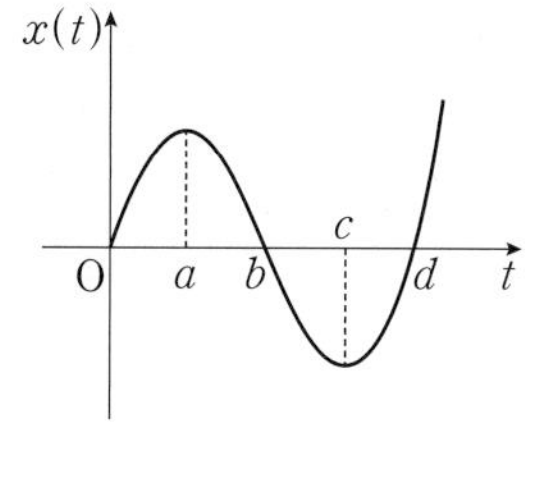

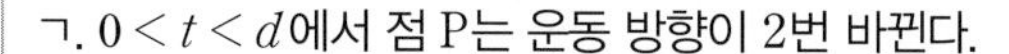

ㄱ. $0<t<d$에서 점 P는 운동 방향이 2번 바뀐다.
ㄴ. $0<t<d$에서 속도가 0이 되는 경우는 2번이다.
ㄷ. $0<t\le d$에서 원점을 두 번 지난다.
ㄹ. $t=d$일 때, 점 P의 속도는 양의 값이다.

① ㄴ ② ㄴ, ㄷ ③ ㄱ, ㄹ ④ ㄱ, ㄴ, ㄷ ⑤ ㄱ, ㄴ, ㄷ, ㄹ

발전문제 0570 수직선 위를 움직이는 점 P의 시각 t와 그 때의 위치 x 사이의 관계식 $x=f(t)$의 그래프가 오른쪽 그림과 같을 때, 옳은 것만을 [보기]에서 있는 대로 골라라. (단, $0 \le t \le c$)

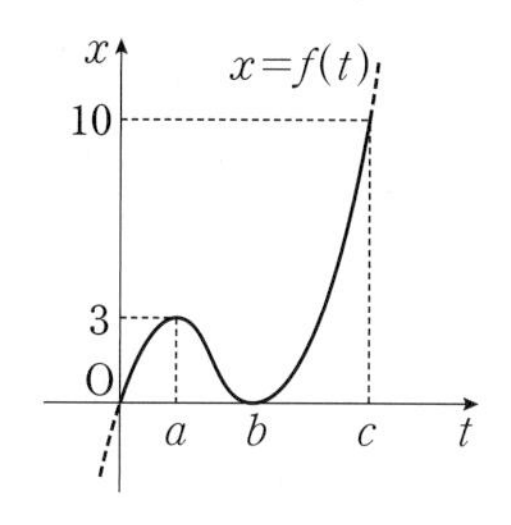

ㄱ. 점 P는 한 방향으로만 움직인다.
ㄴ. 점 P가 실제로 움직인 거리는 16이다.
ㄷ. 점 P의 속도가 점 P의 c초 동안의 평균속도와 같아지는 경우가 두 번 있다.

정답 0568 : ③ 0569 : ⑤ 0570 : ㄴ, ㄷ

마플개념익힘 06 시간에 대한 길이의 변화율

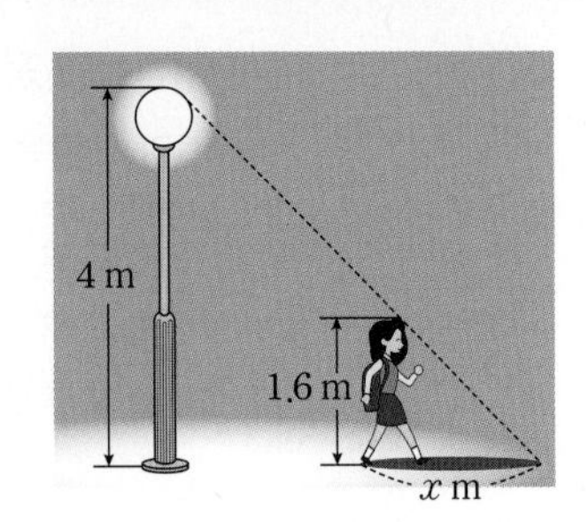

오른쪽 그림과 같이 키가 1.6 m인 수지가 지상 4 m 높이에 있는 가로등 바로 아래에서 출발하여 일직선으로 1.5 (m/초)의 속도로 걸어가고 있다. 가로등으로부터 수지의 그림자의 끝까지의 길이를 l, 수지의 그림자의 길이를 x라고 할 때, 다음을 구하여라.

(1) 수지가 출발 후 t초 동안 걸은 거리를 t로 나타내어라.

(2) 수지가 출발한 지 t초 후 그림자의 길이를 x m라 할 때, x를 t에 대한 식으로 나타내어라.

(3) 가로등 바로 밑에서 수지의 그림자의 끝이 움직이는 속도를 구하여라.

(4) 수지가 걸어갈 때, 그림자의 길이의 변화율을 구하여라.
(즉, 그림자의 길이가 늘어나는 속도)

MAPL CORE

[1단계] 길이를 시간 t에 대한 함수로 나타낸다.

[2단계] 양변을 t에 대하여 미분하여 시간 t에 대한 길이의 변화율 $\lim_{\Delta t \to 0} \frac{\Delta l}{\Delta t} = \frac{dl}{dt}$을 구한다.

[3단계] $t=a$를 대입한다.

개념익힘 | 풀이 오른쪽 그림처럼 가로등 A의 바로 밑의 지점을 B라 하고 t초 후에 수지가 떨어진 지점 E에 도달했을 때, 그림자의 끝 C와 점 B 사이의 거리를 l, 그림자의 길이를 x라 하자.

(1) 가로등 바로 아래에서 출발하여 일직선으로 1.5 (m/초)의 속도로 걸어가므로 t초 동안 걸은 거리는 $\mathbf{1.5t}$이다.

(2) $\overline{BE}=1.5t$이고 오른쪽 그림에서 $\triangle ABC \backsim \triangle DEC$이므로

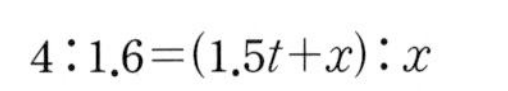

$4 : 1.6 = (1.5t+x) : x$

$4x = 1.6 \times 1.5t + 1.6x$

$2.4x = 1.6 \times 1.5t$

$\therefore x = \boldsymbol{t}$ **(m)**

(3) 수지의 그림자의 끝까지의 길이가 l이므로

$l = \overline{BE} + \overline{EC} = 1.5t + t = 2.5t$

이때 $\frac{dl}{dt} = 2.5$이므로 수지의 그림자의 끝이 움직이는 속도는 **2.5 (m/s)**

(4) 수지의 그림자의 길이가 $x=t$이므로

그림자의 길이의 변화율, 즉 수지의 그림자의 길이가 늘어나는 속도를 v라 하면

$v = \frac{dx}{dt} = 1$이므로 **1 (m/s)**

확인유제 0571 키가 1.8 m인 준기가 지면으로부터의 높이가 4.5 m인 가로등 바로 밑에서 출발하여 일직선으로 초속 1.2 m의 속도로 걸어가고 있다. 다음에 답하여라.

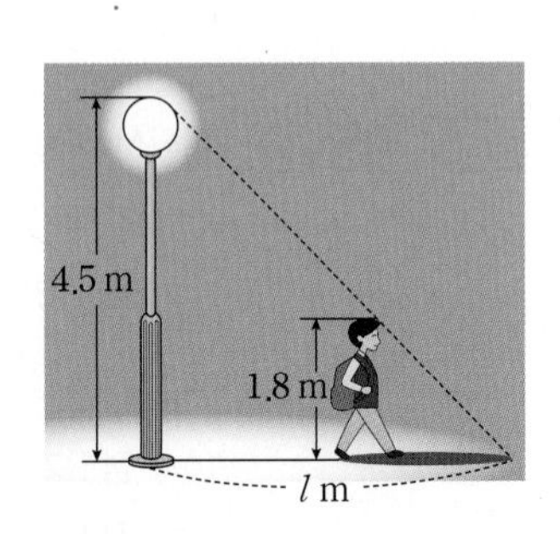

(1) 준기가 출발 후 t초 동안 걸은 거리를 t로 나타내어라.

(2) 가로등의 바로 아래에서 준기의 그림자 끝까지의 거리를 l m라 할 때, l를 t로 나타내어라.

(3) 준기의 그림자의 끝이 움직이는 속도를 구하여라.

(4) 준기의 그림자의 길이가 늘어나는 속도를 구하여라.

정답 0571 : (1) $1.2t$ (2) $l=2t$ (3) 2 m/s (4) 0.8 m/s

다음 물음에 답하여라.

(1) 한 변의 길이가 10 cm인 정사각형의 각 변의 길이가 매초 2 cm씩 길어질 때, 정사각형의 넓이가 400 cm^2가 되는 순간의 넓이의 변화율을 구하여라. (단, 단위는 cm^2/초이다.)

(2) 오른쪽 그림과 같이 윗면의 반지름의 길이가 10 cm, 높이가 20 cm인 직원뿔모양의 용기에 수면의 반지름의 길이가 매초 1 cm씩 늘어나도록 물을 붓고 있다. 수면의 반지름의 길이가 5 cm일 때, 그릇에 채워진 물의 부피의 변화율을 구하여라.

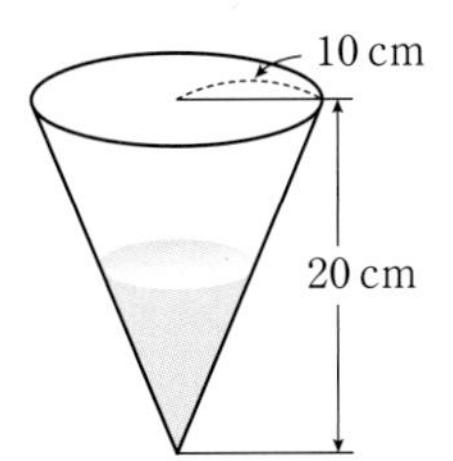

MAPL CORE

[1단계] 넓이, 부피를 시간 t에 대한 함수로 나타낸다.

[2단계] 양변을 t에 대하여 미분하여 시간 t에 대한 넓이의 변화율 $\lim_{\Delta t \to 0}\frac{\Delta S}{\Delta t}=\frac{dS}{dt}$, 부피의 변화율 $\lim_{\Delta t \to 0}\frac{\Delta V}{\Delta t}=\frac{dV}{dt}$을 구한다.

[3단계] $t=a$를 대입한다.

개념익힘 | 풀이

(1) t초 후 정사각형의 한 변의 길이가 $(10+2t)$ cm이므로 정사각형의 넓이를 $S\,cm^2$이라 하면

$S(t)=(10+2t)^2=4t^2+40t+100$ $\therefore \frac{dS}{dt}=8t+40$

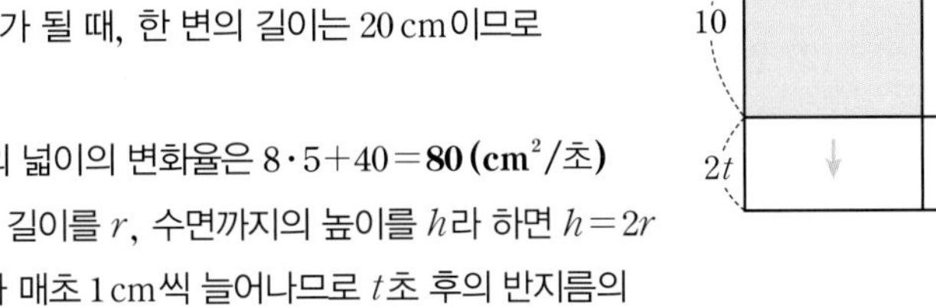

정사각형의 넓이가 400 (cm^2)가 될 때, 한 변의 길이는 20 cm이므로

$10+2t=20$에서 $t=5$

따라서 $t=5$일 때, 정사각형의 넓이의 변화율은 $8\cdot5+40=$ **80 (cm^2/초)**

(2) 용기에 담긴 수면의 반지름의 길이를 r, 수면까지의 높이를 h라 하면 $h=2r$

또한, 수면의 반지름의 길이가 매초 1 cm씩 늘어나므로 t초 후의 반지름의 길이는 t cm이고 높이는 $2t$ cm이다.

용기에 담긴 물의 부피는 $V(t)=\frac{1}{3}\pi t^2\cdot 2t=\frac{2}{3}\pi t^3$

부피의 변화율은 $\frac{dV(t)}{dt}=V'(t)=2\pi t^2$ (cm^3/초)

그런데 반지름의 길이가 5 cm가 되는 시각은 $t=5$일 때이므로

$V'(5)=2\pi\cdot5^2=$ **50π (cm^3/초)**

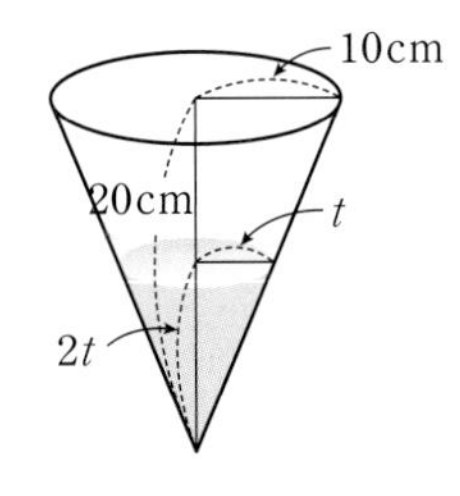

확인유제 0572
2006년 10월 교육청

가로와 세로의 길이가 각각 9 cm, 4 cm인 직사각형이 있다. 이 직사각형의 가로와 세로의 길이가 각각 매초 0.2 cm, 0.3 cm씩 늘어난다고 할 때, 이 직사각형이 정사각형이 되는 순간의 넓이의 변화율은 몇 (cm^2/초)인지 구하여라.

변형문제 0573 다음 물음에 답하여라.

(1) 밑변의 반지름의 길이가 6 cm, 깊이가 18 cm인 원뿔 모양의 그릇이 있다. 이 그릇에 물의 높이가 매초 1 cm씩 늘어나도록 물을 부을 때, 3초 후 물의 부피의 변화율을 구하여라.

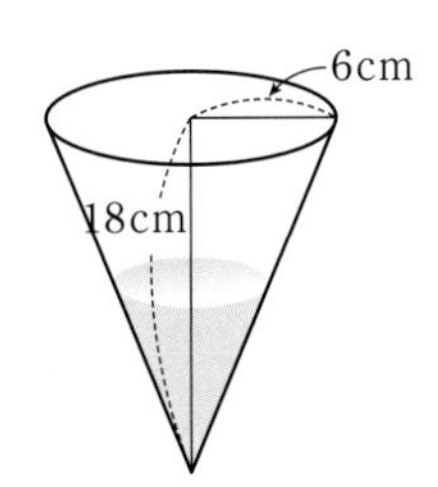

(2) 오른쪽 그림과 같이 밑면의 반지름의 길이가 10 cm이고 높이가 10 cm인 원뿔 모양의 그릇이 있다. 비어 있는 이 그릇에 매초 2 cm의 속도로 수면의 높이가 상승하도록 물을 부을 때, 2초 후 그릇에 담긴 물의 부피의 변화율을 구하여라. (단, 그릇의 두께는 무시한다.)

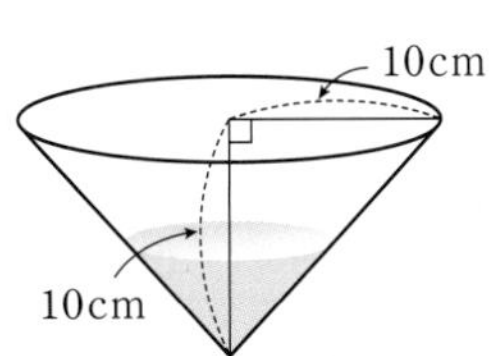

정답 0572 : 9.5 (cm^2/초) 0573 : (1) π (cm^3/초) (2) 32π (cm^3/초)

FINAL EXERCISE
단원종합문제

BASIC

내신 수능 기본 대표 기출문제

0574

위치와 속도의 관계 2015학년도 06월 평가원

다음 물음에 답하여라.

(1) 수직선 위를 움직이는 점 P의 시각 t에서의 위치 x가 $x=-t^2+4t$이다.
$t=a$에서 점 P의 속도가 0일 때, 상수 a의 값은?

① 1 ② 2 ③ 3 ④ 4 ⑤ 5

2013년 07월 교육청

(2) 원점을 출발하여 수직선 위를 움직이는 점 P의 시각 t에서의 위치는 $P(t)=t^3-9t^2+34t$이다.
점 P의 속도가 처음으로 10이 되는 순간 점 P의 위치는?

① 38 ② 40 ③ 42 ④ 44 ⑤ 46

0575

수직선 위의 한 점의 속도와 가속도

다음 물음에 답하여라.

(1) 원점을 출발하여 수직선 위를 움직이는 점 P의 시각 t에서의 좌표가 $x=t^3+at^2-3t$로 주어지고
$t=3$일 때, 점 P의 속도가 12이다. 이때 상수 a의 값은?

① -2 ② 2 ③ 4 ④ 6 ⑤ 8

(2) 원점을 출발하여 수직선 위를 움직이는 점 P의 시각 t에서의 좌표가 $x=2t^3-3t^2-8t$로 주어질 때,
속도가 4인 순간의 점 P의 가속도는?

① 16 ② 18 ③ 20 ④ 22 ⑤ 24

0576

수직선 위의 한 점의 속도와 가속도 2017년 10월 교육청

다음 물음에 답하여라.

(1) 수직선 위를 움직이는 점 P의 시각 $t\,(t\geq 0)$에서의 속도 $v(t)$가 $v(t)=-t^2+10t$이다.
$t=k$에서의 점 P의 가속도가 0일 때, 상수 k의 값은?

① 4 ② 5 ③ 6 ④ 7 ⑤ 8

2016년 10월 교육청

(2) 수직선 위를 움직이는 점 P의 시각 $t\,(t\geq 0)$에서의 위치 x가 $x=t^3-6t^2+5$이다.
점 P의 가속도가 0일 때, 점 P의 속도는?

① -12 ② -10 ③ -8 ④ -6 ⑤ -4

0577

수직선 위의 한 점의 속도와 가속도 2017년 11월 교육청 (고2)

다음 물음에 답하여라.

(1) 수직선 위를 움직이는 점 P의 시각 $t\,(t>0)$에서의 위치 x가 $x=t^3-9t^2+8t$이다.
점 P가 처음으로 원점을 지날 때, 점 P의 속도는?

① -15 ② -13 ③ -11 ④ -9 ⑤ -7

(2) 원점에서 출발하여 수직선 위를 움직이는 점 P의 시각 t에서의 위치 x가 $x=-t^3+16t$이다.
점 P가 출발한 후 다시 원점에 도착했을 때의 가속도는?

① -24 ② -22 ③ -20 ④ -18 ⑤ -16

0578

속도와 가속도 내신빈출

원점을 출발하여 수직선 위를 움직이는 두 점 A, B의 t초 후의 좌표가 각각 $f(t)=2t^3-6t^2$, $g(t)=-7t^2+8t$일 때, 두 점 A, B가 움직이는 동안 선분 AB의 중점 M은 운동방향을 두 번 바꾼다고 한다.
이때 점 M이 두 번째로 운동방향을 바꾸는 순간 점 M의 좌표를 구하여라.

정답 0574 : (1) ② (2) ② 0575 : (1) ① (2) ② 0576 : (1) ② (2) ① 0577 : (1) ⑤ (2) ① 0578 : -24

0579

수직선 위의 한 점의 속도와 가속도

다음 물음에 답하여라.

(1) 수직선 위를 움직이는 점 P의 시각 t에서의 위치 x가 $x=t^3-9t^2+kt$ (k는 상수)이다. 점 P의 시각 $t=5$에서의 속도가 0일 때, 점 P의 시각 $t=k$에서의 가속도는?

① 24 ② 36 ③ 48 ④ 60 ⑤ 72

(2) 수직선 위를 움직이는 점 P의 t초 후의 위치 x는 $x=t^3-9t^2+15t$로 주어진다고 한다. 원점을 출발하여 점 P가 두 번째로 운동방향을 바꾸는 순간의 점 P의 가속도는?

① 2 ② 4 ③ 6 ④ 10 ⑤ 12

0580

위로 던진 물체의 속도와 가속도

다음 물음에 답하여라.

(1) 수평인 지면으로부터 5 m 높이에서 30 m/s의 속도로 수직으로 위로 던져 올린 물체의 t초 후의 높이 h m가 $h=5+30t-5t^2$이다. 이 물체가 최고 높이에 도달했을 때 지면으로부터의 높이는? (단, 단위는 m)

① 20 ② 30 ③ 40 ④ 50 ⑤ 60

(2) 수면으로부터 10 m의 높이에 위치한 다이빙대에서 뛰어오른 다이빙 선수의 t초 후의 수면으로부터의 높이 x m는 $x=-5t^2+5t+10$이다. 이 선수가 수면에 닿는 순간의 속도를 v m/s라고 할 때, v의 값은?

① −17 ② −16 ③ −15 ④ −14 ⑤ −13

0581

속도가 같아지는 경우 시각
내신빈출

다음 물음에 답하여라.

(1) 수직선 위를 움직이는 두 점 P, Q의 시각 t일 때의 위치가 각각

$$\mathrm{P}(t)=\frac{1}{3}t^3+9t-6,\ \mathrm{Q}(t)=3t^2-7$$

일 때, 두 점 P, Q의 속도가 같아지는 순간 두 점 P, Q 사이의 거리는?

① 10 ② 20 ③ 30 ④ 40 ⑤ 50

(2) 수직선 위를 움직이는 두 점 P, Q의 시각 t에서의 위치가 각각

$$x_{\mathrm{P}}(t)=\frac{1}{3}t^3-3t+1,\ x_{\mathrm{Q}}(t)=t^2+4$$

일 때, 두 점 P, Q의 속도가 같아지는 순간 두 점 사이의 거리는?

① 11 ② 12 ③ 13 ④ 14 ⑤ 15

0582

운동방향이 바뀌는 시각
내신빈출

다음 물음에 답하여라.

(1) 수직선 위를 움직이는 두 점 P, Q의 시각 t초 후의 위치가 각각

$$\mathrm{P}(t)=t^2-2t+3,\ \mathrm{Q}(t)=1-2t^2$$

일 때, 두 점 P와 Q가 서로 같은 방향으로 움직이는 시각 t의 범위는?

① $0<t<1$ ② $1<t<2$ ③ $2<t<3$ ④ $3<t<6$ ⑤ $4<t<8$

(2) 수직선 위를 움직이는 두 점 P, Q의 시각 t에서의 위치가 각각

$$x_{\mathrm{P}}(t)=t^3-9t^2,\ x_{\mathrm{Q}}(t)=t^3-6t^2$$

일 때, 두 점 P, Q가 서로 반대 방향으로 움직이는 시각 t의 범위는?

① $1<t<2$ ② $2<t<3$ ③ $3<t<4$ ④ $4<t<6$ ⑤ $6<t<8$

정답 0579 : (1) ⑤ (2) ⑤ 0580 : (1) ④ (2) ③ 0581 : (1) ① (2) ② 0582 : (1) ① (2) ④

0583
운동방향이 바뀌는 시각
내신빈출

수직선 위를 움직이는 점 P의 시각 t에서의 속도 $v(t)$와 점 Q의 위치 $f(t)$가 오른쪽 그림과 같을 때, 점 P와 Q는 진행방향을 각각 m, n번 바꾼다. $m+n$의 값을 구하여라. (단, $0 \le t \le 10$)

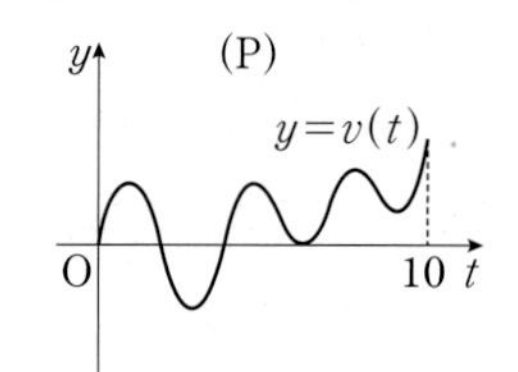

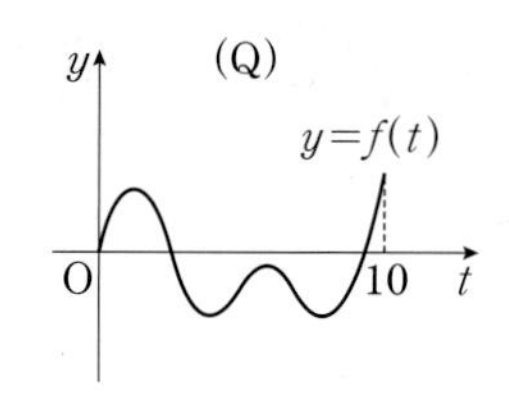

0584
위치의 그래프가
주어진 경우 진위판단
내신빈출

수직선 위를 움직이는 점 P의 t초 후의 위치 $x(t)$의 그래프가 오른쪽 그림과 같을 때, 다음 [보기]의 설명 중 옳은 것은?

ㄱ. $t=a$일 때, 점 P의 속도는 0이다.
ㄴ. $0<t<b$에서 점 P는 운동방향이 총 2번 바뀐다.
ㄷ. $0<t<b$에서 점 P는 원점을 총 2번 지난다.

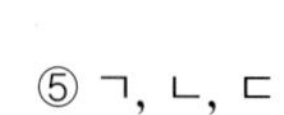

① ㄱ ② ㄴ ③ ㄱ, ㄴ ④ ㄴ, ㄷ ⑤ ㄱ, ㄴ, ㄷ

0585
위치의 그래프가
주어진 경우 진위판단
내신빈출

수직선 위를 움직이는 점 P의 시각 t에서의 위치 $x(t)$의 그래프가 오른쪽 그림과 같다. 점 P에 대한 설명으로 옳은 것만을 [보기]에서 있는 대로 고르면?

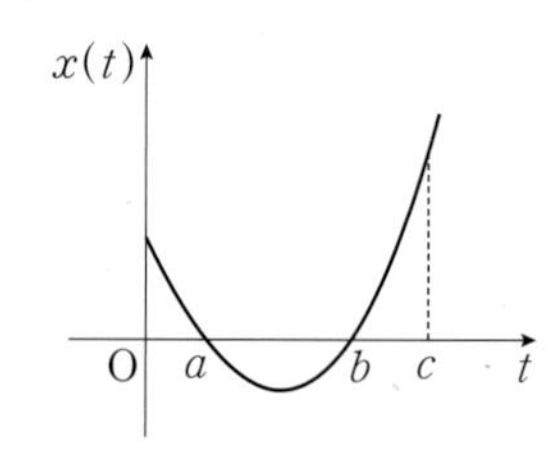

ㄱ. $0<t<c$에서 원점을 두 번 지난다.
ㄴ. $a<t<b$에서 한 방향으로만 움직인다.
ㄷ. $0<t<c$에서 운동방향이 두 번 바뀐다.

① ㄱ ② ㄴ ③ ㄱ, ㄴ ④ ㄴ, ㄷ ⑤ ㄱ, ㄴ, ㄷ

0586
속도의 그래프가
주어진 경우 진위판단
내신빈출

수직선 위를 움직이는 점 P의 t에서 속도 $v(t)$의 그래프가 오른쪽 그림과 같을 때, 다음 [보기] 중 옳은 것을 모두 고른 것은?

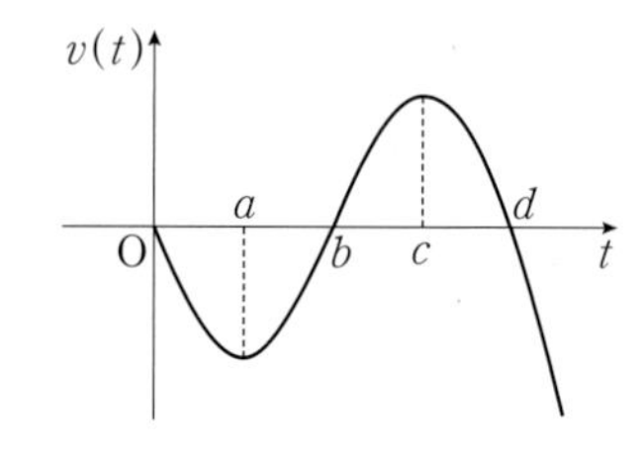

ㄱ. $t=a$일 때, 점 P의 가속도는 0이다.
ㄴ. $a<t<c$일 때, 점 P의 가속도는 양의 값이다.
ㄷ. $t=b$일 때와 $t=d$일 때, 점 P의 운동방향이 바뀐다.

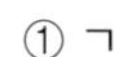

① ㄱ ② ㄴ ③ ㄱ, ㄴ ④ ㄴ, ㄷ ⑤ ㄱ, ㄴ, ㄷ

0587
속도의 그래프가
주어진 경우 진위판단

원점을 출발하여 수직선 위를 움직이는 두 점 A, B의 t초 후의 위치를 각각 $f(t)$, $g(t)$라 할 때, $f(t)$는 t에 대한 삼차식이고, $g(t)$는 t에 대한 사차식이다. $y=f'(t)$, $y=g'(t)$의 그래프가 오른쪽 그림과 같을 때, 옳은 것만을 [보기]에서 있는 대로 고른 것은?
(단, 함수 $g'(t)$는 $t=a$, $t=d$에서 극값을 가진다.)

ㄱ. $t=c$일 때, 두 점 A와 B의 속도는 서로 같다.
ㄴ. $a<t<b$에서 두 점 A와 B의 진행방향은 서로 반대이다.
ㄷ. $0<t<e$에서 점 B의 가속도가 0이 되는 순간이 두 번 있다.

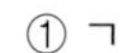

① ㄱ ② ㄴ ③ ㄱ, ㄴ ④ ㄱ, ㄷ ⑤ ㄱ, ㄴ, ㄷ

정답 0583 : 6 0584 : ④ 0585 : ① 0586 : ⑤ 0587 : ⑤

0588 수직선 위의 한 점의 속도와 가속도 내신빈출

수직선 위를 움직이는 점 P의 t초 후의 위치 x가 $x=\frac{1}{3}t^3-5t^2+16t$일 때, 다음 [보기] 중 옳은 것만을 있는 대로 고르면?

ㄱ. 시각 $t=5$에서의 가속도는 -20이다.
ㄴ. 점 P의 출발 후 운동방향이 두 번 바뀐다.
ㄷ. 출발 후 2초부터 9초까지에서 점 P의 최대 속력은 9이다.

① ㄱ ② ㄴ ③ ㄱ, ㄴ ④ ㄴ, ㄷ ⑤ ㄱ, ㄴ, ㄷ

0589 평균속도와 순간속도가 같을 때 2014년 경찰대기출

수직선 위를 움직이는 점 P의 시각 $t\,(t\ge 0)$에서의 위치 함수 $f(t)$가 $f(t)=t^3+3t^2-2t$이다.
점 P의 $0\le t\le 10$에서의 평균속도와 $t=c$에서의 순간속도가 서로 같을 때, $3c^2+6c$의 값을 구하여라.

0590 수직선 위의 한 점의 속도와 가속도

다음 물음에 답하여라.

(1) 원점을 출발하여 수직선 위를 움직이는 점 P의 시각 t에서의 위치는
$$x=t^3+pt^2+qt+9$$
라 한다. $t=3$에서 점 P의 운동방향이 바뀌고, 그 위치가 -27일 때, $t=5$에서의 점 P의 가속도는? (단, p, q는 상수이다.)

① 12 ② 24 ③ 26 ④ 36 ⑤ 42

(2) 수직선 위를 움직이는 점 P의 시각 t에서의 위치가
$$x=t^3+at^2+bt+4$$
이다. $t=3$일 때, 점 P는 운동방향을 바꾸며 이때의 위치는 -5일 때, 점 P가 $t=3$ 이외에 운동방향을 바꾸는 시각은? (단, a, b는 상수이다.)

① $\frac{1}{4}$ ② $\frac{1}{3}$ ③ $\frac{1}{2}$ ④ 1 ⑤ 2

0591 수직선 위의 한 점의 속도와 가속도

수직선 위를 움직이는 점 P의 시각 $t\,(t\ge 0)$에서의 위치 x가
$$x=t^3-12t^2+kt+5$$
이다. $t=a$와 $t=b$에서 점 P가 운동방향을 바꾸고 $|a-b|=2$일 때, 상수 k의 값은?

① 45 ② 46 ③ 47 ④ 48 ⑤ 49

0592 수직선 위의 한 점의 속도 2011년 10월 교육청 서술형

수직선 위를 움직이는 점 P의 시각 $t\,(t\ge 0)$에서의 위치 x가
$$x=2t^3-6t^2+10$$
일 때, 다음 단계로 서술하여라.

[1단계] 처음 출발할 때의 위치 x_1을 구한다.
[2단계] 속도가 18인 순간의 위치 x_2을 구한다.
[3단계] 가속도가 12인 순간의 위치 x_3을 구한다.
[4단계] $x_1+x_2+x_3$의 값을 구한다.

0593 수직선 위의 한 점의 속도 서술형

직선 철로 위를 달리는 열차가 제동을 건 후 t초 동안 움직인 거리를 x m라 하면 $x=-0.45t^2+18t$라 할 때, 다음 단계로 서술하여라.

[1단계] 제동을 건지 t초 후의 열차의 속도와 가속도를 구하여라.
[2단계] 제동을 건 후 열차가 정지할 때까지 걸린 시간과 움직인 거리를 구하여라.

정답 0588 : ④ 0589 : 130 0590 : (1) ③ (2) ② 0591 : ① 0592 : 해설참조 0593 : 해설참조

0594

수직선 위의 한 점의 속도와 가속도
내신빈출

수직선 위를 움직이는 점 P의 시각 t에서의 좌표 $f(t)$가

$$f(t)=t^4-6t^2-at+3$$

일 때, 출발한 후 점 P의 운동방향이 2번만 바뀌도록 하는 정수 a의 개수를 구하여라.

0595

속도와 가속도의 활용
1994학년도 수능기출

두 자동차 A, B가 같은 지점에서 동시에 출발하여 직선 도로를 한 방향으로만 달리고 있다. t초 동안 A, B가 움직인 거리는 각각 미분가능한 함수 $f(t)$, $g(t)$로 주어지고 다음이 성립한다고 한다.

(가) $f(20)=g(20)$
(나) $10\le t\le 30$, $f'(t)<g'(t)$

이로부터 $10\le t\le 30$에서 A와 B의 위치에 관한 다음 설명 중 옳은 것은?

① B가 항상 A의 앞에 있다.
② A가 항상 B의 앞에 있다.
③ B가 A를 한 번 추월한다.
④ A가 B를 한 번 추월한다.
⑤ A가 B를 추월한 후 B가 다시 A를 추월한다.

0596

속도와 가속도의 활용
2006학년도 06월 평가원

오른쪽 그림은 수직선 위를 움직이는 점 P의 시각 t에서의 속도 $v(t)$를 나타내는 그래프이다. $v(t)$는 $t=2$를 제외한 열린구간 $(0, 3)$에서 미분가능한 함수이고 $v(t)$의 그래프는 열린구간 $(0, 1)$에서 원점과 점 $(1, k)$를 잇는 직선과 한 점에서 만난다. 점 P의 시각 t에서의 가속도 $a(t)$를 나타내는 그래프의 개형으로 가장 알맞은 것은?

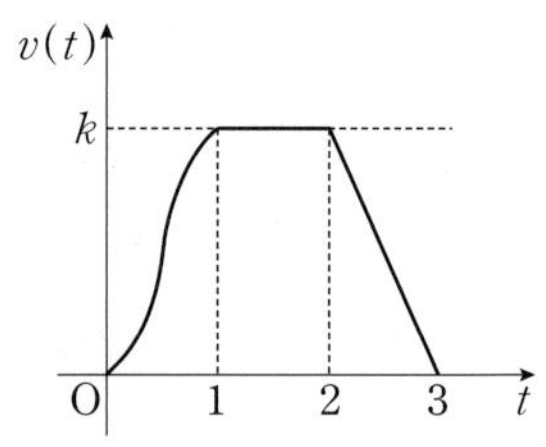

①
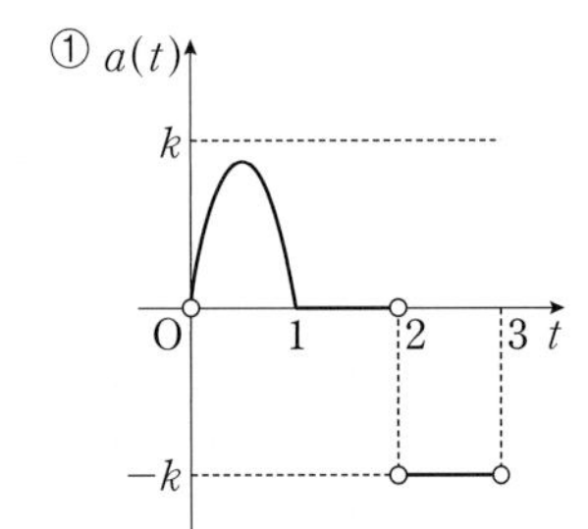

②
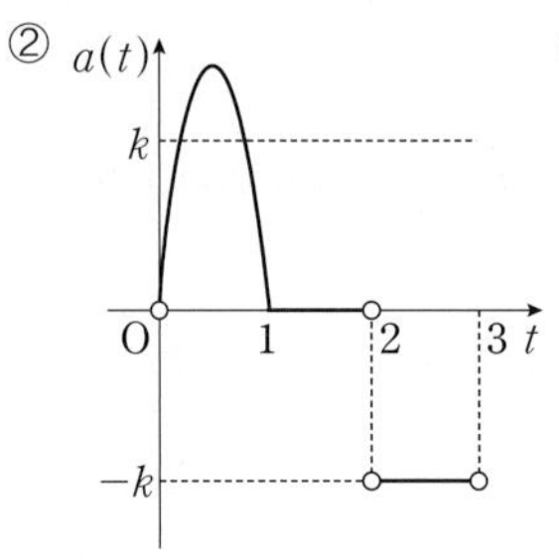

③
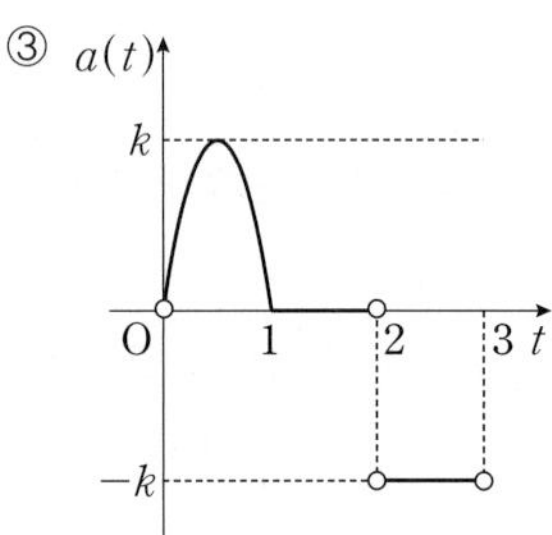

④
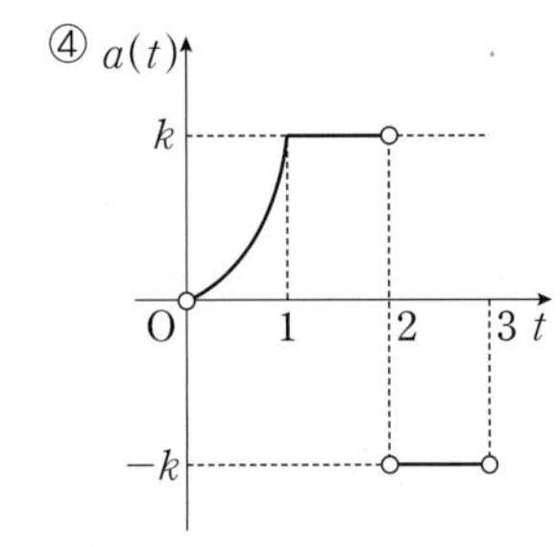

⑤
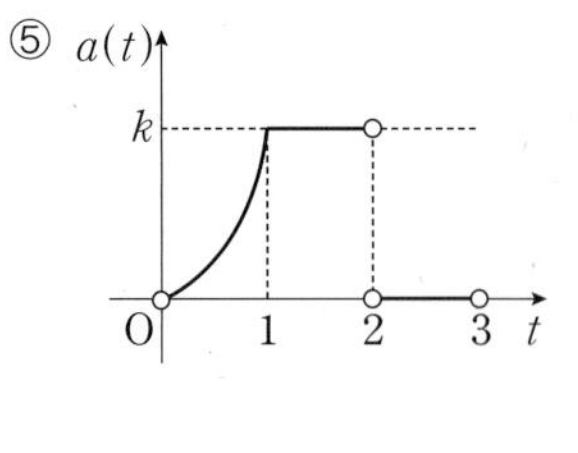

0597

시간에 대한 부피의 변화율
2011년 07월 교육청

한 변의 길이가 $12\sqrt{3}$인 정삼각형과 그 정삼각형에 내접하는 원으로 이루어진 도형이 있다. 이 도형에서 정삼각형의 각 변의 길이가 매초 $3\sqrt{3}$씩 늘어남에 따라 원도 정삼각형에 내접하면서 반지름의 길이가 늘어난다. 정삼각형의 한 변의 길이가 $24\sqrt{3}$이 되는 순간, 정삼각형에 내접하는 원의 넓이의 시간(초)에 대한 변화율이 $a\pi$이다. 이때 상수 a의 값을 구하여라.

정답 0594 : 7개 0595 : ③ 0596 : ② 0597 : 36

수능과 내신의 수학개념서

수학 II

I 함수의 극한과 연속 | II 미분 | III 적분

01

부정적분

1. 부정적분
2. 부정적분의 계산

01 부정적분

M A P L ; Y O U R M A S T E R P L A N

01 부정적분의 정의

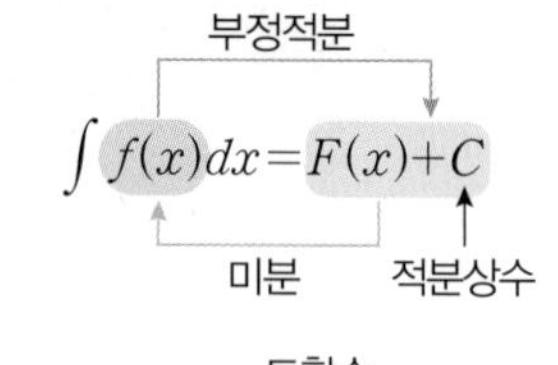

함수 $F(x)$의 도함수가 $f(x)$일 때, 즉

$F'(x)=f(x)$

일 때, $F(x)$를 함수 $f(x)$의 부정적분 또는 원시함수라 하며

기호로 $\int f(x)dx$와 같이 나타낸다. 즉

$\int f(x)dx=F(x)+C$ (C는 상수)이다. 이때 상수 C를 적분상수라고 한다.

또한, 함수 $f(x)$의 부정적분을 구하는 것을 $f(x)$를 적분한다고 하고

그 계산법을 적분법이라 한다.

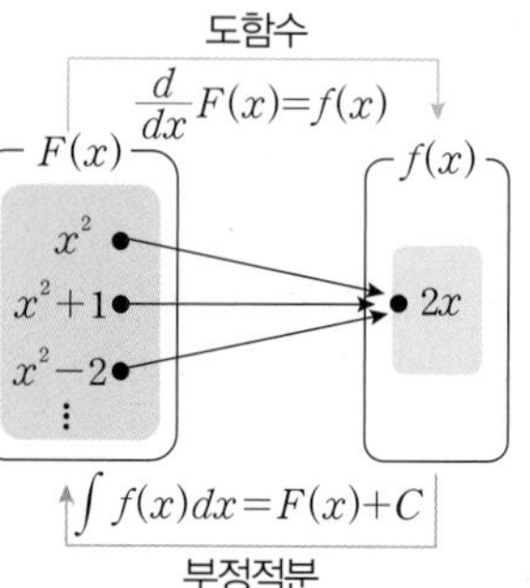

EX 세 함수 x^2, x^2+1, x^2-2, …를 미분하면 모두 $2x$이므로 이들은 모두 $2x$의 부정적분이다.

$$F'(x)=f(x)\text{일 때, } \int f(x)dx=F(x)+C \ (C\text{는 상수})$$

참고 적분기호 $\int$ 은 1675년 독일의 수학자 라이프니츠가 처음 사용한 것으로, 합을 뜻하는 라틴어 'Summa'의 첫 글자를 길게 늘어 쓴 것이다. 단순히 합을 구한다는 차원을 넘어 온전한 전체를 만든다는 의미를 부각하기 위하여 인티그럴 (integral)이라 읽는다. 이때 기호 $\int f(x)dx$를 '$f(x)$의 부정적분' 또는 '인티그럴 (integral) $f(x)dx$' 라 읽는다.

또한, 함수 $f(x)$를 피적분함수, x를 적분변수라 한다.

마플해설 (1) C는 상수

함수 $2x$의 부정적분은 x^2+1, x^2+2, …와 같이 하나로 정해져 있지 않기 때문에 상수 C를 사용하여 간단히 표현한다.
이때 C를 적분상수라 한다.

(2) 부정적분의 표현

함수 $f(x)$의 부정적분은 무수히 많이 존재하며 각각의 부정적분에서 적분상수가 다르게 나타난다.
함수 $F(x)$가 함수 $f(x)$의 부정적분의 하나이고,
함수 $G(x)$가 $f(x)$의 또 다른 부정적분이면 $F'(x)=f(x)$, $G'(x)=f(x)$이므로
$\{G(x)-F(x)\}'=G'(x)-F'(x)=f(x)-f(x)=0$
그런데 도함수가 0인 함수는 상수함수이므로 그 상수를 C라 하면
$G(x)-F(x)=C$, 즉 $G(x)=F(x)+C$이다.
따라서 $f(x)$의 부정적분 중의 하나를 $F(x)$라 하면 $f(x)$의 임의의 부정적분은
$F(x)+C$ (C는 상수)의 꼴로 나타낼 수 있다.

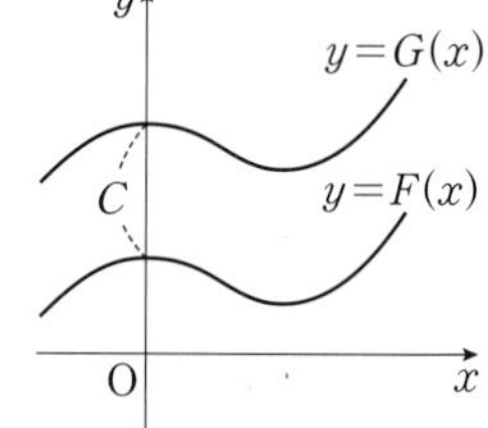

보기 01 다음 부정적분을 구하여라.

(1) $\int 1dx$ (2) $\int 4xdx$ (3) $\int (3x^2-1)dx$

풀이

(1) $(x)'=1$이므로 $\int 1dx=x+C$ (단, C는 적분상수) ← $\int 1dx$는 $\int dx$로 나타낼 수 있다.

(2) $(2x^2)'=4x$이므로 $\int 4xdx=2x^2+C$ (단, C는 적분상수)

(3) $(x^3-x)'=3x^2-1$이므로 $\int (3x^2-1)dx=x^3-x+C$ (단, C는 적분상수)

FOCUS

함수 $f(x)$의 부정적분은 하나로 정해지지 않으며 조건이 있어야만 하나로 결정된다. 이때 각 부정적분의 상수항을 대표하는 적분상수 C를 사용하여 부정적분을 구하도록 하고, 적분상수 C를 빠뜨리지 않도록 주의한다.

참고 부정적분(indefinite integral不定積分) : 유일하게 결정되지 않은 적분이라는 뜻을 가진다.
← 不(아닐 부) 定(정할 정) 積(쌓을 적) 分(나눌 분)

02 부정적분과 미분과의 관계

$F'(x)=f(x)$일 때, $\int f(x)dx=F(x)+C$ (단, C는 적분상수)

(1) $\frac{d}{dx}\left\{\int f(x)dx\right\}=\frac{d}{dx}\{F(x)+C\}=F'(x)=f(x)$ ⬅ 먼저 적분하고 미분하면 (원래의 함수)

(2) $\int\left\{\frac{d}{dx}f(x)\right\}dx=\int f'(x)dx=f(x)+C$ ⬅ 먼저 미분하고 적분하면 (원래의 함수)$+C$

즉, 적분과 미분은 서로 역연산 관계에 있으므로 함수 $f(x)$를 적분한 후 미분하면 $f(x)$가 되지만, 미분한 후 적분하면 $f(x)+C$ (단, C는 적분상수)가 된다.

미분과 적분의 계산 순서에 따라 적분상수 C만큼의 차이가 생긴다.

$$\frac{d}{dx}\left\{\int f(x)dx\right\}\neq\int\left\{\frac{d}{dx}f(x)\right\}dx$$

마플해설 부정적분과 미분의 관계를 증명한다.

(1) $f(x)$의 부정적분 중 하나를 $F(x)$라 하면 $\int f(x)dx=F(x)+C$ (단, C는 적분상수)

양변을 x에 대하여 미분하면

$\frac{d}{dx}\left\{\int f(x)dx\right\}=\frac{d}{dx}\{F(x)+C\}=F'(x)=f(x)$

이므로 함수 $f(x)$를 적분한 후 미분하면 $f(x)$가 된다.

(2) 함수 $f(x)$의 도함수 $f'(x)$를 적분하면 부정적분의 정의에 의하여

$\int f'(x)dx=f(x)+C$, 즉 $\int\left\{\frac{d}{dx}f(x)\right\}dx=f(x)+C$

이므로 함수 $f(x)$를 미분한 후 적분하면 $f(x)+C$ (C는 적분상수)가 된다.

보기 02 다음을 각각 계산하여라.

(1) $\int\left\{\frac{d}{dx}(x^3+2x)\right\}dx$ (2) $\frac{d}{dx}\left\{\int(x^3+2x)dx\right\}$

풀이 (1) $\int\left\{\frac{d}{dx}(x^3+2x)\right\}dx=x^3+2x+C$ (단, C는 적분상수) ⬅ $f(x)\xrightarrow{\text{미분}}f'(x)\xrightarrow{\text{적분}}f(x)+C$

(2) $\frac{d}{dx}\left\{\int(x^3+2x)dx\right\}=x^3+2x$ ⬅ $f(x)\xrightarrow{\text{적분}}\mathrm{F}(x)\xrightarrow{\text{미분}}f(x)$

보기 03 다음 등식을 만족시키는 함수 $f(x)$를 구하여라. (단, C는 적분상수)

(1) $\int f(x)dx=x^3+4x^2+2x+C$ (2) $\int(x+1)f(x)dx=x^3-3x+C$

풀이 (1) 양변을 x에 대하여 미분하면 $\frac{d}{dx}\int f(x)dx=\frac{d}{dx}(x^3+4x^2+2x+C)$

$\therefore f(x)=3x^2+8x+2$

(2) 양변을 x에 대하여 미분하면 $\frac{d}{dx}\int(x+1)f(x)dx=\frac{d}{dx}(x^3-3x+C)$

$(x+1)f(x)=3x^2-3$, $(x+1)f(x)=3(x+1)(x-1)$

$\therefore f(x)=3(x-1)$

더 알아보기

미분(微分)은 전체를 매우 잘게 나누는 것을 염두에 두고 만들어진 단어이고
적분(積分)은 그렇게 잘게 나누는 것을 다시 온전한 전체로 합쳐 놓는 것을 염두에 두고 만들어진 단어이다.

다음 물음에 답하여라. (단, C는 적분상수이다.)

(1) 함수 $f(x)$에 대하여 $\int xf(x)dx=\frac{1}{3}x^3-\frac{1}{2}x^2+C$를 만족할 때, $f(-1)$의 값을 구하여라.

(2) 함수 $f(x)=\int(x^3-3x+4)dx$에 대하여 $\lim_{h\to 0}\frac{f(2+h)-f(2)}{h}$의 값을 구하여라.

MAPL CORE $\int f(x)dx=g(x)$의 양변을 x에 대하여 미분하면 $f(x)=g'(x)$를 이용하여 $f(x)$를 구한다.

개념익힘 | 풀이 (1) 주어진 식의 양변을 x에 대하여 미분하면

$xf(x)=x^2-x=x(x-1)$

이때 위의 식은 x에 대한 항등식으로 $f(x)=x-1$

$\therefore f(-1)=-1-1=\mathbf{-2}$

(2) $f(x)=\int(x^3-3x+4)dx$의 양변을 x로 미분하면 $f'(x)=x^3-3x+4$

또한, $\lim_{h\to 0}\frac{f(2+h)-f(2)}{h}=f'(2)$이므로 $f'(2)=8-6+4=\mathbf{6}$

확인유제 0598 다음 물음에 답하여라. (단, C는 적분상수이다.)

(1) 함수 $f(x)$에 대하여 $\int(x-2)f(x)dx=2x^3-24x+C$일 때, $f(1)$의 값을 구하여라.

2012년 07월 교육청

(2) 함수 $f(x)=\int(x^2+2x)dx$일 때, $\lim_{h\to 0}\frac{f(2+h)-f(2-h)}{h}$의 값을 구하여라.

변형문제 0599 다항함수 $f(x)$가 모든 실수 x에 대하여

$$\int f(x)dx=x^3-3ax^2+ax,\ f(1)=-2$$

를 만족할 때, $f(2)$의 값은? (단, a는 상수이다.)

① -3 ② -2 ③ -1 ④ 1 ⑤ 2

발전문제 0600 다항함수 $f(x)$에 대하여

$$\int\{1-f(x)\}dx=\frac{1}{4}x^2(6-x^2)+C$$

가 성립한다. $f(x)$의 극댓값을 M, 극솟값을 m이라고 할 때, $M+m$의 값을 구하여라. (단, C는 적분상수)

정답 0598 : (1) 18 (2) 16 0599 : ④ 0600 : 2

마플개념익힘 02 부정적분과 미분의 관계

다음 물음에 답하여라.

(1) 함수 $f(x)$에 대하여 $\frac{d}{dx}\left\{\int xf(x)dx\right\}=3x^2+x$일 때, $f(2)$의 값을 구하여라.

(2) 함수 $f(x)$에 대하여 $f(x)=\int\left\{\frac{d}{dx}(4x^2-5x+3)\right\}dx$, $f(0)=1$일 때, $f(-1)$의 값을 구하여라.

MAPL CORE $F'(x)=f(x)$일 때, $\int f(x)dx=F(x)+C$ (단, C는 적분상수)이므로

(1) $\frac{d}{dx}\left\{\int f(x)dx\right\}=\frac{d}{dx}\{F(x)+C\}=f(x)$ ⬅ 적분하고 미분하면 (원래의 함수)

(2) $\int\left\{\frac{d}{dx}f(x)\right\}dx=\int f'(x)dx=f(x)+C$ ⬅ 미분하고 적분하면 (원래의 함수)$+C$

(1) $\frac{d}{dx}\left\{\int xf(x)dx\right\}=xf(x)$이므로

$xf(x)=3x^2+x=x(3x+1)$

따라서 $f(x)=3x+1$이므로 $f(2)=6+1=\mathbf{7}$

(2) $\int\left\{\frac{d}{dx}f(x)\right\}dx=f(x)+C$ (단, C는 적분상수)이므로

$f(x)=\int\left\{\frac{d}{dx}(4x^2-5x+3)\right\}dx=4x^2-5x+3+C$

이때 $f(0)=1$이므로 $C=-2$ ⬅ $f(0)=3+C=1$

따라서 $f(x)=4x^2-5x+1$이므로 $f(-1)=4+5+1=\mathbf{10}$

확인유제 0601

다음 물음에 답하여라.

(1) $\frac{d}{dx}\left\{\int(ax^2+3x+2)dx\right\}=3x^2+bx+c$를 만족시키는 상수 a, b, c에 대하여 $a+b+c$의 값을 구하여라.

(2) $f(x)=\int\left\{\frac{d}{dx}(x^2+x)\right\}dx$에서 $f(1)=3$일 때, $f(3)$의 값을 구하여라.

변형문제 0602

2018년 11월 교육청(고2)

다항함수 $f(x)$가

$$\frac{d}{dx}\int\{f(x)-x^2+4\}dx=\int\frac{d}{dx}\{2f(x)-3x+1\}dx$$

를 만족시킨다. $f(1)=3$일 때, $f(0)$의 값은?

① -2 ② -1 ③ 0 ④ 1 ⑤ 2

발전문제 0603

다음 물음에 답하여라.

2016년 07월 교육청

(1) 두 다항함수 $f(x)$, $g(x)$가

$$f(x)=\int xg(x)dx,\ \frac{d}{dx}\{f(x)-g(x)\}=4x^3+2x$$

를 만족시킬 때, $g(1)$의 값은?

① 10 ② 11 ③ 12 ④ 13 ⑤ 14

2013학년도 09월 평가원

(2) 이차함수 $f(x)$에 대하여 함수 $g(x)$가

$$g(x)=\int\{x^2+f(x)\}dx,\ f(x)g(x)=-2x^4+8x^3$$

을 만족시킬 때, $g(1)$의 값은?

① 1 ② 2 ③ 3 ④ 4 ⑤ 5

정답 0601 : (1) 8 (2) 13 0602 : ④ 0603 : (1) ⑤ (2) ②

02 부정적분의 계산

MAPL; YOURMASTERPLAN

01 함수 $y=x^n$(n은 양의 정수)과 $y=k$(k는 상수)의 부정적분

함수 $y=k$(k는 상수)와 함수 $y=x^n$(n은 양의 정수)의 부정적분은 다음과 같다.

(1) k가 상수일 때, $\int k\,dx=kx+C$ (단, C는 적분상수)

(2) n이 양의 정수일 때, $\int x^n\,dx=\frac{1}{n+1}x^{n+1}+C$ (단, C는 적분상수)

참고 $\int 1\,dx=x+C$ ← $\int 1\,dx$는 $\int dx$로 나타내기도 한다.

마플해설 **미분법의 공식으로부터 x^n의 부정적분에 대한 공식을 유도한다.**

부정적분의 정의를 이용하면 다음이 성립한다.

$\left(\frac{1}{2}x^2\right)'=x$이므로 $\int x\,dx=\frac{1}{2}x^2+C$

$\left(\frac{1}{3}x^3\right)'=x^2$이므로 $\int x^2\,dx=\frac{1}{3}x^3+C$

$\left(\frac{1}{4}x^4\right)'=x^3$이므로 $\int x^3\,dx=\frac{1}{4}x^4+C$

$$\int x^n\,dx=\frac{1}{n+1}x^{n+1}+C$$
(지수에 $+1$, 분모에 $+1$)

일반적으로 n이 양의 정수일 때, $\left(\frac{1}{n+1}x^{n+1}\right)'=x^n$이므로 함수 $y=x^n$의 부정적분은

$\int x^n\,dx=\frac{1}{n+1}x^{n+1}+C$ (단, C는 적분상수)

이탈리아 수학자 카발리에카(Cavalieri, F. B.,1598~1647)가 n이 양의 정수일 때, $\int x^n\,dx=\frac{1}{n+1}x^{n+1}+C$임을 밝혔다.

한편, $(kx)'=k$이므로 상수함수 $y=k$의 부정적분은

$\int k\,dx=kx+C$ (단, C는 적분상수)

이때 $(x)'=1$이므로 상수함수 $y=1$의 부정적분은 $\int 1\,dx=x+C$임을 알 수 있다.

보기 01 다음 부정적분을 구하여라.

(1) $\int 5\,dx$ (2) $\int x^6\,dx$ (3) $\int x^{2020}\,dx$

풀이

(1) $\int 5\,dx=5x+C$ (단, C는 적분상수)

(2) $\int x^6\,dx=\frac{1}{6+1}x^{6+1}+C=\frac{1}{7}x^7+C$ (단, C는 적분상수)

(3) $\int x^{2020}\,dx=\frac{1}{2020+1}x^{2020+1}+C=\frac{1}{2021}x^{2021}+C$ (단, C는 적분상수)

+α 더 알아보기

부정적분에서 적분상수의 의미

함수 $f(x)$의 한 부정적분을 $F(x)$라 하면 임의의 상수 C에 대하여 $F(x)+C$도 $f(x)$의 부정적분이 됨을 함수의 그래프를 통해 알아보자. 부정적분 $\int x\,dx$를 구하는 것은 $F'(x)=x$를 만족시키는 함수 $F(x)$를 구하는 것이다. 이것은 좌표평면 위의 점 $(x, F(x))$에서 접선의 기울기가 $F'(x)=x$인 곡선 $y=F(x)$를 구하는 것과 같다. 예를 들어 $F'(x)=x$를 만족시키는 곡선 $y=F(x)$ 중의 하나는 $y=\frac{1}{2}x^2$이다.

그런데 이 곡선은 y축 방향으로 C만큼 평행이동하더라도 각 점에서의 접선의 기울기 m은 변하지 않는다.

즉, 곡선 $y=\frac{1}{2}x^2$을 y축의 방향으로 C만큼 평행이동한 곡선 $y=\frac{1}{2}x^2+C$는 모두 $F'(x)=x$를 만족시킨다.

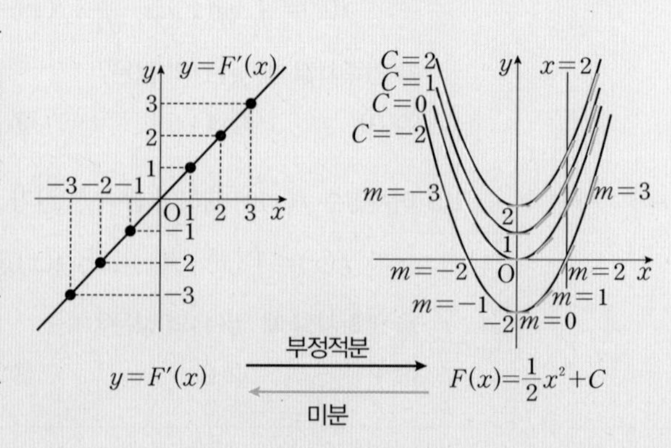

02 부정적분의 성질

두 함수 $f(x)$, $g(x)$가 부정적분을 가질 때,

① $\int kf(x)dx=k\int f(x)dx$ (단, c는 실수) ⬅ 상수배의 부정적분

② $\int \{f(x)+g(x)\}dx=\int f(x)dx+\int g(x)dx$ ⬅ 합의 부정적분

③ $\int \{f(x)-g(x)\}dx=\int f(x)dx-\int g(x)dx$ ⬅ 차의 부정적분

주의 ① 곱은 전개하여 적분한다. $\int f(x)g(x)dx \neq \int f(x)dx \cdot \int g(x)dx$

② 몫은 약분하여 적분한다. $\int \frac{f(x)}{g(x)}dx \neq \frac{\int f(x)dx}{\int g(x)dx}$

함수의 합, 차의 부정적분은 세 개 이상의 함수에 대해서도 성립한다.

마플해설 **함수의 실수배, 합, 차의 부정적분의 증명**

두 함수 $f(x)$, $g(x)$의 한 부정적분을 각각 $F(x)$, $G(x)$라고 할 때,

즉, $\int f(x)dx=F(x)+C_1$ (C_1은 적분상수) $\int g(x)dx=G(x)+C_2$ (C_2는 적분상수)이므로 다음을 알 수 있다.

① 실수 $k\,(k\neq 0)$에 대하여 $\{kF(x)\}'=kF'(x)=kf(x)$이므로

$$\int kf(x)dx=kF(x)+C\ (C\text{는 적분상수}) \qquad \cdots\cdots ㉠$$

한편 $k\int f(x)dx=k\{F(x)+C_1\}=kF(x)+kC_1$ ...... ㉡

이고, ㉡의 우변의 kC_1은 임의의 상수이므로 $kC_1=C$로 놓으면 ㉠와 ㉡은 같은 꼴이 된다.

따라서 $\int kf(x)dx=k\int f(x)dx$가 성립한다.

② 미분법에서 $\{F(x)+G(x)\}'=F'(x)+G'(x)=f(x)+g(x)$이므로

$$\int\{f(x)+g(x)\}dx=\mathrm{F}(x)+\mathrm{G}(x)+C_3\ (\text{단, } C_3\text{는 적분상수}) \qquad \cdots\cdots ㉢$$

이다. 한편 $\int f(x)dx+\int g(x)dx=\{F(x)+C_1\}+\{G(x)+C_2\}$

$=F(x)+G(x)+(C_1+C_2)$ ...... ㉣

이고, ㉣의 우변의 C_1+C_2는 임의의 상수이므로 $C_1+C_2=C_3$으로 놓으면 ㉢과 ㉣는 같은 꼴이 된다.

따라서 $\int\{f(x)+g(x)\}dx=\int f(x)dx+\int g(x)dx$가 성립한다.

③ $f(x)-g(x)=f(x)+(-1)g(x)$이므로 ①과 ②로부터 다음이 성립한다.

$$\int\{f(x)-g(x)\}dx=\int f(x)dx-\int g(x)dx$$

보기 02 부정적분 $\int(3x^2-6x+3)dx$를 구하여라. (단, C는 적분상수)

풀이

$$\begin{aligned}\int(3x^2-6x+3)dx&=\int 3x^2dx-\int 6xdx+\int 3dx\\&=3\int x^2dx-6\int xdx+3\int dx\\&=3\left(\frac{1}{2+1}x^3+C_1\right)-6\left(\frac{1}{1+1}x^2+C_2\right)+3(x+C_3)\\&=x^3-3x^2+3x+(3C_1-6C_2+3C_3)\\&=x^3-3x^2+3x+C\ (\text{단, } C\text{는 적분상수})\end{aligned}$$

⬅ $3C_1-6C_2+3C_3$를 C로 놓는다.

참고 $3C_1-6C_2+3C_3$은 일반적인 연산이 아닌 적분상수를 나타내므로 하나의 적분상수 C로 나타낼 수 있다.

즉, 적분상수가 여러 개 있을 때는 이들을 연산한 결과도 상수이므로 하나의 적분상수로 나타낸다.

FOCUS

$$\int\sum_{k=1}^{n}f_k(x)dx=\sum_{k=1}^{n}\int f_k(x)dx$$

증명 $\int\sum_{k=1}^{n}f_k(x)dx=\int\{f_1(x)+f_2(x)+\cdots+f_n(x)\}dx=\int f_1(x)dx+\int f_2(x)dx+\cdots+\int f_n(x)dx=\sum_{k=1}^{n}\int f_k(x)dx$

보기 03 다음 부정적분을 구하여라.

(1) $\int(2x+1)(x-4)dx$ (2) $\int(x-1)(x^2+x+1)dx$

풀이 (1) $\int(2x+1)(x-4)dx=\int(2x^2-7x-4)dx$ ← 곱은 전개한다.

$=2\int x^2dx-7\int xdx-4\int dx$

$=2\left(\frac{1}{3}x^3+C_1\right)-7\left(\frac{1}{2}x^2+C_2\right)-4(x+C_3)$

$=\frac{2}{3}x^3-\frac{7}{2}x^2-4x+(2C_1-7C_2-4C_3)$

$=\frac{2}{3}x^3-\frac{7}{2}x^2-4x+C$

적분상수가 여러 개일 때에는 이들을 묶어서 하나의 적분상수 C로 나타낸다.

(2) $\int(x-1)(x^2+x+1)dx=\int(x^3-1)dx$ ← 곱은 전개한다.

$=\int x^3dx-\int 1dx$

$=\left(\frac{1}{4}x^4+C_1\right)-(x+C_2)$

$=\frac{1}{4}x^4-x+(C_1-C_2)$

$=\frac{1}{4}x^4-x+C$

적분상수가 여러 개일 때에는 이들을 묶어서 하나의 적분상수 C로 나타낸다.

보기 04 부정적분 $\int\frac{x^2}{x+1}dx-\int\frac{1}{x+1}dx$를 구하여라.

풀이 $\int\frac{x^2}{x+1}dx-\int\frac{1}{x+1}dx=\int\left(\frac{x^2}{x+1}-\frac{1}{x+1}\right)dx$ ← $\frac{x^2-1}{x+1}=\frac{(x-1)(x+1)}{x+1}=x-1$

$=\int\frac{x^2-1}{x+1}dx$

$=\int(x-1)dx$

$=\frac{1}{2}x^2-x+C$ (단, C는 적분상수)

더 알아보기

일차함수의 거듭제곱 꼴의 부정적분

함수 $y=(ax+b)^n$ ($a\neq0$, n은 자연수)의 부정적분은 $(ax+b)^n$을 전개하지 않고 $y=x^n$의 부정적분을 이용하여 구한다.

> a, b는 상수, $a\neq0$이고 n이 자연수일 때,
>
> $\int(ax+b)^ndx=\frac{1}{a}\cdot\frac{1}{n+1}(ax+b)^{n+1}+C$ (단, C는 적분상수)

증명 $(ax+b)^n$의 부정적분

$f(x)=(ax+b)^{n+1}$의 도함수 $f'(x)=(n+1)(ax+b)^n\cdot a$이므로

$\int a(n+1)(ax+b)^ndx=(ax+b)^{n+1}+C_1$

$a(n+1)\int(ax+b)^ndx=(ax+b)^{n+1}+C_1$

$\therefore \int(ax+b)^ndx=\frac{1}{a(n+1)}(ax+b)^{n+1}+C\left(a\neq0,\ \frac{C_1}{a(n+1)}=C\right)$ ← $\frac{d}{dx}\left\{\frac{1}{a(n+1)}(ax+b)^{n+1}+C\right\}=(ax+b)^n$

EX 다음 부정적분을 구하여라.

(1) $\int(3x-2)^4dx$ (2) $\int(2x+1)^5dx$

해설 (1) $\int(3x-2)^4dx=\frac{1}{3}\cdot\frac{1}{(4+1)}(3x-2)^{4+1}+C=\frac{1}{15}(3x-2)^5+C$ (단, C는 적분상수)

(2) $\int(2x+1)^5dx=\frac{1}{2}\cdot\frac{1}{(5+1)}(2x+1)^{5+1}+C=\frac{1}{12}(2x+1)^6+C$ (단, C는 적분상수)

마플개념익힘 01 다항함수의 부정적분

다음 부정적분을 구하여라.

(1) $\int (x+1)(x^2-x+1)dx+\int (x-1)(x^2+x+1)dx$　　(2) $\int \frac{x^3-1}{x^2+x+1}dx+\int \frac{x^3+1}{x^2-x+1}dx$

MAPL CORE 피적분함수가 복잡한 경우 ⇨ 인수분해, 전개 등을 이용하여 간단히 한 후 적분한다.

① 곱은 전개하여 적분한다.　$\int f(x)g(x)dx \neq \int f(x)dx \cdot \int g(x)dx$

② 몫은 약분하여 적분한다.　$\int \frac{f(x)}{g(x)}dx \neq \frac{\int f(x)dx}{\int g(x)dx}$

개념익힘 | **풀이** (1) $\int (x+1)(x^2-x+1)dx+\int (x-1)(x^2+x+1)dx$

$=\int (x^3+1)dx+\int (x^3-1)dx$

$=\int \{(x^3+1)+(x^3-1)\}dx$

$=\int \mathbf{2x^3 dx=\frac{1}{2}x^4+C}$

(2) $\int \frac{x^3-1}{x^2+x+1}dx+\int \frac{x^3+1}{x^2-x+1}dx$

$=\int \frac{(x-1)(x^2+x+1)}{x^2+x+1}dx+\int \frac{(x+1)(x^2-x+1)}{x^2-x+1}dx$

$=\int (x-1)dx+\int (x+1)dx$

$=\int \mathbf{2xdx=x^2+C}$

$(a+1)(a^2-a+1)=a^3+1$
$(a-1)(a^2+a+1)=a^3-1$

확인유제 0604 다음 부정적분을 구하여라.

(1) $\int (x+2)^2dx-\int (x-2)^2dx$　　(2) $\int (\sin\theta+\cos\theta)^2d\theta+\int (\sin\theta-\cos\theta)^2d\theta$

(3) $\int \frac{x^3}{x+2}dx+\int \frac{8}{x+2}dx$　　(4) $\int \frac{x^3}{x^2+x+1}dx-\int \frac{1}{x^2+x+1}dx$

변형문제 0605 함수 $f(x)$가

2016학년도 09월 평가원

$$f(x)=\int\left(\frac{1}{2}x^3+2x+1\right)dx-\int\left(\frac{1}{2}x^3+x\right)dx$$

이고 $f(0)=1$일 때, $f(4)$의 값은?

① $\frac{23}{2}$　② 12　③ $\frac{25}{2}$　④ 13　⑤ $\frac{27}{2}$

발전문제 0606 모든 실수 x에 대하여 $\int (x-4)dx>0$이 성립할 때, 적분상수 C값의 범위를 구하여라.

정답 0604 : (1) $4x^2+C$ (2) $2\theta+C$ (3) $\frac{1}{3}x^3-x^2+4x+C$ (4) $\frac{1}{2}x^2-x+C$　0605 : ④　0606 : $C>8$

마플개념익힘 02 도함수가 주어진 경우의 적분상수의 결정

다음 물음에 답하여라.

(1) 다항함수 $f(x)$의 도함수가 $f'(x)=x^3-2x$, $f(0)=2$일 때, $f(2)$의 값을 구하여라.

(2) 점 $(1, 2)$를 지나는 곡선 $y=f(x)$ 위의 임의의 점 $(x, f(x))$에서의 접선의 기울기가 $2x+2$일 때, $f(x)$를 구하여라.

MAPL CORE 적분상수 C의 결정

[1단계] 함수 $f(x)$와 그 도함수 $f'(x)$에 대하여 $f(x)=\int f'(x)\,dx$임을 이용하여 $f(x)$를 적분상수 C를 포함하는 식으로 나타낸다.

[2단계] [1단계]에서 구한 $f(x)$에 주어진 함숫값을 대입하여 적분상수 C를 구한다.

개념익힘 | **풀이**

(1) $f'(x)=x^3-2x$이므로 $f'(x)$의 부정적분을 구하면

$$f(x)=\int(x^3-2x)\,dx=\frac{1}{4}x^4-x^2+C \text{ (단, } C\text{는 적분상수)}$$

이때 $f(0)=2$이므로 $C=2$이다.

따라서 $f(x)=\frac{1}{4}x^4-x^2+2$이므로 $f(2)=4-4+2=\mathbf{2}$

(2) 곡선 $y=f(x)$ 위의 점 $(x, f(x))$에서의 접선의 기울기가 $f'(x)$이므로 $f'(x)=2x+2$이다.

$$f(x)=\int f'(x)dx=\int(2x+2)\,dx=x^2+2x+C \text{ (단, } C\text{는 적분상수)}$$

이때 곡선이 점 $(1, 2)$를 지나므로 $f(1)=1+2+C=2$ $\therefore C=-1$

따라서 $f(x)=\boldsymbol{x^2+2x-1}$

확인유제 0607 2018년 07월 교육청

다음 물음에 답하여라.

(1) 다항함수 $f(x)$의 도함수 $f'(x)$가 $f'(x)=3x^2-2x+7$이다. $f(1)=0$일 때, $f(2)$의 값을 구하여라.

(2) 점 $(2, 3)$을 지나는 곡선 $y=f(x)$ 위의 임의의 점 $(x, f(x))$에서의 접선의 기울기가 $6x^2-2x+2$일 때, $f(x)$를 구하여라.

변형문제 0608 2015학년도 수능기출

다음 물음에 답하여라.

(1) 다항함수 $f(x)$의 도함수 $f'(x)$가 $f'(x)=6x^2+4$이다. 함수 $y=f(x)$의 그래프가 점 $(0, 6)$을 지날 때, $f(1)$의 값은?

① 4 ② 6 ③ 12 ④ 16 ⑤ 20

(2) 다항함수 $f(x)$의 도함수가 $f'(x)=3x^2-2x+3$이고 곡선 $y=f(x)$가 두 점 $(1, 5)$, $(2, a)$를 지날 때, a의 값은?

① 6 ② 8 ③ 9 ④ 12 ⑤ 15

발전문제 0609

다음 물음에 답하여라.

(1) 다항함수 $f(x)$의 도함수 $f'(x)$가 $f'(x)=2x^3-x+1$이다.
함수 $y=f(x)$의 그래프 위의 점 $(1, f(1))$에서의 접선의 y절편이 3일 때, $f(2)$의 값을 구하여라.

(2) 다항함수 $f(x)$의 도함수 $f'(x)$가 $f'(x)=x^2-6x+5$이다.
닫힌구간 $[0, 3]$에서 함수 $f(x)$의 최솟값이 0일 때, 이 구간에서 함수 $f(x)$의 최댓값을 구하여라.

정답 0607 : (1) 11 (2) $2x^3-x^2+2x-13$ 0608 : (1) ③ (2) ④ 0609 : (1) 12 (2) $\frac{16}{3}$

마플개념익힘 03 함수의 극대·극소와 부정적분

삼차함수 $y=f(x)$의 도함수 $y=f'(x)$의 그래프는 오른쪽 그림과 같다.
함수 $f(x)$의 극댓값이 4이고 극솟값이 0일 때, $f(3)$의 값을 구하여라.

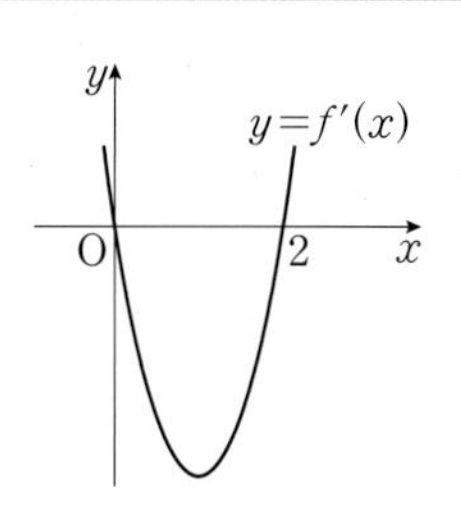

MAPL CORE 미분가능한 함수 $y=f(x)$에 대하여 $f'(a)=0$이고 $x=a$의 좌우에서
① $f'(x)$의 부호가 양(+)에서 음(−)으로 바뀌면 ⇨ $f(x)$는 $x=a$에서 극댓값을 가진다.
② $f'(x)$의 부호가 음(−)에서 양(+)으로 바뀌면 ⇨ $f(x)$는 $x=a$에서 극솟값을 가진다.

개념익힘 | 풀이 $y=f'(x)$의 그래프가 x축과 $x=0$, $x=2$에서 만나므로
$f'(x)=ax(x-2)=ax^2-2ax\ (a>0)$라 하면

$$f(x)=\int f'(x)dx=\int(ax^2-2ax)dx=\frac{a}{3}x^3-ax^2+C \quad \cdots\cdots ㉠$$

(단, C는 적분상수)
$y=f'(x)$의 그래프를 보고 함수 $f(x)$의 증가와 감소를 표로 나타내면 다음과 같다.

x	$\cdots$	0	$\cdots$	2	$\cdots$
$f'(x)$	+	0	−	0	+
$f(x)$	↗	극대	↘	극소	↗

즉, 함수 $f(x)$는 $x=0$에서 극대이고 극댓값은 4를 갖고
$x=2$에서 극소이고 극솟값은 0을 가지므로
$f(0)=4$, $f(2)=0$

㉠에서 $f(0)=C=4$, $f(2)=\frac{8}{3}a-4a+C=0$에서 $a=3$

따라서 $f(x)=x^3-3x^2+4$이므로 $f(3)=27-27+4=$**4**

확인유제 0610 함수 $f(x)$의 도함수 $f'(x)$는 이차함수이고 $y=f'(x)$의 그래프는 오른쪽 그림과 같다. 함수 $f(x)$의 극솟값이 3이고 극댓값이 5일 때, $f(1)$의 값을 구하여라.

변형문제 0611 함수 $y=f(x)$의 도함수 $y=f'(x)$의 그래프가 오른쪽 그림과 같은 이차함수이다. $\lim_{x\to\infty}\frac{f(x)}{x^3}=1$이고 극댓값이 3일 때, 함수 $f(x)$의 극솟값은?

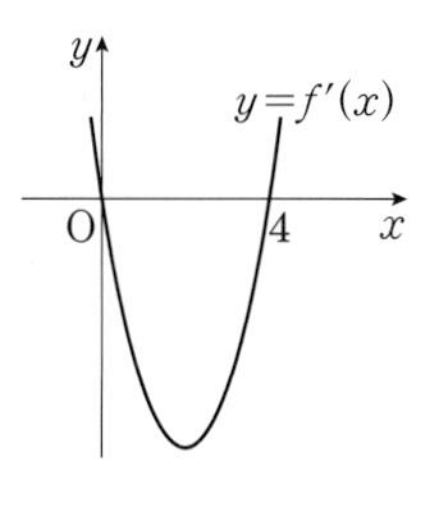

① -19 ② -21 ③ -24
④ -27 ⑤ -29

발전문제 0612 2012년 07월 교육청
다음 물음에 답하여라.
(1) 곡선 $y=f(x)$ 위의 임의의 점 $(x,\ y)$에서의 접선의 기울기가 $3x^2-12$이고 함수 $f(x)$의 극솟값이 3일 때, 함수 $f(x)$의 극댓값을 구하여라.
(2) 도함수 $f'(x)$가 $f'(x)=(3x+1)(x-2)$인 함수 $y=f(x)$의 그래프가 x축에 접하고 극댓값이 양수일 때, 함수 $f(x)$에 대하여 $f(4)$의 값을 구하여라.

정답 0610 : 4 0611 : ⑤ 0612 : (1) 35 (2) 22

마플개념익힘 04 함수와 그 부정적분의 관계식

이차함수 $f(x)$와 그 부정적분 $F(x)$ 사이에

$$F(x)=xf(x)-2x^3+4x^2-1,\ f(0)=2$$

이 성립할 때, 함수 $f(x)$를 구하여라.

MAPL CORE 함수 $f(x)$와 그 부정적분 $F(x)$ 사이의 관계식이 주어지면
[1단계] 등식의 양변을 x에 대하여 미분한 후 $F'(x)=f(x)$임을 이용하여 $f'(x)$를 구한다.
[2단계] $f'(x)$를 적분하여 $f(x)$를 구한다.
[3단계] 주어진 함숫값을 이용하여 적분상수를 구한다.

개념익힘 | **풀이** $F(x)$가 $f(x)$의 부정적분이므로 $F(x)=\int f(x)\,dx$에서 $F'(x)=f(x)$

$F(x)=xf(x)-2x^3+4x^2-1$의 양변을 x에 대하여 미분하면

$f(x)=f(x)+xf'(x)-6x^2+8x$ ← 함수의 곱의 미분법

$xf'(x)=6x^2-8x \quad \therefore f'(x)=6x-8$

이때 $f'(x)$의 부정적분을 구하면

$f(x)=\int f'(x)dx=\int(6x-8)\,dx=3x^2-8x+C$ (단, C는 적분상수)

이때 $f(0)=2$이므로 $C=2$이다.

$\therefore f(x)=\mathbf{3x^2-8x+2}$

확인유제 0613 다음 물음에 답하여라.

(1) 다항함수 $f(x)$와 그 부정적분 $F(x)$에 대하여 $xf(x)-F(x)=3x^4-x^2$, $f(0)=-2$이 성립할 때, $f(2)$의 값을 구하여라.

(2) 다항함수 $f(x)$의 부정적분 중 하나를 $F(x)$라 할 때, $F(x)=xf(x)+x^4-2x^2$, $F(1)=0$이 성립할 때, $f(2)$의 값을 구하여라.

변형문제 0614 다항함수 $f(x)$가

$$\int f(x)\,dx=xf(x)-2x^3+x^2$$

을 만족하고 함수 $y=f(x)$가 $(0, 1)$을 지날 때, $f(2)$의 값은?

① 6 ② 8 ③ 9 ④ 12 ⑤ 15

발전문제 0615 함수 $f(x)$의 도함수 $f'(x)$에 대하여

$$\int(2x+3)f'(x)dx=\frac{4}{3}x^3+8x^2+15x$$

가 성립하고 $f(1)=3$일 때, 방정식 $f(x)=0$의 모든 근의 합을 구하여라.

정답 0613 : (1) 26 (2) $-\frac{13}{3}$ 0614 : ③ 0615 : -5

마플개념익힘 05 부정적분의 정의와 미분의 관계

두 다항함수 $f(x)$, $g(x)$에 대하여

$$\frac{d}{dx}\{f(x)+g(x)\}=2x+1,\ \frac{d}{dx}\{f(x)g(x)\}=3x^2-2x+2$$

가 성립하고 $f(0)=2$, $g(0)=-1$일 때, 다음을 구하여라.

(1) $f(x)+g(x)$ (2) $f(x)g(x)$ (3) $f(x)$, $g(x)$

MAPL CORE

$\int\left\{\frac{d}{dx}f(x)\right\}dx=f(x)+C$ (단, C는 적분상수)

$\frac{d}{dx}f(x)=g(x) \Longleftrightarrow f(x)=\int g(x)\,dx$

개념익힘 | 풀이

(1) $\frac{d}{dx}\{f(x)+g(x)\}=2x+1$의 양변을 x에 대하여 적분하면

$f(x)+g(x)=\int\{f(x)+g(x)\}'dx=\int(2x+1)\,dx=x^2+x+C_1$ (단, C_1은 적분상수)

이때 $f(0)=2$, $g(0)=-1$이므로 $f(0)+g(0)=C_1=1$

$\therefore f(x)+g(x)=\boldsymbol{x^2+x+1}$

(2) $\frac{d}{dx}\{f(x)g(x)\}=3x^2-2x+2$의 양변을 x에 대하여 적분하면

$f(x)g(x)=\int\{f(x)g(x)\}'dx=\int(3x^2-2x+2)\,dx=x^3-x^2+2x+C_2$ (단, C_2는 적분상수)

이때 $f(0)=2$, $g(0)=-1$이므로 $f(0)g(0)=C_2=-2$

$\therefore f(x)g(x)=\boldsymbol{x^3-x^2+2x-2}$

(3) $f(x)g(x)=x^3-x^2+2x-2=(x-1)(x^2+2)$

이때 $f(0)=2$, $g(0)=-1$을 동시에 만족해야 하므로 $f(x)=\boldsymbol{x^2+2}$, $g(x)=\boldsymbol{x-1}$

확인유제 0616 두 다항함수 $f(x)$, $g(x)$에 대하여

$$\frac{d}{dx}\{f(x)+g(x)\}=4,\ \frac{d}{dx}\{f(x)g(x)\}=6x-1$$

이고 $f(0)=2$, $g(0)=-1$을 만족할 때, $f(1)-g(1)$의 값을 구하여라.

변형문제 0617 두 다항함수 $f(x)$, $g(x)$에 대하여

$$f'(x)+g'(x)=2x+3,\ f'(x)g(x)+f(x)g'(x)=3x^2+2x+1$$

이고 $f(0)=3$, $g(0)=-1$일 때, $f(2)g(3)$의 값은?

① 20 ② 22 ③ 24 ④ 26 ⑤ 28

발전문제 0618 다항함수 $f(x)$, $g(x)$가 다음 세 조건을 만족한다.

(가) $f(x)+g(x)=x^3-2x$
(나) $2f'(x)+xg'(x)=14x-8$
(다) $g(0)=1$

이때 $f(-3)$의 값을 구하여라.

정답 0616 : 5 0617 : ② 0618 : 11

미분가능한 함수 $f(x)$가 임의의 실수 x, y에 대하여

$$f(x+y)=f(x)+f(y)-4xy$$

를 만족하고 $f'(0)=1$일 때, 함수 $f(x)$를 구하여라.

MAPL CORE $f(x+y)=f(x)+f(y)+xy+$●의 식이 주어지면

[1단계] $x=y=0$을 대입하여 $f(0)$의 값을 구한다.

[2단계] 도함수의 정의 $f'(x)=\lim_{h\to 0}\frac{f(x+h)-f(x)}{h}$를 이용하여 $f'(x)$를 구한다.

[3단계] $f'(x)$의 부정적분 $f(x)$를 구하고 $f(0)$의 값을 대입하여 적분상수를 구한다.

개념익힘 | **풀이** $f(x+y)=f(x)+f(y)-4xy$의 양변에 $x=0$, $y=0$을 대입하면

$f(0+0)=f(0)+f(0)-0 \quad \therefore f(0)=0$

$f'(0)=1$이므로 미분계수의 정의에 의하여

$$f'(0)=\lim_{h\to 0}\frac{f(0+h)-f(0)}{h}=\lim_{h\to 0}\frac{f(h)}{h}=1\,(\because f(0)=0)$$

도함수의 정의에 의하여

$$\begin{aligned}f'(x)&=\lim_{h\to 0}\frac{f(x+h)-f(x)}{h}=\lim_{h\to 0}\frac{f(x)+f(h)-4xh-f(x)}{h}\\&=\lim_{h\to 0}\frac{f(h)-4xh}{h}\\&=\lim_{h\to 0}\left\{\frac{f(h)}{h}-4x\right\}\\&=f'(0)-4x=1-4x\,(\because f'(0)=1)\end{aligned}$$

$f(x)=\int f'(x)dx$이므로 $f(x)=\int(1-4x)dx=-2x^2+x+C$

따라서 $f(0)=0$이므로 $f(x)=\boldsymbol{-2x^2+x}$

확인유제 **0619** 미분가능한 함수 $f(x)$가 임의의 실수 x, y에 대하여

$$f(x+y)=f(x)+f(y)+2xy$$

를 만족하고 $f'(0)=0$일 때, $f(2)$의 값을 구하여라.

변형문제 **0620** 실수 전체의 집합에서 미분가능한 함수 $f(x)$가 다음 조건을 만족할 때, $f(3)$의 값은?

2008학년도 사관기출

(가) $f'(1)=2$

(나) 모든 실수 x, y에 대하여 $f(x+y)=f(x)+f(y)+xy(x+y)-3$

① 9 ② 12 ③ 15 ④ 18 ⑤ 21

발전문제 **0621** 다항함수 $f(x)$는 모든 실수 x, y에 대하여

2007학년도 06월 평가원

$$f(x+y)=f(x)+f(y)+2xy-1$$

을 만족시킨다. $\lim_{x\to 1}\frac{f(x)-f'(x)}{x^2-1}=14$일 때, $f'(0)$의 값을 구하여라.

정답 0619 : 4 0620 : ③ 0621 : 28

마플개념익힘 07 도함수가 주어진 연속함수의 부정적분

모든 실수 x에 대하여 미분가능한 함수 $f(x)$의 도함수 $f'(x)$가

$$f'(x)=\begin{cases} 3x^2-2 & (x \ge 1) \\ 2x-1 & (x<1) \end{cases}$$

이고 $f(2)=3$일 때, $f(-1)$의 값을 구하여라.

MAPL CORE 함수 $y=f(x)$의 도함수 $f'(x)$가 $f'(x)=\begin{cases} g(x) & (x \ge a) \\ h(x) & (x<a) \end{cases}$일 때,

[1단계] $f(x)=\int f'(x)dx=\begin{cases} \int g(x)dx & (x \ge a) \\ \int h(x)dx & (x<a) \end{cases}$

[2단계] 함수 $f(x)$가 $x=a$에서 연속 ⇨ $\lim_{x \to a+} f(x)=\lim_{x \to a-} f(x)=f(a)$이다.

개념익힘 | 풀이 (ⅰ) $x \ge 1$일 때, $f'(x)=3x^2-2$이므로

$f(x)=\int(3x^2-2)dx=x^3-2x+C_1$ (단, C_1은 적분상수)

이때 $f(2)=3$이므로 $8-4+C_1=3$ $\therefore C_1=-1$

즉, $f(x)=x^3-2x-1$

(ⅱ) $x<1$일 때, $f(x)=\int(2x-1)dx=x^2-x+C_2$ (단, C_2는 적분상수)

(ⅰ), (ⅱ)에서 $f(x)=\begin{cases} x^3-2x-1 & (x \ge 1) \\ x^2-x+C_2 & (x<1) \end{cases}$이므로

함수 $f(x)$는 모든 실수 x에 대하여 미분가능하므로 $x=1$에서 연속이어야 한다.

$\lim_{x \to 1+} f(x)=\lim_{x \to 1-} f(x)=f(1)$

$\lim_{x \to 1+}(x^3-2x-1)=\lim_{x \to 1-}(x^2-x+C_2)=-2$ $\therefore C_2=-2$

$\therefore f(x)=x^2-x-2$

따라서 $f(x)=\begin{cases} x^3-2x-1 & (x \ge 1) \\ x^2-x-2 & (x<1) \end{cases}$이므로 $f(-1)=(-1)^2-(-1)-2=0$

확인유제 0622 모든 실수 x에 대하여 미분가능한 함수 $f(x)$의 도함수 $f'(x)$가

$$f'(x)=\begin{cases} 6x^2 & (x \ge 1) \\ 2x+4 & (x<1) \end{cases}$$

를 만족시키고 $f(2)=9$일 때, $f(-2)+f(3)$의 값을 구하여라.

변형문제 0623 모든 실수 x에 대하여 연속인 함수 $f(x)$의 도함수 $f'(x)$가

$$f'(x)=\begin{cases} x^2 & (x \le 1) \\ -1 & (x>1) \end{cases},\ f(0)=\frac{2}{3}$$

를 만족할 때, 함수 $f(x)$의 극댓값은?

① 1 ② 2 ③ 3 ④ 4 ⑤ 5

발전문제 0624 모든 실수 x에 대하여 연속함수 $f(x)$가

$$f(0)=0,\ f'(x)=x+|x-1|$$

일 때, $f(-1)+f(3)$의 값을 구하여라.

정답 0622 : 33 0623 : ① 0624 : 6

08 부정적분의 성질

01 부정적분의 성질의 진위 판단 (단, C는 적분상수)

(1) $\int f(x)dx \neq \int f(y)dy$ ← 적분변수에 주의

해설 $\int 2xdx = x^2+C$, $\int 2ydy = y^2+C$이므로 변수가 다르다.

(2) $\int 0dx = C$ (단, C는 적분상수) [참]

해설 $\int 0dx = 0x+C$

(3) $\int \{f(x)-g(x)\}dx = C$ (C는 상수)이면 $f(x)=g(x)$ [참]

해설 $\int \{f(x)-g(x)\}dx = C$에서 $\frac{d}{dx}\int \{f(x)-g(x)\}dx = \frac{d}{dx}(C)$, 즉 $f(x)-g(x)=0$이므로 $f(x)=g(x)$

(4) $\int f(x)dx = \int g(x)dx$이면 $f(x)=g(x)$이다. [참]

해설 $\int f(x)dx = \int g(x)dx$에서 $\int \{f(x)-g(x)\}dx = 0$이므로 $f(x)-g(x)=0$ $\therefore f(x)=g(x)$

(5) $f(x)=g(x)$이면 $\int f(x)dx = \int g(x)dx + C$이다. [참]

$f(x)=g(x)$이면 $\int f(x)dx = \int g(x)dx$이다. [거짓]

해설 $f(x)=g(x)$에서 $f(x)-g(x)=0$이므로 $\int \{f(x)-g(x)\}dx = \int 0dx = C$

즉, $\int f(x)dx - \int g(x)dx = C$이므로 $\int f(x)dx = \int g(x)dx + C$

(6) $f'(x)=g'(x)$이면 $\int f'(x)dx = \int g'(x)dx + C$ [참]

$f'(x)=g'(x)$이면 $\int f'(x)dx = \int g'(x)dx$ [거짓]

해설 $f'(x)=g'(x)$에서 $f'(x)-g'(x)=0$이므로 $\int \{f'(x)-g'(x)\}dx = \int 0dx = C$

즉, $\int f'(x)dx - \int g'(x)dx = C$이므로 $\int f'(x)dx = \int g'(x)dx + C$

보기 01 다음 [보기]에서 옳은 것을 모두 골라라.

ㄱ. $\int 0dx = C$ (단, C는 적분상수)	ㄴ. $\int xdx = \int ydy$
ㄷ. $f'(x)=g'(x)$이면 $\int f'(x)dx = \int g'(x)dx$이다.	ㄹ. $\int f(x)dx = \int g(x)dx$이면 $f(x)=g(x)$이다.

풀이 ㄱ. $\int 0dx = C$ (단, C는 적분상수) [참]

ㄴ. $\int xdx = \frac{x^2}{2}+C_1$, $\int ydy = \frac{y^2}{2}+C_2$이므로 $\int xdx \neq \int ydy$ [거짓]

ㄷ. $f'(x)=g'(x)$에서 $f'(x)-g'(x)=0$이므로 $\int \{f'(x)-g'(x)\}dx = \int 0dx = C$

즉, $\int f'(x)dx - \int g'(x)dx = C$이므로 $\int f'(x)dx = \int g'(x)dx + C$ [거짓]

ㄹ. $\int f(x)dx = \int g(x)dx$에서 $\int \{f(x)-g(x)\}dx = 0$이므로 $f(x)-g(x)=0$ $\therefore f(x)=g(x)$ [참]

따라서 옳은 것은 ㄱ, ㄹ이다.

$f'(x)$의 그래프를 이용한 $f(x)$의 해석

수능특강문제 01

2006학년도 수능기출

함수 $y=f(x)$가 모든 실수에서 연속이고, $|x| \neq 1$인 모든 x의 값에 대하여 미분계수 $f'(x)$가

$$f'(x)=\begin{cases} x^2 & (|x|<1) \\ -1 & (|x|>1) \end{cases}$$

일 때, 다음 중 옳은 것을 모두 고른 것은?

ㄱ. 함수 $y=f(x)$는 $x=-1$에서 극값을 갖는다.

ㄴ. 모든 실수 x에 대하여 $f(x)=f(-x)$이다.

ㄷ. $f(0)=0$이면 $f(1)>0$이다.

① ㄱ ② ㄴ ③ ㄷ ④ ㄱ, ㄷ ⑤ ㄱ, ㄴ, ㄷ

수능특강 풀이

STEP Ⓐ $f'(x)$의 부호를 조사하여 $y=f(x)$의 그래프 개형 그리기

주어진 식에서 $f'(x)=\begin{cases} -1 & (x<-1) \\ x^2 & (-1<x<1) \\ -1 & (x>1) \end{cases}$

함수 $y=f(x)$가 모든 실수에서 연속이므로

$$f(x)=\int f'(x)dx=\begin{cases} -x+C_1 & (x<-1) \\ \frac{1}{3}x^3+C_2 & (-1\le x<1) \\ -x+C_3 & (x\ge 1) \end{cases}$$

(단, C_1, C_2, C_3은 적분상수)

즉, 도함수 $y=f'(x)$의 그래프와 연속함수 $y=f(x)$의 그래프의 개형은 오른쪽 그림과 같다.

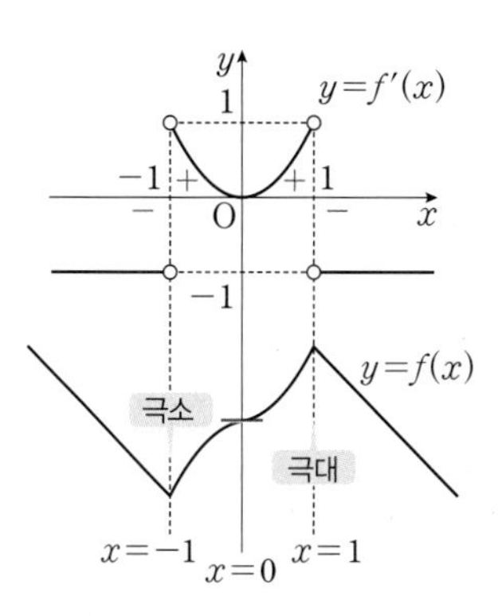

STEP Ⓑ 함수 $y=f(x)$의 그래프의 개형을 이용하여 [보기]의 참, 거짓의 진위판단하기

ㄱ. $f(x)$는 $x=-1$의 좌우에서 $f'(x)$의 부호가 음에서 양으로 변하므로 함수 $y=f(x)$는 $x=-1$에서 극솟값을 갖는다. [참]

ㄴ. 함수 $f(x)$의 그래프의 개형이 y축에 대하여 대칭이 아니므로 $f(x)=f(-x)$가 성립하지 않는다. [거짓]

ㄷ. $f(0)=C_2=0$이면 $-1\le x<1$에서 $f(x)=\frac{1}{3}x^3$

함수 $y=f(x)$가 $x=1$에서 연속이므로 $\lim_{x\to 1-}f(x)=\lim_{x\to 1+}f(x)=f(1)$

$\therefore f(1)=\lim_{x\to 1-}f(x)=\frac{1}{3}>0$

즉, $f(0)=0$이면 $f(1)>0$이다. [참]

따라서 옳은 것은 ㄱ, ㄷ이다.

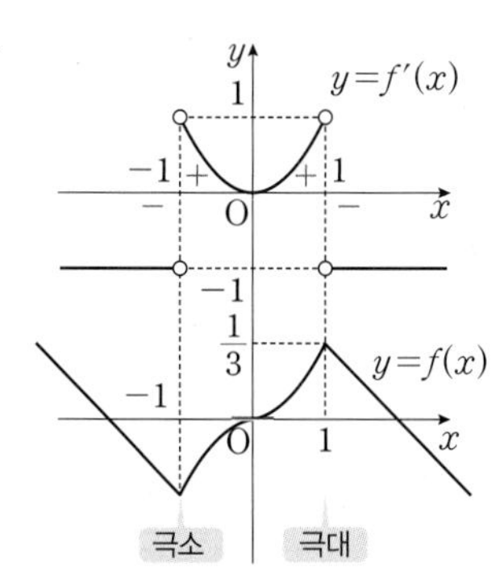

수능특강문제 02 연속함수 $f(x)$의 도함수 $y=f'(x)$의 그래프가 오른쪽 그림과 같을 때, 원점을 지나는 함수 $y=f(x)$의 그래프로 옳은 것은?

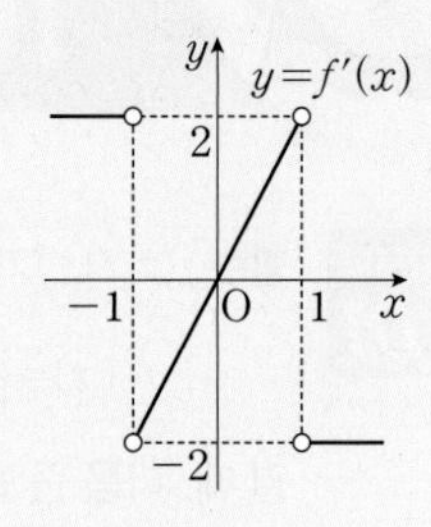

①
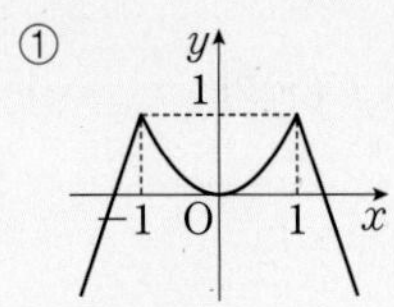
②
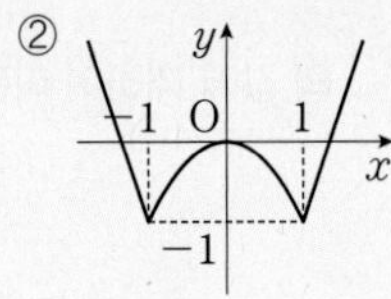
③
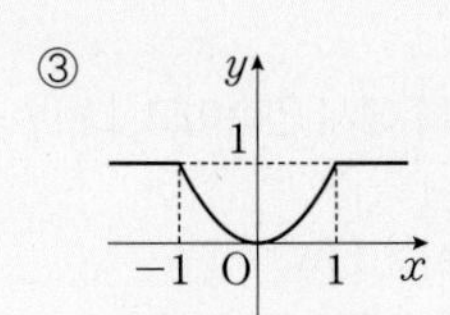
④
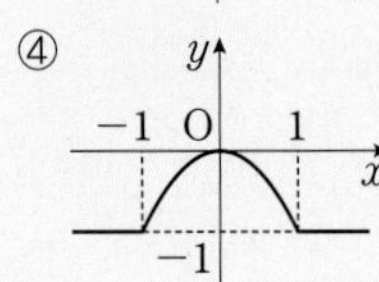
⑤

수능특강 풀이

STEP Ⓐ 부정적분을 이용하여 함수 $y=f(x)$의 식 작성하기

주어진 그래프에서 $f'(x)=\begin{cases} 2 & (x<-1) \\ 2x & (-1<x<1) \\ -2 & (x>1) \end{cases}$ 이므로

$f(x)=\int f'(x)dx=\begin{cases} 2x+C_1 & (x<-1) \\ x^2+C_2 & (-1\le x<1) \\ -2x+C_3 & (x\ge 1) \end{cases}$ (단, C_1, C_2, C_3은 적분상수)

곡선 $y=f(x)$가 원점을 지나므로 $f(0)=0$ $\therefore C_2=0$

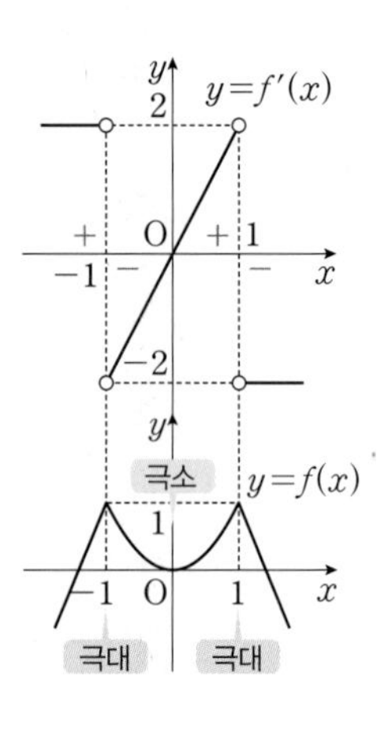

STEP Ⓑ 연속임을 이용하여 적분상수를 구하여 함수 $y=f(x)$의 그래프 개형 그리기

$f(x)$는 $x=-1$에서 연속이므로 $-2+C_1=1$ $\therefore C_1=3$

$f(x)$는 $x=1$에서 연속이므로 $1=-2+C_3$ $\therefore C_3=3$

따라서 $f(x)=\begin{cases} 2x+3 & (x<-1) \\ x^2 & (-1\le x<1) \\ -2x+3 & (x\ge 1) \end{cases}$ 이므로 그래프는 오른쪽 그림과 같으므로 ①번이다.

수능특강문제 03 연속함수 $f(x)$의 도함수 $y=f'(x)$의 그래프가 오른쪽 그림과 같을 때, 원점을 지나는 함수 $y=f(x)$의 그래프의 개형으로 옳은 것은?

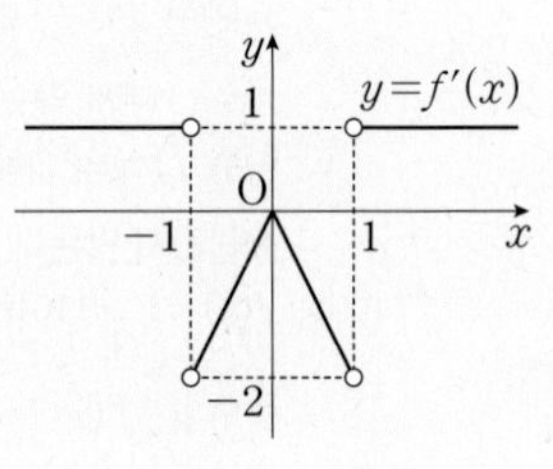

①
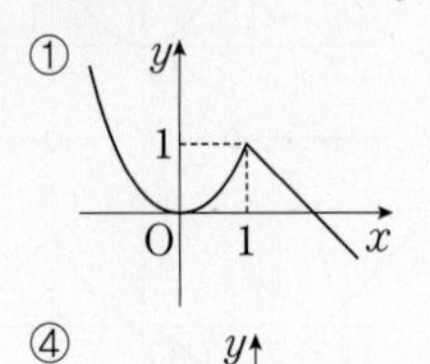
②
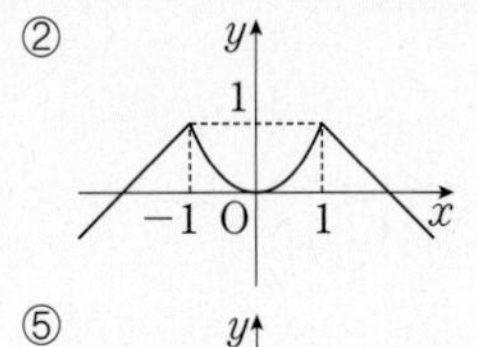
③
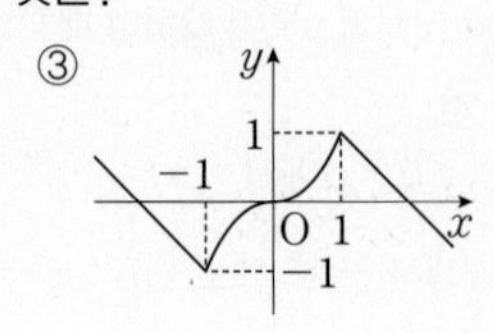
④
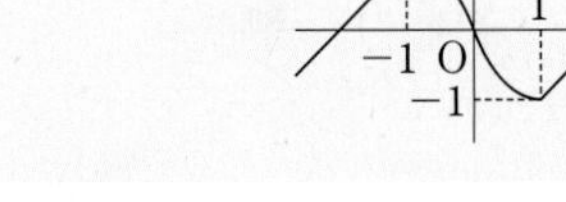
⑤

수능특강 풀이

STEP Ⓐ 부정적분을 이용하여 함수 $y=f(x)$의 식 작성하기

주어진 그래프에서 $f'(x)=\begin{cases} 1 & (x<-1) \\ 2x & (-1<x<0) \\ -2x & (0<x<1) \\ 1 & (x>1) \end{cases}$ 이므로 $f(x)=\int f'(x)dx=\begin{cases} x+C_1 & (x<-1) \\ x^2+C_2 & (-1\le x<0) \\ -x^2+C_3 & (0\le x<1) \\ x+C_4 & (x\ge 1) \end{cases}$

(단, C_1, C_2, C_3, C_4는 적분상수)

곡선 $y=f(x)$가 원점을 지나므로 $C_2=0$, $C_3=0$

STEP Ⓑ 연속임을 이용하여 적분상수를 구하여 함수 $y=f(x)$의 그래프 개형 그리기

함수 $f(x)$는 $x=-1$, $x=1$에서 연속이므로

$\lim_{x\to -1+}f(x)=\lim_{x\to -1-}f(x)=f(-1)$에서 $-1+C_1=1$ $\therefore C_1=2$

$\lim_{x\to 1+}f(x)=\lim_{x\to 1-}f(x)=f(1)$에서 $-1=1+C_4$ $\therefore C_4=-2$

따라서 함수 $f(x)=\begin{cases} x+2 & (x<-1) \\ x^2 & (-1\le x<0) \\ -x^2 & (0\le x<1) \\ x-2 & (x\ge 1) \end{cases}$ 이므로 그래프는 오른쪽 그림과 같으므로 ⑤번이다.

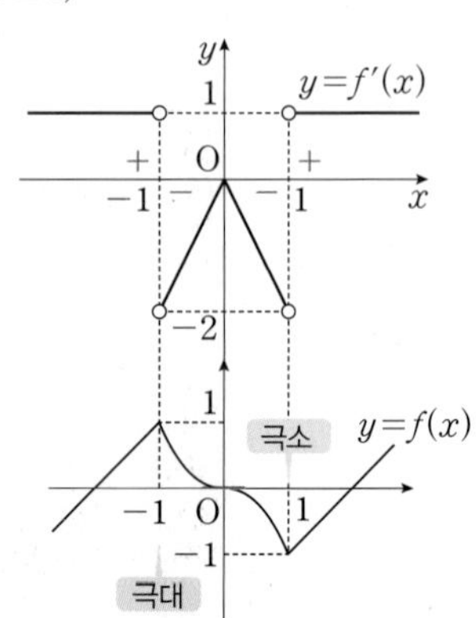

FINAL EXERCISE
단원종합문제

BASIC

내신 수능 기본 대표 기출문제

0625
부정적분의 성질
내신빈출

다음 물음에 답하여라.

(1) 다항함수 $f(x)$의 임의의 두 부정적분을 $F(x)$, $G(x)$라고 하자. $F(0)=G(0)+1$일 때, $F(2)-G(2)$의 값은?

① -1 ② 0 ③ 1 ④ 2 ⑤ 3

(2) 두 함수 $F(x)$, $G(x)$가 모두 다항함수 $f(x)$의 부정적분이고 $F(0)-G(0)=5$일 때, $F(3)-G(3)$의 값은?

① 2 ② 3 ③ 4 ④ 5 ⑤ 6

0626
부정적분과 미분의 관계
2012년 07월 교육청

다음 물음에 답하여라.

(1) 함수 $f(x)=\int\left\{\frac{d}{dx}(x^2-6x)\right\}dx$에 대하여 $f(x)$의 최솟값이 8일 때, $f(1)$의 값은?

① 8 ② 10 ③ 12 ④ 14 ⑤ 16

(2) 함수 $f(x)=x^2+3$에 대하여 두 함수 $g(x)$, $h(x)$를

$$g(x)=\frac{d}{dx}\int f(x)\,dx,\ h(x)=\int\left\{\frac{d}{dx}f(x)\right\}dx$$

로 정의하자. $g(0)+h(0)=8$일 때, $h(2)-g(2)$의 값은?

① 2 ② 3 ③ 4 ④ 5 ⑤ 6

0627
도함수가 주어진 함수의 부정적분
내신빈출

방정식 $\log_x\left(\frac{d}{dx}\int x^3\,dx\right)=x^2-4x-2$를 만족하는 x의 값은?

① 1 ② 2 ③ 3 ④ 4 ⑤ 5

0628
도함수가 주어진 함수의 부정적분
내신빈출

다음 물음에 답하여라.

(1) 다항함수 $f(x)$의 도함수 $f'(x)$가 $f'(x)=3x^2+2$이고 $f(0)=-1$일 때, $f(1)$의 값은?

① 1 ② 2 ③ 3 ④ 4 ⑤ 5

(2) 다항함수 $f(x)$에 대하여 $f'(x)=3x^2-4$이고 $f(0)=-3$일 때, $f(3)$의 값은?

① 10 ② 12 ③ 14 ④ 16 ⑤ 18

0629
미분과 적분 사이의 관계
내신빈출

다음 물음에 답하여라.

(1) 함수 $f(x)$가 $f(x)=\int(x^2-3x+2)\,dx$일 때, $\lim_{h\to 0}\frac{f(3+2h)-f(3)}{h}$의 값은?

① 4 ② 6 ③ 8 ④ 10 ⑤ 12

(2) 함수 $f(x)=\int(2x^3-x^2+1)\,dx$일 때, $\lim_{x\to 1}\frac{f(x^2)-f(1)}{x-1}$의 값은?

① 2 ② 4 ③ 8 ④ 12 ⑤ 14

(3) 함수 $f(x)$에 대하여 $f(x)=\int(3x^2-2x+a)\,dx$이고 $\lim_{h\to 0}\frac{f(1+h)-f(1)}{h}=2$일 때, $f(1)$의 값은? (단, $f(0)=2$)

① 2 ② 3 ③ 4 ④ 5 ⑤ 6

정답 0625 : (1) ③ (2) ④ 0626 : (1) ③ (2) ① 0627 : ⑤ 0628 : (1) ② (2) ② 0629 : (1) ① (2) ② (3) ②

0630

도함수가 주어진 함수의 부정적분
내신빈출

다음 물음에 답하여라.

(1) 함수 $f(x)$가 다음 조건을 만족시킬 때, $f(2)$의 값은?

> (가) $f'(x)=3x^2-4x+1$
> (나) 곡선 $y=f(x)$는 점 $(1, 3)$을 지난다.

① 5　② 6　③ 7　④ 8　⑤ 9

(2) 원점을 지나는 곡선 $y=f(x)$ 위의 임의의 점 $(x, f(x))$에서의 접선의 기울기가 $3x^2+12x$일 때, $f(2)$의 값은?

① 20　② 24　③ 28　④ 32　⑤ 36

0631

미분과 적분 사이의 관계

다음 물음에 답하여라.

(1) 함수 $f(x)$에 대하여 $f'(x)=2x-2$이고 함수 $f(x)$의 최솟값이 5일 때, $f(3)$의 값은?

① 6　② 9　③ 12　④ 15　⑤ 18

(2) 곡선 $y=f(x)$ 위의 임의의 점 (x, y)에서의 접선의 기울기가 $-4x+8$인 함수 $f(x)$의 최댓값이 10일 때, 닫힌구간 $[-1, 4]$에서 함수 $f(x)$의 최솟값은?

① -10　② -8　③ -6　④ -4　⑤ -2

0632

부정적분의 활용
내신빈출

함수 $f(x)$의 도함수가 $f'(x)=3x^2-6x+a$이고 $f(x)$가 이차식 x^2-5x+6으로 나누어 떨어질 때, $f(1)$의 값을 구하여라. (단, a는 실수)

0633

도함수의 정의를 이용한 부정적분
내신빈출

다항함수 $f(x)$가 다음 두 조건을 만족시킨다.

> (가) $\displaystyle\lim_{x\to\infty}\frac{f'(x)}{x-4}=3$　　(나) $\displaystyle\lim_{x\to 1}\frac{f(x)}{x-1}=2$

이때 $f(3)$의 값을 구하여라.

0634

함수의 극대 · 극소와 부정적분
2004학년도 수능기출

삼차함수 $y=f(x)$는 $x=1$에서 극값을 갖고 그 그래프가 원점에 대하여 대칭일 때, 이 그래프와 x축과의 교점의 x좌표 중에서 양수인 것은?

① $\sqrt{2}$　② $\sqrt{3}$　③ 2　④ $\sqrt{5}$　⑤ $\sqrt{6}$

0635

도함수의 정의를 이용한 부정적분
내신빈출

모든 실수 x, y에 대하여

$$f(x+y)=f(x)+f(y)$$

를 만족하는 미분가능한 함수 $f(x)$가 있다. $f'(0)=3$일 때, $f(2)$의 값은?

① 2　② 4　③ 6　④ 8　⑤ 10

정답　0630 : (1) ① (2) ④　0631 : (1) ② (2) ②　0632 : 6　0633 : 10　0634 : ②　0635 : ③

0636

함수의 극대 · 극소와 부정적분
2004학년도 09월 평가원

다음 물음에 답하여라.

(1) 다항함수 $f(x)$의 도함수가 $f'(x)=3x(x-4)$이고 $f(x)$의 극댓값이 5일 때, $f(x)$의 극솟값은?

① 0 ② -5 ③ -16 ④ -27 ⑤ -32

(2) 다항함수 $f(x)$의 도함수가 $f'(x)=3x^2-3$이고 $f(x)$의 극솟값이 1일 때, $f(x)$의 극댓값은?

① 2 ② 3 ③ 4 ④ 5 ⑤ 6

0637

함수의 극대 · 극소와 부정적분

함수 $f(x)=\int(-x^2+x)\,dx$의 극댓값이 3일 때, $f(x)$의 극솟값은?

① $\frac{8}{3}$ ② $\frac{17}{6}$ ③ 3 ④ $\frac{11}{3}$ ⑤ 4

0638

함수의 극대 · 극소와 부정적분

함수 $f(x)$에 대하여

$$f'(x)=2x-a,\ f(0)=\frac{a^2}{4}$$

이고 $y=xf(x)$의 극댓값은 4이다. 이때 양수 a의 값을 구하여라.

0639

함수의 극대극소와 부정적분
내신빈출

다음 물음에 답하여라.

(1) 최고차항의 계수가 1인 삼차함수 $f(x)$가

$$f'(0)=f'(2)=0$$

을 만족한다. 함수 $f(x)$의 극댓값이 0일 때, 극솟값은?

① -10 ② -8 ③ -6 ④ -4 ⑤ -2

(2) 최고차항의 계수가 -1인 삼차함수 $f(x)$가

$$f'(2)=f'(10)=0$$

을 만족한다. 함수 $f(x)$의 극솟값이 -56일 때, 극댓값은?

① 120 ② 160 ③ 180 ④ 200 ⑤ 220

0640

도함수의 그래프와 부정적분
2012년 04월 교육청

삼차함수 $y=f(x)$의 도함수 $y=f'(x)$의 그래프가 그림과 같다. $f'(-1)=f'(1)=0$이고 함수 $f(x)$의 극댓값이 4, 극솟값이 0일 때, $f(3)$의 값은?

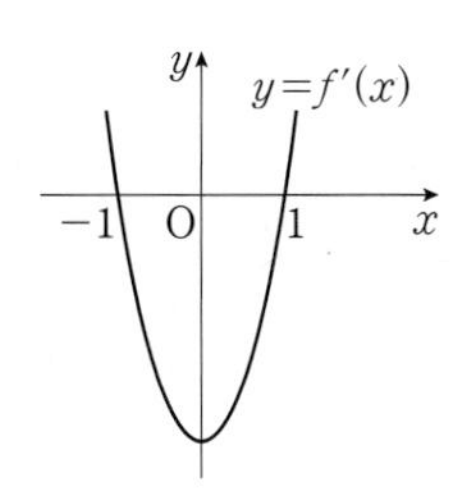

① 14 ② 16 ③ 18
④ 20 ⑤ 22

정답 0636 : (1) ④ (2) ④ 0637 : ② 0638 : 6 0639 : (1) ④ (2) ④ 0640 : ④

0641

도함수의 그래프와 부정적분

사차함수 $f(x)$의 도함수 $y=f'(x)$의 그래프가 오른쪽 그림과 같다.
$f(x)$의 극댓값이 2이고 두 극솟값이 1일 때, $f(2)$의 값은?

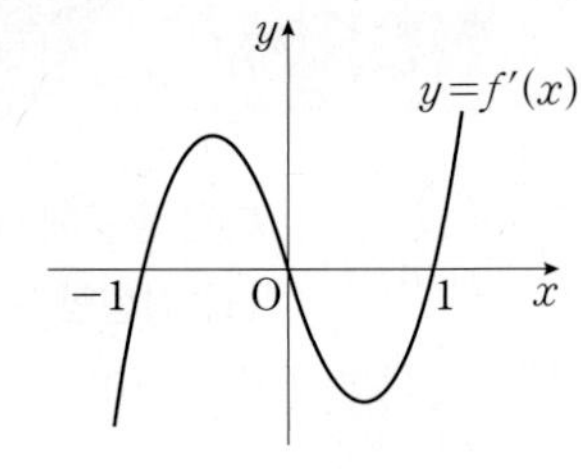

① 6　② 8　③ 10
④ 12　⑤ 24

0642

함수의 극대 · 극소와 부정적분
2008년 07월 교육청

함수 $f(x)$에 대하여 $f'(x)=(x-1)^3$이다. 함수 $f(x)$의 극값을 M, 함수 $y=f(x)$의 그래프 위의 두 점 A$(0,\ f(0))$, B$(2,\ f(2))$에서 접하는 두 접선의 교점의 y좌표를 N이라 할 때, $16(M-N)$의 값을 구하여라.

0643

부정적분과 도함수의 성질
내신빈출

두 다항함수 $f(x)$, $g(x)$에 대하여

$$f'(x)+g'(x)=4,\ f'(x)g(x)+f(x)g'(x)=6x+1$$

이고 $f(0)=1$, $g(0)=-2$일 때, $f(4)g(2)$의 값은?

① 5　② 10　③ 15　④ 20　⑤ 25

0644

도함수의 그래프와 부정적분
서술형

함수 $f(x)$가 미분가능하고 그 도함수 $y=f'(x)$의 그래프가 오른쪽 그림과 같다.
$f(2)=3$일 때, $f(-1)$의 값을 구하는 과정을 다음 단계로 서술하여라.

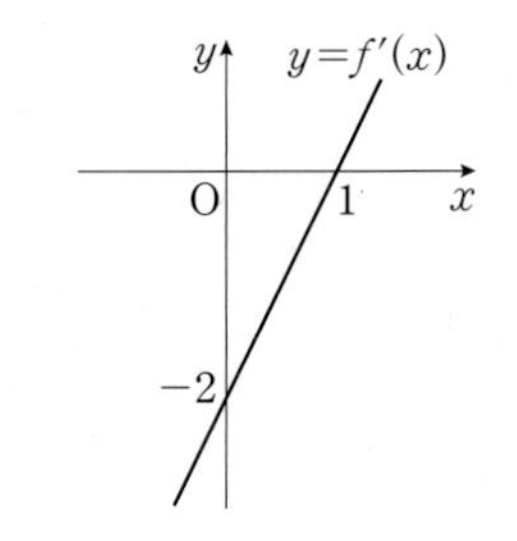

[1단계] 함수 $f(x)$의 도함수 $f'(x)$를 구한다.
[2단계] $f'(x)$의 부정적분을 구한다.
[3단계] 함수 $f(x)$를 구하여 $f(-1)$의 값을 구한다.

0645

함수의 극대극소와 부정적분
서술형

다항함수 $f(x)=\int(3x^2+ax+9)\,dx$가 $x=-1$에서 극솟값 1을 가질 때, 상수 a의 값과 $f(x)$의 극댓값을 구하는 과정을 다음 단계로 서술하여라.
[1단계] 다항함수 $y=f(x)$가 $x=-1$에서 극소이므로 $f'(-1)=0$임을 이용하여 상수 a를 구한다.
[2단계] 다항함수 $y=f(x)$가 $x=-1$에서 극솟값이 1임을 이용하여 적분상수 C를 구한다.
[3단계] 함수 $f(x)$의 증가와 감소를 표로 나타내어 함수 $f(x)$의 극댓값을 구한다.

0646

다항식의 나눗셈과 부정적분
서술형

함수 $f(x)$에 대하여 $f'(x)=3x^2+2x+a$이고 다항식 $f(x)$가 x^2-4x+3으로 나누어떨어질 때, $f(-2)$의 값을 구하는 과정을 다음 단계로 서술하여라. (단, a는 상수)
[1단계] $f'(x)$를 적분한다.
[2단계] 다항식 $f(x)$가 x^2-4x+3으로 나누어떨어짐을 이용하여 a와 적분상수 C를 구한다.
[3단계] $f(-2)$의 값을 구한다.

정답　0641 : ③　0642 : 12　0643 : ④　0644 : 해설참조　0645 : 해설참조　0646 : 해설참조

0647
부정적분과 도함수

이차함수 $f(x)$에 대하여 함수 $g(x)$가

$$g(x)=\int\{f(x)-x^2\}dx,\ f(x)g(x)=x^4+2x^3$$

을 만족시킬 때, $f(1)+g(1)$의 값을 구하여라.

0648
부정적분과 미분과의 관계
내신빈출

다항함수 $f(x)$가 모든 실수 x에 대하여

$$\frac{d}{dx}\left\{f(x)+\int xf(x)dx\right\}=x^3+2x^2-x+2$$

을 만족시킬 때, $f(3)$의 값을 구하여라.

0649
함수의 극대 · 극소와 부정적분

최고차항의 계수가 1인 사차함수 $f(x)$가 다음 조건을 만족할 때, 함수 $f(x)$의 극솟값을 구하여라.

(가) 함수 $y=f(x)$의 그래프는 $x=0$에서 x축과 접한다.
(나) 함수 $y=f(x)$는 $x=-2$와 $x=2$에서 극값을 갖는다.

0650
함수의 극대 · 극소와 부정적분
내신빈출

최고차항의 계수가 1인 사차함수 $f(x)$가 다음 조건을 모두 만족시킨다.

(가) $f(1+x)=f(1-x)$
(나) $x=2$에서 극솟값을 갖는다.
(다) 그래프가 점 $(-1,\ 0)$을 지난다.

이때 함수 $f(x)$의 극댓값을 구하여라.

0651
함수의 극대 · 극소와 부정적분
2016년 10월 교육청

사차함수 $f(x)$의 도함수 $y=f'(x)$의 그래프가 그림과 같고

$$f'(-\sqrt{2})=f'(0)=f'(\sqrt{2})=0$$

이다. $f(0)=1,\ f(\sqrt{2})=-3$일 때, $f(m)f(m+1)<0$을 만족시키는 모든 정수 m의 값의 합은?

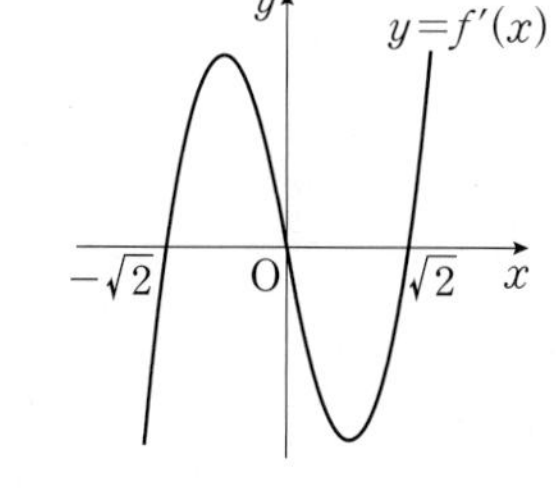

① -2　② -1　③ 0　④ 1　⑤ 2

0652
곱의 미분법과 적분상수의 결정
2013년 07월 교육청

최고차항의 계수가 1인 삼차함수 $f(x)$가

$$f(0)=0,\ f(\alpha)=0,\ f'(\alpha)=0$$

이고 함수 $g(x)$가 다음 두 조건을 만족시킬 때, $g\left(\frac{\alpha}{3}\right)$의 값은?
(단, α는 양수이다.)

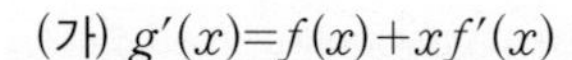

(가) $g'(x)=f(x)+xf'(x)$
(나) $g(x)$의 극댓값이 81이고 극솟값이 0이다.

① 56　② 58　③ 60　④ 62　⑤ 64

정답　0647 : 4　0648 : 12　0649 : -16　0650 : -8　0651 : ①　0652 : ⑤

이계절을
거두어
풍요롭게
하소서

한국의 절기 ⑯ '추분'

자료출처 : 한국민속대백과사전 http://folkency.nfm.go.kr

추분에는 낮과 밤의 길이가 같아지므로 이날을 계절의 분기점으로 의식한다. 곧 추분이 지나면 점차 밤이 길어지기 때문에 여름이 가고 가을이 왔음을 실감하게 된다.
추분과 춘분은 모두 밤낮의 길이가 같은 시기지만 기온을 비교해보면 추분이 약 10도 정도가 높다. 이는 여름의 더위가 아직 남아 있기 때문이다. 추분에는 벼락이 사라지고 벌레는 땅속으로 숨고 물이 마르기 시작한다. 또 태풍이 부는 때이기도 하다.
추분을 즈음하여 논밭의 곡식을 거두어들이고 목화를 따고 고추도 따서 말리며 그 밖에도 잡다한 가을걷이 일이 있다. 호박고지, 박고지, 깻잎, 고구마순도 이맘때 거두고 산채를 말려 묵나물을 준비하기도 한다.
추분에 부는 바람을 보고 이듬해 농사를 점치는 풍속이 있다. 이날 건조한 바람이 불면 다음해 대풍이 든다고 생각한다. 만약 추분이 사일(社日) 앞에 있으면 쌀이 귀하고 뒤에 있으면 풍년이 든다고 생각한다. 바람이 건방이나 손방에서 불어오면 다음해에 큰 바람이 있고 감방에서 불어오면 겨울이 몹시 춥다고 생각한다. 또 작은 비가 내리면 길하고 날이 개면 흉년이리고 믿는다.

수능과 내신의 수학개념서
mapl
마플
교과서
MAPL SERIES www.mapl.co.kr

수학 II

Ⅰ 함수의 극한과 연속
Ⅱ 미분
Ⅲ 적분

02

정적분

01 정적분

MAPL ; YOUR MASTER PLAN

01 정적분의 정의

닫힌구간 $[a, b]$에서 연속인 함수 $f(x)$의 한 부정적분을 $F(x)$라 할 때, 정적분을 다음과 같이 정리한다.

$$\int_a^b f(x)dx = \Big[F(x)\Big]_a^b = F(b) - F(a)$$ ⬅ 이 관계를 '미적분의 기본 정리' 라고도 한다.

이 값을 함수 $f(x)$의 a에서 b까지의 정적분이라고 하며 기호로 $\int_a^b f(x)dx$와 같이 나타낸다.

이때 닫힌구간 $[a, b]$를 적분구간이라고 하고, $\int_a^b f(x)dx$의 값을 구하는 것을 함수 $f(x)$를 a에서 b까지 적분한다고 하며 a를 아래끝, b를 위끝, x를 적분변수, $f(x)$를 피적분함수라 한다.

참고 ① 정적분 $\int_a^b f(x)dx$를 '인테그럴(integral) a에서 b까지 $f(x)dx$' 로 읽는다.

② 부정적분은 구간이 정해지지 않은 적분이므로 $\int f(x)dx$는 함수이지만

정적분은 구간이 정해진 적분이므로 $\int_a^b f(x)dx$는 실수이다.

마플해설 일반적으로 닫힌구간 $[a, b]$에서 연속인 함수 $f(x)$의 두 부정적분을 각각 $F(x)$, $G(x)$라 하면

$F(x) = G(x) + C$ (C는 적분상수)

이므로 $F(b) - F(a) = \{G(b) + C\} - \{G(a) + C\} = G(b) - G(a)$이다.

따라서 함수 $f(x)$의 어떤 부정적분 $F(x)$에서도 $F(b) - F(a)$의 값은 하나로 결정된다.

이 값을 함수 $f(x)$의 a에서 b까지의 정적분이라 하고,

이것을 기호로 $\int_a^b f(x)dx$와 같이 나타낸다.

이때 정적분의 값 $F(b) - F(a)$를 기호로 $\Big[F(x)\Big]_a^b$와 같이 나타낸다.

$$\int_a^b f(x)dx = \Big[F(x)\Big]_a^b = F(b) - F(a)$$

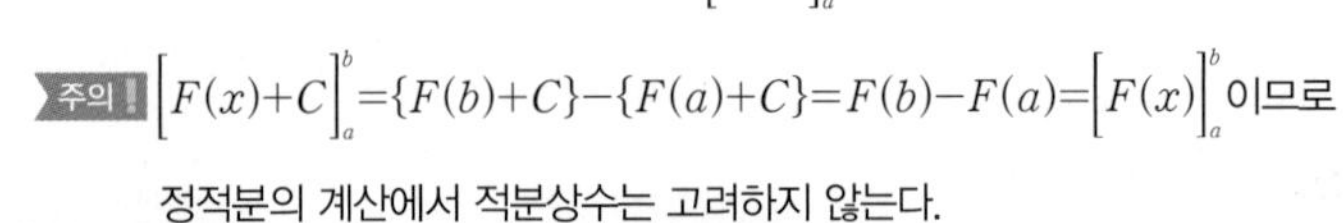

주의 $\Big[F(x) + C\Big]_a^b = \{F(b) + C\} - \{F(a) + C\} = F(b) - F(a) = \Big[F(x)\Big]_a^b$ 이므로

정적분의 계산에서 적분상수는 고려하지 않는다.

보기 01 다음 정적분을 구하여라.

(1) $\int_1^5 3dx$　　(2) $\int_{-1}^2 x^2 dx$　　(3) $\int_{-1}^3 (3t^2 - 2)dt$

풀이

(1) $\int 3dx = 3x + C$ (C는 적분상수)이므로 $\int_1^5 3dx = \Big[3x\Big]_1^5 = 3 \cdot 5 - 3 \cdot 1 = 12$

(2) $\int x^2 dx = \frac{1}{3}x^3 + C$ (C는 적분상수)이므로 $\int_{-1}^2 x^2 dx = \Big[\frac{1}{3}x^3\Big]_{-1}^2 = \frac{8}{3} - \left(-\frac{1}{3}\right) = 3$

(3) $\int (3t^2 - 2)dt = t^3 - 2t + C$ (C는 적분상수)이므로

$\int_{-1}^3 (3t^2 - 2)dt = \Big[t^3 - 2t\Big]_{-1}^3 = (3^3 - 2 \cdot 3) - \{(-1)^3 - 2 \cdot (-1)\} = 21 - 1 = 20$

FOCUS

정적분 $\int_a^b f(x)dx$의 값은 함수 $f(x)$의 아래끝 a, 위끝 b에 의해서만 결정되므로 적분변수와는 관계가 없다.

즉, 정적분 $\int_a^b f(x)dx$에서 변수 x대신 다른 문자를 사용하여 나타내어도 그 값은 변하지 않는다.

$$\int_a^b f(x)dx = \int_a^b f(t)dt = \int_a^b f(s)ds$$

주의 부정적분은 함수를 나타내므로 $\int f(x)dx \neq \int f(t)dt \neq \int f(s)ds$

02 $a=b$, $a>b$일 때, 정적분의 기본 정의

지금까지 정적분 $\int_a^b f(x)dx$를 $a<b$일 때만 정의하였다. 한편 $a \ge b$일 때는 다음과 같이 정의한다.

(1) $a=b$일 때, $\int_a^a f(x)dx=0$ ⬅ 아래끝과 위끝이 같을 때

(2) $a>b$일 때, $\int_a^b f(x)dx=-\int_b^a f(x)dx$ ⬅ 아래끝과 위끝이 서로 바뀔 때

마플해설 함수 $f(x)$의 부정적분을 $F(x)$라 하면

아래끝과 위끝이 같으면 정적분의 값은 0이다.

(1) $\int_a^a f(x)dx=\Big[F(x)\Big]_a^a=F(a)-F(a)=0$

(2) $\int_a^b f(x)dx=-\int_b^a f(x)dx=-\Big[F(x)\Big]_b^a=-\{F(a)-F(b)\}=F(b)-F(a)$

따라서 a, b의 대소에 관계없이 $\int_a^b f(x)dx=F(b)-F(a)$는 항상 성립한다.

보기 02 다음 정적분을 구하여라.

(1) $\int_2^2 (6x^2-2)dx$ (2) $\int_2^{-1} (3x^2-4x)dx$ (3) $\int_3^1 (4x^3-3x^2-2x)dx$

풀이 (1) $\int_2^2 (6x^2-2)dx=0$

(2) $\int_2^{-1}(3x^2-4x)dx=-\int_{-1}^2(3x^2-4x)dx=-\Big[x^3-2x^2\Big]_{-1}^2=-\{(8-8)-(-1-2)\}=-3$

(3) $\int_3^1(4x^3-3x^2-2x)dx=-\int_1^3(4x^3-3x^2-2x)dx=-\Big[x^4-x^3-x^2\Big]_1^3$

$=-\{(81-27-9)-(1-1-1)\}=-46$

FOCUS

정적분과 넓이의 차이

함수 $y=f(x)$가 닫힌구간 $[a, b]$에서 연속이고

곡선 $y=f(x)$와 두 직선 $x=a$와 $x=b$ 및 x축으로 둘러싸인 도형의 넓이를 S라고 하자.

(1) 구간 $[a, b]$에서 $f(x) \ge 0$일 때,

정적분 $\int_a^b f(x)dx$의 값은 정적분의 정의에 의하여 도형의 넓이 S와 같다.

즉, $\int_a^b f(x)dx=S$

(2) 구간 $[a, b]$에서 $f(x) \le 0$일 때,

정적분 $\int_a^b f(x)dx$의 값은 정적분의 정의에 의하여 도형의 넓이 S에 대하여 $-S$와 같다.

즉, $\int_a^b f(x)dx=-S$

(3) 구간 $[a, c]$에서 $f(x) \ge 0$이고 구간 $[c, b]$에서 $f(x) \le 0$일 때,

$\int_a^c f(x)dx=S_1$, $\int_c^b f(x)dx=-S_2$이므로 정적분 $\int_a^b f(x)dx$는 x축 위쪽의

넓이 S_1에서 아래쪽의 넓이 S_2를 뺀 값을 나타낸다.

즉, $\int_a^b f(x)dx=S_1-S_2$

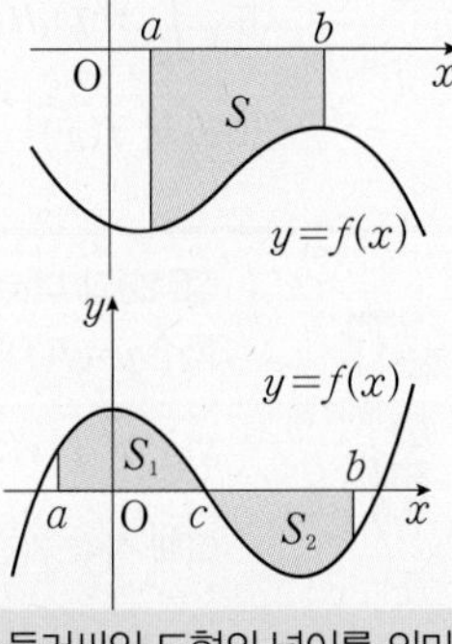

즉 적분구간에서 함숫값이 양이면 정적분 $\int_a^b f(x)dx$는 구간 $[a, b]$에서 함수의 그래프와 x축으로 둘러싸인 도형의 넓이를 의미하고, 함숫값이 음이면 정적분 $\int_a^b f(x)dx$는 구간 $[a, b]$에서 함수의 그래프와 x축으로 둘러싸인 도형의 넓이에 '−'를 붙인 값이다.

넓이 S는 양수이므로 닫힌구간 $[a, b]$에서

① $f(x) \ge 0$이면 $S=\int_a^b f(x)dx$ ⬅ (정적분의 값) = (넓이)

② $f(x) \le 0$이면 $S=-\int_a^b f(x)dx$ ⬅ (정적분의 값) = −(넓이)

03 정적분과 미분의 관계

고정된 실수 a를 포함하는 구간에서 연속인 함수 $f(x)$가 있을 때, 그 구간에 속하는 임의의 실수 x에 대하여 다음이 성립한다.

함수 $f(t)$가 닫힌구간 $[a, b]$에서 연속일 때,

$$\frac{d}{dx}\int_{a}^{x} f(t)dt = f(x) \text{ (단, } a<x<b\text{)}$$

← 아래끝이 상수이다.
다음 단원인 정적분과 함수에서 좀 더 자세히 다룬다.

마플해설 닫힌구간 $[a, b]$에서 연속인 함수 $f(t)$가 $a<x<b$이면

$\int_{a}^{x} f(t)dt$는 x의 값에 따라 그 값이 하나씩 정해지므로 x에 대한 함수이다.

이때 $f(t)$의 한 부정적분을 $F(t)$라 하면

$$\int_{a}^{x} f(t)dt = \Big[F(t)\Big]_{a}^{x} = F(x)-F(a)$$

이므로 다음이 성립함을 알 수 있다.

$$\frac{d}{dx}\int_{a}^{x} f(t)dt = \frac{d}{dx}\{F(x)-F(a)\} = F'(x)-0 = f(x)$$

일반적으로 적분과 미분 사이에는 다음과 같은 관계가 성립한다.

$\frac{d}{dx}\int_{1}^{x}(t^2-2t+3)dt = x^2-2x+3$ ←(아래끝의 상수가 달라도 결과는 같다.)→ $\frac{d}{dx}\int_{-2}^{x}(t^2-2t+3)dt = x^2-2x+3$

보기 03 다음 정적분을 x에 대하여 미분하여라.

(1) $\int_{0}^{x} t^3 dt$ (2) $\int_{1}^{x}(t^2-2t+3)dt$

풀이 (1) $\frac{d}{dx}\int_{0}^{x} t^3 dt = x^3$ (2) $\frac{d}{dx}\int_{1}^{x}(t^2-2t+3)dt = x^2-2x+3$

보기 04 모든 실수 x에 대하여 등식 $\int_{1}^{x} f(t)dt = x^2-3x+a$를 만족시키는 함수 $f(x)$와 상수 a의 값을 구하여라.

풀이 $\int_{1}^{x} f(t)dt = x^2-3x+a$의 양변을 x에 대하여 미분하면 $f(x)=2x-3$

또, $\int_{1}^{x} f(t)dt = x^2-3x+a$의 양변에 $x=1$을 대입하면 $\int_{1}^{1} f(t)dt = 1-3+a=0 \quad \therefore a=2$

따라서 $f(x)=2x-3$, $a=2$이다.

더 알아보기

정적분과 미분의 관계를 이용하여 부정적분과 정적분 사이의 관계를 알아보자.
함수 $y=f(t)$가 구간 $[a, b]$에서 연속일 때,

$S(x)=\int_{a}^{x} f(t)dt\,(a \le x \le b)$라 하면 $S'(x)=f(x)$이므로 $S(x)$는 함수 $f(x)$의 부정적분이다.

이때 함수 $f(x)$의 부정적분 중의 하나를 $F(x)$라 하면

$S(x)=\int_{a}^{x} f(t)dt = F(x)+C$ (단, C는 적분상수) ...... ㉠

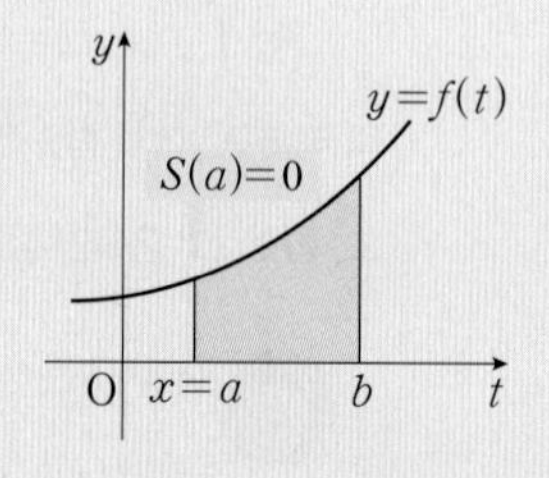

그런데 $S(x)$의 정의에서 $S(a)=0$이므로 ㉠의 x에 a를 대입하면
$S(a)=F(a)+C=0$, 즉 $C=-F(a)$

따라서 $\int_{a}^{x} f(t)dt = F(x)-F(a)$

위 식의 x에 b를 대입하고 변수 t를 x로 바꾸면 $\int_{a}^{b} f(x)dx = F(b)-F(a)$

이것을 미적분의 기본정리라고 한다. 이때 위 식의 우변 $F(b)-F(a)$를 기호로 $\Big[F(x)\Big]_{a}^{b}$와 같이 나타낸다.

02 정적분의 계산

MAPL; YOURMASTERPLAN

01 정적분의 성질 (1)

함수 $f(x)$, $g(x)$가 닫힌구간 $[a, b]$에서 연속일 때,

(1) $\int_a^b kf(x)dx=k\int_a^b f(x)dx$ (단, k는 상수) ← 실수배의 정적분

(2) $\int_a^b \{f(x)+g(x)\}dx=\int_a^b f(x)dx+\int_a^b g(x)dx$ ← 합의 정적분

(3) $\int_a^b \{f(x)-g(x)\}dx=\int_a^b f(x)dx-\int_a^b g(x)dx$ ← 차의 정적분

참고 정적분의 성질 (2), (3)은 적분구간이 같으면 정적분 기호를 묶어 쓸 수도 있고, 떼어 쓸 수도 있다.

마플해설 정적분의 기본 성질 증명

함수 $f(x)$, $g(x)$의 부정적분 중의 하나를 각각 $F(x)$, $G(x)$라 하고 적분상수를 C, k는 상수라 하면 다음이 성립한다.

(1) 상수 $k\,(k\neq 0)$에 대하여

$\int kf(x)dx=k\int f(x)dx=kF(x)+C$이므로 다음이 성립한다.

$$\int_a^b kf(x)dx=\Big[kF(x)\Big]_a^b=kF(b)-kF(a)=k\{F(b)-F(a)\}=k\Big[F(x)\Big]_a^b=k\int_a^b f(x)dx$$

특히, $k=0$일 때도 $\int_a^b kf(x)dx=k\int_a^b f(x)dx$이다.

(2) $\int \{f(x)+g(x)\}dx=F(x)+G(x)+C$이므로 다음이 성립한다.

$$\begin{aligned}\int_a^b \{f(x)+g(x)\}dx&=\Big[F(x)+G(x)\Big]_a^b\\&=\{F(b)+G(b)\}-\{F(a)+G(a)\}\\&=\{F(b)-F(a)\}+\{G(b)-G(a)\}\\&=\Big[F(x)\Big]_a^b+\Big[G(x)\Big]_a^b=\int_a^b f(x)dx+\int_a^b g(x)dx\end{aligned}$$

(3) $\int \{f(x)-g(x)\}dx=F(x)-G(x)+C$이므로 다음이 성립한다.

$$\begin{aligned}\int_a^b \{f(x)-g(x)\}dx&=\Big[F(x)-G(x)\Big]_a^b\\&=\{F(b)-G(b)\}-\{F(a)-G(a)\}\\&=\{F(b)-F(a)\}-\{G(b)-G(a)\}\\&=\Big[F(x)\Big]_a^b-\Big[G(x)\Big]_a^b=\int_a^b f(x)dx-\int_a^b g(x)dx\end{aligned}$$

보기01 다음 정적분을 구하여라.

(1) $\int_1^2 (x^2-3x+2)dx$

(2) $\int_{-1}^2 (-x^3+2x)dx+\int_{-1}^2 (x^3+2x)dx$

풀이

(1) $$\begin{aligned}\int_1^2 (x^2-3x+2)dx&=\int_1^2 x^2dx-3\int_1^2 xdx+2\int_1^2 dx=\Big[\frac{1}{3}x^3\Big]_1^2-3\Big[\frac{1}{2}x^2\Big]_1^2+2\Big[x\Big]_1^2\\&=\frac{1}{3}(8-1)-\frac{3}{2}(4-1)+2(2-1)=-\frac{1}{6}\end{aligned}$$

(2) $$\begin{aligned}\int_{-1}^2 (-x^3+2x)dx+\int_{-1}^2 (x^3+2x)dx&=\int_{-1}^2 \{-x^3+2x+(x^3+2x)\}dx\\&=\int_{-1}^2 4xdx=\Big[2x^2\Big]_{-1}^2=8-2=6\end{aligned}$$

참고 $\int_{-1}^2 (-x^3+2x)dx$와 $\int_{-1}^2 (x^3+2x)dx$를 각각 계산하여 구할 수 있다.

02 정적분의 성질 (2)

임의의 세 실수 a, b, c를 포함하는 구간에서 연속인 함수 $f(x)$에 대하여 다음 정적분의 성질이 성립한다.

$$\int_a^c f(x)dx+\int_c^b f(x)dx=\int_a^b f(x)dx$$ ⬅ 분할된 구간 위에서의 정적분

참고 위의 성질은 a, b, c의 대소에 관계없이 성립한다.

마플해설 임의의 세 실수 a, b, c를 포함하는 구간에서 연속인 함수 $f(x)$의 한 부정적분을 $F(x)$라 하면 다음이 성립한다.

$$\begin{aligned}\int_a^c f(x)dx+\int_c^b f(x)dx&=\Big[F(x)\Big]_a^c+\Big[F(x)\Big]_c^b\\&=\{F(c)-F(a)\}+\{F(b)-F(c)\}\\&=F(b)-F(a)=\Big[F(x)\Big]_a^b=\int_a^b f(x)dx\end{aligned}$$

보기 02 다음 정적분을 구하여라.

(1) $\int_{-2}^{1}(3x^2+1)dx+\int_1^3(3x^2+1)dx$　　(2) $\int_{-1}^{1}(x^2-2x)dx+\int_1^2(x^2-2x)dx$

풀이

(1) $$\begin{aligned}\int_{-2}^{1}(3x^2+1)dx+\int_1^3(3x^2+1)dx&=\int_{-2}^{3}(3x^2+1)dx\\&=\Big[x^3+x\Big]_{-2}^{3}\\&=(27+3)-(-8-2)=40\end{aligned}$$

(2) $$\begin{aligned}\int_{-1}^{1}(x^2-2x)dx+\int_1^2(x^2-2x)dx&=\int_{-1}^{2}(x^2-2x)dx\\&=\Big[\frac{1}{3}x^3-x^2\Big]_{-1}^{2}\\&=\Big(\frac{8}{3}-4\Big)-\Big(-\frac{1}{3}-1\Big)=0\end{aligned}$$

보기 03 다음 정적분을 구하여라.

(1) $\int_{-2}^{1}(2x^3+3x^2+4x)dx-\int_2^1(2x^3+3x^2+4x)dx$　　(2) $\int_{-1}^{0}(x^3-3x^2+4)dx-\int_3^0(x^3-3x^2+4)dx$

풀이

(1) $$\begin{aligned}&\int_{-2}^{1}(2x^3+3x^2+4x)dx-\int_2^1(2x^3+3x^2+4x)dx\\&=\int_{-2}^{1}(2x^3+3x^2+4x)dx+\int_1^2(2x^3+3x^2+4x)dx\\&=\int_{-2}^{2}(2x^3+3x^2+4x)dx=\Big[\frac{1}{2}x^4+x^3+2x^2\Big]_{-2}^{2}=(8+8+8)-(8-8+8)=16\end{aligned}$$

(2) $$\begin{aligned}&\int_{-1}^{0}(x^3-3x^2+4)dx-\int_3^0(x^3-3x^2+4)dx\\&=\int_{-1}^{0}(x^3-3x^2+4)dx+\int_0^3(x^3-3x^2+4)dx\\&=\int_{-1}^{3}(x^3-3x^2+4)dx=\Big[\frac{1}{4}x^4-x^3+4x\Big]_{-1}^{3}=\Big(\frac{81}{4}-27+12\Big)-\Big(\frac{1}{4}+1-4\Big)=8\end{aligned}$$

FOCUS

두 정적분은 하나의 정적분으로 나타내어 간단히 계산할 수 있다.

① 적분구간이 같은 경우

⇨ $\int_a^b f(x)dx+\int_a^b g(x)dx=\int_a^b\{f(x)+g(x)\}dx$임을 이용하여 계산한다.

② 피적분함수가 같은 경우

⇨ $\int_a^c f(x)dx+\int_c^b f(x)dx=\int_a^b f(x)dx$임을 이용하여 계산한다.

03 구간에 따라 다르게 정의된 함수의 정적분

함수 $f(x)=\begin{cases} g(x) & (x \le c) \\ h(x) & (x \ge c) \end{cases}$가 닫힌구간 $[a,\ b]$에서 연속이고 $a<c<b$일 때,

$$\int_a^b f(x)\,dx=\int_a^c g(x)\,dx+\int_c^b h(x)\,dx$$

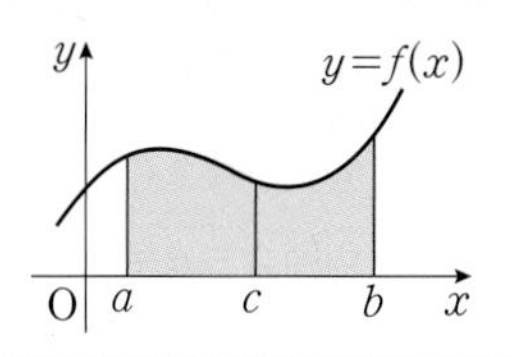

보기 04 함수 $f(x)=\begin{cases} x^2+1 & (x \le 1) \\ -2x+4 & (x \ge 1) \end{cases}$에 대하여 다음 정적분의 값을 구하여라.

(1) $\int_0^1 f(x)\,dx$ (2) $\int_0^3 f(x)\,dx$

풀이 (1) $\int_0^1 f(x)\,dx=\int_0^1 (x^2+1)\,dx=\left[\frac{1}{3}x^3+x\right]_0^1$

$=\left(\frac{1}{3}+1\right)-0$

$=\frac{4}{3}$

(2) $\int_0^3 f(x)\,dx=\int_0^1 (x^2+1)\,dx+\int_1^3 (-2x+4)\,dx$

$=\left[\frac{1}{3}x^3+x\right]_0^1+\left[-x^2+4x\right]_1^3$

$=\left\{\left(\frac{1}{3}+1\right)-0\right\}+\{(-9+12)-(-1+4)\}$

$=\frac{4}{3}+0=\frac{4}{3}$

04 절댓값 기호가 포함된 함수의 정적분

절댓값 기호를 포함한 함수 $y=|f(x)|$의 정적분은 다음과 같이 구한다.

[1단계] 절댓값 기호 안의 식을 0으로 하는 x의 값을 경계로 **적분**구간을 나눈다.

[2단계] 정적분의 성질 $\int_a^b f(x)dx=\int_a^c f(x)dx+\int_c^b f(x)dx$를 이용한다.

참고 $y=|f(x)|$의 그래프가 오른쪽 그림과 같을 때,

$\int_a^b |f(x)|dx=\int_a^c \{-f(x)\}\,dx+\int_c^b f(x)\,dx$로 계산한다.

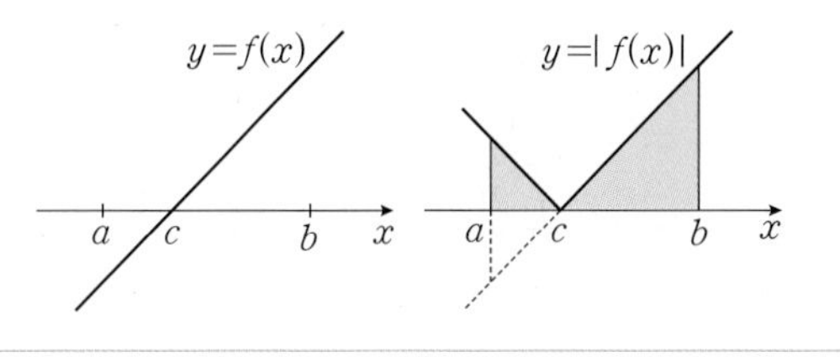

보기 05 정적분 $\int_0^3 |x-1|dx$를 구하여라.

풀이 $f(x)=|x-1|$이라 하면 $f(x)=\begin{cases} -x+1 & (0 \le x < 1) \\ x-1 & (1 \le x \le 3) \end{cases}$

따라서 구하는 정적분은

$\int_0^3 |x-1|dx=\int_0^1 (-x+1)dx+\int_1^3 (x-1)dx$

$=\left[-\frac{1}{2}x^2+x\right]_0^1+\left[\frac{1}{2}x^2-x\right]_1^3$

$=\left(-\frac{1}{2}+1\right)-0+\left(\frac{9}{2}-3\right)-\left(\frac{1}{2}-1\right)=\frac{5}{2}$

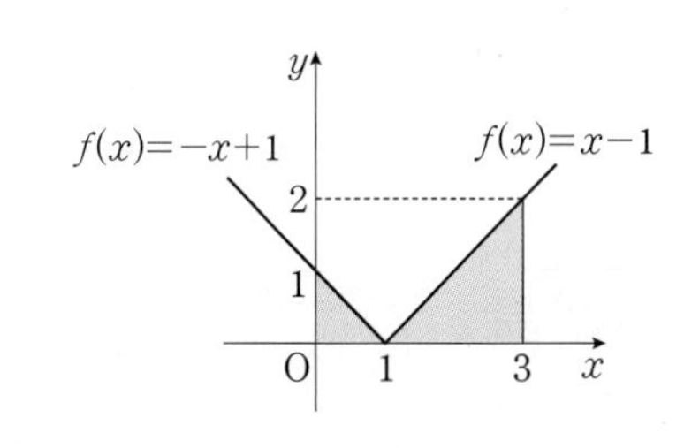

05 두 근이 α, β $(\alpha \le \beta)$인 이차방정식의 정적분

이차방정식 $ax^2+bx+c=0$의 두 근이 α, $\beta(\alpha \le \beta)$이면

$ax^2+bx+c=a(x-\alpha)(x-\beta)$로 나타낼 수 있다.

이때 $x=\alpha$부터 $x=\beta$까지 함수 $y=a(x-\alpha)(x-\beta)(\alpha<\beta)$의

정적분은 다음과 같다.

$$\int_{\alpha}^{\beta} a(x-\alpha)(x-\beta)dx=-\frac{a}{6}(\beta-\alpha)^3$$

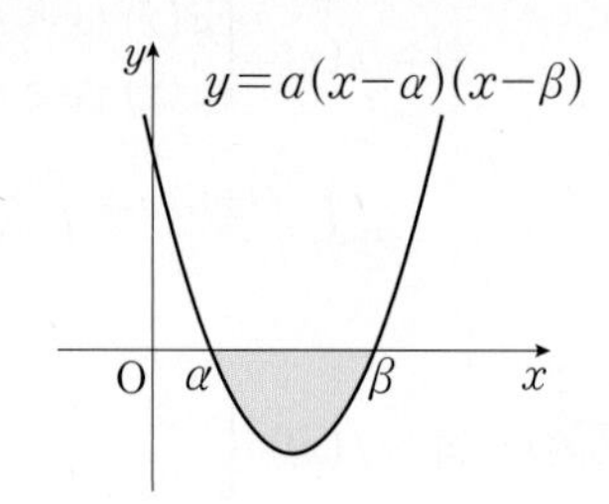

마플해설

$$\begin{aligned}\int_{\alpha}^{\beta} a(x-\alpha)(x-\beta)dx&=a\int_{\alpha}^{\beta}\{x^2-(\alpha+\beta)x+\alpha\beta\}dx\\&=a\left[\frac{1}{3}x^3-\frac{1}{2}(\alpha+\beta)x^2+\alpha\beta x\right]_{\alpha}^{\beta}\\&=a\left\{\frac{1}{3}(\beta^3-\alpha^3)-\frac{1}{2}(\alpha+\beta)(\beta^2-\alpha^2)+\alpha\beta(\beta-\alpha)\right\}\\&=\frac{a}{6}(\beta-\alpha)\{2(\beta^2+\alpha\beta+\alpha^2)-3(\alpha+\beta)^2+6\alpha\beta\}\\&=-\frac{a}{6}(\beta-\alpha)(\beta^2-2\alpha\beta+\alpha^2)=-\frac{a}{6}(\beta-\alpha)^3\end{aligned}$$

보기 06 다음 정적분의 값을 구하여라.

(1) $\int_{2}^{3}(x^2-5x+6)dx$ (2) $\int_{1}^{3}2(x-1)(3-x)dx$

풀이

(1) $\int_{2}^{3}(x^2-5x+6)dx=\int_{2}^{3}(x-2)(x-3)dx$

$=-\frac{1}{6}(3-2)^3=-\frac{1}{6}$

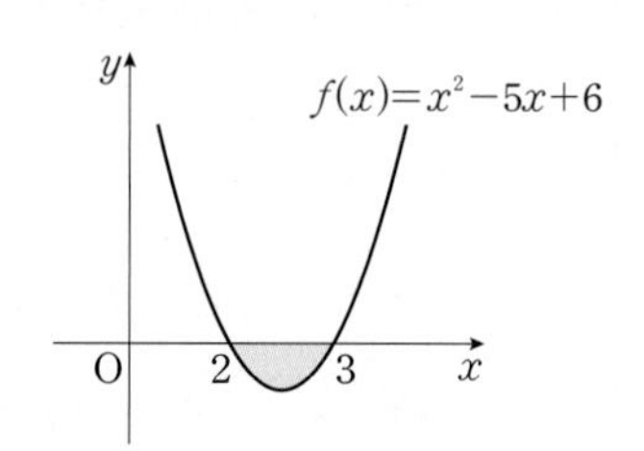

(2) $\int_{1}^{3}2(x-1)(3-x)dx=-2\int_{1}^{3}(x-1)(x-3)dx$

$=\frac{2}{6}(3-1)^3=\frac{8}{3}$

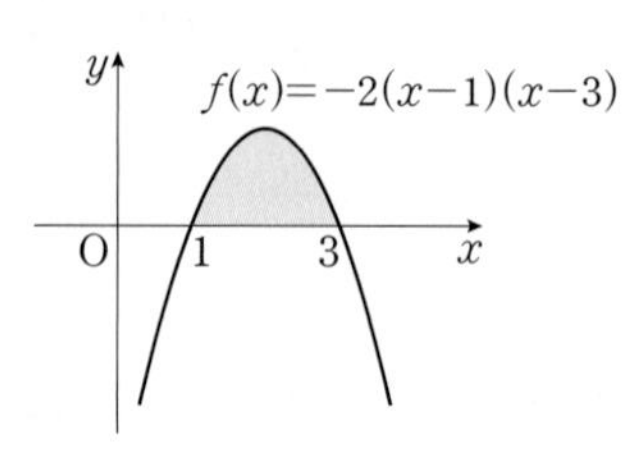

FOCUS

구간이 나누어진 함수의 정적분

오른쪽 그림과 같이 함수 $f(x)$가 모든 실수 x에 대하여 연속이고, $a<b<c$일 때,

다음이 성립한다.

$$\int_{a}^{b}f(x)dx=\int_{a}^{c}f(x)dx-\int_{b}^{c}f(x)dx=\int_{a}^{c}f(x)dx+\int_{c}^{b}f(x)dx$$

즉, 구간이 나누어진 함수의 정적분에서 c의 위치는 임의로 설정할 수 있다.

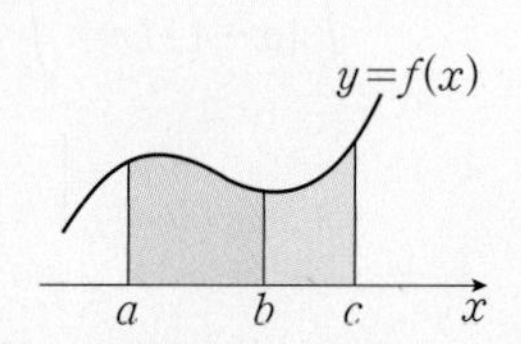

마플개념익힘 01 적분구간이 같은 경우 정적분의 계산

다음 정적분의 값을 구하여라.

(1) $\int_{-1}^{2}(4x^2-2x)\,dx-\int_{-1}^{2}(t-1)^2dt$　　　(2) $\int_{0}^{1}\frac{x^3}{x-1}dx+\int_{1}^{0}\frac{1}{t-1}dt$

MAPL CORE　정적분의 합 · 차는 적분변수를 통일한 후 정적분의 성질을 이용하여 간단히 계산할 수 있다.
즉, 아래끝과 위끝이 각각 같은 두 정적분은 하나의 정적분으로 나타내어 계산한다.
⇨ $\int_{a}^{b}f(x)\,dx\pm\int_{a}^{b}g(t)\,dt=\int_{a}^{b}f(x)\,dx\pm\int_{a}^{b}g(x)\,dx=\int_{a}^{b}\{f(x)\pm g(x)\}\,dx$

개념익힘 | 풀이

(1) $\int_{-1}^{2}(4x^2-2x)\,dx-\int_{-1}^{2}(t-1)^2dt=\int_{-1}^{2}(4x^2-2x)\,dx-\int_{-1}^{2}(x-1)^2dx$ ⬅ $\int_{-1}^{2}(t-1)^2dt=\int_{-1}^{2}(x-1)^2dx$

$=\int_{-1}^{2}\{(4x^2-2x)-(x-1)^2\}dx$

$=\int_{-1}^{2}(3x^2-1)\,dx=\left[x^3-x\right]_{-1}^{2}=\mathbf{6}$

(2) $\int_{0}^{1}\frac{x^3}{x-1}dx+\int_{1}^{0}\frac{1}{t-1}dt=\int_{0}^{1}\frac{x^3}{x-1}dx-\int_{0}^{1}\frac{1}{x-1}dx$ ⬅ $\int_{1}^{0}\frac{1}{t-1}dt=-\int_{0}^{1}\frac{1}{x-1}dx$

$=\int_{0}^{1}\frac{x^3}{x-1}dx-\int_{0}^{1}\frac{1}{x-1}dx$

$=\int_{0}^{1}\frac{x^3-1}{x-1}dx=\int_{0}^{1}\frac{(x-1)(x^2+x+1)}{x-1}dx$

$=\int_{0}^{1}(x^2+x+1)\,dx=\left[\frac{1}{3}x^3+\frac{1}{2}x^2+x\right]_{0}^{1}=\left(\frac{1}{3}+\frac{1}{2}+1\right)-0=\mathbf{\frac{11}{6}}$

확인유제 0653 다음 정적분의 값을 계산하여라.

(1) $\int_{0}^{2}(x+1)^2dx-\int_{0}^{2}(x-1)^2dx$　　　(2) $\int_{0}^{2}\frac{x^3}{x-4}dx+\int_{2}^{0}\frac{4y^2}{y-4}dy$

변형문제 0654 이차함수 $y=f(x)$의 그래프와 직선 $y=g(x)$가 오른쪽 그림과 같이 서로 다른 두 점에서 만날 때, $\int_{-3}^{3}f(x)\,dx-\int_{-3}^{3}g(x)\,dx$의 값은?

2004학년도 09월 평가원

① 0　② 1　③ 2
④ 3　⑤ 5

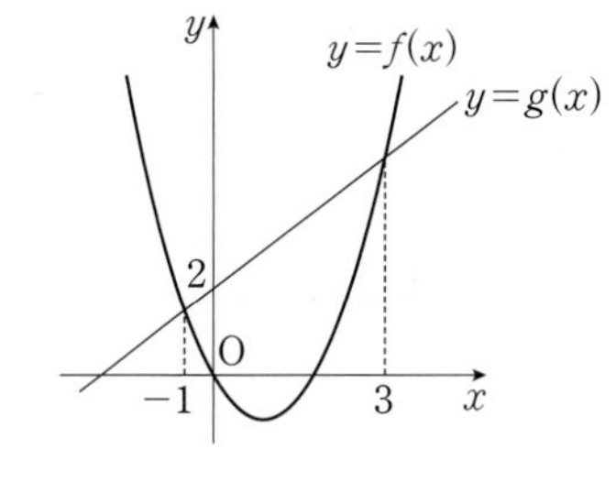

발전문제 0655 최고차항의 계수가 1인 두 사차함수 $f(x)$, $g(x)$가 다음 조건을 만족시킨다.

2016년 10월 교육청(고2)

(가) 두 함수 $y=f(x)$와 $y=g(x)$의 그래프가 만나는 세 점의 x좌표는 각각 $-1, 0, 2$이다.
(나) $\int_{0}^{2}f(x)\,dx=4$, $\int_{0}^{2}g(x)\,dx=12$

$f(3)-g(3)$의 값을 구하여라.

정답　0653 : (1) 8 (2) $\frac{8}{3}$　0654 : ①　0655 : 36

마플개념익힘 02 피적분함수가 같은 경우 정적분의 계산

함수 $f(x)=x^2-4x+3$에 대하여

$$\int_1^2 f(x)\,dx-\int_3^4 f(x)\,dx+\int_2^4 f(x)\,dx$$

의 값을 구하여라.

MAPL CORE 함수 $f(x)$가 실수 a, b, c를 포함한 구간에서 연속일 때, 피적분함수가 같으면 적분구간을 간단히 한다.

$\int_a^c f(x)\,dx+\int_c^b f(x)\,dx=\int_a^b f(x)\,dx$ ⬅ a, b, c의 대소에 관계없이 성립한다.

개념익힘 | **풀이**

$$\int_1^2 f(x)\,dx-\int_3^4 f(x)\,dx+\int_2^4 f(x)\,dx=\int_1^2 f(x)\,dx+\left\{\int_4^3 f(x)\,dx+\int_2^4 f(x)\,dx\right\}$$
$$=\int_1^2 f(x)\,dx+\int_2^3 f(x)\,dx$$
$$=\int_1^3 f(x)\,dx$$

$$\therefore \int_1^3 (x^2-4x+3)\,dx=\left[\frac{1}{3}x^3-2x^2+3x\right]_1^3=(9-18+9)-\left(\frac{1}{3}-2+3\right)=-\mathbf{\frac{4}{3}}$$

확인유제 0656 다음 물음에 답하여라.

(1) 함수 $f(x)=x^2-2x$에 대하여 $\int_2^4 f(x)\,dx-\int_3^4 f(x)\,dx+\int_1^2 f(x)\,dx$의 값을 구하여라.

(2) 다항함수 $f(x)$가 $\int_k^{k+1} f(x)\,dx=(k+1)^2$을 만족할 때, $\int_0^{10} f(x)\,dx$의 값을 구하여라.

(단, k는 음이 아닌 정수)

변형문제 0657 $\int_0^3 (x+1)^2 dx-\int_{-1}^3 (x-1)^2 dx+\int_{-1}^0 (x-1)^2 dx$의 값은?

2015년 09월 교육청(고2)

① 18 ② 20 ③ 22 ④ 24 ⑤ 26

발전문제 0658 이차함수는 $f(x)$는 $f(0)=-1$이고

2012학년도 수능기출

$$\int_{-1}^1 f(x)\,dx=\int_0^1 f(x)\,dx=\int_{-1}^0 f(x)\,dx$$

를 만족시킨다. $f(2)$의 값은?

① 11 ② 10 ③ 9 ④ 8 ⑤ 7

정답 0656 : (1) $\frac{2}{3}$ (2) 385 0657 : ① 0658 : ①

마플개념익힘 03 구간에 따라 다르게 정의된 함수의 정적분

함수 $f(x)=\begin{cases} 2x & (x<0) \\ 3x^2-x & (x \geq 0) \end{cases}$에 대하여 $\int_{-1}^{2} f(x)\,dx$의 값을 구하여라.

MAPL CORE 구간에 따라 다르게 정의된 함수의 정적분의 값은 구간을 나눈 후 정적분의 성질 $\int_a^b f(x)\,dx = \int_a^c f(x)\,dx + \int_c^b f(x)\,dx$를 이용하여 구한다.

개념익힘 | **풀이** $-1 \leq x \leq 0$일 때, $f(x)=2x$

$0 \leq x \leq 2$일 때, $f(x)=3x^2-x$

이므로

$$\int_{-1}^{2} f(x)\,dx = \int_{-1}^{0} f(x)\,dx + \int_{0}^{2} f(x)\,dx$$
$$= \int_{-1}^{0} 2x\,dx + \int_{0}^{2} (3x^2-x)\,dx$$
$$= \Big[x^2\Big]_{-1}^{0} + \Big[x^3 - \frac{1}{2}x^2\Big]_{0}^{2}$$
$$= (0-1) + \{(8-2)-0\} = \mathbf{5}$$

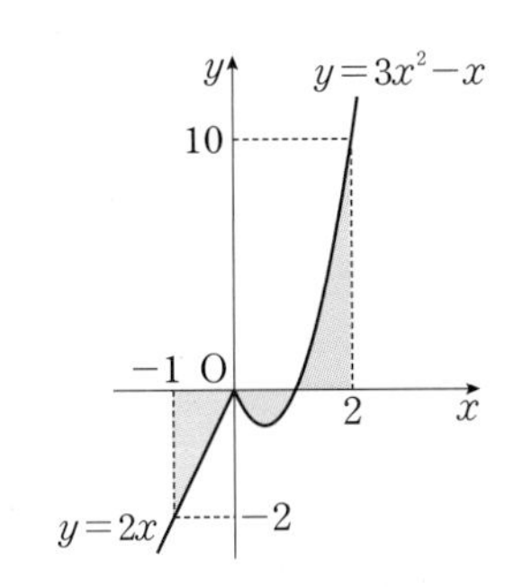

확인유제 0659 다음 물음에 답하여라.

(1) 함수 $f(x)=\begin{cases} x-1 & (x \geq 1) \\ x^2-1 & (x<1) \end{cases}$에 대하여 정적분 $\int_0^2 f(x)\,dx$를 구하여라.

(2) 함수 $y=f(x)$의 그래프가 오른쪽 그림과 같을 때, $\int_{-3}^{2} f(x)\,dx$의 값을 구하여라.

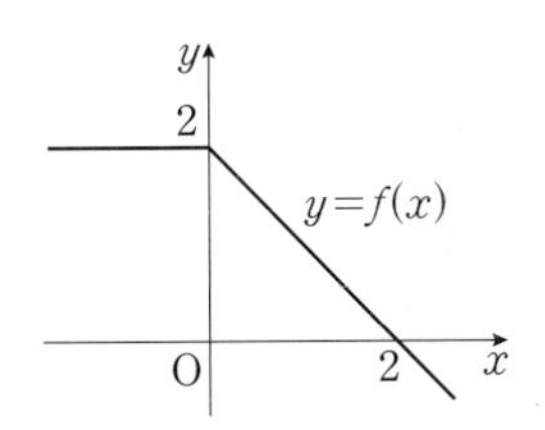

변형문제 0660 다음 물음에 답하여라. (단, a는 상수이다.)

(1) 실수 전체에서 연속인 함수 $f(x)=\begin{cases} 2x+a & (x \geq 2) \\ 8-x & (x<2) \end{cases}$에 대하여 $\int_1^{2a} f(x)\,dx$의 값은?

① $\frac{15}{2}$ ② $\frac{25}{2}$ ③ $\frac{35}{2}$ ④ $\frac{45}{2}$ ⑤ $\frac{55}{2}$

(2) 모든 실수 x에서 연속인 함수 $f(x)=\begin{cases} ax & (x<1) \\ x^2-2ax+5 & (x \geq 1) \end{cases}$에 대하여 $\int_0^2 f(x)\,dx$의 값은?

① 2 ② $\frac{7}{3}$ ③ $\frac{8}{3}$ ④ 3 ⑤ $\frac{10}{3}$

발전문제 0661 함수 $f(x)$를

2017년 10월 교육청

$$f(x)=\begin{cases} 2x+2 & (x<0) \\ -x^2+2x+2 & (x \geq 0) \end{cases}$$

라 하자. 양의 실수 a에 대하여 $\int_{-a}^{a} f(x)\,dx$의 최댓값을 구하여라.

정답 0659 : (1) $-\frac{1}{6}$ (2) 8 0660 : (1) ④ (2) ② 0661 : $\frac{16}{3}$

마플개념익힘 04 절댓값 기호를 포함하고 있는 함수의 정적분

다음 정적분의 값을 구하여라.

(1) $\int_{0}^{3}|x^2-2x|dx$　　　　(2) $\int_{-1}^{2}|x^2-1|dx$

MAPL CORE 절댓값 기호를 포함한 정적분의 값을 구할 때는 절댓값 기호 안의 식을 0으로 하는 x의 값을 경계로 구간을 나누어 정적분의 성질 $\int_{a}^{b}f(x)\,dx=\int_{a}^{c}f(x)\,dx+\int_{c}^{b}f(x)\,dx$를 이용한다.

개념익힘 | 풀이

(1) $f(x)=|x^2-2x|$라 하면 닫힌구간 $[0, 3]$에서

$$f(x)=\begin{cases}-x^2+2x & (0\le x\le 2)\\ x^2-2x & (2<x\le 3)\end{cases}$$

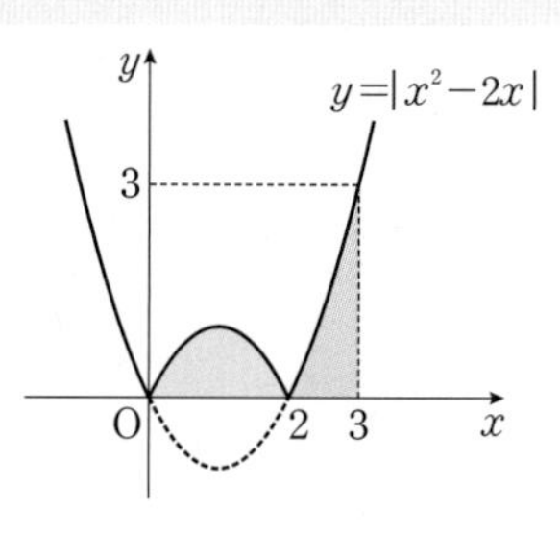

따라서 구하는 정적분의 값은

$$\int_{0}^{3}|x^2-2x|dx=\int_{0}^{2}(-x^2+2x)\,dx+\int_{2}^{3}(x^2-2x)\,dx$$
$$=\left[-\frac{1}{3}x^3+x^2\right]_{0}^{2}+\left[\frac{1}{3}x^3-x^2\right]_{2}^{3}$$
$$=\left\{\left(-\frac{8}{3}+4\right)-0\right\}+\left\{(9-9)-\left(\frac{8}{3}-4\right)\right\}=\frac{4}{3}+\frac{4}{3}=\mathbf{\frac{8}{3}}$$

(2) $f(x)=|x^2-1|$이라 하면 닫힌구간 $[-1, 2]$에서

$$f(x)=\begin{cases}-x^2+1 & (-1\le x\le 1)\\ x^2-1 & (1<x\le 2)\end{cases}$$

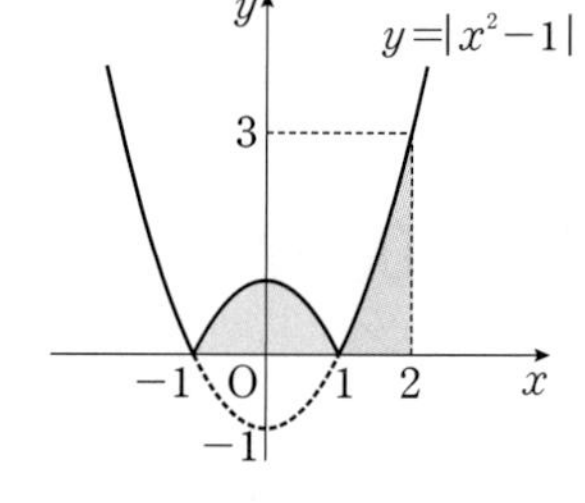

따라서 구하는 정적분의 값은

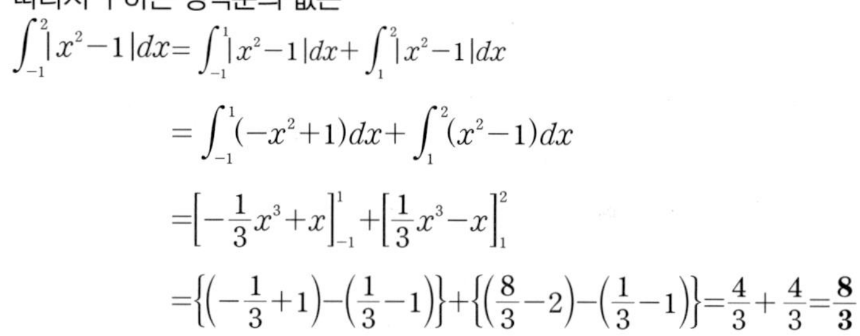

$$\int_{-1}^{2}|x^2-1|dx=\int_{-1}^{1}|x^2-1|dx+\int_{1}^{2}|x^2-1|dx$$
$$=\int_{-1}^{1}(-x^2+1)dx+\int_{1}^{2}(x^2-1)dx$$
$$=\left[-\frac{1}{3}x^3+x\right]_{-1}^{1}+\left[\frac{1}{3}x^3-x\right]_{1}^{2}$$
$$=\left\{\left(-\frac{1}{3}+1\right)-\left(\frac{1}{3}-1\right)\right\}+\left\{\left(\frac{8}{3}-2\right)-\left(\frac{1}{3}-1\right)\right\}=\frac{4}{3}+\frac{4}{3}=\mathbf{\frac{8}{3}}$$

참고 위의 정적분의 값들은 그림에서 색칠한 부분의 넓이와 같다.

확인유제 0662 다음 정적분의 값을 구하여라.

2008학년도 09월 평가원

(1) $\int_{0}^{2}|x-x^2|dx$　　　　(2) $\int_{0}^{2}|x^2(x-1)|dx$

변형문제 0663 다음 물음에 답하여라.

2019학년도 수능기출

(1) $\int_{1}^{4}(x+|x-3|)\,dx$의 값은?

① 6　② 8　③ 10　④ 12　⑤ 14

(2) 함수 $f(x)=2x+|x-2|$에 대하여 $\int_{1}^{3}f(x)\,dx$의 값은?

① 3　② 4　③ 6　④ 8　⑤ 9

정답 0662 : (1) 1 (2) $\frac{3}{2}$　0663 : (1) ③ (2) ⑤

발전문제 0664 다음 물음에 답하여라.

(1) 미분가능한 함수 $f(x)$가 두 조건을 만족한다.

(가) 모든 실수 x에 대하여 $f'(x)>0$

(나) $f(2)=0$, $\int_0^2 |f(x)|dx=3$, $\int_2^4 |f(x)|dx=13$

이때 정적분 $\int_0^4 f(x)dx$의 값을 구하여라.

2016학년도 수능기출

(2) 이차함수 $f(x)$가 $f(0)=0$이고 다음 두 조건을 만족한다.

(가) $\int_0^2 |f(x)|dx=-\int_0^2 f(x)dx=4$

(나) $\int_2^3 |f(x)|dx=\int_2^3 f(x)dx$

$f(5)$의 값을 구하여라.

(3) 삼차항의 계수가 양수인 삼차함수 $f(x)$가 다음 두 조건을 만족시킨다.

(가) $0<a<b$인 임의의 두 실수 a, b에 대하여

$$\int_a^b |f(x)|dx=\int_a^b f(x)dx$$

(나) $c<d<0$인 임의의 두 실수 c, d에 대하여

$$\int_c^d |f(x)|dx>\int_c^d f(x)dx$$

옳은 것만을 [보기]에서 있는 대로 고르시오.

ㄱ. $f(0)=0$

ㄴ. $\alpha>0$이고 $f(\alpha)=0$이면 $f'(\alpha)=0$이다.

ㄷ. $\beta<0$이고 $f'(\beta)=0$이면 $f'(\gamma)=0$인 γ가 구간 $(-\infty, \beta)$에 존재한다.

① ㄱ ② ㄴ ③ ㄱ, ㄴ ④ ㄴ, ㄷ ⑤ ㄱ, ㄴ, ㄷ

정답 0664 : (1) 10 (2) 45 (3) ③

마플개념익힘 05 $\int_a^b f'(x)dx=f(b)-f(a)$의 정적분의 계산

2003학년도 수능기출

오른쪽 그림과 같이 삼차함수 $y=f(x)$가 극댓값 $f(1)=1$과 극솟값 $f(3)=-3$을 가지며, $f(0)=-3$이다.

이때 $\int_0^3 |f'(x)|dx$의 값을 구하여라.

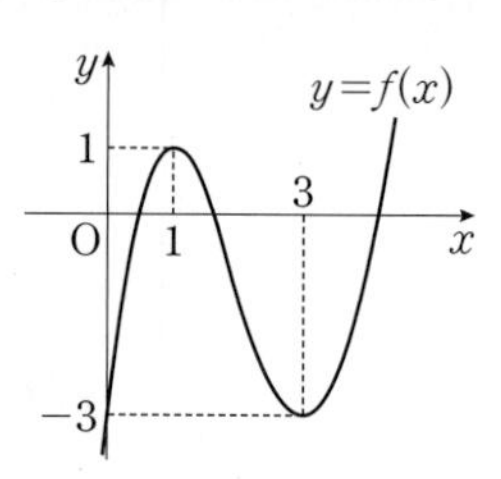

MAPL CORE 피적분함수에 절댓값 기호가 포함되어 있으므로 $f'(x)=0$이 되는 x의 값을 경계로 구간을 나누어 정적분의 값을 구한다.

$\int_a^b f'(x)dx=\Big[f(x)\Big]_a^b=f(b)-f(a)$ ⬅ 미적분의 기본 정리 $\int_a^b f(x)dx=\Big[F(x)\Big]_a^b=F(b)-F(a)$

개념익힘 | 풀이 함수 $f(x)$가 $x=1$에서 극대, $x=3$에서 극소이므로 도함수 $y=f'(x)$의 그래프는 오른쪽 그림과 같다.

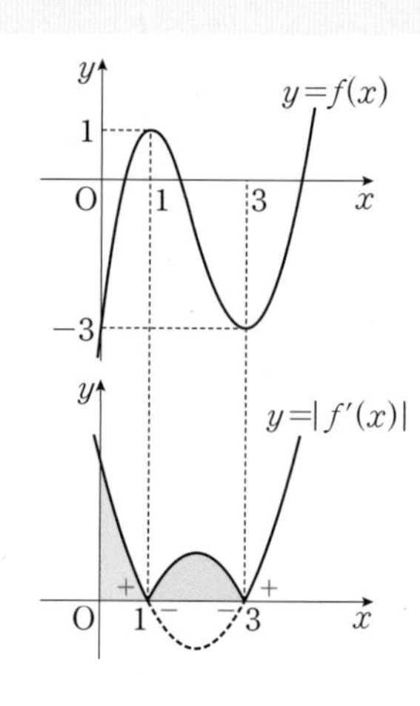

$|f'(x)|=\begin{cases} f'(x) & (0\le x\le 1) \\ -f'(x) & (1<x\le 3)\end{cases}$이므로

$$\begin{aligned}\int_0^3 |f'(x)|dx &= \int_0^1 f'(x)dx+\int_1^3 \{-f'(x)\}dx \\ &= \Big[f(x)\Big]_0^1+\Big[-f(x)\Big]_1^3 \\ &= \{f(1)-f(0)\}+\{f(1)-f(3)\} \\ &= (1+3)+(1+3)=8\end{aligned}$$

다른풀이 직접 삼차함수 $f(x)$를 구하여 풀이하기

$f'(x)=a(x-1)(x-3)\,(a>0)$이라 놓으면 $f'(x)=ax^2-4ax+3a$

$f(x)=\int f'(x)dx=\int(ax^2-4ax+3a)\,dx=\frac{a}{3}x^3-2ax^2+3ax+C$ (단, C는 적분상수)

$f(0)=-3$에서 $C=-3$ …… ㉠

$f(1)=1$에서 $\frac{a}{3}-2a+3a+C=1$ $\therefore \frac{4}{3}a+C=1$ …… ㉡

㉠, ㉡을 연립하여 풀면 $a=3$, $C=-3$ $\therefore f'(x)=3(x-1)(x-3)$

$$\begin{aligned}\int_0^3 |f'(x)|dx &= \int_0^3 3|(x-1)(x-3)|dx \\ &= 3\int_0^1 (x-1)(x-3)\,dx-3\int_1^3 (x-1)(x-3)\,dx \\ &= 3\int_0^1 (x^2-4x+3)\,dx-3\int_1^3 (x^2-4x+3)\,dx \\ &= 3\Big[\frac{1}{3}x^3-2x^2+3x\Big]_0^1-3\Big[\frac{1}{3}x^3-2x^2+3x\Big]_1^3 \\ &= 3\Big(\frac{1}{3}-2+3\Big)-3\Big\{(9-18+9)-\Big(\frac{1}{3}-2+3\Big)\Big\}=8\end{aligned}$$

확인유제 0665 오른쪽 그림과 같이 삼차함수 $y=f(x)$가 $x=1$에서 극댓값 1을 가지고 $x=2$에서 극솟값 0을 가지며 $f(0)=-4$이다.

이때 $\int_0^2 |f'(x)|dx$의 값을 구하여라.

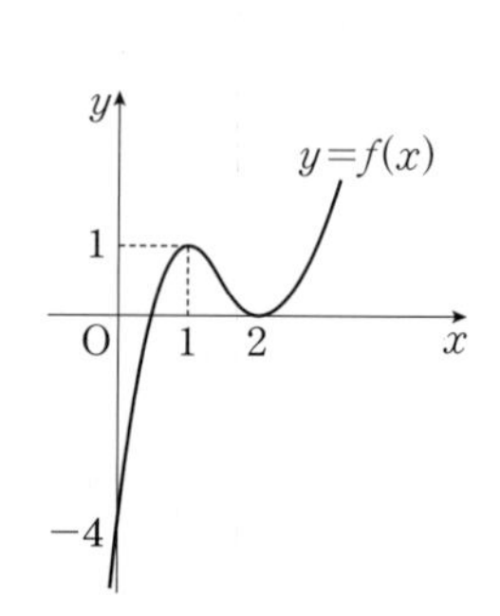

정답 0665 : 6

변형문제 0666 다음 물음에 답하여라.

(1) 삼차함수 $y=f(x)$의 그래프가 오른쪽 그림과 같을 때,

$\int_0^4 |f'(x)|dx$의 값은?

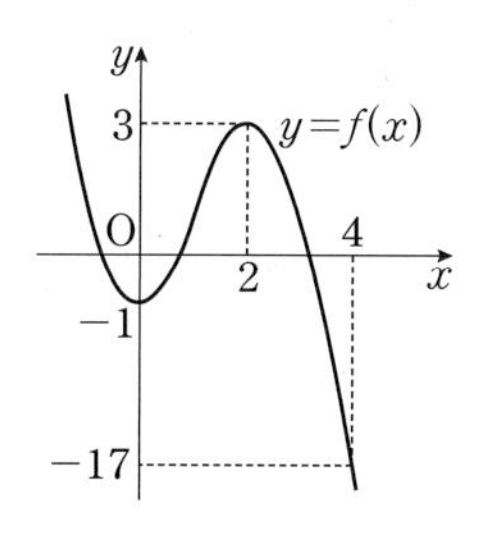

① 16 ② 20 ③ 24
④ 28 ⑤ 32

2012년 10월 교육청

(2) 오른쪽 그림과 같이 삼차함수 $y=f(x)$가 $f(-1)=f(1)=f(2)=0$, $f(0)=2$를 만족시킬 때, $\int_0^2 f'(x)dx$의 값은?

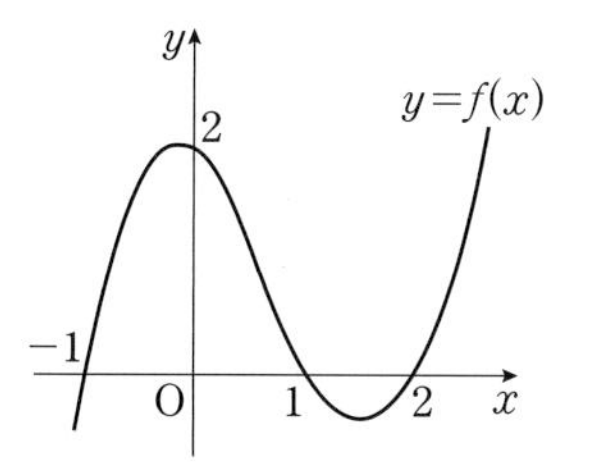

① −2 ② −1 ③ 0
④ 1 ⑤ 2

(3) 최고차항의 계수가 양수인 삼차함수 $y=f(x)$가 다음 조건을 만족시킨다.

(가) $f'(0)=f'(2)=0$
(나) $f(-1)=f(2)=2$

$\int_{-1}^2 |f'(x)|dx=4$일 때, $f(0)$의 값은?

① 1 ② 2 ③ 3 ④ 4 ⑤ 5

발전문제 0667 다음 물음에 답하여라.

(1) 사차함수 $f(x)$의 도함수 $f'(x)$의 그래프가 오른쪽 그림과 같다.

$$f(-1)=1,\ f(2)=7,\ \int_{-3}^2 f'(x)dx=3$$

일 때, 방정식 $f(x)-k=0$이 서로 다른 네 실근을 가지도록 하는 모든 정수 k의 합은?

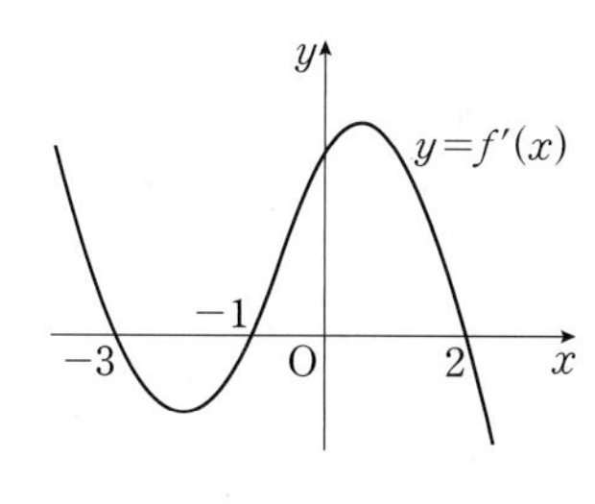

① 5 ② 11 ③ 13
④ 15 ⑤ 18

2018년 11월 교육청

(2) 최고차항의 계수가 양수인 사차함수 $f(x)$의 도함수 $f'(x)$에 대하여 방정식 $f'(x)=0$이 세 실근 α, 0, β $(\alpha<0<\beta)$를 갖는다.

$$S=\int_\alpha^0 |f'(x)|dx,\ T=\int_0^\beta |f'(x)|dx$$

라 할 때, [보기]에서 옳은 것만을 있는 대로 고른 것은?

ㄱ. 함수 $f(x)$는 $x=0$에서 극댓값을 갖는다.
ㄴ. $\alpha+\beta=0$이면 $S=T$이다.
ㄷ. $S<T$이고 $f(\alpha)=0$이면 방정식 $f(x)=0$의 양의 실근의 개수는 2이다.

① ㄱ ② ㄷ ③ ㄱ, ㄴ ④ ㄴ, ㄷ ⑤ ㄱ, ㄴ, ㄷ

정답 0666 : (1) ③ (2) ① (3) ④ 0667 : (1) ① (2) ⑤

03 그래프가 대칭인 함수의 정적분

M A P L ; Y O U R M A S T E R P L A N

01 정적분 $\int_{-a}^{a} x^n dx$의 계산

n이 자연수일 때, 양수 a에 대하여 정적분 $\int_{-a}^{a} x^n dx$를 간단하게 구하면 다음과 같다.

(1) n이 짝수이면 $\int_{-a}^{a} x^n dx = 2\int_{0}^{a} x^n dx$

(2) n이 홀수이면 $\int_{-a}^{a} x^n dx = 0$

주의! 정적분 $\int_{-a}^{a} x^n dx$의 사용조건

정적분 $\int_{-a}^{a} x^n dx$은 반드시 아래끝과 위끝의 절댓값이 같고 부호가 다른 경우에만 사용한다.

따라서 주어진 정적분의 아래끝과 위끝의 절댓값이 같고 부호가 다르면 n이 짝수일 때와 홀수인 것을 구분하여 정적분 공식을 적용하도록 한다.

마플해설 n이 자연수일 때, 양수 a에 대하여 정적분 $\int_{-a}^{a} x^n dx$는 다음과 같이 구할 수 있다.

(1) n이 짝수일 때	(2) n이 홀수일 때
$\int_{-a}^{a} x^n dx = \left[\frac{1}{n+1}x^{n+1}\right]_{-a}^{a}$ $= \frac{1}{n+1}a^{n+1} - \frac{1}{n+1}(-a)^{n+1}$ $= \frac{1}{n+1}a^{n+1} + \frac{1}{n+1}a^{n+1}$ $= 2\left(\frac{1}{n+1}a^{n+1} - 0\right) = 2\int_{0}^{a} x^n dx$	$\int_{-a}^{a} x^n dx = \left[\frac{1}{n+1}x^{n+1}\right]_{-a}^{a}$ $= \frac{1}{n+1}a^{n+1} - \frac{1}{n+1}(-a)^{n+1}$ $= \frac{1}{n+1}a^{n+1} - \frac{1}{n+1}a^{n+1}$ $= 0$
n이 짝수이면 $\int_{-a}^{a} x^n dx = 2\int_{0}^{a} x^n dx$	n이 홀수이면 $\int_{-a}^{a} x^n dx = 0$

한편 $n=0$일 때, $\int_{-a}^{a} 1dx = \left[x\right]_{-a}^{a} = a-(-a) = 2(a-0) = 2\left[x\right]_{0}^{a} = 2\int_{0}^{a} 1dx$

보기 01 정적분 $\int_{-1}^{1}(3x^5+5x^4-7x^3+3x^2-4x+2)dx$의 값을 구하여라.

풀이

$\int_{-1}^{1}(3x^5+5x^4-7x^3+3x^2-4x+2)dx$

$= \int_{-1}^{1}(3x^5-7x^3-4x)dx + \int_{-1}^{1}(5x^4+3x^2+2)dx$

$= 0 + 2\int_{0}^{1}(5x^4+3x^2+2)dx$

$= 2\left[x^5+x^3+2x\right]_{0}^{1}$

$= 2(1+1+2)$

$= 8$

FOCUS

우함수와 기함수의 정의

① 우함수 : 모든 실수 x에 대하여 $f(-x)=f(x)$일 때, 함수 $f(x)$를 우함수라 한다. ← y축에 대하여 대칭인 함수

② 기함수 : 모든 실수 x에 대하여 $f(-x)=-f(x)$일 때, 함수 $f(x)$를 기함수라 한다. ← 원점에 대하여 대칭인 함수

보기 02 다음 정적분의 값을 구하여라.

(1) $\int_{-1}^{1}(3x^2-4x+2)dx$ (2) $\int_{-2}^{2}(x^3+x)dx$ (3) $\int_{-1}^{1}(x^2+3)(x^3-x)dx$

풀이 (1) $\int_{-1}^{1}(3x^2-4x+2)dx=\int_{-1}^{1}(-4x)dx+\int_{-1}^{1}(3x^2+2)dx=0+2\int_{0}^{1}(3x^2+2)dx$

$=2\left[x^3+2x\right]_0^1=2(1+2)=6$

(2) $\int_{-2}^{2}(x^3+x)dx=0$

(3) $\int_{-1}^{1}(x^2+3)(x^3-x)dx=\int_{-1}^{1}(x^5+2x^3-3x)dx=0$

보기 03 다음 정적분의 값을 구하여라.

(1) $\int_{-2}^{0}(4x^3-2x+3)dx-\int_{2}^{0}(4x^3-2x+3)dx$

(2) $\int_{-2}^{1}(x-3)(x^2+1)dx-\int_{2}^{1}(t-3)(t^2+1)dt$

풀이 (1) $\int_{-2}^{0}(4x^3-2x+3)dx-\int_{2}^{0}(4x^3-2x+3)dx$ ⬅ 피적분함수가 같은 경우 $\int_a^c f(x)dx+\int_c^b f(x)dx=\int_a^b f(x)dx$

$=\int_{-2}^{0}(4x^3-2x+3)dx+\int_{0}^{2}(4x^3-2x+3)dx$

$=\int_{-2}^{2}(4x^3-2x+3)dx=\int_{-2}^{2}(4x^3-2x)dx+\int_{-2}^{2}3dx$

$=0+2\int_{0}^{2}3dx$

$=2\left[3x\right]_0^2=2\cdot6=12$

(2) $\int_{-2}^{1}(x-3)(x^2+1)dx-\int_{2}^{1}(t-3)(t^2+1)dt$

$=\int_{-2}^{1}(x-3)(x^2+1)dx+\int_{1}^{2}(x-3)(x^2+1)dt$ ⬅ 피적분함수가 같은 경우 $\int_a^c f(x)dx+\int_c^b f(x)dx=\int_a^b f(x)dx$

$=\int_{-2}^{2}(x-3)(x^2+1)dx$

$=\int_{-2}^{2}(x^3-3x^2+x-3)dx=\int_{-2}^{2}(x^3+x)dx+\int_{-2}^{2}(-3x^2-3)dx$

$=0+2\int_{0}^{2}(-3x^2-3)dx=2\left[-x^3-3x\right]_0^2=2\cdot(-8-6)-0=-28$

보기 04 함수 $f(x)=5x^4+ax^3+3x^2-x+a$에 대하여 $\int_{-2}^{1}f(x)dx-\int_{0}^{1}f(x)dx+\int_{0}^{2}f(x)dx=8$을 만족하는 상수 a의 값을 구하여라.

풀이 $\int_{-2}^{1}f(x)dx-\int_{0}^{1}f(x)dx+\int_{0}^{2}f(x)dx=\left\{\int_{-2}^{1}f(x)dx+\int_{1}^{0}f(x)dx\right\}+\int_{0}^{2}f(x)dx=\int_{-2}^{2}f(x)dx$

이때 $\int_{-2}^{2}f(x)dx=\int_{-2}^{2}(5x^4+ax^3+3x^2-x+a)dx$

$=\int_{-2}^{2}(ax^3-x)dx+\int_{-2}^{2}(5x^4+3x^2+a)dx$

$=0+2\int_{0}^{2}(5x^4+3x^2+a)dx$

$=2\left[x^5+x^3+ax\right]_0^2=2(32+8+2a)=8$

따라서 $20+a=2$이므로 $a=-18$

02 주기함수의 정적분

(1) 연속함수 $f(x)$의 주기가 p인 주기함수 $y=f(x)$의 표현

① $f(x+p)=f(x)$ (단, p는 상수이다.)

② $f\left(x-\frac{p}{2}\right)=f\left(x+\frac{p}{2}\right)$ ⬅ $x-\frac{p}{2}=t$라 하면 $x=t+\frac{p}{2}$이므로 $f(t)=f\left(t+\frac{p}{2}+\frac{p}{2}\right)=f(t+p)$를 만족한다.

참고 상수함수가 아닌 함수 $f(x)$에서 정의역에 속하는 모든 x에 대하여 $f(x+p)=f(x)$를 만족시키는 0이 아닌 상수 p가 존재할 때 $f(x)$를 주기함수라 한다.
또, $f(x+p)=f(x)$를 만족시키는 상수 p의 값 중에서 최소의 양수를 함수 $f(x)$의 주기라 한다.

주의 $f(x+p)=f(x)$를 만족시키는 함수라 해서 반드시 주기가 p인 것은 아니다. 주기가 $\frac{p}{2}$인 함수도 $f(x+p)=f(x)$를 만족시킬 수 있으므로 $f(x+p)=f(x)$인 함수 $f(x)$의 주기는 $\frac{p}{n}$꼴로 나타낼 수 있다.
(단, $p>0$, n은 어떤 자연수)

(2) 주기가 p인 주기함수의 정적분의 성질

함수 $f(x)$의 정의역에 속하는 모든 실수 x에 대하여 $f(x+p)=f(x)$ (p는 0 아닌 상수)일 때,

① $\int_a^b f(x)dx=\int_{a+p}^{b+p} f(x)dx=\int_{a+2p}^{b+2p} f(x)dx=\cdots=\int_{a+np}^{b+np} f(x)dx$ (단, n은 정수)
⬅ 구간 $[a, b]$의 정적분의 값은 그 구간에 주기 p 만큼 더한 구간 $[a+p, b+p]$의 정적분의 값과 항상 같다.

② $\int_a^{a+p} f(x)dx=\int_b^{b+p} f(x)dx$ ⬅ 한 주기의 정적분의 값은 항상 같다.

③ $\int_a^{a+np} f(x)dx=n\int_0^p f(x)dx$ (단, n은 정수) ⬅ $\int_a^{a+p} f(x)dx=\int_0^p f(x)dx$

마플해설 주기 p인 주기함수 $y=f(x)$의 그래프가 같은 모양이 반복해서 나타나는 성질을 이용하여 주기함수의 정적분의 성질을 예를 들어 보인다. (단, $f(x)\geq 0$일 때)

① 모든 구간에서 연속이고 주기가 p인 주기함수 $y=f(x)$의 그래프는 오른쪽 그림과 같이 닫힌구간 $[a, b]$에서의 그래프가 반복해서 나타나므로 $\int_a^b f(x)dx$의 값은 주기 p만큼 이동한 닫힌구간 $[a+p, b+p]$에서의 정적분의 값인 $\int_{a+p}^{b+p} f(x)dx$의 값과 항상 같다.

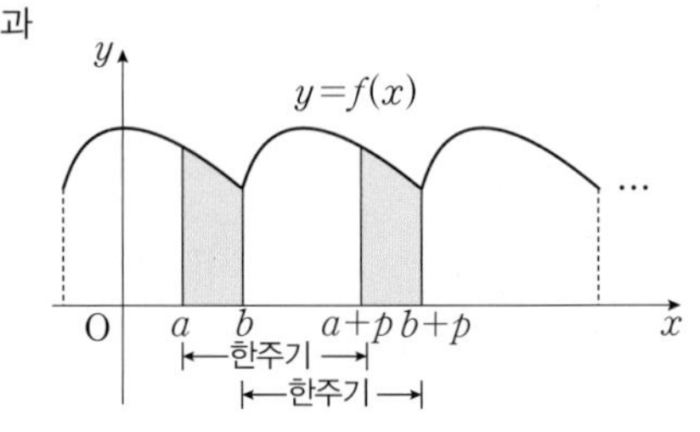

➡ $\int_a^b f(x)dx=\int_{a+p}^{b+p} f(x)dx=\int_{a+2p}^{b+2p} f(x)dx=\cdots=\int_{a+np}^{b+np} f(x)dx$

② 주기함수 $y=f(x)$의 그래프와 x축 및 두 직선 $x=a$, $x=a+p$로 둘러싸인 도형의 넓이인 정적분 $\int_a^{a+p} f(x)dx$의 값은 $y=f(x)$의 그래프와 x축 및 두 직선 $x=b$, $x=b+p$로 둘러싸인 도형의 넓이인 정적분 $\int_b^{b+p} f(x)dx$의 값과 같다.

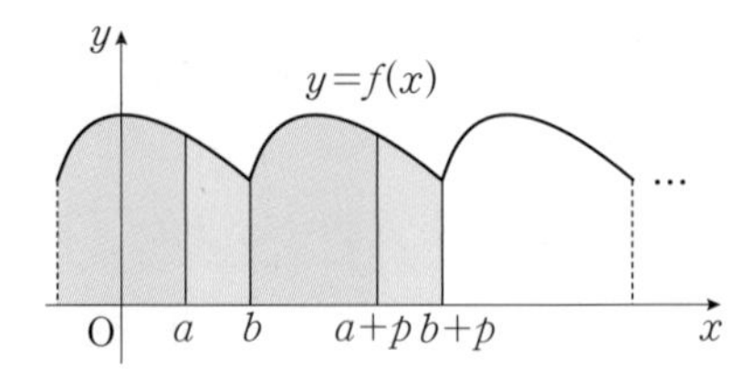

➡ $\int_a^{a+p} f(x)dx=\int_b^{b+p} f(x)dx$

③ 주기함수 $y=f(x)$의 그래프와 x축 및 두 직선 $x=a$, $x=a+np$로 둘러싸인 도형의 넓이인 정적분 $\int_a^{a+np} f(x)dx$의 값은 $y=f(x)$의 그래프와 x축 및 두 직선 $x=0$, $x=p$로 둘러싸인 도형의 넓이를 n번 더한 정적분 $n\int_0^p f(x)dx$의 값과 같다.

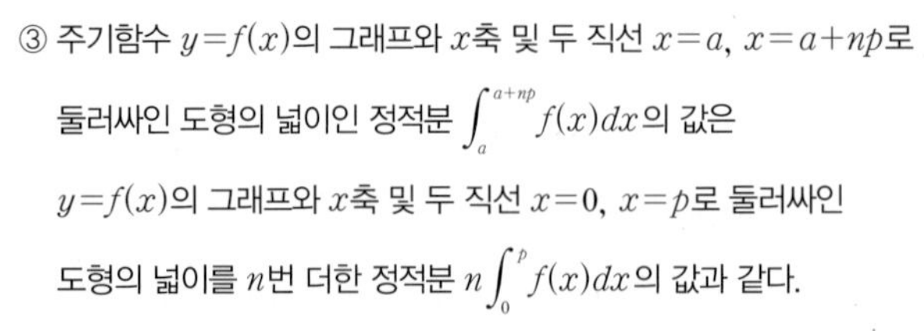

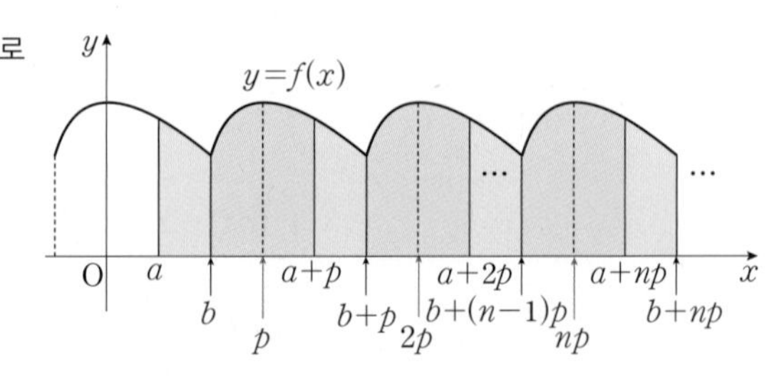

➡ $\int_a^{a+np} f(x)dx=n\int_0^p f(x)dx$

주기가 p인 함수 함수 $f(x)$에 대하여 $\int_a^b f(x)dx=\int_{a+p}^{b+p} f(x)dx$가 성립한다.

보기05 연속함수 $f(x)$가 모든 실수 x에 대하여 $f(x+2)=f(x)$를 만족시키고 $\int_0^2 f(x)dx=4$일 때, 다음 정적분의 값을 구하여라.

(1) $\int_0^6 f(x)dx$ (2) $\int_1^3 f(x)dx$ (3) $\int_1^7 f(x)dx$

풀이 (1) $\int_0^6 f(x)dx=\int_0^2 f(x)dx+\int_2^4 f(x)dx+\int_4^6 f(x)dx$

$=3\int_0^2 f(x)dx=3\cdot 4=12$

(2) 한 주기의 정적분의 값은 항상 같으므로

$\int_1^3 f(x)dx=\int_0^2 f(x)dx=4$

(3) $\int_1^7 f(x)dx=\int_1^{1+3\cdot 2} f(x)dx=3\int_0^2 f(x)dx=3\cdot 4=12$

02 정적분

보기06 연속함수 $f(x)$가 모든 실수 x에 대하여 $f(x)=f(x+2)$가 성립하고, $-1\le x\le 1$에서 $f(x)=3x^2$일 때, $\int_{-1}^5 f(x)dx$의 값을 구하여라.

풀이 함수 $f(x)$가 모든 실수 x에 대하여 $f(x)=f(x+2)$를 만족하므로

$\int_{-1}^1 f(x)dx=\int_1^3 f(x)dx=\int_3^5 f(x)dx$이므로

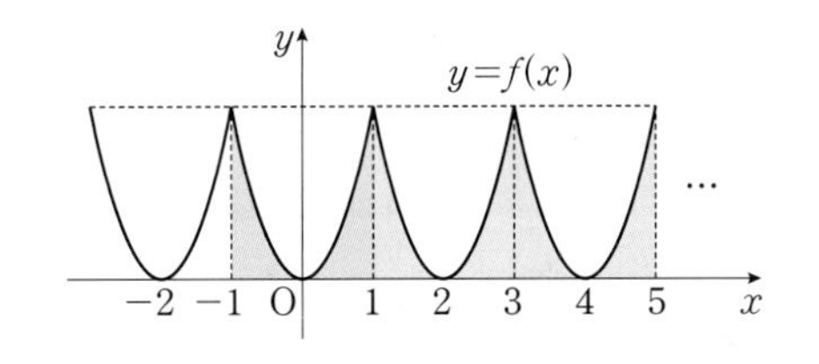

$\int_{-1}^5 f(x)dx=\int_{-1}^1 f(x)dx+\int_1^3 f(x)dx+\int_3^5 f(x)dx$

$=3\int_{-1}^1 f(x)dx$

$=3\int_{-1}^1 3x^2dx=3\Big[x^3\Big]_{-1}^1$

$=3\{1-(-1)\}=3\cdot 2=6$

보기07 연속함수 $f(x)$가 모든 실수 x에 대하여

$$f(x)=f(x+3),\ \int_2^5 f(x)dx=5$$

일 때, $\int_2^{11} f(x)dx$의 값을 구하여라.

풀이 함수 $f(x)$가 모든 실수 x에 대하여 $f(x)=f(x+3)$을 만족하므로

$\int_2^5 f(x)dx=\int_5^8 f(x)dx=\int_8^{11} f(x)dx=5$

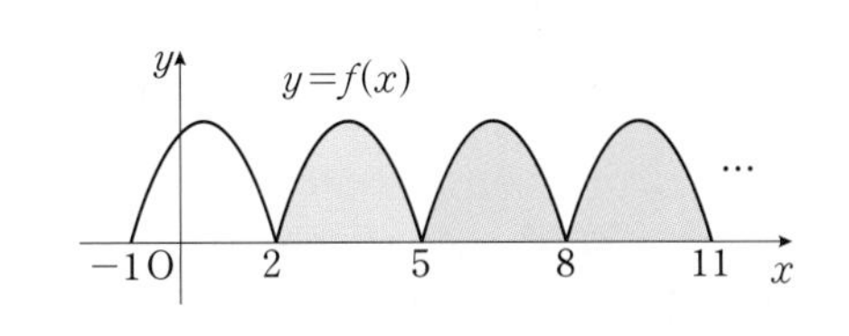

$\int_2^{11} f(x)dx=\int_2^5 f(x)dx+\int_5^8 f(x)dx+\int_8^{11} f(x)dx$

$=3\int_2^5 f(x)dx$

$=3\cdot 5=15$

함수의 성질과 여러 가지 정적분

01 우함수와 기함수의 정적분의 성질

함수 $f(x)$가 정의역의 모든 실수 x에 대하여 $f(-x)=-f(x)$를 만족시키면 함수 $y=f(x)$의 그래프는 원점에 대하여 대칭이고, $f(-x)=f(x)$를 만족시키면 함수 $y=f(x)$의 그래프는 y축에 대하여 대칭이다.
이와 같은 그래프의 대칭성을 이용하면 다음이 성립함을 보일 수 있다.

함수 $f(x)$가 닫힌구간 $[-a,\ a]$에서 연속일 때, 이 구간의 모든 x에 대하여

(1) $f(-x)=f(x)$이면 $\int_{-a}^{a} f(x)dx=2\int_{0}^{a} f(x)dx$

(2) $f(-x)=-f(x)$이면 $\int_{-a}^{a} f(x)dx=0$

참고 $f(-x)=f(x)$인 함수 : 지수가 짝수인 항들로만 이루어진 다항함수, 또는 상수함수 $y=a$(a는 상수) ← 우함수
예를 들어 $x^2,\ x^4,\ 2x^2+1,\ \cdots$

$f(-x)=-f(x)$인 함수 : 지수가 홀수인 항들로만 이루어진 다항함수 ← 기함수
예를 들어 $x,\ x^3,\ 2x^3+2x,\ \cdots$

특강해설 (1) $f(-x)=f(x)$이면 함수 $y=f(x)$의 그래프가 y축에 대하여 대칭이다.
구간 $[-a,\ 0]$과 구간 $[0,\ a]$의 정적분의 값이 같으므로
두 정적분의 합은 구간 $[0,\ a]$의 정적분의 값의 2배이다.

$$\int_{-a}^{a} f(x)dx=\int_{-a}^{0} f(x)dx+\int_{0}^{a} f(x)dx=2\int_{0}^{a} f(x)dx$$

해설 함수 $f(x)$가 $f(-x)=f(x)$를 만족할 때, 함수 $y=f(x)$의 그래프는 y축에 대하여 대칭이므로 $\int_{-a}^{0} f(x)dx=\int_{0}^{a} f(x)dx$

$\therefore \int_{-a}^{a} f(x)dx=\int_{-a}^{0} f(x)dx+\int_{0}^{a} f(x)dx=2\int_{0}^{a} f(x)dx$

(2) $f(-x)=-f(x)$이면 함수 $y=f(x)$의 그래프가 원점에 대하여 대칭이다.
구간 $[-a,\ 0]$과 구간 $[0,\ a]$의 정적분의 값은 그 절댓값은 같고 부호가 서로 다르므로 두 정적분의 값의 합은 0이다.

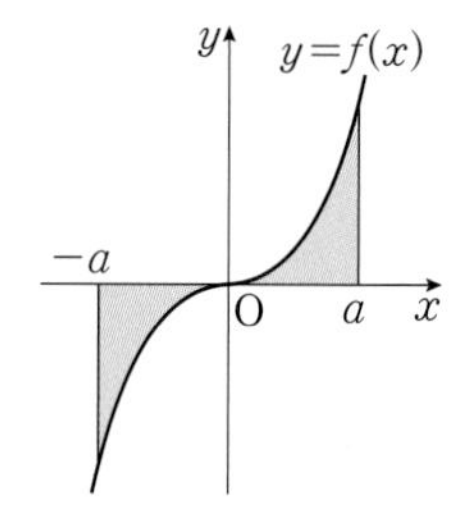

$$\int_{-a}^{a} f(x)dx=\int_{-a}^{0} f(x)dx+\int_{0}^{a} f(x)dx=0$$

해설 함수 $f(x)$가 $f(-x)=-f(x)$를 만족할 때, 함수 $y=f(x)$의 그래프는 원점에 대하여 대칭이므로 $\int_{-a}^{0} f(x)dx=-\int_{0}^{a} f(x)dx$

$\therefore \int_{-a}^{a} f(x)dx=\int_{-a}^{0} f(x)dx+\int_{0}^{a} f(x)dx=-\int_{0}^{a} f(x)dx+\int_{0}^{a} f(x)dx=0$

더 알아보기

n이 자연수일 때, 다음이 성립함을 설명해 보자.

① $\int_{-a}^{a} x^{2n-1}dx=0$

해설 $f(x)=x^{2n-1}$이라 하면 $f(-x)=(-x)^{2n-1}=-x^{2n-1}=-f(x)$이므로 $\int_{-a}^{a} x^{2n-1}dx=0$

② $\int_{-a}^{a} x^{2n}dx=2\int_{0}^{a} x^{2n}dx$

해설 $f(x)=x^{2n}$이라 하면 $f(-x)=(-x)^{2n}=x^{2n}=f(x)$이므로 $\int_{-a}^{a} x^{2n}dx=2\int_{0}^{a} x^{2n}dx$

02 함수의 대칭성을 이용한 정적분의 계산(1)

연속함수 $f(x)$가 임의의 실수 a, b에 대하여

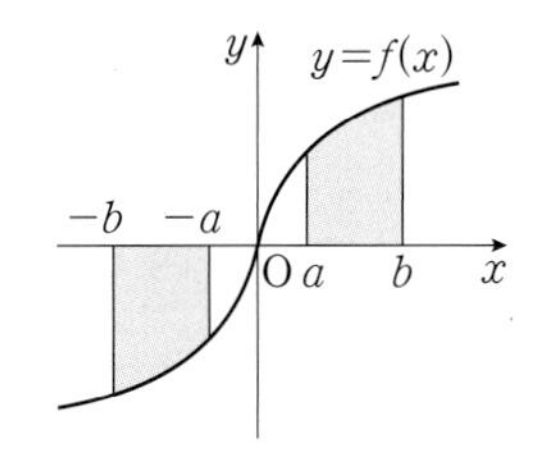

(1) $\int_{-b}^{-a} f(x)dx+\int_{a}^{b} f(x)dx=0$을 만족할 때,

⇨ $y=f(x)$의 그래프는 원점에 대하여 대칭이다.

해설 $\int_{-b}^{-a} f(x)dx=-\int_{a}^{b} f(x)dx$이므로

오른쪽 그림에서 $f(x)$는 원점에 대하여 대칭(기함수)이다.

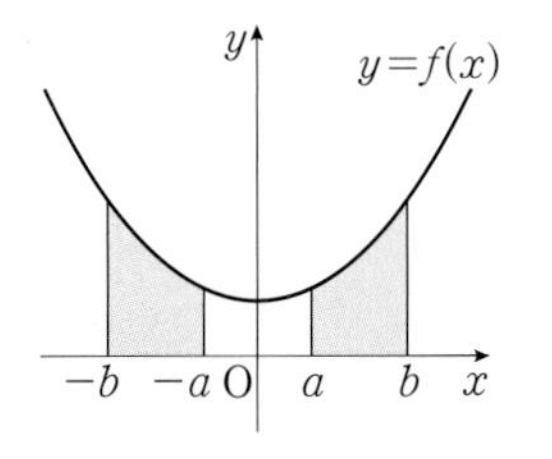

(2) $\int_{-a}^{-b} f(x)dx+\int_{a}^{b} f(x)dx=0$을 만족할 때

⇨ $y=f(x)$의 그래프는 y축에 대하여 대칭이다.

해설 $\int_{a}^{b} f(x)dx=-\int_{-a}^{-b} f(x)dx$에서 $\int_{a}^{b} f(x)dx=\int_{-b}^{-a} f(x)dx$이므로

오른쪽 그림에서 $f(x)$는 y축에 대하여 대칭(우함수)이다.

보기 01 $\int_{a}^{b} f(x)dx+\int_{-a}^{-b} f(x)dx=0$을 만족시키는 함수 $y=f(x)$를 모두 골라라. (단, a, b는 $a<b$인 실수)

ㄱ. $f(x)=\lvert x\rvert$	ㄴ. $f(x)=x^2$	ㄷ. $f(x)=x^3$

풀이 $\int_{a}^{b} f(x)dx+\int_{-a}^{-b} f(x)dx=0$이면

모든 실수 a, b에 대하여 $y=f(x)$의 그래프는 y축에 대하여 대칭이다.

ㄱ. $f(-x)=\lvert -x\rvert=\lvert x\rvert=f(x)$이므로 $f(x)$는 y축에 대하여 대칭(우함수)이다.

ㄴ. $f(-x)=(-x)^2=x^2=f(x)$이므로 $f(x)$는 y축에 대하여 대칭(우함수)이다.

ㄷ. $f(-x)=(-x)^3=-x^3=-f(x)$이므로 $f(x)$는 원점에 대하여 대칭(기함수)이다.

따라서 주어진 함수에서 y축에 대하여 대칭인 함수는 ㄱ, ㄴ이다.

보기 02 $\int_{-b}^{-a} f(x)dx+\int_{a}^{b} f(x)dx=0$을 만족시키는 함수 $y=f(x)$를 모두 골라라. (단, a, b는 $a<b$인 실수)

ㄱ. $f(x)=x^4+x^2$	ㄴ. $f(x)=x^2+2$	ㄷ. $f(x)=x^3+x$

풀이 $\int_{a}^{b} f(x)dx=-\int_{-b}^{-a} f(x)dx$이면

모든 실수 a, b에 대하여 $y=f(x)$의 그래프는 원점에 대하여 대칭이다.

ㄱ. $f(-x)=(-x)^4+(-x)^2=x^4+x^2=f(x)$이므로 $f(x)$는 y축에 대하여 대칭(우함수)이다.

ㄴ. $f(-x)=(-x)^2+2=x^2+2=f(x)$이므로 $f(x)$는 y축에 대하여 대칭(우함수)이다.

ㄷ. $f(-x)=(-x)^3+(-x)=-x^3-x=-f(x)$이므로 $f(x)$는 원점에 대하여 대칭(기함수)이다.

따라서 주어진 함수에서 원점에 대하여 대칭인 함수는 ㄷ이다.

03 함수의 대칭성을 이용한 정적분 계산(2)

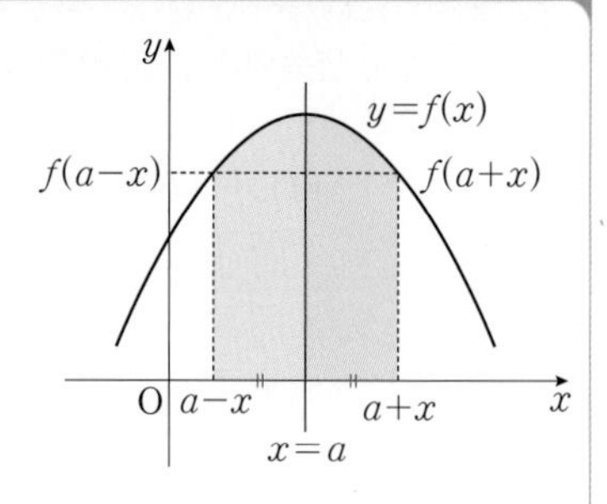

(1) 연속함수 $f(x)$가 모든 실수 x에 대하여 $f(a+x)=f(a-x)$를 만족시킬 때,

⇨ $y=f(x)$의 그래프는 직선 $x=a$에 대하여 대칭이다.

⇨ $\int_{a-p}^{a} f(x)dx=\int_{a}^{a+p} f(x)dx$ (단, p는 상수이다.)

참고 $f(x)=f(2a-x)$ 등으로 표현

(2) 연속함수 $f(x)$가 모든 실수 x에 대하여 $f(a+x)=f(b-x)$를 만족시킬 때,

⇨ $y=f(x)$의 그래프는 직선 $x=\frac{a+b}{2}$에 대칭이다.

(3) 연속함수 $f(x)$가 모든 실수 x에 대하여 $f(a+x)+f(a-x)=0$을 만족시킬 때,

⇨ $y=f(x)$의 그래프는 점 $(a, 0)$에 대하여 대칭이다.

⇨ $\int_{a-p}^{a} f(x)dx+\int_{a}^{a+p} f(x)dx=0$ (단, p는 상수이다.)

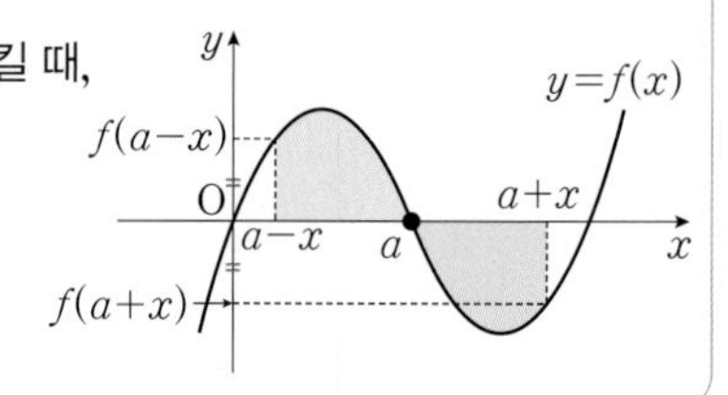

보기 03 연속함수 $f(x)$가 모든 x에 대하여 $f(1+x)=f(1-x)$를 만족한다.
$\int_{-1}^{1} f(x)dx=2$, $\int_{3}^{5} f(x)dx=5$일 때, $\int_{-3}^{3} f(x)dx$를 구하여라.

풀이 $f(1+x)=f(1-x)$이므로 함수 $f(x)$의 그래프는
직선 $x=1$에 대하여 대칭이다. ← $f(x)=f(2-x)$등으로 표현하기도 함

$\int_{-1}^{1} f(x)dx=\int_{1}^{3} f(x)dx=2$, $\int_{3}^{5} f(x)dx=\int_{-3}^{-1} f(x)dx=5$

$\therefore \int_{-3}^{3} f(x)dx=\int_{-3}^{-1} f(x)dx+\int_{-1}^{1} f(x)dx+\int_{1}^{3} f(x)dx$

$=5+2+2=9$

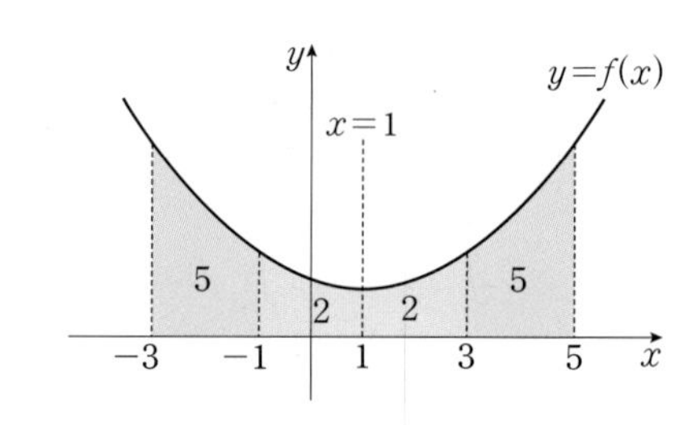

보기 04 삼차함수 $f(x)$가 모든 x에 대하여 $f(2+x)+f(2-x)=0$을 만족할 때, $\int_{1}^{3}\{f(x)+3\}dx$의 값을 구하여라.

풀이 $f(2+x)+f(2-x)=0$이므로 함수 $f(x)$의 그래프는 점 $(2, 0)$에 대하여 대칭이다.
이때, $y=f(x)+3$의 그래프는 함수 $y=f(x)$의 그래프를 y축의 방향으로 3만큼 평행이동시킨 것이므로 함수 $y=f(x)+3$의 그래프는 점 $(2, 3)$에 대하여 대칭이다.
$\int_{1}^{3}\{f(x)+3\}dx$는 가로의 길이가 $3-1=2$, 세로의 길이가 3인 직사각형의 넓이와 같다.
따라서 $\int_{1}^{3}\{f(x)+3\}dx=2\cdot 3=6$

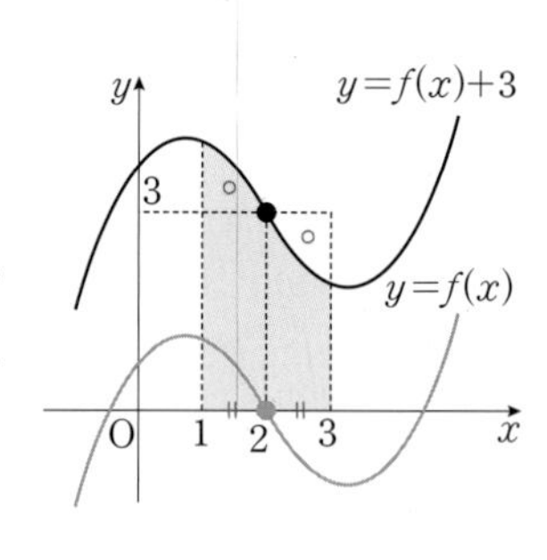

FOCUS

함수 $f(x)$의 그래프가 직선 $x=m$에 대하여 대칭일 때의 정적분

곡선 $f(x)$가 모든 실수 x에 대하여 $f(m+x)=f(m-x)$이면
곡선 $y=f(x)$는 직선 $x=m$에 대하여 대칭이므로 다음이 성립한다. (단, a, k, l은 상수)

(1) $\int_{m-a}^{m} f(x)dx=\int_{m}^{m+a} f(x)dx$ [그림1]

(2) $\int_{m-a}^{m+a} f(x)dx=2\int_{m}^{m+a} f(x)dx$ [그림1]

(3) $\int_{m-l}^{m+k} f(x)dx=\int_{m-k}^{m+l} f(x)dx$ [그림2]

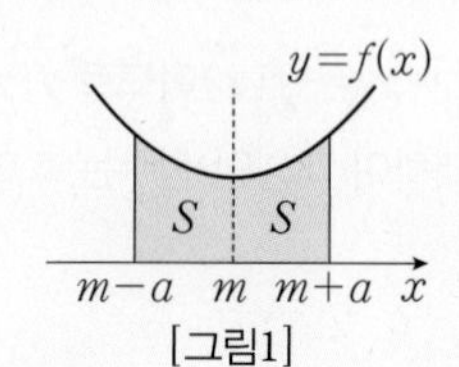

[그림1]

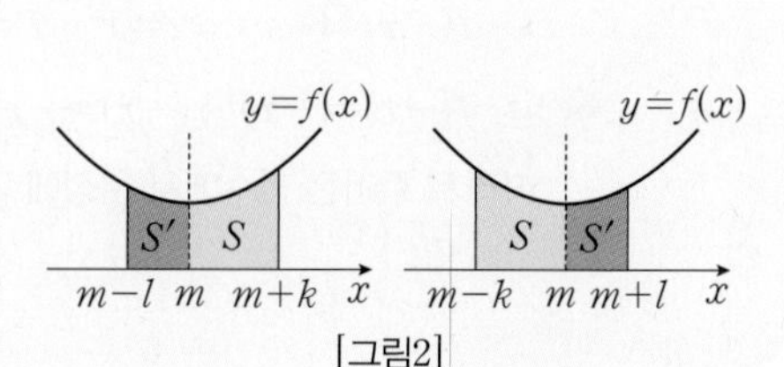

[그림2]

04 평행이동 또는 대칭이동한 함수의 정적분

(1) 평행이동한 함수의 정적분

함수 $y=f(x-m)$의 그래프는 함수 $y=f(x)$의 그래프를 x축의 방향으로 m만큼 평행이동한 것이므로 $\int_a^b f(x)dx$의 정적분과 $\int_{a+m}^{b+m} f(x-m)dx$의 정적분은 같다.

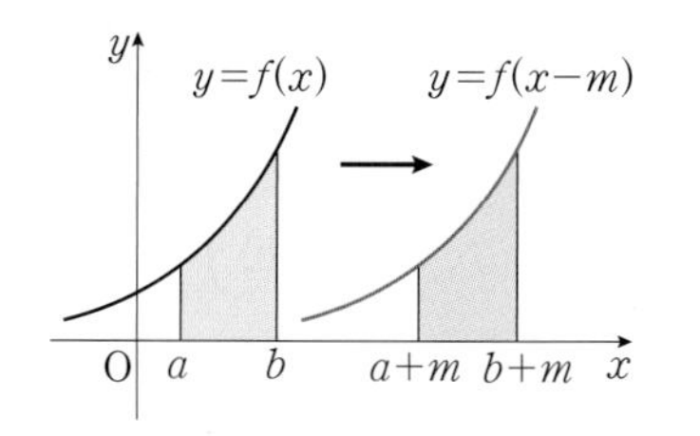

$$\int_{a+m}^{b+m} f(x-m)dx=\int_a^b f(x)dx$$

EX $\int_0^1 f(x)dx=\int_1^2 f(x-1)dx=\int_2^3 f(x-2)dx,\ \int_0^1 f(x)dx=\int_{-1}^0 f(x+1)dx=\int_{-2}^{-1} f(x+2)dx$

(2) 대칭이동한 함수의 정적분

연속함수 $y=f(a-x)$의 그래프와 함수 $y=f(x)$의 그래프는 직선 $x=\frac{a}{2}$에 대하여 대칭이므로 $\int_0^a f(x)dx$의 정적분과 $\int_0^a f(a-x)dx$의 정적분은 같다.

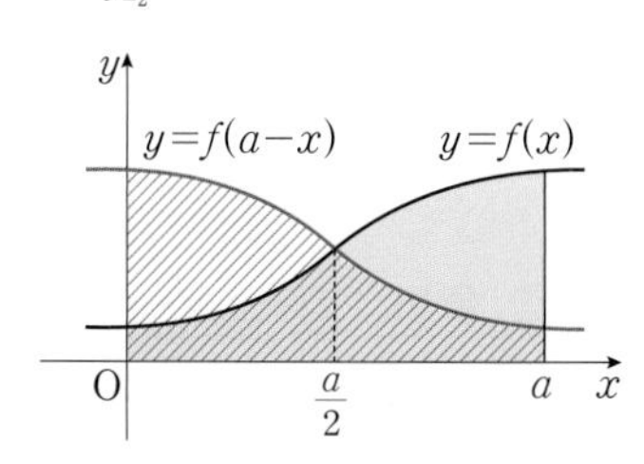

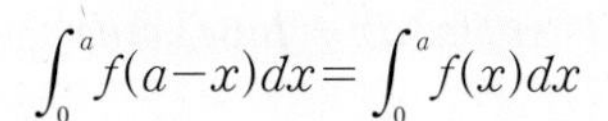

$$\int_0^a f(a-x)dx=\int_0^a f(x)dx$$

보기 05 다음 정적분의 값을 대칭이동과 평행이동을 이용하여 구하여라.

(1) $\int_3^5 (x-3)^2 dx$ (2) $\int_0^2 (2-x)^3 dx$

풀이 (1) $\int_3^5 (x-3)^2 dx$에서 $y=(x-3)^2$의 그래프는 $y=x^2$의 그래프를 x축의 방향으로 3만큼 평행이동한 것이다.

따라서 $\int_3^5 (x-3)^2 dx=\int_0^2 x^2 dx=\left[\frac{1}{3}x^3\right]_0^2=\frac{8}{3}$

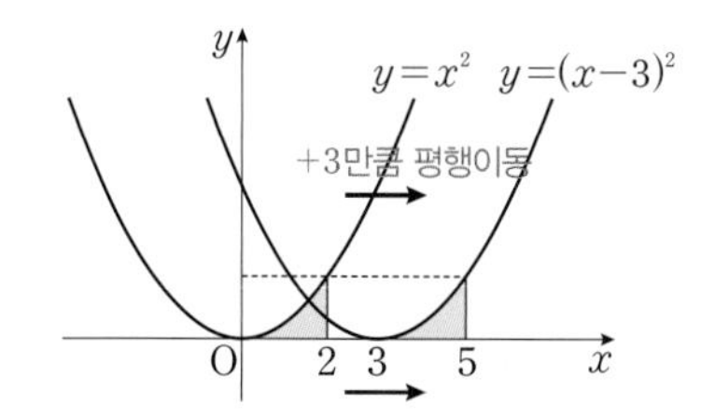

(2) $\int_0^2 (2-x)^3 dx$에서 $y=(2-x)^3$의 그래프는 $y=x^3$의 그래프와 $x=1$에 대하여 대칭이므로

$\int_0^2 (2-x)^3 dx=\int_0^2 x^3 dx=\left[\frac{1}{4}x^4\right]_0^2=4$

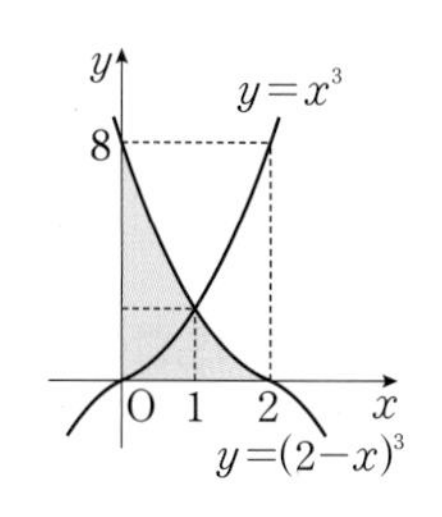

여러 가지 정적분

연속함수 $f(x)$가 모든 실수 x에 대하여

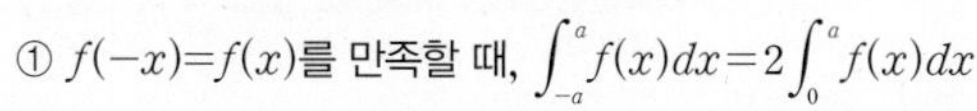

① $f(-x)=f(x)$를 만족할 때, $\int_{-a}^a f(x)dx=2\int_0^a f(x)dx$

② $f(-x)=-f(x)$를 만족할 때, $\int_{-a}^a f(x)dx=0$

③ $f(a+x)=f(x)$를 만족할 때, $\int_0^p f(x)dx=\int_a^{a+p} f(x)dx$

④ $f(a+x)=f(a-x)$를 만족할 때, $\int_{a-p}^a f(x)dx=\int_a^{a+p} f(x)dx$

⑤ $f(a+x)+f(a-x)=0$을 만족할 때, $\int_{a-p}^a f(x)dx+\int_a^{a+p} f(x)dx=\int_{a-p}^{a+p} f(x)dx=0$

마플개념익힘 01 우함수 · 기함수의 정적분

다항함수 $f(x)$가 모든 실수 x에 대하여 $f(-x)=-f(x)$를 만족하고 $\int_0^2 xf(x)\,dx=5$일 때,

정적분 $\int_{-2}^2 (2x^4+3x-5)f(x)\,dx$의 값을 구하여라.

MAPL CORE 정적분 $\int_{-a}^a x^n\,dx$의 계산

① n이 0 또는 짝수일 때, $\int_{-a}^a x^n\,dx=2\int_0^a x^n\,dx$ ⬅ $f(-x)=f(x)$ 우함수

② n이 홀수일 때, $\int_{-a}^a x^n\,dx=0$ ⬅ $f(-x)=-f(x)$ 기함수

적분구간이 $[-a,\ a]$일 때, 즉 위끝, 아래끝의 절댓값이 같고 부호가 다를 때, 우함수 · 기함수의 정적분을 이용한다.

우함수와 기함수의 연산
① (우함수)±(우함수)=(우함수)
② (기함수)±(기함수)=(기함수)
③ (우함수)×(우함수)=(우함수)
④ (기함수)×(기함수)=(우함수)
⑤ (우함수)×(기함수)=(기함수)

개념익힘 | 풀이

$f(-x)=-f(x)$에서 $f(x)$는 원점에 대하여 대칭이므로

$x^4f(x)$는 원점에 대하여 대칭이고 $xf(x)$는 y축에 대하여 대칭이다.

$$\therefore \int_{-2}^2 (2x^4+3x-5)f(x)\,dx=\int_{-2}^2 2x^4f(x)\,dx+\int_{-2}^2 3xf(x)\,dx-\int_{-2}^2 5f(x)\,dx$$

$$=3\int_{-2}^2 xf(x)\,dx \quad \Leftarrow \int_{-2}^2 2x^4f(x)dx=0,\ \int_{-2}^2 5f(x)dx=0$$

$$=6\int_0^2 xf(x)\,dx \quad \Leftarrow \int_0^2 xf(x)\,dx=5$$

$$=6\cdot5=\mathbf{30}$$

$f(x)$가 기함수이므로 예를 들어 $f(x)=x^3$이라 하면
$x^4f(x)=x^7$ ⇨ 기함수
$xf(x)=x^4$ ⇨ 우함수
$5f(x)=5x^3$ ⇨ 기함수

확인유제 0668
2009년 07월 교육청

다음 물음에 답하여라.

(1) 다항함수 $f(x)$가 임의의 실수 x에 대하여 $f(-x)=f(x)$, $\int_0^2 f(x)\,dx=4$를 만족할 때,

정적분 $\int_{-2}^2 (x^3-3x-1)f(x)\,dx$를 구하여라.

(2) 다항함수 $f(x)$가 모든 실수 x에 대하여 $f(-x)=-f(x)$를 만족시킨다.

$\int_{-3}^3 (x+2)f'(x)dx=20$일 때, $f(3)$의 값을 구하여라.

변형문제 0669
2016학년도 수능기출

두 다항함수 $f(x)$, $g(x)$가 모든 실수 x에 대하여

$$f(-x)=-f(x),\ g(-x)=g(x)$$

를 만족시킨다. 함수 $h(x)=f(x)g(x)$에 대하여 $\int_{-3}^3 (x+5)h'(x)dx=10$일 때, $h(3)$의 값은?

① 1 ② 2 ③ 3 ④ 4 ⑤ 5

발전문제 0670
2012년 07월 교육청

정수 a, b, c에 대하여 함수 $f(x)=x^4+ax^3+bx^2+cx+10$이 다음 두 조건을 모두 만족시킨다.

(가) 모든 실수 a에 대하여 $\int_{-a}^a f(x)\,dx=2\int_0^a f(x)\,dx$

(나) $-6<f'(1)<-2$

이때 함수 $y=f(x)$의 극솟값을 구하여라.

정답 0668 : (1) −8 (2) 5 0669 : ① 0670 : 6

마플개념익힘 02 주기함수의 정적분

연속함수 $f(x)$는 임의의 실수 x에 대하여 다음을 만족시킨다.

(가) $f(-x)=f(x)$　　　　(나) $f(x)=f(x+4)$

$\int_{0}^{2} f(x)\,dx=8$일 때, 정적분 $\int_{-4}^{8} f(x)\,dx$의 값을 구하여라.

MAPL CORE 모든 구간에서 연속이고 주기가 p인 주기함수 $f(x)$의 정적분은 다음과 같은 특징을 가진다.

(1) 한 주기의 정적분 값은 항상 같다.

⇨ $\int_{a}^{a+p} f(x)\,dx=\int_{b}^{b+p} f(x)\,dx=\int_{a+p}^{a+2p} f(x)\,dx=\cdots$

(2) 구간 $[a, b]$의 정적분 값은 그 구간에 주기 p만큼 더한 구간 $[a+p, b+p]$의 정적분 값과 같다.

⇨ $\int_{a}^{b} f(x)\,dx=\int_{a+p}^{b+p} f(x)\,dx=\int_{a+2p}^{b+2p} f(x)\,dx=\cdots=\int_{a+np}^{b+np} f(x)dx$ (단, n은 정수)

개념익힘 | 풀이 조건 (가)에서 $f(-x)=f(x)$이므로 $f(x)$는 y축에 대하여 대칭인 함수이다. ⬅ 우함수

$\int_{0}^{2} f(x)\,dx=\int_{-2}^{0} f(x)\,dx=8$이므로 $\int_{-2}^{2} f(x)dx=\int_{-2}^{0} f(x)dx+\int_{0}^{2} f(x)dx=8+8=16$

조건 (나)에서 $f(x)=f(x+4)$이므로

$\int_{-4}^{0} f(x)dx=\int_{0}^{4} f(x)dx=\int_{4}^{8} f(x)dx$

한 주기의 정적분의 값은 항상 같으므로 $\int_{-2}^{2} f(x)dx=\int_{-4}^{0} f(x)dx=16$

따라서 $\int_{-4}^{8} f(x)dx=\int_{-4}^{0} f(x)dx+\int_{0}^{4} f(x)dx+\int_{4}^{8} f(x)dx=3\int_{-4}^{0} f(x)dx=3\cdot 16=\mathbf{48}$

참고 조건을 만족하는 함수 $y=f(x)$의 그래프의 개형은 다음과 같다.

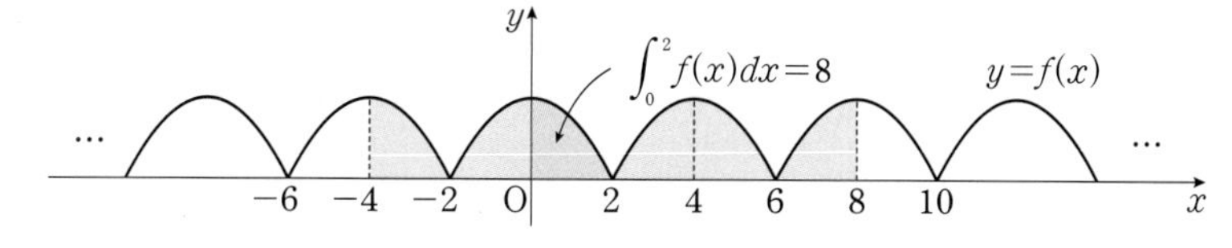

확인유제 0671 다음 물음에 답하여라.

(1) 연속함수 $f(x)$가 다음 두 조건을 모두 만족시킬 때, 정적분 $\int_{-5}^{5} f(x)\,dx$의 값을 구하여라.

(가) $-1\le x\le 1$일 때, $f(x)=x^2+1$

(나) 임의의 실수 x에 대하여 $f(x)=f(x+2)$

(2) 실수 전체의 집합에서 정의된 함수 $f(x)$가 다음 두 조건을 만족시킬 때, $\int_{-4}^{8} f(x)\,dx$의 값을 구하여라.

(가) $0\le x\le 2$일 때, $f(x)=-x^2+2x$

(나) 모든 실수 x에 대하여 $f(x+2)=f(x)$이다.

정답 0671 : (1) $\frac{40}{3}$ (2) 8

변형문제 0672 다음 물음에 답하여라.

2015년 11월 교육청

(1) 실수 전체의 집합에서 정의된 함수 $f(x)$가 다음 두 조건을 모두 만족시킬 때, $\int_0^1 f(x)\,dx+\int_2^3 f(x)\,dx$의 값을 구하여라.

(가) $f(x)=\begin{cases} x^3 & (0\le x<1) \\ -x^2+2x & (1\le x<2) \end{cases}$

(나) 모든 실수 x에 대하여 $f(x+2)=f(x)$이다.

2014년 07월 교육청

(2) 연속함수 $f(x)$가 모든 실수 x에 대하여 다음 조건을 만족시킨다.

(가) $f(-x)=f(x)$

(나) $f(x+2)=f(x)$

(다) $\int_{-1}^1 (2x+3)f(x)\,dx=15$

$\int_{-6}^{10} f(x)\,dx$의 값을 구하여라.

2015학년도 수능기출

(3) 함수 $f(x)$는 모든 실수 x에 대하여 $f(x+3)=f(x)$를 만족시키고

$$f(x)=\begin{cases} x & (0\le x<1) \\ 1 & (1\le x<2) \\ -x+3 & (2\le x<3) \end{cases}$$

이다. $\int_{-a}^a f(x)\,dx=13$일 때, 상수 a의 값은?

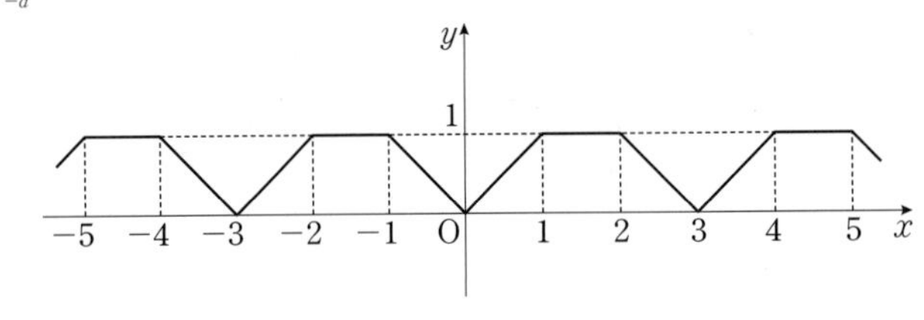

① 10 ② 12 ③ 14 ④ 16 ⑤ 18

발전문제 0673 다음 물음에 답하여라.

2012년 07월 교육청

(1) 실수 전체에서 정의된 연속함수 $f(x)$가 $f(x)=f(x+4)$를 만족하고

$$f(x)=\begin{cases} -4x+2 & (0\le x<2) \\ x^2-2x+a & (2\le x\le 4) \end{cases}$$

일 때, $\int_9^{11} f(x)\,dx$의 값을 구하여라.

(2) 실수 전체에서 정의된 연속함수 $f(x)$가 $f(x+2)=f(x)$를 만족하고

$$f(x)=\begin{cases} -x^2+2x & (0\le x<1) \\ -x+a & (1\le x<2) \end{cases}$$

일 때, $\int_0^{13} f(x)\,dx$의 값을 구하여라.

정답 0672 : (1) $\frac{1}{2}$ (2) 40 (3) ① 0673 : (1) $-\frac{26}{3}$ (2) $\frac{23}{3}$

마플개념익힘 03 함수의 대칭성을 이용한 정적분

연속함수 $f(x)$가 다음 두 조건을 만족시킬 때, $\int_0^2 f(x)\,dx$의 값을 구하여라.

(가) $f(2+x)=f(2-x)$　　(나) $\int_0^3 f(x)\,dx=6$, $\int_1^3 f(x)\,dx=4$

MAPL CORE 연속함수 $f(x)$에 대하여 직선의 대칭성에 대한 표현

$f(p+x)=f(p-x) \Longleftrightarrow f(x)=f(2p-x) \Longleftrightarrow$ 함수 $y=f(x)$의 그래프는 직선 $x=p$에 대하여 대칭이다.

$\Longleftrightarrow \int_{p-a}^{p+a} f(x)\,dx=2\int_p^{p+a} f(x)\,dx$

개념익힘 | 풀이 조건 (가)에 의하여 $f(2+x)=f(2-x)$이므로 함수 $y=f(x)$의 그래프는 직선 $x=2$에 대하여 대칭이다.

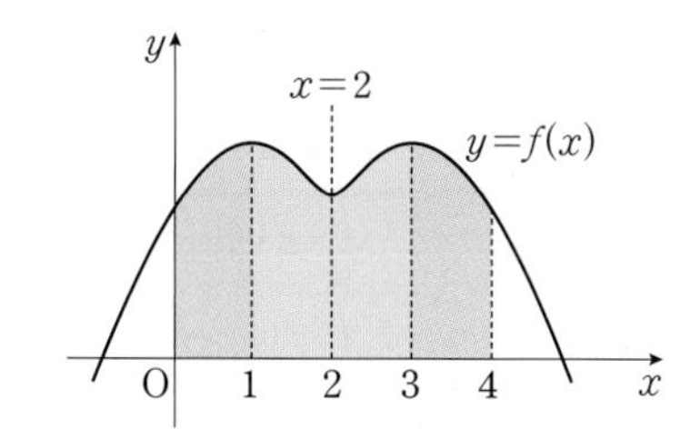

조건 (나)에서 $\int_0^3 f(x)\,dx=6$, $\int_1^3 f(x)\,dx=4$이므로

$\int_0^1 f(x)\,dx=\int_0^3 f(x)\,dx+\int_3^1 f(x)\,dx=6-4=2$

$\therefore \int_3^4 f(x)\,dx=\int_0^1 f(x)\,dx=2$

또, $\int_0^4 f(x)\,dx=\int_0^3 f(x)\,dx+\int_3^4 f(x)\,dx=6+2=8$이다.

따라서 $\int_0^2 f(x)\,dx=\frac{1}{2}\int_0^4 f(x)\,dx=\frac{1}{2}\cdot 8=\mathbf{4}$

확인유제 0674 연속함수 $f(x)$가 다음 두 조건을 모두 만족할 때, $\int_4^5 f(x)\,dx$의 값을 구하여라.

(가) $f(3+x)=f(3-x)$　　(나) $\int_0^2 f(x)\,dx=10$, $\int_5^6 f(x)\,dx=4$

변형문제 0675 실수 전체에서 정의된 연속함수 $f(x)$가 $f(2-x)=f(2+x)$를 만족하고 $f(x)=\begin{cases} 2x+5 & (2\le x\le 3) \\ 3x^2+a & (3\le x\le 5)\end{cases}$일 때,

$\int_{-1}^5 f(x)\,dx$의 값은?

① 122　② 132　③ 152　④ 162　⑤ 180

발전문제 0676 다음 물음에 답하여라.

(1) 함수 $f(x)$는 모든 실수 x에 대하여 $f(-x)=f(x)$, $f(2-x)=f(2+x)$를 만족시키고,

$$f(x)=\begin{cases} 2x & (0\le x<1) \\ -6x+8 & (1\le x<2) \\ 6x-16 & (2\le x<3) \\ -2x+8 & (3\le x<4)\end{cases}$$

이다. $\int_{-n}^n f(x)\,dx=2$를 만족시키는 100 이하의 자연수 n의 개수를 구하여라.

2014학년도 사관기출

(2) 함수 $f(x)$가 다음 조건을 만족시킬 때, $\int_{-n}^n f(x)dx=16$을 만족하는 자연수 n의 값을 구하여라.

(가) $0\le x\le 1$에서 $f(x)=x^2+1$이다.

(나) 모든 실수 x에 대하여 $f(-x)=f(x)$이다.

(다) 모든 실수 x에 대하여 $f(1-x)=f(1+x)$이다.

정답　0674 : 6　0675 : ③　0676 : (1) 25 (2) 6

마플개념익힘 04 평행이동한 함수의 정적분

함수 $g(x)$의 그래프는 함수 $f(x)=x^2$의 그래프를 x축의 방향으로 a만큼, y축의 방향으로 b만큼 평행이동한 것이다.

$$g(0)=0,\ \int_0^a f(x)\,dx-\int_a^{2a} g(x)\,dx=8$$

을 만족할 때, 실수 a의 값을 구하여라.

MAPL CORE $\int_a^b g(x)\,dx=\int_{a-c}^{b-c} g(x+c)\,dx$에서 $g(x+c)$의 그래프는 $g(x)$의 그래프를 x축으로 $-c$만큼 평행이동한 것이다.

개념익힘 | 풀이 $f(x)=x^2$의 그래프를 x축의 방향으로 a만큼, y축의 방향으로 b만큼 평행이동하면 $g(x)=(x-a)^2+b$

이때 $g(0)=0$이므로 $a^2+b=0\quad \therefore b=-a^2$ …… ㉠

즉, $g(x)=(x-a)^2-a^2$

한편 $y=(x-a)^2+b$의 그래프는 $y=x^2+b$의 그래프를 x축의 방향으로 a만큼 평행이동한 것이므로

$\int_a^{2a} g(x)\,dx=\int_a^{2a}\{(x-a)^2+b\}dx=\int_0^a (x^2+b)\,dx$ ⬅ $\int_a^{2a} g(x)\,dx=\int_{a-a}^{2a-a} g(x+a)\,dx$

$\int_0^a f(x)\,dx-\int_a^{2a} g(x)\,dx=8$에서

$\int_0^a x^2\,dx-\int_0^a (x^2+b)\,dx=\int_0^a \{x^2-(x^2+b)\}=\int_0^a (-b)\,dx=\Big[-bx\Big]_0^a=-ab=8$ …… ㉡

따라서 ㉠, ㉡에서 $-ab=a^3=8$이므로 실수 $a=2$이다.

다른풀이 정적분을 이용하여 넓이로 풀이하기

$g(0)=0,\ g(2a)=0$이므로 $f(x),\ g(x)$의 그래프는 오른쪽 그림과 같다.

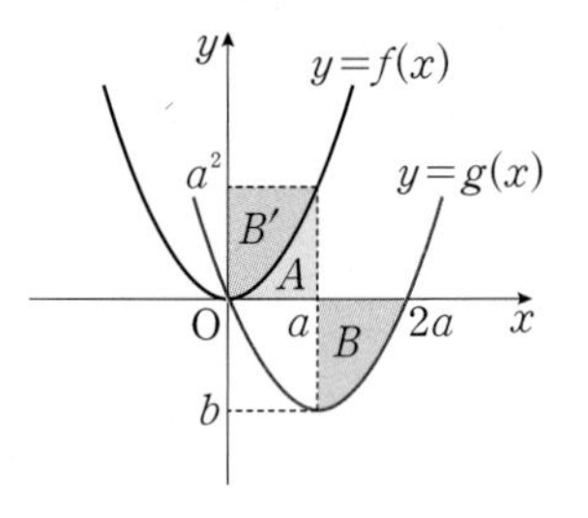

이때 정적분의 값을 $\int_0^a f(x)\,dx=A,\ \int_a^{2a} g(x)\,dx=B$라 하면

$\int_0^a f(x)\,dx-\int_a^{2a} g(x)\,dx$

$=\int_0^a f(x)\,dx+\left(-\int_a^{2a} g(x)\,dx\right)$ ⬅ 넓이

$=A+(-B)=A+B'=a\cdot a^2=a^3=8$ ⬅ 직사각형의 넓이

$\therefore a=\mathbf{2}$ ($\because a$는 실수)

확인유제 0677
2006학년도 수능기출

함수 $f(x)=x^3$의 그래프를 x축 방향으로 a만큼, y축 방향으로 b만큼 평행이동시켰더니 함수 $y=g(x)$의 그래프가 되었다.

$$g(0)=0\text{이고 } \int_a^{3a} g(x)\,dx-\int_0^{2a} f(x)\,dx=32$$

일 때, a^4의 값을 구하여라.

변형문제 0678
2007학년도 09월 평가원

양수 a에 대하여 삼차함수 $f(x)=-x(x+a)(x-a)$의 극댓점의 x좌표를 b라 하자.

$\int_{-b}^a f(x)\,dx=A,\ \int_b^{a+b} f(x-b)\,dx=B$일 때, $\int_{-b}^a |f(x)|\,dx$의 값은?

① $-A+2B$　② $-2A+B$　③ $-A+B$　④ $A+B$　⑤ $A+2B$

발전문제 0679

함수 $f(x)$가 다음 두 조건을 만족할 때, $\int_1^4 f(x-1)\,dx$의 값을 구하여라.

(가) $-1\le x\le 1$일 때, $f(x)=1-x^2$이다.
(나) 모든 x에 대하여 $f(x+2)=f(x)$이다.

정답 0677 : 16　0678 : ①　0679 : 2

곡선의 그래프 모양

01 그래프의 모양

(1) 중점의 함숫값과 함숫값의 중점을 비교하여 판정하는 방법

아래로 볼록

곡선 $y=f(x)$ 위의 두 점 $\mathrm{A}(a,\ f(a))$, $\mathrm{B}(b,\ f(b))$ (단, $a<b$)에 대하여

$$\frac{f(a)+f(b)}{2}>f\left(\frac{a+b}{2}\right)$$

가 성립하면 곡선 $y=f(x)$는 **아래로 볼록**하다.

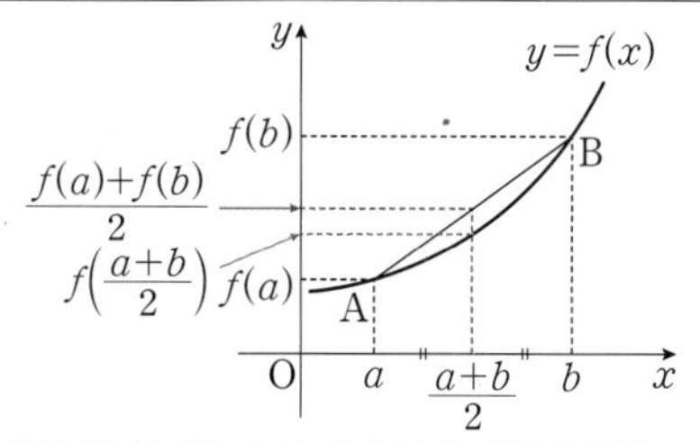

위로 볼록

곡선 $y=f(x)$ 위의 두 점 $\mathrm{A}(a,\ f(a))$, $\mathrm{B}(b,\ f(b))$ (단, $a<b$)에 대하여

$$\frac{f(a)+f(b)}{2}<f\left(\frac{a+b}{2}\right)$$

가 성립하면 곡선 $y=f(x)$는 **위로 볼록**하다.

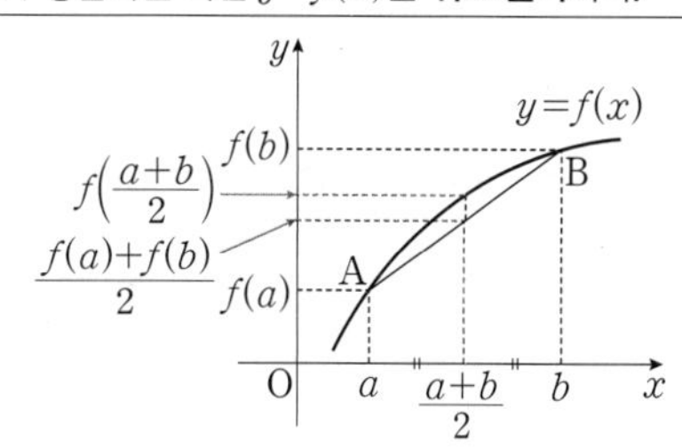

(2) 두 평균변화율을 비교하여 판정하는 방법

아래로 볼록

곡선 $y=f(x)$ 위의 세 점 $\mathrm{A}(a,\ f(a))$, $\mathrm{B}(b,\ f(b))$, $\mathrm{C}(c,\ f(c))$ (단, $a<b<c$)에 대하여

$$\frac{f(b)-f(a)}{b-a}<\frac{f(c)-f(b)}{c-b}$$

가 성립하면 곡선 $y=f(x)$는 **아래로 볼록**하다.

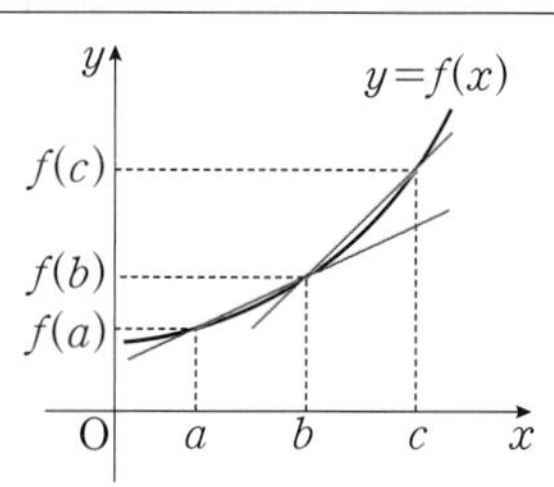

위로 볼록

곡선 $y=f(x)$ 위의 세 점 $\mathrm{A}(a,\ f(a))$, $\mathrm{B}(b,\ f(b))$, $\mathrm{C}(c,\ f(c))$ (단, $a<b<c$)에 대하여

$$\frac{f(b)-f(a)}{b-a}>\frac{f(c)-f(b)}{c-b}$$

가 성립하면 곡선 $y=f(x)$는 **위로 볼록**하다.

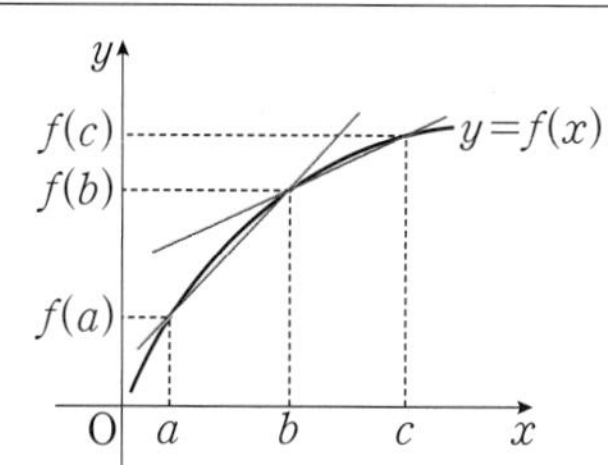

(3) 원점과 곡선 위의 점을 지나는 직선의 기울기를 이용하는 방법

아래로 볼록

원점을 지나는 다항함수 $y=f(x)$ 위의 두 점 $\mathrm{A}(a,\ f(a))$, $\mathrm{B}(b,\ f(b))$ (단, $0<a<b$)에 대하여

$$0<\frac{f(a)}{a}<\frac{f(b)}{b},\ \text{즉 } 0<bf(a)<af(b)$$

이면 함수 $y=f(x)$는 $(0,\ \infty)$에서 **아래로 볼록**하다.

위로 볼록

원점을 지나는 다항함수 $y=f(x)$ 위의 두 점 $\mathrm{A}(a,\ f(a))$, $\mathrm{B}(b,\ f(b))$ (단, $0<a<b$)에 대하여

$$\frac{f(a)}{a}>\frac{f(b)}{b}>0,\ \text{즉 } bf(a)>af(b)>0$$

이면 함수 $y=f(x)$는 $(0,\ \infty)$에서 **위로 볼록**하다.

$\dfrac{f(b)}{b}=\dfrac{f(b)-f(0)}{b-0}$ ⇨ 원점과 점 $(b,\ f(b))$를 지나는 기울기

$\dfrac{f(a)}{a}=\dfrac{f(a)-f(0)}{a-0}$ ⇨ 원점과 점 $(a,\ f(a))$를 지나는 기울기

(4) 접선의 방정식과 함수의 그래프를 이용한 방법

아래로 볼록	위로 볼록
미분가능한 함수 $f(x)$에서 임의의 실수 a에 대하여 $f(x) \geq f'(a)(x-a)+f(a)$ 가 성립하면 곡선 $y=f(x)$는 **아래로 볼록**하다.	미분가능한 함수 $f(x)$에서 임의의 실수 a에 대하여 $f(x) \leq f'(a)(x-a)+f(a)$ 가 성립하면 곡선 $y=f(x)$는 **위로 볼록**하다.
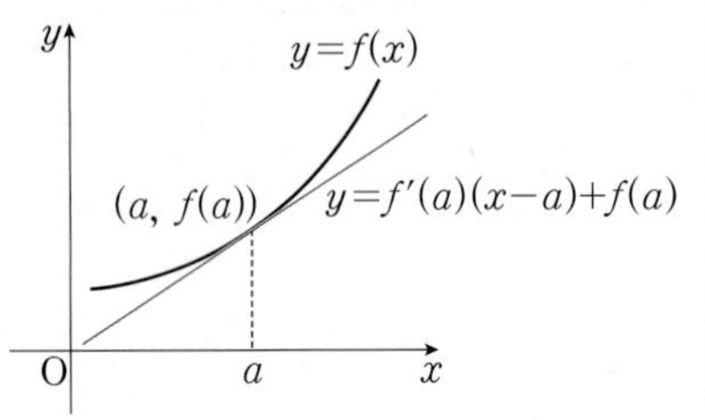	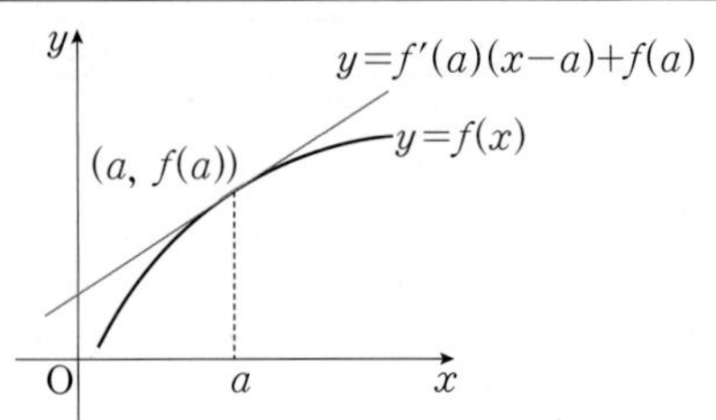

(5) 정적분과 사다리꼴의 넓이를 비교하여 판정하는 방법

아래로 볼록	위로 볼록
곡선 $f(x) \geq 0$ 위의 두 점 $\mathrm{A}(a,\ f(a))$, $\mathrm{B}(b,\ f(b))$ (단, $a<b$)에 대하여 $\frac{1}{2}\{f(a)+f(b)\}(b-a) > \int_a^b f(x)dx$ 가 성립하면 곡선 $y=f(x)$는 **아래로 볼록**하다.	곡선 $f(x) \geq 0$ 위의 두 점 $\mathrm{A}(a,\ f(a))$, $\mathrm{B}(b,\ f(b))$ (단, $a<b$)에 대하여 $\frac{1}{2}\{f(a)+f(b)\}(b-a) < \int_a^b f(x)dx$ 가 성립하면 곡선 $y=f(x)$는 **위로 볼록**하다.
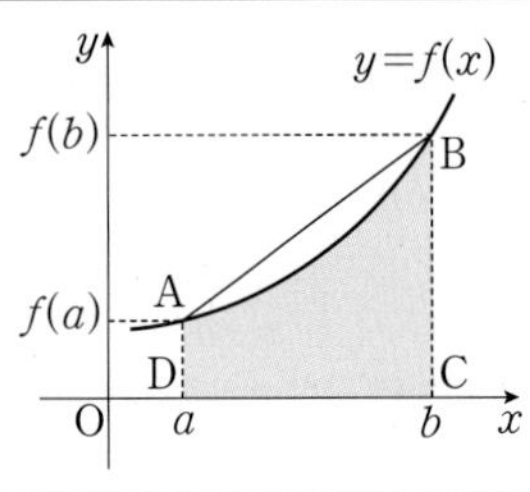	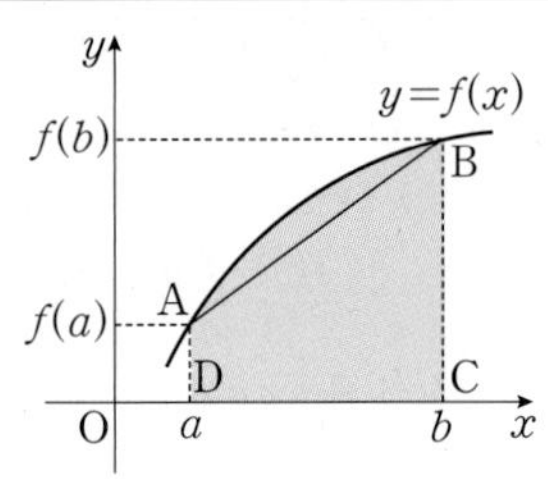

참고 $\frac{1}{2}\{f(a)+f(b)\}(b-a)$ ⇨ 사다리꼴 ABCD의 넓이

$\int_a^b f(x)dx$ ⇨ 곡선 $y=f(x)$의 그래프와 x축 및 두 직선 $x=a$, $x=b$로 둘러싸인 부분의 넓이

(6) 정적분과 삼각형의 넓이를 비교하여 판정하는 방법

아래로 볼록	위로 볼록
곡선 $f(x) \geq 0$ 위의 두 점 $\mathrm{A}(a,\ f(a))$, $\mathrm{B}(b,\ f(b))$ (단, $a<b$)에 대하여 $\frac{1}{2}(b-a)\{f(b)-f(a)\} > \int_a^b \{f(x)-f(a)\}dx$ 가 성립하면 곡선 $y=f(x)$는 **아래로 볼록**하다.	곡선 $f(x) \geq 0$ 위의 두 점 $\mathrm{A}(a,\ f(a))$, $\mathrm{B}(b,\ f(b))$ (단, $a<b$)에 대하여 $\frac{1}{2}(b-a)\{f(b)-f(a)\} < \int_a^b \{f(x)-f(a)\}dx$ 가 성립하면 곡선 $y=f(x)$는 **위로 볼록**하다.

참고 $\frac{1}{2}(b-a)\{f(b)-f(a)\}$ ⇨ 삼각형 ABC의 넓이

$\int_a^b \{f(x)-f(a)\}dx$ ⇨ 곡선 $y=f(x)$와 직선 $y=f(a)$의 그래프 및 두 직선 $x=a$, $x=b$로 둘러싸인 부분의 넓이

수능특강문제 01

오른쪽 그림은 연속함수 $y=f(x)\,(f(x)>0)$의 그래프와 이 그래프 위의 서로 다른 두 점 $\mathrm{P}(a,\ f(a))$, $\mathrm{Q}(b,\ f(b))$를 나타낸 것이다. 함수 $F(x)$가 $F'(x)=f(x)$를 만족시킬 때, [보기]에서 항상 옳은 것을 모두 골라라. $(a<b)$

ㄱ. 함수 $F(x)$는 닫힌구간 $[a,\ b]$에서 증가한다.

ㄴ. $\dfrac{F(b)-F(a)}{b-a}$는 직선 PQ의 기울기와 같다.

ㄷ. $\displaystyle\int_a^b \{f(x)-f(a)\}dx<\frac{1}{2}\{f(b)-f(a)\}(b-a)$

ㄹ. $\displaystyle\frac{1}{b-a}\int_a^b f(x)\,dx<\frac{f(a)+f(b)}{2}$

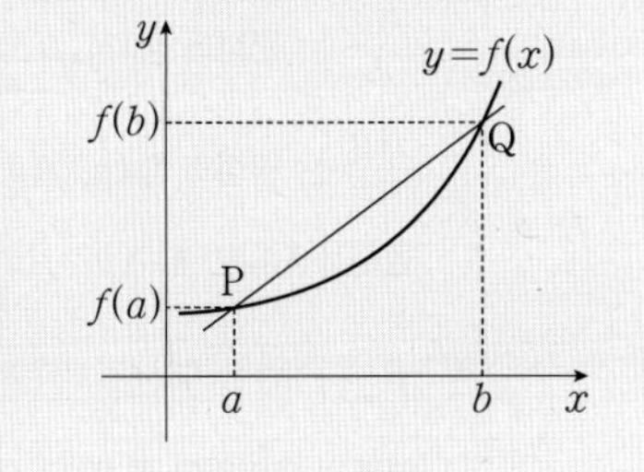

① ㄱ　② ㄴ, ㄷ　③ ㄱ, ㄹ　④ ㄱ, ㄷ, ㄹ　⑤ ㄱ, ㄴ, ㄷ, ㄹ

수능특강 풀이

ㄱ. $F'(x)=f(x)$이므로 $f(x)$는 함수 $F(x)$의 도함수이다.
닫힌구간 $[a,\ b]$에서 $F'(x)=f(x)>0$이므로 $F(x)$는 증가한다. [참]

ㄴ. 두 점 $\mathrm{P}(a,\ f(a))$, $\mathrm{Q}(b,\ f(b))$를 지나는 직선 PQ의 기울기는 $\dfrac{f(b)-f(a)}{b-a}=\dfrac{F'(b)-F'(a)}{b-a}$ [거짓]

ㄷ. 오른쪽 그림에서

$\displaystyle\int_a^b \{f(x)-f(a)\}dx$는

곡선 $y=f(x)$와 직선 $y=f(a)$의 그래프 및 두 직선 $x=a$, $x=b$로 둘러싸인 부분의 넓이이고

$\dfrac{1}{2}\{f(b)-f(a)\}(b-a)$는 직각삼각형 PQR의 넓이이다.

즉, $\displaystyle\int_a^b \{f(x)-f(a)\}dx<\frac{(b-a)\{f(b)-f(a)\}}{2}$가 성립한다. [참]

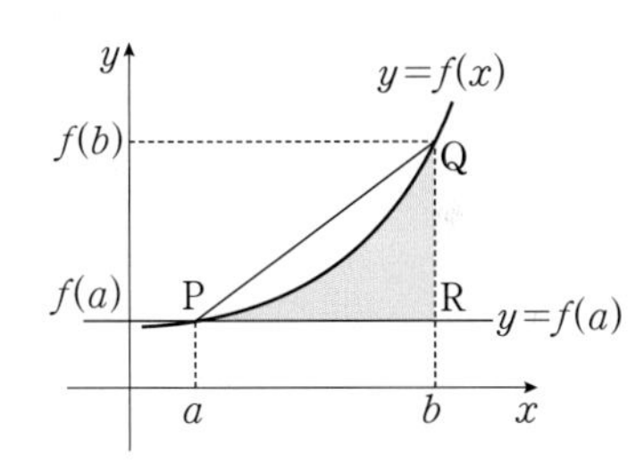

ㄹ. 오른쪽 그림에서

$\displaystyle\int_a^b f(x)dx$는 닫힌구간 $[a,\ b]$에서 $f(x)>0$이므로

함수 $y=f(x)$의 그래프와 x축 및 두 직선 $x=a$, $x=b$로 둘러싸인 부분의 넓이이고

$\dfrac{1}{2}\{f(a)+f(b)\}(b-a)$는 사다리꼴 PQRS의 넓이이다.

즉, $\displaystyle\int_a^b f(x)dx<\frac{1}{2}\{f(a)+f(b)\}(b-a)$이므로 $b-a>0$으로 양변을 나누면

$\displaystyle\frac{1}{b-a}\int_a^b f(x)dx<\frac{f(a)+f(b)}{2}$가 성립한다. [참]

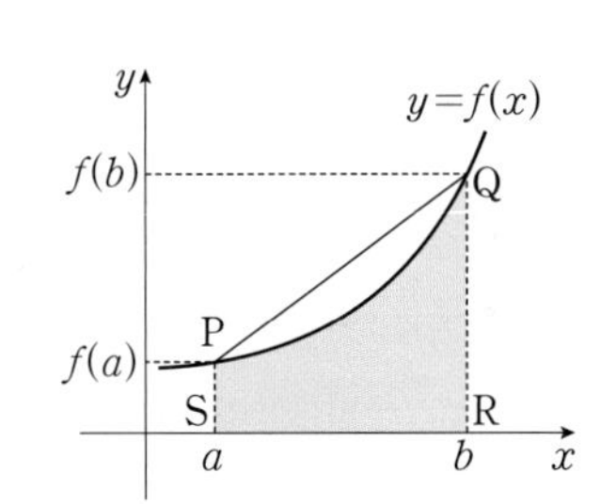

따라서 옳은 것은 ㄱ, ㄷ, ㄹ이다.

수능특강문제 02

2009학년도 09월 평가원

다항함수 $f(x)$가 다음 두 조건을 만족한다.

(가) $f(0)=0$

(나) $0<a<b<1$인 모든 a, b에 대하여 $0<af(b)<bf(a)$

세 수 $A=f'(0)$, $B=f(1)$, $C=2\displaystyle\int_0^1 f(x)\,dx$의 대소 관계를 옳게 나타낸 것은?

① $A<B<C$　② $A<C<B$　③ $B<A<C$　④ $B<C<A$　⑤ $C<A<B$

수능특강 풀이 ▶ 조건 (나)에서 $0<a<b<1$인 모든 a, b에 대하여

$0<af(b)<bf(a)$이므로 각 변을 ab로 나누면 $0<\dfrac{f(b)}{b}<\dfrac{f(a)}{a}$

$\dfrac{f(b)}{b}$는 원점과 점 $(b,\ f(b))$를 지나는 기울기,

$\dfrac{f(a)}{a}$는 원점과 점 $(a,\ f(a))$를 지나는 기울기를 의미하므로

원점을 지나는 함수 $y=f(x)$는 구간 $(0,\ 1)$에서 위로 볼록한 함수이다.

$\int_0^1 f(x)dx$는 곡선 $y=f(x)$의 그래프와 x축 및 두 직선 $x=0$, $x=1$로 둘러싸인 부분의 넓이이고 점 $\mathrm{P}(1,\ f(1))$, $\mathrm{H}(1,\ 0)$이라 하면 직각삼각형 OHP의 넓이는

$\dfrac{1}{2}\cdot 1\cdot f(1)=\dfrac{1}{2}f(1)$이므로 오른쪽 그림에서 $\dfrac{1}{2}f(1)<\int_0^1 f(x)dx$가 성립한다.

즉, $f(1)<2\int_0^1 f(x)dx$이다. $\therefore B<C$ …… ㉠

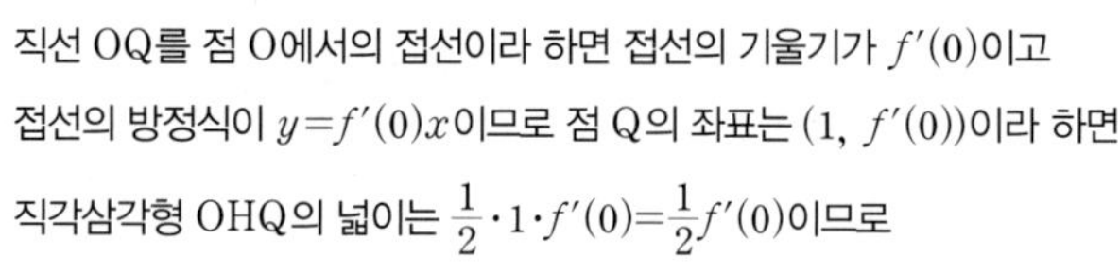

직선 OQ를 점 O에서의 접선이라 하면 접선의 기울기가 $f'(0)$이고

접선의 방정식이 $y=f'(0)x$이므로 점 Q의 좌표는 $(1,\ f'(0))$이라 하면

직각삼각형 OHQ의 넓이는 $\dfrac{1}{2}\cdot 1\cdot f'(0)=\dfrac{1}{2}f'(0)$이므로

오른쪽 그림에서 $\int_0^1 f(x)dx<\dfrac{1}{2}f'(0)$이 성립한다.

즉, $2\int_0^1 f(x)dx<f'(0)$ $\therefore C<A$ …… ㉡

따라서 ㉠과 ㉡으로부터 $B<C<A$

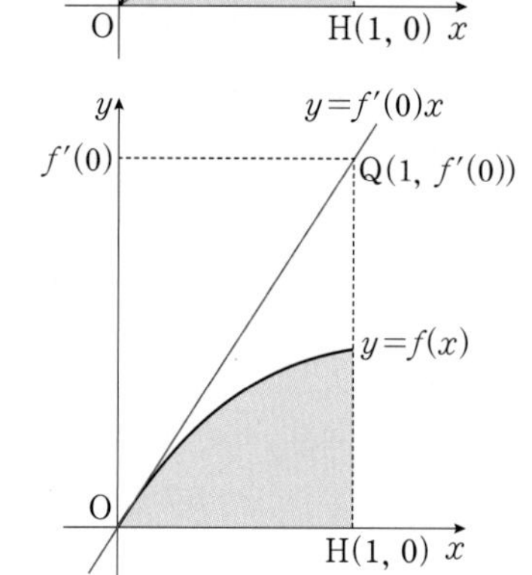

다른풀이 다항함수 $f(x)$를 임의로 하나 정하여 정적분 계산하여 풀이하기

원점을 지나는 위로 볼록한 함수 $f(x)$를 $f(x)=-x^2+2x$라 하면 $f'(x)=-2x+2$이므로

$A=f'(0)=2$, $\mathrm{B}=f(1)=-1+2=1$, $\mathrm{C}=2\int_0^1(-x^2+2x)dx=2\left[-\dfrac{1}{3}x^3+x^2\right]_0^1=\dfrac{4}{3}$

따라서 $B<C<A$

더 알아보기

방정식 $f(x)=0$의 실근과 정적분

다항함수 $f(x)$와 두 실수 a, $b\,(a<b)$에 대하여 $\int_a^b f(x)dx=0$이면

방정식 $f(x)=0$은 닫힌구간 $[a,\ b]$에서 적어도 하나의 실근을 가짐을 다음 두 가지 방법으로 설명하여 보자.

(1) 귀류법을 이용한 증명

[1단계] 방정식 $f(x)=0$이 닫힌구간 $[a,\ b]$에서 실근을 갖지 않는다고 가정하면

닫힌구간 $[a,\ b]$의 모든 실수 x에 대하여 $f(x)>0$ 또는 $f(x)<0$이다.

[2단계] 함수 $f(x)$의 한 부정적분을 $F(x)$라고 하면 $F'(x)=f(x)$이므로 $F'(x)>0$ 또는 $F'(x)<0$이다.

따라서 $F(x)$는 닫힌구간 $[a,\ b]$에서 증가하거나 감소한다.

[3단계] $F(x)$는 닫힌구간 $[a,\ b]$에서 증가하거나 감소하므로

$F(b)-F(a)>0$ 또는 $F(b)-F(a)<0$

이다. 즉, $\int_a^b f(x)dx=F(b)-F(a)\neq 0$이다.

이것은 $\int_a^b f(x)dx=0$이라는 가정에 모순이므로

방정식 $f(x)=0$은 닫힌구간 $[a,\ b]$에서 적어도 하나의 실근을 가진다.

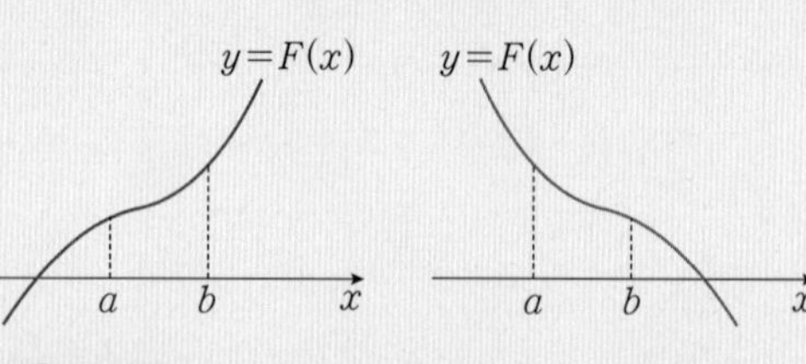

(2) 롤의 정리를 이용한 증명

$f(x)$가 다항함수이므로 $f(x)$의 한 부정적분을 $F(x)$라 하면 $F(x)$도 다항함수이다. 그러므로 $F(x)$는 닫힌구간 $[a,\ b]$에서 연속이고 열린구간 $(a,\ b)$에서 미분가능하다. 또, $\int_a^b f(x)dx=0$이므로 $F(b)-F(a)=0$, 즉 $F(b)=F(a)$이다.

그러므로 롤의 정리에 의하여 $F'(c)=0$인 c가 a와 b 사이에 적어도 하나 존재한다.

이때 $F'(c)=f(c)=0$이므로 방정식 $f(x)=0$은 열린구간 $(a,\ b)$에서 실근을 가진다.

따라서 $\int_a^b f(x)dx=0$이면 방정식 $f(x)=0$은 닫힌구간 $[a,\ b]$에서 적어도 하나의 실근을 가진다.

FINAL EXERCISE

단원종합문제

단계별 **실력완성** 연습문제

BASIC

내신 수능 기본 대표 기출문제

0680

정적분의 계산
2015학년도 수능기출

다음 물음에 답하여라.

(1) $\int_0^1 (2x+a)\,dx=4$일 때, 상수 a의 값은?

① 1　② 2　③ 3　④ 4　⑤ 5

2018학년도 수능기출

(2) $\int_0^a (3x^2-4)\,dx=0$을 만족시키는 양수 a의 값은?

① 2　② $\frac{9}{4}$　③ $\frac{5}{2}$　④ $\frac{11}{4}$　⑤ 3

0681

정적분의 계산
내신빈출

다음 정적분을 구하여라.

(1) $\int_0^1 (2x^2+5x+1)\,dx-\int_1^0 (3x-4x^2)\,dx$

(2) $\int_0^1 (x^3+3x^2+2)\,dx-\int_0^{-1} (t^3+3t^2+2)\,dt$

(3) $\int_{-4}^2 (x^3-3x^2+2x)\,dx-\int_{-4}^{-1} (x^3-3x^2+2x)\,dx$

0682

대칭인 함수의 정적분
2017년 10월 교육청

다음 정적분의 값을 구하여라.

(1) 함수 $f(x)=x^3+6x+1$에 대하여 $\int_{-1}^1 \{f'(x)+2x\}dx$의 값을 구하여라.

2014학년도 사관기출

(2) 함수 $f(x)=x^3+2x^2-3x+4$가 있다. 등식 $\int_{-2}^2 f(x)\,dx=f(-a)+f(a)$를 만족시키는 실수 a에 대하여 $3a^2$의 값을 구하여라.

0683

대칭인 함수의 정적분
2014학년도 수능기출

다음 물음에 답하여라.

(1) 실수 a에 대하여 $\int_{-a}^a (3x^2+2x)\,dx=\frac{1}{4}$일 때, $50a$의 값은?

① 25　② 50　③ 75　④ 100　⑤ 125

(2) 등식 $\int_{-a}^a (2x^5-5x^3+3x^2-3x+1)\,dx=20$을 만족하는 실수 a의 값은?

① 2　② 3　③ 4　④ 5　⑤ 6

(3) $\int_{-a}^a (|x|-2)\,dx=5$일 때, 양수 a의 값은?

① 3　② $\frac{7}{2}$　③ 4　④ $\frac{9}{2}$　⑤ 5

0684

대칭인 함수의 정적분
2013학년도 수능기출

함수 $f(x)=x+1$에 대하여

$$\int_{-1}^1 \{f(x)\}^2\,dx=k\left\{\int_{-1}^1 f(x)\,dx\right\}^2$$

일 때, 상수 k의 값은?

① $\frac{1}{6}$　② $\frac{1}{3}$　③ $\frac{1}{2}$　④ $\frac{2}{3}$　⑤ $\frac{5}{6}$

정답　0680 : (1) ③ (2) ①　0681 : (1) $\frac{13}{3}$ (2) 6 (3) $-\frac{9}{4}$　0682 : (1) 14 (2) 14　0683 : (1) ① (2) ① (3) ⑤　0684 : ④

0685
절댓값 기호를 포함한 함수의 정적분
2014학년도 사관기출

다음 정적분의 값을 구하여라.

(1) $\int_{-2}^{2}(x+|x|+2)\,dx$의 값은?

① 4 ② 6 ③ 8 ④ 10 ⑤ 12

(2) $\int_{0}^{2}x|x-1|\,dx$의 값은?

① $\frac{1}{3}$ ② $\frac{2}{3}$ ③ 1 ④ $\frac{4}{3}$ ⑤ $\frac{5}{3}$

(3) $\int_{-2}^{1}|2x^2-x-3|\,dx$의 값은?

① $\frac{7}{2}$ ② $\frac{9}{2}$ ③ $\frac{14}{3}$ ④ $\frac{19}{6}$ ⑤ $\frac{47}{6}$

0686
미지수를 포함한 정적분의 계산
2016년 10월 교육청

함수 $y=4x^3-12x^2$의 그래프를 y축의 방향으로 k만큼 평행이동한 그래프를 나타내는 함수를 $y=f(x)$라 하자.

$$\int_{0}^{3}f(x)\,dx=0$$

을 만족시키는 상수 k의 값을 구하여라.

0687
정적분의 성질

두 다항함수 $f(x)$, $g(x)$가

$$\int_{-1}^{4}\{f(x)+g(x)\}dx=9,\ \int_{4}^{-1}\{f(x)-g(x)\}dx=5$$

를 만족시킬 때, $\int_{-1}^{4}\{3f(x)+2g(x)\}dx$의 값은?

① 16 ② 17 ③ 18 ④ 19 ⑤ 20

0688
곱의 미분법과 정적분 계산

두 다항함수 $f(x)$, $g(x)$가

$$f(1)=4,\ f(2)=8,\ g(1)=1,\ g(2)=4$$

를 만족할 때, $\int_{1}^{2}f'(x)g(x)\,dx+\int_{1}^{2}f(x)g'(x)\,dx$의 값은?

① 28 ② 29 ③ 30 ④ 31 ⑤ 32

0689
미분과 정적분의 계산
2007학년도 사관기출

이차함수 $f(x)=-12x(x-a)$에 대하여

$$f'(0)+f'(2)=0$$

일 때, $\int_{0}^{a}f(x)\,dx$의 값을 구하여라. (단, a는 상수이다.)

0690
접선의 기울기와 정적분 계산
2002학년도 수능기출

포물선 $y=x^2$ 위의 한 점 $\mathrm{P}(x,\ y)$에서 접선이 x축의 양의 방향과 이루는 각의 크기를 $\theta(x)$라 할 때, $\int_{0}^{1}\tan\theta(x)\,dx$의 값은?

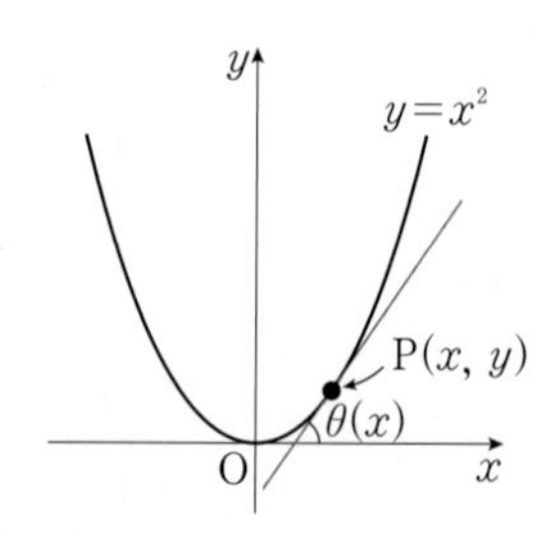

① $\frac{\sqrt{3}}{3}$ ② $\frac{1}{3}$ ③ $\frac{1}{2}$ ④ $\frac{\sqrt{2}}{2}$ ⑤ 1

정답 0685 : (1) ⑤ (2) ③ (3) ⑤ 0686 : 9 0687 : ⑤ 0688 : ① 0689 : 16 0690 : ⑤

0691

피적함수가 같은 정적분계산 내신빈출

함수 $f(x)=x^3+3x^2-2x+2$에 대하여

$$\int_0^4 f(x)\,dx-\int_2^4 f(x)\,dx+\int_{-2}^0 f(x)\,dx$$

의 값을 구하여라.

0692

피적함수가 같은 정적분계산 내신빈출

양수 a에 대하여 함수 $f(x)=x(x-a)$가

$$\int_0^a |f(x)|dx=\int_a^{a+3} f(x)\,dx$$

를 만족시킬 때, $f(8)$의 값은?

① 12 ② 14 ③ 16 ④ 18 ⑤ 20

0693

우함수 기함수의 정적분의 계산 내신빈출

다음 물음에 답하여라.

(1) 두 함수 $f(x)$, $g(x)$가 다음 두 조건을 만족할 때, $\int_0^3 f(x)\,dx+\int_0^3 g(t)\,dt$의 값은?

(가) 모든 실수 x에 대하여 $f(-x)=f(x)$, $g(-x)=-g(x)$

(나) $\int_{-3}^3 f(x)\,dx=4$, $\int_{-3}^0 g(x)\,dx=3$

① -3 ② -1 ③ 1 ④ 3 ⑤ 5

(2) 함수 $f(x)$가 다음 두 조건을 만족할 때, 정적분 $\int_{-2}^2 (x-3)f(x)\,dx$의 값은?

(가) 모든 실수 x에 대하여 $f(-x)=f(x)$

(나) $\int_0^2 f(x)\,dx=-4$

① 20 ② 22 ③ 24 ④ 26 ⑤ 28

0694

정적분의 기본정리의 진위판단 내신빈출

연속함수 $f(x)$와 양수 a에 대하여 다음 [보기]의 설명 중 옳은 것을 모두 고른 것은?

ㄱ. $f(x)=f(-x)$이면 $\int_{-a}^a f(x)dx=2\int_0^a f(x)dx$

ㄴ. $f(x)=-f(-x)$이면 $\int_{-a}^a f(x)dx=\int_a^{-a} f(x)dx$

ㄷ. $f(x)=f(x+a)$이면 $\int_0^a f(x)dx+\int_{-a}^0 f(x)dx=2\int_0^a f(x)dx$

① ㄱ ② ㄴ ③ ㄱ, ㄷ ④ ㄴ, ㄷ ⑤ ㄱ, ㄴ, ㄷ

0695

정적분의 기본정리의 진위판단 2012학년도 09월 평가원

모든 다항함수 $f(x)$에 대하여 옳은 것만을 [보기]에서 있는 대로 고른 것은?

ㄱ. $\int_0^3 f(x)\,dx=3\int_0^1 f(x)\,dx$

ㄴ. $\int_0^1 f(x)\,dx=\int_0^2 f(x)\,dx+\int_2^1 f(x)\,dx$

ㄷ. $\int_0^1 \{f(x)\}^2\,dx=\left\{\int_0^1 f(x)\,dx\right\}^2$

① ㄴ ② ㄷ ③ ㄱ, ㄴ ④ ㄱ, ㄷ ⑤ ㄴ, ㄷ

정답 0691 : 24 0692 : ③ 0693 : (1) ② (2) ③ 0694 : ⑤ 0695 : ①

0696

정적분과 시그마의 활용
2014학년도 사관기출

수열 $\{a_n\}$을 다음과 같이 정의하자.

$$a_n = \int_0^1 x^n(x-1)\,dx \ (n=1, 2, 3, \cdots)$$

$\sum_{n=1}^{10} a_n$의 값은?

① $-\frac{5}{12}$ ② $-\frac{1}{3}$ ③ $-\frac{1}{4}$ ④ $-\frac{1}{6}$ ⑤ $-\frac{1}{12}$

0697

삼차함수식 작성과 정적분 계산
내신빈출

삼차함수 $y=f(x)$의 그래프가 오른쪽 그림과 같을 때, $\int_{-1}^{1} f(x)\,dx$의 값은?

① -3 ② -2 ③ 1
④ 2 ⑤ 3

0698

구간별로 정의된 정적분계산
내신빈출

다음 물음에 답하여라.

(1) 함수 $y=f(x)$의 그래프가 오른쪽 그림과 같을 때,

$\int_{-3}^{2} xf(x)\,dx$의 값은?

① 2 ② 3 ③ 4
④ 5 ⑤ 6

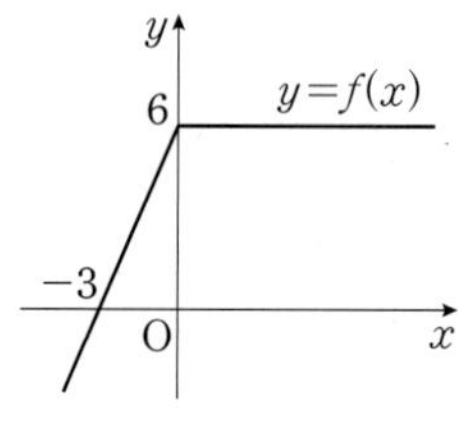

(2) 함수 $y=f(x)$의 그래프가 오른쪽 그림과 같을 때,

$\int_{-2}^{2} (4x^2+x)f(x)\,dx$의 값은?

① 30 ② 42 ③ 50
④ 52 ⑤ 62

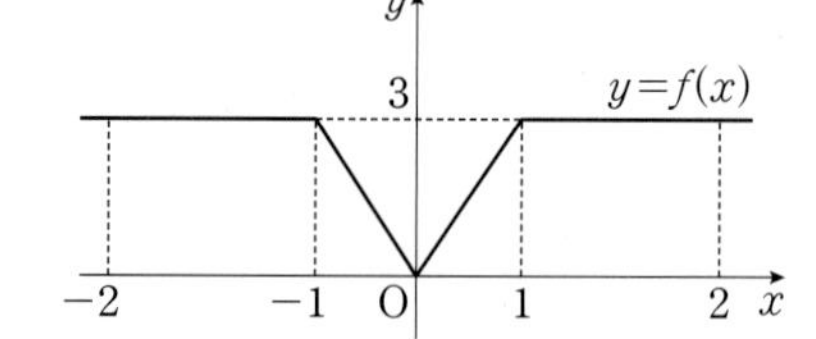

0699

주기함수의 정적분계산
내신빈출

함수 $f(x)=\begin{cases} x^2 & (0 \le x < 1) \\ 2-x & (1 \le x \le 2) \end{cases}$가 $f(x+2)=f(x)$를 만족할 때, 정적분 $\int_0^{12} f(x+1)\,dx$를 구하면?

① 3 ② 4 ③ 5 ④ 6 ⑤ 7

0700

주기함수의 정적분계산
2006학년도 09월 평가원

다음 물음에 답하여라.

(1) 다음 두 조건을 만족하는 함수 $f(x)$에 대하여 정적분 $\int_{10}^{11} f(x)\,dx$의 값을 구하여라.

(가) $-2 \le x \le 2$일 때, $f(x)=x^3-4x$
(나) 임의의 실수 x에 대하여 $f(x)=f(x+4)$

2013학년도 04월 교육청

(2) 오른쪽 그림은 다음 조건을 만족시키는 함수 $y=f(x)$의 그래프의 일부이다.

(가) $f(x)=2|x-1| \ (0 \le x \le 2)$
(나) 모든 실수 x에 대하여 $f(x+2)=f(x)$이다.

$g(k)=\int_{2k}^{4k} f(x)\,dx$라 할 때, $\sum_{k=1}^{10} g(k)$의 값을 구하여라.

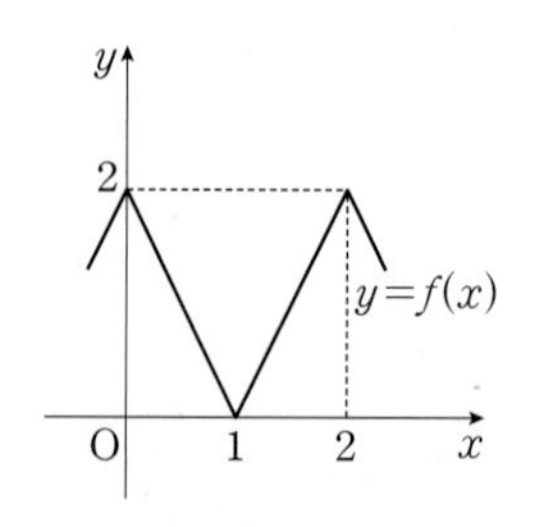

정답 0696 : ① 0697 : ② 0698 : (1) ② (2) ⑤ 0699 : ③ 0700 : (1) $\frac{9}{4}$ (2) 110

0701

원점대칭인 삼차함수의 정적분계산

삼차함수 $f(x)$가 다음 조건을 만족시킬 때, $\int_{-1}^{1}(x+2)|f'(x)|dx$의 값은?

(가) 모든 실수 x에 대하여 $f(-x)=-f(x)$이다.
(나) 함수 $f(x)$는 $x=1$에서 극솟값 -2를 가진다.

① 8 ② 10 ③ 12 ④ 14 ⑤ 16

0702

주기함수를 이용한 정적분계산
2014년 10월 교육청

모든 실수 x에 대하여 함수 $f(x)$는 다음 조건을 만족시킨다.

(가) $f(x+2)=f(x)$
(나) $f(x)=|x|(-1\le x<1)$

함수 $g(x)=\int_{-2}^{x}f(t)\,dt$라 할 때, 실수 a에 대하여 $g(a+4)-g(a)$의 값은?

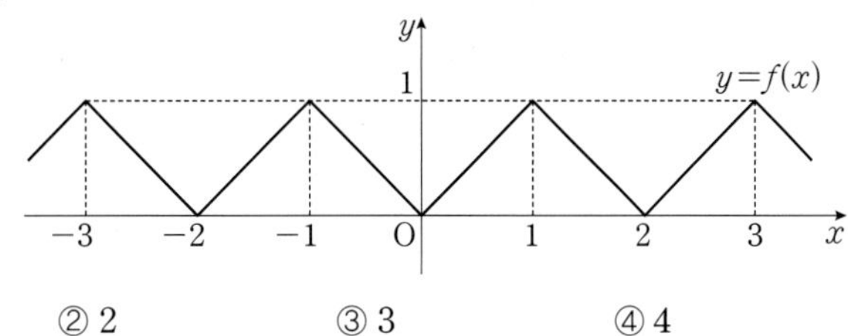

① 1 ② 2 ③ 3 ④ 4 ⑤ 5

0703

그래프가 대칭인 함수의 정적분의 계산
서술형

다항함수 $f(x)$가 모든 실수 x에 대하여 $f(-x)=-f(x)$, $\int_{0}^{2}xf(x)\,dx=3$을 만족시킬 때, 정적분 $\int_{-2}^{2}(x^4+2x+10)f(x)\,dx$의 값을 구하는 과정을 다음 단계로 서술하여라.

[1단계] 원점에 대하여 대칭인 함수의 성질을 이용하여 $\int_{-2}^{2}f(x)dx$, $\int_{-2}^{2}x^4f(x)dx$의 값을 구한다.

[2단계] 정적분의 성질을 이용하여 $\int_{-2}^{2}(x^4+2x+10)f(x)dx$의 값을 구한다.

0704

연속인 함수의 정적분의 계산
서술형

모든 실수 x에서 연속인 함수 $f(x)=\begin{cases}3x^2-5x+a & (x\le 1)\\ 3x+4 & (x>1)\end{cases}$에 대하여 $\int_{-1}^{3}f(x)\,dx=b$일 때, 상수 a, b에 대하여 ab의 값을 구하는 과정을 다음 단계로 서술하여라.

[1단계] 함수 $f(x)$가 모든 실수에서 연속임을 이용하여 a의 값을 구한다.

[2단계] 정적분의 성질을 이용하여 $\int_{-1}^{3}f(x)dx=b$의 값을 구한다.

[3단계] ab의 값을 구한다.

0705

연속인 함수의 정적분의 계산
서술형

모든 실수에서 연속인 함수 $f(x)$에 대하여 $f'(x)=\begin{cases}2x-1 & (x\ge 1)\\ 1 & (x<1)\end{cases}$이고 $f(0)=1$일 때, $\int_{0}^{2}f(x)\,dx$의 값을 다음 단계로 서술하여라.

[1단계] 부정적분을 이용하여 연속인 함수 $f(x)$를 구한다.

[2단계] 정적분의 성질을 이용하여 $\int_{0}^{2}f(x)dx$의 값을 구한다.

정답 0701 : ① 0702 : ② 0703 : 해설참조 0704 : 해설참조 0705 : 해설참조

0706

y축에 대하여 대칭인 사차함수의 정적분계산

최고차항의 계수가 1인 사차함수 $f(x)$가 다음 조건을 만족시킬 때, $\int_{-1}^{1}\frac{15}{2}f(x)\,dx$의 값을 구하여라.

(가) 모든 실수 x에 대하여 $f(-x)=f(x)$이다.
(나) 극댓값은 존재하지 않고 극솟값은 2이다.
(다) $\int_{0}^{1}f'(x)dx=2$

0707

정적분의 활용
2010학년도 수능기출

삼차함수 $f(x)=x^3-3x-1$이 있다. 실수 $t\,(t\geq-1)$에 대하여 $-1\leq x\leq t$에서 $|f(x)|$의 최댓값을 $g(t)$라고 하자. $\int_{-1}^{1}g(t)\,dt=\frac{q}{p}$일 때, $p+q$의 값을 구하여라. (단, p, q는 서로소인 자연수이다.)

0708

대칭인 함수의 정적분
2018년 07월 교육청

최고차항의 계수가 1인 사차함수 $f(x)$가 모든 실수 x에 대하여

$$f'(-x)=-f'(x)$$

를 만족시킨다. $f'(1)=0$, $f(1)=2$일 때, 보기에서 옳은 것만을 있는 대로 고른 것은?

ㄱ. $f'(-1)=0$
ㄴ. 모든 실수 k에 대하여 $\int_{-k}^{0}f(x)dx=\int_{0}^{k}f(x)dx$
ㄷ. $0<t<1$인 모든 실수 t에 대하여 $\int_{-t}^{t}f(x)dx<6t$

① ㄱ ② ㄷ ③ ㄱ, ㄴ ④ ㄴ, ㄷ ⑤ ㄱ, ㄴ, ㄷ

0709

정적분의 활용
2017학년도 09월 평가원

닫힌구간 $[0,\,8]$에서 정의된 함수 $f(x)$는

$$f(x)=\begin{cases}-x(x-4) & (0\leq x<4)\\ x-4 & (4\leq x\leq 8)\end{cases}$$

이다. 실수 $a\,(0\leq a\leq 4)$에 대하여 $\int_{a}^{a+4}f(x)\,dx$의 최솟값은 $\frac{q}{p}$이다. $p+q$의 값을 구하여라. (단, p와 q는 서로소인 자연수이다.)

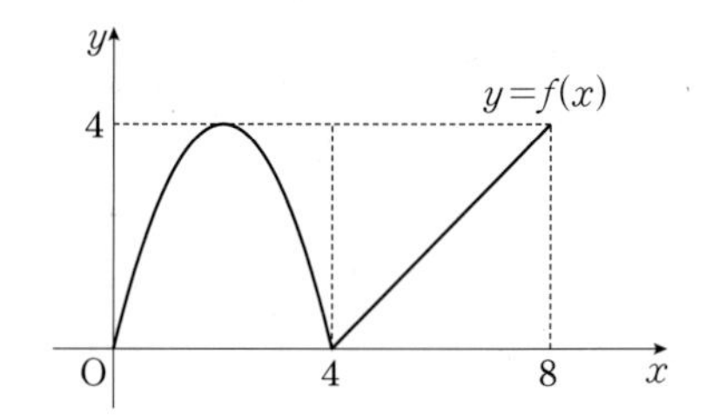

0710

정적분의 활용

다음 조건을 만족시키는 모든 삼차함수 $f(x)$에 대하여 $\int_{-1}^{1}f(x)\,dx$의 최솟값은?

(가) $f(x)$의 최고차항의 계수는 1이다.
(나) $f'(a)=\frac{f(a)}{a}$인 양수 a가 존재한다.
(다) 방정식 $f'(x)=0$의 모든 실근의 합은 6이다.

① -12 ② -24 ③ -36 ④ -48 ⑤ -60

0711

대칭인 함수의 정적분
2018년 10월 교육청

최고차항의 계수가 양수인 이차함수 $f(x)$가 다음 조건을 만족시킨다.

(가) 모든 실수 t에 대하여 $\int_{0}^{t}f(x)dx=\int_{2a-t}^{2a}f(x)dx$이다.
(나) $\int_{a}^{2}f(x)dx=2$, $\int_{a}^{2}|f(x)|dx=\frac{22}{9}$

$f(k)=0$이고 $k<a$인 실수 k에 대하여 $\int_{k}^{2}f(x)dx=\frac{q}{p}$이다. $p+q$의 값을 구하여라.
(단, a는 상수이고, p와 q는 서로소인 자연수이다.)

정답 0706 : 38 0707 : 17 0708 : ⑤ 0709 : 43 0710 : ⑤ 0711 : 25

수능과 내신의 수학개념서

mapl 마플 교과서

MAPL SERIES www.mapl.co.kr

수학 Ⅱ

Ⅰ 함수의 극한과 연속 Ⅱ 미분 Ⅲ 적분

03

정적분과 함수

1. 정적분으로 정의된 함수

01 정적분으로 정의된 함수

01 적분구간이 상수인 함수 $f(x)$의 결정

$f(x)=g(x)+\int_a^b f(t)dt$ (a, b는 상수)일 때, 함수 $f(x)$의 식을 구하는 방법

[1단계] $\int_a^b f(t)dt=k$ (k는 상수)로 놓는다.

$f(x)=g(x)+k$ ...... ㉠

[2단계] ㉠을 $\int_a^b f(t)dt=k$에 대입하여 $\int_a^b \{g(t)+k\}dt=k$를 풀어 상수 k의 값을 구한다.

[3단계] 상수 k의 값을 ㉠에 대입하여 $f(x)$를 구한다.

참고 적분구간이 상수이면 정적분 $\int_a^b f(t)dt$도 상수이다.

보기 01 다음 식을 만족시키는 다항함수 $f(x)$를 구하여라.

(1) $f(x)=2x+\int_0^2 f(x)dx$ (2) $f(x)=x^2-x+\int_0^1 xf'(x)dx$

풀이

(1) $\int_0^2 f(x)dx=k$ (k는 상수) ...... ㉠

로 놓으면 $f(x)=2x+k$ ...... ㉡

㉡을 ㉠에 대입하면

$\int_0^2 f(x)dx=\int_0^2(2x+k)dx=\left[x^2+kx\right]_0^2=4+2k=k$

$\therefore k=-4$

따라서 $f(x)=2x-4$

(2) $\int_0^1 xf'(x)dx=k$ (k는 상수) ...... ㉠

로 놓으면 $f(x)=x^2-x+k$ ...... ㉡

㉡에서 $f'(x)=2x-1$이므로 이것을 ㉠에 대입하면

$\int_0^1 xf'(x)dx=\int_0^1 x(2x-1)dx=\int_0^1(2x^2-x)dx=\left[\frac{2}{3}x^3-\frac{1}{2}x^2\right]_0^1=\frac{1}{6}=k$

$\therefore k=\frac{1}{6}$

따라서 $f(x)=x^2-x+\frac{1}{6}$

FOCUS

정적분으로 정의된 함수

정적분 $\int_a^x f(t)dt$ (a는 상수)에서 $f(t)$의 한 부정적분을 $F(t)$라 하면

$\int_a^x f(t)dt=\left[F(t)\right]_a^x=F(x)-F(a)$ ← $f(t)$에 대하여 x의 값이 변함에 따라 정적분의 값도 변한다.

이므로 $\int_a^x f(t)dt$는 x에 대한 함수이다.

이와 같이 정적분의 아래끝, 위끝에 변수가 있는 함수를 **정적분으로 정의된 함수**라 한다.

주의 정적분의 경우에 적분변수와 관계없이 위끝 또는 아래끝에 나타나는 문자가 변수가 됨에 주의해야 한다.

즉, a가 상수일 때 $\int_a^x f(t)dt$에서 t는 적분변수이므로 $\int_a^x f(t)dt$는 t에 대한 함수가 아니고 x에 대한 함수이다.

02 정적분으로 정의된 함수의 미분

정적분으로 정의된 함수들을 각각 x에 대하여 미분하면 다음과 같다. (단, a는 상수)

(1) $\frac{d}{dx}\int_a^x f(t)dt=f(x)$ ⬅ $f(t)$의 t 대신에 x를 대입한다.

(2) $\frac{d}{dx}\int_x^{x+a} f(t)dt=f(x+a)-f(x)$

주의 (2)에서 위끝과 아래끝이 x 또는 $x+a$(a는 상수), 즉 x에 대한 일차식이고 x의 계수가 1일 때에만 성립한다.

마플해설 닫힌구간 $[a, b]$에서 연속인 함수 $f(t)$가 $a<x<b$이면 $\int_a^x f(t)dt$는 x의 값에 따라 그 값이 하나씩 정해지므로 x에 대한 함수이다. 이때 $f(t)$의 한 부정적분을 $F(t)$라 하면

(1) $\int_a^x f(t)dt=\Big[F(t)\Big]_a^x=F(x)-F(a)$

$\therefore \frac{d}{dx}\int_a^x f(t)dt=\frac{d}{dx}\{F(x)-F(a)\}=F'(x)-0=f(x)$ (단, $F(a)$는 상수)

(2) $\int_x^{x+a} f(t)dt=\Big[F(t)\Big]_x^{x+a}=F(x+a)-F(x)$

$\therefore \frac{d}{dx}\int_x^{x+a} f(t)dt=\frac{d}{dx}\{F(x+a)-F(x)\}=F'(x+a)-F'(x)=f(x+a)-f(x)$

보기 02 다음 함수를 x에 대하여 미분하여라.

(1) $\int_2^x (t^4+5t^2-3t+1)dt$ (2) $\int_x^{x+1} (2t^2+t)dt$

풀이 (1) $\frac{d}{dx}\int_2^x (t^4+5t^2-3t+1)dt=x^4+5x^2-3x+1$

(2) $\frac{d}{dx}\int_x^{x+1} (2t^2+t)dt=2(x+1)^2+(x+1)-(2x^2+x)=4x+3$

보기 03 연속함수 $f(x)$에 대하여 x의 함수 $F(x)$가 $F(x)=\int_1^x f(t)dt$일 때, 함수 $F(-2x)$를 정적분의 꼴로 나타내어라.

풀이 $f(t)$의 한 부정적분을 $G(t)$라 하면

$F(x)=\int_1^x f(t)dt=G(x)-G(1)$이고 $F(-2x)=G(-2x)-G(1)=\int_1^{-2x} f(t)dt$

$\therefore F(-2x)=\int_1^{-2x} f(t)dt$

더 알아보기

(1) $\frac{d}{dx}\int_a^x tf(t)dt=xf(x)$

해설 $\int xf(x)dx=G(x)+C$라고 하면

$\frac{d}{dx}\int_a^x tf(t)dt=\frac{d}{dx}\Big[G(t)\Big]_a^x=\frac{d}{dx}G(x)-\frac{d}{dx}G(a)=G'(x)=xf(x)$

(2) $\frac{d}{dx}\int_a^x xf(t)dt=\int_a^x f(t)dt+xf(x)$

해설 $\frac{d}{dx}\int_a^x xf(t)dt=\frac{d}{dx}\Big\{x\cdot\int_a^x f(t)dt\Big\}=1\cdot\int_a^x f(t)dt+x\cdot\frac{d}{dx}\int_a^x f(t)dt=\int_a^x f(t)dt+xf(x)$

03 적분구간과 피적분함수에 변수가 있는 정적분을 포함한 등식

(1) $\int_a^x f(t)dt=g(x)$와 같이 적분구간에만 변수 x가 있는 경우

[1단계] 양변에 $x=a$를 대입한다. ⇨ $\int_a^a f(t)dt=0$이므로 $g(a)=0$

[2단계] 양변을 x에 대하여 미분한다. ⇨ $\frac{d}{dx}\int_a^x f(t)dt=\frac{d}{dx}g(x)$이므로 $f(x)=g'(x)$

(2) $\int_a^x (x-t)f(t)dt=g(x)$와 같이 적분구간과 피적분함수에 모두 변수 x가 있는 경우

[1단계] 좌변을 전개한다.

$$\int_a^x (x-t)f(t)dt=x\int_a^x f(t)dt-\int_a^x tf(t)dt$$ ← x는 상수 취급한다.

[2단계] $x\int_a^x f(t)dt-\int_a^x tf(t)dt=g(x)$의 양변을 x에 대하여 미분하면

$$(x)'\int_a^x f(t)dt+x\left(\int_a^x f(t)dt\right)'-\left(\int_a^x tf(t)dt\right)'=g'(x)$$

$$\int_a^x f(t)dt+xf(x)-xf(x)=g'(x) \quad \therefore \int_a^x f(t)dt=g'(x)$$

[3단계] $\int_a^x f(t)dt=g'(x)$를 조건에 맞게 변형한다.

보기 04 다항함수 $f(x)$가 모든 실수 x에 대하여 다음 등식을 만족할 때, 상수 a의 값과 $f(x)$를 구하여라.

(1) $\int_a^x f(t)dt=x^2-3x-4$ (2) $\int_1^x f(t)dt=x^4+x^3-2ax$

풀이 (1) 주어진 등식에 $x=a$를 대입하면 $\int_a^a f(t)dt=0$이므로

$a^2-3a-4=0 \quad \therefore a=-1$ 또는 $a=4$

또, 주어진 등식의 양변을 x에 대하여 미분하면

$\frac{d}{dx}\int_a^x f(t)dt=\frac{d}{dx}(x^2-3x-4)$이므로 $f(x)=2x-3$

(2) 주어진 등식에 $x=1$을 대입하면 $\int_1^1 f(t)dt=0$이므로

$0=1+1-2a \quad \therefore a=1$

또, 주어진 등식의 양변을 x에 대하여 미분하면

$\frac{d}{dx}\int_1^x f(t)dt=\frac{d}{dx}(x^4+x^3-2x)$이므로 $f(x)=4x^3+3x^2-2$

보기 05 모든 실수 x에 대하여 다항함수 $f(x)$가 $\int_2^x (x-t)f(t)dt=x^3-2x^2-4x+8$을 만족시킬 때, 함수 $f(x)$를 구하여라.

풀이 주어진 식의 좌변을 전개하면

$\int_2^x (x-t)f(t)dt=x\int_2^x f(t)dt-\int_2^x tf(t)dt=x^3-2x^2-4x+8$이므로

양변을 x에 대하여 미분하면

$$\left(\frac{d}{dx}x\right)\int_2^x f(t)dt+x\left\{\frac{d}{dx}\int_2^x f(t)dt\right\}-\frac{d}{dx}\int_2^x tf(t)dt=\frac{d}{dx}(x^3-2x^2)-4x+8$$

$$\int_2^x f(t)dt+xf(x)-xf(x)=3x^2-4x-4 \quad \therefore \int_2^x f(t)dt=3x^2-4x-4 \quad \cdots\cdots ㉠$$

또, ㉠의 양변을 다시 x에 대하여 미분하면 $f(x)=\frac{d}{dx}\int_2^x f(t)dt=6x-4$

04 정적분으로 표시된 함수의 극한값 $\left(\lim + \int\right)$

정적분과 미분계수의 정의를 이용하면 정적분으로 표시된 함수의 극한값은 다음과 같다.

(1) $\displaystyle\lim_{x\to a}\frac{1}{x-a}\int_a^x f(t)dt=f(a)$

(2) $\displaystyle\lim_{h\to 0}\frac{1}{h}\int_a^{a+h} f(t)dt=f(a)$

마플해설 정적분으로 정의된 함수의 극한이 $\frac{0}{0}$꼴의 경우에는 미분계수의 정의를 이용하여 구한다.

$F'(a)=\displaystyle\lim_{x\to a}\frac{F(x)-F(a)}{x-a}=\lim_{h\to 0}\frac{F(a+h)-F(a)}{h}$를 이용하여 계산한다.

함수 $F'(x)=f(x)$라 할 때, 정적분과 미분계수의 정의에 의하여

(1) $\displaystyle\lim_{x\to a}\frac{1}{x-a}\int_a^x f(t)dt=\lim_{x\to a}\frac{\int_a^x f(t)dt}{x-a}=\lim_{x\to a}\frac{\Big[F(t)\Big]_a^x}{x-a}=\lim_{x\to a}\frac{F(x)-F(a)}{x-a}=F'(a)=f(a)$

(2) $\displaystyle\lim_{h\to 0}\frac{1}{h}\int_a^{a+h} f(t)dt=\lim_{h\to 0}\frac{\int_a^{a+h} f(t)dt}{h}=\lim_{h\to 0}\frac{\Big[F(t)\Big]_a^{a+h}}{h}=\lim_{h\to 0}\frac{F(a+h)-F(a)}{h}=F'(a)=f(a)$

보기 06 다음 극한값을 구하여라.

(1) $\displaystyle\lim_{x\to 1}\frac{1}{x-1}\int_1^x (t^3-t^2+1)dt$

(2) $\displaystyle\lim_{h\to 0}\frac{1}{h}\int_1^{1+h} (t^4-t^2+1)dt$

풀이 (1) $f(t)=t^3-t^2+1$이라 놓고 $f(t)$의 한 부정적분을 $F(t)$라 하면

$\displaystyle\int_1^x (t^3-t^2+1)dt=\Big[F(t)\Big]_1^x=F(x)-F(1)$

$\displaystyle\therefore \lim_{x\to 1}\frac{1}{x-1}\int_1^x (t^3-t^2+1)dt=\lim_{x\to 1}\frac{F(x)-F(1)}{x-1}=F'(1)=f(1)$

따라서 $f(t)=t^3-t^2+1$이므로 $f(1)=1$

(2) $f(t)=t^4-t^2+1$라 놓고 $f(t)$의 한 부정적분을 $F(t)$라 하면

$\displaystyle\int_1^{1+h} (t^4-t^2+1)dt=\Big[F(t)\Big]_1^{1+h}=F(1+h)-F(1)$

$\displaystyle\therefore \lim_{h\to 0}\frac{1}{h}\int_1^{1+h} (t^4-t^2+1)dt=\lim_{h\to 0}\frac{F(1+h)-F(1)}{h}=F'(1)=f(1)$

따라서 $f(t)=t^4-t^2+1$이므로 $f(1)=1-1+1=1$

보기 07 함수 $f(x)=4x^3+2x$에 대하여 $\displaystyle\lim_{x\to 2}\frac{1}{x^2-4}\int_2^x f(t)dt$의 값을 구하여라.

풀이 함수 $f(x)$의 부정적분 중 하나를 $F(x)$라 하면

$$\begin{aligned}\lim_{x\to 2}\frac{1}{x^2-4}\int_2^x f(t)dt&=\lim_{x\to 2}\frac{F(x)-F(2)}{x^2-4}\\&=\lim_{x\to 2}\left\{\frac{F(x)-F(2)}{x-2}\cdot\frac{1}{x+2}\right\}\\&=\frac{1}{4}F'(2)=\frac{1}{4}f(2)=\frac{1}{4}(32+4)=9\end{aligned}$$

마플개념익힘 01 적분구간이 상수인 정적분을 포함한 함수

다항함수 $f(x)$가 모든 실수 x에 대하여

$$f(x)=3x^2+\int_0^2(2x-1)f(t)dt$$

를 만족할 때, 함수 $f(x)$를 구하여라.

MAPL CORE $f(x)=g(x)+\int_a^b f(t)dt$ (a, b는 상수)꼴에서 함수 $f(x)$를 구하는 방법

[1단계] $\int_a^b f(t)dt=k$ (k는 상수)로 놓는다.

[2단계] $f(x)=g(x)+k$를 $\int_a^b f(t)dt=k$에 대입하여 k의 값을 구하여 $f(x)$를 결정한다.

개념익힘 | 풀이 $f(x)=3x^2+\int_0^2(2x-1)f(t)dt$에서 ← $\int_0^2(2x-1)f(t)dt$는 상수가 아니다.

$f(x)=3x^2+(2x-1)\int_0^2 f(t)dt$이므로 $\int_0^2 f(t)dt=k$ (k는 상수) …… ㉠

로 놓으면

$f(x)=3x^2+(2x-1)\cdot k=3x^2+2kx-k$ …… ㉡

㉡을 ㉠에 대입하면

$k=\int_0^2 f(t)dt=\int_0^2(3t^2+2kt-k)dt=\left[t^3+kt^2-kt\right]_0^2=8+4k-2k$

즉, $8+4k-2k=k$에서 $k=-8$

따라서 $f(x)=3x^2-8(2x-1)=\mathbf{3x^2-16x+8}$

확인유제 0712

다항함수 $f(x)$가 임의의 실수 x에 대하여

$$f(x)=3x^2+\int_0^1(2x-3)f(t)dt$$

를 만족할 때, 정적분 $\int_0^1 f(x)dx$의 값을 구하여라.

변형문제 0713

다음 물음에 답하여라.

2013년 07월 교육청

(1) 다항함수 $f(x)$가 $f(x)=x^2-2x+\int_0^1 tf(t)dt$를 만족시킬 때, $f(3)$의 값은?

① $\frac{13}{6}$ ② $\frac{5}{2}$ ③ $\frac{17}{6}$ ④ $\frac{19}{6}$ ⑤ $\frac{7}{2}$

2019학년도 사관기출

(2) 다항함수 $f(x)$가 모든 실수 x에 대하여 $f(x)=\frac{3}{4}x^2+\left\{\int_0^1 f(x)dx\right\}^2$을 만족시킬 때, $\int_0^2 f(x)dx$의 값은?

① $\frac{9}{4}$ ② $\frac{5}{2}$ ③ $\frac{11}{4}$ ④ 3 ⑤ $\frac{13}{4}$

발전문제 0714

2006학년도 09월 평가원

이차함수 $f(x)$가

$$f(x)=\frac{12}{7}x^2-2x\int_1^2 f(t)dt+\left\{\int_1^2 f(t)dt\right\}^2$$

일 때, $10\int_1^2 f(x)dx$의 값을 구하여라.

정답 0712 : $\frac{1}{3}$ 0713 : (1) ① (2) ② 0714 : 20

마플개념익힘 02 적분구간이 변수로 주어진 정적분을 포함한 함수

다항함수 $f(x)$에 대하여

$$\int_1^x f(t)dt = x^2 + 3ax - 4$$

일 때, $f(a)$의 값을 구하여라. (단, a는 상수이다.)

MAPL CORE $\int_a^x f(t)dt = g(x)$와 같이 적분구간에 변수 x가 있는 경우

[1단계] 양변에 $x=a$를 대입하면 ⇨ $\int_a^a f(t)dt = 0$이므로 $g(a)=0$

[2단계] 양변을 x에 대하여 미분하면 ⇨ $\frac{d}{dx}\int_a^x f(t)dt = g'(x)$이므로 $f(x)=g'(x)$

개념익힘 | 풀이 $\int_1^x f(t)dt = x^2+3ax-4$의 양변에 $x=1$을 대입하면

$\int_1^1 f(t)dt = 1+3a-4$에서 $0=1+3a-4$

$\therefore a=1$

$\int_1^x f(t)dt = x^2+3x-4$의 양변을 x에 대하여 미분하면

$\frac{d}{dx}\int_1^x f(t)dt = \frac{d}{dx}(x^2+3x-4)$

$\therefore f(x)=2x+3$

따라서 $f(x)=2x+3$이므로 $f(a)=f(1)=2+3=\mathbf{5}$

확인유제 0715 다음 물음에 답하여라. (단, a는 실수)

2007학년도 수능기출

(1) 다항함수 $f(x)$에 대하여 $\int_1^x f(t)dt = x^3-2ax^2+ax$를 만족할 때, $f(3)$의 값을 구하여라.

2018년 10월 교육청

(2) 다항함수 $f(x)$가 모든 실수 x에 대하여 $\int_a^x f(t)dt = \frac{1}{3}x^3-9$를 만족시킬 때, $f(a)$의 값을 구하여라.

변형문제 0716 다음 물음에 답하여라. (단, a는 상수)

2019학년도 수능기출

(1) 다항함수 $f(x)$가 모든 실수 x에 대하여 $\int_1^x \left\{\frac{d}{dt}f(t)\right\}dt = x^3+ax^2-2$를 만족시킬 때, $f'(a)$의 값은?

① 1 ② 2 ③ 3 ④ 4 ⑤ 5

(2) 다항함수 $f(x)$가 모든 실수 x에 대하여 $\int_a^x \left\{\frac{d}{dt}f(t)\right\}dt = x^3-8$을 만족시킬 때, $f'(a)$의 값은?

① 10 ② 12 ③ 14 ④ 16 ⑤ 18

발전문제 0717 다음 물음에 답하여라.

(1) 임의의 실수 x에 대하여 다항함수 $f(x)$가 $xf(x)=2x^3-3x^2+\int_1^x f(t)dt$를 만족시킬 때, $f(2)$의 값을 구하여라.

2014학년도 09월 평가원

(2) 다항함수 $f(x)$에 대하여 $\int_0^x f(t)dt = x^3-2x^2-2x\int_0^1 f(t)dt$일 때, $f(0)=a$라 하자. $60a$의 값을 구하여라.

정답 0715 : (1) 16 (2) 9 0716 : (1) ⑤ (2) ② 0717 : (1) 2 (2) 40

마플개념익힘 03 적분구간과 피적분함수에 변수가 있는 정적분을 포함한 함수

임의의 실수 x에 대하여 다항함수 $f(x)$가

$$\int_{1}^{x}(x-t)f(t)dt=x^3-ax^2+3x-1$$

을 만족할 때, $f(x)$를 구하여라. (단, a는 상수)

MAPL CORE

$\int_{a}^{x}(x-t)f(t)dt=g(x)$와 같이 적분구간과 피적분함수에 변수 x가 있는 경우 ⇐ 적분변수가 t일 때, x는 상수로 취급한다.

[1단계] $\int_{a}^{x}(x-t)f(t)dt=x\int_{a}^{x}f(t)dt-\int_{a}^{x}tf(t)dt=g(x)$로 변형한다.

[2단계] 곱의 미분법을 이용하여 양변을 x에 대하여 미분한다.

$\int_{a}^{x}f(t)dt+xf(x)-xf(x)=g'(x)$ $\therefore \int_{a}^{x}f(t)dt=g'(x)$

개념익힘 | 풀이 주어진 식의 좌변을 정리하면

$\int_{1}^{x}(x-t)f(t)dt=x\int_{1}^{x}f(t)dt-\int_{1}^{x}tf(t)dt$이므로

$x\int_{1}^{x}f(t)dt-\int_{1}^{x}tf(t)dt=x^3-ax^2+3x-1$ ...... ㉠

㉠의 양변에 $x=1$을 대입하면

$\int_{1}^{1}f(t)dt-\int_{1}^{1}tf(t)dt=1-a+3-1$

$0=-a+3$ $\therefore a=3$

㉠의 양변을 x에 대하여 미분하면

$\int_{1}^{x}f(t)dt+xf(x)-xf(x)=3x^2-2ax+3$ $\therefore \int_{1}^{x}f(t)dt=3x^2-2ax+3$

위의 식을 x에 대하여 미분하면 $f(x)=6x-2a$

따라서 $a=3$이므로 $f(x)=\mathbf{6x-6}$

확인유제 0718
2013학년도 경찰대기출

함수 $f(x)$가 모든 실수 x에 대하여 등식

$$\int_{1}^{x}(x-t)f(t)dt=x^4+ax^2-10x+6$$

를 만족시킬 때, $f(1)$의 값은?

① 18 ② 21 ③ 24 ④ 27 ⑤ 30

변형문제 0719 다음 물음에 답하여라.

(1) 다항함수 $f(x)$에 대하여 $\int_{1}^{x}xf(t)dt=x^3+\frac{1}{2}ax^2+\frac{1}{2}+\int_{1}^{x}tf(t)dt$를 만족할 때, 상수 a에 대하여 $f(a)$의 값을 구하여라.

(2) 다항함수 $f(x)$에 대하여 $\int_{1}^{x}xf(t)dt=x^4-ax^2+1+\int_{1}^{x}tf(t)dt$를 만족할 때, 상수 a에 대하여 $f(a)$의 값을 구하여라.

발전문제 0720 다항함수 $f(x)$가 $\int_{1}^{x}(x-t)f(t)dt=x^4+ax^2+bx$를 만족할 때, 다음 물음에 답하여라.

(1) 상수 a, b의 값을 구하여라. (2) $\int_{1}^{2}f(x)dx$의 값을 구하여라.

정답 0718 : ① 0719 : (1) -21 (2) 44 0720 : (1) $a=-3$, $b=2$ (2) 22

마플개념익힘 04 정적분으로 나타내어진 함수의 그래프 추정(1)

사차함수 $y=f(x)$의 그래프가 오른쪽 그림과 같다. 함수 $F(x)$를 $F(x)=\int_0^x f(t)dt$로 정의할 때, [보기]에서 옳은 것만을 있는 대로 골라라.

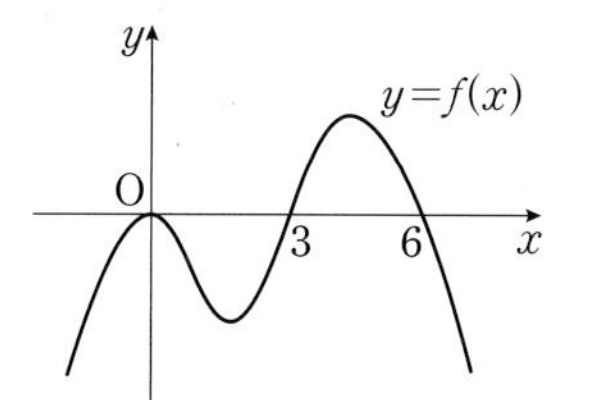

ㄱ. $F(x)$는 $x=3$에서 극소이다.
ㄴ. $x>3$일 때, $F(x)$의 최댓값은 $F(6)$이다.
ㄷ. $x<0$일 때, $F(x)>0$이다.

$F(x)=\int_1^x f(t)dt$라 할 때, $y=f(x)$의 그래프를 이용한 $y=F(x)$의 그래프의 개형 그리기

① $f(x)=0$을 이용하여 $F(x)$의 극댓값, 극솟값을 파악한다.

② $f(x)>0$이면 $F(x)$가 증가하고 $f(x)<0$이면 $F(x)$가 감소한다.

개념익힘 | 풀이 $F(x)=\int_0^x f(t)dt$의 양변을 x에 대하여 미분하면 $F'(x)=f(x)$

$f(x)=0$에서 $x=0$ 또는 $x=3$ 또는 $x=6$

함수 $F(x)$의 증가와 감소를 표로 나타내면 다음과 같다.

x	$\cdots$	0	$\cdots$	3	$\cdots$	6	$\cdots$
$f(x)$	$-$	0	$-$	0	$+$	0	$-$
$F(x)$	↘	0	↘	극소	↗	극대	↘

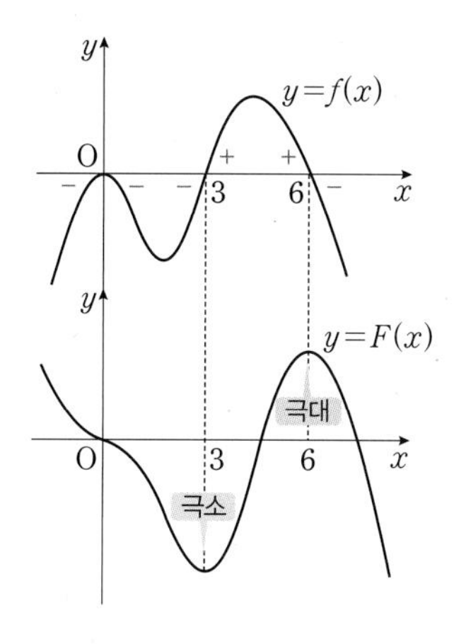

ㄱ. $F(x)$는 $x=3$에서 극소, $x=6$에서 극대이다. [참]

ㄴ. $x>3$일 때, $F(x)$는 $x=6$에서 극대이면서 최대이므로 최댓값은 $F(6)$이다. [참]

ㄷ. $F(0)=0$이므로 $x<0$일 때, $F(x)>0$이다. [참]

따라서 옳은 것은 **ㄱ, ㄴ, ㄷ**이다.

확인유제 0721

다음 물음에 답하여라.

(1) 오른쪽 그림과 같이 이차함수 $y=f(x)$의 그래프가 두 점 $(0,\ 0)$, $(a,\ 0)$을 지날 때, 함수 $g(x)=\int_0^x f(t)dt$에 대하여 옳은 것만을 [보기]에서 있는 대로 고른 것은? (단, a는 양수이다.)

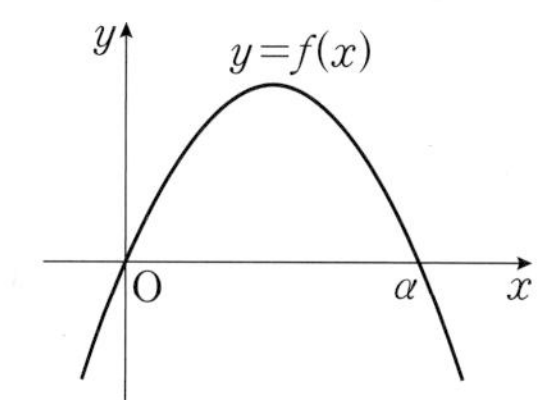

ㄱ. $g'(a)=0$이다.
ㄴ. 함수 $g(x)$의 극솟값은 0이다.
ㄷ. 방정식 $g(x)=0$의 모든 실근의 합은 a보다 크다.

① ㄱ ② ㄴ ③ ㄱ, ㄴ ④ ㄴ, ㄷ ⑤ ㄱ, ㄴ, ㄷ

(2) 삼차함수 $y=f(x)$의 그래프가 오른쪽 그림과 같다.

함수 $F(x)$를 $F(x)=\int_b^x f(t)dt$로 정의할 때, [보기]에서 옳은 것만을 있는 대로 고른 것은?

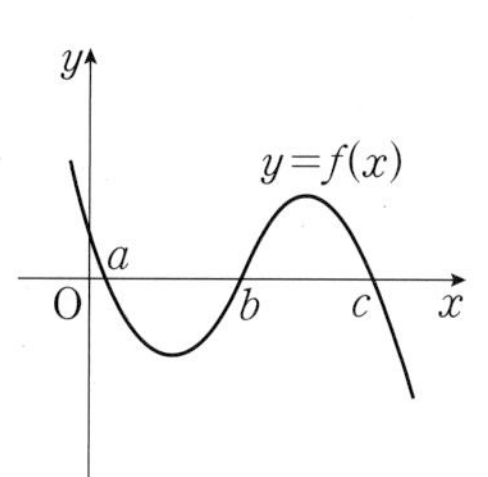

ㄱ. $F(a)>0$
ㄴ. 함수 $F(x)$는 $x=b$에서 극소이다.
ㄷ. 방정식 $F(x)=0$은 서로 다른 세 실근을 갖는다.

① ㄱ ② ㄴ ③ ㄱ, ㄴ ④ ㄴ, ㄷ ⑤ ㄱ, ㄴ, ㄷ

정답 0721 : (1) ⑤ (2) ⑤

변형문제 0722 다음 물음에 답하여라.

2015년 10월 교육청

(1) 함수 $f(x)=x(x+2)(x+4)$에 대하여 함수

$$g(x)=\int_{2}^{x}f(t)dt$$

는 $x=\alpha$에서 극댓값을 갖는다. $g(\alpha)$의 값은?

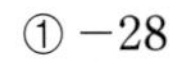

① -28 ② -29 ③ -30

④ -31 ⑤ -32

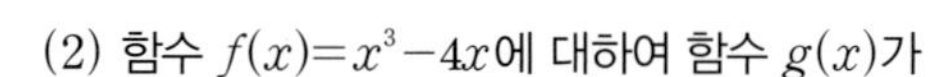

(2) 함수 $f(x)=x^3-4x$에 대하여 함수 $g(x)$가

$$g(x)=\int_{-2}^{x}f(t)dt$$

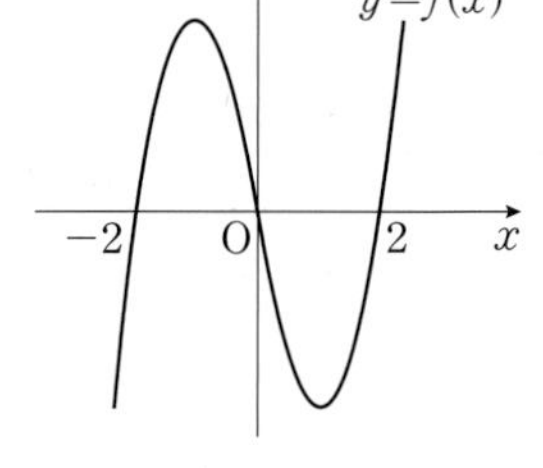

일 때, 옳은 것만을 [보기]에서 있는 대로 고른 것은?

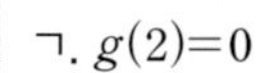

ㄱ. $g(2)=0$

ㄴ. 함수 $g(x)$의 극댓값은 4이다.

ㄷ. 방정식 $g(x)=k$가 서로 다른 네 실근을 갖기 위한 자연수 k의 개수는 3이다.

① ㄱ ② ㄷ ③ ㄱ, ㄴ ④ ㄴ, ㄷ ⑤ ㄱ, ㄴ, ㄷ

발전문제 0723 다음 물음에 답하여라.

(1) 오른쪽 그림과 같이 이차함수 $y=f(x)$의 그래프가 두 점 (0, 0), (4, 0)을 지날 때, 함수

$$g(x)=\int_{0}^{x}(x-t)f(t)dt$$

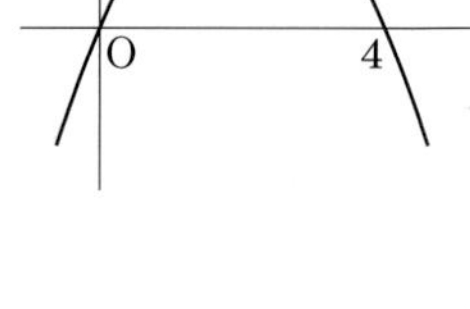

에 대하여 옳은 것만을 [보기]에서 있는 대로 고른 것은?

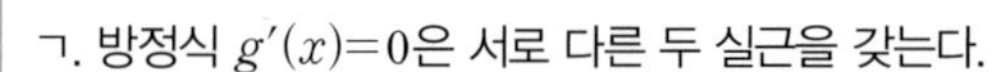

ㄱ. 방정식 $g'(x)=0$은 서로 다른 두 실근을 갖는다.

ㄴ. 함수 $g(x)$는 $x=6$일 때 극댓값을 가진다.

ㄷ. $g(m)>0$이 되도록 하는 자연수 m의 최댓값은 7이다.

① ㄱ ② ㄴ ③ ㄱ, ㄷ ④ ㄴ, ㄷ ⑤ ㄱ, ㄴ, ㄷ

2017년 11월 교육청

(2) 함수 $f(x)=-x+2-t$에 대하여 함수 $g(t)$를

$$g(t)=\int_{0}^{t}|f(x)|dx$$

라 하자. [보기]에서 옳은 것만을 있는 대로 고른 것은? (단, $t>0$)

ㄱ. $g(1)=\frac{1}{2}$

ㄴ. 함수 $g(t)$는 $t=2$에서 미분가능하다.

ㄷ. 방정식 $g(t)=\frac{2}{3}$는 서로 다른 두 실근을 갖는다.

① ㄱ ② ㄷ ③ ㄱ, ㄴ ④ ㄴ, ㄷ ⑤ ㄱ, ㄴ, ㄷ

정답 0722 : (1) ⑤ (2) ⑤ 0723 : (1) ⑤ (2) ⑤

마플개념익힘 05 정적분으로 정의된 함수의 그래프 추정(2)

함수 $y=f(x)$의 그래프가 오른쪽 그림과 같을 때,

$$F(x)=\int_1^x f(t)dt$$

라 하면 연속함수 $y=F(x)$의 그래프의 개형을 그려라.

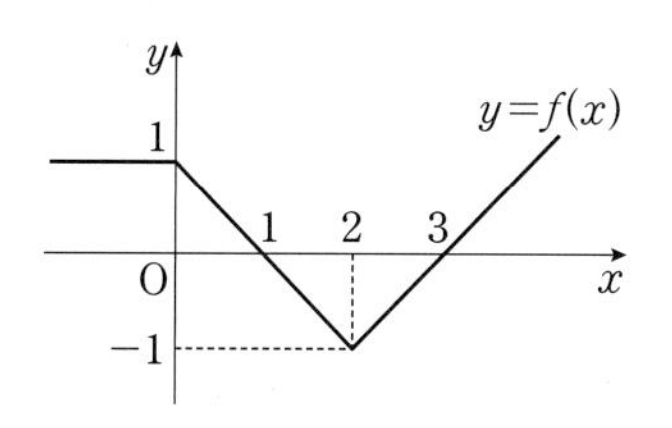

MAPL CORE $F(x)=\int_1^x f(t)dt$라 할 때,

(1) $y=f(x)$의 그래프를 이용한 $y=F(x)$의 그래프의 추론

① $f(x)=0$을 이용하여 $F(x)$의 극댓값, 극솟값을 파악한다.

② $f(x)>0$이면 $F(x)$가 증가하고 $f(x)<0$이면 $F(x)$가 감소한다.

(2) $y=F(x)$의 그래프를 이용한 $y=f(x)$의 그래프의 추론

① $y=F(x)$의 그래프가 $x=a$에서 극댓값이나 극솟값을 가지면 $f(a)=0$이다.

② $F(x)$가 증가하면 $f(x)>0$, $F(x)$가 감소하면 $f(x)<0$이다.

개념익힘 | **풀이** 그림에서 $f(x)=\begin{cases} 1 & (x<0) \\ -x+1 & (0\le x<2) \\ x-3 & (x\ge 2)\end{cases}$이므로

(i) $x<0$일 때,

$$F(x)=\int_1^x f(x)dx=\int_1^0(-x+1)dx+\int_0^x 1dx=\left[-\frac{1}{2}x^2+x\right]_1^0+\left[x\right]_0^x=-\frac{1}{2}+x$$

(ii) $0\le x<2$일 때,

$$F(x)=\int_1^x f(x)dx=\int_1^x(-x+1)dx=\left[-\frac{1}{2}x^2+x\right]_1^x=-\frac{1}{2}x^2+x-\frac{1}{2}$$

(iii) $x\ge 2$일 때,

$$\begin{aligned}F(x)&=\int_1^x f(x)dx=\int_1^2(-x+1)dx+\int_2^x(x-3)dx\\&=\left[-\frac{1}{2}x^2+x\right]_1^2+\left[\frac{1}{2}x^2-3x\right]_2^x\\&=-\frac{1}{2}+\left(\frac{1}{2}x^2-3x\right)-(2-6)\\&=\frac{1}{2}x^2-3x+\frac{7}{2}\end{aligned}$$

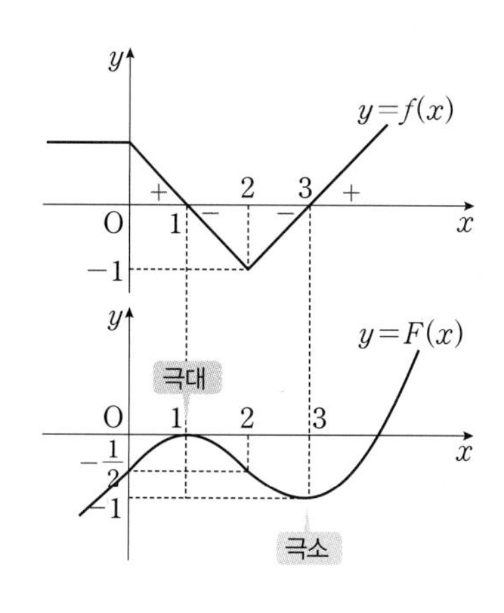

(i)~(iii)에서 함수 $F(x)$는

$$F(x)=\begin{cases} -\frac{1}{2}+x & (x<0) \\ -\frac{1}{2}x^2+x-\frac{1}{2} & (0\le x<2) \\ \frac{1}{2}x^2-3x+\frac{7}{2} & (x\ge 2)\end{cases}$$ 이므로 오른쪽 그림에서

$x=1$에서 극대이고 극댓값은 $F(1)=0$이고 $x=3$에서 극소이고 극솟값은 $F(3)=-1$이다.

다른풀이 정적분으로 정의된 함수의 미분을 이용하여 그려본다.

피적분함수 $y=f(t)$가 연속함수이므로 함수 $F(x)=\int_1^x f(t)dt$는 모든 실수 x에 대하여 미분가능하다.

즉, $F(x)=\int_1^x f(t)dt$에서 $F'(x)=\frac{d}{dx}\int_1^x f(t)dt=f(x)$이므로

$x=1$에서 극대이고 극댓값은 $F(1)=\int_1^1 f(t)dt=0$

$x=3$에서 극소이고 극솟값은 $F(3)=\int_1^3 f(t)dt=-1$ ← $\int_1^3|f(t)|dt=\frac{1}{2}\cdot 2\cdot 1=1$(삼각형의 넓이)

이므로 그래프의 개형은 위의 그림과 같다.

확인유제 0724 함수 $y=f(x)$의 그래프가 오른쪽 그림과 같을 때,

$F(x)=\int_0^x f(t)dt$라 하면 연속함수 $y=F(x)$의 그래프의 개형은?

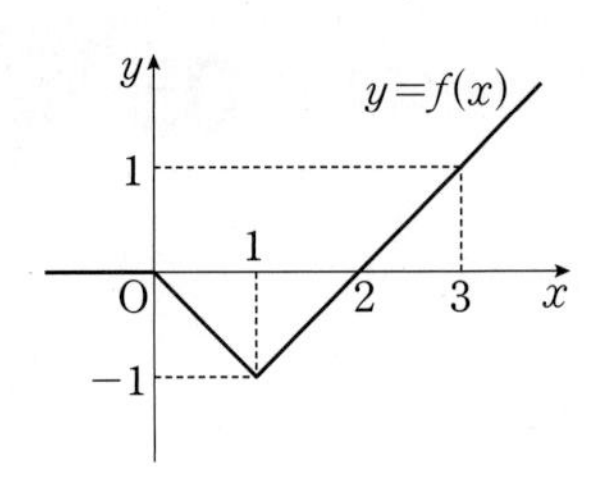

①
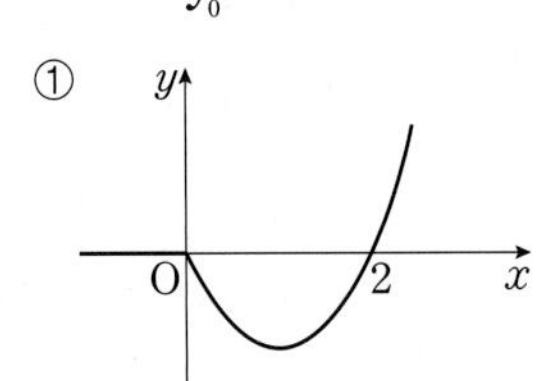

②
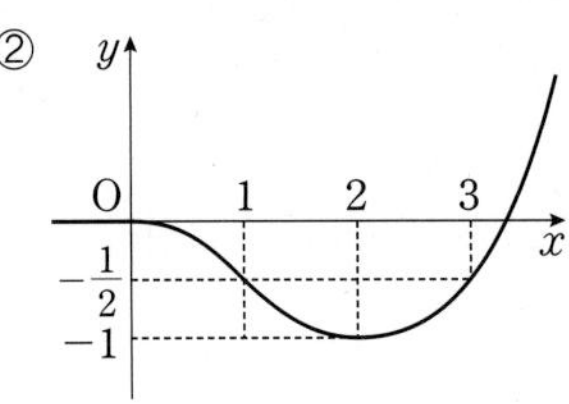

③
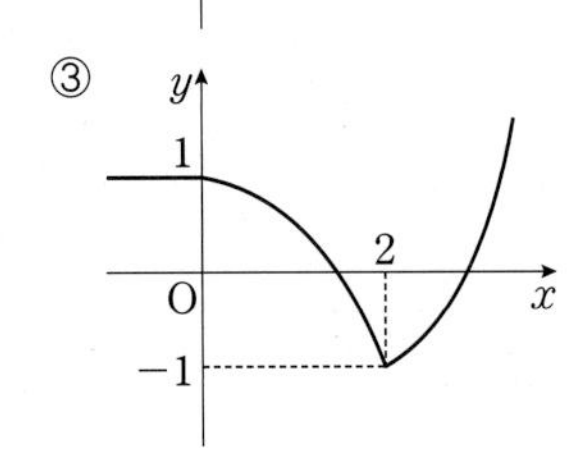

④
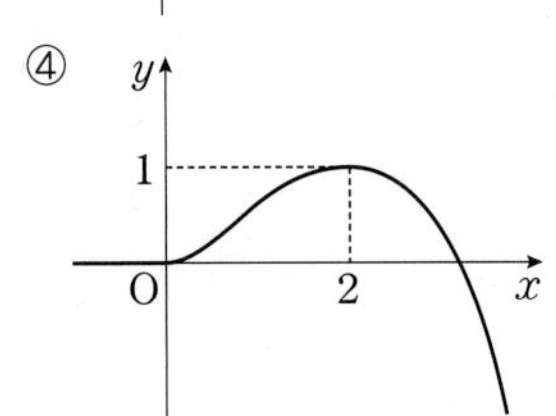

⑤
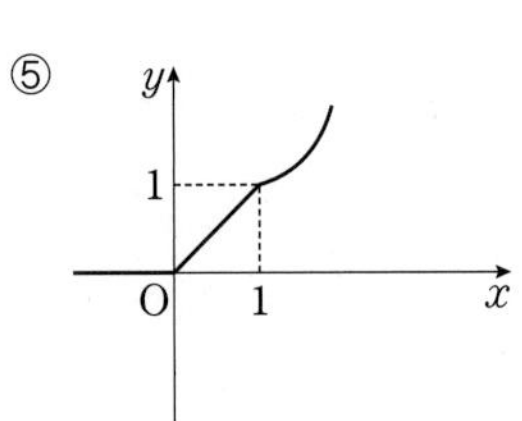

변형문제 0725 실수 전체의 집합에서 정의되는 함수 $y=f(x)$의 그래프가 오른쪽 그림과 같다. 이때 함수 $g(x)=\int_0^x f(t)dt$의 극댓값을 a, 극솟값을 b라고 할 때, $a+b$의 값은?

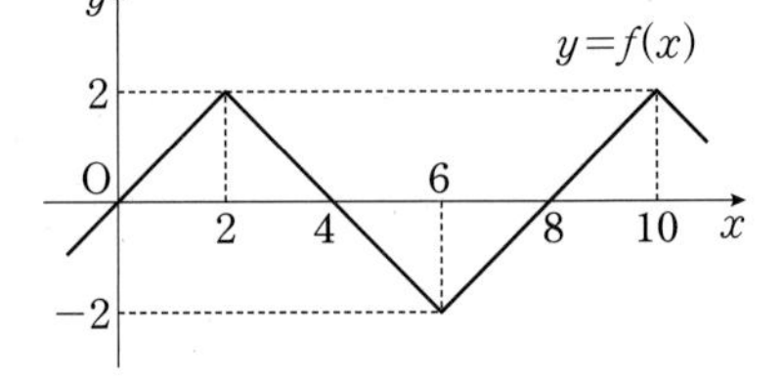

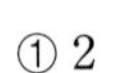

① 2 ② 3 ③ 4
④ 5 ⑤ 8

발전문제 0726 다음 물음에 답하여라.

(1) 함수 $f(x)=\int_{-2}^x (2-|t|)dt$에 대하여 옳은 것만을 [보기]에서 있는 대로 고른 것은?

ㄱ. 함수 $f(x)$는 모든 실수 x에 대하여 미분가능하다.
ㄴ. 함수 $f(x)$는 극댓값과 극솟값을 갖는다.
ㄷ. 방정식 $f(x)=a$의 서로 다른 세 실근을 갖도록 하는 a의 범위는 $0<a<4$이다.

① ㄱ ② ㄴ ③ ㄱ, ㄷ ④ ㄴ, ㄷ ⑤ ㄱ, ㄴ, ㄷ

2007학년도 사관기출

(2) 함수 $f(x)$의 그래프가 닫힌구간 $[0, 7]$에서 오른쪽 그림과 같다.

함수 $g(x)$를 $g(x)=\int_0^x f(t)dt$라 하자.

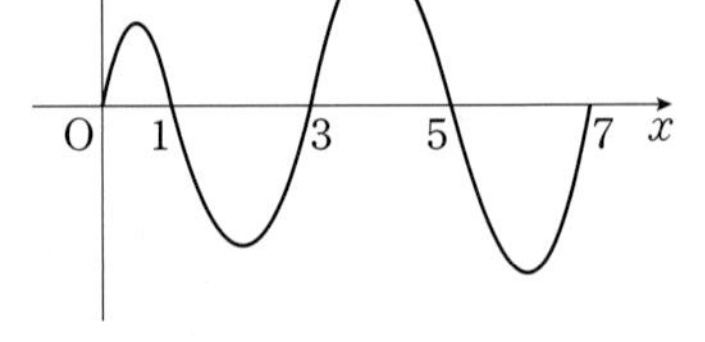

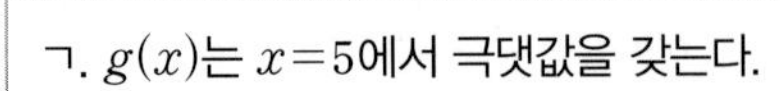

[보기]에서 옳은 것을 모두 고른 것은?

ㄱ. $g(x)$는 $x=5$에서 극댓값을 갖는다.
ㄴ. $g(x)$는 $x=1$에서 최솟값을 갖는다.
ㄷ. $g(5)=g(1)-\left|\int_1^3 f(t)dt\right|+\left|\int_3^5 f(t)dt\right|$

① ㄱ ② ㄴ ③ ㄱ, ㄷ ④ ㄴ, ㄷ ⑤ ㄱ, ㄴ, ㄷ

정답 0724 : ② 0725 : ③ 0726 : (1) ⑤ (2) ③

마플개념익힘 06 정적분으로 나타내는 함수의 극대 · 극소

미분가능한 함수

$$f(x)=\int_0^x (t^2-4t+a)dt$$

가 $x=1$에서 극댓값을 가질 때, 함수 $f(x)$의 극솟값을 구하여라. (단, a는 상수)

MAPL CORE $f(x)=\int_a^x g(t)dt$와 같이 정의된 함수 $f(x)$의 극대 · 극소 구하는 방법

[1단계] 주어진 양변을 x에 대하여 미분하여 $f'(x)$를 구한다.

[2단계] $f'(x)=0$을 만족하는 x값을 구하여 $f(x)$의 증감표를 만든다.

[3단계] 정적분을 계산하여 함수의 극댓값과 극솟값을 구한다.

개념익힘 | **풀이** $f(x)=\int_0^x (t^2-4t+a)dt$의 양변을 x에 대하여 미분하면

$f'(x)=x^2-4x+a$ ...... ㉠

함수 $f(x)$가 $x=1$에서 극댓값을 가지므로 $f'(1)=0$

㉠에서 $f'(1)=1-4+a=0$에서 $a=3$

$f'(x)=x^2-4x+3=(x-1)(x-3)$

$f'(x)=0$에서 $x=1$ 또는 $x=3$

함수 $f(x)$의 증가와 감소를 표로 나타내면 다음과 같다.

x	$\cdots$	1	$\cdots$	3	$\cdots$
$f'(x)$	+	0	−	0	+
$f(x)$	↗	극대	↘	극소	↗

따라서 함수 $f(x)$는 $x=3$에서 극소이므로 극솟값은

$f(3)=\int_0^3 (t^2-4t+3)dt=\left[\frac{1}{3}t^3-2t^2+3t\right]_0^3=9-18+9=\mathbf{0}$

참고 극댓값은 $f(1)=\int_0^1 (t^2-4t+3)dt=\left[\frac{1}{3}t^3-2t^2+3t\right]_0^1=\frac{1}{3}-2+3=\frac{4}{3}$

주의 주어진 식을 적분하여 함수 $f(x)$를 구할 수 있지만 극댓값과 극솟값을 구하는 문제이므로 $f(x)$를 미분하여 $f'(x)$를 구하는것이 더 편리하다.

확인유제 0727 미분가능한 함수 $f(x)=\int_1^x (t^2-at-3)dt$가 $x=3$에서 극솟값을 가질 때, 함수 $f(x)$의 극댓값을 구하여라. (단, a는 상수)

변형문제 0728 최고차항의 계수가 1인 삼차함수 $y=f(x)$의 그래프가 오른쪽 그림과 같을 때,

$$F(x)=\int_0^x f(t)dt$$

를 만족시키는 함수 $F(x)$의 극댓값은?

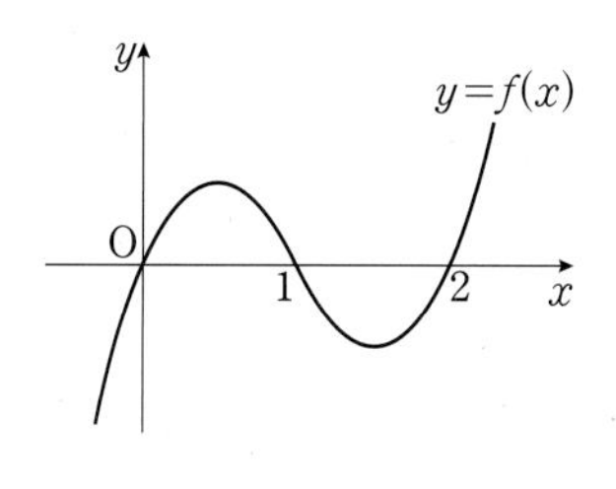

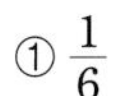

① $\frac{1}{6}$ ② $\frac{1}{5}$ ③ $\frac{1}{4}$ ④ $\frac{1}{3}$ ⑤ $\frac{1}{2}$

발전문제 0729 함수 $f(x)$가 $f(x)=\int_x^{x+1} (t^3-t)dt$일 때, 함수 $f(x)$의 극댓값을 M, 극솟값을 m이라 할 때, $M-m$의 값을 구하여라.

정답 0727 : $\frac{16}{3}$ 0728 : ③ 0729 : $\frac{1}{2}$

2015학년도 사관기출

다항함수 $f(x)$가 다음 조건을 만족시킨다.

(가) 모든 실수 x에 대하여 $\int_0^x t^2 f'(t)dt=\frac{3}{2}x^4+kx^3$이다.

(나) $x=1$에서 극솟값 7을 갖는다.

$f(10)$의 값을 구하여라. (단, k는 상수이다.)

개념익힘 | **풀이**

조건 (가)에서 $\int_0^x t^2 f'(t)dt=\frac{3}{2}x^4+kx^3$의 양변을 x에 대하여 미분하면

$x^2 f'(x)=6x^3+3kx^2$

이 식은 모든 실수 x에 대하여 성립하므로 $f'(x)=6x+3k$ …… ㉠

조건 (나)에서 다항함수 $f(x)$가 $x=1$에서 극솟값 7이므로 $f'(1)=0$, $f(1)=7$이 성립한다.

$f'(1)=6+3k=0 \quad \therefore k=-2$

$\therefore f'(x)=6x-6$

$f'(x)=6x-6$의 양변을 적분하면 $f(x)=\int f'(x)dx=\int(6x-6)dx=3x^2-6x+C$ (단, C는 적분상수)

이때 $f(1)=3-6+C=7$이므로 $C=10$

따라서 $f(x)=3x^2-6x+10$에서 $f(10)=3\cdot 10^2-6\cdot 10+10=\mathbf{250}$

확인유제 0730

다항함수 $f(x)$가 다음 조건을 만족시킨다.

(가) 모든 실수 x에 대하여 $\int_0^x f(t)dt=xf(x)-\frac{4}{3}x^3+ax^2$이다.

(나) 함수 $f(x)$는 $x=1$에서 극솟값 0을 갖는다.

$f(2)$의 값을 구하여라. (단, a는 상수이다.)

변형문제 0731

2014년 07월 교육청

양수 a, b에 대하여 함수 $f(x)=\int_0^x (t-a)(t-b)dt$가 다음 조건을 만족시킬 때, $a+b$의 값은?

(가) 함수 $f(x)$는 $x=\frac{1}{2}$에서 극값을 갖는다.

(나) $f(a)-f(b)=\frac{1}{6}$

① 1 ② 2 ③ 3 ④ 4 ⑤ 5

발전문제 0732

2017학년도 수능기출

최고차항의 계수가 양수인 삼차함수 $f(x)$가 다음 조건을 만족시킨다.

(가) 함수 $f(x)$는 $x=0$에서 극댓값, $x=k$에서 극솟값을 가진다. (단, k는 상수이다.)

(나) 1보다 큰 모든 실수 t에 대하여 $\int_0^t |f'(x)|dx=f(t)+f(0)$이다.

[보기]에서 옳은 것만을 있는 대로 고른 것은?

ㄱ. $\int_0^k f'(x)dx<0$

ㄴ. $0<k\le 1$

ㄷ. 함수 $f(x)$의 극솟값은 0이다.

① ㄱ ② ㄷ ③ ㄱ, ㄴ ④ ㄴ, ㄷ ⑤ ㄱ, ㄴ, ㄷ

정답 0730 : 2 0731 : ② 0732 : ⑤

마플개념익힘 08 정적분으로 나타내는 사차함수와 삼차방정식의 실근의 개수

삼차함수 $f(x)=x^3+3x^2-9x+a$에 대하여 함수

$$F(x)=\int_0^x f(t)dt$$

가 오직 하나의 극값을 갖도록 하는 양수 a의 최솟값을 구하여라.

MAPL CORE 삼차함수 $f(x)$에 대하여 함수 $F(x)=\int_0^x f(t)dt$라 할 때,

① 함수 $F(x)$가 세 개의 극값을 가지려면
- ➡ 삼차방정식 $F'(x)=f(x)=0$이 서로 다른 세 실근을 가져야 한다.
- ➡ 삼차방정식을 분리하여 두 함수의 그래프로 나누어 교점을 판별 하거나 (극댓값)×(극솟값)<0인 조건을 이용

② 함수 $F(x)$가 오직 하나의 극값을 가지려면
- ➡ 삼차방정식 $F'(x)=f(x)=0$이 한 실근과 두 허근 또는 한 실근과 중근을 가져야 한다.
- ➡ 삼차방정식을 분리하여 두 함수의 그래프로 나누어 교점을 판별 하거나 (극댓값)×(극솟값)≥ 0인 조건을 이용
- ➡ 삼차방정식 $F'(x)=f(x)=0$이 서로 다른 세 실근을 갖지 않아야 한다.

최고차항의 계수가 양수일 때, 사차함수 $f(x)$가
① 극댓값을 갖는 경우 $\iff$ 극솟값을 2개 갖는 경우 $\iff$ 극값 세 개를 가진다.
② 극댓값을 갖지 않는 경우 $\iff$ 극솟값만 갖는 경우 $\iff$ 오직 하나의 극값을 가진다.

개념익힘 | 풀이 함수 $F(x)=\int_0^x f(t)dt$의 양변을 x에 대하여 미분하면 $F'(x)=f(x)$ ⬅ $F(x)$의 도함수는 삼차함수 $f(x)$이다.

$F(x)$는 사차함수이고 사차함수 $F(x)$가 오직 하나의 극값을 가지려면

방정식 $F'(x)=f(x)=x^3+3x^2-9x+a=0$이 한 실근과 두 허근 또는 한 실근과 중근을 가져야 한다.

즉, $x^3+3x^2-9x+a=0$에서 $x^3+3x^2-9x=-a$이므로 방정식의 실근의 개수는 $y=x^3+3x^2-9x$의 그래프와 직선 $y=-a$의 교점의 개수가 한 개이거나 접하면 된다.

$g(x)=x^3+3x^2-9x$라 하면 $g'(x)=3x^2+6x-9=3(x+3)(x-1)$

$g'(x)=0$에서 $x=-3$ 또는 $x=1$

함수 $g(x)$의 증가와 감소를 표로 나타내면 다음과 같다.

x	$\cdots$	-3	$\cdots$	1	$\cdots$
$g'(x)$	$+$	0	$-$	0	$+$
$g(x)$	↗	극대	↘	극소	↗

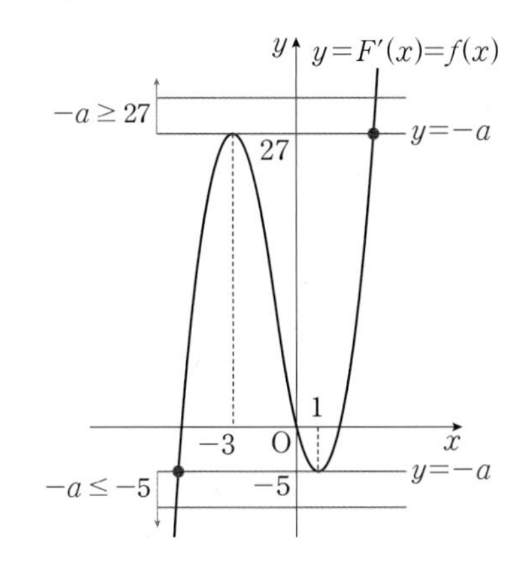

$x=-3$일 때, 극대이고 극댓값은 $g(-3)=27$

$x=1$일 때, 극소이고 극솟값은 $g(1)=-5$

함수 $y=g(x)$의 그래프는 오른쪽 그림과 같고 방정식 $F'(x)=f(x)=0$이 한 실근과 두 허근 또는 한 실근과 중근을 가질 조건은 $-a\ge 27$ 또는 $-a\le -5$

즉, $a>0$이므로 $a\ge 5$

따라서 양수 a의 최솟값은 **5**이다.

참고 $F(0)=0$이고 사차함수 $F(x)$가 오직 하나의 극값을 가지므로 $F'(x)=f(x)$의 부호가 오직 한 번 변해야 한다.
즉, 삼차함수 $f(x)=x^3+3x^2-9x+a$가 x축과 오직 한 번 만나거나 x축과 접해야 한다.
$a>0$이므로 극솟값이 $f(1)=1+3-9+a\ge 0$
$\therefore a\ge 5$
따라서 양수 a의 최솟값은 **5**이다.

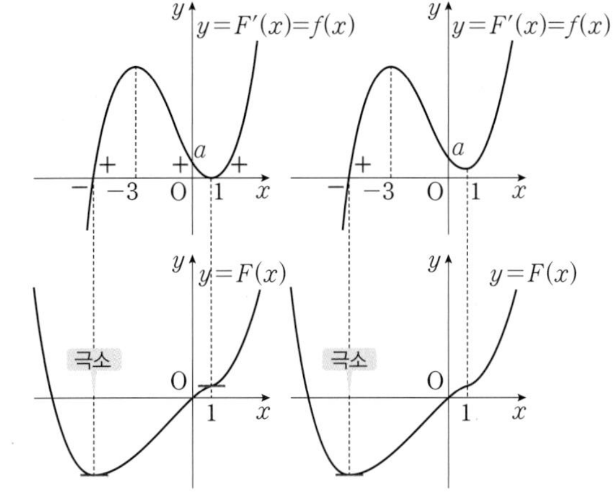

확인유제 0733 다음 물음에 답하여라.

2013학년도 수능기출

(1) 삼차함수 $f(x)=x^3-3x+a$에 대하여 함수 $F(x)=\int_0^x f(t)dt$가 오직 하나의 극값을 갖도록 하는 양수 a의 최솟값은?

① 1 ② 2 ③ 3 ④ 4 ⑤ 5

(2) 삼차함수 $f(x)=x^3-3x+a$에 대하여 함수 $F(x)=\int_0^x f(t)dt$가 극댓값을 갖도록 하는 정수 a의 개수는?

① 1 ② 2 ③ 3 ④ 4 ⑤ 5

변형문제 0734 삼차함수 $f(x)=x^3+6x^2+9x-a$에 대하여 함수 $F(x)=\int_1^x f(t)dt$가 세 개의 극값을 갖도록 하는 정수 a의 합은?

① -8 ② -6 ③ -4 ④ -2 ⑤ 0

발전문제 0735 삼차함수 $y=f(x)$의 그래프가 오른쪽 그림과 같고, $f(x)$는

$$f(a)=f(b)=f(c)=0\text{이고 } \int_a^b f(x)dx=5,\ \int_a^c f(x)dx=0$$

을 만족한다. $f(x)$의 부정적분 $F(x)$를 방정식 $F(x)=0$이 서로 다른 네 실근을 갖도록 정할 때, 정수 $F(a)$의 값의 합은? (단, $a<b<c$)

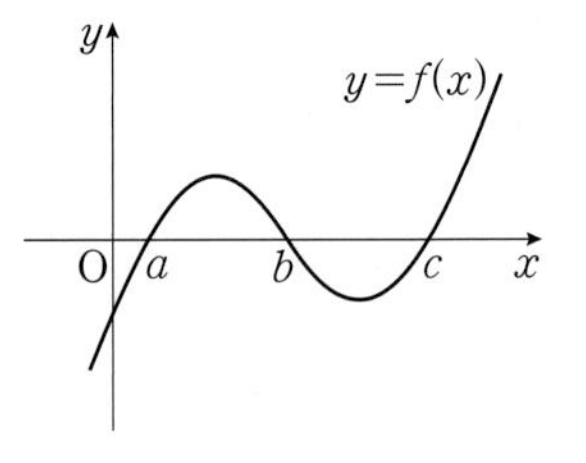

① -5 ② -10 ③ -15

④ -20 ⑤ -25

정답 0733 : (1) ② (2) ③ 0734 : ② 0735 : ②

마플개념익힘 09 정적분으로 나타내는 함수의 최대 · 최소

닫힌구간 $[0, 3]$에서 정의된 이차함수 $y=f(x)$의 그래프가 오른쪽 그림과 같다.

이때 함수 $g(x)=\int_0^x f(t)dt$의 최댓값을 구하여라.

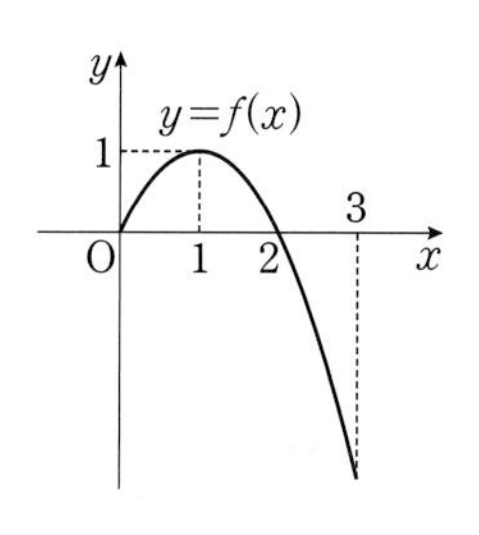

MAPL CORE $g(x)=\int_a^x f(x)dx$의 양변을 x에 대하여 미분하여 $g'(x)=0$인 x의 값을 구하여 함수 $g(x)$의 그래프의 개형을 이용하여 최댓값과 최솟값을 구한다.

개념익힘 | **풀이** 이차함수 $f(x)$가 x축과의 교점이 $x=0$과 $x=2$이므로 $f(x)=ax(x-2)\ (a<0)$라 하면

$f(1)=1$이므로 $f(1)=-a=1 \quad \therefore a=-1$

$\therefore f(x)=-x(x-2)=-x^2+2x$

$g(x)=\int_0^x f(t)dt$의 양변을 x에 대하여 미분하면 $g'(x)=f(x)=-x^2+2x$

$g'(x)=0$일 때, $x=0$ 또는 $x=2$

닫힌구간 $[0, 3]$에서 함수 $g(x)$의 증가와 감소를 표로 나타내면 다음과 같다.

x	0	$\cdots$	2	$\cdots$	3
$g'(x)$	0	+	0	−	
$g(x)$	0	↗	극대	↘	0

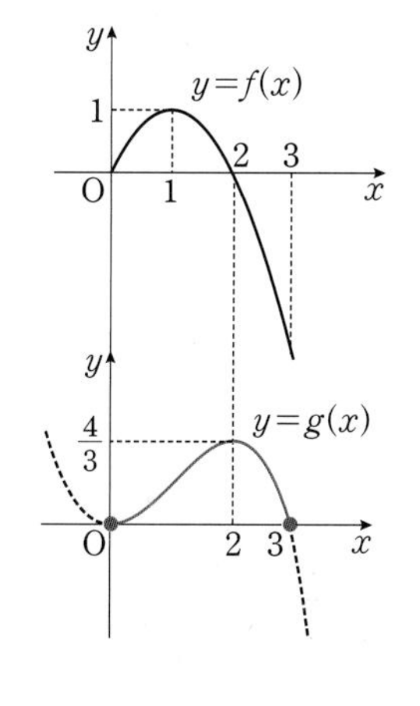

$g(x)$는 $x=2$에서 극대이다.

$g(0)=\int_0^0 f(t)dt=0$

$g(2)=\int_0^2 f(t)dt=\int_0^2(-t^2+2t)dt=\left[-\frac{1}{3}t^3+t^2\right]_0^2=\frac{4}{3}$

$g(3)=\int_0^3 f(t)dt=\int_0^3(-t^2+2t)dt=\left[-\frac{1}{3}t^3+t^2\right]_0^3=0$

따라서 닫힌구간 $[0, 3]$에서 함수 $g(x)$의 최댓값은 $\mathbf{\frac{4}{3}}$이다.

확인유제 0736 닫힌구간 $[-1, 1]$에서 정의된 함수 $f(x)$에 대하여 함수 $f(x)=\int_{-1}^x(t^2-2t)dt$일 때, 함수 $f(x)$의 최댓값 M, 최솟값 m에 대하여 $M+m$의 값을 구하여라.

변형문제 0737 닫힌구간 $[0, 4]$에서 정의된 함수 $f(x)$에 대하여 함수 $f(x)=\int_0^x(t^3-4t^2+3t)dt$일 때, 함수 $f(x)$의 최댓값 M, 최솟값 m에 대하여 Mm의 값은?

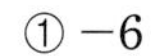

① -6 ② -4 ③ -2 ④ 4 ⑤ 6

발전문제 0738 이차함수 $y=f(x)$의 그래프이다.

1994학년도 수능기출

함수 $g(x)$를 $g(x)=\int_x^{x+1} f(t)dt$라 할 때, $g(x)$의 최솟값은?

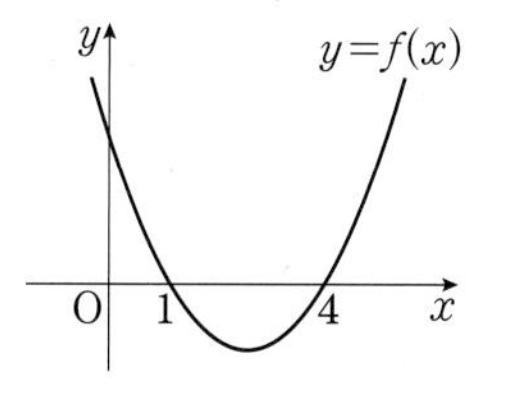

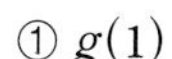

① $g(1)$ ② $g(2)$ ③ $g\left(\frac{5}{2}\right)$ ④ $g\left(\frac{7}{2}\right)$ ⑤ $g(4)$

정답 0736 : $\frac{4}{3}$ 0737 : ① 0738 : ②

다음 극한값을 구하여라.

(1) $\lim_{h\to 0}\frac{1}{h}\int_1^{1+h}(x^3-2x^2+3x)dx$ (2) $\lim_{x\to 1}\frac{1}{x-1}\int_1^x(t^2-3t+2)dt$

MAPL CORE 정적분과 미분계수의 정의를 이용하면 정적분으로 표시된 함수의 극한값은 다음과 같다.
$F'(x)=f(x)$라 할 때, 정적분과 미분계수의 정의에 의하여

(1) $\lim_{x\to a}\frac{1}{x-a}\int_a^x f(t)dt=\lim_{x\to a}\frac{\int_a^x f(t)dt}{x-a}=\lim_{x\to a}\frac{\left[F(t)\right]_a^x}{x-a}=\lim_{x\to a}\frac{F(x)-F(a)}{x-a}=F'(a)=f(a)$

(2) $\lim_{h\to 0}\frac{1}{h}\int_a^{h+a}f(t)dt=\lim_{h\to 0}\frac{\int_a^{h+a}f(t)dt}{h}=\lim_{h\to 0}\frac{\left[F(t)\right]_a^{h+a}}{h}=\lim_{h\to 0}\frac{F(h+a)-F(a)}{h}=F'(a)=f(a)$

개념익힘 | 풀이 (1) $f(x)=x^3-2x^2+3x$이라 하고 $f(x)$의 한 부정적분을 $F(x)$라 하면

$$\lim_{h\to 0}\frac{1}{h}\int_1^{1+h}f(x)dx=\lim_{h\to 0}\frac{1}{h}\left[F(x)\right]_1^{1+h}=\lim_{h\to 0}\frac{F(1+h)-F(1)}{h}$$
$$=F'(1)$$

즉, $F'(x)=f(x)$이므로 $F'(1)=f(1)=1-2+3=2$

(2) $f(t)=t^2-3t+2$이라 하고 $f(t)$의 한 부정적분을 $F(t)$라 하면

$$\lim_{x\to 1}\frac{1}{x-1}\int_1^x f(t)dt=\lim_{x\to 1}\frac{1}{x-1}\left[F(t)\right]_1^x=\lim_{x\to 1}\frac{F(x)-F(1)}{x-1}$$
$$=F'(1)$$

즉, $F'(t)=f(t)$이므로 $F'(1)=f(1)=1-3+2=0$

확인유제 0739 다음 극한값을 구하여라.

(1) 함수 $f(x)=3x^2-5x$일 때, $\lim_{h\to 0}\frac{1}{h}\int_2^{2+2h}f(t)dt$의 값을 구하여라.

(2) 함수 $f(x)=x^3+4x^2-5x+2$일 때, $\lim_{x\to 2}\frac{1}{x^2-4}\int_2^x f(t)dt$의 값을 구하여라.

변형문제 0740 다항함수 $f(x)$가 $\lim_{x\to 1}\frac{\int_1^x f(t)dt-f(x)}{x^2-1}=2$를 만족할 때, $f'(1)$의 값은?

2012년 07월 교육청

① -4 ② -3 ③ -2 ④ -1 ⑤ 0

발전문제 0741 오른쪽 그림과 같이 최고차항의 계수가 양수인 이차함수 $y=f(x)$의 그래프가 x축과 두 점 $(0, 0)$, $(3, 0)$에서 만날 때, 함수 $S(x)=\int_1^x f(t)dt$의 극댓값과 극솟값을 각각 M, m이라 하자. $M-m=6$일 때, $\lim_{x\to 1}\frac{S(x)}{x-1}$의 값을 구하여라.

2013학년도 사관기출

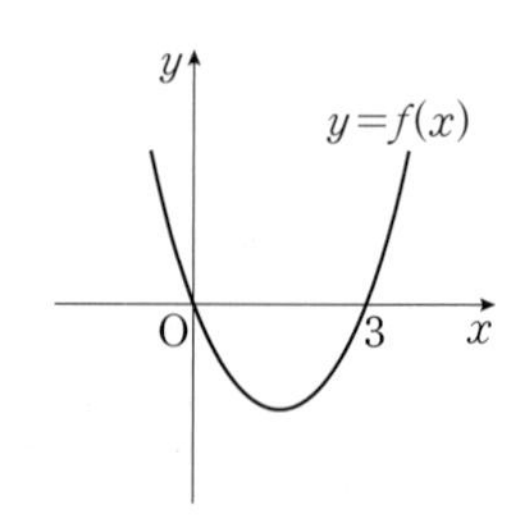

정답 0739 : (1) 4 (2) 4 0740 : ① 0741 : $-\frac{8}{3}$

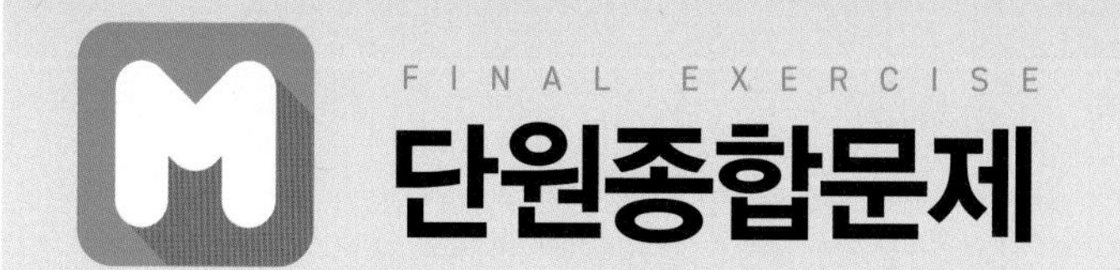

BASIC

내신 수능 기본 대표 기출문제

0742 정적분과 도함수의 관계 내신빈출

다음 물음에 답하여라.

(1) 함수 $f(x)=x^3-3x^2+5x+6$에 대하여 $\frac{d}{dx}\int_0^x f(t)\,dt-\int_0^x\left\{\frac{d}{dt}f(t)\right\}dt$의 값은?

① -3　② 0　③ 2　④ 4　⑤ 6

(2) 함수 $f(x)=\int_1^x (2t-3)\,dt$에 대하여 $\frac{d}{dx}\int_a^x f(t)\,dt=\int_a^x\left\{\frac{d}{dt}f(t)\right\}dt$를 만족하는 모든 실수 a의 값의 합은?

① 1　② 3　③ 5　④ 7　⑤ 9

0743 적분구간이 상수인 정적분 내신빈출

다음 물음에 답하여라.

(1) 다항함수 $f(x)$가 $f(x)=3x^2+\int_0^1 xf(t)\,dt$를 만족시킬 때, $f(1)$의 값은?

① 3　② 5　③ 7　④ 8　⑤ 9

(2) 다항함수 $f(x)$가 모든 실수 x에 대하여 $f(x)+\int_0^1 xf(t)\,dt+x^3=0$을 만족시킬 때, $f(-1)$의 값은?

① $\frac{5}{6}$　② $\frac{22}{3}$　③ $\frac{23}{3}$　④ 8　⑤ $\frac{25}{3}$

0744 정적분과 미분의 관계 2015학년도 09월 평가원

다음 물음에 답하여라.

(1) 다항함수 $f(x)$가 $\int_2^x f(t)\,dt=x^2+ax+2$를 만족시킬 때, $f(10)$의 값은?

① 15　② 17　③ 19　④ 21　⑤ 22

2015년 11월 교육청 (고2)

(2) 다항함수 $f(x)$가 모든 실수 x에 대하여 $\int_1^x f(t)\,dt=x^3+ax^2+1$을 만족시킬 때, $f(-1)$의 값은?
(단, a는 상수이다.)

① 7　② 9　③ 11　④ 13　⑤ 15

(3) 다항함수 $f(x)$가 모든 실수 x에 대하여 $\int_2^x f(t)\,dt=x^4+ax$를 만족시킬 때, $\int_{-2}^2 f(x)\,dx$의 값은?
(단, a는 상수이다.)

① -32　② -16　③ 0　④ 16　⑤ 32

0745 정적분과 미분의 관계 2017년 10월 교육청

다음 물음에 답하여라.

(1) 다항함수 $f(x)$가 모든 실수 x에 대하여 $\int_1^x f(t)\,dt=x^3+ax^2-3x+1$을 만족시킬 때, $f(a)$의 값은?
(단, a는 상수이다.)

① -2　② -1　③ 0　④ 1　⑤ 2

2014학년도 경찰대기출

(2) 함수 $f(x)$와 상수 a가 모든 실수 x에 대하여 등식 $6+\int_a^x \frac{f(t)}{t^2}\,dt=x$을 만족시킬 때, $f(a)$의 값은?

① 12　② 24　③ 36　④ 48　⑤ 60

(3) 다항함수 $f(x)$가 $\int_1^x f(t)\,dt=2x^3+ax^2-2x-3$을 만족할 때, $\lim_{n\to\infty} n\left\{f\left(3+\frac{1}{n}\right)-f(3)\right\}$의 값은?

① 18　② 30　③ 42　④ 54　⑤ 66

정답 0742 : (1) ⑤ (2) ②　0743 : (1) ② (2) ①　0744 : (1) ② (2) ① (3) ①　0745 : (1) ⑤ (2) ③ (3) ③

0746

정적분과 미분의 관계

다음 물음에 답하여라.

(1) 다항함수 $f(x)$가 모든 실수 x에 대하여 $\int_{2}^{x} f(t)\,dt = xf(x)+x^3-3x^2$을 만족시킬 때, $\frac{f'(1)}{f(2)}$의 값은?

① $\frac{1}{2}$ ② $\frac{3}{4}$ ③ 1 ④ $\frac{3}{2}$ ⑤ 2

2011년 10월 교육청

(2) 상수함수가 아닌 다항함수 $f(x)$가 모든 실수 x에 대하여 $\int_{1}^{x} f(t)\,dt = \{f(x)\}^2$을 만족시킬 때, $f(3)$의 값은?

① 1 ② 2 ③ 3 ④ 4 ⑤ 5

0747

정적분으로 정의된 함수의 극대 극소
내신빈출

미분가능한 함수 $f(x) = \int_{1}^{x} (-3t^2+at+b)\,dt$가 $x=0$에서 극솟값 0을 가질 때, 두 상수 a, b에 대하여 $a+b$의 값은?

① 0 ② 1 ③ 2 ④ 3 ⑤ 4

0748

정적분과 나머지정리
내신빈출

다음 물음에 답하여라.

(1) 다항함수 $f(x)$에 대하여 $f(x)+x^2+\int_{-2}^{x} f(t)\,dt$가 $(x+2)^2$으로 나누어떨어질 때, $f'(x)$를 $x+2$로 나눈 나머지를 구하여라.

(2) $g(x)$는 다항함수이고 함수 $f(x)$가 $f(x)=x^2-ax+\int_{1}^{x} g(t)\,dt$로 정의된다. 함수 $f(x)$가 $(x-1)^2$으로 나누어떨어질 때, $g(x)$를 $x-1$로 나눈 나머지를 구하여라.

0749

정적분으로 정의된 함수의 극한
2012년 10월 교육청

다음 물음에 답하여라.

(1) $\lim_{x \to 2} \frac{1}{x^2-4} \int_{2}^{x} (t^2+3t-2)\,dt$의 값은?

① 1 ② 2 ③ 3 ④ 4 ⑤ 5

(2) $\lim_{x \to 0} \frac{1}{x} \int_{1-x}^{1+2x} (6t^2-4t+3)\,dt$의 값은?

① 10 ② 11 ③ 12 ④ 15 ⑤ 18

0750

정적분으로 정의된 함수의 극한
내신빈출

다음 물음에 답하여라.

(1) 오른쪽 그림은 함수 $y=f(x)$의 그래프이다. $f(2)=3$이고 곡선 $y=f(x)$와 x축 및 두 직선 $x=2$, $x=t$로 둘러싸인 도형의 넓이를 $S(t)$라 할 때, $\lim_{h \to 0} \frac{S(2+h)-S(2)}{h}$의 값을 구하여라. (단, $t \geq 2$)

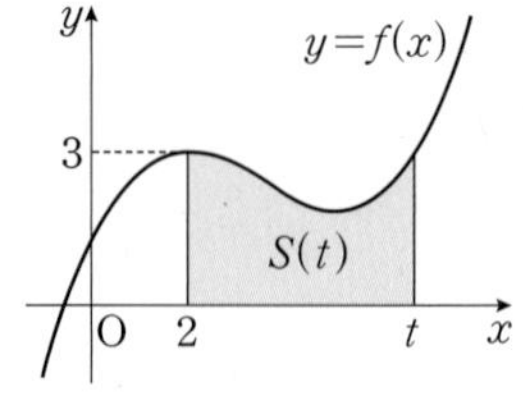

(2) 모든 실수에서 연속인 함수 $f(x)$의 그래프가 오른쪽 그림과 같다. $S(x)=\int_{1}^{x} f(t)\,dt$라 할 때, $\lim_{x \to 1} \frac{S(x)}{x-1}$의 값을 구하여라.

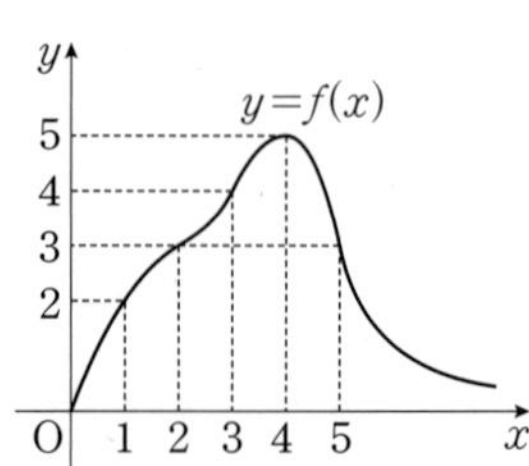

정답 0746 : (1) ④ (2) ① 0747 : ③ 0748 : (1) 8 (2) −1 0749 : (1) ② (2) ④ 0750 : (1) 3 (2) 2

0751

정적분으로 정의된 함수의 미분
2011년 10월 교육청

다음 물음에 답하여라.

(1) 모든 실수 x에 대하여 함수 $f(x)$는 $\int_{12}^{x} f(t)\,dt=-x^3+x^2+\int_0^1 xf(t)\,dt$을 만족시킬 때, $\int_0^1 f(x)\,dx$의 값을 구하여라.

(2) 다항함수 $f(x)$가 모든 실수 x에 대하여 $xf(x)=3x^4-x^3+\int_0^x f(t)\,dt-x^3\int_0^1 f'(t)\,dt$을 만족시킨다. $f(0)=0$일 때, $f(2)$의 값을 구하여라.

(3) 다항함수 $f(x)$가 모든 실수 x에 대하여 $xf(x)=2x^3-x^2\int_0^1 f'(t)dt+\int_1^x f(t)dt$를 만족시킬 때, $f(2)$의 값을 구하여라.

0752

정적분으로 정의된 함수의 미분
내신빈출

다음 물음에 답하여라.

(1) 미분가능한 함수 $f(x)$가 등식 $xf(x)=x^3+x^2+\int_2^x f(t)\,dt$를 만족할 때, $f(4)$의 값은?

① 20 ② 22 ③ 24 ④ 26 ⑤ 28

(2) 다항함수 $f(x)$가 모든 실수 x에 대하여 $x^2f(x)=2x^6-x^4+2\int_1^x tf(t)\,dt$를 만족시킬 때, $f(2)$의 값은?

① 20 ② 30 ③ 40 ④ 50 ⑤ 60

(3) 다항함수 $f(x)$가 모든 실수 x에 대하여 $x^3f(x)=\frac{1}{2}x^4+\frac{9}{2}+3\int_1^x t^2f(t)\,dt$를 만족시킨다. $\int_1^2 x^2f(x)\,dx$의 값은?

① $\frac{9}{2}$ ② $\frac{13}{2}$ ③ $\frac{19}{2}$ ④ $\frac{25}{2}$ ⑤ $\frac{29}{2}$

0753

정적분으로 정의된 함수의 미분
2015학년도 사관기출

다음 물음에 답하여라.

(1) 다항함수 $f(x)$가 모든 실수 x에 대하여

$$x^2\int_1^x f(t)\,dt-\int_1^x t^2f(t)\,dt=x^4+ax^3+bx^2$$

을 만족시킬 때, $f(5)$의 값은? (단, a와 b는 상수이다.)

① 17 ② 19 ③ 21 ④ 23 ⑤ 25

(2) 다항함수 $f(x)$가

$$\int_1^x (x-t)f(t)\,dt=x^3-ax^2+bx+3$$

을 만족시킬 때, $f(3)+a+b$의 값은? (단, a, b는 상수)

① 14 ② 15 ③ 16 ④ 17 ⑤ 18

(3) 다항함수 $f(x)$가 모든 실수 x에 대하여

$$\int_0^x (2t-x)f(t)\,dt=\frac{3}{4}x^5-\frac{1}{3}x^4+ax^3$$

을 만족시킨다. $f(0)=0$, $f(1)=1$일 때, $f(2)$의 값은? (단, a는 상수이다.)

① 24 ② 28 ③ 32 ④ 36 ⑤ 40

정답 0751 : (1) 132 (2) 20 (3) 8 0752 : (1) ⑤ (2) ③ (3) ⑤ 0753 : (1) ① (2) ① (3) ②

0754

정적분으로 정의된 함수의 활용

다음 물음에 답하여라.

(1) 삼차함수 $f(x)$에 대하여 함수 $f'(x)$의 증가와 감소를 표로 나타내면 다음과 같다.

x	0		1	$\cdots$	3	$\cdots$
$f'(x)$		$+$	0	$-$	0	$+$
$f(x)$	0	↗	10	↘	0	↗

$\int_0^3 |f'(x)|dx$의 값을 구하여라.

(2) 삼차함수 $f(x)$에 대하여 함수 $g(x)$를 $g(x)=\int_0^x f(t)dt$라 할 때,

함수 $g(x)$의 증가와 감소를 표로 나타내면 다음과 같다.

x	$\cdots$	0	$\cdots$	a	$\cdots$	b	$\cdots$
$g'(x)$	$-$	0	$+$	0	$-$	0	$+$
$g(x)$	↘	0	↗	6	↘	2	↗

$\int_0^b |f(x)|dx$의 값을 구하여라. (단, a, b는 $0 < a < b$인 상수이다.)

0755

정적분으로 정의된 함수의 미분
내신빈출

함수 $f(x)$는 다음 두 조건을 동시에 만족한다. 이때 실수 a의 값을 구하여라.

(가) $\int_0^1 f(t)dt=1$

(나) $\int_0^x f(t)dt=\frac{3}{2}x^2\int_0^a tf(t)dt$

0756

정적분으로 정의된 함수의 미분
2013학년도 사관기출

모든 실수 x에서 정의된 함수 $f(x)=\int_1^x (x^2-t)dt$에 대하여 직선 $y=6x-k$가 곡선 $y=f(x)$에 접할 때, 양수 k의 값은?

① $\frac{11}{2}$　② $\frac{13}{2}$　③ $\frac{15}{2}$　④ $\frac{17}{2}$　⑤ $\frac{19}{2}$

0757

정적분과 미분의 관계
내신빈출

모든 실수 x에서 연속인 함수 $f(x)$에 대하여 다음이 성립할 때, 상수 a의 값은?

$$\int_a^x f(t)dt=(x+1)|x-a|$$

① -2　② -1　③ 0　④ 1　⑤ 2

0758

정적분으로 정의된 함수의 미분
내신빈출

다항함수 $f(x)$가 모든 실수 x에 대하여

$$\int_1^x (x-1)f(t)dt=x^3-3x+\frac{1}{2}\int_1^2 f(t)dt$$

를 만족시킬 때, $f(2)$의 값을 구하여라.

0759

정적분으로 정의된 함수의 극대 극소

이차함수 $f(x)$의 그래프가 오른쪽 그림과 같을 때, 함수 $g(x)$를 $g(x)=2\int_1^x f(t)dt$로 정의한다. $g(x)$의 극솟값은?

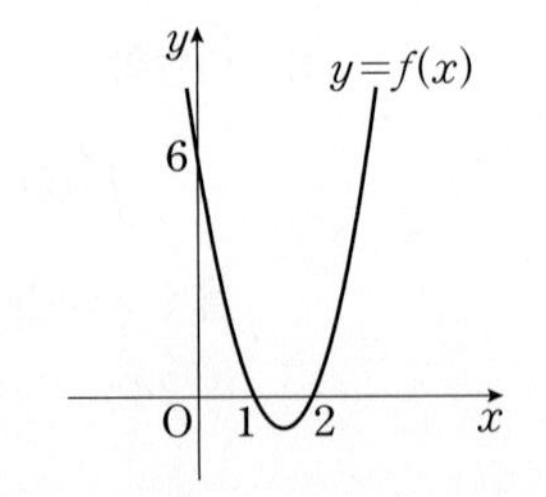

① -27　② -16　③ -2
④ -1　⑤ 27

정답 0754 : (1) 20 (2) 10　0755 : 1　0756 : ⑤　0757 : ②　0758 : 5　0759 : ④

0760

정적분으로 정의된 함수와 실근의 개수

삼차함수 $f(x)=x^3-12x+a$에 대하여 함수

$$F(x)=\int_0^x f(t)dt$$

가 단 하나의 극값을 갖도록 하는 상수 a의 범위를 구하여라.

0761

미분과 정적분의 활용

다음 물음에 답하여라.

(1) 오른쪽 그림은 함수 $y=f(x)$, $y=f'(x)$, $y=\int_0^x f(t)dt$의 그래프를 나타낸 것이다. 각각의 그래프가 어느 것의 그래프인지를 구하여라.

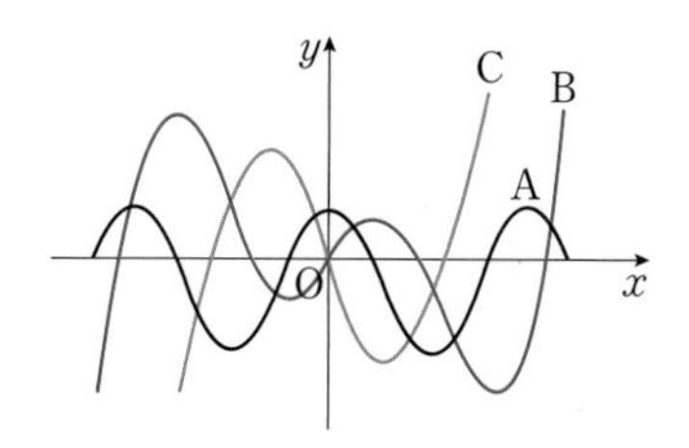

(2) 오른쪽 그림은 $x\geq 0$에서 함수 $y=f(x)$, $y=f'(x)$, $y=\int_0^x f(t)dt$의 그래프를 나타낸 것이다. 각각의 그래프가 어느 함수의 그래프인지 구하여라.

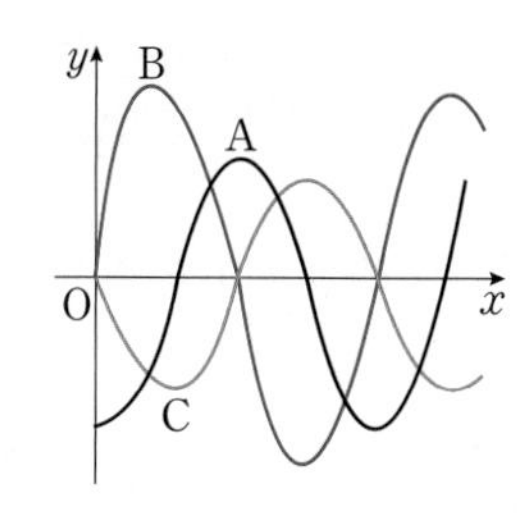

0762

적분구간이 상수인 함수 $f(x)$의 결정

서술형

함수 $f(x)$가 등식 $f(x)=3x^2+4x\int_0^1 f(t)dt+2$를 만족시킬 때, $f(5)$의 값을 구하는 과정을 다음 단계로 서술하여라.

[1단계] $\int_0^1 f(t)dt=k$(k는 상수)로 놓고 $f(x)$를 k를 포함한 식으로 나타낸다.

[2단계] k의 값을 구한다.

[3단계] $f(5)$의 값을 구한다.

0763

정적분으로 주어진 함수의 극한

서술형

다항함수 $f(x)$가 모든 실수 x에 대하여 등식 $\int_1^x f(t)dt=4x^3-ax^2-ax$를 만족할 때, $\lim_{x\to a}\frac{1}{x-a}\int_a^x f(t)dt$의 값을 구하는 과정을 다음 단계로 서술하여라.

[1단계] $\int_1^x f(t)dt=4x^3-ax^2-ax$를 만족하는 상수 a의 값을 구한다.

[2단계] 다항함수 $f(x)$를 구한다.

[3단계] $\lim_{x\to a}\frac{1}{x-a}\int_a^x f(t)dt$의 값을 구한다.

0764

정적분으로 주어진 함수와 미분

서술형

다항함수 $f(x)$가 $\int_1^x (t-x)f(t)dt=x^3-3x^2+ax+b$를 만족할 때, 다음 단계로 서술하여라. (단, a, b는 상수)

[1단계] 상수 a, b의 값을 구한다.

[2단계] 함수 $f(x)$를 구한다.

[3단계] $\int_0^2 |f(x)|dx$의 값을 구한다.

정답

0760 : $a\leq -16$ 또는 $a\geq 16$　0761 : (1) $y=f(x)$: A, $y=f'(x)$: C, $y=\int_0^x f(t)dt$: B

(2) $y=f(x)$: A, $y=f'(x)$: B, $y=\int_0^x f(t)dt$: C　0762 : 해설참조　0763 : 해설참조　0764 : 해설참조

0765

정적분으로 정의된 함수의 활용

다항함수 $f(x)$와 상수 a에 대하여 함수 $F(x)$를

$$F(x)=\int_x^a f(t)\,dt$$

라 할 때, $\lim_{x\to 2}\frac{x^2-4}{F(x)}=-3$이 성립한다. 이때 $af(2)$의 값을 구하여라. (단, 함수 $F(x)$가 일대일대응이다.)

0766

적분구간이 상수인 정적분
2004학년도 경찰대기출

다음 물음에 답하여라.

(1) 두 함수 $f(x)$, $g(x)$에 대하여

$$f(x)=x^3-3x^2+\int_0^2 g(t)\,dt,\ g(x)=3x^2+2+\int_{-1}^1 f(t)\,dt$$

가 성립할 때, $f(2)+g(2)$의 값은?

① -6 ② -2 ③ 0 ④ 2 ⑤ 6

2013학년도 사관기출

(2) 두 함수 $f(x)$, $g(x)$에 대하여

$$f(x)=2x+\int_0^1\{f(t)+g(t)\}dt,\ g(x)=3x^2+\int_0^1\{f(t)-g(t)\}dt$$

가 성립할 때, $f(1)+g(2)$의 값은?

① 7 ② 8 ③ 9 ④ 10 ⑤ 11

0767

정적분으로 정의된 함수의 활용
2017년 09월 교육청

다음 물음에 답하여라.

(1) 최고차항의 계수가 1인 삼차함수 $f(x)$에 대하여 함수 $g(x)$를 $g(x)=\int_2^x (t-2)f'(t)\,dt$라 하자.

함수 $g(x)$가 $x=0$에서만 극값을 가질 때, $g(0)$의 값은?

① -2 ② $-\frac{5}{2}$ ③ -3 ④ $-\frac{7}{2}$ ⑤ -4

(2) 최고차항의 계수가 1인 일차함수 $f(x)$에 대하여 함수 $g(x)$를 $g(x)=\int_0^x (t^2-4t+4)f(t)\,dt$라 하자.

함수 $y=|g'(x)|$가 실수 전체의 집합에서 미분가능할 때, $g'(4)$의 값은?

① 2 ② 4 ③ 6 ④ 8 ⑤ 10

0768

정적분으로 정의된 함수의 활용
2016년 10월 교육청

최고차항의 계수가 양수이고 $f(1)=0$인 이차함수 $f(x)$에 대하여 함수 $g(x)$를

$$g(x)=\int_1^x f(t)\,dt$$

라 할 때, 함수 $g(x)$가 다음 조건을 만족시킨다.

(가) $g(2)=-6$
(나) 방정식 $|g(x)|=-g(3)$은 서로 다른 세 실근을 갖는다.

$g(-1)$의 값은?

① -68 ② -66 ③ -64 ④ -62 ⑤ -60

정답 0765 : $\frac{8}{3}$ 0766 : (1) ③ (2) ② 0767 : (1) ⑤ (2) ④ 0768 : ⑤

0769

정적분으로 나타내어진 함수의 그래프 추정

오른쪽 그림과 같이 최고차항의 계수가 음수인 이차함수 $y=f(x)$의 그래프가 두 점 $(-3,\ 0)$, $(1,\ 0)$을 지난다. 두 함수 $g(x)$, $h(x)$를

$$g(x)=\int_0^x f(t)\,dt,\ h(x)=f(x)g(x)$$

라 할 때, [보기]에서 옳은 것만을 있는 대로 고른 것은?

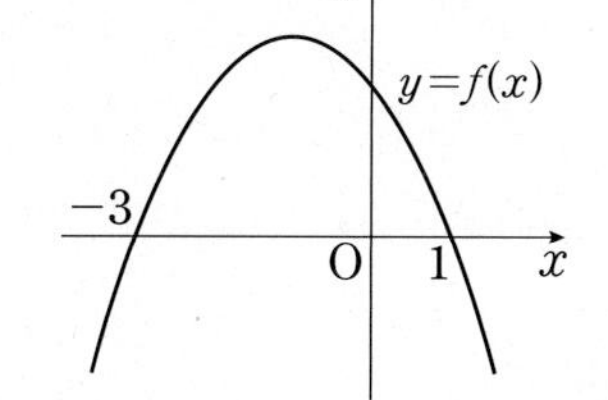

ㄱ. 함수 $g(x)$의 극댓값은 양수이다.
ㄴ. $h'(0)>0$
ㄷ. 함수 $h(x)$는 열린구간 $(0,\ 1)$에서 극값을 갖는다.

① ㄱ ② ㄷ ③ ㄱ, ㄴ ④ ㄴ, ㄷ ⑤ ㄱ, ㄴ, ㄷ

0770

정적분으로 나타내어진 함수의 그래프 추정
2017년 07월 교육청

최고차항의 계수가 양수인 이차함수 $f(x)$에 대하여

$$g(x)=\int_0^x tf(t)\,dt$$

라 할 때, [보기]에서 옳은 것만을 있는 대로 고른 것은?

ㄱ. $g'(0)=0$
ㄴ. 양수 α에 대하여 $g(\alpha)=0$이면 방정식 $f(x)=0$은 열린구간 $(0,\ \alpha)$에서 적어도 하나의 실근을 갖는다.
ㄷ. 양수 β에 대하여 $f(\beta)=g(\beta)=0$이면 모든 실수 x에 대하여 $\int_\beta^x tf(t)\,dt\ge 0$이다.

① ㄱ ② ㄷ ③ ㄱ, ㄴ ④ ㄴ, ㄷ ⑤ ㄱ, ㄴ, ㄷ

0771

정적분으로 나타내어진 함수의 그래프 추정
2009학년도 09월 평가원

함수 $f(x)=\begin{cases}-1 & (x<1)\\ -x+2 & (x\ge 1)\end{cases}$에 대하여 함수 $g(x)$를 $g(x)=\int_{-1}^x (t-1)f(t)\,dt$라 하자. [보기]에서 옳은 것만을 있는 대로 고른 것은?

ㄱ. $g(x)$는 구간 $(1,\ 2)$에서 증가한다.
ㄴ. $g(x)$는 $x=1$에서 미분가능하다.
ㄷ. 방정식 $g(x)=k$가 서로 다른 세 실근을 갖도록 하는 실수 k가 존재한다.

① ㄴ ② ㄷ ③ ㄱ, ㄴ ④ ㄱ, ㄷ ⑤ ㄱ, ㄴ, ㄷ

0772

정적분으로 나타내어진 함수의 그래프 추정
2013학년도 수능기출

삼차함수 $f(x)$는 $f(0)>0$을 만족시킨다. 함수 $g(x)$를

$$g(x)=\left|\int_0^x f(t)\,dt\right|$$

라 할 때, 함수 $y=g(x)$의 그래프가 오른쪽 그림과 같다. [보기]에서 옳은 것만을 있는 대로 고른 것은?

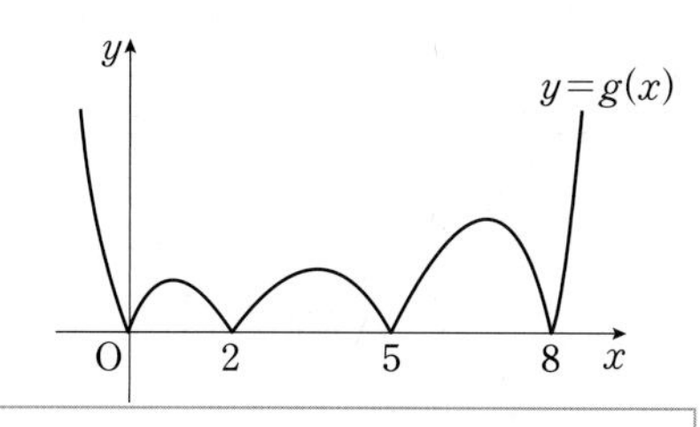

ㄱ. 방정식 $f(x)=0$은 서로 다른 3개의 실근을 갖는다.
ㄴ. $f'(0)<0$
ㄷ. $\int_m^{m+2} f(x)\,dx>0$을 만족시키는 자연수 m의 개수는 3이다.

① ㄴ ② ㄷ ③ ㄱ, ㄴ ④ ㄱ, ㄷ ⑤ ㄱ, ㄴ, ㄷ

정답 0769 : ⑤ 0770 : ⑤ 0771 : ③ 0772 : ⑤

© Photo by Annie Spratt on Unsplash

서걱서걱 낙엽밟는 소리

한국의 절기 ⑰ '한로'

자료출처 : 한국민속대백과사전 http://folkency.nfm.go.kr

24절기 가운데 17번째 절기로 찬이슬이 맺히기 시작하는 시기라는 뜻의 절기. 한로(寒露)는 양력 10월 8~9일 무렵이 입기일(入氣日)이며 태양이 황경 195도의 위치에 올 때이다. 음력으로는 9월의 절기로서 공기가 차츰 선선해짐에 따라 이슬(한로)이 찬 공기를 만나 서리로 변하기 직전의 시기이다. 한로 즈음은 찬이슬이 맺힐 시기여서 기온이 더 내려가기 전에 추수를 끝내야 하므로 농촌은 오곡백과를 수확하기 위해 타작이 한창인 때이다. 한편 여름철의 꽃보다 아름다운 가을 단풍이 짙어지고, 제비 같은 여름새와 기러기 같은 겨울새가 교체되는 시기이다. 한로는 중양절과 비슷한 시기에 드는 때가 많으므로 중양절 풍속인 머리에 수유(茱萸)를 꽂거나, 높은 데 올라가 고향을 바라본다든지 하는 내용이 한시(漢詩)에 자주 나타난다. 높은 산에 올라가 머리에 수유를 꽂으면 잡귀를 쫓을 수 있다고 믿는다. 이는 수유열매가 붉은 자줏빛인데 붉은색은 양(陽)색으로 벽사력(귀신을 물리치는 힘)을 가지고 있다고 믿기 때문이다.

한로와 상강(霜降) 무렵에 서민들은 시식(時食)으로 추어탕(鰍魚湯)을 즐겼다. 『본초강목(本草綱目)』에는 미꾸라지가 양기(陽氣)를 돋우는 데 좋다고 하였다. 가을에 누렇게 살찌는 가을 고기라 하여 미꾸라지를 추어(鰍魚)라 한 듯하다.

수학 II

Ⅰ 함수의 극한과 연속 Ⅱ 미분 Ⅲ 적분

04

정적분의 활용

1. 넓이
2. 넓이의 특별한 공식
3. 역함수의 넓이
4. 속도와 거리

01 넓이

MAPL; YOURMASTERPLAN

01 정적분과 넓이 사이의 관계

함수 $f(x)$가 닫힌구간 $[a, b]$에서 연속이고 $f(x) \geq 0$일 때,

곡선 $y=f(x)$와 x축 및 두 직선 $x=a$, $x=b$로 둘러싸인

도형의 넓이 S는 정적분 $\int_a^b f(x)dx$의 값과 같다.

$$S=\int_a^b f(x)dx$$

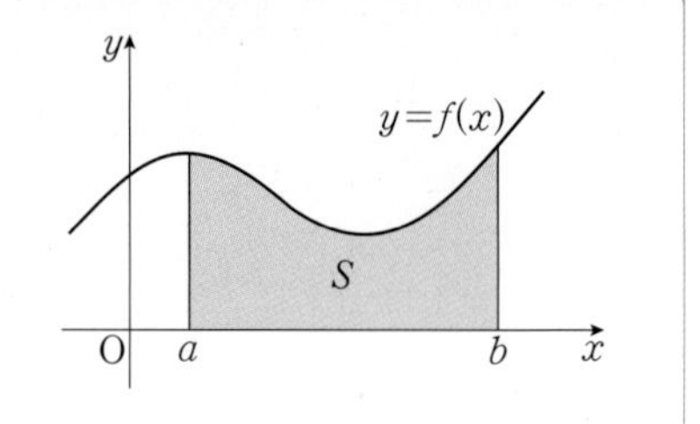

마플해설 함수 $y=f(t)$가 닫힌구간 $[a, b]$에서 연속이고 $f(t) \geq 0$일 때,

오른쪽 그림과 같이 곡선 $y=f(t)$와 t축 및 두 직선 $t=a$, $t=x$ $(a \leq x \leq b)$로 둘러싸인 도형의 넓이를 $S(x)$라 하자.

이때 t의 값이 x에서 $x+\Delta x$까지 변할 때, 넓이 $S(x)$의 증분을 ΔS라 하고

$\Delta S=S(x+\Delta x)-S(x)$

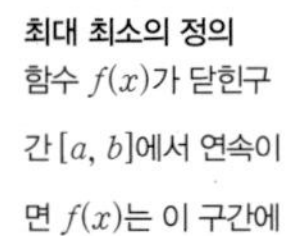
최대 최소의 정의
함수 $f(x)$가 닫힌구간 $[a, b]$에서 연속이면 $f(x)$는 이 구간에서 반드시 최댓값과 최솟값을 갖는다.

(ⅰ) $\Delta x>0$일 때,

함수 $f(t)$가 닫힌구간 $[x, x+\Delta x]$에서 연속이므로

최대 · 최소정리에 의하여 이 닫힌구간에서 최댓값 M과 최솟값 m을 갖는다.

$m\Delta x \leq \Delta S \leq M\Delta x$이고, 양변을 Δx로 나누면 $m \leq \dfrac{\Delta S}{\Delta x} \leq M$

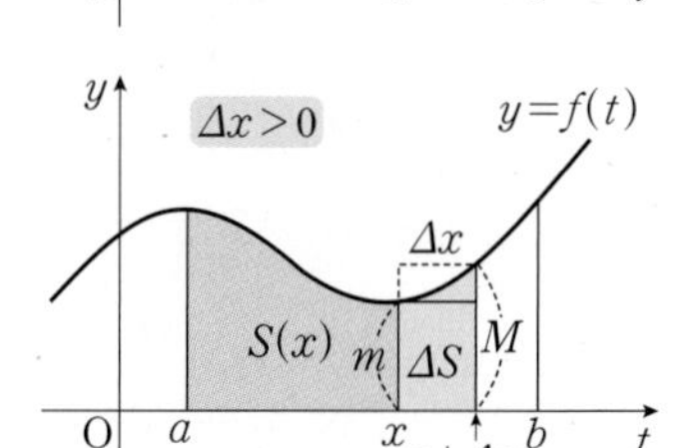

(ⅱ) $\Delta x<0$일 때,

함수 $f(t)$가 닫힌구간 $[x+\Delta x, x]$에서 연속이므로

최대 · 최소 정리에 의하여 이 닫힌구간에서 최댓값 M과 최솟값 m을 갖는다.

$m(-\Delta x) \leq \Delta S \leq M(-\Delta x)$이고, 양변을 $-\Delta x$로 나누면 $m \leq \dfrac{\Delta S}{\Delta x} \leq M$

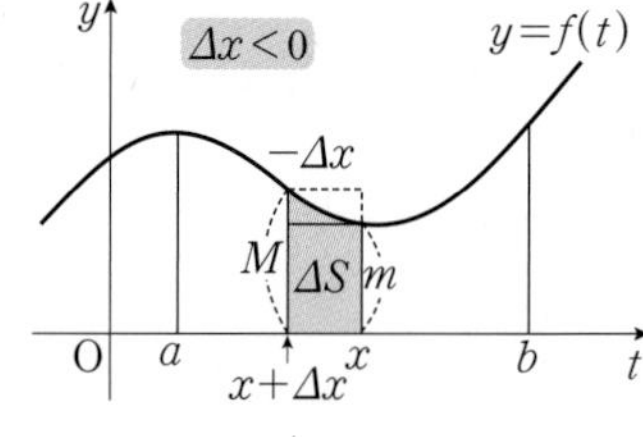

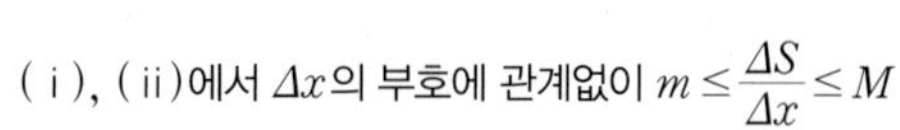
(ⅰ), (ⅱ)에서 Δx의 부호에 관계없이 $m \leq \dfrac{\Delta S}{\Delta x} \leq M$

여기서 $\Delta x \longrightarrow 0$이면 $\lim_{\Delta x \to 0} m \leq \lim_{\Delta x \to 0} \dfrac{\Delta S}{\Delta x} \leq \lim_{\Delta x \to 0} M$이고 함수 $f(x)$가 닫힌구간 $[a, b]$에서 연속이므로 $\Delta x \longrightarrow 0$이면 $m \longrightarrow f(x)$, $M \longrightarrow f(x)$이다. ← $\lim_{\Delta x \to 0} m=f(x)$, $\lim_{\Delta x \to 0} M=f(x)$

따라서 함수의 극한의 대소 관계에 의하여 다음이 성립한다.

$$\lim_{\Delta x \to 0} \frac{\Delta S}{\Delta x}=\lim_{\Delta x \to 0} \frac{S(x+\Delta x)-S(x)}{\Delta x}=f(x)$$

즉, $S'(x)=f(x)$이므로 $S(x)$는 $f(x)$의 한 부정적분임을 알 수 있다.

그러므로 $f(x)$의 다른 한 부정적분을 $F(x)$라 하면

$S(x)=\int f(x)dx=F(x)+C$ (C는 적분상수) …… ㉠

이고 $S(x)$의 정의에 의하여 $x=a$이면 $S(a)=0$이므로 $S(a)=F(a)+C$

즉, $C=-F(a)$

이것을 ㉠에 대입하면 $S(x)=F(x)-F(a)$ …… ㉡

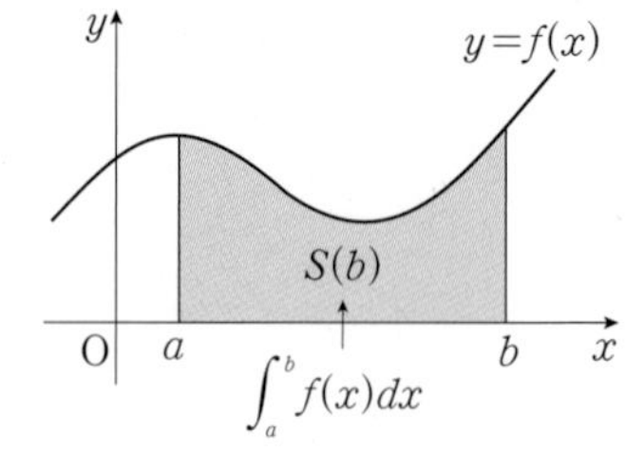

㉡에서 $x=b$를 대입하면 정적분의 정의에 의하여 $S(b)=F(b)-F(a)=\int_a^b f(x)dx$

이므로 곡선 $y=f(x)$와 x축 및 두 직선 $x=a$, $x=b$로 둘러싸인 도형의 넓이 $S(b)$는 $S(b)=\int_a^b f(x)dx$

보기 01 곡선 $y=x^2+2$와 x축 및 두 직선 $x=-1$, $x=2$으로 둘러싸인 도형의 넓이를 구하여라.

풀이 닫힌구간 $[-1, 2]$에서 $x^2+2>0$이므로 구하는 넓이 S는

$S=\int_{-1}^{2}(x^2+2)dx=\left[\dfrac{1}{3}x^3+2x\right]_{-1}^{2}=9$

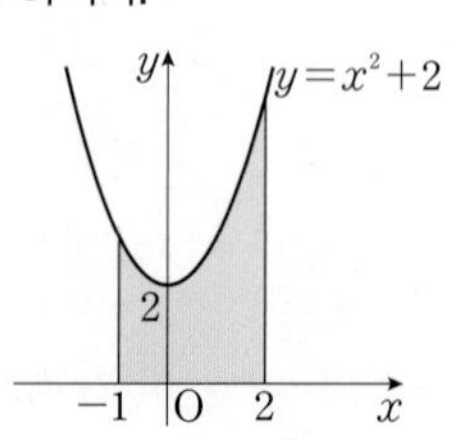

02 곡선과 x축 사이의 넓이

함수 $y=f(x)$가 구간 $[a, b]$에서 연속일 때, 곡선 $y=f(x)$와 x축 및 두 직선 $x=a$와 $x=b$로 둘러싸인 부분의 넓이 S는 다음과 같다.

$$S=\int_a^b |f(x)|dx$$

마플해설 함수 $y=f(x)$가 닫힌구간 $[a, b]$에서 연속일 때, 곡선 $y=f(x)$와 x축 및 두 직선 $x=a$, $x=b$로 둘러싸인 도형의 넓이 S를 구하면 다음과 같다.

	닫힌구간 $[a, b]$에서 $f(x)\geq 0$	닫힌구간 $[a, b]$에서 $f(x)\leq 0$	닫힌구간 $[a, c]$에서 $f(x)\geq 0$ 닫힌구간 $[c, b]$에서 $f(x)\leq 0$
그래프	$y=f(x)$, S, O, a, b, x, y	$y=-f(x)$, $y=f(x)$, S, O, a, b, x, y	$y=f(x)$, S, O, a, c, b, x, y
넓이	$S=\int_a^b f(x)dx$ $=\int_a^b \lvert f(x)\rvert dx$	$S=\int_a^b \{-f(x)\}dx$ $=\int_a^b \lvert f(x)\rvert dx$	$S=\int_a^c f(x)dx+\int_c^b \{-f(x)\}dx$ $=\int_a^c \lvert f(x)\rvert dx+\int_c^b \lvert f(x)\rvert dx$ $=\int_a^b \lvert f(x)\rvert dx$

보기 02 다음 도형의 넓이를 구하여라.

(1) 곡선 $y=x^2-2x$와 x축으로 둘러싸인 도형

(2) 곡선 $y=x^2-4x$와 x축 및 두 직선 $x=-1$, $x=3$로 둘러싸인 도형

풀이 (1) 곡선 $y=x^2-2x$와 x축과의 교점의 x좌표는 $x^2-2x=0$에서

$x(x-2)=0$, 즉 $x=0$ 또는 $x=2$

닫힌구간 $[0, 2]$에서 $x^2-2x\leq 0$이므로 구하는 넓이 S는

$$S=\int_0^2 |x^2-2x|dx=\int_0^2 (-x^2+2x)dx=\left[-\frac{x^3}{3}+x^2\right]_0^2=\frac{4}{3}$$

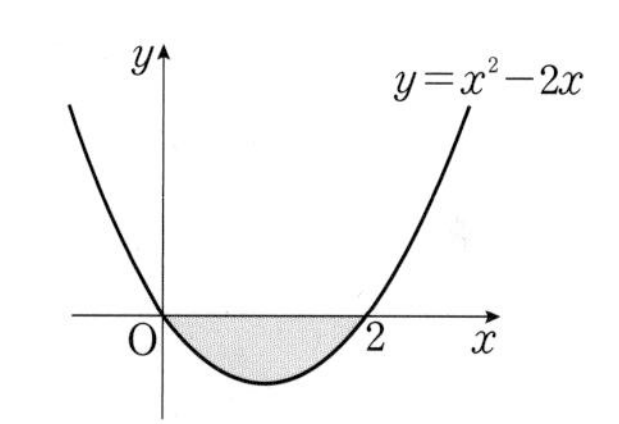

(2) 곡선 $y=x^2-4x$와 x축과의 교점의 x좌표는 $x^2-4x=0$에서

$x(x-4)=0$, 즉 $x=0$ 또는 $x=4$

닫힌구간 $[-1, 0]$에서 $x^2-4x\geq 0$이고 닫힌구간 $[0, 3]$에서

$x^2-4x\leq 0$이므로 구하는 넓이 S는

$$S=\int_{-1}^3 |x^2-4x|dx=\int_{-1}^0 (x^2-4x)dx+\int_0^3 (-x^2+4x)dx$$

$$=\left[\frac{x^3}{3}-2x^2\right]_{-1}^0+\left[-\frac{x^3}{3}+2x^2\right]_0^3=\frac{7}{3}+9=\frac{34}{3}$$

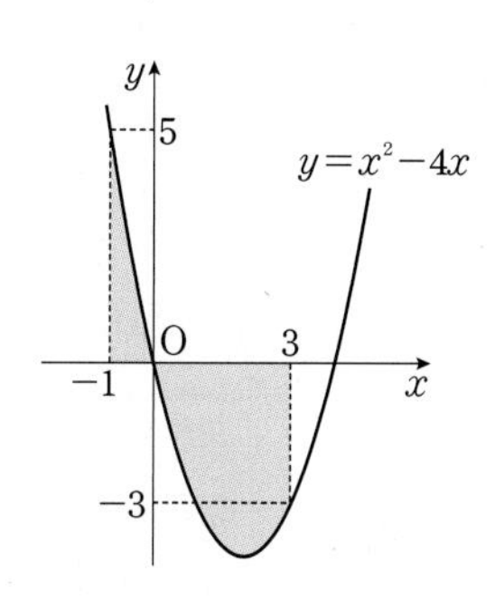

+α 더 알아보기

닫힌구간 $[a, b]$에서 $f(x)$의 값이 양수인 경우와 음수인 경우가 모두 있을 때에는 $f(x)$의 값이 양수인 구간과 음수인 구간으로 나누어 넓이를 구한다.

오른쪽 그림과 같이 닫힌구간 $[a, c]$에서 $f(x)\geq 0$이고, 닫힌구간 $[c, b]$에서 $f(x)\leq 0$인 함수 $f(x)$가 있다.

이때 곡선 $y=f(x)$와 x축 및 직선 $x=a$로 둘러싸인 도형의 넓이를 S_1,

곡선 $y=f(x)$와 x축 및 직선 $x=b$로 둘러싸인 도형의 넓이를 S_2라 하면

$S_1=\int_a^c f(x)dx$, $S_2=\int_c^b \{-f(x)\}dx$

곡선 $y=f(x)$와 x축 및 두 직선 $x=a$, $x=b$로 둘러싸인 도형의 넓이 S는 다음과 같다.

$$S=S_1+S_2=\int_a^c f(x)dx+\int_c^b \{-f(x)\}dx=\int_a^c |f(x)|dx+\int_c^b |f(x)|dx=\int_a^b |f(x)|dx$$

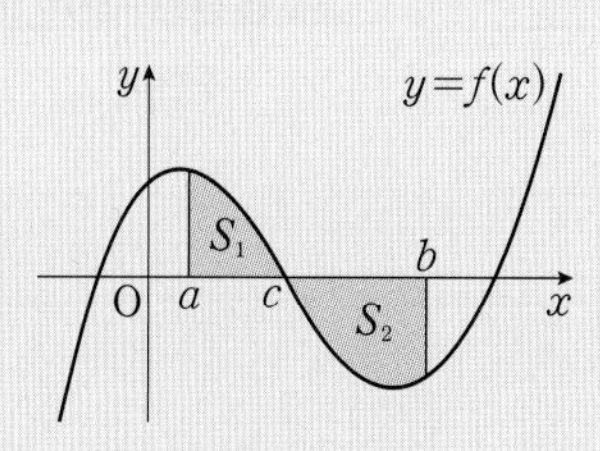

03 두 곡선 사이의 넓이

두 함수 $f(x)$, $g(x)$가 닫힌구간 $[a, b]$에서 연속일 때,
두 곡선 $y=f(x)$, $y=g(x)$와 두 직선 $x=a$, $x=b$로
둘러싸인 도형의 넓이 S는

$$S=\int_a^b |f(x)-g(x)|dx$$

참고 두 곡선 $y=f(x)$, $y=g(x)$으로 둘러싸인 부분이 x축 위쪽, 아래쪽, x축에 걸쳐있어도 넓이공식은 같다.

두 곡선 $y=f(x)$, $y=g(x)$와 두 직선 $x=a$, $x=b$로 둘러쌓인 도형의 넓이는

$$S=\int_a^b \{(\text{위쪽 그래프의 식})-(\text{아래쪽 그래프의 식})\}\,dx$$

마플해설 두 함수 $f(x)$, $g(x)$가 닫힌구간 $[a, b]$에서 연속일 때, 두 곡선 $y=f(x)$, $y=g(x)$와 두 직선 $x=a$, $x=b$로 둘러싸인 도형의 넓이 S를 구해보자.

(ⅰ) 구간 $[a, b]$에서 $f(x)\geq g(x)\geq 0$인 경우

$$\begin{aligned} S&=\int_a^b f(x)dx-\int_a^b g(x)dx \\ &=\int_a^b \{f(x)-g(x)\}dx \\ &=\int_a^b |f(x)-g(x)|dx \end{aligned}$$

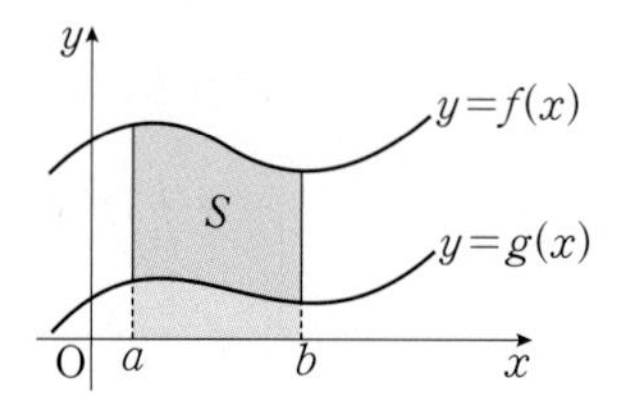

(ⅱ) 구간 $[a, b]$에서 $f(x)\geq g(x)$이고 $f(x)$ 또는 $g(x)$가 음의 값을 갖는 경우

오른쪽 그림과 같이 두 곡선 $y=f(x)$와 $y=g(x)$를 y축의 방향으로 k만큼 평행이동하여
$f(x)+k\geq g(x)+k\geq 0$
이 되도록 할 수 있다.
이때 평행이동한 도형의 넓이는 변하지 않으므로
S는 두 곡선 $y=f(x)+k$, $y=g(x)+k$ 및 두 직선 $x=a$, $x=b$로
둘러싸인 도형의 넓이와 같다. 따라서 S는 다음과 같다.

$$\begin{aligned} S&=\int_a^b [\{f(x)+k\}-\{g(x)+k\}]dx \\ &=\int_a^b \{f(x)-g(x)\}dx \\ &=\int_a^b |f(x)-g(x)|dx \end{aligned}$$

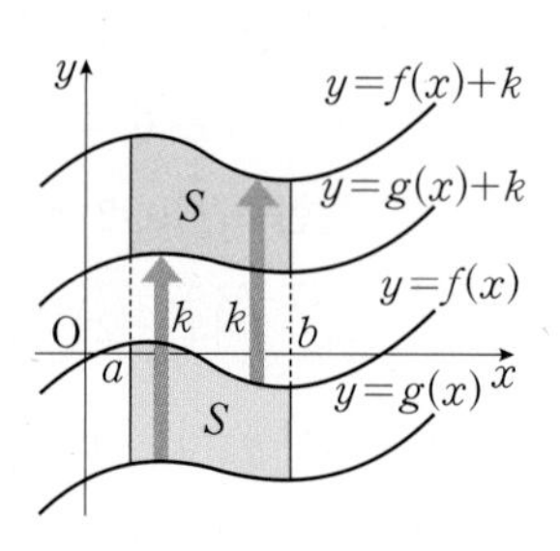

(ⅲ) 구간 $[a, c]$에서 $f(x)\geq g(x)$이고 구간 $[c, b]$에서 $f(x)\leq g(x)$인 경우

오른쪽 그림과 같이 닫힌 구간 $[a, c]$에서 $f(x)\geq g(x)$이고
닫힌구간 $[c, b]$에서 $f(x)\leq g(x)$이므로

$$\begin{aligned} S&=\int_a^c \{f(x)-g(x)\}dx+\int_c^b \{g(x)-f(x)\}dx \\ &=\int_a^c |f(x)-g(x)|dx+\int_c^b |f(x)-g(x)|dx \\ &=\int_a^b |f(x)-g(x)|dx \end{aligned}$$

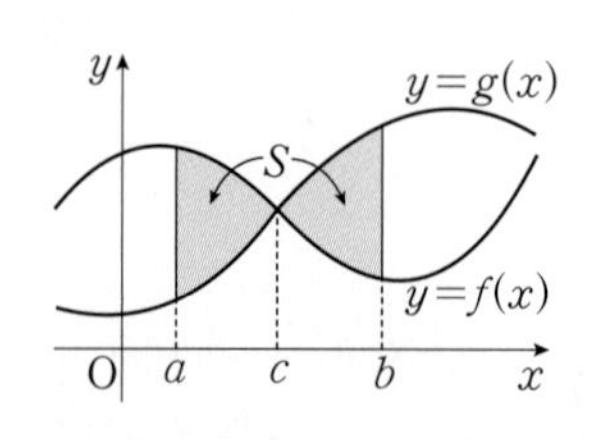

참고 닫힌구간 $[a, b]$에서 $f(x)$, $g(x)$의 대소가 바뀔 때는 $f(x)-g(x)$의 값이 양수인 구간과 음수인 구간으로 나누어 넓이를 구한다.

보기 03 다음 도형의 넓이를 구하여라.

(1) 곡선 $y=x^2-4x+3$과 직선 $y=x-1$로 둘러싸인 도형

(2) 두 곡선 $y=x^2+2x$, $y=-x^2+4$로 둘러싸인 도형

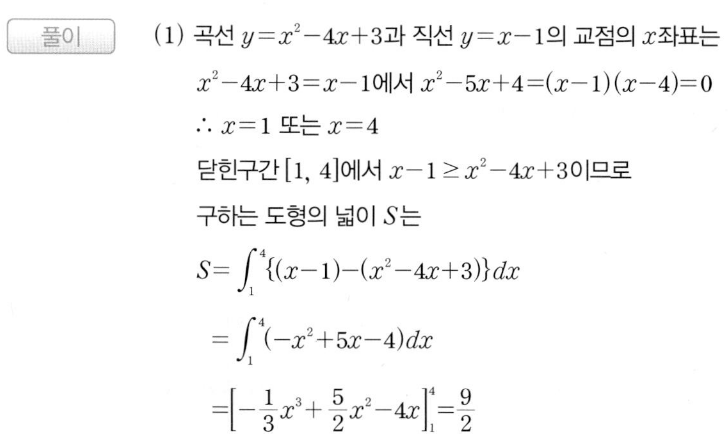

풀이 (1) 곡선 $y=x^2-4x+3$과 직선 $y=x-1$의 교점의 x좌표는

$x^2-4x+3=x-1$에서 $x^2-5x+4=(x-1)(x-4)=0$

$\therefore x=1$ 또는 $x=4$

닫힌구간 $[1,\ 4]$에서 $x-1 \ge x^2-4x+3$이므로

구하는 도형의 넓이 S는

$$S=\int_1^4 \{(x-1)-(x^2-4x+3)\}dx$$

$$=\int_1^4 (-x^2+5x-4)dx$$

$$=\left[-\frac{1}{3}x^3+\frac{5}{2}x^2-4x\right]_1^4=\frac{9}{2}$$

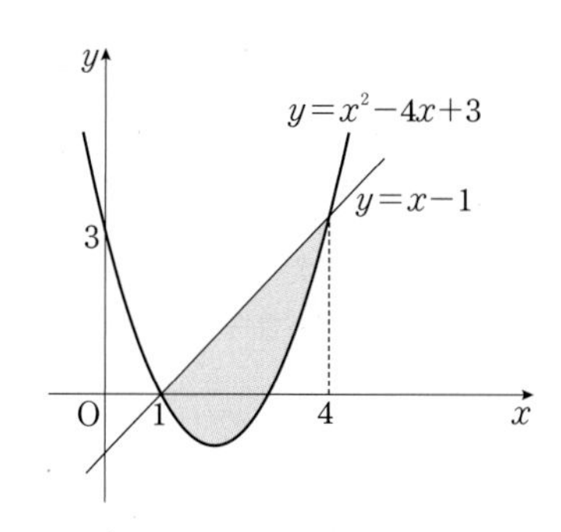

(2) 두 곡선 $y=x^2+2x$, $y=-x^2+4$의 교점의 x좌표는

$x^2+2x=-x^2+4$에서 $2x^2+2x-4=0$, $2(x+2)(x-1)=0$

$\therefore x=-2$ 또는 $x=1$

닫힌구간 $[-2,\ 1]$에서 $-x^2+4 \ge x^2+2x$이므로

구하는 도형의 넓이 S는

$$S=\int_{-2}^1 \{(-x^2+4)-(x^2+2x)\}dx$$

$$=\int_{-2}^1 (-2x^2-2x+4)dx$$

$$=\left[-\frac{2}{3}x^3-x^2+4x\right]_{-2}^1=9$$

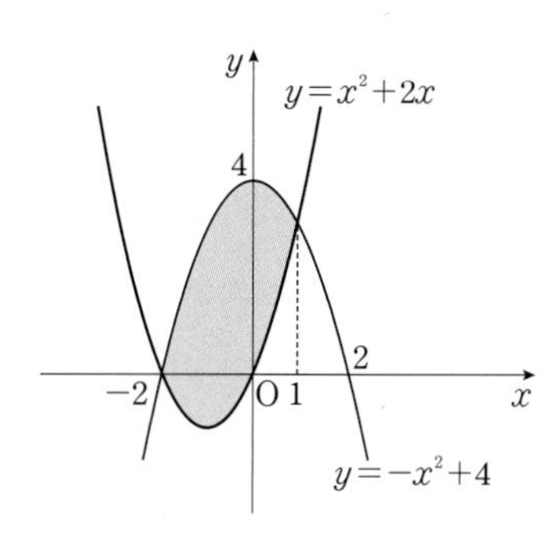

보기 04 두 곡선 $y=x^2$, $y=-x^2+2x$와 두 직선 $x=0$, $x=2$로 둘러싸인 도형의 넓이를 구하여라.

풀이 두 곡선 $y=x^2$, $y=-x^2+2x$의 교점의 x좌표는

$x^2=-x^2+2x$에서 $2x^2-2x=2x(x-1)=0$

$\therefore x=0$ 또는 $x=1$

닫힌구간 $[0,\ 1]$에서 $x^2 \le -x^2+2x$,

닫힌구간 $[1,\ 2]$에서 $x^2 \ge -x^2+2x$

이므로 구하는 넓이 S는

$$S=\int_0^1 \{(-x^2+2x)-x^2\}dx+\int_1^2 \{x^2-(-x^2+2x)\}dx$$

$$=\int_0^1 (-2x^2+2x)dx+\int_1^2 (2x^2-2x)dx$$

$$=\left[-\frac{2}{3}x^3+x^2\right]_0^1+\left[\frac{2}{3}x^3-x^2\right]_1^2$$

$$=\frac{1}{3}+\frac{5}{3}=2$$

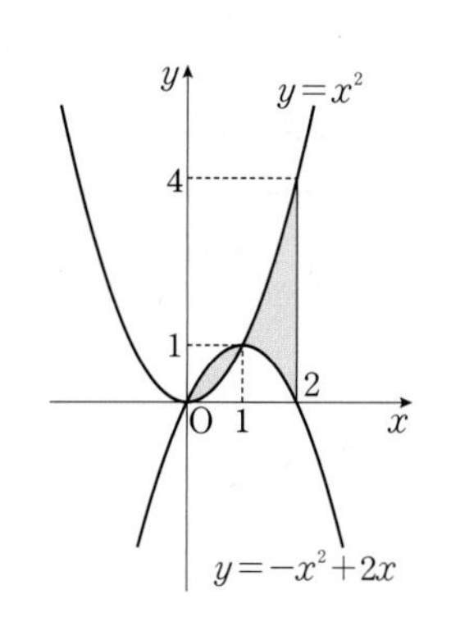

03 곡선과 y축 사이의 넓이(교육과정 外)

01 곡선과 y축 사이의 넓이

함수 $x=g(y)$가 구간 $[a, b]$에서 연속일 때, 곡선 $x=g(y)$와 y축 및 두 직선 $y=a$, $y=b$로 둘러싸인 부분의 넓이 S는 곡선과 x축 사이의 도형의 넓이를 구할 때와 같은 방법으로 하면 다음과 같다.

$$S=\int_a^b |g(y)|dy$$

보충해설 함수 $x=g(y)$가 구간 $[a, b]$에서 연속일 때, 곡선 $x=g(y)$와 y축 및 두 직선 $y=a$와 $y=b$로 둘러싸인 도형의 넓이 S를 구하여 보자.

(i) 구간 $[a, b]$에서 $g(y)\ge 0$일 때,

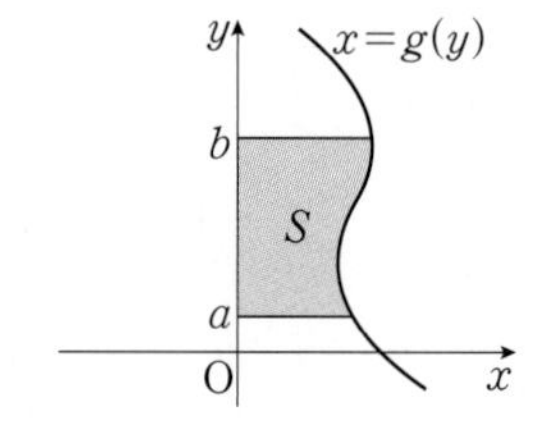

정적분의 정의에 의하여 구하는 넓이 S는

$S=\int_a^b g(y)dy=\int_a^b |g(y)|dy$

(ii) 구간 $[a, b]$에서 $g(y)\le 0$일 때,

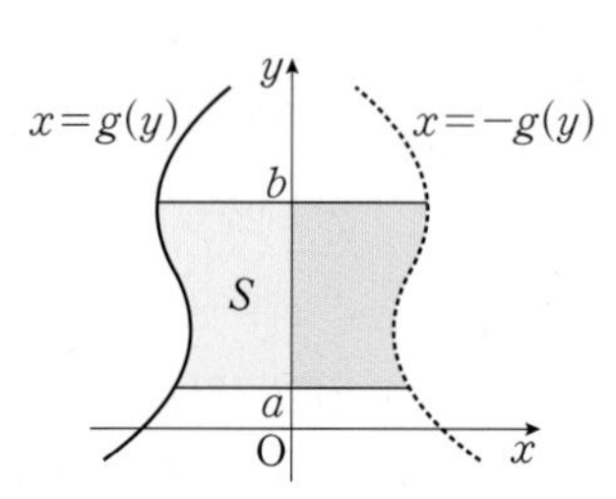

두 곡선 $x=g(y)$와 $x=-g(y)$는 y축에 대하여 대칭이고 $-g(y)\ge 0$이므로 구하는 넓이 S는 다음과 같다.

$S=\int_a^b \{-g(y)\}dy=\int_a^b |g(y)|dy$

(iii) 구간 $[a, b]$에서 $g(y)$의 값이 양수와 음수인 경우가 모두 있을 때,

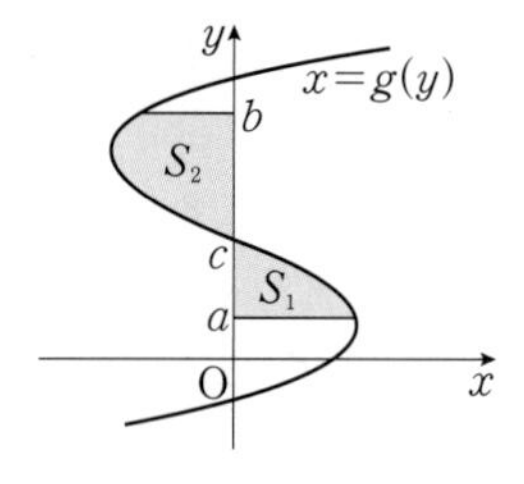

오른쪽 그림과 같이 구간 $[a, c]$에서 $g(y)\ge 0$이고 구간 $[c, b]$에서 $g(y)\le 0$일 때, 구하는 넓이 S는 다음과 같다.

$S=S_1+S_2=\int_a^c g(y)dy+\int_c^b \{-g(y)\}dy$

$=\int_a^c |g(y)|dy+\int_c^b |g(y)|dy=\int_a^b |g(y)|dy$

보기 01 다음 곡선과 직선으로 둘러싸인 부분의 넓이를 구하여라.

(1) $x=y^2$, y축, $y=1$, $y=3$ (2) $y^2=4-x$, $x=0$

풀이 (1) $g(y)=y^2$이라 하면 곡선 $x=g(y)$는 오른쪽 그림과 같다.

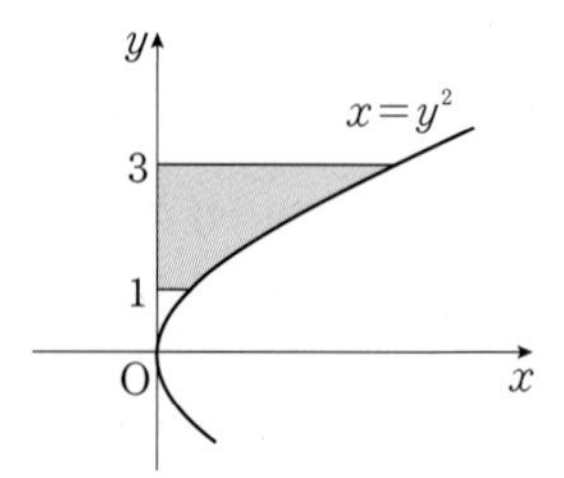

구하는 넓이 S는

$S=\int_1^3 y^2 dy=\left[\frac{1}{3}y^3\right]_1^3=\frac{26}{3}$

(2) $y^2=4-x$에서 $x=4-y^2$이므로 y절편은 $4-y^2=0$

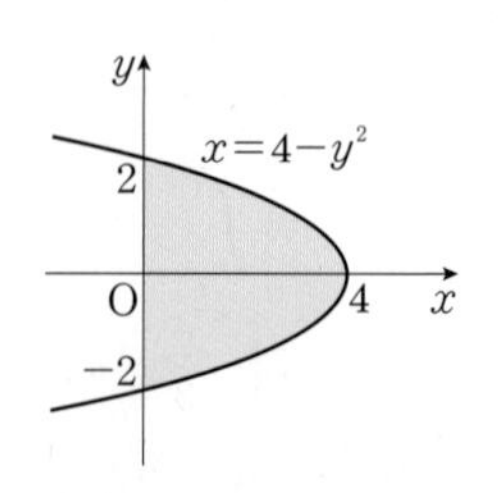

$(2-y)(2+y)=0$, 즉 $y=-2$ 또는 $y=2$

구간 $[-2, 2]$에서 $4-y^2\ge 0$이므로 구하는 넓이 S는

$S=\int_{-2}^2 xdy=\int_{-2}^2 (4-y^2)dy=2\int_0^2 (4-y^2)dy=2\left[4y-\frac{1}{3}y^3\right]_0^2=\frac{32}{3}$

02 두 곡선 사이의 넓이

두 곡선 $x=f(y)$, $x=g(y)$ 사이의 넓이

구간 $[a, b]$에서 $f(y)\geq g(y)$일 때, 두 곡선 $x=f(y)$, $x=g(y)$ 및 두 직선 $y=a$, $y=b$로 둘러싸인 도형의 넓이 S는

$$S=\int_a^b |f(y)-g(y)|dy$$ ← $S=\int_a^b${(오른쪽 그래프 식)−(왼쪽 그래프 식)}dy

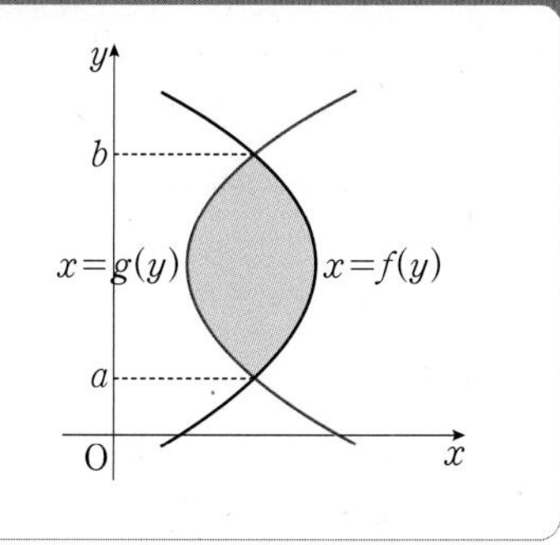

보기 01 다음 곡선 또는 직선으로 둘러싸인 도형의 넓이를 구하여라.

(1) $y^2=x$, $y=x-2$　　(2) $y=\sqrt{x}$, $y=x$

풀이 (1) 곡선 $y^2=x$와 직선 $y=x-2$의 교점의 y좌표는

$y^2=y+2$에서 $y^2-y-2=0$

$(y+1)(y-2)=0$　$\therefore y=-1$ 또는 $y=2$

$-1\leq y\leq 2$에서 $y^2\leq y+2$이므로

구하는 넓이 S는

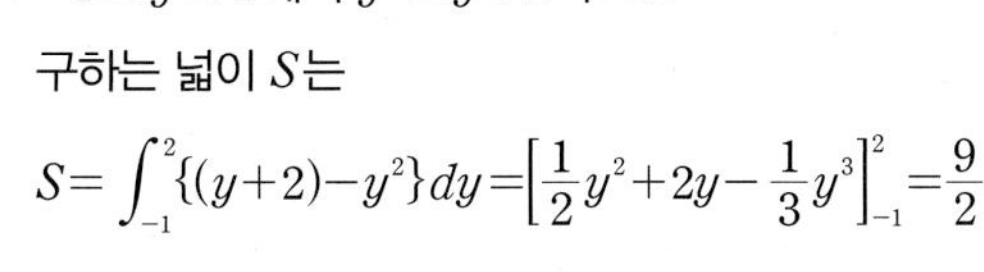

$$S=\int_{-1}^{2}\{(y+2)-y^2\}dy=\left[\frac{1}{2}y^2+2y-\frac{1}{3}y^3\right]_{-1}^{2}=\frac{9}{2}$$

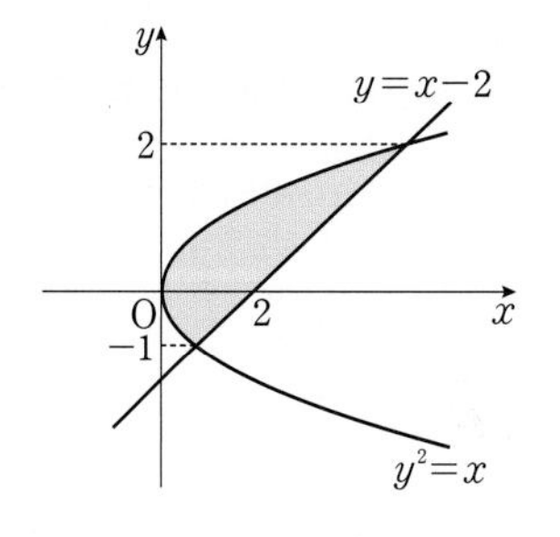

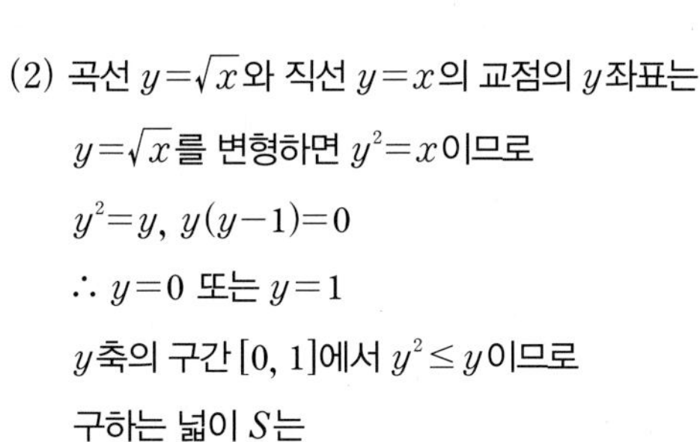

(2) 곡선 $y=\sqrt{x}$와 직선 $y=x$의 교점의 y좌표는

$y=\sqrt{x}$를 변형하면 $y^2=x$이므로

$y^2=y$, $y(y-1)=0$

$\therefore y=0$ 또는 $y=1$

y축의 구간 $[0, 1]$에서 $y^2\leq y$이므로

구하는 넓이 S는

$$S=\int_0^1(y-y^2)dy=\left[\frac{1}{2}y^2-\frac{1}{3}y^3\right]_0^1=\frac{1}{6}$$

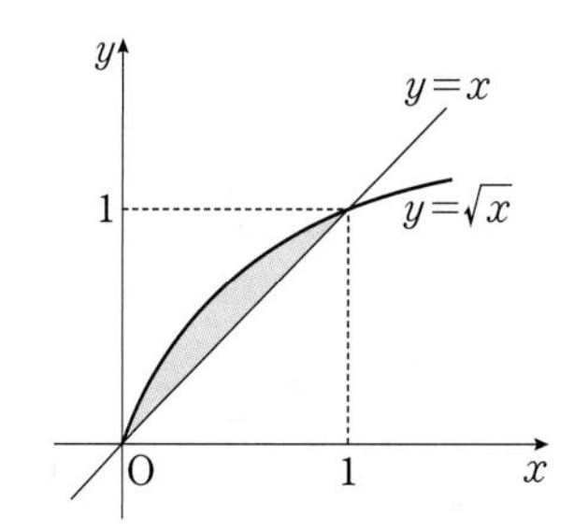

(1) 곡선 $x=ay^2$

① 대칭축이 x축인 포물선이다.

② $a>0$이면 왼쪽으로 볼록하고, $a<0$이면 오른쪽으로 볼록하다.

③ $|a|$값이 커지면 x축에 가까워진다.

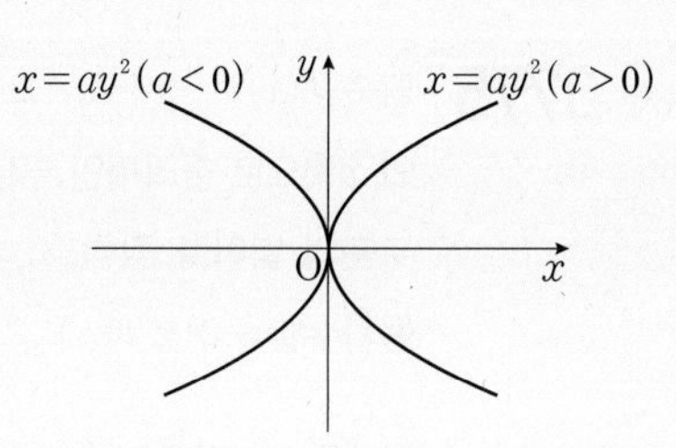

(2) 곡선 $x-n=a(y-m)^2$ ← 포물선 $x=ay^2$을 x축 방향으로 n만큼 y축 방향으로 m만큼 평행이동 한다.

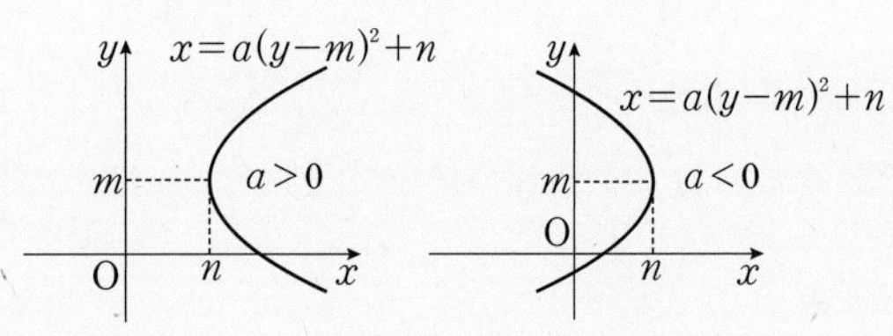

마플개념익힘 01 곡선과 x축, y축으로 둘러싸인 도형의 넓이의 비

오른쪽 그림과 같은 $y=x^2-4x+p$의 그래프에서 A부분과 B부분의 넓이의 비가 $1:2$일 때, 상수 p의 값을 구하여라.

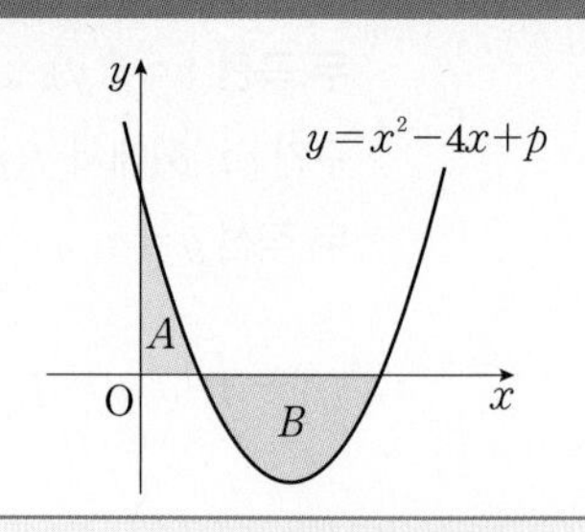

MAPL CORE 오른쪽 그림에서 곡선 $y=f(x)$와 x축으로 둘러싸인 두 도형의 넓이가 같으면

$\int_a^c f(x)\,dx=-\int_c^b f(x)\,dx$이므로, 즉 $\int_a^b f(x)\,dx=0$이다.

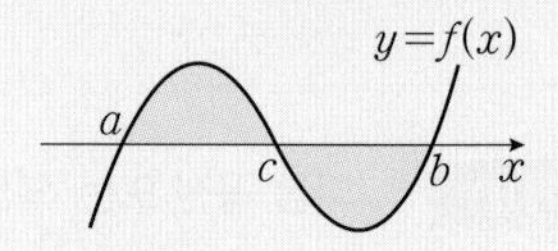

개념익힘 | **풀이** $y=x^2-4x+p=(x-2)^2+p-4$에서 주어진 그래프는 $x=2$에서 대칭이고 넓이 B는 $x=2$에 의해 이등분된다.

이때 A부분과 B부분의 넓이의 비가 $1:2$에서 $\frac{1}{2}\mathrm{B}=\mathrm{A}$이므로

A는 $y=x^2-4x+p$와 x축 및 $x=2$로 둘러싸인 도형의 넓이와 같다.

즉, $\int_0^2 (x^2-4x+p)\,dx=0$이다.

$\int_0^2 (x^2-4x+p)\,dx=\left[\frac{1}{3}x^3-2x^2+px\right]_0^2=\frac{8}{3}-8+2p$

따라서 $-\frac{16}{3}+2p=0$이므로 $p=\mathbf{\frac{8}{3}}$

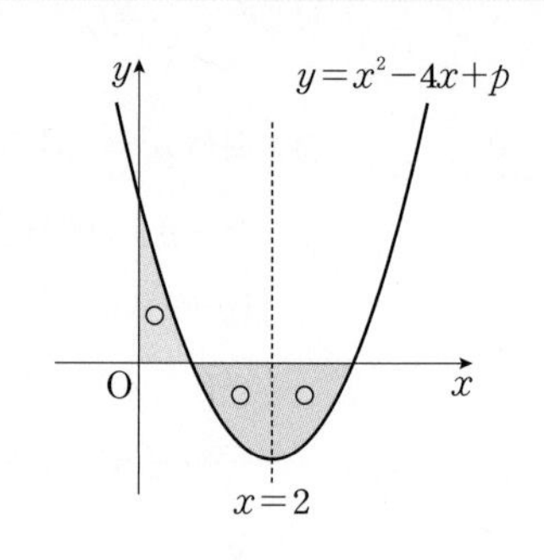

확인유제 0773 오른쪽 그림과 같이 곡선 $y=-x^2+8x+a$와 x축 및 y축으로 둘러싸인 부분의 넓이를 각각 P, Q라고 하고 $P:Q=1:2$일 때, 상수 a의 값을 구하여라.

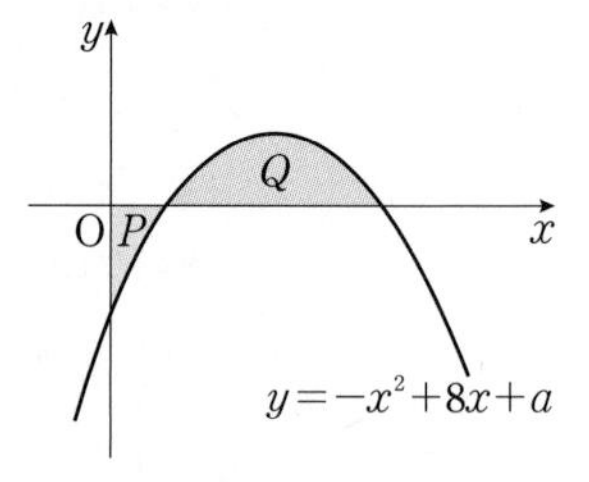

변형문제 0774
2009년 07월 교육청

오른쪽 그림과 같이 곡선 $f(x)=x^2-5x+4$와 x축 및 y축으로 둘러싸인 부분의 넓이를 S_1, 곡선 $y=f(x)$와 x축으로 둘러싸인 부분의 넓이를 S_2, 곡선 $y=f(x)$와 x축 및 $x=k\,(k>4)$로 둘러싸인 부분의 넓이를 S_3이라 하자. S_1, S_2, S_3이 이 순서대로 등차수열을 이룰 때, $\int_0^k f(x)\,dx$의 값을 구하여라.

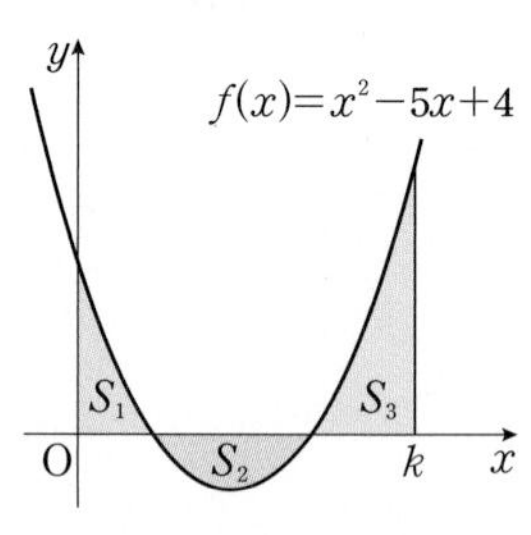

발전문제 0775
2012년 10월 교육청

함수 $f(x)=-x^2+x+2$에 대하여 오른쪽 그림과 같이 곡선 $y=f(x)$와 x축으로 둘러싸인 부분을 y축과 직선 $x=k\,(0<k<2)$로 나눈 세 부분의 넓이를 각각 S_1, S_2, S_3이라 하자. S_1, S_2, S_3이 이 순서대로 등차수열을 이룰 때, S_2의 값은?

① 1　② $\frac{5}{4}$　③ $\frac{4}{3}$
④ $\frac{3}{2}$　⑤ 2

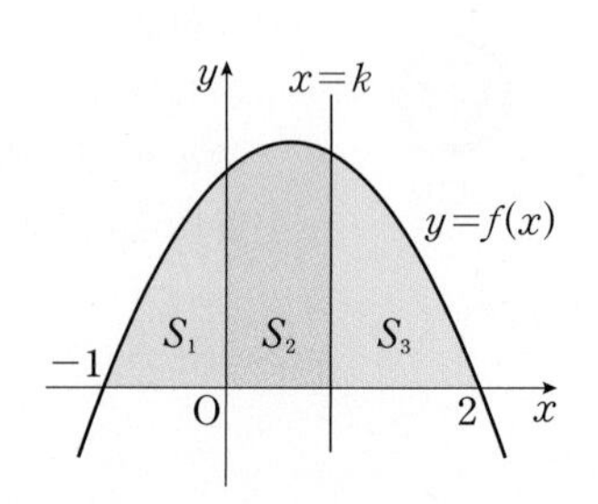

정답　0773 : $-\frac{32}{3}$　0774 : $\frac{9}{2}$　0775 : ④

마플개념익힘 02 곡선과 x축으로 둘러싸인 도형의 넓이

다음을 구하여라.

(1) 곡선 $y=x^2-3x$와 x축 및 두 직선 $x=-1$과 $x=2$로 둘러싸인 도형의 넓이를 구하여라.

(2) 곡선 $y=x^3-x$와 x축으로 둘러싸인 도형의 넓이를 구하여라.

MAPL CORE 곡선 $y=f(x)$와 x축 사이의 넓이를 구할 때는 그래프의 개형을 그린 후, x축과 그래프로 둘러싸인 부분이

(1) x축 위에 있을 때, $S=\int_a^b f(x)\,dx$ (2) x축 아래에 있을 때, $S=-\int_a^b f(x)\,dx$

개념익힘 | **풀이**

(1) 곡선 $y=x^2-3x$와 x축의 교점의 x좌표는 $x^2-3x=0$에서

$x(x-3)=0$ $\therefore x=0$ 또는 $x=3$

닫힌구간 $[-1, 0]$에서 $y \geq 0$이고 닫힌구간 $[0, 2]$에서 $y \leq 0$

이므로 구하는 넓이를 S라 하면

$$S=\int_{-1}^0 (x^2-3x)\,dx+\int_0^2 (-x^2+3x)\,dx$$

$$=\left[\frac{1}{3}x^3-\frac{3}{2}x^2\right]_{-1}^0+\left[-\frac{1}{3}x^3+\frac{3}{2}x^2\right]_0^2$$

$$=\frac{31}{6}$$

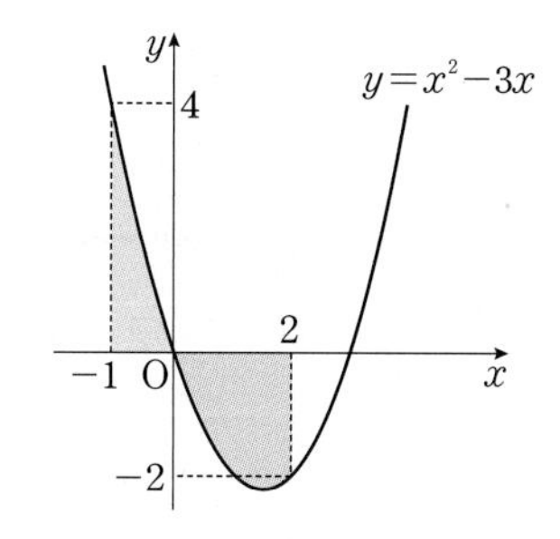

(2) 곡선 $y=x^3-x$와 x축의 교점의 x좌표는 $x^3-x=0$에서

$x(x^2-1)=x(x+1)(x-1)=0$

$\therefore x=-1$ 또는 $x=0$ 또는 $x=1$

닫힌구간 $[-1, 0]$에서 $y \geq 0$, 닫힌구간 $[0, 1]$에서 $y \leq 0$

이므로 구하는 넓이를 S라 하면

$$S=\int_{-1}^0 (x^3-x)\,dx+\int_0^1 (-x^3+x)\,dx$$

$$=\left[\frac{x^4}{4}-\frac{x^2}{2}\right]_{-1}^0+\left[-\frac{x^4}{4}+\frac{x^2}{2}\right]_0^1$$

$$=\frac{1}{4}+\frac{1}{4}=\mathbf{\frac{1}{2}}$$

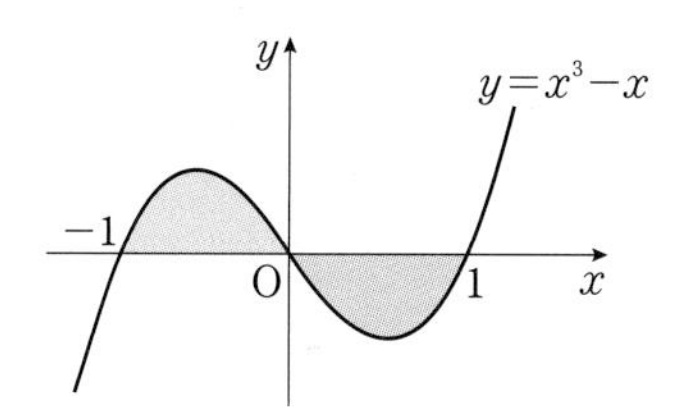

확인유제 0776 다음을 구하여라.

(1) 곡선 $y=2x^3$과 x축 및 두 직선 $x=-2$, $x=a$로 둘러싸인 도형의 넓이가 $\frac{17}{2}$일 때, 양수 a의 값을 구하여라.

2014학년도 05월 평가원

(2) 함수 $y=4x^3-12x^2+8x$의 그래프와 x축으로 둘러싸인 부분의 넓이를 구하여라.

변형문제 0777 최고차항의 계수가 1인 이차함수 $f(x)$는 다음 조건을 만족한다.

2013학년도 수능기출

(가) $f(2+x)=f(2-x)$

(나) $\int_0^{2020} f(x)\,dx=\int_3^{2020} f(x)\,dx$

이때 곡선 $y=f(x)$와 x축으로 둘러싸인 부분의 넓이가 S일 때, $15S$의 값을 구하여라.

발전문제 0778 곡선 $f(x)=6x^2+1$과 x축 및 두 직선 $x=1-h$, $x=1+h\,(h>0)$로 둘러싸인 부분의 넓이를 $S(h)$라 할 때,

2008학년도 09월 평가원

$\lim_{h \to 0+} \frac{S(h)}{h}$의 값을 구하여라.

정답 0776 : (1) 1 (2) 2 0777 : 20 0778 : 14

마플개념익힘 03 두 곡선 사이의 넓이

오른쪽 그림과 같이 곡선 $y=-2x^2+6x$와 x축으로 둘러싸인 도형이 직선 $y=2x$로 나누어진 부분 중 위쪽과 아래쪽의 넓이를 각각 S_1, S_2라 할 때, $\frac{S_2}{S_1}$의 값을 구하여라.

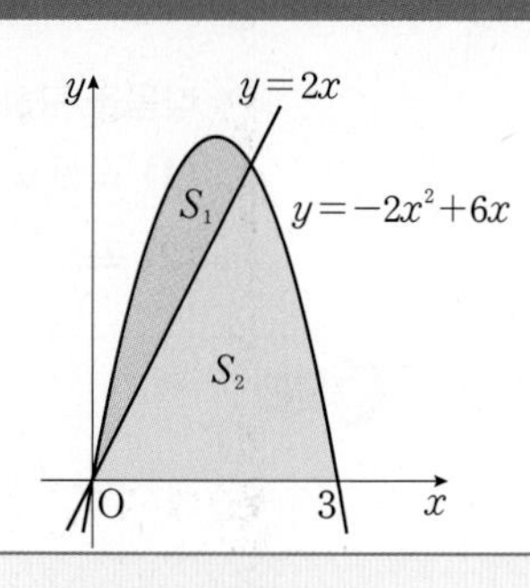

MAPL CORE 적분변수를 x로 하여 두 곡선 사이의 넓이를 구하는 방법은 다음과 같다.
[1단계] 두 곡선의 교점의 x좌표를 구하여 적분구간을 정한다.
[2단계] 두 곡선의 위치 관계를 파악한다.
[3단계] 적분구간에서 {(위쪽에 있는 곡선의 식)−(아래쪽에 있는 곡선의 식)}을 적분한 값을 구한다.

개념익힘 | 풀이 곡선 $y=-2x^2+6x$와 직선 $y=2x$의 교점의 x좌표는

$-2x^2+6x=2x$

즉, $2x^2-4x=0$에서 $2x(x-2)=0$이므로 $x=0$ 또는 $x=2$

닫힌구간 $[0, 2]$에서 $-2x^2+6x \geq 2x$이므로

$$S_1=\int_0^2\{(-2x^2+6x)-2x\}dx=\int_0^2(-2x^2+4x)\,dx=\left[-\frac{2}{3}x^3+2x^2\right]_0^2=\frac{8}{3}$$

닫힌구간 $[0, 3]$에서 $-2x^2+6x \geq 0$이므로

$$S_2=\int_0^3(-2x^2+6x)\,dx-S_1=\left[-\frac{2}{3}x^3+3x^2\right]_0^3-\frac{8}{3}=9-\frac{8}{3}=\frac{19}{3}$$

따라서 $\frac{S_2}{S_1}=\frac{\frac{19}{3}}{\frac{8}{3}}=\mathbf{\frac{19}{8}}$

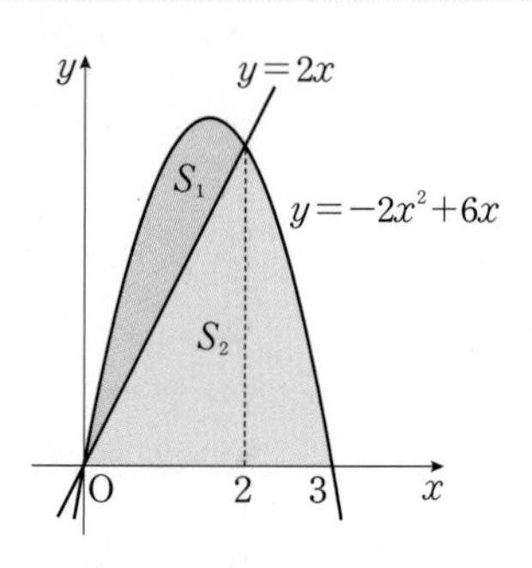

확인유제 0779 오른쪽 그림과 같이 곡선 $y=-x^2+4x$와 x축으로 둘러싸인 도형을 직선 $y=x$로 나눈 두 부분의 넓이를 각각 S_1, S_2라고 할 때, $\frac{S_1}{S_2}$의 값을 구하여라.

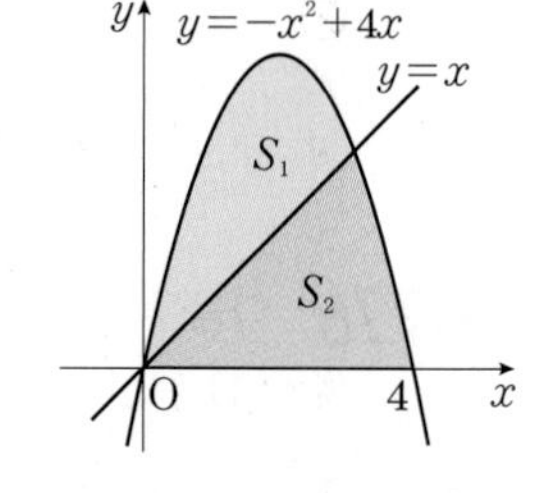

변형문제 0780 오른쪽 그림에서 이차함수 $y=f(x)$와 직선 $y=g(x)$로 둘러싸인 부분의 넓이는?

① 2　② 4　③ 7
④ 9　⑤ 12

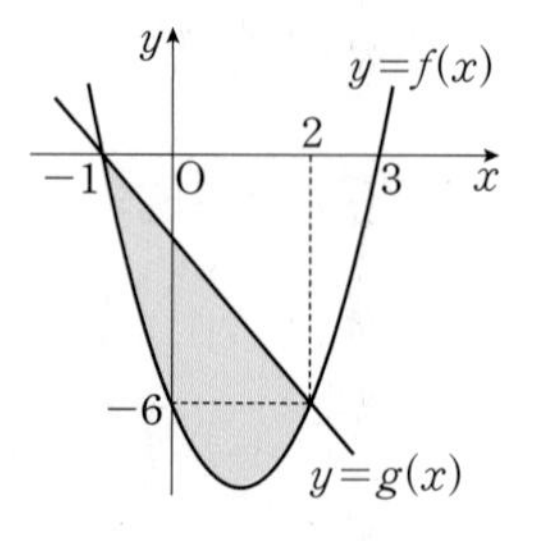

발전문제 0781 다음 곡선과 직선 또는 두 곡선으로 둘러싸인 도형의 넓이를 구하여라.

(1) $y=x^3-x^2-x$, $y=x$　(2) $y=x^2-2x$, $y=-x^3+x^2+2x$

정답　0779 : $\frac{27}{37}$　0780 : ④　0781 : (1) $\frac{37}{12}$ (2) 8

마플개념익힘 04 절댓값 기호를 포함한 함수의 그래프와 넓이

곡선 $y=|x(x-2)|$와 직선 $y=3$으로 둘러싸인 도형의 넓이를 구하여라.

MAPL CORE 절댓값 기호가 포함된 함수는 절댓값 기호 안의 부호에 따라 구간을 나누어 적분한다.

개념익힘 | 풀이 $y=|x(x-2)|=\begin{cases} x^2-2x & (x\le 0 \text{ 또는 } x\ge 2) \\ -x^2+2x & (0\le x\le 2) \end{cases}$

곡선 $y=|x(x-2)|$와 직선 $y=3$의 교점은

$x<0$ 또는 $x>2$일 때, 존재하므로 이 교점의 x좌표는

$x^2-2x=3$, 즉 $x^2-2x-3=0$에서 $(x+1)(x-3)=0$이므로

$x=-1$ 또는 $x=3$

따라서 구하는 넓이를 S라 하면

$S=\int_{-1}^{3}\{3-(x^2-2x)\}dx-2\int_{0}^{2}(-x^2+2x)dx$

$=\left[-\frac{1}{3}x^3+x^2+3x\right]_{-1}^{3}-2\left[-\frac{1}{3}x^3+x^2\right]_{0}^{2}$

$=\frac{32}{3}-\frac{8}{3}=\frac{24}{3}=\mathbf{8}$

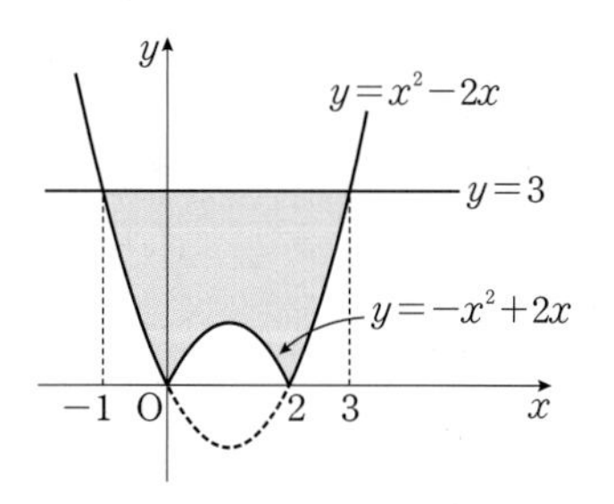

참고 구하는 넓이를 S라 하면

$S=\int_{-1}^{0}\{3-(x^2-2x)\}dx+\int_{0}^{2}\{3-(-x^2+2x)\}dx+\int_{2}^{3}\{3-(x^2-2x)\}dx$

$=\left[-\frac{1}{3}x^3+x^2+3x\right]_{-1}^{0}+\left[\frac{1}{3}x^3-x^2+3x\right]_{0}^{2}+\left[-\frac{1}{3}x^3+x^2+3x\right]_{2}^{3}$

$=\frac{5}{3}+\frac{14}{3}+\frac{5}{3}=\frac{24}{3}=\mathbf{8}$

확인유제 0782 함수 $y=|x^2-4x+3|$의 그래프와 직선 $y=8$로 둘러싸인 부분의 넓이를 구하여라.

2016년 10월 교육청

변형문제 0783 함수 $f(x)=|x^2-2|$의 그래프와 직선 $y=k$가 서로 다른 세 점에서 만날 때, 다음 중 함수 $y=f(x)$의 그래프와 직선 $y=k$로 둘러싸인 부분의 넓이는? (단, k는 상수이다.)

① $\frac{16}{3}(2-\sqrt{2})$ ② $\frac{16}{3}(3-\sqrt{2})$ ③ $\frac{8}{3}(3-\sqrt{2})$ ④ $\frac{32}{3}(2-\sqrt{2})$ ⑤ $\frac{32}{3}(3-\sqrt{2})$

발전문제 0784 곡선 $y=|x(x-1)|$과 직선 $y=x+3$으로 둘러싸인 도형의 넓이를 구하여라.

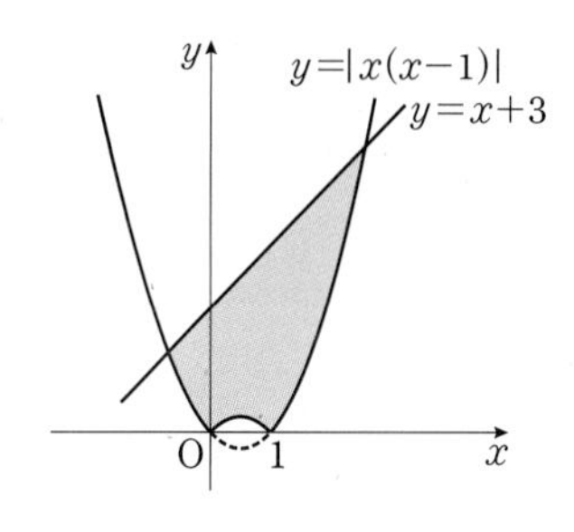

정답 0782 : $\frac{100}{3}$ 0783 : ① 0784 : $\frac{31}{3}$

04 정적분의 활용

02 넓이의 특별한 공식

MAPL; YOURMASTERPLAN

01 포물선과 x축이 두 점에서 만날 때, 넓이 공식

포물선 $y=ax^2+bx+c(a\neq0)$의 그래프가 x축과 서로 다른 두 점 α, $\beta(\alpha<\beta)$에서 만날 때, 이 포물선과 x축으로 둘러싸인 도형의 넓이 S는

$$S=\int_\alpha^\beta|ax^2+bx+c|dx=\frac{|a|}{6}(\beta-\alpha)^3$$

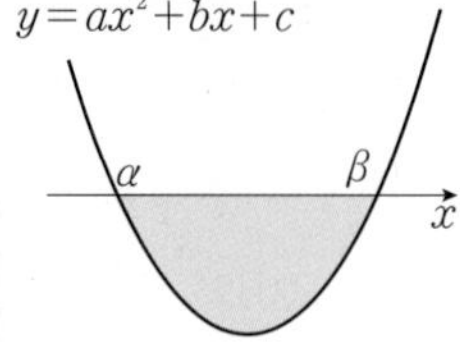

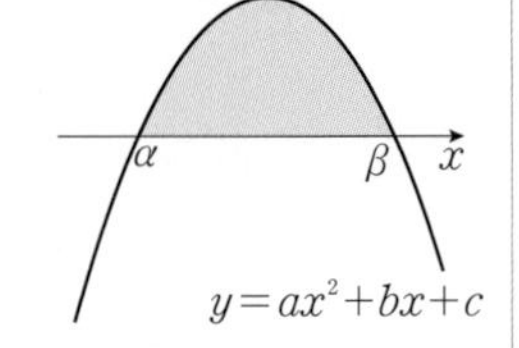

증명 이차방정식 $ax^2+bx+c=0$의 두 실근을 α, $\beta(\alpha<\beta)$라 하면 $ax^2+bx+c=a(x-\alpha)(x-\beta)$이므로

$$\begin{aligned}\int_\alpha^\beta a(x-\alpha)(x-\beta)dx&=a\int_\alpha^\beta\{x^2-(\alpha+\beta)x+\alpha\beta\}dx\\&=a\left[\frac{1}{3}x^3-\frac{1}{2}(\alpha+\beta)x^2+\alpha\beta x\right]_\alpha^\beta\\&=a\left\{\frac{1}{3}(\beta^3-\alpha^3)-\frac{1}{2}(\alpha+\beta)(\beta^2-\alpha^2)+\alpha\beta(\beta-\alpha)\right\}\\&=\frac{a}{6}(\beta-\alpha)\{2(\beta^2+\alpha\beta+\alpha^2)-3(\alpha+\beta)^2+6\alpha\beta\}\\&=-\frac{a}{6}(\beta-\alpha)(\beta^2-2\alpha\beta+\alpha^2)\\&=-\frac{a}{6}(\beta-\alpha)^3\end{aligned}$$

$\therefore S=\int_\alpha^\beta|ax^2+bx+c|dx=\int_\alpha^\beta|a(x-\alpha)(x-\beta)|dx=\frac{|a|(\beta-\alpha)^3}{6}$

보기 01 곡선 $y=x^2-3x+2$와 x축으로 둘러싸인 넓이를 구하여라.

풀이 곡선 $y=x^2-3x+2$와 x축의 교점의 x좌표를 구하면

$x^2-3x+2=0$에서 $(x-1)(x-2)=0$ $\therefore x=1$ 또는 $x=2$

따라서 구하는 넓이를 S라 하고 공식을 이용하면

$S=\int_1^2(x^2-3x+2)dx=\frac{|1|}{6}(2-1)^3=\frac{1}{6}$

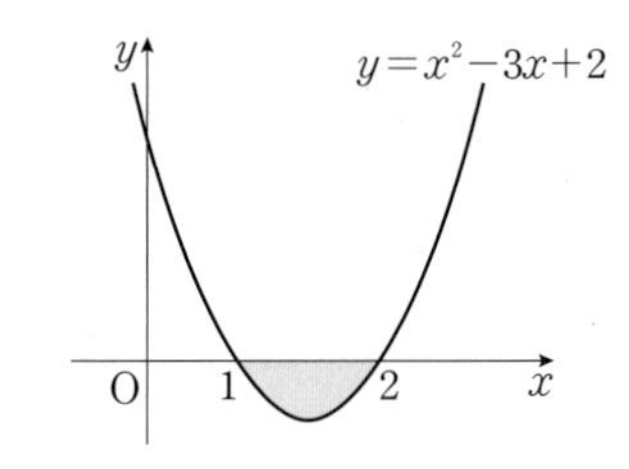

보기 02 곡선 $y=-x^2+ax$와 x축으로 둘러싸인 도형의 넓이가 $\frac{4}{3}$일 때, 양수 a의 값을 구하여라.

풀이 곡선 $y=-x^2+ax$와 x축의 교점의 x좌표를 구하면

$-x^2+ax=0$, $x(x-a)=0$ $\therefore x=0$ 또는 $x=a$

따라서 구하는 넓이를 S라 하고 공식을 이용하면

$S=\int_0^a(-x^2+ax)dx=\int_0^a-x(x-a)dx=\frac{|-1|}{6}(a-0)^3=\frac{a^3}{6}$

즉, $\frac{a^3}{6}=\frac{4}{3}$이므로 $a^3=8$, $a^3-8=0$, $(a-2)(a^2+2a+4)=0$

$\therefore a=2$

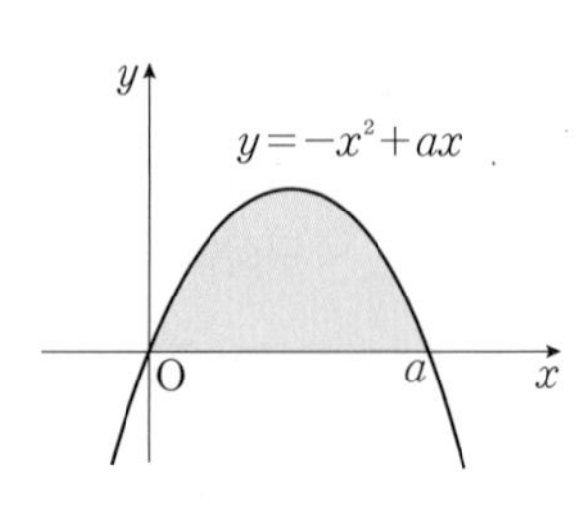

보기 03 곡선 $y^2=1-ax$와 y축으로 둘러싸인 부분의 넓이가 $\frac{4}{3}$일 때, 양수 a의 값을 구하여라.

풀이 곡선 $y^2=1-ax$에서 $x=-\frac{1}{a}y^2+\frac{1}{a}$이므로 주어진 곡선과 y축의 교점의 y좌표는

$-\frac{1}{a}y^2+\frac{1}{a}=0,\ y^2-1=0,\ (y+1)(y-1)=0$

$\therefore\ y=-1$ 또는 $y=1$

따라서 구하는 넓이를 S라 하고 공식을 이용하면

$$S=\int_{-1}^{1}\left(-\frac{1}{a}y^2+\frac{1}{a}\right)dy=\frac{\left|-\frac{1}{a}\right|}{6}\{1-(-1)\}^3=\frac{4}{3a}$$

따라서 $\frac{4}{3a}=\frac{4}{3}$이므로 $a=1$이다.

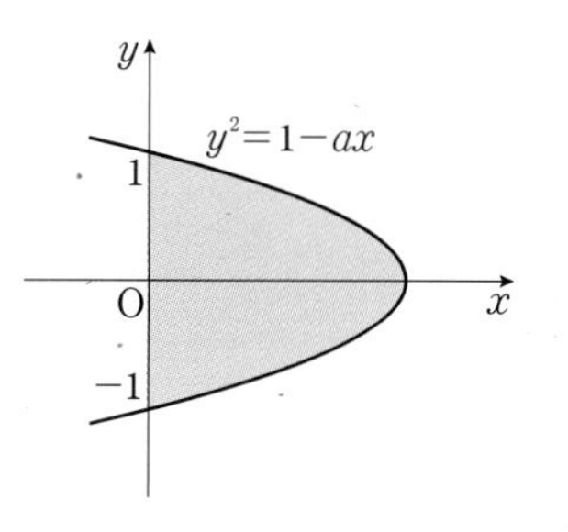

+α 더 알아보기

포물선과 x축으로 둘러싸인 도형의 넓이의 증명

[방법1] **포물선의 그래프와 x축으로 둘러싸인 도형의 넓이를 정적분을 이용하여 구하기**

이차함수 $y=ax(x-k)\,(a<0,\ k>0)$의 그래프와 x축으로 둘러싸인 도형의 넓이를 S라고 하면

$$S=\int_0^k ax(x-k)dx=a\int_0^k(x^2-kx)dx=a\left[\frac{1}{3}x^3-\frac{k}{2}x^2\right]_0^k=a\left(\frac{k^3}{3}-\frac{k^3}{2}\right)$$

$$=-\frac{a}{6}\cdot k^3=\frac{|a|}{6}\cdot k^3$$

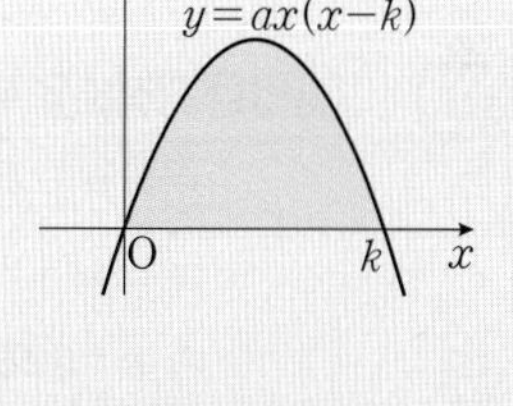

이다. 오른쪽 그림과 같이 이차함수 $y=a(x-\alpha)(x-\beta)\,(a<0,\ \alpha<\beta)$의 그래프를 x축의 방향으로 $-\alpha$만큼 평행이동하면

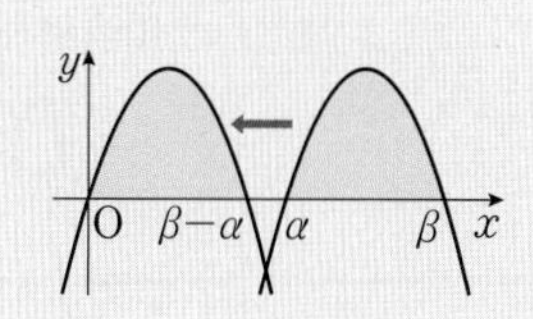

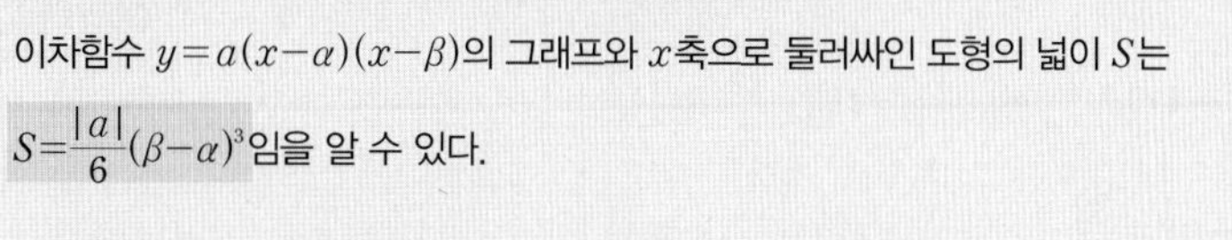

이차함수 $y=a(x-\alpha)(x-\beta)$의 그래프와 x축으로 둘러싸인 도형의 넓이 S는

$S=\frac{|a|}{6}(\beta-\alpha)^3$임을 알 수 있다.

[방법2] **아르키메데스의 넓이 공식**

오른쪽 그림과 같이 이차함수 $y=f(x)$의 그래프의 꼭짓점이 C이고 x축과의 두 교점이 각각 A, B일 때, 아르키메데스는 꼭짓점 C에서 x축까지의 거리가 $h\,(h>0)$이고 선분 AB의 길이가 L일 때, 이차함수 $y=f(x)$의 그래프와 x축으로 둘러싸인 도형의 넓이는 $\frac{2}{3}L\times h$라고 주장하였다.

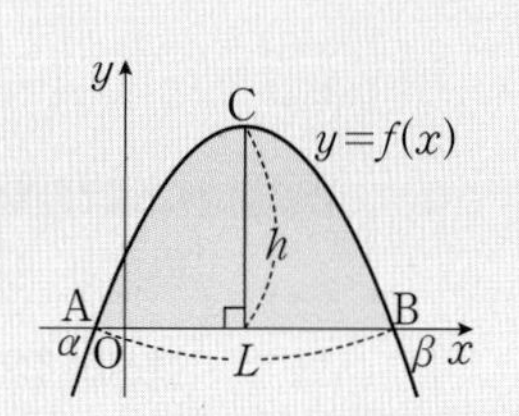

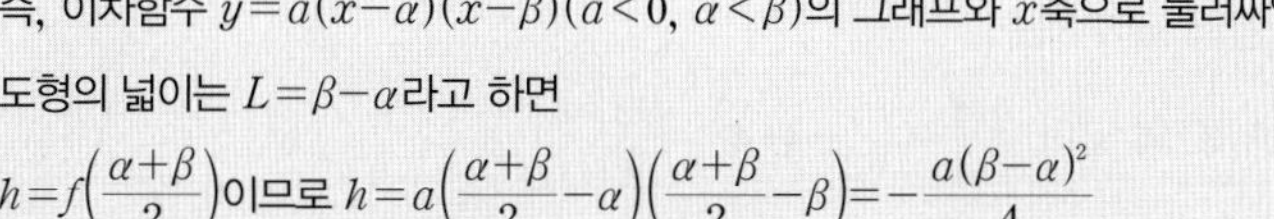

즉, 이차함수 $y=a(x-\alpha)(x-\beta)\,(a<0,\ \alpha<\beta)$의 그래프와 x축으로 둘러싸인 도형의 넓이는 $L=\beta-\alpha$라고 하면

$h=f\left(\frac{\alpha+\beta}{2}\right)$이므로 $h=a\left(\frac{\alpha+\beta}{2}-\alpha\right)\left(\frac{\alpha+\beta}{2}-\beta\right)=-\frac{a(\beta-\alpha)^2}{4}$

따라서 $\frac{2}{3}Lh=\frac{2}{3}(\beta-\alpha)\left\{-\frac{a(\beta-\alpha)^2}{4}\right\}=\frac{-a}{6}(\beta-\alpha)^3=\frac{|a|}{6}(\beta-\alpha)^3$

02 포물선과 직선이 서로 다른 두 점에서 만날 때, 넓이 공식

(1) 정적분을 이용하여 도형의 넓이 구하기

포물선 $y=ax^2+bx+c\ (a\neq 0)$의 그래프와 직선 $y=mx+n$이 서로 다른 두 점에서 만날 때, 교점의 x좌표를 $\alpha, \beta(\alpha<\beta)$라 하면 포물선과 직선으로 둘러싸인 도형의 넓이 S는

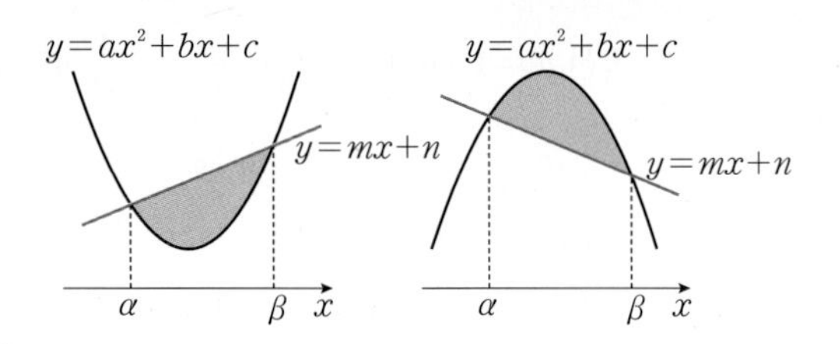

$$S=\frac{|a|}{6}(\beta-\alpha)^3$$

증명 이차방정식 $ax^2+bx+c=mx+n$의 두 실근을 $\alpha, \beta(\alpha<\beta)$라 하면

$ax^2+bx+c-(mx+n)=a(x-\alpha)(x-\beta)$

$\therefore S=\int_\alpha^\beta |ax^2+bx+c-(mx+n)|dx=\int_\alpha^\beta |a(x-\alpha)(x-\beta)|dx$

$=\frac{|a|}{6}(\beta-\alpha)^3$

(2) 아르키메데스의 넓이 구하기

오른쪽 그림과 같이 이차함수와 직선 l의 두 교점을 A, B, 직선 l과 평행한 이차함수의 접선의 접점을 C라고 할 때, 이차함수와 직선 l로 둘러싸인 도형의 넓이는 삼각형 ABC의 넓이의 $\frac{4}{3}$배임이 알려져 있다.

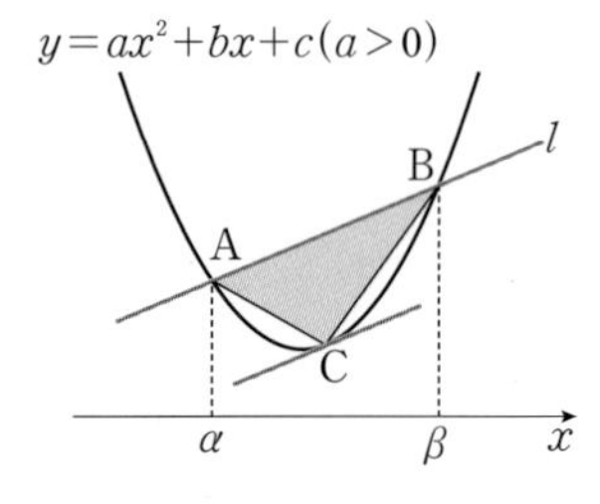

$$S=\frac{4}{3}\times(\text{삼각형 ABC의 넓이})$$ ⬅ $S=\frac{|a|}{6}(\beta-\alpha)^3$

보기 04 곡선 $y=x^2-4x+3$와 직선 $y=3$로 둘러싸인 도형의 넓이를 구하여라.

풀이 [방법1] 정적분을 이용하여 도형의 넓이 구하기

곡선 $y=x^2-4x+3$와 직선 $y=3$의 교점의 x좌표를 구하면

$x^2-4x+3=3$에서 $x^2-4x=0,\ x(x-4)=0$

$\therefore x=0$ 또는 $x=4$

따라서 구하는 넓이를 S라 하고 공식을 이용하면

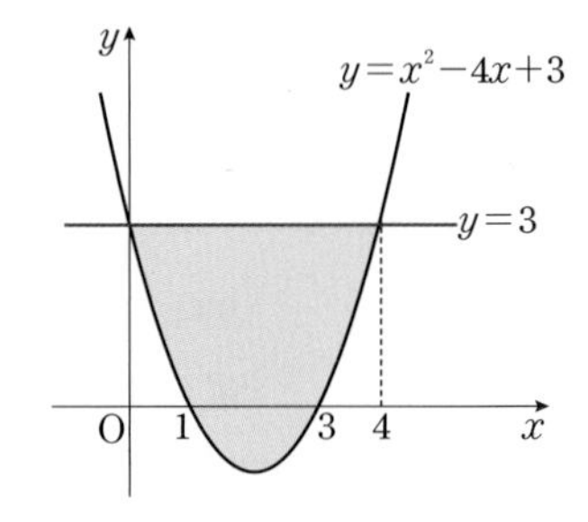

$S=\int_0^4\{3-(x^2-4x+3)\}dx$

$=\int_0^4(-x^2+4x)dx$ ⬅ $\left[-\frac{1}{3}x^3+2x^2\right]_0^4=\frac{32}{3}-0=\frac{32}{3}$

$=\frac{|-1|}{6}(4-0)^3=\frac{32}{3}$

[방법2] 아르키메데스의 넓이 구하기

곡선 $y=x^2-4x+3=(x-2)^2-1$의 접선 중 직선 $y=3$과 평행한 접선의 접점의 좌표는 $(2, -1)$이다.

따라서 구하는 도형의 넓이 S는

$S=\frac{4}{3}\times(\text{삼각형 ABC의 넓이})=\frac{4}{3}\times\left(\frac{1}{2}\cdot 4\cdot 4\right)=\frac{32}{3}$

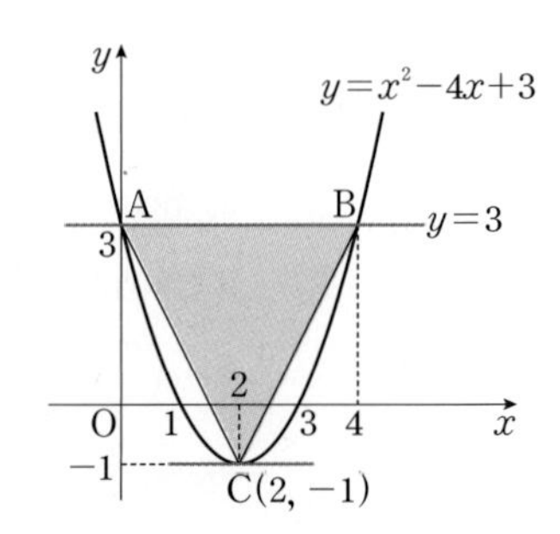

보기 05 다음 직선 또는 곡선으로 둘러싸인 부분의 넓이를 각각 구하여라.

(1) $y=x+1$, $y=x^2-x-2$ (2) $y=-x$, $y=-x^2+2x$

풀이 (1) [방법1] 정적분을 이용하여 도형의 넓이 구하기

곡선 $y=x^2-x-2$와 직선 $y=x+1$의 교점의 x좌표를 구하면

$x^2-x-2=x+1$에서 $x^2-2x-3=0$, $(x+1)(x-3)=0$

$\therefore x=-1$ 또는 $x=3$

따라서 구하는 넓이를 S라 하고 공식을 이용하면

$$S=\int_{-1}^{3}\{(x+1)-(x^2-x-2)\}dx$$

$$=\frac{|1|}{6}\{3-(-1)\}^3=\frac{32}{3}$$

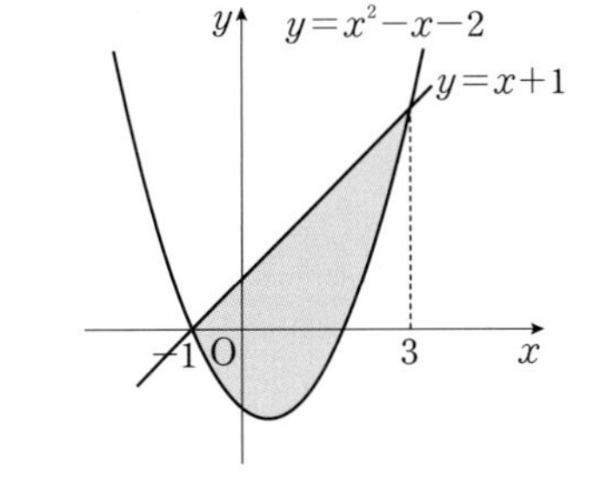

[방법2] 아르키메데스의 넓이 구하기

곡선 $y=x^2-x-2$와 직선 $y=x+1$의 교점 A, B를 지나는 직선

$y=x+1$에 평행한 접선의 접점은 C$(1, -2)$이다. ⬅ $y'=2x-1=1$인 $x=1$

이때 두 점 A$(-1, 0)$, B$(3, 4)$에 대하여 $\overline{AB}=4\sqrt{2}$

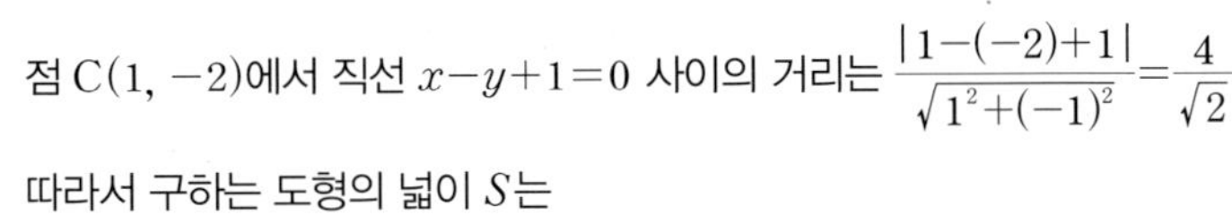
점 C$(1, -2)$에서 직선 $x-y+1=0$ 사이의 거리는 $\frac{|1-(-2)+1|}{\sqrt{1^2+(-1)^2}}=\frac{4}{\sqrt{2}}$

따라서 구하는 도형의 넓이 S는

$$S=\frac{4}{3}\times(\text{삼각형 ABC의 넓이})=\frac{4}{3}\times\left(\frac{1}{2}\cdot4\sqrt{2}\cdot\frac{4}{\sqrt{2}}\right)=\frac{32}{3}$$

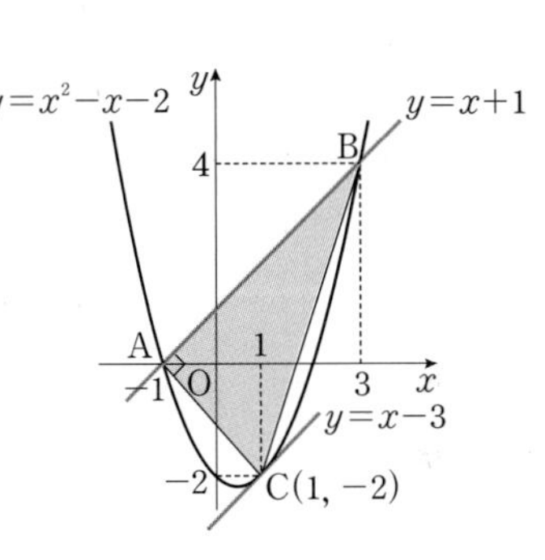

(2) [방법1] 정적분을 이용하여 도형의 넓이 구하기

곡선 $y=-x^2+2x$와 직선 $y=-x$의 교점의 x좌표는

$-x=-x^2+2x$에서 $x^2-3x=0$

$\therefore x=0$ 또는 $x=3$

따라서 구하는 넓이를 S라 하고 공식을 이용하면

$$S=\int_{0}^{3}\{(-x^2+2x)-(-x)\}dx$$

$$=\frac{|-1|}{6}(3-0)^3=\frac{9}{2}$$

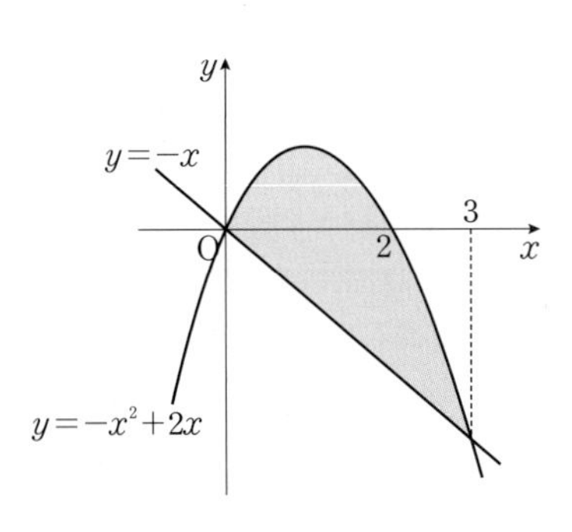

[방법2] 아르키메데스의 넓이 구하기

곡선 $y=-x^2+2x$와 직선 $y=-x$의 교점 A, B를 지나는 직선

$y=-x$에 평행한 접선의 접점은 C$\left(\frac{3}{2}, \frac{3}{4}\right)$이다. ⬅ $y'=-2x+2=-1$인 $x=\frac{3}{2}$

이때 두 점 A$(0, 0)$, B$(3, -3)$에 대하여 $\overline{AB}=3\sqrt{2}$

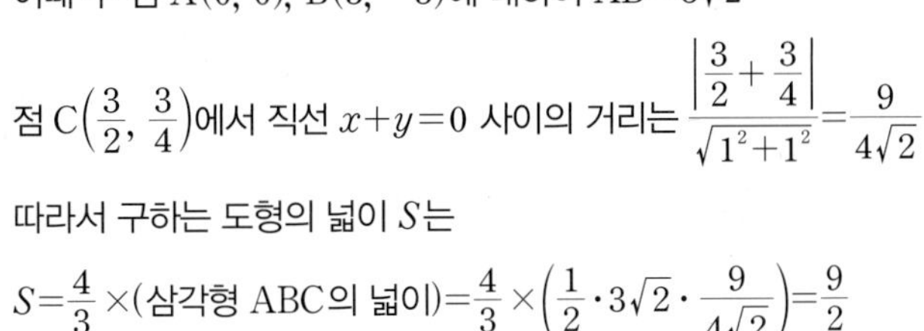
점 C$\left(\frac{3}{2}, \frac{3}{4}\right)$에서 직선 $x+y=0$ 사이의 거리는 $\frac{\left|\frac{3}{2}+\frac{3}{4}\right|}{\sqrt{1^2+1^2}}=\frac{9}{4\sqrt{2}}$

따라서 구하는 도형의 넓이 S는

$$S=\frac{4}{3}\times(\text{삼각형 ABC의 넓이})=\frac{4}{3}\times\left(\frac{1}{2}\cdot3\sqrt{2}\cdot\frac{9}{4\sqrt{2}}\right)=\frac{9}{2}$$

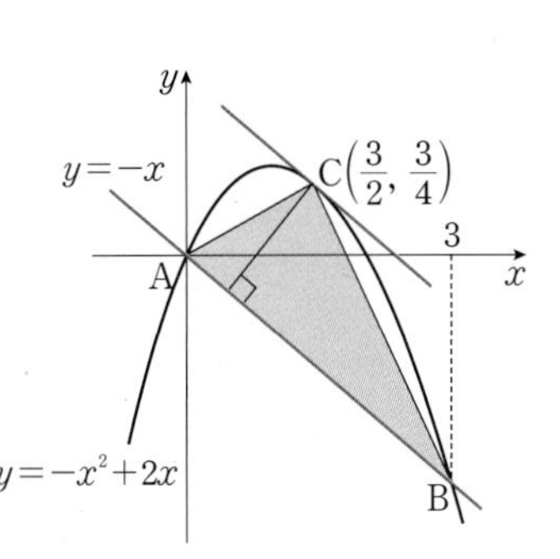

03 두 포물선이 서로 다른 두 점에서 만날 때 넓이 공식

두 포물선 $y=ax^2+bx+c(a\neq0)$, $y=a'x^2+b'x+c'(a'\neq0)$의 그래프가 서로 다른 두 점에서 만날 때, 교점의 x좌표를 α, $\beta(\alpha<\beta)$라 하면 두 포물선으로 둘러싸인 도형의 넓이 S는

$$S=\frac{|a-a'|}{6}(\beta-\alpha)^3$$

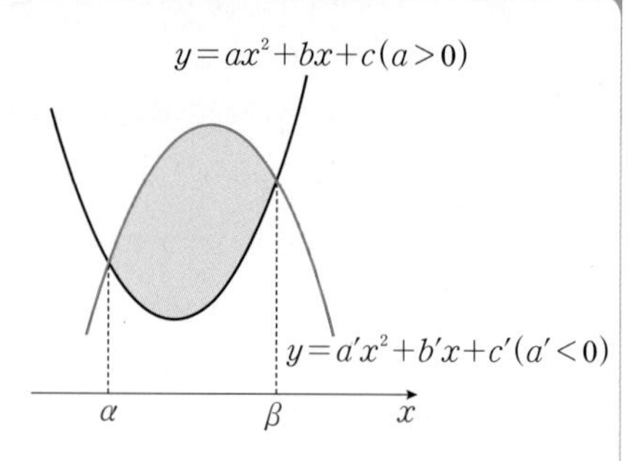

증명 이차방정식 $ax^2+bx+c=a'x^2+b'x+c'$의 두 실근을 α, $\beta(\alpha<\beta)$라 하면

$$ax^2+bx+c-(a'x^2+b'x+c')=(a-a')(x-\alpha)(x-\beta)$$

$$\therefore S=\int_\alpha^\beta|ax^2+bx+c-(a'x^2+b'x+c')|dx$$

$$=\int_\alpha^\beta|(a-a')(x-\alpha)(x-\beta)|dx$$

$$=\frac{|a-a'|}{6}(\beta-\alpha)^3$$

보기 06 두 곡선 $y=x^2-3x+4$, $y=-x^2+7x-4$로 둘러싸인 도형의 넓이를 구하여라.

두 곡선 $y=x^2-3x+4$, $y=-x^2+7x-4$의 교점의 x좌표는

$x^2-3x+4=-x^2+7x-4$에서

$x^2-5x+4=0$, $(x-1)(x-4)=0$

$\therefore x=1$ 또는 $x=4$

따라서 구하는 넓이를 S라 하고 공식을 이용하면

$$S=\int_1^4\{(-x^2+7x-4)-(x^2-3x+4)\}dx$$

$$=\int_1^4(-2x^2+10x-8)dx$$

$$=\frac{|-1-1|}{6}(4-1)^3=9$$

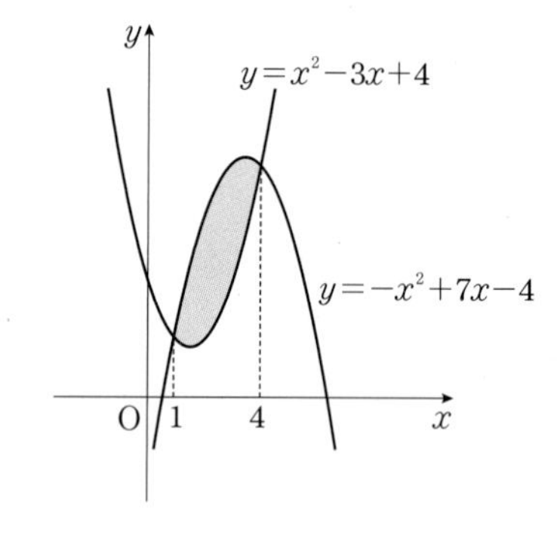

+α 더 알아보기

카발리에리의 원리를 이용한 넓이 비교

이탈리아의 수학자 카발리에리는 넓이와 관련된 카발리에리의 원리를 발견하였다. 이 원리에 따르면 두 평면도형을 어떤 직선에 평행한 직선으로 나누었을 때, 도형 내부의 길이가 항상 같으면 이 두 도형의 넓이도 같게 된다.

예를 들면 그림과 같이 직사각형 모양의 잔디밭에 폭이 일정한 길을 [그림A]와 같이 직선 모양으로 만들고 [그림B]와 같이 곡선 모양으로 만들면 [그림A], [그림B]의 폭이 일정한 길이가 같다.

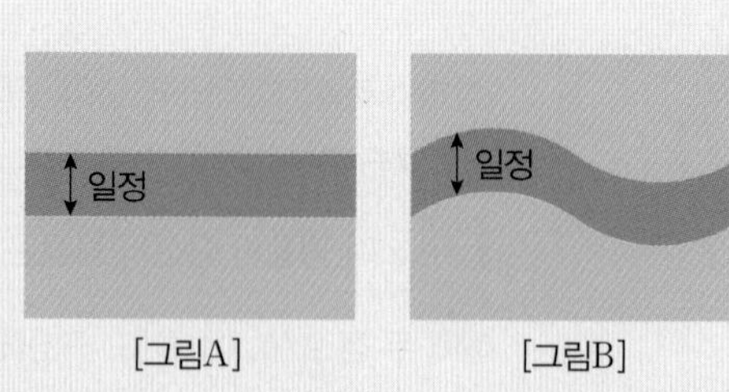

[그림A] [그림B]

두 폭이 일정한 길 A, B를 각각 좌표평면 위에 올려놓고 잔디밭의 위쪽 경계를 나타내는 곡선을 $y=f(x)$, 아래쪽 경계를 나타내는 곡선을 $y=g(x)$라고 하면 폭이 일정한 길의 넓이는 두 곡선 사이의 넓이이다.

이때 두 길 A, B는 모두 $f(x)-g(x)=k$ (k는 상수)이므로 두 길 A, B의 넓이는 서로 같다.

다음과 같이 복사 용지 한 묶음을 측면에서 힘을 주어 형태를 바꿔도 원래 묶음과 형태가 바뀐 묶음의 옆면의 넓이는 서로 같다.

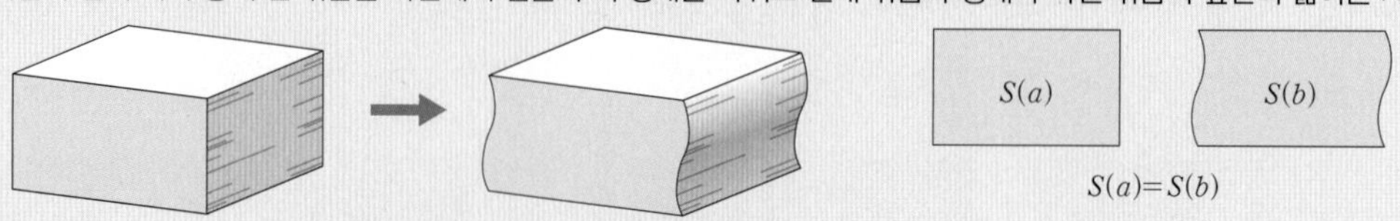

이것도 위에서 한 것과 같은 방법으로 카발리에리의 원리를 이용하여 설명할 수 있다.

04 포물선과 접선으로 둘러싸여 있을 때 넓이 공식

포물선 $f(x)=ax^2+bx+c$의 $x=\alpha$에서의 접선의 방정식이 $g(x)=mx+n$일 때, 곡선 $y=f(x)$와 접선 $y=mx+n$ 및 $x=\alpha$, $x=t$로 둘러싸인 도형의 넓이 S는

$$S=\int_{\alpha}^{t}|f(x)-g(x)|dx=\frac{|a|}{3}(t-\alpha)^3\ (t>\alpha)$$

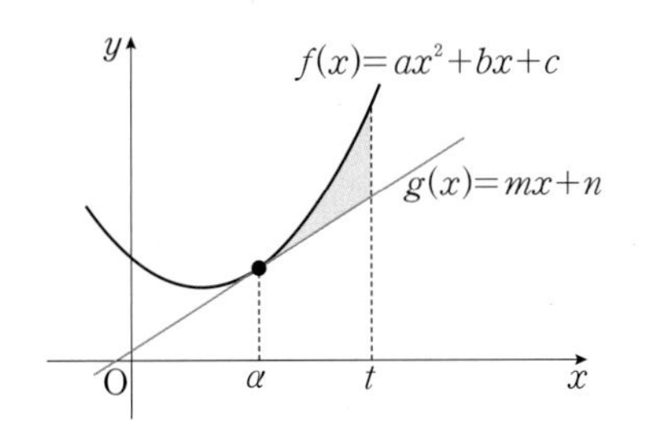

증명 이차함수와 접선의 방정식이 $x=\alpha$에서 접하므로 $ax^2+bx+c-(mx+n)=a(x-\alpha)^2$

$$\therefore S=\int_{\alpha}^{t}|ax^2+bx+c-(mx+n)|dx$$

$$=\int_{\alpha}^{t}|a(x-\alpha)^2|dx$$

$$=|a|\left[\frac{1}{3}(x-\alpha)^3\right]_{\alpha}^{t}$$

$$=\frac{|a|}{3}(t-\alpha)^3$$

보기 07 곡선 $y=x^2-1$과 이 곡선 위의 점 $(2, 3)$에서의 접선 및 y축으로 둘러싸인 도형의 넓이를 구하여라.

풀이 $y=x^2-1$에서 $y'=2x$이므로

곡선 위의 점 $(2, 3)$에서의 접선의 기울기는 4이고

접선의 방정식은 $y-3=4(x-2)$

$\therefore y=4x-5$

따라서 구하는 넓이를 S라 하면

$$S=\int_{0}^{2}|(x^2-1)-(4x-5)|dx$$

$$=\int_{0}^{2}(x^2-4x+4)dx$$

$$=\left[\frac{1}{3}x^3-2x^2+4x\right]_{0}^{2}$$

$$=\frac{|1|}{3}(2-0)^3=\frac{8}{3}$$

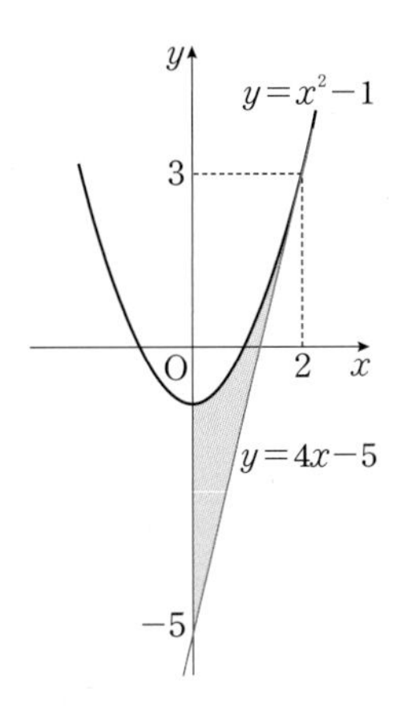

보기 08 곡선 $y=-x^2+6x-5$와 이 곡선 위의 점 $(2, 3)$에서의 접선 및 y축으로 둘러싸인 도형의 넓이를 구하여라.

풀이 $y=-x^2+6x-5$에서 $y'=-2x+6$이므로

곡선 위의 점 $(2, 3)$에서의 접선의 기울기는 2이고

접선의 방정식은 $y-3=2(x-2)$

$\therefore y=2x-1$

따라서 구하는 넓이를 S라 하면

$$S=\int_{0}^{2}|(2x-1)-(-x^2+6x-5)|dx$$

$$=\int_{0}^{2}(x^2-4x+4)dx$$

$$=\left[\frac{1}{3}x^3-2x^2+4x\right]_{0}^{2}$$

$$=\frac{|1|}{3}(2-0)^3=\frac{8}{3}$$

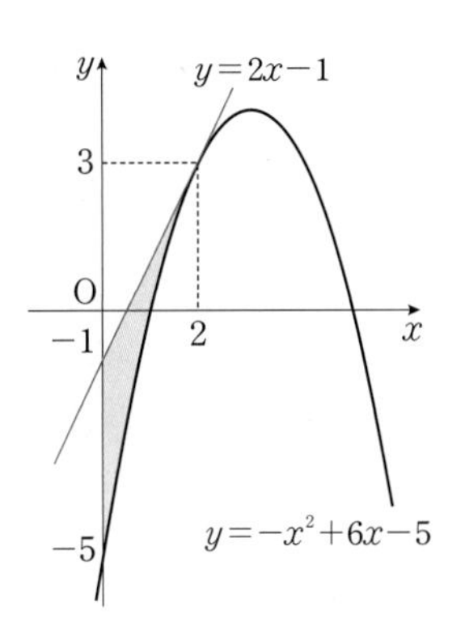

05 삼차곡선과 접선으로 둘러싸여 있을 때 넓이 공식

삼차곡선 $f(x)=ax^3+bx^2+cx+d$와 이 곡선 위의 한 점 $(\alpha,\ f(\alpha))$에서 그은 접선 $y=mx+n$이 다시 이 곡선과 만나는 점을 $(\beta,\ f(\beta))$라 할 때, 곡선 $y=f(x)$와 접선 $y=mx+n$으로 둘러싸인 도형의 넓이 S는

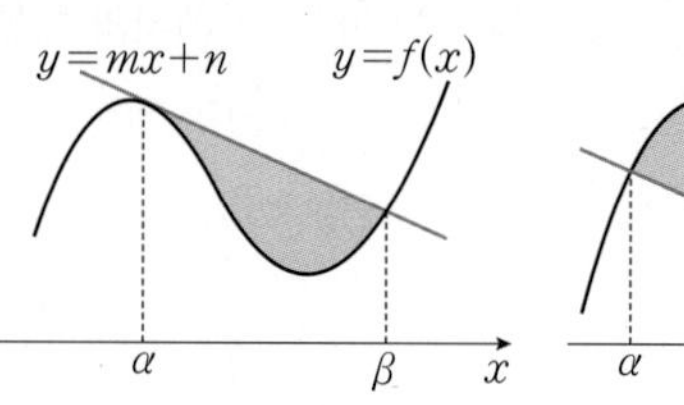

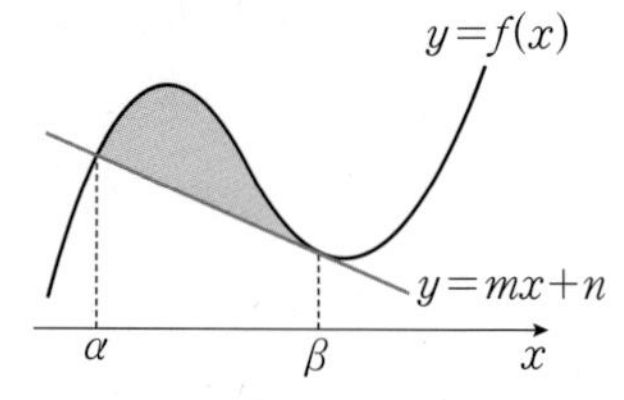

$$S=\frac{|a|}{12}(\beta-\alpha)^4$$

증명 위의 그림에서와 같이 삼차곡선과 그 접선의 교점의 x좌표를 $x=\alpha$(중근), $x=\beta$로 놓는다.

이때 $ax^3+bx^2+cx+d-(mx+n)=a(x-\alpha)^2(x-\beta)$

$$\therefore S=\int_\alpha^\beta |ax^3+bx^2+cx+d-(mx+n)|dx$$

$$=-|a|\int_\alpha^\beta (x-\alpha)^2(x-\beta)dx$$

$$=-|a|\int_\alpha^\beta (x-\alpha)^2\{(x-\alpha)+(\alpha-\beta)\}dx$$

$$=-|a|\left\{\int_\alpha^\beta (x-\alpha)^3dx+(\alpha-\beta)\int_\alpha^\beta (x-\alpha)^2dx\right\}$$

$$=-|a|\left\{\left[\frac{(x-\alpha)^4}{4}\right]_\alpha^\beta+(\alpha-\beta)\left[\frac{(x-\alpha)^3}{3}\right]_\alpha^\beta\right\}$$

$$=-|a|\left\{\frac{(\beta-\alpha)^4}{4}+(\alpha-\beta)\cdot\frac{(\beta-\alpha)^3}{3}\right\}=\frac{|a|}{12}(\beta-\alpha)^4$$

보기 09 곡선 $y=x^2(x+2)$와 x축으로 둘러싸인 도형의 넓이 S를 구하여라.

풀이 곡선 $y=x^2(x+2)$와 x축의 교점의 x좌표는

$x^2(x+2)=0$에서 $x=-2$ 또는 $x=0$

곡선 $y=x^2(x+2)$, 즉 $y=x^3+2x^2$의 개형이 오른쪽 그림과 같고,

구간 $[-2,\ 0]$에서 $x^3+2x^2\ge 0$이므로

구하는 넓이를 S라 하고 공식을 이용하면

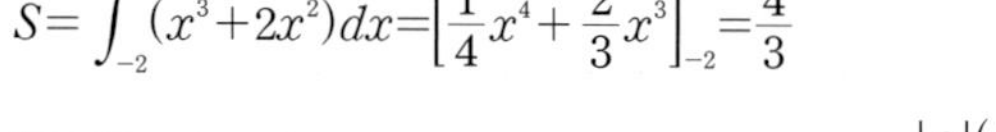

$$S=\int_{-2}^{0}(x^3+2x^2)dx=\left[\frac{1}{4}x^4+\frac{2}{3}x^3\right]_{-2}^{0}=\frac{4}{3}$$

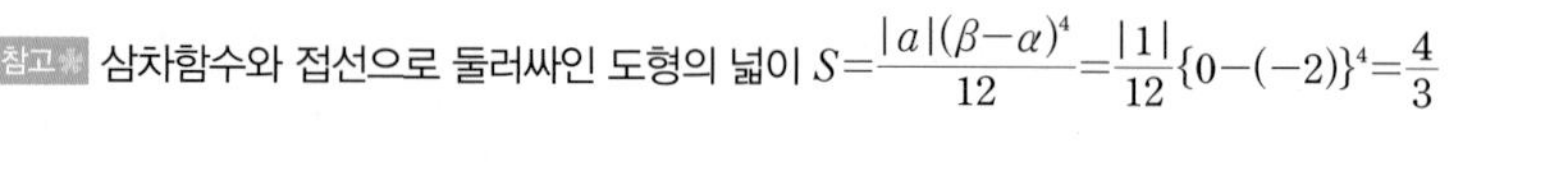

참고 삼차함수와 접선으로 둘러싸인 도형의 넓이 $S=\frac{|a|(\beta-\alpha)^4}{12}=\frac{|1|}{12}\{0-(-2)\}^4=\frac{4}{3}$

보기 10 곡선 $y=x^3$과 이 곡선 위의 점 $(1,\ 1)$에서의 접선으로 둘러싸인 부분의 넓이를 구하여라.

풀이 $f(x)=x^3$로 놓으면 $f'(x)=3x^2$에서

곡선 $y=f(x)$ 위의 점 $(1,\ 1)$에서의 접선의 기울기는 $f'(1)=3$

접선의 방정식은 $y-1=3(x-1)$ $\therefore y=3x-2$

곡선과 접선의 교점의 x좌표는

$x^3=3x-2$에서 $(x-1)^2(x+2)=0$

$\therefore x=-2$ 또는 $x=1$

닫힌구간 $[-2,\ 1]$에서 $x^3\ge 3x-2$이므로 구하는 넓이를 S라 하면

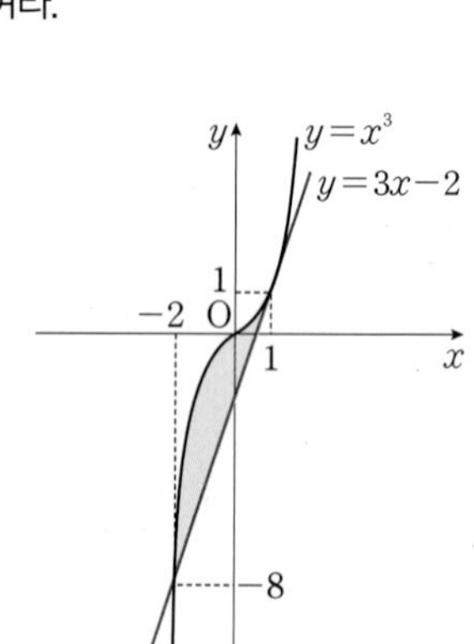

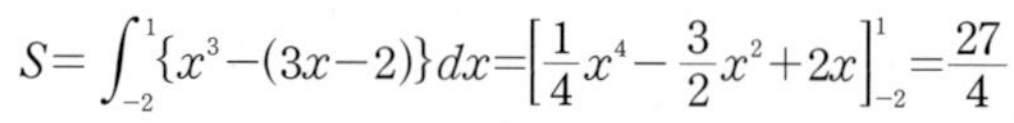

$$S=\int_{-2}^{1}\{x^3-(3x-2)\}dx=\left[\frac{1}{4}x^4-\frac{3}{2}x^2+2x\right]_{-2}^{1}=\frac{27}{4}$$

참고 삼차함수와 접선으로 둘러싸인 도형의 넓이 $S=\frac{|a|(\beta-\alpha)^4}{12}=\frac{|1|}{12}\{1-(-2)\}^4=\frac{27}{4}$

06 이차함수와 x축으로 둘러싸인 두 부분의 넓이가 같을 때 공식

이차함수와 x축으로 둘러싸인 두 부분의 넓이가 같을 때, 성립조건

$f(x)=ax^2+bx+c$ $(a>0)$에서 x축과의 교점이 α, β $(0<\alpha<\beta)$라 할 때,

두 부분의 넓이가 A, B라 하면 $\int_0^\alpha f(x)dx=A$, $\int_\alpha^\beta |f(x)|dx=B$에서

$A=B$이면 $\beta=3\alpha$이다.

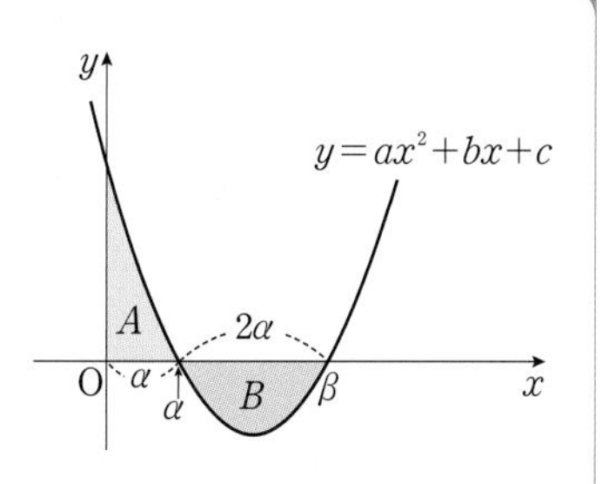

증명 함수 $y=f(x)$가 x축과 $(\alpha, 0)$, $(\beta, 0)$에서 만나므로 $f(x)=a(x-\alpha)(x-\beta)$이다.

$A=B$이므로 $\int_0^\beta a(x-\alpha)(x-\beta)dx=0$

$$a\left[\frac{x^3}{3}-\frac{(\alpha+\beta)}{2}x^2+\alpha\beta x\right]_0^\beta=a\left[\frac{\beta^3}{3}-\frac{(\alpha+\beta)}{2}\beta^2+\alpha\beta^2\right]=\frac{a\beta^2}{6}(3\alpha-\beta)=0$$

$\therefore \beta=3\alpha$

보기 11 오른쪽 그림과 같이 곡선

$$y=(x-a)(x-2)\ (0<a<2)$$

와 x축으로 둘러싸인 도형의 넓이와 이 곡선과 x축 및 y축으로 둘러싸인 도형의 넓이가 서로 같을 때, 상수 a의 값을 구하여라.

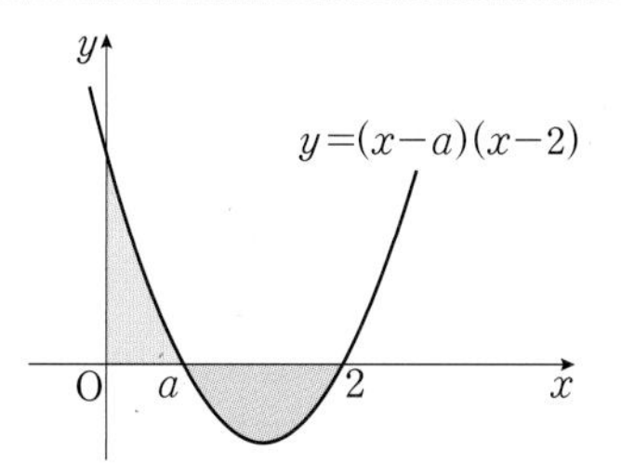

풀이 그림에서 곡선 $y=(x-a)(x-2)$와 x축으로 둘러싸인 두 도형 A, B의 넓이가 같으므로

$f(x)=(x-a)(x-2)$라 하면 $\int_0^a f(x)dx=-\int_a^2 f(x)dx$

즉, $\int_0^a f(x)dx+\int_a^2 f(x)dx=\int_0^2 f(x)dx=0$

$$\int_0^2\{(x-a)(x-2)\}dx=\int_0^2\{x^2-(a+2)x+2a\}dx=\left[\frac{1}{3}x^3-\frac{a+2}{2}x^2+2ax\right]_0^2$$
$$=\frac{8}{3}-2a-4+4a=2a-\frac{4}{3}$$

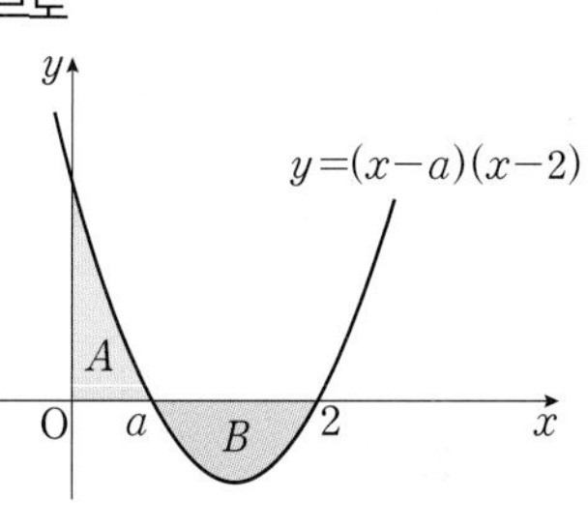

따라서 $2a-\frac{4}{3}=0$이므로 $a=\frac{2}{3}$ ← 공식을 이용하면 $2=3a$인 관계를 만족하므로 $a=\frac{2}{3}$

보기 12 오른쪽 그림과 같이 곡선

$$f(x)=-x^2+kx+4-2k$$

와 x축 및 y축으로 둘러싸인 두 도형의 넓이가 같을 때, 상수 k의 값을 구하여라. (단, $k<4$)

풀이 곡선 $f(x)=-x^2+kx+4-2k$와 x축의 교점의 x좌표는

$-x^2+kx+4-2k=0$에서 $x^2-kx-2(2-k)=0$, $(x-2)(x+2-k)=0$

이므로 $x=-2+k$ 또는 $x=2$

오른쪽 그림에서 곡선 $f(x)=-x^2+kx+4-2k$와 x축으로 둘러싸인

두 도형 A, B의 넓이가 같으므로 $-\int_0^{-2+k} f(x)dx=\int_{-2+k}^2 f(x)dx$

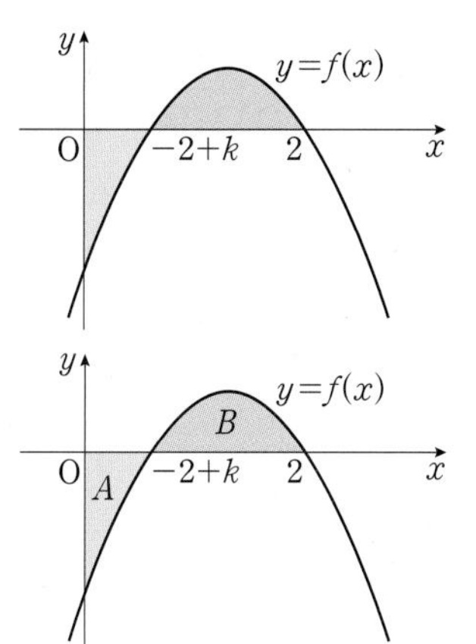

즉, $\int_0^{-2+k} f(x)dx+\int_{-2+k}^2 f(x)dx=\int_0^2 f(x)dx=0$

$$\int_0^2(-x^2+kx+4-2k)dx=\left[-\frac{1}{3}x^3+\frac{k}{2}x^2+4x-2kx\right]_0^2=-\frac{8}{3}+2k+8-4k=\frac{16}{3}-2k=\frac{16-6k}{3}$$

따라서 $16-6k=0$이므로 $k=\frac{8}{3}$ ← 공식을 이용하면 $2=3(-2+k)$인 관계를 만족하므로 $k=\frac{8}{3}$

07 두 도형의 넓이가 서로 같은 경우

(1) 곡선과 x축으로 둘러싸인 두 부분의 넓이 S_1, S_2가 같을 조건

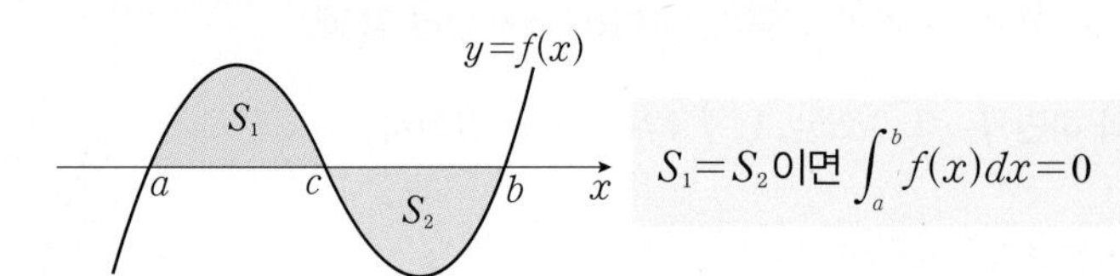

$S_1=S_2$이면 $\int_a^b f(x)dx=0$

(2) 두 곡선 $y=f(x)$, $y=g(x)$로 둘러싸인 두 부분의 넓이 S_1, S_2가 같을 조건

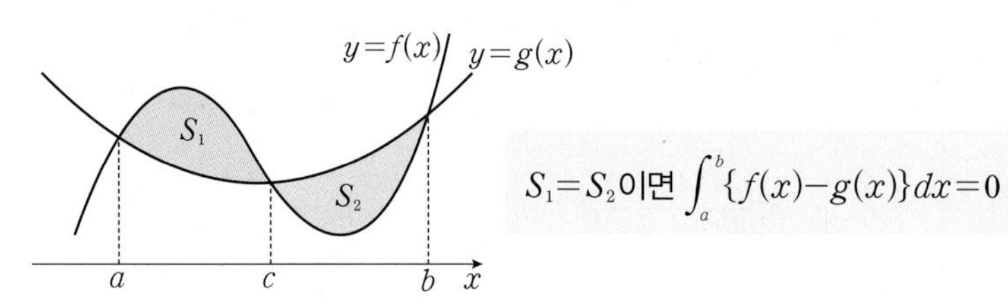

$S_1=S_2$이면 $\int_a^b \{f(x)-g(x)\}dx=0$

마플해설 (1) 닫힌구간 $[a, c]$에서 $f(x)\geq 0$이고, 닫힌구간 $[c, b]$에서 $f(x)\leq 0$일 때, 닫힌구간 $[a, c]$와 닫힌구간 $[c, b]$에서 곡선 $y=f(x)$와 x축으로 둘러싸인 부분의 넓이를 각각 S_1, S_2라 하면

$S_1=\int_a^c f(x)dx$, $S_2=\int_c^b \{-f(x)\}dx=-\int_c^b f(x)dx$

이때 $S_1=S_2$이면 $\int_a^c f(x)dx=-\int_c^b f(x)dx$에서 $\int_a^c f(x)dx+\int_c^b f(x)dx=0$ $\therefore \int_a^b f(x)dx=0$

(2) 닫힌구간 $[a, c]$에서 $f(x)\geq g(x)$이고, 닫힌구간 $[c, b]$에서 $g(x)\geq f(x)$일 때, 닫힌구간 $[a, c]$와 닫힌구간 $[c, b]$에서 두 곡선 $y=f(x)$, $y=g(x)$로 둘러싸인 부분의 넓이를 각각 S_1, S_2라 하면

$S_1=\int_a^c \{f(x)-g(x)\}dx$, $S_2=\int_c^b \{g(x)-f(x)\}dx=-\int_c^b \{f(x)-g(x)\}dx$

이때 $S_1=S_2$이면 $\int_a^c \{f(x)-g(x)\}dx=-\int_c^b \{f(x)-g(x)\}dx$에서

$\int_a^c \{f(x)-g(x)\}dx+\int_c^b \{f(x)-g(x)\}dx=0$ $\therefore \int_a^b \{f(x)-g(x)\}dx=0$

보기 13 다음 물음에 답하여라.

(1) 오른쪽 그림과 같이 곡선 $f(x)=x(x-1)(x-a)$ $(a>1)$의 그래프와 x축으로 둘러싸인 두 도형의 넓이가 서로 같을 때, 상수 a의 값을 구하여라.

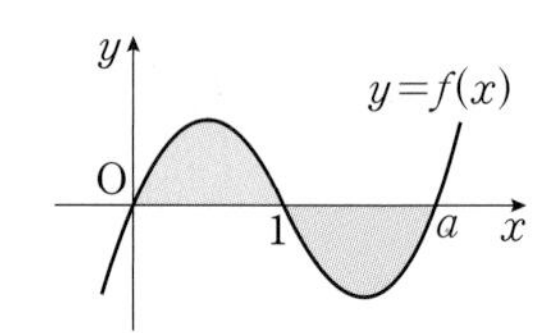

(2) $0<a<3$인 실수 a에 대하여 곡선 $f(x)=x^3-(a+3)x^2+3ax$의 그래프와 x축으로 둘러싸인 두 부분의 넓이가 같아지도록 하는 실수 a의 값을 구하여라.

풀이 (1) 오른쪽 그림에서 곡선 $y=x(x-1)(x-a)$와 x축과의 교점의 x좌표는

$x(x-1)(x-a)=0$에서 $x=0$ 또는 $x=1$ 또는 $x=a$

x축으로 둘러싸인 두 도형 A, B의 넓이가 같으므로 $\int_0^a f(x)dx=0$

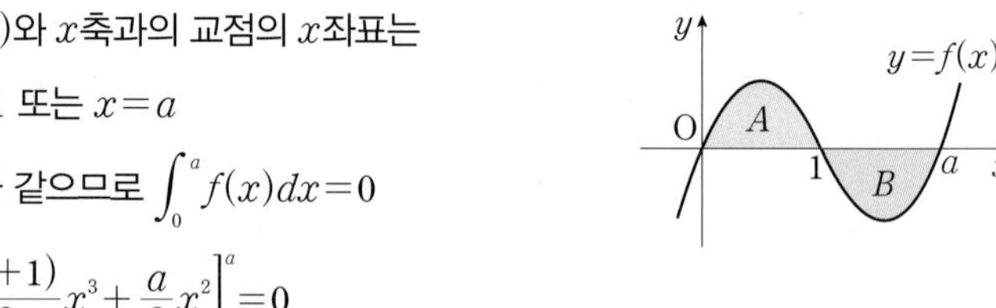

$\int_0^a \{x^3-(a+1)x^2+ax\}dx=\left[\frac{1}{4}x^4-\frac{(a+1)}{3}x^3+\frac{a}{2}x^2\right]_0^a=0$

$\frac{1}{4}a^4-\frac{a^3(a+1)}{3}+\frac{a^3}{3}=0$, $\frac{-a^4+2a^3}{12}=0$, $-\frac{1}{12}a^3(a-2)=0$

따라서 $a>1$이므로 $a=2$

(2) 곡선 $f(x)=x^3-(a+3)x^2+3ax=x(x-a)(x-3)$과 x축의 교점의 x좌표는

$x(x-a)(x-3)=0$에서 $x=0$ 또는 $x=a$ 또는 $x=3$

x축으로 둘러싸인 두 도형 A, B의 넓이가 같으므로 $\int_0^3 f(x)dx=0$

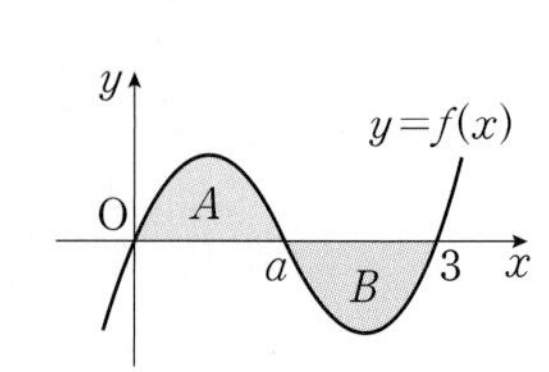

$\int_0^3 \{x^3-(a+3)x^2+3ax\}dx=\left[\frac{1}{4}x^4-\frac{1}{3}(a+3)x^3+\frac{3}{2}ax^2\right]_0^3=\frac{9}{2}a-\frac{27}{4}$

따라서 $\frac{9}{2}a-\frac{27}{4}=0$이므로 $a=\frac{3}{2}$

마플개념익힘 01 곡선과 직선으로 둘러싸인 도형의 넓이의 활용

다음 물음에 답하여라.

(1) 곡선 $y=-x^2+5x$와 직선 $y=ax$로 둘러싸인 도형의 넓이가 $\frac{32}{3}$일 때, 상수 a의 값을 구하여라. (단, $0<a<5$)

(2) 곡선 $y=x^2-5x$와 직선 $y=x+a$로 둘러싸인 도형의 넓이가 $\frac{4}{3}$일 때, 상수 a의 값을 구하여라.

MAPL CORE 이차함수 $y=ax^2+bx+c\,(a\neq 0)$의 그래프와 직선 $y=mx+n$이 서로 다른 두 점에서 만날 때, 교점의 x좌표를 α, $\beta\,(\alpha<\beta)$라 하면 포물선과 직선으로 둘러싸인 도형의 넓이 S는 $S=\frac{|a|}{6}(\beta-\alpha)^3$

개념익힘 | 풀이

(1) 곡선 $y=-x^2+5x$와 직선 $y=ax$의 교점의 x좌표는 $-x^2+5x=ax$,

즉 $x^2+(a-5)x=0$에서 $x(x+a-5)=0$이므로 $x=0$ 또는 $x=5-a$

$0<a<5$이므로 닫힌구간 $[0,\ 5-a]$에서 $-x^2+5x\geq ax$

곡선과 직선으로 둘러싸인 도형의 넓이 S는

$$S=\int_0^{5-a}\{-x^2+(5-a)x\}dx=\left[-\frac{1}{3}x^3+\frac{1}{2}(5-a)x^2\right]_0^{5-a}=\frac{1}{6}(5-a)^3$$

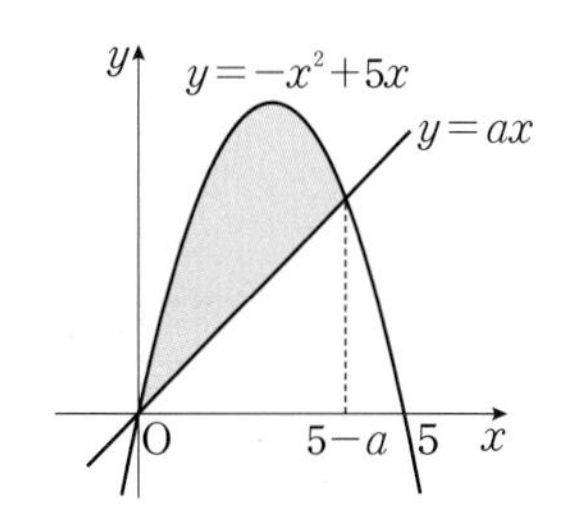

따라서 $\frac{1}{6}(5-a)^3=\frac{32}{3}$이므로 $(5-a)^3=64$ $\therefore a=\mathbf{1}$

(2) 곡선 $y=x^2-5x$와 직선 $y=x+a$의 교점의 x좌표를 α, β라고 하면 (단, $\alpha<\beta$)

$x^2-5x=x+a$, 즉 $x^2-6x-a=0$에서 근과 계수의 관계에 의하여

$\alpha+\beta=6$ …… ㉠

$\alpha\beta=-a$

구하는 넓이를 S라 하고 공식을 이용하면

$$S=\int_\alpha^\beta\{(x+a)-(x^2-5x)\}dx=\frac{1}{6}(\beta-\alpha)^3=\frac{4}{3}$$

$\therefore \beta-\alpha=2$ …… ㉡

㉠, ㉡을 연립하여 풀면 $\alpha=2$, $\beta=4$

따라서 $a=-\alpha\beta=-2\cdot4=\mathbf{-8}$

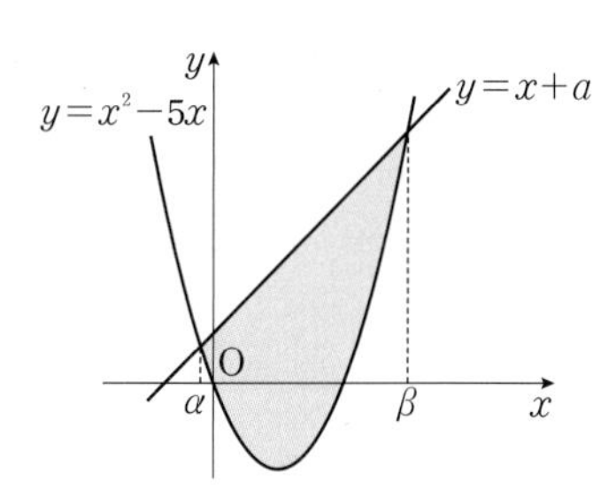

확인유제 0785 다음 물음에 답하여라.

(1) 직선 $y=ax$와 곡선 $y=x^2-2x$로 둘러싸인 도형의 넓이가 36일 때, 양수 a의 값을 구하여라.

(2) 곡선 $y=x^2-2x+5$와 곡선 $y=-x^2+4ax+5$로 둘러싸인 부분의 넓이가 72일 때, 양수 a에 대하여 $2a$의 값을 구하여라.

변형문제 0786 곡선 $y=x^2+4$ 위의 점 $(6,\ 40)$에서의 접선과 곡선 $y=x^2$으로 둘러싸인 도형의 넓이는?

① 9 ② $\frac{28}{3}$ ③ 10 ④ $\frac{32}{3}$ ⑤ 11

발전문제 0787 2005학년도 09월 평가원

곡선 $y=x^2$ 위에서 두 점 $\mathrm{P}(a,\ a^2)$, $\mathrm{Q}(b,\ b^2)$이 다음 조건을 만족하면서 움직이고 있다.

> 선분 PQ와 곡선 $y=x^2$으로 둘러싸인 도형의 넓이는 36이다.

이때 $\lim_{a\to\infty}\frac{\overline{\mathrm{PQ}}}{a}$의 값을 구하여라. (단, $a<b$)

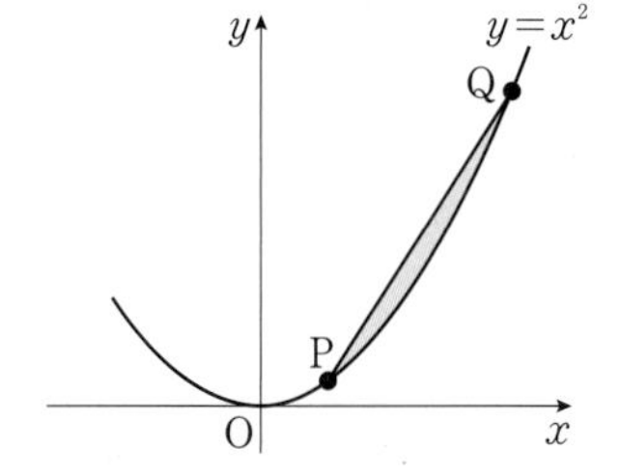

정답 0785 : (1) 4 (2) 5 0786 : ④ 0787 : 12

마플개념익힘 02 넓이의 최솟값

곡선 $y=x^2-2x-3$과 직선 $y=mx$로 둘러싸인 도형의 넓이의 최솟값을 구하여라.

MAPL CORE 넓이의 최솟값 구하는 순서
[1단계] 곡선과 직선 사이의 넓이를 정적분을 이용하여 나타낸다.
[2단계] 이차함수를 완전제곱식으로 나타내어 넓이의 최솟값을 구한다.

개념익힘 | **풀이** 곡선 $y=x^2-2x-3$과 직선 $y=mx$의 교점의 x좌표는

$x^2-2x-3=mx$, 즉 이차방정식의 $x^2-(m+2)x-3=0$의

두 근이다.

두 근을 α, $\beta\,(\alpha<\beta)$라 하면 α, β가 주어진 곡선과 직선의 교점의 x좌표이므로 구하는 넓이는

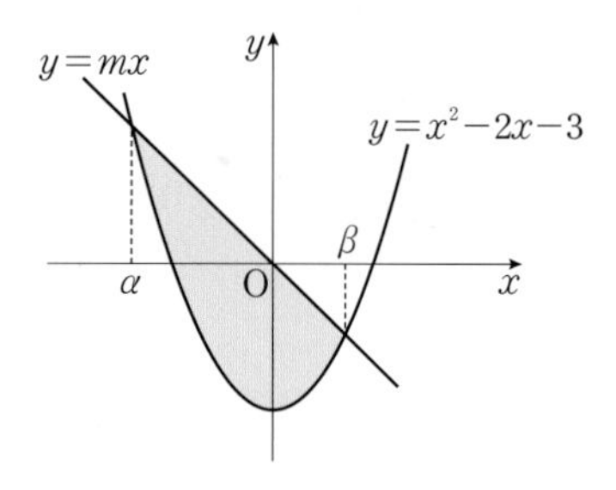

$\int_\alpha^\beta\{mx-(x^2-2x-3)\}dx=\frac{1}{6}(\beta-\alpha)^3$

한편, 이차방정식 $x^2-(m+2)x-3=0$에서 근과 계수의 관계에 의하여

$\alpha+\beta=m+2$, $\alpha\beta=-3$

이때 $(\beta-\alpha)^2=(\beta+\alpha)^2-4\alpha\beta$이므로

$(\beta-\alpha)^2=(m+2)^2-4\cdot(-3)=m^2+4m+16$

$\beta-\alpha=\sqrt{m^2+4m+16}$이므로

$\frac{1}{6}(\beta-\alpha)^3=\frac{1}{6}(\sqrt{m^2+4m+16})^3=\frac{1}{6}\{\sqrt{(m+2)^2+12}\}^3$

따라서 $m=-2$일 때, 넓이의 최솟값은 $\frac{1}{6}\cdot(\sqrt{12})^3=\mathbf{4\sqrt{3}}$

확인유제 0788 실수 m에 대하여 곡선 $y=x^2$과 직선 $y=mx+2$로 둘러싸인 도형의 넓이의 최솟값을 구하여라.

변형문제 0789 곡선 $y=-x^2+4$와 이 곡선 위의 임의의 점 $(a,\ -a^2+4)$에서의 접선 및 두 직선 $x=0$, $x=2$로 둘러싸인 도형의 넓이의 최솟값은? (단, $0<a<2$)

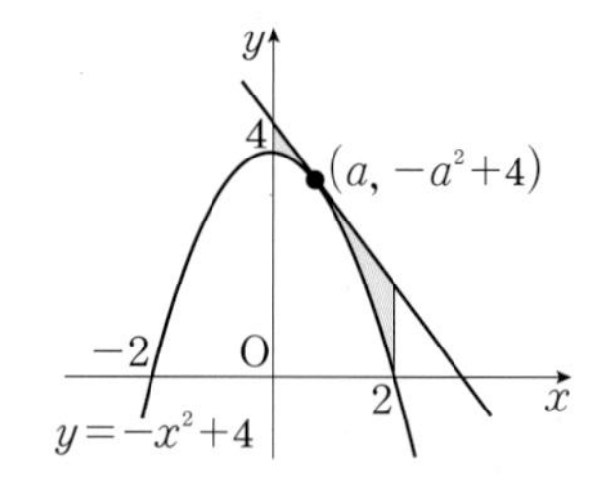

① $\frac{1}{2}$ ② $\frac{2}{3}$ ③ $\frac{3}{4}$

④ $\frac{3}{2}$ ⑤ $\frac{5}{3}$

발전문제 0790 오른쪽 그림과 같이 구간 $[0,\ 2]$에서 곡선 $y=4-x^2$과 y축 및 두 직선 $y=k$, $x=2$로 둘러싸인 두 부분의 넓이의 합이 최소가 되도록 하는 상수 k의 값을 구하여라.

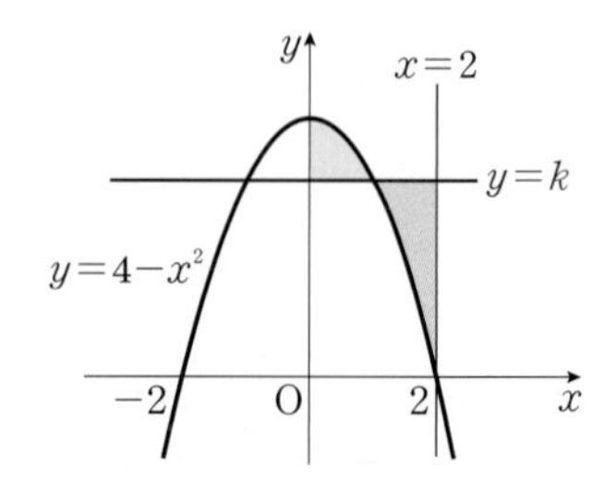

정답 0788 : $\frac{8\sqrt{2}}{3}$ 0789 : ② 0790 : 3

마플개념익힘 03 x축에 접하는 삼차함수와 x축으로 둘러싸인 넓이

다음 물음에 답하여라.

(1) 곡선 $f(x)=(x-a)^2(x+a)\,(a>0)$과 x축으로 둘러싸인 도형의 넓이가 $\frac{64}{3}$일 때, a의 값을 구하여라.

(2) 함수 $f(x)=x^3-x^2-x+a^3$이 극솟값 0을 가질 때, 곡선 $y=f(x)$와 x축으로 둘러싸인 도형의 넓이를 구하여라.

MAPL CORE 삼차곡선과 접선으로 둘러싸인 도형의 넓이 S는 $S=\frac{|a|}{12}(\beta-\alpha)^4$

개념익힘 | **풀이** (1) 곡선 $y=f(x)$와 x축의 교점의 x좌표는 $(x-a)^2(x+a)=0$에서

$x=-a$ 또는 $x=a$

구하는 넓이를 S라 하고 공식을 이용하면

$$\int_{-a}^{a}(x^3-ax^2-a^2x+a^3)\,dx=\frac{1}{12}\{a-(-a)\}^4=\frac{4}{3}a^4$$

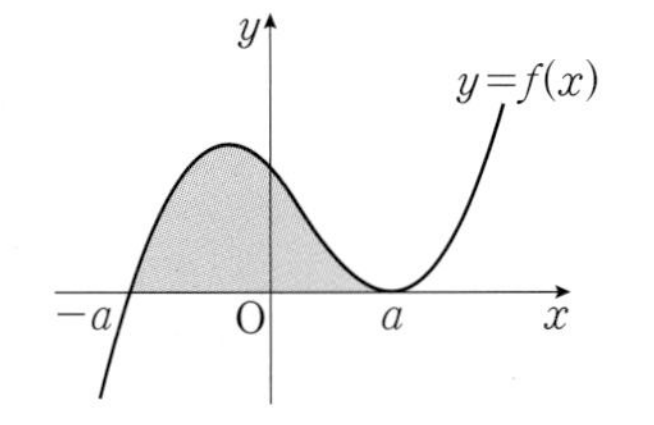

따라서 $\frac{4}{3}a^4=\frac{64}{3}$이므로 $a^4=16$ $\therefore a=\mathbf{2}\,(\because a>0)$

(2) $f(x)=x^3-x^2-x+a^3$에서 $f'(x)=3x^2-2x-1=(3x+1)(x-1)$

$f'(x)=0$에서 $x=-\frac{1}{3}$ 또는 $x=1$

함수 $f(x)$의 증가와 감소를 표로 나타내면 다음과 같다.

x	$\cdots$	$-\frac{1}{3}$	$\cdots$	1	$\cdots$
$f'(x)$	$+$	0	$-$	0	$+$
$f(x)$	↗	극대	↘	극소	↗

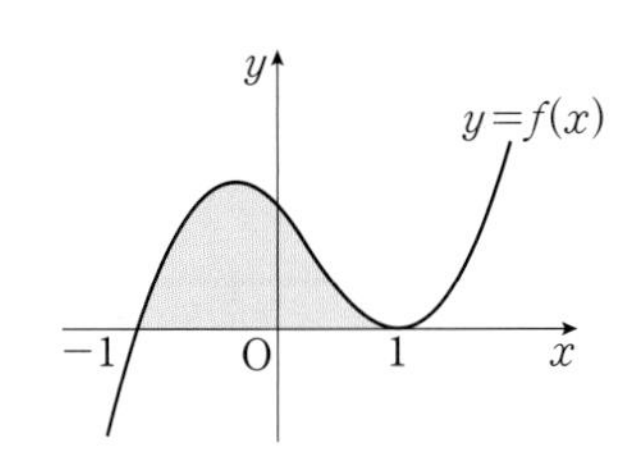

이때 $x=1$에서 극소이고 극솟값이 0이므로 $f(1)=a^3-1=0$, $a^3=1$ $\therefore a=1$

즉 $y=f(x)$와 x축의 교점의 x좌표는 $x^3-x^2-x+1=0$, $(x+1)(x-1)^2=0$에서 $x=-1$ 또는 $x=1$

따라서 구하는 넓이를 S라 하고 공식을 이용하면

$$\therefore S=\int_{-1}^{1}(x^3-x^2-x+1)\,dx=2\int_{0}^{1}(-x^2+1)\,dx=2\left[-\frac{1}{3}x^3+x\right]_0^1=\mathbf{\frac{4}{3}}$$

참고 삼차곡선과 접선으로 둘러싸인 도형의 넓이 $\frac{|a|}{12}(\beta-\alpha)^4=\frac{1}{12}\{1-(-1)\}^4=\mathbf{\frac{4}{3}}$

확인유제 0791 함수 $f(x)=x^3+ax^2+bx-3$이 $x=1$에서 극댓값 0을 가질 때, 곡선 $y=f(x)$와 x축으로 둘러싸인 도형의 넓이를 구하여라. (단, a, b는 상수)

변형문제 0792 삼차함수 $f(x)$가 다음 두 조건을 만족시킨다.

2013년 07월 교육청

(가) $f'(x)=3x^2-4x-4$

(나) 함수 $y=f(x)$의 그래프는 $(2,\ 0)$을 지난다.

이때 함수 $y=f(x)$의 그래프와 x축으로 둘러싸인 도형의 넓이는?

① $\frac{56}{3}$ ② $\frac{58}{3}$ ③ 20 ④ $\frac{62}{3}$ ⑤ $\frac{64}{3}$

발전문제 0793 삼차함수 $y=f(x)$의 그래프가 오른쪽 그림과 같고, 이 곡선과 x축으로 둘러싸인 부분의 넓이가 27일 때, $f(x)$의 극솟값을 구하여라.

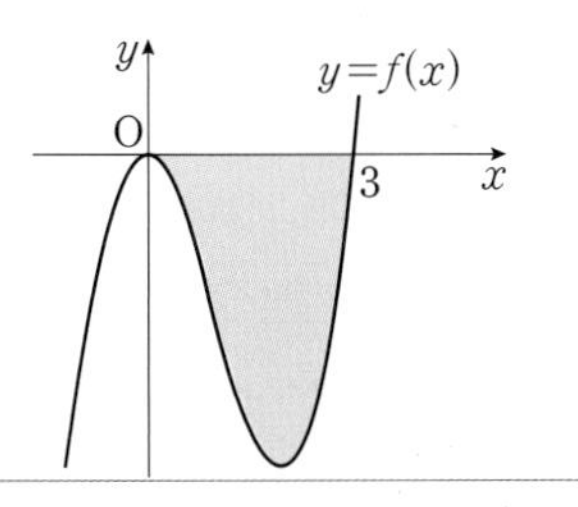

정답 0791 : $\frac{4}{3}$ 0792 : ⑤ 0793 : -16

마플개념익힘 04 도형의 넓이를 이등분하는 경우

오른쪽 그림과 같이 곡선 $y=-x^2+x$와 x축으로 둘러싸인 부분의 넓이가 직선 $y=mx$에 의하여 이등분될 때, 상수 m에 대하여 $(1-m)^3$의 값을 구하여라.

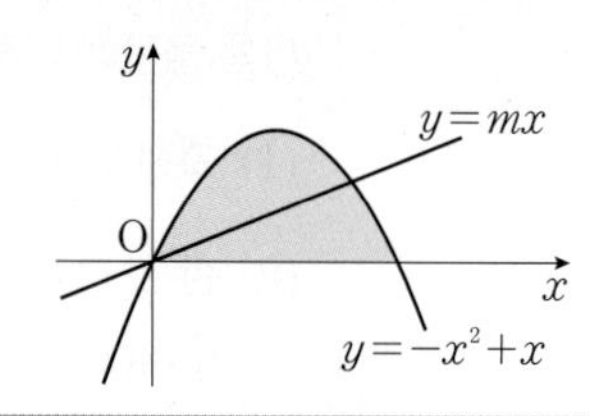

MAPL CORE 오른쪽 그림에서 곡선 $y=f(x)$와 x축으로 둘러싸인 도형의 넓이를 곡선 $y=g(x)$가 이등분하면

⇨ $\int_a^k \{f(x)-g(x)\}dx=\frac{1}{2}\int_a^b f(x)dx$

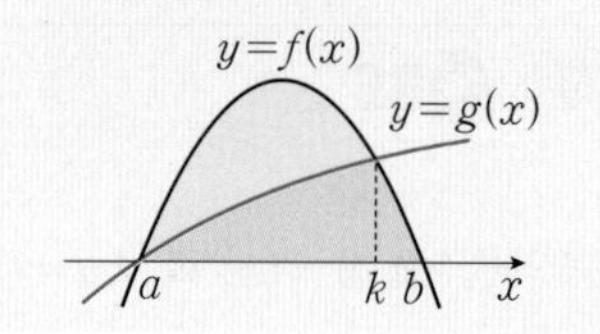

개념익힘 | 풀이 곡선 $y=-x^2+x$와 x축의 교점의 x좌표는 $-x^2+x=0$에서

$x(x-1)=0$ $\therefore x=0$ 또는 $x=1$

곡선 $y=-x^2+x$와 x축으로 둘러싸인 부분의 넓이는

$\int_0^1(-x^2+x)dx=\left[-\frac{1}{3}x^3+\frac{1}{2}x^2\right]_0^1=\frac{1}{6}$

곡선 $y=-x^2+x$와 직선 $y=mx$의 교점의 x좌표는

$-x^2+x=mx$에서 $x^2+(m-1)x=0$ $\therefore x=0$ 또는 $x=1-m$

곡선 $y=-x^2+x$와 직선 $y=mx$로 둘러싸인 부분의 넓이가 $\frac{1}{2}\cdot\frac{1}{6}=\frac{1}{12}$이므로

$\frac{1}{12}=\int_0^{1-m}\{(-x^2+x)-mx\}dx=\int_0^{1-m}\{-x^2+(1-m)x\}$

$=\left[-\frac{1}{3}x^3+\frac{1}{2}(1-m)x^2\right]_0^{1-m}=-\frac{1}{3}(1-m)^3+\frac{1}{2}(1-m)^3=\frac{1}{6}(1-m)^3$

$\therefore (1-m)^3=\mathbf{\frac{1}{2}}$

확인유제 0794 오른쪽 그림과 같이 곡선 $y=x^2-2x$와 직선 $y=mx$로 둘러싸인 도형의 넓이가 x축에 의해 이등분될 때, 상수 m의 값을 구하여라. (단, $m>0$)

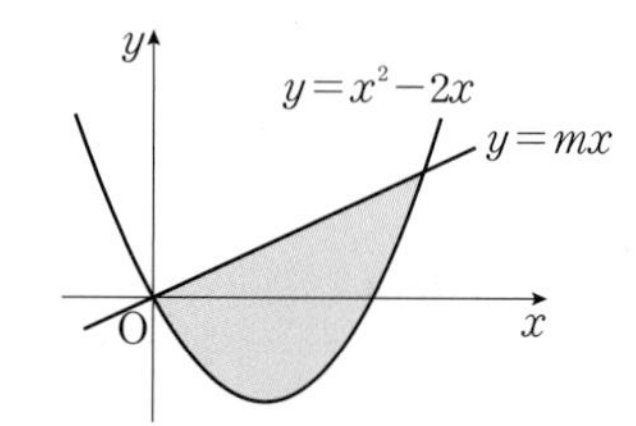

변형문제 0795 오른쪽 그림과 같이 곡선 $y=-x^2+2x$와 x축으로 둘러싸인 도형의 넓이를 곡선 $y=ax^2$이 이등분할 때, 상수 a의 값은? (단, $a>0$)

① $\sqrt{2}-1$ ② $\sqrt{2}$ ③ $\sqrt{2}+1$
④ $\sqrt{2}+2$ ⑤ $\sqrt{2}+4$

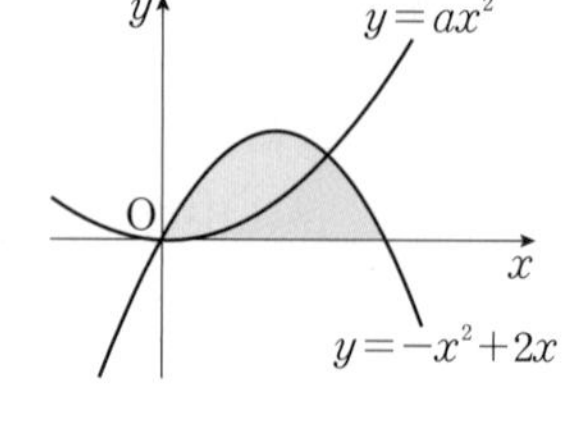

발전문제 0796 두 곡선 $y=x^4-x^3$, $y=-x^4+x$로 둘러싸인 도형의 넓이가 곡선 $y=ax(1-x)$에 의하여 이등분될 때, 상수 a의 값은? (단, $0<a<1$)

2010학년도 06월 평가원

① $\frac{1}{4}$ 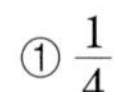 ② $\frac{3}{8}$ ③ $\frac{5}{8}$
④ $\frac{3}{4}$ ⑤ $\frac{7}{8}$

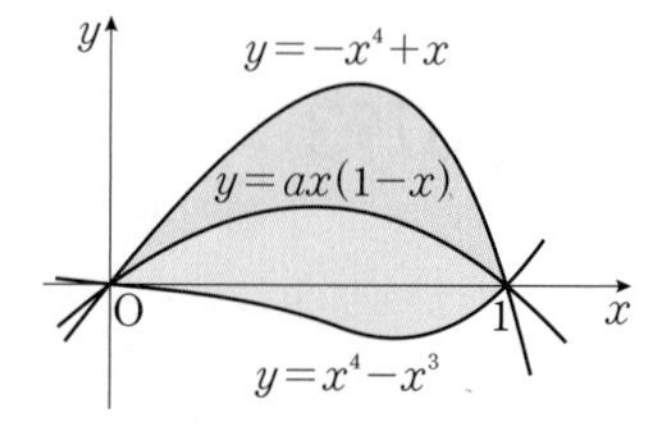

정답 0794 : $2\sqrt[3]{2}-2$ 0795 : ① 0796 : ④

마플개념익힘 05 두 곡선 사이의 넓이가 서로 같을 조건

$a>1$인 실수 a에 대하여 두 곡선

$$y=-x^2+ax,\ y=-x^3+ax^2$$

로 둘러싸인 두 도형의 넓이가 같아지도록 하는 실수 a의 값을 구하여라.

MAPL CORE

① $\int_a^b f(x)dx$와 $\int_b^c f(x)dx$의 절댓값이 같고 부호가 반대이면

즉, $S_1=S_2$이면 $\int_a^c f(x)dx$이다.

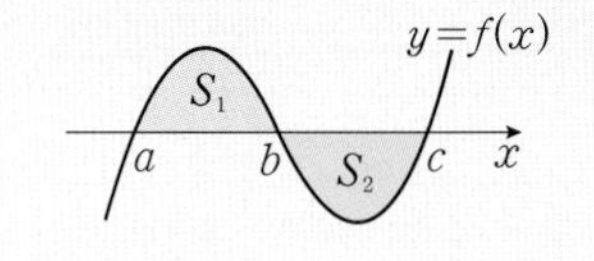

② 두 곡선 $y=f(x)$와 $y=g(x)$로 둘러싸인 윗부분과 아랫부분의 넓이가 같을 때,

즉, $S_1=S_2$이면 $\int_a^b \{f(x)-g(x)\}dx=0$이다.

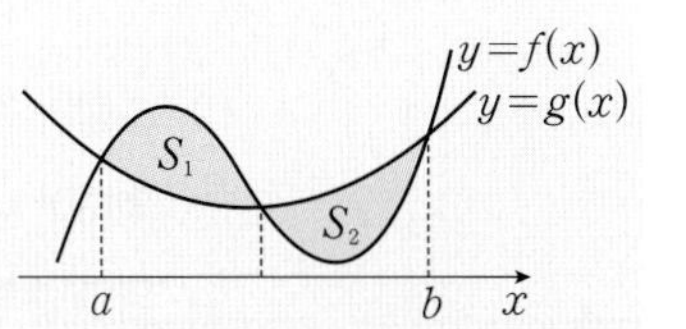

개념익힘 | 풀이 두 곡선 $y=-x^2+ax,\ y=-x^3+ax^2$의 교점의 x좌표는

$-x^2+ax=-x^3+ax^2$에서 $x^3-(a+1)x^2+ax=0$

$x(x-1)(x-a)=0 \quad \therefore x=0$ 또는 $x=1$ 또는 $x=a$

두 곡선으로 둘러싸인 두 도형 $A,\ B$의 넓이가 같으므로

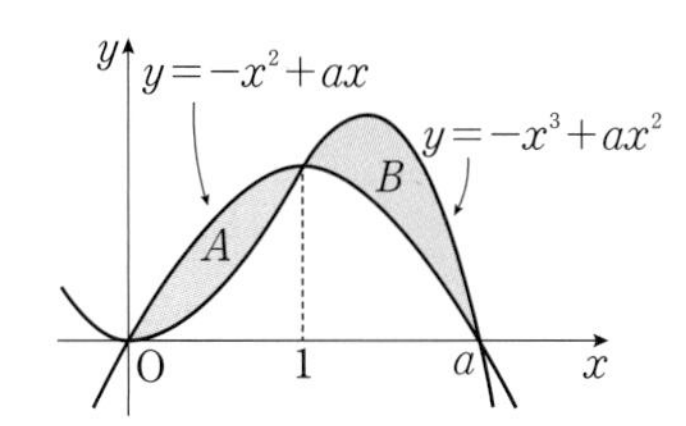

$$\int_0^a \{(-x^2+ax)-(-x^3+ax^2)\}dx=0$$

$$\begin{aligned}\int_0^a \{x^3-(a+1)x^2+ax\}dx&=\left[\frac{1}{4}x^4-\frac{1}{3}(a+1)x^3+\frac{1}{2}ax^2\right]_0^a\\&=\frac{1}{4}a^4-\frac{1}{3}(a+1)a^3+\frac{1}{2}a^3\\&=\frac{a^3(-a+2)}{12}\end{aligned}$$

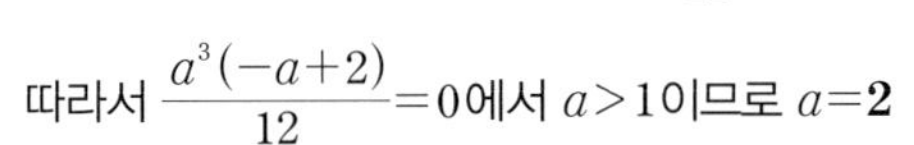

따라서 $\frac{a^3(-a+2)}{12}=0$에서 $a>1$이므로 $a=\mathbf{2}$

확인유제 0797 다음 물음에 답하여라.

(1) 곡선 $y=x^2(x-1)$과 x축으로 둘러싸인 도형을 A라 하고 곡선 $y=x^2(x-1)$과 직선 $x=a\,(a>1)$ 및 x축으로 둘러싸인 도형을 B라 하자. 두 도형 $A,\ B$의 넓이가 같을 때, 상수 a의 값을 구하여라.

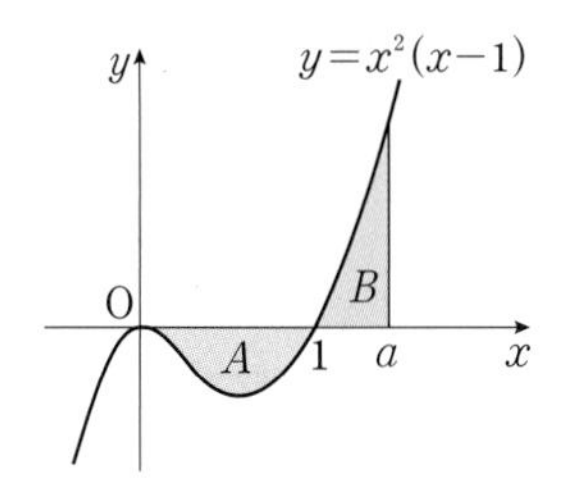

(2) 오른쪽 그림과 같이 곡선 $y=\frac{1}{2}x^2$과 직선 $y=kx$로 둘러싸인 부분의 넓이를 A, 곡선 $y=\frac{1}{2}x^2$과 두 직선 $x=2,\ y=kx$로 둘러싸인 부분의 넓이를 B라 하자. $A=B$일 때, $30k$의 값을 구하여라. (단, k는 $0<k<1$인 상수이다.)

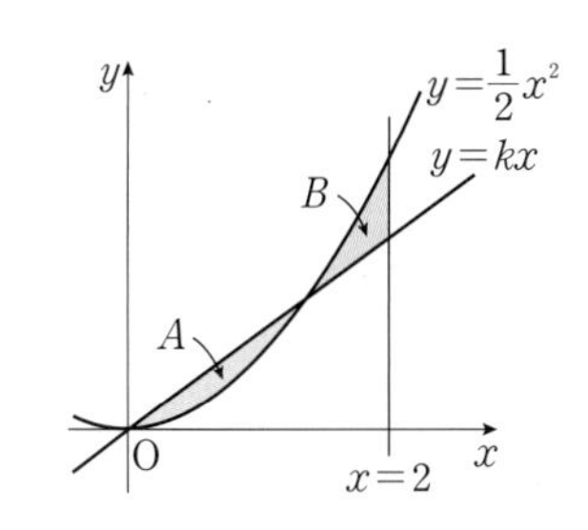

정답 0797 : (1) $\frac{4}{3}$ (2) 20

변형문제 0798 다음 물음에 답하여라.

2011년 10월 교육청

(1) 오른쪽 그림과 같이 삼차함수 $f(x)=-(x+1)^3+8$의 그래프가 x축과 만나는 점을 A라 하고 점 A를 지나고 x축에 수직인 직선을 l이라 하자. 또, 곡선 $y=f(x)$와 y축 및 직선 $y=k\,(0<k<7)$로 둘러싸인 부분의 넓이를 S_1이라 하고 곡선 $y=f(x)$와 직선 l 및 직선 $y=k$로 둘러싸인 부분의 넓이를 S_2라 하자. 이때 $S_1=S_2$가 되도록 하는 상수 k에 대하여 $4k$의 값을 구하여라.

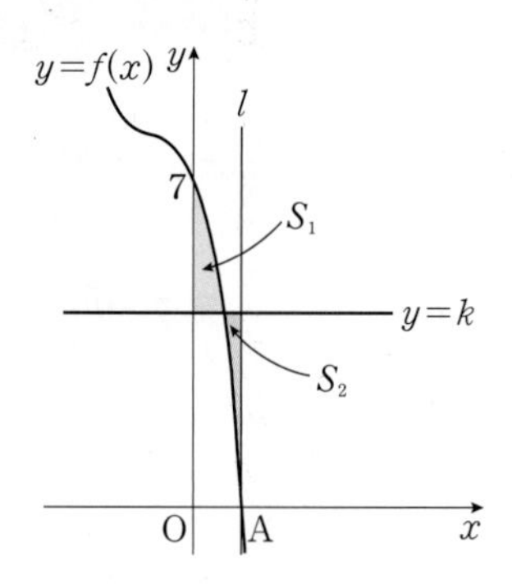

2011년 07월 교육청

(2) 그림과 같이 네 점 $(0, -1)$, $(2, -1)$, $(2, 4)$, $(0, 4)$를 꼭짓점으로 하는 직사각형 내부가 곡선 $y=x^3-x^2$에 의하여 나누어지는 두 부분을 A, B, 직선 $y=ax$에 의하여 나누어지는 두 부분을 C, D라 하자. 영역 A의 넓이와 영역 C의 넓이가 같을 때, $300a$의 값을 구하여라.

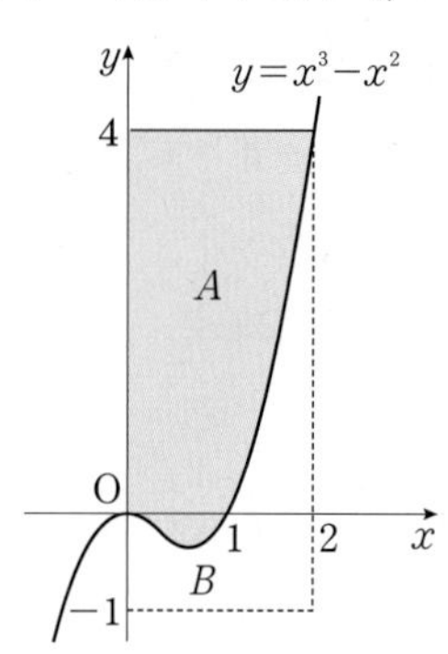

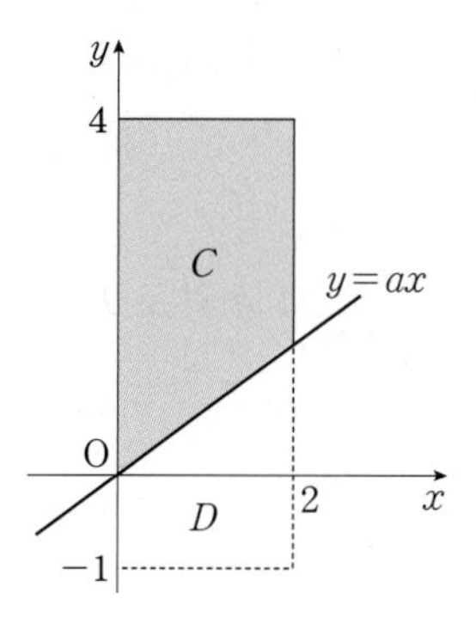

발전문제 0799 오른쪽 그림과 같이 이차함수 $f(x)=ax^2-4ax+b\,(0<b<4a)$에 대하여 곡선 $y=f(x)$와 x축, y축으로 둘러싸인 부분의 넓이를 S_1, 곡선 $y=f(x)$와 x축으로 둘러싸인 부분의 넓이를 S_2라 할 때, $S_1=S_2$이다. 함수 $g(x)$를 $g(x)=\int_0^x f(t)\,dt$라 할 때, $\frac{g(5)}{g'(5)}$의 값을 구하여라.

(단, a, b는 상수이다.)

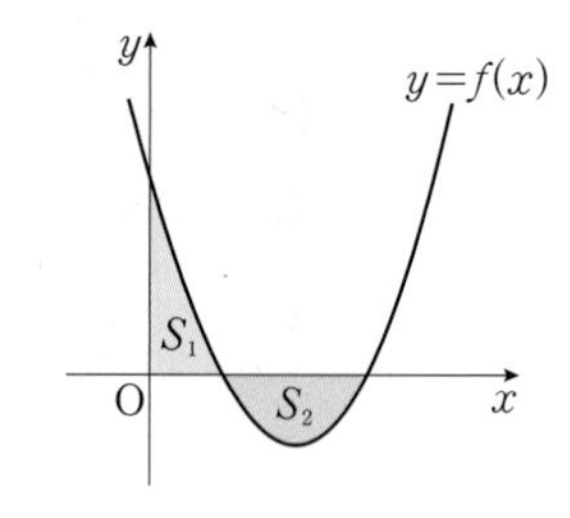

정답 0798 : (1) 17 (2) 200 0799 : $\frac{5}{6}$

마플개념익힘 06 곡선과 접선 사이의 넓이

곡선 $y=x^3-x^2+2$와 이 곡선 위의 점 $(1,\ 2)$에서의 접선으로 둘러싸인 부분의 넓이를 구하여라.

MAPL CORE 곡선과 접선으로 둘러싸인 도형의 넓이 구하는 순서

[1단계] 곡선 위의 점 $(a,\ f(a))$에서의 접선의 방정식을 구한다. 즉 $y-f(a)=f'(a)(x-a)$

[2단계] 곡선과 접선의 교점의 x좌표를 구하여 곡선과 접선으로 둘러싸인 도형의 넓이를 구한다.

개념익힘 | **풀이** $f(x)=x^3-x^2+2$로 놓으면 $f'(x)=3x^2-2x$

곡선 $y=f(x)$ 위의 점 $(1,\ 2)$에서의 접선의 기울기는

$f'(1)=3-2=1$이므로 접선의 방정식은 $y-2=x-1$

$\therefore\ y=x+1$

곡선과 접선의 교점의 x좌표를 구하면 $x^3-x^2+2=x+1$에서

$x^3-x^2-x+1=0,\ (x-1)^2(x+1)=0$ ⬅ $x=1$에서 접하므로 $(x-1)^2$의 인수를 가진다.

$\therefore\ x=-1$ 또는 $x=1$ (중근)

곡선과 접선으로 둘러싸인 부분은 오른쪽 그림의 색칠한 부분과 같다.

이때 닫힌구간 $[-1,\ 1]$에서 $x^3-x^2+2\geq x+1$이므로 구하는 넓이를 S라 하면

$$S=\int_{-1}^{1}\{(x^3-x^2+2)-(x+1)\}dx=2\int_{0}^{1}\{(-x^2+1)\}dx=2\Big[-\frac{1}{3}x^3+x\Big]_0^1=\mathbf{\frac{4}{3}}$$

참고 삼차곡선과 접선으로 둘러싸인 도형의 넓이 $\frac{|a|}{12}(\beta-\alpha)^4=\frac{1}{12}\{1-(-1)\}^4=\mathbf{\frac{4}{3}}$

y=f(x), y=x+1, 2, (1, 2), −1, O, 1, x, y

확인유제 0800 2019학년도 사관기출

곡선 $y=x^3+x-3$과 이 곡선 위의 점 $(1,\ -1)$에서의 접선으로 둘러싸인 부분의 넓이가 $\frac{q}{p}$일 때, $p+q$의 값을 구하여라.

(단, p와 q는 서로소인 자연수이다.)

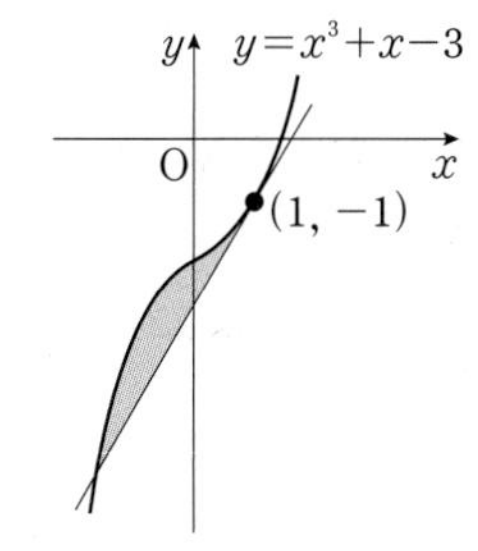

변형문제 0801

오른쪽 그림과 같이 곡선 $y=x^2-4x+3$과 이 곡선 위의 두 점 $(0,\ 3),\ (4,\ 3)$에서의 접선으로 둘러싸인 도형의 넓이는?

① $\frac{11}{3}$ ② $\frac{13}{3}$ ③ $\frac{16}{3}$

④ $\frac{15}{2}$ ⑤ $\frac{27}{4}$

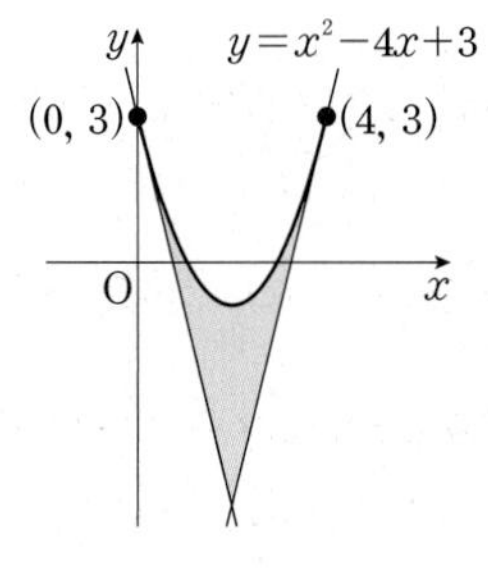

발전문제 0802 2014학년도 경찰대기출

오른쪽 그림과 같이 좌표평면 위의 점 $\mathrm{P}\left(\frac{1}{2},\ -2\right)$에서 곡선 $y=x^2$에 그은 두 접선을 $l,\ m$이라고 할 때, 두 접선 $l,\ m$과 곡선 $y=x^2$으로 둘러싸인 부분의 넓이는?

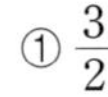

① $\frac{3}{2}$ ② $\frac{7}{4}$ ③ $\frac{1}{2}$

④ $\frac{9}{4}$ ⑤ $\frac{5}{2}$

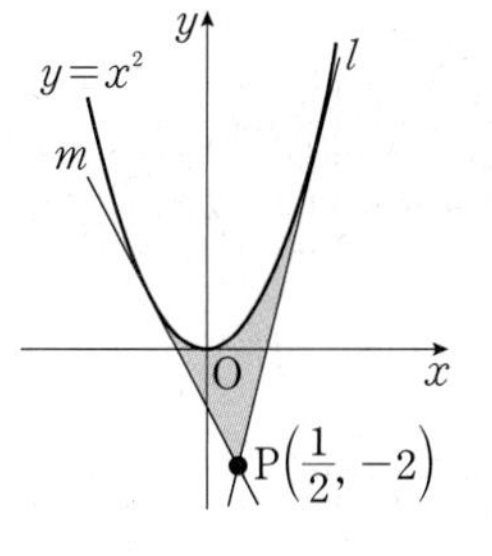

정답 0800 : 31 0801 : ③ 0802 : ④

실수 전체의 집합에서 증가하면서 연속인 함수 $f(x)$가 다음 조건을 만족시킨다.

(가) 모든 실수 x에 대하여 $f(x)=f(x-3)+4$이다.

(나) $\int_0^3 f(x)dx=1$, $\int_0^3 |f(x)|dx=5$

함수 $y=f(x)$의 그래프와 직선 $x=6$ 및 x축, y축으로 둘러싸인 부분의 넓이를 구하여라.

MAPL CORE $f(x)=f(x-3)+4$를 만족하는 함수 $f(x)$는
함수 $y=f(x)$를 x축으로 3만큼 y축으로 4만큼 평행이동한 그래프와 일치하는 증가하면서 연속인 함수를 의미한다.

개념익힘 | **풀이** 함수 $f(x)$가 실수 전체의 집합에서 증가하고

$\int_0^3 f(x)dx=1$, $\int_0^3 |f(x)|dx=5$이므로 $f(\alpha)=0$인

$\alpha(0<\alpha<3)$이 존재하면 $f(3)>0$

함수 $f(x)$가 실수 전체의 집합에서 증가하고 $f(3)>0$이므로

$\int_3^6 |f(x)|dx=\int_3^6 f(x)dx$

을 만족하는 함수 $y=f(x)$의 그래프의 개형은 오른쪽 그림과 같다.

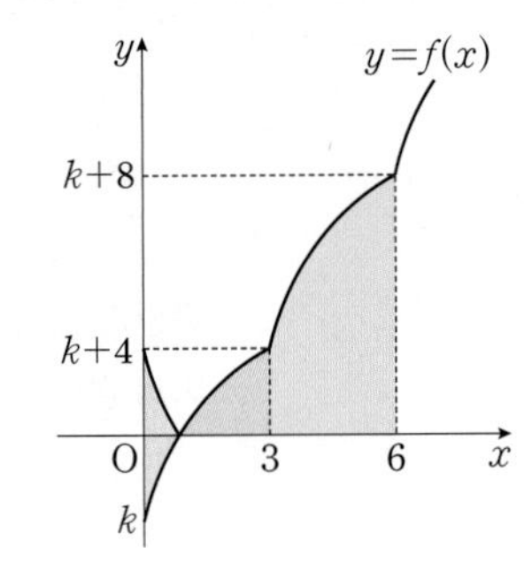

$f(x)=f(x-3)+4$이므로 $\int_3^6 f(x)dx=\int_3^6 \{f(x-3)+4\}dx$

$$\begin{aligned}\int_3^6 f(x)dx&=\int_3^6 \{f(x-3)+4\}dx\\&=\int_3^6 f(x-3)dx+\int_3^6 4dx\\&=\int_0^3 f(x)dx+\Big[4x\Big]_3^6\\&=1+(24-12)=13\end{aligned}$$

따라서 구하는 넓이는

$$\int_0^6 |f(x)|dx=\int_0^3 |f(x)|dx+\int_3^6 |f(x)|dx=5+13=\mathbf{18}$$

$\int_3^6 f(x-3)dx=\int_0^3 f(x)dx$

함수 $y=f(x-3)$의 그래프는 함수 $y=f(x)$의 그래프를 x축의 방향으로 3만큼 평행이동시킨 것이므로 함수 $y=f(x-3)$을 $x=3$에서 $x=6$까지 적분한 값은 함수 $y=f(x)$를 $x=0$에서 $x=3$까지 적분한 값이다.

$\int_3^6 f(x-3)dx=\int_{3-3}^{6-3} f(x+3-3)dx=\int_0^3 f(x)dx$

$\therefore \int_3^6 f(x-3)dx=\int_0^3 f(x)dx$

확인유제 0803 실수 전체의 집합에서 증가하는 연속함수 $f(x)$가 다음 조건을 만족시킨다.

2019학년도 수능기출

(가) 모든 실수 x에 대하여 $f(x)=f(x-3)+4$이다.

(나) $\int_0^6 f(x)dx=0$

함수 $y=f(x)$의 그래프와 x축 및 두 직선 $x=6$, $x=9$로 둘러싸인 부분의 넓이는?

① 9 ② 12 ③ 15 ④ 18 ⑤ 21

변형문제 0804 실수 전체의 집합에서 연속인 함수 $f(x)$가 다음 조건을 만족시킨다.

2016학년도 사관기출

(가) $f(x)=ax^2$ $(0\le x<2)$

(나) 모든 실수 x에 대하여 $f(x+2)=f(x)+2$이다.

$\int_1^7 f(x)dx$의 값은? (단, a는 상수이다.)

① 20 ② 21 ③ 22 ④ 23 ⑤ 24

정답 0803 : ④ 0804 : ③

03 역함수의 넓이

M A P L ; Y O U R M A S T E R P L A N

01 함수와 그 역함수의 그래프로 둘러싸인 부분의 넓이

함수 $f(x)$의 역함수를 $g(x)$라 할 때, 두 함수 $y=f(x)$, $y=g(x)$로 둘러싸인 부분의 넓이 S는 직선 $y=x$와 곡선 $y=f(x)$로 둘러싸인 부분의 넓이의 2배이다.

$$\mathrm{S}=\int_a^b |f(x)-g(x)|dx=2\int_a^b |f(x)-x|dx$$

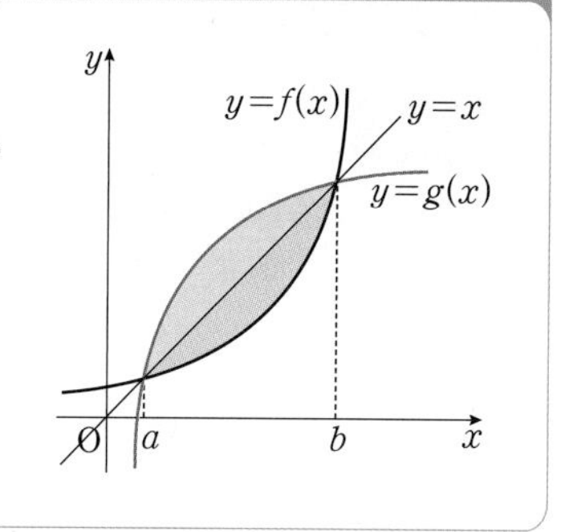

마플해설 일반적으로 증가하는 함수 $y=f(x)$와 그 역함수 $y=g(x)$의 그래프로 둘러싸인 부분의 넓이는 두 곡선 $y=f(x)$, $y=g(x)$가 직선 $y=x$에 대하여 대칭임을 이용하여 구한다.
이때 $f(x)$의 역함수인 $g(x)$의 식을 직접 구하여 계산할 수도 있지만, 함수에 따라서는 역함수를 식으로 나타내기가 쉽지 않은 경우도 많다. 또 식으로 나타냈다고 하더라도 적분하기가 쉽지 않은 경우가 많기 때문에 대칭성을 이용하여 계산하는 것이 편리하다.

보기 01 오른쪽 그림은 $x \geq 1$에서 정의된 연속함수 $y=f(x)$의 그래프이다.
함수 $y=f(x)$의 역함수 $y=g(x)$에 대하여 $\int_1^3 \{x-f(x)\}=5$일 때,
$\int_1^3 \{g(x)-f(x)\}dx$의 값을 구하여라.

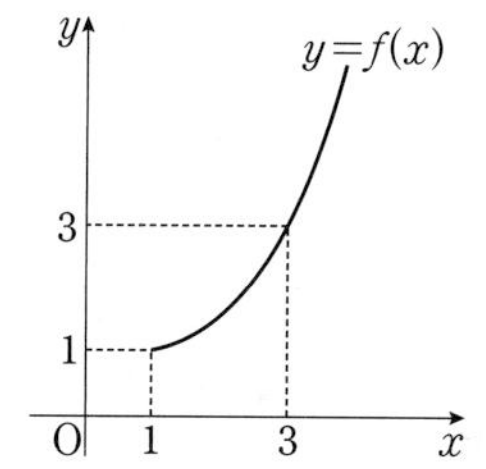

풀이 두 곡선 $y=f(x)$, $y=g(x)$는 직선 $y=x$에 대하여 대칭이므로 구하는 넓이를 S라 하면 S는 곡선 $y=f(x)$와 직선 $y=x$로 둘러싸인 도형의 넓이의 2배이므로
$\int_1^3 \{g(x)-f(x)\}dx=2\int_1^3 \{x-f(x)\}dx=2\cdot5=10$

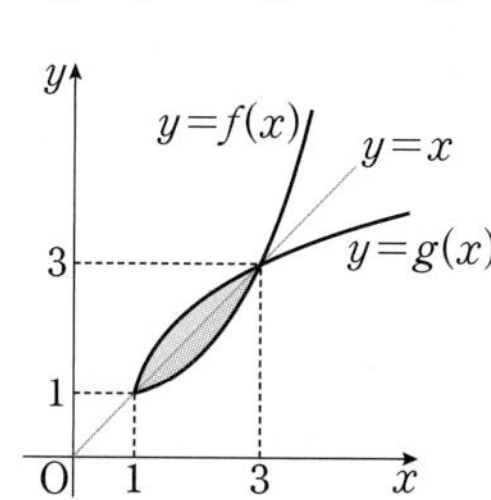

보기 02 함수 $f(x)=x^3$의 역함수를 $y=g(x)$라 할 때, 함수 $y=g(x)$의 그래프와 직선 $y=x$로 둘러싸인 부분의 넓이를 구하여라.

풀이 두 함수 $y=f(x)$, $y=g(x)$는 직선 $y=x$에 대하여 대칭이므로
함수 $y=g(x)$와 직선 $y=x$로 둘러싸인 부분의 넓이는
함수 $y=f(x)$와 직선 $y=x$로 둘러싸인 부분의 넓이와 같다.
곡선 $y=f(x)$와 직선 $y=x$의 교점의 x좌표는 $x^3=x$에서
$x(x+1)(x-1)=0$이므로 $x=-1$ 또는 $x=0$ 또는 $x=1$
따라서 구하는 넓이를 S라 하면

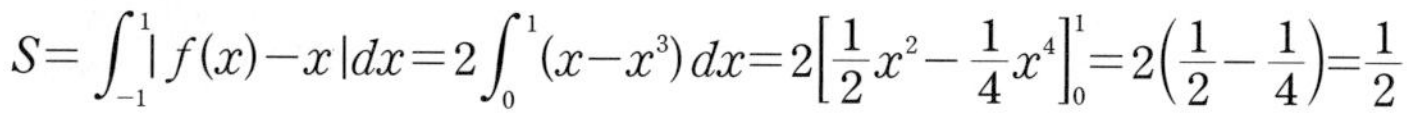

$S=\int_{-1}^1 |f(x)-x|dx=2\int_0^1 (x-x^3)dx=2\left[\frac{1}{2}x^2-\frac{1}{4}x^4\right]_0^1=2\left(\frac{1}{2}-\frac{1}{4}\right)=\frac{1}{2}$

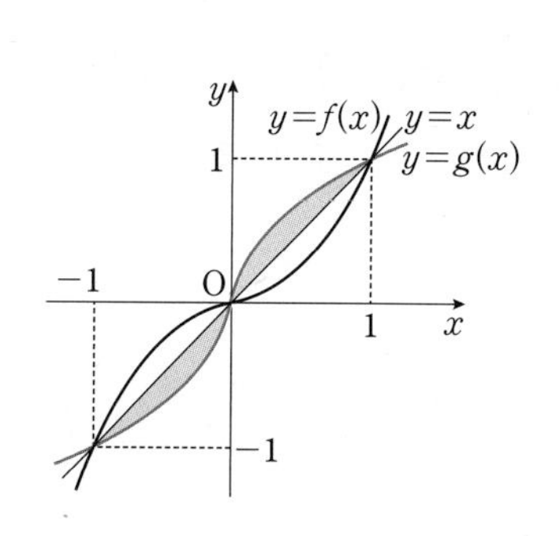

02 역함수로 표현된 정적분의 계산

닫힌구간 $[a, b]$에서 함수 $f(x)$와 그 역함수를 $g(x)$라 하면 다음이 성립한다.

$$\int_a^b f(x)dx+\int_{f(a)}^{f(b)} g(x)dx=bf(b)-af(a)$$ ⬅ 두 직사각형의 넓이의 차

마플해설 구간 $[a, b]$에서 곡선 $y=f(x)$와 x축으로 둘러싸인 부분의 넓이를 S_1, 구간 $[f(a), f(b)]$에서 곡선 $y=f(x)$의 역함수 $y=g(x)$와 x축으로 둘러싸인 부분의 넓이를 S_2라 하자.

이때 곡선 $y=f(x)$ 위의 두 점 $(a, f(a))$, $(b, f(b))$에 대하여 직선 $y=x$에 대칭인 두 점의 좌표는 각각 $(f(a), a)$, $(f(b), b)$이므로 넓이 S_2를 직선 $y=x$에 대하여 대칭이동하면 다음 그림과 같다.

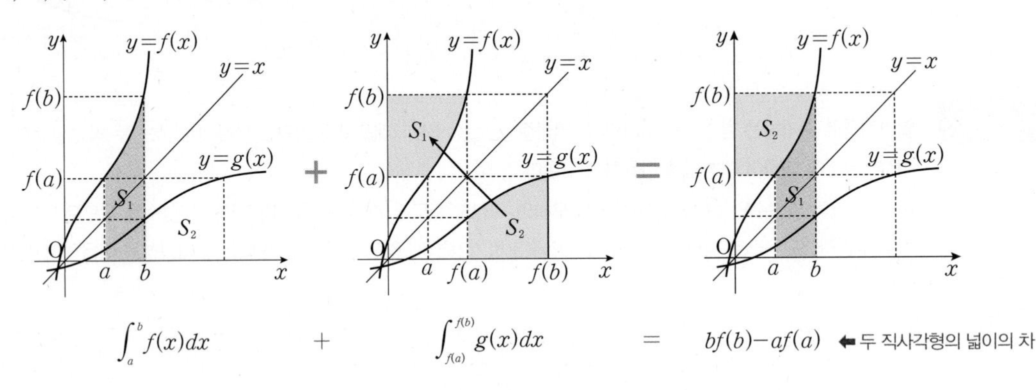

$$\int_a^b f(x)dx \quad + \quad \int_{f(a)}^{f(b)} g(x)dx \quad = \quad bf(b)-af(a)$$ ⬅ 두 직사각형의 넓이의 차

보기 03 삼차함수 $f(x)=x^3+2$의 역함수를 $g(x)$라 할 때, 다음 정적분의 값을 구하여라.

(1) $\int_2^{10} g(x)dx$ (2) $\int_0^2 f(x)dx+\int_{f(0)}^{f(2)} g(t)dt$

풀이 구간 $[0, 2]$에서 곡선 $y=f(x)$와 x축으로 둘러싸인 부분의 넓이를 S_2, 구간 $[2, 10]$에서 곡선 $y=f(x)$의 역함수 $y=g(x)$와 x축으로 둘러싸인 부분의 넓이를 S_1라 하자.

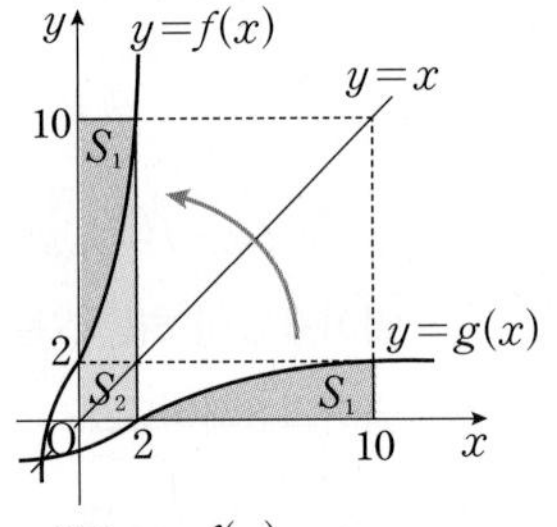

(1) $\int_2^{10} g(x)dx=2\cdot10-S_2$

$=20-\int_0^2 (x^3+2)dx$

$=20-\left[\frac{x^4}{4}+2x\right]_0^2=20-8=12$

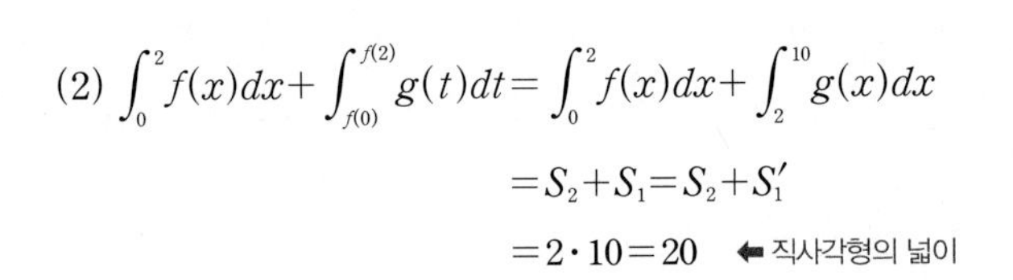

(2) $\int_0^2 f(x)dx+\int_{f(0)}^{f(2)} g(t)dt=\int_0^2 f(x)dx+\int_2^{10} g(x)dx$

$=S_2+S_1=S_2+S_1'$

$=2\cdot10=20$ ⬅ 직사각형의 넓이

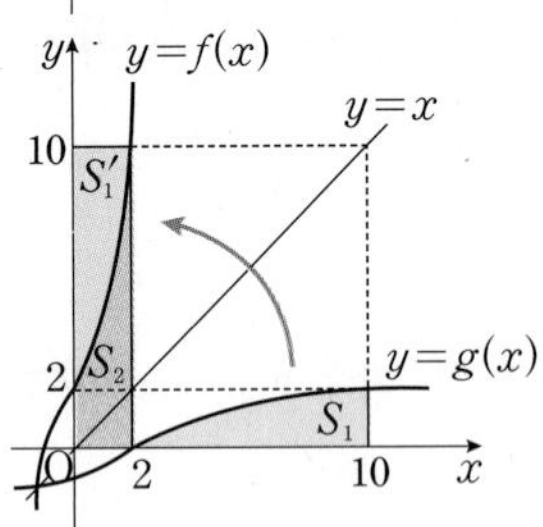

보기 04 함수 $f(x)$의 역함수가 $g(x)$이고, $f(0)=0$, $f(3)=7$일 때, 정적분 $\int_0^3 f(x)dx+\int_0^7 g(x)dx$의 값을 구하여라.

풀이 함수 $f(x)$에 대하여 $f(0)=0$, $f(3)=7$이고 $f(x)$의 역함수가 $g(x)$이므로 두 함수 $y=f(x)$, $y=g(x)$의 그래프의 개형은 오른쪽 그림과 같다.

$\int_0^3 f(x)dx=A$, $\int_0^7 g(x)dx=B$라 놓으면 색칠된 넓이에서

$B=C$이므로

$\int_0^3 f(x)dx+\int_0^7 g(x)dx=A+B=A+C=3\cdot7=21$ ⬅ 직사각형의 넓이

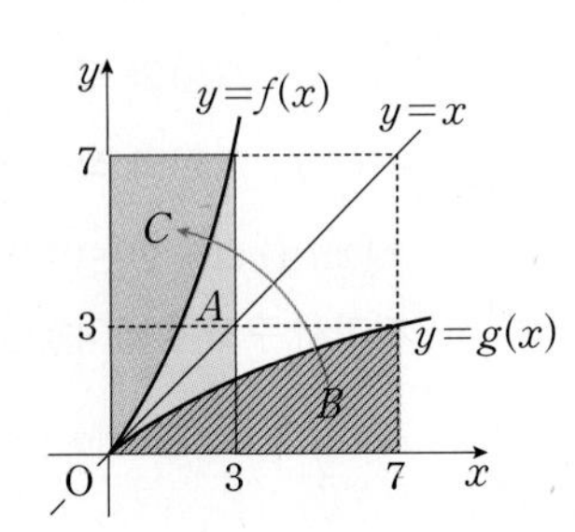

마플개념익힘 01 직선 $y=x$에 대하여 대칭인 두 곡선으로 둘러싸인 도형의 넓이

함수 $f(x)=x^3+2x^2+4x+2$의 역함수를 $g(x)$라고 할 때, 두 곡선 $y=f(x)$, $y=g(x)$와 직선 $y=-x+2$로 둘러싸인 도형의 넓이를 구하여라.

MAPL CORE $y=f(x)$와 역함수 $y=g(x)$로 둘러싸인 도형의 넓이

⇨ $y=f(x)$의 그래프와 직선 $y=x$로 둘러싸인 도형의 넓이의 2배이다.

⇨ $S=\int_a^b |f(x)-g(x)|dx=2\int_a^b |f(x)-x|dx$

개념익힘 | **풀이** $f(x)=x^3+2x^2+4x+2$에서 $f'(x)=3x^2+4x+4$이므로 $f'(x)>0$이다.

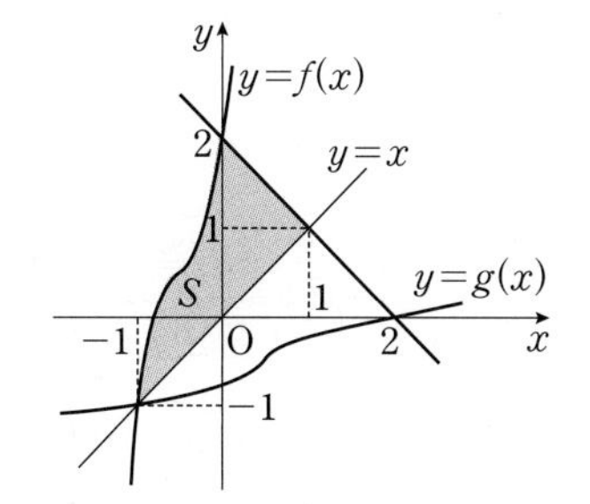

즉, $f(x)$는 y절편이 2인 증가하는 함수이므로 역함수가 존재한다.

곡선 $y=f(x)$와 $y=g(x)$는 직선 $y=x$에 대하여 대칭이므로 $y=f(x)$, $y=g(x)$, $y=-x+2$의 그래프는 오른쪽 그림과 같다.

두 곡선의 교점의 x좌표는 곡선 $f(x)=x^3+2x^2+4x+2$와 직선 $y=x$의 교점의 x좌표와 같다.

$x^3+2x^2+4x+2=x$에서 $x^3+2x^2+3x+2=0$

$(x+1)(x^2+x+2)=0 \quad \therefore x=-1$

따라서 $y=f(x)$, $y=g(x)$는 $y=x$에 대하여 대칭이므로 구하는 넓이는 S의 넓이의 2배이다.

S의 넓이는 $\int_{-1}^{0}(x^3+2x^2+4x+2-x)dx+\int_0^1\{(-x+2)-x\}dx$

$=\left[\frac{1}{4}x^4+\frac{2}{3}x^3+\frac{3}{2}x^2+2x\right]_{-1}^{0}+\left[-x^2+2x\right]_0^1=\frac{23}{12}$

따라서 구하는 넓이는 $2\cdot\frac{23}{12}=\boldsymbol{\frac{23}{6}}$이다.

확인유제 0805 함수 $f(x)=x^3-6$의 역함수를 $g(x)$라 할 때, 두 곡선 $y=f(x)$, $y=g(x)$와 직선 $y=-x-6$으로 둘러싸인 부분의 넓이를 구하여라.

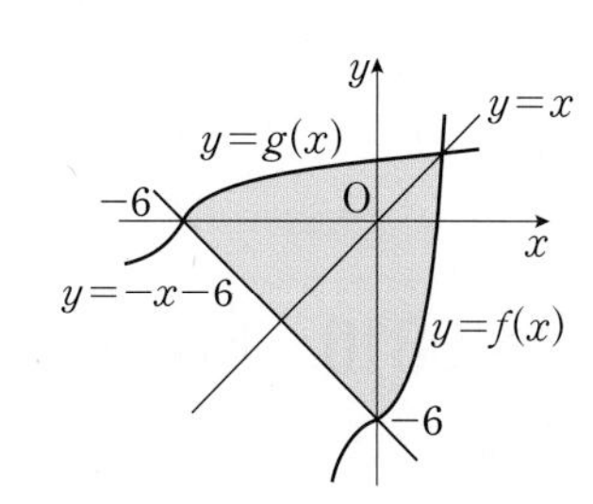

변형문제 0806 함수 $f(x)=ax^2\,(x\geq 0)$과 역함수 $y=g(x)$의 그래프로 둘러싸인 부분의 넓이가 27일 때, $90a$의 값은? (단, $a>0$)

① 3　② 4　③ 6
④ 8　⑤ 10

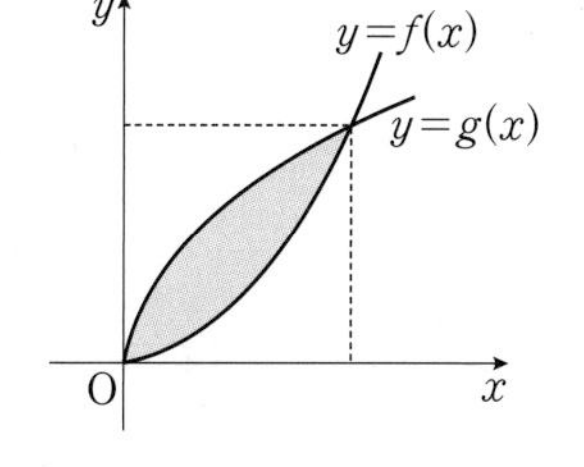

발전문제 0807 함수 $f(x)=x^3-x^2+x$의 역함수를 $g(x)$라고 할 때, 두 곡선 $y=f(x)$와 $y=g(x)$로 둘러싸인 도형의 넓이를 구하여라.

정답 0805 : 38　0806 : ⑤　0807 : $\frac{1}{6}$

함수 $f(x)=x^3-3x^2+4x$의 역함수를 $g(x)$라 할 때, $\int_1^2 f(x)\,dx+\int_2^4 g(x)\,dx$의 값을 구하여라.

MAPL CORE 역함수로 표현된 정적분의 계산

$\int_a^b f(x)\,dx+\int_{f(a)}^{f(b)} g(x)\,dx=bf(b)-af(a)$

개념익힘 | 풀이 함수 $f(x)=x^3-3x^2+4x$에서 $f'(x)=3x^2-6x+4=3(x-1)^2+1>0$이므로

함수 $f(x)$는 증가하는 함수이고 역함수가 존재한다.

$y=f(x)$와 $y=g(x)$의 그래프의 교점의 x좌표는 $y=f(x)$의 그래프와 직선 $y=x$의 교점과 같으므로

$x^3-3x^2+4x=x$에서 $x(x^2-3x+3)=0 \quad \therefore x=0$

오른쪽 그림과 같이 $y=f(x)$와 $y=g(x)$의 그래프는

직선 $y=x$에 대하여 대칭이다.

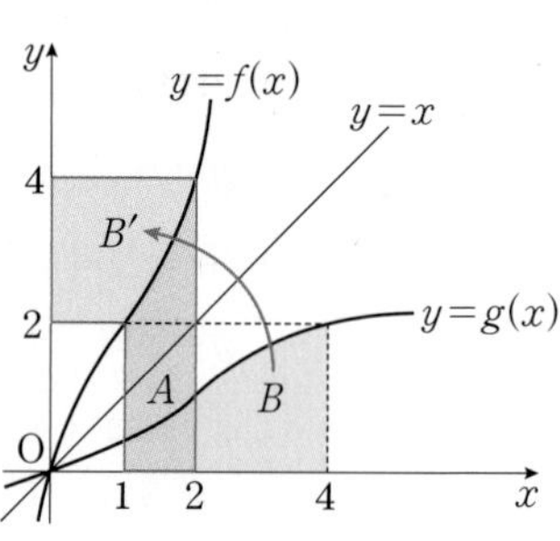

$\int_2^4 g(x)\,dx$의 값은 색칠된 부분 B의 넓이이고 역함수의 성질에 의하여

직선 $y=x$에 대하여 대칭이동시킨 부분 B'의 넓이와 같다.

따라서 $\int_1^2 f(x)\,dx$의 값은 색칠된 부분 A의 넓이이므로

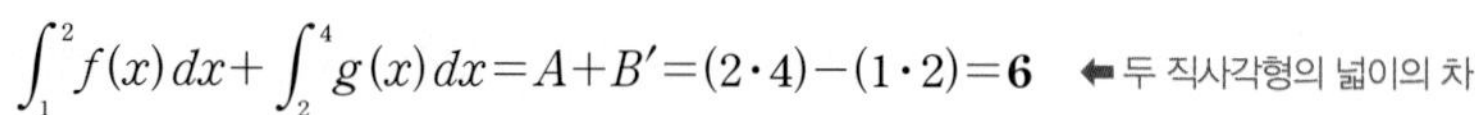

$\int_1^2 f(x)\,dx+\int_2^4 g(x)\,dx=A+B'=(2\cdot4)-(1\cdot2)=\mathbf{6}$ ⬅ 두 직사각형의 넓이의 차

확인유제 0808 함수 $f(x)=x^3-2x^2+2x$의 역함수를 $g(x)$라고 할 때, $\int_1^2 f(x)\,dx+\int_1^4 g(x)\,dx$의 값을 구하여라.

변형문제 0809 함수 $f(x)=x^3+x^2+x+k$의 역함수를 $g(x)$라 한다. $f(1)=a,\ f(2)=b$일 때,

$\int_1^2 f(x)\,dx+\int_a^b g(x)\,dx=50$을 만족시키는 양수 k의 값은?

① 10 ② 15 ③ 18 ④ 20 ⑤ 25

발전문제 0810 다음 물음에 답하여라.

2012년 07월 교육청

(1) 함수 $f(x)=x^3+x-1$의 역함수를 $g(x)$라 할 때, $\int_1^9 g(x)\,dx$의 값은?

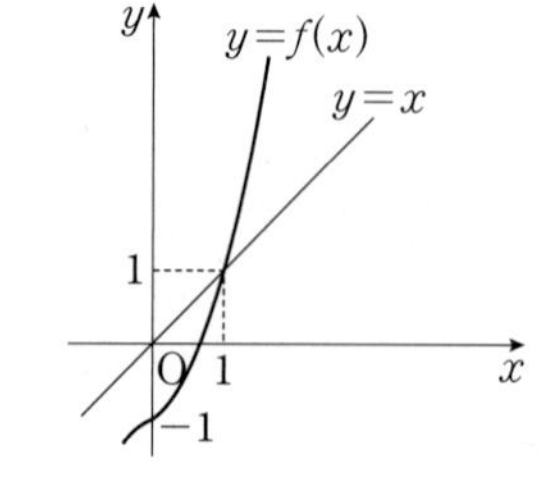

① $\frac{47}{4}$ ② $\frac{49}{4}$ ③ $\frac{51}{4}$ ④ $\frac{53}{4}$ ⑤ $\frac{55}{4}$

(2) 오른쪽 그림과 같이 함수 $f(x)=x^2+x\ (x\geq0)$의 역함수를 $g(x)$라 하자. 닫힌구간 $[f(1),\ f(2)]$에서 함수 $y=g(x)$와 x축 및 두 직선 $x=f(1),\ x=f(2)$로 둘러싸인 부분의 넓이는?

① $\frac{37}{6}$ ② $\frac{19}{3}$ ③ $\frac{13}{2}$ ④ $\frac{20}{3}$ ⑤ $\frac{41}{6}$

정답 0808 : 7 0809 : ⑤ 0810 : (1) ③ (2) ①

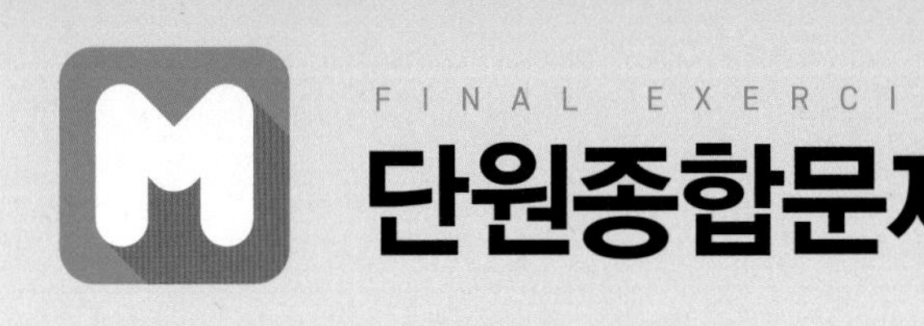

BASIC

내신 수능 기본 대표 기출문제

0811

두 곡선 사이의 넓이
2012학년도 09월 평가원

다음 물음에 답하여라.

(1) 곡선 $y=x^2-x+2$와 직선 $y=2$로 둘러싸인 부분의 넓이는?

① $\frac{1}{9}$ ② $\frac{1}{6}$ ③ $\frac{2}{9}$ ④ $\frac{5}{18}$ ⑤ $\frac{1}{3}$

2014학년도 수능기출

(2) 곡선 $y=x^2-4x+3$과 직선 $y=3$으로 둘러싸인 부분의 넓이는?

① 10 ② $\frac{31}{3}$ ③ $\frac{32}{3}$ ④ 11 ⑤ $\frac{34}{3}$

0812

곡선과 x축 사이의 넓이
내신빈출

오른쪽 그림과 같이 곡선 $y=x^2-6x+a$와 x축 및 y축으로 둘러싸인 도형의 넓이를 A, 이 곡선과 x축으로 둘러싸인 도형의 넓이를 B라 하자. $A:B=1:2$일 때, 상수 a의 값은?

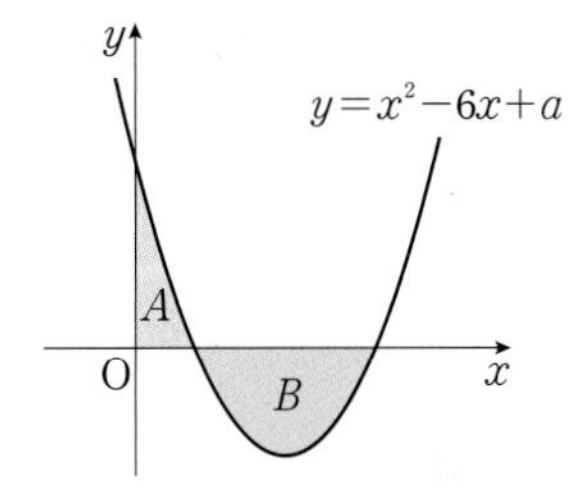

① 2 ② 4 ③ 6
④ 8 ⑤ 10

0813

두 곡선으로 둘러싸인 도형의 넓이
2018학년도 수능기출

다음 물음에 답하여라.

(1) 곡선 $y=-2x^2+3x$와 직선 $y=x$로 둘러싸인 부분의 넓이가 $\frac{q}{p}$일 때, $p+q$의 값은?
(단, p와 q는 서로소인 자연수이다.)

① 4 ② 5 ③ 6 ④ 7 ⑤ 8

2015년 09월 교육청 (고2)

(2) 곡선 $y=x^2-x+1$과 직선 $y=x+4$로 둘러싸인 부분의 넓이는?

① 8 ② $\frac{26}{3}$ ③ $\frac{28}{3}$ ④ 10 ⑤ $\frac{32}{3}$

0814

삼차곡선과 접선으로 둘러싸인 도형의 넓이
2015년 10월 교육청

다음 물음에 답하여라.

(1) 곡선 $y=x^3-2x^2+k$와 직선 $y=k$로 둘러싸인 부분의 넓이는? (단, k는 상수이다.)

① $\frac{1}{3}$ ② $\frac{2}{3}$ ③ 1 ④ $\frac{4}{3}$ ⑤ $\frac{5}{3}$

2017년 11월 교육청 (고2)

(2) 곡선 $y=x^3-3x^2+x$와 직선 $y=x-4$로 둘러싸인 부분의 넓이는?

① $\frac{21}{4}$ ② $\frac{23}{4}$ ③ $\frac{25}{4}$ ④ $\frac{27}{4}$ ⑤ $\frac{29}{4}$

0815

두 곡선으로 둘러싸인 도형의 넓이
내신빈출

다음 물음에 답하여라.

(1) 두 곡선 $y=x^3-2x+1$, $y=-x^2+1$로 둘러싸인 부분의 넓이는?

① $\frac{25}{6}$ ② $\frac{37}{12}$ ③ $\frac{9}{2}$ ④ $\frac{29}{4}$ ⑤ $\frac{27}{2}$

(2) 두 곡선 $y=4x^3-2x^2+3$, $y=2x^2+3$으로 둘러싸인 부분의 넓이는?

① $\frac{1}{3}$ ② $\frac{2}{3}$ ③ 1 ④ $\frac{4}{3}$ ⑤ $\frac{5}{3}$

정답 0811 : (1) ② (2) ③ 0812 : ③ 0813 : (1) ① (2) ⑤ 0814 : (1) ④ (2) ④ 0815 : (1) ② (2) ①

0816
삼차곡선과 x축에 접하는 도형의 넓이

다음 물음에 답하여라.

(1) 함수 $f(x)=\int_{0}^{x}(-6t^2+6t)\,dt$에 대하여 곡선 $y=f(x)$와 x축으로 둘러싸인 부분의 넓이는?

① $\frac{21}{32}$ ② $\frac{23}{32}$ ③ $\frac{25}{32}$ ④ $\frac{27}{32}$ ⑤ $\frac{29}{32}$

2017년 10월 교육청 (대전)

(2) 함수 $f(x)=12x^3-24x^2+12x+a$가 극솟값 0을 가질 때, 곡선 $y=f(x)$와 x축으로 둘러싸인 부분의 넓이는? (단, a는 상수)

① $\frac{2}{3}$ ② 1 ③ $\frac{4}{3}$ ④ 2 ⑤ $\frac{9}{2}$

0817
두 곡선으로 둘러싸인 도형의 넓이
내신빈출

오른쪽 그림과 같이 모든 실수 x에 대하여 $f(-x)=-f(x)$를 만족시키는 삼차함수 $y=f(x)$의 그래프와 직선 $y=mx$가 서로 다른 세 점에서 만난다. 모든 실수 x에 대하여 $f(x)-mx=-x(x+1)(x-1)$일 때, 곡선 $y=f(x)$와 직선 $y=mx$로 둘러싸인 부분의 넓이는? (단, $m>0$)

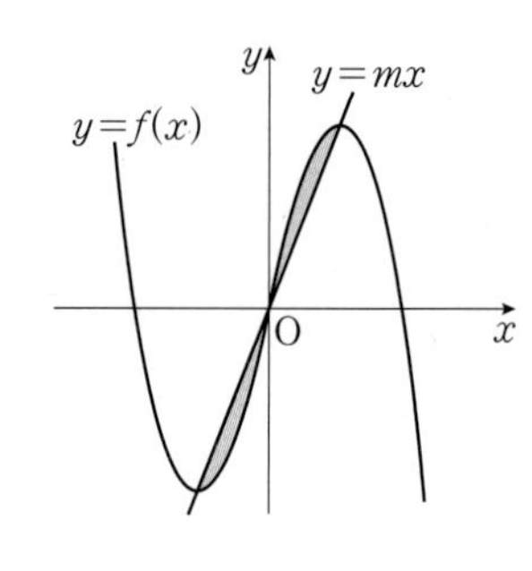

① $\frac{1}{8}$ ② $\frac{1}{4}$ ③ $\frac{3}{8}$
④ $\frac{1}{2}$ ⑤ $\frac{5}{8}$

0818
미분계수와 곡선의 넓이
내신빈출

다음 물음에 답하여라.

(1) 함수 $f(x)=3x^2+2$의 그래프와 x축 및 두 직선 $x=2-h$, $x=2+h\,(h<0)$으로 둘러싸인 부분의 넓이를 $S(h)$라고 할 때, $\lim_{h\to0-}\frac{S(h)}{h}$의 값을 구하여라.

(2) 곡선 $y=x^2+2x+3$과 x축 및 두 직선 $x=2-h$, $x=2+h\,(h>0)$으로 둘러싸인 도형의 넓이를 $S(h)$라고 할 때, $\lim_{h\to0+}\frac{S(h)}{h}$의 값을 구하여라.

0819
두 곡선 사이의 넓이
내신빈출

곡선 $f(x)=x^2-4x+4$를 y축의 방향으로 a만큼 평행이동시킨 곡선을 $y=g(x)$라 하자. 두 곡선 $y=f(x)$, $y=g(x)$와 y축 및 $x=6$으로 둘러싸인 부분의 넓이가 12일 때, $g(2)$의 값을 구하여라. (단, $a>0$)

0820
곡선과 x축 사이의 넓이의 활용
내신빈출

함수 $f(x)=x^2-2x+3$에 대하여 직선 $x=0$, $x=3$, $y=0$과 곡선 $y=f(x)$로 둘러싸인 부분의 넓이와 직선 $x=0$, $x=3$, $y=0$, $y=f(c)$로 둘러싸인 사각형의 넓이가 같게 되는 c의 값은? (단, $0<c<3$이다.)

① 1.8 ② 1.9 ③ 2 ④ 2.1 ⑤ 2.2

0821
함수와 그 역함수의 그래프로 둘러싸인 부분의 넓이
1997학년도 수능기출

정사각형 모양의 타일이 좌표평면에 그림과 같이 가로, 세로가 각각 x축, y축과 일치되게 놓여 있다. 이 타일에 $y=f(x)$와 $y=g(x)$의 그래프를 경계로 하여 파란색과 노란색을 칠하려고 한다. 파란색과 노란색이 칠해지는 부분의 면적의 비가 2:3일 때, $\int_{0}^{15}f(x)\,dx$의 값을 구하여라. (단, 함수 $g(x)$는 $f(x)$의 역함수이다.)

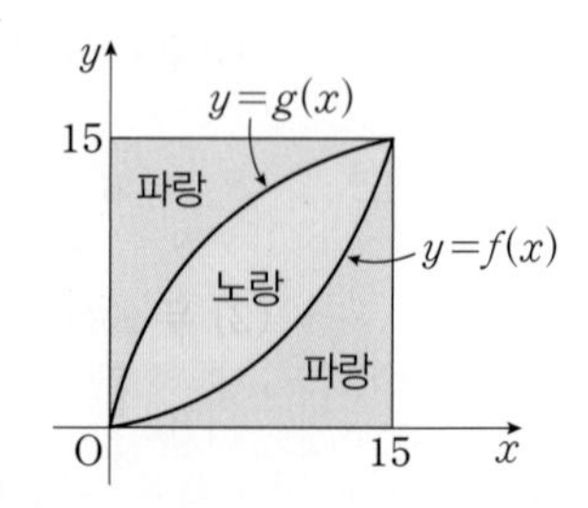

정답 0816 : (1) ④ (2) ② 0817 : ④ 0818 : (1) −28 (2) 22 0819 : 2 0820 : ③ 0821 : 45

0822

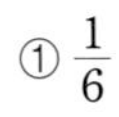
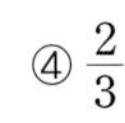

함수와 그 역함수의 그래프로 둘러싸인 부분의 넓이

다음 물음에 답하여라.

(1) 정의역이 $\{x \mid x \geq 0\}$인 함수 $f(x)=ax^2$의 역함수를 $g(x)$라 하자. 두 곡선 $y=f(x)$, $y=g(x)$로 둘러싸인 부분의 넓이가 $\frac{4}{3}$일 때, 양수 a의 값은?

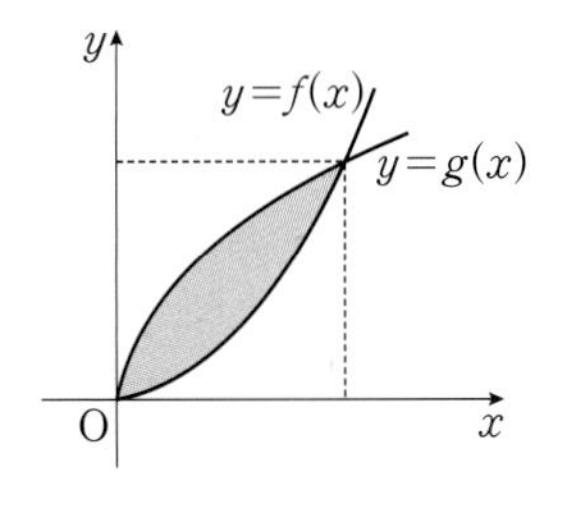

① $\frac{1}{6}$ ② $\frac{1}{3}$ ③ $\frac{1}{2}$

④ $\frac{2}{3}$ ⑤ $\frac{5}{6}$

(2) 함수 $f(x)=x^2-2x+2\,(x \geq 1)$의 역함수를 $g(x)$라 하자. 두 곡선 $y=f(x)$, $y=g(x)$로 둘러싸인 부분의 넓이는?

① $\frac{1}{12}$ ② $\frac{1}{6}$ ③ $\frac{1}{4}$ ④ $\frac{1}{3}$ ⑤ $\frac{5}{12}$

0823

역함수로 표현된 정적분의 계산
내신빈출

함수 $f(x)=\frac{1}{3}x^3+3\,(x \geq 0)$의 역함수를 $g(x)$라 할 때, $\int_0^3 f(x)\,dx+\int_3^{12} g(x)\,dx$의 값을 구하여라.

0824

두 곡선 사이의 넓이가 서로 같을 조건
내신빈출

다음 물음에 답하여라.

(1) 오른쪽 그림과 같이 곡선 $y=x^2-ax\,(0<a<3)$와 x축으로 둘러싸인 부분의 넓이를 S_1이라 하고 곡선 $y=x^2-ax$와 x축 및 직선 $x=3$으로 둘러싸인 부분의 넓이를 S_2라 하자. $S_1=S_2$일 때, 상수 a의 값을 구하여라.

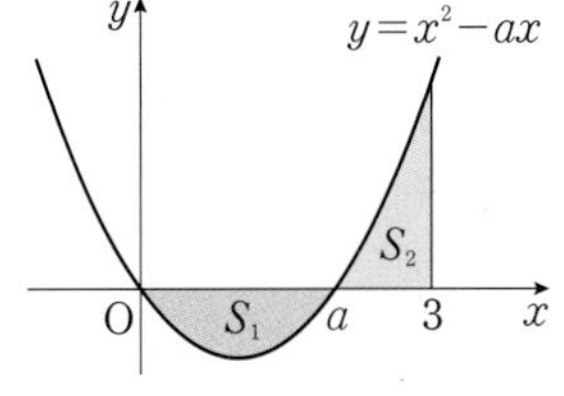

(2) 오른쪽 그림과 같이 함수 $f(x)=x^2-4x+3$에 대하여 곡선 $y=f(x)$와 x축으로 둘러싸인 색칠한 부분을 A, 곡선 $y=f(x)$와 x축 및 직선 $x=a$로 둘러싸인 색칠한 부분를 B라 하자. 두 부분 A, B의 넓이가 서로 같을 때, 실수 a의 값을 구하여라. (단, $a>3$)

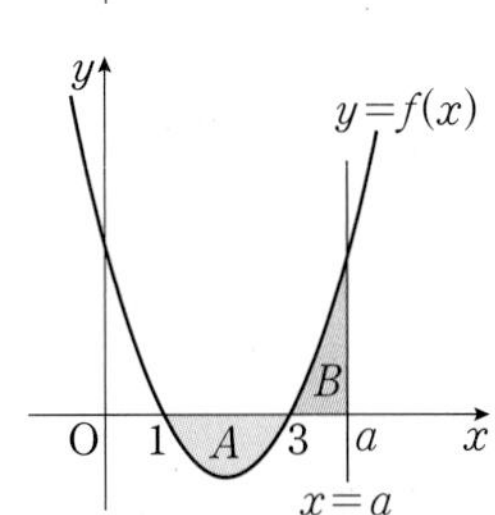

0825

곡선과 x축 사이의 넓이
내신빈출

오른쪽 그림과 같이 사차함수 $y=f(x)$의 그래프가 $x=1$과 $x=3$에서 극댓값 3을 갖고 $x=2$에서 극솟값 1을 가질 때, 사차함수 $f(x)$의 도함수 $y=f'(x)$의 그래프와 x축으로 둘러싸인 부분의 넓이는?

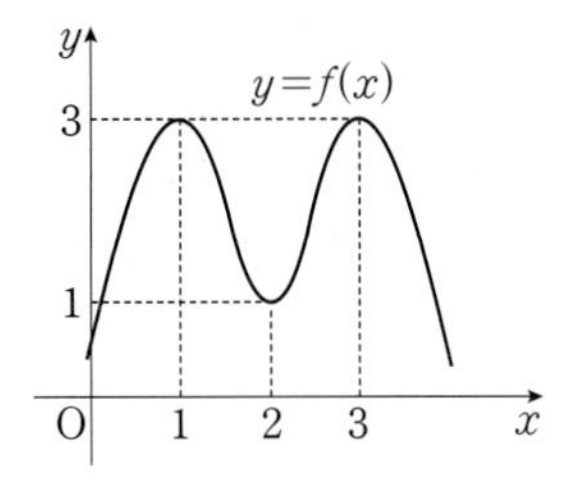

① 2 ② 3 ③ 4

④ 5 ⑤ 6

0826

곡선과 x축 사이의 넓이
2016학년도 09월 평가원

함수 $f(x)$의 도함수 $f'(x)$가 $f'(x)=x^2-1$과 $f(0)=0$을 만족할 때, 곡선 $y=f(x)$와 x축으로 둘러싸인 부분의 넓이는?

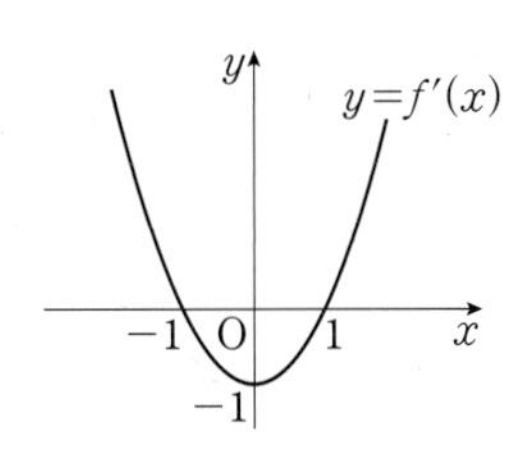

① $\frac{9}{8}$ ② $\frac{5}{4}$ ③ $\frac{11}{8}$

④ $\frac{3}{2}$ ⑤ $\frac{13}{8}$

정답 0822 : (1) ③ (2) ④ 0823 : 36 0824 : (1) 2 (2) 4 0825 : ③ 0826 : ④

0827

곡선과 x축 사이의 넓이
2013학년도 수능기출

최고차항의 계수가 1인 이차함수 $f(x)$가 $f(3)=0$이고

$$\int_0^{2013} f(x)\,dx=\int_3^{2013} f(x)\,dx$$

를 만족시킨다. 곡선 $y=f(x)$와 x축으로 둘러싸인 부분의 넓이가 S일 때, $30S$의 값을 구하여라.

0828

곡선과 x축 사이의 넓이

다음 물음에 답하여라.

(1) 삼차함수 $f(x)$의 도함수 $f'(x)=-\frac{1}{9}(x^2-9)$이고 극솟값이 1일 때, 곡선 $y=f(x)$와 x축 및 두 직선 $x=-3$, $x=3$으로 둘러싸인 부분의 넓이는?

① 12 ② 15 ③ 18 ④ 21 ⑤ 24

2013학년도 사관기출

(2) 함수 $f(x)$의 도함수가 $f'(x)=4x^3-4x$이고 $f(x)$의 극댓값이 k일 때, 직선 $y=k$와 곡선 $y=f(x)$로 둘러싸인 부분의 넓이는?

① $\frac{8\sqrt{2}}{15}$ ② $\frac{2\sqrt{2}}{3}$ ③ $\frac{4\sqrt{2}}{5}$ ④ $\frac{14\sqrt{2}}{15}$ ⑤ $\frac{16\sqrt{2}}{15}$

0829

두 곡선 사이의 넓이와 최대 · 최소
2008년 10월 교육청

오른쪽 그림과 같이 네 점 $(0, 0)$, $(1, 0)$, $(1, 1)$, $(0, 1)$을 꼭짓점으로 하는 정사각형의 내부를 두 곡선 $y=\frac{1}{2}x^2$, $y=ax^2$으로 나눈 세 부분의 넓이를 각각 S_1, S_2, S_3이라 하자. S_1, S_2, S_3이 이 순서로 등차수열을 이룰 때, 양수 a의 값은?

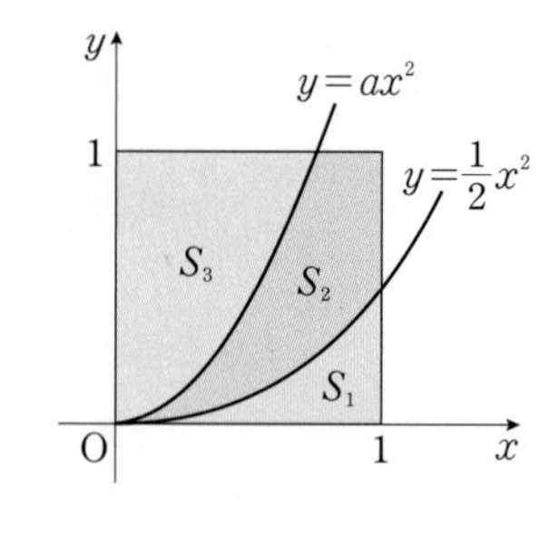

① 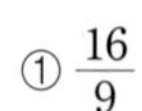 $\frac{16}{9}$ ② $\frac{17}{9}$ ③ 2

④ 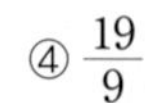 $\frac{19}{9}$ ⑤ $\frac{20}{9}$

0830

두 곡선 사이의 넓이와 최대 · 최소
내신빈출

곡선 $y=-x^2+1$과 이 곡선 위의 임의의 점 $(a, -a^2+1)$에서의 접선 및 두 직선 $x=0$, $x=1$로 둘러싸인 도형의 넓이의 최솟값을 구하여라. $(0<a<1)$

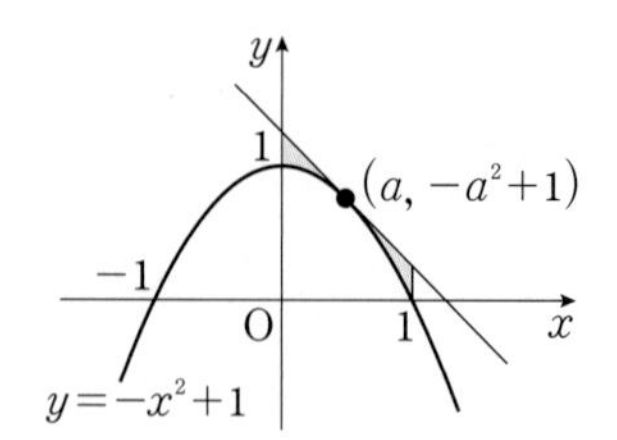

0831

역함수의 그래프와 좌표축 사이의 넓이의 활용
내신빈출

함수 $f(x)=x^3+\frac{3}{4}x$의 역함수를 $g(x)$라 할 때, 두 곡선 $y=f(x)$, $y=g(x)$로 둘러싸인 부분의 넓이는?

① $\frac{1}{32}$ ② $\frac{1}{16}$ ③ $\frac{3}{32}$ ④ $\frac{1}{8}$ ⑤ $\frac{5}{32}$

정답 0827 : 40 0828 : (1) ③ (2) ⑤ 0829 : ① 0830 : (1) $\frac{1}{12}$ 0831 : ②

0832

정적분과 넓이
2015학년도 사관기출

함수 $f(x)=-x(x-4)$의 그래프를 x축의 방향으로 2만큼 평행이동시킨 곡선을 $y=g(x)$라 하자. 오른쪽 그림과 같이 두 곡선 $y=f(x)$, $y=g(x)$와 x축으로 둘러싸인 세 부분의 넓이를 각각 S_1, S_2, S_3이라 할 때, $\dfrac{S_2}{S_1+S_3}$의 값은?

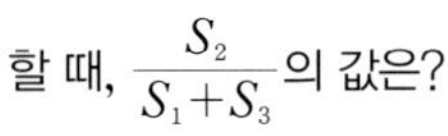

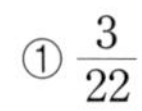

① $\dfrac{3}{22}$　② $\dfrac{7}{44}$　③ $\dfrac{2}{11}$　④ $\dfrac{9}{44}$　⑤ $\dfrac{5}{22}$

0833

두 곡선으로 둘러싸인 도형의 넓이
2016학년도 수능기출

점 P(0, 3)에 대하여 함수 $f(x)=x^2$의 그래프 위의 점 중 y좌표가 1이고 제 1사분면에 있는 점을 Q라 할 때, 선분 PQ와 곡선 $y=f(x)$ 및 y축으로 둘러싸인 부분의 넓이는?

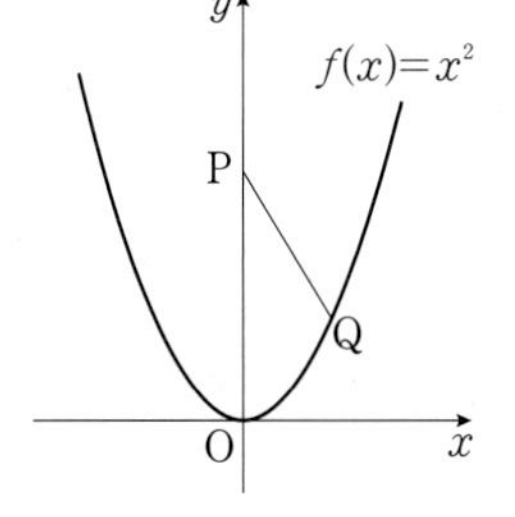

① $\dfrac{3}{2}$　② $\dfrac{19}{12}$　③ $\dfrac{5}{3}$　④ $\dfrac{7}{4}$　⑤ $\dfrac{11}{6}$

0834

곡선과 x축 사이의 넓이의 활용
2013년 10월 교육청

오른쪽 그림과 같이 좌표평면 위의 두 점 A(2, 0), B(0, 3)을 지나는 직선과 곡선 $y=ax^2(a>0)$ 및 y축으로 둘러싸인 부분 중에서 제 1사분면에 있는 부분의 넓이를 S_1이라 하자.
또, 직선 AB와 곡선 $y=ax^2$ 및 x축으로 둘러싸인 부분의 넓이를 S_2라 하자. $S_1:S_2=13:3$일 때, 상수 a의 값은?

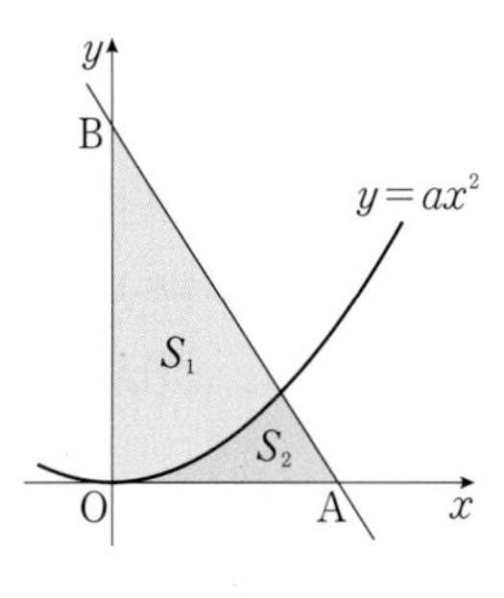

① $\dfrac{2}{9}$　② $\dfrac{1}{3}$　③ $\dfrac{4}{9}$　④ $\dfrac{5}{9}$　⑤ $\dfrac{2}{3}$

0835

정적분과 넓이의 진위판단

두 다항함수 $f(x)$, $g(x)$에 대하여 [보기]에서 옳은 것만을 있는 대로 고른 것은? (단, a, b는 상수)

ㄱ. $a\le x\le b$인 모든 실수 x에 대하여 $f(x)\ge g(x)$이면 $\int_a^b f(x)\,dx\ge\int_a^b g(x)\,dx$이다.
ㄴ. $a\le x\le b$인 모든 실수 x에 대하여 $\int_a^b |f(x)|\,dx\ge\int_a^b f(x)\,dx$이다.
ㄷ. $a\le x\le b$인 모든 실수 x에 대하여 $\int_a^b |f(x)|\,dx\ge\left|\int_a^b f(x)\,dx\right|$이다.

① ㄱ　② ㄴ　③ ㄱ, ㄴ　④ ㄴ, ㄷ　⑤ ㄱ, ㄴ, ㄷ

0836

정적분과 넓이의 진위판단

미분가능한 사차함수 $y=f(x)$와 이차함수 $y=g(x)$의 도함수 $y=f'(x)$, $y=g'(x)$의 그래프가 그림과 같다.
두 곡선 $y=f(x)$, $y=g(x)$ 및 두 직선 $x=a$, $x=c$로 둘러싸인 부분의 넓이를 S라 할 때, 옳은 것만을 [보기]에서 있는 대로 고른 것은? (단, $a<b<c$)

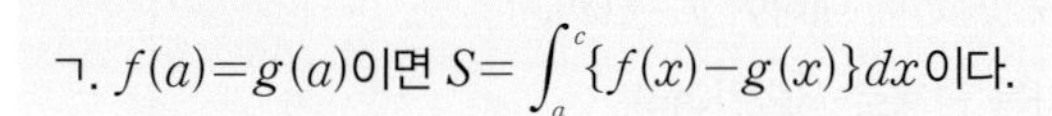

ㄱ. $f(a)=g(a)$이면 $S=\int_a^c \{f(x)-g(x)\}dx$이다.
ㄴ. $f(b)=g(b)$이면 $S=\int_a^c \{g(x)-f(x)\}dx$이다.
ㄷ. $\left|\int_a^c \{f(x)-g(x)\}dx\right|<S$이면 $f(b)>g(b)$이다.

① ㄱ　② ㄴ　③ ㄱ, ㄴ　④ ㄴ, ㄷ　⑤ ㄱ, ㄴ, ㄷ

정답　0832 : ⑤　0833 : ③　0834 : ②　0835 : ⑤　0836 : ④

0837

곡선과 x축 사이의 넓이의 활용

서술형

$f(x)=x^3-3x+\int_0^2 f(t)\,dt$를 만족시키는 다항함수 $f(x)$에 대하여 $y=f(x)$의 그래프와 x축으로 둘러싸인 부분의 넓이를 다음 단계로 서술하여라.

[1단계] $\int_0^2 f(t)\,dt=k$로 놓고 k의 값을 구한다.

[2단계] 다항함수 $f(x)$를 구한다.

[3단계] 함수 $y=f(x)$의 그래프와 x축으로 둘러싸인 부분의 넓이를 구한다.

0838

곡선과 x축 사이의 넓이

서술형

다항함수 $f(x)$가 모든 실수 x에 대하여 $\int_2^x f(t)\,dt=x^3-ax^2$를 만족할 때, 함수 $y=f(x)$의 그래프와 x축으로 둘러싸인 부분의 넓이를 다음 단계로 서술하여라.

[1단계] $\int_2^x f(t)\,dt=x^3-ax^2$를 만족하는 상수 a를 구한다.

[2단계] 다항함수 $f(x)$를 구한다.

[3단계] 함수 $y=f(x)$의 그래프와 x축으로 둘러싸인 부분의 넓이를 구한다.

0839

곡선과 접선으로 둘러싸인 도형의 넓이

서술형

다음 극값이 존재하지 않는 곡선과 극값이 존재하는 곡선에 대한 물음에 서술하여라.

(1) 곡선 $y=x^3-3x^2+3x$ 위의 점 $(2,\ 2)$에서의 접선과 이 곡선으로 둘러싸인 도형의 넓이를 다음 단계로 서술하여라.

[1단계] 곡선 위의 점 $(2,\ 2)$에서의 접선의 방정식을 구한다.

[2단계] 접선과 곡선의 교점의 x좌표를 구한다.

[3단계] 곡선과 접선으로 둘러싸인 도형의 넓이를 구한다.

(2) 곡선 $y=x^3-3x^2+x+5$ 위의 점 $(0,\ 5)$에서의 접선과 이 곡선으로 둘러싸인 도형의 넓이를 다음 단계로 서술하여라.

[1단계] 곡선 위의 점 $(0,\ 5)$에서의 접선의 방정식을 구한다.

[2단계] 접선과 곡선의 교점의 x좌표를 구한다.

[3단계] 곡선과 접선으로 둘러싸인 도형의 넓이를 구한다.

0840

두 곡선 사이의 넓이

서술형

곡선 $y=|x^2-3x+2|$와 직선 $y=x+2$으로 둘러싸인 도형의 넓이를 다음 단계로 서술하여라.

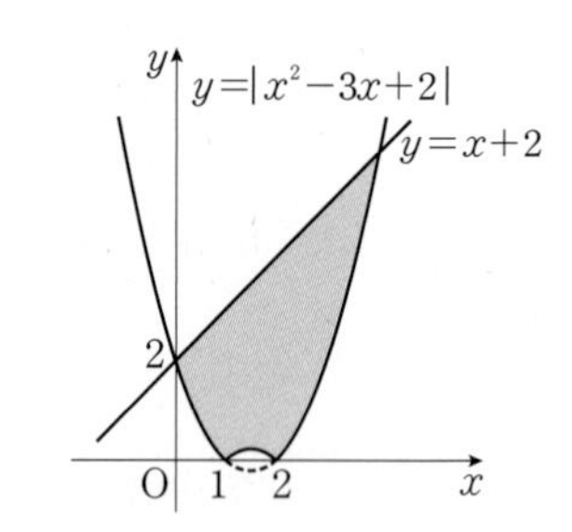

[1단계] $y=|x^2-3x+2|$를 절댓값 기호안의 식이 0이 되는 x의 값을 기준으로 구간을 나누어 나타낸다.

[2단계] 곡선 $y=|x^2-3x+2|$와 직선 $y=x+2$의 교점의 x좌표를 모두 구한다.

[3단계] 정적분을 이용하여 도형의 넓이를 구한다.

0841

역함수와 도형의 넓이

서술형

삼차함수 $f(x)=x^3-x^2+x$와 그 역함수 $g(x)$에 대하여 $y=f(x)$, $y=g(x)$의 그래프가 그림과 같을 때, 다음 단계로 서술하여라.

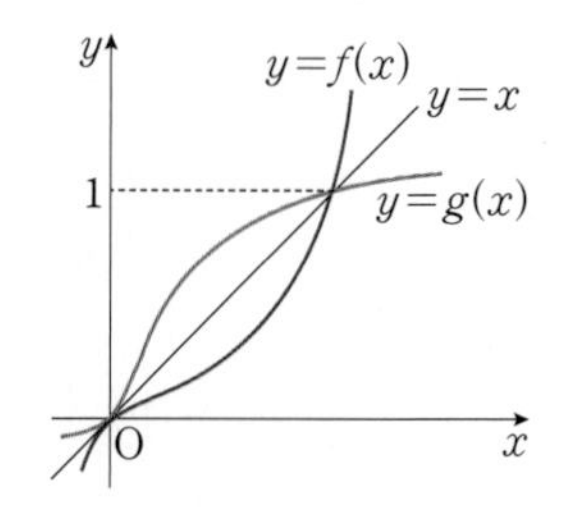

[1단계] 곡선 $y=g(x)$와 y축 및 직선 $y=1$로 둘러싸인 도형의 넓이를 구한다.

[2단계] 두 곡선 $y=f(x)$, $y=g(x)$로 둘러싸인 도형의 넓이를 구한다.

[3단계] $\int_0^1 f(x)\,dx+\int_0^1 g(x)\,dx$의 값을 구한다.

정답 0837 : 해설참조 0838 : 해설참조 0839 : 해설참조 0840 : 해설참조 0841 : 해설참조

0842

함수와 그 역함수의 그래프로 둘러싸인 도형의 넓이의 활용
2009년 10월 교육청

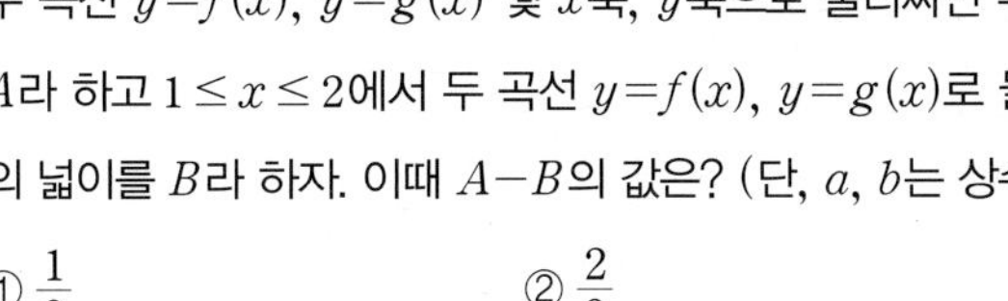

오른쪽 그림과 같이 함수 $f(x)=ax^2+b\,(x\ge 0)$의 그래프와 그 역함수 $g(x)$의 그래프가 만나는 두 점의 x좌표는 1과 2이다. $0\le x\le 1$에서 두 곡선 $y=f(x)$, $y=g(x)$ 및 x축, y축으로 둘러싸인 부분의 넓이를 A라 하고 $1\le x\le 2$에서 두 곡선 $y=f(x)$, $y=g(x)$로 둘러싸인 부분의 넓이를 B라 하자. 이때 $A-B$의 값은? (단, a, b는 상수)

① $\frac{1}{9}$ 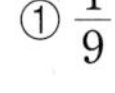 ② $\frac{2}{9}$ 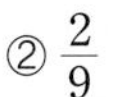 ③ $\frac{1}{3}$

④ $\frac{4}{9}$ 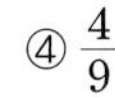 ⑤ $\frac{5}{9}$ 

0843

역함수의 정적분의 활용
2019학년도 경찰대 기출

함수 $f(x)=(x-1)^3+(x-1)$의 역함수를 $g(x)$라 할 때, $\int_2^{10} g(x)dx$의 값은?

① $\frac{51}{4}$ ② $\frac{59}{4}$ ③ $\frac{67}{4}$ ④ $\frac{75}{4}$ ⑤ $\frac{83}{4}$

0844

두 곡선 사이의 넓이의 활용
2016년 09월 교육청 (고2)

오른쪽 그림과 같이 중심이 $\mathrm{A}\left(0,\ \frac{3}{2}\right)$이고 반지름의 길이가 $r\left(r<\frac{3}{2}\right)$인 원 C가 있다.

원 C가 함수 $y=\frac{1}{2}x^2$의 그래프와 서로 다른 두 점에서 만날 때, C와 함수 $y=\frac{1}{2}x^2$의 그래프로 둘러싸인 ◡ 모양의 넓이는 $a+b\pi$이다. $120(a+b)$의 값을 구하여라. (단, a, b는 유리수이다.)

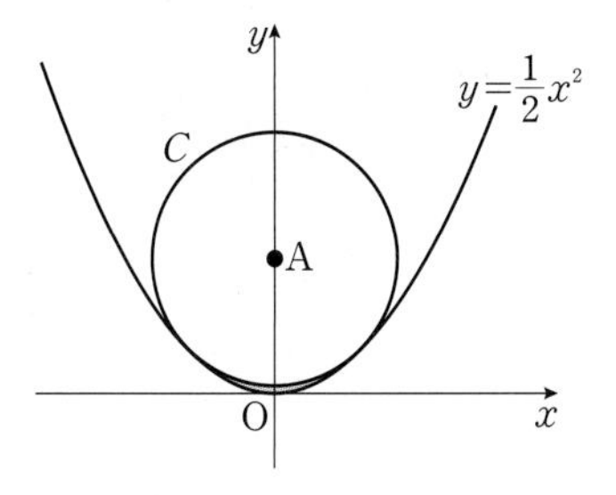

0845

두 곡선 사이의 넓이가 같을 조건
2009년 07월 교육청

오른쪽 그림과 같이 임의로 그은 직선 l이 y축과 만나는 점을 A, 점 C$(6,\ 0)$을 지나고 y축과 평행하게 그은 직선과의 교점을 B라 하자. 사다리꼴 OABC의 넓이가 곡선 $f(x)=x^3-6x^2$과 x축으로 둘러싸인 부분의 넓이와 같을 때, 임의의 직선 l은 항상 일정한 점 D를 지난다. 이때 △ODC의 넓이를 구하여라.
(단, $\overline{\mathrm{AB}}$는 $\overline{\mathrm{OC}}$ 아래에 있다.)

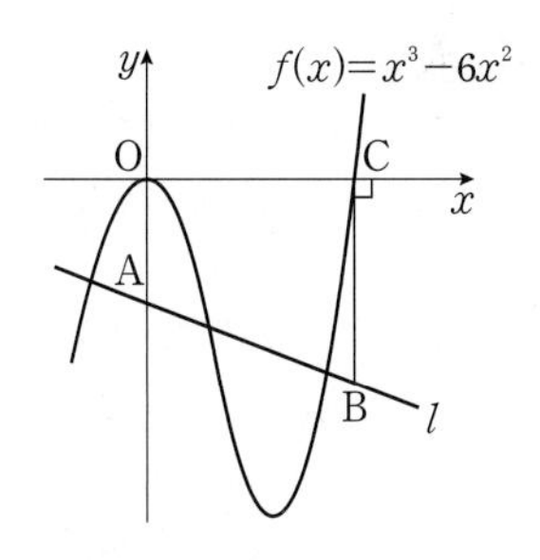

0846

두 곡선 사이의 넓이의 활용
2007년 10월 교육청

오른쪽 그림과 같이 중심이 O이고 반지름의 길이가 2인 원의 둘레를 6등분하는 점을 각각 A, B, C, D, E, F라 하자.
두 점 A, B에서 두 직선 OA, OB에 접하는 포물선 C_1을 그리고, 두 점 B, C에서 두 직선 OB, OC에 접하는 포물선 C_2를 그린다. 이와 같은 방법으로 포물선 C_3, C_4, C_5, C_6을 그릴 때, 6개의 포물선으로 둘러싸인 부분의 넓이는?

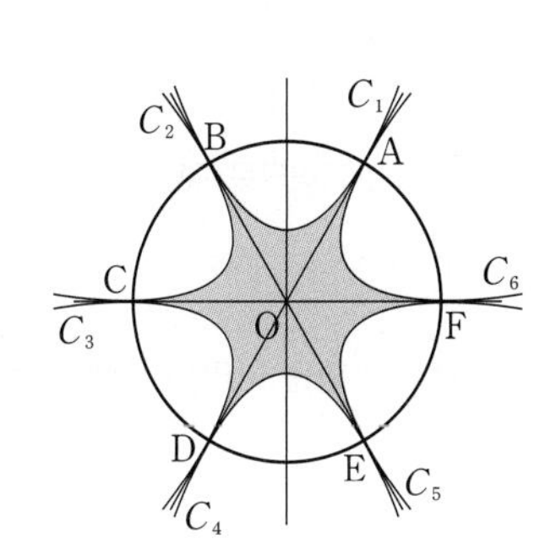

① $2\sqrt{3}$ ② $\frac{5\sqrt{3}}{2}$ ③ $3\sqrt{3}$

④ $\frac{7\sqrt{3}}{2}$ 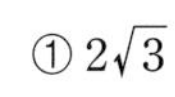 ⑤ $4\sqrt{3}$

정답 0842 : ④ 0843 : ⑤ 0844 : 140 0845 : 54 0846 : ①

지니계수와 소득분배

01 로렌츠 곡선과 지니계수

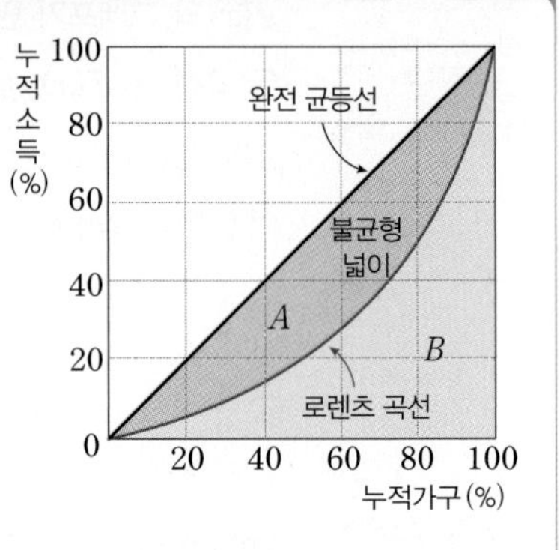

국민들의 생활 수준과 소득분배가 어떻게 이루어져 있는가를 파악하는 일은 매우 중요하다. 국내 총생산(GDP)은 보통 한 나라의 국력이나 국민들의 생활 수준을 말할 때 일반적으로 사용되지만, 소득이 사회 각 계층에 얼마나 고루 분배되고 있는지 보여주지는 못하기 때문이다.

미국 통계학자 로렌츠는 한 나라의 국민들의 소득분배 정도를 나타내는 곡선을 고안해 냈다. 하위 $x\%$의 가구의 소득을 모두 합한 것이 전체 소득의 $y\%$일 때, 그 값을 $y=L(x)$의 그래프로 나타낸 것을 **로렌츠 곡선**이라 한다.

이 그림에서 대각선 $y=x$를 완전 균등선이라 불리는데, 소득분배가 완전히 평등하게 이뤄질 때를 나타낸다. 즉 모든 국민의 소득이 같은 상태를 의미한다.

$y=L(x)$는 소득분배가 평등할수록 대각선 $y=x$에 가깝고 불평등할수록 대각선 $y=x$에서 멀어서 아래로 늘어지는 모양으로 나타낸다. 로렌츠 곡선에서 소득 불균형의 정도를 수치로 나타내는 것을 이탈리아의 통계학자 지니의 이름을 따서 지니계수라 한다.

$$(\text{지니계수})=\frac{A}{A+B}=2\int_0^1\{x-L(x)\}dx$$

지니계수가 0 에 가까울수록 소득이 잘 분배(소득격차가 줄어들고)되고, 1에 가까울수록 소득격차가 커짐을 뜻한다.

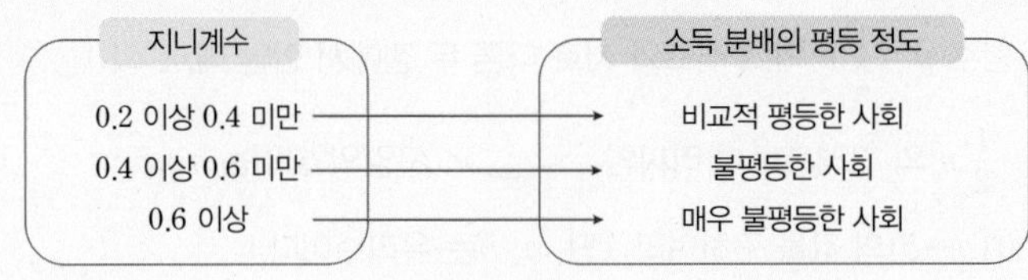

특강해설

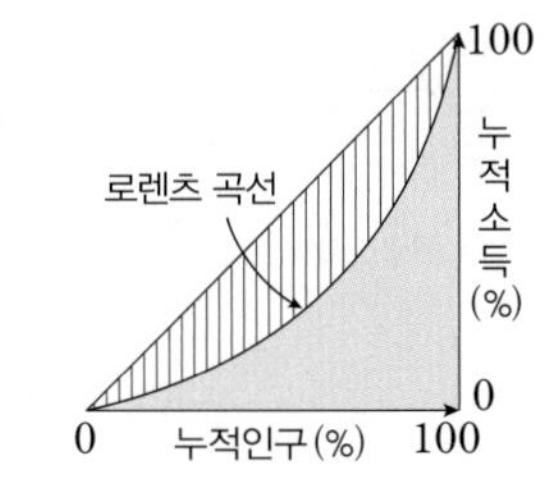

누적 인구의 비율과 소득 비율의 범위를 각각 0부터 1까지로 하고 로렌츠 곡선의 식을 $y=L(x)$라 하면 지니계수는 대각선 $y=x$와 로렌츠 곡선 $y=L(x)$ 사이의 넓이 A라 하면 오른쪽과 같이 정적분을 사용하여 나타내면 $A=\int_0^1|x-L(x)|dx$이고

A를 대각선 아래 삼각형 전체 넓이 $A+B=\int_0^1 xdx$로 나눈 값 $\frac{A}{A+B}$로 정한다.

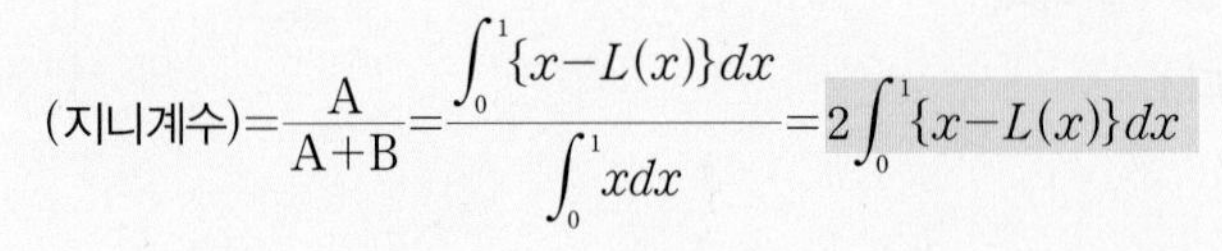

$$(\text{지니계수})=\frac{\text{A}}{\text{A+B}}=\frac{\int_0^1\{x-L(x)\}dx}{\int_0^1 xdx}=2\int_0^1\{x-L(x)\}dx$$

이때 A의 값의 범위가 0부터 $A+B$까지이므로 $0\le\frac{A}{A+B}\le 1$이 되어서 지니계수는 0과 1 사이의 값으로 나타난다.

그러므로 지니계수가 0에 가까울수록 소득격차가 줄어들고, 1에 가까울수록 소득격차가 커짐을 뜻한다.

보기 01 어떤 나라의 로렌츠 곡선의 식이

$$L(x)=0.9x^2+0.1x\ (0\le x\le 1)$$

일 때, 이 나라의 지니계수를 구하고, 소득분배의 평등정도를 말하여라.

풀이 $x-L(x)=-0.9x^2+0.9x$이므로

$(\text{지니계수})=2\int_0^1(-0.9x^2+0.9x)dx=2\Big[-0.3x^3+0.45x^2\Big]_0^1=0.3$

따라서 지니계수로 보면 이 나라는 비교적 평등한 사회이다.

04 속도와 거리

MAPL ; YOUR MASTER PLAN

01 수직선 위를 움직이는 점의 위치와 움직인 거리

수직선 위를 움직이는 점 P의 시각 t에서의 속도가 $v(t)$이고 시각 $t=a$에서의 점 P의 위치가 x_0일 때,

(1) 시각 t에서 점 P의 위치 x

$$x=x_0+\int_a^t v(t)dt$$ ⬅ x_0은 출발점의 위치

(2) 시각 $t=a$부터 시각 $t=b$까지 점 P의 위치의 변화량

$$\int_a^b v(t)dt$$ ⬅ 위치의 변화량을 변위(위치가 변화한 양)라고 한다. (정적분의 값)

(3) 시각 $t=a$부터 시각 $t=b$까지 점 P가 움직인 거리

$$s=\int_a^b |v(t)|dt$$ ⬅ 경과거리 : 점 P가 움직인 거리의 총합을 뜻한다. (넓이의 합)

참고 위치의 변화량은 단순히 물체의 위치가 변화한 양을 뜻하는 것으로 속도를 적분하여 구하고, 움직인 거리는 운동방향에 관계없이 실제로 움직인 거리의 총합을 뜻하는 것으로 속도의 절댓값을 적분하여 구한다.
이때 중간에 운동방향이 바뀌지 않으면 위치의 변화량의 절댓값과 움직인 거리는 같다.
그러나 그림과 같이 $t=c$에서 운동방향이 바뀔 때, 시간 $t=a$에서 시각 $t=c$까지 움직인 거리를 s_1, 시각 $t=c$에서 시각 $t=b$까지 움직인 거리를 s_2라 하면

위치의 변화량 ⇨ s_1-s_2

움직인 거리 ⇨ s_1+s_2

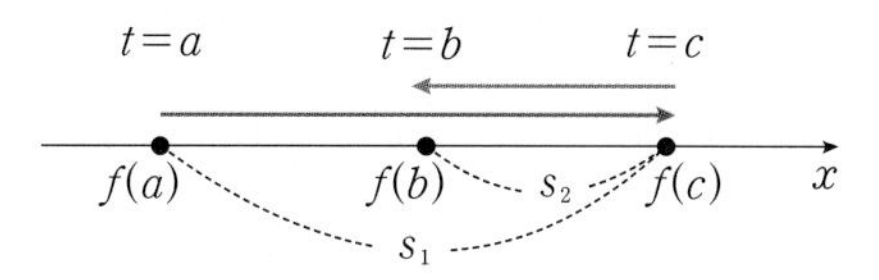

마플해설

(1) 시각 t에서 점 P의 위치

수직선 위를 움직이는 점 P의 시각 t에서의 속도가 $v(t)$이고 시각 $t=a$에서의 위치가 x_0일 때, 점 P의 위치를 $x=f(t)$라 하면

$$v(t)=\frac{dx}{dt}=f'(t)$$

$f(t)$는 $v(t)$의 한 부정적분이므로 다음을 얻는다.

$$\int_a^t v(t)dt=\Big[f(t)\Big]_a^t=f(t)-f(a)$$

(미분: 위치 → 속도, 적분: 속도 → 위치)

여기서 $f(a)=x_0$이므로 시각 t에서 점 P의 위치 x는

$$x=f(t)=f(a)+\int_a^t v(t)dt=x_0+\int_a^t v(t)dt$$ ⬅ 원점에서 출발하는 경우 시각 t에서의 위치는 $x=\int_0^t v(t)dt$

(2) 위치의 변화량

시각 $t=a$에서 $t=b$까지 점 P의 위치의 변화량 $f(b)-f(a)$는 다음과 같다.

$$f(b)-f(a)=\int_a^b v(t)dt$$ ⬅ (시각 $t=b$에서의 위치)$-$(시각 $t=a$에서의 위치)

(3) 시각 $t=a$부터 시각 $t=b$까지 점 P가 움직인 거리

시각 t에서의 속도 $v(t)$를 나타내는 그래프가 오른쪽 그림과 같다고 하자.
그러면 점 P가 시각 $t=a$부터 시각 $t=b$까지 움직인 거리 s는 이 그래프와 t축 및 두 직선 $t=a$와 $t=b$로 둘러싸인 도형의 넓이와 같으므로, 다음이 성립한다.

$$s=\int_a^c v(t)dx+\int_c^b \{-v(t)\}dt=\int_a^c |v(t)|dt+\int_c^b |v(t)|dt=\int_a^b |v(t)|dt$$

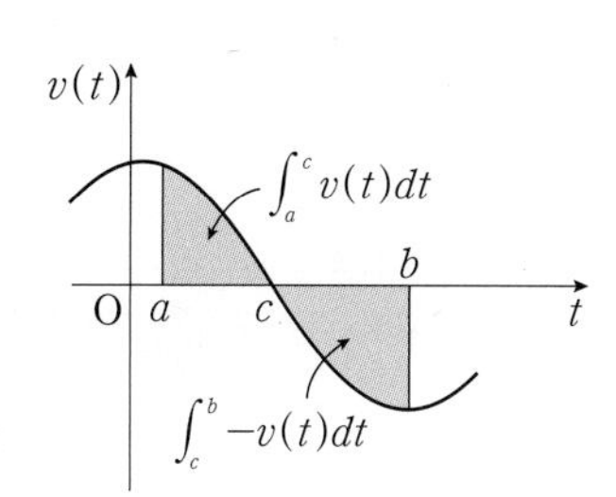

FOCUS

거리, 속도, 가속도의 관계

거리를 미분하면 속도, 속도를 미분하면 가속도를 구할 수 있고, 미분과 적분은 서로 역연산의 관계이다.

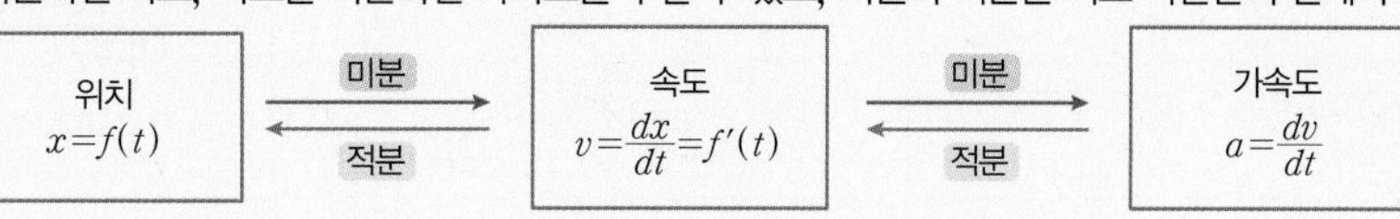

보기 01 좌표가 2인 점에서 출발하여 수직선 위를 움직이는 점 P의 시각 t에서의 속도가 $v(t)=4-2t$일 때, 다음을 구하여라.

(1) 시각 $t=3$에서 점 P의 위치

(2) 시각 $t=1$부터 시각 $t=3$까지 점 P의 위치의 변화량

(3) 시각 $t=1$부터 시각 $t=3$까지 점 P가 움직인 거리

풀이 (1) 시각 $t=0$에서 위치가 $x=2$이므로 $t=3$에서 점 P의 위치는

$$x=2+\int_0^3(4-2t)dt=2+\Big[4t-t^2\Big]_0^3=2+3=5$$

(2) $\displaystyle\int_1^3(4-2t)dt=\Big[4t-t^2\Big]_1^3=3-3=0$

(3) $1\le t\le 2$에서 $v(t)\ge 0$이고 $2\le t\le 3$에서 $v(t)\le 0$이므로

시각 $t=1$부터 시각 $t=3$까지 점 P가 움직인 거리 s는

$$x=\int_1^2(4-2t)dt+\int_2^3(-4+2t)dt=\Big[4t-t^2\Big]_1^2+\Big[-4t+t^2\Big]_2^3=1+1=2$$

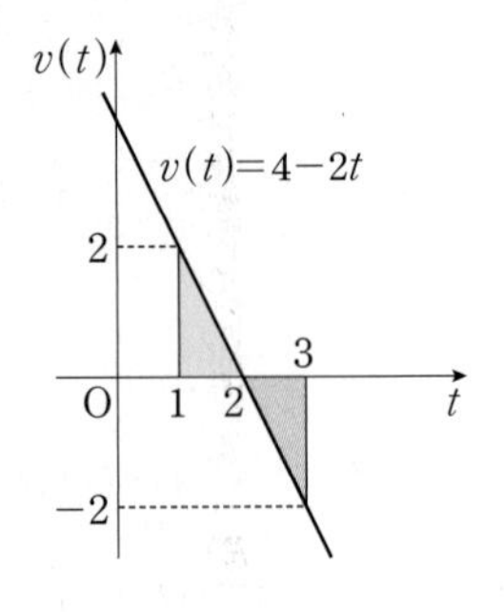

보기 02 수직선 위에서 좌표가 1인 점에서 출발하여 수직선 위를 움직이는 점 P의 시각 t에서의 속도가 $v(t)=t^2-2t$일 때, 다음을 구하여라.

(1) 시각 $t=3$에서 점 P의 위치

(2) 시각 $t=0$부터 시각 $t=3$까지 점 P의 위치의 변화량

(3) 시각 $t=0$부터 시각 $t=3$까지 점 P가 움직인 거리

풀이 (1) 시각 $t=0$에서 위치가 $x=1$이므로 구하는 위치 x는 $x=1+\displaystyle\int_0^3(t^2-2t)dt=1+\Big[\frac{1}{3}t^3-t^2\Big]_0^3=1$

(2) $\displaystyle\int_0^3(t^2-2t)dt=\Big[\frac{1}{3}t^3-t^2\Big]_0^3=(9-9)=0$

(3) $v(t)=t^2-2t=t(t-2)$이므로 닫힌구간 $[0, 2]$에서 $v(t)\le 0$이고

닫힌구간 $[0, 2]$에서 $v(t)\le 0$이다.

시각 $t=0$부터 시각 $t=3$까지 점 P가 움직인 거리 s는

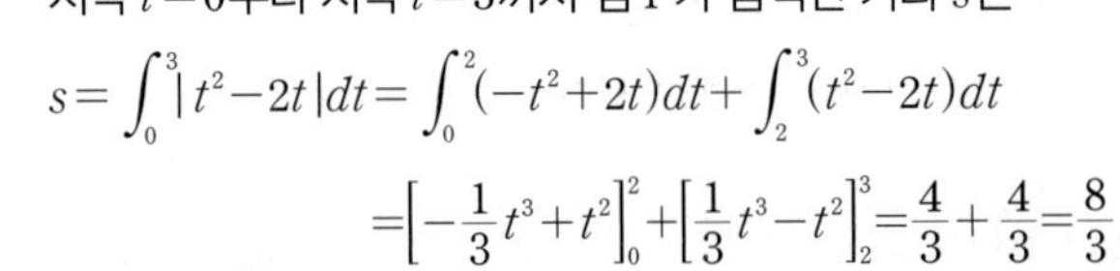

$$s=\int_0^3|t^2-2t|dt=\int_0^2(-t^2+2t)dt+\int_2^3(t^2-2t)dt$$

$$=\Big[-\frac{1}{3}t^3+t^2\Big]_0^2+\Big[\frac{1}{3}t^3-t^2\Big]_2^3=\frac{4}{3}+\frac{4}{3}=\frac{8}{3}$$

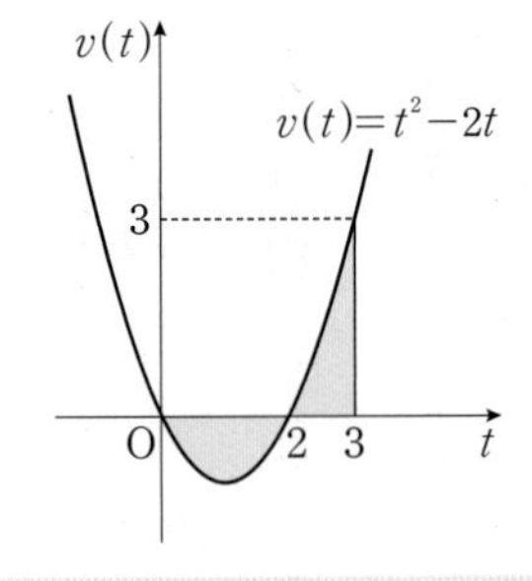

+α 더 알아보기

수직선 위를 움직이는 점 P의 시각 t에서의 속도를 $v(t)$, 위치를 $f(t)$라 할 때, 시각 $t=a$에서 $t=b$까지 점 P가 움직인 거리 s를 구한다.

(ⅰ) 구간 $[a, b]$에서 $v(t)\ge 0$인 경우	(ⅱ) 구간 $[a, b]$에서 $v(t)\le 0$인 경우	(ⅱ) 구간 $[a, c]$에서 $v(t)\ge 0$인 경우 구간 $[c, b]$에서 $v(t)\ge 0$인 경우
$f(t)$가 증가하므로 움직인 거리 s는 $s=f(b)-f(a)=\int_a^b v(t)dt$ $=\int_a^b\lvert v(t)\rvert dt$	$f(t)$가 감소하므로 움직인 거리 s는 $s=f(a)-f(b)=\int_b^a v(t)dt$ $=\int_a^b\{-v(t)\}dt$ $=\int_a^b\lvert v(t)\rvert dt$	$f(t)$가 증가하다가 감소하므로 움직인 거리 s는 $s=\int_a^c v(t)dt+\int_c^b\{-v(t)\}dt$ $=\int_a^c\lvert v(t)\rvert dt+\int_c^b\lvert v(t)\rvert dt$ $=\int_a^b\lvert v(t)\rvert dt$
P, $f(a)$, s, $f(b)$, x	P, $f(b)$, s, $f(a)$, x	P, $f(a)$, $f(b)$, $f(c)$, x
$v(t)$, $y=v(t)$, s, O, a, b, t	$v(t)$, $y=-v(t)$, s, O, a, s, b, t, $y=v(t)$	$v(t)$, $y=v(t)$, s, O, a, c, b, t

마플개념익힘 01 수직선 위를 움직이는 점의 위치와 움직인 거리

원점을 출발하여 수직선 위를 움직이는 점 P의 시각 t에서의 속도를 $v(t)=2t-t^2$이라 할 때, 다음을 구하여라.

(1) 처음으로 운동방향을 바꾸게 되는 시각에서의 점 P의 위치

(2) 점 P가 원점으로 다시 돌아오는 데 걸리는 시간

(3) 점 P가 다시 원점으로 돌아올 때까지 움직인 거리

MAPL CORE 위치의 변화량은 단순히 처음 위치에서 마지막 위치로 변화한 양을 나타낸다.
움직인 거리는 양의 방향이든 음의 방향이든 움직인 거리의 총합을 의미한다.
(1) 운동방향이 바뀔 때 (속도$=0$)임을 이용한다.
(2) 원점으로 다시 돌아오면 (위치의 변화량$=0$)임을 이용한다.
(3) 원점으로 돌아올 때까지 걸린 시간이 a초이면 움직인 거리는 $\int_0^a |v(t)|dt$임을 이용한다.

개념익힘 | 풀이 (1) 점 P의 운동방향을 바꾸는 시간은 $v(t)$의 부호가 바뀔 때이므로 $v(t)=0$에서

$t(2-t)=0 \quad \therefore t=2(\because t>0)$

즉, 출발한지 2초 후 처음으로 운동방향이 바뀌므로 2초 후의 위치는

$0+\int_0^2 (2t-t^2)dt=\left[t^2-\frac{1}{3}t^3\right]_0^2=4-\frac{8}{3}=\mathbf{\frac{4}{3}}$

(2) 점 P가 원점을 출발하여 다시 원점으로 돌아오는 데 걸리는 시간을 a초라 하면
출발한지 a초 후의 점 P의 위치의 변화량은 0이므로

$\int_0^a (2t-t^2)dt=\left[t^2-\frac{1}{3}t^3\right]_0^a=a^2-\frac{1}{3}a^3=0,\ a^2\left(1-\frac{1}{3}a\right)=0$

$\therefore a=\mathbf{3}(\because a>0)$

즉, 점 P가 원점으로 다시 돌아오는 데 걸리는 시간은 3초이다.

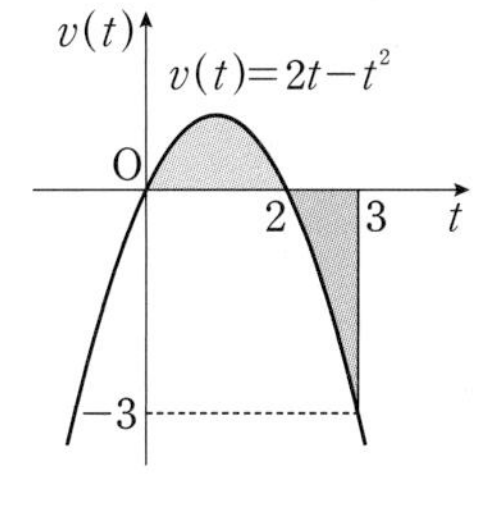

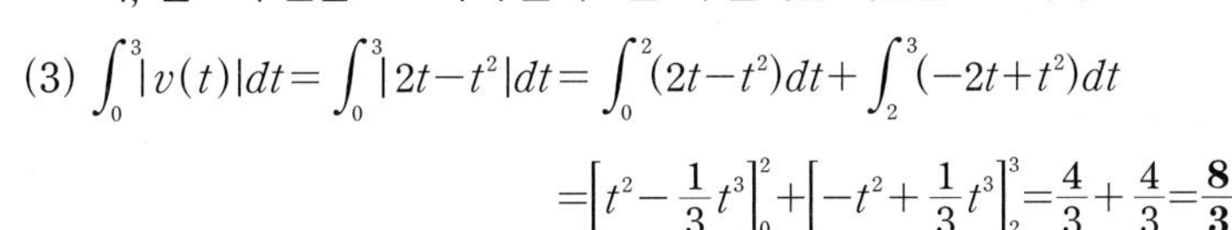

(3) $\int_0^3 |v(t)|dt=\int_0^3 |2t-t^2|dt=\int_0^2 (2t-t^2)dt+\int_2^3 (-2t+t^2)dt$

$=\left[t^2-\frac{1}{3}t^3\right]_0^2+\left[-t^2+\frac{1}{3}t^3\right]_2^3=\frac{4}{3}+\frac{4}{3}=\mathbf{\frac{8}{3}}$

확인유제 0847 원점을 출발하여 수직선 위를 움직이는 점 P의 시각 t에서의 속도를 $v(t)=t^2-4t+3$이라 한다. 다음을 구하여라.

(1) 처음으로 운동방향을 바꾸게 되는 시각에서의 점 P의 위치

(2) 점 P가 출발할 때의 방향과 반대방향으로 움직인 거리

(3) 점 P가 다시 원점으로 돌아올 때까지 걸린 시간

변형문제 0848
2007년 07월 교육청

원점을 출발하여 수직선 위를 움직이는 점 P의 시각 t에서의 위치 $f(t)$에 대하여 이차함수 $y=f'(t)$의 그래프는 오른쪽 그림과 같다.
점 P가 출발할 때의 운동방향에 대하여 반대 방향으로 움직인 거리를 d라 할 때, $12d$의 값은?

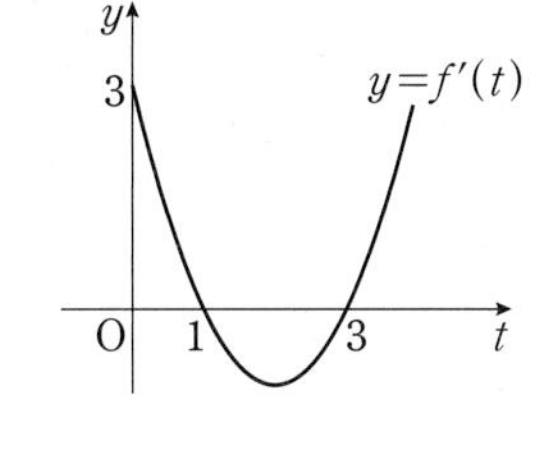

① 14 ② 16 ③ 18
④ 20 ⑤ 22

발전문제 0849 원점을 출발하여 수직선 위를 움직이는 점 P의 시각 t에서의 속도 $v(t)$에 대하여 $y=v(t)$의 그래프는 오른쪽 그림과 같다.
점 P가 움직이기 시작하여 $t=5$일 때, 다시 원점으로 돌아온다고 한다.
$\int_0^a v(t)dt=18$, $\int_a^7 v(t)dt=10$일 때, $t=0$에서 $t=7$까지 점 P가 움직인 거리를 구하여라. (단, $0<a<5$)

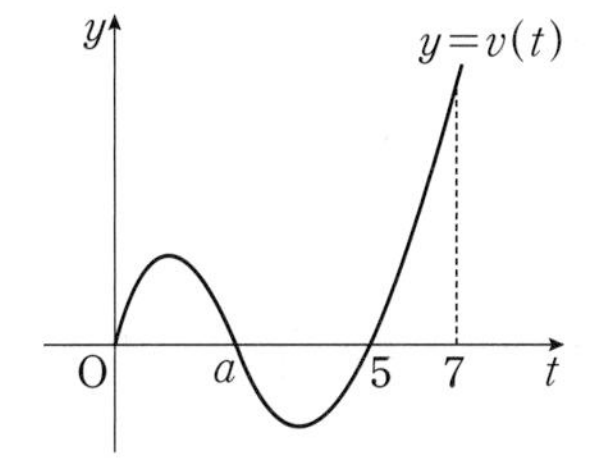

정답 0847 : (1) $\frac{4}{3}$ (2) $\frac{4}{3}$ (3) 3초 0848 : ② 0849 : 64

마플개념익힘 02 위로 올린 물체가 움직인 거리

지상 20 m의 높이에서 처음 속도 40 m/s로 똑바로 던져 올린 물체의 t초 후의 속도 $v(t)$가 $v(t)=40-10t$라고 한다. 다음을 구하여라.

(1) 물체가 던져지고 2초 후 이 물체의 지면으로부터의 높이

(2) 이 물체가 최고 지점에 도달할 때의 지면으로부터의 높이

(3) 물체가 던져지고 5초 동안 물체가 실제로 움직인 거리

MAPL CORE 똑바로 던진 물체의 속도가 양이면 위로, 음이면 아래로 움직이고, 방향이 바뀔 때 (속도)=0이 된다. 즉, 최고 지점에 도달하면 움직이는 방향이 바뀌므로 (속도)=0임을 이용한다.

개념익힘 | 풀이 물체가 던져지고 t초가 지났을 때의 물체의 높이를 $x(t)$라 놓으면

(1) $t=2$초 후 물체의 높이는

$$x(2)=20+\int_0^2 v(t)dt=20+\int_0^2(40-10t)dt=20+\left[40t-5t^2\right]_0^2=\mathbf{80}(\text{m})$$

(2) 물체가 최고 높이에 도달할 때의 속도는 0이므로 $40-10t=0$에서 $t=4$

즉, $t=4$일 때, 물체가 최고 높이에 도달하게 되므로 최고 높이는

$$x(4)=20+\int_0^4 v(t)dt=20+\int_0^4(40-10t)dt=20+\left[40t-5t^2\right]_0^4=\mathbf{100}(\text{m})$$

(3) $v(t)=40-10t$에서 $0\le t\le 4$일 때, $v(t)\ge 0$이고

$4\le t\le 5$일 때, $v(t)\le 0$이므로 물체가 던져지고 5초 동안 물체가 실제로 움직인 거리는

$$s=\int_0^5|v(t)|dt=\int_0^4(40-10t)dt+\int_4^5\{-(40-10t)\}dt$$

$$=\left[40t-5t^2\right]_0^4+\left[5t^2-40t\right]_4^5=\mathbf{85}(\text{m})$$

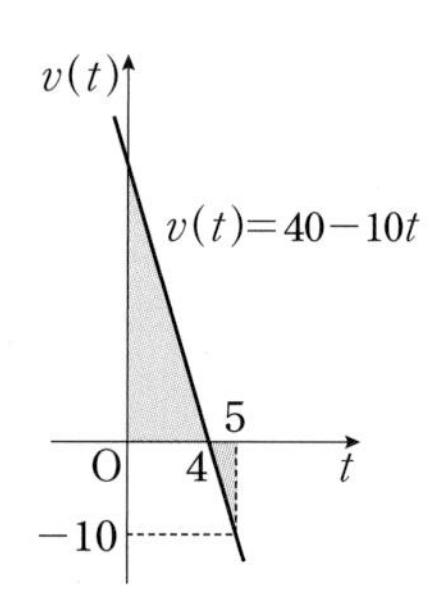

확인유제 0850 지상 10 m의 높이에서 처음 속도 60 m/초로 똑바로 위로 쏘아 올린 물체의 t초 후의 속도가 $v(t)=60-10t$ (m/s)일 때, 다음을 구하여라.

(1) 물체를 쏘아 올린 2초 후 물체의 높이

(2) 물체가 최고지점에 도달할 때의 지면으로부터의 높이

(3) 물체를 쏘아 올린 후 7초 동안 물체가 움직인 거리

변형문제 0851 2004학년도 수능기출

지면에 정지해 있던 열기구가 수직 방향으로 출발한 후 t분일 때, 속도 $v(t)$(m/분)를

$$v(t)=\begin{cases} t & (0\le t\le 20) \\ 60-2t & (20\le t\le 40)\end{cases}$$

라 하자. 출발한 후 $t=35$분일 때, 지면으로부터 열기구의 높이는?

(단, 열기구는 수직 방향으로만 움직이는 것으로 가정한다.)

① 225 ② 250 ③ 275 ④ 300 ⑤ 325

발전문제 0852 수직선 위를 움직이는 점 P의 시각 $t\,(0\le t\le 10)$에서의 속도 $v(t)$는

$$v(t)=\begin{cases} 4t^3 & (0\le t<1) \\ -4t+8 & (1\le t\le 10)\end{cases}$$

이다. $t=0$에서의 위치가 2일 때, 점 P가 -3의 위치에 있을 때까지 움직인 거리를 구하여라.

정답 0850 : (1) 110 (2) 190 (3) 185 0851 : ③ 0852 : 11

마플개념익힘 03 속도의 그래프에서 위치와 움직인 거리

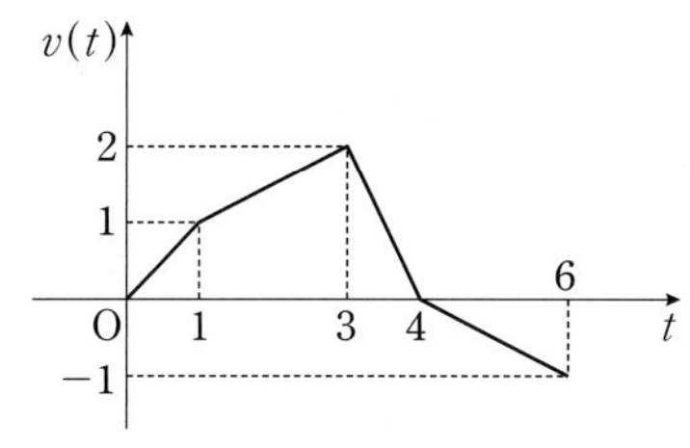

원점을 출발하여 수직선 위를 움직이는 점 P의 시각 $t\,(0 \le t \le 6)$에서의 속도 $v(t)$의 그래프가 오른쪽 그림과 같다.

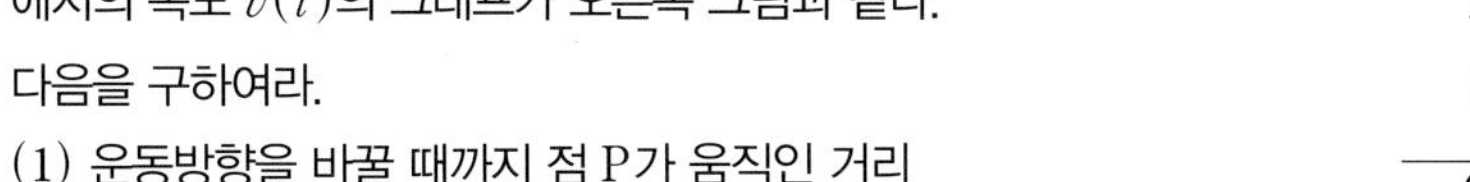

다음을 구하여라.

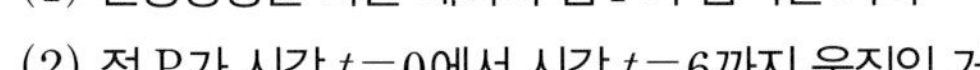

(1) 운동방향을 바꿀 때까지 점 P가 움직인 거리

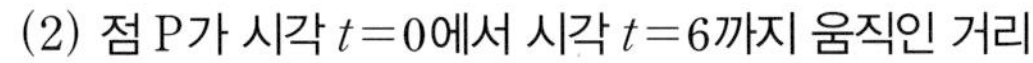

(2) 점 P가 시각 $t=0$에서 시각 $t=6$까지 움직인 거리

MAPL CORE 속도의 그래프가 주어질 때, 움직인 거리는 속도의 그래프와 t축 사이의 넓이와 같다.
[속도의 그래프가 직선으로만 되어 있을 때에는 정적분을 구하는 것보다 도형의 넓이를 이용하는 것이 편리하다.]

개념익힘 | 풀이 (1) 점 P가 운동방향을 바꾸는 시간은 $v(t)$의 부호가 바뀔 때이므로 $v(t)=0$에서 $t=4$

$0 \le t \le 4$에서 $v(t) \ge 0$이므로 시각 $t=0$에서 $t=4$까지 점 P가 움직인 거리는 $\int_0^4 |v(t)|dt$이다.

$$\int_0^4 |v(t)|dt = \frac{1}{2}\cdot1\cdot1+\frac{1}{2}\cdot2\cdot(1+2)+\frac{1}{2}\cdot1\cdot2$$

⬅ $\int_0^1 t\,dt+\int_1^3\left(\frac{1}{2}t+\frac{1}{2}\right)dt+\int_3^4(-2t+8)dt$

⬅ $v(t)$의 그래프와 t축 및 직선 $t=4$로 둘러싸인 도형의 넓이와 같다.

$$=\frac{1}{2}+3+1=\mathbf{\frac{9}{2}}$$

(2) $0 \le t \le 4$에서 $v(t) \ge 0$, $4 \le t \le 6$에서 $v(t) \le 0$이므로

시각 $t=0$에서 $t=6$까지 점 P가 움직인 거리는 $\int_0^6 |v(t)|dt$

이다.

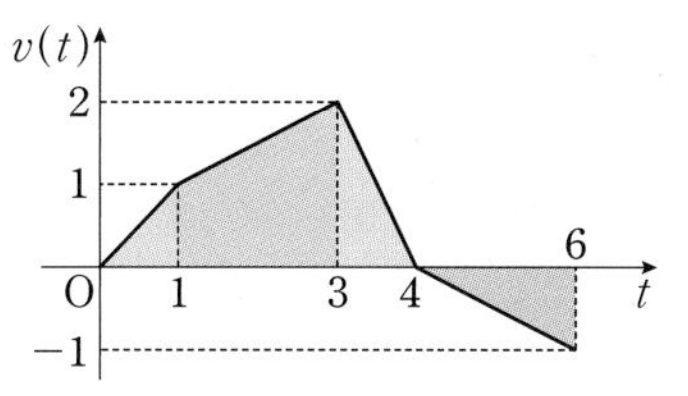

$$\int_0^6 |v(t)|dt = \int_0^4 |v(t)|dt + \int_4^6 \{-v(t)\}dt$$

⬅ $v(t)$의 그래프와 t축 및 직선 $t=6$으로 둘러싸인 도형의 넓이와 같다.

$$=\frac{1}{2}\cdot1\cdot1+\frac{1}{2}\cdot2\cdot(1+2)+\frac{1}{2}\cdot1\cdot2+\frac{1}{2}\cdot2\cdot1=\frac{1}{2}+3+1+1=\mathbf{\frac{11}{2}}$$

확인유제 0853 좌표가 1인 점에서 출발하여 수직선 위를 움직이는 점 P의 시각 t에서의 속도 $v(t)$의 그래프가 오른쪽 그림과 같을 때, 다음을 구하여라.

(1) 출발 후 처음으로 운동방향을 바꾸는 순간의 점 P의 위치

(2) 출발 후 5초 동안 점 P가 움직인 거리

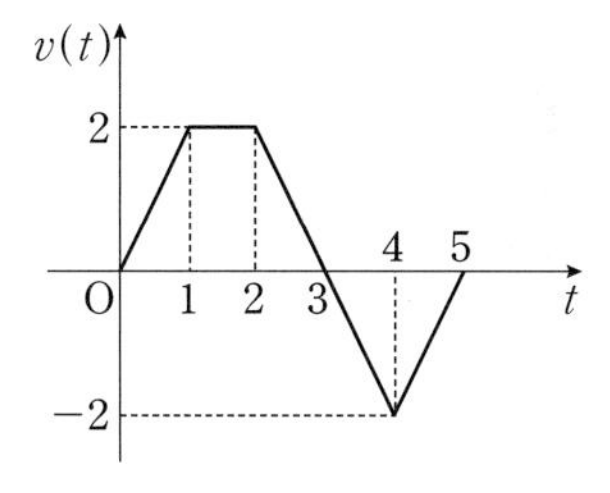

변형문제 0854
2013학년도 사관기출

오른쪽 그림은 원점을 출발하여 수직선 위를 움직이는 점 P의 시각 t초 $(0 \le t \le 10)$에서의 속도 $v(t)$를 나타낸 것이다. 점 P의 시각 t초에서의 위치를 $x(t)$라 할 때, $x(10)=\frac{35}{3}$이다. 출발 후 10초 동안 점 P가 움직인 거리는? (단, k는 양의 상수이고, 점선은 좌표축에 평행하다.)

① 15 ② 16 ③ 17
④ 18 ⑤ 19

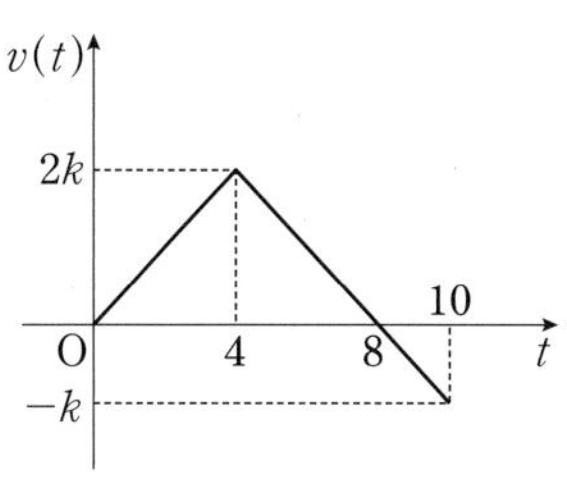

발전문제 0855 원점을 출발하여 수직선 위를 움직이는 점 P의 시각 t에서의 속도 $v(t)$를 나타내는 그래프는 오른쪽 그림과 같다.
$t=8$일 때의 점 P의 위치가 21일 때, $t=0$에서 $t=10$까지의 점 P가 실제로 움직인 거리를 구하여라.

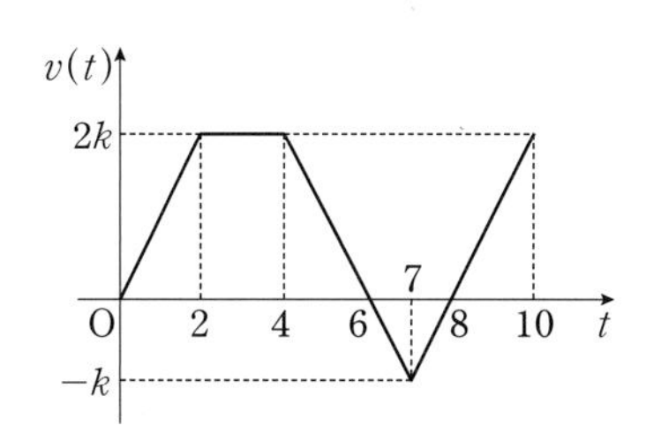

정답 0853 : (1) 5 (2) 6 0854 : ① 0855 : 33

1995학년도 수능기출

원점을 출발하여 수직선 위를 7초 동안 움직이는 점 P의 t초 후의 속도 $v(t)$가 다음 그림과 같을 때, 다음 설명 중 옳은 것을 모두 골라라.

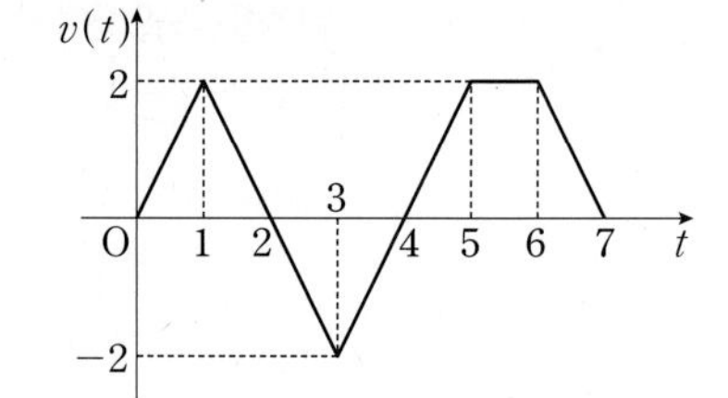

ㄱ. 점 P는 출발하고 나서 1초 동안 멈춘 적이 있었다.
ㄴ. 점 P는 움직이는 동안 방향을 4번 바꿨다.
ㄷ. 점 P는 출발하고 나서 4초 후 출발점에 있었다.
ㄹ. 시각 $t=0$에서 $t=7$까지 점 P가 움직인 거리는 8이다.

MAPL CORE 점 P의 시각 t에서의 속도 $v(t)$의 그래프를 이용하여 다음을 알 수 있다.

① 움직이던 물체가 정지하거나 운동 방향을 바꾸려면 순간적으로 정지해야 하므로 속도가 0이다.
또한, 움직이던 방향과 반대 방향으로 움직이려면 속도 $v(t)$의 부호가 바뀌어야 한다.
② 점 P가 출발지로 되돌아오려면 위치의 변화량이 0이어야 한다.
즉, $v(t)$의 그래프에서 (t축의 윗부분의 넓이)=(t축의 아랫부분의 넓이)임이 성립해야 한다.
③ 출발점에서 가장 멀리 떨어져 있으려면 위치의 변화량이 가장 커야 한다.
즉, $v(t)$의 그래프에서 x축의 윗부분의 넓이와 아랫부분의 넓이의 차가 최대이다.
④ 물체가 일정시간 동안 정지하려면 그래프에서 $v(t)=0$인 구간이 나타나야 한다.

개념익힘 | **풀이** ㄱ. 1초 동안 멈춘다는 것은 $v(t)=0$인 구간의 길이가 1이 되는 t의 구간이 존재한다는 것인데
주어진 그림에 의하면 $v(t)=0$인 t의 값이 연속적으로 나타나는 경우가 없다. [거짓]

ㄴ. 방향이 바뀐다는 것은 속도 $v(t)$의 값이 양에서 음으로, 혹은 음에서 양으로 바뀐다는 것이다.
주어진 그림을 보면 $v(t)=0$인 t의 값은 $t=2,\ 4$이고 이 시각에 $v(t)$의 부호가 바뀌므로
점 P는 운동방향을 2번 바꾼 것이다. [거짓]

ㄷ. 출발 후 다시 출발점으로 돌아온다는 것은 위치가 0이라는 것이다.
즉, $\int_0^4 v(t)\,dt=0$이므로 $t=4$인 순간의 점 P의 위치는 출발점이다. [참]

ㄹ. 시각 $t=0$에서 $t=7$까지 점 P가 움직인 거리는 $\int_0^7 |v(t)|\,dt$이므로
움직인 거리는 오른쪽 그림의 색칠한 도형의 넓이와 같다.

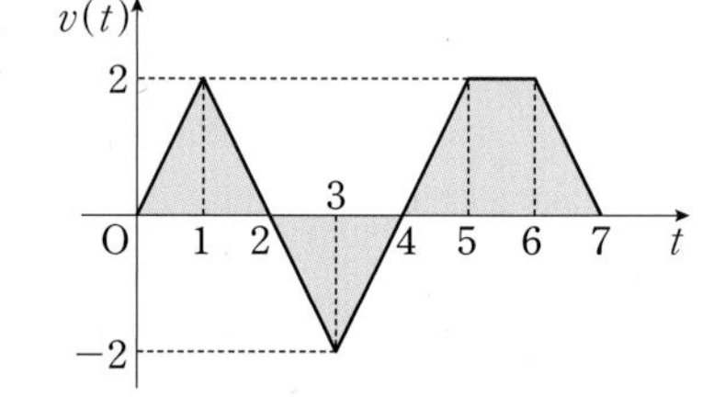

$\frac{1}{2}\cdot 2\cdot 2+\frac{1}{2}\cdot 2\cdot 2+\frac{1}{2}\cdot(1+3)\cdot 2=2+2+4=8$ [참]

참고 출발한 후 2초까지 양의 방향으로 2만큼 움직이고 그 후 2초 동안 음의 방향으로 2만큼 움직이며, 나머지 3초 동안은 양의 방향으로 4만큼 움직인다.

따라서 옳은 것은 ㄷ, ㄹ이다.

확인유제 **0856** 원점을 출발하여 수직선 위를 8초 동안 움직이는 점 P의 t초 후의 속도 $v(t)$의 그래프가 다음 그림과 같을 때, 다음 [보기] 중 옳은 것을 모두 고르면?

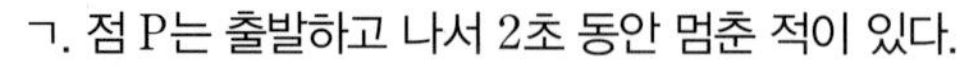
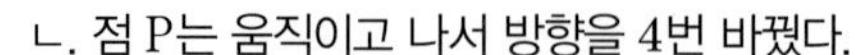

ㄱ. 점 P는 출발하고 나서 2초 동안 멈춘 적이 있다.
ㄴ. 점 P는 움직이고 나서 방향을 4번 바꿨다.
ㄷ. 점 P는 출발하고 나서 6초 후 출발점에 위치한다.
ㄹ. 점 P는 출발하고 나서 8초 동안 움직인 거리는

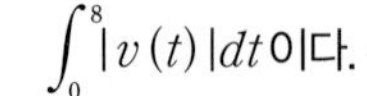
$\int_0^8 |v(t)|\,dt$이다.

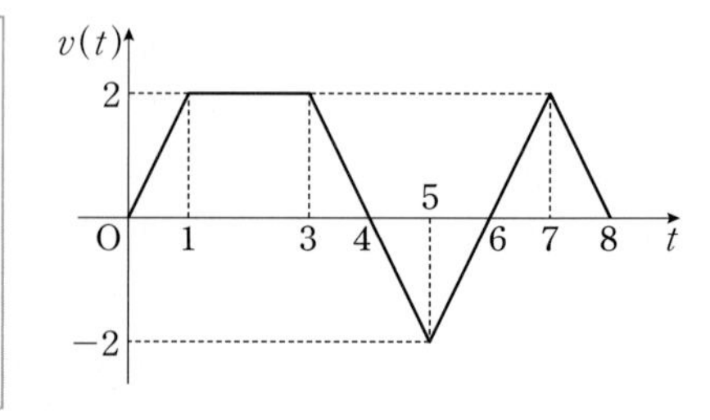

① ㄱ ② ㄹ ③ ㄴ, ㄷ ④ ㄴ, ㄹ ⑤ ㄱ, ㄴ, ㄹ

정답 0856 : ②

변형문제 0857 직선 운동을 하는 점 P의 시각 t에 대한 속도 $v(t)$의 그래프가 오른쪽 그림과 같다. 다음 [보기] 중 옳은 것을 모두 고르면?

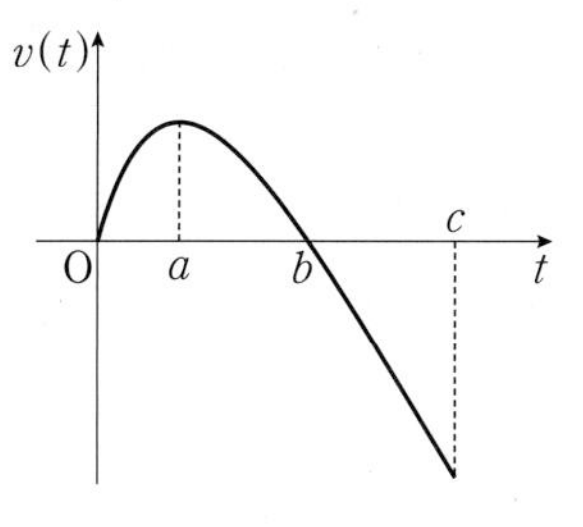

ㄱ. 점 P는 $t=b$일 때, 운동방향을 바꾸었다.

ㄴ. $t=a$에서 $t=b$까지 점 P가 움직인 거리는 $\int_a^b v(t)\,dt$이다.

ㄷ. $t=a$일 때, 점 P는 순간적으로 정지 상태에 있다.

ㄹ. $\int_0^c v(t)\,dt=0$이면 $t=c$일 때, 점 P는 출발점과 같은 위치에 있다.

① ㄱ, ㄴ ② ㄴ, ㄷ ③ ㄱ, ㄴ, ㄹ ④ ㄱ, ㄷ, ㄹ ⑤ ㄴ, ㄷ, ㄹ

발전문제 0858 다음 물음에 답하여라.

(1) 원점으로 출발하여 수직선 위를 움직이는 점 P의 시각 t에서의 속도를 $v(t)$라 하면 $v(t)=\begin{cases} t & (0 \le t \le 1) \\ -t+2 & (1 \le t \le 2) \\ 2(t-2)(t-4) & (2 \le t \le 4) \end{cases}$

이고 그림으로 나타내면 오른쪽과 같다. 옳은 것만을 [보기]에서 있는 대로 고른 것은? (단, $0 \le t \le 4$)

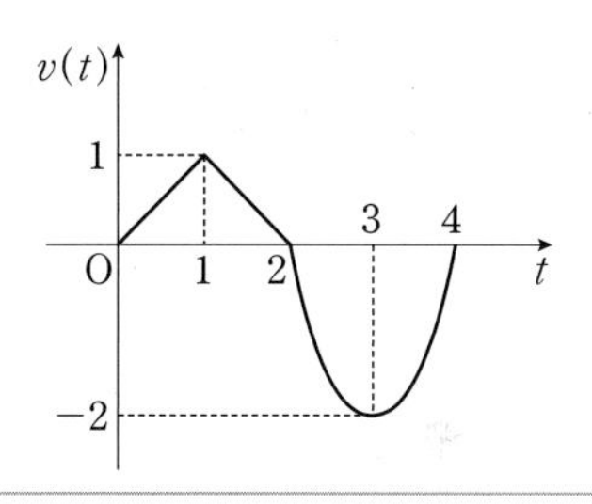

ㄱ. $t=1$일 때, 점 P는 운동방향을 바꾼다.

ㄴ. $t=4$일 때, 점 P는 원점에서 가장 멀리 떨어져 있다.

ㄷ. 점 P는 원점을 출발하고 나서 $t=2$와 $t=3$ 사이에서 원점을 다시 지난다.

① ㄱ ② ㄴ ③ ㄷ ④ ㄴ, ㄷ ⑤ ㄱ, ㄴ, ㄷ

(2) 다음은 원점을 출발한 세 점 A, B, C가 x축을 따라 이동하여 30초 후의 세 점 모두 동시에 만날 때까지의 시간 t에 따른 속도 $v(t)$를 각각 나타낸 그래프이다.

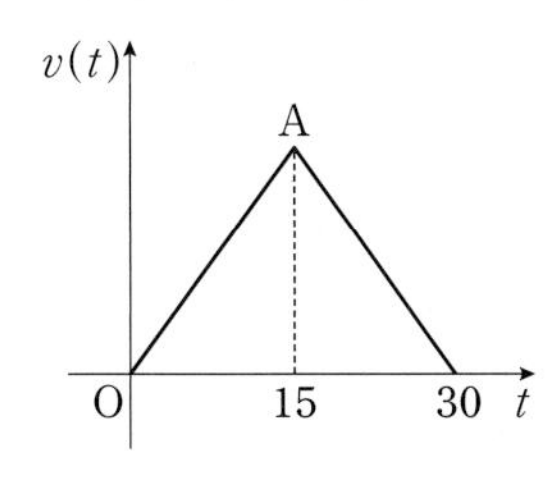

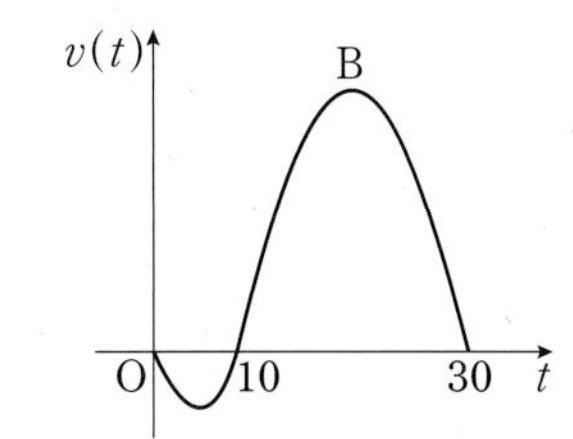

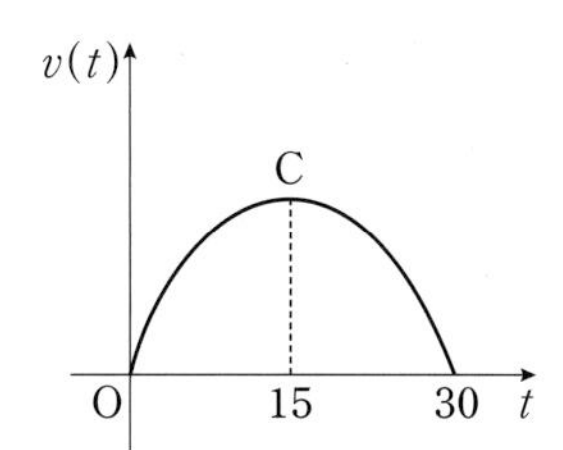

다음 [보기] 중 옳은 것만을 있는 대로 고른 것은?

ㄱ. A와 C는 30초 동안 운동방향이 바뀌지 않았다.

ㄴ. A, B, C는 모두 가속도가 0인 순간이 적어도 한 번 존재한다.

ㄷ. B는 출발하고 나서 다시 원점을 지난다.

① ㄱ ② ㄴ ③ ㄱ, ㄷ ④ ㄴ, ㄷ ⑤ ㄱ, ㄴ, ㄷ

정답 0857 : ③ 0858 : (1) ④ (2) ③

2012학년도 09월 평가원

같은 높이의 지면에서 동시에 지면과 수직인 방향으로 올라가는 두 물체 A, B가 있다. 오른쪽 그림은 시각 $t\,(0 \le t \le c)$에서 물체 A의 속도 $f(t)$와 물체 B의 속도 $g(t)$를 나타낸 것이다.

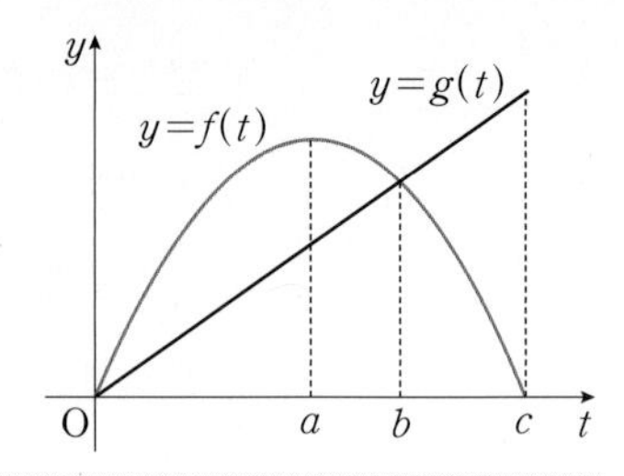

$$\int_0^c f(t)\,dt = \int_0^c g(t)\,dt$$

이고 $0 \le t \le c$일 때, 옳은 것만을 [보기]에서 있는 대로 고른 것은?

ㄱ. $t=a$일 때, 물체 A는 물체 B보다 높은 위치에 있다.
ㄴ. $t=b$일 때, 물체 A와 물체 B의 높이의 차가 최대이다.
ㄷ. $t=c$일 때, 물체 A와 물체 B는 같은 높이에 있다.

① ㄴ　② ㄷ　③ ㄱ, ㄴ　④ ㄱ, ㄷ　⑤ ㄱ, ㄴ, ㄷ

개념익힘 | **풀이** $0 \le t \le c$에서 물체 A, B의 속도가 모두 양이고 같은 높이의 지면에서 동시에 출발하므로 속도 그래프와 t축 사이의 넓이가 물체의 위치를 의미한다.

즉, $t=x$에서의 두 물체 A, B의 위치는 각각 $\int_0^x f(t)\,dt$, $\int_0^x g(t)\,dt$이다.

ㄱ. $t=a$일 때, 물체 A의 높이는 $\int_0^a f(t)\,dt$, 물체 B의 높이는 $\int_0^a g(t)\,dt$이다.

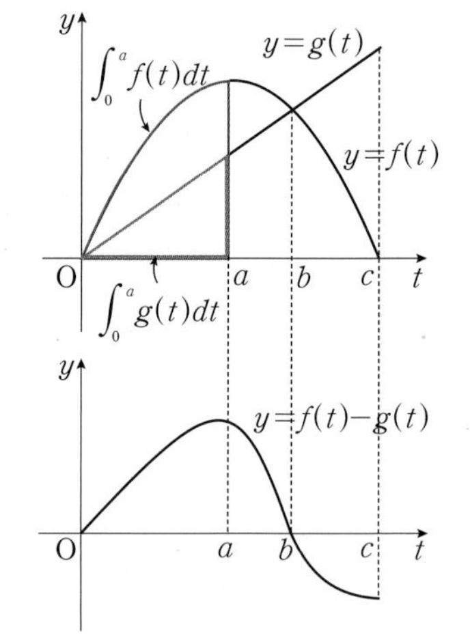

이때 오른쪽 그림에서 $0 \le t \le a$일 때, $f(t) \ge g(t)$이므로

$\int_0^a f(t)\,dt > \int_0^a g(t)\,dt$

즉, A가 B보다 높은 위치에 있다. [참]

ㄴ. $0 \le t \le b$일 때, $f(t)-g(t) \ge 0$이므로

시각 t에서의 두 물체 A, B의 높이의 차는 점점 커진다.

또, $b < t \le c$일 때, $f(t)-g(t) < 0$이므로

시각 t에서의 두 물체 A, B의 높이의 차는 점점 줄어든다.

즉, $t=b$일 때, 물체 A와 물체 B의 높이의 차가 최대이다. [참]

참고 $0 \le t \le c$에서 물체 A, B의 속도가 모두 양이고 같은 높이의 지면에서 동시에 출발하므로 속도 그래프와 t축 사이의 넓이가 물체의 위치를 의미한다.

$t=x$에서의 두 물체 A, B의 높이는 각각 $\int_0^x f(t)\,dt$, $\int_0^x g(t)\,dt$

또한, $h(x)=\int_0^x f(t)\,dt-\int_0^x g(t)\,dt$라 하고 양변을 미분하면

$h'(x)=f(x)-g(x)$이고 $h'(b)=f(b)-g(b)=0$

$h(x)$의 증가와 감소를 표로 나타내면 다음과 같다.

x	0	$\cdots$	b	$\cdots$	c
$h'(x)$		$+$	0	$-$	
$h(x)$	0	↗	극대	↘	

$h(x)$는 $x=b$에서 극댓값을 가지고 최댓값을 가진다.

ㄷ. $t=c$일 때, 물체 A의 높이는 $\int_0^c f(t)\,dt$이고 물체 B의 높이는 $\int_0^c g(t)\,dt$이다.

그런데 $\int_0^c f(t)\,dt = \int_0^c g(t)\,dt$이므로 물체 A와 물체 B는 같은 높이에 있다. [참]

따라서 옳은 것은 **ㄱ, ㄴ, ㄷ**이다.

확인유제 **0859** 같은 지점에서 출발하여 직선으로 만들어진 두 개의 차선을 따라 같은 방향으로 달리는 두 대의 자동차 A, B가 있다. 오른쪽 그림은 시각 $t\,(0 \le t \le c)$에서 자동차 A의 속도 $f(t)$와 자동차 B의 속도 $g(t)$를 나타낸 것이다. $t=c$일 때, 두 자동차가 같은 지점에 있을 때, 다음 중 옳은 것만을 있는 대로 고른 것은?

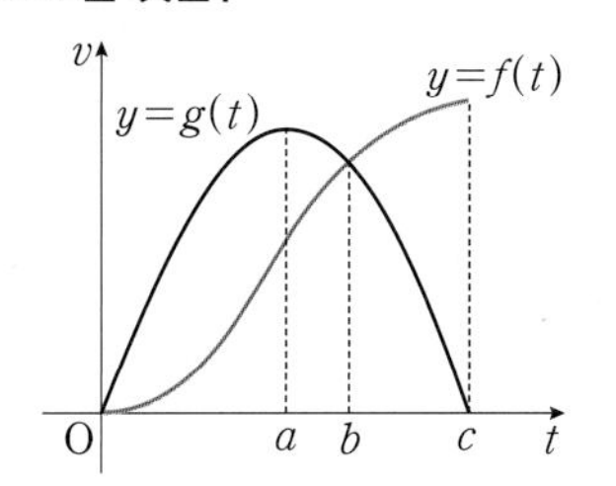

ㄱ. $t=a$일 때, 자동차 B가 자동차 A보다 앞에 있다.
ㄴ. $\int_a^c f(t)\,dt > \int_a^c g(t)\,dt$
ㄷ. $t=b$일 때, 두 자동차 A와 B 사이의 거리가 최대이다.

① ㄱ ② ㄷ ③ ㄱ, ㄴ ④ ㄱ, ㄷ ⑤ ㄱ, ㄴ, ㄷ

변형문제 **0860** 오른쪽 그림은 두 자동차 P, Q가 직선도로의 같은 지점에서 동시에 같은 방향으로 출발하여 b분 동안 달렸을 때, 각각의 속도 $f(t)$, $g(t)$의 그래프를 나타낸 것이다. 두 곡선 $v=f(t)$, $v=g(t)$로 둘러싸인 두 부분 A, B의 넓이가 각각 S_1, S_2일 때, 옳은 것만을 [보기]에서 있는 대로 고른 것은?

2011년 10월 교육청

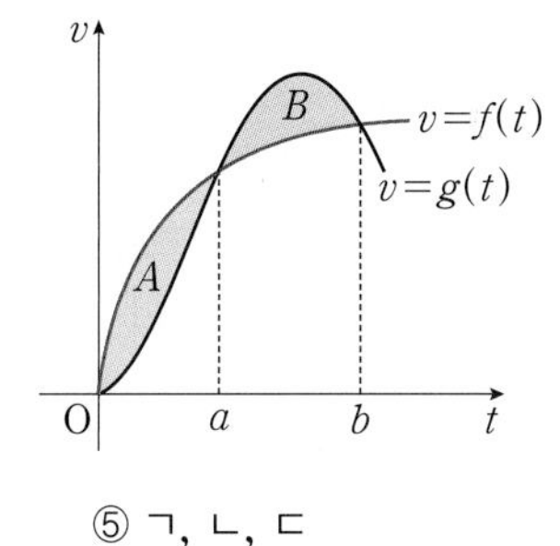

ㄱ. $S_1=S_2$이면 두 점 P, Q는 $t=b$일 때, 만난다.
ㄴ. $S_1>S_2$이면 $\int_0^b f(t)\,dt > \int_0^b g(t)\,dt$이다.
ㄷ. $S_1<S_2$이면 $\int_0^c \{f(t)-g(t)\}dt=0$을 만족시키는 c가 열린구간 $(a,\ b)$에 존재한다.

① ㄱ ② ㄷ ③ ㄱ, ㄴ ④ ㄱ, ㄷ ⑤ ㄱ, ㄴ, ㄷ

발전문제 **0861** 오른쪽 그림은 원점을 출발하여 수직선 위를 움직이는 점 P의 시각 $t\,(0 \le t \le d)$에서의 속도 $v(t)$를 나타내는 그래프이다. $\int_0^a |v(t)|dt = \int_a^d |v(t)|dt$일 때, [보기]에서 옳은 것을 모두 고른 것은? (단, $0<a<b<c<d$)

2007학년도 수능기출

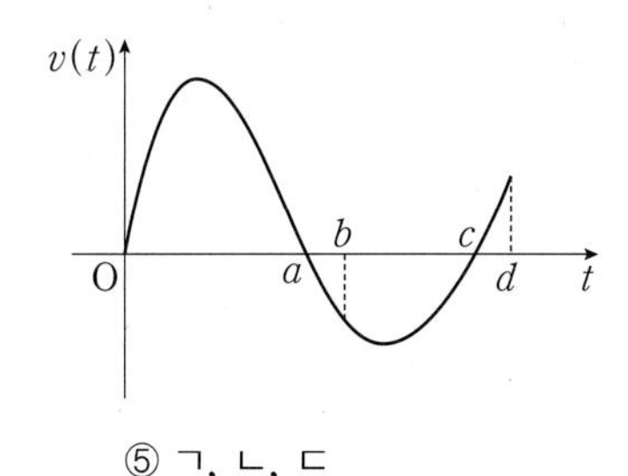

ㄱ. 점 P는 출발하고 나서 원점을 다시 지난다.
ㄴ. $\int_0^c v(t)\,dt = \int_c^d v(t)\,dt$
ㄷ. $\int_0^b v(t)\,dt = \int_b^d |v(t)|dt$

① ㄴ ② ㄷ ③ ㄱ, ㄴ ④ ㄴ, ㄷ ⑤ ㄱ, ㄴ, ㄷ

정답 0859 : ⑤ 0860 : ⑤ 0861 : ④

제동거리

01 제동거리

브레이크를 밟은 순간부터가 아니라 실제로 브레이크가 작동한 순간부터 자동차가 멈출 때까지 진행한 거리를 말한다. 브레이크는 유격이 있어서 어느 정도 밟은 다음에 작동하기 때문이다. 따라서 운전자의 반응시간은 제동거리에 영향을 미치지 않는다. 제동거리는 차의 속력, 무게, 도로의 오르내림, 풍향, 브레이크의 사용상태, 정비상태에 따라 달라진다. 따라서 사고를 방지하려면 브레이크를 꾸준히 정비하고 앞 차와 충분한 거리를 두는 것이 좋다.
한국의 보안기준에는 최고시속 80km 이상인 자동차는 승차정원(최대 인원 탑승)상태에서 처음 속력 50km/h에서 22m 이내에서 정지해야 하며, 최고시속 80km 이하인 자동차는 처음 속력 35km/h에서 14m 이내에서 정지해야 한다고 규정되어 있다.

(1) 공주 거리
운전자가 보행자나 정지 표시 등 위험을 시각적으로 인식하고 상황에 대처하여 특정 동작을 실행하는 데까지 일정한 시간이 걸린다.
브레이크를 밟았다고 하더라도 브레이크의 유격 등에 의해 실제로 브레이크가 작동하기까지는 시간이 지연된다.
이렇게 운전자가 위험을 인식하고 브레이크가 실제로 작동하기까지 걸리는 시간 지연을 공주시간(空走時間)이라 하고, 그 시간 동안 진행한 거리를 공주 거리(free running distance 空走距離)라고 한다.
브레이크를 밟을 때까지 걸리는 시간은 보통 1초 내외이다.

(2) 제동 거리
운전자가 브레이크를 밟은 후 자동차는 속력이 일정하게 감소하면서 멈추는데, 이때 이동한 거리를 제동거리(braking distance 制動距離)라고 한다.
브레이크를 밟는 순간의 속도를 v_0이라고 할 때 브레이크를 밟고 난 후 t초 후의 속도 $v(t)$m/s는
$v(t)=v_0-at$이다. (단, $a=$(마찰계수)$\times$(중력가속도))

(3) 정지거리
공주거리와 제동거리의 합을 정지거리라고 한다.
따라서 정지거리에 자동차의 길이를 더한 것이 앞차와의 충돌을 피할 수 있는 최소한의 안전 거리라고 할 수 있다.

교과서특강문제 01

다음 물음에 답하여라.
(1) 72km/h로 달리고 있는 자동차의 운전자가 장애물을 발견하고 1초 만에 브레이크를 밟았다. 이 도로의 마찰계수가 0.8이라고 할 때, 이 자동차의 정지거리를 구해 보자. (단, 중력 가속도는 10m/s^{2}으로 계산한다.)
(2) 우리나라에서는 제한 속도가 100km/h인 고속 도로에서 안전거리를 100m로 유지할 것을 권장하고 있다. 고속 도로의 마찰계수가 0.8이라고 할 때, 길이가 12m인 버스에 대하여 이 안전거리를 유지하라는 권장 내용이 타당한지 설명해 보자. (단, 버스 운전자는 장애물을 발견하고 1초 만에 브레이크를 밟는다고 하고, 100km/h는 28m/s로, 중력 가속도는 10m/s^{2}으로 계산한다.)

교과서특강 풀이

(1) $v_0=72\,\text{km/h}=\dfrac{72000\text{m}}{3600\text{s}}=20\,\text{m/s}$이므로 공주거리는 $20\times1=20\,\text{m}$
$v(t)=20-8t$, 정지할 때의 속도 $v(t)=0$이므로 $0=20-8t$ $\therefore t=2.5$
제동거리는 $\displaystyle\int_0^{2.5}(20-8t)\,dt=\Big[20t-4t^2\Big]_0^{2.5}=25\,\text{m}$
따라서 정지거리는 $20+25=45\,\text{m}$

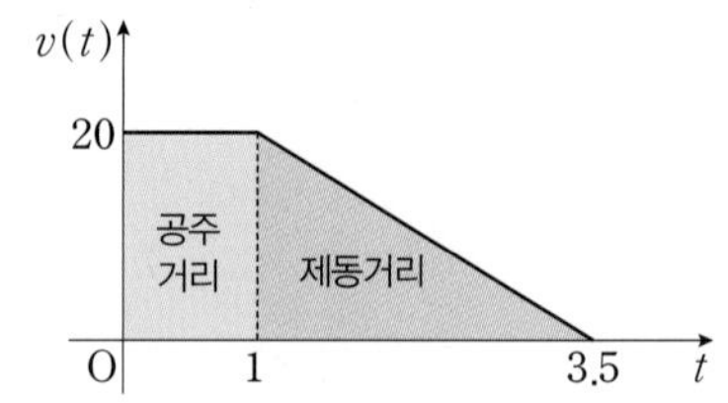

(2) $v_0=28\,\text{m/s}$이므로 공주거리는 $28\times1=28\,\text{m}$, $v(t)=28-8t$에서 $0=28-8t$ $\therefore t=3.5$
제동거리는 $\displaystyle\int_0^{3.5}(28-8t)\,dt=\Big[28t-4t^2\Big]_0^{3.5}=49\,\text{m}$
따라서 버스의 인진거리는 (정지거리+버스의 길이)$=28+49+12=89\,\text{m}$이므로 타당하다.

교과서특강문제 02

철로 위를 20m/초로 달리고 있는 열차가 제동을 걸었을 때, t초 뒤의 속도를

$$v(t)=20-2t(\text{m/초})$$

라고 하자. 열차가 제동을 건 뒤부터 정지할 때까지 움직인 거리를 구하여라.

교과서특강 풀이 ▶ 열차가 제동을 건 후부터 속도는 $v(t)=20-2t(\text{m/초})$이고, 열차가 정지할 때, 속도 $v(t)=0$이므로

열차가 정지할 때까지 걸린 시간 t를 구하면 $20-2t=0 \quad \therefore t=10$

이때 열차의 속도는 20m/초이므로 열차가 멈출 때까지 열차의 속도 $v(t)$는 양수이다.

$v(t)=20-2t \geq 0 \ (0 \leq t \leq 10)$

따라서 제동장치를 걸고 10초 후에 열차가 정지하므로 정지할 때까지 움직인 거리는

$$\int_0^{10}|20-2t|dt=\int_0^{10}(20-2t)dt=\left[20t-t^2\right]_0^{10}=100(\text{m})$$

교과서특강문제 03

초속 20 m의 일정한 속력으로 직선 도로를 달리던 자동차가 제동장치를 작동한 후 t초 후의 자동차의 속도 $v(t)$는

$$v(t)=20-at\,(\text{m/s})$$

이다. 제동장치를 작동한 후 자동차가 정지할 때까지 움직인 거리가 100 m가 되도록 하는 가속도를 구하여라. (단, a는 상수이고 가속도의 단위는 m/s^2)

교과서특강 풀이 ▶ 제동장치를 작동한 후, 자동차가 정지할 때까지 걸린 시간은

$20-at=0$에서 $t=\dfrac{20}{a}$이므로

제동장치를 작동한 후, 자동차가 정지할 때까지 움직인 거리는

$$\int_0^{\frac{20}{a}}|v(t)|dt=\int_0^{\frac{20}{a}}(20-at)dt=\left[20t-\frac{1}{2}at^2\right]_0^{\frac{20}{a}}=\frac{400}{a}-\frac{200}{a}=\frac{200}{a}$$

이때 $\dfrac{200}{a}=100$에서 $a=2$

따라서 $v(t)=20-2t$에서 $v'(t)=-2$이므로 가속도는 -2이다.

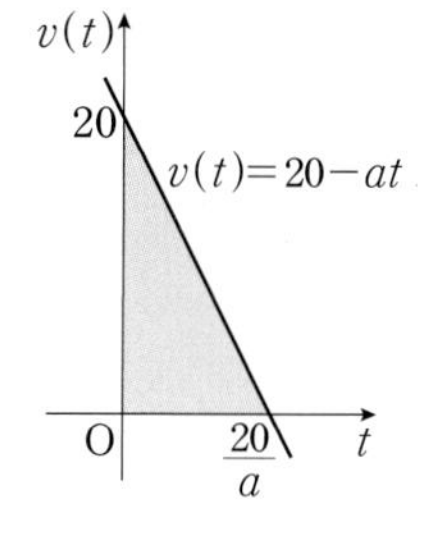

교과서특강문제 04

어느 놀이 동산에서 120초 동안 운행되고 있는 열차의 운행속도 $v(t)$가 다음과 같다.

$$v(t)=\begin{cases} t & (0 \leq t < 10) \\ k & (10 \leq t < 100) \\ \frac{1}{2}(120-t) & (100 \leq t < 120) \end{cases}$$

이 열차가 출발 후 정지할 때까지 운행한 거리를 구하여라. (단, k는 상수)

교과서특강 풀이 ▶ 출발 후 10초 동안 운행한 거리는 $\int_0^{10}tdt=\left[\frac{1}{2}t^2\right]_0^{10}=50(\text{m})$이고

$t=10$일 때, 속도는 $10(\text{m/초})$이므로 $k=10$

이때 10초와 100초 사이의 운행한 거리는

$$\int_{10}^{100}10dt=\left[10t\right]_{10}^{100}=900(\text{m})$$

100초에서 도착할 때까지 운행한 거리는

$$\int_{100}^{120}\frac{1}{2}(120-t)dt=\frac{1}{2}\left[120t-\frac{1}{2}t^2\right]_{100}^{120}=100(\text{m})$$

따라서 구하는 거리는 $50+900+100=1050$

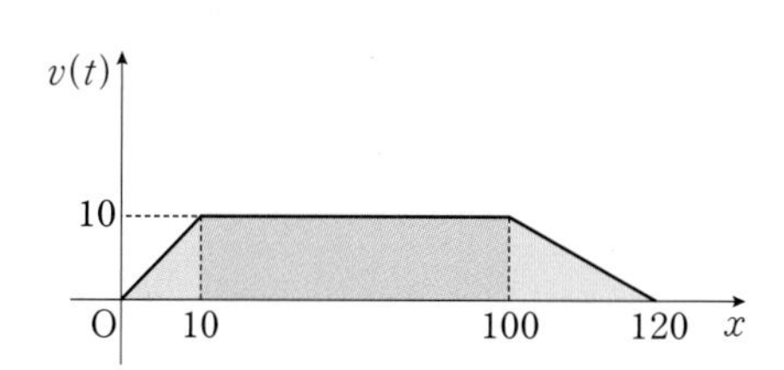

거리와 부피

01 물의 양과 거리

수도관의 단면의 넓이가 $S\,\text{cm}^2$이고 수돗물이 나오는 속도가 $v(t)$일 때,
$t=a$에서 $t=b$ 사이에 흘러나오는 물의 양 V는

$$V=S\times\int_a^b v(t)\,dt\,(\text{cm}^3)$$ ⬅ 물의 양(부피)=단면의 넓이×운동거리

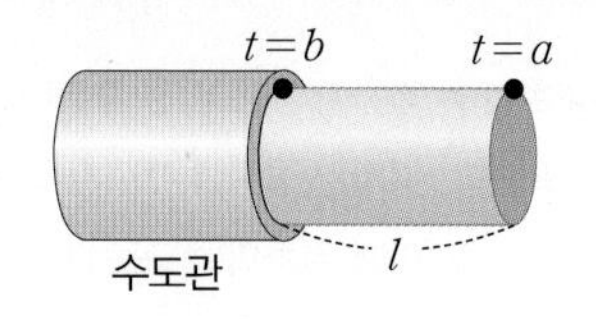

교과서특강문제 01

반지름의 길이가 r cm인 수도관에서 수도꼭지를 열면 $v(t)=\left(10t-\frac{1}{2}t^2\right)$cm/초의 속도로 물이 흘러나온다고 한다. 이때 다음을 구하여라.
(1) 처음 4초 동안 흘러나온 물의 양
(2) 수도꼭지를 열고 처음으로 물이 끊길 때까지 흘러나온 물의 양

교과서특강 풀이 ▶ 수도관의 단면의 넓이는 $\pi r^2\text{cm}^2$이고 $t=a$에서 $t=b$ 사이에 흘러나오는 물줄기의 길이는 $\int_a^b v(t)\,dt$ cm이므로

(1) 구하는 물의 양을 V_1이라 하면

$$V_1=\pi r^2\times\int_0^4\left(10t-\frac{1}{2}t^2\right)dt=\pi r^2\times\left[5t^2-\frac{1}{6}t^3\right]_0^4=\frac{208}{3}\pi r^2(\text{cm}^3)$$

(2) 물이 끊기는 시각은 $v(t)=0$일 때이므로

$10t-\frac{1}{2}t^2=t\left(10-\frac{1}{2}t\right)=0$에서 $t=20$ ⬅ $0\le t\le 20$일 때, $v(t)\ge 0$

따라서 구하는 물의 양을 V_2라 하면 V_2는 처음 20초 동안 받은 물의 양이므로

$$V_2=\pi r^2\times\int_0^{20}\left(10t-\frac{1}{2}t^2\right)dt=\pi r^2\times\left[5t^2-\frac{1}{6}t^3\right]_0^{20}=\frac{2000}{3}\pi r^2(\text{cm}^3)$$

교과서특강문제 02

반지름의 길이가 2 cm인 수도관을 통하여 흘러나오는 물의 속도를 $v(t)$는

$$v(t)=-t^2+6t\,(\text{cm/s})$$

이다. 물이 흐르기 시작하여 멈출 때까지 흘러나온 물의 양을 구하여라.

교과서특강 풀이 ▶ 물이 멈출 때의 속도 $v(t)=0$이므로 $v(t)=-t^2+6t=0$, $-t(t-6)=0$

$\therefore t=6\ (\because t>0)$

이때 물이 수도관을 따라 나온 길이를 l이라고 하면

$$l=\int_0^6(-t^2+6t)\,dt=\left[-\frac{1}{3}t^3+3t^2\right]_0^6=36(\text{cm})$$

따라서 흘러나온 물의 양은 (수도관의 단면의 넓이)×(물이 흘러나온 길이)$=4\pi\times 36=144\pi(\text{cm}^3)$

교과서특강문제 03

오른쪽 그림과 같은 그릇에 물을 부을 때, 물의 깊이가 x이면 수면의 넓이는 $S(x)=\pi x^2$이고 그릇에 물을 가득 채우는 동안 수면의 상승 속도 $v(t)$는

$$v(t)=-2t^2+6t$$

라고 한다. 이때 이 그릇에 가득 담긴 물의 부피를 구하여라.

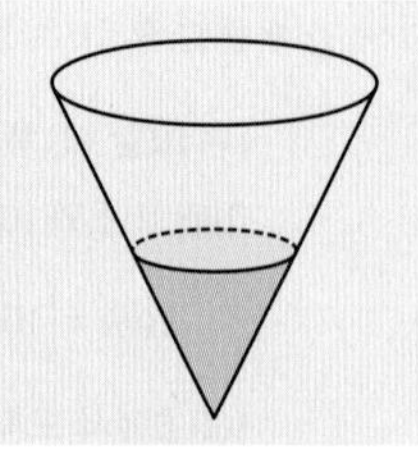

교과서특강 풀이 ▶ 물을 채우는 동안 수면의 상승 속도는 $v(t)\ge 0$이므로 $-2t^2+6t\ge 0$, $0\le t\le 3$

그릇의 높이 h는 $h=\int_0^3(-2t^2+6t)\,dt=\left[-\frac{2}{3}t^3+3t^2\right]_0^3=9$

따라서 그릇에 담긴 물의 부피 V는 $V=\int_0^9\pi x^2\,dx=\left[\frac{\pi}{3}x^3\right]_0^9=243\pi$ ⬅ 단면적을 적분하면 부피가 나온다.

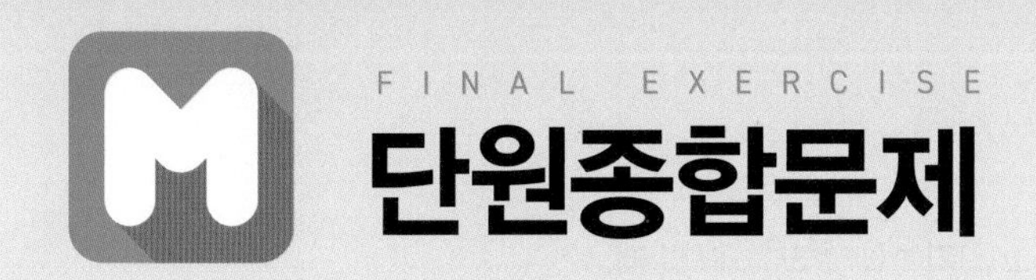

FINAL EXERCISE 단원종합문제

단계별 **실력완성** 연습문제

BASIC

내신 수능 기본 대표 기출문제

0862

속도가 식으로 주어질 때의 위치의 변화량과 움직인 거리
내신빈출

수직선 위에서 좌표가 5인 점을 출발하여 움직이는 어떤 물체의 시각 t일 때의 속도 $v(t)$의 그래프는 오른쪽 그림과 같다. 색칠한 세 부분의 넓이가 차례로 4, 6, 25일 때, 다음 조건을 만족하는 p, q, r에 대하여 $p+q+r$의 값은?

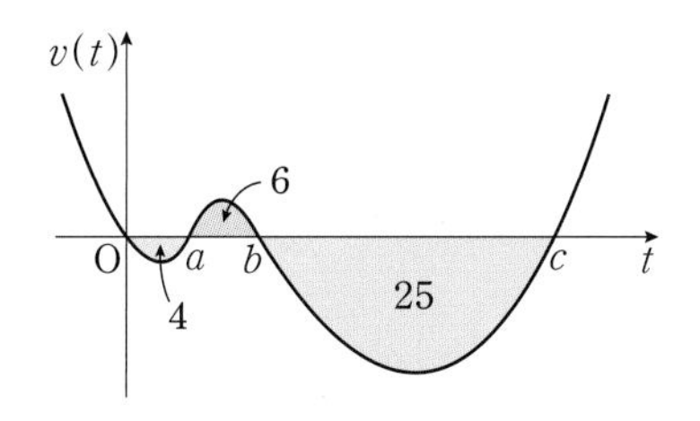

(가) $t=0$에서 $t=c$까지 이 물체의 위치의 변화량 p
(나) $t=0$에서 $t=c$까지 이 물체의 이동거리 q
(다) $t=c$일 때의 물체의 위치 r

① -12 ② -8 ③ -6 ④ -4 ⑤ -2

0863

수직선 위를 움직이는 점이 움직인 거리
2017학년도 수능기출

다음 물음에 답하여라.

(1) 수직선 위를 움직이는 점 P의 시각 $t\,(t\geq 0)$에서의 속도 $v(t)$가 $v(t)=-2t+4$이다. $t=0$부터 $t=4$까지 점 P가 움직인 거리는?

① 8 ② 9 ③ 10 ④ 11 ⑤ 12

2018년 11월 교육청 (고2)

(2) 수직선 위를 움직이는 점 P의 시각 $t\,(t\geq 0)$에서의 속도 $v(t)$가 $v(t)=t^2-2t-3$이다. $t=0$부터 $t=4$까지 점 P가 움직인 거리는?

① $\frac{26}{3}$ ② $\frac{28}{3}$ ③ 10 ④ $\frac{32}{3}$ ⑤ $\frac{34}{3}$

0864

수직선 위를 움직이는 점이 움직인 거리

다음 물음에 답하여라.

(1) 원점을 출발하여 수직선 위를 움직이는 점 P의 시각 $t\,(t\geq 0)$에서의 속도 $v(t)$가 $v(t)=12t-3t^2$일 때, 점 P가 출발한 후 운동 방향이 바뀌는 순간의 점 P의 위치는?

① 26 ② 28 ③ 30 ④ 32 ⑤ 34

(2) 원점을 출발하여 수직선 위를 움직이는 점 P의 시각 $t\,(t\geq 0)$에서의 속도 $v(t)$가 $v(t)=t^2-2t-3$일 때, 점 P가 출발한 후 운동 방향이 바뀌는 순간까지 움직인 거리는?

① 6 ② 7 ③ 8 ④ 9 ⑤ 10

0865

수직선 위를 움직이는 점이 움직인 거리

다음 물음에 답하여라.

(1) 수직선 위를 움직이는 점 P의 시각 t에서의 속도 $v(t)$가 $v(t)=40-at$이다. 시각 $t=4$에서 점 P의 운동방향이 바뀌었을 때, 점 P가 시각 $t=0$에서 $t=6$까지 움직인 거리는? (단, a는 상수)

① 90 ② 95 ③ 100 ④ 105 ⑤ 110

2018년 10월 교육청

(2) 수직선 위를 움직이는 점 P의 시각 $t\,(t\geq 0)$에서의 위치 x가 $x=t^4+at^3$(a는 상수)이다. $t=2$에서 점 P의 속도가 0일 때, $t=0$에서 $t=2$까지 점 P가 움직인 거리는?

① $\frac{16}{3}$ ② $\frac{20}{3}$ ③ 8 ④ $\frac{28}{3}$ ⑤ $\frac{32}{3}$

정답 0862 : ③ 0863 : (1) ① (2) ⑤ 0864 : (1) ④ (2) ④ 0865 : (1) ③ (2) ①

0866

가속도를 이용하여 점 P의 위치

수직선 위를 움직이는 점 P의 시각 t에서의 속도 $v(t)$가 $v(t)=3t^2-8t$일 때, 출발 후 가속도가 4가 되는 시각까지 점 P의 위치의 변화량은?

① -8 ② -7 ③ -6 ④ -5 ⑤ -4

0867

수직선 위를 움직이는 점이 움직인 거리
내신빈출

원점을 출발하여 수직선 위를 움직이는 점 P의 시각 t에서의 속도가 $at-t^2$이다. $t=6$에서의 점 P의 위치가 원점일 때, $t=0$에서 $t=6$까지 점 P가 움직인 거리는? (단, a는 상수이다.)

① $\frac{21}{2}$ ② $\frac{64}{3}$ ③ $\frac{83}{3}$ ④ 32 ⑤ 72

0868

속도가 식으로 주어질 때의 위치의 변화량과 움직인 거리
내신빈출

원점을 출발하여 수직선 위를 움직이는 점 P의 시각 t에서의 속도가

$$v(t)=8-2t\,(\mathrm{m/s})$$

일 때, 다음 조건을 만족하는 상수 a, b에 대하여 $a+b$의 값은?

(가) 점 P가 다시 원점을 지날 때까지 걸리는 시간을 a(초)
(나) 점 P가 다시 원점을 지날 때까지 움직인 거리를 b(m)

① 38 ② 40 ③ 42 ④ 44 ⑤ 46

0869

속도가 식으로 주어질 때의 위치의 변화량과 움직인 거리
내신빈출

원점을 출발하여 수직선 위를 움직이는 점 P의 시각 $t\,(0\le t\le 8)$에서의 속도 $v(t)$의 그래프가 오른쪽 그림과 같다. 점 P의 시각 $t=0$에서 $t=6$까지 위치의 변화량을 a, 움직인 거리를 b라 할 때, $a+b$의 값은? (단, $v(0)=v(4)=v(8)=0$)

① 4 ② 6 ③ 8
④ 10 ⑤ 12

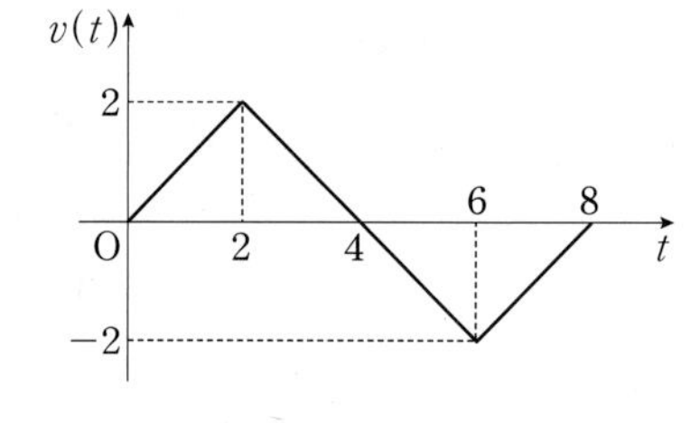

0870

속도가 식으로 주어질 때의 위치의 변화량과 움직인 거리
내신빈출

원점을 출발하여 수직선 위를 움직이는 점 P의 t초 후의 속도 $v(t)$의 그래프가 오른쪽 그림과 같다. $t=3$에서의 점 P의 위치가 6일 때, $t=5$에서 점 P의 위치는? (단, $0\le t\le 5$)

① 4 ② 6 ③ 8
④ 10 ⑤ 12

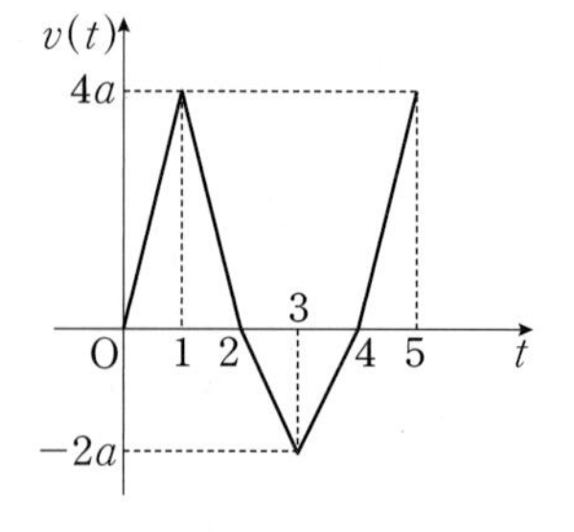

0871

운동방향이 바뀔 때 움직인 거리
내신빈출

원점을 출발하여 수직선 위를 움직이는 점 P의 t초 후의 속도 $v(t)$의 그래프가 오른쪽 그림과 같다. 다음 조건을 만족하는 상수 a, b에 대하여 $a+b$의 값은?

(가) 운동방향을 바꿀 때까지 점 P가 움직인 거리 a
(나) 점 P가 시각 $t=0$에서 시각 $t=4$까지 움직인 거리 b

① 2 ② 5 ③ 7
④ 10 ⑤ 12

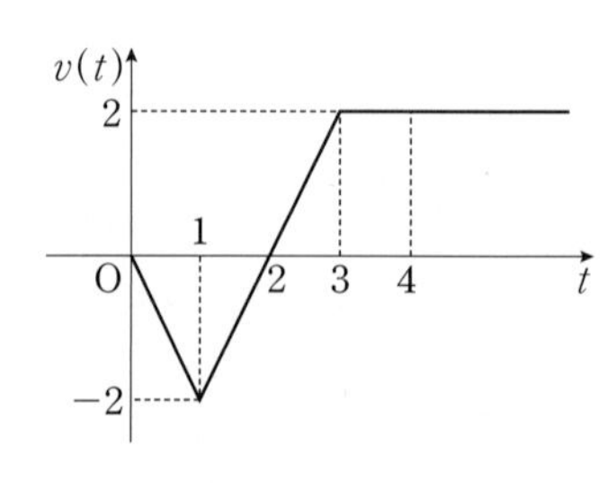

정답 0866 : ① 0867 : ② 0868 : ② 0869 : ③ 0870 : ③ 0871 : ③

0872

속도와 움직인 거리
1994학년도 수능기출

고속열차가 출발하여 3 km를 달리는 동안 시각 t분에서의 속력 $v(t)$ (km/분)은 $v(t)=\frac{3}{4}t^2+\frac{1}{2}t$이고 그 이후로는 속력이 일정하다고 한다. 출발 후 5분 동안 이 열차가 달린 거리는?

① 13 km ② 14 km ③ 15 km ④ 16 km ⑤ 17 km

0873

위치가 같을 때 시각 구하기
2018년 07월 교육청

다음 물음에 답하여라.

(1) 원점을 동시에 출발하여 수직선 위를 움직이는 두 점 P, Q의 시각 $t\,(t\geq 0)$에서의 속도가 각각

$$3t^2+6t-6,\ 10t-6$$

이다. 두 점 P, Q가 출발 후, $t=a$에서 다시 만날 때, 상수 a의 값은?

① 1 ② $\frac{3}{2}$ ③ 2 ④ $\frac{5}{2}$ ⑤ 3

(2) 수직선 위를 움직이는 두 점 P, Q의 시각 t에서의 속도가 각각

$$v(t)=2t+3,\ u(t)=-4t-1$$

이다. 점 P는 원점에서 출발하고 점 Q는 점 A(20)에서 출발할 때, 두 점 P와 Q가 만나는 시각 t는?

① 1 ② 2 ③ 3 ④ 4 ⑤ 5

0874

위치가 같을 때 시각 구하기
2019학년도 09월 평가원

다음 물음에 답하여라.

(1) 시각 $t=0$일 때, 동시에 원점을 출발하여 수직선 위를 움직이는 두 점 P, Q의 시각 $t\,(t\geq 0)$에서 속도가 각각

$$v_1(t)=3t^2+t,\ v_2(t)=2t^2+3t$$

이다. 출발한 후, 두 점 P, Q의 속도가 같아지는 순간 두 점 P, Q 사이의 거리를 a라 할 때, $9a$의 값을 구하여라.

(2) 수직선 위를 움직이는 두 점 P, Q의 시각 $t\,(t\geq 0)$에서의 위치가 각각

$$\mathrm{P}(t)=\frac{1}{3}t^3+9t-\frac{8}{3},\ \mathrm{Q}(t)=2t^2-5$$

이다. 두 점 P, Q의 가속도가 같은 순간의 두 점 P, Q 사이의 거리를 구하여라.

0875

위치가 같을 때 시각 구하기
내신빈출

원점을 동시에 출발하여 수직선 위를 움직이는 동점 P, Q의 출발 t초 후의 속도가 각각

$$v_{\mathrm{P}}=6t^2-2t+3,\ v_{\mathrm{Q}}=3t^2+10t-2$$

이다. 동점 P, Q가 출발 후 두 번째로 만날 때, 점 P의 속도를 a, 점 Q의 속도를 b라 하면 $a-b$의 값은?

① 12 ② 14 ③ 16 ④ 18 ⑤ 20

0876

속도의 그래프의 진위판단
내신빈출

원점을 출발하여 수직선 위를 움직이는 점 P의 시각 t에서의 속도 $v(t)$의 그래프가 다음 그림과 같을 때, [보기]에서 옳은 것을 모두 고르면?

ㄱ. 점 P가 움직이는 방향은 출발 후 $t=8$일 때까지 두 번 바뀐다.
ㄴ. $t=5$일 때, 속력이 가장 크다.
ㄷ. 점 P는 출발하고 나서 8초 후 출발점에 있다.
ㄹ. $t=6$일 때, 점 P는 원점으로부터 가장 멀리 떨어져 있다.

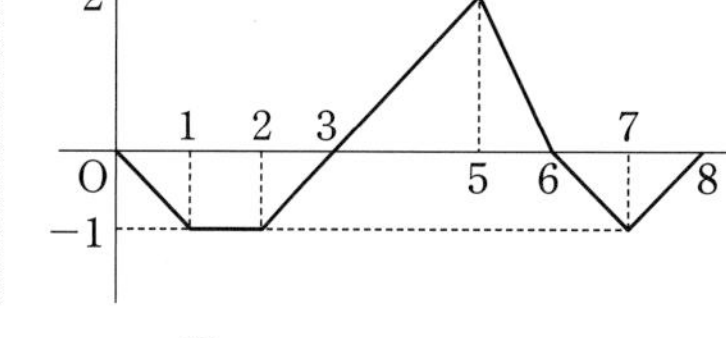

① ㄱ ② ㄱ, ㄴ ③ ㄴ, ㄹ ④ ㄱ, ㄴ, ㄷ ⑤ ㄱ, ㄴ, ㄷ, ㄹ

정답 0872 : ③ 0873 : (1) ③ (2) ② 0874 : (1) 12 (2) 15 0875 : ⑤ 0876 : ④

0877

속도의 그래프
2005학년도 수능기출

다음 그림은 '가' 지점에서 출발하여 '나' 지점에 도착할 때까지 직선 경로를 따라 이동한 세 자동차 A, B, C의 시간 t에 따른 속도 v를 각각 나타낸 것이다.

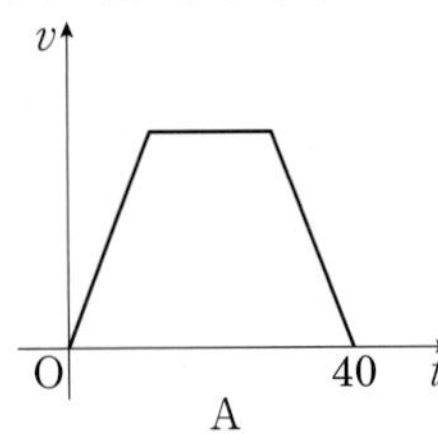

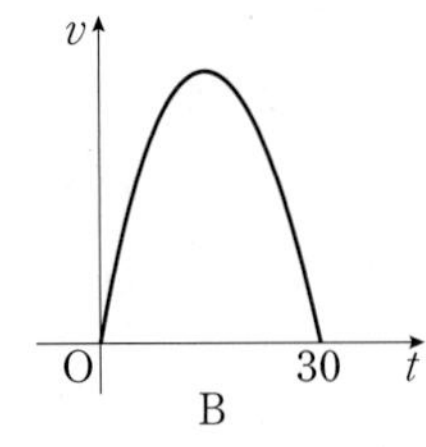

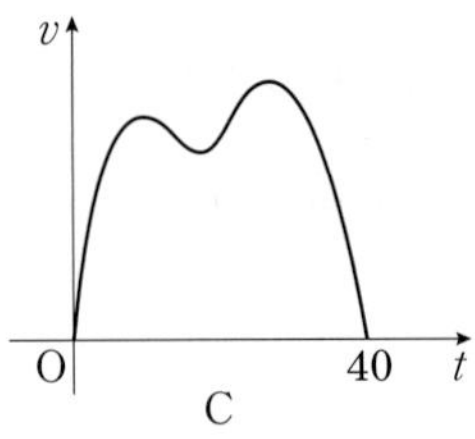

'가' 지점에서 출발하여 '나' 지점에 도착할 때까지의 상황에 대한 다음 [보기] 중 옳은 것을 모두 고른 것은?

ㄱ. A와 C의 평균속도는 같다.
ㄴ. B와 C 모두 가속도가 0인 순간이 적어도 한 번 존재한다.
ㄷ. A, B, C 각각의 속도 그래프와 t축으로 둘러싸인 영역의 넓이는 모두 같다.

① ㄱ　② ㄴ　③ ㄷ　④ ㄴ, ㄷ　⑤ ㄱ, ㄴ, ㄷ

0878

수직선 위를 움직이는 점의 위치와 움직인 거리
서술형

지상 10 m의 높이에서 30 m/초의 속도로 위로 던진 물체의 t초 후의 속도는 $v(t)=30-10t$라 한다.
다음 단계로 서술하여라.
[1단계] 물체를 던지고 나서 2초 후의 지면으로부터 물체의 높이를 구한다.
[2단계] 물체를 던지고 나서 5초 동안의 물체의 운동거리를 구한다.
[3단계] 물체가 도달하는 최고 높이를 구한다.

0879

열기구가 움직인 거리
서술형

지면에서 출발하여 수직 방향으로 움직이는 열기구의 t분 후의
속도 $v(t)$ (m/분)가

$$v(t)=\begin{cases} 4t & (0 \le t \le 5) \\ 70-10t & (5 \le t \le 10) \end{cases}$$

일 때, 다음을 서술하여라.
(1) 열기구가 최고 지점에 도달할 때의 지면으로부터의 높이를 구한다.
(2) 출발한 후 9분 동안 열기구가 움직인 거리를 구한다.

0880

수직선 위를 움직이는 점이 움직인 거리
서술형

수직선 위에서 원점을 출발하여 움직이는 점 P의 시각 t에서의 속도가 $v(t)=9-3t$일 때, 출발 후 처음으로 움직이는 방향이 바뀌어 다시 원점에 올 때까지 점 P가 움직인 거리를 다음 단계로 서술하여라.
[1단계] 점 P가 움직이는 방향이 바뀌는 시간을 구한다.
[2단계] 다시 원점에 돌아오는 시각을 구한다.
[3단계] 점 P가 움직인 거리를 구한다.

0881

수직선 위를 움직이는 점의 위치
서술형

수직선 위에서 원점을 출발하여 움직이는 두 점 P, Q의 시각 t에서의 속도는 각각

$$v(t)=t^2-2t,\ u(t)=-t^2+4t$$

일 때, 다음 단계로 서술하여라.
[1단계] 두 점 P, Q가 출발 후 t초 후의 위치를 각각 $f(t)$, $g(t)$라고 할 때,
$f(t)$, $g(t)$를 t에 대한 식으로 나타낸다.
[2단계] 두 점 P, Q가 출발 후 처음으로 만날 때의 시각을 $t=a$라고 할 때, a의 값을 구한다.
[3단계] t초 후의 두 점 P, Q 사이의 거리를 $h(t)$라고 할 때, $y=h(t)$를 t에 대한 식으로 나타내고
두 점 P, Q 사이의 거리의 최댓값을 구한다. (단, $0 \le t \le a$)

정답　0877 : ⑤　0878 : 해설참조　0879 : 해설참조　0880 : 해설참조　0881 : 해설참조

0882

수직선 위를 움직이는 점의 위치의 활용
2011년 10월 교육청

다음 물음에 답하여라.

(1) 수직선 위를 움직이는 두 점 P, Q가 있다. 점 P는 점 A(5)를 출발하여 시각 t에서의 속도가 $3t^2-2$이고 점 Q는 점 B(k)를 출발하여 시각 t에서의 속도가 1이다. 두 점 P, Q가 동시에 출발한 후 2번 만나도록 하는 정수 k의 값을 구하여라. (단, $k\neq5$)

(2) 수직선 위를 움직이는 두 점 P, Q가 있다. 점 P는 좌표가 7인 점에서 출발하여 시각 t에서 속도가 $v(t)=3t^2-2$이고 점 Q는 좌표가 k인 점에서 출발하여 시각 t에서 속도가 1이다. 두 점 P, Q가 동시에 출발한 후 두 번 만나도록 하는 정수 k의 값을 구하여라.

0883

수직선 위를 움직이는 점의 움직인 거리
2013년 10월 교육청

원점을 동시에 출발하여 수직선 위를 움직이는 두 점 P, Q의 시각 $t\,(0\le t\le8)$에서의 속도가 각각

$$2t^2-8t,\ t^3-10t^2+24t$$

이다. 두 점 P, Q 사이의 거리의 최댓값을 구하여라.

0884

속도와 시간의 그래프
2005년 10월 교육청

다음 물음에 답하여라.

(1) 어느 고층 건물에 설치된 엘리베이터가 1층에서 출발하여 멈추지 않고 올라가서 맨 위층에 도착하여 멈추었다고 한다. 이때 t초 후의 엘리베이터의 속도 $v(t)$ m/s는 다음과 같다.

$$v(t)=\begin{cases}4t & (0\le t\le5)\\ 20 & (5\le t\le20)\\ -2t+60 & (20\le t\le a)\end{cases}$$

이 엘리베이터가 출발한 지 a초 후에 멈추었을 때, 출발한 후 멈출 때까지 엘리베이터가 움직인 거리를 구하여라.

(2) 어떤 전망대에 설치된 엘리베이터는 1층에서 출발하여 꼭대기층까지 올라가는 동안, 출발 후 처음 2초까지는 3(m/s²)의 가속도로 올라가고 2초 후부터 10초까지는 등속도로 올라가며 10초 후부터는 −2(m/s²)의 가속도로 올라가서 멈춘다. 이 엘리베이터가 출발하여 멈출 때까지 움직인 거리를 구하여라.

0885

그래프에서 위치와 움직인 거리의 활용
2011학년도 수능기출

원점을 출발하여 수직선 위를 움직이는 점 P의 시각 $t\,(0\le t\le5)$에서 속도 $v(t)$가 다음과 같다.

$$v(t)=\begin{cases}4t & (0\le t<1)\\ -2t+6 & (1\le t<3)\\ t-3 & (3\le t\le5)\end{cases}$$

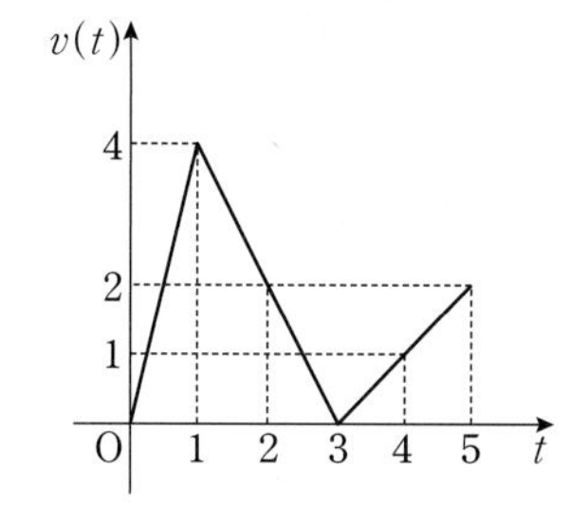

$0<x<3$인 실수 x에 대하여 점 P가 시각 $t=0$에서 $t=x$까지 움직인 거리, 시각 $t=x$에서 $t=x+2$까지 움직인 거리, 시각 $t=x+2$에서 $t=5$까지 움직인 거리 중에서 최소인 값을 $f(x)$라 할 때, 옳은 것만을 [보기]에서 있는 대로 고른 것은?

ㄱ. $f(1)=2$

ㄴ. $f(2)-f(1)=\int_1^2 v(t)\,dt$

ㄷ. 함수 $f(x)$는 $x=1$에서 미분가능하다.

① ㄱ ② ㄴ ③ ㄱ, ㄴ ④ ㄱ, ㄷ ⑤ ㄴ, ㄷ

정답 0882 : (1) 4 (2) 6 0883 : 64 0884 : (1) 450 (2) 63 0885 : ①

mapl YOUR MASTER PLAN

MEMO

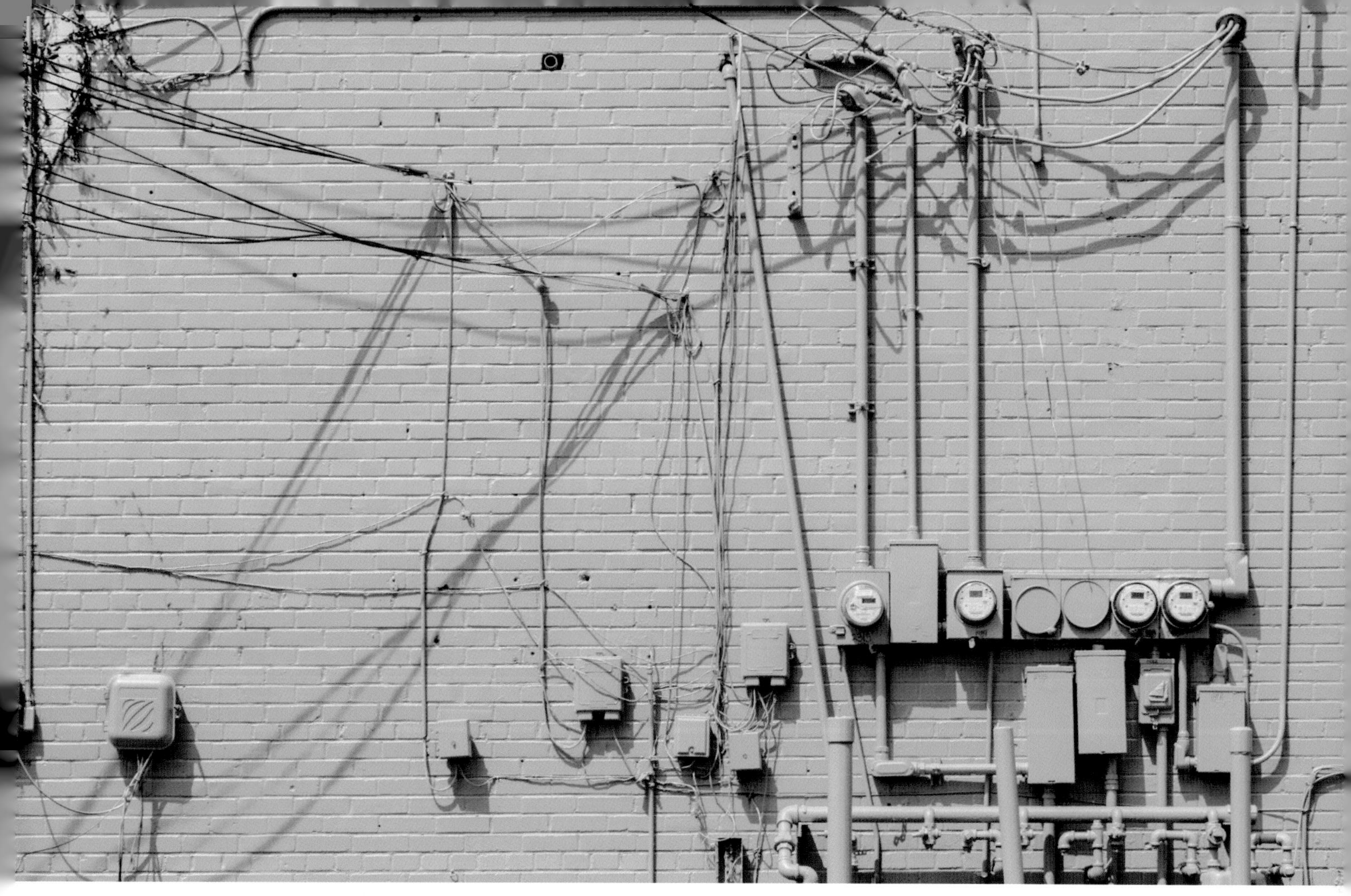
© Photo by Khara Woods on Unsplash

If I cannot do great things.
I can do small things in a great way.

Martin Luther King JR.

masterplan

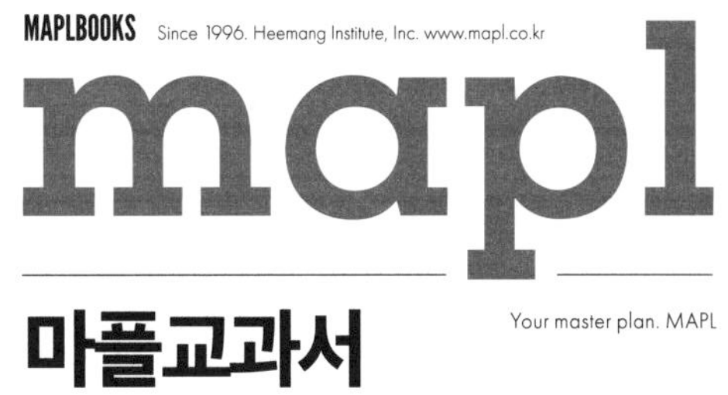
MAPLBOOKS Since 1996. Heemang Institute, Inc. www.mapl.co.kr
mapl
마플교과서
Your master plan. MAPL

수능과 내신의
수학개념서

수학 II

수능과 내신의 수학개념서

마플교과서

수학 Ⅱ

마플교과서 수학 Ⅱ
ISBN : 978-89-94845-65-4 (53410)
발행일 : 2019년 1월 17일(1판 1쇄)
인쇄일 : 2024년 10월 16일
판/쇄 : 1판 13쇄

펴낸곳
희망에듀출판부 *(Heemang Institute, inc. Publishing dept.)*

펴낸이
임정선

주소 경기도 부천시 석천로 174 하성빌딩
[174, Seokcheon-ro, Bucheon-si, Gyeonggi-do, Republic of Korea]

교재 오류 및 문의
mapl@heemangedu.co.kr

희망에듀 홈페이지
http://www.heemangedu.co.kr

마플교재 인터넷 구입처
http://www.mapl.co.kr

교재 구입 문의
오성서적
Tel 032) 653-6653
Fax 032) 655-4761

YOUR
MASTER
PLAN

MAPL
THE BANK

YOUR
MASTER
PLAN

내신과수능을잡는최고의개념서

마플교과서

그냥/교재가/아닙니다/마플입니다

masterplan

수능과 내신의 수학개념서

수학 Ⅱ

서명 : 마플교과서 수학 Ⅱ
발행일 : 2019년 1월 17일(1판 1쇄)
인쇄일 : 2024년 10월 16일
판/쇄 : 1판 13쇄

펴낸곳
희망에듀출판부
(Heemang Institute, inc. Publishing dept.)

펴낸이
임정선

주소
경기도 부천시 석천로 174 하성빌딩
[174, Seokcheon-ro, Bucheon-si, Gyeonggi-do, Republic of Korea]

교재 오류 및 문의
mapl@heemangedu.co.kr

희망에듀 홈페이지
http://www.heemangedu.co.kr

마플교재 인터넷 구입처
http://www.mapl.co.kr

교재 구입 문의
오성서적
Tel 032) 653-6653
Fax 032) 655-4761

ISBN : 978-89-94845-65-4 (53410)

파본은 구입처에서 교환하여 드립니다.

수능대비
새로운 교육과정

수능과 내신의 수학개념서

MAPL SERIES
YOUR MASTER PLAN
www.mapl.co.kr

Your master plan.

mapl

수학 II 정답과 해설

수능과 내신의 수학개념서

마플교과서

수학 Ⅱ

MAPLBOOKS Since 1996. Heemang Institute, Inc. www.mapl.co.kr
mapl
마플교과서
Your master plan. MAPL

수능과 내신의
수학개념서

수학 II

수능과 내신의 수학개념서

마플교과서

수학 Ⅱ

마플교과서 수학 Ⅱ
ISBN : 978-89-94845-65-4 (53410)
발행일 : 2019년 1월 17일(1판 1쇄)
인쇄일 : 2024년 10월 16일
판/쇄 : 1판 13쇄

펴낸곳
희망에듀출판부 *(Heemang Institute, inc. Publishing dept.)*

펴낸이
임정선

주소 경기도 부천시 석천로 174 하성빌딩
[174, Seokcheon-ro, Bucheon-si, Gyeonggi-do, Republic of Korea]

교재 오류 및 문의
mapl@heemangedu.co.kr

희망에듀 홈페이지
http://www.heemangedu.co.kr

마플교재 인터넷 구입처
http://www.mapl.co.kr

교재 구입 문의
오성서적
Tel 032) 653-6653
Fax 032) 655-4761

핵심단권화 수학개념서

마플교과서 시리즈

내신 1등급 완성

마플시너지 시리즈

수능에 강하다!

마플총정리 시리즈

YOUR
MASTER
PLAN

개념이 있는

정답과 해설

목차

I 함수의 극한과 연속

II 미분

III 적분

I 함수의 극한과 연속

01 함수의 극한

0001

다음 물음에 답하여라.

(1) 함수 $y=f(x)$의 그래프가 오른쪽 그림과 같다.

$\lim_{x\to -1-}f(x)+\lim_{x\to 1+}f(x)$의 값은?

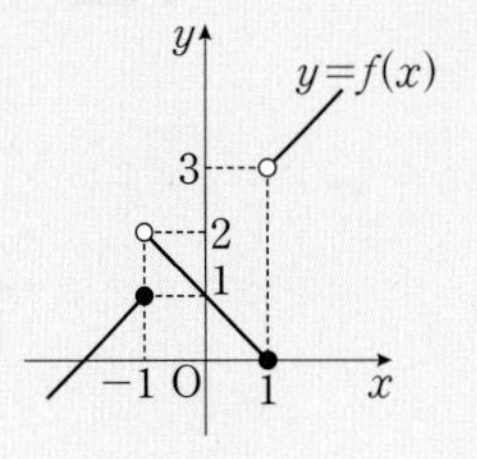

① 1　② 2　③ 3　④ 4　⑤ 5

STEP A 주어진 그래프에서 함수의 좌극한값, 우극한값 구하기

오른쪽 그림에서

$x\to -1-$일 때, $f(x)\to 1$이므로

$\lim_{x\to -1-}f(x)=1$

$x\to 1+$일 때, $f(x)\to 3$이므로

$\lim_{x\to 1+}f(x)=3$

따라서 $\lim_{x\to -1-}f(x)+\lim_{x\to 1+}f(x)=1+3=4$

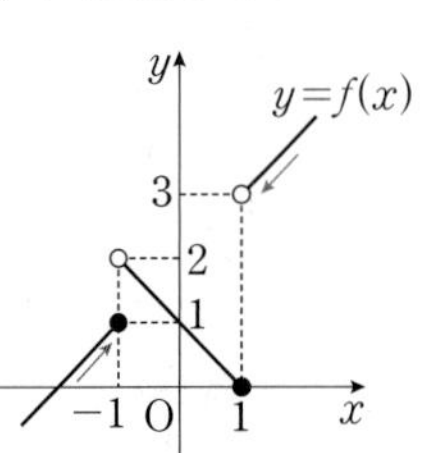

(2) 함수 $y=f(x)$의 그래프가 오른쪽 그림과 같다.

$\lim_{x\to 0-}f(x)+\lim_{x\to 1+}f(x)$의 값은?

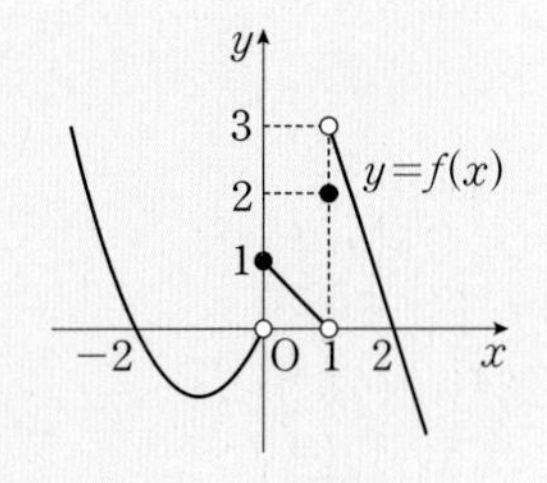

① 1　② 2　③ 3　④ 4　⑤ 5

STEP A 주어진 그래프에서 함수의 좌극한값, 우극한값 구하기

$x\to 0-$일 때, $f(x)\to 0$이므로

$\lim_{x\to 0-}f(x)=0$

또, $x\to 1+$일 때, $f(x)\to 3$이므로

$\lim_{x\to 1+}f(x)=3$

따라서 $\lim_{x\to 0-}f(x)+\lim_{x\to 1+}f(x)=0+3=3$

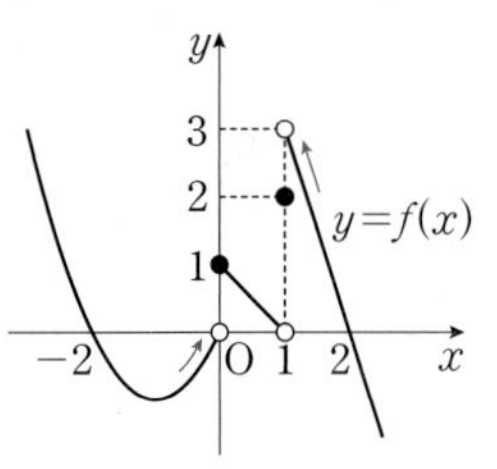

0002

함수 $y=f(x)$의 그래프가 오른쪽 그림과 같다.
일차함수 $g(x)$가 다음 조건을 만족시킬 때, $g(-5)$의 값은?

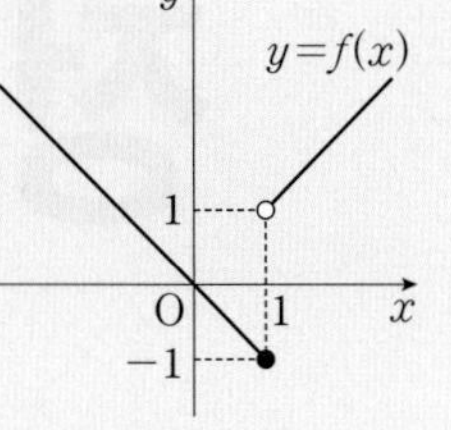

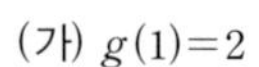

(가) $g(1)=2$
(나) $\lim_{x\to 1}f(x)g(2x+1)$의 값이 존재한다.

① 4　② 5　③ 6　④ 7　⑤ 8

STEP A 조건을 만족하는 일차함수 $g(x)$ 구하기

함수 $g(x)$가 일차함수이므로

$g(x)=ax+b\,(a\neq 0,\ b$는 상수)라 하면

조건 (가)에서

$g(1)=a+b=2$ ...... ㉠

조건 (나)에서

$\lim_{x\to 1}f(x)g(2x+1)$의 극한값이 존재하므로

$\lim_{x\to 1-}f(x)g(2x+1)=-g(3)$, $\lim_{x\to 1+}f(x)g(2x+1)=g(3)$

$g(3)=-g(3)$이므로 $g(3)=0$

$3a+b=0$ ...... ㉡

㉠, ㉡을 연립하여 풀면 $a=-1$, $b=3$

$\therefore\ g(x)=-x+3$

STEP B $g(-5)$의 값 구하기

따라서 $g(-5)=-(-5)+3=8$

0003

함수

$$f(x)=\begin{cases}\dfrac{x^2}{4} & (|x|<2)\\ 0 & (|x|=2)\\ -|x|+4 & (|x|>2)\end{cases}$$

에 대하여 $\lim_{x\to a-}f(x)=2$를 만족시키는 상수 a의 값은?

① -2　② -1　③ 0　④ 1　⑤ 2

STEP A 좌극한값을 이용하여 a의 값 구하기

함수 $f(x)=\begin{cases}\dfrac{x^2}{4} & (|x|<2)\\ 0 & (|x|=2)\\ -|x|+4 & (|x|>2)\end{cases}$ 의 그래프는 그림과 같다.

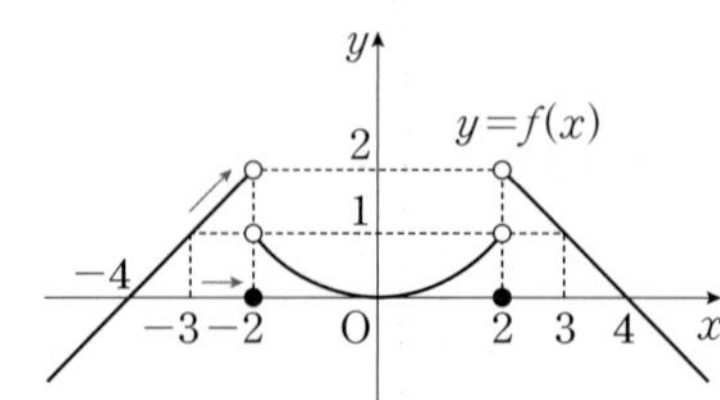

따라서 $x\to -2-$일 때, $f(x)\to 2$이므로

$\lim_{x\to a-}f(x)=2$를 만족시키는 상수 a의 값은 -2

0004

다음 물음에 답하여라.

(1) 함수

$$f(x)=\begin{cases} x^2+x-k & (x>3) \\ -2x+k & (x\le 3) \end{cases}$$

에 대하여 $\lim_{x\to3}f(x)$의 값이 존재하기 위한 실수 k의 값을 구하여라.

STEP A 주어진 함수 $f(x)$의 $x=3$에서의 우극한과 좌극한 구하기

$x>3$일 때, $f(x)=x^2+x-k$이므로

$\lim_{x\to3+}f(x)=\lim_{x\to3+}(x^2+x-k)=9+3-k=12-k$ ← 우극한

$x<3$일 때, $f(x)=-2x+k$이므로

$\lim_{x\to3-}f(x)=\lim_{x\to3-}(-2x+k)=-6+k$ ← 좌극한

STEP B 극한값이 존재하면 좌극한과 우극한이 일치함을 이용하여 상수 k의 값 구하기

따라서 $\lim_{x\to3}f(x)$의 값이 존재하려면 $\lim_{x\to3+}f(x)=\lim_{x\to3-}f(x)$이어야 하므로

$12-k=-6+k$, $2k=18$ $\therefore k=9$

(2) 함수

$$f(x)=\begin{cases} -3x+k & (x\ge 1) \\ x^2-3x+2 & (x<1) \end{cases}$$

일 때, $\lim_{x\to1+}f(x)=\lim_{x\to1-}f(x)$을 만족하는 상수 k의 값을 구하여라.

STEP A 주어진 함수 $f(x)$의 $x=1$에서의 우극한과 좌극한 구하기

$x>1$일 때, $f(x)=-3x+k$이므로

$\lim_{x\to1+}f(x)=\lim_{x\to1+}(-3x+k)=-3+k$ ← 우극한

$x<1$일 때, $f(x)=x^2-3x+2$이므로

$\lim_{x\to1-}f(x)=\lim_{x\to1-}(x^2-3x+2)=1^2-3\cdot1+2=0$ ← 좌극한

STEP B 극한값이 존재하면 좌극한과 우극한이 일치함을 이용하여 상수 k의 값 구하기

$\lim_{x\to1+}f(x)=\lim_{x\to1-}f(x)$이므로 $\lim_{x\to1}f(x)$의 값이 존재한다.

따라서 $-3+k=0$이므로 $k=3$

0005

함수

$$f(x)=\begin{cases} \dfrac{x^2-9}{|x-3|} & (x>3) \\ a & (x\le 3) \end{cases}$$

에 대하여 극한값 $\lim_{x\to3}f(x)$가 존재할 때, 상수 a의 값은?

① 2 ② 4 ③ 6
④ 8 ⑤ 12

STEP A 주어진 함수 $f(x)$의 $x=3$에서의 우극한과 좌극한 구하기

$f(x)=\begin{cases} \dfrac{x^2-9}{|x-3|} & (x>3) \\ a & (x\le 3) \end{cases}$에서 $f(x)=\begin{cases} x+3 & (x>3) \\ a & (x\le 3) \end{cases}$이므로

← $x>3$이므로 $f(x)=\dfrac{x^2-9}{|x-3|}=\dfrac{(x-3)(x+3)}{x-3}=x+3$

$y=f(x)$의 그래프는 오른쪽 그림과 같다.

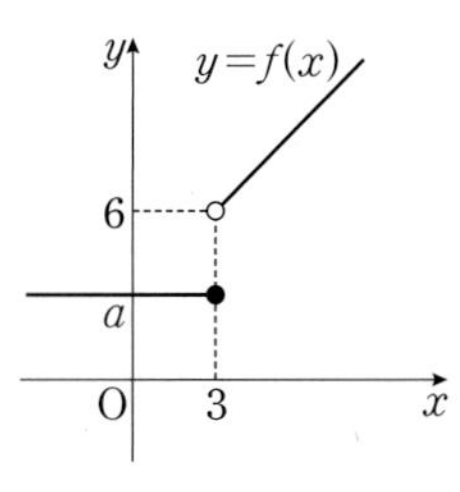

$x>3$일 때, $f(x)=x+3$이므로

$\lim_{x\to3+}f(x)=\lim_{x\to3+}(x+3)=3+3=6$ ← 우극한

$x<3$일 때, $f(x)=a$이므로

$\lim_{x\to3-}f(x)=\lim_{x\to3-}a=a$ ← 좌극한

STEP B 극한값이 존재하면 좌극한과 우극한이 일치함을 이용하여 상수 a의 값 구하기

따라서 $\lim_{x\to3}f(x)$가 존재하려면 $\lim_{x\to3+}f(x)=\lim_{x\to3-}f(x)$이어야 하므로 $a=6$

0006

함수

$$f(x)=\begin{cases} ax+b & (x<1,\ x>4) \\ 0 & (x=1) \\ x^2-4x+5 & (1<x\le 4) \end{cases}$$

에 대하여 $\lim_{x\to1}f(x)$와 $\lim_{x\to4}f(x)$의 값이 모두 존재하도록 하는 상수 a, b에 대하여 $a-b$의 값을 구하여라.

STEP A 주어진 함수 $f(x)$의 $x=1$에서의 우극한과 좌극한 구하기

$x<1$일 때, $f(x)=ax+b$이므로

$\lim_{x\to1-}f(x)=\lim_{x\to1-}(ax+b)=a+b$ ← 좌극한

$x>1$일 때, $f(x)=x^2-4x+5$이므로

$\lim_{x\to1+}f(x)=\lim_{x\to1+}(x^2-4x+5)=1^2-4\cdot1+5=2$ ← 우극한

$\lim_{x\to1}f(x)$의 값이 존재하려면 $\lim_{x\to1-}f(x)=\lim_{x\to1+}f(x)$이어야 하므로

$a+b=2$ …… ㉠

STEP B 주어진 함수 $f(x)$의 $x=4$에서의 우극한과 좌극한 구하기

$x<4$일 때, $f(x)=x^2-4x+5$이므로

$\lim_{x\to4-}f(x)=\lim_{x\to4-}(x^2-4x+5)=4^2-4\cdot4+5=5$ ← 좌극한

$x>4$일 때, $f(x)=ax+b$이므로

$\lim_{x\to4+}f(x)=\lim_{x\to4+}(ax+b)=a\cdot4+b=4a+b$ ← 우극한

$\lim_{x\to4}f(x)$의 값이 존재하려면 $\lim_{x\to4-}f(x)=\lim_{x\to4+}f(x)$이어야 하므로

$4a+b=5$ …… ㉡

㉠, ㉡을 연립하여 풀면 $a=1$, $b=1$

따라서 $a-b=1-1=0$

다른풀이 그래프를 이용하여 극한값 존재조건을 이용하여 풀이하기

$f(x)$의 정의로부터 $1<x\le4$일 때,

$y=f(x)$의 그래프는 $y=x^2-4x+5=(x-2)^2+1$이므로

다음 그림과 같이 표시된 부분이다.

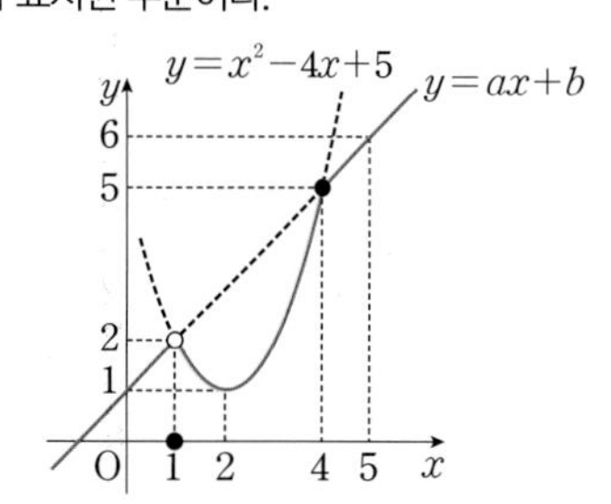

즉 $x<1$ 또는 $x>4$일 때,

$y=f(x)=ax+b$가 주어진 두 조건을,

즉 $\lim_{x\to1}f(x)$, $\lim_{x\to4}f(x)$의 값이 존재함을 모두 만족하려면

직선 $y=ax+b$가 두 점 $(1, 2)$, $(4, 5)$를 지나야 한다.

$a+b=2$, $4a+b=5$이므로 연립하여 풀면

$a=1$, $b=1$

따라서 $a-b=0$

0007

함수 $y=f(x)$의 그래프가 오른쪽 그림과 같을 때, 다음을 구하여라.

(1) $\lim_{x\to 0-}f(x-2)+\lim_{x\to 1+}f(2x)$

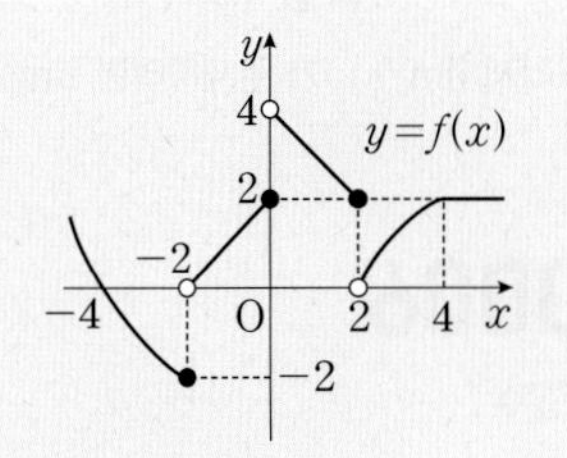

STEP Ⓐ $x-2=t$로 치환하여 $\lim_{x\to 0-}f(x-2)$의 극한값 구하기

$x-2=t$로 놓으면 $x\to 0-$일 때, $t\to -2-$이므로

$\lim_{x\to 0-}f(x-2)=\lim_{t\to -2-}f(t)=-2$

STEP Ⓑ $2x=s$로 치환하여 $\lim_{x\to 1+}f(2x)$의 극한값 구하기

$2x=s$로 놓으면 $x\to 1+$일 때, $s\to 2+$이므로 $\lim_{x\to 1+}f(2x)=\lim_{s\to 2+}f(s)=0$

$\therefore \lim_{x\to 0-}f(x-2)+\lim_{x\to 1+}f(2x)=-2+0=-2$

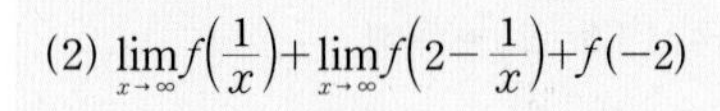

(2) $\lim_{x\to\infty}f\left(\frac{1}{x}\right)+\lim_{x\to\infty}f\left(2-\frac{1}{x}\right)+f(-2)$

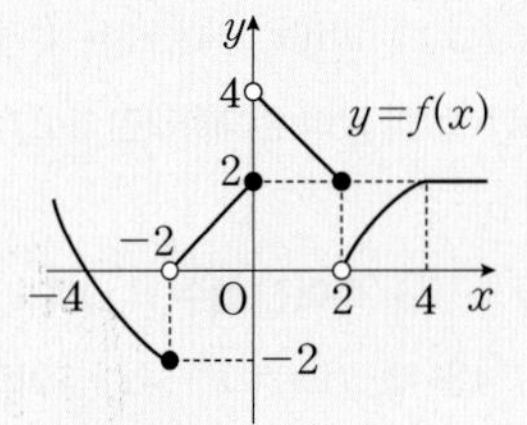

STEP Ⓐ $\frac{1}{x}=t$로 치환하여 $\lim_{x\to\infty}f\left(\frac{1}{x}\right)$의 극한값 구하기

$\frac{1}{x}=t$로 놓으면 $x\to\infty$일 때, $t\to 0+$이므로 $\lim_{x\to\infty}f\left(\frac{1}{x}\right)=\lim_{t\to 0+}f(t)=4$

STEP Ⓑ $2-\frac{1}{x}=s$로 치환하여 $\lim_{x\to\infty}f\left(2-\frac{1}{x}\right)$의 극한값 구하기

$2-\frac{1}{x}=s$로 놓으면 $x\to\infty$일 때, $s\to 2-$이므로

$\lim_{x\to\infty}f\left(2-\frac{1}{x}\right)=\lim_{s\to 2-}f(s)=2$

STEP Ⓒ $f(-2)$의 값을 구하여 주어진 값 구하기

따라서 $f(-2)=-2$이므로

$\lim_{x\to\infty}f\left(\frac{1}{x}\right)+\lim_{x\to\infty}f\left(2-\frac{1}{x}\right)+f(-2)=4+2+(-2)=4$

0008

함수 $y=f(x)$의 그래프가 오른쪽 그림과 같다.

$\lim_{x\to -1-}f(x)=a$일 때, $\lim_{x\to a+}f(x+3)$의 값은?

① -2　② -1　③ 0　④ 1　⑤ 2

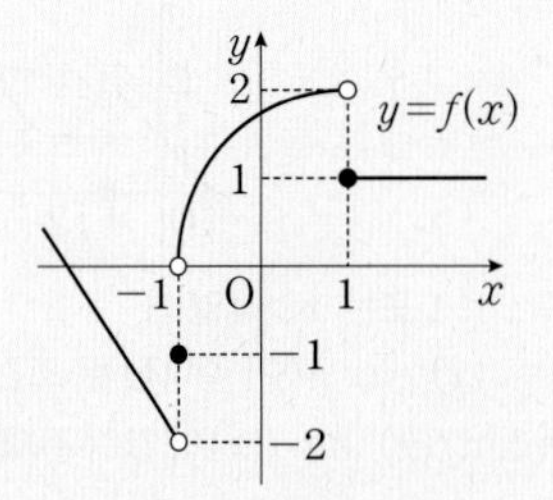

STEP Ⓐ $x+3=t$로 치환하여 주어진 그래프에서 함수의 좌극한값, 우극한값 구하기

오른쪽 그래프에서

$x\to -1-$일 때, $f(x)\to -2$이므로

$\lim_{x\to -1-}f(x)=-2$

$\therefore a=-2$

따라서 $x+3=t$라 하면

$x\to -2+$일 때, $t\to 1+$이므로

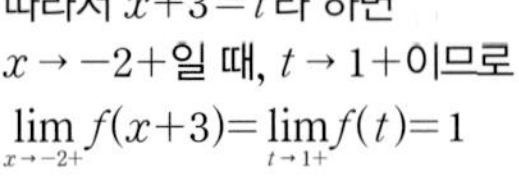

$\lim_{x\to -2+}f(x+3)=\lim_{t\to 1+}f(t)=1$

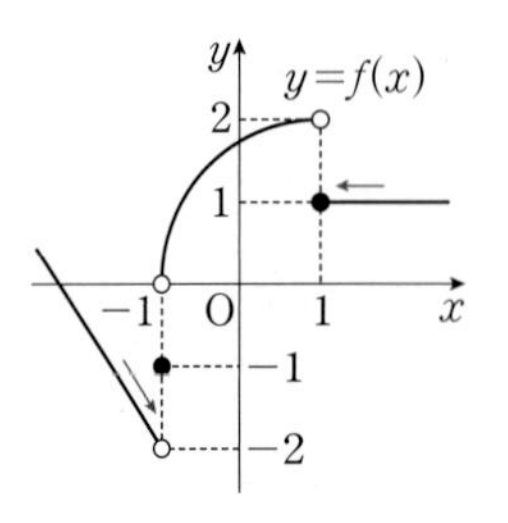

0009

실수 전체의 집합에서 정의된 함수 $y=f(x)$의 그래프가 오른쪽 그림과 같다. $\lim_{t\to\infty}f\left(\frac{t-1}{t+1}\right)+\lim_{t\to -\infty}f\left(\frac{4t-1}{t+1}\right)$의 값은?

① 3　② 4　③ 5　④ 6　⑤ 7

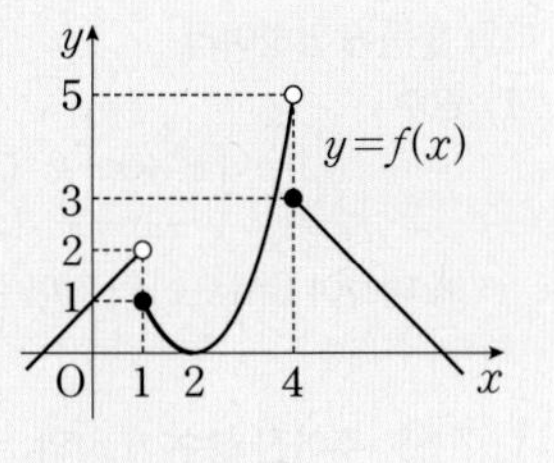

STEP Ⓐ $\frac{t-1}{t+1}=s$, $\frac{4t-1}{t+1}=u$로 치환하기

$\lim_{t\to\infty}\left(\frac{t-1}{t+1}\right)+\lim_{t\to -\infty}f\left(\frac{4t-1}{t+1}\right)$에서

(ⅰ) $s=\frac{t-1}{t+1}$이라 하면

$\lim_{t\to\infty}f\left(\frac{t-1}{t+1}\right)=\lim_{t\to\infty}f\left(1+\frac{-2}{t+1}\right)$에서 $t\to\infty$일 때,

$s=1+\frac{-2}{t+1}$은 1보다 작은 값에 가까워지므로 $s\to 1-$

$\therefore \lim_{t\to\infty}f\left(\frac{t-1}{t+1}\right)=\lim_{s\to 1-}f(s)=2$

(ⅱ) $u=\frac{4t-1}{t+1}$이라 하면

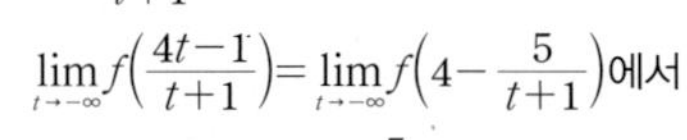

$\lim_{t\to -\infty}f\left(\frac{4t-1}{t+1}\right)=\lim_{t\to -\infty}f\left(4-\frac{5}{t+1}\right)$에서

$t\to -\infty$일 때, $4-\frac{5}{t+1}$는 4보다 큰 값에 가까워지므로 $u\to 4+$

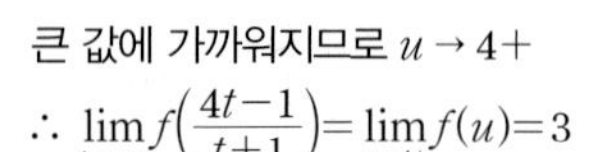

$\therefore \lim_{t\to -\infty}f\left(\frac{4t-1}{t+1}\right)=\lim_{u\to 4+}f(u)=3$

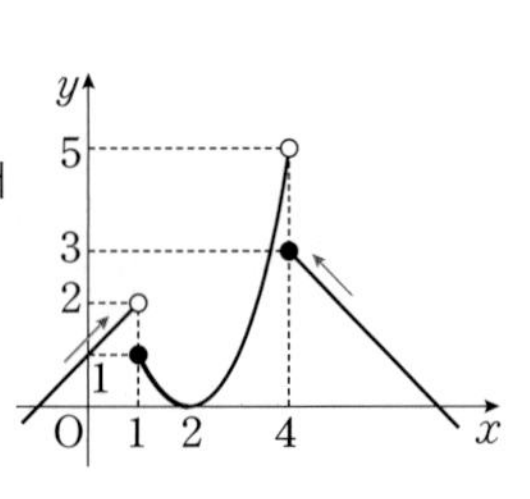

STEP Ⓑ 극한값 구하기

따라서 $\lim_{t\to\infty}f\left(\frac{t-1}{t+1}\right)+\lim_{t\to -\infty}f\left(\frac{4t-1}{t+1}\right)=2+3=5$

0010

다음 중 옳지 않은 것은? (단, $[x]$는 x보다 크지 않은 최대의 정수이다.)

① $\lim_{x\to 0+}\frac{[x]}{x}=0$　② $\lim_{x\to 0-}\frac{[x]}{x}=\infty$

③ $\lim_{x\to 0+}\frac{[x-1]}{x-1}=1$　④ $\lim_{x\to 0-}\frac{[x+1]}{x+1}=0$

⑤ $\lim_{x\to 2}[-x^2+4x-4]=0$

STEP Ⓐ 가우스함수의 극한의 진위판단하기

① $0<x<1$일 때, $[x]=0$이므로 $\lim_{x\to 0+}\frac{[x]}{x}=\lim_{x\to 0+}\frac{0}{x}=0$

② $-1<x<0$일 때, $[x]=-1$이므로 $\lim_{x\to 0-}\frac{[x]}{x}=\lim_{x\to 0-}\frac{-1}{x}=\infty$

③ $0<x<1$일 때, $-1<x-1<0$이므로 $[x-1]=-1$

$\therefore \lim_{x\to 0+}\frac{[x-1]}{x-1}=\lim_{x\to 0+}\frac{-1}{x-1}=1$

④ $-1<x<0$일 때, $0<x+1<1$이므로 $[x+1]=0$

$\therefore \lim_{x\to 0-}\frac{[x+1]}{x+1}=\lim_{x\to 0-}\frac{0}{x+1}=0$

⑤ $-x^2+4x-4=-(x-2)^2$이고 $x\to 2$일 때,

$-(x-2)^2$은 0보다 작은 값을 가지면서 0에 한없이 가까워지므로

$\lim_{x\to 2}[-x^2+4x-4]=-1$

따라서 옳지 않은 것은 ⑤이다.

0011

$\lim_{x\to k}\frac{[2x]}{[x]^2+x}=\alpha$일 때, 정수 k와 상수 α의 합 $k+\alpha$의 값은?
(단, $[x]$는 x보다 크지 않은 최대의 정수이다.)

① 0 ② 1 ③ 2
④ 3 ⑤ 4

STEP Ⓐ **극한값의 존재조건을 만족하는 정수 k와 상수 α 구하기**

$k<x<k+1$일 때, $[x]=k$이므로

$\lim_{x\to k+}\frac{[2x]}{[x]^2+x}=\frac{2k}{k^2+k}=\frac{2}{k+1}$ ← 우극한

$k-1<x<k$일 때, $[x]=k-1$이고

$2k-2<2x<2k$이므로 $[2x]=2k-1$ ← $2x$보다 크지 않은 최대 정수는 $2k-1$

$\lim_{x\to k-}\frac{[2x]}{[x]^2+x}=\frac{2k-1}{(k-1)^2+k}=\frac{2k-1}{k^2-k+1}$ ← 좌극한

이때 $\lim_{x\to k}\frac{[2x]}{[x]^2+x}$의 값이 존재하므로

$\frac{2}{k+1}=\frac{2k-1}{k^2-k+1}$

$3k=3$ $\therefore k=1$

따라서 $\alpha=\frac{2}{k+1}=1$이므로 $k+\alpha=2$

0012

함수 $f(x)=[x]^2+a[x]$에 대하여 $\lim_{x\to 2}f(x)$의 값이 존재하기 위한 실수 a의 값을 구하여라. (단, $[x]$는 x보다 크지 않은 최대의 정수이다.)

STEP Ⓐ **극한값의 존재조건을 만족하는 a의 값 구하기**

$\lim_{x\to 2}f(x)$의 값이 존재하기 위해서는

$x=2$에서의 우극한과 좌극한이 일치해야 한다.

즉 $x=2$에서의 함수 $f(x)$의 우극한과 좌극한을 각각 구하면

(ⅰ) $2<x<3$일 때, $[x]=2$

$\therefore \lim_{x\to 2+}[x]=2$

$\lim_{x\to 2+}([x]^2+a[x])=4+2a$ …… ㉠

(ⅱ) $1<x<2$일 때, $[x]=1$

$\therefore \lim_{x\to 2-}[x]=1$

$\lim_{x\to 2-}([x]^2+a[x])=1+a$ …… ㉡

㉠과 ㉡에서 $\lim_{x\to 2}f(x)$의 값이 존재하므로 $4+2a=1+a$

따라서 $a=-3$

0013

$x\neq 2$인 모든 실수 x에서 정의된 두 함수 $f(x)$, $g(x)$에 대하여

$$\lim_{x\to 2}\{2f(x)+g(x)\}=1,\ \lim_{x\to 2}g(x)=\infty$$

일 때, $\lim_{x\to 2}\frac{4f(x)-40g(x)}{2f(x)-g(x)}$의 값을 구하여라.

STEP Ⓐ **$2f(x)+g(x)=h(x)$임을 이용하여 $\lim_{x\to 2}\frac{h(x)}{g(x)}$의 값 구하기**

$2f(x)+g(x)=h(x)$로 놓으면

$f(x)=\frac{1}{2}(h(x)-g(x))$

즉 $\lim_{x\to 2}h(x)=1$이고 $\lim_{x\to 2}g(x)=\infty$이므로 $\lim_{x\to 2}\frac{h(x)}{g(x)}=0$

STEP Ⓑ **$\lim_{x\to 2}\frac{h(x)}{g(x)}=0$임을 이용하여 극한값 구하기**

따라서 $\lim_{x\to 2}\frac{4f(x)-40g(x)}{2f(x)-g(x)}=\lim_{x\to 2}\frac{2h(x)-42g(x)}{h(x)-2g(x)}$

$=\lim_{x\to 2}\frac{2\frac{h(x)}{g(x)}-42}{\frac{h(x)}{g(x)}-2}$ ← $\lim_{x\to 2}\frac{h(x)}{g(x)}=0$

$=\frac{-42}{-2}=21$

다른풀이 $\lim_{x\to 2}\frac{f(x)}{g(x)}=-\frac{1}{2}$의 값을 이용하여 극한값 풀이하기

STEP Ⓐ **$\lim_{x\to 2}g(x)=\infty$임을 이용하기**

조건 (나)에서 $\lim_{x\to 2}g(x)=\infty$이므로 $\lim_{x\to 2}\frac{1}{g(x)}=0$

이때 $\lim_{x\to 2}\{2f(x)+g(x)\}=1$이므로

$\lim_{x\to 2}\frac{1}{g(x)}\{2f(x)+g(x)\}=\lim_{x\to 2}\left\{\frac{2f(x)}{g(x)}+1\right\}=0\cdot 1=0$

$\lim_{x\to 2}\left\{2\frac{f(x)}{g(x)}+1\right\}=0$이므로 $\lim_{x\to 2}\frac{f(x)}{g(x)}=-\frac{1}{2}$

STEP Ⓑ **분모, 분자를 $g(x)$로 나누어 함수의 극한값 구하기**

따라서 $\lim_{x\to 2}\frac{4f(x)-40g(x)}{2f(x)-g(x)}=\lim_{x\to 2}\frac{4\frac{f(x)}{g(x)}-40}{2\frac{f(x)}{g(x)}-1}$

$=\frac{4\cdot\left(-\frac{1}{2}\right)-40}{2\cdot\left(-\frac{1}{2}\right)-1}$

$=\frac{-42}{-2}=21$

0014

이차함수 $f(x)$와 다항함수 $g(x)$가

$$\lim_{x\to\infty}\{2f(x)-3g(x)\}=2$$

를 만족시킬 때, $\lim_{x\to\infty}\frac{8f(x)-3g(x)}{3g(x)}$의 값은?

① $\frac{3}{2}$ ② 2 ③ $\frac{5}{2}$
④ 3 ⑤ $\frac{7}{2}$

STEP Ⓐ **$\lim_{x\to\infty}\{2f(x)-3g(x)\}=2$로 수렴함을 이용하여 다항함수 $g(x)$ 정하기**

$\lim_{x\to\infty}\{2f(x)-3g(x)\}=2$로 수렴하고 $f(x)$가 이차함수이므로

다항함수 $g(x)$도 이차함수이다. ← $x\to\infty$일 때, $\lim_{x\to\infty}g(x)=\pm\infty$

STEP Ⓑ **$\lim_{x\to\infty}\frac{f(x)}{g(x)}$의 값 구하기**

$\lim_{x\to\infty}\{2f(x)-3g(x)\}=2$의 양변을 $\lim_{x\to\infty}g(x)$로 나누면

$\lim_{x\to\infty}\left\{2\frac{f(x)}{g(x)}-3\right\}=0$이므로 $\lim_{x\to\infty}\frac{f(x)}{g(x)}=\frac{3}{2}$ …… ㉠

STEP Ⓒ **㉠을 이용하여 극한값 구하기**

따라서 $\lim_{x\to\infty}\frac{8f(x)-3g(x)}{3g(x)}$의 분모, 분자를 각각 $g(x)$로 나누면

$\lim_{x\to\infty}\frac{8f(x)-3g(x)}{3g(x)}=\lim_{x\to\infty}\frac{8\cdot\frac{f(x)}{g(x)}-3}{3}=\frac{8\cdot\frac{3}{2}-3}{3}=\frac{12-3}{3}=3$ ($\because$ ㉠)

다른풀이 $\lim_{x\to\infty}\frac{g(x)}{f(x)}$의 값을 구하여 풀이하기

STEP Ⓐ $f(x)$가 이차함수임을 이용하여 $\lim_{x\to\infty}\frac{g(x)}{f(x)}$을 유도하기

$\lim_{x\to\infty}\{2f(x)-3g(x)\}=2$로 수렴하고 $f(x)$가 이차함수이므로

$\lim_{x\to\infty}f(x)=\pm\infty$

$\lim_{x\to\infty}\{2f(x)-3g(x)\}=2$의 양변을 $\lim_{x\to\infty}f(x)$로 나누면

$$\lim_{x\to\infty}\frac{2f(x)-3g(x)}{f(x)}=0$$

이때 $\lim_{x\to\infty}\frac{2f(x)-3g(x)}{f(x)}=\lim_{x\to\infty}\left\{2-3\cdot\frac{g(x)}{f(x)}\right\}=0$이므로 $\lim_{x\to\infty}\frac{g(x)}{f(x)}=\frac{2}{3}$

STEP Ⓑ $\lim_{x\to\infty}\frac{g(x)}{f(x)}$의 값을 이용하여 주어진 극한값 구하기

$$\therefore \lim_{x\to\infty}\frac{8f(x)-3g(x)}{3g(x)}=\lim_{x\to\infty}\left\{\frac{8}{3}\cdot\frac{f(x)}{g(x)}-1\right\}=\frac{8}{3}\lim_{x\to\infty}\frac{f(x)}{g(x)}-\lim_{x\to\infty}1$$

$$=\frac{8}{3}\cdot\frac{3}{2}-1=3$$ ⬅ $\lim_{x\to\infty}\frac{f(x)}{g(x)}=\frac{3}{2}$

다른풀이 $2f(x)-3g(x)=h(x)$의 값을 이용하여 극한값 풀이하기

$2f(x)-3g(x)=h(x)$로 놓으면 $\lim_{x\to\infty}h(x)=2$이고 $3g(x)=2f(x)-h(x)$

$$\lim_{x\to\infty}\frac{8f(x)-3g(x)}{3g(x)}=\lim_{x\to\infty}\frac{6f(x)+h(x)}{2f(x)-h(x)}=\lim_{x\to\infty}\frac{6+\frac{h(x)}{f(x)}}{2-\frac{h(x)}{f(x)}}=3$$

$\left(\because f(x)\text{는 이차함수이므로 } \lim_{x\to\infty}\frac{h(x)}{f(x)}=0\right)$

0015

다음 물음에 답하여라.

(1) $\lim_{x\to0}\frac{f(x)}{x}=1$일 때, $\lim_{x\to1}\frac{f(x-1)}{x^2-1}$의 값을 구하여라.

STEP Ⓐ 주어진 식을 변형하기

$$\lim_{x\to1}\frac{f(x-1)}{x^2-1}=\lim_{x\to1}\frac{f(x-1)}{(x-1)(x+1)}=\lim_{x\to1}\frac{f(x-1)}{x-1}\cdot\lim_{x\to1}\frac{1}{x+1}$$

$$=\lim_{x\to1}\frac{f(x-1)}{x-1}\cdot\frac{1}{2}$$

STEP Ⓑ $x-1=t$로 치환하여 극한값 구하기

이때 $x-1=t$로 치환하면 $x=t+1$이고 $x\to1$일 때, $t\to0$이므로

$$\frac{1}{2}\lim_{x\to1}\frac{f(x-1)}{(x-1)}=\frac{1}{2}\lim_{t\to0}\frac{f(t)}{t}=\frac{1}{2}\lim_{x\to0}\frac{f(x)}{x}=\frac{1}{2}\cdot1=\frac{1}{2}$$

(2) 함수 $f(x)$에 대하여 $\lim_{x\to2}\frac{f(x-2)}{x^2-2x}=4$일 때, $\lim_{x\to0}\frac{f(x)}{x}$의 값을 구하여라.

STEP Ⓐ $x-2=t$로 치환하여 식 정리하기

$x-2=t$라 하면 $x\to2$일 때, $t\to0$이고 $x=t+2$이므로

$$\lim_{x\to2}\frac{f(x-2)}{x^2-2x}=\lim_{x\to2}\frac{f(x-2)}{x(x-2)}=\lim_{t\to0}\frac{f(t)}{(t+2)t}=4$$

STEP Ⓑ $\lim_{x\to0}\frac{f(x)}{x}$의 값 구하기

$$\lim_{t\to0}\frac{f(t)}{t}=\lim_{t\to0}\left\{\frac{f(t)}{(t+2)t}\cdot(t+2)\right\}=\lim_{t\to0}\frac{f(t)}{(t+2)t}\cdot\lim_{t\to0}(t+2)$$

$$=4\cdot2=8$$

따라서 $\lim_{x\to0}\frac{f(x)}{x}=8$

0016

다음 물음에 답하여라.

(1) 두 함수 $f(x)$, $g(x)$가

$$\lim_{x\to2}\{f(x)+g(x)\}=10,\ \lim_{x\to2}\frac{g(x)}{x^2+x}=1$$

을 만족시킬 때, $\lim_{x\to2}f(x)$의 값을 구하여라.

STEP Ⓐ 함수의 극한의 성질을 이용하여 $\lim_{x\to2}g(x)$의 값 구하기

$\lim_{x\to2}\frac{g(x)}{x^2+x}=1$이고 $\lim_{x\to2}(x^2+x)=6$이므로 두 함수의 극한은 모두 수렴하고 극한의 성질에 의하여 두 극한을 곱하여 극한값 $\lim_{x\to2}g(x)$을 구한다.

$$\lim_{x\to2}g(x)=\lim_{x\to2}\left\{\frac{g(x)}{x^2+x}\cdot(x^2+x)\right\}$$

$$=\lim_{x\to2}\frac{g(x)}{x^2+x}\cdot\lim_{x\to2}(x^2+x)$$

$$=1\cdot6=6$$

STEP Ⓑ 함수의 극한의 성질을 이용하여 $\lim_{x\to2}f(x)$의 값 구하기

따라서 $\lim_{x\to2}f(x)=\lim_{x\to2}\{f(x)+g(x)-g(x)\}$

$$=\lim_{x\to2}\{f(x)+g(x)\}-\lim_{x\to2}g(x)$$

$$=10-6=4$$

(2) 두 함수 $f(x)$, $g(x)$에 대하여

$$\lim_{x\to1}f(x)=6,\ \lim_{x\to1}\{2f(x)-5g(x)\}=17$$

일 때, $\lim_{x\to1}g(x)$의 값을 구하여라.

STEP Ⓐ 함수의 극한의 성질을 이용하여 $\lim_{x\to1}g(x)$의 값 구하기

$\lim_{x\to1}f(x)=6$, $\lim_{x\to1}g(x)=\alpha$로 두 함수의 극한은 모두 수렴하므로 극한의 성질에 의하여

$$\lim_{x\to1}\{2f(x)-5g(x)\}=2\lim_{x\to1}f(x)-5\lim_{x\to1}g(x)$$

$$=2\cdot6-5\cdot\alpha$$

$$=12-5\alpha$$

STEP Ⓑ $\lim_{x\to1}g(x)$의 값 구하기

$12-5\alpha=17$이므로 $\alpha=-1$

따라서 $\lim_{x\to1}g(x)=-1$

다른풀이 $2f(x)-5g(x)=h(x)$로 치환하여 풀이하기

$h(x)=2f(x)-5g(x)$로 놓으면

$g(x)=\frac{2f(x)-h(x)}{5}$이고 $\lim_{x\to1}h(x)=17$

이때 $\lim_{x\to1}f(x)=6$, $\lim_{x\to1}h(x)=17$이므로

두 함수의 극한은 모두 수렴하므로 극한의 성질에 의하여

$$\lim_{x\to1}g(x)=\lim_{x\to1}\frac{2f(x)-h(x)}{5}$$

$$=\frac{1}{5}\left\{2\lim_{x\to1}f(x)-\lim_{x\to1}h(x)\right\}$$

$$=\frac{1}{5}\{2\times6-17\}$$

$$=-1$$

0017

함수 $f(x)$가

$$\lim_{x\to1}(x+1)f(x)=1$$

을 만족시킬 때, $\lim_{x\to1}(2x^2+1)f(x)=a$이다. $20a$의 값은?

① 10 ② 15 ③ 20
④ 25 ⑤ 30

STEP A 함수의 극한의 성질을 이용하여 식 세우기

$\lim_{x\to1}(x+1)f(x)=1$, $\lim_{x\to1}(2x^2+1)f(x)=a$로 주어진 두 함수의 극한은 모두 수렴하므로 극한의 성질을 이용할 수 있다.

a의 값을 구하기 위하여 $\lim_{x\to1}(x+1)f(x)=1\neq0$이므로 두 극한을 나누면

$$\lim_{x\to1}\frac{(2x^2+1)f(x)}{(x+1)f(x)}=\frac{\lim_{x\to1}(2x^2+1)f(x)}{\lim_{x\to1}(x+1)f(x)}=\frac{a}{1}=a$$

STEP B 나눈 식을 계산하여 a의 값 구하기

$$\begin{aligned}\lim_{x\to1}\frac{(2x^2+1)f(x)}{(x+1)f(x)}&=\lim_{x\to1}\left\{\frac{(2x^2+1)}{(x+1)}\cdot\frac{f(x)}{f(x)}\right\}\\&=\lim_{x\to1}\frac{2x^2+1}{x+1}\\&=\frac{2\cdot1^2+1}{1+1}\\&=\frac{3}{2}\end{aligned}$$

STEP C $20a$의 값 구하기

따라서 $20a=20\times\frac{3}{2}=30$

다른풀이 $g(x)=(x+1)f(x)$라 두고 풀이하기

STEP A $g(x)=(x+1)f(x)$로 치환하여 극한값 구하기

$\lim_{x\to1}(x+1)f(x)=1$이므로 $g(x)=(x+1)f(x)$로 놓으면

$\lim_{x\to1}g(x)=1$

STEP B 함수의 극한의 성질을 이용하여 식의 값 구하기

이때 $x\neq-1$일 때, $f(x)=\frac{g(x)}{x+1}$이므로

$$\begin{aligned}\lim_{x\to1}(2x^2+1)f(x)&=\lim_{x\to1}\left\{(2x^2+1)\cdot\frac{g(x)}{x+1}\right\}\\&=\lim_{x\to1}\frac{2x^2+1}{x+1}\cdot\lim_{x\to1}g(x)\\&=\frac{3}{2}\cdot1=\frac{3}{2}\end{aligned}$$

따라서 $20a=20\cdot\frac{3}{2}=30$

내/신/연/계/문/제/

함수 $f(x)$가

$$\lim_{x\to1}\{(x^2+1)f(x)\}=4$$

를 만족시킬 때, $\lim_{x\to1}\{(x+4)f(x)\}$의 값을 구하여라.

풀이

STEP A 함수의 극한의 성질을 이용하여 식 세우기

$\lim_{x\to1}\{(x^2+1)f(x)\}=4$이고 $\lim_{x\to1}(x^2+1)=2$이므로 두 함수의 극한은 모두 수렴하므로 극한의 성질을 이용할 수 있다.

$\lim_{x\to1}(x^2+1)=2\neq0$이므로 두 극한을 나누면

$$\lim_{x\to1}\frac{(x^2+1)f(x)}{x^2+1}=\frac{\lim_{x\to1}(x^2+1)f(x)}{\lim_{x\to1}(x^2+1)}=\frac{4}{2}=2$$

STEP B $\lim_{x\to1}\{(x+4)f(x)\}$ 값 구하기

$$\begin{aligned}\text{이때 }\lim_{x\to1}\frac{(x^2+1)f(x)}{x^2+1}&=\lim_{x\to1}\frac{x^2+1}{x^2+1}\cdot f(x)\\&=\lim_{x\to1}f(x)=2\end{aligned}$$

이므로

$$\begin{aligned}\lim_{x\to1}\{(x+4)f(x)\}&=\lim_{x\to1}(x+4)\times\lim_{x\to1}f(x)\\&=5\times2\\&=10\end{aligned}$$

다른풀이 함수의 극한의 성질을 이용하여 풀이하기

$\lim_{x\to1}\{(x^2+1)f(x)\}=4$이므로

$$\begin{aligned}\lim_{x\to1}\{(x+4)f(x)\}&=\lim_{x\to1}\left\{(x^2+1)f(x)\cdot\frac{x+4}{x^2+1}\right\}\\&=\lim_{x\to1}\{(x^2+1)f(x)\}\cdot\lim_{x\to1}\frac{x+4}{x^2+1}\\&=4\times\frac{5}{2}\\&=10\end{aligned}$$

0018

세 함수 $f(x)$, $g(x)$, $h(x)$가

$$\lim_{x\to1}(x+3)f(x)g(x)=8,\ \lim_{x\to1}\frac{f(x)h(x)}{2x+1}=2$$

를 만족시킬 때, 의 값을 구하여라.

STEP A 함수의 극한의 성질을 이용하여 $\lim_{x\to1}f(x)g(x)$의 값 구하기

$\lim_{x\to1}(x+3)f(x)g(x)=8$이고 $\lim_{x\to1}(x+3)=4$이므로 두 함수의 극한은 모두 수렴하고 극한의 성질에 의하여 두 극한을 나누어 극한값 $\lim_{x\to1}f(x)g(x)$를 구한다.

$$\begin{aligned}\lim_{x\to1}f(x)g(x)&=\lim_{x\to1}\frac{(x+3)f(x)g(x)}{x+3}\\&=\frac{\lim_{x\to1}(x+3)f(x)g(x)}{\lim_{x\to1}(x+3)}\\&=\frac{8}{4}=2\end{aligned}$$

STEP B 함수의 극한의 성질을 이용하여 $\lim_{x\to1}f(x)h(x)$의 값 구하기

또한, $\lim_{x\to1}\frac{f(x)h(x)}{2x+1}=2$이고 $\lim_{x\to1}(2x+1)=3$이므로 두 함수의 극한은 모두 수렴하고 극한의 성질에 의하여 두 극한을 곱하여 극한값 $\lim_{x\to1}f(x)h(x)$를 구한다.

$$\begin{aligned}\lim_{x\to1}f(x)h(x)&=\lim_{x\to1}\left\{\frac{f(x)h(x)}{2x+1}\cdot(2x+1)\right\}\\&=\lim_{x\to1}\frac{f(x)h(x)}{2x+1}\cdot\lim_{x\to1}(2x+1)\\&=2\cdot3=6\end{aligned}$$

$$\begin{aligned}\text{따라서 }\lim_{x\to1}f(x)\{g(x)+h(x)\}&=\lim_{x\to1}\{f(x)g(x)+f(x)h(x)\}\\&=\lim_{x\to1}f(x)g(x)+\lim_{x\to1}f(x)h(x)\\&=2+6=8\end{aligned}$$

0019

다음 극한값을 구하여라.

(1) $\lim_{x\to2}\frac{x^2-x-2}{x-2}$

STEP A 분자를 인수분해하기

$$\lim_{x\to2}\frac{x^2-x-2}{x-2}=\lim_{x\to2}\frac{(x-2)(x+1)}{x-2}$$

STEP B 분모, 분자를 약분하여 극한값 구하기

분모, 분자에 공통으로 있는 $x-2$를 약분하면

$$\lim_{x\to2}\frac{(x-2)(x+1)}{x-2}=\lim_{x\to2}(x+1)=2+1=3$$

(2) $\lim_{x\to7}\frac{x^2-4x-21}{x-7}$

STEP A 분자를 인수분해하기

$$\lim_{x\to7}\frac{x^2-4x-21}{x-7}=\lim_{x\to7}\frac{(x-7)(x+3)}{x-7}$$

STEP B 분모, 분자를 약분하여 극한값 구하기

분모, 분자에 공통으로 있는 $x-7$을 약분하면

$$\lim_{x\to7}\frac{(x-7)(x+3)}{x-7}=\lim_{x\to7}(x+3)=7+3=10$$

(3) $\lim_{x\to3}\frac{x^2-3x}{\sqrt{x+1}-2}$

STEP A 분모를 유리화 하기

$$\lim_{x\to3}\frac{x^2-3x}{\sqrt{x+1}-2}=\lim_{x\to3}\frac{(x^2-3x)(\sqrt{x+1}+2)}{(\sqrt{x+1}-2)(\sqrt{x+1}+2)}=\lim_{x\to3}\frac{x(x-3)(\sqrt{x+1}+2)}{x-3}$$

STEP B 분모, 분자를 약분하여 극한값 구하기

$$\lim_{x\to3}\frac{x(x-3)(\sqrt{x+1}+2)}{x-3}=\lim_{x\to3}x(\sqrt{x+1}+2)=3(\sqrt{3+1}+2)=3\cdot4=12$$

(4) $\lim_{x\to1}\frac{x^3-x^2+x-1}{\sqrt{x+8}-3}$

STEP A 분모를 유리화 하기

$$\lim_{x\to1}\frac{x^3-x^2+x-1}{\sqrt{x+8}-3}=\lim_{x\to1}\frac{(x^3-x^2+x-1)(\sqrt{x+8}+3)}{(\sqrt{x+8}-3)(\sqrt{x+8}+3)}=\lim_{x\to1}\frac{(x-1)(x^2+1)(\sqrt{x+8}+3)}{x-1}$$

STEP B 분모, 분자를 약분하여 극한값 구하기

$$\lim_{x\to1}\frac{(x-1)(x^2+1)(\sqrt{x+8}+3)}{x-1}=\lim_{x\to1}(x^2+1)(\sqrt{x+8}+3)=2\times6=12$$

0020

함수 $f(x)$가 $f(x)=\begin{cases}\frac{x-4}{\sqrt{x}-2} & (x\ge4)\\ \frac{x^2-2x-8}{x^2-5x+4} & (x<4)\end{cases}$ 로 정의된다.

$\lim_{x\to4+}f(x)=a$, $\lim_{x\to4-}f(x)=b$일 때, $a+b$의 값은?

① 4 ② 6 ③ 8 ④ 10 ⑤ 12

STEP A 분모를 유리화하여 약분하여 극한값 구하기

$$\lim_{x\to4+}f(x)=\lim_{x\to4+}\frac{x-4}{\sqrt{x}-2}=\lim_{x\to4+}\frac{(x-4)(\sqrt{x}+2)}{x-4}=\lim_{x\to4+}(\sqrt{x}+2)=4=a$$

STEP B 분모, 분자를 인수분해한 후, 약분하여 극한값 구하기

$$\lim_{x\to4-}f(x)=\lim_{x\to4-}\frac{x^2-2x-8}{x^2-5x+4}=\lim_{x\to4-}\frac{(x+2)(x-4)}{(x-1)(x-4)}=\lim_{x\to4-}\frac{x+2}{x-1}=2=b$$

따라서 $a+b=4+2=6$

0021

다음 물음에 답하여라.

(1) 다항함수 $f(x)$에 대하여

$$\lim_{x\to1}\frac{8(x^4-1)}{(x^2-1)f(x)}=1$$

일 때, $f(1)$의 값을 구하여라.

STEP A 분자를 인수분해한 후, 약분하여 극한값 구하기

$$\lim_{x\to1}\frac{8(x^4-1)}{(x^2-1)f(x)}=\lim_{x\to1}\frac{8(x^2-1)(x^2+1)}{(x^2-1)f(x)}=\lim_{x\to1}\frac{8(x^2+1)}{f(x)}=\frac{\lim_{x\to1}8(x^2+1)}{\lim_{x\to1}f(x)}=\frac{16}{f(1)}=1$$

← 다항함수 $f(x)$가 $x=1$에서 연속이므로 $\lim_{x\to1}f(x)=f(1)$

따라서 $f(1)=16$

(2) 다항함수 $f(x)$가

$$\lim_{x\to2}\frac{(x^2-4)f(x)}{x-2}=12$$

를 만족시킬 때, $f(2)$의 값을 구하여라.

STEP A 분자를 인수분해한 후, 약분하여 극한값 구하기

$$\lim_{x\to2}\frac{(x^2-4)f(x)}{x-2}=\lim_{x\to2}\frac{(x-2)(x+2)f(x)}{x-2}=\lim_{x\to2}(x+2)f(x)=\lim_{x\to2}(x+2)\cdot\lim_{x\to2}f(x)=4f(2)$$

← 다항함수 $f(x)$가 $x=2$에서도 연속이므로 $\lim_{x\to2}f(x)=f(2)$

따라서 $4f(2)=12$이므로 $f(2)=3$

0022

다음 물음에 답하여라.

(1) 다항함수 $f(x)$가

$$\lim_{x\to-3}\frac{f(x)+1}{x+3}=6$$

을 만족시킬 때, $\lim_{x\to-3}\frac{\{f(x)\}^2-10f(x)-11}{x^2-9}$의 값을 구하여라.

STEP A **극한값이 존재하고 (분모)→0이므로 (분자)→0이어야 함을 이용하기**

$\lim_{x\to-3}\frac{f(x)+1}{x+3}=6$에서

$x\to-3$일 때, (분모)→0이고 극한값이 존재하므로 (분자)→0이어야 한다.

즉 $\lim_{x\to-3}\{f(x)+1\}=0$이므로 $\lim_{x\to-3}f(x)=-1$

STEP B **주어진 식의 값 구하기**

따라서 $\lim_{x\to-3}\frac{\{f(x)\}^2-10f(x)-11}{x^2-9}$ ⬅ $\{f(x)\}^2-10f(x)-11=\{f(x)+1\}\{f(x)-11\}$

$=\lim_{x\to-3}\left\{\frac{f(x)+1}{x+3}\cdot\frac{f(x)-11}{x-3}\right\}$

$=\lim_{x\to-3}\frac{f(x)+1}{x+3}\cdot\lim_{x\to-3}\frac{f(x)-11}{x-3}$

$=6\times\left(\frac{-1-11}{-3-3}\right)$

$=6\cdot2=12$

(2) 두 함수 $f(x)$, $g(x)$가

$$f(x)=xg(x)-x,\ \lim_{x\to1}\frac{g(x)-3x}{x-1}=2$$

를 만족시킬 때, $\lim_{x\to1}f(x)g(x)$의 값을 구하여라.

STEP A **극한값이 존재하고 (분모)→0이므로 (분자)→0이어야 함을 이용하기**

$\lim_{x\to1}\frac{g(x)-3x}{x-1}=2$에서

$x\to1$일 때, (분모)→0이고 극한값이 존재하므로 (분자)→0이어야 한다.

즉 $\lim_{x\to1}\{g(x)-3x\}=0$이므로 $\lim_{x\to1}g(x)=3$

STEP B **극한값 $\lim_{x\to1}f(x)g(x)$ 구하기**

따라서 $\lim_{x\to1}f(x)=\lim_{x\to1}\{xg(x)-x\}=1\cdot3-1=2$이므로

$\lim_{x\to1}f(x)g(x)=\lim_{x\to1}f(x)\cdot\lim_{x\to1}g(x)$

$=2\cdot3=6$

0023

함수 $f(x)$에 대하여

$$\lim_{x\to2}\frac{f(x)-3}{x-2}=5$$

일 때, $\lim_{x\to2}\frac{x-2}{\{f(x)\}^2-9}$의 값은?

① $\frac{1}{81}$ ② $\frac{1}{21}$ ③ $\frac{1}{24}$
④ $\frac{1}{27}$ ⑤ $\frac{1}{30}$

STEP A **(분모)→0이고 극한값이 존재하므로 (분자)→0임을 이용하기**

$\lim_{x\to2}\frac{f(x)-3}{x-2}=5$에서

$x\to2$일 때, (분모)→0이고 극한값이 존재하므로 (분자)→0이어야 한다.

즉 $\lim_{x\to2}\{f(x)-3\}=0$이므로 $\lim_{x\to2}f(x)=3$

STEP B **$\lim_{x\to2}\frac{x-2}{\{f(x)\}^2-9}$의 값 구하기**

따라서 $\lim_{x\to2}\frac{x-2}{\{f(x)\}^2-9}=\lim_{x\to2}\frac{x-2}{\{f(x)-3\}\{f(x)+3\}}$

$=\lim_{x\to2}\left\{\frac{x-2}{f(x)-3}\cdot\frac{1}{f(x)+3}\right\}$

$=\frac{1}{\lim_{x\to2}\frac{f(x)-3}{x-2}}\cdot\frac{1}{\lim_{x\to2}\{f(x)+3\}}$

$=\frac{1}{5}\cdot\frac{1}{3+3}$ ⬅ $\lim_{x\to2}\frac{f(x)-3}{x-2}=5$

$=\frac{1}{5}\cdot\frac{1}{6}=\frac{1}{30}$

0024

다항함수 $g(x)$에 대하여 극한값 $\lim_{x\to1}\frac{g(x)-2x}{x-1}$가 존재한다.

다항함수 $f(x)$가 $f(x)+x-1=(x-1)g(x)$를 만족시킬 때,

$\lim_{x\to1}\frac{f(x)g(x)}{x^2-1}$의 값을 구하여라.

STEP A **극한값이 존재하고 (분모)→0이므로 (분자)→0이어야 함을 이용하여 $g(1)$ 구하기**

$\lim_{x\to1}\frac{g(x)-2x}{x-1}$에서

$x\to1$일 때, (분모)→0이고 극한값이 존재하므로 (분자)→0이어야 한다.

즉 $\lim_{x\to1}\{g(x)-2x\}=0$이므로 $g(1)-2=0$

$\therefore g(1)=2$ ...... ㉠

STEP B **$f(x)$를 $g(x)$로 나타내어 대입한 후, 극한값 구하기**

$f(x)+x-1=(x-1)g(x)$에서 $f(x)=(x-1)g(x)-(x-1)$

$f(x)=(x-1)\{g(x)-1\}$ ...... ㉡

따라서 ㉠과 ㉡에 의해

$\lim_{x\to1}\frac{f(x)g(x)}{x^2-1}=\lim_{x\to1}\frac{(x-1)\{g(x)-1\}g(x)}{(x-1)(x+1)}$

$=\lim_{x\to1}\frac{\{g(x)-1\}g(x)}{x+1}$ ⬅ 공통인수 $x-1$로 약분

$=\frac{\{g(1)-1\}g(1)}{2}=\frac{(2-1)\cdot2}{2}$ ($\because$ ㉠)

$=1$

내/신/연/계/문/제/

다항함수 $g(x)$에 대하여 $\lim_{x\to2}\frac{g(x)-x-1}{x-2}$이 존재하고 다항함수 $f(x)$에 대하여 $f(x)+x-2=(x-2)g(x)$를 만족시킬 때, $\lim_{x\to2}\frac{f(x)g(x)}{x^2-4}$의 값을 구하여라.

풀이

$x\to2$일 때, (분모)→0이고 극한값이 존재하므로 (분자)→0이어야 한다.

$\lim_{x\to2}\{g(x)-x-1\}=0$이므로 $g(2)-2-1=0$

$\therefore g(2)=3$ ...... ㉠

$f(x)+x-2=(x-2)g(x)$에서

$f(x)=(x-2)\{g(x)-1\}$ ...... ㉡

따라서 ㉠과 ㉡에 의해

$\lim_{x\to2}\frac{f(x)g(x)}{x^2-4}=\lim_{x\to2}\frac{(x-2)\{g(x)-1\}g(x)}{(x-2)(x+2)}=\lim_{x\to2}\frac{\{g(x)-1\}g(x)}{x+2}$

$=\frac{\{g(2)-1\}g(2)}{4}=\frac{(3-1)\cdot3}{4}=\frac{3}{2}$

0025

다음 극한값을 구하여라.

(1) $\lim_{x\to\infty}\dfrac{2x^2+x+5}{x^2-3x+1}$

STEP A **분모의 최고차항으로 분모와 분자를 각각 나누어 극한값 구하기**

분모의 최고차항이 x^2이므로 분모와 분자를 각각 x^2으로 나누면

$$\lim_{x\to\infty}\frac{2x^2+x+5}{x^2-3x+1}=\lim_{x\to\infty}\frac{2+\frac{1}{x}+\frac{5}{x^2}}{1-\frac{3}{x}+\frac{1}{x^2}}$$

$$=\frac{2+0+0}{1-0+0}=2$$

(2) $\lim_{x\to\infty}\dfrac{x+3}{2x^2+5x+3}$

STEP A **분모의 최고차항으로 분모와 분자를 각각 나누어 극한값 구하기**

분모의 최고차항이 x^2이므로 분모와 분자를 각각 x^2으로 나누면

$$\lim_{x\to\infty}\frac{x+3}{2x^2+5x+3}=\lim_{x\to\infty}\frac{\frac{1}{x}+\frac{3}{x^2}}{2+\frac{5}{x}+\frac{3}{x^2}}$$

$$=\frac{0+0}{2+0+0}=0$$

(3) $\lim_{x\to\infty}\dfrac{2x}{\sqrt{x^2+3}-4}$

STEP A **근호 밖의 최고차항으로 분모, 분자를 각각 나누어 극한값 구하기**

분자의 최고차항이 x이므로 분모와 분자를 각각 x으로 나누면

$$\lim_{x\to\infty}\frac{2x}{\sqrt{x^2+3}-4}=\lim_{x\to\infty}\frac{2}{\sqrt{\frac{x^2+3}{x^2}}-\frac{4}{x}}=\lim_{x\to\infty}\frac{2}{\sqrt{1+\frac{3}{x^2}}-\frac{4}{x}}$$

$$=\frac{2}{1+0}=2$$

0026

다음 극한값을 구하여라.

(1) $\lim_{x\to-\infty}\dfrac{x+1}{\sqrt{x^2+x}-x}$

STEP A **$-x=t$라 하여 식을 변형하기**

$-x=t$로 놓으면 $x=-t$이고 $x\to-\infty$일 때, $t\to\infty$이므로

$$\lim_{x\to-\infty}\frac{x+1}{\sqrt{x^2+x}-x}=\lim_{t\to\infty}\frac{-t+1}{\sqrt{(-t)^2+(-t)}-(-t)}$$

$$=\lim_{t\to\infty}\frac{-t+1}{\sqrt{t^2-t}+t}$$ ⬅ $\frac{\infty}{\infty}$꼴

STEP B **근호 밖의 최고차항으로 분모, 분자를 각각 나누어 $\lim_{t\to\infty}\frac{1}{t^n}=0$임을 이용하여 극한값 구하기 (단, n은 자연수이다.)**

분모, 분자를 t로 나누면

$$(\text{주어진 식})=\lim_{t\to\infty}\frac{-1+\frac{1}{t}}{\sqrt{1-\frac{1}{t}}+1}$$ ⬅ $\lim_{t\to\infty}\frac{1}{t}=0$

$$=\frac{-1+0}{1+1}=-\frac{1}{2}$$

다른풀이 거듭제곱근의 성질을 이용하여 풀이하기

거듭제곱근의 성질 $a<0$, $b>0$일 때, $\dfrac{\sqrt{b}}{a}=-\sqrt{\dfrac{b}{a^2}}$이므로

$$\lim_{x\to-\infty}\frac{x+1}{\sqrt{x^2+x}-x}=\lim_{x\to-\infty}\frac{1+\frac{1}{x}}{\frac{\sqrt{x^2+x}}{x}-1}$$ ⬅ 분모, 분자를 x로 나눈다.

$$=\lim_{x\to-\infty}\frac{1+\frac{1}{x}}{-\sqrt{\frac{x^2+x}{x^2}}-1}$$

$$=\lim_{x\to-\infty}\frac{1+\frac{1}{x}}{-\sqrt{1+\frac{1}{x}}-1}$$

$$=\frac{1+0}{-1-1}=-\frac{1}{2}$$

(2) $\lim_{x\to-\infty}\dfrac{x-\sqrt{x^2-1}}{x+1}$

STEP A **$-x=t$라 하여 식을 변형하기**

$-x=t$로 놓으면 $x=-t$이고 $x\to-\infty$일 때, $t\to\infty$이므로

$$\lim_{x\to-\infty}\frac{x-\sqrt{x^2-1}}{x+1}=\lim_{t\to\infty}\frac{-t-\sqrt{(-t)^2-1}}{-t+1}$$

$$=\lim_{t\to\infty}\frac{-t-\sqrt{t^2-1}}{-t+1}$$ ⬅ $\frac{\infty}{\infty}$꼴

STEP B **근호 밖의 최고차항으로 분모, 분자를 각각 나누어 $\lim_{t\to\infty}\frac{1}{t^n}=0$임을 이용하여 극한값 구하기 (단, n은 자연수이다.)**

$$\lim_{t\to\infty}\frac{-t-\sqrt{t^2-1}}{-t+1}=\lim_{t\to\infty}\frac{-1-\sqrt{1-\frac{1}{t^2}}}{-1+\frac{1}{t}}$$ ⬅ 분모, 분자를 t로 나눈다.

$$=\frac{-1-\sqrt{1-0}}{-1+0}=2$$ ⬅ $\lim_{t\to\infty}\frac{1}{t}=0$, $\lim_{t\to\infty}\frac{1}{t^2}=0$

$\frac{\infty}{\infty}$꼴의 극한에서 $x\to-\infty$일 때에는 $-x=t$로 놓고 식을 변형한 후 $x\to-\infty$일 때, $t\to\infty$임을 이용하여 극한값을 구한다.

0027

$\lim_{x\to a}\dfrac{2x^2-(3+2a)x+3a}{x^2-3ax+2a^2}=1$일 때, $\lim_{x\to\infty}\dfrac{5x}{\sqrt{2+4ax^2}-3a}$의 값은?

① $\frac{1}{2}$ ② 1 ③ $\frac{3}{2}$

④ 2 ⑤ $\frac{5}{2}$

STEP A **분모와 분자를 인수분해하고 공통인수를 약분하여 극한값 구하기**

$$\lim_{x\to a}\frac{2x^2-(3+2a)x+3a}{x^2-3ax+2a^2}=\lim_{x\to a}\frac{(x-a)(2x-3)}{(x-a)(x-2a)}$$

$$=\lim_{x\to a}\frac{2x-3}{x-2a}$$

$$=\frac{2a-3}{-a}=1$$

즉 $2a-3=-a$에서 $a=1$

STEP B **근호 밖의 최고차항으로 분모, 분자를 각각 나누어 극한값 구하기**

따라서 $a=1$을 $\lim_{x\to\infty}\dfrac{5x}{\sqrt{2+4ax^2}-3a}$에 대입하면

$$\lim_{x\to\infty}\frac{5x}{\sqrt{2+4ax^2}-3a}=\lim_{x\to\infty}\frac{5x}{\sqrt{2+4x^2}-3}$$

$$=\lim_{x\to\infty}\frac{5}{\sqrt{\frac{2}{x^2}+4}-\frac{3}{x}}$$ ⬅ 분모, 분자를 x로 나눈다.

$$=\frac{5}{2}$$ ⬅ $\lim_{x\to\infty}\frac{1}{x}=0$, $\lim_{x\to\infty}\frac{1}{x^2}=0$

0028

다음 극한값을 구하여라.

(1) $\lim_{x \to \infty}(\sqrt{x^2+3x}-x)$

STEP A 분자를 유리화하여 $\frac{\infty}{\infty}$ 꼴의 극한값 구하기

$$\lim_{x \to \infty}(\sqrt{x^2+3x}-x)=\lim_{x \to \infty}\frac{(\sqrt{x^2+3x}-x)(\sqrt{x^2+3x}+x)}{\sqrt{x^2+3x}+x}$$
$$=\lim_{x \to \infty}\frac{x^2+3x-x^2}{\sqrt{x^2+3x}+x}=\lim_{x \to \infty}\frac{3}{\sqrt{1+\frac{3}{x}}+1}=\frac{3}{1+1}=\frac{3}{2}$$

(2) $\lim_{x \to -\infty}(4x^5+x^2+4)$

STEP A 최고차항으로 묶어 $\infty \times a$ (단, $a \neq 0$인 상수)꼴로 변형하여 극한값 구하기

$$\lim_{x \to -\infty}(4x^5+x^2+4)=\lim_{x \to -\infty}x^5\left(4+\frac{1}{x^3}+\frac{4}{x^5}\right)=-\infty$$

따라서 주어진 식의 극한값은 존재하지 않는다.

(3) $\lim_{x \to 0}\frac{1}{x}\left\{\frac{1}{(x+2)^2}-\frac{1}{4}\right\}$

STEP A $\infty \times 0$꼴 극한의 괄호 안을 통분하여 $\frac{0}{0}$꼴로 변형하여 구하기

괄호 안을 통분하면

$$\lim_{x \to 0}\frac{1}{x}\left\{\frac{1}{(x+2)^2}-\frac{1}{4}\right\}=\lim_{x \to 0}\frac{1}{x}\cdot\frac{-x^2-4x}{4(x+2)^2}=\lim_{x \to 0}\frac{-(x+4)}{4(x+2)^2}$$
$$=\frac{-4}{4(0+2)^2}=-\frac{1}{4}$$

0029

다음 물음에 답하여라.

(1) $\lim_{x \to \infty}\frac{1}{x-\sqrt{x^2-2x+4}}$의 값은?

① -2 ② -1 ③ 0
④ 1 ⑤ 2

STEP A 분모를 유리화하여 $\frac{\infty}{\infty}$ 꼴의 극한값 구하기

$$\lim_{x \to \infty}\frac{1}{x-\sqrt{x^2-2x+4}}=\lim_{x \to \infty}\frac{x+\sqrt{x^2-2x+4}}{(x-\sqrt{x^2-2x+4})(x+\sqrt{x^2-2x+4})}$$
$$=\lim_{x \to \infty}\frac{x+\sqrt{x^2-2x+4}}{x^2-(x^2-2x+4)}$$
$$=\lim_{x \to \infty}\frac{x+\sqrt{x^2-2x+4}}{2x-4}$$ ⬅ 분모, 분자를 x로 나눈다.
$$=\lim_{x \to \infty}\frac{1+\sqrt{1-\frac{2}{x}+\frac{4}{x^2}}}{2-\frac{4}{x}}$$ ⬅ $\lim_{x \to \infty}\frac{1}{x}=0$, $\lim_{x \to \infty}\frac{1}{x^2}=0$
$$=\frac{1+1}{2-0}=1$$

(2) $\lim_{x \to -\infty}(\sqrt{x^2-2x+3}+x)$의 값은?

① -2 ② -1 ③ 0
④ 1 ⑤ 2

STEP A $x=-t$로 치환하여 $\infty-\infty$꼴의 극한값 구하기

$x=-t$로 놓으면 $x \to -\infty$일 때, $t \to \infty$이므로

$$\lim_{x \to -\infty}(\sqrt{x^2-2x+3}+x)=\lim_{t \to \infty}(\sqrt{t^2+2t+3}-t)$$
$$=\lim_{t \to \infty}\frac{(\sqrt{t^2+2t+3}-t)(\sqrt{t^2+2t+3}+t)}{\sqrt{t^2+2t+3}+t}$$
$$=\lim_{t \to \infty}\frac{2t+3}{\sqrt{t^2+2t+3}+t}$$ ⬅ 분모, 분자를 t로 나눈다.
$$=\lim_{t \to \infty}\frac{2+\frac{3}{t}}{\sqrt{1+\frac{2}{t}+\frac{3}{t^2}}+1}$$ ⬅ $\lim_{t \to \infty}\frac{1}{t}=0$, $\lim_{t \to \infty}\frac{1}{t^2}=0$
$$=\frac{2+0}{1+1}=1$$

0030

자연수 n에 대하여 $\lim_{x \to \infty}\frac{x^n(\sqrt{x^4+1}-x^2)}{\sqrt{x^2+x}-x}=\alpha$일 때, $n+\alpha$의 값을 구하여라. (단, α는 0이 아닌 실수이다.)

STEP A 분모, 분자를 유리화하여 $\frac{\infty}{\infty}$ 꼴로 변형하여 극한값 구하기

$$\lim_{x \to \infty}\frac{x^n(\sqrt{x^4+1}-x^2)}{\sqrt{x^2+x}-x}=\lim_{x \to \infty}\frac{x^n(\sqrt{x^4+1}-x^2)(\sqrt{x^4+1}+x^2)(\sqrt{x^2+x}+x)}{(\sqrt{x^2+x}-x)(\sqrt{x^2+x}+x)(\sqrt{x^4+1}+x^2)}$$
$$=\lim_{x \to \infty}\frac{x^n(\sqrt{x^2+x}+x)}{x(\sqrt{x^4+1}+x^2)}$$
$$=\lim_{x \to \infty}\frac{x^{n-1}(\sqrt{x^2+x}+x)}{\sqrt{x^4+1}+x^2}$$ ⬅ 분모, 분자를 x로 나눈다.

STEP B $n=1, 2, 3, \cdots$을 대입하여 극한값 구하기

(ⅰ) $n=1$일 때, $\lim_{x \to \infty}\frac{\sqrt{x^2+x}+x}{\sqrt{x^4+1}+x^2}=\frac{0+0}{1+1}=0$

(ⅱ) $n=2$일 때, $\lim_{x \to \infty}\frac{x(\sqrt{x^2+x}+x)}{\sqrt{x^4+1}+x^2}=\lim_{x \to \infty}\frac{\sqrt{x^4+x^3}+x^2}{\sqrt{x^4+1}+x^2}=\frac{1+1}{1+1}=1$

(ⅲ) $n \geq 3$일 때, $\lim_{x \to \infty}\frac{x^{n-1}(\sqrt{x^2+x}+x)}{\sqrt{x^4+1}+x^2}=\infty$

(ⅰ)~(ⅲ)에서 $n=2$, $\alpha=1$이므로 $n+\alpha=3$

0031

다음 등식을 만족하는 상수 a, b의 값을 구하여라.

(1) $\lim_{x \to 1}\frac{x^2+ax-b}{x^3-1}=3$

STEP A (분자)→0임을 이용하여 a, b 사이의 관계식 구하기

$x \to 1$일 때, (분모)→0이고 극한값이 존재하므로 (분자)→0이어야 한다.

즉 $\lim_{x \to 1}(x^2+ax-b)=0$이므로 $1+a-b=0$

$\therefore b=a+1$ ······ ㉠

STEP B 극한값이 3임을 이용하여 a, b의 값 구하기

㉠을 주어진 식에 대입하면

$$\lim_{x \to 1}\frac{x^2+ax-(a+1)}{x^3-1}=\lim_{x \to 1}\frac{(x-1)(x+a+1)}{(x-1)(x^2+x+1)}$$
$$=\lim_{x \to 1}\frac{x+a+1}{x^2+x+1}$$ ⬅ $x-1$로 약분
$$=\frac{a+2}{3}$$

즉 $\frac{a+2}{3}=3$이므로 $a+2=9$ $\therefore a=7$

따라서 $a=7$을 ㉠에 대입하면 $b=8$이므로 $a=7$, $b=8$

(2) $\lim_{x\to3}\frac{\sqrt{x+a}-b}{x-3}=\frac{1}{4}$

STEP Ⓐ **(분자)→ 0임을 이용하여 a, b 사이의 관계식 구하기**

$x\to3$일 때, (분모)→ 0이고 극한값이 존재하므로 (분자)→ 0이어야 한다.

즉 $\lim_{x\to3}(\sqrt{x+a}-b)=0$이므로 $\sqrt{3+a}-b=0$

$\therefore b=\sqrt{3+a}$ …… ㉠

STEP Ⓑ **주어진 식의 분자를 유리화하여 a, b의 값 구하기**

㉠을 주어진 식에 대입하면

$$\lim_{x\to3}\frac{\sqrt{x+a}-\sqrt{3+a}}{x-3}=\lim_{x\to3}\frac{(\sqrt{x+a}-\sqrt{3+a})(\sqrt{x+a}+\sqrt{3+a})}{(x-3)(\sqrt{x+a}+\sqrt{3+a})}$$
$$=\lim_{x\to3}\frac{x-3}{(x-3)(\sqrt{x+a}+\sqrt{3+a})}$$
$$=\lim_{x\to3}\frac{1}{\sqrt{x+a}+\sqrt{3+a}}$$
$$=\frac{1}{2\sqrt{3+a}}$$

즉 $\frac{1}{2\sqrt{3+a}}=\frac{1}{4}$이므로 $\sqrt{3+a}=2$, $3+a=4$ $\therefore a=1$

$a=1$을 ㉠에 대입하면 $b=2$

따라서 $a=1$, $b=2$

0032

$\lim_{x\to-3}\frac{\sqrt{x^2-x-3}+ax}{x+3}=b$가 성립하도록 상수 a, b의 값을 정할 때, $a+b$의 값은?

① $-\frac{5}{6}$ ② $-\frac{1}{2}$ ③ 0
④ $\frac{1}{2}$ ⑤ $\frac{5}{6}$

STEP Ⓐ **(분모)→ 0이고 극한값이 존재하므로 (분자)→ 0임을 이용하여 a의 값 구하기**

$\lim_{x\to-3}\frac{\sqrt{x^2-x-3}+ax}{x+3}=b$에서

$x\to-3$일 때, (분모)→ 0이고 극한값이 존재하므로 (분자)→ 0이어야 한다.

즉 $\lim_{x\to-3}(\sqrt{x^2-x-3}+ax)=0$이므로 $\sqrt{(-3)^2-(-3)-3}-3a=0$

$3-3a=0$ $\therefore a=1$

STEP Ⓑ **분자를 유리화하여 극한값 구하기**

$$\lim_{x\to-3}\frac{\sqrt{x^2-x-3}+x}{x+3}=\lim_{x\to-3}\frac{(\sqrt{x^2-x-3}+x)(\sqrt{x^2-x-3}-x)}{(x+3)(\sqrt{x^2-x-3}-x)}$$
$$=\lim_{x\to-3}\frac{-(x+3)}{(x+3)(\sqrt{x^2-x-3}-x)}$$
$$=\lim_{x\to-3}\frac{-1}{\sqrt{x^2-x-3}-x}$$
$$=\frac{-1}{\sqrt{(-3)^2-(-3)-3}-(-3)}=-\frac{1}{6}$$

따라서 $b=-\frac{1}{6}$이므로 $a+b=\frac{5}{6}$

0033

$\lim_{x\to0}\frac{\sqrt{4x^2+2x+1}-(ax+1)}{x^2}=b$일 때, 상수 a, b에 대하여 $a+b$의 값을 구하여라.

STEP Ⓐ **분자를 유리화 하기**

$$\lim_{x\to0}\frac{\sqrt{4x^2+2x+1}-(ax+1)}{x^2}$$
$$=\lim_{x\to0}\frac{(\sqrt{4x^2+2x+1}-(ax+1))(\sqrt{4x^2+2x+1}+(ax+1))}{x^2(\sqrt{4x^2+2x+1}+ax+1)}$$
$$=\lim_{x\to0}\frac{4x^2+2x+1-(a^2x^2+2ax+1)}{x^2(\sqrt{4x^2+2x+1}+ax+1)}$$
$$=\lim_{x\to0}\frac{(4-a^2)x^2+2(1-a)x}{x^2(\sqrt{4x^2+2x+1}+ax+1)}$$
$$=\lim_{x\to0}\frac{(4-a^2)x+2(1-a)}{x(\sqrt{4x^2+2x+1}+ax+1)} \quad \cdots\cdots ㉠$$

STEP Ⓑ **(분모)→ 0이고 극한값이 존재하므로 (분자)→ 0임을 이용하여 a, b의 값 구하기**

$x\to0$일 때, (분모)→ 0이고 극한값이 존재하므로 (분자)→ 0이다.

즉 $\lim_{x\to0}\{(4-a^2)x+2(1-a)\}=0$이므로 $2(1-a)=0$ $\therefore a=1$

$a=1$을 ㉠에 대입하면

$$\lim_{x\to0}\frac{3x}{x(\sqrt{4x^2+2x+1}+x+1)}=\lim_{x\to0}\frac{3}{(\sqrt{4x^2+2x+1}+x+1)}$$
$$=\frac{3}{1+1}=\frac{3}{2}=b$$

따라서 $a+b=1+\frac{3}{2}=\frac{5}{2}$

0034

삼차함수 $f(x)$가

$$\lim_{x\to-1}\frac{f(x)}{x+1}=-3,\ \lim_{x\to2}\frac{f(x)}{x-2}=-6$$

을 만족시킬 때, $f(3)$의 값을 구하여라.

STEP Ⓐ **극한값이 존재하고 (분모)→ 0이므로 (분자)→ 0이어야 함을 이용하여 삼차함수 $f(x)$의 식 작성하기**

$\lim_{x\to-1}\frac{f(x)}{x+1}=-3$에서

$x\to-1$일 때, (분모)→ 0이고 극한값이 존재하므로 (분자)→ 0이어야 한다.

즉 $\lim_{x\to-1}f(x)=0$이므로 $f(-1)=0$ …… ㉠

$\lim_{x\to2}\frac{f(x)}{x-2}=-6$에서

$x\to2$일 때, (분모)→ 0이고 극한값이 존재하므로 (분자)→ 0이어야 한다.

즉 $\lim_{x\to2}f(x)=0$이므로 $f(2)=0$ …… ㉡

㉠, ㉡에서 삼차함수 $f(x)$는 $(x+1)(x-2)$를 인수로 가지므로 $f(x)=(x+1)(x-2)(ax+b)$ ($a\neq0$, a, b는 상수)로 놓을 수 있다.

STEP Ⓑ **$\frac{0}{0}$꼴의 극한을 이용하여 삼차함수 $f(x)$ 구하기**

$$\lim_{x\to-1}\frac{f(x)}{x+1}=\lim_{x\to-1}\frac{(x+1)(x-2)(ax+b)}{x+1}$$
$$=\lim_{x\to-1}(x-2)(ax+b)$$
$$=-3(-a+b)=-3$$

$\therefore -a+b=1$ …… ㉢

$$\lim_{x\to2}\frac{f(x)}{x-2}=\lim_{x\to2}\frac{(x+1)(x-2)(ax+b)}{x-2}$$
$$=\lim_{x\to2}(x+1)(ax+b)$$
$$=3(2a+b)=-6$$

$\therefore 2a+b=-2$ …… ㉣

㉢, ㉣을 연립하여 풀면 $a=-1$, $b=0$

STEP Ⓒ **$f(3)$의 값 구하기**

따라서 $f(x)=(x+1)(x-2)(-x)=-x^3+x^2+2x$이므로 $f(3)=-12$

0035

삼차함수 $f(x)$가 다음 조건을 만족시킬 때, $f(3)$의 값은?

(가) $\lim_{x \to 1} \frac{f(x)}{x^2-1}=1$　　(나) $\lim_{x \to -1} \frac{f(x)}{x^2-1}=-1$

① 20　② 22　③ 24
④ 26　⑤ 28

STEP A 극한값이 존재하고 (분모)→ 0이므로 (분자)→ 0이어야 함을 이용하여 삼차함수 $f(x)$의 식 작성하기

$\lim_{x \to 1} \frac{f(x)}{x^2-1}=1$에서 $x \to 1$일 때,
(분모) → 0이고 극한값이 존재하므로 (분자) → 0이어야 한다.
즉 $\lim_{x \to 1} f(x)=0$이므로 $f(1)=0$　　…… ㉠

$\lim_{x \to -1} \frac{f(x)}{x^2-1}=-1$에서 $x \to -1$일 때,
(분모) → 0이고 극한값이 존재하므로 (분자) → 0이어야 한다.
즉 $\lim_{x \to -1} f(x)=0$이므로 $f(-1)=0$　　…… ㉡

㉠, ㉡에서 삼차함수 $f(x)$는 $(x-1)(x+1)$를 인수로 가지므로
$f(x)=(x-1)(x+1)(ax+b)(a \neq 0,\ a,\ b$는 상수$)$로 놓을 수 있다.

STEP B 조건 (가), (나)를 이용하여 삼차함수 $f(x)$ 구하기

조건 (가)에서

$$\lim_{x \to 1} \frac{f(x)}{x^2-1}=\lim_{x \to 1} \frac{(x^2-1)(ax+b)}{x^2-1}=\lim_{x \to 1}(ax+b)=a+b=1 \quad \cdots\cdots ㉢$$

조건 (나)에서

$$\lim_{x \to -1} \frac{f(x)}{x^2-1}=\lim_{x \to -1} \frac{(x^2-1)(ax+b)}{x^2-1}=\lim_{x \to -1}(ax+b)=-a+b=-1 \quad \cdots\cdots ㉣$$

㉢, ㉣을 연립하여 풀면 $a=1,\ b=0$
따라서 $f(x)=x(x^2-1)$이므로 $f(3)=3 \cdot 8=24$

0036

최고차항의 계수가 1인 두 삼차함수 $f(x),\ g(x)$가 다음 조건을 만족시킨다.

(가) $g(1)=0$
(나) $\lim_{x \to n} \frac{f(x)}{g(x)}=(n-1)(n-2)(n=1,\ 2,\ 3,\ 4)$

$g(5)$의 값을 구하여라.

tip $n=1,\ 2,\ 3,\ 4$를 차례로 대입하여 식을 작성하기

STEP A 함수의 극한의 성질을 이용하여 함수 $f(x)$의 식 정리하기

(i) 조건 (나)에서 $n=1$일 때, $\lim_{x \to 1} \frac{f(x)}{g(x)}=0$이고
조건 (가)에서 $\lim_{x \to 1} g(x)=g(1)=0$이므로 $\lim_{x \to 1} f(x)=f(1)=0$
또한, $\lim_{x \to 1} \frac{f(x)}{g(x)}=0$이므로 $f(x)=(x-1)^2(x+a)$ (a는 상수)
← 극한값이 0이므로 $f(x)$는 $(x-1)^2$을 인수로 가져야 한다.

(ii) 조건 (나)에서 $n=2$일 때, $\lim_{x \to 2} \frac{f(x)}{g(x)}=0$이고
$f(x)$는 $(x-2)^2$을 인수로 가질 수 없으므로
$\lim_{x \to 2} g(x)=g(2) \neq 0,\ \lim_{x \to 2} f(x)=f(2)=0$
$\therefore f(x)=(x-1)^2(x-2)$

STEP B $n=3,\ 4$일 때, 조건 (나)를 이용하여 $b,\ c$의 값 구하기

$g(x)=(x-1)(x^2+bx+c)\ (b+c \neq -1)$라 하고 조건 (나)를 이용하자.

$n=3$일 때, $\lim_{x \to 3} \frac{f(x)}{g(x)}=2$이므로

$$\lim_{x \to 3} \frac{f(x)}{g(x)}=\lim_{x \to 3} \frac{(x-1)^2(x-2)}{(x-1)(x^2+bx+c)}=\lim_{x \to 3} \frac{(x-1)(x-2)}{x^2+bx+c}=\frac{2}{9+3b+c}=2$$

즉 $9+3b+c=1$이므로 $3b+c=-8$　　…… ㉠

$n=4$일 때, $\lim_{x \to 4} \frac{f(x)}{g(x)}=6$이므로

$$\lim_{x \to 4} \frac{f(x)}{g(x)}=\lim_{x \to 4} \frac{(x-1)(x-2)}{x^2+bx+c}=\frac{6}{16+4b+c}=6$$

즉 $16+4b+c=1$이므로 $4b+c=-15$　　…… ㉡
㉠, ㉡을 연립하여 풀면 $b=-7,\ c=13$

STEP C $g(5)$의 값 구하기

따라서 $g(5)=4(5^2-7 \cdot 5+13)=4 \times 3=12$

다른풀이 함수의 극한의 성질을 이용하여 풀이하기

STEP A 함수의 극한의 성질을 이용하여 식을 정리하기

$n=1$일 때, $\lim_{x \to 1} \frac{f(x)}{g(x)}=0$이고 $g(1)=0$이므로 $\lim_{x \to 1} f(x)=0$
$\therefore f(1)=0$　　…… ㉠

$n=2$일 때, $\lim_{x \to 2} \frac{f(x)}{g(x)}=0$이므로 $\lim_{x \to 2} f(x)=0$
$\therefore f(2)=0$　　…… ㉡

㉠, ㉡에서 $f(x)$의 최고차항의 계수가 1인 삼차함수이므로
$f(x)=(x-1)(x-2)(x-a)$ (단, a는 실수)
(가)에서 $g(1)=0$이므로 $g(x)=(x-1)(x^2+bx+c)$ (단, $b,\ c$는 실수)

$$\lim_{x \to 1} \frac{f(x)}{g(x)}=\lim_{x \to 1} \frac{(x-1)(x-2)(x-a)}{(x-1)(x^2+bx+c)}=\lim_{x \to 1} \frac{(x-2)(x-a)}{(x^2+bx+c)}=\frac{(1-2)(1-a)}{1+b+c}=0 \text{ (단, } b+c \neq -1)$$

즉 $(1-2)(1-a)=0$이므로 $a=1$
$\therefore f(x)=(x-1)^2(x-2)$

STEP B $n=3,\ 4$일 때, 조건 (나)를 이용하여 $b,\ c$ 구하기

이때 $n=3$일 때, $\lim_{x \to 3} \frac{f(x)}{g(x)}=2$이므로

$$\lim_{x \to 3} \frac{(x-1)^2(x-2)}{(x-1)(x^2+bx+c)}=\lim_{x \to 3} \frac{(x-1)(x-2)}{x^2+bx+c}=\frac{2}{9+3b+c}=2$$

$\therefore 3b+c+8=0$　　…… ㉢

$n=4$일 때, $\lim_{x \to 4} \frac{f(x)}{g(x)}=6$이므로

$$\lim_{x \to 4} \frac{(x-1)^2(x-2)}{(x-1)(x^2+bx+c)}=\lim_{x \to 4} \frac{(x-1)(x-2)}{x^2+bx+c}=\frac{6}{16+4b+c}=6$$

$\therefore 4b+c+15=0$　　…… ㉣
㉢, ㉣을 연립하면 $b=-7,\ c=13$

STEP C $g(5)$의 값 구하기

따라서 $g(x)=(x-1)(x^2-7x+13)$이므로
$g(5)=4 \cdot (25-35+13)=4 \cdot 3=12$

0037

$\lim_{x \to \infty}(\sqrt{3x^2+ax}-\sqrt{3}x)=\sqrt{3}$일 때, 상수 a의 값은?

① 6 ② $6\sqrt{2}$ ③ 12
④ $12\sqrt{2}$ ⑤ 24

STEP A **분자를 유리화 하여 a의 값 구하기**

$$\lim_{x \to \infty}(\sqrt{3x^2+ax}-\sqrt{3}x)=\lim_{x \to \infty}\frac{(\sqrt{3x^2+ax}-\sqrt{3}x)(\sqrt{3x^2+ax}+\sqrt{3}x)}{\sqrt{3x^2+ax}+\sqrt{3}x}$$
$$=\lim_{x \to \infty}\frac{ax}{\sqrt{3x^2+ax}+\sqrt{3}x}$$
$$=\lim_{x \to \infty}\frac{a}{\sqrt{3+\frac{a}{x}}+\sqrt{3}}$$ ← 분모, 분자를 x로 나눈다.
$$=\frac{a}{2\sqrt{3}}$$

따라서 $\frac{a}{2\sqrt{3}}=\sqrt{3}$이므로 $a=6$

0038

다음 물음에 답하여라.

(1) $\lim_{x \to \infty}(\sqrt{x^2+ax+1}+bx)=\frac{1}{2}$이 성립하도록 하는 상수 a, b에 대하여 $a-b$의 값은?

① -2 ② -1 ③ 0
④ 1 ⑤ 2

STEP A **극한값이 존재하기 위한 b의 범위 구하기**

$b \geq 0$이면 $\lim_{x \to \infty}(\sqrt{x^2+ax+1}+bx)=\infty$가 되므로 $b \geq 0$일 수는 없다.
즉 $b<0$이어야 극한값이 존재 한다.

STEP B **$\infty-\infty$꼴의 극한값을 이용하여 a, b의 값 구하기**

$$\lim_{x \to \infty}(\sqrt{x^2+ax+1}+bx)=\lim_{x \to \infty}\frac{(\sqrt{x^2+ax+1}+bx)(\sqrt{x^2+ax+1}-bx)}{\sqrt{x^2+ax+1}-bx}$$
$$=\lim_{x \to \infty}\frac{(x^2+ax+1)-b^2x^2}{\sqrt{x^2+ax+1}-bx}$$
$$=\lim_{x \to \infty}\frac{(1-b^2)x^2+ax+1}{\sqrt{x^2+ax+1}-bx}$$
$$=\lim_{x \to \infty}\frac{(1-b^2)x+a+\frac{1}{x}}{\sqrt{1+\frac{a}{x}+\frac{1}{x^2}}-b}$$ ← 분모, 분자를 x로 나눈다.

주어진 조건에서 이 극한값이 $\frac{1}{2}$이 되어야 하므로

$$\begin{cases} 1-b^2=0 & \cdots\cdots ㉠ \\ \frac{a}{1-b}=\frac{1}{2} & \cdots\cdots ㉡ \end{cases}$$

이때 앞에서 $b<0$이어야 하므로 ㉠, ㉡을 동시에 만족하는 a, b의 값을 구하면 $a=1$, $b=-1$

STEP C **$a-b$의 값 구하기**

따라서 $a=1$, $b=-1$이므로 $a-b=1-(-1)=2$

(2) $\lim_{x \to \infty}(\sqrt{x^2+x+1}+ax+b)=1$일 때, 상수 a, b에 대하여 $a+b$의 값은?

① -1 ② $-\frac{1}{2}$ ③ $\frac{1}{2}$
④ $\frac{3}{2}$ ⑤ 5

STEP A **극한값이 존재하기 위한 a의 범위 구하기**

$a \geq 0$이면 $\lim_{x \to \infty}(\sqrt{x^2+x+1}+ax+b)=\infty$가 되므로 $a \geq 0$일 수는 없다.
즉 $a<0$이어야 극한값이 존재한다.

STEP B **$\infty-\infty$꼴의 극한값을 이용하여 a, b의 값 구하기**

$$\lim_{x \to \infty}(\sqrt{x^2+x+1}+ax+b)$$
$$=\lim_{x \to \infty}\frac{\{\sqrt{x^2+x+1}+ax+b\}\{\sqrt{x^2+x+1}-(ax+b)\}}{\sqrt{x^2+x+1}-(ax+b)}$$
$$=\lim_{x \to \infty}\frac{(x^2+x+1)-(ax+b)^2}{\sqrt{x^2+x+1}-(ax+b)}$$
$$=\lim_{x \to \infty}\frac{(1-a^2)x^2+(1-2ab)x+(1-b^2)}{\sqrt{x^2+x+1}-(ax+b)}$$
$$=\lim_{x \to \infty}\frac{(1-a^2)x+(1-2ab)+\frac{1-b^2}{x}}{\sqrt{1+\frac{1}{x}+\frac{1}{x^2}}-\left(a+\frac{b}{x}\right)}$$ ← 분모, 분자를 x로 나눈다.

주어진 조건에서 이 극한값은 1이 되어야 하므로

$$\begin{cases} 1-a^2=0 & \cdots\cdots ㉠ \\ \frac{1-2ab}{1-a}=1 & \cdots\cdots ㉡ \end{cases}$$

$a<0$과 ㉠으로부터 $a=-1$이고
이것을 ㉡에 대입하면 $\frac{1+2b}{2}=1$이므로 $b=\frac{1}{2}$

$\therefore a=-1$, $b=\frac{1}{2}$

STEP C **$a+b$의 값 구하기**

따라서 $a+b=-1+\frac{1}{2}=-\frac{1}{2}$

0039

$\lim_{x \to a}\frac{x^2-a^2}{x-a}=6$, $\lim_{x \to \infty}(\sqrt{x^2+ax}-\sqrt{x^2+bx})=5$일 때,
두 상수 a, b에 대하여 $a-b$의 값을 구하여라.

STEP A **$\lim_{x \to a}\frac{x^2-a^2}{x-a}=6$를 만족하는 상수 a의 값 구하기**

$\lim_{x \to a}\frac{x^2-a^2}{x-a}=6$에서

$$\lim_{x \to a}\frac{x^2-a^2}{x-a}=\lim_{x \to a}\frac{(x-a)(x+a)}{x-a}$$
$$=\lim_{x \to a}(x+a)=2a$$

즉 $2a=6$이므로 $a=3$

STEP B **$\lim_{x \to \infty}(\sqrt{x^2+ax}-\sqrt{x^2+bx})=5$를 만족하는 상수 b의 값 구하기**

$\lim_{x \to \infty}(\sqrt{x^2+ax}-\sqrt{x^2+bx})=5$에서 $a=3$이므로

$$\lim_{x \to \infty}(\sqrt{x^2+3x}-\sqrt{x^2+bx})$$
$$=\lim_{x \to \infty}\frac{(\sqrt{x^2+3x}-\sqrt{x^2+bx})(\sqrt{x^2+3x}+\sqrt{x^2+bx})}{\sqrt{x^2+3x}+\sqrt{x^2+bx}}$$
$$=\lim_{x \to \infty}\frac{(3-b)x}{\sqrt{x^2+3x}+\sqrt{x^2+bx}}$$ ← 분모, 분자를 x로 나눈다.
$$=\lim_{x \to \infty}\frac{3-b}{\sqrt{1+\frac{3}{x}}+\sqrt{1+\frac{b}{x}}}$$
$$=\frac{3-b}{2}$$

즉 $\frac{3-b}{2}=5$이므로 $3-b=10$에서 $b=-7$

STEP C **$a-b$의 값 구하기**

따라서 $a-b=3-(-7)=10$

0040

x에 대한 다항함수 $f(x)$가

$$\lim_{x\to\infty}\frac{x^2+3x+5}{f(x)}=\frac{1}{2},\ \lim_{x\to1}\frac{f(x)}{x-1}=3$$

을 만족할 때, $f(2)$의 값을 구하여라.

STEP A $\lim_{x\to\infty}\frac{x^2+3x+5}{f(x)}=\frac{1}{2}$**에서** $f(x)$**의 차수 구하기**

$\lim_{x\to\infty}\frac{x^2+3x+5}{f(x)}=\frac{1}{2}$에서

$f(x)$는 최고차항의 계수가 2인 이차함수이다.

STEP B $x\to1$**일 때, 극한값이 존재하고 (분모)**$\to0$**이므로 (분자)**$\to0$ **이어야 함을 이용하기**

$\lim_{x\to1}\frac{f(x)}{x-1}=3$에서

$x\to1$일 때, (분모)$\to0$이고 극한값이 존재하므로 (분자)$\to0$이어야 한다.

즉 $\lim_{x\to1}f(x)=0$이므로 $f(1)=0$

이때 $f(x)$는 $x-1$을 인수로 가지므로

$f(x)=2(x-1)(x+a)$(a는 상수)라 하면

$$\lim_{x\to1}\frac{f(x)}{x-1}=\lim_{x\to1}\frac{2(x-1)(x+a)}{x-1}=\lim_{x\to1}2(x+a)=2(1+a)$$

즉 $2(1+a)=3$이므로 $a=\frac{1}{2}$

STEP C **이차함수** $f(x)$**를 구하여** $f(2)$**의 값 구하기**

따라서 $f(x)=2(x-1)\left(x+\frac{1}{2}\right)$이므로 $f(2)=2\cdot1\cdot\frac{5}{2}=5$

0041

x에 대한 다항함수 $f(x)$가

$$\lim_{x\to\infty}\frac{f(x)-3x^3}{x^2}=2,\ \lim_{x\to0}\frac{f(x)}{x}=2$$

를 만족할 때, $f(1)$의 값은?

① 1 ② 2 ③ 3
④ 4 ⑤ 7

STEP A **함수** $f(x)$**의 차수 구하기**

$\lim_{x\to\infty}\frac{f(x)-3x^3}{x^2}=2$에서

$f(x)-3x^3$은 최고차항의 계수가 2인 이차함수이다.

$f(x)-3x^3=2x^2+ax+b$(a, b는 상수)로 놓으면

$f(x)=3x^3+2x^2+ax+b$

STEP B $x\to0$**일 때, 극한값이 존재하고 (분모)**$\to0$**이므로 (분자)**$\to0$ **이어야 함을 이용하기**

$\lim_{x\to0}\frac{f(x)}{x}=2$에서

$x\to0$일 때, (분모)$\to0$이고 극한값이 존재하므로 (분자)$\to0$이어야 한다.

즉 $\lim_{x\to0}f(x)=0$이므로 $f(0)=0$

$\therefore f(0)=b=0$ …… ㉠

STEP C **삼차함수** $f(x)$**를 구하여** $f(1)$**의 값 구하기**

㉠을 $f(x)$에 대입하면

$$\lim_{x\to0}\frac{f(x)}{x}=\lim_{x\to0}\frac{3x^3+2x^2+ax}{x}=\lim_{x\to0}(3x^2+2x+a)=a$$

즉 $a=2$

따라서 $f(x)=3x^3+2x^2+2x$이므로 $f(1)=3+2+2=7$

0042

다음 물음에 답하여라.

(1) 다항함수 $f(x)$가

$$\lim_{x\to0+}\frac{x^3f\left(\frac{1}{x}\right)-1}{x^3+x}=5,\ \lim_{x\to1}\frac{f(x)}{x^2+x-2}=\frac{1}{3}$$

을 만족시킬 때, $f(2)$의 값을 구하여라.

STEP A $\frac{1}{x}=t$**로 치환하여 다항함수** $f(x)$**의 식 구하기**

$\lim_{x\to0+}\frac{x^3f\left(\frac{1}{x}\right)-1}{x^3+x}=5$에서 $\frac{1}{x}=t$로 놓으면

$x\to0+$일 때, $t\to\infty$

$$\lim_{t\to\infty}\frac{\frac{1}{t^3}f(t)-1}{\frac{1}{t^3}+\frac{1}{t}}=\lim_{t\to\infty}\frac{\frac{f(t)-t^3}{t^3}}{\frac{1+t^2}{t^3}}=\lim_{t\to\infty}\frac{f(t)-t^3}{1+t^2}=5$$

즉 $f(t)-t^3$은 최고차항의 계수가 5인 이차함수이다.

$f(t)-t^3=5t^2+at+b$(a, b는 상수)로 놓으면

$f(x)=x^3+5x^2+ax+b$

STEP B **(분모)**$\to0$**이고 극한값이 존재하면 (분자)**$\to0$**임을 이용하기**

$\lim_{x\to1}\frac{f(x)}{x^2+x-2}=\frac{1}{3}$에서

$x\to1$일 때, (분모)$\to0$이고 극한값이 존재하므로 (분자)$\to0$이어야 한다.

즉 $\lim_{x\to1}f(x)=0$이므로 $f(1)=0$

$f(1)=6+a+b=0$

$\therefore b=-a-6$ …… ㉠

$$\begin{aligned}f(x)&=x^3+5x^2+ax+b\\&=x^3+5x^2+ax-a-6\\&=(x-1)(x^2+6x+a+6)\end{aligned}$$

STEP C $\lim_{x\to1}\frac{f(x)}{x^2+x-2}$**에 대입하여** $f(2)$**의 값 구하기**

$$\begin{aligned}\lim_{x\to1}\frac{f(x)}{x^2+x-2}&=\lim_{x\to1}\frac{(x-1)(x^2+6x+a+6)}{(x-1)(x+2)}\\&=\lim_{x\to1}\frac{x^2+6x+a+6}{x+2}\\&=\frac{1+6+a+6}{3}\\&=\frac{a+13}{3}\end{aligned}$$

즉 $\frac{a+13}{3}=\frac{1}{3}$이므로 $a=-12$

$a=-12$를 ㉠에 대입하면

$b=6$이므로 $f(x)=x^3+5x^2-12x+6$

따라서 $f(2)=2^3+5\cdot2^2-12\cdot2+6=10$

$\lim_{x\to1}\frac{f(x)}{x^2+x-2}=\frac{1}{3}$에서

$x\to1$일 때, (분모)$\to0$이고 극한값이 존재하므로 (분자)$\to0$이어야 한다.

즉 $f(x)$가 $(x-1)$을 인수로 가지므로

$f(x)=(x-1)(x^2+6x+c)$(c는 상수)로 놓을 수 있다.

$$\begin{aligned}\lim_{x\to1}\frac{f(x)}{x^2+x-2}&=\lim_{x\to1}\frac{(x-1)(x^2+6x+c)}{(x-1)(x+2)}\\&=\lim_{x\to1}\frac{x^2+6x+c}{x+2}\\&=\frac{7+c}{3}=\frac{1}{3}\end{aligned}$$

$7+c=1$이므로 $c=-6$

따라서 $f(x)=(x-1)(x^2+6x-6)$이므로 $f(2)=10$

(2) 다항함수 $f(x)$가 $\lim_{x\to\infty}\frac{f(x)-x^3}{x^2}=-11$, $\lim_{x\to1}\frac{f(x)}{x-1}=-9$을

만족시킬 때, $\lim_{x\to\infty}xf\left(\frac{1}{x}\right)$의 값을 구하여라.

STEP A $\lim_{x\to\infty}\frac{f(x)-x^3}{x^2}=-11$**에서 극한값이 존재하므로 분자, 분모의 차수가 같음을 이용하여 다항함수** $f(x)$**의 식 구하기**

$\lim_{x\to\infty}\frac{f(x)-x^3}{x^2}=-11$에서 극한값이 존재하므로 분자, 분모의 차수가 같다.

즉 $f(x)-x^3$은 최고차항의 계수가 -11인 이차함수이어야 하므로

$f(x)-x^3=-11x^2+ax+b$ (단, a, b는 상수)로 놓을 수 있다.

$\therefore f(x)=x^3-11x^2+ax+b$

STEP B (분모)→0이고 극한값이 존재하면 (분자)→0임을 이용하고 $\lim_{x\to1}\frac{f(x)}{x-1}=-9$**를 이용하여** $f(x)$ **구하기**

$\lim_{x\to1}\frac{f(x)}{x-1}=-9$에서

$x\to1$일 때, (분모)→0이고 극한값이 존재하므로 (분자)→0이어야 한다.

즉 $\lim_{x\to1}f(x)=0$이므로 $f(1)=0$

$f(1)=-10+a+b=0$에서 $b=-a+10$ …… ㉠

$f(x)=x^3-11x^2+ax-a+10$

조립제법에 의하여 $f(x)=(x-1)(x^2-10x+a-10)$

1	1	-11	a	$-a+10$
		1	-10	$a-10$
	1	-10	$a-10$	0

$\lim_{x\to1}\frac{f(x)}{x-1}=\lim_{x\to1}\frac{(x-1)(x^2-10x+a-10)}{x-1}$

$=\lim_{x\to1}(x^2-10x+a-10)=a-19$

즉 $a-19=-9$에서 $a=10$이므로 ㉠에서 $b=0$

$\therefore f(x)=x^3-11x^2+10x$

STEP C $\lim_{x\to\infty}xf\left(\frac{1}{x}\right)$**의 값 구하기**

따라서 $\lim_{x\to\infty}xf\left(\frac{1}{x}\right)=\lim_{x\to\infty}x\left(\frac{1}{x^3}-\frac{11}{x^2}+\frac{10}{x}\right)=\lim_{x\to\infty}\left(\frac{1}{x^2}-\frac{11}{x}+10\right)=10$

다른풀이 치환을 이용하여 함수의 극한 풀이하기

$\frac{1}{x}=t$라 하면 $x\to\infty$일 때, $t\to0+$이므로

$\lim_{x\to\infty}xf\left(\frac{1}{x}\right)=\lim_{t\to0+}\frac{1}{t}f(t)=\lim_{t\to0+}\frac{1}{t}(t^3-11t^2+10t)=\lim_{t\to0+}(t^2-11t+10)=10$

다른풀이 미분계수를 이용하여 풀이하기

$\lim_{x\to1}\frac{f(x)}{x-1}=-9$에서

$x\to1$일 때, (분모)→0이고 극한값이 존재하므로 (분자)→0이어야 한다.

즉 $\lim_{x\to1}f(x)=0$이므로 $f(1)=0$

또한, $\lim_{x\to1}\frac{f(x)}{x-1}=\lim_{x\to1}\frac{f(x)-f(1)}{x-1}=f'(1)=-9$

$\therefore f(1)=0,\ f'(1)=-9$

이때 $f(x)=x^3-11x^2+ax+b$에서 $f'(x)=3x^2-22x+a$이므로

$f(1)=1-11+a+b=0$ …… ㉠

$f'(1)=3-22+a=-9\quad\therefore a=10$

$a=10$을 ㉠에 대입하면 $b=0\quad\therefore a=10,\ b=0$

$\therefore f(x)=x^3-11x^2+10x$

이때 $f(x)=x^3-11x^2+10x$에서 $f'(x)=3x^2-22x+10$이고

$f(0)=0$이므로 $\frac{1}{x}=h$라 하면 $x\to\infty$일 때, $h\to0$

따라서 $\lim_{x\to\infty}xf\left(\frac{1}{x}\right)=\lim_{h\to0}\frac{1}{h}f(h)=\lim_{h\to0}\frac{f(h)-f(0)}{h-0}=f'(0)=10$

0043

다음 물음에 답하여라.

(1) 모든 양의 실수 x에 대하여 함수 $f(x)$가

$$\frac{x^2}{x+1}<f(x)<\frac{x^3}{x^2+3}$$을

만족할 때, $\lim_{x\to\infty}\frac{f(x)}{x}$의 값을 구하여라.

STEP A $\lim_{x\to\infty}\frac{x}{x+1}$, $\lim_{x\to\infty}\frac{x^2}{x^2+3}$**의 값 구하기**

모든 양의 실수 x에 대하여 함수 $f(x)$가

$\frac{x^2}{x+1}<f(x)<\frac{x^3}{x^2+3}$을 만족하므로 각 변을 x로 나누면

$\frac{x}{x+1}<\frac{f(x)}{x}<\frac{x^2}{x^2+3}$

이때 $\lim_{x\to\infty}\frac{x}{x+1}=1$, $\lim_{x\to\infty}\frac{x^2}{x^2+3}=1$

STEP B 함수의 극한의 대소 관계를 이용하여 구하기

함수의 극한의 대소 관계에 의하여 $1\le\lim_{x\to\infty}\frac{f(x)}{x}\le1$

따라서 $\lim_{x\to\infty}\frac{f(x)}{x}=1$

(2) $x\ne1$인 모든 실수 x에 대하여 함수 $f(x)$가

$$x^2-1<f(x)<2x^2-2x$$

을 만족할 때, $\lim_{x\to1}\frac{f(x)}{x-1}$의 값을 구하여라.

STEP A $x>1$, $x<1$**으로 나누어** $\lim_{x\to1}\frac{f(x)}{x-1}$**의 값 구하기**

$x\ne1$이므로 부등식 $x^2-1<f(x)<2x^2-2x$의 각 변을 $x-1$로 나누면

다음과 같다.

(ⅰ) $x>1$일 때, 양변을 $x-1>0$으로 나누면

$\frac{x^2-1}{x-1}<\frac{f(x)}{x-1}<\frac{2x^2-2x}{x-1}$

$x+1<\frac{f(x)}{x-1}<2x$

함수의 극한의 대소 관계에 의하여

$\lim_{x\to1+}(x+1)\le\lim_{x\to1+}\frac{f(x)}{x-1}\le\lim_{x\to1+}2x$

$\lim_{x\to1+}(x+1)=2$, $\lim_{x\to1+}2x=2$이므로 $\lim_{x\to1+}\frac{f(x)}{x-1}=2$

(ⅱ) $x<1$일 때, 양변을 $x-1<0$으로 나누면

$\frac{x^2-1}{x-1}>\frac{f(x)}{x-1}>\frac{2x^2-2x}{x-1}$

$x+1>\frac{f(x)}{x-1}>2x$

함수의 극한의 대소 관계에 의하여

$\lim_{x\to1-}(x+1)\ge\lim_{x\to1-}\frac{f(x)}{x-1}\ge\lim_{x\to1-}2x$

$\lim_{x\to1-}(x+1)=2$, $\lim_{x\to1-}2x=2$이므로 $\lim_{x\to1-}\frac{f(x)}{x-1}=2$

STEP B 함수의 극한의 대소 관계를 이용하여 구하기

(ⅰ), (ⅱ)에서 함수의 극한의 대소 관계에 의하여

$\lim_{x\to1+}\frac{f(x)}{x-1}=\lim_{x\to1-}\frac{f(x)}{x-1}=2$이므로 $\lim_{x\to1}\frac{f(x)}{x-1}=2$

0044

함수 $f(x)$가 모든 실수 x에 대하여

$$-x^2+2x \le f(x) \le x^2+2x$$

를 만족시킬 때, $\lim_{x\to 0+}\frac{\{f(x)\}^2}{x\{2x+f(x)\}}$의 값은?

① -2 ② -1 ③ 0
④ 1 ⑤ 3

STEP Ⓐ **함수의 극한의 대소 관계를 이용하여 구하기**

$x>0$일 때, 부등식의 각 변을 x로 나누면

$$-x+2 \le \frac{f(x)}{x} \le x+2$$

$\lim_{x\to 0+}(-x+2)=2$, $\lim_{x\to 0+}(x+2)=2$이므로

함수의 극한의 대소 관계에 의하여

$$2 \le \lim_{x\to 0+}\frac{f(x)}{x} \le 2 \quad \therefore \lim_{x\to 0+}\frac{f(x)}{x}=2$$

STEP Ⓑ **주어진 극한값 구하기**

따라서 $\lim_{x\to 0+}\frac{\{f(x)\}^2}{x\{2x+f(x)\}}=\lim_{x\to 0+}\frac{\left\{\frac{f(x)}{x}\right\}^2}{2+\frac{f(x)}{x}}$ ⬅ 분모, 분자를 x^2으로 나눈다.

$$=\frac{2^2}{2+2}=1$$

0045

함수 $f(x)$가 모든 실수 x에 대하여 부등식

$$\sqrt{x^2+2x+3} \le f(x) \le \sqrt{x^2+2x+5}$$

를 만족시킬 때, $\lim_{x\to\infty}\{x-f(x)\}$의 값을 구하여라.

STEP Ⓐ **$\infty-\infty$꼴의 무리식의 극한값 구하기**

$\sqrt{x^2+2x+3} \le f(x) \le \sqrt{x^2+2x+5}$에서

$x-\sqrt{x^2+2x+5} \le x-f(x) \le x-\sqrt{x^2+2x+3}$이고

함수의 극한의 대소 관계에 의하여

$$\lim_{x\to\infty}(x-\sqrt{x^2+2x+5}) \le \lim_{x\to\infty}\{x-f(x)\} \le \lim_{x\to\infty}(x-\sqrt{x^2+2x+3})$$

이므로

$$\lim_{x\to\infty}(x-\sqrt{x^2+2x+5})=\lim_{x\to\infty}\frac{(x-\sqrt{x^2+2x+5})(x+\sqrt{x^2+2x+5})}{x+\sqrt{x^2+2x+5}}$$

$$=\lim_{x\to\infty}\frac{-2x-5}{x+\sqrt{x^2+2x+5}}$$

$$=\lim_{x\to\infty}\frac{-2-\frac{5}{x}}{1+\sqrt{1+\frac{2}{x}+\frac{5}{x^2}}}$$

$$=\frac{-2}{1+1}$$

$=-1$ …… ㉠

$$\lim_{x\to\infty}(x-\sqrt{x^2+2x+3})=\lim_{x\to\infty}\frac{(x-\sqrt{x^2+2x+3})(x+\sqrt{x^2+2x+3})}{x+\sqrt{x^2+2x+3}}$$

$$=\lim_{x\to\infty}\frac{-2x-3}{x+\sqrt{x^2+2x+3}}$$

$$=\lim_{x\to\infty}\frac{-2-\frac{3}{x}}{1+\sqrt{1+\frac{2}{x}+\frac{3}{x^2}}}$$

$$=\frac{-2}{1+1}$$

$=-1$ …… ㉡

STEP Ⓑ **함수의 극한의 대소 관계를 이용하여 구하기**

㉠, ㉡에서 함수의 극한의 대소 관계에 의하여

$$-1 \le \lim_{x\to\infty}\{x-f(x)\} \le -1$$

따라서 $\lim_{x\to\infty}\{x-f(x)\}=-1$

0046

함수 $y=f(x)$의 그래프가 다음 그림과 같다.

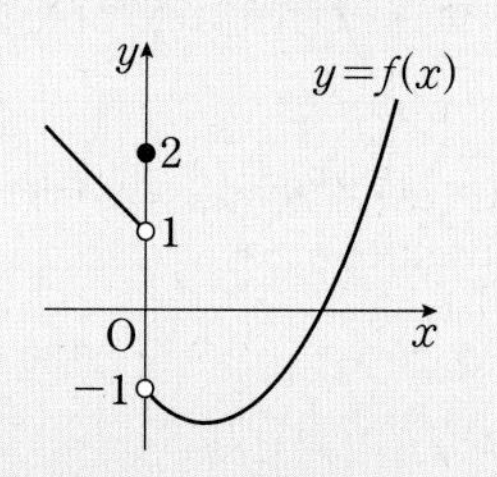

최고차항의 계수가 1인 이차함수 $g(x)$에 대하여

$$\lim_{x\to 0+}\frac{g(x)}{f(x)}=1,\ \lim_{x\to 1-}f(x-1)g(x)=3$$

일 때, $g(2)$의 값을 구하여라.

STEP Ⓐ **$\lim_{x\to 0+}\frac{g(x)}{f(x)}=1$을 만족하는 $g(0)$의 값을 구하기**

그래프에서 $\lim_{x\to 0+}f(x)=-1$이므로

$\lim_{x\to 0+}\frac{g(x)}{f(x)}=1$에서 $\lim_{x\to 0+}\frac{g(x)}{f(x)}=\frac{g(0)}{-1}=1$

$\therefore g(0)=-1$ …… ㉠

STEP Ⓑ **$\lim_{x\to 1-}f(x-1)g(x)=3$을 만족하는 $g(1)$의 값을 구하기**

$x-1=t$라 하면 $x\to 1-$일 때, $t\to 0-$이므로 그래프에서

$\lim_{x\to 1-}f(x-1)=\lim_{t\to 0-}f(t)=1$이므로

$\lim_{x\to 1-}f(x-1)g(x)=g(1)$

$\therefore g(1)=3$ …… ㉡

STEP Ⓒ **최고차항의 계수가 1인 이차함수 $g(x)$을 구하여 $g(2)$의 값 구하기**

최고차항의 계수가 1인 이차함수 $g(x)$에 대하여

$g(x)=x^2+ax+b$ (단, a, b는 상수)라 하면

㉠, ㉡에서 $g(0)=b=-1$

$g(1)=1+a+b=3$

$\therefore a=3$

따라서 $g(x)=x^2+3x-1$이므로 $g(2)=4+6-1=9$

0047

함수 $y=f(x)$의 그래프가 다음 그림과 같다. 최고차항의 계수가 1인 삼차함수 $g(x)$에 대하여

$$\lim_{x\to0+}\frac{g(x)}{f(x)},\ \lim_{x\to1}f(x)g(x),\ \lim_{x\to2}f(x)g(x+1)$$

의 값이 모두 존재할 때, $g(5)$의 값은?

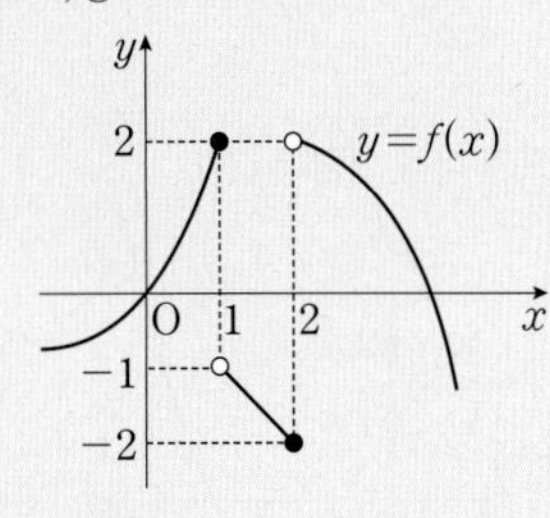

① 10 ② 20 ③ 30
④ 40 ⑤ 50

STEP A $\lim_{x\to0+}\frac{g(x)}{f(x)}$의 값이 존재함을 이용하여 $g(0)$의 값 구하기

$\lim_{x\to0+}\frac{g(x)}{f(x)}$의 값이 존재하므로

$x\to0+$일 때, (분모)→0이므로 (분자)→0이어야 한다.

⬅ $x\to0+$일 때, $f(x)\to0$이므로 $\lim_{x\to0+}f(x)=0$

$\therefore\ g(0)=0$ …… ㉠

STEP B $\lim_{x\to1}f(x)g(x)$의 값이 존재함을 이용하여 $g(1)$의 값 구하기

$\lim_{x\to1}f(x)g(x)$의 값이 존재하려면 $\lim_{x\to1-}f(x)g(x)=\lim_{x\to1+}f(x)g(x)$

즉 $2\cdot g(1)=-1\cdot g(1)$에서 $3g(1)=0$

$\therefore\ g(1)=0$ …… ㉡

STEP C $\lim_{x\to2}f(x)g(x+1)$의 값이 존재함을 이용하여 $g(3)$의 값 구하기

$\lim_{x\to2}f(x)g(x+1)$의 값이 존재하려면 $\lim_{x\to2-}f(x)g(x+1)=\lim_{x\to2+}f(x)g(x+1)$

즉 $-2\cdot g(3)=2\cdot g(3)$에서 $4g(3)=0$

$\therefore\ g(3)=0$ …… ㉢

STEP D 삼차함수 $g(x)$에 대하여 $g(5)$의 값 구하기

㉠, ㉡, ㉢에서 최고차항의 계수가 1인 삼차함수 $g(x)=x(x-1)(x-3)$

따라서 $g(5)=5\cdot(5-1)\cdot(5-3)=40$

0048

최고차항의 계수가 1인 이차함수 $f(x)$가

$$\lim_{x\to a}\frac{f(x)-(x-a)}{f(x)+(x-a)}=\frac{3}{5}$$

을 만족시킨다. 방정식 $f(x)=0$의 두 근을 α, β라 할 때, $|\alpha-\beta|$의 값은? (단, a는 상수이다.)

① 1 ② 2 ③ 3
④ 4 ⑤ 5

STEP A 함수의 극한의 성질을 이용하여 $f(a)$의 값 구하기

$\lim_{x\to a}f(x)=k\ (k\neq0)$이면

$\lim_{x\to a}\frac{f(x)-(x-a)}{f(x)+(x-a)}=\frac{k-(a-a)}{k+(a-a)}=\frac{k}{k}=1$이므로

$\lim_{x\to a}\frac{f(x)-(x-a)}{f(x)+(x-a)}=1\neq\frac{3}{5}$의 모순이 된다.

즉 $\lim_{x\to a}f(x)=0$이어야 하므로 $\lim_{x\to a}f(x)=f(a)=0$

STEP B $f(a)=0$임을 이용하여 이차함수 $f(x)$의 식 작성하기

이때 a는 이차방정식 $f(x)=0$의 두 근 중 하나이다.

따라서 $a=\alpha$라 하면 $f(x)$는 최고차항의 계수가 1인 이차함수이므로

$f(x)=(x-\alpha)(x-\beta)$

STEP C 극한값을 구하여 이차방정식의 두 근의 차를 구하기

$$\begin{aligned}\lim_{x\to\alpha}\frac{f(x)-(x-\alpha)}{f(x)+(x-\alpha)}&=\lim_{x\to\alpha}\frac{(x-\alpha)(x-\beta)-(x-\alpha)}{(x-\alpha)(x-\beta)+(x-\alpha)} \quad \Leftarrow a=\alpha\\&=\lim_{x\to\alpha}\frac{(x-\alpha)\{(x-\beta)-1\}}{(x-\alpha)\{(x-\beta)+1\}}\\&=\lim_{x\to\alpha}\frac{(x-\beta)-1}{(x-\beta)+1} \quad \Leftarrow x-\alpha\text{로 약분한다.}\\&=\frac{\alpha-\beta-1}{\alpha-\beta+1}\\&=\frac{3}{5}\end{aligned}$$

즉 $5(\alpha-\beta)-5=3(\alpha-\beta)+3$, $2(\alpha-\beta)=8$

$\therefore\ \alpha-\beta=4$

따라서 $|\alpha-\beta|=4$

주의 위의 풀이는 $a=\alpha$일 때, 풀이이고 $a=\beta$라 하고 풀면 $\alpha-\beta=-4$가 나온다.
그러므로 $|\alpha-\beta|$는 $a=\alpha$일 때와 $a=\beta$일 때, 모두 4이다.

0049

오른쪽 그림과 같이 곡선 $y=\sqrt{2x}$ 위의 점 $\mathrm{P}(a,\sqrt{2a})$에서 x축에 내린 수선의 발을 Q라 할 때, 다음 값을 구하여라. (단, $a\neq0$이고, O는 원점이다.)

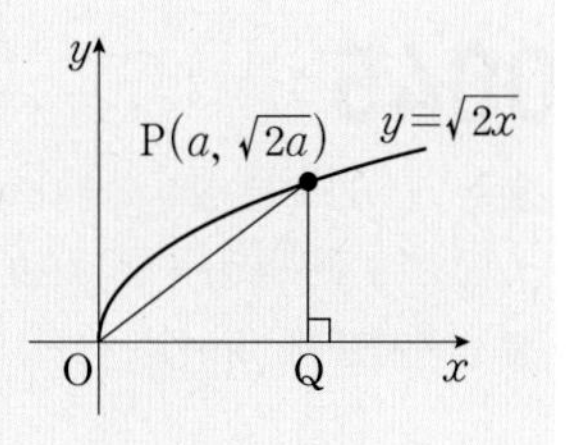

(1) $\lim_{a\to\infty}(\overline{\mathrm{OP}}-\overline{\mathrm{OQ}})$

STEP A $\lim_{a\to\infty}(\overline{\mathrm{OP}}-\overline{\mathrm{OQ}})$의 값 구하기

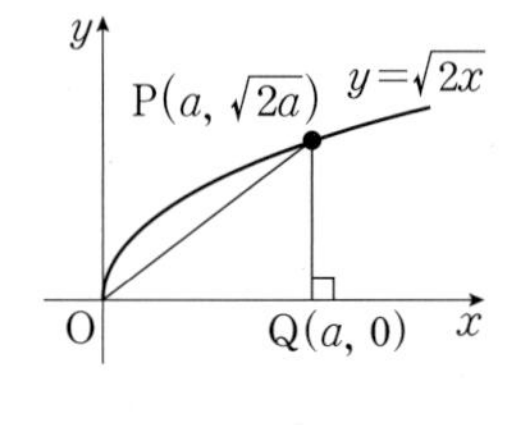

$\overline{\mathrm{OP}}=\sqrt{a^2+(\sqrt{2a})^2}=\sqrt{a^2+2a}$

$\overline{\mathrm{OQ}}=a$이므로

$\overline{\mathrm{OP}}-\overline{\mathrm{OQ}}=\sqrt{a^2+2a}-a$

$$\begin{aligned}\lim_{a\to\infty}(\overline{\mathrm{OP}}-\overline{\mathrm{OQ}})&=\lim_{a\to\infty}(\sqrt{a^2+2a}-a)\\&=\lim_{a\to\infty}\frac{a^2+2a-a^2}{\sqrt{a^2+2a}+a}\\&=\lim_{a\to\infty}\frac{2}{\sqrt{1+\frac{2}{a}}+1}=1\end{aligned}$$

(2) $\lim_{a\to\infty}\frac{\overline{\mathrm{OP}}}{\overline{\mathrm{OQ}}}$

STEP A $\lim_{a\to\infty}\frac{\overline{\mathrm{OP}}}{\overline{\mathrm{OQ}}}$의 값 구하기

$\overline{\mathrm{OP}}=\sqrt{a^2+(\sqrt{2a})^2}=\sqrt{a^2+2a}$

$\overline{\mathrm{OQ}}=a$이므로

$$\frac{\overline{\mathrm{OP}}}{\overline{\mathrm{OQ}}}=\lim_{a\to\infty}\frac{\sqrt{a^2+2a}}{a}=\lim_{a\to\infty}\frac{\sqrt{1+\frac{2}{a}}}{1}=1$$

0050

다음 그림과 같이 직선 $y=x+1$ 위에 두 점 $\mathrm{A}(-1,\ 0)$과 $\mathrm{P}(t,\ t+1)$이 있다.

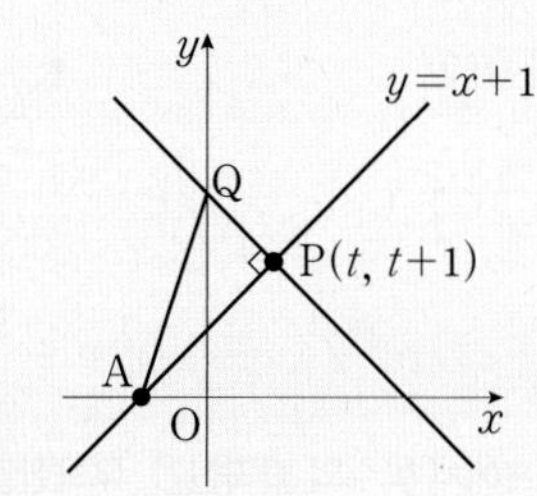

점 P를 지나고 직선 $y=x+1$에 수직인 직선이 y축과 만나는점을 Q라 할 때, $\lim_{t\to\infty}\frac{\overline{\mathrm{AQ}}^2}{\overline{\mathrm{AP}}^2}$의 값은?

① 1 ② $\frac{3}{2}$ ③ 2

④ $\frac{5}{2}$ ⑤ 3

STEP Ⓐ **두 점 사이의 거리를 이용하여 $\overline{\mathrm{AQ}}^2$, $\overline{\mathrm{AP}}^2$을 t에 대한 식으로 나타내기**

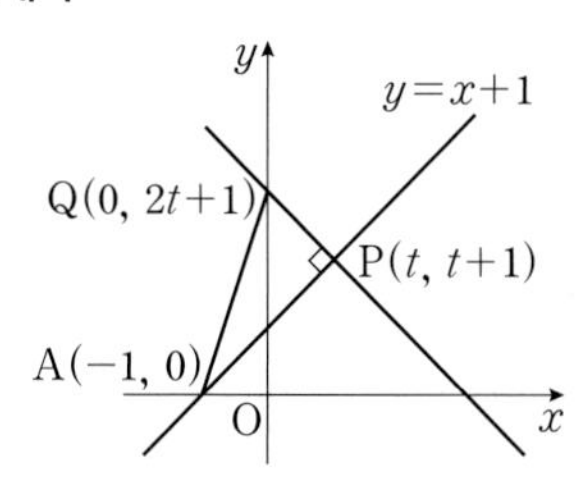

직선 $y=x+1$과 수직인 직선의 기울기는 -1이므로

점 $\mathrm{P}(t,\ t+1)$을 지나고 기울기가 -1인 직선 PQ의 방정식은

$y-(t+1)=-(x-t)$

$\therefore\ y=-x+2t+1$

이때 점 Q의 좌표는 $(0,\ 2t+1)$이고 $\mathrm{A}(-1,\ 0)$이므로

$\overline{\mathrm{AP}}^2=(t+1)^2+(t+1)^2=2t^2+4t+2$

$\overline{\mathrm{AQ}}^2=1^2+(2t+1)^2=4t^2+4t+2$

STEP Ⓑ **$\lim_{t\to\infty}\frac{\overline{\mathrm{AQ}}^2}{\overline{\mathrm{AP}}^2}$의 값 구하기**

따라서 $\lim_{t\to\infty}\frac{\overline{\mathrm{AQ}}^2}{\overline{\mathrm{AP}}^2}=\lim_{t\to\infty}\frac{4t^2+4t+2}{2t^2+4t+2}$

$=\lim_{t\to\infty}\frac{4+\frac{4}{t}+\frac{2}{t^2}}{2+\frac{4}{t}+\frac{2}{t^2}}$

$=2$

0051

다음 그림과 같이 좌표평면에서 곡선 $y=\sqrt{2x}$ 위의 점 $\mathrm{P}(t,\ \sqrt{2t})$가 있다. 원점 O를 중심으로 하고 선분 OP를 반지름으로 하는 원을 C, 점 P에서의 원 C의 접선이 x축과 만나는 점을 Q라 하자.

원 C의 넓이를 $S(t)$라 할 때, $\lim_{t\to0+}\frac{S(t)}{\overline{\mathrm{OQ}}-\overline{\mathrm{PQ}}}$의 값을 구하여라. (단, $t>0$)

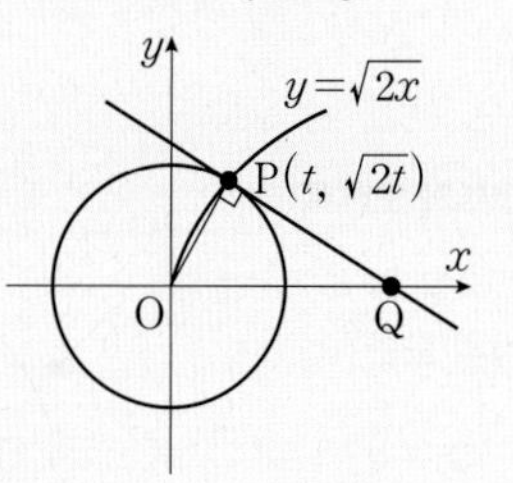

STEP Ⓐ $S(t)$ **구하기**

원점에서 점 $\mathrm{P}(t,\ \sqrt{2t})$까지의 거리 $\overline{\mathrm{OP}}=\sqrt{t^2+2t}$

원 C의 반지름의 길이가 $\overline{\mathrm{OP}}$이므로

$S(t)=(t^2+2t)\pi$

STEP Ⓑ **점 P에서의 접선의 방정식을 구하고 점 Q의 좌표 구하기**

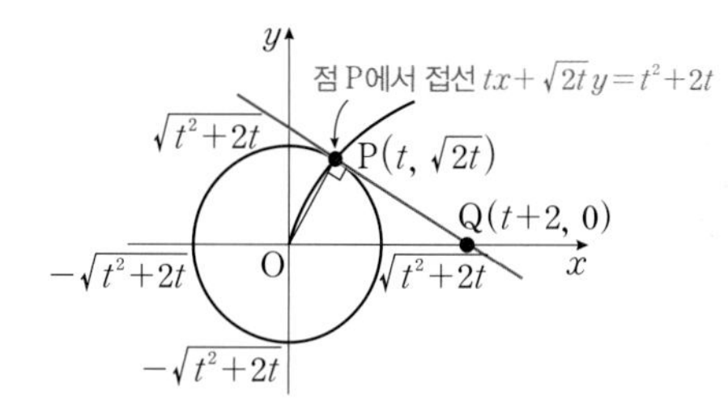

또, 원 C의 중심이 $(0,\ 0)$이므로 원의 방정식은 $x^2+y^2=t^2+2t$

원 C 위의 점 $\mathrm{P}(t,\ \sqrt{2t})$에서의 접선의 방정식이 $tx+\sqrt{2t}\,y=t^2+2t$

이때 $y=0$일 때, 점 Q의 x좌표는 $t+2$이므로 $\overline{\mathrm{OQ}}=t+2$

두 점 $\mathrm{P}(t,\ \sqrt{2t})$, $\mathrm{Q}(t+2,\ 0)$ 사이의 거리는 $\overline{\mathrm{PQ}}=\sqrt{2t+4}$

STEP Ⓒ **극한값 구하기**

따라서 $\lim_{t\to0+}\frac{S(t)}{\overline{\mathrm{OQ}}-\overline{\mathrm{PQ}}}=\lim_{t\to0+}\frac{(t^2+2t)\pi}{(t+2)-\sqrt{2t+4}}$

$=\lim_{t\to0+}\frac{(t^2+2t)\pi\{(t+2)+\sqrt{2t+4}\}}{\{(t+2)-\sqrt{2t+4}\}\{(t+2)+\sqrt{2t+4}\}}$

$=\lim_{t\to0+}\frac{(t^2+2t)\{(t+2)+\sqrt{2t+4}\}\pi}{t^2+2t}$

$=\lim_{t\to0+}(t+2+\sqrt{2t+4})\pi$

$=4\pi$

FINAL EXERCISE

단원종합문제

BASIC

0052

함수 $y=f(x)$의 그래프가 오른쪽 그림과 같다.

$\lim_{x\to1+}f(x)+\lim_{x\to-2-}f(x)$의 값은?

① -3　② -2　③ -1　④ 0　⑤ 1

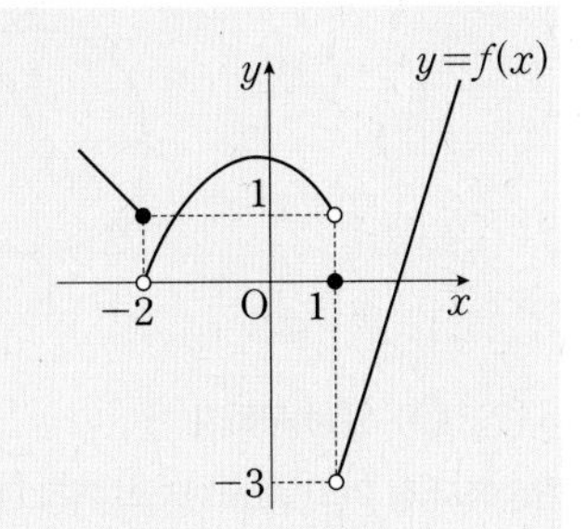

STEP Ⓐ **주어진 그래프에서 함수의 좌극한값, 우극한값 구하기**

$x\to1+$일 때, $f(x)\to-3$이므로

$\lim_{x\to1+}f(x)=-3$

$x\to-2-$일 때, $f(x)\to1$이므로

$\lim_{x\to-2-}f(x)=1$

따라서 $\lim_{x\to1+}f(x)+\lim_{x\to-2-}f(x)$

$=-3+1=-2$

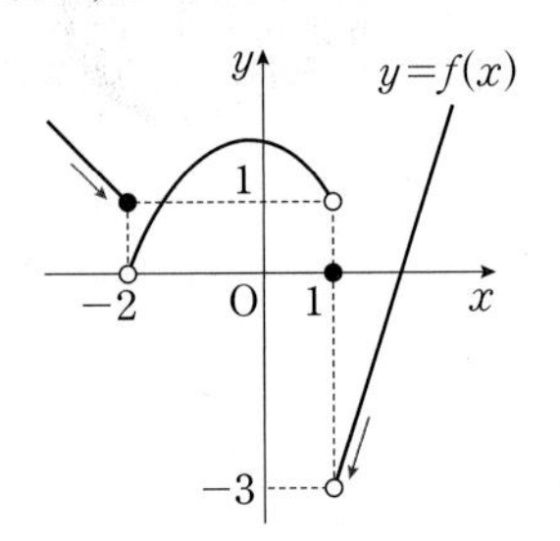

0053

함수 $y=f(x)$의 그래프가 오른쪽 그림과 같다.

$\lim_{x\to-1-}f(x)-\lim_{x\to1+}f(x)$의 값은?

① -2　② -1　③ 0　④ 1　⑤ 2

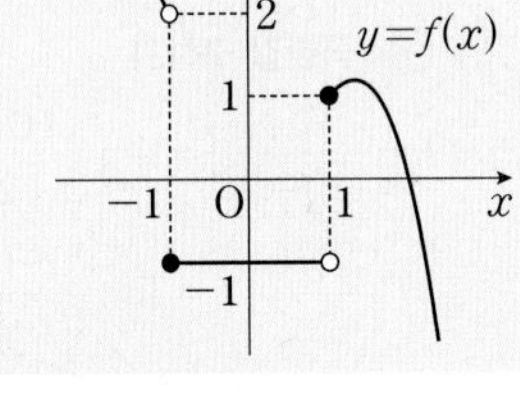

STEP Ⓐ **주어진 그래프에서 함수의 좌극한값, 우극한값 구하기**

오른쪽 그림에서

$x\to-1-$일 때, $f(x)\to2$이므로

$\lim_{x\to-1-}f(x)=2$

$x\to1+$일 때, $f(x)\to1$이므로

$\lim_{x\to1+}f(x)=1$

따라서 $\lim_{x\to-1-}f(x)-\lim_{x\to1+}f(x)$

$=2-1=1$

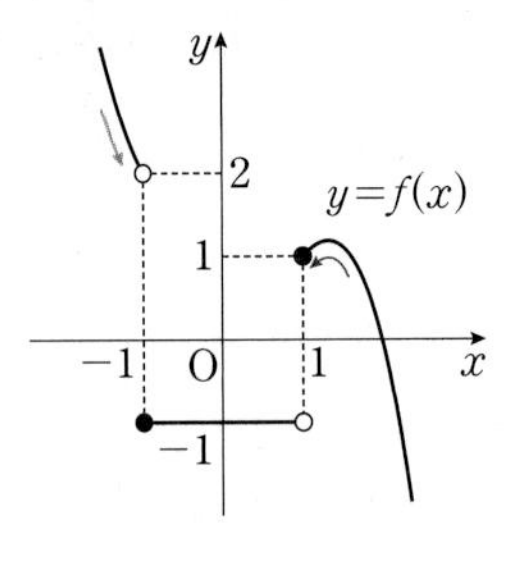

0054

함수 $y=f(x)$의 그래프가 오른쪽 그림과 같다.

$\lim_{x\to0-}f(x)+\lim_{x\to1+}f(x)$의 값은?

① -2　② -1　③ 0　④ 1　⑤ 2

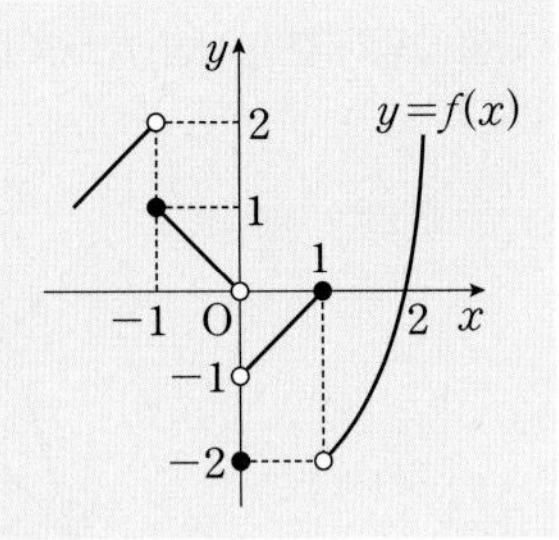

STEP Ⓐ **주어진 그래프에서 함수의 좌극한값, 우극한값 구하기**

오른쪽 그래프에서

$x\to0-$일 때, $f(x)\to0$이므로

$\lim_{x\to0-}f(x)=0$

$x\to1+$일 때, $f(x)\to-2$이므로

$\lim_{x\to1+}f(x)=-2$

따라서 $\lim_{x\to0-}f(x)+\lim_{x\to1+}f(x)$

$=0+(-2)=-2$

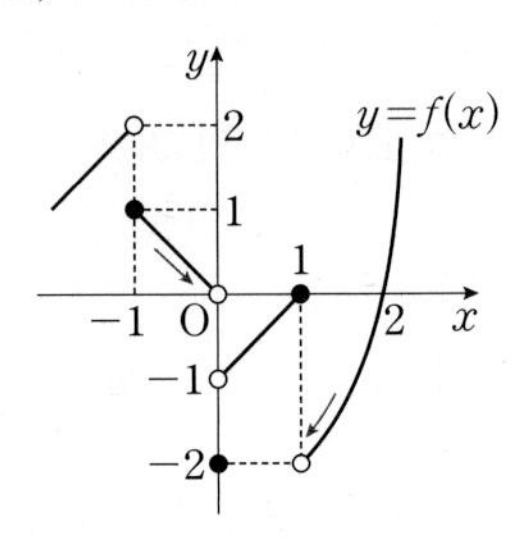

0055

$-3<x<3$에서 정의된 함수 $y=f(x)$의 그래프가 다음 그림과 같다.

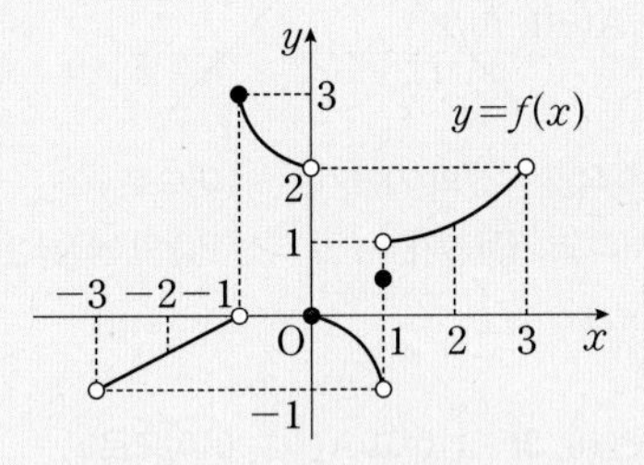

부등식 $\lim_{x\to a-}f(x)>\lim_{x\to a+}f(x)$를 만족시키는 상수 a의 값은?

(단, $-3<a<3$)

① -2　② -1　③ 0　④ 1　⑤ 2

STEP Ⓐ **주어진 그래프에서 함수의 좌극한값, 우극한값 구하기**

$\lim_{x\to0-}f(x)=2$, $\lim_{x\to0+}f(x)=0$이므로

부등식 $\lim_{x\to a-}f(x)>\lim_{x\to a+}f(x)$를 만족시키는 a의 값은 0이다.

0056

정의역이 $\{x \mid -3 \le x \le 3\}$인 함수 $y=f(x)$의 그래프가 다음 그림과 같다.

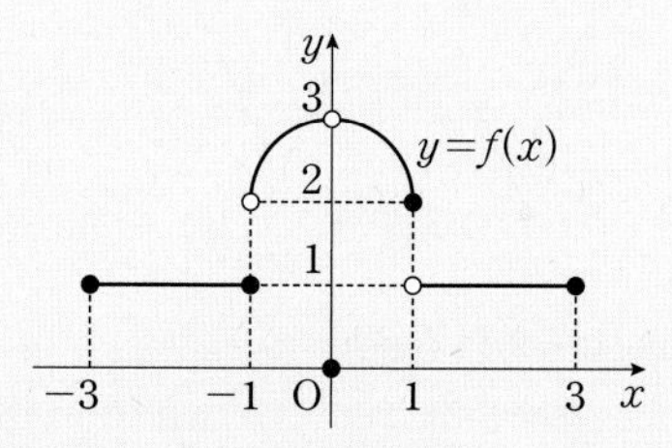

$\lim_{x\to-1+} f(x)+\lim_{x\to0} f(x)+\lim_{x\to1+} f(x)$의 값은?

① 6　② 4　③ 3
④ 2　⑤ 1

STEP Ⓐ 주어진 그래프에서 함수의 좌극한값, 우극한값 구하기

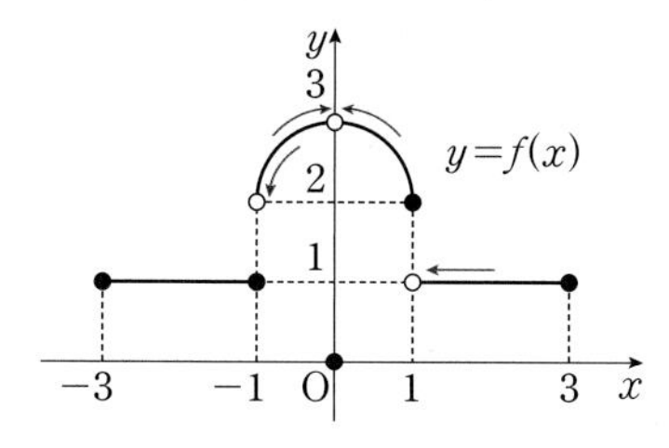

위의 그래프에서

$x\to-1+$일 때, $f(x)\to2$이므로 $\lim_{x\to-1+} f(x)=2$

$x\to0$일 때, $f(x)\to3$이므로 $\lim_{x\to0} f(x)=3$

$x\to1+$일 때, $f(x)=1$이므로 $\lim_{x\to1+} f(x)=1$

따라서 $\lim_{x\to-1+} f(x)+\lim_{x\to0} f(x)+\lim_{x\to1+} f(x)=2+3+1=6$

0057

함수 $y=f(x)$의 그래프의 일부가 다음 그림과 같다.

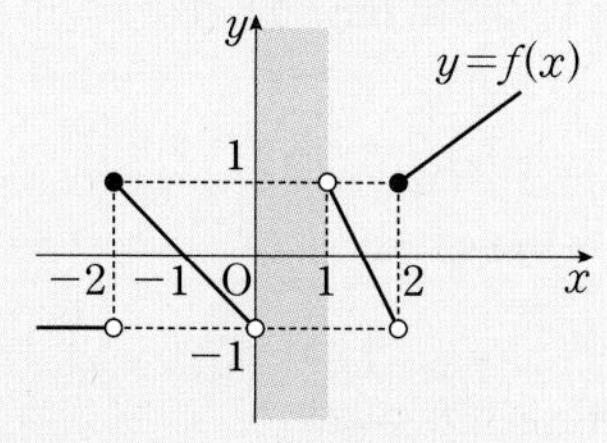

$0\le x\le1$에서 $f(x)=k$(k는 상수)이고

$$\lim_{x\to0-} f(x)+\lim_{x\to1-} f(x)=2$$

일 때, $\lim_{x\to0+} f(x)+\lim_{x\to1+} f(x)+\lim_{x\to2-} f(x)$의 값은?

① 1　② 2　③ 3
④ 4　⑤ 5

STEP Ⓐ $\lim_{x\to0-} f(x)+\lim_{x\to1-} f(x)=2$를 만족하는 상수 k 구하기

함수 $y=f(x)$의 그래프에서 $\lim_{x\to0-} f(x)=-1$

$0\le x\le1$에서 $f(x)=k$이므로

$\lim_{x\to1-} f(x)=\lim_{x\to1-} k=k$

즉 $\lim_{x\to0-} f(x)+\lim_{x\to1-} f(x)=2$에서 $-1+k=2$이므로

$k=3$

STEP Ⓑ 함수의 그래프를 이용하여 좌극한과 우극한의 값 구하기

즉 $k=3$이므로 함수 $y=f(x)$의 그래프는 다음 그림과 같다.

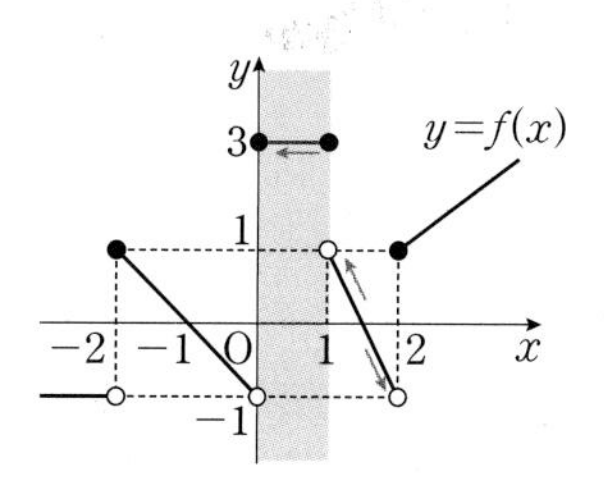

따라서 함수 $y=f(x)$의 그래프에서 $\lim_{x\to0+} f(x)=\lim_{x\to0+} 3=3$

$\lim_{x\to1+} f(x)=1$, $\lim_{x\to2-} f(x)=-1$이므로

$\lim_{x\to0+} f(x)+\lim_{x\to1+} f(x)+\lim_{x\to2-} f(x)=3+1+(-1)=3$

0058

유리함수 $f(x)=\dfrac{1}{x+a}+b$가 다음 조건을 모두 만족시킬 때, 상수 a, b에 대하여 $a+b$의 값은?

(가) $\lim_{x\to\infty} f(x)=5$
(나) $x=2$에서 $f(x)$의 극한이 존재하지 않는다.

① -1　② 0　③ 1
④ 2　⑤ 3

STEP Ⓐ 점근선의 y좌표를 이용하여 b 구하기

조건 (가)에서 $\lim_{x\to\infty} f(x)=5$

즉 $\lim_{x\to\infty}\left(\dfrac{1}{x+a}+b\right)=5$이므로 $b=5$ ← 점근선의 방정식 $y=5$

STEP Ⓑ 점근선의 x좌표를 이용하여 a 구하기

조건 (나)에서 $x=2$에서의 극한이 존재하지 않으므로

$\lim_{x\to2-} f(x)\ne\lim_{x\to2+} f(x)$이 성립한다.

$\therefore a=-2$ ← 점근선의 방정식 $x=2$

따라서 $a=-2$, $b=5$이므로 $a+b=3$

0059

다음 물음에 답하여라.

(1) $\lim_{x\to1}\dfrac{x+1}{x^2+ax+1}=\dfrac{1}{9}$일 때, 상수 a의 값을 구하여라.

STEP Ⓐ 함수의 극한의 성질을 이용하여 극한값 구하기

분모, 분자에 $x=1$을 대입하여 극한값을 구하면

$$\lim_{x\to1}\frac{x+1}{x^2+ax+1}=\frac{1+1}{1^2+a+1}=\frac{2}{a+2}=\frac{1}{9}$$

따라서 $a+2=18$이므로 $a=16$

(2) 함수 $f(x)$에 대하여 $\lim_{x\to1} f(x)=5$일 때,

$\lim_{x\to1}\dfrac{f(x)+3}{x+1}$의 값을 구하여라.

STEP Ⓐ 함수의 극한의 성질을 이용하여 극한값 구하기

$\lim_{x\to1} f(x)=5$이므로

$$\lim_{x\to1}\frac{f(x)+3}{x+1}=\frac{\lim_{x\to1} f(x)+3}{\lim_{x\to1}(x+1)}=\frac{5+3}{1+1}=4$$

0060

다음 물음에 답하여라.

(1) 함수 $f(x)=\dfrac{x^2-4}{|x-2|}$에 대하여

$\lim_{x\to 2+}f(x)-\lim_{x\to 2-}f(x)$의 값을 구하여라.

STEP Ⓐ $x=2$를 기준으로 식을 나누어 좌극한과 우극한의 값 구하기

$f(x)=\dfrac{x^2-4}{|x-2|}=\begin{cases}x+2 & (x>2)\\ -x-2 & (x<2)\end{cases}$

이므로

$\lim_{x\to 2+}f(x)=4$, $\lim_{x\to 2-}f(x)=-4$

따라서 $\lim_{x\to 2+}f(x)-\lim_{x\to 2-}f(x)$

$=4-(-4)=8$

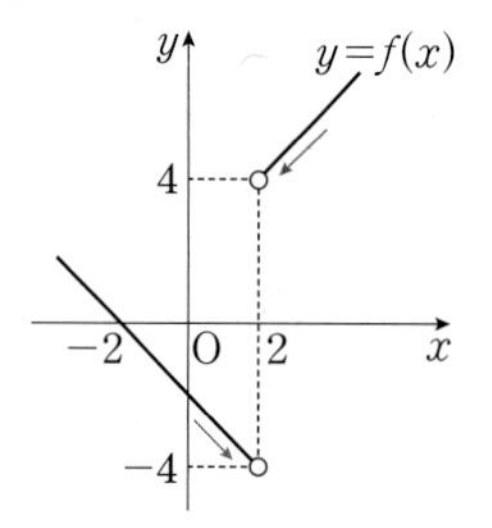

(2) 함수 $f(x)=\dfrac{x^2+2x-3}{|x-1|}$에 대하여

$\lim_{x\to 1+}f(x)=a$, $\lim_{x\to 1-}f(x)=b$일 때,

상수 a, b에 대하여 ab의 값을 구하여라.

STEP Ⓐ $x=1$을 기준으로 식을 나누어 좌극한과 우극한의 값 구하기

$f(x)=\dfrac{(x-1)(x+3)}{|x-1|}=\begin{cases}x+3 & (x>1)\\ -x-3 & (x<1)\end{cases}$

이므로

$a=\lim_{x\to 1+}f(x)=4$

$b=\lim_{x\to 1-}f(x)=-4$

따라서 $ab=-16$

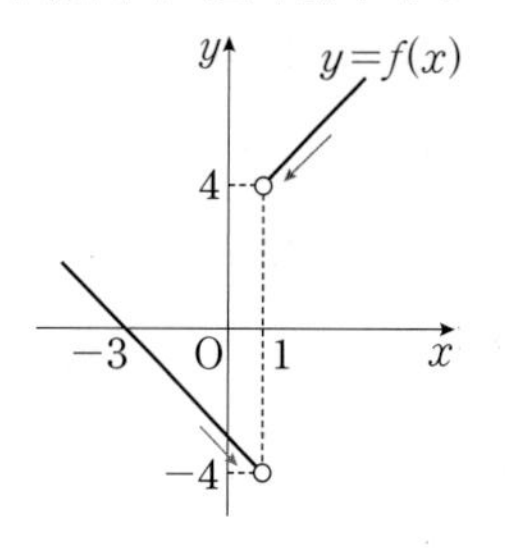

0061

다음 물음에 답하여라.

(1) 함수 $y=f(x)$의 그래프가 오른쪽 그림과 같다.

$\lim_{x\to 1-}f(x)+\lim_{x\to 2+}f(5-x)$의 값은?

① 1　② 2　③ 3　④ 4　⑤ 5

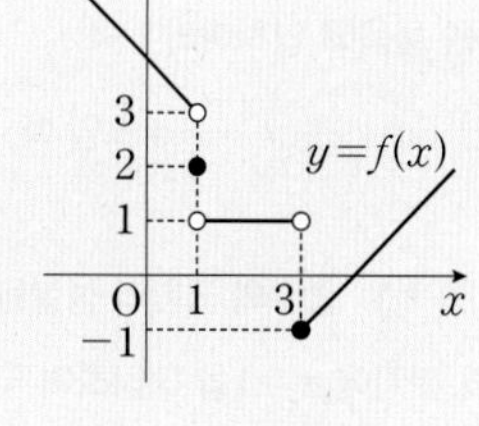

STEP Ⓐ $5-x=t$로 치환하여 주어진 그래프에서 함수의 좌극한값, 우극한값 구하기

오른쪽 그래프에서 $x\to 1-$일 때,

$f(x)\to 3$이므로 $\lim_{x\to 1-}f(x)=3$

$5-x=t$로 놓으면 $x\to 2+$일 때,

$t\to 3-$이므로

$\lim_{x\to 2+}f(5-x)=\lim_{t\to 3-}f(t)=1$

따라서 $\lim_{x\to 1-}f(x)+\lim_{x\to 2+}f(5-x)$

$=3+1=4$

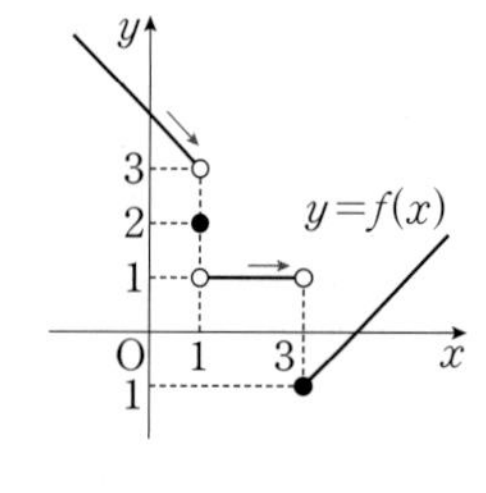

(2) 함수 $f(x)$의 그래프가 다음 그림과 같다.

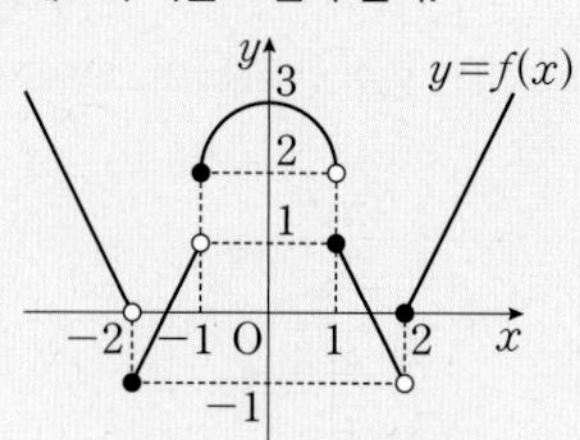

$\lim_{x\to 1-}f(x)+\lim_{x\to 0+}f(x-2)$의 값은?

① -2　② -1　③ 0　④ 1　⑤ 2

STEP Ⓐ $x-2=t$로 치환하여 주어진 그래프에서 함수의 좌극한값, 우극한값 구하기

$x\to 1-$일 때, $f(x)\to 2+$이므로 $\lim_{x\to 1-}f(x)=2$

$x-2=t$로 놓으면 $x\to 0+$일 때, $t\to -2+$이므로

$\lim_{x\to 0+}f(x-2)=\lim_{t\to -2+}f(t)=-1$

따라서 $\lim_{x\to 1-}f(x)+\lim_{x\to 0+}f(x-2)=2+(-1)=1$

0062

다음 물음에 답하여라.

(1) 함수 $y=f(x)$의 그래프가 오른쪽 그림과 같다.

$\lim_{x\to 1+}f(x)f(1-x)$의 값은?

① -2　② -1　③ 0　④ 1　⑤ 2

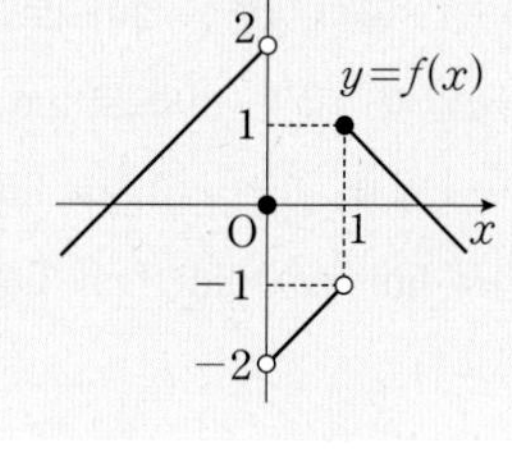

STEP Ⓐ $1-x=t$로 치환하여 주어진 그래프에서 함수의 좌극한값, 우극한값 구하기

$x\to 1+$일 때, $f(x)\to 1-$이므로 $\lim_{x\to 1+}f(x)=1$

$1-x=t$로 놓으면 $x\to 1+$일 때,

$t\to 0-$이므로 $\lim_{x\to 1+}f(1-x)=\lim_{t\to 0-}f(t)=2$

따라서 $\lim_{x\to 1+}f(x)f(1-x)=1\cdot 2=2$

(2) 함수 $y=f(x)$의 그래프가 오른쪽 그림과 같다.

$\lim_{x\to 1-}f(x)f(x-1)+\lim_{x\to -1+}f(x)f(x+1)$의 값은?

① -3　② -2　③ -1　④ 1　⑤ 2

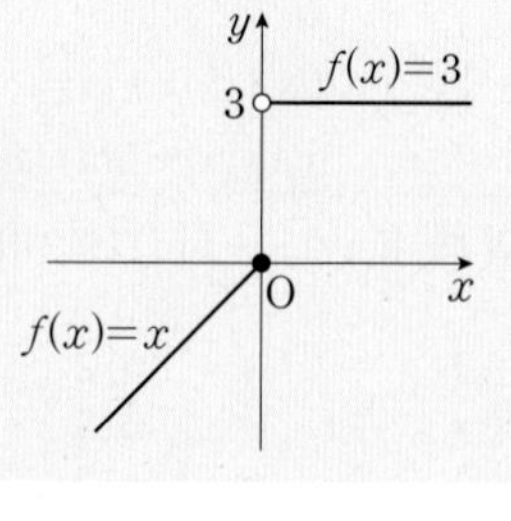

STEP Ⓐ $x-1=t$, $x+1=s$로 치환하여 주어진 그래프에서 함수의 좌극한값, 우극한값 구하기

$x-1=t$로 놓으면 $x\to 1-$일 때, $t\to 0-$이므로

$\lim_{x\to 1-}f(x)f(x-1)=\lim_{x\to 1-}f(x)\lim_{t\to 0-}f(t)$

$=3\cdot 0=0$

$x+1=s$로 놓으면 $x\to -1+$일 때, $s\to 0+$이므로

$\lim_{x\to -1+}f(x)f(x+1)=\lim_{x\to -1+}f(x)\lim_{s\to 0+}f(s)$

$=(-1)\cdot 3=-3$

따라서 구하는 값은 $0+(-3)=-3$

0063

다음 물음에 답하여라.

(1) 함수 $f(x)$에 대하여 $\lim_{x\to2}\frac{f(x-2)}{x-2}$가 0이 아닌 일정한 값일 때,

극한값 $\lim_{x\to0}\frac{3f(x)+x^2}{f(x)-x^2}$은?

① -3 ② -2 ③ 1
④ 2 ⑤ 3

STEP A $x-2=t$로 치환하여 $\lim_{x\to0}\frac{f(x)}{x}$의 극한값 정하기

$\lim_{x\to2}\frac{f(x-2)}{x-2}$가 0이 아닌 일정한 값을 α라 하면

$x-2=t$로 놓으면 $x\to2$일 때, $t\to0$이므로

$\lim_{x\to2}\frac{f(x-2)}{x-2}=\lim_{t\to0}\frac{f(t)}{t}=\alpha$, 즉 $\lim_{x\to0}\frac{f(x)}{x}=\alpha$

STEP B 주어진 극한값 구하기

따라서 $\lim_{x\to0}\frac{3f(x)+x^2}{f(x)-x^2}=\lim_{x\to0}\frac{3\cdot\frac{f(x)}{x}+x}{\frac{f(x)}{x}-x}=\frac{3\alpha}{\alpha}=3$

(2) 함수 $f(x)$가 $\lim_{x\to a}\frac{f(x-a)}{x-a}=2$를 만족시킬 때,

$\lim_{x\to0}\frac{2x+3f(x)}{3x^2+4f(x)}$의 값은? (단, a는 상수이다.)

① 1 ② 2 ③ 3
④ 4 ⑤ 5

STEP A $x-a=t$로 치환하여 $\lim_{x\to0}\frac{f(x)}{x}$의 극한값 정하기

$\lim_{x\to a}\frac{f(x-a)}{x-a}=2$에서 $x-a=t$로 놓으면 $x\to a$일 때, $t\to0$이므로

$\lim_{x\to a}\frac{f(x-a)}{x-a}=\lim_{t\to0}\frac{f(t)}{t}=2$

즉 $\lim_{x\to0}\frac{f(x)}{x}=2$

STEP B 주어진 극한값 구하기

따라서 $\lim_{x\to0}\frac{2x+3f(x)}{3x^2+4f(x)}=\lim_{x\to0}\frac{2+3\cdot\frac{f(x)}{x}}{3x+4\cdot\frac{f(x)}{x}}=\frac{2+3\cdot2}{0+4\cdot2}=\frac{8}{8}=1$

0064

다음 물음에 답하여라.

(1) 두 함수 $f(x)$, $g(x)$가

$$\lim_{x\to0}\frac{f(x)}{x^2}=1,\ \lim_{x\to0}\frac{g(x)}{x}=2$$

를 만족시킬 때, $\lim_{x\to0}\frac{f(x)+x}{g(x)-x}$의 값은?

① -2 ② -1 ③ 1
④ 2 ⑤ 3

STEP A 함수의 극한의 성질을 이용하여 극한값 구하기

$\lim_{x\to0}\frac{f(x)}{x^2}=1$, $\lim_{x\to0}\frac{g(x)}{x}=2$이므로

$\lim_{x\to0}\frac{f(x)+x}{g(x)-x}=\lim_{x\to0}\frac{x\cdot\frac{f(x)}{x^2}+1}{\frac{g(x)}{x}-1}=\frac{0\cdot1+1}{2-1}=1$

(2) 두 함수 $f(x)$, $g(x)$에 대하여

$$\lim_{x\to1}\frac{f(x)}{x-1}=4,\ \lim_{x\to1}\frac{g(x)}{x^2-1}=2$$

일 때, $\lim_{x\to1}\frac{f(x)}{g(x)}$의 값은?

① -1 ② $-\frac{1}{2}$ ③ $\frac{1}{2}$
④ 1 ⑤ $\frac{3}{2}$

STEP A 함수의 극한의 성질을 이용하여 극한값 구하기

$\lim_{x\to1}\frac{f(x)}{x-1}=4$, $\lim_{x\to1}\frac{g(x)}{x^2-1}=2$이므로

$\lim_{x\to1}\frac{f(x)}{g(x)}=\lim_{x\to1}\frac{\frac{f(x)}{x-1}\cdot(x-1)}{\frac{g(x)}{x^2-1}\cdot(x^2-1)}=\lim_{x\to1}\frac{\frac{f(x)}{x-1}}{\frac{g(x)}{x^2-1}}\cdot\lim_{x\to1}\frac{1}{x+1}$

$=\frac{4}{2}\cdot\frac{1}{2}=1$

0065

다음 물음에 답하여라.

(1) 두 함수 $f(x)$, $g(x)$에 대하여

$$\lim_{x\to\infty}f(x)=\infty,\ \lim_{x\to\infty}\{f(x)+3g(x)\}=1$$

일 때, $\lim_{x\to\infty}\frac{f(x)+9g(x)}{f(x)-g(x)}$의 값을 구하여라.

STEP A $\lim_{x\to\infty}\frac{f(x)+3g(x)}{f(x)}=0$임을 이용하여 $\lim_{x\to\infty}\frac{g(x)}{f(x)}$의 값 구하기

$\lim_{x\to\infty}f(x)=\infty$, $\lim_{x\to\infty}\{f(x)+3g(x)\}=1$이므로

$\lim_{x\to\infty}\frac{f(x)+3g(x)}{f(x)}=0$ ← $\lim_{x\to\infty}\frac{1}{f(x)}=0$

이때 $\lim_{x\to\infty}\frac{f(x)+3g(x)}{f(x)}=\lim_{x\to\infty}\left\{1+3\frac{g(x)}{f(x)}\right\}=0$이므로 $\lim_{x\to\infty}\frac{g(x)}{f(x)}=-\frac{1}{3}$

STEP B $\lim_{x\to\infty}\frac{g(x)}{f(x)}$의 값을 이용하여 극한값을 계산하기

$\lim_{x\to\infty}\frac{f(x)+9g(x)}{f(x)-g(x)}$의 분모, 분자를 $f(x)$로 나누면

$\lim_{x\to\infty}\frac{f(x)+9g(x)}{f(x)-g(x)}=\lim_{x\to\infty}\frac{1+9\cdot\frac{g(x)}{f(x)}}{1-\frac{g(x)}{f(x)}}=\frac{1+9\cdot\left(-\frac{1}{3}\right)}{1-\left(-\frac{1}{3}\right)}=-\frac{3}{2}$

다른풀이 $h(x)=f(x)+3g(x)$의 값을 이용하여 극한값 풀이하기

$h(x)=f(x)+3g(x)$라고 하면 $g(x)=\frac{1}{3}\{h(x)-f(x)\}$

$\frac{g(x)}{f(x)}=\frac{h(x)-f(x)}{3f(x)}$

$\lim_{x\to\infty}f(x)=\infty$이고 $\lim_{x\to\infty}h(x)=1$이므로

$\lim_{x\to\infty}\frac{g(x)}{f(x)}=\lim_{x\to\infty}\frac{h(x)-f(x)}{3f(x)}=\lim_{x\to\infty}\frac{h(x)}{3f(x)}-\lim_{x\to\infty}\frac{f(x)}{3f(x)}$

$=0-\frac{1}{3}=-\frac{1}{3}$

따라서 $\lim_{x\to\infty}\frac{f(x)+9g(x)}{f(x)-g(x)}=\lim_{x\to\infty}\frac{1+9\cdot\frac{g(x)}{f(x)}}{1-\frac{g(x)}{f(x)}}=-\frac{3}{2}$

(2) 두 함수 $f(x)$, $g(x)$가

$$\lim_{x\to\infty} g(x)=\infty,\ \lim_{x\to\infty}\{f(x)-3g(x)\}=1$$

을 만족시킬 때, $\lim_{x\to\infty}\frac{2f(x)+g(x)}{-3f(x)+2g(x)}$의 값을 구하여라.

STEP A $\lim_{x\to\infty}\frac{f(x)-3g(x)}{g(x)}=0$**임을 이용하여** $\lim_{x\to\infty}\frac{f(x)}{g(x)}$**의 값 구하기**

$\lim_{x\to\infty} g(x)=\infty$, $\lim_{x\to\infty}\{f(x)-3g(x)\}=1$이므로

$\lim_{x\to\infty}\frac{f(x)-3g(x)}{g(x)}=0$ ← $\lim_{x\to\infty}\frac{1}{g(x)}=0$

$\lim_{x\to\infty}\frac{f(x)-3g(x)}{g(x)}=\lim_{x\to\infty}\left\{\frac{f(x)}{g(x)}-3\right\}=0$

$\therefore \lim_{x\to\infty}\frac{f(x)}{g(x)}=3$ …… ㉠

STEP B $\lim_{x\to\infty}\frac{f(x)}{g(x)}$**의 값을 이용하여 극한값을 계산하기**

따라서 $\lim_{x\to\infty}\frac{2f(x)+g(x)}{-3f(x)+2g(x)}$의 분모, 분자를 $g(x)$로 나누면

$$\lim_{x\to\infty}\frac{2f(x)+g(x)}{-3f(x)+2g(x)}=\lim_{x\to\infty}\frac{2\cdot\frac{f(x)}{g(x)}+1}{-3\cdot\frac{f(x)}{g(x)}+2}=\frac{2\cdot3+1}{-3\cdot3+2}=-1$$

다른풀이 $f(x)-3g(x)=h(x)$의 값을 이용하여 극한값 풀이하기

$f(x)-3g(x)=h(x)$라고 하면

$f(x)=3g(x)+h(x)$

이때 $\lim_{x\to\infty} h(x)=1$이므로 $\lim_{x\to\infty}\frac{h(x)}{g(x)}=0$ ← $\lim_{x\to\infty}\frac{1}{g(x)}=0$

$$\text{따라서 }\lim_{x\to\infty}\frac{2f(x)+g(x)}{-3f(x)+2g(x)}=\lim_{x\to\infty}\frac{2\{3g(x)+h(x)\}+g(x)}{-3\{3g(x)+h(x)\}+2g(x)}$$
$$=\lim_{x\to\infty}\frac{7g(x)+2h(x)}{-7g(x)-3h(x)}$$
$$=\lim_{x\to\infty}\frac{7+2\cdot\frac{h(x)}{g(x)}}{-7-3\cdot\frac{h(x)}{g(x)}}$$
$$=\frac{7}{-7}$$
$$=-1$$

(3) 두 함수 $f(x)$, $g(x)$가 다음 조건을 모두 만족시킨다.

(가) $\lim_{x\to\infty} f(x)=\infty$

(나) $\lim_{x\to\infty}\{2f(x)-g(x)\}=5$

$\lim_{x\to\infty}\frac{3f(x)+g(x)}{9f(x)-4g(x)}$의 값을 구하여라.

STEP A $\lim_{x\to\infty}\frac{2f(x)-g(x)}{f(x)}=0$**임을 이용하여** $\lim_{x\to\infty}\frac{g(x)}{f(x)}$**의 값 구하기**

$\lim_{x\to\infty} f(x)=\infty$, $\lim_{x\to\infty}\{2f(x)-g(x)\}=5$이므로

$\lim_{x\to\infty}\frac{2f(x)-g(x)}{f(x)}=0$ ← $\lim_{x\to\infty}\frac{1}{f(x)}=0$

이때 $\lim_{x\to\infty}\frac{2f(x)-g(x)}{f(x)}=\lim_{x\to\infty}\left\{2-\frac{g(x)}{f(x)}\right\}=0$이므로

$\lim_{x\to\infty}\frac{g(x)}{f(x)}=2$

STEP B $\lim_{x\to\infty}\frac{g(x)}{f(x)}$**의 값을 이용하여 극한값을 계산하기**

따라서 $\lim_{x\to\infty}\frac{3f(x)+g(x)}{9f(x)-4g(x)}$의 분모, 분자를 $f(x)$로 나누면

$$\lim_{x\to\infty}\frac{3f(x)+g(x)}{9f(x)-4g(x)}=\lim_{x\to\infty}\frac{3+\frac{g(x)}{f(x)}}{9-4\cdot\frac{g(x)}{f(x)}}=\frac{3+2}{9-4\cdot2}=5$$

다른풀이 $2f(x)-g(x)=h(x)$의 값을 이용하여 극한값 풀이하기

$2f(x)-g(x)=h(x)$라고 하면

$g(x)=2f(x)-h(x)$

이때 $\lim_{x\to\infty} h(x)=5$이므로 $\lim_{x\to\infty}\frac{h(x)}{f(x)}=0$ ← $\lim_{x\to\infty}\frac{1}{f(x)}=0$

$$\lim_{x\to\infty}\frac{3f(x)+g(x)}{9f(x)-4g(x)}=\lim_{x\to\infty}\frac{3f(x)+\{2f(x)-h(x)\}}{9f(x)-4\{2f(x)-h(x)\}}$$
$$=\lim_{x\to\infty}\frac{5f(x)-h(x)}{f(x)+4h(x)}$$
$$=\lim_{x\to\infty}\frac{5-\frac{h(x)}{f(x)}}{1+4\cdot\frac{h(x)}{f(x)}}=5$$

0066

다음 물음에 답하여라.

(1) 함수 $f(x)=x^2+ax$가 $\lim_{x\to0}\frac{f(x)}{x}=4$를 만족시킬 때, 상수 a의 값은?

① 4 ② 5 ③ 6
④ 7 ⑤ 8

STEP A 분자를 인수분해한 후, 약분하여 극한값 구하기

$\lim_{x\to0}\frac{f(x)}{x}=\lim_{x\to0}\frac{x^2+ax}{x}=\lim_{x\to0}\frac{x(x+a)}{x}=\lim_{x\to0}(x+a)=a$

따라서 $\lim_{x\to0}\frac{f(x)}{x}=4$이므로 $a=4$

(2) 함수 $f(x)=x^2-ax$에 대하여 $\lim_{x\to0}\frac{f(x)}{x}=-2$일 때, $\lim_{x\to\infty}\frac{ax^3+2f(x)}{xf(x)}$의 값은?

① 1 ② 2 ③ 3
④ 4 ⑤ 5

STEP A $\lim_{x\to0}\frac{f(x)}{x}=-2$**를 이용하여** a**의 값 구하기**

$\lim_{x\to0}\frac{f(x)}{x}=\lim_{x\to0}\frac{x^2-ax}{x}=\lim_{x\to0}(x-a)=-a=-2$

$\therefore a=2$

STEP B 주어진 식의 값 구하기

$$\text{따라서 }\lim_{x\to\infty}\frac{ax^3+2f(x)}{xf(x)}=\lim_{x\to\infty}\frac{2x^3+2(x^2-2x)}{x(x^2-2x)}$$
$$=\lim_{x\to\infty}\frac{2x^3+2x^2-4x}{x^3-2x^2}$$ ← 분모, 분자를 x^3로 나눈다.
$$=\lim_{x\to\infty}\frac{2+\frac{2}{x}-\frac{4}{x^2}}{1-\frac{2}{x}}$$ ← $\lim_{x\to\infty}\frac{1}{x}=0$, $\lim_{x\to\infty}\frac{1}{x^2}=0$
$$=2$$

0067

다음 물음에 답하여라.

(1) 모든 양수 x에 대하여 함수 $f(x)$가 $\frac{2x-3}{x}<f(x)<\frac{2x^2+x}{x^2}$를 만족시킬 때, $\lim_{x\to\infty}f(x)$의 값은?

① -2 ② -1 ③ 0 ④ 1 ⑤ 2

STEP Ⓐ $\lim_{x\to\infty}\frac{2x-3}{x}$, $\lim_{x\to\infty}\frac{2x^2+x}{x^2}$의 값 구하기

모든 양수 x에 대하여

$\frac{2x-3}{x}<f(x)<\frac{2x^2+x}{x^2}$를 만족시키고

$\lim_{x\to\infty}\frac{2x-3}{x}=2$, $\lim_{x\to\infty}\frac{2x^2+x}{x^2}=2$이므로 $2\le\lim_{x\to\infty}f(x)\le 2$

STEP Ⓑ 함수의 극한의 대소 관계를 이용하여 구하기

따라서 함수의 극한의 대소 관계에 의하여 $\lim_{x\to\infty}f(x)=2$

(2) 함수 $f(x)$가 모든 양수 x에 대하여 $2x+1<f(x)<2x+3$을 만족시킬 때, $\lim_{x\to\infty}\frac{\{f(x)\}^2}{2x^2+1}$의 값은?

① -4 ② -2 ③ 0 ④ 2 ⑤ 4

STEP Ⓐ 주어진 부등식을 변형하여 극한값 구하기

x가 양수이므로 주어진 부등식의 각 변을 제곱한 후, $2x^2+1$로 나누면

$\frac{(2x+1)^2}{2x^2+1}<\frac{\{f(x)\}^2}{2x^2+1}<\frac{(2x+3)^2}{2x^2+1}$이고

$\lim_{x\to\infty}\frac{(2x+1)^2}{2x^2+1}=2$, $\lim_{x\to\infty}\frac{(2x+3)^2}{2x^2+1}=2$

STEP Ⓑ 함수의 극한의 대소 관계를 이용하여 구하기

함수의 극한의 대소 관계에 의하여 $2\le\lim_{x\to\infty}\frac{\{f(x)\}^2}{2x^2+1}\le 2$

따라서 $\lim_{x\to\infty}\frac{\{f(x)\}^2}{2x^2+1}=2$

0068

이차함수 $f(x)=2x^2-4x+5$의 그래프를 y축의 방향으로 a만큼 평행이동시킨 이차함수 $y=g(x)$의 그래프에 대하여 $y=f(x)$와 $y=g(x)$의 그래프 사이에 $y=h(x)$의 그래프가 존재할 때, $\lim_{x\to\infty}\frac{h(x)}{x^2}$의 값을 구하여라. (단, a는 양수)

STEP Ⓐ $y=f(x)$와 $y=g(x)$의 그래프 사이에 $y=h(x)$의 그래프가 존재하는 부등식 구하기

이차함수 $y=g(x)$의 그래프는 이차함수 $f(x)=2x^2-4x+5$의 그래프를 y축의 방향으로 a만큼 평행이동시킨 것이므로 $g(x)=2x^2-4x+5+a$

$y=g(x)$의 그래프에 대하여 $y=f(x)$와 $y=g(x)$의 그래프 사이에 $y=h(x)$의 그래프가 존재하므로

$2x^2-4x+5<h(x)<2x^2-4x+5+a$에서 $x\to\infty$이므로

양변을 $x^2>0$으로 나눈다.

$\frac{2x^2-4x+5}{x^2}<\frac{h(x)}{x^2}<\frac{2x^2-4x+5+a}{x^2}$

STEP Ⓑ 함수의 극한의 대소 관계를 이용하여 구하기

따라서 $\lim_{x\to\infty}\frac{2x^2-4x+5}{x^2}=2$, $\lim_{x\to\infty}\frac{2x^2-4x+5+a}{x^2}=2$이므로

함수의 극한의 대소 관계에 의하여 $\lim_{x\to\infty}\frac{h(x)}{x^2}=2$

0069

다음 물음에 답하여라.

(1) 두 상수 a, b가 $\lim_{x\to 2}\frac{x^2-(a+2)x+2a}{x^2-b}=3$을 만족시킬 때, $a+b$의 값은?

① -6 ② -4 ③ -2 ④ 0 ⑤ 2

STEP Ⓐ 극한값이 존재하고 (분자)→0이므로 (분모)→0임을 이용하기

$\lim_{x\to 2}\frac{x^2-(a+2)x+2a}{x^2-b}=3$에서 $x\to 2$일 때,

(분자)→0이고 0이 아닌 극한값이 존재하므로 (분모)→0이어야 한다.

$\lim_{x\to 2}(x^2-b)=0$이므로 $4-b=0$

$\therefore b=4$

STEP Ⓑ 분자 분모를 인수분해한 후, 약분하여 극한값 구하기

$$\lim_{x\to 2}\frac{x^2-(a+2)x+2a}{x^2-4}=\lim_{x\to 2}\frac{(x-2)(x-a)}{(x-2)(x+2)}=\lim_{x\to 2}\frac{x-a}{x+2}=\frac{2-a}{2+2}=3$$

$\therefore a=-10$

따라서 $a+b=-10+4=-6$

(2) $\lim_{x\to a}\frac{x-a}{x^2+2x-3}=b$일 때, $a+b$의 값은? (단, $b>0$이고 a, b는 상수이다.)

① $\frac{5}{4}$ ② $\frac{7}{4}$ ③ $\frac{9}{4}$ ④ $\frac{11}{4}$ ⑤ $\frac{13}{4}$

STEP Ⓐ 극한값이 존재하고 (분자)→0이므로 (분모)→0임을 이용하기

$\lim_{x\to a}\frac{x-a}{x^2+2x-3}=b\,(b>0)$에서

$x\to a$일 때, (분자)→0이고 극한값이 존재하므로 (분모)→0이어야 한다.

즉 $\lim_{x\to a}(x^2+2x-3)=0$이므로

$a^2+2a-3=0$, $(a+3)(a-1)=0$

$\therefore a=-3$ 또는 $a=1$

STEP Ⓑ 분모를 인수분해한 후, 약분하여 극한값 구하기

(ⅰ) $a=-3$일 때,

$$\lim_{x\to -3}\frac{x+3}{x^2+2x-3}=\lim_{x\to -3}\frac{x+3}{(x+3)(x-1)}=\lim_{x\to -3}\frac{1}{x-1}=-\frac{1}{4}$$

이므로 $b=-\frac{1}{4}<0$이 되어 모순이다.

(ⅱ) $a=1$일 때,

$$\lim_{x\to 1}\frac{x-1}{x^2+2x-3}=\lim_{x\to 1}\frac{x-1}{(x+3)(x-1)}=\lim_{x\to 1}\frac{1}{x+3}=\frac{1}{4}$$

이므로 $b=\frac{1}{4}$

(ⅰ), (ⅱ)에 의하여 $a=1$, $b=\frac{1}{4}$이므로 $a+b=\frac{5}{4}$

0070

다음 물음에 답하여라.

(1) 두 상수 a, b에 대하여 $\lim_{x\to3}\frac{x^2-4x+a}{\sqrt{x+1}-2}=b$일 때, $a+b$의 값은?

① 3 ② 5 ③ 7
④ 9 ⑤ 11

STEP A 극한값이 존재하고 (분모)→0이므로 (분자)→0임을 이용하기

$\lim_{x\to3}\frac{x^2-4x+a}{\sqrt{x+1}-2}=b$에서

$x\to3$일 때, (분모)→0이고 극한값이 존재하므로 (분자)→0이어야 한다.

즉 $\lim_{x\to3}(x^2-4x+a)=0$이므로 $9-12+a=0$ $\therefore a=3$

STEP B 분모를 유리화하고 약분하여 극한값 구하기

$$\begin{aligned}\lim_{x\to3}\frac{x^2-4x+3}{\sqrt{x+1}-2}&=\lim_{x\to3}\frac{(x-3)(x-1)(\sqrt{x+1}+2)}{(\sqrt{x+1}-2)(\sqrt{x+1}+2)}\\&=\lim_{x\to3}\frac{(x-3)(x-1)(\sqrt{x+1}+2)}{x-3}\\&=\lim_{x\to3}(x-1)(\sqrt{x+1}+2)\\&=8\end{aligned}$$

$\therefore b=8$

따라서 $a+b=11$

(2) 두 상수 a, b에 대하여 $\lim_{x\to1}\frac{\sqrt{2x+a}-\sqrt{x+3}}{x^2-1}=b$일 때, ab의 값은?

① 16 ② 4 ③ 1
④ $\frac{1}{4}$ ⑤ $\frac{1}{16}$

STEP A 극한값이 존재하고 (분모)→0이므로 (분자)→0임을 이용하기

$\lim_{x\to1}\frac{\sqrt{2x+a}-\sqrt{x+3}}{x^2-1}=b$에서

$x\to1$일 때, (분모)→0이고 극한값이 존재하므로 (분자)→0이어야 한다.

$\lim_{x\to1}(\sqrt{2x+a}-\sqrt{x+3})=0$이므로 $\sqrt{2+a}-\sqrt{1+3}=0$ $\therefore a=2$

STEP B 분자를 유리화하고 약분하여 극한값 구하기

$$\begin{aligned}(\text{준식})&=\lim_{x\to1}\frac{(\sqrt{2x+2}-\sqrt{x+3})(\sqrt{2x+2}+\sqrt{x+3})}{(x^2-1)(\sqrt{2x+2}+\sqrt{x+3})}\\&=\lim_{x\to1}\frac{x-1}{(x^2-1)(\sqrt{2x+2}+\sqrt{x+3})}\\&=\lim_{x\to1}\frac{1}{(x+1)(\sqrt{2x+2}+\sqrt{x+3})}=\frac{1}{8}=b\end{aligned}$$

따라서 $ab=2\times\frac{1}{8}=\frac{1}{4}$

0071

다음 물음에 답하여라.

(1) 함수 $f(x)$에 대하여 $\lim_{x\to9}f(x)=3$일 때, 극한값 $\lim_{x\to9}\frac{(x-9)f(x)}{\sqrt{x}-3}$의 값은?

① 10 ② 12 ③ 14
④ 16 ⑤ 18

STEP A 분모를 유리화하여 공통인수를 약분하여 극한값 구하기

$$\begin{aligned}\lim_{x\to9}\frac{(x-9)f(x)}{\sqrt{x}-3}&=\lim_{x\to9}\frac{(x-9)f(x)(\sqrt{x}+3)}{(\sqrt{x}-3)(\sqrt{x}+3)}=\lim_{x\to9}\frac{(x-9)f(x)(\sqrt{x}+3)}{x-9}\\&=\lim_{x\to9}(\sqrt{x}+3)f(x)\\&=6\times3=18\end{aligned}$$

(2) 함수 $f(x)$가 $\lim_{x\to0}\left\{\frac{f(x)}{x}+1\right\}=0$을 만족시킬 때,

$\lim_{x\to0}\frac{f(x)-5x}{2f(x)+3x}$의 값은?

① -8 ② -6 ③ -4
④ -2 ⑤ 0

STEP A 함수의 극한의 성질을 이용하여 $\lim_{x\to0}\frac{f(x)}{x}$의 값 구하기

$\lim_{x\to0}\left\{\frac{f(x)}{x}+1\right\}=0$이므로

$$\begin{aligned}\lim_{x\to0}\frac{f(x)}{x}&=\lim_{x\to0}\left[\left\{\frac{f(x)}{x}+1\right\}-1\right]\\&=\lim_{x\to0}\left\{\frac{f(x)}{x}+1\right\}-\lim_{x\to0}1\\&=0-1\\&=-1\end{aligned}$$

STEP B 구하는 식의 분모, 분자를 x로 나누어 극한값 구하기

따라서 $\lim_{x\to0}\frac{f(x)-5x}{2f(x)+3x}=\lim_{x\to0}\frac{\frac{f(x)}{x}-5}{2\cdot\frac{f(x)}{x}+3}$ ← 분모, 분자를 x로 나눈다.

$$\begin{aligned}&=\frac{\lim_{x\to0}\left\{\frac{f(x)}{x}-5\right\}}{\lim_{x\to0}\left\{2\cdot\frac{f(x)}{x}+3\right\}}\\&=\frac{\lim_{x\to0}\frac{f(x)}{x}-\lim_{x\to0}5}{2\lim_{x\to0}\frac{f(x)}{x}+\lim_{x\to0}3}\\&=\frac{-1-5}{2\cdot(-1)+3}\\&=-6\end{aligned}$$

0072

서로 다른 두 실수 α, β에 대하여 $\alpha+\beta=1$일 때,

$\lim_{x\to\infty}\frac{\sqrt{x+\alpha^2}-\sqrt{x+\beta^2}}{\sqrt{4x+\alpha}-\sqrt{4x+\beta}}$의 값은?

① 1 ② $\frac{1}{2}$ ③ 2
④ $\frac{1}{4}$ ⑤ 4

STEP A 분모, 분자를 유리화하고 약분하여 극한값 구하기

분모, 분자에 서로 무리수가 있으므로 유리화를 시키면

$$\begin{aligned}&\lim_{x\to\infty}\frac{\sqrt{x+\alpha^2}-\sqrt{x+\beta^2}}{\sqrt{4x+\alpha}-\sqrt{4x+\beta}}\\&=\lim_{x\to\infty}\left\{\frac{(\sqrt{x+\alpha^2}-\sqrt{x+\beta^2})}{(\sqrt{4x+\alpha}-\sqrt{4x+\beta})}\cdot\frac{(\sqrt{x+\alpha^2}+\sqrt{x+\beta^2})}{(\sqrt{4x+\alpha}+\sqrt{4x+\beta})}\cdot\frac{(\sqrt{4x+\alpha}+\sqrt{4x+\beta})}{(\sqrt{x+\alpha^2}+\sqrt{x+\beta^2})}\right\}\\&=\lim_{x\to\infty}\frac{(\alpha^2-\beta^2)(\sqrt{4x+\alpha}+\sqrt{4x+\beta})}{(\alpha-\beta)(\sqrt{x+\alpha^2}+\sqrt{x+\beta^2})}\\&=(\alpha+\beta)\cdot\lim_{x\to\infty}\frac{\sqrt{4+\frac{\alpha}{x}}+\sqrt{4+\frac{\beta}{x}}}{\sqrt{1+\frac{\alpha^2}{x}}+\sqrt{1+\frac{\beta^2}{x}}}\\&=\frac{(\alpha+\beta)(\sqrt{4}+\sqrt{4})}{\sqrt{1}+\sqrt{1}}\\&=\frac{1\cdot4}{2}=2\end{aligned}$$

0073

$\lim_{x\to-\infty}\frac{\sqrt{x^2+1}-x}{2x+1}+\lim_{x\to-\infty}(\sqrt{x^2+x}+x)$의 값은?

① $-\frac{3}{2}$ ② -1 ③ $-\frac{1}{2}$
④ $\frac{1}{2}$ ⑤ $\frac{3}{2}$

STEP **A** $-x=t$로 치환하여 $\frac{\infty}{\infty}$ 극한값 구하기

$-x=t$로 놓으면 $x\to-\infty$일 때, $t\to\infty$이므로

$$\lim_{x\to-\infty}\frac{\sqrt{x^2+1}-x}{2x+1}=\lim_{t\to\infty}\frac{\sqrt{t^2+1}+t}{-2t+1}=\lim_{t\to\infty}\frac{\sqrt{1+\frac{1}{t^2}}+1}{-2+\frac{1}{t}}=-1$$

STEP **B** $-x=t$로 치환하여 $\infty-\infty$극한값 구하기

$$\lim_{x\to-\infty}(\sqrt{x^2+x}+x)=\lim_{t\to\infty}(\sqrt{t^2-t}-t)=\lim_{t\to\infty}\frac{-t}{\sqrt{t^2-t}+t}=\lim_{t\to\infty}\frac{-1}{\sqrt{1-\frac{1}{t}}+1}=-\frac{1}{2}$$

따라서 $\lim_{x\to-\infty}\frac{\sqrt{x^2+1}-x}{2x+1}+\lim_{x\to-\infty}(\sqrt{x^2+x}+x)=-1-\frac{1}{2}=-\frac{3}{2}$

0074

$\lim_{x\to a}\frac{x^2-a^2}{x-a}=8$, $\lim_{x\to\infty}(\sqrt{x^2+ax}-\sqrt{x^2+bx})=3$일 때,
상수 a, b에 대하여 $a+b$의 값은?

① 1 ② 2 ③ 3
④ 4 ⑤ 5

STEP **A** $\lim_{x\to a}\frac{x^2-a^2}{x-a}=8$를 만족하는 상수 a의 값 구하기

$\lim_{x\to a}\frac{x^2-a^2}{x-a}=8$에서

$$\lim_{x\to a}\frac{x^2-a^2}{x-a}=\lim_{x\to a}\frac{(x-a)(x+a)}{x-a}=\lim_{x\to a}(x+a)=2a$$

즉 $2a=8$이므로 $a=4$

STEP **B** $\lim_{x\to\infty}(\sqrt{x^2+ax}-\sqrt{x^2+bx})=3$를 만족하는 상수 b의 값 구하기

$$\lim_{x\to\infty}(\sqrt{x^2+ax}-\sqrt{x^2+bx})=\lim_{x\to\infty}(\sqrt{x^2+4x}-\sqrt{x^2+bx})=\lim_{x\to\infty}\frac{(x^2+4x)-(x^2+bx)}{\sqrt{x^2+4x}+\sqrt{x^2+bx}}=\lim_{x\to\infty}\frac{4-b}{\sqrt{1+\frac{4}{x}}+\sqrt{1+\frac{b}{x}}}=\frac{4-b}{2}$$

즉 $\frac{4-b}{2}=3$이므로 $4-b=6$에서 $b=-2$

STEP **C** $a+b$의 값 구하기

따라서 $a=4$, $b=-2$이므로 $a+b=4+(-2)=2$

0075

곡선 $y=\sqrt{x}$ 위의 점 $(t, \sqrt{t})$에서 점 $(1, 0)$까지의 거리를 d_1,
점 $(2, 0)$까지의 거리를 d_2라 할 때, $\lim_{t\to\infty}(d_1-d_2)$의 값은?

① 1 ② $\frac{1}{2}$ ③ $\frac{1}{4}$
④ $\frac{1}{8}$ ⑤ 0

STEP **A** d_1, d_2를 각각 구하기

점 $(t, \sqrt{t})$에서 두 점 $(1, 0)$, $(2, 0)$까지 거리 d_1, d_2는

$d_1=\sqrt{(t-1)^2+(\sqrt{t})^2}=\sqrt{t^2-t+1}$

$d_2=\sqrt{(t-2)^2+(\sqrt{t})^2}=\sqrt{t^2-3t+4}$

STEP **B** $\lim_{t\to\infty}(d_1-d_2)$의 극한값 구하기

$$\lim_{t\to\infty}(d_1-d_2)=\lim_{t\to\infty}(\sqrt{t^2-t+1}-\sqrt{t^2-3t+4})=\lim_{t\to\infty}\frac{(\sqrt{t^2-t+1}-\sqrt{t^2-3t+4})(\sqrt{t^2-t+1}+\sqrt{t^2-3t+4})}{\sqrt{t^2-t+1}+\sqrt{t^2-3t+4}}$$

$$=\lim_{t\to\infty}\frac{2t-3}{\sqrt{t^2-t+1}+\sqrt{t^2-3t+4}}=\lim_{t\to\infty}\frac{2-\frac{3}{t}}{\sqrt{1-\frac{1}{t}+\frac{1}{t^2}}+\sqrt{1-\frac{3}{t}+\frac{4}{t^2}}}=\frac{2}{1+1}=1$$

0076

서술형

함수 $f(x)=\frac{x^2+x-2}{x-1}$의 그래프를 이용하여 $\lim_{x\to1}\frac{x^2+x-2}{x-1}$의 값을 구하는 과정을 다음 단계로 서술하여라.

[1단계] 함수 $f(x)=\frac{x^2+x-2}{x-1}$의 그래프를 그린다.

[2단계] $\lim_{x\to1}\frac{x^2+x-2}{x-1}$의 값을 구한다.

1단계 함수 $f(x)=\frac{x^2+x-2}{x-1}$의 그래프를 그린다. ◀ 50%

$f(x)=\frac{x^2+x-2}{x-1}$에서 $x\neq1$일 때,

$$f(x)=\frac{x^2+x-2}{x-1}=\frac{(x-1)(x+2)}{x-1}=x+2$$

이므로 함수 $y=f(x)$의 그래프는 다음 그림과 같다.

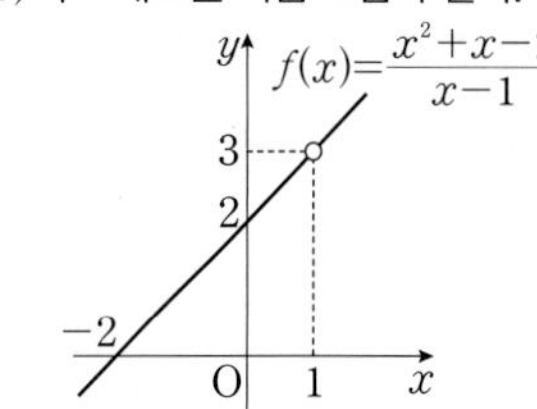

2단계 $\lim_{x\to1}\frac{x^2+x-2}{x-1}$의 값을 구한다. ◀ 50%

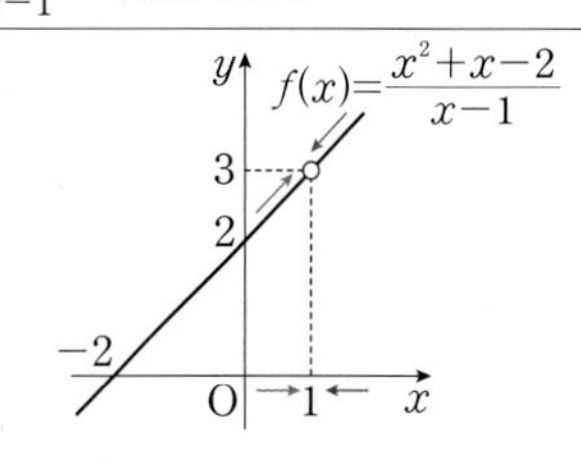

x가 1에 한없이 가까워질 때, $f(x)$의 값은 3에 한없이 가까워진다.

즉 $x\to1$일 때, $f(x)\to3$이므로 $\lim_{x\to1}\frac{x^2+x-2}{x-1}=3$

0077

서술형

함수 $f(x)=\frac{|x^2-4|}{x-2}$에 대하여 $\lim_{x\to 2}f(x)$의 값이 존재하는지 다음 단계로 서술하여라.

[1단계] x의 값의 범위를 나누어 함수 $f(x)$의 그래프를 그린다.
[2단계] 함수의 그래프를 이용하여 좌극한과 우극한을 구한다.
[3단계] 좌극한과 우극한이 같은지를 확인한다.

1단계 x의 값의 범위를 나누어 함수 $f(x)$의 그래프를 그린다. ◀ 50%

함수 $f(x)=\frac{|x^2-4|}{x-2}$에서

(ⅰ) $x\le -2$ 또는 $x>2$일 때, $x^2-4\ge 0$이므로

$$f(x)=\frac{|x^2-4|}{x-2}=\frac{x^2-4}{x-2}=\frac{(x-2)(x+2)}{x-2}=x+2$$

(ⅱ) $-2<x<2$일 때, $x^2-4<0$이므로

$$f(x)=\frac{|x^2-4|}{x-2}=\frac{-(x^2-4)}{x-2}=\frac{-(x-2)(x+2)}{x-2}=-x-2$$

(ⅰ), (ⅱ)에서 함수 $f(x)=\begin{cases}x+2 & (x\le -2 \text{ 또는 } x>2)\\ -x-2 & (-2<x<2)\end{cases}$이므로

함수 $y=f(x)$의 그래프는 다음 그림과 같다.

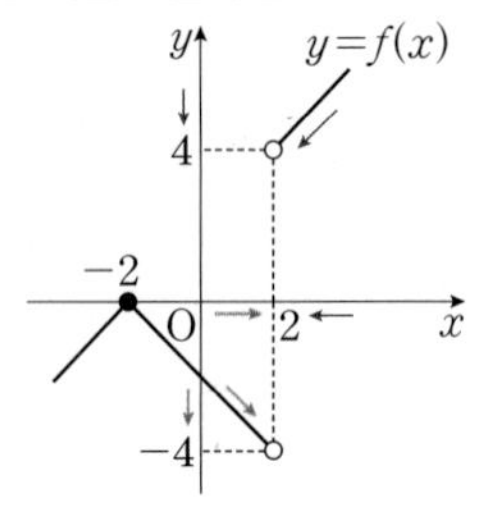

2단계 함수의 그래프를 이용하여 좌극한과 우극한을 구한다. ◀ 30%

$x\to 2-$일 때, $f(x)\to -4$이므로

$\lim_{x\to 2-}f(x)=\lim_{x\to 2-}(-x-2)=-4$

$x\to 2+$일 때, $f(x)\to 4$이므로

$\lim_{x\to 2+}f(x)=\lim_{x\to 2+}(x+2)=4$

3단계 좌극한과 우극한이 같은지를 확인한다. ◀ 20%

따라서 $\lim_{x\to 2-}f(x)\ne\lim_{x\to 2+}f(x)$이므로 $\lim_{x\to 2}f(x)$의 값은 존재하지 않는다.

0078

서술형

x보다 크지 않은 최대의 정수를 $[x]$로 나타낸다.
x의 값의 범위가 $-2\le x\le 3$일 때, 함수 $f(x)=[x]$의 그래프를 그리고 다음 극한값을 다음 단계로 서술하여라.

[1단계] $-2\le x\le 3$에서 $f(x)=[x]$의 그래프를 그린다.
[2단계] $\lim_{x\to -1+}f(x)$의 값을 구한다.
[3단계] $\lim_{x\to 3-}f(x)$의 값을 구한다.

1단계 $-2\le x\le 3$에서 $f(x)=[x]$의 그래프를 그린다. ◀ 60%

$-2\le x<-1$일 때, $f(x)=[x]=-2$
$-1\le x<0$일 때, $f(x)=[x]=-1$
$0\le x<1$일 때, $f(x)=[x]=0$
$1\le x<2$일 때, $f(x)=[x]=1$
$2\le x<3$일 때, $f(x)=[x]=2$
$x=3$일 때, $f(x)=[x]=3$
이므로 오른쪽 그림과 같다.

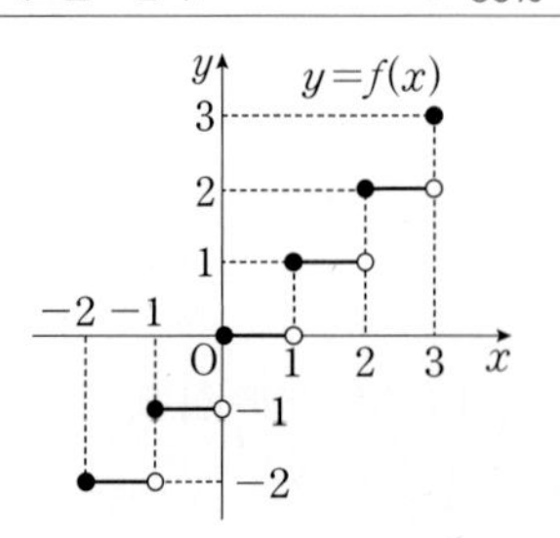

2단계 $\lim_{x\to -1+}f(x)$의 값을 구한다. ◀ 20%

$x\to -1+$일 때, $f(x)\to -1$이므로 $\lim_{x\to -1+}f(x)=-1$

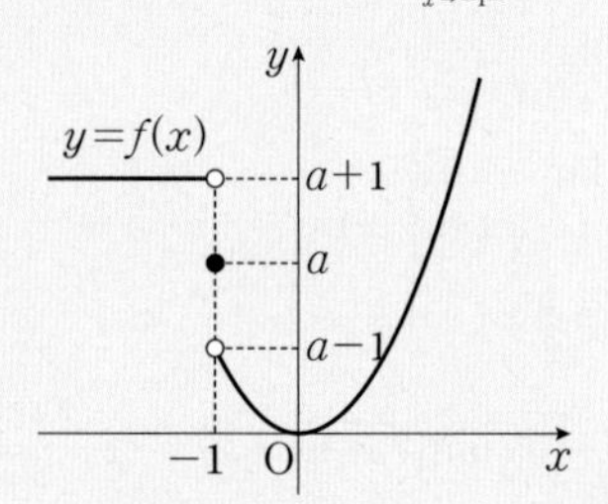

3단계 $\lim_{x\to 3-}f(x)$의 값을 구한다. ◀ 20%

따라서 $x\to 3-$일 때, $f(x)\to 2$이므로 $\lim_{x\to 3-}f(x)=2$

0079

서술형

함수 $y=f(x)$의 그래프는 다음 그림과 같고 $\lim_{x\to -1-}f(x)=3$이다.

$f(-1)+\lim_{x\to -1+}f(x)$의 값을 구하는 과정을 다음 단계로 서술하여라.

[1단계] 상수 a의 값을 구한다.
[2단계] $f(-1)+\lim_{x\to -1+}f(x)$의 값을 구한다.

1단계 상수 a의 값을 구한다. ◀ 50%

$\lim_{x\to -1-}f(x)=3$에서

$x=-1$에서 좌극한은 x의 값이 -1보다 작으면서 -1에 한없이 가까워지면 $f(x)$는 $a+1$에 가까워진다.

즉 $x\to -1-$일 때, $f(x)\to a+1$이므로 $a+1=3$

$\therefore a=2$

2단계 $f(-1)+\lim_{x\to -1+}f(x)$의 값을 구한다. ◀ 50%

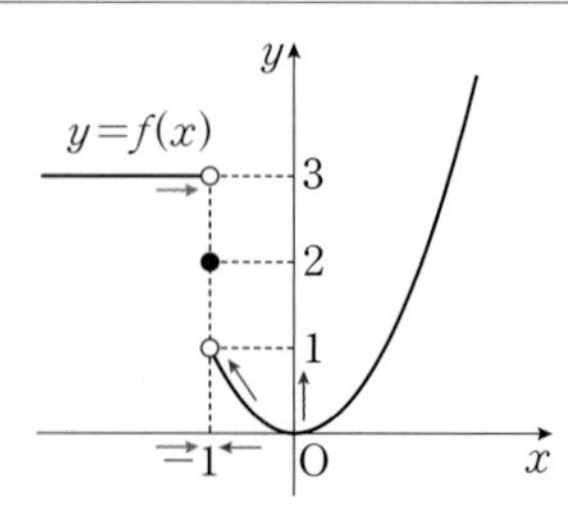

$f(-1)=2$이고 $x=-1$에서 우극한은 x의 값이 -1보다 크면서 -1에 한없이 가까워지면 $f(x)$는 1에 가까워진다.

$x\to -1+$일 때, $f(x)\to 1$이므로 $\lim_{x\to -1+}f(x)=1$

따라서 $f(-1)+\lim_{x\to -1+}f(x)=2+1=3$

NORMAL

0080

다음 물음에 답하여라.

(1) 삼차함수 $f(x)$가 $\lim_{x\to-1}\frac{f(x)}{x+1}=2$, $\lim_{x\to-2}\frac{f(x)}{x+2}=-1$을 만족할 때,

$f(0)$의 값은?

① 3 ② 4 ③ 5
④ 6 ⑤ 7

STEP Ⓐ 극한값이 존재하고 (분모)→0이므로 (분자)→0이어야 함을 이용하여 삼차함수 $f(x)$의 식 작성하기

$\lim_{x\to-1}\frac{f(x)}{x+1}=2$에서

$x\to-1$일 때, (분모)→0이고 극한값이 존재하므로 (분자)→0이어야 한다.

즉 $\lim_{x\to-1}f(x)=0$이므로 $f(-1)=0$ …… ㉠

$\lim_{x\to-2}\frac{f(x)}{x+2}=-1$에서

$x\to-2$일 때, (분모)→0이고 극한값이 존재하므로 (분자)→0이어야 한다.

즉 $\lim_{x\to-2}f(x)=0$이므로 $f(-2)=0$ …… ㉡

㉠, ㉡에서 $f(x)$는 $(x+1)(x+2)$를 인수로 갖는다.

$f(x)=(x+1)(x+2)(ax+b)$라고 하자.

STEP Ⓑ $\frac{0}{0}$꼴의 극한을 이용하여 삼차함수 $f(x)$ 구하기

$$\lim_{x\to-1}\frac{f(x)}{x+1}=\lim_{x\to-1}\frac{(x+1)(x+2)(ax+b)}{x+1}=\lim_{x\to-1}(x+2)(ax+b)=(-a+b)=2$$

$\therefore -a+b=2$ …… ㉢

$$\lim_{x\to-2}\frac{f(x)}{x+2}=\lim_{x\to-2}\frac{(x+1)(x+2)(ax+b)}{x+2}=\lim_{x\to-2}(x+1)(ax+b)=-(-2a+b)=-1$$

$\therefore -2a+b=1$ …… ㉣

㉢, ㉣을 연립하여 풀면 $a=1$, $b=3$

STEP Ⓒ $f(0)$의 값 구하기

따라서 $f(x)=(x+1)(x+2)(x+3)$이므로 $f(0)=6$

(2) $\lim_{x\to1}\frac{f(x)}{x-1}=-1$, $\lim_{x\to2}\frac{f(x)}{x-2}=5$를 만족시키는 다항식 $f(x)$ 중 차수가 가장 낮은 것을 $g(x)$라 할 때, $g(3)$의 값은?

① 14 ② 16 ③ 18
④ 20 ⑤ 22

STEP Ⓐ 극한값이 존재하고 (분모)→0이므로 (분자)→0이어야 함을 이용하여 함수 $f(x)$의 식 작성하기

$\lim_{x\to1}\frac{f(x)}{x-1}=-1$에서

$x\to1$일 때, (분모)→0이고 극한값이 존재하므로 (분자)→0이어야 한다.

즉 $\lim_{x\to1}f(x)=0$이므로 $f(1)=0$ …… ㉠

$\lim_{x\to2}\frac{f(x)}{x-2}=5$에서

$x\to2$일 때, (분모)→0이고 극한값이 존재하므로 (분자)→0이어야 한다.

즉 $\lim_{x\to2}f(x)=0$이므로 $f(2)=0$ …… ㉡

㉠, ㉡에서 $f(1)=0$, $f(2)=0$이므로

$f(x)=(x-1)(x-2)Q(x)$($Q(x)$는 다항식)로 놓을 수 있다.

STEP Ⓑ $\frac{0}{0}$꼴의 극한을 이용하여 함수 $f(x)$ 구하기

$$\lim_{x\to1}\frac{f(x)}{x-1}=\lim_{x\to1}\frac{(x-1)(x-2)Q(x)}{x-1}=\lim_{x\to1}(x-2)Q(x)=-1$$

$\therefore Q(1)=1$ …… ㉢

$$\lim_{x\to2}\frac{f(x)}{x-2}=\lim_{x\to2}\frac{(x-1)(x-2)Q(x)}{x-2}=\lim_{x\to2}(x-1)Q(x)=5$$

$\therefore Q(2)=5$ …… ㉣

이때 $Q(x)$의 차수가 가장 낮으면 $f(x)$의 차수도 낮아진다.

㉢, ㉣을 모두 만족시키는 다항식 $Q(x)$ 중 차수가 가장 낮은 것은

일차식이므로 $Q(x)=ax+b$ (a, b는 상수)로 놓으면

㉢, ㉣에서 $a+b=1$, $2a+b=5$

위의 식을 연립하여 풀면 $a=4$, $b=-3$

따라서 $g(x)=(x-1)(x-2)(4x-3)$이므로 $g(3)=2\cdot1\cdot9=18$

0081

다음 물음에 답하여라.

(1) 다항함수 $f(x)$가 다음 조건을 만족시킬 때, $f(2)$의 값을 구하여라.

(가) $\lim_{x\to\infty}\frac{f(x)-x^3}{3x}=2$ (나) $\lim_{x\to0}f(x)=-7$

STEP Ⓐ 조건 (가)를 이용하여 다항함수 $f(x)$의 식 세우기

조건 (가)에서 $\lim_{x\to\infty}\frac{f(x)-x^3}{3x}=2$이므로

$f(x)-x^3$은 최고차항의 계수가 6인 일차함수이다.

$f(x)-x^3=6x+b$ (b는 상수)로 놓으면 $f(x)=x^3+6x+b$

STEP Ⓑ $\lim_{x\to0}f(x)=-7$에 대입하여 $f(x)$ 구하기

조건 (나)에서 $\lim_{x\to0}f(x)=-7$이므로 $\lim_{x\to0}(x^3+6x+b)=b$

$\therefore b=-7$

STEP Ⓒ $f(2)$의 값 구하기

따라서 $f(x)=x^3+6x-7$이므로 $f(2)=2^3+6\cdot2-7=13$

(2) 다항함수 $f(x)$가 다음 조건을 만족시킬 때, $f(2)$의 값을 구하여라.

(가) $\lim_{x\to\infty}\frac{f(x)}{x^2}=2$ (나) $\lim_{x\to0}\frac{f(x)}{x}=3$

STEP Ⓐ 조건 (가)를 이용하여 함수 $f(x)$의 식 세우기

조건 (가)에서 0이 아닌 극한값이 존재할 때,

분자, 분모의 차수가 같으므로 다항함수 $f(x)$는

$f(x)=2x^2+ax+b$ (a, b는 상수)로 놓을 수 있다.

STEP Ⓑ 조건 (나)에서 극한값이 존재하고 (분모)→0이므로 (분자)→0임을 이용하기

조건 (나)에 의하여

$x\to0$일 때, (분모)→0이고 극한값이 존재하므로 (분자)→0이어야 한다.

즉 $\lim_{x\to0}(2x^2+ax+b)=0$이므로 $b=0$

이때 $\lim_{x\to0}\frac{2x^2+ax}{x}=\lim_{x\to0}(2x+a)=a=3$

STEP Ⓒ $f(2)$의 값 구하기

따라서 $f(x)=2x^2+3x$이므로 $f(2)=8+6=14$

0082

다음 물음에 답하여라.

(1) 다항함수 $f(x)$가 다음 조건을 만족시킬 때, $f(-1)$의 값을 구하여라.

(가) $\lim_{x \to \infty} \frac{f(x)-2x^3}{x^2+1}=1$ (나) $\lim_{x \to 1} \frac{f(x)}{x-1}=2$

STEP A 조건 (가)를 이용하여 다항함수 $f(x)$의 식 세우기

조건 (가)에서 $\lim_{x \to \infty} \frac{f(x)-2x^3}{x^2+1}=1$이므로

$f(x)-2x^3$은 최고차항의 계수가 1인 이차함수이어야 하므로

$f(x)-2x^3=x^2+ax+b$ (a, b는 상수)로 놓을 수 있다.

$\therefore f(x)=2x^3+x^2+ax+b$ …… ㉠

STEP B (분모)→ 0이고 극한값이 존재하면 (분자)→ 0임을 이용하기

조건 (나)에 의하여

$x \to 1$일 때, (분모)→ 0이고 극한값이 존재하므로 (분자)→ 0이어야 한다.

즉 $\lim_{x \to 1} f(x)=f(1)=0$이므로 $f(1)=2+1+a+b=0$

$\therefore b=-a-3$ …… ㉡

㉡을 ㉠에 대입하면

$f(x)=2x^3+x^2+ax+b$

$=2x^3+x^2+ax-a-3$

$=(x-1)(2x^2+3x+a+3)$

STEP C $\lim_{x \to 1} \frac{f(x)}{x-1}=2$에 대입하여 a, b 구하고 $f(-1)$의 값 구하기

$\lim_{x \to 1} \frac{f(x)}{x-1}=\lim_{x \to 1} \frac{(x-1)(2x^2+3x+a+3)}{x-1}=\lim_{x \to 1}(2x^2+3x+a+3)$

$=2+3+a+3=2$

$\therefore a=-6$

즉 $a=-6$을 ㉡에 대입하면 $b=3$

따라서 $f(x)=2x^3+x^2-6x+3$이므로 $f(-1)=-2+1+6+3=8$

(2) 다항함수 $f(x)$가 다음 조건을 만족시킬 때, $f(2)$의 값을 구하여라.

(가) $\lim_{x \to \infty} \frac{f(x)-x^3}{5x^2}=2$ (나) $\lim_{x \to -1} \frac{f(x)}{x+1}=-8$

STEP A 조건 (가)를 이용하여 다항함수 $f(x)$의 식 세우기

조건 (가)에서 $\lim_{x \to \infty} \frac{f(x)-x^3}{5x^2}=2$이므로

$f(x)-x^3$은 최고차항의 계수가 10인 이차함수이어야 하므로

$f(x)-x^3=10x^2+ax+b$ (a, b는 상수)로 놓을 수 있다.

$f(x)=x^3+10x^2+ax+b$ …… ㉠

STEP B (분모)→ 0이고 극한값이 존재하면 (분자)→ 0임을 이용하기

조건 (나)에서

$x \to -1$일 때, (분모)→ 0이고 극한값이 존재하므로 (분자)→ 0이어야 한다.

즉 $\lim_{x \to -1} f(x)=f(-1)=0$이므로 $f(-1)=-1+10-a+b=0$

$\therefore b=a-9$ …… ㉡

㉡을 ㉠에 대입하면

$f(x)=x^3+10x^2+ax+a-9=(x+1)(x^2+9x+a-9)$

STEP C $\lim_{x \to -1} \frac{f(x)}{x+1}$에 대입하여 a, b 구하고 $f(2)$의 값 구하기

$\lim_{x \to -1} \frac{f(x)}{x+1}=\lim_{x \to -1} \frac{(x+1)(x^2+9x+a-9)}{x+1}=\lim_{x \to -1}(x^2+9x+a-9)$

$=1-9+a-9=-8$

$\therefore a=9$

즉 $a=9$를 ㉡에 대입하면 $b=0$

따라서 $f(x)=x^3+10x^2+9x$이고 $f(2)=8+40+18=66$

0083

다항함수 $f(x)$가 다음 조건을 만족시킬 때, $f(1)$의 값을 구하여라.

(가) $\lim_{x \to \infty} \left\{ \frac{f(x)}{x^2}+1 \right\}=0$ (나) $\lim_{x \to 0} \frac{f(x)-3}{x^2}=-1$

① 1 ② 2 ③ 3
④ 4 ⑤ 5

STEP A 조건 (가)를 이용하여 다항함수 $f(x)$의 식 세우기

조건 (가)에서

$\lim_{x \to \infty} \frac{f(x)}{x^2}=-1$이므로 $f(x)$는 이차항의 계수가 -1인 이차함수이다.

$f(x)=-x^2+ax+b$ (a, b는 상수)로 놓을 수 있다.

STEP B (분모)→ 0이고 극한값이 존재하면 (분자)→ 0임을 이용하기

조건 (나)에서

$\lim_{x \to 0} \frac{f(x)-3}{x^2}=-1$이므로

$x \to 0$일 때, (분모)→ 0이고 극한값이 존재하므로 (분자)→ 0이어야 한다.

즉 $\lim_{x \to 0}\{f(x)-3\}=0$이므로

$f(0)-3=0$

$\therefore f(0)=b=3$ …… ㉠

STEP C a의 값을 구하고 $f(1)$의 값 구하기

㉠을 $f(x)$에 대입하면

$\lim_{x \to 0} \frac{f(x)-3}{x^2}=\lim_{x \to 0} \frac{-x^2+ax}{x^2}$

$=\lim_{x \to 0} \frac{-x+a}{x}$ ← 분모, 분자를 각각 x로 나눈다.

$\lim_{x \to 0} \frac{-x+a}{x}=-1$에서

$x \to 0$일 때, (분모)→ 0이고 극한값이 존재하므로 (분자)→ 0이어야 한다.

즉 $\lim_{x \to 0}(-x+a)=0$이므로

$a=0$

따라서 $f(x)=-x^2+3$이므로 $f(1)=-1+3=2$

0084

다음 물음에 답하여라.

(1) 다항함수 $f(x)$가 $\lim_{x \to \infty} \frac{f(x)}{x^3}=0$, $\lim_{x \to 0} \frac{f(x)}{x}=5$를 만족시킨다.

방정식 $f(x)=x$의 한 근이 -2일 때, $f(1)$의 값은?

① 6 ② 7 ③ 8
④ 9 ⑤ 10

STEP A $\lim_{x \to \infty} \frac{f(x)}{x^3}=0$에서 2차 이하의 다항함수 $f(x)$ 결정하기

$\lim_{x \to \infty} \frac{f(x)}{x^3}=0$에서

$f(x)$는 2차 이하의 다항함수이므로

$f(x)=ax^2+bx+c$ (단, a, b, c는 실수)

STEP B (분모)→ 0이고 극한값이 존재하면 (분자)→ 0임을 이용하기

$\lim_{x \to 0} \frac{f(x)}{x}=5$에서

$x \to 0$일 때, (분모)→ 0이고 극한값이 존재하므로 (분자)→ 0이어야 한다.

즉 $\lim_{x \to 0} f(x)=0$이므로 $f(0)=0$

$\therefore c=0$

$f(x)=ax^2+bx$

STEP C $\lim_{x\to 0}\frac{f(x)}{x}=5$에 대입하여 a, b 구하고 $f(1)$의 값 구하기

$\lim_{x\to 0}\frac{f(x)}{x}=\lim_{x\to 0}\frac{ax^2+bx}{x}=\lim_{x\to 0}(ax+b)=b$

$\therefore b=5$

이때 $f(x)=ax^2+5x$이고 방정식 $f(x)=x$

즉 $ax^2+5x=x$의 한 근이 $x=-2$이므로 $4a-10=-2$에서 $4a=8$

$\therefore a=2$

따라서 $f(x)=2x^2+5x$이므로 $f(1)=2+5=7$

(2) 다항함수 $f(x)$가 다음 조건을 만족시킬 때, $f(3)$의 값을 구하여라.

(가) $\lim_{x\to\infty}\frac{f(x)}{x^3}=0$

(나) $\lim_{x\to 1}\frac{f(x)}{x-1}=1$

(다) 방정식 $f(x)=2x$의 한 근이 2이다.

STEP A 조건 (가)에서 $f(x)$가 2차 이하의 다항함수임을 이해하기

조건 (가)에서

$\lim_{x\to\infty}\frac{f(x)}{x^3}=0$이므로 $f(x)$는 2차 이하의 다항함수이다.

STEP B (분모)→ 0이고 극한값이 존재하면 (분자)→ 0임을 이용하기

조건 (나)에서

$\lim_{x\to 1}\frac{f(x)}{x-1}=1$이므로

$x\to 1$일 때, (분모)→ 0이고 극한값이 존재하므로 (분자)→ 0이어야 한다.

즉 $\lim_{x\to 1}f(x)=0$이므로 $f(1)=0$

함수 $f(x)$는 2차 이하의 다항함수이고 $x-1$을 인수를 가지므로

$f(x)=(ax+b)(x-1)$ (단, a, b는 실수)로 놓을 수 있다.

조건 (나)에서

$\lim_{x\to 1}\frac{(ax+b)(x-1)}{x-1}=\lim_{x\to 1}(ax+b)=1$

$\therefore a+b=1$ …… ㉠

STEP C 조건 (다)에서 a, b의 관계식을 구하여 a, b 구한 후, $f(3)$의 값 구하기

조건 (다)에서 방정식 $f(x)=2x$의 한 근이 2이므로 $f(2)=4$

즉 $f(2)=(2a+b)(2-1)=4$

$\therefore 2a+b=4$ …… ㉡

㉠, ㉡을 연립하여 풀면 $a=3$, $b=-2$

따라서 $f(x)=(3x-2)(x-1)$이므로 $f(3)=7\cdot 2=14$

0085

다음 물음에 답하여라.

(1) 다항함수 $f(x)$가 다음 두 조건을 만족시킨다.

(가) $\lim_{x\to\infty}\frac{f(2x)}{4x^2}=3$ (나) $\lim_{x\to 1}\frac{f(x+1)}{x-1}=9$

$f(4)$의 값을 구하여라.

STEP A 조건 (가)에서 다항함수 $f(x)$의 식 작성하기

조건 (가)에서

$2x=t$로 놓으면 $\lim_{x\to\infty}\frac{f(2x)}{4x^2}=\lim_{t\to\infty}\frac{f(t)}{t^2}=3$이므로

$f(x)$는 최고차항의 계수가 3인 이차함수이다.

STEP B (분모)→ 0이고 극한값이 존재하면 (분자)→ 0임을 이용하기

조건 (나)에서

$x\to 1$일 때, (분모)→ 0이고 극한값이 존재하므로 (분자)→ 0이어야 한다.

즉 $\lim_{x\to 1}f(x+1)=f(2)=0$이므로

$f(x)=3(x-2)(x+a)$ (a는 상수)로 놓을 수 있다.

$$\lim_{x\to 1}\frac{f(x+1)}{x-1}=\lim_{x\to 1}\frac{3(x-1)(x+1+a)}{x-1}=\lim_{x\to 1}3(x+1+a)=3(2+a)$$

이므로 $3(2+a)=9$에서 $a=1$

따라서 $f(x)=3(x-2)(x+1)$이므로 $f(4)=3\times 2\times 5=30$

(2) 다항함수 $f(x)$가 다음 두 조건을 만족시킨다.

(가) $\lim_{x\to\infty}\frac{f(x)}{x^3}=0$ (나) $\lim_{x\to\infty}\left\{xf\left(\frac{1}{x}\right)\right\}=3$

$f(1)=5$일 때, $f(2)$의 값을 구하여라.

STEP A 조건 (가)에서 다항함수 $f(x)$의 식 작성하기

조건 (가)에서

$\lim_{x\to\infty}\frac{f(x)}{x^3}=0$이고 분모의 차수가 3이므로

다항함수 $f(x)$의 차수는 2 이하이다.

즉 $f(x)=ax^2+bx+c$ (a, b, c는 상수)로 놓을 수 있다.

STEP B 조건 (나)에서 $\frac{1}{x}=t$로 치환하여 $f(x)$ 구하기

조건 (나)에서

$\frac{1}{x}=t$로 놓으면 $x\to\infty$일 때, $t\to 0+$이므로

$\lim_{t\to 0+}\frac{f(t)}{t}=\lim_{t\to 0+}\frac{at^2+bt+c}{t}=3$

$t\to 0+$일 때, (분모)→ 0이고 극한값이 존재하므로 (분자)→ 0이어야 한다.

즉 $\lim_{t\to 0+}(at^2+bt+c)=0$이므로 $c=0$

이때 $\lim_{t\to 0+}\frac{f(t)}{t}=\lim_{t\to 0+}\frac{at^2+bt}{t}=\lim_{t\to 0+}(at+b)=b$이므로 $b=3$

$f(x)=ax^2+3x$이고 $f(1)=a+3=5$에서

$a=2$이므로 $f(x)=2x^2+3x$

따라서 $f(2)=8+6=14$

다른풀이 직접 함숫값을 대입하여 풀이하기

조건 (가)에서

$\lim_{x\to\infty}\frac{f(x)}{x^3}=0$이고 분모의 차수가 3이므로

다항함수 $f(x)$의 차수는 2 이하이다.

즉 $f(x)=ax^2+bx+c$ (a, b, c는 상수)로 놓을 수 있다.

조건 (나)에서

$$\lim_{x\to\infty}\left\{xf\left(\frac{1}{x}\right)\right\}=\lim_{x\to\infty}\left\{x\left(\frac{a}{x^2}+\frac{b}{x}+c\right)\right\}=\lim_{x\to\infty}\left(\frac{a}{x}+b+cx\right)=\lim_{x\to\infty}\frac{cx^2+bx+a}{x}=3$$

이므로 $c=0$, $b=3$

$f(x)=ax^2+3x$이고 $f(1)=a+3=5$에서

$a=2$이므로 $f(x)=2x^2+3x$

따라서 $f(2)=8+6=14$

0086

실수 전체의 집합에서 정의된 함수 $f(x)$가

$$2x^3-6x^2+4x \le f(x) \le x^4-2x^3+1$$

을 만족할 때, $\lim_{x\to1}\frac{f(x)}{x-1}$의 값은?

① -2 ② -1 ③ 0
④ 1 ⑤ 3

STEP A $x>1$, $x<1$으로 나누어 $\lim_{x\to1}\frac{f(x)}{x-1}$의 범위 구하기

(i) $x>1$일 때, 양변을 $x-1>0$으로 나누면

$$\frac{2x^3-6x^2+4x}{x-1} \le \frac{f(x)}{x-1} \le \frac{x^4-2x^3+1}{x-1} \text{이므로}$$

$$\frac{2x(x-1)(x-2)}{x-1} \le \frac{f(x)}{x-1} \le \frac{(x-1)(x^3-x^2-x-1)}{x-1}$$

$$2x(x-2) \le \frac{f(x)}{x-1} \le x^3-x^2-x-1$$

$$\lim_{x\to1+}2x(x-2) \le \lim_{x\to1+}\frac{f(x)}{x-1} \le \lim_{x\to1+}(x^3-x^2-x-1)$$

즉 $-2 \le \lim_{x\to1+}\frac{f(x)}{x-1} \le -2$이므로 함수의 극한의 대소관계에 의하여

$$\lim_{x\to1+}\frac{f(x)}{x-1}=-2$$

(ii) $x<1$일 때, 양변을 $x-1<0$으로 나누면

$$\frac{2x^3-6x^2+4x}{x-1} \ge \frac{f(x)}{x-1} \ge \frac{x^4-2x^3+1}{x-1} \text{이므로}$$

$$\frac{2x(x-1)(x-2)}{x-1} \ge \frac{f(x)}{x-1} \ge \frac{(x-1)(x^3-x^2-x-1)}{x-1}$$

$$2x(x-2) \ge \frac{f(x)}{x-1} \ge x^3-x^2-x-1$$

$$\lim_{x\to1-}2x(x-2) \ge \lim_{x\to1-}\frac{f(x)}{x-1} \ge \lim_{x\to1-}(x^3-x^2-x-1)$$

즉 $-2 \ge \lim_{x\to1-}\frac{f(x)}{x-1} \ge -2$이므로 함수의 극한의 대소관계에 의하여

$$\lim_{x\to1-}\frac{f(x)}{x-1}=-2$$

STEP B 함수의 극한의 대소 관계를 이용하여 구하기

(i), (ii)에서 $\lim_{x\to1+}\frac{f(x)}{x-1}=\lim_{x\to1-}\frac{f(x)}{x-1}=-2$이므로 $\lim_{x\to1}\frac{f(x)}{x-1}=-2$

0087

다음 물음에 답하여라.

(1) 다항함수 $f(x)$가 다음 조건을 만족시킬 때, $a+f(3)$의 값은? (단, a는 상수)

$$\lim_{x\to0+}\frac{xf\left(\frac{1}{x}\right)-1}{2-x}=3,\ \lim_{x\to2}\frac{f(x)}{x^2-3x+2}=a$$

① 8 ② 10 ③ 12
④ 14 ⑤ 16

STEP A 함수 $f(x)$의 차수 구하기

$\frac{1}{x}=t$로 놓으면 $x\to0+$일 때, $t\to\infty$이므로

$$\lim_{x\to0+}\frac{xf\left(\frac{1}{x}\right)-1}{2-x}=\lim_{t\to\infty}\frac{\frac{1}{t}f(t)-1}{2-\frac{1}{t}}=\lim_{t\to\infty}\frac{f(t)-t}{2t-1}=3$$

에서 $f(t)-t$는 일차항의 계수가 6인 일차식임을 알 수 있다.

STEP B (분모)$\to0$이고 극한값이 존재하면 (분자)$\to0$임을 이용하기

$f(t)-t=6t+b$ (b는 상수)라고 하면 $f(x)=7x+b$

$\lim_{x\to2}\frac{7x+b}{x^2-3x+2}=a$에서

$x\to2$일 때, (분모)$\to0$이고 극한값이 존재하므로 (분자)$\to0$이어야 한다.

즉 $\lim_{x\to2}(7x+b)=0$이므로 $14+b=0$ $\therefore b=-14$

$\therefore f(x)=7x-14$

$$\lim_{x\to2}\frac{7(x-2)}{x^2-3x+2}=\lim_{x\to2}\frac{7(x-2)}{(x-1)(x-2)}=7 \quad \therefore a=7$$

따라서 $a+f(3)=7+(21-14)=7+7=14$

(2) 최고차항의 계수가 양수인 다항함수 $f(x)$에 대하여

$$\lim_{x\to0+}\frac{xf\left(\frac{1}{x}\right)-2}{x-2}=-2,\ \lim_{x\to1}\frac{f(x)}{x^2-1}=a$$

일 때, $f(a)$의 값은? (단, a는 상수)

① 6 ② 9 ③ 12
④ 15 ⑤ 18

STEP A $\frac{1}{x}=t$로 치환하여 $f(t)$의 식 작성하기

$\frac{1}{x}=t$로 놓으면 $x\to0+$일 때, $t\to\infty$이므로

$$\lim_{x\to0+}\frac{xf\left(\frac{1}{x}\right)-2}{x-2}=\lim_{t\to\infty}\frac{\frac{1}{t}f(t)-2}{\frac{1}{t}-2}=\lim_{t\to\infty}\frac{f(t)-2t}{1-2t}=-2$$

즉 $f(t)$는 일차항의 계수가 6인 일차식이어야 한다. …… ㉠

STEP B (분모)$\to0$이고 극한값이 존재하므로 (분자)$\to0$임을 이용하여 a의 값 구하기

$\lim_{x\to1}\frac{f(x)}{x^2-1}=a$에서

$x\to1$일 때, (분모)$\to0$이고 극한값이 존재하므로 (분자)$\to0$이어야 한다.

즉 $\lim_{x\to1}f(x)=0$이므로 $f(1)=0$

㉠에서 $f(x)=6(x-1)$

$$\lim_{x\to1}\frac{f(x)}{x^2-1}=\lim_{x\to1}\frac{6(x-1)}{(x-1)(x+1)}=\lim_{x\to1}\frac{6}{x+1}=\frac{6}{2}=3$$

따라서 $a=3$이므로 $f(a)=f(3)=6\cdot2=12$

0088

실수 t에 대하여 직선 $y=t$가 함수 $y=|x^2-1|$의 그래프와 만나는 점의 개수를 $f(t)$라 할 때, $\lim_{t\to1-}f(t)$의 값은?

① 1 ② 2 ③ 3
④ 4 ⑤ 5

STEP A 절댓값 그래프와 $y=t$의 교점의 개수를 구하여 극한값 구하기

$y=|x^2-1|$의 그래프는 $y=x^2-1$의 그래프에서 $y<0$인 부분을 x축에 대하여 대칭이동한 것이므로 다음 그림과 같다.

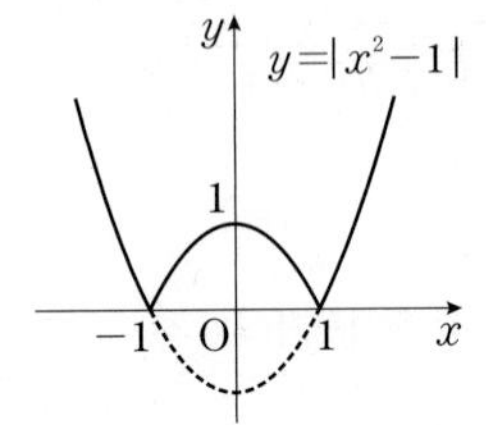

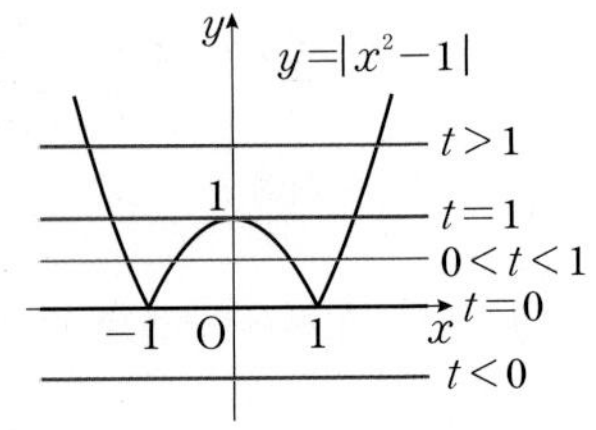

$t\to1-$일 때, 함수 $y=|x^2-1|$의 그래프와 직선 $y=t$는 서로 다른 네 점에서 만난다.

따라서 $\lim_{t\to1-}f(t)=4$

다른풀이 $y=|x^2-1|$의 그래프와 직선 $y=t$의 값에 따른 $f(t)$의 값 구하기

$f(t)$는 $y=|x^2-1|$의 그래프와 직선 $y=t$가 만나는 점의 개수이므로 위치에 따라 다음과 같은 함수가 만들어진다.

$$f(t)=\begin{cases} 0 & (t<0) \\ 2 & (t=0) \\ 4 & (0<t<1) \\ 3 & (t=1) \\ 2 & (t>1) \end{cases}$$

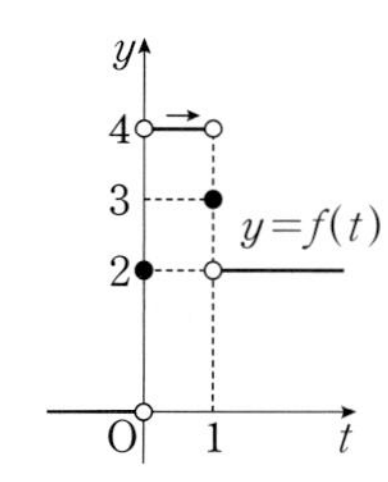

따라서 $y=f(t)$의 그래프는 오른쪽 그림과 같다.

$\therefore \lim_{t\to 1-} f(t)=4$

0089

오른쪽 그림과 같이 곡선 $y=x^2$ 위의 한 점 $\mathrm{P}(t, t^2)$과 세 점 $\mathrm{A}(2, 0)$, $\mathrm{B}(0, 4)$, $\mathrm{C}(2, 4)$가 있다. 삼각형 PBC와 삼각형 PCA의 넓이의 합을 $f(t)$라 할 때, $\lim_{t\to 2+}\frac{f(t)}{t-2}$의 값을 구하여라. (단, $t>2$)

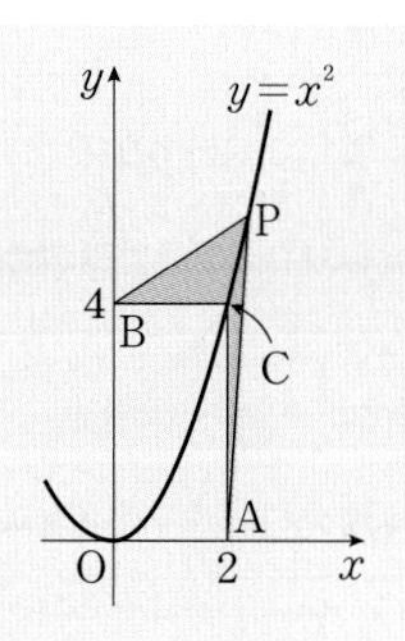

STEP **A** 삼각형 PBC와 삼각형 PCA의 넓이의 합 $f(t)$ 구하기

$f(t)=\triangle\mathrm{PBC}+\triangle\mathrm{PCA}$

$=\frac{1}{2}\cdot 2\cdot(t^2-4)+\frac{1}{2}\cdot 4\cdot(t-2)$

$=(t^2-4)+2(t-2)=t^2+2t-8$

STEP **B** 유리식을 인수분해하여 공통인수를 약분하여 극한값 구하기

따라서 $\lim_{t\to 2+}\frac{f(t)}{t-2}=\lim_{t\to 2+}\frac{t^2+2t-8}{t-2}=\lim_{t\to 2+}\frac{(t+4)(t-2)}{t-2}=\lim_{t\to 2+}(t+4)=6$

0090

오른쪽 그림과 같이 제 1사분면 위에 있는 점 A와 x축 위의 서로 다른 두 점 B, C를 꼭짓점으로 하고 $\overline{\mathrm{AB}}=\overline{\mathrm{AC}}$인 삼각형 ABC의 무게중심 G가 곡선 $y=\frac{1}{x}$ 위에 있다. 점 G의 x좌표가 t, 삼각형 ABC의 넓이가 $3t$일 때, 선분 BC의 길이를 $f(t)$라 하자. $\lim_{t\to 1}\frac{f(t)-2t}{t-1}$의 값을 구하여라.

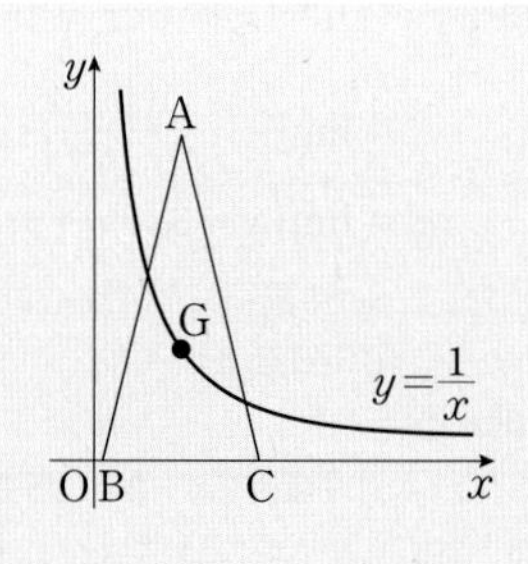

STEP **A** $x=t$일 때, 무게중심 G의 좌표와 점 A의 좌표 구하기

삼각형 ABC의 무게중심 G의 x좌표가 t일 때, $\mathrm{G}\left(t, \frac{1}{t}\right)$이므로 $\mathrm{A}\left(t, \frac{3}{t}\right)$

삼각형 ABC의 넓이가 $3t$이므로 $3t=\frac{1}{2}\cdot f(t)\cdot\frac{3}{t}$

$\therefore f(t)=2t^2$

STEP **B** $\lim_{t\to 1}\frac{f(t)-2t}{t-1}$의 값 구하기

따라서 $\lim_{t\to 1}\frac{f(t)-2t}{t-1}=\lim_{t\to 1}\frac{2t^2-2t}{t-1}=\lim_{t\to 1}\frac{2t(t-1)}{t-1}$

$=\lim_{t\to 1}2t=2$

0091

세 함수 $f(x)=\sqrt{x+2}$, $g(x)=-\sqrt{x-2}+2$, $h(x)=x$의 그래프가 다음 그림과 같다.

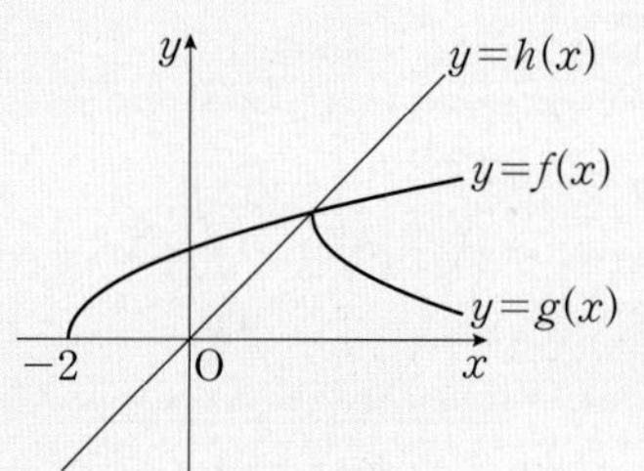

함수 $y=h(x)$의 그래프 위의 점 $\mathrm{P}(a, a)$를 지나고 x축에 평행한 직선이 함수 $y=f(x)$의 그래프와 만나는 점을 A, 함수 $y=g(x)$의 그래프와 만나는 점을 B라 하자.

점 B를 지나고 y축에 평행한 직선이 함수 $y=h(x)$의 그래프와 만나는 점을 C라 할 때, $\lim_{a\to 2-}\frac{\overline{\mathrm{BC}}}{\overline{\mathrm{AB}}}$의 값은? (단, $0<a<2$)

① $\frac{1}{5}$ ② $\frac{1}{4}$ ③ $\frac{1}{3}$
④ $\frac{1}{2}$ ⑤ 1

STEP **A** 점 $\mathrm{P}(a, a)$에서 그래프와 대응되는 각 점 A, B, C의 좌표를 구하여 선분 $\overline{\mathrm{AB}}$, $\overline{\mathrm{BC}}$의 길이 구하기

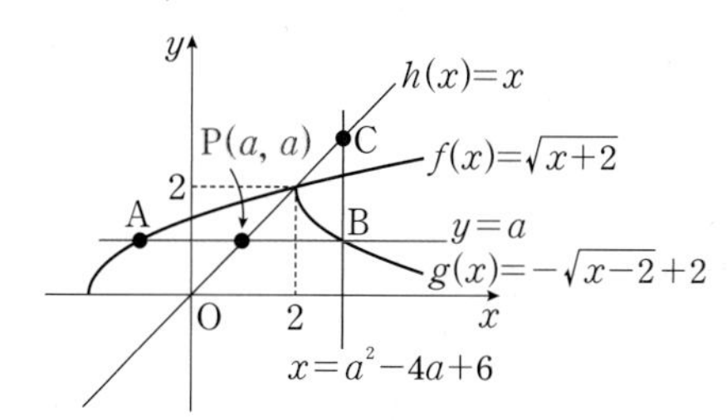

점 $\mathrm{P}(a, a)$를 지나고 x축에 평행한 직선 $y=a$와 두 함수 $f(x)=\sqrt{x+2}$, $g(x)=-\sqrt{x-2}+2$의 그래프가 만나는 점은 각각 $\mathrm{A}(a^2-2, a)$, $\mathrm{B}(a^2-4a+6, a)$

$\therefore \overline{\mathrm{AB}}=(a^2-4a+6)-(a^2-2)=-4a+8$

점 B를 지나고 y축에 평행한 직선 $x=a^2-4a+6$과 함수 $h(x)=x$의 그래프가 만나는 점은 $\mathrm{C}(a^2-4a+6, a^2-4a+6)$

$\therefore \overline{\mathrm{BC}}=(a^2-4a+6)-a=a^2-5a+6$

STEP **B** $\lim_{a\to 2-}\frac{\overline{\mathrm{BC}}}{\overline{\mathrm{AB}}}$의 값 구하기

따라서 $\lim_{a\to 2-}\frac{\overline{\mathrm{BC}}}{\overline{\mathrm{AB}}}=\lim_{a\to 2-}\frac{a^2-5a+6}{-4a+8}$

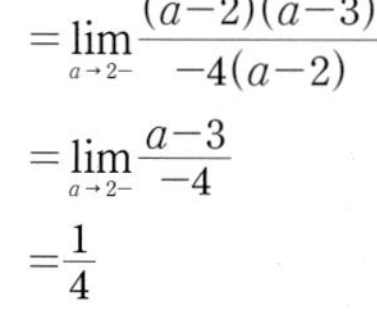

$=\lim_{a\to 2-}\frac{(a-2)(a-3)}{-4(a-2)}$

$=\lim_{a\to 2-}\frac{a-3}{-4}$

$=\frac{1}{4}$

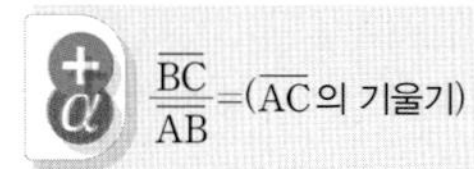

$+\alpha$ $\frac{\overline{\mathrm{BC}}}{\overline{\mathrm{AB}}}=(\overline{\mathrm{AC}}$의 기울기)

0092

서술형

다음 그림과 같이 곡선 $y=x^2$ 위의 점 $\mathrm{P}(t,\ t^2)$에 대하여 점 P를 지나고 직선 OP에 수직인 직선 l과 y축과의 교점을 A라고 할 때, 다음 단계로 서술하여라. (단, O는 원점이고, $t>0$이다.)

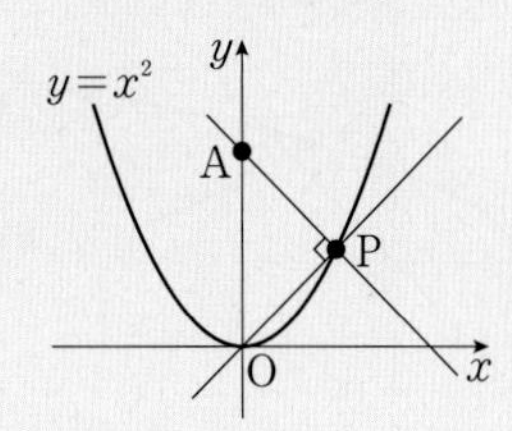

[1단계] 직선 l의 방정식을 구한다.

[2단계] 직선 l이 y축과 만나는 점 A에 대하여 $\lim_{t\to 0}\overline{\mathrm{OA}}$의 값을 구한다.

[3단계] $\lim_{t\to\infty}(\overline{\mathrm{OA}}-\overline{\mathrm{OP}})$의 값을 구한다.

1단계 직선 l의 방정식을 구한다. ◂ 40%

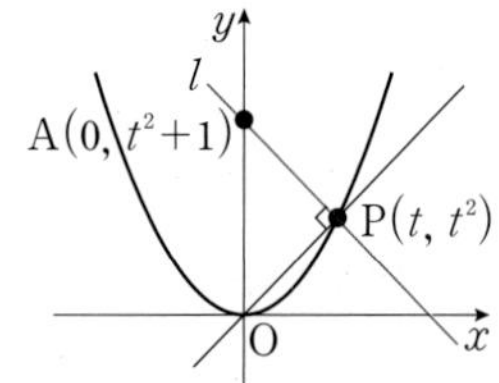

직선 OP의 기울기는 $\dfrac{t^2-0}{t-0}=t$이므로

직선 l은 기울기가 $-\dfrac{1}{t}$이고

점 $\mathrm{P}(t,\ t^2)$을 지나는 직선 l의 방정식은

$y-t^2=-\dfrac{1}{t}(x-t)$

$\therefore\ y=-\dfrac{1}{t}x+t^2+1$

2단계 직선 l이 y축과 만나는 점 A에 대하여 $\lim_{t\to 0}\overline{\mathrm{OA}}$의 값을 구한다. ◂ 20%

직선 l의 방정식에 $x=0$을 대입하면

$y=t^2+1$이므로 $\mathrm{A}(0,\ t^2+1)$

$\lim_{t\to 0}\overline{\mathrm{OA}}=\lim_{t\to 0}(t^2+1)=1$

3단계 $\lim_{t\to\infty}(\overline{\mathrm{OA}}-\overline{\mathrm{OP}})$의 값을 구한다. ◂ 40%

원점에서부터 점 P까지의 거리는 $\overline{\mathrm{OP}}=\sqrt{t^2+t^4}$

이때 점 A의 좌표는 $\mathrm{A}(0,\ t^2+1)$이므로

$$\begin{aligned}\lim_{t\to\infty}(\overline{\mathrm{OA}}-\overline{\mathrm{OP}})&=\lim_{t\to\infty}\{(t^2+1)-\sqrt{t^2+t^4}\}\\&=\lim_{t\to\infty}\{(t^2+1)-t\sqrt{1+t^2}\}\\&=\lim_{t\to\infty}\sqrt{1+t^2}(\sqrt{1+t^2}-t)\\&=\lim_{t\to\infty}\frac{\sqrt{1+t^2}(\sqrt{1+t^2}-t)(\sqrt{1+t^2}+t)}{\sqrt{1+t^2}+t}\\&=\lim_{t\to\infty}\frac{\sqrt{1+t^2}}{\sqrt{1+t^2}+t}\\&=\lim_{t\to\infty}\frac{\sqrt{\frac{1}{t^2}+1}}{\sqrt{\frac{1}{t^2}+1}+1}\\&=\frac{1}{2}\end{aligned}$$

0093

서술형

다항함수 $f(x)$가 $\lim_{x\to\infty}\dfrac{f(x)-x^3}{x^2+1}=2$, $\lim_{x\to 1}\dfrac{f(x)}{x-1}=6$을 만족시킬 때, $\lim_{x\to -1}\dfrac{f(x)}{x+1}$을 구하는 과정을 다음 단계로 서술하여라.

[1단계] $\lim_{x\to\infty}\dfrac{f(x)-x^3}{x^2+1}=2$에서 다항함수 $f(x)$의 차수를 구한다.

[2단계] $\lim_{x\to 1}\dfrac{f(x)}{x-1}=6$에서 $f(x)$가 $x-1$를 인수로 가짐을 보인다.

[3단계] 다항함수 $f(x)$를 구한다.

[4단계] $\lim_{x\to -1}\dfrac{f(x)}{x+1}$를 구한다.

1단계 $\lim_{x\to\infty}\dfrac{f(x)-x^3}{x^2+1}=2$에서 다항함수 $f(x)$의 차수를 구한다. ◂ 30%

$\lim_{x\to\infty}\dfrac{f(x)-x^3}{x^2+1}=2$에서

$f(x)-x^3$은 최고차항의 계수가 2인 이차다항식이다.

즉 $f(x)-x^3=2x^2+ax+b$ (단, a, b는 상수)로 놓으면

$f(x)=x^3+2x^2+ax+b$ …… ㉠

2단계 $\lim_{x\to 1}\dfrac{f(x)}{x-1}=6$에서 $f(x)$가 $x-1$를 인수로 가짐을 보인다. ◂ 20%

$\lim_{x\to 1}\dfrac{f(x)}{x-1}=6$에서

$x\to 1$일 때, (분모)$\to 0$이고 극한값이 존재하므로 (분자)$\to 0$이어야 한다.

즉 $\lim_{x\to 1}f(x)=0$이므로 $f(1)=0$

$f(x)$는 $x-1$을 인수로 갖는다.

㉠에서 $f(1)=1+2+a+b=0$

$\therefore\ b=-a-3$ …… ㉡

3단계 다항함수 $f(x)$를 구한다. ◂ 30%

㉡을 ㉠에 대입하면

$$\begin{aligned}f(x)&=x^3+2x^2+ax-a-3\\&=(x-1)(x^2+3x+a+3)\end{aligned}$$

$$\begin{aligned}\lim_{x\to 1}\frac{f(x)}{x-1}&=\lim_{x\to 1}\frac{x^3+2x^2+ax-a-3}{x-1}\\&=\lim_{x\to 1}\frac{(x-1)(x^2+3x+a+3)}{x-1}\\&=\lim_{x\to 1}(x^2+3x+a+3)\\&=7+a\end{aligned}$$

즉 $7+a=6$이므로 $a=-1$

㉡에서 $b=-2$

$$\begin{aligned}\therefore\ f(x)&=x^3+2x^2-x-2=(x-1)(x^2+3x+2)\\&=(x-1)(x+1)(x+2)\end{aligned}$$

4단계 $\lim_{x\to -1}\dfrac{f(x)}{x+1}$를 구한다. ◂ 20%

따라서
$$\begin{aligned}\lim_{x\to -1}\frac{f(x)}{x+1}&=\lim_{x\to -1}\frac{(x-1)(x+1)(x+2)}{x+1}\\&=\lim_{x\to -1}(x-1)(x+2)\\&=-2\end{aligned}$$

0094

서술형

삼차함수 $f(x)$가 $\lim_{x\to1}\frac{f(x)}{x-1}=-2$, $\lim_{x\to2}\frac{f(x)}{x-2}=3$을 만족할 때, $\lim_{x\to-1}\frac{f(x)}{x+1}$을 구하는 과정을 다음 단계로 서술하여라.

[1단계] (분모)→0이고 극한값이 존재하므로 (분자)→0이어야 함을 이용하여 삼차함수 $f(x)$의 식을 작성한다.

[2단계] [1단계]에서 정한 삼차함수 $f(x)$를 $\lim_{x\to1}\frac{f(x)}{x-1}=-2$, $\lim_{x\to2}\frac{f(x)}{x-2}=3$에 대입하여 삼차함수 $f(x)$를 구한다.

[3단계] $\lim_{x\to-1}\frac{f(x)}{x+1}$의 값을 구한다.

1단계 (분모)→0이고 극한값이 존재하므로 (분자)→0이어야 함을 이용하여 삼차함수 $f(x)$의 식을 작성한다. ◀ 40%

$\lim_{x\to1}\frac{f(x)}{x-1}=-2$에서

$x\to1$일 때, (분모)→0이고 극한값이 존재하므로 (분자)→0이어야 한다.

즉 $\lim_{x\to1}f(x)=0$이므로 $f(1)=0$ …… ㉠

$\lim_{x\to2}\frac{f(x)}{x-2}=3$에서

$x\to2$일 때, (분모)→0이고 극한값이 존재하므로 (분자)→0이어야 한다.

즉 $\lim_{x\to2}f(x)=0$이므로 $f(2)=0$ …… ㉡

㉠, ㉡에서 삼차함수 $f(x)$는 $(x-1)(x-2)$를 인수를 갖는다.

$f(x)=(x-1)(x-2)(ax+b)\,(a\neq0)$라 하자.

2단계 [1단계]에서 정한 삼차함수 $f(x)$를 $\lim_{x\to1}\frac{f(x)}{x-1}=-2$, $\lim_{x\to2}\frac{f(x)}{x-2}=3$에 대입하여 삼차함수 $f(x)$를 구한다. ◀ 40%

$$\lim_{x\to1}\frac{f(x)}{x-1}=\lim_{x\to1}\frac{(x-1)(x-2)(ax+b)}{x-1}=\lim_{x\to1}(x-2)(ax+b)=-a-b$$

$\therefore -a-b=-2$ …… ㉢

$$\lim_{x\to2}\frac{f(x)}{x-2}=\lim_{x\to2}\frac{(x-1)(x-2)(ax+b)}{x-2}=\lim_{x\to2}(x-1)(ax+b)=2a+b$$

$\therefore 2a+b=3$ …… ㉣

㉢, ㉣을 연립하여 풀면 $a=1$, $b=1$

$\therefore f(x)=(x-1)(x-2)(x+1)$

3단계 $\lim_{x\to-1}\frac{f(x)}{x+1}$의 값을 구한다. ◀ 20%

따라서 $\lim_{x\to-1}\frac{f(x)}{x+1}=\lim_{x\to-1}\frac{(x-1)(x-2)(x+1)}{x+1}=\lim_{x\to-1}(x-1)(x-2)=(-1-1)(-1-2)=6$

TOUGH

0095

$-2<x<2$에서 정의된 함수 $y=f(x)$의 그래프가 오른쪽 그림과 같을 때, 옳은 것만을 [보기]에서 있는 대로 고른 것은? (단, $f^{-1}(x)$는 $f(x)$의 역함수)

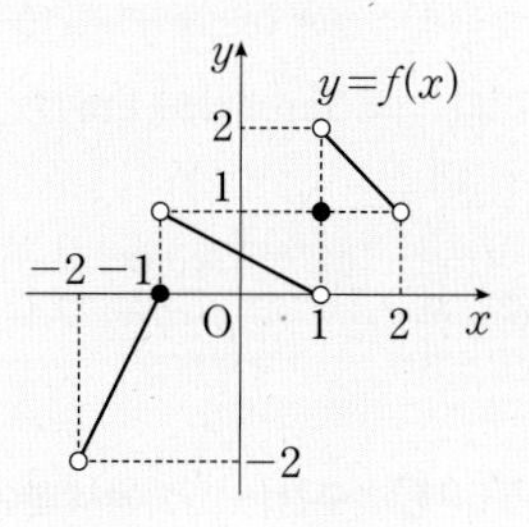

ㄱ. $\lim_{x\to-1+}f(x)=1$

ㄴ. $\lim_{x\to0-}f^{-1}(x)=-1$

ㄷ. $\lim_{x\to a-}f^{-1}(x)+\lim_{x\to a+}f^{-1}(x)=1$을 만족시키는 실수 a는 2개이다.

① ㄱ ② ㄱ, ㄴ ③ ㄱ, ㄷ
④ ㄴ, ㄷ ⑤ ㄱ, ㄴ, ㄷ

STEP Ⓐ **함수, 역함수의 극한의 진위판단하기**

ㄱ. 주어진 그래프에서 $\lim_{x\to-1+}f(x)=1$ [참]

ㄴ. $y=f^{-1}(x)$의 그래프는 $y=f(x)$의 그래프를 직선 $y=x$에 대하여 대칭이동한 것이므로 다음 그림과 같다.

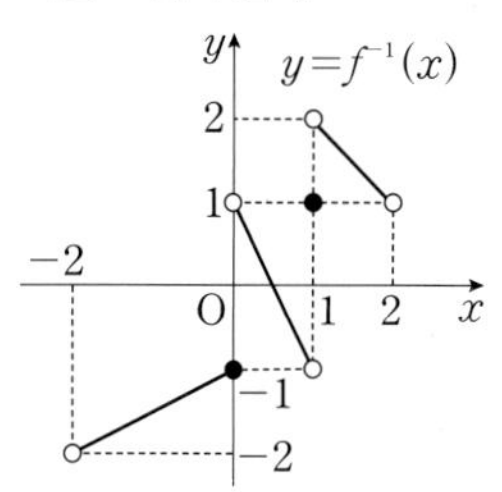

위의 그래프에서 $\lim_{x\to0-}f^{-1}(x)=-1$ [참]

ㄷ. (ⅰ) $x=a$에서 극한값이 존재하는 경우

$\lim_{x\to a-}f^{-1}(x)=\lim_{x\to a+}f^{-1}(x)=\lim_{x\to a}f^{-1}(x)$이므로

$\lim_{x\to a-}f^{-1}(x)+\lim_{x\to a+}f^{-1}(x)=1$이 되려면 $2\lim_{x\to a}f^{-1}(x)=1$

즉 $\lim_{x\to a}f^{-1}(x)=\frac{1}{2}$

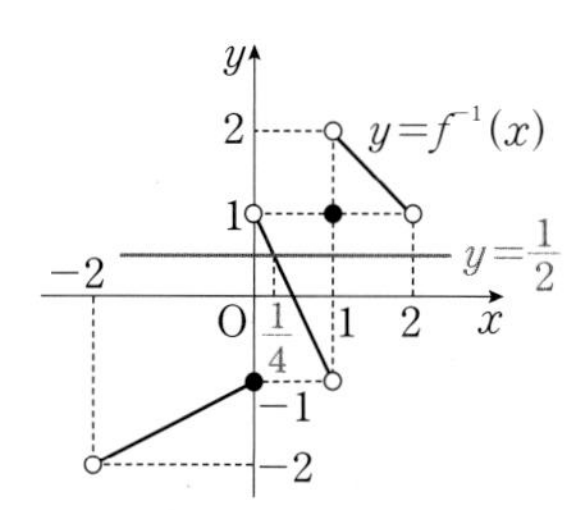

이를 만족시키는 a는 위의 그래프에서 $a=\frac{1}{4}$로 1개이다.

← 구간 $(0, 1)$에서 직선 $y=-2x+1$이므로 $\lim_{x\to\frac{1}{4}}f^{-1}(x)=\frac{1}{2}$이다.

(ⅱ) $x=a$에서 극한값이 존재하지 않는 경우

$\lim_{x\to1-}f^{-1}(x)+\lim_{x\to1+}f^{-1}(x)=(-1)+2=1$

$\lim_{x\to0-}f^{-1}(x)+\lim_{x\to0+}f^{-1}(x)=(-1)+1=0$

그러므로 $a=1$일 때, 주어진 조건을 만족시킨다.

(ⅰ), (ⅱ)에서 주어진 조건을 만족시키는 실수 a는 2개이다. [참]

따라서 옳은 것은 ㄱ, ㄴ, ㄷ이다.

0096

정의역이 $\{x|-2\le x\le 2\}$인 함수 $y=f(x)$의 그래프가 구간 $[0, 2]$에서 오른쪽 그림과 같고 정의역에 속하는 모든 실수 x에 대하여 $f(-x)=-f(x)$이다. 이때 $\lim_{x\to -1+}f(x)+\lim_{x\to 2-}f(x)$의 값은?

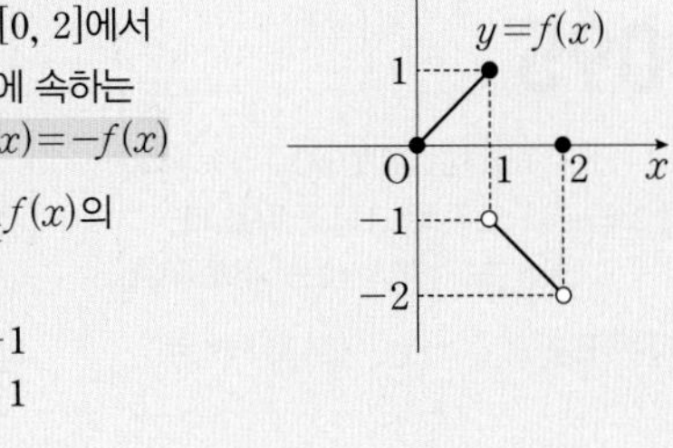

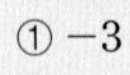

① -3 ② -1
③ 0 ④ 1
⑤ 3

STEP Ⓐ **구간 $[-2, 2]$에서 함수 $y=f(x)$의 그래프가 원점에 대하여 대칭임을 이용하여 그래프 그리기**

모든 실수 x에 대하여 $f(-x)=-f(x)$이므로 원점에 대하여 대칭인 함수 $y=f(x)$의 그래프는 오른쪽 그림과 같다.

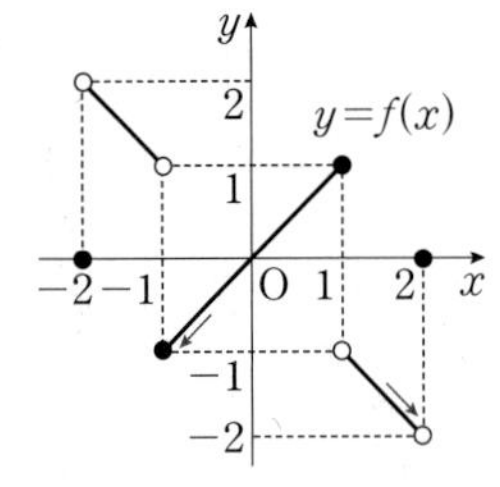

STEP Ⓑ **주어진 점에서 우극한과 좌극한 구하기**

$x\to -1+$일 때, $f(x)\to -1$이므로 $\lim_{x\to -1+}f(x)=-1$

$x\to 2-$일 때, $f(x)\to -2$이므로 $\lim_{x\to 2-}f(x)=-2$

따라서 $\lim_{x\to -1+}f(x)+\lim_{x\to 2-}f(x)=-1+(-2)=-3$

다른풀이 $\lim_{x\to -1+}f(x)$를 직접 계산하여 풀이하기

$f(-x)=-f(x)$에서 $f(x)=-f(-x)$이므로

$\lim_{x\to -1+}f(x)=\lim_{x\to -1+}-f(-x)$

$=-\lim_{x\to -1+}f(-x)$

$-x=t$로 놓으면 $x\to -1+$일 때, $t\to 1-$이므로

$\lim_{x\to -1+}f(x)=\lim_{x\to -1+}-f(-x)$

$=-\lim_{x\to -1+}f(-x)$

$=-\lim_{t\to 1-}f(t)=-1$

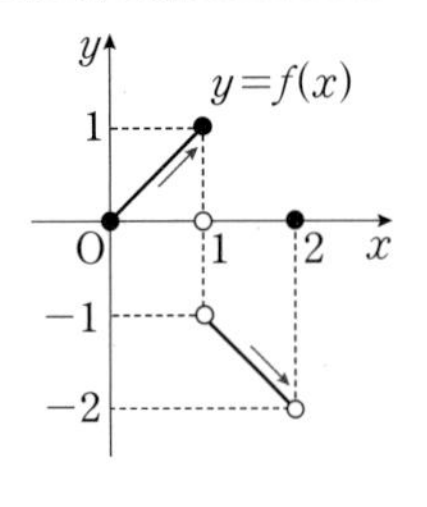

$x\to 2-$일 때, $f(x)\to -2$이므로 $\lim_{x\to 2-}f(x)=-2$

따라서 $\lim_{x\to -1+}f(x)+\lim_{x\to 2-}f(x)=-1+(-2)=-3$

0097

최고차항의 계수가 1인 이차함수 $f(x)$가

$$\lim_{x\to 0}|x|\left\{f\left(\frac{1}{x}\right)-f\left(-\frac{1}{x}\right)\right\}=a,\ \lim_{x\to\infty}f\left(\frac{1}{x}\right)=3$$

을 만족시킬 때, $f(2)$의 값은? (단, a는 상수이다.)

① 1 ② 3 ③ 5
④ 7 ⑤ 9

STEP Ⓐ **이차함수 $f(x)$를 정하고 $\lim_{x\to\infty}f\left(\frac{1}{x}\right)=3$을 이용하여 상수항 구하기**

$f(x)$는 최고차항의 계수가 1인 이차함수이므로

$f(x)=x^2+cx+d$ (단, c와 d는 상수)라 하면

$f\left(\frac{1}{x}\right)=\frac{1}{x^2}+\frac{c}{x}+d$이므로 $\lim_{x\to\infty}f\left(\frac{1}{x}\right)=3$에서

$\lim_{x\to\infty}f\left(\frac{1}{x}\right)=\lim_{x\to\infty}\left(\frac{1}{x^2}+\frac{c}{x}+d\right)=d$ $\therefore d=3$

즉 $f(x)=x^2+cx+3$

STEP Ⓑ **좌극한과 우극한이 같음을 이용하여 c의 값 구하기**

$f\left(\frac{1}{x}\right)=\frac{1}{x^2}+\frac{c}{x}+d$ …… ㉠

$f\left(-\frac{1}{x}\right)=\frac{1}{x^2}-\frac{c}{x}+d$ …… ㉡

㉠−㉡을 하면 $f\left(\frac{1}{x}\right)-f\left(-\frac{1}{x}\right)=\frac{2c}{x}$

$\lim_{x\to 0}|x|\left\{f\left(\frac{1}{x}\right)-f\left(-\frac{1}{x}\right)\right\}=\lim_{x\to 0}|x|\cdot\frac{2c}{x}$이므로

$\lim_{x\to 0+}x\cdot\frac{2c}{x}=\lim_{x\to 0-}(-x)\cdot\frac{2c}{x}$ ← 우극한과 좌극한이 같아야 a로 일정하다.

즉 $2c=-2c$이므로 $4c=0$ $\therefore c=0$

$f(x)=x^2+3$

STEP Ⓒ **$f(2)$의 값 구하기**

따라서 $f(2)=2^2+3=7$

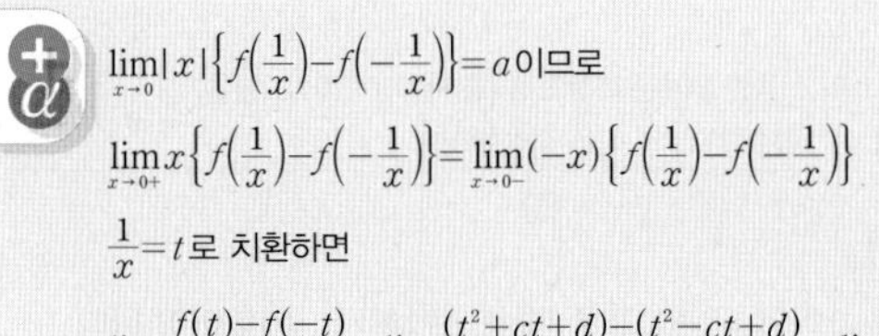

+α

$\lim_{x\to 0}|x|\left\{f\left(\frac{1}{x}\right)-f\left(-\frac{1}{x}\right)\right\}=a$이므로

$\lim_{x\to 0+}x\left\{f\left(\frac{1}{x}\right)-f\left(-\frac{1}{x}\right)\right\}=\lim_{x\to 0-}(-x)\left\{f\left(\frac{1}{x}\right)-f\left(-\frac{1}{x}\right)\right\}$

$\frac{1}{x}=t$로 치환하면

$\lim_{t\to\infty}\frac{f(t)-f(-t)}{t}=\lim_{t\to\infty}\frac{(t^2+ct+d)-(t^2-ct+d)}{t}=\lim_{t\to\infty}\frac{2ct}{t}=2c$

$\lim_{t\to-\infty}\frac{f(t)-f(-t)}{-t}=\lim_{t\to-\infty}\frac{(t^2+ct+d)-(t^2-ct+d)}{-t}$

$=\lim_{t\to-\infty}\frac{2ct}{-t}=-2c$

이므로 $2c=-2c$ $\therefore c=0$

0098

다항함수 $f(x)$와 최고차항의 계수가 1인 이차함수 $g(x)$가 다음 조건을 만족시킨다.

(가) 모든 양수 x에 대하여 $ax^2+3x\le f(x)\le ax^2+4x$이다.

(나) $\lim_{x\to\infty}\frac{f(x)}{2x^2}=2,\ \lim_{x\to 1}\frac{g(x)}{x-1}=a$

$\lim_{x\to\infty}\frac{f(x)-ax^2}{g(x)-x^2+3}=k$일 때, k의 값의 범위는 $\alpha\le k\le\beta$이다.

$\alpha\beta$의 값을 구하여라. (단, a는 실수이다.)

STEP Ⓐ **$\lim_{x\to\infty}\frac{f(x)}{2x^2}$의 극한값을 구하여 a의 값 구하기**

$ax^2+3x\le f(x)\le ax^2+4x$에서 $\frac{a}{2}+\frac{3}{2x}\le\frac{f(x)}{2x^2}\le\frac{a}{2}+\frac{2}{x}$

$\lim_{x\to\infty}\left(\frac{a}{2}+\frac{3}{2x}\right)=\frac{a}{2},\ \lim_{x\to\infty}\left(\frac{a}{2}+\frac{2}{x}\right)=\frac{a}{2}$이므로

함수의 극한의 대소 관계에 의하여

$\lim_{x\to\infty}\frac{f(x)}{2x^2}=\frac{a}{2}=2$에서 $a=4$

STEP Ⓑ **(분모)→ 0이고 극한값이 존재하면 (분자)→ 0이어야 함을 이용하여 이차함수 $g(x)$의 식 구하기**

$\lim_{x\to 1}\frac{g(x)}{x-1}=4$에서

$x\to 1$일 때, (분모)→ 0이고 극한값이 존재하므로 (분자)→ 0이어야 한다.

즉 $\lim_{x\to 1}g(x)=0$이므로 $g(1)=0$

$g(x)$는 최고차항의 계수가 1이고 $x-1$을 인수로 가지므로

$g(x)=(x-1)(x-p)$ (단, p는 상수)로 놓을 수 있다.

$\lim_{x\to 1}\frac{g(x)}{x-1}=\lim_{x\to 1}\frac{(x-1)(x-p)}{x-1}=\lim_{x\to 1}(x-p)=1-p$

이므로 $1-p=4$에서 $p=-3$

$g(x)=(x-1)(x+3)=x^2+2x-3$ …… ㉠

STEP Ⓒ **함수의 극한의 대소 관계에 의하여 k의 범위 구하기**

조건 (가)에서 $3x \le f(x)-ax^2 \le 4x$이고

㉠에서 $g(x)-x^2+3=2x$이므로 $\dfrac{3x}{2x} \le \dfrac{f(x)-ax^2}{g(x)-x^2+3} \le \dfrac{4x}{2x}$

$\lim\limits_{x\to\infty}\dfrac{3x}{2x} \le \lim\limits_{x\to\infty}\dfrac{f(x)-ax^2}{g(x)-x^2+3} \le \lim\limits_{x\to\infty}\dfrac{4x}{2x}$

즉 $\dfrac{3}{2} \le \lim\limits_{x\to\infty}\dfrac{f(x)-ax^2}{g(x)-x^2+3} \le 2$이므로 $\dfrac{3}{2} \le k \le 2$

따라서 $\alpha=\dfrac{3}{2}$, $\beta=2$이므로 $\alpha\beta=3$

0099

다음 그림과 같이 두 점 A$(a, 0)$, B$(0, 3)$에 대하여 삼각형 OAB에 내접하는 원 C가 있다. 원 C의 반지름의 길이를 r이라 할 때, $\lim\limits_{a\to0+}\dfrac{r}{a}$의 값은? (단, O는 원점이다.)

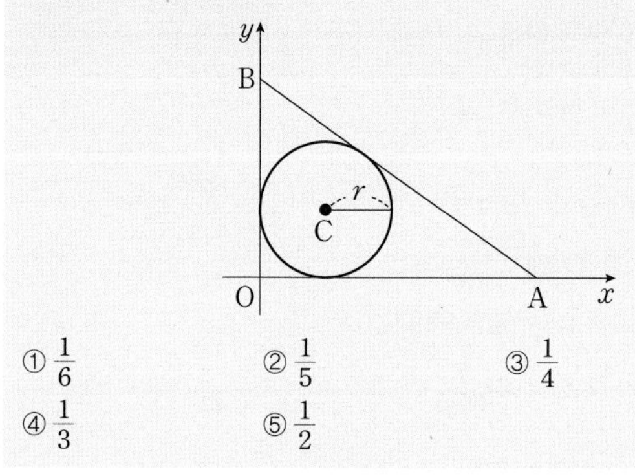

① $\dfrac{1}{6}$ ② $\dfrac{1}{5}$ ③ $\dfrac{1}{4}$
④ $\dfrac{1}{3}$ ⑤ $\dfrac{1}{2}$

STEP Ⓐ **삼각형 OAB에 내접하는 원의 반지름 구하기**

다음 그림과 같이 $\triangle$COB, $\triangle$COA, $\triangle$CAB는 각각 밑변이 $\overline{OB}$, $\overline{OA}$, $\overline{AB}$이고 높이가 r인 삼각형이다.

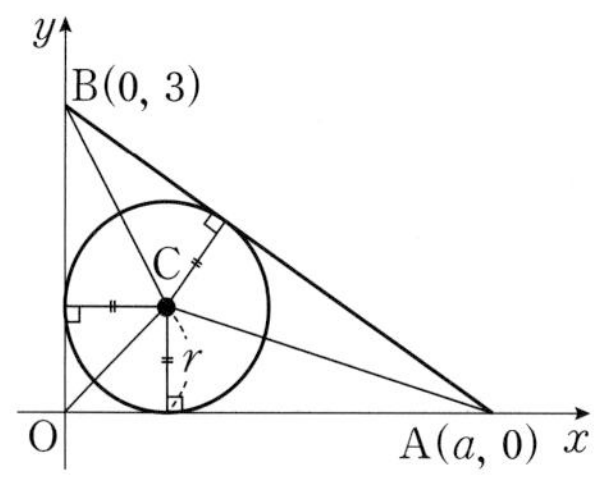

이 세 삼각형의 넓이의 합은 $\triangle$OAB의 넓이와 같으므로

$\dfrac{1}{2}r\cdot(\overline{OB}+\overline{OA}+\overline{AB})=\dfrac{1}{2}\cdot a\cdot 3$

$\overline{AB}=\sqrt{a^2+9}$이므로 $\dfrac{1}{2}r(3+a+\sqrt{a^2+9})=\dfrac{3}{2}a$

STEP Ⓑ **극한값 구하기**

$\therefore \dfrac{r}{a}=\dfrac{3}{a+3+\sqrt{a^2+9}}$

따라서 $\lim\limits_{a\to0+}\dfrac{r}{a}=\lim\limits_{a\to0+}\dfrac{3}{a+3+\sqrt{a^2+9}}=\dfrac{3}{3+\sqrt{9}}=\dfrac{1}{2}$

다른풀이 원 밖의 점에서 원에 그은 접선의 길이가 같음을 이용하여 원의 반지름 구하기

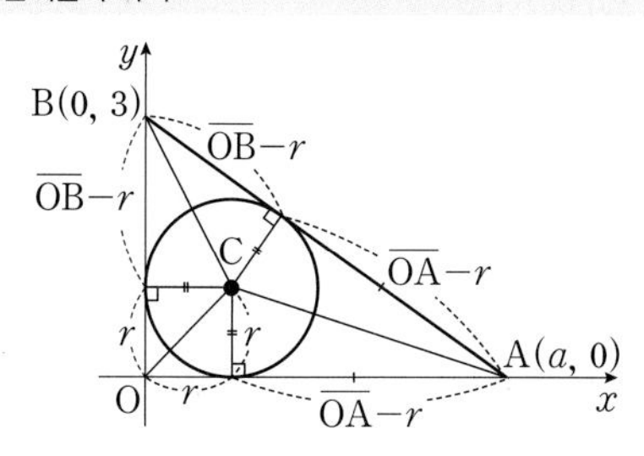

$\overline{AB}=(\overline{OA}-r)+(\overline{OB}-r)=\overline{OA}+\overline{OB}-2r$이므로

$r=\dfrac{\overline{OA}+\overline{OB}-\overline{AB}}{2}=\dfrac{a+3-\sqrt{a^2+9}}{2}$

$\therefore \lim\limits_{a\to0+}\dfrac{r}{a}=\lim\limits_{a\to0+}\dfrac{a+3-\sqrt{a^2+9}}{2a}=\lim\limits_{a\to0+}\dfrac{6a}{2a(a+3+\sqrt{a^2+9})}$

$=\lim\limits_{a\to0+}\dfrac{3}{a+3+\sqrt{a^2+9}}$

$=\dfrac{3}{3+\sqrt{9}}=\dfrac{1}{2}$

내접원의 반지름 구하기

삼각형 ABC에서 내접원 중심이 I, 내접하는 원의 반지름의 길이가 r, 세 변의 길이가 각각 a, b, c이고 넓이가 S일 때, $\triangle$ABC의 넓이는 세 삼각형 $\triangle$ABI, $\triangle$BCI, $\triangle$CAI의 넓이의 합과 같다.

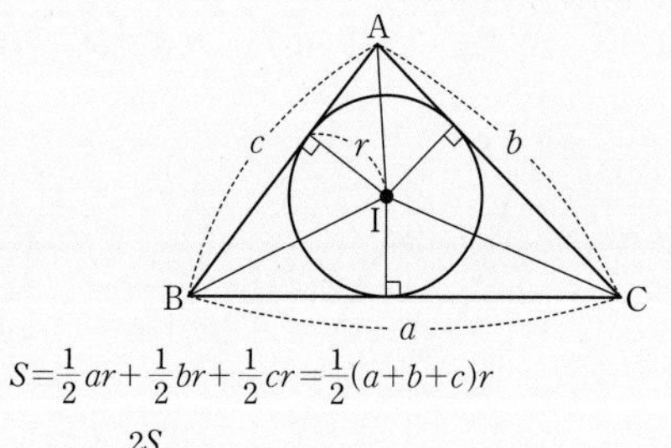

$S=\dfrac{1}{2}ar+\dfrac{1}{2}br+\dfrac{1}{2}cr=\dfrac{1}{2}(a+b+c)r$

$\therefore r=\dfrac{2S}{a+b+c}$

0100

x축 위에 점 A$(2, 0)$, y축 위에 점 B$(0, 1)$이 있다. 다음 그림과 같이 점 P$(p, 0)$, Q$(0, q)$가 $\overline{PA}=\overline{QB}$를 만족하면서 각각 점 A, B에 한없이 가까워질 때, $\overline{PQ}$와 $\overline{AB}$의 교점 R의 좌표의 극한값 (a, b)에 대하여 $3(a+b)$의 값을 구하여라.

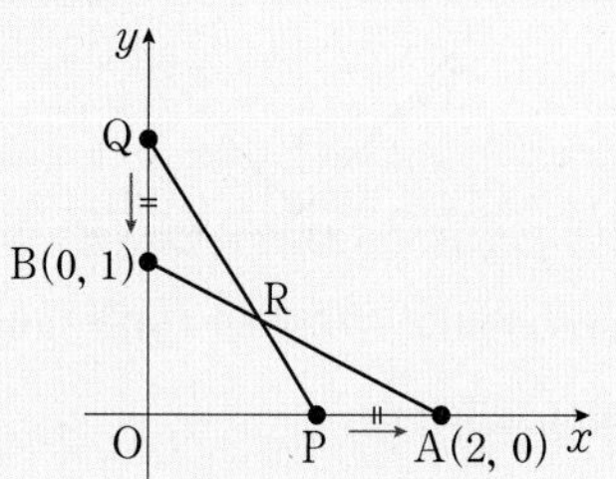

STEP Ⓐ **두 직선 AB, PQ의 교점의 좌표 구하기**

직선 AB의 방정식은 $x+2y=2$ …… ㉠

$\overline{PA}=\overline{QB}=t\,(0<t<2)$로 놓으면

P$(2-t, 0)$, Q$(0, t+1)$이므로 직선 PQ의 방정식은

$\dfrac{x}{2-t}+\dfrac{y}{1+t}=1$ …… ㉡

두 직선의 교점의 좌표가 R이므로

㉠에서 $x=2-2y$를 ㉡에 대입하면

$\dfrac{2-2y}{2-t}+\dfrac{y}{1+t}=1$

양변에 $(2-t)(1+t)$를 곱하여

정리하면 $y=\dfrac{t+1}{3}$

이 값을 ㉠에 대입하면

$x=\dfrac{4-2t}{3}$, 즉 교점은 R$\left(\dfrac{4-2t}{3}, \dfrac{t+1}{3}\right)$

STEP Ⓑ **교점 R의 좌표의 극한값 (a, b) 구하기**

이때 $t\to0+$이므로 $x=\lim\limits_{t\to0+}\dfrac{4-2t}{3}=\dfrac{4}{3}$, $y=\lim\limits_{t\to0+}\dfrac{t+1}{3}=\dfrac{1}{3}$

따라서 구하는 좌표는 $\left(\dfrac{4}{3}, \dfrac{1}{3}\right)$이므로 $3(a+b)=5$

M A P L ; Y O U R M A S T E R P L A N

02 함수의 연속

0101

다음 함수의 $x=0$에서의 연속성을 조사하여라.
(단, $[x]$는 x보다 크지 않은 최대 정수이다.)

(1) $f(x)=\begin{cases} -x^2+1 & (x\ge 0) \\ x^2-1 & (x<0) \end{cases}$

STEP Ⓐ $\lim_{x\to a} f(x)$의 값이 존재하지 않을 때, 불연속 판정하기

함수 $f(x)=\begin{cases} -x^2+1 & (x\ge 0) \\ x^2-1 & (x<0) \end{cases}$에서

$\lim_{x\to 0+} f(x)=1$, $\lim_{x\to 0-} f(x)=-1$이므로 극한값 $\lim_{x\to 0} f(x)$가 존재하지 않는다.

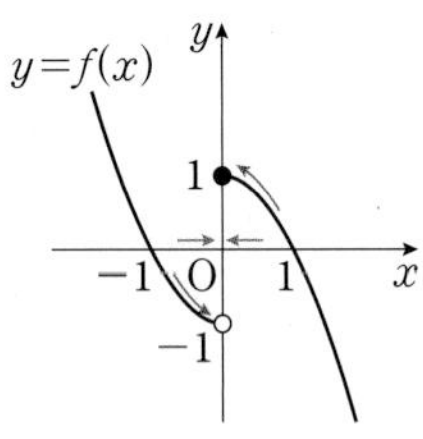

따라서 함수 $f(x)$는 $x=0$에서 불연속이다.

(2) $f(x)=\begin{cases} |x| & (x\ne 0) \\ 1 & (x=0) \end{cases}$

STEP Ⓐ $x=a$에서의 함숫값과 극한값이 다를 때, 불연속 판정하기

함수 $f(x)=\begin{cases} |x| & (x\ne 0) \\ 1 & (x=0) \end{cases}$의 그래프는 다음 그림과 같다.

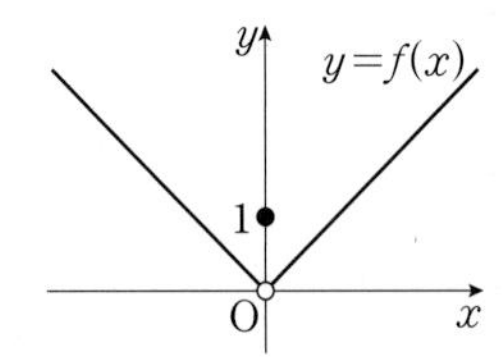

따라서 $f(0)=1$, $\lim_{x\to 0} f(x)=0$이 존재하지만 $f(0)\ne\lim_{x\to 0} f(x)$이므로
함수 $f(x)$는 $x=0$에서 불연속이다.

(3) $f(x)=x-[x]$

STEP Ⓐ $\lim_{x\to a} f(x)$의 값이 존재하지 않을 때, 불연속 판정하기

함수 $f(x)=x-[x]$의 그래프는 다음 그림과 같다.

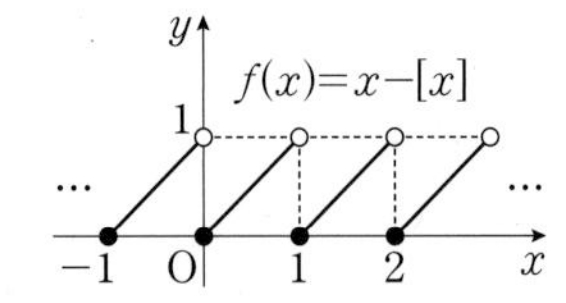

$\lim_{x\to 0+} f(x)=0$, $\lim_{x\to 0-} f(x)=1$이므로 극한값 $\lim_{x\to 0} f(x)$가 존재하지 않는다.
따라서 함수 $f(x)$는 $x=0$에서 불연속이다.

0102

다음 중 $x=2$에서 연속인 함수는?
(단, $[x]$는 x보다 크지 않은 최대 정수이다.)

① $f(x)=\dfrac{1}{x-2}$　　② $f(x)=\dfrac{|x-2|}{x-2}$

③ $f(x)=\begin{cases} \sqrt{x-2} & (x\ge 2) \\ x & (x<2) \end{cases}$　　④ $f(x)=\begin{cases} \dfrac{x^2-x-2}{x-2} & (x\ne 2) \\ 2 & (x=2) \end{cases}$

⑤ $f(x)=\begin{cases} \dfrac{x^2-4}{x-2} & (x\ne 2) \\ 4 & (x=2) \end{cases}$

STEP Ⓐ $\lim_{x\to 2} f(x)=f(2)$인 함수 구하기

① 함수 $f(x)=\dfrac{1}{x-2}$은 $x=2$에서
함숫값이 정의되지 않고 함수 $f(x)$는
$x=2$에서 극한값이 존재하지 않으므로
함수 $f(x)$는 $x=2$에서 불연속이다.

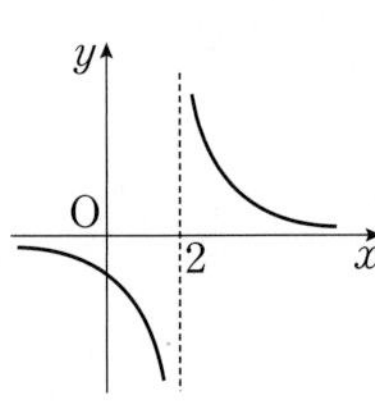

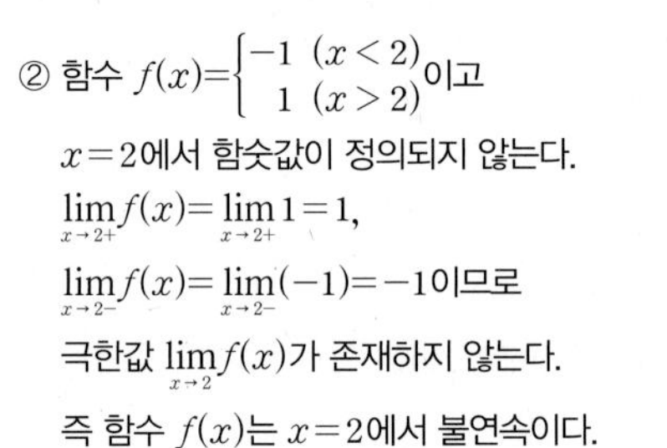

② 함수 $f(x)=\begin{cases} -1 & (x<2) \\ 1 & (x>2) \end{cases}$이고
$x=2$에서 함숫값이 정의되지 않는다.
$\lim_{x\to 2+} f(x)=\lim_{x\to 2+} 1=1$,
$\lim_{x\to 2-} f(x)=\lim_{x\to 2-}(-1)=-1$이므로
극한값 $\lim_{x\to 2} f(x)$가 존재하지 않는다.
즉 함수 $f(x)$는 $x=2$에서 불연속이다.

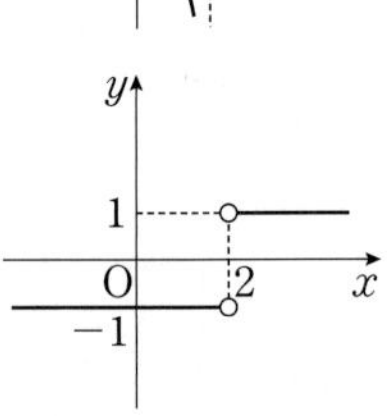

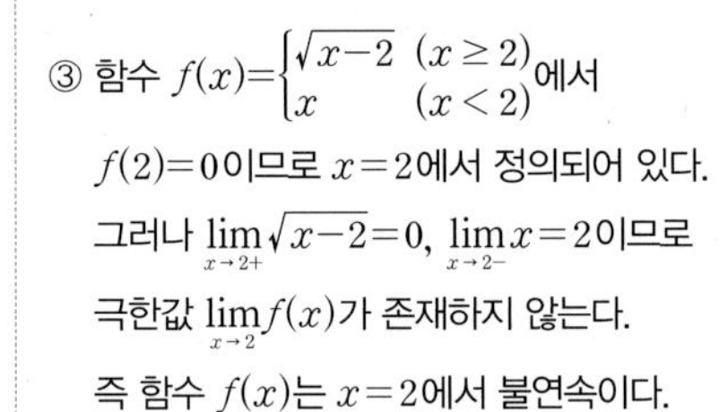

③ 함수 $f(x)=\begin{cases} \sqrt{x-2} & (x\ge 2) \\ x & (x<2) \end{cases}$에서
$f(2)=0$이므로 $x=2$에서 정의되어 있다.
그러나 $\lim_{x\to 2+}\sqrt{x-2}=0$, $\lim_{x\to 2-} x=2$이므로
극한값 $\lim_{x\to 2} f(x)$가 존재하지 않는다.
즉 함수 $f(x)$는 $x=2$에서 불연속이다.

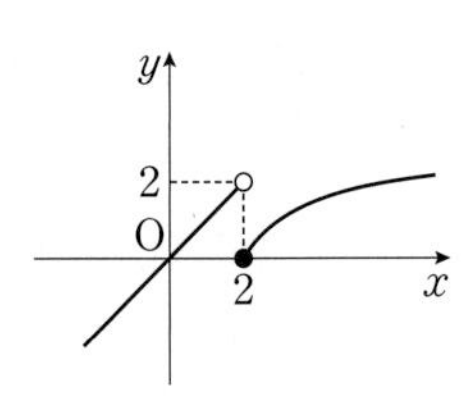

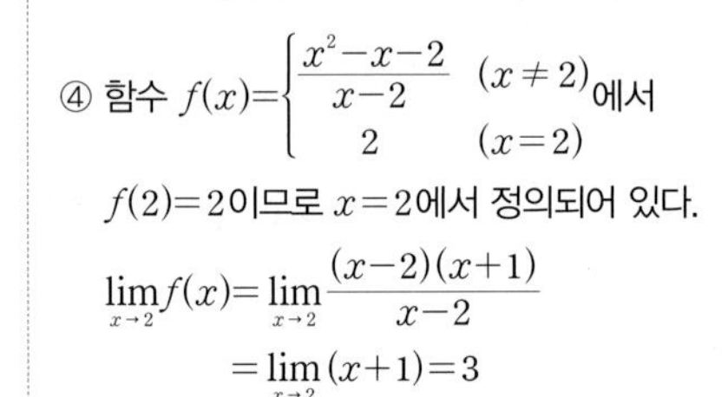

④ 함수 $f(x)=\begin{cases} \dfrac{x^2-x-2}{x-2} & (x\ne 2) \\ 2 & (x=2) \end{cases}$에서
$f(2)=2$이므로 $x=2$에서 정의되어 있다.

$$\lim_{x\to 2} f(x)=\lim_{x\to 2}\frac{(x-2)(x+1)}{x-2}=\lim_{x\to 2}(x+1)=3$$

이므로 극한값 $\lim_{x\to 2} f(x)$가 존재한다.
즉 $\lim_{x\to 2} f(x)\ne f(2)$이므로 함수 $f(x)$는
$x=2$에서 불연속이다.

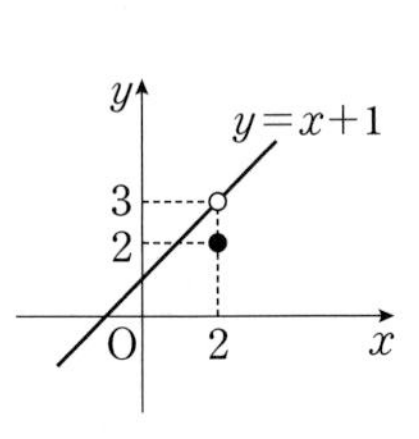

⑤ 함수 $f(x)=\begin{cases} \dfrac{x^2-4}{x-2} & (x\ne 2) \\ 4 & (x=2) \end{cases}$에서
$f(2)=4$이므로 $x=2$에서 정의되어 있다.

$$\lim_{x\to 2} f(x)=\lim_{x\to 2}\frac{(x-2)(x+2)}{x-2}=\lim_{x\to 2}(x+2)=4$$

이므로 극한값 $\lim_{x\to 2} f(x)$가 존재한다.
즉 $\lim_{x\to 2} f(x)=f(2)$이므로 함수 $f(x)$는
$x=2$에서 연속이다.

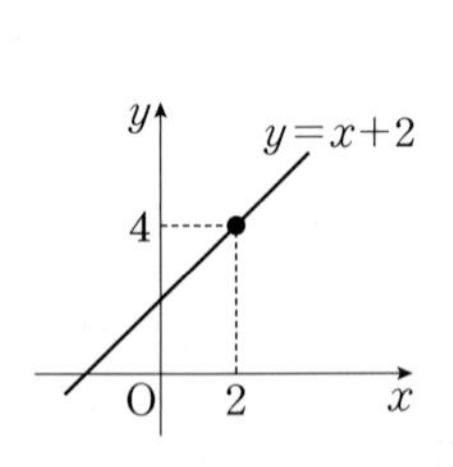

따라서 $x=2$에서 연속인 함수는 ⑤이다.

0103

$x=1$에서 연속인 함수만을 [보기]에서 있는 대로 고른 것은? (단, $[x]$는 x보다 크지 않은 최대의 정수이다.)

ㄱ. $f(x)=\begin{cases} \dfrac{x^2+2x-3}{x-1} & (x\neq 1) \\ 4 & (x=1) \end{cases}$

ㄴ. $g(x)=\begin{cases} \dfrac{x^2-1}{x-1} & (x\neq 1) \\ 2 & (x=1) \end{cases}$

ㄷ. $h(x)=[x-1]$

① ㄱ ② ㄱ, ㄴ ③ ㄱ, ㄷ
④ ㄴ, ㄷ ⑤ ㄱ, ㄴ, ㄷ

STEP **A** $\lim\limits_{x\to 1}f(x)=f(1)$**인 함수 구하기**

ㄱ. 함수 $f(x)=\begin{cases} \dfrac{x^2+2x-3}{x-1} & (x\neq 1) \\ 4 & (x=1) \end{cases}$에서

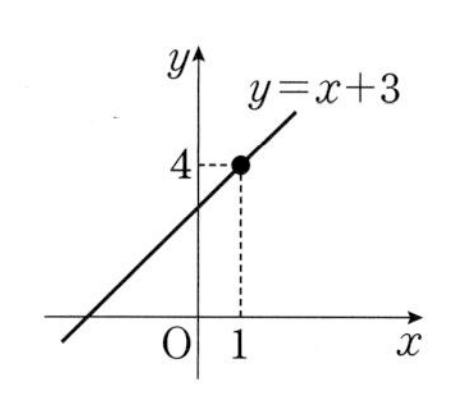

$x=1$에서 함숫값은 $f(1)=4$

$\lim\limits_{x\to 1}f(x)=\lim\limits_{x\to 1}\dfrac{(x-1)(x+3)}{x-1}$
$=\lim\limits_{x\to 1}(x+3)=4$

즉 $\lim\limits_{x\to 1}f(x)=f(1)$이므로 함수 $f(x)$는 $x=1$에서 연속이다.

ㄴ. 함수 $g(x)=\begin{cases} \dfrac{x^2-1}{x-1} & (x\neq 1) \\ 2 & (x=1) \end{cases}$에서

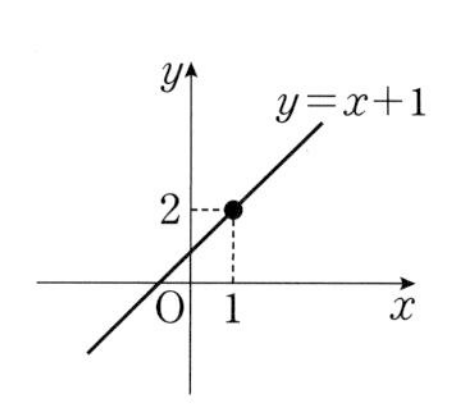

$x=1$에서 함숫값은 $g(1)=2$

$\lim\limits_{x\to 1}g(x)=\lim\limits_{x\to 1}\dfrac{(x-1)(x+1)}{x-1}$
$=\lim\limits_{x\to 1}(x+1)=2$

즉 $\lim\limits_{x\to 1}g(x)=g(1)$이므로 함수 $g(x)$는 $x=1$에서 연속이다.

ㄷ. $h(x)=[x-1]$에서

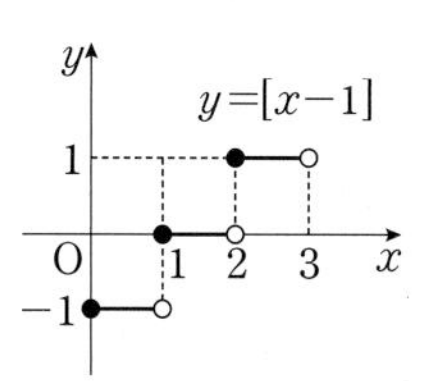

$\lim\limits_{x\to 1-}[x-1]=-1$, $\lim\limits_{x\to 1+}[x-1]=0$
이므로 $x\to 1$일 때,
극한값 $\lim\limits_{x\to 1}h(x)$이 존재하지 않는다.
그러므로 $x=1$에서 불연속이다.

따라서 $x=1$에서 연속인 함수는 ㄱ, ㄴ이다.

0104

열린구간 $(0, 4)$에서 정의된 함수 $y=f(x)$의 그래프가 오른쪽 그림과 같을 때, [보기]에서 옳은 것만을 있는 대로 고른 것은?

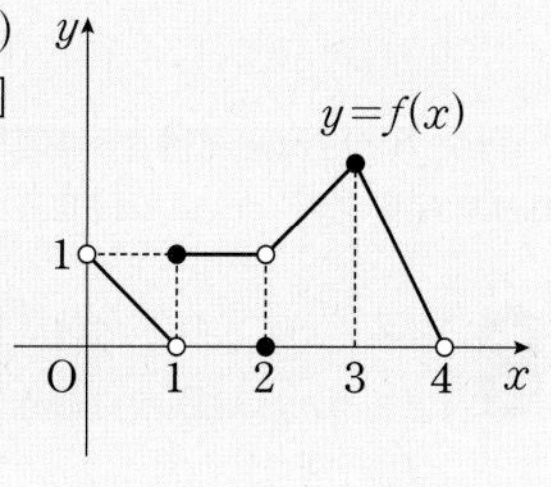

ㄱ. $\lim\limits_{x\to 1}f(x)$가 존재한다.

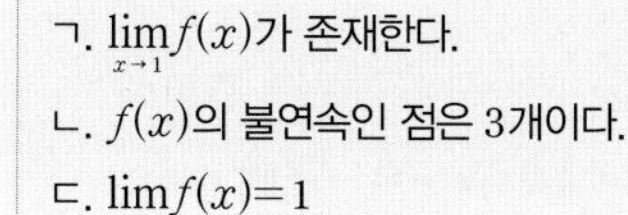

ㄴ. $f(x)$의 불연속인 점은 3개이다.

ㄷ. $\lim\limits_{x\to 2}f(x)=1$

① ㄱ ② ㄴ ③ ㄷ
④ ㄱ, ㄷ ⑤ ㄱ, ㄴ, ㄷ

STEP **A** **극한값과 연속의 정의를 이용하여 참, 거짓 판단하기**

ㄱ. $x\to 1$일 때의 극한값은
$\lim\limits_{x\to 1+}f(x)=1$, $\lim\limits_{x\to 1-}f(x)=0$이므로 $\lim\limits_{x\to 1+}f(x)\neq\lim\limits_{x\to 1-}f(x)$
즉 $\lim\limits_{x\to 1}f(x)$는 존재하지 않는다. [거짓]

ㄴ. (ⅰ) $x\to 1$일 때의 극한값은
$\lim\limits_{x\to 1+}f(x)=1$, $\lim\limits_{x\to 1-}f(x)=0$이므로 $\lim\limits_{x\to 1+}f(x)\neq\lim\limits_{x\to 1-}f(x)$
즉 $\lim\limits_{x\to 1}f(x)$의 값이 존재하지 않으므로 $f(x)$는 $x=1$에서 불연속이다.

(ⅱ) $x=2$에서의 함숫값은 $f(2)=0$
$x\to 2$일 때의 극한값은 $\lim\limits_{x\to 2+}f(x)=\lim\limits_{x\to 2-}f(x)=1$
즉 $\lim\limits_{x\to 2}f(x)\neq f(2)$이므로 $f(x)$는 $x=2$에서 불연속이다.

(ⅰ), (ⅱ)에서 $x=1$, $x=2$에서 불연속이므로 2개이다. [거짓]

ㄷ. $x\to 2$일 때의 극한값은
$\lim\limits_{x\to 2+}f(x)=\lim\limits_{x\to 2-}f(x)=1$이므로 $\lim\limits_{x\to 2}f(x)=1$ [참]

따라서 옳은 것은 ㄷ이다.

0105

다음 물음에 답하여라.

(1) 함수 $y=f(x)$의 그래프가 오른쪽 그림과 같을 때, 옳은 것만을 [보기]에서 있는 대로 고른 것은?

ㄱ. $\lim\limits_{x\to 0+}f(x)=1$

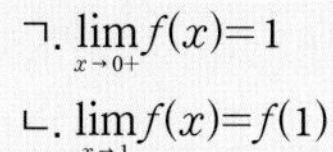

ㄴ. $\lim\limits_{x\to 1}f(x)=f(1)$

ㄷ. 함수 $(x-1)f(x)$은 $x=1$에서 연속이다.

① ㄱ ② ㄱ, ㄴ ③ ㄱ, ㄷ
④ ㄴ, ㄷ ⑤ ㄱ, ㄴ, ㄷ

STEP **A** **극한값이 존재하기 위한 조건 구하기**

ㄱ. $x\to 0+$일 때, $f(x)\to 1+$이므로 $\lim\limits_{x\to 0+}f(x)=1$ [참]

STEP **B** **그래프를 이용하여** $x=a$**에서 연속성 조사하기**

ㄴ. $\lim\limits_{x\to 1-}f(x)=2$, $\lim\limits_{x\to 1+}f(x)=2$이므로 $\lim\limits_{x\to 1}f(x)=2$
또한, $x=1$에서 함숫값은 $f(1)=1$
$\therefore \lim\limits_{x\to 1}f(x)\neq f(1)$
즉 $x=1$에서 함수 $y=f(x)$는 불연속이다. [거짓]

ㄷ. $g(x)=(x-1)f(x)$라 하면
$x=1$에서 함숫값 $g(1)=(1-1)\cdot f(1)=0$
$\lim\limits_{x\to 1+}g(x)=\lim\limits_{x\to 1+}(x-1)f(x)=0\cdot 2=0$
$\lim\limits_{x\to 1-}g(x)=\lim\limits_{x\to 1-}(x-1)f(x)=0\cdot 2=0$
즉 $\lim\limits_{x\to 1}g(x)=g(1)$이므로 함수 $g(x)=(x-1)f(x)$는 $x=1$에서 연속이다. [참]

따라서 옳은 것은 ㄱ, ㄷ이다.

(2) 함수 $y=f(x)$의 그래프가 오른쪽 그림과 같다. [보기]에서 옳은 것만을 있는 대로 고른 것은?

ㄱ. $\lim\limits_{x\to -1-}f(x)+\lim\limits_{x\to 1+}f(x)=0$

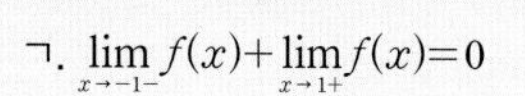

ㄴ. $\lim\limits_{x\to 1}f(-x)$는 존재한다.

ㄷ. 함수 $f(x)f(-x)$는 $x=1$에서 연속이다.

① ㄱ ② ㄴ ③ ㄱ, ㄷ
④ ㄴ, ㄷ ⑤ ㄱ, ㄴ, ㄷ

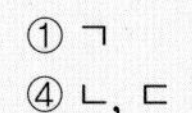

STEP Ⓐ **극한값 존재조건 이용하기**

ㄱ. $\lim_{x\to1-}f(x)+\lim_{x\to1+}f(x)=1+(-1)=0$ [참]

ㄴ. $-x=t$로 놓으면 $x=-t$이고

(ⅰ) $x\to1-$일 때, $t\to-1+$이므로

$\lim_{x\to1-}f(-x)=\lim_{t\to-1+}f(t)=-1$ …… ㉠

(ⅱ) $x\to1+$일 때, $t\to-1-$이므로

$\lim_{x\to1+}f(-x)=\lim_{t\to-1-}f(t)=1$ …… ㉡

(ⅰ), (ⅱ)에서 $\lim_{x\to1-}f(-x)\neq\lim_{x\to1+}f(-x)$이므로

$\lim_{x\to1}f(-x)$ 존재하지 않는다. [거짓]

STEP Ⓑ **$x=a$에서 연속이려면 $f(a)=\lim_{x\to a}f(x)$가 성립함을 이용하기**

ㄷ. 함수 $f(x)f(-x)$에서

$x=1$에서 함숫값은 $f(1)f(-1)=1\cdot(-1)=-1$

㉠, ㉡을 이용하여 $x\to1$일 때의 극한값은

$\lim_{x\to1-}f(x)f(-x)=1\cdot(-1)=-1$

$\lim_{x\to1+}f(x)f(-x)=(-1)\cdot1=-1$

$\therefore \lim_{x\to1}f(x)f(-x)=-1$

즉 $\lim_{x\to1}f(x)f(-x)=f(1)f(-1)$이므로

함수 $f(x)f(-x)$는 $x=1$에서 연속이다. [참]

따라서 옳은 것은 ㄱ, ㄷ이다.

0106

다음 물음에 답하여라.

(1) 실수 전체의 집합에서 정의된 함수 $y=f(x)$의 그래프의 일부가 오른쪽 그림과 같을 때, 옳은 것만을 [보기]에서 있는 대로 고른 것은?

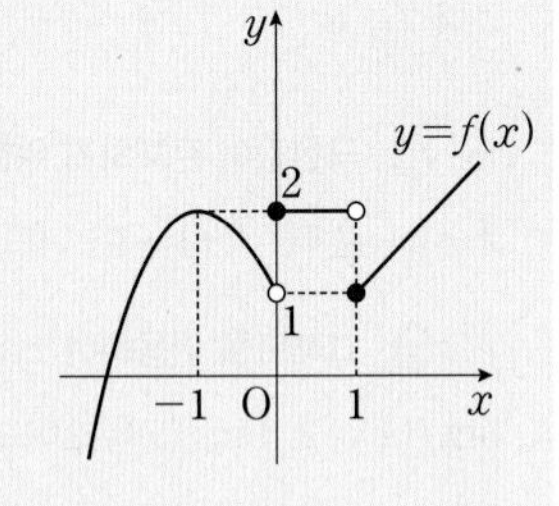

> ㄱ. $\lim_{x\to-1}f(x)=2$
> ㄴ. $\lim_{x\to-1+}f(-x)=f(1)$
> ㄷ. 함수 $f(x)f(x+1)$은 $x=0$에서 연속이다.

① ㄱ ② ㄴ ③ ㄱ, ㄷ
④ ㄴ, ㄷ ⑤ ㄱ, ㄴ, ㄷ

STEP Ⓐ **함수의 극한의 정의를 이용하여 [보기]의 참, 거짓 판단하기**

ㄱ. $\lim_{x\to-1+}f(x)=\lim_{x\to-1-}f(x)=2$ [참]

ㄴ. $-x=t$로 놓으면 $x\to-1+$에서 $t\to1-$이므로

$\lim_{t\to-1+}f(-x)=\lim_{t\to1-}f(t)=2$

또한, $f(1)=1$이므로 $\lim_{x\to-1+}f(-x)\neq f(1)$ [거짓]

STEP Ⓑ **$x=0$에서 함수 $f(x)f(x+1)$의 함숫값과 극한값이 같아야 함을 이용하기**

ㄷ. $x=0$에서 함숫값은 $f(0)f(1)=2\times1=2$

(ⅰ) $x+1=s$로 놓으면 $x\to0+$에서 $s\to1+$이므로

$\lim_{x\to0+}f(x)f(x+1)=\lim_{x\to0+}f(x)\lim_{x\to0+}f(x+1)$

$=\lim_{x\to0+}f(x)\lim_{s\to1+}f(s)$

$=2\cdot1=2$

(ⅱ) $x+1=s$로 놓으면 $x\to0-$에서 $s\to1-$이므로

$\lim_{x\to0-}f(x)f(x+1)=\lim_{x\to0-}f(x)\lim_{x\to0-}f(x+1)$

$=\lim_{x\to0-}f(x)\lim_{s\to1-}f(s)$

$=2\cdot1=2$

(ⅰ), (ⅱ)에서 $\lim_{x\to0}f(x)f(x+1)=2$

이때 $\lim_{x\to0}f(x)f(x+1)=f(0)f(1)$이므로 함수 $f(x)f(x+1)$은 $x=0$에서 연속이다. [참]

따라서 옳은 것은 ㄱ, ㄷ이다.

(2) 두 함수

$$f(x)=\begin{cases}-1 & (|x|\geq1)\\ x^2 & (|x|<1)\end{cases},\quad g(x)=\begin{cases}1 & (|x|\geq1)\\ -x^3 & (|x|<1)\end{cases}$$

에 대하여 옳은 것만을 [보기]에서 있는 대로 고른 것은?

> ㄱ. $\lim_{x\to1}f(x)g(x)=-1$
> ㄴ. 함수 $g(x-1)$은 $x=0$에서 연속이다.
> ㄷ. 함수 $f(x)g(x-1)$은 $x=1$에서 연속이다.

① ㄱ ② ㄴ ③ ㄱ, ㄴ
④ ㄱ, ㄷ ⑤ ㄱ, ㄴ, ㄷ

STEP Ⓐ **극한값과 연속의 정의를 이용하여 참, 거짓 판단하기**

두 함수 $f(x)$, $g(x)$의 그래프는 각각 다음과 같다.

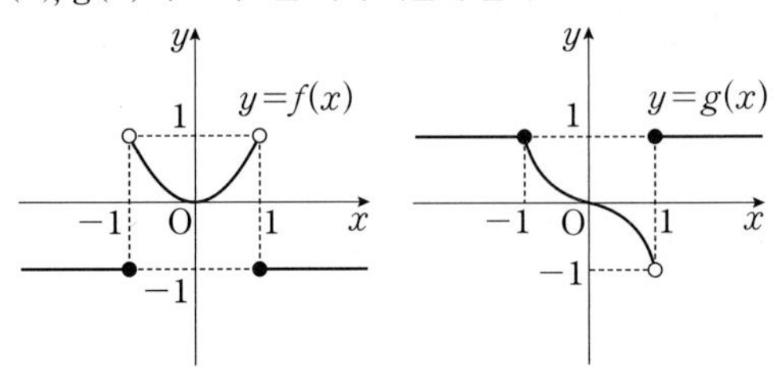

ㄱ. $\lim_{x\to1+}f(x)g(x)=(-1)\cdot1=-1$, $\lim_{x\to1-}f(x)g(x)=1\cdot(-1)=-1$

$\therefore \lim_{x\to1}f(x)g(x)=-1$ [참]

ㄴ. $\lim_{x\to0+}g(x-1)=\lim_{t\to-1+}g(t)=1$,

$\lim_{x\to0-}g(x-1)=\lim_{t\to-1-}g(t)=1$ ⬅ $x-1=t$

즉 $\lim_{x\to0+}g(x-1)=\lim_{x\to0-}g(x-1)$이므로

함수 $g(x-1)$은 $x=0$에서 연속이다. [참]

ㄷ. $\lim_{x\to1-}f(x)g(x-1)=\lim_{x\to1-}f(x)\cdot\lim_{x\to1-}g(x-1)$

$=\lim_{x\to1-}f(x)\cdot\lim_{t\to0-}g(t)$ ⬅ $x-1=t$

$=1\cdot0=0$

$\lim_{x\to1+}f(x)g(x-1)=\lim_{x\to1+}f(x)\cdot\lim_{x\to1+}g(x-1)$

$=\lim_{x\to1+}f(x)\cdot\lim_{t\to0+}g(t)$ ⬅ $x-1=t$

$=-1\cdot0=0$

즉 $\lim_{x\to1-}f(x)g(x-1)=\lim_{x\to1+}f(x)g(x-1)=0$이고

$x=1$에서 함숫값은 $f(1)g(0)=(-1)\cdot0=0$

$\therefore \lim_{x\to1}f(x)g(x-1)=f(1)g(0)$

함수 $f(x)g(x-1)$은 $x=1$에서 연속이다. [참]

따라서 옳은 것은 ㄱ, ㄴ, ㄷ이다.

함수 $f(x)g(x)$은 $x=1$에서 연속이다.

함수 $f(x)g(x)$은 $x=1$에서 극한값과 함숫값을 표로 나타내면 다음과 같다.

$x=1$	좌극한값 $x\to1-$	우극한값 $x\to1+$	함숫값
$f(x)$	1	-1	$f(1)=-1$
$g(x)$	-1	1	$g(1)=1$
$f(x)g(x)$	-1	-1	-1

즉 $\lim_{x\to1}f(x)g(x)=f(1)g(1)=-1$이므로 $x=1$에서 연속이다.

0107

다음 함수 $f(x)$가 모든 실수 x에서 연속이 되도록 실수 a, b의 값을 정하여라.

(1) $f(x)=\begin{cases} \dfrac{x^2-5x+a}{x-3} & (x \neq 3) \\ b & (x=3) \end{cases}$

STEP A 함수 $f(x)$가 $x=3$에서 연속일 조건 구하기

함수 $f(x)$가 $x=3$에서만 연속이면 실수 전체의 집합에서 연속이므로 $\lim_{x \to 3} f(x)=f(3)$이어야 한다.

즉 $\lim_{x \to 3} \dfrac{x^2-5x+a}{x-3}=b$가 성립한다.

$x \to 3$일 때, (분모)$\to 0$이고 극한값이 존재하므로 (분자)$\to 0$이어야 한다.

$\lim_{x \to 3}(x^2-5x+a)=0$이므로 $9-15+a=0$

$\therefore a=6$

STEP B 극한값을 구하여 a, b의 값 구하기

$$b=\lim_{x \to 3} \frac{x^2-5x+6}{x-3}=\lim_{x \to 3} \frac{(x-2)(x-3)}{x-3}=\lim_{x \to 3}(x-2)=1$$

따라서 $a=6$, $b=1$

(2) $f(x)=\begin{cases} \dfrac{a\sqrt{x+2}+b}{x-2} & (x \neq 2) \\ 2 & (x=2) \end{cases}$

STEP A 함수 $f(x)$가 $x=2$에서 연속일 조건 구하기

함수 $f(x)$가 모든 실수에서 연속이려면 $x=2$에서 연속이어야 하므로 $\lim_{x \to 2} f(x)=f(2)$이어야 한다.

즉 $\lim_{x \to 2} \dfrac{a\sqrt{x+2}+b}{x-2}=2$

$x \to 2$일 때, (분모)$\to 0$이고 극한값이 존재하므로 (분자)$\to 0$이어야 한다.

즉 $\lim_{x \to 2}(a\sqrt{x+2}+b)=0$이므로 $2a+b=0$

$\therefore b=-2a$ …… ㉠

STEP B 극한값을 구하여 a, b의 값 구하기

$$\lim_{x \to 2} \frac{a\sqrt{x+2}-2a}{x-2}=\lim_{x \to 2} \frac{a(\sqrt{x+2}-2)(\sqrt{x+2}+2)}{(x-2)(\sqrt{x+2}+2)}=\lim_{x \to 2} \frac{a(x-2)}{(x-2)(\sqrt{x+2}+2)}=\lim_{x \to 2} \frac{a}{\sqrt{x+2}+2}=\frac{a}{2+2}=\frac{a}{4}$$

이때 $\dfrac{a}{4}=2$에서 $a=8$

$a=8$을 ㉠에 대입하면 $b=-2 \cdot 8=-16$

따라서 $a=8$, $b=-16$

0108

함수 $f(x)=\begin{cases} \dfrac{a\sqrt{x}-b}{x-1} & (x \neq 1) \\ b^2 & (x=1) \end{cases}$이 $x=1$에서 연속일 때, $f(1)+f(9)$의 값은? (단, a, b는 상수, $b \neq 0$)

① $\dfrac{3}{8}$ ② $\dfrac{5}{12}$ ③ $\dfrac{1}{2}$ ④ 1 ⑤ $\dfrac{3}{2}$

STEP A 함수 $f(x)$가 $x=1$에서 연속일 조건 구하기

함수 $f(x)$가 $x=1$에서 연속이므로 $\lim_{x \to 1} f(x)=f(1)$

STEP B 극한값이 존재하고 (분모)$\to 0$이므로 (분자)$\to 0$이어야 함을 이용하여 a, b의 값 구하기

$\lim_{x \to 1} \dfrac{a\sqrt{x}-b}{x-1}=b^2$에서 $x \to 1$일 때,

(분모)$\to 0$이고 극한값이 존재하므로 (분자)$\to 0$이어야 한다.

즉 $\lim_{x \to 1}(a\sqrt{x}-b)=0$이므로 $a-b=0$ $\therefore a=b$

$a=b$를 $\lim_{x \to 1} \dfrac{a\sqrt{x}-b}{x-1}=b^2$에 대입하면

$$b^2=\lim_{x \to 1} \frac{b\sqrt{x}-b}{x-1}=\lim_{x \to 1} \frac{b(\sqrt{x}-1)(\sqrt{x}+1)}{(x-1)(\sqrt{x}+1)}=\lim_{x \to 1} \frac{b(x-1)}{(x-1)(\sqrt{x}+1)}=\lim_{x \to 1} \frac{b}{\sqrt{x}+1}=\frac{b}{2}$$

$b^2=\dfrac{b}{2}$에서 $b(2b-1)=0$ $\therefore b=\dfrac{1}{2}$ ($\because b \neq 0$)

$\therefore a=\dfrac{1}{2}$, $b=\dfrac{1}{2}$

STEP C $f(1)+f(9)$의 값 구하기

따라서 $f(x)=\begin{cases} \dfrac{\frac{1}{2}\sqrt{x}-\frac{1}{2}}{x-1} & (x \neq 1) \\ \dfrac{1}{4} & (x=1) \end{cases}$이므로 $f(1)+f(9)=\dfrac{1}{4}+\dfrac{1}{8}=\dfrac{3}{8}$

0109

함수 $f(x)=x^2-x+a$에 대하여 함수 $g(x)$를

$$g(x)=\begin{cases} f(x+1) & (x \le 0) \\ f(x-1) & (x>0) \end{cases}$$

이라 하자. 함수 $y=\{g(x)\}^2$이 $x=0$에서 연속일 때, 상수 a의 값을 구하여라.

STEP A $x=0$에서 극한값과 함숫값이 같아야 함을 이용하여 a 구하기

이때 함수 $f(x)=x^2-x+a$는 연속함수이고

$g(x)=\begin{cases} f(x+1) & (x \le 0) \\ f(x-1) & (x>0) \end{cases}$이므로

$\lim_{x \to 0-}\{g(x)\}^2=\lim_{x \to 0-}\{f(x+1)\}^2$ ⬅ $x \le 0$

$=\{f(1)\}^2=(1-1+a)^2=a^2$

$\lim_{x \to 0+}\{g(x)\}^2=\lim_{x \to 0+}\{f(x-1)\}^2$ ⬅ $x>0$

$=\{f(-1)\}^2=(2+a)^2$

$x=0$에서 함숫값은 $\{g(0)\}^2=\{f(1)\}^2=a^2$

STEP B $y=\{g(x)\}^2$이 $x=0$에서 연속일 조건 구하기

$y=\{g(x)\}^2$이 $x=0$에서 연속이므로

$\lim_{x \to 0-}\{g(x)\}^2=\lim_{x \to 0+}\{g(x)\}^2=\{g(0)\}^2$이 성립해야 한다.

$a^2=(2+a)^2$에서 $a^2=4+4a+a^2$, $4a+4=0$

따라서 $a=-1$

0110

함수

$$f(x)=\begin{cases} 2x+10 & (x<1) \\ x+a & (x\ge 1) \end{cases}$$

이 실수 전체의 집합에서 연속이 되도록 하는 상수 a의 값을 구하여라.

STEP Ⓐ **함수 $f(x)$가 실수 전체의 집합에서 연속이 될 조건 이해하기**

$x\neq 1$일 때, 함수 $f(x)$는 다항함수이므로 $x\neq 1$인 모든 실수 x에서 연속이다.

즉 함수 $f(x)$가 실수 전체의 집합에서 연속이 되려면 $x=1$에서 연속이어야 한다.

STEP Ⓑ **함수 $f(x)$가 $x=1$에서 연속이 되도록 하는 a의 값 구하기**

함수 $f(x)$가 $x=1$에서 연속이므로

$\lim_{x\to 1-}f(x)=\lim_{x\to 1+}(x)=f(1)$이어야 한다.

$\lim_{x\to 1-}f(x)=\lim_{x\to 1-}(2x+10)=12$ …… ㉠

$\lim_{x\to 1+}f(x)=\lim_{x\to 1+}(x+a)=1+a$ …… ㉡

$f(1)=1+a$ …… ㉢

위의 ㉠, ㉡, ㉢의 값이 같아야 하므로 $12=1+a$

따라서 $a=11$

0111

다음 물음에 답하여라.

(1) 함수

$$f(x)=\begin{cases} 4x^2-a & (x<1) \\ x^3+a & (x\ge 1) \end{cases}$$

이 실수 전체의 집합에서 연속일 때, 상수 a의 값은?

① $\frac{3}{2}$　② 2　③ $\frac{5}{2}$　④ 3　⑤ $\frac{7}{2}$

STEP Ⓐ **함수 $f(x)$가 실수 전체의 집합에서 연속이 될 조건 이해하기**

$x\neq 1$일 때, 함수 $f(x)$는 다항함수이므로 $x\neq 1$인 모든 실수 x에서 연속이다.

즉 함수 $f(x)$가 실수 전체의 집합에서 연속이 되려면 $x=1$에서 연속이어야 한다.

STEP Ⓑ **함수 $f(x)$가 $x=1$에서 연속이 되도록 하는 a의 값 구하기**

함수 $f(x)$가 $x=1$에서 연속이므로

$\lim_{x\to 1-}f(x)=\lim_{x\to 1+}f(x)=f(1)$이어야 한다.

$\lim_{x\to 1-}f(x)=\lim_{x\to 1-}(4x^2-a)=4-a$ …… ㉠

$\lim_{x\to 1+}f(x)=\lim_{x\to 1+}(x^3+a)=1+a$ …… ㉡

$f(1)=1+a$ …… ㉢

위의 ㉠, ㉡, ㉢의 값이 같아야 하므로 $4-a=1+a$

따라서 $a=\frac{3}{2}$

(2) 함수

$$f(x)=\begin{cases} 3x+6 & (x<2) \\ x^2+ax-4 & (x\ge 2) \end{cases}$$

가 실수 전체의 집합에서 연속일 때, 상수 a의 값은?

① 2　② 4　③ 6　④ 8　⑤ 10

STEP Ⓐ **함수 $f(x)$가 실수 전체의 집합에서 연속이 될 조건 이해하기**

$x\neq 2$일 때, 함수 $f(x)$는 다항함수이므로 $x\neq 2$인 모든 실수 x에서 연속이다.

즉 함수 $f(x)$가 실수 전체의 집합에서 연속이 되려면 $x=2$에서 연속이어야 한다.

STEP Ⓑ **함수 $f(x)$가 $x=2$에서 연속이 되도록 하는 a의 값 구하기**

함수 $f(x)$가 $x=2$에서 연속이므로

$\lim_{x\to 2-}f(x)=\lim_{x\to 2+}(x)=f(2)$이어야 한다.

$\lim_{x\to 2-}f(x)=\lim_{x\to 2-}(3x+6)=3\cdot 2+6=12$ …… ㉠

$\lim_{x\to 2+}f(x)=\lim_{x\to 2+}(x^2+ax-4)=4+2a-4=2a$ …… ㉡

$f(2)=2^2+2a-4=2a$ …… ㉢

위의 ㉠, ㉡, ㉢의 값이 같아야 하므로 $12=2a$

따라서 $a=6$

0112

실수 전체의 집합에서 정의된 두 함수 $f(x)$와 $g(x)$에 대하여

$x<0$일 때, $f(x)+g(x)=x^2+4$

$x>0$일 때, $f(x)-g(x)=x^2+2x+8$

이다. 함수 $f(x)$가 $x=0$에서 연속이고 $\lim_{x\to 0-}g(x)-\lim_{x\to 0+}g(x)=6$일 때, $f(0)$의 값은?

① -3　② -1　③ 0　④ 1　⑤ 3

STEP Ⓐ **$x=0$에서 연속이기 위한 조건 구하기**

함수 $f(x)$가 $x=0$에서 연속이므로 $\lim_{x\to 0-}f(x)=\lim_{x\to 0+}f(x)=f(0)$

$x<0$일 때, $g(x)=-f(x)+x^2+4$

$x>0$일 때, $g(x)=f(x)-x^2-2x-8$

STEP Ⓑ **함수의 극한의 존재 조건을 이용하여 $f(0)$ 구하기**

$\lim_{x\to 0-}g(x)=\lim_{x\to 0-}\{-f(x)+x^2+4\}$ ← $\lim_{x\to 0-}f(x)=f(0)$

$=-f(0)+4$

$\lim_{x\to 0+}g(x)=\lim_{x\to 0+}\{f(x)-x^2-2x-8\}$ ← $\lim_{x\to 0+}f(x)=f(0)$

$=f(0)-8$

이므로 $\lim_{x\to 0-}g(x)-\lim_{x\to 0+}g(x)=6$에서

$\{-f(0)+4\}-\{f(0)-8\}=6$, $-2f(0)=-6$

따라서 $f(0)=3$

0113

다음 물음에 답하여라.

(1) 실수 전체의 집합에서 연속인 함수 $f(x)$가 $(x+1)f(x)=x^2-2x-3$을 만족시킬 때, $f(-1)$의 값을 구하여라.

STEP Ⓐ **함수 $f(x)$가 $x=-1$에서 연속일 조건 구하기**

$x\neq -1$일 때, $f(x)=\frac{x^2-2x-3}{x+1}$

함수 $f(x)$가 실수 전체의 집합에서 연속이므로 $f(x)$는 $x=-1$에서도 연속이다.

즉 $\lim_{x\to -1}f(x)=f(-1)$이어야 한다.

STEP Ⓑ **$f(-1)$의 값 구하기**

따라서 $f(-1)=\lim_{x\to -1}\frac{x^2-2x-3}{x+1}=\lim_{x\to -1}\frac{(x+1)(x-3)}{x+1}=\lim_{x\to -1}(x-3)=-4$

(2) $x \geq -7$인 모든 실수 x에서 연속인 함수 $f(x)$가

$$(x-2)f(x)=\sqrt{x+7}-3$$

을 만족할 때, $f(2)$의 값을 구하여라.

STEP A 함수 $f(x)$가 $x=2$에서 연속일 조건 구하기

$x \neq 2$이면 $f(x)=\dfrac{\sqrt{x+7}-3}{x-2}$이므로

함수 $f(x)$가 모든 실수에서 연속이므로 $x=2$에서도 연속이다.

즉 $\lim_{x \to 2} f(x)=f(2)$이어야 한다.

STEP B $f(2)$의 값 구하기

따라서 $f(2)=\lim_{x \to 2}\dfrac{\sqrt{x+7}-3}{x-2}=\lim_{x \to 2}\dfrac{(\sqrt{x+7}-3)(\sqrt{x+7}+3)}{(x-2)(\sqrt{x+7}+3)}$

$=\lim_{x \to 2}\dfrac{x-2}{(x-2)(\sqrt{x+7}+3)}$

$=\lim_{x \to 2}\dfrac{1}{\sqrt{x+7}+3}$

$=\dfrac{1}{6}$

0114

$x \geq 1$인 모든 실수 x에서 연속인 함수 $f(x)$에 대하여

$$(x-2)f(x)=a\sqrt{x-1}+b,\ f(2)=1$$

을 만족시킬 때, 상수 a, b에 대하여 ab의 값은?

① -4 ② -3 ③ -2
④ -1 ⑤ 1

STEP A 함수 $f(x)$가 $x=2$에서 연속일 조건 구하기

$x \neq 2$일 때, $f(x)=\dfrac{a\sqrt{x-1}+b}{x-2}$이므로

$x \geq 1$인 모든 실수 x에서 함수 $f(x)$가 연속이므로 $x=2$에서 연속이다.

즉 $\lim_{x \to 2} f(x)=f(2)$가 되어야 한다.

STEP B 극한값이 존재하고 (분모)→ 0이므로 (분자)→ 0이어야 함을 이용하여 a, b의 값 구하기

이때 $\lim_{x \to 2}\dfrac{a\sqrt{x-1}+b}{x-2}=1$ …… ㉠

이므로

$x \to 2$일 때, (분모)→ 0이고 극한값이 존재하므로 (분자)→ 0이어야 한다.

즉 $\lim_{x \to 2}\{a\sqrt{x-1}+b\}=0$이므로 $a\sqrt{2-1}+b=0$

$\therefore b=-a$ …… ㉡

㉡을 ㉠에 대입하면

$\lim_{x \to 2}\dfrac{a\sqrt{x-1}-a}{x-2}=\lim_{x \to 2}\dfrac{a(\sqrt{x-1}-1)(\sqrt{x-1}+1)}{(x-2)(\sqrt{x-1}+1)}$

$=\lim_{x \to 2}\dfrac{a(x-2)}{(x-2)(\sqrt{x-1}+1)}$

$=\lim_{x \to 2}\dfrac{a}{\sqrt{x-1}+1}$

$=\dfrac{a}{1+1}$

$=\dfrac{a}{2}$

이때 $\dfrac{a}{2}=1$이므로 $a=2$

㉡에서 $b=-2$

따라서 $ab=2\cdot(-2)=-4$

0115

다음 물음에 답하여라.

(1) 모든 실수 x에서 연속인 함수 $f(x)$가

$$(x-3)f(x)=2x^2+ax-b$$

를 만족시키고, $f(4)=9$일 때, $f(3)$의 값을 구하여라. (단, a, b는 상수)

STEP A 함수 $f(x)$가 $x=3$에서 연속일 조건 구하기

$x \neq 3$일 때, $f(x)=\dfrac{2x^2+ax-b}{x-3}$이므로

모든 실수 x에서 함수 $f(x)$가 연속이므로 $x=3$에서 연속이다.

즉 $\lim_{x \to 3} f(x)=f(3)$이어야 한다.

STEP B 극한값이 존재하고 (분모)→ 0이므로 (분자)→ 0이어야 함을 이용하여 a, b의 값 구하기

이때 $\lim_{x \to 3} f(x)=\lim_{x \to 3}\dfrac{2x^2+ax-b}{x-3}$가 존재하므로

$x \to 3$일 때, (분모)→ 0이고 극한값이 존재하므로 (분자)→ 0이다.

즉 $\lim_{x \to 3}(2x^2+ax-b)=0$이므로

$18+3a-b=0$ …… ㉠

또, $f(4)=9$에서 $32+4a-b=9$ …… ㉡

㉠, ㉡를 연립하여 풀면 $a=-5$, $b=3$

STEP C $f(3)$의 값 구하기

따라서 $f(3)=\lim_{x \to 3}\dfrac{2x^2-5x-3}{x-3}=\lim_{x \to 3}\dfrac{(x-3)(2x+1)}{x-3}=\lim_{x \to 3}(2x+1)=7$

(2) 실수 전체의 집합에서 연속인 함수 $f(x)$가

$$(x^2-3x+2)f(x)=x^3+ax+b$$

를 만족시킬 때, $f(1)+f(2)$의 값을 구하여라. (단, a, b는 상수)

STEP A 함수 $f(x)$가 $x=2$에서 연속일 조건 구하기

$x \neq 1$, $x \neq 2$이면 $f(x)=\dfrac{x^3+ax+b}{x^2-3x+2}$이므로

함수 $f(x)$가 실수 전체의 집합에서 연속이므로

$f(x)$는 $x=1$, $x=2$에서도 연속이다.

즉 $\lim_{x \to 1} f(x)=f(1)$, $\lim_{x \to 2} f(x)=f(2)$이어야 한다.

STEP B 극한값이 존재하고 (분모)→ 0이므로 (분자)→ 0이어야 함을 이용하여 a, b의 값 구하기

$\lim_{x \to 1}\dfrac{x^3+ax+b}{x^2-3x+2}=f(1)$일 때,

$x \to 1$일 때, (분모)→ 0이고 극한값이 존재하므로 (분자)→ 0이어야 한다.

즉 $\lim_{x \to 1}(x^3+ax+b)=0$이므로 $1+a+b=0$

$\therefore a+b=-1$ …… ㉠

$\lim_{x \to 2}\dfrac{x^3+ax+b}{x^2-3x+2}=f(2)$일 때,

$x \to 2$일 때, (분모)→ 0이고 극한값이 존재하므로 (분자)→ 0이어야 한다.

$\lim_{x \to 2}(x^3+ax+b)=0$이므로 $8+2a+b=0$

$\therefore 2a+b=-8$ …… ㉡

㉠, ㉡을 연립하여 풀면 $a=-7$, $b=6$

STEP C $f(1)+f(2)$의 값 구하기

이때 $x \neq 1$, $x \neq 2$일 때,

$f(x)=\dfrac{x^3-7x+6}{x^2-3x+2}=\dfrac{(x+3)(x-1)(x-2)}{(x-1)(x-2)}=x+3$이므로

$f(1)=\lim_{x \to 1} f(x)=\lim_{x \to 1}(x+3)=4$, $f(2)=\lim_{x \to 2} f(x)=\lim_{x \to 2}(x+3)=5$

따라서 $f(1)+f(2)=9$

0116

함수

$$f(x)=\begin{cases} ax-4 & (x\le -1 \text{ 또는 } x\ge 2) \\ x^3+x+b & (-1<x<2) \end{cases}$$

가 실수 전체에서 연속이 되도록 하는 상수 a, b에 대하여 ab의 값을 구하여라.

STEP A 함수 $f(x)$가 불연속일 수 있는 점의 x좌표 찾기

$y=ax-4$, $y=x^3+x+b$가 연속함수이므로 $f(x)$가 실수 전체에서 연속이 되려면 $x=-1$과 $x=2$에서만 연속이면 된다.

STEP B $x=-1$, $x=2$에서 연속이 되도록 하는 a, b의 값 구하기

(ⅰ) $x=-1$에서 연속이려면

$\lim_{x\to -1-} f(x)=\lim_{x\to -1+} f(x)=f(-1)$이어야 하므로

$\lim_{x\to -1-}(ax-4)=\lim_{x\to -1+}(x^3+x+b)=f(-1)$에서

$-a-4=-1-1+b$

$\therefore a+b=-2$ …… ㉠

(ⅱ) $x=2$에서 연속이려면

$\lim_{x\to 2-} f(x)=\lim_{x\to 2+} f(x)=f(2)$이어야 하므로

$\lim_{x\to 2-}(x^3+x+b)=\lim_{x\to 2+}(ax-4)=f(2)$에서

$8+2+b=2a-4$

$\therefore 2a-b=14$ …… ㉡

㉠, ㉡을 연립하여 풀면 $a=4$, $b=-6$

따라서 $ab=4\cdot(-6)=-24$

0117

함수

$$f(x)=\begin{cases} 2x-3 & (a\le x\le b) \\ x^2-3x+1 & (x<a \text{ 또는 } x>b) \end{cases}$$

가 실수 전체의 집합에서 연속일때, $a+b$의 값은?
(단, $a<b$이고 a, b는 상수이다.)

① 1　② 2　③ 3　④ 4　⑤ 5

STEP A 함수 $f(x)$가 불연속일 수 있는 점의 x좌표 찾기

$y=2x-3$, $y=x^2-3x+1$가 연속함수이므로 함수 $f(x)$가 실수 전체의 집합에서 연속이려면 $x=a$, $x=b$에서 연속이어야 한다.

STEP B $x=a$, $x=b$에서 연속이 되도록 하는 a, b의 값 구하기

(ⅰ) 함수 $f(x)$가 $x=a$에서 연속이려면

$\lim_{x\to a-} f(x)=\lim_{x\to a+} f(x)=f(a)$이어야 하므로

$\lim_{x\to a-}(x^2-3x+1)=\lim_{x\to a+}(2x-3)=2a-3$에서

$a^2-3a+1=2a-3$

$a^2-5a+4=0$, $(a-1)(a-4)=0$

$\therefore a=1$ 또는 $a=4$ …… ㉠

(ⅱ) 함수 $f(x)$가 $x=b$에서 연속이려면

$\lim_{x\to b-} f(x)=\lim_{x\to b+} f(x)=f(b)$이어야 하므로

$\lim_{x\to b-}(2x-3)=\lim_{x\to b+}(x^2-3x+1)=2b-3$에서

$2b-3=b^2-3b+1$

$b^2-5b+4=0$, $(b-1)(b-4)=0$

$\therefore b=1$ 또는 $b=4$ …… ㉡

이때 $a<b$이므로 ㉠, ㉡에서 $a=1$, $b=4$

따라서 $a+b=1+4=5$

0118

함수

$$f(x)=\begin{cases} x(x-1) & (|x|>1) \\ -x^2+ax+b & (|x|\le 1) \end{cases}$$

가 모든 실수 x에서 연속이 되도록 상수 a, b의 값을 정할 때, $a-b$의 값은?

① -3　② -1　③ 0　④ 1　⑤ 3

STEP A 함수 $f(x)$가 불연속일 수 있는 점의 x좌표 찾기

$y=x(x-1)$, $y=-x^2+ax+b$가 연속함수이므로

함수 $f(x)$가 모든 실수에서 연속이려면 $f(x)$가 $x=-1$과 $x=1$에서 연속이어야 하고 $y=f(x)$의 그래프는 다음 그림과 같다.

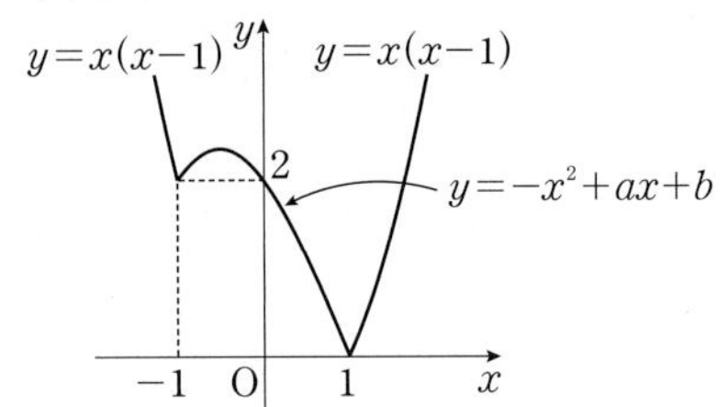

STEP B $x=\pm 1$에서 연속이 되도록 하는 a, b의 값 구하기

(ⅰ) $x=-1$에서 연속이려면 $\lim_{x\to -1-} f(x)=\lim_{x\to -1+} f(x)=f(-1)$이므로

$f(-1)=-1-a+b$

$\lim_{x\to -1-} x(x-1)=\lim_{x\to -1+}(-x^2+ax+b)$

$2=-1-a+b$

$\therefore a-b=-3$ …… ㉠

(ⅱ) $x=1$에서 연속이려면 $\lim_{x\to 1-} f(x)=\lim_{x\to 1+} f(x)=f(1)$이므로

$f(1)=-1+a+b$

$\lim_{x\to 1-}(-x^2+ax+b)=\lim_{x\to 1+} x(x-1)$

$-1+a+b=0$

$\therefore a+b=1$ …… ㉡

㉠, ㉡을 연립하여 풀면 $a=-1$, $b=2$

따라서 $a-b=-1-2=-3$

0119

모든 실수 x에 대하여 연속인 함수 $f(x)$는 $f(x+5)=f(x)$를 만족시키고

$$f(x)=\begin{cases} 2x+a & (-2\le x<1) \\ x^2+bx+3 & (1\le x\le 3) \end{cases}$$

이다. $f(2021)$의 값을 구하여라.

STEP A $x=1$에서 $f(x)$가 연속임을 이용하여 a, b의 관계식 구하기

함수 $f(x)$가 모든 실수 x에서 연속이므로 $f(x)$는 $x=1$에서도 연속이다.

$\lim_{x\to 1-} f(x)=\lim_{x\to 1+} f(x)=f(1)$이어야 한다.

$\lim_{x\to 1-} f(x)=\lim_{x\to 1-}(2x+a)=2+a$

$\lim_{x\to 1+} f(x)=\lim_{x\to 1+}(x^2+bx+3)=1+b+3=b+4$

$f(1)=1+b+3$이므로 $2+a=b+4$

$\therefore a-b=2$ …… ㉠

STEP B $f(x+5)=f(x)$에서 $f(3)=f(-2)$를 이용하여 관계식 구하기

또한, $f(x+5)=f(x)$에 $x=-2$를 대입하면

$f(3)=f(-2)$이므로 $3^2+3b+3=2\cdot(-2)+a$

$\therefore a-3b=16$ …… ㉡

㉠, ㉡을 연립하면 $a=-5$, $b=-7$

$$f(x)=\begin{cases} 2x-5 & (-2 \le x < 1) \\ x^2-7x+3 & (1 \le x \le 3) \end{cases}$$

STEP C $f(x+5)=f(x)$임을 이용하여 $f(2021)$의 값 구하기

따라서 $f(x+5)=f(x)$이므로 $f(2021)=f(404\times5+1)$

$=f(1)$

$=1-7+3$

$=-3$

0120

함수 $f(x)$는 모든 실수 x에 대하여 $f(x+2)=f(x)$를 만족시키고

$$f(x)=\begin{cases} ax+1 & (-1 \le x < 0) \\ 3x^2+2ax+b & (0 \le x < 1) \end{cases}$$

이다. 함수 $f(x)$가 실수 전체의 집합에서 연속일 때, 두 상수 a, b에 대하여 $a+b$의 값은?

① -2 ② -1 ③ 0

④ 1 ⑤ 2

STEP A $x=0$에서도 연속이 되도록 하는 b의 값 구하기

함수 $f(x)$가 모든 실수 x에서 연속이므로 $f(x)$는 $x=0$에서도 연속이다.

$\lim_{x\to0-}f(x)=\lim_{x\to0+}f(x)=f(0)$이어야 한다.

$\lim_{x\to0-}f(x)=\lim_{x\to0-}(ax+1)=1$

$\lim_{x\to0+}f(x)=\lim_{x\to0+}(3x^2+2ax+b)=3\cdot0^2+2a\cdot0+b=b$

$f(0)=b$이므로 $b=1$ …… ㉠

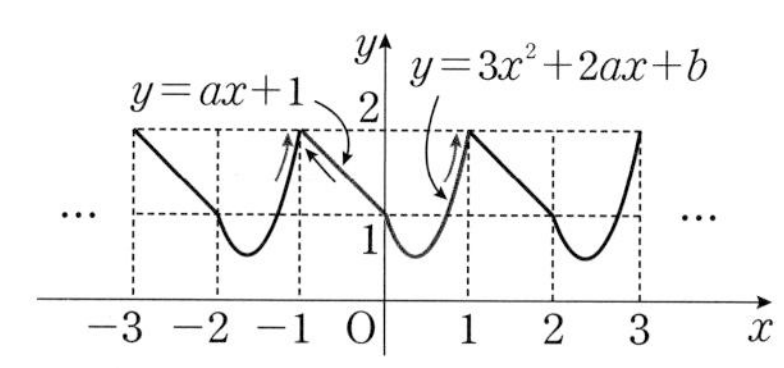

STEP B $f(x+2)=f(x)$에서 $f(1)=f(-1)$를 이용하여 관계식 구하기

또한, $f(x+2)=f(x)$에 $x=-1$를 대입하면

$f(1)=f(-1)$이므로 $3+2a+b=-a+1$

$\therefore 3a+b=-2$ …… ㉡

㉠, ㉡을 연립하면 $a=-1$, $b=1$

따라서 $a+b=0$

함수 $f(x)$가 모든 실수 x에 대하여 $f(x+2)=f(x)$를 만족시키므로

$\lim_{x\to-1-}f(x)=\lim_{x\to1-}f(x)$ ← $f(x+2)=f(x)$에서 $f(-1)=f(1)$

이때 $x=-1$에서 $f(x)$가 연속이므로

$f(-1)=\lim_{x\to-1-}f(x)=\lim_{x\to-1+}f(x)$이 성립한다.

$f(-1)=-a+1$

$\lim_{x\to-1-}f(x)=\lim_{x\to1-}f(x)=\lim_{x\to1-}(3x^2+2ax+b)=3+2a+b$

$\lim_{x\to-1+}f(x)=\lim_{x\to-1+}(ax+1)=-a+1$

$-a+1=3+2a+b$

$\therefore 3a+b=-2$ …… ㉡

㉠, ㉡을 연립하여 풀면 $a=-1$, $b=1$

따라서 $a+b=0$

0121

모든 실수 x에 대하여 연속인 함수 $f(x)$가 닫힌구간 $[0, 4]$에서

$$f(x)=\begin{cases} x^2+ax-2b & (0 \le x < 2) \\ 2x-4 & (2 \le x \le 4) \end{cases}$$

이고 모든 실수 x에 대하여 $f(x-2)=f(x+2)$를 만족시킬 때, $a+b$의 값을 구하여라. (단, a, b는 상수)

STEP A $f(x)$는 $x=2$에서 연속임을 이용하기

함수 $f(x)$가 모든 실수 x에서 연속이므로

$f(x)$는 $x=2$에서 연속이다.

즉 $\lim_{x\to2-}f(x)=\lim_{x\to2+}f(x)=f(2)$이 성립한다.

$f(2)=4-4=0$

$\lim_{x\to2-}f(x)=\lim_{x\to2-}(x^2+ax-2b)=4+2a-2b$

$\lim_{x\to2+}f(x)=\lim_{x\to2+}(2x-4)=4-4=0$

$4+2a-2b=0$

$\therefore a-b=-2$ …… ㉠

STEP B $f(x-2)=f(x+2)$임을 이용하기

또한, $f(x-2)=f(x+2)$에 $x=2$를 대입하면

$f(0)=f(4)=4$이므로 $-2b=4$

$\therefore b=-2$ …… ㉡

㉡을 ㉠에 대입하면 $a=-4$

따라서 $a+b=-4-2=-6$

+α $f(x-2)=f(x+2)$에 $x=t+2$를 대입하면 $f(t)=f(t+4)$이다.

0122

다음 물음에 답하여라.

(1) 두 함수

$$f(x)=\begin{cases} -x+1 & (x<0) \\ x^3 & (x \ge 0) \end{cases},\quad g(x)=\begin{cases} x^2+3 & (x<0) \\ x+k & (x \ge 0) \end{cases}$$

에 대하여 함수 $f(x)+g(x)$가 $x=0$에서 연속이 되도록 하는 상수 k의 값을 구하여라.

STEP A 함숫값과 극한값 구하기

$x=0$에서 함숫값은 $f(0)+g(0)=k$

$\lim_{x\to0-}\{f(x)+g(x)\}=\lim_{x\to0-}f(x)+\lim_{x\to0-}g(x)$

$=\lim_{x\to0-}(-x+1)+\lim_{x\to0-}(x^2+3)$

$=1+3=4$

$\lim_{x\to0+}\{f(x)+g(x)\}=\lim_{x\to0+}f(x)+\lim_{x\to0+}g(x)$

$=\lim_{x\to0+}x^3+\lim_{x\to0+}(x+k)$

$=0+k=k$

STEP B 연속의 정의를 이용하여 k의 값 구하기

따라서 함수 $f(x)+g(x)$가 $x=0$에서 연속이려면

$\lim_{x\to0-}\{f(x)+g(x)\}=\lim_{x\to0+}\{f(x)+g(x)\}=f(0)+g(0)$이어야 하므로

$k=4$

(2) 두 함수

$$f(x)=x+k,\ g(x)=\begin{cases} x+3 & (x\geq 1) \\ -x+2 & (x<1) \end{cases}$$

에 대하여 함수 $f(x)g(x)$가 $x=1$에서 연속일 때, 상수 k의 값을 구하여라.

STEP Ⓐ **함숫값과 극한값 구하기**

$x=1$에서 함숫값은 $f(1)g(1)=(1+k)(1+3)=4+4k$

$\lim_{x\to 1-}f(x)g(x)=\lim_{x\to 1-}f(x)\cdot\lim_{x\to 1-}g(x)$
$=\lim_{x\to 1-}(x+k)\cdot\lim_{x\to 1-}(-x+2)$
$=(1+k)(-1+2)=1+k$

$\lim_{x\to 1+}f(x)g(x)=\lim_{x\to 1+}f(x)\cdot\lim_{x\to 1+}g(x)$
$=\lim_{x\to 1+}(x+k)\cdot\lim_{x\to 1+}(x+3)$
$=(1+k)(1+3)=4+4k$

STEP Ⓑ **연속의 정의를 이용하여 k의 값 구하기**

함수 $f(x)g(x)$가 $x=1$에서 연속이기 위해서는

$\lim_{x\to 1-}f(x)g(x)=\lim_{x\to 1+}f(x)g(x)=f(1)g(1)$이어야 하므로 $4+4k=1+k$

따라서 $k=-1$

0123

다음 물음에 답하여라.

(1) 함수 $f(x)=\dfrac{x+1}{x^2+ax+2a}$이 실수 전체의 집합에서 연속이 되도록 하는 정수 a의 개수를 구하여라.

STEP Ⓐ **함수 $\dfrac{f(x)}{g(x)}$는 $g(x)\neq 0$인 모든 실수 x에 대하여 연속임을 이용하기**

함수 $f(x)$가 실수 전체의 집합에서 연속이기 위해서는
모든 실수 x에 대하여 분모가 0이 아니어야 한다.
이차방정식 $x^2+ax+2a=0$이 실근을 갖지 않아야 한다.

STEP Ⓑ **이차방정식이 실근을 갖지 않을 조건 구하기**

즉 모든 실수 x에 대하여 $x^2+ax+2a\neq 0$이므로
$x^2+ax+2a=0$의 판별식을 D라고 하면
$D=a^2-8a<0,\ a(a-8)<0$
$\therefore\ 0<a<8$
따라서 정수 a는 $1,\ 2,\ 3,\ 4,\ 5,\ 6,\ 7$이므로 개수는 7개이다.

(2) 두 함수 $f(x)=x^3+2x+3,\ g(x)=x^2+ax+4$에 대하여
함수 $\dfrac{f(x)}{g(x)}$가 모든 실수 x에서 연속이 되도록 하는 정수 a의 개수를 구하여라.

STEP Ⓐ **함수 $\dfrac{f(x)}{g(x)}$는 $g(x)\neq 0$인 모든 실수 x에 대하여 연속임을 이용하기**

함수 $\dfrac{f(x)}{g(x)}$가 모든 실수 x에서 연속이려면 모든 실수 x에 대하여
$g(x)\neq 0$이어야 하므로 방정식 $g(x)=0$이 실근을 갖지 않아야 한다.

STEP Ⓑ **이차방정식이 실근을 갖지 않을 조건 구하기**

이차방정식 $x^2+ax+4=0$의 판별식을 D라고 하면
$D=a^2-16<0,\ (a-4)(a+4)<0$
$\therefore\ -4<a<4$
따라서 구하는 정수 a는 $-3,\ -2,\ -1,\ 0,\ 1,\ 2,\ 3$이므로 개수는 7개이다.

두 함수 $f(x),\ g(x)$가 $x=a$에서 연속이면
$\dfrac{f(x)}{g(x)}$ (단, $g(a)\neq 0$)도 $x=a$에서 연속이다.
즉 두 함수 $f(x),\ g(x)$가 연속함수일 때,
함수 $\dfrac{f(x)}{g(x)}$는 $g(x)\neq 0$인 모든 실수 x에 대하여 연속이다.

0124

두 함수 $y=f(x)$와 $y=g(x)$와 그래프가 그림과 같다.
[보기]에서 항상 옳은 것을 모두 고르면?

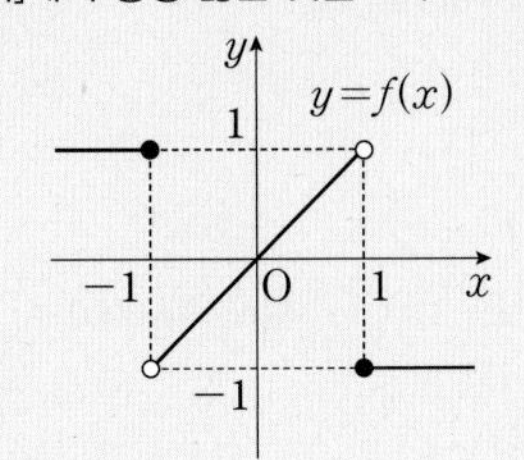

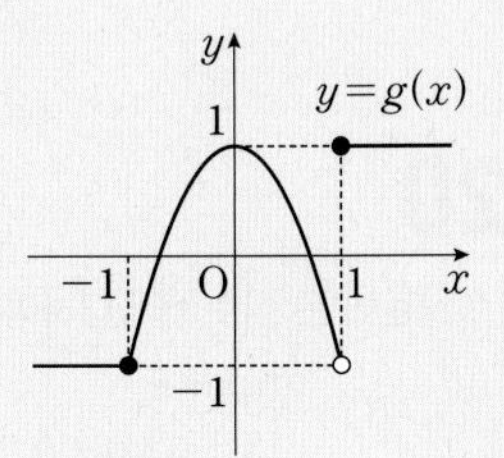

ㄱ. $\lim_{x\to 1}f(x)g(x)=-1$
ㄴ. 함수 $y=f(x)g(x)$는 $x=-1$에서 연속이다.
ㄷ. 함수 $y=f(x)+g(x)$는 $x=1$에서 연속이다.

① ㄱ ② ㄴ ③ ㄱ, ㄷ
④ ㄴ, ㄷ ⑤ ㄱ, ㄴ, ㄷ

STEP Ⓐ **$x=1$에서 극한값 존재조건 이용하기**

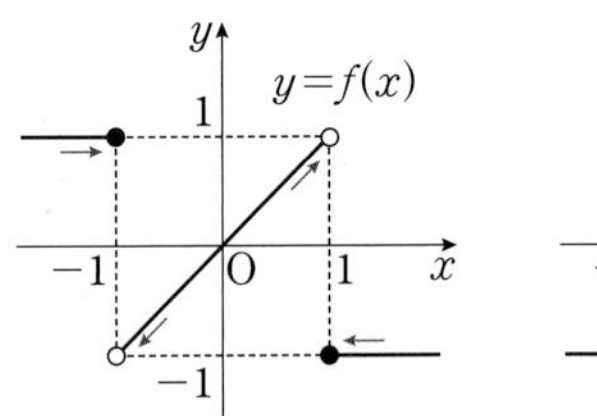

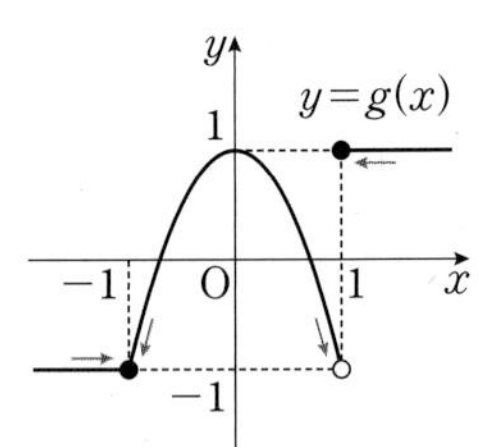

ㄱ. $\lim_{x\to 1+}f(x)g(x)=\lim_{x\to 1+}f(x)\cdot\lim_{x\to 1+}g(x)=(-1)\cdot 1=-1$
$\lim_{x\to 1-}f(x)g(x)=\lim_{x\to 1-}f(x)\cdot\lim_{x\to 1-}g(x)=1\cdot(-1)=-1$
$\therefore\ \lim_{x\to 1}f(x)g(x)=-1$ [참]

STEP Ⓑ **$x=a$에서 연속이려면 $f(a)=\lim_{x\to a}f(x)$가 성립함을 이용하기**

ㄴ. $\lim_{x\to -1+}f(x)g(x)=\lim_{x\to -1+}f(x)\cdot\lim_{x\to -1+}g(x)$
$=(-1)\cdot(-1)=1$
$\lim_{x\to -1-}f(x)g(x)=\lim_{x\to -1-}f(x)\cdot\lim_{x\to -1-}g(x)$
$=1\cdot(-1)=-1$
$\lim_{x\to -1+}f(x)g(x)\neq\lim_{x\to -1-}f(x)g(x)$
즉 $\lim_{x\to -1}f(x)g(x)$의 값이 존재하지 않으므로
함수 $y=f(x)g(x)$는 $x=-1$에서 불연속이다. [거짓]

ㄷ. $\lim_{x\to 1+}\{f(x)+g(x)\}=\lim_{x\to 1+}f(x)+\lim_{x\to 1+}g(x)$
$=(-1)+1=0$
$\lim_{x\to 1-}\{f(x)+g(x)\}=\lim_{x\to 1-}f(x)+\lim_{x\to 1-}g(x)$
$=1+(-1)=0$
$f(1)+g(1)=(-1)+1=0$
즉 $\lim_{x\to 1}\{f(x)+g(x)\}=f(1)+g(1)$이므로
함수 $y=f(x)+g(x)$는 $x=1$에서 연속이다. [참]

따라서 옳은 것은 ㄱ, ㄷ이다.

0125

다음 물음에 답하여라.

(1) 두 함수 $y=f(x)$, $y=g(x)$의 그래프가 그림과 같다. [보기]에서 옳은 것만을 있는 대로 고른 것은?

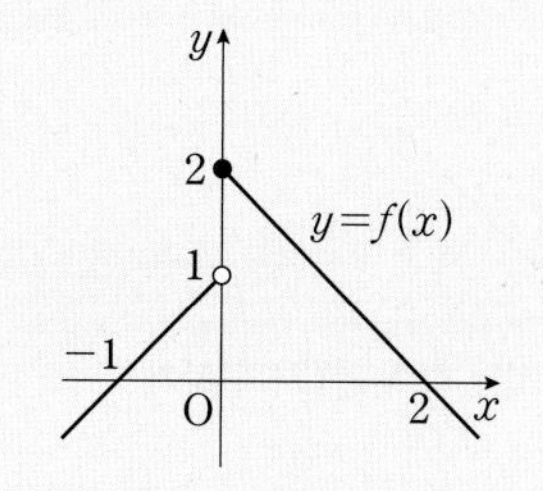
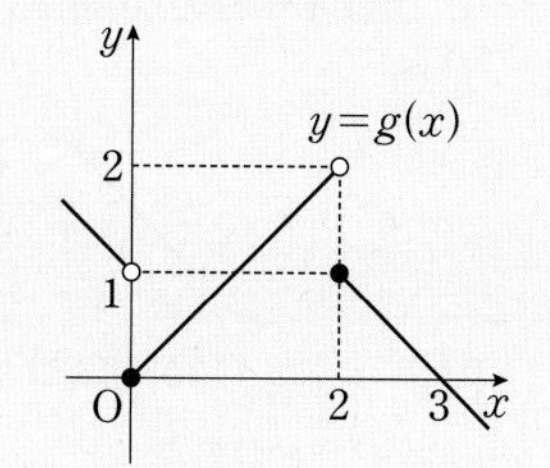

ㄱ. $\lim_{x\to0+}f(x)\cdot\lim_{x\to2-}g(x)=4$
ㄴ. 함수 $f(x)+g(x)$는 $x=0$에서 연속이다.
ㄷ. 함수 $f(x)g(x)$는 $x=2$에서 연속이다.

① ㄱ ② ㄷ ③ ㄱ, ㄴ
④ ㄴ, ㄷ ⑤ ㄱ, ㄴ, ㄷ

STEP Ⓐ $x=0$에서 함수 $f(x)+g(x)$의 연속성 판단하기

ㄱ. $\lim_{x\to0+}f(x)=2$, $\lim_{x\to2-}g(x)=2$이므로

$\lim_{x\to0+}f(x)\cdot\lim_{x\to2-}g(x)=4$ [참]

STEP Ⓑ 함수 $f(x)+g(x)$가 $x=0$에서 연속성 판단하기

ㄴ. $f(0)+g(0)=2+0=2$

$\lim_{x\to0+}\{f(x)+g(x)\}=\lim_{x\to0+}f(x)+\lim_{x\to0+}g(x)=2+0=2$

$\lim_{x\to0-}\{f(x)+g(x)\}=\lim_{x\to0-}f(x)+\lim_{x\to0-}g(x)=1+1=2$

즉 $\lim_{x\to0}\{f(x)+g(x)\}=f(0)+g(0)$이므로

함수 $f(x)+g(x)$는 $x=0$에서 연속이다. [참]

STEP Ⓒ $x=2$에서 함수 $f(x)g(x)$의 연속성 판단하기

ㄷ. $f(2)g(2)=0\cdot1=0$

$\lim_{x\to2+}\{f(x)g(x)\}=\lim_{x\to2+}f(x)\cdot\lim_{x\to2+}g(x)=0\cdot1=0$

$\lim_{x\to2-}\{f(x)g(x)\}=\lim_{x\to2-}f(x)\cdot\lim_{x\to2-}g(x)=0\cdot2=0$

즉 $\lim_{x\to2}\{f(x)g(x)\}=f(2)g(2)$이므로

함수 $f(x)g(x)$는 $x=2$에서 연속이다. [참]

따라서 옳은 것은 ㄱ, ㄴ, ㄷ이다.

(2) 두 함수 $y=f(x)$, $y=g(x)$의 그래프가 그림과 같다. [보기]에서 옳은 것만을 있는 대로 고른 것은?

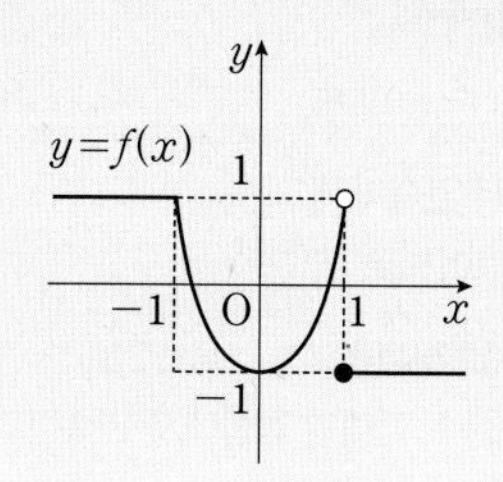
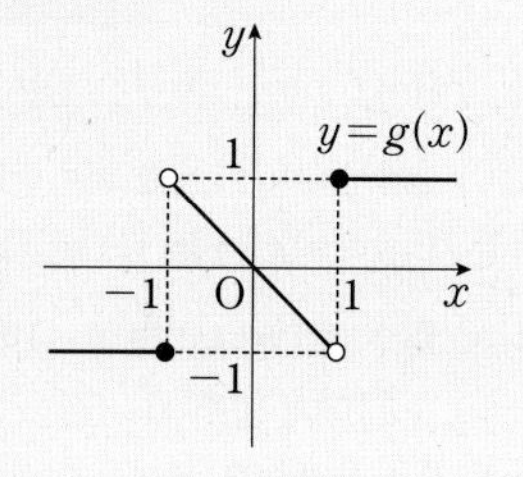

ㄱ. $\lim_{x\to1}\{f(x)+g(x)\}=0$
ㄴ. 함수 $f(x)-g(x)$는 $x=-1$에서 연속이다.
ㄷ. 함수 $f(x)g(x)$는 $x=1$에서 연속이다.

① ㄱ ② ㄷ ③ ㄱ, ㄷ
④ ㄴ, ㄷ ⑤ ㄱ, ㄴ, ㄷ

STEP Ⓐ $x=1$에서 함수 $f(x)+g(x)$의 극한값 구하기

ㄱ. $\lim_{x\to1+}\{f(x)+g(x)\}=\lim_{x\to1+}f(x)+\lim_{x\to1+}g(x)$

$=-1+1=0$

$\lim_{x\to1-}\{f(x)+g(x)\}=\lim_{x\to1-}f(x)+\lim_{x\to1-}g(x)$

$=1+(-1)=0$

즉 $\lim_{x\to1}\{f(x)+g(x)\}=0$ [참]

STEP Ⓑ $x=-1$에서 함수 $f(x)-g(x)$의 연속성 판단하기

ㄴ. $\lim_{x\to-1+}\{f(x)-g(x)\}=\lim_{x\to-1+}f(x)-\lim_{x\to-1+}g(x)$

$=1-1=0$

$\lim_{x\to-1-}\{f(x)-g(x)\}=\lim_{x\to-1-}f(x)-\lim_{x\to-1-}g(x)$

$=1-(-1)=2$

즉 극한값 $\lim_{x\to-1}\{f(x)-g(x)\}$가 존재하지 않으므로

함수 $f(x)-g(x)$는 $x=-1$에서 불연속이다. [거짓]

STEP Ⓒ $x=1$에서 함수 $f(x)g(x)$의 연속성 판단하기

ㄷ. $\lim_{x\to1+}f(x)g(x)=\lim_{x\to1+}f(x)\cdot\lim_{x\to1+}g(x)$

$=(-1)\cdot1=-1$

$\lim_{x\to1-}f(x)g(x)=\lim_{x\to1-}f(x)\cdot\lim_{x\to1-}g(x)$

$=1\cdot(-1)=-1$

$f(1)g(1)=(-1)\cdot1=-1$

즉 $\lim_{x\to1}f(x)g(x)=f(1)g(1)$이므로

함수 $f(x)g(x)$는 $x=1$에서 연속이다. [참]

따라서 옳은 것은 ㄱ, ㄷ이다.

0126

두 함수 $y=f(x)$, $y=g(x)$의 그래프가 그림과 같을 때, [보기]에서 옳은 것만을 있는 대로 골라라.

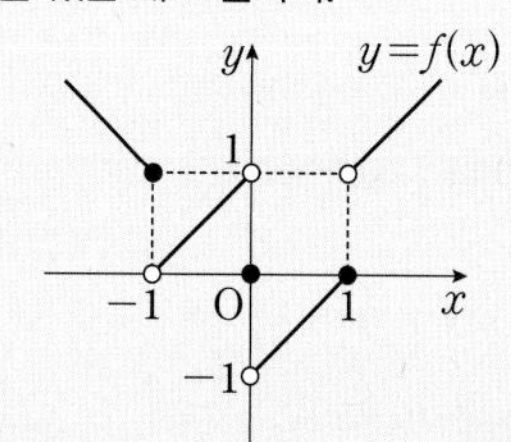
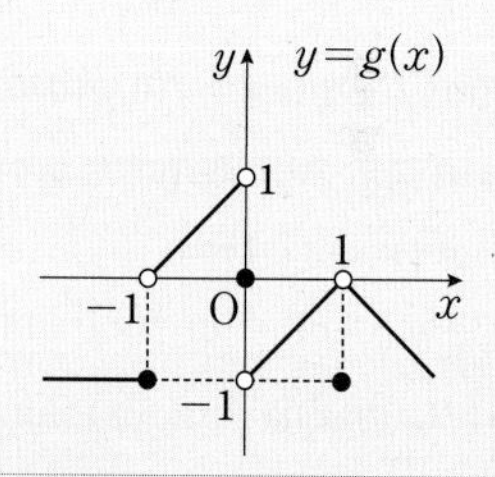

ㄱ. 함수 $f(x)+g(x)$는 $x=-1$에서 연속이다.
ㄴ. 함수 $f(x)+g(x)$는 $x=0$에서 연속이다.
ㄷ. 함수 $y=f(x)+g(x)$는 $x=1$에서 연속이다.
ㄹ. 함수 $f(x)g(x)$는 $x=-1$에서 연속이다.
ㅁ. 함수 $f(x)g(x)$는 $x=0$에서 연속이다.
ㅂ. 함수 $f(x)g(x)$는 $x=1$에서 연속이다.

STEP Ⓐ 함수 $f(x)+g(x)$가 $x=a$에서 연속이기 위한 조건 $\lim_{x\to a}\{f(x)+g(x)\}=f(a)+g(a)$을 만족하는 것 구하기

ㄱ. $f(-1)+g(-1)=1+(-1)=0$

$\lim_{x\to-1+}\{f(x)+g(x)\}=\lim_{x\to-1+}f(x)+\lim_{x\to-1+}g(x)$

$=0+0=0$

$\lim_{x\to-1-}\{f(x)+g(x)\}=\lim_{x\to-1-}f(x)+\lim_{x\to-1-}g(x)$

$=1+(-1)=0$

즉 $\lim_{x\to-1}\{f(x)+g(x)\}=f(-1)+g(-1)$이므로

함수 $f(x)+g(x)$는 $x=-1$에서 연속이다. [참]

ㄴ. $f(0)+g(0)=0+0=0$

$\lim_{x\to0+}\{f(x)+g(x)\}=\lim_{x\to0+}f(x)+\lim_{x\to0+}g(x)$
$=(-1)+(-1)=-2$

$\lim_{x\to0-}\{f(x)+g(x)\}=\lim_{x\to0-}f(x)+\lim_{x\to0-}g(x)$
$=1+1=2$

즉 $\lim_{x\to0+}\{f(x)+g(x)\}\neq\lim_{x\to0-}\{f(x)+g(x)\}$이므로

함수 $f(x)+g(x)$는 $x=0$에서 불연속이다. [거짓]

ㄷ. $f(1)+g(1)=0+(-1)=-1$

$\lim_{x\to1+}\{f(x)+g(x)\}=\lim_{x\to1+}f(x)+\lim_{x\to1+}g(x)$
$=1+0=1$

$\lim_{x\to1-}\{f(x)+g(x)\}=\lim_{x\to1-}f(x)+\lim_{x\to1-}g(x)$
$=0+0=0$

즉 $\lim_{x\to1+}\{f(x)+g(x)\}\neq\lim_{x\to1-}\{f(x)+g(x)\}$이므로

함수 $f(x)+g(x)$는 $x=1$에서 불연속이다. [거짓]

STEP B 함수 $f(x)g(x)$가 $x=a$에서 연속이기 위한 조건 $\lim_{x\to a}f(x)g(x)=f(a)g(a)$을 만족하는 것 구하기

ㄹ. $f(-1)g(-1)=1\cdot(-1)=-1$

$\lim_{x\to-1+}\{f(x)g(x)\}=\lim_{x\to-1+}f(x)\cdot\lim_{x\to-1+}g(x)$
$=0\cdot0=0$

$\lim_{x\to-1-}\{f(x)g(x)\}=\lim_{x\to-1-}f(x)\cdot\lim_{x\to-1-}g(x)$
$=1\cdot(-1)=-1$

즉 $\lim_{x\to-1+}\{f(x)g(x)\}\neq\lim_{x\to-1-}\{f(x)g(x)\}$이므로

함수 $f(x)g(x)$는 $x=-1$에서 불연속이다. [거짓]

ㅁ. $f(0)g(0)=0\cdot0=0$

$\lim_{x\to0+}\{f(x)g(x)\}=\lim_{x\to0+}f(x)\cdot\lim_{x\to0+}g(x)$
$=(-1)\cdot(-1)=1$

$\lim_{x\to0-}\{f(x)g(x)\}=\lim_{x\to0-}f(x)\cdot\lim_{x\to0-}g(x)$
$=1\cdot1=1$

즉 $\lim_{x\to0}\{f(x)g(x)\}\neq f(0)g(0)$이므로

함수 $f(x)g(x)$는 $x=0$에서 불연속이다. [거짓]

ㅂ. $f(1)g(1)=0\cdot(-1)=0$

$\lim_{x\to1+}\{f(x)g(x)\}=\lim_{x\to1+}f(x)\cdot\lim_{x\to1+}g(x)=1\cdot0=0$

$\lim_{x\to1-}\{f(x)g(x)\}=\lim_{x\to1-}f(x)\cdot\lim_{x\to1-}g(x)=0\cdot0=0$

즉 $\lim_{x\to1}\{f(x)g(x)\}=f(1)g(1)$이므로

함수 $f(x)g(x)$는 $x=1$에서 연속이다. [참]

따라서 옳은 것은 ㄱ, ㅂ이다.

0127

함수

$$f(x)=\begin{cases}x-2 & (x>1)\\ 0 & (-1\le x\le1)\\ x+2 & (x<-1)\end{cases}$$

일 때, 함수 $f(x)g_k(x)(k=1,\ 2,\ 3)$가 실수 전체의 집합에서 연속이 되게 하는 함수 $g_k(x)$를 [보기]에서 있는 대로 고르면?

ㄱ. $g_1(x)=x^2-1$
ㄴ. $g_2(x)=|x-1|$
ㄷ. $g_3(x)=|x|-1$

① ㄱ ② ㄱ, ㄴ ③ ㄱ, ㄷ
④ ㄴ, ㄷ ⑤ ㄱ, ㄴ, ㄷ

STEP A $f(x)$가 불연속인 점에서 $f(x)g_k(x)$의 연속성 조사하기

함수 $f(x)$는 다음 그림과 같이 $x=-1$, $x=1$에서 불연속이고 함수 $g_1(x)$, $g_2(x)$, $g_3(x)$는 실수 전체의 집합에서 연속이므로 $f(x)g_k(x)(k=1,\ 2,\ 3)$가 실수 전체의 집합에서 연속이려면 $x=-1$, $x=1$에서 연속이어야 한다.

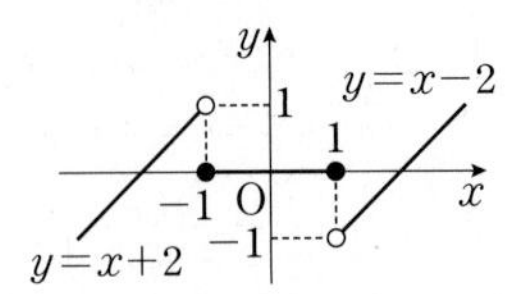

STEP B $f(x)g_k(x)$이 연속이 되게 하는 함수 $g_k(x)$ 구하기

ㄱ $g_1(x)=x^2-1$에서

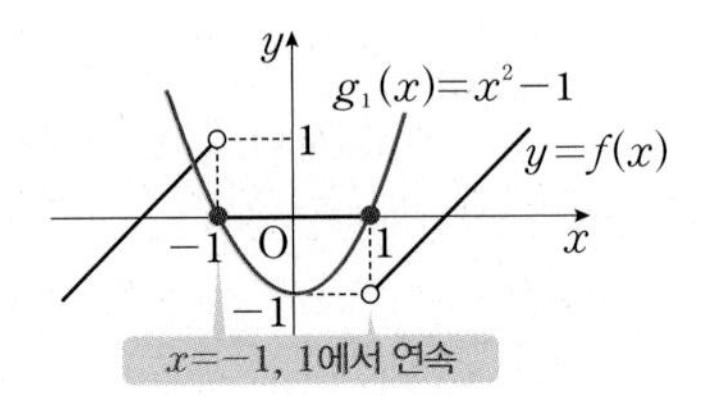

(i) $\lim_{x\to-1}f(x)g_1(x)=f(-1)g_1(-1)=0$이므로
함수 $f(x)g_1(x)$는 $x=-1$에서 연속이다.

(ii) $\lim_{x\to1}f(x)g_1(x)=f(1)g_1(1)=0$이므로
함수 $f(x)g_1(x)$는 $x=1$에서 연속이다.

(i), (ii)에서 함수 $f(x)g_1(x)$는 실수 전체의 집합에서 연속이다. [참]

ㄴ. $g_2(x)=|x-1|$에서

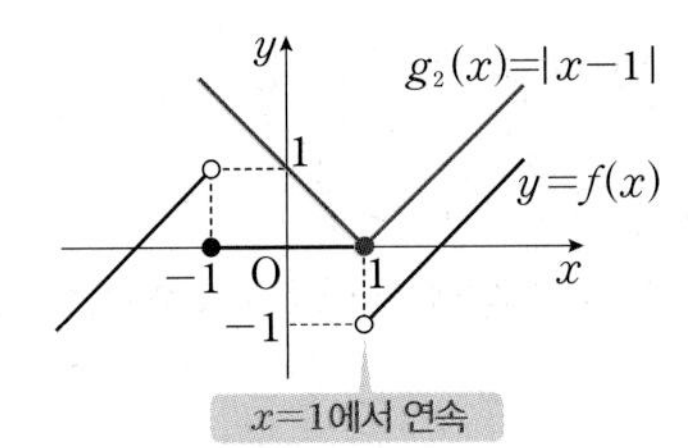

$\lim_{x\to-1-}f(x)g_2(x)=1\cdot2=2$

$\lim_{x\to-1+}f(x)g_2(x)=0\cdot2=0$

즉 $\lim_{x\to-1}f(x)g_2(x)$의 값이 존재하지 않으므로 함수 $f(x)g_2(x)$는 $x=-1$에서 불연속이다. [거짓]

ㄷ. $g_3(x)=|x|-1$에서

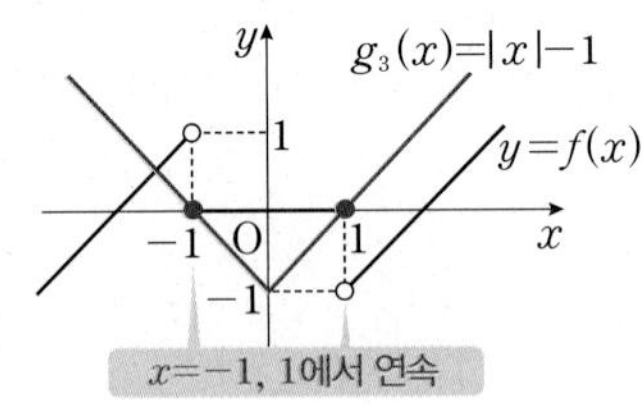

(i) $\lim_{x\to-1}f(x)g_3(x)=f(-1)g_3(-1)=0$이므로
함수 $f(x)g_3(x)$는 $x=-1$에서 연속이다.

(ii) $\lim_{x\to1}f(x)g_3(x)=f(1)g_3(1)=0$이므로
함수 $f(x)g_3(x)$는 $x=1$에서 연속이다.

(i), (ii)에서 함수 $f(x)g_3(x)$는 실수 전체의 집합에서 연속이다. [참]

따라서 실수 전체의 집합에서 연속이 되게 하는 함수 $g_k(x)$는 ㄱ, ㄷ이다.

0128

함수 $y=f(x)$의 그래프가 오른쪽 그림과 같이 주어져 있다. 아래의 그래프로 각각 주어진 함수 $y=g_1(x)$, $y=g_2(x)$, $y=g_3(x)$ 중에서 $f(x)$와 곱하여 얻어지는 함수 $y=f(x)g_k(x)$ $(k=1, 2, 3)$이 구간 $[-1, 3]$에서 연속이 되는 $g_k(x)$를 모두 고르면?

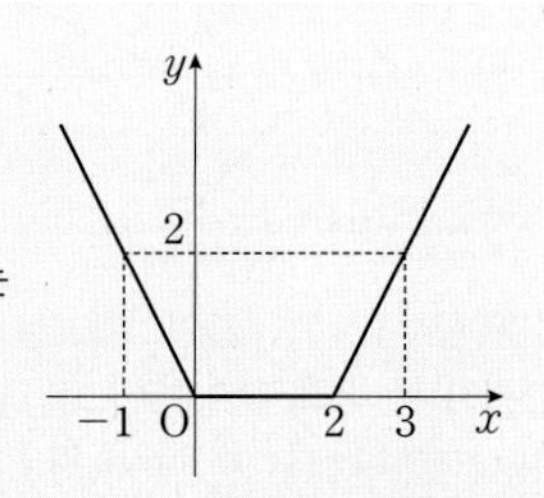

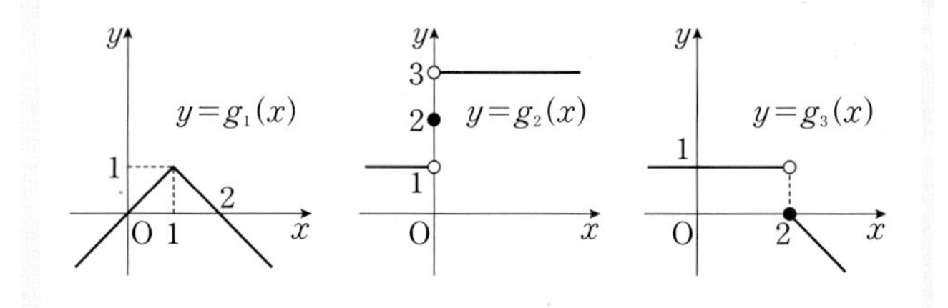

① $g_1(x)$ ② $g_2(x)$ ③ $g_1(x)$, $g_2(x)$
④ $g_1(x)$, $g_3(x)$ ⑤ $g_1(x)$, $g_2(x)$, $g_3(x)$

STEP Ⓐ $g_k(x)$가 불연속인 점에서 $f(x)g_k(x)$의 연속성 조사하기

(ⅰ) $y=f(x)g_1(x)$일 때, $y=f(x)$와 $y=g_1(x)$는 모두 연속이므로 $y=f(x)g_1(x)$도 $[-1, 3]$에서 연속이다.

(ⅱ) $y=f(x)g_2(x)$일 때, $y=f(x)$는 $[-1, 3]$에서 연속이고 $y=g_2(x)$는 $x=0$에서 불연속이므로 $x=0$에서 연속성을 조사한다.

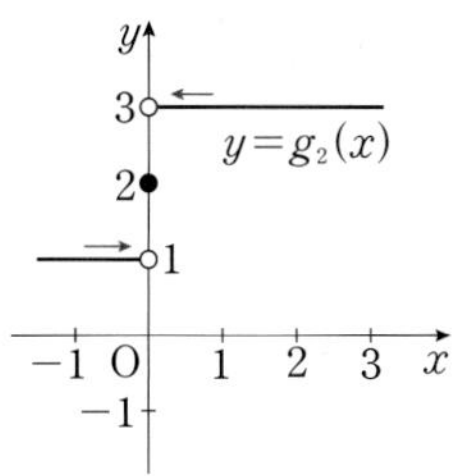

$\lim_{x\to 0-}f(x)g_2(x)=0\cdot 1=0$, $\lim_{x\to 0+}f(x)g_2(x)=0\cdot 3=0$

$\therefore \lim_{x\to 0}f(x)g_2(x)=0$

$x=0$에서 함숫값 $f(0)g_2(0)=0\cdot 2=0$

$\lim_{x\to 0}f(x)g_2(x)=f(0)g_2(0)$이므로 $y=f(x)g_2(x)$는 $x=0$에서 연속이다.

즉 $y=f(x)g_2(x)$는 구간 $[-1, 3]$에서 연속이다.

(ⅲ) $y=f(x)g_3(x)$일 때, $y=f(x)$는 $[-1, 3]$에서 연속이고 $y=g_2(x)$는 $x=2$에서 불연속이므로 $x=2$에서 연속성을 조사한다.

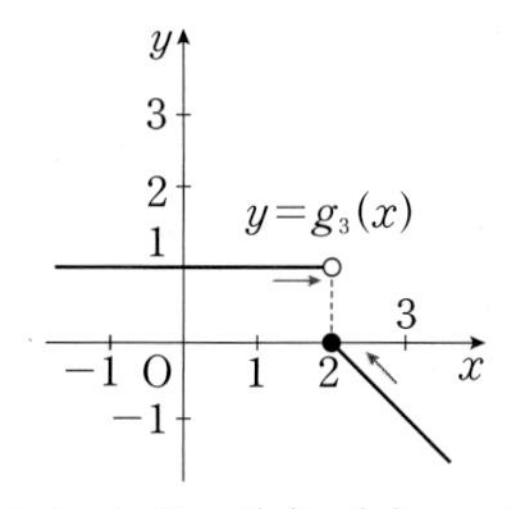

$\lim_{x\to 2-}f(x)g_3(x)=0\cdot 1=0$, $\lim_{x\to 2+}f(x)g_3(x)=0\cdot 0=0$

$\therefore \lim_{x\to 2}f(x)g_3(x)=0$

$x=2$에서 함숫값 $f(2)g_3(2)=0\cdot 0=0$

$\lim_{x\to 0}f(x)g_3(x)=f(0)g_3(0)$이므로 $y=f(x)g_3(x)$는 $x=0$에서 연속이다.

즉 $y=f(x)g_3(x)$는 구간 $[-1, 3]$에서 연속이다.

(ⅰ)~(ⅲ)에서 세 함수 $f(x)g_1(x)$, $f(x)g_2(x)$, $f(x)g_3(x)$ 모두 닫힌구간 $[-1, 3]$에서 연속이다.

0129

다음 물음에 답하여라.

(1) 함수

$$f(x)=\begin{cases} 0 & (|x|>1) \\ 1 & (x=1) \\ 1-|x| & (|x|<1) \\ -1 & (x=-1) \end{cases}$$

에 대하여 두 함수 $f(x)+f(-x)$, $f(x)-f(-x)$가 불연속인 x의 값의 개수를 각각 m, n이라고 할 때, $m+n$의 값을 구하여라.

STEP Ⓐ 두 함수 $f(x)+f(-x)$, $f(x)-f(-x)$식 구하기

$f(x)=\begin{cases} 0 & (|x|>1) \\ 1 & (x=1) \\ 1-|x| & (|x|<1) \\ -1 & (x=-1) \end{cases}$이므로

$$f(x)+f(-x)=\begin{cases} 0 & (|x|\ge 1) \\ 2-2|x| & (|x|<1) \end{cases}$$

$$f(x)-f(-x)=\begin{cases} 0 & (|x|>1 \text{ 또는 } |x|<1) \\ 2 & (x=1) \\ -2 & (x=-1) \end{cases}$$

STEP Ⓑ 불연속인 x의 값의 개수 구하기

이때 함수 $f(x)+f(-x)$는 모든 실수에서 연속이므로

$m=0$

또, 함수 $f(x)-f(-x)$가 불연속인 x의 값은 $x=-1$, $x=1$의 2개이므로

$n=2$

따라서 $m+n=2$

다른풀이 두 함수 $y=f(x)+f(-x)$, $y=f(x)-f(-x)$의 그래프를 이용하여 풀이하기

함수 $y=f(-x)$의 그래프는 함수 $y=f(x)$의 그래프와 y축에 대하여 대칭이므로 두 그래프는 다음과 같다.

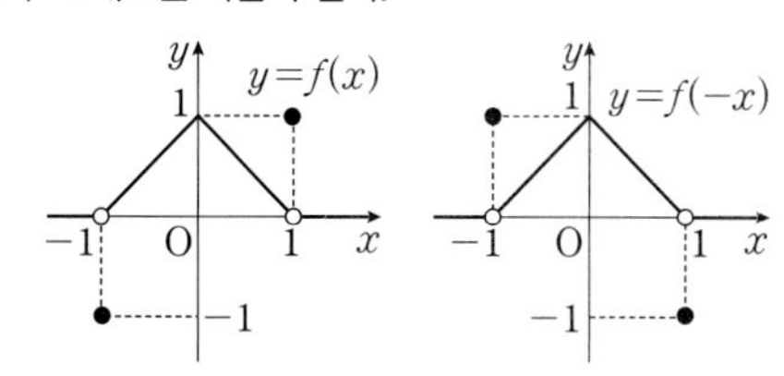

두 함수 $y=f(x)+f(-x)$, $y=f(x)-f(-x)$의 그래프는 다음과 같다.

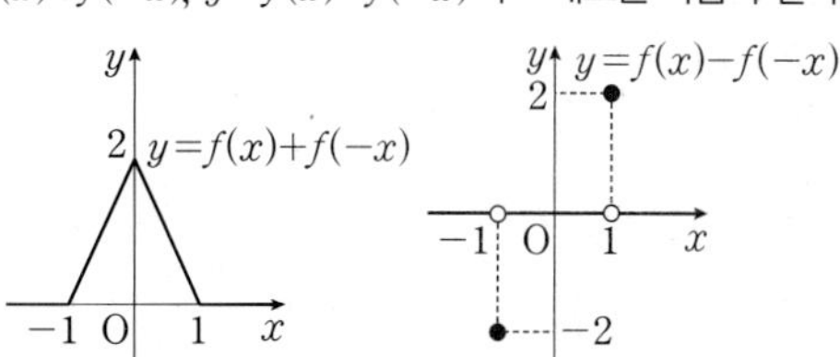

즉 $m=0$, $n=2$

따라서 $m+n=2$

(2) 함수 $f(x)=\begin{cases} x+3 & (x<-1) \\ ax-1 & (-1\le x<1) \\ x-1 & (x\ge 1)\end{cases}$에 대하여 함수 $g(x)$를

$$g(x)=\frac{f(x)+|f(x)|}{2}$$

라 하자. 함수 $g(x)$가 실수 전체의 집합에서 연속이기 위한 상수 a의 값을 구하여라.

STEP A $x<-1$, $x\ge 1$에서 함수 $g(x)$의 그래프 그리기

$g(x)=\dfrac{f(x)+|f(x)|}{2}$에서

$f(x)\ge 0$이면 $g(x)=\dfrac{f(x)+f(x)}{2}=f(x)$

$f(x)<0$이면 $g(x)=\dfrac{f(x)-f(x)}{2}=0$

즉 $x<-1$, $x\ge 1$에서 함수 $y=g(x)$의 그래프는 다음 그림과 같다.

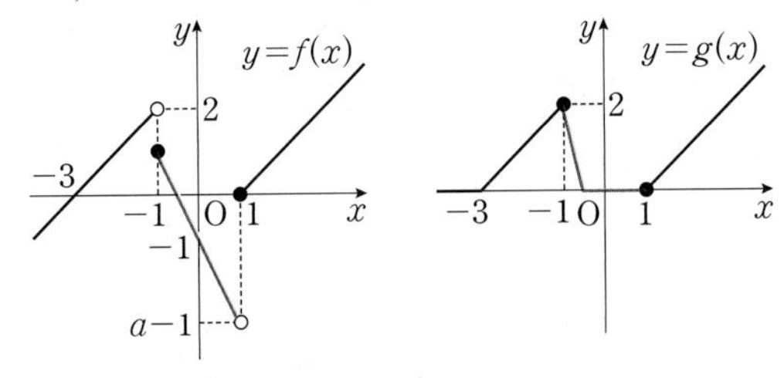

STEP B 함수 $g(x)$가 실수 전체의 집합에서 연속이 될 조건 구하기

함수 $g(x)$가 실수 전체의 집합에서 연속이려면

함수 $g(x)$가 $x=-1$에서 연속이어야 한다.

즉 $\lim_{x\to -1-} g(x)=\lim_{x\to -1+} g(x)=g(-1)$이 성립해야 한다.

$\lim_{x\to -1-} g(x)=\lim_{x\to -1-}(x+3)=2$이므로 $\lim_{x\to -1+} g(x)=g(-1)=2$

따라서 $f(-1)=g(-1)=2$이므로 $-a-1=2$에서 $a=-3$이다.

이때 함수 $g(x)$는 $x=1$에서도 연속이다.

0130

닫힌구간 $[-1, 1]$에서 정의된 함수 $y=f(x)$의 그래프가 그림과 같다.

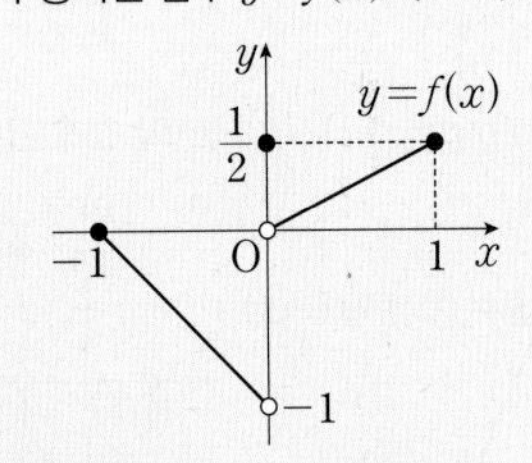

닫힌구간 $[-1, 1]$에서 두 함수 $g(x)$, $h(x)$가

$$g(x)=f(x)+|f(x)|,\ h(x)=f(x)+f(-x)$$

일 때, [보기]에서 옳은 것만을 있는 대로 고른 것은?

ㄱ. $\lim_{x\to 0} g(x)=0$

ㄴ. 함수 $|h(x)|$는 $x=0$에서 연속이다.

ㄷ. 함수 $g(x)|h(x)|$는 $x=0$에서 연속이다.

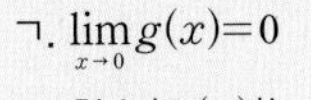

① ㄱ ② ㄷ ③ ㄱ, ㄴ
④ ㄴ, ㄷ ⑤ ㄱ, ㄴ, ㄷ

STEP A 두 함수 $g(x)$, $h(x)$의 그래프 그리기

$-1\le x<0$일 때, $f(x)\le 0$이고

$0<x\le 1$일 때, $f(x)>0$이므로

$g(x)=f(x)+|f(x)|$, $g(x)=\begin{cases} 0 & (-1\le x\le 0) \\ 2f(x) & (0<x\le 1)\end{cases}$

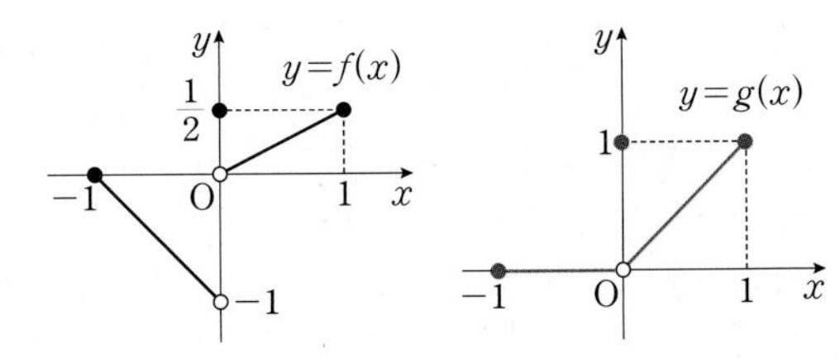

한편 함수 $y=f(-x)$의 그래프는 함수 $y=f(x)$의 그래프를 y축에 대하여 대칭이동한 것과 같으므로 [그림1]과 같고

$h(x)=f(x)+f(-x)$이므로 함수 $y=h(x)$의 그래프는 [그림2]와 같다.

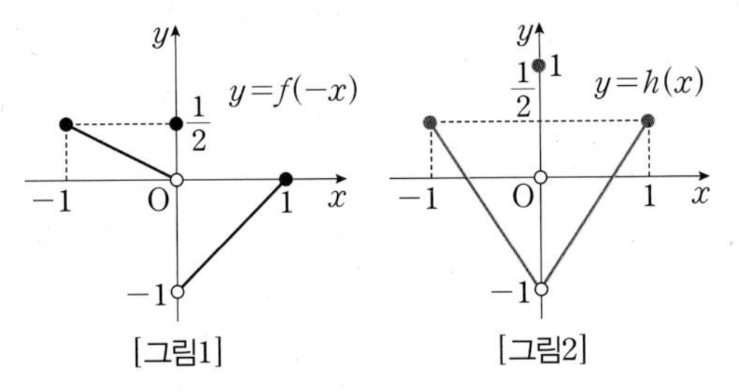

[그림1] [그림2]

STEP B [보기]의 진위판단하기

ㄱ. 위의 $y=g(x)$의 그래프에서

$\lim_{x\to 0-} g(x)=0$, $\lim_{x\to 0+} g(x)=0$이므로 $\lim_{x\to 0} g(x)=0$이다. [참]

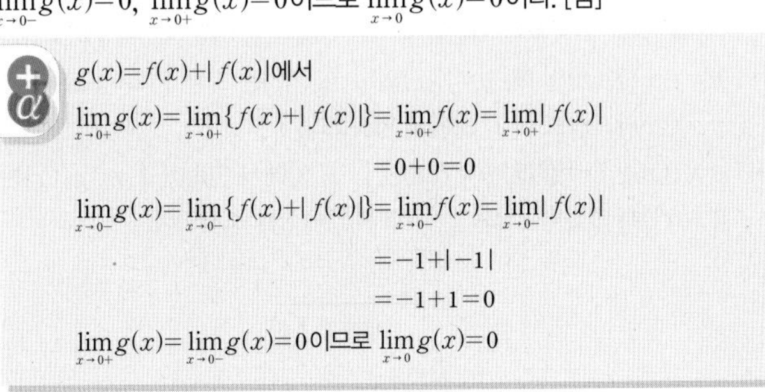

$g(x)=f(x)+|f(x)|$에서

$\lim_{x\to 0+} g(x)=\lim_{x\to 0+}\{f(x)+|f(x)|\}=\lim_{x\to 0+} f(x)=\lim_{x\to 0+}|f(x)|$

$=0+0=0$

$\lim_{x\to 0-} g(x)=\lim_{x\to 0-}\{f(x)+|f(x)|\}=\lim_{x\to 0-} f(x)=\lim_{x\to 0-}|f(x)|$

$=-1+|-1|$

$=-1+1=0$

$\lim_{x\to 0+} g(x)=\lim_{x\to 0-} g(x)=0$이므로 $\lim_{x\to 0} g(x)=0$

ㄴ. $y=|h(x)|$의 그래프는 다음 그림과 같다.

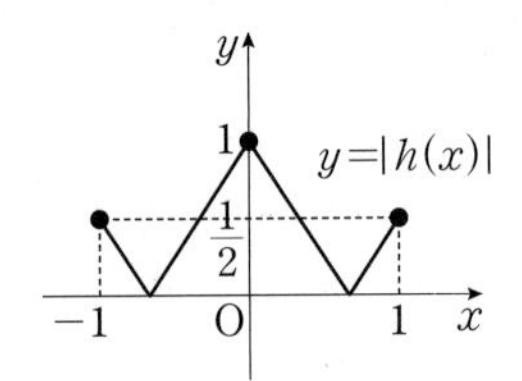

$\lim_{x\to 0-}|h(x)|=|-1|=1$, $\lim_{x\to 0+}|h(x)|=|-1|=1$이고

$|h(0)|=1$이므로 함수 $|h(x)|$는 $x=0$에서 연속이다. [참]

ㄷ. $y=g(x)$, $y=|h(x)|$의 그래프는 다음과 같다.

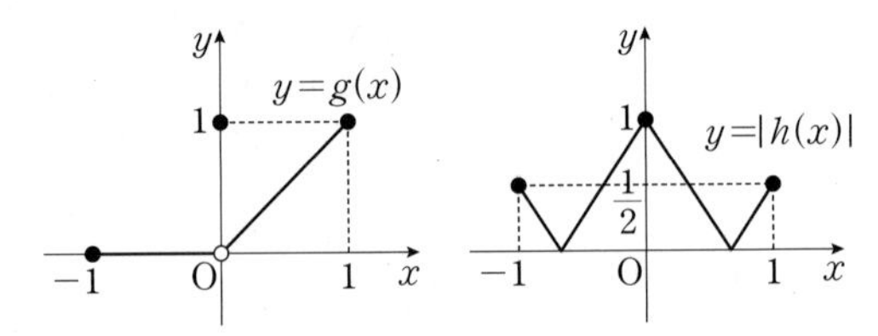

$\lim_{x\to 0} g(x)=0$, $\lim_{x\to 0}|h(x)|=1$에서

$\lim_{x\to 0} g(x)|h(x)|=0\times 1=0$

$g(0)=1$이고 $h(0)=1$이므로 $g(0)|f(0)|=1\times 1=1$

$\lim_{x\to 0} g(x)|h(x)|\neq g(0)|h(0)|$이므로 함수 $g(x)|h(x)|$는

$x=0$에서 불연속이다. [거짓]

따라서 옳은 것은 ㄱ, ㄴ이다.

0131

다음 물음에 답하여라.

(1) 열린구간 $(-2, 2)$에서 정의된 함수 $y=f(x)$의 그래프가 오른쪽 그림과 같다.
열린구간 $(-2, 2)$에서 함수 $g(x)$를 $g(x)=f(x)+f(-x)$로 정의할 때, [보기]에서 옳은 것을 모두 고른 것은?

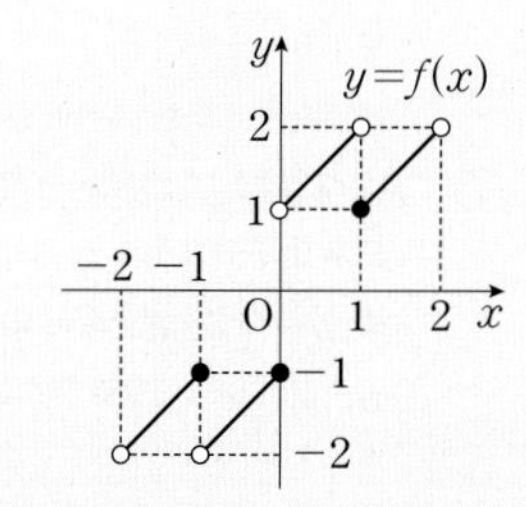

ㄱ. $\lim_{x\to 0} f(x)$가 존재한다.
ㄴ. $\lim_{x\to 0} g(x)$가 존재한다.
ㄷ. 함수 $g(x)$는 $x=1$에서 연속이다.

① ㄴ ② ㄷ ③ ㄱ, ㄴ
④ ㄱ, ㄷ ⑤ ㄴ, ㄷ

STEP Ⓐ **두 함수 $f(-x)$, $g(x)$의 그래프 그리기**

함수 $y=f(-x)$의 그래프는 함수 $y=f(x)$의 그래프를 y축에 대하여 대칭이동한 것과 같으므로 [그림1]과 같고 $g(x)=f(x)+f(-x)$이므로 함수 $y=g(x)$의 그래프는 [그림2]와 같다.

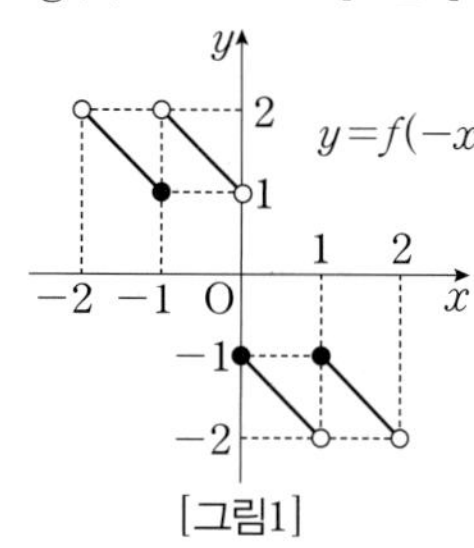

[그림1]

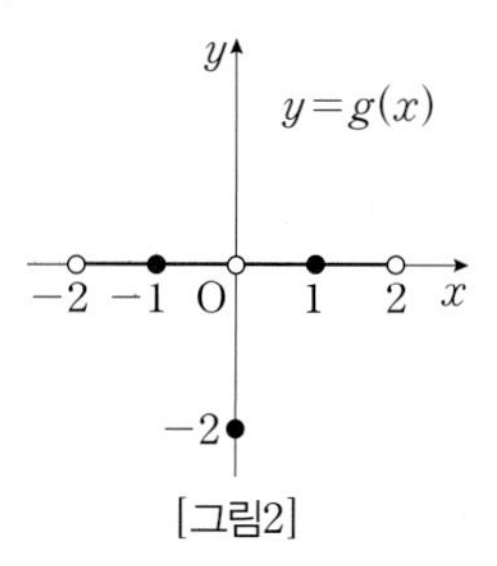

[그림2]

STEP Ⓑ **[보기]의 진위판단하기**

ㄱ. $\lim_{x\to 0-} f(x)=-1$, $\lim_{x\to 0+} f(x)=1$이므로 $\lim_{x\to 0} f(x)$는 존재하지 않는다. [거짓]

ㄴ. 위의 $y=g(x)$의 그래프에서
$\lim_{x\to 0-} g(x)=0$, $\lim_{x\to 0+} g(x)=0$이므로 $\lim_{x\to 0} g(x)=0$이다. [참]

$\lim_{x\to 0+} g(x)=\lim_{x\to 0+} f(x)+\lim_{x\to 0+} f(-x)$
$=1+(-1)=0$
$\lim_{x\to 0-} g(x)=\lim_{x\to 0-} f(x)+\lim_{x\to 0-} f(-x)$
$=-1+1=0$
즉 $\lim_{x\to 0-} g(x)=\lim_{x\to 0+} g(x)=0$이므로 $\lim_{x\to 0} g(x)=0$ [참]

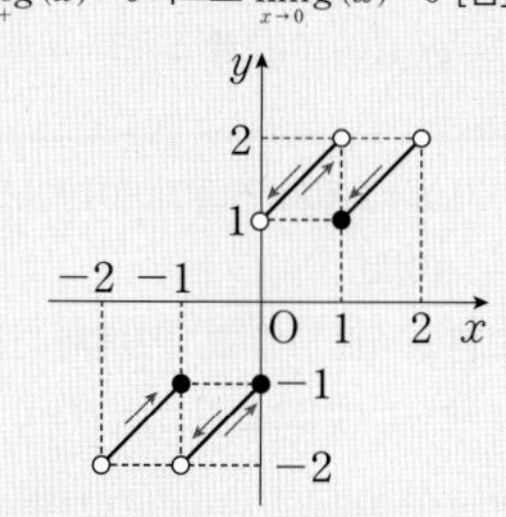

ㄷ. $x=1$에서 함숫값은
$g(1)=f(1)+f(-1)=1+(-1)=0$
$\lim_{x\to 1+} g(x)=\lim_{x\to 1+} f(x)+\lim_{x\to 1+} f(-x)$
$=1+(-1)=0$
$\lim_{x\to 1-} g(x)=\lim_{x\to 1-} f(x)+\lim_{x\to 1-} f(-x)$
$=2+(-2)=0$
즉 $\lim_{x\to 1} g(x)=g(1)=0$이므로 함수 $g(x)$는 $x=1$에서 연속이다. [참]

따라서 옳은 것은 ㄴ, ㄷ이다.

(2) 함수

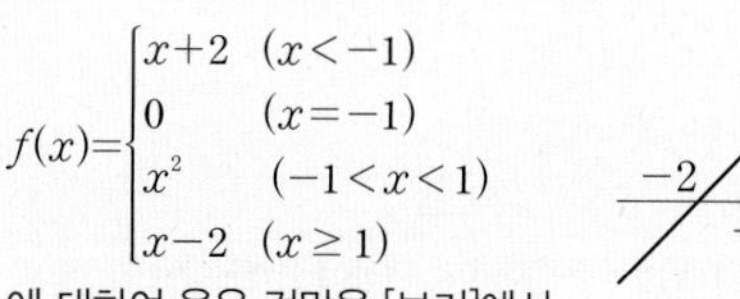

$$f(x)=\begin{cases} x+2 & (x<-1) \\ 0 & (x=-1) \\ x^2 & (-1<x<1) \\ x-2 & (x\geq 1) \end{cases}$$

에 대하여 옳은 것만을 [보기]에서 있는 대로 고른 것은?

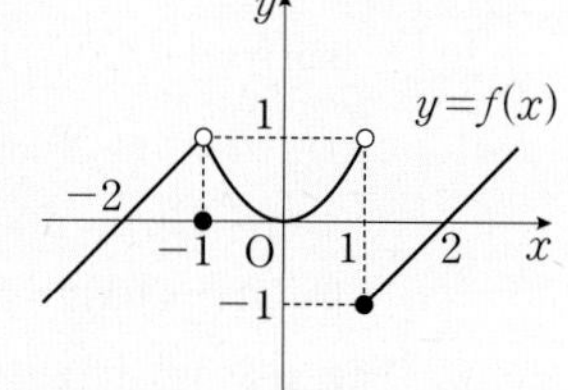

ㄱ. $\lim_{x\to 1+}\{f(x)+f(-x)\}=0$
ㄴ. 함수 $f(x)-|f(x)|$가 불연속인 점은 1개이다.
ㄷ. 함수 $f(x)f(x-a)$가 실수 전체의 집합에서 연속이 되는 상수 a는 없다.

① ㄱ ② ㄱ, ㄴ ③ ㄱ, ㄷ
④ ㄴ, ㄷ ⑤ ㄱ, ㄴ, ㄷ

STEP Ⓐ **$y=f(x)+f(-x)$의 그래프를 이용하여 극한값 구하기**

ㄱ. 함수 $y=f(-x)$의 그래프는 함수 $y=f(x)$의 그래프를 y축에 대하여 대칭이동한 것과 같으므로 [그림1]과 같고 $h(x)=f(x)+f(-x)$라 하면 함수 $y=h(x)$의 그래프는 [그림2]와 같다.

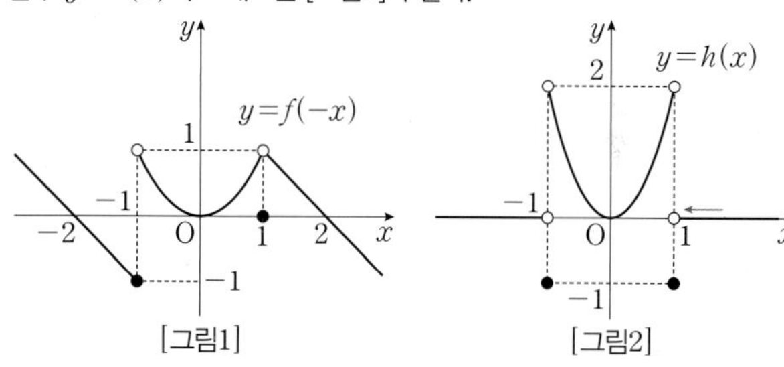

$\lim_{x\to 1+}\{f(x)+f(-x)\}=0$ [참]

$-x=t$로 놓으면 $x\to 1+$일 때,
$t\to -1-$이므로
$\lim_{x\to 1+}\{f(x)+f(-x)\}$
$=\lim_{x\to 1+} f(x)+\lim_{x\to 1+} f(-x)$
$=-1+\lim_{t\to -1-} f(t)$
$=(-1)+1=0$ [참]

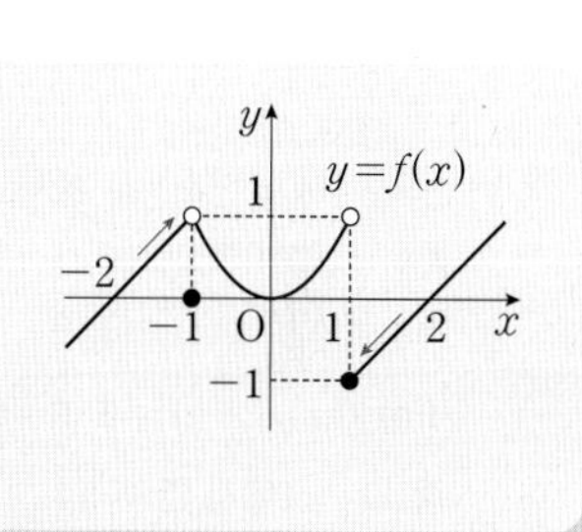

STEP Ⓑ **$y=f(x)-|f(x)|$가 불연속인 점의 개수 구하기**

ㄴ. (ⅰ) $f(x)\geq 0$
즉 $-2\leq x<1$, $x\geq 2$일 때, $f(x)-|f(x)|=f(x)-f(x)=0$
(ⅱ) $f(x)<0$
즉 $x<-2$, $1\leq x<2$일 때, $f(x)-|f(x)|=f(x)+f(x)=2f(x)$
(ⅰ), (ⅱ)에서
함수 $y=f(x)-|f(x)|$의 그래프는 오른쪽 그림과 같고 $x=1$에서만 불연속이다. [참]

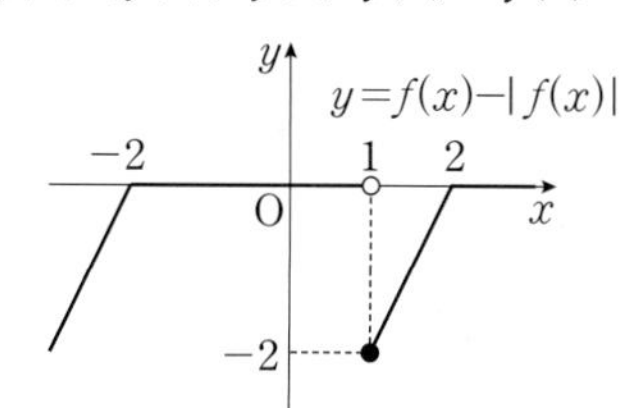

$y=|f(x)|$의 그래프를 그리면 다음 그림과 같다.

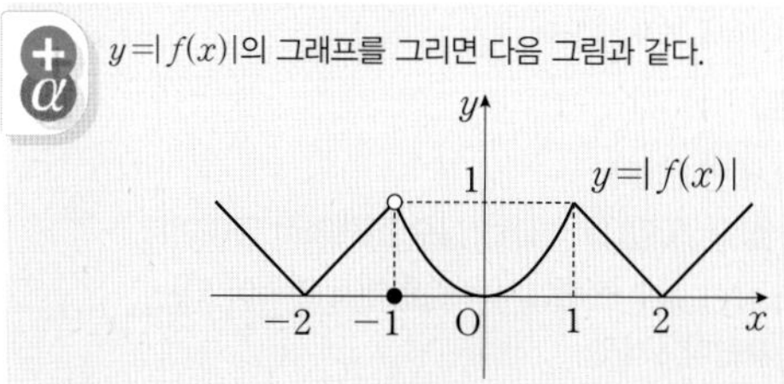

$f(x)$는 $x=-1$, $x=1$에서 $|f(x)|$는 $x=-1$에서 불연속이므로
$f(x)-|f(x)|$의 연속성은 $x=-1$, $x=1$일 때만 따져 보면 된다.

02 함수의 연속

(ⅰ) $x=-1$일 때,

$\lim_{x\to-1+}\{f(x)-|f(x)|\}=1-1=0$

$\lim_{x\to-1-}\{f(x)-|f(x)|\}=1-1=0$

$f(-1)-|f(-1)|=0-0=0$이므로

$\lim_{x\to-1}\{f(x)-|f(x)|\}=f(-1)-|f(-1)|$이 성립한다.

즉 함수 $f(x)-|f(x)|$는 $x=-1$에서 연속이다.

(ⅱ) $x=1$일 때,

$\lim_{x\to1+}\{f(x)-|f(x)|\}=-1-1=-2$

$\lim_{x\to1-}\{f(x)-|f(x)|\}=1-1=0$이므로

$\lim_{x\to1}\{f(x)-|f(x)|\}$의 값이 존재하지 않는다.

즉 함수 $f(x)-|f(x)|$는 $x=1$에서 불연속이다.

따라서 $f(x)-|f(x)|$가 불연속인 점은 1개이다. [참]

STEP Ⓒ $y=f(x)$의 그래프를 이용하여 함수 $f(x)f(x-a)$의 연속성 조사하기

ㄷ. 함수 $f(x)$는 $x=-1$과 $x=1$에서 불연속이다.

또, $f(x-a)$는 $f(x)$를 x축의 방향으로 a만큼 평행이동한 것이므로 $x=a-1$과 $x=a+1$에서 불연속이다.

예를 들어 $a=1$이면 $f(x-1)$은 $x=0$, 2에서 불연속이므로

$f(x)f(x-1)$은 $x\neq-1$, 0, 1, 2인 모든 실수 x에서 연속이다.

함수 $f(x)f(x-1)$의 $x=-1$, $x=0$, $x=1$, $x=2$에서의 연속성을 조사해 보자.

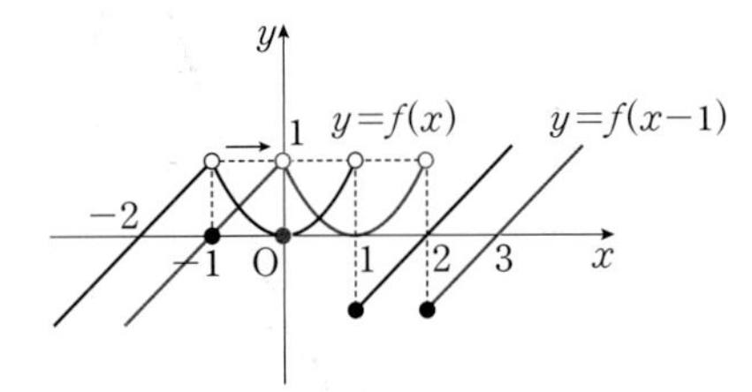

(ⅰ) $x=-1$에서 연속성을 조사하면

$x=-1$에서 함숫값은 $f(-1)f(-2)=0\cdot0=0$

$\lim_{x\to-1-}f(x)f(x-1)=1\cdot0=0$

$\lim_{x\to-1+}f(x)f(x-1)=1\cdot0=0$

즉 $x=-1$에서 연속이다.

(ⅱ) $x=0$에서 연속성을 조사하면

$x=0$에서 함숫값은 $f(0)f(-1)=0\cdot0=0$

$\lim_{x\to0-}f(x)f(x-1)=0\cdot1=0$

$\lim_{x\to0+}f(x)f(x-1)=0\cdot1=0$

즉 $x=0$에서 연속이다.

(ⅲ) $x=1$에서 연속성을 조사하면

$x=1$에서 함숫값은 $f(1)f(0)=(-1)\cdot0=0$

$\lim_{x\to1-}f(x)f(x-1)=1\cdot0=0$

$\lim_{x\to1+}f(x)f(x-1)=(-1)\cdot0=0$

즉 $x=1$에서 연속이다.

(ⅳ) $x=2$에서 연속성을 조사하면

$x=2$에서 함숫값은 $f(2)f(1)=0\cdot(-1)=0$

$\lim_{x\to2-}f(x)f(x-1)=0\cdot1=0$

$\lim_{x\to2+}f(x)f(x-1)=0\cdot(-1)=0$

즉 $x=2$에서 연속이다.

(ⅰ)~(ⅳ)에서 함수 $f(x)f(x-1)$는 실수 전체에서 연속이다.

함수 $f(x)f(x-a)$가 실수 전체에서의 집합에서 연속이 되는 상수 $a=1$이 존재한다. [거짓]

따라서 옳은 것은 ㄱ, ㄴ이다.

$y=f(x-a)$의 그래프는 $y=f(x)$의 그래프를 x축의 방향으로 a만큼 평행이동한 함수이고 함수 $f(x)f(x-a)$가 연속이 되려면 극한값과 함숫값이 모두 0이 되어야 한다.

불연속점이 되는 부분의 함수에 0으로 연속인 함수를 곱하는 것이므로

$a=1$일 때, $f(x)f(x-1)$가 $x=-1$, 0, 1, 2에서 좌극한, 우극한, 함숫값이 모두 0이 되어 실수 전체의 집합에서 연속이다.

즉 $y=f(x)$가 불연속이 되는 x의 좌표를 $y=f(x-a)$의 그래프가 지나면 함숫값이 0이 되므로 연속이 된다.

0132

실수 전체의 집합에서 정의된 함수 $y=f(x)$의 그래프는 그림과 같고 최고차항의 계수가 1인 삼차함수 $g(x)$에 대하여 $g(0)=3$이다.

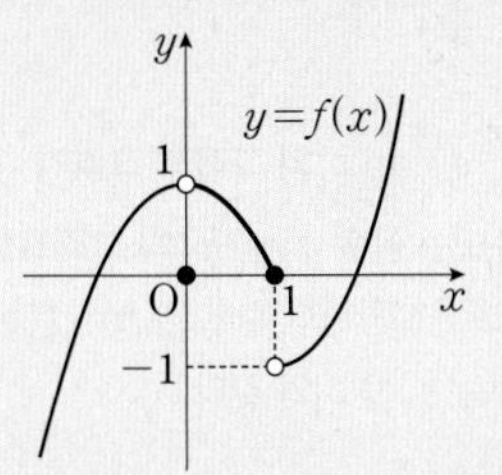

합성함수 $(g\circ f)(x)$가 실수 전체의 집합에서 연속일 때, $g(3)$의 값은?

① 21 ② 24 ③ 27
④ 30 ⑤ 33

STEP Ⓐ $(g\circ f)(x)$가 실수 전체의 집합에서 연속일 조건 이해하기

최고차항의 계수가 1이고 $g(0)=3$을 만족하는 삼차함수 $g(x)$를

$g(x)=x^3+ax^2+bx+3$ (a, b는 상수)라고 하면

$g(x)$는 모든 실수에서 연속이고 $f(x)$는 $x=0$, $x=1$에서 불연속이므로

합성함수 $(g\circ f)(x)$가 실수 전체의 집합에서 연속이므로

$x=0$, $x=1$에서도 연속이어야 한다.

STEP Ⓑ $x=0$, $x=1$에서 $(g\circ f)(x)$가 연속임을 이용하여 a, b 사이의 관계식 구하기

(ⅰ) 함수 $(g\circ f)(x)$가 $x=0$에서 연속이어야 하므로

$g(f(0))=g(0)=3$이고

$f(x)=t$로 놓으면 $y=f(x)$의 그래프에서

$x\to0$일 때, $t\to1-$이므로 $\lim_{x\to0}g(f(x))=\lim_{t\to1-}g(t)=g(1)$

즉 $\lim_{x\to0}g(f(x))=g(f(0))$이므로 $a+b+4=3$

$\therefore a+b=-1$ …… ㉠

(ⅱ) 함수 $(g\circ f)(x)$가 $x=1$에서 연속이어야 하므로

$g(f(1))=g(0)=3$이고

$f(x)=t$로 놓으면 $y=f(x)$의 그래프에서

$x\to1+$일 때, $t\to-1+$이므로 $\lim_{x\to1+}g(f(x))=\lim_{t\to-1+}g(t)=g(-1)$

$x\to1-$일 때, $t\to0+$이므로 $\lim_{x\to1-}g(f(x))=\lim_{t\to0+}g(t)=g(0)$

즉 $\lim_{x\to1+}g(f(x))=\lim_{x\to1-}g(f(x))=g(f(1))$이므로

$a-b+2=3$

$\therefore a-b=1$ …… ㉡

㉠, ㉡을 연립하여 풀면 $a=0$, $b=-1$

STEP Ⓒ $g(3)$의 값 구하기

따라서 $g(x)=x^3-x+3$이므로 $g(3)=27-3+3=27$

0133

두 함수

$$f(x)=\begin{cases} x^2-x+2a & (x \ge 1) \\ 3x+a & (x<1) \end{cases},\ g(x)=x^2+ax+3$$

에 대하여 합성함수 $(g\circ f)(x)$가 실수 전체의 집합에서 연속이 되도록 하는 모든 상수 a의 값의 합은?

① $\frac{7}{4}$　② $\frac{15}{8}$　③ 2　④ $\frac{17}{8}$　⑤ $\frac{9}{4}$

STEP Ⓐ $(g\circ f)(x)$가 실수 전체의 집합에서 연속일 조건 이해하기

$f(x)$는 $x\ne1$인 모든 실수 x에서 연속이고 $g(x)$는 모든 실수에서 연속이므로 $(g\circ f)(x)$는 $x\ne1$인 모든 실수에서 연속이다.

이때 $(g\circ f)(x)$가 모든 실수에서 연속이므로 $x=1$에서 연속이어야 한다.

즉 $\lim_{x\to1+}g(f(x))=\lim_{x\to1-}g(f(x))=g(f(1))$

STEP Ⓑ $x=1$에서 좌극한, 우극한, 함숫값이 모두 같음을 이용하여 a의 값 구하기

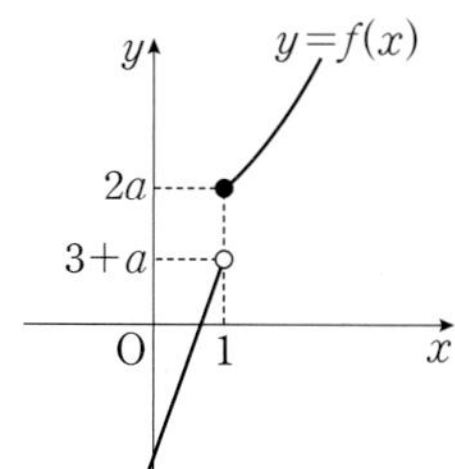

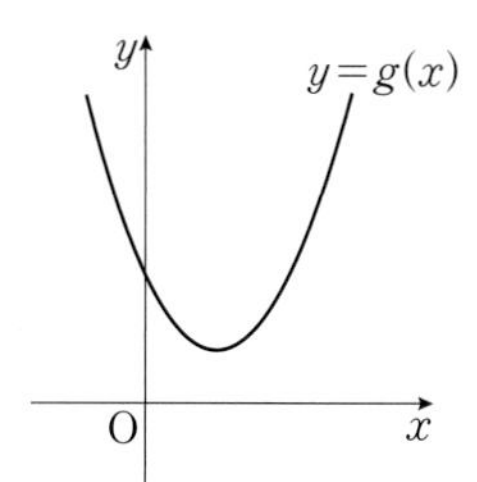

$g(f(1))=g(2a)=6a^2+3$

$\lim_{x\to1+}g(f(x))=\lim_{x\to1+}g(x^2-x+2a)=g(2a)=4a^2+2a^2+3$
$=6a^2+3$

$\lim_{x\to1-}g(f(x))=\lim_{x\to1-}g(3x+a)=g(3+a)=(3+a)^2+a(3+a)+3$
$=2a^2+9a+12$

이므로 $6a^2+3=2a^2+9a+12$이어야 하므로

$4a^2-9a-9=0,\ (a-3)(4a+3)=0$

$\therefore a=3$ 또는 $a=-\frac{3}{4}$

따라서 구하는 모든 상수 a의 값의 합은 $3+\left(-\frac{3}{4}\right)=\frac{9}{4}$

0134

다음 물음에 답하여라.

(1) 두 함수 $f(x)=\begin{cases} \frac{x-1}{|x-1|} & (x\ne1) \\ 0 & (x=1) \end{cases}$, $g(x)=3x^2-2$에 대하여

합성함수 $(f\circ g)(x)$가 불연속이 되는 모든 실수 x의 값의 합을 구하여라.

STEP Ⓐ 합성함수 $(f\circ g)(x)$가 불연속이 되는 x의 값 구하기

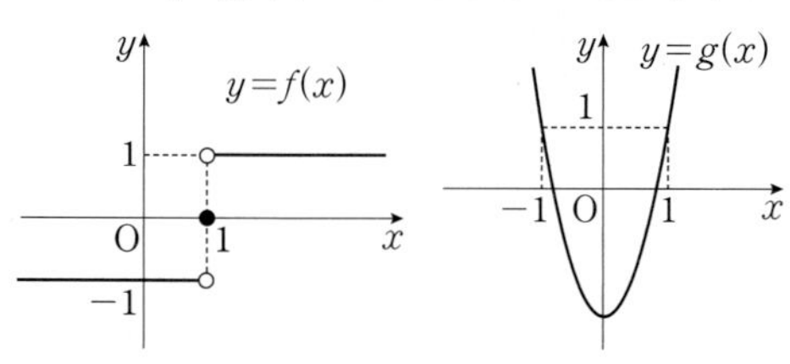

함수 $f(x)$는 $x=1$에서 불연속이고 함수 $g(x)$는 모든 실수에서 연속이므로 함수 $f(g(x))$는 $g(x)=1$에서 연속성을 조사하면 된다.

$g(x)=3x^2-2=1$에서 $3x^2-3=0$

$\therefore x=1$ 또는 $x=-1$

STEP Ⓑ $x=1$과 $x=-1$에서 합성함수 $(f\circ g)(x)$의 연속성 조사하기

(i) $x=1$인 경우

$\lim_{x\to1}f(g(x))$의 극한값은 $g(x)=t$로 놓으면 $y=g(x)$의 그래프에서

$x\to1+$일 때, $t\to1+$이므로 $\lim_{x\to1+}f(g(x))=\lim_{t\to1+}f(t)=1$ …… ㉠

$x\to1-$일 때, $t\to1-$이므로 $\lim_{x\to1-}f(g(x))=\lim_{t\to1-}f(t)=-1$ …… ㉡

㉠, ㉡에서 $\lim_{x\to1+}f(g(x))\ne\lim_{x\to1-}f(g(x))$이므로

함수 $f(g(x))$는 $x=1$에서 불연속이다.

(ii) $x=-1$인 경우

$\lim_{x\to-1}f(g(x))$의 극한값은 $g(x)=t$로 놓으면 $y=g(x)$의 그래프에서

$x\to-1+$일 때, $t\to1-$이므로 $\lim_{x\to-1+}f(g(x))=\lim_{t\to1-}f(t)=-1$ …… ㉢

$x\to-1-$일 때, $t\to1+$이므로 $\lim_{x\to-1-}f(g(x))=\lim_{t\to1+}f(t)=1$ …… ㉣

㉢, ㉣에서 $\lim_{x\to-1+}f(g(x))\ne\lim_{x\to-1-}f(g(x))$이므로

함수 $f(g(x))$는 $x=-1$에서 불연속이다.

(i), (ii)에서 함수 $f(g(x))$가 불연속이 되는 x의 값은 -1, 1이므로 합은 $-1+1=0$

(2) 오른쪽 그림은 실수 전체의 집합에서 정의된 함수 $y=f(x)$의 그래프이다.

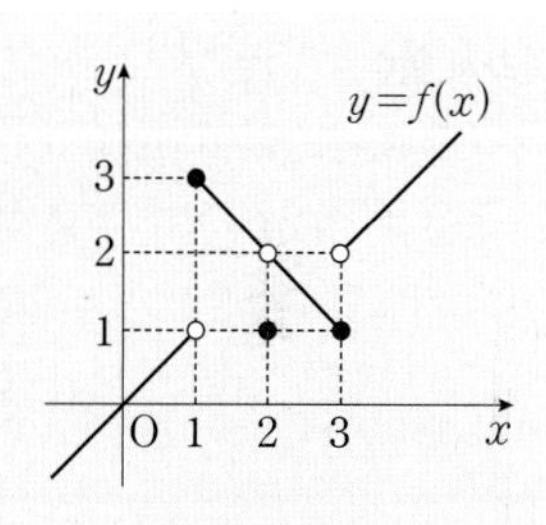

함수 $f(x)$는 $x=1$, $x=2$, $x=3$에서만 불연속이다.

이차함수 $g(x)=x^2-4x+k$에 대하여 함수 $(f\circ g)(x)$가 $x=2$에서 불연속이 되도록 하는 모든 실수 k의 합을 구하여라.

STEP Ⓐ 함수 $(f\circ g)(x)$의 $x=2$에서 극한값과 함숫값 구하기

이차함수 $g(x)=x^2-4x+k$
$=(x-2)^2+k-4$

는 모든 실수에서 연속이다.

이때 함수 $(f\circ g)(x)$의 $x=2$에서 극한값은 $g(x)=t$라 하면 오른쪽 $y=g(x)$의 그래프에서

$x\to2$일 때, $t\to(k-4)+$이므로

$\lim_{x\to2}f(g(x))=\lim_{t\to(k-4)+}f(t)$

또한, 함수 $f(g(x))$가 $x=2$에서 함숫값은 $f(g(2))=f(k-4)$

STEP Ⓑ 함수 $(f\circ g)(x)$가 $x=2$에서 불연속이 되는 k의 값 구하기

함수 $(f\circ g)(x)$가 $x=2$에서 불연속이려면

$\lim_{t\to(k-4)+}f(t)\ne f(k-4)$이어야 한다.

즉 함수 $f(x)$의 $x=k-4$의 우극한값과 함숫값이 서로 다르므로

$k-4=2$ 또는 $k-4=3$

$\therefore k=6$ 또는 $k=7$

따라서 k의 값의 합은 $6+7=13$

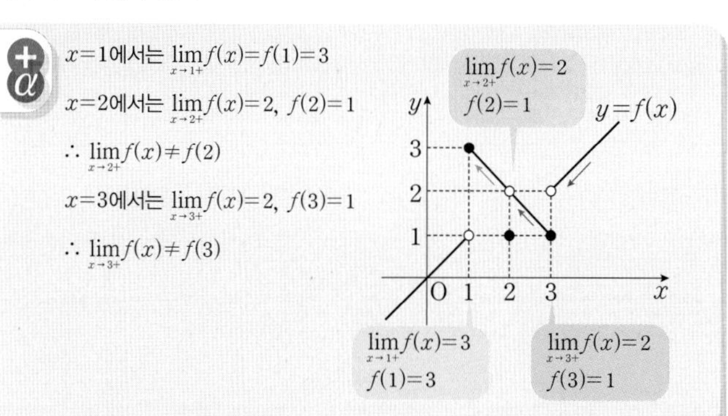

0135

주어진 구간에서 다음 함수의 최댓값과 최솟값을 구하여라.

(1) $f(x)=\dfrac{2x}{x+1}$ $[1, 5]$

STEP Ⓐ 주어진 구간에서 유리함수의 그래프 그리기

$f(x)=\dfrac{2x}{x+1}$는 닫힌구간 $[1, 5]$에서 연속이므로

이 구간에서 최댓값과 최솟값이 존재한다.

닫힌구간 $[1, 5]$에서 함수 $f(x)=\dfrac{2x}{x+1}$의 그래프는 다음 그림과 같다.

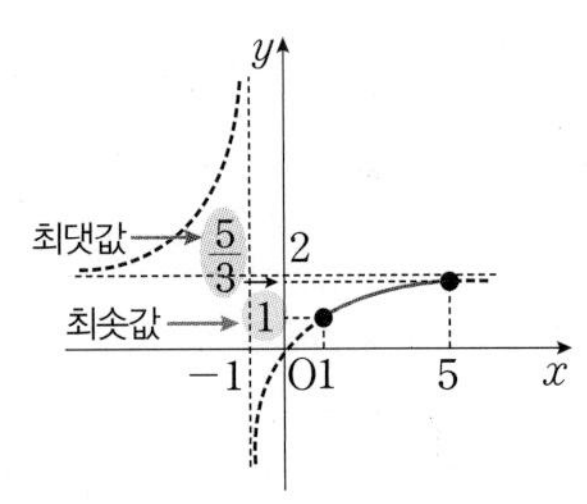

STEP Ⓑ 최댓값과 최솟값 구하기

따라서 함수 $f(x)$는

$x=1$일 때, 최솟값 $f(1)=1$

$x=5$일 때, 최댓값 $f(5)=\dfrac{5}{3}$를 갖는다.

(2) $f(x)=\sqrt{2x-5}$ $[3, 7]$

STEP Ⓐ 주어진 구간에서 무리함수의 그래프 그리기

$f(x)=\sqrt{2x-5}$는 닫힌구간 $[3, 7]$에서 연속이므로

이 구간에서 최댓값과 최솟값이 존재한다.

닫힌구간 $[3, 7]$에서 함수 $f(x)=\sqrt{2x-5}$의 그래프는 다음 그림과 같다.

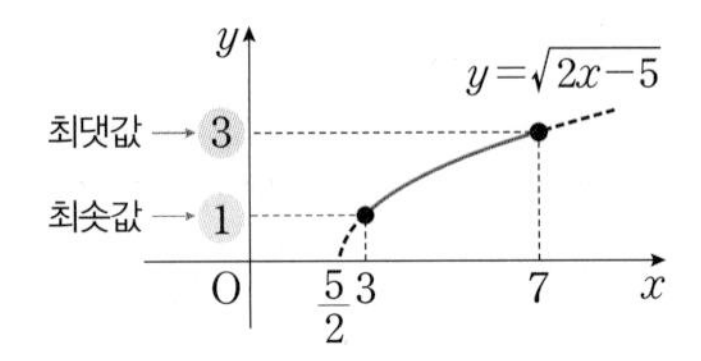

STEP Ⓑ 최댓값과 최솟값 구하기

따라서 함수 $f(x)$는

$x=3$일 때, 최솟값 $f(3)=1$

$x=7$일 때, 최댓값 $f(7)=3$를 갖는다.

0136

함수 $y=f(x)$의 그래프에 대하여 다음 [보기] 중 옳은 것만을 있는 대로 고른 것은?

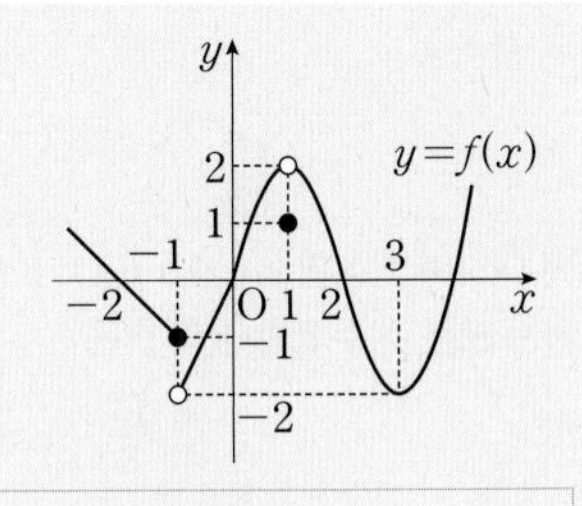

ㄱ. $\lim_{x\to1}f(x)$가 존재한다.
ㄴ. $-1<a<2$인 실수 a에 대하여 $\lim_{x\to a}f(x)$가 존재한다.
ㄷ. 함수 $f(x)$는 닫힌구간 $[0, 3]$에서 최댓값이 존재한다.

① ㄱ ② ㄷ ③ ㄱ, ㄴ
④ ㄱ, ㄷ ⑤ ㄱ, ㄴ, ㄷ

STEP Ⓐ 함수의 성질을 이용한 [보기]의 진위판단하기

ㄱ. $\lim_{x\to1}f(x)=2$ [참]

ㄴ. $-1<a<2$, $a\neq1$일 때, 함수 $f(x)$는 $x=a$에서 연속이므로

$\lim_{x\to a}f(x)$가 존재한다.

또, ㄱ에서 $a=1$일 때, $\lim_{x\to1}f(x)$가 존재한다. [참]

ㄷ. 함수 $f(x)$가 $x=1$에서 불연속이고 닫힌구간 $[0, 3]$에서

함수 $f(x)$의 최댓값은 존재하지 않는다. [거짓]

따라서 옳은 것은 ㄱ, ㄴ이다.

0137

닫힌구간 $[-2, 2]$에서 정의된 함수 $y=f(x)$의 그래프가 그림과 같다. 함수 $f(x)$에 대한 설명 중 옳은 것만을 [보기]에서 있는 대로 고른 것은?

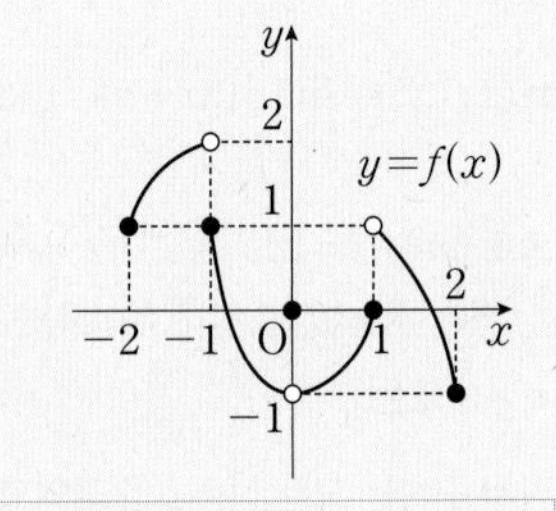

ㄱ. 닫힌구간 $[-2, 2]$에서 불연속인 점은 3개이다.
ㄴ. 닫힌구간 $[-2, 2]$에서 최댓값은 2, 최솟값은 -1이다.
ㄷ. $\lim_{x\to a}f(x)$의 값이 존재하지 않는 $a(-2<a<2)$의 개수는 2개이다.

① ㄱ ② ㄱ, ㄴ ③ ㄱ, ㄷ
④ ㄴ, ㄷ ⑤ ㄱ, ㄴ, ㄷ

STEP Ⓐ 함수의 성질을 이용한 [보기]의 진위판단하기

ㄱ. x가 -1, 0, 1에서 불연속이므로 불연속인 점은 3개이다. [참]

ㄴ. $y=f(x)$는 닫힌구간 $[-2, 2]$에서 최댓값은 존재하지 않고

최솟값은 -1이다. [거짓]

ㄷ. $x=-1$, $x=1$에서는 좌극한과 우극한이 같지 않으므로

극한값이 존재하지 않는다.

그러나 $\lim_{x\to0}f(x)=-1$이므로 $x=0$에서 극한값은 존재한다.

즉 $\lim_{x\to a}f(x)$의 값이 존재하지 않는 a는 $a=-1$ 또는 $a=1$이므로

2개이다. [참]

따라서 옳은 것은 ㄱ, ㄷ이다.

0138

다음 [보기]의 방정식 중 열린구간 $(0, 1)$에서 적어도 하나의 실근을 갖는 것만을 있는 대로 고른 것은?

ㄱ. $x^2+3x-2=0$
ㄴ. $x^3-2x^2-x+1=0$
ㄷ. $x^4-2x^3-3x^2+1=0$

① ㄱ ② ㄱ, ㄴ ③ ㄱ, ㄷ
④ ㄴ, ㄷ ⑤ ㄱ, ㄴ, ㄷ

STEP A 사잇값의 정리와 방정식의 실근의 이용하기

주어진 방정식을 $f(x)=0$이라 할 때,
$f(x)$가 닫힌구간 $[0, 1]$에서 연속이고 $f(0)f(1)<0$이면
사잇값의 정리에 의하여 방정식 $f(x)=0$은 열린구간 $(0, 1)$에서
적어도 하나의 실근을 갖는다.

STEP B 열린구간 $(0, 1)$에서 적어도 하나의 실근을 가짐을 [보기]에서 구하기

ㄱ. $f(x)=x^2+3x-2$로 놓으면
함수 $f(x)$는 닫힌구간 $[0, 1]$에서 연속이다.
$f(0)=-2<0$, $f(1)=2>0$이므로 $f(0)f(1)<0$
즉 사잇값의 정리에 의하여 방정식 $x^2+3x-2=0$은
열린구간 $(0, 1)$에서 적어도 하나의 실근을 갖는다.

ㄴ. $g(x)=x^3-2x^2-x+1$로 놓으면
함수 $g(x)$는 닫힌구간 $[0, 1]$에서 연속이다.
$g(0)=1>0$, $g(1)=-1<0$이므로 $g(0)g(1)<0$
즉 사잇값의 정리에 의하여 방정식 $x^3-2x^2-x+1=0$은
열린구간 $(0, 1)$에서 적어도 하나의 실근을 갖는다.

ㄷ. $h(x)=x^4-2x^3-3x^2+1$로 놓으면
함수 $h(x)$는 닫힌구간 $[0, 1]$에서 연속이다.
$h(0)=1>0$, $h(1)=-3<0$이므로 $h(0)h(1)<0$
즉 사잇값의 정리에 의하여 방정식 $x^4-2x^3-3x^2+1=0$은
열린구간 $(0, 1)$에서 적어도 하나의 실근을 갖는다.

따라서 열린구간 $(0, 1)$에서 적어도 하나의 실근을 갖는 방정식은
ㄱ, ㄴ, ㄷ이다.

0139

방정식 $x^3+\frac{1}{2}x+k-3=0$의 실근이 열린구간 $(0, 2)$에서 존재하도록 하는 정수 k의 개수는?

① 6 ② 7 ③ 8
④ 9 ⑤ 10

STEP A 사잇값 정리를 이용하여 k의 범위 구하기

함수 $f(x)=x^3+\frac{1}{2}x+k-3$라 하면
함수 $f(x)$는 닫힌구간 $[0, 2]$에서 연속이고
$f(0)=k-3$, $f(2)=k+6$
이때 $f(0)f(2)<0$이면 사잇값 정리에 의해 방정식 $f(x)=0$은
열린구간 $(0, 2)$에서 실근을 갖는다.
$(k-3)(k+6)<0$
$\therefore -6<k<3$
따라서 정수 k는 $-5, -4, -3, -2, -1, 0, 1, 2$이므로 8개이다.

0140

$a<b<c$를 만족하는 실수 a, b, c에 대하여 이차방정식

$$(x-a)(x-b)+(x-b)(x-c)+(x-c)(x-a)=0$$

의 두 실근이 α, $\beta(\alpha<\beta)$일 때, 다음 중 대소 관계로 옳은 것은?

① $\alpha<a<b<\beta<c$ ② $a<b<\alpha<\beta<c$
③ $a<\alpha<b<c<\beta$ ④ $a<\alpha<b<\beta<c$
⑤ $\alpha<a<b<c<\beta$

STEP A 함수 $f(x)$가 닫힌구간 $[a, c]$에서 연속이고 $f(a)f(b)<0$, $f(b)f(c)<0$일 때, 사잇값의 정리에 의하여 실근 구하기

$f(x)=(x-a)(x-b)+(x-b)(x-c)+(x-c)(x-a)$라고 하면
함수 $f(x)$는 이차함수이므로 실수 전체의 집합에서 연속이다.
즉 구간 $[a, c]$에서 연속이다.
이때 $a<b<c$이므로 $f(a)=(a-b)(a-c)>0$
$f(b)=(b-c)(b-a)<0$, $f(c)=(c-a)(c-b)>0$
이므로 사잇값의 정리에 의하여 방정식 $f(x)=0$은
열린구간 (a, b), (b, c) 사이에 각각 적어도 하나의 실근을 갖는다.

STEP B 서로 다른 두 실근 α, β의 범위 구하기

이때 방정식 $f(x)=0$은 이차방정식이고 두 근이 α, $\beta(\alpha<\beta)$이므로
$a<\alpha<b<\beta<c$

0141

연속함수 $f(x)$에 대하여 다음 조건을 만족시킬 때, 방정식 $f(x)=0$의 실근은 적어도 몇 개인지 구하여라.

(가) 모든 실수 x에 대하여 $f(x)=f(-x)$
(나) $f(2)f(4)<0$
(다) $f(5)f(7)<0$

STEP A 함수 $y=f(x)$의 그래프가 y축에 대하여 대칭인 성질을 이용하기

조건 (가)에서
함수 $f(x)$가 모든 실수 x에 대하여 $f(x)=f(-x)$이므로
함수 $y=f(x)$의 그래프는 y축에 대하여 대칭이다.
즉 조건 (나), (다)에서
$f(2)f(4)<0$이므로 $f(-4)f(-2)<0$
$f(5)f(7)<0$이므로 $f(-7)f(-5)<0$

STEP B 사잇값 정리를 이용하여 실근의 개수 구하기

함수 $f(x)$는 연속함수이므로 사잇값 정리에 의하여 방정식 $f(x)=0$은
열린구간 $(2, 4)$, $(-4, -2)$, $(5, 7)$, $(-7, -5)$에서 각각 적어도 하나의
실근을 갖는다.
따라서 방정식 $f(x)=0$은 적어도 4개의 실근을 갖는다.

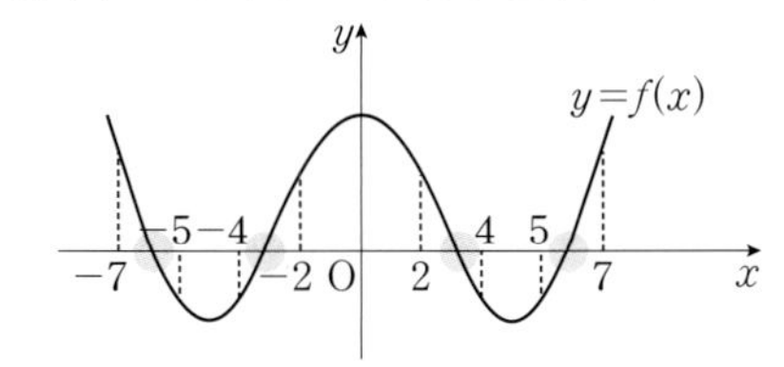

0142

모든 실수 x에서 연속인 함수 $f(x)$에 대하여

$f(0)=1,\ f(1)=3,\ f(2)=2,\ f(3)=1$

일 때, 방정식 $x^2+1=xf(x)$의 실근은 열린구간 $(0,\ 3)$에서 적어도 n개 존재한다. n의 최댓값은?

① 2 ② 3 ③ 4
④ 5 ⑤ 6

STEP Ⓐ $g(x)=x^2+1-xf(x)$로 놓을 때, $g(x)$의 연속성과 $g(0),\ g(1),\ g(2),\ g(3)$의 값 구하기

$g(x)=x^2+1-xf(x)$로 놓으면 함수 $g(x)$는 연속함수이고
$g(0)=1>0,\ g(1)=-1<0,\ g(2)=1>0,\ g(3)=7>0$

STEP Ⓑ 사잇값 정리를 이용하여 실근의 개수 구하기

사잇값의 정리에 의하여 $g(c)=0$인 c가 열린구간 $(0,\ 1)$과 열린구간 $(1,\ 2)$에 각각 적어도 하나씩 존재하므로 방정식 $x^2+1-xf(x)=0$은 열린구간 $(0,\ 1)$과 열린구간 $(1,\ 2)$에서 각각 적어도 하나씩의 실근을 가진다.

STEP Ⓒ 방정식의 실근의 개수를 구하기

따라서 방정식 $x^2+1=xf(x)$는 열린구간 $(0,\ 3)$에서 적어도 서로 다른 2개의 실근을 가지므로 n의 최댓값은 2개이다.

0143

함수 $f(x)$가 닫힌구간 $[0,\ 1]$에서 연속이고

$f(0)=2,\ f(1)=0$

일 때, 실근이 열린구간 $(0,\ 1)$에 반드시 존재하는 방정식만을 [보기]에서 있는 대로 고른것은?

ㄱ. $f(x)-2x=0$
ㄴ. $f(x)-x^2-1=0$
ㄷ. $f(x)-\dfrac{1}{x+2}=0$

① ㄱ ② ㄴ ③ ㄷ
④ ㄴ, ㄷ ⑤ ㄱ, ㄴ, ㄷ

STEP Ⓐ 사잇값 정리를 이용하여 실근의 개수 구하기

ㄱ. $g(x)=f(x)-2x$라 하면 함수 $g(x)$는 닫힌구간 $[0,\ 1]$에서 연속이고 $g(0)=2>0,\ g(1)=-2<0$이므로 사잇값 정리에 의하여 $g(c)=0$인 c가 열린구간 $(0,\ 1)$에 적어도 하나 존재한다.
즉 방정식 $f(x)-2x=0$은 열린구간 $(0,\ 1)$에서 적어도 하나의 실근을 갖는다.

ㄴ. $g(x)=f(x)-x^2-1$이라 하면 함수 $g(x)$는 닫힌구간 $[0,\ 1]$에서 연속이고 $g(0)=1>0,\ g(1)=-2<0$이므로 사잇값의 정리에 의하여 $g(c)=0$인 c가 열린구간 $(0,\ 1)$에 적어도 하나 존재한다.
즉 방정식 $f(x)-x^2-1=0$은 열린구간 $(0,\ 1)$에서 적어도 하나의 실근을 갖는다.

ㄷ. $g(x)=f(x)-\dfrac{1}{x+2}$이라 하면 함수 $g(x)$는 닫힌구간 $[0,\ 1]$에서 연속이고 $g(0)=\dfrac{3}{2}>0,\ g(1)=-\dfrac{1}{3}<0$이므로 사잇값의 정리에 의하여 $g(c)=0$인 c가 열린구간 $(0,\ 1)$에 적어도 하나 존재한다.
즉 방정식 $f(x)-\dfrac{1}{x+2}=0$은 열린구간 $(0,\ 1)$에서 적어도 하나의 실근을 갖는다.

따라서 실근이 열린구간 $(0,\ 1)$에 반드시 존재하는 방정식은 ㄱ, ㄴ, ㄷ이다.

0144

다항함수 $f(x)$가 다음 두 조건을 모두 만족시킬 때, 방정식 $f(x)=0$은 구간 $[-1,\ 3]$에서 적어도 몇 개의 실근을 갖는지 구하여라

(가) $\displaystyle\lim_{x\to-1}\frac{f(x)}{x+1}=4$ (나) $\displaystyle\lim_{x\to3}\frac{f(x)}{x-3}=8$

STEP Ⓐ (분모)→ 0이고 극한값이 존재하므로 (분자)→ 0임을 이용하여 다항함수 $f(x)$ 결정하기

조건 (가)에서

$\displaystyle\lim_{x\to-1}\frac{f(x)}{x+1}=4$에서

$x\to-1$일 때, (분모)→ 0이고 극한값이 존재하므로 (분자)→ 0이어야 한다.

즉 $\displaystyle\lim_{x\to-1}f(x)=0$에서 $f(-1)=0$ …… ㉠

조건 (나)에서

$\displaystyle\lim_{x\to3}\frac{f(x)}{x-3}=8$에서

$x\to3$일 때, (분모)→ 0이고 극한값이 존재하므로 (분자)→ 0이어야 한다.

즉 $\displaystyle\lim_{x\to3}f(x)=0$에서 $f(3)=0$ …… ㉡

㉠, ㉡에서

$f(x)=(x+1)(x-3)g(x)$ (단, $g(x)$는 다항함수)
로 놓을 수 있다. …… ㉢

STEP Ⓑ $\dfrac{0}{0}$꼴 극한값을 구하여 사잇값의 정리를 이용하여 실근 구하기

㉢을 조건 (가)에 대입하면

$$\lim_{x\to-1}\frac{(x+1)(x-3)g(x)}{x+1}=\lim_{x\to-1}(x-3)g(x)=-4g(-1)=4$$

$\therefore\ g(-1)=-1$

㉢을 조건 (나)에 대입하면

$$\lim_{x\to3}\frac{(x+1)(x-3)g(x)}{x-3}=\lim_{x\to3}(x+1)g(x)=4g(3)=8$$

$\therefore\ g(3)=2$

이때 $g(x)$는 다항함수이므로 모든 실수 x에서 연속이고 $g(-1)g(3)<0$이므로 사잇값의 정리에 의하여 방정식 $g(x)=0$은 구간 $(-1,\ 3)$에서 적어도 한 개의 실근을 갖는다.

STEP Ⓒ 방정식 $f(x)=0$의 실근의 개수 구하기

따라서 방정식 $f(x)=0$은 두 실근 $-1,\ 3$을 갖고 구간 $(-1,\ 3)$에서 적어도 한 개의 실근을 가지므로 구간 $[-1,\ 3]$에서 $f(x)=0$은 적어도 3개의 실근을 가진다.

0145

실수 전체의 집합에서 정의된 함수 $y=f(x)$의 그래프가 그림과 같을 때, [보기]에서 옳은 것만을 있는 대로 고른 것은? (단, $f(1)=f(3)=0$)

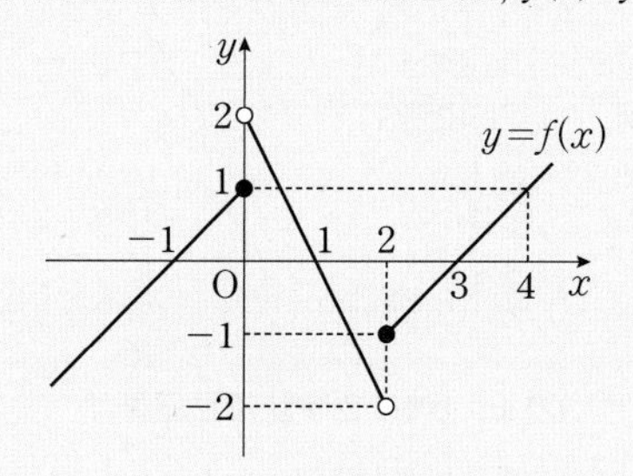

ㄱ. $\lim_{x \to 0-} f(x)=1$
ㄴ. 함수 $f(x)f(x+3)$은 $x=0$에서 연속이다.
ㄷ. 방정식 $f(x)f(x+1)+2x-5=0$은 열린구간 $(1, 3)$에서 적어도 하나의 실근을 갖는다.

① ㄱ ② ㄷ ③ ㄱ, ㄴ
④ ㄴ, ㄷ ⑤ ㄱ, ㄴ, ㄷ

STEP Ⓐ **극한값과 연속조건을 만족하는 참, 거짓 판단하기**

ㄱ. $\lim_{x \to 0-} f(x)=1$ [참]

ㄴ. $x=0$에서 함숫값은 $f(0)f(3)=0$

$\lim_{x \to 0-} f(x)f(x+3)=\lim_{x \to 0-} f(x) \times \lim_{x \to 0-} f(x+3)$
$=1 \times 0=0$

$\lim_{x \to 0+} f(x)f(x+3)=\lim_{x \to 0+} f(x) \times \lim_{x \to 0+} f(x+3)$
$=2 \times 0=0$

이므로

$\lim_{x \to 0} f(x)f(x+3)=f(0)f(3)$이므로

함수 $f(x)f(x+3)$은 $x=0$에서 연속이다. [참]

STEP Ⓑ **사잇값 정리를 이용하여 참임을 보이기**

ㄷ. 함수 $g(x)=f(x)f(x+1)+2x-5$라 하면

ㄴ과 같은 방법에 의하여

함수 $g(x)$는 $x=1$, $x=2$에서 연속이고 함수 $f(x)$가

$1<x<2$, $x>2$에서 연속이므로 함수 $g(x)$는 $[1, 3]$에서 연속이다.

$g(1)=f(1)f(2)-3=-3<0$, $g(3)=f(3)f(4)+1=1>0$이므로

사잇값 정리에 의하여 $g(c)=0$인 실수 c가 1과 3 사이에 적어도 하나 존재한다. [참]

따라서 [보기]에서 옳은 것은 ㄱ, ㄴ, ㄷ이다.

FINAL EXERCISE
단원종합문제

BASIC

0146

열린구간 $(-2, 7)$에서 함수 $y=f(x)$의 그래프가 다음 그림과 같다.

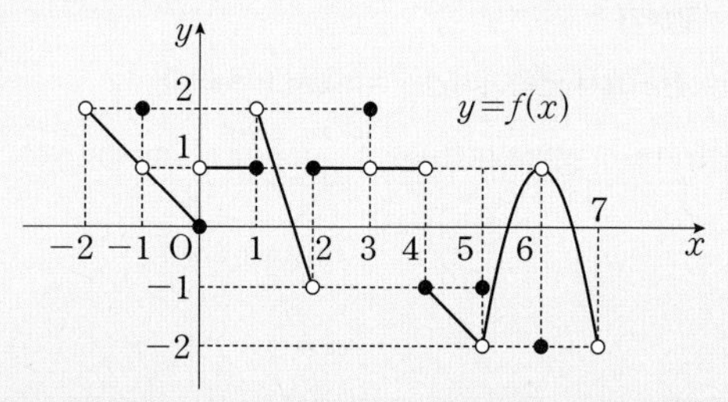

두 집합 A, B에 대하여

$A=\left\{a \mid \lim_{x \to a-} f(x) \neq \lim_{x \to a+} f(x),\ a\text{는 실수}\right\}$, $B=\left\{b \mid \lim_{x \to b} f(x) \neq f(b),\ b\text{는 실수}\right\}$

일 때, $n(A)+n(B)$의 값은? (단, $n(A)$는 집합 A의 원소의 개수이다.)

① 6 ② 8 ③ 10
④ 12 ⑤ 14

STEP Ⓐ **함수의 그래프에서 (좌극한)≠(우극한)이면 극한값이 존재하지 않음을 이용하여 원소의 개수 구하기**

집합의 A의 원소는 $\lim_{x \to a-} f(x) \neq \lim_{x \to a+} f(x)$를 만족하므로 극한값이 존재하지 않는다.

$x=0$, $x=1$, $x=2$, $x=4$에서는 극한값이 존재하지 않으므로

원소 a는 4개이다.

STEP Ⓑ **함수의 그래프에서 $\lim_{x \to b} f(x) \neq f(b)$인 점의 개수 구하기**

집합 B의 원소 $x=b$에서 불연속이므로

(i) $x=b$에서 극한값이 존재하지 않는 원소
즉 $x=0$, $x=1$, $x=2$, $x=4$

(ii) $x=b$에서 극한값과 함숫값이 존재하지만 $\lim_{x \to b} f(x) \neq f(b)$인 원소
즉 $x=-1$, $x=3$, $x=5$, $x=6$

(i), (ii)에서 집합 B의 원소의 개수는 8개이므로 $n(B)=8$

따라서 $n(A)+n(B)=4+8=12$

0147

함수

$$f(x)=\begin{cases} 3x+6 & (x<2) \\ x^2+ax-4 & (x \geq 2) \end{cases}$$

가 실수 전체의 집합에서 연속일 때, 상수 a의 값은?

① −6 ② −2 ③ 0
④ 2 ⑤ 6

STEP Ⓐ **함수 $f(x)$가 $x=2$에서 연속일 조건 구하기**

실수 전체의 집합에서 연속이므로 $f(x)$가 $x=2$에서 연속이다.

즉 $\lim_{x \to 2-} f(x)=\lim_{x \to 2+} f(x)=f(2)$

STEP Ⓑ **극한값 구하여 a의 값 구하기**

$\lim_{x \to 2-} f(x)=12$, $\lim_{x \to 2+} f(x)=4+2a-4=2a$

$f(2)=2a$이므로 $12=2a$

따라서 $a=6$

0148

다음 물음에 답하여라.

(1) 함수 $f(x)=\begin{cases} \dfrac{x^2+x-12}{x-3} & (x \neq 3) \\ a & (x=3) \end{cases}$가 모든 실수 x에서 연속일 때,

상수 a의 값은?

① 10 ② 9 ③ 8
④ 7 ⑤ 6

STEP A $x=3$에서 연속이므로 $\lim_{x \to 3} f(x)=f(3)$임을 이용하여 a의 값 구하기

$f(x)$가 실수 전체에서 연속이려면 $x=3$에서 연속이다.

즉 $\lim_{x \to 3} f(x)=f(3)$이 성립하므로 $\lim_{x \to 3} \dfrac{x^2+x-12}{x-3}=a$이어야 한다.

$\lim_{x \to 3} \dfrac{x^2+x-12}{x-3}=\lim_{x \to 3} \dfrac{(x-3)(x+4)}{x-3}=\lim_{x \to 3}(x+4)=7$

따라서 $a=7$

(2) 함수 $f(x)=\begin{cases} \dfrac{x^2+ax-2}{x-1} & (x \neq 1) \\ b & (x=1) \end{cases}$가 실수 전체의 집합에서

연속일 때, 상수 a, b에 대하여 $a+b$의 값은?

① 2 ② 3 ③ 4
④ 5 ⑤ 6

STEP A 함수 $f(x)$가 $x=1$에서 연속일 조건 구하기

함수 $f(x)$가 실수 전체의 집합에서 연속이므로 $f(x)$는 $x=1$에서도 연속이다.

즉 $\lim_{x \to 1} f(x)=f(1)$가 성립하므로

$\lim_{x \to 1} \dfrac{x^2+ax-2}{x-1}=b$ ...... ㉠

이때 $x \to 1$일 때, (분모)$\to 0$이고 극한값이 존재하므로 (분자)$\to 0$이다.

즉 $\lim_{x \to 1}(x^2+ax-2)=0$이므로 $a-1=0$

$\therefore a=1$

STEP B 극한값을 이용하여 a, b 구하기

$a=1$을 ㉠에 대입하면

$b=\lim_{x \to 1} \dfrac{x^2+x-2}{x-1}=\lim_{x \to 1} \dfrac{(x+2)(x-1)}{x-1}=\lim_{x \to 1}(x+2)=3$

따라서 $a+b=1+3=4$

(3) 함수 $f(x)=\begin{cases} \dfrac{x^3-ax+1}{x-1} & (x \neq 1) \\ b & (x=1) \end{cases}$이 실수 전체의 집합에서

연속이 되도록 하는 두 상수 a, b에 대하여 $10a+b$의 값은?

① 18 ② 20 ③ 21
④ 24 ⑤ 32

STEP A 함수 $f(x)$가 $x=1$에서 연속일 조건 구하기

함수 $f(x)$가 실수 전체의 집합에서 연속이려면 $x=1$에서 연속이어야 한다.

즉 $\lim_{x \to 1} f(x)=f(1)$이 성립하므로 $\lim_{x \to 1} \dfrac{x^3-ax+1}{x-1}=b$

이때 $x \to 1$일 때, (분모)$\to 0$이고 극한값이 존재하므로 (분자)$\to 0$이다.

$\lim_{x \to 1}(x^3-ax+1)=0$이므로 $2-a=0$

$\therefore a=2$

STEP B 극한값 구하기

$\lim_{x \to 1} \dfrac{x^3-2x+1}{x-1}=\lim_{x \to 1} \dfrac{(x-1)(x^2+x-1)}{x-1}=\lim_{x \to 1}(x^2+x-1)=1$

$\therefore b=1$

따라서 $10a+b=21$

0149

다음 물음에 답하여라

(1) $x \geq -3$인 모든 실수에서 연속인 함수 $f(x)$가

$$(x-1)f(x)=\sqrt{x+3}-2$$

를 만족할 때, $f(1)$의 값은?

① $\dfrac{1}{5}$ ② $\dfrac{1}{4}$ ③ $\dfrac{1}{3}$
④ $\dfrac{1}{2}$ ⑤ 1

STEP A 함수 $f(x)$가 $x=1$에서 연속일 조건 구하기

$(x-1)f(x)=\sqrt{x+3}-2$에서 $x \neq 1$일 때,

$f(x)=\dfrac{\sqrt{x+3}-2}{x-1}$

함수 $f(x)$가 모든 실수에서 연속이므로 $x=1$에서 연속이다.

즉 $\lim_{x \to 1} \dfrac{\sqrt{x+3}-2}{x-1}=f(1)$이 성립해야 한다.

STEP B $f(1)$의 값 구하기

$$\begin{aligned}\lim_{x \to 1} \frac{\sqrt{x+3}-2}{x-1}&=\lim_{x \to 1} \frac{(\sqrt{x+3}-2)(\sqrt{x+3}+2)}{(x-1)(\sqrt{x+3}+2)}\\&=\lim_{x \to 1} \frac{(x-1)}{(x-1)(\sqrt{x+3}+2)}\\&=\lim_{x \to 1} \frac{1}{\sqrt{x+3}+2}\\&=\frac{1}{4}\end{aligned}$$

따라서 함수 $f(x)$가 $x=1$에서 연속이므로 $f(1)=\lim_{x \to 1} f(x)=\dfrac{1}{4}$

(2) 실수 전체의 집합에서 연속인 함수 $f(x)$가 모든 실수 x에 대하여

$$(x-2)f(x)=\sqrt{x^2+5}-3$$

을 만족시킬 때, $f(2)$의 값은?

① $\dfrac{1}{3}$ ② $\dfrac{2}{3}$ ③ 1
④ $\dfrac{4}{3}$ ⑤ $\dfrac{5}{3}$

STEP A 함수 $f(x)$가 $x=2$에서 연속일 조건 구하기

$(x-2)f(x)=\sqrt{x^2+5}-3$에서 $x \neq 2$일 때,

$f(x)=\dfrac{\sqrt{x^2+5}-3}{x-2}$

모든 실수 x에서 함수 $f(x)$가 연속이므로 $x=2$에서 연속이다.

즉 $\lim_{x \to 2} \dfrac{\sqrt{x^2+5}-3}{x-2}=f(2)$이 성립해야 한다.

STEP B $f(2)$의 값 구하기

$$\begin{aligned}\lim_{x \to 2} \frac{\sqrt{x^2+5}-3}{x-2}&=\lim_{x \to 2} \frac{(\sqrt{x^2+5}-3)(\sqrt{x^2+5}+3)}{(x-2)(\sqrt{x^2+5}+3)}\\&=\lim_{x \to 2} \frac{x^2-4}{(x-2)(\sqrt{x^2+5}+3)}\\&=\lim_{x \to 2} \frac{(x-2)(x+2)}{(x-2)(\sqrt{x^2+5}+3)}\\&=\lim_{x \to 2} \frac{x+2}{\sqrt{x^2+5}+3}\\&=\frac{4}{6}=\frac{2}{3}\end{aligned}$$

따라서 함수 $f(x)$가 $x=2$에서 연속이므로 $f(2)=\lim_{x \to 2} f(x)=\dfrac{2}{3}$

0150

다음 물음에 답하여라.

(1) 실수 전체의 집합에서 연속인 함수 $f(x)$가

$$(x-1)f(x)=x^2+3x+a$$

를 만족시킬 때, $a+f(1)$의 값은? (단, a는 상수이다.)

① 1 ② 2 ③ 3 ④ 4 ⑤ 5

STEP Ⓐ 함수 $f(x)$가 $x=1$에서 연속일 조건을 이용하여 a 구하기

함수 $f(x)$가 실수 전체의 집합에서 연속이 되기 위해서는 $x=1$에서 연속이어야 하므로 $\lim_{x\to1}f(x)=f(1)$이 성립해야 한다.

$x\neq1$일 때, $f(x)=\frac{x^2+3x+a}{x-1}$

$\lim_{x\to1}f(x)$가 존재하고 $\lim_{x\to1}(x-1)=0$이므로

$\lim_{x\to1}(x^2+3x+a)=0$

$1+3+a=0$

$\therefore a=-4$

$x\neq1$일 때, $f(x)=\frac{x^2+3x-4}{x-1}$

STEP Ⓑ 극한값 구하기

따라서 $f(1)=\lim_{x\to1}f(x)=\lim_{x\to1}\frac{x^2+3x-4}{x-1}=\lim_{x\to1}(x+4)=5$이므로

$a+f(1)=-4+5=1$

(2) 실수 전체의 집합에서 연속인 함수 $f(x)$가 모든 실수 x에 대하여

$$(x-3)f(x)-x=x^2+k$$

을 만족시킬 때, $k+f(3)$의 값은? (단, k는 상수이다.)

① -6 ② -5 ③ -4 ④ -3 ⑤ -2

STEP Ⓐ 함수 $f(x)$가 $x=3$에서 연속일 조건을 이용하여 k 구하기

$(x-3)f(x)-x=x^2+k$에서 $(x-3)f(x)=x^2+x+k$이므로

$x\neq3$일 때, 양변을 $x-3$으로 나누면

$f(x)=\frac{x^2+x+k}{x-3}$

함수 $f(x)$가 실수 전체의 집합에서 연속이므로 $x=3$에서도 연속이다.

즉 $\lim_{x\to3}f(x)=f(3)$

$\lim_{x\to3}\frac{x^2+x+k}{x-3}=f(3)$ …… ㉠

$x\to3$일 때, (분모)$\to0$이고 극한값이 존재하므로 (분자)$\to0$이어야 한다.

즉 $\lim_{x\to3}(x^2+x+k)=0$

$12+k=0$

$\therefore k=-12$

STEP Ⓑ 극한값을 이용하여 $k+f(3)$ 구하기

이때 ㉠에서

$f(3)=\lim_{x\to3}\frac{x^2+x-12}{x-3}$

$=\lim_{x\to3}\frac{(x+4)(x-3)}{x-3}$

$=\lim_{x\to3}(x+4)=7$

따라서 $k+f(3)=-12+7=-5$

0151

다음 물음에 답하여라.

(1) 함수 $f(x)=\begin{cases}\frac{\sqrt{ax}-b}{x-1} & (x\neq1)\\ 2 & (x=1)\end{cases}$가 $x=1$에서 연속이 되도록 하는 상수 a, b에 대하여 $a+b$의 값을 구하여라.

① 18 ② 20 ③ 22 ④ 24 ⑤ 26

STEP Ⓐ 함수 $f(x)$가 $x=1$에서 연속일 조건 구하기

함수 $f(x)$가 $x=1$에서 연속이려면 $\lim_{x\to1}f(x)=f(1)$이어야 한다.

즉 $\lim_{x\to1}\frac{\sqrt{ax}-b}{x-1}=2$ …… ㉠

이때 $x\to1$일 때, (분모)$\to0$이고 극한값이 존재하므로 (분자)$\to0$이다.

$\lim_{x\to1}(\sqrt{ax}-b)=0$이므로 $\sqrt{a}-b=0$

$\therefore b=\sqrt{a}$

STEP Ⓑ 함수의 극한을 이용하여 b의 값 구하기

$b=\sqrt{a}$을 ㉠에 대입하면

$\lim_{x\to1}\frac{\sqrt{ax}-b}{x-1}=\lim_{x\to1}\frac{\sqrt{ax}-\sqrt{a}}{x-1}$

$=\lim_{x\to1}\frac{\sqrt{a}(\sqrt{x}-1)}{(\sqrt{x}-1)(\sqrt{x}+1)}$

$=\lim_{x\to1}\frac{\sqrt{a}}{\sqrt{x}+1}$

$=\frac{\sqrt{a}}{2}=2$

$\therefore a=16$

㉠에 대입하면 $b=4$

따라서 $a=16$, $b=4$이므로 $a+b=20$

(2) 함수 $f(x)=\begin{cases}\frac{\sqrt{x+6}-a}{x-3} & (x\neq3)\\ b & (x=3)\end{cases}$가 구간 $(0, \infty)$에서 연속일 때, ab의 값은? (단, a, b는 상수이다.)

① $\frac{1}{6}$ ② $\frac{1}{2}$ ③ $\frac{2}{3}$ ④ $\frac{3}{2}$ ⑤ 2

STEP Ⓐ 함수 $f(x)$가 $x=3$에서 연속일 조건 구하기

함수 $f(x)$가 구간 $(0, \infty)$에서 연속이므로 $x=3$에서 연속이다.

즉 $\lim_{x\to3}f(x)=f(3)$에서 $\lim_{x\to3}\frac{\sqrt{x+6}-a}{x-3}=b$ …… ㉠

이때 $x\to3$일 때, (분모)$\to0$이고 극한값이 존재하므로 (분자)$\to0$이다.

즉 $\lim_{x\to3}(\sqrt{x+6}-a)=0$이므로 $\sqrt{3+6}-a=0$

$\therefore a=3$

STEP Ⓑ 함수의 극한을 이용하여 b의 값 구하기

$a=3$을 ㉠에 대입하면

$b=\lim_{x\to3}\frac{\sqrt{x+6}-3}{x-3}$

$=\lim_{x\to3}\frac{(\sqrt{x+6}-3)(\sqrt{x+6}+3)}{(x-3)(\sqrt{x+6}+3)}$

$=\lim_{x\to3}\frac{x-3}{(x-3)(\sqrt{x+6}+3)}$

$=\lim_{x\to3}\frac{1}{\sqrt{x+6}+3}=\frac{1}{6}$

따라서 $a=3$, $b=\frac{1}{6}$이므로 $ab=3\cdot\frac{1}{6}=\frac{1}{2}$

(3) 함수 $f(x)=\begin{cases} \dfrac{\sqrt{x+3}+a}{x^3-1} & (x\neq 1) \\ b & (x=1) \end{cases}$가 $x=1$에서

연속이 되도록 하는 상수 a, b에 대하여 ab의 값은?

① $-\frac{3}{2}$ ② $-\frac{1}{2}$ ③ $-\frac{1}{3}$
④ $-\frac{1}{6}$ ⑤ $-\frac{1}{5}$

STEP Ⓐ **함수 $f(x)$가 $x=1$에서 연속일 조건 구하기**

함수 $f(x)$가 모든 실수 x에서 연속이려면 $\lim_{x\to1}f(x)=f(1)$이어야 한다.

$$\lim_{x\to1}\frac{\sqrt{x+3}+a}{x^3-1}=b \qquad \cdots\cdots ㉠$$

이때 $x\to1$일 때, (분모)$\to0$이고 극한값이 존재하므로 (분자)$\to0$이다.

즉 $\lim_{x\to1}(\sqrt{x+3}+a)=0$이므로 $\sqrt{1+3}+a=0$

$\therefore a=-2$

STEP Ⓑ **함수의 극한을 이용하여 b의 값 구하기**

$a=-2$을 ㉠에 대입하면

$$\begin{aligned} b&=\lim_{x\to1}\frac{\sqrt{x+3}-2}{x^3-1} \\ &=\lim_{x\to1}\frac{(\sqrt{x+3}-2)(\sqrt{x+3}+2)}{(x-1)(x^2+x+1)(\sqrt{x+3}+2)} \\ &=\lim_{x\to1}\frac{x-1}{(x-1)(x^2+x+1)(\sqrt{x+3}+2)} \\ &=\lim_{x\to1}\frac{1}{(x^2+x+1)(\sqrt{x+3}+2)} \\ &=\frac{1}{12} \end{aligned}$$

따라서 $ab=(-2)\cdot\frac{1}{12}=-\frac{1}{6}$

0152

함수 $f(x)=\begin{cases} -x+b & (|x|<1) \\ x^2+ax-2 & (|x|\geq 1) \end{cases}$가 모든 실수에서 연속이 되도록 하는 상수 a, b에 대하여 ab의 값은?

① -3 ② -2 ③ -1
④ 1 ⑤ 2

STEP Ⓐ **주어진 함수에서 불연속일 수 있는 점을 찾기**

$y=-x+b$, $y=x^2+ax-2$가 연속함수이므로

함수 $f(x)$가 모든 실수에서 연속이려면 $f(x)$가 $x=\pm1$에서 연속이어야 한다.

STEP Ⓑ **각 점에서 주어진 함수가 연속이 되도록 하는 a, b값을 구하기**

(ⅰ) $x=-1$에서 연속이어야 한다.

즉 $\lim_{x\to-1+}f(x)=\lim_{x\to-1-}f(x)=f(-1)$이어야 하므로

$$\begin{aligned} \lim_{x\to-1+}(-x+b)&=\lim_{x\to-1-}(x^2+ax-2) \\ &=(-1)^2-a-2 \end{aligned}$$

$1+b=-a-1$에서 $a+b=-2$ $\cdots\cdots$ ㉠

(ⅱ) $x=1$에서 연속이어야 한다.

즉 $\lim_{x\to1+}f(x)=\lim_{x\to1-}f(x)=f(1)$이어야 하므로

$$\begin{aligned} \lim_{x\to1+}(x^2+ax-2)&=\lim_{x\to1-}(-x+b) \\ &=1^2+a-2 \end{aligned}$$

$1+a-2=-1+b$에서 $a=b$ $\cdots\cdots$ ㉡

㉠, ㉡을 연립하여 풀면 $a=-1$, $b=-1$

따라서 $ab=(-1)\cdot(-1)=1$

0153

함수 $f(x)=\begin{cases} x+4 & (x\geq2) \\ -x+3 & (x<2) \end{cases}$, $g(x)=x+k$에 대하여

함수 $f(x)g(x)$가 $x=2$에서 연속일 때, 상수 k의 값은?

① -3 ② -2 ③ -1
④ 1 ⑤ 2

STEP Ⓐ **$x=2$에서 함숫값과 극한값 구하기**

$f(x)$는 $x=2$에서 불연속이고 $g(x)$는 실수 전체에서 연속이다.

함수 $f(x)g(x)$가 $x=2$에서 연속이므로

$x=2$에서 함숫값은

$f(2)g(2)=(2+4)\cdot(2+k)=12+6k$

$\lim_{x\to2+}f(x)g(x)=(2+4)\cdot(2+k)=12+6k$

$\lim_{x\to2-}f(x)g(x)=(-2+3)\cdot(2+k)=2+k$

STEP Ⓑ **$x=2$에서 연속이기 위한 k 구하기**

함수 $f(x)g(x)$가 $x=2$에서 연속이기 위해서는

$\lim_{x\to2-}f(x)g(x)=\lim_{x\to2+}f(x)g(x)=f(2)g(2)$이어야 하므로

$12+6k=2+k$

따라서 $k=-2$

0154

함수 $y=f(x)$의 그래프가 오른쪽 그림과 같다. [보기]에서 옳은 것만을 있는 대로 고른 것은?

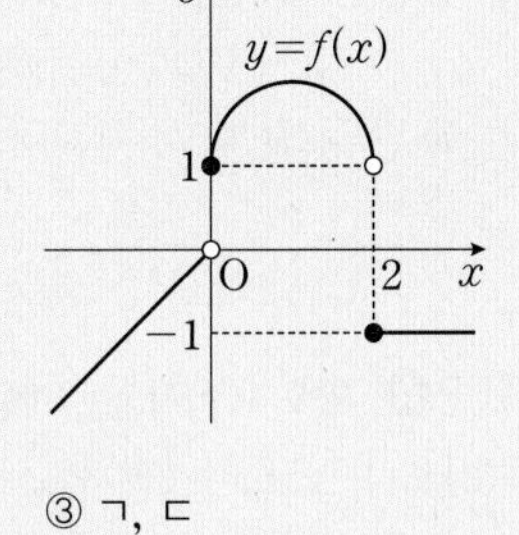

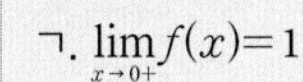

ㄱ. $\lim_{x\to0+}f(x)=1$

ㄴ. $\lim_{x\to2-}f(x)=-1$

ㄷ. 함수 $|f(x)|$는 $x=2$에서 연속이다.

① ㄱ ② ㄴ ③ ㄱ, ㄷ
④ ㄴ, ㄷ ⑤ ㄱ, ㄴ, ㄷ

STEP Ⓐ **함수의 극한값을 이용하여 [보기]의 참, 거짓 판단하기**

ㄱ. $x\to0+$일 때, $f(x)$는 1에 수렴하므로

$\lim_{x\to0+}f(x)=1$ [참]

ㄴ. $x\to2-$일 때, $f(x)$는 1에 수렴하므로

$\lim_{x\to2-}f(x)=1$ [거짓]

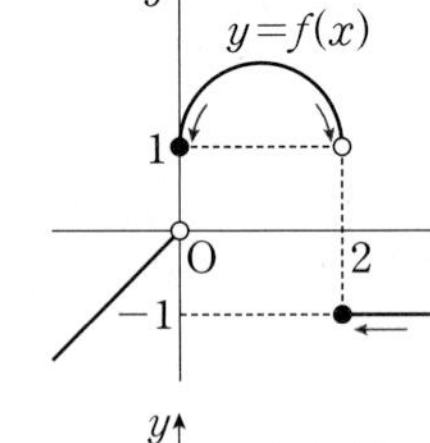

ㄷ. 함수 $y=|f(x)|$의 그래프는 오른쪽 그림과 같다.

$\therefore \lim_{x\to2}|f(x)|=|f(2)|=1$

즉 함수 $|f(x)|$는 $x=2$에서 연속이다. [참]

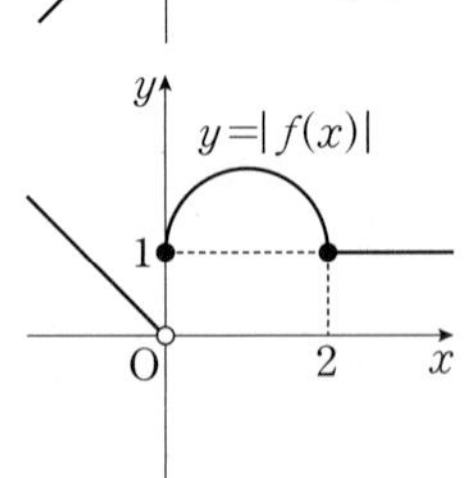

따라서 옳은 것은 ㄱ, ㄷ이다.

0155

실수 전체의 집합에서 연속이고 역함수가 존재하는 함수 $f(x)$가

$$f^{-1}(6)=2,\ \lim_{x\to -1}f(x)=-3$$

을 만족시킬 때, $f^{-1}(-3)+\lim_{x\to 2}f(x)$의 값은?

① 4 ② 5 ③ 7
④ 9 ⑤ 11

STEP Ⓐ $f^{-1}(a)=b$이면 $f(b)=a$임을 이용하여 구하기

$f^{-1}(6)=2$에서 $f(2)=6$

함수 $f(x)$가 $x=2$에서 연속이므로 $\lim_{x\to 2}f(x)=f(2)=6$

또, 함수 $f(x)$가 $x=-1$에서 연속이므로 $f(-1)=\lim_{x\to -1}f(x)=-3$

즉 $f(-1)=-3$이므로 $f^{-1}(-3)=-1$

STEP Ⓑ $f^{-1}(-3)+\lim_{x\to 2}f(x)$의 값 구하기

따라서 $f^{-1}(-3)+\lim_{x\to 2}f(x)=-1+6=5$

0156

이차함수 $f(x)=x^2-2\sqrt{2}x-4$에 대하여 함수 $\dfrac{f(x)}{f(x)+k}$가 실수 전체의 집합에서 연속이 되도록 하는 정수 k의 최솟값은?

① 6 ② 7 ③ 8
④ 9 ⑤ 10

STEP Ⓐ 함수 $\dfrac{f(x)}{f(x)+k}$는 $f(x)+k\neq 0$인 모든 실수 x에 대하여 연속임을 이용하기

이차함수 $f(x)$는 실수 전체의 집합에서 연속이므로 함수 $\dfrac{f(x)}{f(x)+k}$가 실수 전체의 집합에서 연속이기 위해서는 모든 실수 x에 대하여 $f(x)+k\neq 0$이어야 한다.

STEP Ⓑ 이차방정식이 실근을 갖지 않을 조건 구하기

즉 이차방정식 $x^2-2\sqrt{2}x-4+k=0$의 판별식을 D라 하면

$D=(-2\sqrt{2})^2-4(-4+k)=24-4k<0$이어야 하므로 $k>6$

따라서 조건을 만족시키는 정수 k의 최솟값은 7

0157

모든 실수 x에서 연속인 함수 $f(x)$에 대하여

$$f(-2)=-1,\ f(-1)=1,\ f(0)=2,\ f(1)=0,\ f(2)=2,\ f(3)=-4$$

일 때, 방정식 $f(x)=0$은 열린구간 $(-2, 3)$에서 적어도 몇 개의 실근을 갖는가?

① 2 ② 3 ③ 6
④ 8 ⑤ 10

STEP Ⓐ 사잇값의 정리와 방정식의 실근을 이용하여 구하기

함수 $f(x)$가 모든 실수 x에 대하여 연속이다.

(ⅰ) $f(-2)=-1<0$, $f(-1)=1>0$이므로 $f(-2)f(-1)<0$
사잇값의 정리에 의하여 $f(c)=0$인 c가 열린구간 $(-2, -1)$에서 적어도 하나의 실근을 갖는다.

(ⅱ) $f(1)=0$이므로 $x=1$은 하나의 실근이다.

(ⅲ) $f(2)=2>0$, $f(3)=-4<0$이므로 $f(2)f(3)<0$
사잇값의 정리에 의하여 $f(c)=0$인 c가 열린구간 $(2, 3)$에서 적어도 하나의 실근을 갖는다.

(ⅰ)~(ⅲ)에서 방정식 $f(x)=0$은 열린구간 $(-2, 3)$에서 적어도 3개의 실근을 갖는다.

0158

다음 물음에 답하여라.

(1) 다항함수 $f(x)$는 $f(1)=k+2$, $f(2)=k-5$를 만족시키고, 방정식 $f(x)=0$이 오직 하나의 실근을 가질 때 구간 $(1, 2)$에서 오직 하나의 실근을 갖도록 하는 정수 k의 개수는?

① 2 ② 4 ③ 6
④ 8 ⑤ 10

STEP Ⓐ 닫힌구간 $[1, 2]$에서 사잇값 정리를 이용하기

$f(x)$는 다항함수이므로 모든 실수 x에 대하여 연속이다.

즉 닫힌구간 $[1, 2]$에서 연속이고 $f(1)$과 $f(2)$의 부호가 다르면 사잇값 정리에 의하여

$f(x)=0$인 x가 열린구간 $(1, 2)$에 적어도 하나 존재한다.

STEP Ⓑ $f(1)f(2)<0$인 k의 범위 구하기

$f(1)f(2)<0$에서 $(k+2)(k-5)<0$

$\therefore -2<k<5$

따라서 정수 k는 $-1, 0, 1, 2, 3, 4$이므로 6개이다.

(2) 방정식 $2x^3+x+k=0$이 오직 하나의 실근을 가질 때, 그 실근이 열린구간 $(-1, 1)$에서 존재하도록 하는 정수 k의 개수는?

① 5 ② 7 ③ 9
④ 11 ⑤ 13

STEP Ⓐ 사잇값 정리를 이용하기

$f(x)=2x^3+x+k$라 하면

함수 $f(x)$는 실수 전체의 집합에서 연속이다.

방정식 $f(x)=0$의 실근이 열린구간 $(-1, 1)$에 존재하려면

$f(-1)f(1)<0$이어야 한다.

STEP Ⓑ $f(-1)f(1)<0$인 k의 범위 구하기

$f(-1)=-2-1+k=k-3$

$f(1)=2+1+k=k+3$이므로

$f(-1)f(1)=(k-3)(k+3)<0$

$-3<k<3$ …… ㉠

따라서 부등식 ㉠을 만족시키는 정수 k는 $-2, -1, 0, 1, 2$이므로 5개이다.

0159

서술형

모든 실수에서 연속인 함수 $f(x)$가

$$(x-5)f(x)=x^2-x+a$$

를 만족시킬 때, $f(5)$의 값을 구하는 과정을 다음 단계로 서술하여라. (단, a는 상수)

[1단계] 모든 실수에서 연속이기 위한 조건을 구한다.
[2단계] 극한의 성질을 이용하여 상수 a의 값을 구한다.
[3단계] $f(5)$의 값을 구한다.

1단계 모든 실수에서 연속이기 위한 조건을 구한다. ◀ 30%

$x\neq 5$일 때, $f(x)=\dfrac{x^2-x+a}{x-5}$

함수 $f(x)$가 모든 실수에서 연속이므로 $x=5$에서 연속이다.

즉 $\lim\limits_{x\to 5}f(x)=f(5)$

2단계 극한의 성질을 이용하여 상수 a의 값을 구한다. ◀ 40%

$\lim\limits_{x\to 5}\dfrac{x^2-x+a}{x-5}=f(5)$ …… ㉠

$x\to 5$일 때, (분모)→ 0이고 극한값이 존재하므로 (분자)→ 0이다.

$\lim\limits_{x\to 5}(x^2-x+a)=0$이므로 $20+a=0$

$\therefore a=-20$

3단계 $f(5)$의 값을 구한다. ◀ 30%

따라서 $a=-20$을 ㉠에 대입하면

$f(5)=\lim\limits_{x\to 5}\dfrac{x^2-x-20}{x-5}=\lim\limits_{x\to 5}\dfrac{(x-5)(x+4)}{x-5}=\lim\limits_{x\to 5}(x+4)=9$

0160

서술형

방정식 $x^3+x-1=0$은 열린구간 $(0, 1)$에서 적어도 하나의 실근을 가짐을 다음 단계로 서술하여라.

[1단계] $f(x)=x^3+x-1$라 할 때, 닫힌구간 $[0, 1]$에서 $f(x)$의 연속성과 $f(0)$, $f(1)$의 값을 구한다.
[2단계] 사잇값의 정리를 이용하여 $f(c)=0$인 c가 존재함을 보인다.
[3단계] 실근을 가짐을 보인다.

1단계 $f(x)=x^3+x-1$라 할 때, 닫힌구간 $[0, 1]$에서 $f(x)$의 연속성과 $f(0)$, $f(1)$의 값을 구한다. ◀ 40%

$f(x)=x^3+x-1$로 놓으면 함수 $f(x)$는 닫힌구간 $[0, 1]$에서 연속이고

$f(0)=-1<0$, $f(1)=1>0$이므로 $f(0)f(1)<0$

2단계 사잇값의 정리를 이용하여 $f(c)=0$인 c가 존재함을 보인다. ◀ 30%

사잇값의 정리에 의하여 $f(c)=0$인 c가 열린구간 $(0, 1)$에 적어도 하나 존재한다.

3단계 실근을 가짐을 보인다. ◀ 30%

따라서 삼차방정식 $x^3+x-1=0$은 열린구간 $(0, 1)$에서 적어도 하나의 실근 c를 가진다.

함수 $f(x)=x^3+x-1$의 그래프는 오른쪽 그림과 같다.

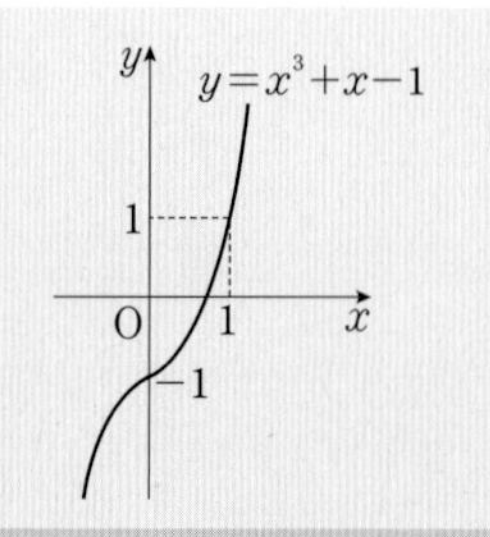

NORMAL

0161

실수 전체의 집합에서 정의된 함수

$$f(x)=\begin{cases}\dfrac{\sqrt{x+a}-\sqrt{1+bx}}{x^n} & (x\neq 0)\\ -1 & (x=0)\end{cases}$$

가 $x=0$에서 연속일 때, 상수 a, b, n에 대하여 $a+b+n$값을 구하여라. (단, n은 자연수)

STEP Ⓐ $x=0$에서 연속 조건 구하기

함수 $f(x)$가 $x=0$에서 연속이므로 $\lim\limits_{x\to 0}f(x)=f(0)$

STEP Ⓑ 극한값이 존재하고 (분모)→ 0이므로 (분자)→ 0이어야 함을 이용하여 a의 값 구하기

$\lim\limits_{x\to 0}\dfrac{\sqrt{x+a}-\sqrt{1+bx}}{x^n}=-1$ …… ㉠

$x\to 0$일 때, (분모)→ 0이고 극한값이 존재하므로 (분자)→ 0이어야 한다.

즉 $\lim\limits_{x\to 0}(\sqrt{x+a}-\sqrt{1+bx})=\sqrt{a}-\sqrt{1}=0$ $\therefore a=1$

STEP Ⓒ 극한의 성질을 이용하여 n, b의 값 구하기

$a=1$을 ㉠에 대입하면

$$\lim_{x\to 0}\frac{\sqrt{x+1}-\sqrt{1+bx}}{x^n}=\lim_{x\to 0}\frac{(\sqrt{x+1}-\sqrt{1+bx})(\sqrt{x+1}+\sqrt{1+bx})}{x^n(\sqrt{x+1}+\sqrt{1+bx})}$$

$$=\lim_{x\to 0}\frac{x(1-b)}{x^n(\sqrt{x+1}+\sqrt{1+bx})}$$

한편, $\lim\limits_{x\to 0}f(x)=f(0)=-1$이므로 $n=1$ ⬅ $n\geq 2$이면 $\lim\limits_{x\to 0}f(x)=\infty$

$\lim\limits_{x\to 0}\dfrac{1-b}{\sqrt{x+1}+\sqrt{1+bx}}=\dfrac{1-b}{1+1}=-1$이므로 $1-b=-2$

$\therefore b=3$

따라서 $a=1$, $b=3$, $n=1$이므로 $a+b+n=1+3+1=5$

0162

함수

$$f(x)=\begin{cases}x+2 & (x\leq a)\\ x^2-4 & (x>a)\end{cases}$$

에 대하여 함수 $|f(x)|$가 실수 전체의 집합에서 연속이 되도록 하는 모든 실수 a의 값의 합은?

① -3 ② -2 ③ -1
④ 1 ⑤ 2

STEP Ⓐ 함수 $|f(x)|$가 실수 전체의 집합에서 연속이 되기 위한 조건 구하기

함수 $|f(x)|$가 실수 전체의 집합에서 연속이 되려면 $x=a$에서 연속이어야 하므로

$\lim\limits_{x\to a+}|f(x)|=\lim\limits_{x\to a-}|f(x)|=|f(a)|$

$|a^2-4|=|a+2|$에서 $a^2-4=\pm(a+2)$

(i) $a^2-4=a+2$일 때,
$a^2-a-6=0$에서 $a=-2$ 또는 $a=3$

(ii) $a^2-4=-(a+2)$일 때,
$a^2+a-2=0$에서 $a=-2$ 또는 $a=1$

STEP Ⓑ 모든 실수 a의 값의 합 구하기

(i), (ii)에서 함수 $|f(x)|$가 실수 전체의 집합에서 연속이 되도록 하는 실수 a의 값은 -2, 1, 3이므로 그 합은 $(-2)+1+3=2$

0163

다음 물음에 답하여라.

(1) $f(x)$가 다항함수일 때, 모든 실수에서 연속인 함수 $g(x)$를

$$g(x)=\begin{cases} \dfrac{f(x)-x^2}{x-1} & (x\neq 1) \\ k & (x=1) \end{cases}$$

로 정의하자. $\lim_{x\to\infty}g(x)=2$일 때, $k+f(3)$의 값을 구하여라. (단, k는 상수)

STEP A $\lim_{x\to\infty}g(x)=2$**를 이용하여 다항함수** $f(x)$**의 차수 결정하기**

$\lim_{x\to\infty}g(x)=2$이므로 $\lim_{x\to\infty}g(x)=\lim_{x\to\infty}\dfrac{f(x)-x^2}{x-1}=2$에서

$f(x)-x^2$는 최고차항의 계수가 2인 일차함수이어야 한다.

$f(x)-x^2=2x+a$ (단, a는 실수)로 놓을 수 있다.

$\therefore f(x)=x^2+2x+a$ ← 극한값이 존재하므로 분자, 분모의 차수가 같다.

STEP B 함수 $g(x)$**가** $x=1$**에서 연속조건을 이용하여 함수** $f(x)$ **구하기**

함수 $g(x)$는 모든 실수에서 연속이므로 $x=1$에서 연속이어야 한다.

즉 $\lim_{x\to 1}g(x)=g(1)=k$가 성립하므로

$$\lim_{x\to 1}g(x)=\lim_{x\to 1}\frac{f(x)-x^2}{x-1}=\lim_{x\to 1}\frac{(x^2+2x+a)-x^2}{x-1}$$

$$=\lim_{x\to 1}\frac{2x+a}{x-1}=k \cdots\cdots ㉠$$

$x\to 1$일 때, (분모)$\to 0$이고 극한값이 존재하므로 (분자)$\to 0$이어야 한다.

즉 $\lim_{x\to 1}(2x+a)=0$이므로 $2+a=0$

$\therefore a=-2$

STEP C k**를 구한 후** $k+f(3)$ **구하기**

이때 $f(x)=x^2+2x-2$이므로 $f(3)=3^2+2\cdot 3-2=13$

㉠에서 $k=\lim_{x\to 1}\dfrac{2x-2}{x-1}=\lim_{x\to 1}\dfrac{2(x-1)}{x-1}=2$

따라서 $k+f(3)=2+13=15$

(2) 다항함수 $f(x)$와 실수 전체의 집합에서 연속인 함수 $g(x)$에 대하여

$$g(x)=\begin{cases} \dfrac{xf(x)+4}{x^3-1} & (x\neq 1) \\ k & (x=1) \end{cases}$$

일 때, 다음 조건을 만족시킬 때, 상수 k의 값을 구하여라.

(가) 함수 $y=f(x)$의 그래프는 원점을 지난다.

(나) $\lim_{x\to\infty}g(x)=2$

STEP A 조건 (가), (나)에서 다항함수 $g(x)$**의 식 작성하기**

조건 (나)에서 $\lim_{x\to\infty}g(x)=2$이므로

함수 $f(x)$는 최고차항의 계수가 2인 이차함수이다.

조건 (가)에서 $f(0)=0$이므로

$f(x)=2x^2+ax$ (a는 상수)로 놓을 수 있다.

STEP B 함수 $g(x)$**가** $x=1$**에서 연속임을 이용하여** a**의 값 구하기**

한편 함수 $g(x)$가 $x=1$에서 연속이므로 $g(1)=\lim_{x\to 1}g(x)$

$$k=\lim_{x\to 1}\frac{xf(x)+4}{x^3-1}$$

$$=\lim_{x\to 1}\frac{x(2x^2+ax)+4}{x^3-1}$$

$x\to 1$일 때, 극한값이 존재하고 (분모)$\to 0$이므로 (분자)$\to 0$이어야 한다.

즉 $\lim_{x\to 1}\{x(2x^2+ax)+4\}=0$이므로 $2+a+4=0$

$\therefore a=-6$

STEP C 함수의 극한의 성질을 이용하여 k**의 값 구하기**

따라서 $k=\lim_{x\to 1}\dfrac{x(2x^2-6x)+4}{x^3-1}$

$$=\lim_{x\to 1}\frac{2(x-1)(x^2-2x-2)}{(x-1)(x^2+x+1)}$$ ← $2(x^3-3x^2+2)=2(x-1)(x^2-2x-2)$

$$=\lim_{x\to 1}\frac{2(x^2-2x-2)}{x^2+x+1}$$

$=-2$

0164

두 함수 $y=f(x)$, $y=g(x)$의 그래프가 그림과 같다.

[보기]에서 $x=1$에서 연속인 함수만을 [보기]에서 있는 대로 고른 것은?

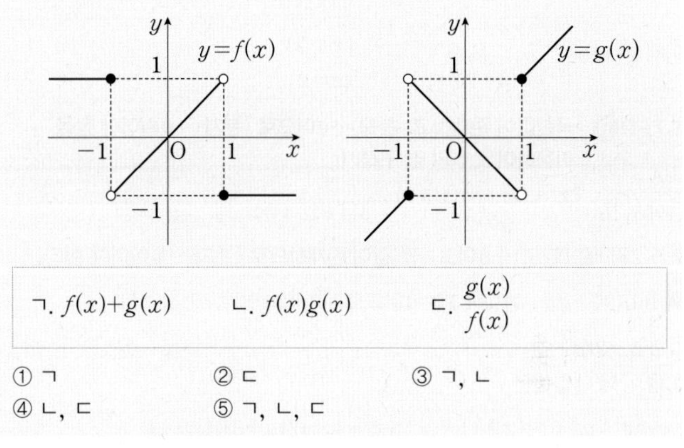

ㄱ. $f(x)+g(x)$ ㄴ. $f(x)g(x)$ ㄷ. $\dfrac{g(x)}{f(x)}$

① ㄱ ② ㄷ ③ ㄱ, ㄴ ④ ㄴ, ㄷ ⑤ ㄱ, ㄴ, ㄷ

STEP A $x=1$**에서 함수** $f(x)+g(x)$**의 연속성 판단하기**

ㄱ. $\lim_{x\to 1+}\{f(x)+g(x)\}=-1+1=0$

$\lim_{x\to 1-}\{f(x)+g(x)\}=1+(-1)=0$

$f(1)+g(1)=-1+1=0$

즉 $\lim_{x\to 1}\{f(x)+g(x)\}=f(1)+g(1)$이므로

함수 $f(x)+g(x)$는 $x=1$에서 연속이다. [참]

STEP B 함수 $f(x)g(x)$**가** $x=1$**에서 연속성 판단하기**

ㄴ. $\lim_{x\to 1+}f(x)g(x)=(-1)\cdot 1=-1$

$\lim_{x\to 1-}f(x)g(x)=1\cdot(-1)=-1$

$f(1)g(1)=(-1)\cdot 1=-1$

즉 $\lim_{x\to 1}f(x)g(x)=f(1)g(1)$이므로

함수 $f(x)g(x)$는 $x=1$에서 연속이다. [참]

STEP C $x=1$**에서 함수** $\dfrac{g(x)}{f(x)}$**의 연속성 판단하기**

ㄷ. $\lim_{x\to 1+}\dfrac{g(x)}{f(x)}=\dfrac{1}{-1}=-1$

$\lim_{x\to 1-}\dfrac{g(x)}{f(x)}=\dfrac{-1}{1}=-1$

$\dfrac{g(1)}{f(1)}=\dfrac{1}{-1}=-1$

즉 $\lim_{x\to 1}\dfrac{g(x)}{f(x)}=\dfrac{g(1)}{f(1)}$이므로 함수 $\dfrac{g(x)}{f(x)}$는 $x=1$에서 연속이다. [참]

따라서 옳은 것은 ㄱ, ㄴ, ㄷ이다.

0165

함수 $f(x)=\begin{cases} \dfrac{x+1}{x-2} & (x\neq 2) \\ 3 & (x=2) \end{cases}$에 대하여 함수 $(x^2+ax+b)f(x)$가 실수 전체의 집합에서 연속일 때, $b-a$의 값은? (단, a, b는 상수이다.)

① 2 ② 4 ③ 6
④ 8 ⑤ 10

STEP Ⓐ **연속의 정의를 이용하여 식 작성하기**

$g(x)=(x^2+ax+b)f(x)$라 하자.

함수 $g(x)$가 실수 전체의 집합에서 연속이므로 $x=2$에서 연속이다.

즉 $\lim_{x\to 2}g(x)=g(2)$ …… ㉠

이때 $g(x)=\begin{cases} \dfrac{(x^2+ax+b)(x+1)}{x-2} & (x\neq 2) \\ 3(4+2a+b) & (x=2) \end{cases}$

STEP Ⓑ **극한값이 존재하고 (분모)→ 0이므로 (분자)→ 0이어야 함을 이용하여 a, b의 값 구하기**

㉠에서 $\lim_{x\to 2}\dfrac{(x^2+ax+b)(x+1)}{x-2}=3(4+2a+b)$ …… ㉡

$x\to 2$일 때, (분모)→ 0이고 극한값이 존재하므로 (분자)→ 0이어야 한다.

즉 $\lim_{x\to 2}(x^2+ax+b)(x+1)=0$이므로 $3(4+2a+b)=0$

$\therefore b=-2(a+2)$ …… ㉢

㉢을 ㉡에 대입하면

$$\begin{aligned}\lim_{x\to 2}\frac{(x^2+ax+b)(x+1)}{x-2}&=\lim_{x\to 2}\frac{\{x^2+ax-2(a+2)\}(x+1)}{x-2}\\&=\lim_{x\to 2}\frac{(x-2)(x+a+2)(x+1)}{x-2}\\&=\lim_{x\to 2}(x+a+2)(x+1)\\&=3(a+4)\end{aligned}$$

㉡에서 $3(a+4)=3(4+2a+b)$, 즉 $b=-a$ …… ㉣

㉢, ㉣을 연립하여 풀면 $a=-4$, $b=4$

따라서 $b-a=4-(-4)=8$

0166

함수 $y=f(x)$의 그래프가 오른쪽 그림과 같을 때, 옳은 것만을 [보기]에서 있는 대로 고른 것은?

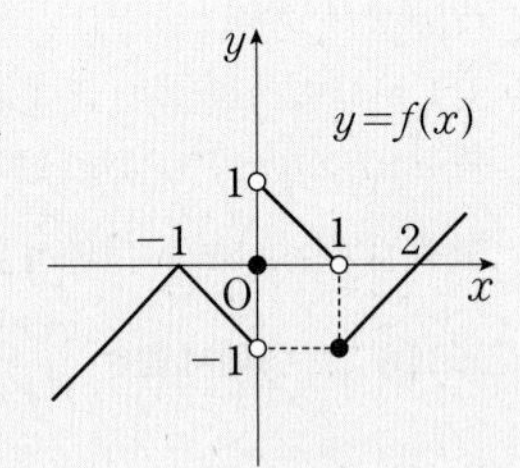

ㄱ. $\lim_{x\to 1}f(-x)=0$
ㄴ. 함수 $(x+1)f(x)$는 $x=2$에서 연속이다.
ㄷ. 함수 $f(x)+f(-x)$는 $x=0$에서 연속이다.

① ㄱ ② ㄴ ③ ㄱ, ㄷ
④ ㄴ, ㄷ ⑤ ㄱ, ㄴ, ㄷ

STEP Ⓐ **치환하여 극한값의 진위 판단하기**

ㄱ. $-x=t$로 놓으면 $\lim_{x\to 1}f(-x)=\lim_{t\to -1}f(t)=0$ [참]

STEP Ⓑ **$(x+1)f(x)$의 $x=2$에서 연속성 판단하기**

ㄴ. $g(x)=x+1$이라 하면 두함수 $f(x)$, $g(x)$는 각각 $x=2$에서 연속이므로 연속함수의 성질에 의하여 함수 $g(x)f(x)=(x+1)f(x)$는 $x=2$에서 연속이다. [참]

STEP Ⓒ **$f(x)+f(-x)$의 $x=0$에서 연속성 판단하기**

ㄷ. $-x=t$로 놓으면

$\lim_{x\to 0-}\{f(x)+f(-x)\}=\lim_{x\to 0-}f(x)+\lim_{t\to 0+}f(t)$
$=-1+1=0$

$\lim_{x\to 0+}\{f(x)+f(-x)\}=\lim_{x\to 0+}f(x)+\lim_{t\to 0-}f(t)$
$=1+(-1)=0$

$\therefore \lim_{x\to 0}\{f(x)+f(-x)\}=0$

$f(0)+f(0)=0+0=0$이므로

$\lim_{x\to 0}\{f(x)+f(-x)\}=f(0)+f(0)$

즉 함수 $f(x)+f(-x)$는 $x=0$에서 연속이다. [참]

따라서 옳은 것은 ㄱ, ㄴ, ㄷ이다.

0167

다음 물음에 답하여라.

(1) 모든 실수 x에서 연속인 함수 $f(x)$가 닫힌구간 $[-1, 3]$에서

$$f(x)=\begin{cases} ax+1 & (-1\le x<1) \\ -x^2-3ax+b & (1\le x\le 3) \end{cases}$$

이고, 모든 실수 x에 대하여 $f(x+4)=f(x)$를 만족시킬 때, $f(102)$의 값을 구하여라. (단, a, b는 상수)

STEP Ⓐ **$x=1$에서 $f(x)$가 연속임을 이용하여 a, b의 관계식 구하기**

함수 $f(x)$는 실수 전체의 집합에서 연속이므로 $x=1$에서도 연속이다.

즉 $f(1)=\lim_{x\to 1-}f(x)=\lim_{x\to 1+}f(x)$가 성립해야 한다.

$f(1)=-1-3a+b$

$\lim_{x\to 1-}f(x)=\lim_{x\to 1-}(ax+1)=a+1$

$\lim_{x\to 1+}f(x)=\lim_{x\to 1+}(-x^2-3ax+b)=-1-3a+b$이므로

$a+1=-1-3a+b$

$b=4a+2$ …… ㉠

STEP Ⓑ **$f(x+4)=f(x)$에서 $f(3)=f(-1)$를 이용하여 관계식 구하기**

또, $f(x+4)=f(x)$에 $x=-1$을 대입하면

$f(3)=f(-1)$이므로 $-9-9a+b=-a+1$

$\therefore b=8a+10$ …… ㉡

㉠, ㉡을 연립하여 풀면 $a=-2$, $b=-6$

$$f(x)=\begin{cases} -2x+1 & (-1\le x<1) \\ -x^2+6x-6 & (1\le x\le 3) \end{cases}$$

STEP Ⓒ **$f(x+4)=f(x)$임을 이용하여 $f(102)$의 값 구하기**

따라서 $f(x+4)=f(x)$이므로 $f(102)=f(4\cdot 25+2)=f(2)=-4+12-6=2$

(2) $f(x+2)=f(x-2)$를 만족시키는 함수 $f(x)$가 모든 실수 x에서 연속이고, 구간 $(1, 5)$에서

$$f(x)=\begin{cases} 5-2x & (1\le x<2) \\ ax+b & (2\le x<5) \end{cases}$$

일 때, $f(11)$의 값을 구하여라.

STEP Ⓐ **$f(x)$는 $x=2$에서 연속임을 이용하기**

함수 $f(x)$가 모든 실수 x에서 연속이므로 $x=2$에서도 연속이어야 한다.

즉 $\lim_{x\to 2}f(x)=f(2)$가 성립해야 한다.

$f(2)=2a+b$

$\lim_{x\to 2-}f(x)=\lim_{x\to 2-}(5-2x)=1$

$\lim_{x\to 2+}f(x)=\lim_{x\to 2+}(ax+b)=2a+b$

$\therefore 2a+b=1$ …… ㉠

STEP **B** $f(x-2)=f(x+2)$**임을 이용하기**

또한, $f(x+2)=f(x-2)$에 $x=3$을 대입하면

$f(5)=f(1)$이므로 $\lim_{x \to 5-} f(x)=f(1)$

$\therefore 5a+b=3$ ······ ㉡

㉠, ㉡을 연립하여 풀면 $a=\frac{2}{3}$, $b=-\frac{1}{3}$

$$\therefore f(x)=\begin{cases} 5-2x & (1 \le x < 2) \\ \frac{2}{3}x-\frac{1}{3} & (2 \le x < 5) \end{cases}$$

STEP **C** $f(x+2)=f(x-2)$**임을 이용하여** $f(11)$**의 값 구하기**

따라서 함수 $f(x)$는 $x=9$, $x=7$, $x=5$를 대입하면

$f(11)=f(7)=f(3)=\frac{2}{3}\cdot 3-\frac{1}{3}=\frac{5}{3}$

$f(x-2)=f(x+2)$에 $x=t+2$를 대입하면 $f(t)=f(t+4)$이다.

0168

다음 물음에 답하여라.

(1) 함수 $f(x)=\begin{cases} 1 & (1<x<3) \\ 3-|x-2| & (x \le 1,\ x \ge 3) \end{cases}$에 대하여

함수 $y=f(x)$의 그래프는 그림과 같다.

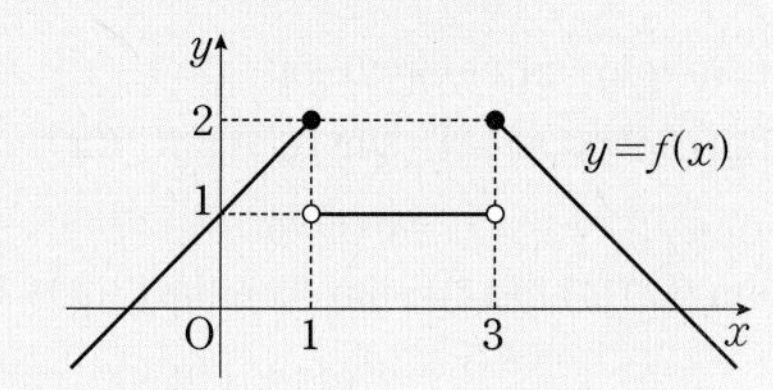

최고차항의 계수가 1인 이차함수 $g(x)$에 대하여 함수 $f(x)g(x)$가 실수 전체의 집합에서 연속일 때, $g(2)$의 값을 구하여라.

STEP **A** **함수** $f(x)g(x)$**가** $x=1$, $x=3$**에서 연속임을 이해하기**

함수 $g(x)$는 실수 전체의 집합에서 연속이므로 함수 $f(x)g(x)$가 실수 전체의 집합에서 연속이려면 $x=1$, $x=3$에서 연속이어야 한다.

STEP **B** $x=1$, $x=3$**에서 연속인 이차함수** $g(x)$ **구하기**

(ⅰ) $x=1$에서 연속이므로

$\lim_{x \to 1+} f(x)g(x)=\lim_{x \to 1-} f(x)g(x)=f(1)g(1)$

$\lim_{x \to 1+} f(x)g(x)=1\cdot g(1)$

$\lim_{x \to 1-} f(x)g(x)=2\cdot g(1)$

$f(1)g(1)=2\cdot g(1)$이므로 $g(1)=2g(1)$ $\therefore g(1)=0$

(ⅱ) $x=3$에서 연속이므로

$\lim_{x \to 3+} f(x)g(x)=2\cdot g(3)$

$\lim_{x \to 3-} f(x)g(x)=1\cdot g(3)$

$f(3)g(3)=2\cdot g(3)$이므로 $g(3)=2g(3)$ $\therefore g(3)=0$

(ⅰ), (ⅱ)에서 최고차항의 계수가 1인 이차함수는

$g(x)=(x-1)(x-3)=x^2-4x+3$이므로 $g(2)=-1$

다른풀이 함수 $f(x)$가 $x=1$, $x=3$에서 불연속이므로 $g(1)=0$, $g(3)=0$임을 이용하여 풀이하기

함수 $f(x)$가 $x=1$, $x=3$에서 불연속이고 $f(x)g(x)$가 모든 실수에서 연속이므로 $g(1)=0$, $g(3)=0$이어야 한다.

따라서 최고차항의 계수가 1인 이차함수는

$g(x)=(x-1)(x-3)=x^2-4x+3$이므로 $g(2)=-1$

$f(x)g(x)$가 모든 실수에서 연속일 때

① $f(x)$가 일차함수이고 $g(x)$가 $x=\alpha$에서 불연속이면

⇨ $f(\alpha)=0$이어야 한다.

② $f(x)$가 이차함수이고 $g(x)$가 $x=\alpha$, $x=\beta$에서 불연속이면

⇨ $f(\alpha)=0$, $f(\beta)=0$이어야 한다.

(2) 함수 $y=f(x)$의 그래프는 오른쪽 그림과 같고, 다항함수 $g(x)$는 다음 조건을 모두 만족시킨다. 이때 $g(4)$의 값을 구하여라.

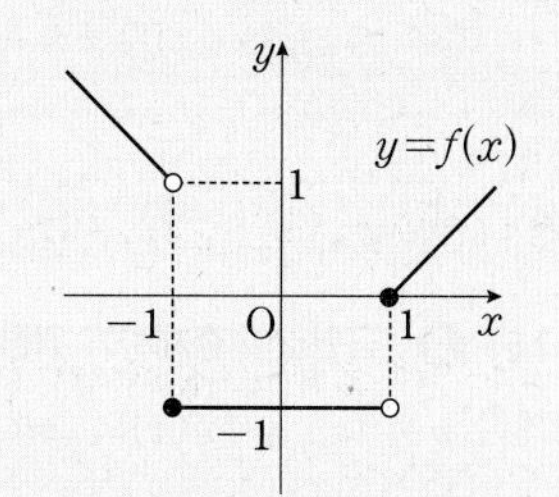

(가) $\lim_{x \to \infty} \frac{g(x)}{x^2+x+1}=2$

(나) 모든 실수 x에서 함수 $f(x)g(x)$는 연속이다.

STEP **A** **조건 (가)에서 함수** $g(x)$**의 식 작성하기**

조건 (가)에 의하여

$g(x)$는 이차항의 계수가 2인 이차함수이다.

STEP **B** **모든 실수** x**에서 함수** $f(x)g(x)$**가 연속임을 이용하여 구하기**

조건 (나)에 의하여

$f(x)g(x)$가 $x=-1$에서 연속이므로

$\lim_{x \to -1-} f(x)g(x)=\lim_{x \to -1+} f(x)g(x)=f(-1)g(-1)$이어야 한다.

이때 $\lim_{x \to -1-} f(x)g(x)=1\cdot g(-1)=g(-1)$

$\lim_{x \to -1+} f(x)g(x)=(-1)\cdot g(-1)=-g(-1)$

이므로 $g(-1)=-g(-1)$

$\therefore g(-1)=0$ ······ ㉠

같은 방법으로 $f(x)g(x)$가 $x=1$에서 연속이므로

$\lim_{x \to 1-} f(x)g(x)=\lim_{x \to 1+} f(x)g(x)=f(1)g(1)$이어야 한다.

이때 $\lim_{x \to 1-} f(x)g(x)=(-1)\cdot g(1)=-g(1)$

$\lim_{x \to 1+} f(x)g(x)=0\cdot g(1)=0$이므로 $-g(1)=0$

$\therefore g(1)=0$ ······ ㉡

STEP **C** $g(4)$**의 값 구하기**

따라서 ㉠, ㉡에서 $g(x)=2(x-1)(x+1)$이므로 $g(4)=2\times 3\times 5=30$

다른풀이 함수 $f(x)$가 $x=-1$, $x=1$에서 불연속이므로 $g(-1)=0, g(1)=0$임을 이용하여 풀이하기

함수 $f(x)$가 $x=-1$, $x=1$에서 불연속이고

$f(x)g(x)$가 모든 실수에서 연속이므로 $g(-1)=0$, $g(1)=0$이어야 한다.

즉 $g(x)=2(x+1)(x-1)$이므로 $g(4)=2\cdot 3\cdot 5=30$

0169

두 함수

$$f(x)=\begin{cases}-1 & (|x|\geq 1)\\ 1 & (|x|<1)\end{cases},\ g(x)=\begin{cases}1 & (|x|\geq 1)\\ -x & (|x|<1)\end{cases}$$

에 대하여 옳은 것만을 [보기]에서 있는 대로 고른 것은?

ㄱ. $\lim_{x\to 1} f(x)g(x)=-1$

ㄴ. 함수 $g(x+1)$은 $x=0$에서 연속이다.

ㄷ. 함수 $f(x)g(x+1)$은 $x=-1$에서 연속이다.

① ㄱ　② ㄴ　③ ㄱ, ㄴ　④ ㄱ, ㄷ　⑤ ㄱ, ㄴ, ㄷ

STEP A 극한값이 존재하기 위한 조건 구하기

두 함수 $y=f(x)$, $y=g(x)$의 그래프는 각각 다음과 같다.

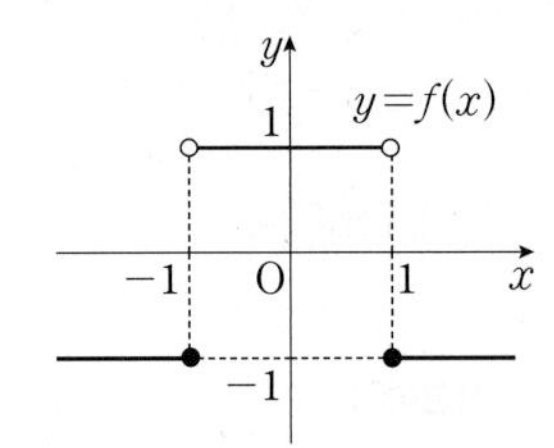

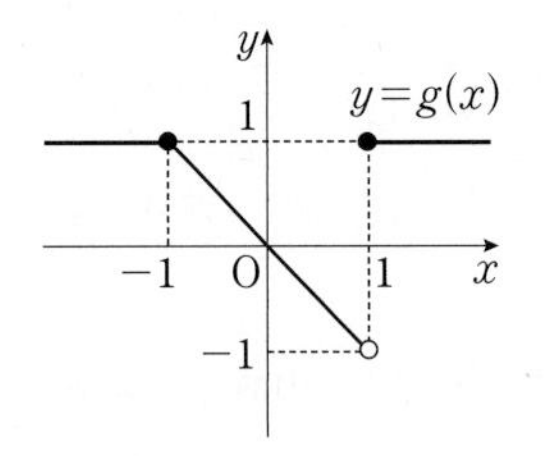

ㄱ. $\lim_{x\to 1+} f(x)g(x)=(-1)\cdot 1=-1$, $\lim_{x\to 1-} f(x)g(x)=1\cdot(-1)=-1$

$\therefore \lim_{x\to 1} f(x)g(x)=-1$ [참]

ㄴ. $x+1=t$로 놓으면

$\lim_{x\to 0+} g(x+1)=\lim_{t\to 1+} g(t)=1$, $\lim_{x\to 0-} g(x+1)=\lim_{t\to 1-} g(t)=-1$

즉 $\lim_{x\to 0+} g(x+1)\neq \lim_{x\to 0-} g(x+1)$이므로

함수 $g(x+1)$은 $x=0$에서 불연속이다. [거짓]

함수 $g(x+1)$은 함수 $g(x)$를 x축의 방향으로 -1만큼 평행이동한 것이다.
그런데 함수 $g(x)$가 $x=1$에서 불연속이므로 함수 $g(x+1)$은 $x=0$에서 불연속이다.

STEP B $x=-1$에서 $f(x)g(x+1)$의 연속 조건 구하기

ㄷ. $x+1=t$로 놓으면

$$\lim_{x\to -1-} f(x)g(x+1)=\lim_{x\to -1-} f(x)\lim_{x\to -1-} g(x+1)=\lim_{x\to -1-} f(x)\lim_{t\to 0-} g(t)=(-1)\cdot 0=0$$

$$\lim_{x\to -1+} f(x)g(x+1)=\lim_{x\to -1+} f(x)\lim_{x\to -1+} g(x+1)=\lim_{x\to -1+} f(x)\lim_{t\to 0+} g(t)=1\cdot 0=0$$

$x=-1$에서 함숫값은 $f(-1)g(0)=(-1)\cdot 0=0$

$\therefore \lim_{x\to -1} f(x)g(x+1)=f(-1)g(0)$

즉 함수 $f(x)g(x+1)$은 $x=-1$에서 연속이다. [참]

따라서 옳은 것은 ㄱ, ㄷ이다.

0170

다음 물음에 답하여라.

(1) 함수 $f(x)=\begin{cases}x+2 & (x\leq 0)\\ -\frac{1}{2}x & (x>0)\end{cases}$ 의 그래프가 오른쪽 그림과 같다. 함수 $g(x)=f(x)\{f(x)+k\}$가 $x=0$에서 연속이 되도록 하는 상수 k의 값을 구하여라.

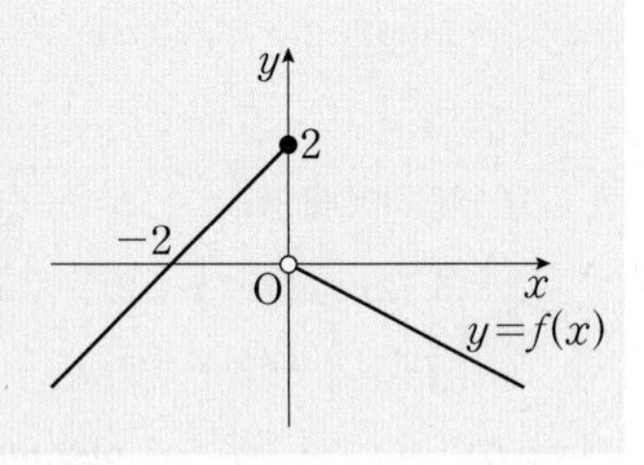

STEP A $g(x)$가 $x=0$에서 연속이 되기 위한 조건 구하기

함수 $g(x)=f(x)\{f(x)+k\}$가 $x=0$에서 연속이므로

$\lim_{x\to 0-} g(x)=\lim_{x\to 0+} g(x)=g(0)$이 성립한다.

STEP B $f(x)\{f(x)+k\}$의 $x=0$에서 극한값과 함숫값이 같음을 이용하여 k 구하기

아래 그래프에서 $\lim_{x\to 0-} f(x)=2$, $\lim_{x\to 0+} f(x)=0$, $f(0)=2$

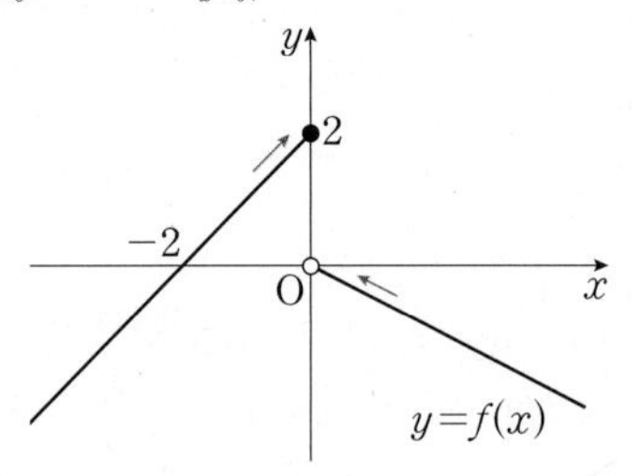

(ⅰ) $g(0)=f(0)\{f(0)+k\}=2(2+k)=2k+4$

(ⅱ) $\lim_{x\to 0+} g(x)=\lim_{x\to 0+} f(x)\{f(x)+k\}=\lim_{x\to 0+} f(x)\cdot\lim_{x\to 0+}\{f(x)+k\}=0\cdot k=0$

(ⅲ) $\lim_{x\to 0-} g(x)=\lim_{x\to 0-} f(x)\{f(x)+k\}=\lim_{x\to 0-} f(x)\cdot\lim_{x\to 0-}\{f(x)+k\}=2\cdot(2+k)=2k+4$

(ⅰ)~(ⅲ)에 의하여 함수 $g(x)$가 $x=0$에서 연속이 되어야 하므로 $2k+4=0$

따라서 $k=-2$

(2) 함수 $f(x)=\begin{cases}x^2+1 & (|x|\leq 2)\\ -2x+3 & (|x|>2)\end{cases}$에 대하여 함수 $f(-x)\{f(x)+k\}$가 $x=2$에서 연속이 되도록 하는 상수 k의 값을 구하여라.

STEP A $f(-x)\{f(x)+k\}$가 $x=2$에서 연속이 되도록 하는 k 구하기

$\lim_{x\to 2-} f(x)=5$, $\lim_{x\to 2+} f(x)=-1$이고 $-x=t$로 놓으면

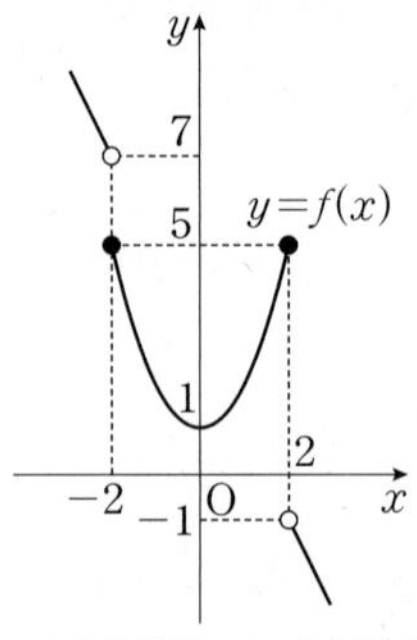

그림에서 $x\to 2-$일 때, $t\to -2+$이고 $x\to 2+$일 때, $t\to -2-$이므로

$\lim_{x\to 2-} f(-x)=\lim_{t\to -2+} f(t)=5$, $\lim_{x\to 2+} f(-x)=\lim_{t\to -2-} f(t)=7$

함수 $f(-x)\{f(x)+k\}$에 대하여 $x=2$에서 연속이 되려면

$\lim_{x\to 2-} f(-x)\{f(x)+k\}=5(5+k)$

$\lim_{x\to 2+} f(-x)\{f(x)+k\}=7(-1+k)$

$f(-2)\{f(2)+k\}=5(5+k)$이므로 $x=2$에서 연속이 되기 위해서는

$5(5+k)=7(-1+k)$, $25+5k=-7+7k$

따라서 $k=16$

0171

두 함수

$$f(x)=2x^4-7x^3+x^2,\ g(x)=-2x^2-7x+1$$

의 그래프가 열린구간 $(-1, 0)$에서 적어도 하나의 교점을 가짐을 보여라.

STEP Ⓐ 두 함수의 교점의 개수는 방정식의 실근의 개수와 같음을 보이기

두 함수 $f(x)=2x^4-7x^3+x^2$, $g(x)=-2x^2-7x+1$의 그래프의 교점의 개수는 방정식 $f(x)=g(x)$

즉 $2x^4-7x^3+x^2=-2x^2-7x+1$에서

방정식 $2x^4-7x^3+3x^2+7x-1=0$의 실근의 개수와 같다.

STEP Ⓑ 사잇값의 정리와 방정식의 실근의 이용하기

$h(x)=f(x)-g(x)$라 하면 $h(x)=2x^4-7x^3+3x^2+7x-1$

함수 $h(x)$는 닫힌구간 $[-1, 0]$에서 연속이고

$h(-1)=4>0$, $h(0)=-1<0$이므로

$h(-1)h(0)<0$

사잇값의 정리에 의하여 방정식 $h(x)=0$은 열린구간 $(-1, 0)$에서 적어도 하나의 실근을 갖는다.

따라서 $f(c)-g(c)=0$, 즉 $f(c)=g(c)$인 c가 열린구간 $(-1, 0)$에 적어도 하나 존재하므로 두 곡선 $y=f(x)$, $y=g(x)$는 열린구간 $(-1, 0)$에서 적어도 하나의 교점을 갖는다.

0172

연속함수 $f(x)$에 대하여 $f(0)=1$, $f(1)=a^2-a-1$, $f(2)=13$이 성립한다. 방정식 $f(x)-x^2-4x=0$이 두 구간 $(0, 1)$, $(1, 2)$에서 각각 적어도 하나의 실근을 가지도록 하는 정수 a의 개수를 구하면?

① 2 ② 4 ③ 6 ④ 8 ⑤ 10

STEP Ⓐ 닫힌구간에서 $g(x)=f(x)-x^2-4x$의 연속성과 $g(0)$, $g(1)$, $g(2)$의 값 구하기

$g(x)=f(x)-x^2-4x$로 놓으면

함수 $g(x)$는 모든 실수 전체의 집합에서 연속이다.

$g(0)=f(0)=1>0$

$g(1)=f(1)-1-4=a^2-a-1-5=a^2-a-6$

$g(2)=f(2)-4-8=13-12=1>0$

STEP Ⓑ 사잇값 정리를 이용하여 a의 범위를 구하기

사잇값 정리에 의하여 $g(c)=0$인 c가 열린구간 $(0, 1)$, $(1, 2)$에서 각각 적어도 하나의 실근을 가지려면 $g(1)<0$이어야 한다.

즉 $a^2-a-6<0$, $(a+2)(a-3)<0$

$\therefore -2<a<3$

따라서 정수 a의 값을 모두 구하면 $-1, 0, 1, 2$이므로 4개이다.

0173

닫힌구간 $[a, b]$에서 연속인 함수 $f(x)$에 대하여 [보기]에서 옳은 것만을 있는 대로 고른 것은? (단, $a<b$)

ㄱ. $f(a)f(b)<0$이면 방정식 $f(x)=0$은 닫힌구간 $[a, b]$에서 적어도 하나의 실근을 갖는다.
ㄴ. $f(a)f(b)=0$이면 방정식 $f(x)=0$은 닫힌구간 $[a, b]$에서 적어도 두 개의 실근을 갖는다.
ㄷ. $f(a)f(b)>0$이면 방정식 $f(x)=0$은 닫힌구간 $[a, b]$에서 실근을 갖지 않는다.

① ㄱ ② ㄴ ③ ㄱ, ㄴ ④ ㄱ, ㄷ ⑤ ㄱ, ㄴ, ㄷ

STEP Ⓐ 사잇값 정리를 이용하여 실근의 진위판단하기

ㄱ. 닫힌구간 $[a, b]$에서 연속인 함수 $f(x)$에 대하여 $f(a)$와 $f(b)$의 부호가 다르므로 사잇값의 정리에 의하여 방정식 $f(x)=0$은 닫힌구간 $[a, b]$에서 적어도 하나의 실근을 갖는다. [참]

ㄴ. 반례 닫힌구간 $[0, 1]$에서 연속인 함수 $f(x)=x$는 $f(0)=0$이므로 $f(0)f(1)=0$이지만 방정식 $f(x)=0$은 닫힌구간 $[0, 1]$에서 하나의 실근 $x=0$만을 가진다. [거짓]

ㄷ. 반례 닫힌구간 $[-1, 1]$에서 연속인 함수 $f(x)=x^2$은 $f(-1)=1$, $f(1)=1$이므로 $f(-1)f(1)>0$이지만 방정식 $f(x)=0$은 닫힌구간 $[-1, 1]$에서 실근 $x=0$을 갖는다. [거짓]

따라서 옳은 것은 ㄱ이다.

0174

서술형

좌표평면에서 중심이 $(1, 0)$이고 반지름의 길이가 1인 원을 C_1이라 하고, 실수 a에 대하여 중심이 $(a, 0)$이고 반지름의 길이가 2인 원을 C_2라고 하자. 원 C_1과 C_2의 교점의 개수를 $f(a)$라고 할 때, 다음 단계로 서술하여라.

[1단계] 함수 $f(a)$의 그래프를 그려라.

[2단계] 함수 $f(a)$의 불연속점을 구하여라.

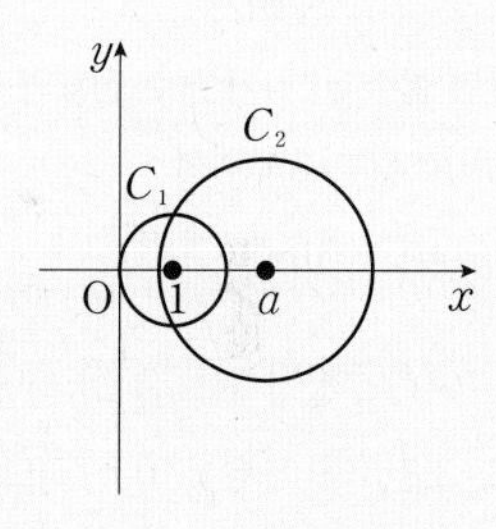

1단계 함수 $f(a)$의 그래프를 그려라. ◀ 50%

두 원 C_1, C_2의 반지름의 길이가 각각 1, 2이므로

두 원이 외접할 때, 원 C_2의 중심의 좌표는 $(-2, 0)$ 또는 $(4, 0)$

두 원이 내접할 때, 원 C_2의 중심의 좌표는 $(0, 0)$ 또는 $(2, 0)$

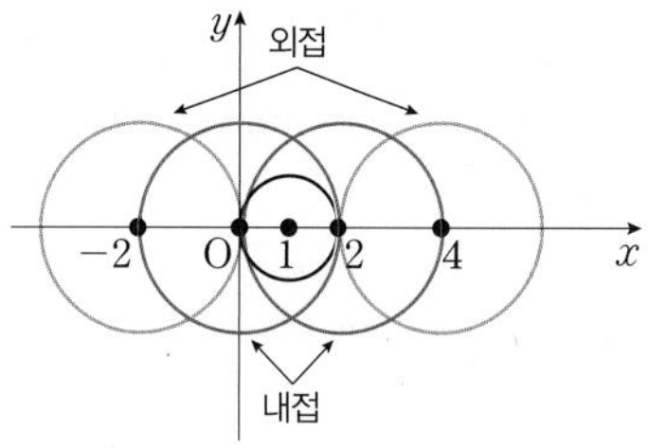

따라서 함수 $f(a)$와 그래프는 오른쪽 그림과 같다.

$$f(a)=\begin{cases} 0 & (a<-2,\ 0<a<2,\ a>4) \\ 1 & (a=-2,\ 0,\ 2,\ 4) \\ 2 & (-2<a<0,\ 2<a<4) \end{cases}$$

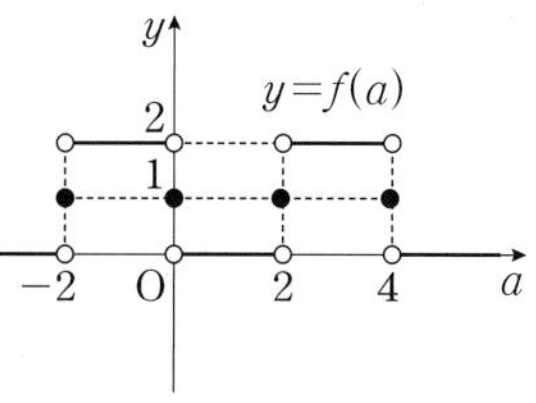

2단계 함수 $f(a)$의 불연속점을 구하여라. ◀ 50%

따라서 함수 $f(a)$는 $a=-2$, $a=0$, $a=2$, $a=4$에서 불연속이다.

TOUGH

0175

최고차항의 계수가 1인 삼차함수 $f(x)$에 대하여 실수 전체의 집합에서 연속인 함수 $g(x)$가 다음 조건을 만족시킨다.

(가) 모든 실수 x에 대하여 $f(x)g(x)=x(x+3)$이다.
(나) $g(0)=1$

$f(1)$이 자연수일 때, $g(2)$의 최솟값은?

① $\frac{5}{13}$　② $\frac{5}{14}$　③ $\frac{1}{3}$
④ $\frac{5}{16}$　⑤ $\frac{5}{17}$

STEP Ⓐ **조건 (가), (나)를 만족하는 삼차함수 $f(x)$와 $g(x)$의 식을 구하기**

조건 (가)에서 모든 실수 x에 대하여
$f(x)g(x)=x(x+3)$이고
조건 (나)에서 $g(0)=1$이므로 위의 식에 $x=0$을 대입하면
$f(0)g(0)=0(0+3)=0$
$g(0)=1$이므로 $f(0)=0$
이때 $f(x)$는 최고차항의 계수가 1인 삼차함수이므로
$f(x)=x^3+ax^2+bx=x(x^2+ax+b)$ (a, b는 상수)로 놓으면
이때 $g(x)=\frac{x(x+3)}{f(x)}=\frac{x(x+3)}{x(x^2+ax+b)}$ ⬅ $g(x)=\begin{cases}\frac{x+3}{x^2+ax+b} & (x^2+ax+b\neq0)\\ ♦ & (x^2+ax+b=0)\end{cases}$

STEP Ⓑ **함수 $g(x)$가 실수 전체의 집합에서 연속임을 이용하여 a의 범위 구하기**

한편 함수 $g(x)$가 실수 전체의 집합에서 연속이므로
$\lim_{x\to0}g(x)=g(0)$에서
$\lim_{x\to0}g(x)=\lim_{x\to0}\frac{x(x+3)}{x(x^2+ax+b)}$
$=\lim_{x\to0}\frac{x+3}{x^2+ax+b}=\frac{3}{b}$
또, 조건 (나)에서 $g(0)=1$이므로 $\frac{3}{b}=1$
$\therefore b=3$
이때 $g(x)=\frac{x+3}{x^2+ax+3}$
함수 $g(x)$가 실수 전체 집합에서 연속이어야 하므로
방정식 $x^2+ax+3=0$은 허근을 가져야 한다.
즉 판별식을 D라 하면 $D<0$이어야 한다.
$D=a^2-12<0$, $(a+2\sqrt{3})(a-2\sqrt{3})<0$
$\therefore -2\sqrt{3}<a<2\sqrt{3}$ …… ㉠

STEP Ⓒ **$f(1)$이 자연수임을 이용하여 a의 범위 구하기**

한편 $f(1)$이 자연수이므로
$f(1)=1\times(1^2+a+3)=a+4$에서 $a+4$가
자연수이어야 하므로 $a\geq-3$인 정수이다. …… ㉡
㉠, ㉡에서 $-3\leq a<2\sqrt{3}$이므로 정수 a의 값은
$-3, -2, -1, 0, 1, 2, 3$이다.

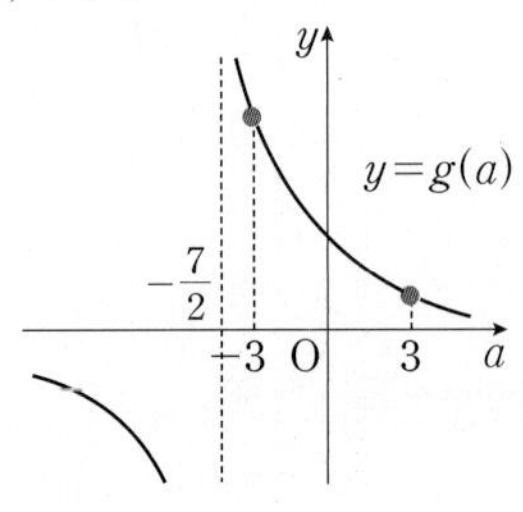

STEP Ⓓ **$g(2)$의 최솟값 구하기**

따라서 $g(2)=\frac{5}{4+2a+3}=\frac{5}{2a+7}$이므로 $a=3$일 때,
이 값은 최솟값 $\frac{5}{13}$를 갖는다.

다른풀이 삼차함수 $f(x)$를 정하여 풀이하기

STEP Ⓐ **조건 (가), (나)를 만족하는 삼차함수 $f(x)$와 $g(x)$의 식을 구하기**

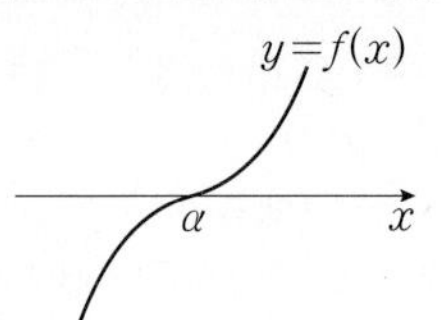

조건 (가)에서 $g(x)=\frac{x(x+3)}{f(x)}$이라 하면
$f(x)$는 삼차함수이므로 반드시 x축과 적어도 한 점에서 만난다.
즉 $f(x)=(x-\alpha)Q(x)$꼴이라 하면
분모에서 0이 되는 x가 반드시 존재하게 되므로
$g(x)$가 연속이라는 조건에 모순이 된다.
그런데도 $g(x)$가 연속이 되려면
$g(x)=\frac{x(x+3)}{f(x)}=\frac{x(x+3)}{(x-\alpha)Q(x)}$에서 $(x-\alpha)$가 약분이 되고 동시에
이차식 $Q(x)$는 근이 없어야 한다. ⬅ 분모가 0이 되지 않도록 한다.

(ⅰ) $f(x)=(x+3)Q_1(x)$라 하면
$g(x)=\frac{x(x+3)}{(x+3)Q_1(x)}=\frac{x}{Q_1(x)}$
이때 $g(0)=0$이므로 가정에서 $g(0)=1$이므로 모순이다.

(ⅱ) $f(x)=xQ_2(x)$라 하면
$g(x)=\frac{x(x+3)}{xQ_2(x)}=\frac{x+3}{Q_2(x)}$
이때 $Q_2(x)=x^2+ax+b$라 하면
$g(0)=\frac{3}{Q_2(0)}=\frac{3}{b}=1$이므로 $b=3$

(ⅰ), (ⅱ)에서 $f(x)=x(x^2+ax+3)$

STEP Ⓑ **$f(1)$이 자연수임을 이용하여 a의 범위 구하기**

한편 $f(1)$이 자연수이므로
$f(1)=1\cdot(1^2+a+3)=a+4$ …… ㉠
함수 $g(x)$가 실수 전체 집합에서 연속이어야 하므로
방정식 $x^2+ax+3=0$은 허근을 가져야 한다.
즉 판별식을 D라 하면 $D<0$이어야 한다.
$D=a^2-12<0$
$(a+2\sqrt{3})(a-2\sqrt{3})<0$
$\therefore -2\sqrt{3}<a<2\sqrt{3}$ …… ㉡
㉠, ㉡에서 $a+4$가 자연수이어야 하므로
정수 a는 $-3, -2, -1, 0, 1, 2, 3$이다.

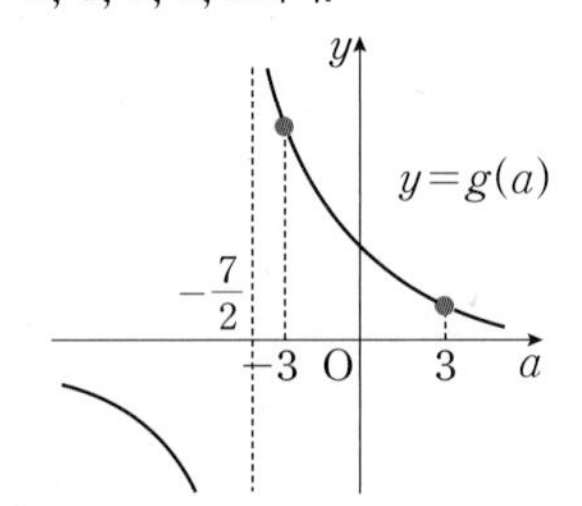

STEP Ⓒ **$g(2)$의 최솟값 구하기**

따라서 $g(2)=\frac{5}{4+2a+3}=\frac{5}{2a+7}$이므로 $a=3$일 때, 최솟값은 $g(2)=\frac{5}{13}$

0176

모든 실수에서 정의된 함수 $f(x)$가

$$f(x)=\begin{cases} \dfrac{ax}{x-1} & (|x|>1) \\ \dfrac{a}{1-x} & (|x|<1) \\ \dfrac{a}{2} & (|x|=1) \end{cases}$$

일 때, [보기]에서 옳은 것만을 있는 대로 고른 것은? (단, a는 실수이다.)

> ㄱ. 함수 $f(x)$는 $x=-1$에서 연속이다.
> ㄴ. 함수 $f(x)$가 모든 실수에서 연속이 되도록 하는 a의 값이 존재한다.
> ㄷ. 방정식 $f(x)=a$는 한 개의 실근을 갖는다. (단, $a\neq 0$)

① ㄱ ② ㄷ ③ ㄱ, ㄴ
④ ㄴ, ㄷ ⑤ ㄱ, ㄴ, ㄷ

STEP A 연속이기 위한 조건을 이용하여 진위판단하기

ㄱ. $\lim_{x\to -1-}f(x)=\lim_{x\to -1-}\dfrac{ax}{x-1}=\dfrac{a\cdot(-1)}{-1-1}=\dfrac{a}{2}$

$\lim_{x\to -1+}f(x)=\lim_{x\to -1+}\dfrac{a}{1-x}=\dfrac{a}{1+1}=\dfrac{a}{2}$

$f(-1)=\dfrac{a}{2}$

즉 $\lim_{x\to -1}f(x)=f(-1)$이므로 함수 $f(x)$는 $x=-1$에서 연속이다. [참]

ㄴ. 함수 $f(x)$가 모든 실수에서 연속이 되려면 $x=-1$, $x=1$에서 연속이 되어야 한다.

$x=1$에서 연속이 되려면 $\lim_{x\to 1}f(x)=f(1)$이 만족해야 하므로

$\lim_{x\to 1+}f(x)=\lim_{x\to 1-}f(x)$가 존재해야한다.

즉 $\lim_{x\to 1+}f(x)=\lim_{x\to 1+}\dfrac{ax}{x-1}$에서 (분모)$\to 0$이므로 (분자)$\to 0$이다.

$\lim_{x\to 1+}ax=0$이므로 $a=0$

$a=0$일 때, 함수 $f(x)=0$이므로 모든 실수에서 연속이다. [참]

STEP B $f(x)=a$의 실근의 개수 구하기

ㄷ. (ⅰ) $a>0$일 때, $y=f(x)$의 그래프는 다음 그림과 같다.

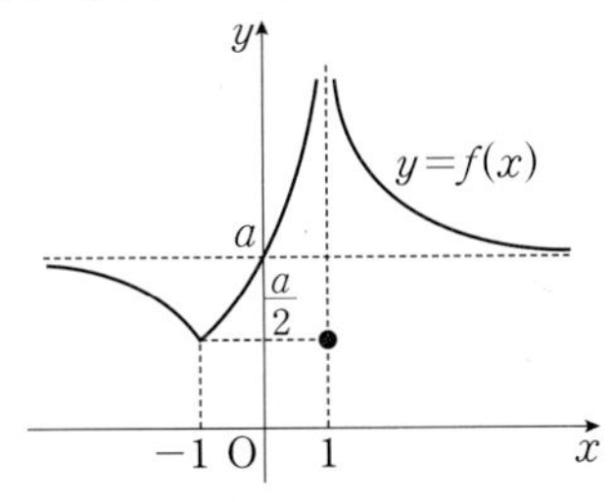

(ⅱ) $a<0$인 경우 (ⅰ)의 그래프를 x축으로 대칭이동한 그래프이다.

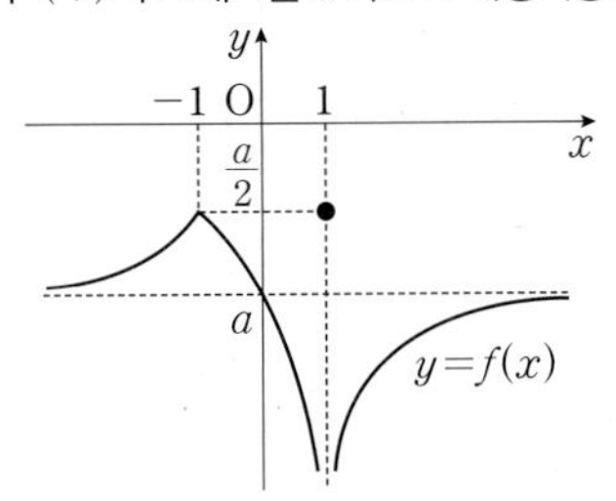

(ⅰ), (ⅱ)에서 $y=f(x)$의 그래프와 직선 $y=a$는 한 점에서 만난다. [참]

다른풀이 x의 범위에 따른 방정식 $f(x)=a$를 구하여 풀이하기

(ⅰ) $|x|>1$일 때, $f(x)=\dfrac{ax}{x-1}$이므로 $\dfrac{ax}{x-1}=a$

$\dfrac{x}{x-1}=1(\because a\neq 0)$을 만족하는 x는 존재하지 않는다.

(ⅱ) $|x|<1$일 때, $f(x)=\dfrac{a}{1-x}$이므로 $\dfrac{a}{1-x}=a$

$\dfrac{1}{1-x}=1(\because a\neq 0)$, $1-x=1$ $\therefore x=0$

$x=0$은 주어진 범위를 만족하므로 $f(x)=a$의 근은 한 개의 실근을 가진다.

(ⅲ) $|x|=1$일 때, $f(x)=\dfrac{a}{2}$에서 $\dfrac{a}{2}=a$인데 $a\neq 0$이므로 만족하는 a의 값이 존재하지 않는다.

(ⅰ)~(ⅲ)에서 $f(x)=a$는 단 한 개의 실근을 가진다. [참]

따라서 옳은 것은 ㄱ, ㄴ, ㄷ이다.

0177

함수 $y=f(x)$의 그래프가 오른쪽 그림과 같을 때, 옳은 것만을 [보기]에서 있는 대로 고른 것은?

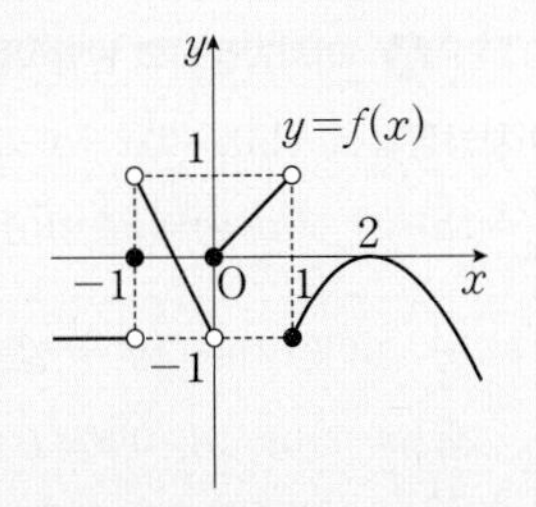

> ㄱ. 함수 $f(|x|)$는 $x=0$에서 연속이다.
> ㄴ. 함수 $|f(x)|$는 $x=2$에서 연속이다.
> ㄷ. 두 함수 $f(x+a)$, $f(x-a)$가 모두 $x=0$에서 불연속이 되도록 하는 0이 아닌 실수 a가 존재한다.

① ㄱ ② ㄷ ③ ㄱ, ㄴ
④ ㄱ, ㄷ ⑤ ㄱ, ㄴ, ㄷ

STEP A 절댓값 함수의 그래프를 이용하여 연속성을 조사하기

ㄱ. 함수 $y=f(|x|)$의 그래프는 다음 그림과 같다.

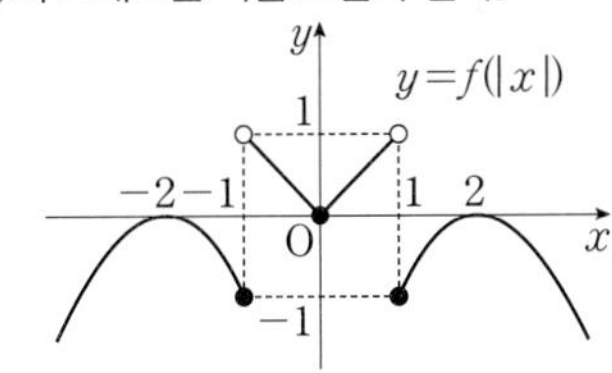

그러므로 함수 $f(|x|)$는 $x=0$에서 연속이다. [참]

ㄴ. 함수 $y=|f(x)|$의 그래프는 다음 그림과 같다.

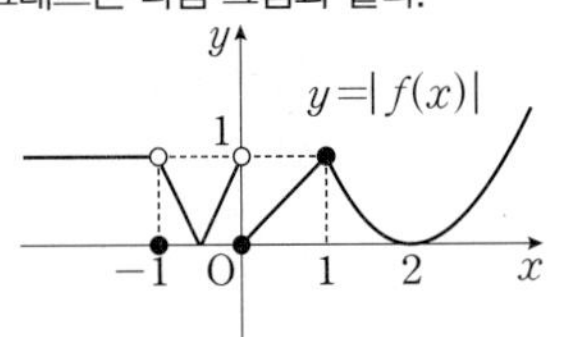

그러므로 함수 $|f(x)|$는 $x=2$에서 연속이다. [참]

STEP B 함수의 평행이동을 이용하여 a의 값 찾기

ㄷ. $a=1$이라 하자.

함수 $y=f(x+1)$의 그래프는 $y=f(x)$의 그래프를 x축의 방향으로 -1만큼 평행이동한 것이고 함수 $f(x)$가 $x=1$에서 불연속이므로 함수 $f(x+1)$은 $x=0$에서 불연속이다.

또, 함수 $y=f(x-1)$의 그래프는 $y=f(x)$의 그래프를 x축의 방향으로 1만큼 평행이동한 것이고 함수 $f(x)$가 $x=-1$에서 불연속이므로 함수 $f(x-1)$은 $x=0$에서 불연속이다.

즉 두 함수 $f(x+1)$, $f(x-1)$은 모두 $x=0$에서 불연속이다. [참]

따라서 옳은 것은 ㄱ, ㄴ, ㄷ이다.

절댓값 함수의 그래프

(1) 함수 $y=|f(x)|$의 그래프
$y=f(x)$의 그래프를 그린 후 x축의 아랫부분을 x축에 대하여 대칭이동시킨다.

(2) 함수 $y=f(|x|)$의 그래프
$x\geq 0$일 때의 $y=f(x)$의 그래프를 그린 후 y축에 대하여 대칭이동시킨다.

0178

다음 물음에 답하여라.

(1) 실수 a에 대하여 집합

$$\{x|x^2+2(a-2)x+a-2=0,\ x\text{는 실수}\}$$

의 원소의 개수를 $f(a)$라고 할 때, 함수 $f(a)$가 불연속인 모든 a의 값의 합은?

① 4 ② 5 ③ 6
④ 7 ⑤ 8

STEP Ⓐ 이차방정식의 판별식을 이용하여 근을 판별하기

이차방정식 $x^2+2(a-2)x+a-2=0$의 판별식을 D라고 하면

$\frac{D}{4}=(a-2)^2-(a-2)=(a-2)(a-3)$이므로

(ⅰ) $\frac{D}{4}>0$이면 서로 다른 두 실근이므로 $f(a)=2$

즉 $(a-2)(a-3)>0$에서 $a<2$ 또는 $a>3$

(ⅱ) $\frac{D}{4}=0$이면 서로 같은 실근이므로 $f(a)=1$

즉 $(a-2)(a-3)=0$에서 $a=2$ 또는 $a=3$

(ⅲ) $\frac{D}{4}<0$이면 서로 다른 두 허근이므로 $f(a)=0$

즉 $(a-2)(a-3)<0$에서 $2<a<3$

(ⅰ)~(ⅲ)에서 $f(a)=\begin{cases}2 & (a<2 \text{ 또는 } a>3)\\ 1 & (a=2 \text{ 또는 } a=3)\\ 0 & (2<a<3)\end{cases}$

이를 그래프로 나타내면 다음 그림과 같다.

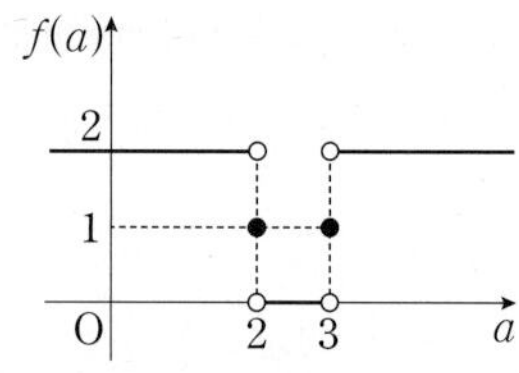

STEP Ⓑ 함수 $f(a)$가 불연속인 모든 a의 값 구하기

따라서 불연속인 a의 값은 2, 3이고 $2+3=5$

(2) 실수 a에 대하여 집합

$$\{x|ax^2+2(a-2)x-(a-2)=0,\ x\text{는 실수}\}$$

의 원소의 개수를 $f(a)$라 할 때, 옳은 것만을 [보기]에서 있는 대로 고르면?

ㄱ. $\lim_{a\to0}f(a)=f(0)$
ㄴ. $\lim_{a\to c+}f(a)\neq\lim_{a\to c-}f(a)$인 실수 c는 2개이다.
ㄷ. 함수 $f(a)$가 불연속인 점은 3개이다.

① ㄱ ② ㄱ, ㄴ ③ ㄱ, ㄷ
④ ㄴ, ㄷ ⑤ ㄱ, ㄴ, ㄷ

STEP Ⓐ $a=0$, $a\neq0$일 때로 나누어 $f(a)$ 구하기

$ax^2+2(a-2)x-(a-2)=0$에서

(ⅰ) $a=0$인 경우

$-4x+2=0$이므로 실수 x는 $x=\frac{1}{2}$인 한 개이므로 $f(0)=1$

(ⅱ) $a\neq0$인 경우

방정식 $ax^2+2(a-2)x-(a-2)=0$의 판별식을 D라 하면 서로 다른 두 실근을 가질 조건

$\frac{D}{4}=(a-2)^2+a(a-2)$
$=2a^2-6a+4$
$=2(a^2-3a+2)$
$=2(a-1)(a-2)>0$

$\therefore a<1$ 또는 $a>2$

즉 $a\neq0$이므로

$a<0$ 또는 $0<a<1$ 또는 $a>2$일 때, $f(a)=2$

또한, 중근(한 개의 실근)을 가질 조건은

$\frac{D}{4}=2(a-1)(a-2)=0$

$\therefore a=1$ 또는 $a=2$일 때, $f(a)=1$

또한, 실근을 갖지 않을 조건은

$\frac{D}{4}=2(a-1)(a-2)<0$

$\therefore 1<a<2$일 때, $f(a)=0$

STEP Ⓑ $f(a)$의 그래프로 [보기]의 진위판단하기

(ⅰ), (ⅱ)에 의하여

$f(a)=\begin{cases}2 & (a<0 \text{ 또는 } 0<a<1,\ a>2)\\ 1 & (a=0,\ 1,\ 2)\\ 0 & (1<a<2)\end{cases}$

이를 그래프로 나타내면 다음 그림과 같다.

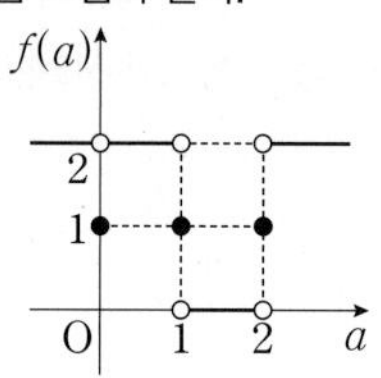

ㄱ. $\lim_{a\to0}f(a)=2$, $f(0)=1$이므로 $\lim_{a\to0}f(a)\neq f(0)$ [거짓]

ㄴ. $\lim_{a\to c+}f(a)\neq\lim_{a\to c-}f(a)$인 실수 c는 $c=1$, $c=2$이므로 2개이다. [참]

ㄷ. 함수 $f(a)$는 $a=0,\ 1,\ 2$에서 연속이 아니므로 함수 $f(a)$가 불연속점은 3개이다. [참]

따라서 옳은 것은 ㄴ, ㄷ이다.

II 미분

01 미분계수와 도함수

0179

함수 $f(x)=x^3-1$에 대하여 x가 1부터 4까지 변할 때의 평균변화율과 $x=c\,(1<c<4)$에서의 $f(x)$의 미분계수가 같아지는 c의 값을 구하여라.

STEP A $[1,\ 4]$에서 평균변화율 구하기

$y=f(x)$의 $x=1$에서 $x=4$까지의 평균변화율은

$$\frac{\Delta y}{\Delta x}=\frac{f(4)-f(1)}{4-1}=\frac{63-0}{3}=21 \quad \cdots\cdots ㉠$$

STEP B $x=c$에서 미분계수 구하기

한편 $x=c$에서의 미분계수는

$$\begin{aligned} f'(c)&=\lim_{\Delta x\to 0}\frac{f(c+\Delta x)-f(c)}{\Delta x}\\ &=\lim_{\Delta x\to 0}\frac{\{(c+\Delta x)^3-1\}-(c^3-1)}{\Delta x}\\ &=\lim_{\Delta x\to 0}\frac{3c^2\Delta x+3c(\Delta x)^2+(\Delta x)^3}{\Delta x}\\ &=\lim_{\Delta x\to 0}\{3c^2+3c\Delta x+(\Delta x)^2\}=3c^2 \quad \cdots\cdots ㉡\end{aligned}$$

㉠과 ㉡에서 $21=3c^2$

따라서 $1<c<4$이므로 $c=\sqrt{7}$

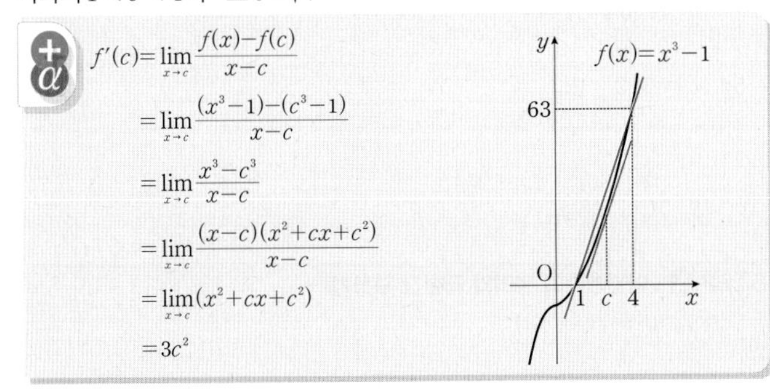

$$\begin{aligned} f'(c)&=\lim_{x\to c}\frac{f(x)-f(c)}{x-c}\\ &=\lim_{x\to c}\frac{(x^3-1)-(c^3-1)}{x-c}\\ &=\lim_{x\to c}\frac{x^3-c^3}{x-c}\\ &=\lim_{x\to c}\frac{(x-c)(x^2+cx+c^2)}{x-c}\\ &=\lim_{x\to c}(x^2+cx+c^2)\\ &=3c^2\end{aligned}$$

0180

다항함수 $y=f(x)$의 그래프는 오른쪽 그림과 같다. x가 a에서 b까지 변할 때, $f(x)$의 평균변화율과 $x=c$에서의 미분계수가 같게 되는 실수 c의 개수는? (단, $a<c<b$)

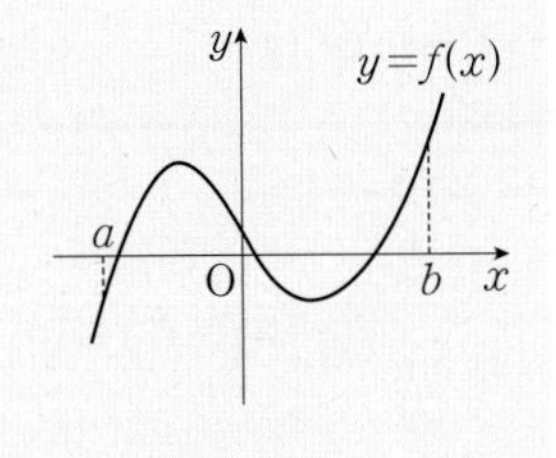

① 1개　　② 2개
③ 3개　　④ 4개
⑤ 5개

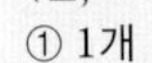

STEP A 평균변화율과 미분계수의 기하학적 의미 이해하기

오른쪽 그림과 같이 두 점 P, Q를 잇는 직선을 그리면, 이 직선과 같은 기울기를 가지며 곡선에 접하는 직선은 모두 2개를 그을 수 있다.

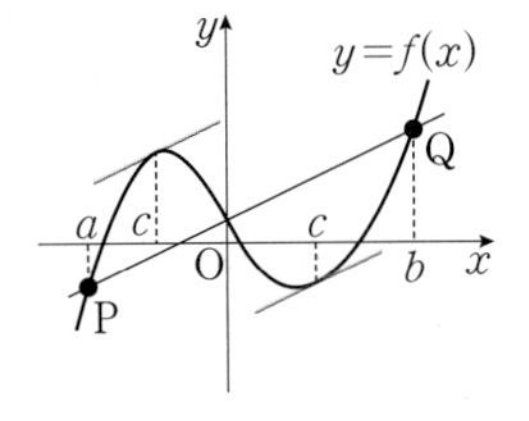

따라서 x가 a에서 b까지 변할 때, $f(x)$의 평균변화율과 $x=c$에서의 미분계수가 같게 되는 실수 c는 2개 존재한다.

0181

양의 실수 전체의 집합에서 증가하는 함수 $f(x)$가 $x=1$에서 미분가능하다. 1보다 큰 모든 실수 a에 대하여 점 $(1,\ f(1))$과 점 $(a,\ f(a))$ 사이의 거리가 a^2-1일 때, $f'(1)$의 값을 구하여라.

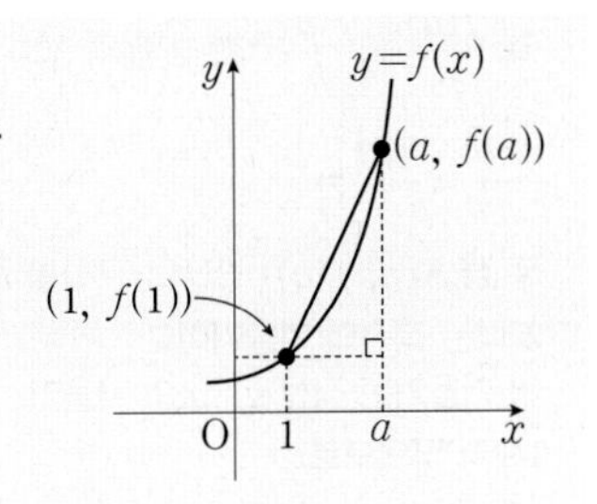

STEP A 두 점 사이의 거리 공식을 이용하여 $f(a)$ 구하기

$a>1$이므로 $f(a)>f(1)$이고 두 점 $(1,\ f(1))$, $(a,\ f(a))$ 사이의 거리가 a^2-1이므로 $\sqrt{(a-1)^2+\{f(a)-f(1)\}^2}=a^2-1$

양변을 제곱하면

$$(a-1)^2+\{f(a)-f(1)\}^2=(a^2-1)^2$$

$$\begin{aligned}\{f(a)-f(1)\}^2&=(a^2-1)^2-(a-1)^2\\ &=(a-1)^2\{(a+1)^2-1\}\\ &=(a-1)^2(a^2+2a) \quad \cdots\cdots ㉠\end{aligned}$$

$\therefore\ f(a)-f(1)=(a-1)\sqrt{a^2+2a}$ ($\because\ a>1$이고 $f(a)>f(1)$)

STEP B 미분계수의 정의를 이용하여 $f'(1)$의 값 구하기

따라서 함수 $f(x)$가 $x=1$에서 미분계수를 구하면

$$f'(1)=\lim_{a\to 1}\frac{f(a)-f(1)}{a-1}=\lim_{a\to 1}\frac{(a-1)\sqrt{a^2+2a}}{a-1}=\lim_{a\to 1}\sqrt{a^2+2a}=\sqrt{3}$$

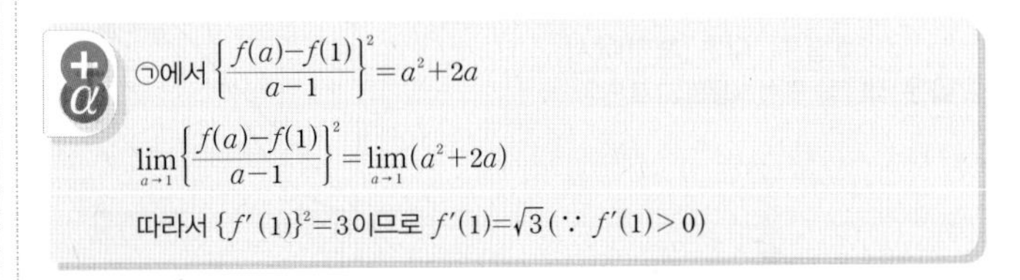

㉠에서 $\left\{\frac{f(a)-f(1)}{a-1}\right\}^2=a^2+2a$

$\lim_{a\to 1}\left\{\frac{f(a)-f(1)}{a-1}\right\}^2=\lim_{a\to 1}(a^2+2a)$

따라서 $\{f'(1)\}^2=3$이므로 $f'(1)=\sqrt{3}$ ($\because\ f'(1)>0$)

0182

오른쪽 그림은 미분가능한 함수 $y=f(x)$와 $y=x$의 그래프이다. $0<a<b$일 때, 다음 중 옳은 것을 모두 고르면?

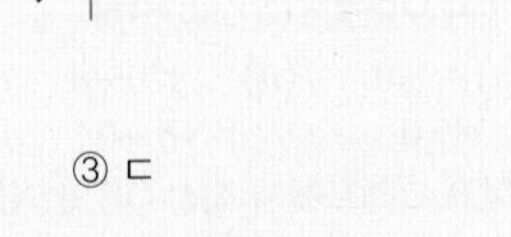

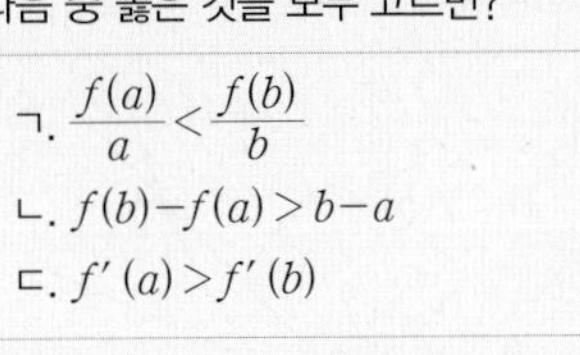

ㄱ. $\frac{f(a)}{a}<\frac{f(b)}{b}$

ㄴ. $f(b)-f(a)>b-a$

ㄷ. $f'(a)>f'(b)$

① ㄱ　　② ㄴ　　③ ㄷ
④ ㄱ, ㄴ　　⑤ ㄴ, ㄷ

STEP A 평균변화율과 미분계수의 기하학적 의미 이해하기

ㄱ. $f(0)=0$이고

$\frac{f(a)}{a}=\frac{f(a)-f(0)}{a-0}$이므로

두 점 $(0,\ f(0))$, $\mathrm{A}\,(a,\ f(a))$를 지나는 직선의 기울기이므로

(직선 OA의 기울기)$=\frac{f(a)}{a}$

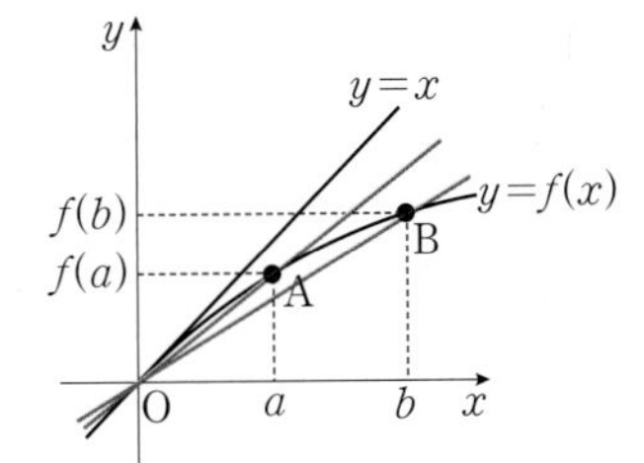

$\dfrac{f(b)}{b}=\dfrac{f(b)-f(0)}{b-0}$이므로

두 점 $(0,\ f(0))$, $(b,\ f(b))$를 지나는 직선의 기울기이므로

(직선 OB의 기울기)$=\dfrac{f(b)}{b}$

즉 $\dfrac{f(a)}{a}>\dfrac{f(b)}{b}$이므로 옳지 않다. [거짓]

ㄴ. $\dfrac{f(b)-f(a)}{b-a}$는

두 점 $\mathrm{A}(a,\ f(a))$, $\mathrm{B}(b,\ f(b))$를 지나는 직선의 기울기이고

이 기울기는 직선 $y=x$의 기울기 1보다 작으므로

$\dfrac{f(b)-f(a)}{b-a}<1$

즉 $f(b)-f(a)<b-a$ ($\because b-a>0$) [거짓]

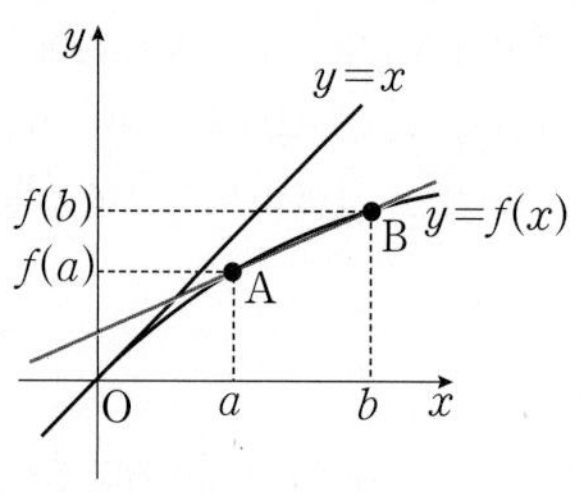

ㄷ. $f'(a)$는 점 $\mathrm{A}(a,\ f(a))$에서 그은 접선의 기울기,

$f'(b)$는 점 $\mathrm{B}(b,\ f(b))$에서 그은 접선의 기울기이므로

두 점 A, B에서의 접선의 기울기를 비교하면 $f'(a)>f'(b)$가 옳다. [참]

따라서 옳은 것은 ㄷ이다.

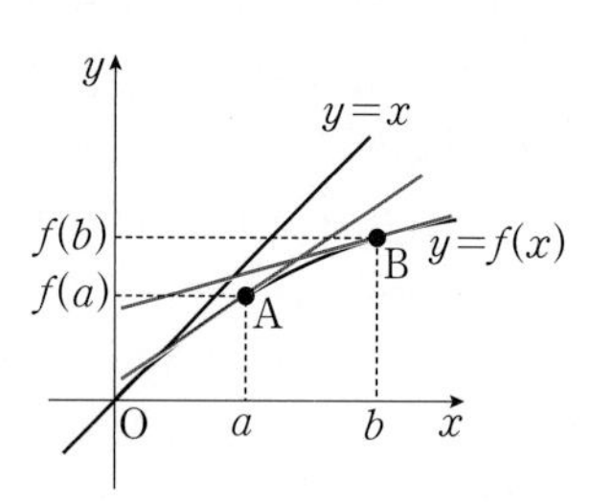

0183

오른쪽 그림은 미분가능한 두 함수 $y=f(x)$, $y=x$의 그래프이다.
$0<a<b$일 때, 다음 [보기]에서 옳은 것만을 있는 대로 고르면?

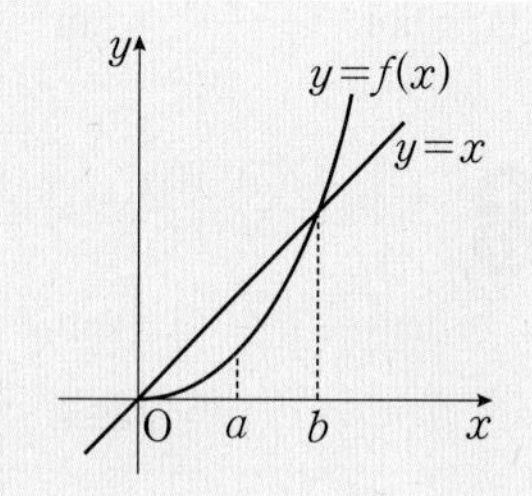

ㄱ. $\dfrac{f(a)}{a}>\dfrac{f(b)}{b}$	ㄴ. $f'(a)<f'(b)$
ㄷ. $f(b)-f(a)>b-a$	ㄹ. $f'(\sqrt{ab})>f'\left(\dfrac{a+b}{2}\right)$

① ㄱ, ㄹ ② ㄱ, ㄴ, ㄹ ③ ㄴ, ㄷ
④ ㄱ, ㄷ, ㄹ ⑤ ㄱ, ㄴ, ㄷ

STEP A **평균변화율과 미분계수의 기하학적 의미 이해하기**

ㄱ. 세 점 $\mathrm{O}(0,\ 0)$, $\mathrm{A}(a,\ f(a))$, $\mathrm{B}(b,\ f(b))$라 하면 두 직선 OA, OB의 기울기는 각각

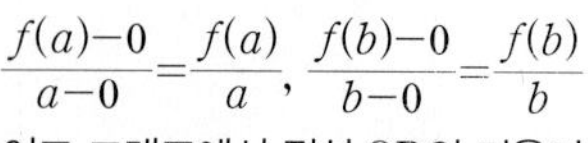

$\dfrac{f(a)-0}{a-0}=\dfrac{f(a)}{a}$, $\dfrac{f(b)-0}{b-0}=\dfrac{f(b)}{b}$

이고 그래프에서 직선 OB의 기울기가 직선 OA의 기울기보다 크므로

$\dfrac{f(a)}{a}<\dfrac{f(b)}{b}$이다. [거짓]

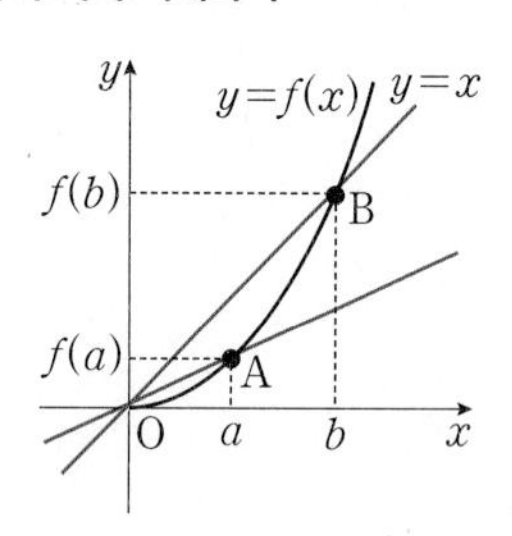

ㄴ. 두 점 $\mathrm{A}(a,\ f(a))$, $\mathrm{B}(b,\ f(b))$에서의 접선의 기울기는 각각 $f'(a)$, $f'(b)$이고 그래프에서 두 접선의 기울기를 비교해보면 $f'(a)<f'(b)$이다. [참]

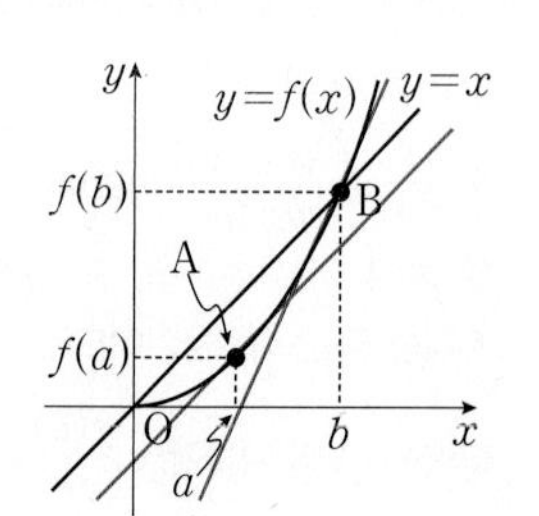

ㄷ. 두 점 $\mathrm{A}(a,\ f(a))$, $\mathrm{B}(b,\ f(b))$를 지나는 직선의 기울기 $\dfrac{f(b)-f(a)}{b-a}$는 1보다 크므로 $\dfrac{f(b)-f(a)}{b-a}>1$

즉 $f(b)-f(a)>b-a$ ($\because b-a>0$)

[참]

ㄹ. $0<a<b$에 대하여 $\dfrac{a+b}{2}>\sqrt{ab}$이고 ← 산술평균과 기하평균

x의 값이 클수록 곡선 $y=f(x)$의 접선의 기울기는 커진다.

$f'(\sqrt{ab})<f'\left(\dfrac{a+b}{2}\right)$ [거짓]

따라서 옳은 것은 ㄴ, ㄷ이다.

0184

다항함수 $y=f(x)$의 그래프의 위의 점 $(a,\ f(a))$에서의 접선의 기울기가 2일 때, 다음 극한값을 구하여라.

(1) $\displaystyle\lim_{h\to0}\frac{f(a+5h)-f(a)}{h}$

STEP A **미분계수의 정의와 극한값 구하기**

다항함수 $y=f(x)$의 그래프 위의 점 $(a,\ f(a))$에서의 접선의 기울기가 2이므로 $f'(a)=2$

$\displaystyle\lim_{h\to0}\frac{f(a+5h)-f(a)}{h}$

$\displaystyle=\lim_{h\to0}\frac{f(a+5h)-f(a)}{5h}\cdot5$

$=5f'(a)=5\cdot2=10$

(2) $\displaystyle\lim_{h\to0}\frac{f(a+4h)-f(a+2h)}{h}$

STEP A **미분계수의 정의와 극한값 구하기**

$\displaystyle\lim_{h\to0}\frac{f(a+4h)-f(a+2h)}{h}$

$\displaystyle=\lim_{h\to0}\frac{\{f(a+4h)-f(a)\}-\{f(a+2h)-f(a)\}}{h}$

$\displaystyle=\lim_{h\to0}\frac{f(a+4h)-f(a)}{4h}\cdot4-\lim_{h\to0}\frac{f(a+2h)-f(a)}{2h}\cdot2$

$=4f'(a)-2f'(a)$

$=2f'(a)$

$=2\cdot2=4$

(3) $\displaystyle\lim_{h\to0}\frac{f(a+3h)-f(a+h^2)}{h}$

STEP A **미분계수의 정의와 극한값 구하기**

$\displaystyle\lim_{h\to0}\frac{f(a+3h)-f(a+h^2)}{h}$

$\displaystyle=\lim_{h\to0}\frac{\{f(a+3h)-f(a)\}-\{f(a+h^2)-f(a)\}}{h}$

$\displaystyle=\lim_{h\to0}\frac{f(a+3h)-f(a)}{h}-\lim_{h\to0}\frac{f(a+h^2)-f(a)}{h}$

$\displaystyle=\lim_{h\to0}\frac{f(a+3h)-f(a)}{3h}\cdot3-\lim_{h\to0}\frac{f(a+h^2)-f(a)}{h^2}\cdot h$

$=3f'(a)-f'(a)\cdot0$

$=3f'(a)=3\cdot2=6$

0185

다음 물음에 답하여라.

(1) 다항함수 $f(x)$에 대하여 $f'(1)=2$일 때,

$\lim_{h\to 0}\frac{1}{h}\sum_{k=1}^{20}\{f(1+kh)-f(1)\}$의 값은?

① 210 ② 410 ③ 420 ④ 430 ⑤ 440

STEP Ⓐ 시그마의 성질을 이용하여 식을 정리하기

$$\lim_{h\to 0}\frac{1}{h}\left\{\sum_{k=1}^{20}f(1+kh)-20f(1)\right\}$$ ⬅ $\sum_{k=1}^{20}f(1)=20f(1)$

$$=\lim_{h\to 0}\frac{1}{h}\{f(1+h)+f(1+2h)+\cdots+f(1+20h)-20f(1)\}$$

$$=\lim_{h\to 0}\left\{\frac{f(1+h)-f(1)}{h}+\frac{f(1+2h)-f(1)}{h}+\cdots+\frac{f(1+20h)-f(1)}{h}\right\}$$

STEP Ⓑ 미분계수의 정의를 이용하여 값 구하기

$$\lim_{h\to 0}\frac{f(1+h)-f(1)}{h}+\lim_{h\to 0}\frac{f(1+2h)-f(1)}{h}+\cdots+\lim_{h\to 0}\frac{f(1+20h)-f(1)}{h}$$

$$=\lim_{h\to 0}\frac{f(1+h)-f(1)}{h}+\lim_{h\to 0}\frac{f(1+2h)-f(1)}{2h}\cdot 2+\cdots+\lim_{h\to 0}\frac{f(1+20h)-f(1)}{20h}\cdot 20$$

$$=f'(1)+2f'(1)+3f'(1)+\cdots+20f'(1)$$ ⬅ $\lim_{h\to 0}\frac{f(1+kh)-f(1)}{h}=kf'(1)$

$$=(1+2+3+\cdots+20)f'(1)$$

$$=\frac{20(20+1)}{2}\cdot 2$$

$$=420$$

(2) 미분가능한 함수 $y=f(x)$에 대하여 $f'(1)=a$일 때,

$$\lim_{h\to 0}\frac{1}{h}\left\{\sum_{k=1}^{5}f(1+kh)-5f(1)\right\}=420$$

을 만족시키는 상수 a의 값은?

① 22 ② 24 ③ 26 ④ 28 ⑤ 30

STEP Ⓐ 시그마의 성질을 이용하여 식을 정리하기

$$\lim_{h\to 0}\frac{1}{h}\left\{\sum_{k=1}^{5}f(1+kh)-5f(1)\right\}$$

$$=\lim_{h\to 0}\frac{1}{h}\{f(1+h)+f(1+2h)+\cdots+f(1+5h)-5f(1)\}$$

$$=\lim_{h\to 0}\left\{\frac{f(1+h)-f(1)}{h}+\frac{f(1+2h)-f(1)}{h}+\cdots+\frac{f(1+5h)-f(1)}{h}\right\}$$

STEP Ⓑ 미분계수의 정의를 이용하여 a의 값 구하기

$$\lim_{h\to 0}\frac{f(1+h)-f(1)}{h}+\lim_{h\to 0}\frac{f(1+2h)-f(1)}{2h}\cdot 2+\cdots+\lim_{h\to 0}\frac{f(1+5h)-f(1)}{5h}\cdot 5$$

$$=f'(1)+2f'(1)+\cdots+5f'(1)$$ ⬅ $\lim_{h\to 0}\frac{f(1+kh)-f(1)}{h}=kf'(1)$

$$=(1+2+3+4+5)f'(1)$$

$$=15f'(1)$$

$$=15a$$

따라서 $15a=420$이므로 $a=28$

0186

다항함수 $f(x)$에 대하여 다음 물음에 답하여라.

(1) $f'(1)=6$일 때, $\lim_{x\to\infty}x\left\{f\left(1+\frac{2}{x}\right)-f\left(1-\frac{3}{x}\right)\right\}$의 값을 구하여라.

STEP Ⓐ $\frac{1}{x}=h$로 치환하여 미분계수의 정의를 이용하여 구하기

$\frac{1}{x}=h$로 놓으면 $x\to\infty$일 때, $h\to 0$이므로

$$\lim_{x\to\infty}x\left\{f\left(1+\frac{2}{x}\right)-f\left(1-\frac{3}{x}\right)\right\}$$

$$=\lim_{h\to 0}\frac{f(1+2h)-f(1-3h)}{h}$$

$$=\lim_{h\to 0}\frac{f(1+2h)-f(1)}{h}-\lim_{h\to 0}\frac{f(1-3h)-f(1)}{h}$$

$$=\lim_{h\to 0}\frac{f(1+2h)-f(1)}{2h}\cdot 2-\lim_{h\to 0}\frac{f(1-3h)-f(1)}{-3h}\cdot(-3)$$

$$=2f'(1)-(-3)f'(1)$$

$$=5f'(1)$$

$$=5\cdot 6=30$$

(2) $f'(1)=3$일 때, $\lim_{x\to\infty}x\left\{f\left(\frac{x+3}{x}\right)-f\left(\frac{x-1}{x}\right)\right\}$의 값을 구하여라.

STEP Ⓐ $\frac{1}{x}=h$로 치환하여 미분계수의 정의를 이용하여 구하기

$\frac{1}{x}=h$로 놓으면 $x\to\infty$일 때, $h\to 0$이므로

$$\lim_{x\to\infty}x\left\{f\left(\frac{x+3}{x}\right)-f\left(\frac{x-1}{x}\right)\right\}$$

$$=\lim_{x\to\infty}x\left\{f\left(1+\frac{3}{x}\right)-f\left(1-\frac{1}{x}\right)\right\}$$

$$=\lim_{h\to 0}\frac{f(1+3h)-f(1-h)}{h}$$

$$=\lim_{h\to 0}\frac{f(1+3h)-f(1)}{h}-\lim_{h\to 0}\frac{f(1-h)-f(1)}{h}$$

$$=\lim_{h\to 0}\frac{f(1+3h)-f(1)}{3h}\cdot 3-\lim_{h\to 0}\frac{f(1-h)-f(1)}{-h}\cdot(-1)$$

$$=3f'(1)-(-1)f'(1)$$

$$=4f'(1)$$

$$=4\cdot 3=12$$

0187

다음 물음에 답하여라.

(1) 다항함수 $f(x)$에 대하여 $f(1)=2$, $f'(1)=3$일 때,

$\lim_{x\to 1}\frac{f(x)-2}{x^2+x-2}$의 값을 구하여라.

STEP Ⓐ 미분계수의 정의와 극한값 구하기

$$\lim_{x\to 1}\frac{f(x)-2}{x^2+x-2}=\lim_{x\to 1}\frac{f(x)-f(1)}{x-1}\cdot\frac{1}{x+2}$$ ⬅ $x^2+x-2=(x-1)(x+2)$

$$=\lim_{x\to 1}\frac{f(x)-f(1)}{x-1}\cdot\lim_{x\to 1}\frac{1}{x+2}$$

$$=f'(1)\cdot\frac{1}{3}$$

$$=3\cdot\frac{1}{3}=1$$

(2) 다항함수 $f(x)$에 대하여 $f'(2)=4$, $f'(4)=3$일 때,

$\lim_{x \to 2} \frac{f(x^2)-f(4)}{f(x)-f(2)}$의 값을 구하여라.

STEP Ⓐ 미분계수의 정의와 극한값 구하기

$$\lim_{x \to 2} \frac{f(x^2)-f(4)}{f(x)-f(2)} = \lim_{x \to 2} \left\{ \frac{x-2}{f(x)-f(2)} \cdot \frac{f(x^2)-f(4)}{x-2} \right\}$$

$$= \lim_{x \to 2} \frac{1}{\frac{f(x)-f(2)}{x-2}} \cdot \lim_{x \to 2} \left\{ \frac{f(x^2)-f(4)}{x^2-4} \cdot \frac{x^2-4}{x-2} \right\}$$

$$= \lim_{x \to 2} \frac{1}{\frac{f(x)-f(2)}{x-2}} \cdot \lim_{x \to 2} \frac{f(x^2)-f(4)}{x^2-4} \cdot \lim_{x \to 2}(x+2)$$

$$= \frac{1}{f'(2)} \cdot f'(4) \cdot 4 = \frac{1}{4} \cdot 3 \cdot 4 = 3$$

0188

다음 물음에 답하여라.

(1) 다항함수 $f(x)$에 대하여 $\lim_{x \to 3} \frac{f(x)-5}{x^3-27}=1$이 성립할 때, $f(3)f'(3)$의 값을 구하여라.

STEP Ⓐ (분모)→ 0이고 극한값이 존재하면 (분자)→ 0임을 이용하기

$$\lim_{x \to 3} \frac{f(x)-5}{x^3-27}=1 \quad \cdots\cdots ㉠$$

$x \to 3$일 때, (분모)→ 0이고 극한값이 존재하므로 (분자)→ 0이어야 한다.

즉 $\lim_{x \to 3}\{f(x)-5\}=0$이므로 $f(3)-5=0$ $\therefore f(3)=5$

STEP Ⓑ 미분계수의 정의와 극한값 구하기

이것을 ㉠에 대입하면

$$\lim_{x \to 3} \frac{f(x)-5}{x^3-27} = \lim_{x \to 3} \frac{f(x)-f(3)}{(x-3)(x^2+3x+9)}$$

$$= \lim_{x \to 3} \frac{f(x)-f(3)}{x-3} \cdot \lim_{x \to 3} \frac{1}{x^2+3x+9}$$

$$= \frac{1}{27} f'(3) = 1$$

$\therefore f'(3)=27$

따라서 $f(3)f'(3)=5 \cdot 27=135$

(2) 다항함수 $f(x)$에 대하여 $\lim_{x \to 1} \frac{f(x)-2}{x^2-1}=3$일 때, $\frac{f'(1)}{f(1)}$의 값을 구하여라.

STEP Ⓐ (분모)→ 0이고 극한값이 존재하면 (분자)→ 0임을 이용하기

$$\lim_{x \to 1} \frac{f(x)-2}{x^2-1}=3 \quad \cdots\cdots ㉠$$

$x \to 1$일 때, (분모)→ 0이고 극한값이 존재하므로 (분자)→ 0이어야 한다.

즉 $\lim_{x \to 1}\{f(x)-2\}=0$이므로 $f(1)-2=0$ $\therefore f(1)=2$

STEP Ⓑ 미분계수의 정의를 이용하여 $f'(1)$ 구하기

이것을 ㉠에 대입하면

$$\lim_{x \to 1} \frac{f(x)-2}{x^2-1} = \lim_{x \to 1} \frac{f(x)-2}{x-1} \cdot \frac{1}{x+1}$$

$$= \lim_{x \to 1} \frac{f(x)-f(1)}{x-1} \cdot \lim_{x \to 1} \frac{1}{x+1}$$

$$= f'(1) \cdot \frac{1}{2} = 3$$

$\therefore f'(1)=6$

따라서 $\frac{f'(1)}{f(1)} = \frac{6}{2} = 3$

0189

다음 물음에 답하여라. (단, a는 상수이다.)

(1) 다항함수 $f(x)$에 대하여 $\lim_{x \to 1} \frac{f(x)-f(1)}{x^2-1}=-1$일 때, $\lim_{h \to 0} \frac{f(1-2h)-f(1+5h)}{h}$의 값을 구하여라.

STEP Ⓐ 미분계수의 정의를 이용하여 $f'(1)$ 구하기

$$\lim_{x \to 1} \frac{f(x)-f(1)}{x^2-1} = \lim_{x \to 1} \frac{f(x)-f(1)}{x-1} \cdot \frac{1}{x+1}$$

$$= \lim_{x \to 1} \frac{f(x)-f(1)}{x-1} \cdot \lim_{x \to 1} \frac{1}{x+1}$$

$$= f'(1) \cdot \frac{1}{2}$$

$$= -1$$

$\therefore f'(1)=-2$

STEP Ⓑ 미분계수의 정의를 이용하여 극한값 구하기

따라서 $\lim_{h \to 0} \frac{f(1-2h)-f(1+5h)}{h}$

$$= \lim_{h \to 0} \frac{\{f(1-2h)-f(1)\}-\{f(1+5h)-f(1)\}}{h}$$

$$= \lim_{h \to 0} \frac{f(1-2h)-f(1)}{-2h} \cdot (-2) - \lim_{h \to 0} \frac{f(1+5h)-f(1)}{5h} \cdot 5$$

$$= -2f'(1)-5f'(1)$$

$$= -7f'(1)$$

$$= -7 \cdot (-2)$$

$$= 14$$

(2) 다항함수 $f(x)$에 대하여 $\lim_{x \to 1} \frac{f(x)-a}{x-1}=3$일 때, $\lim_{h \to 0} \frac{f(1+2h)-f(1-3h)}{h}$의 값을 구하여라.

STEP Ⓐ (분모)→ 0이고 극한값이 존재하면 (분자)→ 0임을 이용하기

$$\lim_{x \to 1} \frac{f(x)-a}{x-1}=3 \quad \cdots\cdots ㉠$$

$x \to 1$일 때, (분모)→ 0이고 극한값이 존재하므로 (분자)→ 0이어야 한다.

즉 $\lim_{x \to 1}\{f(x)-a\}=0$이므로 $f(1)-a=0$

$\therefore a=f(1)$

STEP Ⓑ 미분계수의 정의를 이용하여 $f'(1)$ 구하기

이것을 ㉠에 대입하면

$$\lim_{x \to 1} \frac{f(x)-a}{x-1} = \lim_{x \to 1} \frac{f(x)-f(1)}{x-1} = f'(1)$$

이므로 $f'(1)=3$

STEP Ⓒ $\lim_{h \to 0} \frac{f(1+2h)-f(1-3h)}{h}$의 값 구하기

따라서 $\lim_{h \to 0} \frac{f(1+2h)-f(1-3h)}{h}$

$$= \lim_{h \to 0} \frac{f(1+2h)-f(1)-f(1-3h)+f(1)}{h}$$

$$= \lim_{h \to 0} \frac{f(1+2h)-f(1)}{2h} \cdot 2 - \lim_{h \to 0} \frac{f(1-3h)-f(1)}{-3h} \cdot (-3)$$

$$= 2f'(1)+3f'(1)$$

$$= 5f'(1)$$

$$= 5 \cdot 3$$

$$= 15$$

0190

다음 물음에 답하여라.

(1) 다항함수 $f(x)$에 대하여 $\lim_{x\to 2}\frac{x^2-4}{f(x-1)+4}=2$일 때, $f(1)+f'(1)$의 값을 구하여라.

STEP Ⓐ 함수의 극한의 성질을 이용하여 $f(1)$의 값 구하기

$\lim_{x\to 2}\frac{x^2-4}{f(x-1)+4}=2$에서 $x\to 2$일 때,

0이 아닌 극한값이 존재하고 (분자)→0이므로 (분모)→0이어야 한다.

즉 $\lim_{x\to 2}\{f(x-1)+4\}=0$이므로 $f(1)+4=0$

$\therefore f(1)=-4$

STEP Ⓑ 주어진 식을 변형하여 미분계수의 정의를 이용하여 $f'(1)$의 값 구하기

$x-1=t$로 놓으면 $x\to 2$일 때, $t\to 1$이고

$x^2-4=(t+1)^2-4=t^2+2t-3$이므로

$$\lim_{x\to 2}\frac{x^2-4}{f(x-1)+4}=\lim_{t\to 1}\frac{t^2+2t-3}{f(t)-f(1)}=\lim_{t\to 1}\frac{(t-1)(t+3)}{f(t)-f(1)}$$
$$=\lim_{t\to 1}\frac{1}{\frac{f(t)-f(1)}{t-1}}\cdot\lim_{t\to 1}(t+3)$$
$$=\frac{1}{f'(1)}\cdot 4$$

이때 $\frac{4}{f'(1)}=2$이므로 $f'(1)=2$

따라서 $f(1)+f'(1)=-4+2=-2$

(2) 다항함수 $f(x)$에 대하여 $f(0)=0$, $f'(0)=20$일 때, $\lim_{x\to 5}\frac{f(x-5)}{x^2-25}$의 값을 구하여라.

STEP Ⓐ 주어진 식을 변형하여 미분계수의 정의를 이용하여 주어진 값 구하기

$x-5=t$로 놓으면 $x\to 5$일 때, $t\to 0$이므로

$$\lim_{x\to 5}\frac{f(x-5)}{x^2-25}=\lim_{x\to 5}\frac{f(x-5)}{(x-5)(x+5)}=\lim_{t\to 0}\frac{f(t)}{t(t+10)}$$
$$=\lim_{t\to 0}\frac{f(t)}{t}\cdot\frac{1}{t+10}$$
$$=\lim_{t\to 0}\frac{f(t)-f(0)}{t}\cdot\lim_{t\to 0}\frac{1}{t+10}$$
$$=f'(0)\cdot\frac{1}{10}=\frac{20}{10}=2$$

0191

다항함수 $f(x)$에 대하여 $\lim_{x\to 1}\frac{f(x+1)-3}{x^2-1}=3$일 때,

$$\lim_{h\to 0}\frac{f(2+ah)-f(2)}{h}=6$$

을 만족시키는 상수 a의 값은?

① 1 ② 2 ③ 3
④ 4 ⑤ 5

STEP Ⓐ 함수의 극한의 성질을 이용하여 $f(2)$의 값 구하기

$\lim_{x\to 1}\frac{f(x+1)-3}{x^2-1}=3$에서

$x\to 1$일 때, (분모)→0이고 극한값이 존재하므로 (분자)→0이어야 한다.

즉 $\lim_{x\to 1}\{f(x+1)-3\}=0$이므로 $f(2)-3=0$

$\therefore f(2)=3$

STEP Ⓑ 주어진 식을 변형하여 미분계수의 정의를 이용하여 $f'(2)$의 값 구하기

$x+1=t$로 놓으면 $x\to 1$일 때, $t\to 2$이고

$x^2-1=(t-1)^2-1=t^2-2t$이므로

$$\lim_{x\to 1}\frac{f(x+1)-3}{x^2-1}=\lim_{t\to 2}\frac{f(t)-3}{t^2-2t}$$
$$=\lim_{t\to 2}\frac{f(t)-f(2)}{t-2}\cdot\lim_{t\to 2}\frac{1}{t}$$
$$=f'(2)\cdot\frac{1}{2}$$

이때 $f'(2)\times\frac{1}{2}=3$이므로 $f'(2)=6$

STEP Ⓒ 미분계수의 정의를 이용하여 a의 값 구하기

$$\lim_{h\to 0}\frac{f(2+ah)-f(2)}{h}=\lim_{h\to 0}\frac{f(2+ah)-f(2)}{ah}\cdot a$$
$$=af'(2)$$

따라서 $af'(2)=6a=6$이므로 $a=1$

0192

다항함수 $f(x)$에 대하여 $\lim_{x\to 0}\frac{f(x+1)-2}{x^2+2x}=3$일 때, $\lim_{x\to 1}\frac{f(x^2)-f(1)}{x-1}$의 값을 구하여라.

STEP Ⓐ 함수의 극한의 성질을 이용하여 $f(1)$의 값 구하기

$\lim_{x\to 0}\frac{f(x+1)-2}{x^2+2x}=3$에서

$x\to 0$일 때, (분모)→0이고 극한값이 존재하므로 (분자)→0이어야 한다.

즉 $\lim_{x\to 0}\{f(x+1)-2\}=0$이므로 $f(1)=2$

STEP Ⓑ 주어진 식을 변형하여 미분계수의 정의를 이용하여 $f'(1)$의 값 구하기

$x+1=t$로 놓으면 $x\to 0$일 때, $t\to 1$이고

$x(x+2)=(t-1)(t+1)$이므로

$$\lim_{x\to 0}\frac{f(x+1)-2}{x(x+2)}=\lim_{t\to 1}\frac{f(t)-f(1)}{(t-1)(t+1)}$$
$$=\lim_{t\to 1}\frac{f(t)-f(1)}{t-1}\cdot\lim_{t\to 1}\frac{1}{t+1}$$
$$=f'(1)\cdot\frac{1}{2}$$

이때 $f'(1)\cdot\frac{1}{2}=3$이므로 $f'(1)=6$

STEP Ⓒ 미분계수의 정의를 이용하여 주어진 값 구하기

$$\lim_{x\to 1}\frac{f(x^2)-f(1)}{x-1}=\lim_{x\to 1}\left\{\frac{f(x^2)-f(1)}{x^2-1}\cdot(x+1)\right\}$$
$$=\lim_{x\to 1}\frac{f(x^2)-f(1)}{x^2-1}\cdot\lim_{x\to 1}(x+1)$$
$$=\lim_{x\to 1}\frac{f(x^2)-f(1)}{x^2-1}\cdot 2$$

따라서 $x^2=s$로 놓으면 $x\to 1$일 때, $s\to 1$이므로

$$\lim_{x\to 1}\frac{f(x^2)-f(1)}{x^2-1}\cdot 2=\lim_{s\to 1}\frac{f(s)-f(1)}{s-1}\cdot 2$$
$$=f'(1)\cdot 2$$
$$=6\cdot 2=12$$

0193

미분가능한 함수 $f(x)$가 모든 실수 x, y에 대하여

$$f(x+y)=f(x)+f(y)+xy,\ f'(2)=4$$

를 만족할 때, 다음 물음에 답하여라.

(1) $f(0)$의 값을 구하여라.

(2) $f'(2)=4$를 이용하여 $f'(0)$의 값을 구하여라.

(3) $f'(3)$을 구하여라.

STEP A 항등식으로 표현된 함수식에 $x=0$, $y=0$을 대입하여 구하기

(1) $f(x+y)=f(x)+f(y)+xy$에 $x=0$, $y=0$을 대입하면

$f(0)=f(0)+f(0)$ $\therefore f(0)=0$

STEP B 미정계수의 정의를 이용하여 $f'(2)$ 구하기

(2) $$f'(2)=\lim_{h\to0}\frac{f(2+h)-f(2)}{h}=\lim_{h\to0}\frac{\{f(2)+f(h)+2\cdot h\}-f(2)}{h}$$
$$=\lim_{h\to0}\frac{f(h)+2h}{h}$$
$$=\lim_{h\to0}\frac{f(h)}{h}+2$$
$$=\lim_{h\to0}\frac{f(h)-f(0)}{h}+2$$
$$=f'(0)+2 \quad \leftarrow \lim_{h\to0}\frac{f(h)-f(0)}{h-0}=f'(0)$$

이때 $f'(2)=4$이므로 $f'(0)+2=4$

$\therefore f'(0)=2$

STEP C 미정계수의 정의를 이용하여 $f'(3)$ 구하기

(3) $$f'(3)=\lim_{h\to0}\frac{f(3+h)-f(3)}{h}=\lim_{h\to0}\frac{\{f(3)+f(h)+3\cdot h\}-f(3)}{h}$$
$$=\lim_{h\to0}\frac{f(h)+3h}{h}$$
$$=\lim_{h\to0}\frac{f(h)}{h}+3$$
$$=\lim_{h\to0}\frac{f(h)-f(0)}{h}+3 \quad \leftarrow f(0)=0$$
$$=f'(0)+3 \quad \leftarrow \lim_{h\to0}\frac{f(h)-f(0)}{h-0}=f'(0)$$
$$=2+3=5$$

0194

함수 $f(x)$가 모든 실수 x, y에 대하여

$$f(x+y)=f(x)+f(y)-1$$

을 만족시키고 $f'(2)=1$일 때, $f(0)+f'(1)$의 값은?

① -2 ② -1 ③ 0
④ 1 ⑤ 2

STEP A 항등식으로 표현된 함수식에 $x=0$, $y=0$을 대입하여 구하기

주어진 식의 양변에 $x=0$, $y=0$을 대입하면

$f(0)=f(0)+f(0)-1$ $\therefore f(0)=1$

STEP B 미분계수의 정의를 이용하여 $f'(2)$ 정리하기

$$f'(2)=\lim_{h\to0}\frac{f(2+h)-f(2)}{h}=\lim_{h\to0}\frac{\{f(2)+f(h)-1\}-f(2)}{h}$$
$$=\lim_{h\to0}\frac{f(h)-1}{h}$$
$$=\lim_{h\to0}\frac{f(h)-f(0)}{h}$$
$$=f'(0)$$

이때 $f'(2)=1$이므로 $f'(0)=1$

STEP C 미분계수의 정의를 이용하여 $f'(1)$의 값 구하기

$$f'(1)=\lim_{h\to0}\frac{f(1+h)-f(1)}{h}$$
$$=\lim_{h\to0}\frac{\{f(1)+f(h)-1\}-f(1)}{h}$$
$$=\lim_{h\to0}\frac{f(h)-1}{h} \quad \leftarrow f(0)=1$$
$$=\lim_{h\to0}\frac{f(h)-f(0)}{h} \quad \leftarrow \lim_{h\to0}\frac{f(h)-f(0)}{h-0}=f'(0)$$
$$=f'(0)=1$$

따라서 $f(0)+f'(1)=1+1=2$

0195

미분가능한 함수 $f(x)$가 모든 실수 x, y에 대하여

$$f(x+y)=f(x)+f(y)-xy$$

를 만족시키고 $f'(1)=5$일 때, $\sum_{k=1}^{10}f'(k)$의 값을 구하여라.

STEP A 항등식으로 표현된 함수식에 $x=0$, $y=0$을 대입하여 구하기

주어진 식에 양변에 $x=0$, $y=0$을 대입하면

$f(0)=f(0)+f(0)-0$

$\therefore f(0)=0$

STEP B 미분계수의 정의를 이용하여 $f'(0)$의 값 구하기

$$f'(1)=\lim_{h\to0}\frac{f(1+h)-f(1)}{h}$$
$$=\lim_{h\to0}\frac{\{f(1)+f(h)-1\cdot h\}-f(1)}{h}$$
$$=\lim_{h\to0}\frac{f(h)-h}{h}$$
$$=\lim_{h\to0}\left\{\frac{f(h)-f(0)}{h}-1\right\} \quad \leftarrow \lim_{h\to0}\frac{f(h)-f(0)}{h-0}=f'(0)$$
$$=f'(0)-1$$

이때 $f'(1)=5$이므로 $f'(0)-1=5$

$\therefore f'(0)=6$

STEP C 미분계수의 정의를 이용하여 $f'(k)$의 값 구하기

$$f'(k)=\lim_{h\to0}\frac{f(k+h)-f(k)}{h}$$
$$=\lim_{h\to0}\frac{\{f(k)+f(h)-kh\}-f(k)}{h}$$
$$=\lim_{h\to0}\frac{f(h)-kh}{h}$$
$$=\lim_{h\to0}\frac{f(h)}{h}-k$$
$$=\lim_{h\to0}\frac{f(h)-f(0)}{h}-k \quad \leftarrow \lim_{h\to0}\frac{f(h)-f(0)}{h-0}=f'(0)$$
$$=f'(0)-k$$
$$=6-k$$

STEP D $\sum_{k=1}^{10}f'(k)$의 값 구하기

따라서 $$\sum_{k=1}^{10}f'(k)=\sum_{k=1}^{10}(6-k)$$
$$=6\cdot10-\frac{10\cdot11}{2}$$
$$=60-55=5$$

0196

다음 함수의 $x=0$에서 연속성과 미분가능성을 조사하여라.

(1) $f(x)=x+|x|$

STEP A $x=0$**에서 연속이면** $\lim_{x \to 0} f(x)=f(0)$**임을 보이기**

$f(0)=0$이고 $\lim_{x \to 0} f(x)=\lim_{x \to 0}(x+|x|)=0$이므로

$\lim_{x \to 0} f(x)=f(0)$

따라서 함수 $f(x)$는 $x=0$에서 연속이다.

STEP B $x=0$**에서 미분가능하면** $f'(0)=\lim_{x \to 0}\frac{f(x)-f(0)}{x-0}$**의 값이 존재함을 이용하기**

$$\lim_{x \to 0+}\frac{f(x)-f(0)}{x-0}=\lim_{x \to 0+}\frac{x+|x|}{x}=\lim_{x \to 0+}\left(1+\frac{|x|}{x}\right)=\lim_{x \to 0+}\left(1+\frac{x}{x}\right)=2$$

$$\lim_{x \to 0-}\frac{f(x)-f(0)}{x-0}=\lim_{x \to 0-}\frac{x+|x|}{x}=\lim_{x \to 0-}\left(1+\frac{|x|}{x}\right)=\lim_{x \to 0-}\left(1+\frac{-x}{x}\right)=0$$

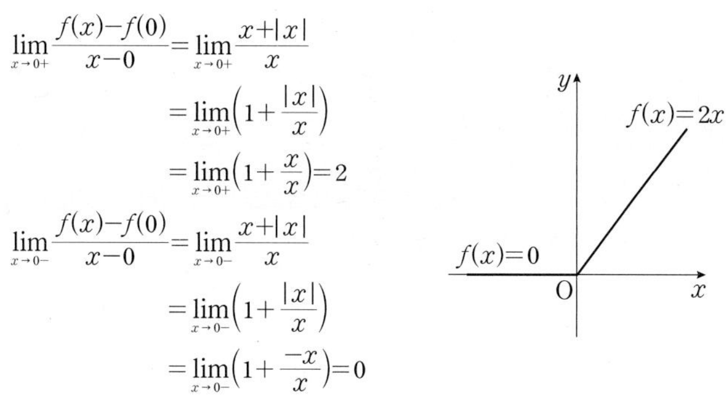

따라서 $\lim_{x \to 0}\frac{f(x)-f(0)}{x-0}$이 존재하지 않으므로 함수 $f(x)$는 $x=0$에서 미분가능하지 않다.

(2) $g(x)=|x^2+x|$

STEP A $x=0$**에서 연속이면** $\lim_{x \to 0} g(x)=g(0)$**임을 보이기**

$g(0)=0$이고 $\lim_{x \to 0} g(x)=\lim_{x \to 0}|x^2+x|=0$이므로

$\lim_{x \to 0} g(x)=g(0)$

따라서 함수 $f(x)$는 $x=0$에서 연속이다.

STEP B $x=0$**에서 미분가능하면** $g'(0)=\lim_{h \to 0}\frac{g(0+h)-g(0)}{h}$**의 값이 존재함을 이용하기**

$$\lim_{h \to 0+}\frac{g(0+h)-g(0)}{h}=\lim_{h \to 0+}\frac{|h(h+1)|}{h}=\lim_{h \to 0+}\frac{h(h+1)}{h}=\lim_{h \to 0+}(h+1)=1$$

$$\lim_{h \to 0-}\frac{g(0+h)-g(0)}{h}=\lim_{h \to 0-}\frac{|h(h+1)|}{h}=\lim_{h \to 0-}\frac{-h(h+1)}{h}=\lim_{h \to 0-}(-h-1)=-1$$

따라서 $\lim_{h \to 0}\frac{g(0+h)-g(0)}{h}$이 존재하지 않으므로 함수 $g(x)$는 $x=0$에서 미분가능하지 않다.

0197

다음 [보기]의 함수 중 $x=0$에서 미분가능인 것을 있는 대로 고른 것은?

ㄱ. $f(x)=x|x|$
ㄴ. $f(x)=x^2|x|$
ㄷ. $f(x)=\begin{cases}\frac{|x|}{x} & (x\neq 0)\\ 0 & (x=0)\end{cases}$

① ㄱ ② ㄴ ③ ㄷ
④ ㄱ, ㄴ ⑤ ㄱ, ㄷ

STEP A 연속과 미분가능의 정의를 이용하여 진위판단하기

ㄱ. 함숫값 $f(0)=0$이고 $\lim_{x \to 0} f(x)=\lim_{x \to 0} x|x|=0$이므로 $f(x)$는 $x=0$에서 연속이다.

$$\lim_{h \to 0+}\frac{f(0+h)-f(0)}{h}=\lim_{h \to 0+}\frac{f(h)-f(0)}{h}=\lim_{h \to 0+}\frac{h|h|}{h}=\lim_{h \to 0+}h=0$$

⬅ $h>0$일 때, $|h|=h$

$$\lim_{h \to 0-}\frac{f(0+h)-f(0)}{h}=\lim_{h \to 0-}\frac{f(h)-f(0)}{h}=\lim_{h \to 0-}\frac{h|h|}{h}=\lim_{h \to 0-}(-h)=0$$

⬅ $h<0$일 때, $|h|=-h$

즉 함수 $f(x)=x|x|$는 $x=0$에서 연속이고 미분가능하다.

ㄴ. 함숫값 $f(0)=0$이고 $\lim_{x \to 0} f(x)=\lim_{x \to 0} x^2|x|=0$이므로 $f(x)$는 $x=0$에서 연속이다.

$$\lim_{h \to 0+}\frac{f(0+h)-f(0)}{h}=\lim_{h \to 0+}\frac{f(h)-f(0)}{h}=\lim_{h \to 0+}\frac{h^2|h|}{h}=\lim_{h \to 0+}h^2=0$$

⬅ $h>0$일 때, $|h|=h$

$$\lim_{h \to 0-}\frac{f(0+h)-f(0)}{h}=\lim_{h \to 0-}\frac{f(h)-f(0)}{h}=\lim_{h \to 0-}\frac{h^2|h|}{h}=\lim_{h \to 0-}(-h^2)=0$$

⬅ $h<0$일 때, $|h|=-h$

즉 $f(x)=x^2|x|$는 $x=0$에서 연속이고 미분가능하다.

ㄷ. $\lim_{x \to 0+}\frac{|x|}{x}=\lim_{x \to 0+}\frac{x}{x}=1$,

$\lim_{x \to 0-}\frac{|x|}{x}=\lim_{x \to 0-}\frac{-x}{x}=-1$

즉 $f(x)$는 $x=0$에서 불연속이고 미분가능하지 않다.

따라서 $x=0$에서 미분가능인 것은 ㄱ, ㄴ이다.

0198

함수 $y=f(x)$의 그래프가 오른쪽 그림과 같을 때, 다음 [보기] 중 옳은 것을 고르면?

ㄱ. $f(x)$는 $x=1$에서 미분가능하다.
ㄴ. $xf(x)$는 $x=0$에서 미분가능하다.
ㄷ. $x^2f(x)$는 $x=0$에서 미분가능하다.

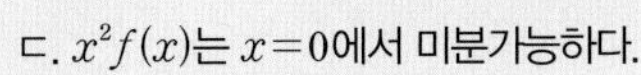

① ㄱ　　② ㄴ　　③ ㄷ　　④ ㄱ, ㄴ　　⑤ ㄴ, ㄷ

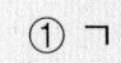

STEP A **미분가능의 정의를 이용하여 [보기]의 참, 거짓 판별하기**

위의 그래프에서 $f(x)=\begin{cases}1 & (x<0)\\ 2 & (0\le x<1)\\ x+1 & (x\ge 1)\end{cases}$이므로

ㄱ. $\lim_{h\to 0+}\frac{f(1+h)-f(1)}{h}=\lim_{h\to 0+}\frac{(1+h)+1-2}{h}=\lim_{h\to 0+}\frac{h}{h}=1$

$\lim_{h\to 0-}\frac{f(1+h)-f(1)}{h}=\lim_{h\to 0-}\frac{2-2}{h}=\lim_{h\to 0-}\frac{0}{h}=0$이므로

$\lim_{h\to 0}\frac{f(1+h)-f(1)}{h}$이 존재하지 않으므로 $f(x)$는 $x=1$에서 미분가능하지 않다. [거짓]

ㄴ. $xf(x)=g(x)$라 할 때,

$\lim_{h\to 0}\frac{g(0+h)-g(0)}{h}=\lim_{h\to 0}\frac{hf(h)}{h}=\lim_{h\to 0}f(h)$

또, $\lim_{h\to 0+}f(h)=2$, $\lim_{h\to 0-}f(h)=1$이므로 $\lim_{h\to 0}f(h)$는 존재하지 않는다.

즉 $xf(x)$는 $x=0$에서 미분가능하지 않다. [거짓]

ㄷ. $x^2f(x)=h(x)$라 할 때,

$\lim_{h\to 0}\frac{h(0+h)-h(0)}{h}=\lim_{h\to 0}\frac{h^2f(h)}{h}=\lim_{h\to 0}hf(h)$

$\lim_{h\to 0+}hf(h)=\lim_{h\to 0-}hf(h)=0$이므로 $x^2f(x)$는 $x=0$에서 미분가능하다. [참]

따라서 옳은 것은 ㄷ이다.

0199

열린구간 $(-3, 6)$에서 함수 $y=f(x)$의 그래프가 다음 그림과 같을 때, $\lim_{x\to a}\frac{f(x)-f(a)}{x-a}$의 값이 존재하지 않는 실수 a의 개수는? (단, $-3<a<6$)

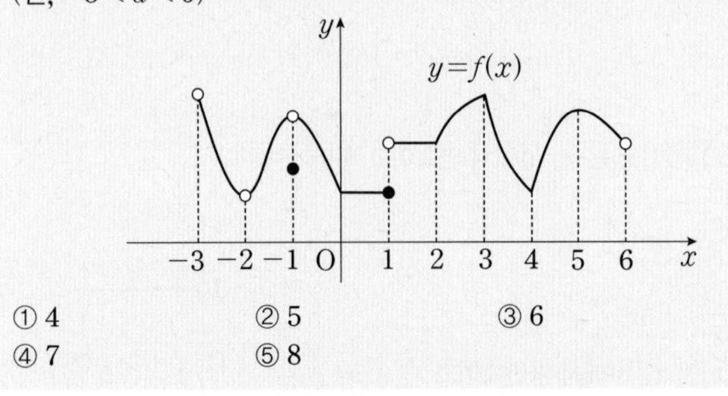

① 4　　② 5　　③ 6　　④ 7　　⑤ 8

STEP A **함수 $f(x)$가 미분계수가 존재하지 않으면 $f(x)$는 $x=a$에서 미분가능하지 않음을 이용하기**

함수 $y=f(x)$의 그래프가 불연속이거나 꺾이면(뾰족하면) 미분계수 $\lim_{x\to a}\frac{f(x)-f(a)}{x-a}$가 존재하지 않으므로 x의 값을 모두 구하면 $-2, -1, 0, 1, 2, 3, 4$이다.

STEP B **$f'(a)$가 존재하지 않는 실수 a의 개수 구하기**

따라서 $f'(a)$의 값이 존재하지 않는 실수 a의 개수는 7개이다.

0200

다음 그림은 $-1<x<6$에서 정의된 함수 $y=f(x)$의 그래프를 나타낸 것이다. 다음 중 옳지 않은 것은?

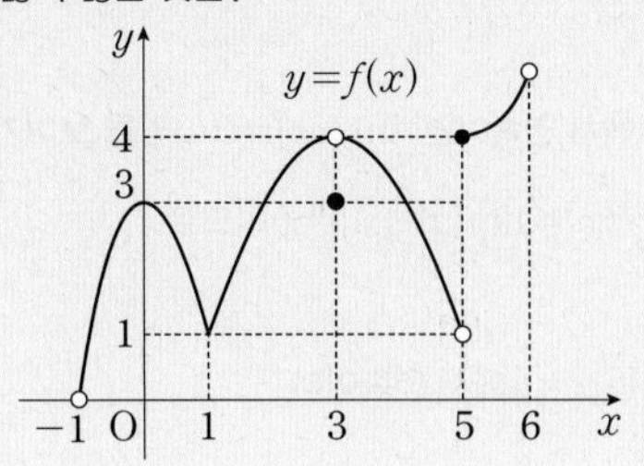

① $f'(2)>0$
② $\lim_{x\to 3}f(x)$가 존재한다.
③ 함수 $f(x)$가 불연속인 점은 2개이다.
④ 함수 $f(x)$가 미분가능하지 않은 점은 3개이다.
⑤ $f'(x)=0$인 점은 2개이다.

STEP A **함수 $f(x)$가 미분계수가 존재하지 않으면 $x=a$에서 미분가능하지 않음을 이용하여 옳은 것 구하기**

① $f'(2)$는 점 $(2,\ f(2))$에서의 접선의 기울기와 같으므로 $f'(2)>0$이다. [참]

② $\lim_{x\to 3+}f(x)=\lim_{x\to 3-}f(x)=4$이므로 $\lim_{x\to 3}f(x)=4$이다. [참]

③ 함수 $y=f(x)$의 그래프가 끊어진 점에서 불연속이므로 함수 $f(x)$는 $x=3$, $x=5$에서 불연속이다.
즉 불연속인 점은 2개이다. [참]

④ 함수 $f(x)$가 $x=3$, $x=5$에서 불연속이므로 함수 $f(x)$는 $x=3$, $x=5$에서 미분가능하지 않다.
또, 함수 $f(x)$가 $x=1$에서 연속이지만 그래프가 꺾이는 점이므로 미분가능하지 않다.
즉 함수 $f(x)$가 미분가능하지 않은 x의 값은 $x=1$, $x=3$, $x=5$이므로 미분가능하지 않은 점은 3개이다. [참]

⑤ $f'(x)=0$인 점은 미분가능하면서 접선의 기울기가 0인 점이므로 $x=0$일 때, 1개이다. [거짓]

따라서 옳지 않은 것은 ⑤이다.

0201

함수 $y=f(x)$의 그래프가 다음 그림과 같을 때, 열린구간 $(-2, 5)$에서 함수 $f(x)$에 대한 설명으로 옳은 것은?

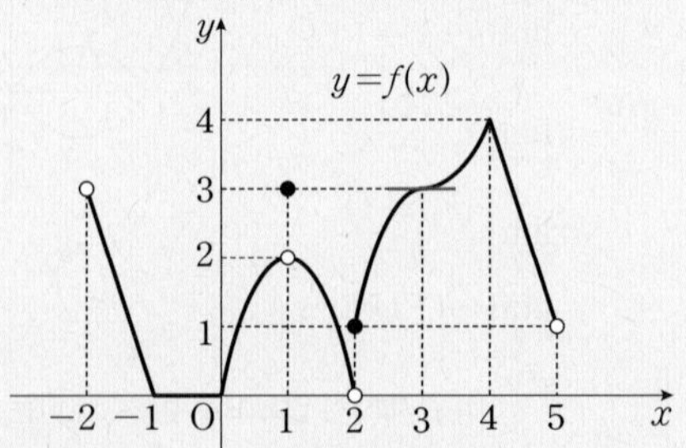

① $\lim_{x\to 1}f(x)=3$
② 함수 $f(x)$가 불연속인 점은 4개이다.
③ $f'\left(-\frac{3}{2}\right)f'\left(\frac{5}{2}\right)>0$
④ 함수 $f(x)$가 미분가능하지 않은 점은 5개이다.
⑤ $f'(x)=0$인 점은 오직 3개뿐이다.

STEP A 함수 $f(x)$가 미분계수가 존재하지 않으면 $x=a$에서 미분가능하지 않음을 이용하여 옳은 것 구하기

① $\lim_{x\to 1+}f(x)=\lim_{x\to 1-}f(x)=2$이므로 $\lim_{x\to 1}f(x)=2$ [거짓]

② 함수 $y=f(x)$의 그래프가 끊어진 점에서 불연속이므로
함수 $f(x)$는 $x=1$, $x=2$에서 불연속이다.
즉 불연속인 점은 2개이다. [거짓]

③ $f'\left(-\frac{3}{2}\right)$는 점 $\left(-\frac{3}{2}, f\left(-\frac{3}{2}\right)\right)$에서의 접선의 기울기와 같으므로

$f'\left(-\frac{3}{2}\right)<0$

$f'\left(\frac{5}{2}\right)$는 점 $\left(\frac{5}{2}, f\left(-\frac{3}{2}\right)\right)$에서의 접선의 기울기와 같으므로

$f'\left(\frac{5}{2}\right)>0$

즉 $f'\left(-\frac{3}{2}\right)f'\left(\frac{5}{2}\right)<0$이다. [거짓]

④ 함수 $f(x)$가 $x=1$, $x=2$에서 불연속이므로 함수 $f(x)$는 $x=1$, $x=2$에서 미분가능하지 않다.
또, 함수 $f(x)$가 $x=-1$, $x=0$, $x=4$에서 연속이지만 그래프가 꺾이는 점이므로 미분가능하지 않다.
즉 함수 $f(x)$가 미분가능하지 않은 x의 값은 $x=-1$, $x=0$, $x=1$, $x=2$, $x=4$이므로 미분가능하지 않은 점은 5개이다. [참]

⑤ $f'(x)=0$인 점은 미분가능하면서 접선의 기울기가 0인 점이므로 $-1<x<0$과 $x=3$인 모든 실수 x에 대하여 $f'(x)=0$이다. [거짓]

따라서 옳은 것은 ④이다.

0202

다음 물음에 답하여라.

(1) 함수 $f(x)=x^3-2x^2+4$에 대하여 $f'(3)$의 값을 구하여라.

STEP A 다항함수의 미분법을 이용하여 미분계수 $f'(1)$의 값 구하기

함수 $f(x)=x^3-2x^2+4$에서 $f'(x)=3x^2-4x$

따라서 $f'(3)=27-12=15$

(2) 함수 $f(x)=5x^5+3x^3+x$에 대하여 $f'(1)$의 값을 구하여라.

STEP A 다항함수의 미분법을 이용하여 미분계수 $f'(1)$의 값 구하기

$f(x)=5x^5+3x^3+x$에서 $f'(x)=25x^4+9x^2+1$

따라서 $f'(1)=25+9+1=35$

0203

함수 $f(x)=\sum_{n=1}^{10}\frac{x^n}{n}$에 대하여 $f'(2)$의 값은?

① 127 ② 255 ③ 511
④ 526 ⑤ 1023

STEP A $f(x)$의 도함수 $f'(x)$ 구하기

$f(x)=\sum_{n=1}^{10}\frac{x^n}{n}=x+\frac{x^2}{2}+\frac{x^3}{3}+\cdots+\frac{x^{10}}{10}$에서

$f'(x)=1+x+x^2+\cdots+x^9$

STEP B 등비수열의 합을 이용하여 $f'(2)$ 구하기

$f'(x)=1+x+x^2+\cdots+x^9$

따라서 $f'(2)=1+2+2^2+\cdots+2^9=\frac{2^{10}-1}{2-1}=1023$

0204

다음 물음에 답하여라.

(1) 함수 $f(x)=x^3+5$에 대하여 $\sum_{n=1}^{10}\left\{\lim_{x\to n}\frac{f(x)-f(n)}{x-n}\right\}$의 값을 구하여라.

STEP A 미분계수의 정의를 이용하기

$\lim_{x\to n}\frac{f(x)-f(n)}{x-n}=f'(n)$이므로

$\sum_{n=1}^{10}\left\{\lim_{x\to n}\frac{f(x)-f(n)}{x-n}\right\}=\sum_{n=1}^{10}f'(n)$

STEP B 다항함수의 미분법과 시그마의 성질을 이용하여 주어진 값 구하기

$f(x)=x^3+5$에서 $f'(x)=3x^2$

따라서 $\sum_{n=1}^{10}f'(n)=\sum_{n=1}^{10}3n^2$

$=3\cdot\frac{10(10+1)(20+1)}{6}$

$=1155$

(2) 함수 $f(x)=x^2+12x-20$에 대하여 $\sum_{n=1}^{10}\left\{\lim_{h\to 0}\frac{f(n+h)-f(n)}{h}\right\}$의 값을 구하여라.

STEP A 미분계수의 정의를 이용하기

$\lim_{h\to 0}\frac{f(n+h)-f(n)}{h}=f'(n)$이므로

$\sum_{n=1}^{10}\left\{\lim_{h\to 0}\frac{f(n+h)-f(n)}{h}\right\}=\sum_{n=1}^{10}f'(n)$

STEP B 다항함수의 미분법과 시그마의 성질을 이용하여 주어진 값 구하기

$f(x)=x^2+12x-20$에서 $f'(x)=2x+12$

따라서 $\sum_{n=1}^{10}f'(n)=\sum_{n=1}^{10}(2n+12)$

$=2\cdot\frac{10(10+1)}{2}+12\cdot 10$

$=230$

(3) 함수 $f(x)=\frac{1}{3}x^3+\frac{1}{2}x^2$에 대하여 $\sum_{n=1}^{10}\left\{\lim_{x\to n}\frac{x-n}{f(x)-f(n)}\right\}$의 값을 구하여라.

STEP A 미분계수의 정의를 이용하기

$\lim_{x\to n}\frac{x-n}{f(x)-f(n)}=\lim_{x\to n}\frac{1}{\frac{f(x)-f(n)}{x-n}}=\frac{1}{f'(n)}$이므로

$\sum_{n=1}^{10}\left\{\lim_{x\to n}\frac{x-n}{f(x)-f(n)}\right\}=\sum_{n=1}^{10}\frac{1}{f'(n)}$

STEP B 다항함수의 미분법과 시그마의 성질을 이용하여 주어진 값 구하기

$f(x)=\frac{1}{3}x^3+\frac{1}{2}x^2$에서 $f'(x)=x^2+x=x(x+1)$

따라서 $\sum_{n=1}^{10}\frac{1}{f'(n)}=\sum_{n=1}^{10}\frac{1}{n(n+1)}$

$=\sum_{n=1}^{10}\left(\frac{1}{n}-\frac{1}{n+1}\right)$

$=\left(1-\frac{1}{2}\right)+\left(\frac{1}{2}-\frac{1}{3}\right)+\cdots+\left(\frac{1}{10}-\frac{1}{11}\right)$

$=1-\frac{1}{11}=\frac{10}{11}$

0205

다음 물음에 답하여라.

(1) 함수 $f(x)=(x^3+3x+1)(x^2-2x+3)$의 $x=1$에서의 미분계수를 구하여라.

STEP A 다항함수의 곱의 미분법을 이용하여 미분계수 $f'(1)$의 값 구하기

$f(x)=(x^3+3x+1)(x^2-2x+3)$에서

$f'(x)=(3x^2+3)(x^2-2x+3)+(x^3+3x+1)(2x-2)$

따라서 $f'(1)=6\cdot 2=12$

(2) 함수 $f(x)=(x-1)(x-2)(x-3)$일 때, $f'(5)$의 값을 구하여라.

STEP A 다항함수의 곱의 미분법을 이용하여 미분계수 $f'(5)$의 값 구하기

$f(x)=(x-1)(x-2)(x-3)$에서

$f'(x)=(x-2)(x-3)+(x-1)(x-3)+(x-1)(x-2)$

따라서 $f'(5)=3\cdot 2+4\cdot 2+4\cdot 3=26$

(3) 미분가능한 두 함수 $f(x)$, $g(x)$에 대하여 $f(1)=3$, $f'(1)=-1$을 만족하고 $g(x)=(x^3-2x^2)f(x)$일 때, $g'(1)$의 값을 구하여라.

STEP A 다항함수의 곱의 미분법을 이용하여 미분계수 $g'(1)$의 값 구하기

$g(x)=(x^3-2x^2)f(x)$의 양변을 x에 대하여 미분하면

$g'(x)=(3x^2-4x)f(x)+(x^3-2x^2)f'(x)$ …… ㉠

따라서 $f(1)=3$, $f'(1)=-1$이므로 ㉠의 양변에 $x=1$을 대입하면

$g'(1)=-f(1)-f'(1)=-3+1=-2$

0206

다음 물음에 답하여라.

(1) 함수 $f(x)=(x-1)(x-2)(x-3)\cdots(x-10)$에 대하여 $\dfrac{f'(1)}{f'(4)}$의 값을 구하여라.

STEP A 곱의 미분법 이용하기

$$\begin{aligned}f'(x)=&(x-2)(x-3)\cdots(x-10)+(x-1)(x-3)\cdots(x-10)\\&+(x-1)(x-2)\cdots(x-10)\\&\vdots\\&+(x-1)(x-2)\cdots(x-9)\end{aligned}$$

STEP B 미분계수 $f'(1)$, $f'(4)$ 구하기

$f'(1)=(1-2)(1-3)\cdots(1-10)$

$=(-1)\times(-2)\times\cdots\times(-9)$

$f'(4)=(4-1)(4-2)(4-3)(4-5)\cdots(4-10)$

$=3\times2\times1\times(-1)\times(-2)\times\cdots\times(-6)$

따라서 $\dfrac{f'(1)}{f'(4)}=\dfrac{(-7)\times(-8)\times(-9)}{3\times2\times1}=-84$

다른풀이 미분계수의 정의를 이용하여 풀이하기

$f'(1)=\lim\limits_{x\to1}\dfrac{f(x)-f(1)}{x-1}=\lim\limits_{x\to1}\{(x-2)(x-3)(x-4)\cdots(x-10)\}$

$=(-1)\times(-2)\times\cdots\times(-9)$

$f'(4)=\lim\limits_{x\to4}\dfrac{f(x)-f(4)}{x-4}=\lim\limits_{x\to4}\{(x-1)(x-2)(x-3)(x-5)\cdots(x-10)\}$

$=3\times2\times1\times(-1)\times(-2)\times\cdots\times(-6)$

따라서 $\dfrac{f'(1)}{f'(4)}=-84$

(2) 0이 아닌 서로 다른 세 실수 p, q, r에 대하여 삼차함수 $f(x)=(x-p)(x-q)(x-r)$라 할 때, $\dfrac{p^2}{f'(p)}+\dfrac{q^2}{f'(q)}+\dfrac{r^2}{f'(r)}$의 값을 구하여라.

STEP A 곱의 미분법에 의하여 $f'(p)$, $f'(q)$, $f'(r)$ 구하기

$f(x)=(x-p)(x-q)(x-r)$에서

$f'(x)=(x-q)(x-r)+(x-p)(x-r)+(x-p)(x-q)$이므로

$f'(p)=(p-q)(p-r)$, $f'(q)=(q-p)(q-r)$, $f'(r)=(r-p)(r-q)$

STEP B 유리함수를 통분하여 값 구하기

따라서 $\dfrac{p^2}{f'(p)}+\dfrac{q^2}{f'(q)}+\dfrac{r^2}{f'(r)}$

$=\dfrac{p^2}{(p-q)(p-r)}+\dfrac{q^2}{(q-p)(q-r)}+\dfrac{r^2}{(r-p)(r-q)}$

$=\dfrac{-p^2(q-r)-q^2(r-p)-r^2(p-q)}{(p-q)(q-r)(r-p)}=\dfrac{(p-q)(q-r)(r-p)}{(p-q)(q-r)(r-p)}$

$=1$

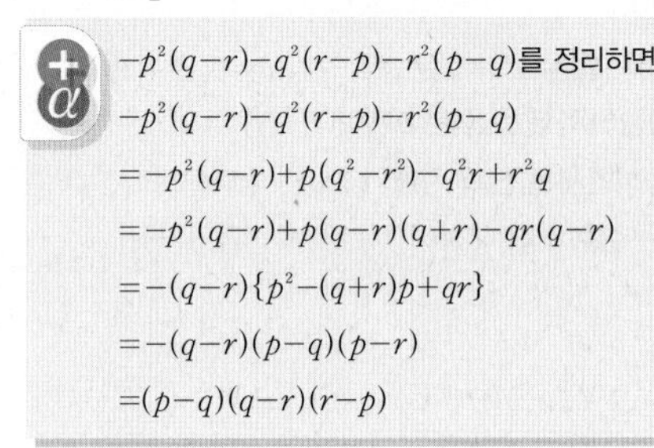

+α $-p^2(q-r)-q^2(r-p)-r^2(p-q)$를 정리하면

$-p^2(q-r)-q^2(r-p)-r^2(p-q)$

$=-p^2(q-r)+p(q^2-r^2)-q^2r+r^2q$

$=-p^2(q-r)+p(q-r)(q+r)-qr(q-r)$

$=-(q-r)\{p^2-(q+r)p+qr\}$

$=-(q-r)(p-q)(p-r)$

$=(p-q)(q-r)(r-p)$

0207

오른쪽 그림과 같이 최고차항의 계수가 1인 삼차함수 $y=f(x)$의 그래프와 직선 $y=k\,(k>0)$가 만나는 점의 x좌표가 a, b, c일 때, 다음 [보기]에서 옳은 것을 모두 고르면?

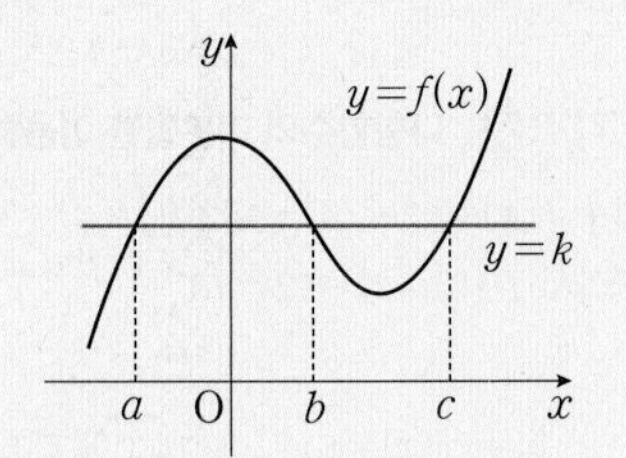

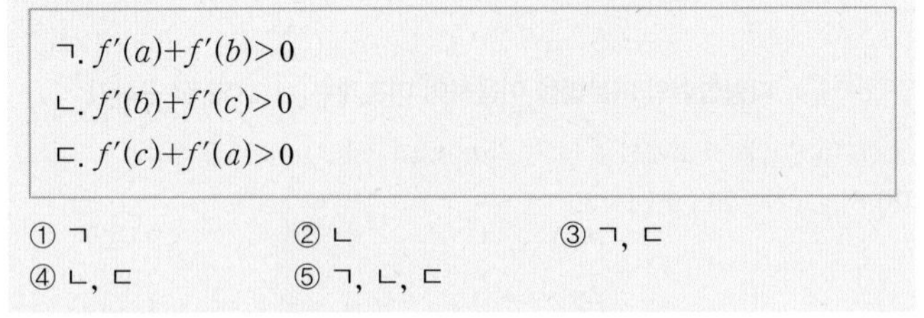

ㄱ. $f'(a)+f'(b)>0$

ㄴ. $f'(b)+f'(c)>0$

ㄷ. $f'(c)+f'(a)>0$

① ㄱ ② ㄴ ③ ㄱ, ㄷ

④ ㄴ, ㄷ ⑤ ㄱ, ㄴ, ㄷ

STEP A $f(x)=k$을 이용하여 삼차함수의 식 작성하기

방정식 $f(x)=k$의 세 근이 a, b, c이고 최고차항의 계수가 1이므로

$f(x)-k=(x-a)(x-b)(x-c)$

STEP B 곱의 미분법을 이용하여 [보기]의 진위판단하기

즉 $f(x)=(x-a)(x-b)(x-c)+k$에서

$f'(x)=(x-b)(x-c)+(x-a)(x-c)+(x-a)(x-b)$

이때 $f'(a)=(a-b)(a-c)$ …… ㉠

$f'(b)=(b-a)(b-c)$ …… ㉡

$f'(c)=(c-a)(c-b)$ …… ㉢

㉠, ㉡에서 $f'(a)+f'(b)=(a-b)^2>0$

㉡, ㉢에서 $f'(b)+f'(c)=(b-c)^2>0$

㉠, ㉢에서 $f'(c)+f'(a)=(c-a)^2>0$

따라서 옳은 것은 ㄱ, ㄴ, ㄷ이다.

0208

다음 물음에 답하여라.

(1) 삼차함수 $f(x)=x^3+ax^2+bx+c$가

$$f(-2)=f(0)=f(2)$$

를 만족시킬 때, $f'(3)$의 값을 구하여라. (단, a, b, c는 상수이다.)

STEP Ⓐ $f(x)-k=0$을 만족하는 세 근이 -2, 0, 2인 삼차함수 $f(x)$의 식 작성하기

$f(-2)=f(0)=f(2)=k$ (k는 상수)라 하면

$f(-2)-k=0$, $f(0)-k=0$, $f(2)-k=0$

$f(x)-k=0$은 최고차항의 계수가 1인 삼차식이므로

인수정리에 의하여

$f(x)-k=(x+2)x(x-2)$ ⬅ $f(x)-k=0$의 세 근이 -2, 0, 2이다.

$\therefore f(x)=(x+2)x(x-2)+k$

STEP Ⓑ 곱의 미분법을 이용하여 미분계수 $f'(3)$의 값 구하기

$f(x)=(x+2)x(x-2)+k$ ⬅ $f(x)=x^3-4x+k$

의 양변을 x에 대하여 미분하면

$f'(x)=x(x-2)+(x+2)(x-2)+(x+2)x$

따라서 $f'(3)=3\cdot1+5\cdot1+5\cdot3=23$

(2) 삼차함수 $f(x)$가

$$f(0)=-3,\ f(1)=f(2)=f(3)=3$$

을 만족시킬 때, $f'(4)$의 값을 구하여라.

STEP Ⓐ $f(x)-3=0$을 만족하는 세 근이 1, 2, 3인 삼차함수 $f(x)$의 식 작성하기

$f(1)=f(2)=f(3)=3$이므로

$f(1)-3=0$, $f(2)-3=0$, $f(3)-3=0$

$f(x)-3=0$은 최고차항의 계수가 p인 삼차식이라 하면

인수정리에 의하여

$f(x)-3=p(x-1)(x-2)(x-3)$

$\therefore f(x)=p(x-1)(x-2)(x-3)+3$ (p는 상수) ...... ㉠

이때 $f(0)=-3$이므로

$f(0)=p\cdot(-1)\cdot(-2)\cdot(-3)+3=-3$

즉 $6p=6$에서 $p=1$

STEP Ⓑ 곱의 미분법을 이용하여 미분계수 $f'(4)$의 값 구하기

㉠에서 $f(x)=(x-1)(x-2)(x-3)+3$

양변을 x에 대하여 미분하면

$f'(x)=(x-2)(x-3)+(x-1)(x-3)+(x-1)(x-2)$

따라서 $f'(4)=2\cdot1+3\cdot1+3\cdot2=11$

0209

최고차항의 계수가 1인 삼차함수 $f(x)$와 실수 a가 다음 조건을 만족시킬 때, $f'(a)$의 값을 구하여라.

(가) $f(a)=f(2)=f(6)$

(나) $f'(2)=-4$

STEP Ⓐ 조건 (가)에서 함수 $f(x)$의 값 구하기

조건 (가)에서 $f(a)=f(2)=f(6)=k$ (k는 상수)라 하면

$f(a)-k=f(2)-k=f(6)-k=0$

이때 $f(x)$는 최고차항의 계수가 1인 삼차식이므로 인수정리에 의하여

$f(x)-k=(x-a)(x-2)(x-6)$

$\therefore f(x)=(x-a)(x-2)(x-6)+k$

STEP Ⓑ 곱의 미분법을 이용하여 $f'(a)$ 구하기

이때 $f(x)$를 x에 대하여 미분하면

$f'(x)=(x-2)(x-6)+(x-a)(x-6)+(x-a)(x-2)$

조건 (나)에서 $f'(2)=-4$이므로

$f'(2)=(2-a)(2-6)=-4(2-a)=-8+4a=-4$

$\therefore a=1$

따라서 $f'(a)=(a-2)(a-6)$이므로 $f'(1)=(1-2)(1-6)=(-1)\cdot(-5)=5$

0210

삼차항의 계수가 양수인 삼차함수 $f(x)$가 있다.

세 실수 a, b, c $(a<b<c)$에 대하여

$$f(a)=f(b)=f(c)$$

가 성립할 때, 옳은 것을 [보기]에서 모두 고른 것은?

ㄱ. $f'(a)>0$

ㄴ. $f'(a)+f'(b)>0$

ㄷ. $f'(a)=f'(c)$이면 $b=\dfrac{a+c}{2}$이다.

① ㄱ ② ㄱ, ㄴ ③ ㄱ, ㄷ

④ ㄴ, ㄷ ⑤ ㄱ, ㄴ, ㄷ

STEP Ⓐ 조건을 만족하는 함수 $f(x)$ 구하기

$f(a)=f(b)=f(c)=k$ (k는 상수)라 하면

삼차방정식 $f(x)-k=0$의 세 근이 a, b, c $(a<b<c)$이므로

$f(x)-k=p(x-a)(x-b)(x-c)$ $(p>0)$로 놓으면

$f(x)=p(x-a)(x-b)(x-c)+k$

이때 $f(x)$를 x에 대하여 미분하면

$f'(x)=p(x-b)(x-c)+p(x-a)(x-c)+p(x-a)(x-b)$

STEP Ⓑ [보기]의 진위판단하기

ㄱ. $a<b<c$이므로 $f'(a)=p(a-b)(a-c)>0$ [참]

ㄴ. $f'(a)+f'(b)=p(a-b)(a-c)+p(b-a)(b-c)$

$=p(a-b)^2>0$ ($\because a<b$) [참]

ㄷ. $f'(a)=f'(c)$이므로 $f'(a)-f'(c)=0$

$f'(a)-f'(c)=p(a-b)(a-c)-p(c-a)(c-b)$

$=p(c-a)(2b-a-c)=0$

즉 $c\neq a$이므로 $b=\dfrac{a+c}{2}$ [참]

따라서 옳은 것은 ㄱ, ㄴ, ㄷ이다.

0211

다음 물음에 답하여라.

(1) 두 다항함수 $f(x)$, $g(x)$가

$$\lim_{x\to3}\frac{f(x)-2}{x-3}=1,\ \lim_{x\to3}\frac{g(x)-1}{x-3}=2$$

를 만족할 때, 함수 $y=f(x)g(x)$의 $x=3$에서의 미분계수를 구하여라.

STEP A (분모)→0이면 (분자)→0임을 이용하여 $f(3)$, $g(3)$을 미분계수의 정의를 이용하여 $f'(3)$, $g'(3)$ 구하기

$\lim_{x\to3}\frac{f(x)-2}{x-3}=1$에서

$x\to3$일 때, (분모)→0이고 극한값이 존재하므로 (분자)→0이어야 한다.

$\lim_{x\to3}\{f(x)-2\}=0$이므로 $f(3)=2$

이때 $\lim_{x\to3}\frac{f(x)-2}{x-3}=\lim_{x\to3}\frac{f(x)-f(3)}{x-3}=f'(3)=1$

$\therefore f(3)=2,\ f'(3)=1$

$\lim_{x\to3}\frac{g(x)-1}{x-3}=2$에서

$x\to3$일 때, (분모)→0이고 극한값이 존재하므로 (분자)→0이다.

$\lim_{x\to3}\{g(x)-1\}=0$이므로 $g(3)=1$

이때 $\lim_{x\to3}\frac{g(x)-1}{x-3}=\lim_{x\to3}\frac{g(x)-g(3)}{x-3}=g'(3)=2$

$\therefore g(3)=1,\ g'(3)=2$

STEP B 곱의 미분법을 이용하여 $f'(3)g(3)+f(3)g'(3)$ 구하기

$y=f(x)g(x)$에서 $y'=f'(x)g(x)+f(x)g'(x)$

따라서 $x=3$에서 미분계수는 $f'(3)g(3)+f(3)g'(3)=1\cdot1+2\cdot2=5$

다른풀이 함수 $y=f(x)g(x)$의 $x=3$에서 미분계수 정의를 이용하여 풀이하기

$$\begin{aligned}&\lim_{x\to3}\frac{f(x)g(x)-f(3)g(3)}{x-3}\\&=\lim_{x\to3}\frac{f(x)g(x)-f(3)g(x)+f(3)g(x)-f(3)g(3)}{x-3}\\&=\lim_{x\to3}\frac{\{f(x)-f(3)\}g(x)}{x-3}+\lim_{x\to3}\frac{f(3)\{g(x)-g(3)\}}{x-3}\\&=\lim_{x\to3}\frac{f(x)-f(3)}{x-3}\cdot\lim_{x\to3}g(x)+f(3)\cdot\lim_{x\to3}\frac{g(x)-g(3)}{x-3}\\&=f'(3)g(3)+f(3)g'(3)\\&=1\cdot1+2\cdot2\\&=5\end{aligned}$$

(2) 다항함수 $f(x)$가 $\lim_{x\to1}\frac{f(x)-5}{x-1}=9$를 만족시킨다.
$g(x)=xf(x)$라 할 때, $g'(1)$의 값을 구하여라.

STEP A 미분계수의 정의를 이용하여 $f(1)$과 $f'(1)$ 구하기

$\lim_{x\to1}\frac{f(x)-5}{x-1}=9$에서

$x\to1$일 때, (분모)→0이고 극한값이 존재하므로 (분자)→0이어야 한다.

$\lim_{x\to1}\{f(x)-5\}=0$이므로 $f(1)=5$

이때 $\lim_{x\to1}\frac{f(x)-5}{x-1}=\lim_{x\to1}\frac{f(x)-f(1)}{x-1}=f'(1)=9$

$\therefore f(1)=5,\ f'(1)=9$

STEP B 곱의 미분법을 이용하여 $g'(1)$ 구하기

$g(x)=xf(x)$에서 $g'(x)=f(x)+x\cdot f'(x)$

따라서 $g'(1)=f(1)+f'(1)=5+9=14$

다른풀이 미분계수 정의에 $g(x)$를 직접 대입하여 $g'(1)$ 풀이하기

$$\begin{aligned}\therefore g'(1)&=\lim_{x\to1}\frac{g(x)-g(1)}{x-1}\\&=\lim_{x\to1}\frac{xf(x)-f(1)}{x-1}\\&=\lim_{x\to1}\frac{\{xf(x)-f(x)\}+\{f(x)-f(1)\}}{x-1}\\&=\lim_{x\to1}\frac{(x-1)f(x)}{x-1}+\lim_{x\to1}\frac{f(x)-f(1)}{x-1}\\&=\lim_{x\to1}f(x)+f'(1)\\&=f(1)+f'(1)\\&=5+9=14\end{aligned}$$

0212

다음 물음에 답하여라.

(1) 오른쪽 그림과 같이 다항함수 $y=f(x)$의 그래프에서 $x=1$인 점에서의 접선을 l이라 할 때,
함수 $g(x)=(x^2+2x+2)f(x)$에 대하여 $g'(1)$의 값은?

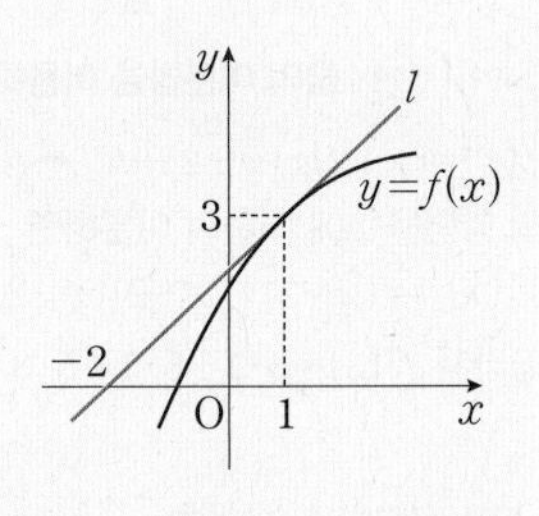

① 10 ② 12
③ 16 ④ 17
⑤ 24

STEP A 함수 $y=f(x)$의 점 $(1, 3)$에서 접선의 기울기 구하기

함수 $y=f(x)$가 점 $(1, 3)$을 지나므로 $f(1)=3$

또, $x=1$에서의 접선의 기울기는 $f'(1)$과 같으므로

$f'(1)=\frac{3-0}{1-(-2)}=1$

STEP B 곱의 미분법을 이용하여 $g'(1)$의 값 구하기

$g(x)=(x^2+2x+2)f(x)$에서

$g'(x)=(x^2+2x+2)'f(x)+(x^2+2x+2)f'(x)$
$=(2x+2)f(x)+(x^2+2x+2)f'(x)$

따라서 $g'(1)=4f(1)+5f'(1)=12+5=17$

(2) 다항함수 $f(x)$에 대하여 곡선 $y=f(x)$ 위의 점 $(2, 1)$에서의 접선의 기울기가 2이다. $g(x)=x^3f(x)$일 때, $g'(2)$의 값은?

① 24 ② 26 ③ 28
④ 30 ⑤ 32

STEP A 접선의 기울기와 곡선 $y=f(x)$가 지나는 점을 이용하여 $f(2)$, $f'(2)$의 값 구하기

점 $(2, 1)$이 곡선 $y=f(x)$ 위의 점이므로 $f(2)=1$

또, 점 $(2, 1)$에서의 접선의 기울기가 2이므로 $f'(2)=2$

STEP B 곱의 미분법을 이용하여 $g'(2)$ 구하기

$g(x)=x^3f(x)$에서 $g'(x)=3x^2f(x)+x^3f'(x)$

따라서 $g'(2)=3\cdot4\cdot f(2)+8\cdot f'(2)$
$=12\cdot1+8\cdot2$
$=28$

0213

두 다항함수 $f(x)$, $g(x)$에 대하여

$$\lim_{x\to2}\frac{f(x)+1}{x-2}=3,\ \lim_{x\to2}\frac{g(x)-3}{x-2}=1$$

이 성립할 때, $\lim_{x\to2}\frac{f(x)g(x)-f(2)g(2)}{x-2}$의 값을 구하여라.

STEP A (분모)→0이면 (분자)→0임을 이용하여 $f(2)$, $g(2)$를 미분계수의 정의를 이용하여 $f'(2)$, $g'(2)$ 구하기

$\lim_{x\to2}\frac{f(x)+1}{x-2}=3$에서

$x\to2$일 때, (분모)→0이고 극한값이 존재하므로 (분자)→0이어야 한다.

즉 $\lim_{x\to2}\{f(x)+1\}=0$이므로 $f(2)=-1$

또한, $\lim_{x\to2}\frac{f(x)+1}{x-2}=\lim_{x\to2}\frac{f(x)-f(2)}{x-2}=f'(2)=3$

$\therefore f(2)=-1,\ f'(2)=3$

$\lim_{x\to2}\frac{g(x)-3}{x-2}=1$에서

$x\to2$일 때, (분모)→0이고 극한값이 존재하므로 (분자)→0이어야 한다.

즉 $\lim_{x\to2}\{g(x)-3\}=0$이므로 $g(2)=3$

또한, $\lim_{x\to2}\frac{g(x)-3}{x-2}=\lim_{x\to2}\frac{g(x)-g(2)}{x-2}=g'(2)=1$

$\therefore g(2)=3,\ g'(2)=1$

STEP B 곱의 미분법을 이용하여 $h'(2)$ 구하기

이때 $f(x)g(x)=h(x)$라 놓으면

$\lim_{x\to2}\frac{f(x)g(x)-f(2)g(2)}{x-2}=\lim_{x\to2}\frac{h(x)-h(2)}{x-2}=h'(2)$

$h'(x)=f'(x)g(x)+f(x)g'(x)$에서

$h'(2)=f'(2)g(2)+f(2)g'(2)=3\cdot3+(-1)\cdot1=8$

따라서 $\lim_{x\to2}\frac{f(x)g(x)-f(2)g(2)}{x-2}=h'(2)=8$

다른풀이 직접 미분계수의 정의를 이용하여 풀이하기

$\lim_{x\to2}\frac{f(x)g(x)-f(2)g(2)}{x-2}$

$=\lim_{x\to2}\frac{f(x)g(x)-f(2)g(x)+f(2)g(x)-f(2)g(2)}{x-2}$

$=\lim_{x\to2}\frac{\{f(x)-f(2)\}g(x)}{x-2}+\lim_{x\to2}\frac{f(2)\{g(x)-g(2)\}}{x-2}$

$=\lim_{x\to2}\frac{f(x)-f(2)}{x-2}\cdot\lim_{x\to2}g(x)+f(2)\cdot\lim_{x\to2}\frac{g(x)-g(2)}{x-2}$

$=f'(2)g(2)+f(2)g'(2)$

$=3\cdot3+(-1)\cdot1$

$=8$

+α $\lim_{h\to0}\frac{f(2+h)g(2+h)-f(2)g(2)}{h}=\lim_{x\to2}\frac{f(x)g(x)-f(2)g(2)}{x-2}$

$=f'(2)g(2)+f(2)g'(2)$

0214

다음 물음에 답하여라.

(1) 함수 $f(x)=x^3-x$에 대하여 $\lim_{h\to0}\frac{f(1+3h)-f(1)}{2h}$의 값을 구하여라.

STEP A 미분계수의 정의를 이용하여 식을 간단히 하기

$\lim_{h\to0}\frac{f(1+3h)-f(1)}{2h}=\lim_{h\to0}\frac{f(1+3h)-f(1)}{3h}\cdot\frac{3}{2}$

$=\frac{3}{2}\lim_{h\to0}\frac{f(1+3h)-f(1)}{3h}$

$=\frac{3}{2}f'(1)$

STEP B 다항함수의 미분법을 이용하여 $\frac{3}{2}f'(1)$ 구하기

이때 $f(x)=x^3-x$에서 $f'(x)=3x^2-1$

$\therefore f'(1)=2$

따라서 $\frac{3}{2}f'(1)=\frac{3}{2}\cdot2=3$

(2) 함수 $f(x)=2x^3+x^2-4x+5$에 대하여 $\lim_{h\to0}\frac{f(1+h)-f(1-h)}{2h}$의 값을 구하여라.

STEP A 미분계수의 정의를 이용하여 식을 간단히 하기

$\lim_{h\to0}\frac{f(1+h)-f(1-h)}{2h}=\lim_{h\to0}\frac{f(1+h)-f(1)-\{f(1-h)-f(1)\}}{2h}$

$=\lim_{h\to0}\frac{1}{2}\cdot\left\{\frac{f(1+h)-f(1)}{h}+\frac{f(1-h)-f(1)}{-h}\right\}$

$=\frac{1}{2}\{f'(1)+f'(1)\}$

$=f'(1)$

STEP B 다항함수의 미분법을 이용하여 $f'(1)$ 구하기

$f(x)=2x^3+x^2-4x+5$에서 $f'(x)=6x^2+2x-4$

따라서 $f'(1)=6+2-4=4$

(3) 함수 $f(x)=-x^3+8x+1$에 대하여 $\lim_{x\to1}\frac{f(x^2)-f(1)}{x-1}$의 값을 구하여라.

STEP A 미분계수의 정의를 이용하여 식을 간단히 하기

$\lim_{x\to1}\frac{f(x^2)-f(1)}{x-1}=\lim_{x\to1}\frac{f(x^2)-f(1)}{x^2-1}\cdot(x+1)$

$=\lim_{x\to1}\frac{f(x^2)-f(1)}{x^2-1}\cdot\lim_{x\to1}(x+1)$

$=f'(1)\cdot2$

STEP B 다항함수의 미분법을 이용하여 $2f'(1)$ 구하기

$f(x)=-x^3+8x+1$에서 $f'(x)=-3x^2+8$

$f'(1)=-3+8=5$

따라서 $2f'(1)=2\cdot5=10$

0215

자연수 n에 대하여 $a_n=\lim_{x\to 1}\frac{x^n+5x-6}{x-1}$이라 할 때, $\sum_{n=1}^{15}a_n$의 값을 구하여라.

STEP A $f(x)=x^n+5x$로 놓고 미분계수의 정의를 이용하기

$f(x)=x^n+5x$로 놓으면 $f(1)=6$이므로

$a_n=\lim_{x\to 1}\frac{x^n+5x-6}{x-1}=\lim_{x\to 1}\frac{f(x)-f(1)}{x-1}=f'(1)$

STEP B 도함수와 시그마의 성질을 이용하여 구하기

이때 $f'(x)=nx^{n-1}+5$이므로 $f'(1)=n+5$

$\therefore a_n=n+5$

따라서 $\sum_{n=1}^{15}a_n=\sum_{n=1}^{15}(n+5)=\frac{15\cdot 16}{2}+5\cdot 15=195$

0216

다음 물음에 답하여라.

(1) 함수 $f(x)=2x^4-3x+1$에 대하여

$$\lim_{x\to\infty}x\left\{f\left(1+\frac{3}{x}\right)-f\left(1-\frac{2}{x}\right)\right\}$$

의 값을 구하여라.

STEP A $\frac{1}{x}=h$라 하면 $x\to\infty$에서 $h\to 0$을 이용하여 식을 정리하기

$\frac{1}{x}=h$라 하면 $x\to\infty$에서 $h\to 0$이므로

$\lim_{x\to\infty}x\left\{f\left(1+\frac{3}{x}\right)-f\left(1-\frac{2}{x}\right)\right\}$

$=\lim_{h\to 0}\frac{f(1+3h)-f(1-2h)}{h}$

$=\lim_{h\to 0}\frac{f(1+3h)-f(1)-f(1-2h)+f(1)}{h}$

STEP B 변형한 식을 미분계수로 표현하기

$\lim_{h\to 0}\left\{\frac{f(1+3h)-f(1)}{h}-\frac{f(1-2h)-f(1)}{h}\right\}$

$=\lim_{h\to 0}\frac{f(1+3h)-f(1)}{3h}\cdot 3+\lim_{h\to 0}\frac{f(1-2h)-f(1)}{-2h}\cdot 2$

$=3f'(1)+2f'(1)$

$=5f'(1)$

STEP C 도함수 $f'(x)$에서 $5f'(1)$의 값 구하기

$f(x)=2x^4-3x+1$에서 $f'(x)=8x^3-3$

따라서 $5f'(1)=5\cdot(8-3)=25$

(2) 함수 $f(x)=ax^2+x+4$에 대하여

$$\lim_{x\to\infty}x\left\{f\left(2+\frac{1}{x}\right)-f\left(2-\frac{1}{x}\right)\right\}=10$$

일 때, $f(3)$의 값을 구하여라. (단, a는 상수)

STEP A $\frac{1}{x}=h$라 하면 $x\to\infty$에서 $h\to 0$을 이용하여 식을 정리하기

$\frac{1}{x}=h$라 하면 $x\to\infty$에서 $h\to 0$이므로

$\lim_{x\to\infty}x\left\{f\left(2+\frac{1}{x}\right)-f\left(2-\frac{1}{x}\right)\right\}$

$=\lim_{h\to 0}\frac{f(2+h)-f(2-h)}{h}$

$=\lim_{h\to 0}\frac{f(2+h)-f(2)-f(2-h)+f(2)}{h}$

STEP B 변형한 식을 미분계수로 표현하기

$\lim_{h\to 0}\frac{f(2+h)-f(2)}{h}+\lim_{h\to 0}\frac{f(2-h)-f(2)}{-h}$

$=f'(2)+f'(2)$

$=2f'(2)$

이때 $2f'(2)=10$이므로 $f'(2)=5$

STEP C 도함수 $f'(x)$에서 a의 값 구하기

한편 $f(x)=ax^2+x+4$에서 $f'(x)=2ax+1$이므로

$f'(2)=4a+1=5$

$\therefore a=1$

따라서 $f(x)=x^2+x+4$이므로 $f(3)=9+3+4=16$

0217

이차함수 $f(x)$가 $f(0)=1$이고 임의의 실수 x에 대하여 $(x+1)f'(x)-2f(x)+5=0$을 만족할 때, $f(2)$의 값을 구하여라.

STEP A $f(0)=1$을 만족하는 이차함수 $f(x)$의 식 결정하기

$f(x)=ax^2+bx+c$라 하면 $f(0)=c=1$ …… ㉠

또, $f'(x)=2ax+b$이므로

STEP B 항등식의 계수를 비교하여 $f(x)$ 구하기

$(x+1)f'(x)-2f(x)+5=0$에 대입하면

$(x+1)(2ax+b)-2(ax^2+bx+c)+5=0$

$(2a-b)x+b-2c+5=0$

항등식의 성질에 의하여

$2a-b=0,\ b-2c+5=0$ …… ㉡

㉠, ㉡을 연립하여 풀면

$a=-\frac{3}{2},\ b=-3,\ c=1$

따라서 $f(x)=-\frac{3}{2}x^2-3x+1$이므로 $f(2)=-6-6+1=-11$

0218

함수 $f(x)=ax^2+b$가 모든 실수 x에 대하여

$$4f(x)=\{f'(x)\}^2+x^2+4$$

를 만족시킨다. $f(2)$의 값은? (단, a, b는 상수이다.)

① 3 ② 4 ③ 5 ④ 6 ⑤ 7

STEP A 항등식의 계수비교법을 이용하여 a, b의 값 구하기

$f(x)=ax^2+b$에서 $f'(x)=2ax$이므로

$4f(x)=\{f'(x)\}^2+x^2+4$에 대입하면

$4(ax^2+b)=(2ax)^2+x^2+4$

좌변과 우변을 각각 정리하면

$4ax^2+4b=(4a^2+1)x^2+4$

이 식은 x에 대한 항등식이므로 $4a=4a^2+1,\ 4b=4$

$4a^2-4a+1=0,\ (2a-1)^2=0$

$\therefore a=\frac{1}{2},\ b=1$

STEP B $f(2)$의 값 구하기

따라서 $f(x)=\frac{1}{2}x^2+1$이므로 $f(2)=3$

0219

다음 물음에 답하여라.

(1) 최고차항의 계수가 1인 다항함수 $f(x)$가

$$f(x)f'(x)=2x^3-9x^2+5x+6$$

을 만족할 때, $f(-3)$의 값을 구하여라.

STEP A 조건을 이용하여 함수 $f(x)$의 차수를 구하기

$f(x)$가 n차 함수(n은 자연수)이면 $f'(x)$는 $(n-1)$차 함수이다.
이때 좌변과 우변의 차수는 같다.
즉 $n+n-1=3$ $\therefore n=2$
함수 $f(x)$가 최고차항의 계수가 1인 이차함수이므로
$f(x)=x^2+ax+b$ (a, b는 상수)라 하면 $f'(x)=2x+a$

STEP B x에 대한 항등식임을 이용하여 $f(x)$ 구하기

$f(x)f'(x)=2x^3-9x^2+5x+6$에 대입하면

$$\begin{aligned}f(x)f'(x)&=(x^2+ax+b)(2x+a)\\&=2x^3+3ax^2+(a^2+2b)x+ab\\&=2x^3-9x^2+5x+6\end{aligned}$$

이 식이 모든 실수 x에 대하여 성립하므로
$3a=-9$, $ab=6$
$\therefore a=-3$, $b=-2$
따라서 $f(x)=x^2-3x-2$이므로 $f(-3)=9+9-2=16$

(2) 다항함수 $f(x)$가 다음을 만족할 때, $f(4)$의 값을 구하여라.

(가) $f(-1)=8$
(나) 모든 실수 x에 대하여 $2f(x)=(x-1)f'(x)$

STEP A 조건을 이용하여 함수 $f(x)$의 차수를 구하기

$f(x)$의 차수가 n (n은 자연수)이므로 $f'(x)$의 차수는 $n-1$이고
조건 (나)에서 $f(x)$의 최고차항을 ax^n $(a\neq 0)$으로 놓으면
$f'(x)$의 최고차항은 anx^{n-1}이므로 양변의 최고차항의 계수를 비교하면
$2a=na$ $\therefore n=2$
즉 $f(x)=ax^2+bx+c$ ($a\neq 0$, a, b, c는 상수)라 하면
$f'(x)=2ax+b$

STEP B 다항함수 $f(x)$을 구하여 $f(4)$의 값 구하기

조건 (나)에 대입하면

$$\begin{aligned}2ax^2+2bx+2c&=(x-1)(2ax+b)\\&=2ax^2+(b-2a)x-b\end{aligned}$$

이 식이 모든 실수 x에 대하여 성립하므로
$2b=b-2a$, $2c=-b$ …… ㉠
한편 $f(-1)=a-b+c=8$ …… ㉡
㉠, ㉡을 연립하여 풀면 $a=2$, $b=-4$, $c=2$
따라서 $f(x)=2x^2-4x+2$이므로 $f(4)=32-16+2=18$

0220

삼차함수 $f(x)$가 다음 조건을 만족시킬 때, $f(3)$의 값은?

(가) 모든 실수 x에 대하여 $f(-x)=-f(x)$이다.
(나) $f'(0)=10$, $f'(1)=7$

① 3 ② 5 ③ 7
④ 9 ⑤ 11

STEP A 원점대칭인 삼차함수 $f(x)$의 식 작성하기

조건 (가)를 만족하는 삼차함수 $f(x)$를
$f(x)=ax^3+cx$ ($a\neq 0$, c는 실수)라 놓으면
$f'(x)=3ax^2+c$

STEP B 조건을 만족하는 삼차함수 $f(x)$에 대하여 $f(3)$구하기

조건 (나)에서 $f'(0)=c=10$, $f'(1)=3a+c=7$이므로
연립하여 풀면 $a=-1$, $c=10$
따라서 $f(x)=-x^3+10x$이므로 $f(3)=-27+30=3$

$f(-x)=-f(x)$를 만족하는 삼차함수 $f(x)$에 대하여
$f(x)=ax^3+bx^2+cx$ ($a\neq 0$, a, b, c는 상수)라 하면
(i) $x=0$을 대입하면 $f(0)=-f(0)$이므로 $f(0)=0$
(ii) $f(-x)=-ax^3+bx^2-cx$이므로
$f(-x)=-f(x)$에서
$-ax^3+bx^2-cx=-ax^3-bx^2-cx$
$2bx^2=0$이므로 $b=0$
(i), (ii)에서 $f(x)=ax^3+cx$

0221

다항함수 $f(x)$가 모든 실수 x에 대하여 다음 조건을 만족한다.

(가) $f(-x)=-f(x)$
(나) $\displaystyle\lim_{x\to-1}\frac{f(1)-f(-x)}{x^2-1}=3$

$f(-1)=2$일 때, $\displaystyle\lim_{x\to-1}\frac{\{f(x)\}^2-4}{x+1}$의 값은?

① -24 ② -12 ③ 0
④ 12 ⑤ 24

STEP A 조건을 만족하는 다항함수 $f(x)$에서 $f(1)$, $f'(-1)$의 값 구하기

$f(-1)=2$를 만족하므로 조건 (가)에서
$f(1)=-f(-1)=-2$에서 $f(1)=-2$
조건 (나)에서

$$\begin{aligned}\lim_{x\to-1}\frac{f(1)-f(-x)}{x^2-1}&=\lim_{x\to-1}\frac{f(x)-f(-1)}{x-(-1)}\cdot\frac{1}{x-1} \quad \Leftarrow f(-x)=-f(x)\\&=\lim_{x\to-1}\frac{f(x)-f(-1)}{x-(-1)}\cdot\lim_{x\to-1}\frac{1}{x-1}\\&=-\frac{1}{2}f'(-1)\end{aligned}$$

$-\frac{1}{2}f'(-1)=3$이므로 $f'(-1)=-6$

STEP B 미분계수의 정의를 이용하여 구하기

따라서

$$\begin{aligned}\lim_{x\to-1}\frac{\{f(x)\}^2-4}{x+1}&=\lim_{x\to-1}\frac{\{f(x)-2\}\{f(x)+2\}}{x-(-1)} \quad \Leftarrow f(-1)=2\\&=\lim_{x\to-1}\frac{f(x)-f(-1)}{x-(-1)}\cdot\{f(x)+2\}\\&=\lim_{x\to-1}\frac{f(x)-f(-1)}{x-(-1)}\cdot\lim_{x\to-1}\{f(x)+2\}\\&=f'(-1)\cdot\{f(-1)+2\}\\&=(-6)\cdot(2+2)\\&=-24\end{aligned}$$

0222

함수 $y=f(x)$의 그래프는 y축에 대하여 대칭이고

$f'(2)=-3$, $f'(4)=6$일 때, $\lim_{x\to-2}\frac{f(x^2)-f(4)}{f(x)-f(2)}$의 값은?

① -8 ② -4 ③ 4
④ 8 ⑤ 12

STEP A 함수 $f(x)$의 그래프가 y축에 대하여 대칭이면 $f'(x)$의 그래프가 원점에 대하여 대칭임을 이해하기

함수 $y=f(x)$의 그래프가 y축에 대하여 대칭이므로
$f(x)=f(-x)$가 성립한다.

이때 $f'(-x)=\lim_{t\to-x}\frac{f(t)-f(-x)}{t-(-x)}$ ← 미분계수의 정의

여기서 $t=-s$로 놓으면 $t\to-x$일 때, $s\to x$이므로

$$\lim_{t\to-x}\frac{f(t)-f(-x)}{t-(-x)}=\lim_{s\to x}\frac{f(-s)-f(-x)}{-s-(-x)}$$
$$=-\lim_{s\to x}\frac{f(s)-f(x)}{s-x}\ (\because f(-x)=f(x))$$
$$=-f'(x)$$

$\therefore f'(-x)=-f'(x)$

$f'(2)=-3$이므로 $f'(-2)=3$

STEP B 미분계수의 정의를 이용하여 극한값 구하기

따라서 $\lim_{x\to-2}\frac{f(x^2)-f(4)}{f(x)-f(2)}$

$$=\lim_{x\to-2}\left\{\frac{x-(-2)}{f(x)-f(-2)}\cdot\frac{f(x^2)-f(4)}{x^2-4}\cdot(x-2)\right\}\ (\because f(-x)=f(x))$$
$$=\lim_{x\to-2}\frac{x-(-2)}{f(x)-f(-2)}\cdot\lim_{x\to-2}\frac{f(x^2)-f(4)}{x^2-4}\cdot\lim_{x\to-2}(x-2)$$

($x^2=t$로 놓으면 $x\to-2$일 때, $t\to4$)

$$=\lim_{x\to-2}\frac{1}{\frac{f(x)-f(-2)}{x-(-2)}}\cdot\lim_{t\to4}\frac{f(t)-f(4)}{t-4}\cdot\lim_{x\to-2}(x-2)$$
$$=\frac{1}{f'(-2)}\cdot f'(4)\cdot(-4)$$
$$=\frac{1}{3}\cdot6\cdot(-4)$$
$$=-8$$

$f(x)=f(-x)$에서 $f'(x)=-f'(-x)$의 증명

함수 $y=f(x)$의 그래프는 y축에 대하여 대칭이므로 임의의 실수 x에 대하여 $f(-x)=f(x)$가 성립한다.

$f'(-x)=\lim_{t\to-x}\frac{f(t)-f(-x)}{t-(-x)}$

이때 $t=-s$로 놓으면 $t\to-x$일 때, $s\to x$이므로

$$\lim_{t\to-x}\frac{f(t)-f(-x)}{t-(-x)}=\lim_{s\to x}\frac{f(-s)-f(-x)}{-s-(-x)}$$
$$=-\lim_{s\to x}\frac{f(s)-f(x)}{s-x}$$
$$=-f'(x)$$

따라서 $f'(x)=-f'(-x)$

참고 모든 실수 x에 대하여 $f(x)=f(-x)$이면 $f(x)$는 y축에 대하여 대칭이다.
이때 함수 $f(x)$를 x로 미분하면 $f'(x)$는 원점에 대하여 대칭이므로 원점을 반드시 지난다.

0223

다음 물음에 답하여라.
(1) 함수

$$f(x)=\begin{cases}x^3+ax & (x<1)\\ bx^2+x+1 & (x\ge1)\end{cases}$$

이 $x=1$에서 미분가능할 때, 상수 a, b에 대하여 $a+b$의 값을 구하여라.

STEP A 함수 $f(x)$가 $x=1$에서 연속이므로 함숫값과 우극한, 좌극한이 모두 같음을 이용하기

함수 $f(x)$는 $x=1$에서 연속이므로
$\lim_{x\to1-}f(x)=\lim_{x\to1+}f(x)=f(1)$이어야 한다.
$\lim_{x\to1-}(x^3+ax)=\lim_{x\to1+}(bx^2+x+1)=b+2$에서
$b+2=1+a$이므로 $a-b=1$ …… ㉠

STEP B 함수 $f(x)$가 $x=1$에서 미분가능하므로 $f'(1)$이 존재함을 이용하기

$x=1$에서 미분가능하므로 미분계수 $f'(1)=\lim_{h\to0}\frac{f(1+h)-f(1)}{h}$이 존재한다.

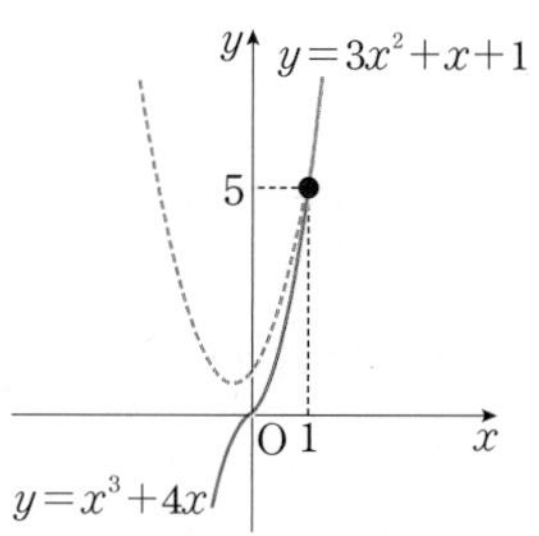

$$\lim_{h\to0+}\frac{f(1+h)-f(1)}{h}=\lim_{h\to0+}\frac{b(1+h)^2+(1+h)+1-(b+2)}{h}$$
$$=\lim_{h\to0+}\frac{bh^2+(2b+1)h}{h}=2b+1$$
$$\lim_{h\to0-}\frac{f(1+h)-f(1)}{h}=\lim_{h\to0-}\frac{(1+h)^3+a(1+h)-(a+1)}{h}$$
$$=\lim_{h\to0-}\frac{h^3+3h^2+(a+3)h}{h}=a+3$$

즉 $2b+1=a+3$이므로 $a-2b=-2$ …… ㉡
㉠, ㉡을 연립하여 풀면 $a=4$, $b=3$
따라서 $a+b=4+3=7$

다른풀이 미분한 후 $x=1$을 대입하여 풀이하기

STEP A 함수 $f(x)$가 $x=1$에서 연속이 됨을 이용하기

$f(x)=\begin{cases}x^3+ax & (x<1)\\ bx^2+x+1 & (x\ge1)\end{cases}$가
$x=1$에서 미분가능하므로 $x=1$에서 연속이다.
즉 $\lim_{x\to1-}f(x)=\lim_{x\to1+}f(x)=f(1)$
$\lim_{x\to1-}(x^3+ax)=\lim_{x\to1+}(bx^2+x+1)=b+2$에서
$1+a=b+1+1$
$\therefore a-b=1$ …… ㉠

STEP B 미분한 후 $x=1$을 대입하여 a, b의 값 구하기

함수 $f(x)$를 미분하면 $f'(x)=\begin{cases}3x^2+a & (x<1)\\ 2bx+1 & (x>1)\end{cases}$
$x=1$에서 미분가능하므로
$\lim_{x\to1-}(3x^2+a)=\lim_{x\to1+}(2bx+1)$
$3+a=2b+1$
$\therefore a-2b=-2$ …… ㉡
㉠, ㉡을 연립하여 풀면 $a=4$, $b=3$
따라서 $a+b=7$

(2) 함수

$$f(x)=\begin{cases} x^2+ax+b & (x \le -2) \\ 2x & (x > -2) \end{cases}$$

가 실수 전체의 집합에서 미분가능할 때, 상수 a, b에 대하여 $a+b$의 값을 구하여라.

STEP A 함수 $f(x)$가 $x=-2$에서 연속이므로 함숫값과 우극한, 좌극한이 모두 같음을 이용하기

'실수 전체의 집합에서 미분가능' 이라고 주어졌지만 결국 함수 $f(x)$는 각 구간에서 다항함수이므로 $x \ne -2$인 모든 실수에서 미분가능이므로 $x=-2$에서만 미분가능할 조건만 고려한다.

함수 $f(x)$가 $x=-2$에서 연속이므로

$\lim_{x \to -2-} f(x)=\lim_{x \to -2+} f(x)=f(-2)$이어야 한다.

$\lim_{x \to -2-}(x^2+ax+b)=\lim_{x \to -2+} 2x=4-2a+b$에서

$4-2a+b=-4$이므로 $-2a+b=-8$ …… ㉠

STEP B 함수 $f(x)$가 $x=-2$에서 미분가능하므로 $f'(-2)$가 존재함을 이용하기

$x=-2$에서 미분가능하므로 미분계수 $f'(-2)=\lim_{h \to 0} \frac{f(-2+h)-f(-2)}{h}$가 존재한다.

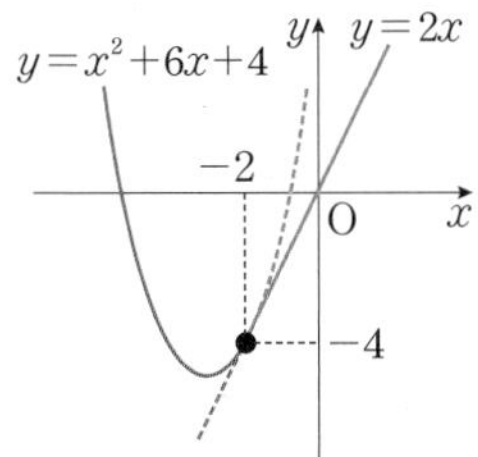

$\lim_{h \to 0+} \frac{f(-2+h)-f(-2)}{h}=\lim_{h \to 0+} \frac{2(-2+h)-2(-2)}{h}$

$=\lim_{h \to 0+} \frac{2h}{h}=2$

$\lim_{h \to 0-} \frac{f(-2+h)-f(-2)}{h}=\lim_{h \to 0-} \frac{(-2+h)^2+a(-2+h)+b-(4-2a+b)}{h}$

$=\lim_{h \to 0-} \frac{(-4+a)h+h^2}{h}=-4+a$

즉 $2=-4+a$이므로 $a=6$ …… ㉡

㉠, ㉡을 연립하여 풀면 $a=6$, $b=4$

따라서 $a+b=6+4=10$

다른풀이 미분한 후 $x=-2$를 대입하여 풀이하기

STEP A $x=-2$에서 연속이 됨을 이용하기

$f(x)=\begin{cases} x^2+ax+b & (x \le -2) \\ 2x & (x > -2) \end{cases}$가

$x=-2$에서 미분가능하므로 $x=-2$에서 연속이다.

즉 $\lim_{x \to -2-} f(x)=\lim_{x \to -2+} f(x)$에서 $\lim_{x \to -2-}(x^2+ax+b)=\lim_{x \to -2+} 2x$

$4-2a+b=-4$, $2a-b=8$

$\therefore b=2a-8$ …… ㉠

STEP B 미분한 후 $x=-2$를 대입하여 a, b의 값 구하기

함수 $f(x)$를 미분하면 $f'(x)=\begin{cases} 2x+a & (x < -2) \\ 2 & (x > -2) \end{cases}$

$x=-2$에서 미분가능하므로

$\lim_{x \to -2-} f'(x)=\lim_{x \to -2+} f'(x)$

$\lim_{x \to -2-}(2x+a)=\lim_{x \to -2+} 2$

$-4+a=2$

$\therefore a=6$

㉠에 대입하면 $b=2 \cdot 6-8=4$

따라서 $a+b=6+4=10$

0224

함수

$$f(x)=\begin{cases} -x^2+ax+2 & (x \ge 2) \\ 2x+b & (x < 2) \end{cases}$$

가 모든 실수 x에서 미분가능할 때, $f(1)+f(4)$의 값은? (단, a, b는 상수)

① 16 ② 18 ③ 20 ④ 24 ⑤ 36

STEP A 함수 $f(x)$가 $x=2$에서 연속이므로 함숫값과 우극한, 좌극한이 모두 같음을 이용하기

'모든 실수 x에서 미분가능' 이라고 주어졌지만 결국 함수 $f(x)$는 각 구간에서 다항함수이므로 $x \ne 2$인 모든 실수에서 미분가능이므로 $x=2$에서만 미분가능할 조건만 고려한다.

함수 $f(x)$가 $x=2$에서 연속이므로

$\lim_{x \to 2+} f(x)=\lim_{x \to 2-} f(x)=f(2)$이어야 한다.

$\lim_{x \to 2+}(-x^2+ax+2)=\lim_{x \to 2-}(2x+b)=-4+2a+2$에서

$-4+2a+2=4+b$이므로 $2a-b=6$ …… ㉠

STEP B 함수 $f(x)$가 $x=2$에서 미분가능하므로 $f'(2)$가 존재함을 이용하기

$x=2$에서 미분가능하므로 미분계수 $f'(2)=\lim_{h \to 0} \frac{f(2+h)-f(2)}{h}$가 존재한다.

$\lim_{h \to 0+} \frac{f(2+h)-f(2)}{h}$

$=\lim_{h \to 0+} \frac{-(2+h)^2+a(2+h)+2-(-4+2a+2)}{h}$

$=\lim_{h \to 0+} \frac{(-4+a)h-h^2}{h}=-4+a$

$\lim_{h \to 0-} \frac{f(2+h)-f(2)}{h}$

$=\lim_{h \to 0-} \frac{2(2+h)+b-(4+b)}{h}$

$=\lim_{h \to 0-} \frac{2h}{h}=2$

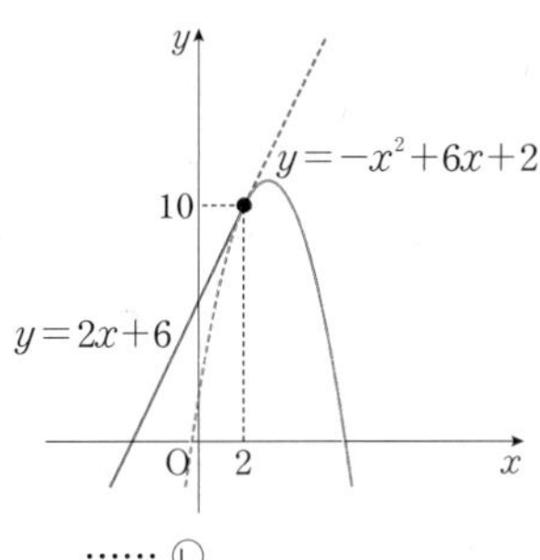

즉 $-4+a=2$이므로 $a=6$ …… ㉡

㉡을 ㉠에 대입하여 $b=6$

따라서 $f(x)=\begin{cases} -x^2+6x+2 & (x \ge 2) \\ 2x+6 & (x < 2) \end{cases}$이므로

$f(1)+f(4)=8+(-16+24+2)=18$

다른풀이 미분한 후 $x=2$를 대입하여 풀이하기

STEP A 함수 $f(x)$가 $x=2$에서 연속이 됨을 이용하기

즉 함수 $f(x)$가 $x=2$에서 연속이므로

$\lim_{x \to 2+} f(x)=\lim_{x \to 2-} f(x)=f(2)$이어야 한다.

$\lim_{x \to 2+}(-x^2+ax+2)=\lim_{x \to 2-}(2x+b)=-4+2a+2$에서

$-4+2a+2=4+b$이므로 $2a-b=6$ …… ㉠

STEP B 미분한 후 $x=2$를 대입하여 a, b의 값 구하기

함수 $f(x)$를 미분하면 $f'(x)=\begin{cases} -2x+a & (x > 2) \\ 2 & (x < 2) \end{cases}$

$x=2$에서 미분가능하므로 $\lim_{x \to 2+} f'(x)=\lim_{x \to 2-} f'(x)$

$\lim_{x \to 2+}(-2x+a)=\lim_{x \to 2-} 2$

$-4+a=2$ $\therefore a=6$ …… ㉡

㉡을 ㉠에 대입하여 $b=6$

따라서 $a=6$, $b=6$이므로 $f(x)=\begin{cases} -x^2+6x+2 & (x \ge 2) \\ 2x+6 & (x < 2) \end{cases}$

$\therefore f(1)+f(4)=8+(-16+24+2)=18$

0225

함수

$$f(x)=\begin{cases} -3x+a & (x<-1) \\ x^3+bx^2+cx & (-1\le x<1) \\ -3x+d & (x\ge 1) \end{cases}$$

가 모든 실수 x에 대하여 미분가능하도록 네 실수 a, b, c, d의 값을 정할 때, $a+b+c+d$의 값을 구하여라.

tip '모든 실수 x에 대하여 미분가능' 이라고 주어졌지만 결국 함수 $f(x)$는 각 구간에서 다항함수이므로 미분가능하다. 따라서 각 구간의 경계값에서만 생각하면 되므로 $x=-1$, $x=1$에서 미분가능성만 고려하면 된다.

STEP A 함수 $f(x)$가 $x=-1$에서 미분가능함을 이용하기

함수 $f(x)$가 모든 실수 x에 대하여 미분가능하므로

$x=-1$, $x=1$에서 미분가능하다.

함수 $f(x)$가 $x=-1$에서 연속이므로

$f(-1)=\lim_{x\to-1-}(-3x+a)=\lim_{x\to-1+}\{x^3+bx^2+cx\}$

$3+a=-1+b-c$

$\therefore\ a-b+c=-4$ …… ㉠

$f(x)$는 $x=-1$에서 미분가능하므로

함수 $f(x)$를 미분하면 $f'(x)=\begin{cases} -3 & (x<-1) \\ 3x^2+2bx+c & (-1<x<1) \end{cases}$

$f'(-1)=\lim_{x\to-1-}(-3)=\lim_{x\to-1+}(3x^2+2bx+c)$

$f'(-1)=-3=3-2b+c$

$\therefore\ -2b+c=-6$ …… ㉡

STEP B 함수 $f(x)$가 $x=1$에서 미분가능함을 이용하기

함수 $f(x)$가 $x=1$에서 연속이므로

$f(1)=\lim_{x\to1-}(x^3+bx^2+cx)=\lim_{x\to1+}(-3x+d)$

$1+b+c=-3+d$

$\therefore\ b+c-d=-4$ …… ㉢

$f(x)$는 $x=1$에서 미분가능하므로

함수 $f(x)$를 미분하면 $f'(x)=\begin{cases} 3x^2+2bx+c & (-1<x<1) \\ -3 & (x>1) \end{cases}$

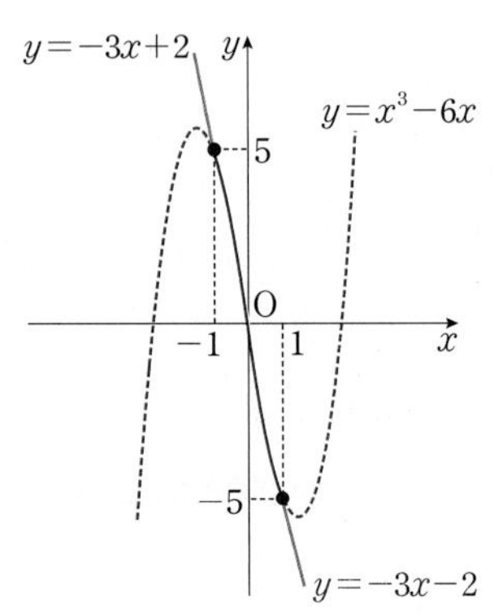

$f'(1)=\lim_{x\to1-}(3x^2+2bx+c)=\lim_{x\to1+}(-3)$

$3+2b+c=-3$

$\therefore\ 2b+c=-6$ …… ㉣

㉡, ㉣을 연립하여 풀면 $b=0$, $c=-6$

㉠, ㉢을 연립하여 풀면 $a=2$, $d=-2$

따라서 $a+b+c+d=2+0-6-2=-6$

0226

다음 그림은 함수 $y=1$과 함수 $y=0$의 그래프의 일부이다.

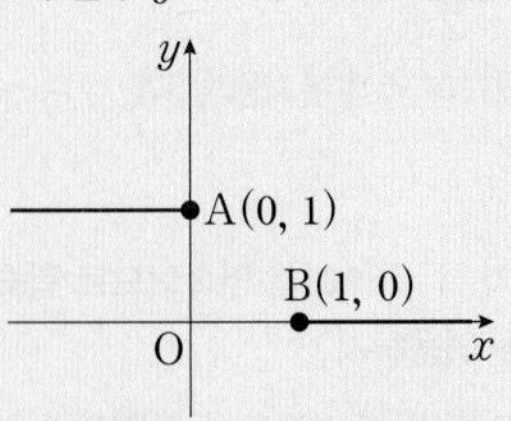

두 점 A(0, 1), B(1, 0) 사이를 $0\le x\le 1$에서 정의된 함수 $y=ax^3+bx^2+cx+1$의 그래프를 이용하여 연결하였다.

이렇게 연결된 그래프 전체를 나타내는 함수가 구간 $(-\infty, \infty)$에서 미분가능하도록 상수 a, b, c의 값을 정할 때, $a^2+b^2+c^2$의 값을 구하여라.

tip '모든 실수 x에 대하여 미분가능' 이라고 주어졌지만 결국 함수 $f(x)$는 각 구간에서 다항함수이므로 미분가능하다. 따라서 각 구간의 경계값에서만 생각하면 되므로 $x=0$, $x=1$에서 미분가능성만 고려하면 된다.

STEP A 주어진 그림에서 함수 $f(x)$의 그래프 개형 파악하기

주어진 함수가 $(-\infty, \infty)$에서 미분가능하려면 $x=0$, $x=1$일 때도 연속이고 미분가능이어야 한다.

$g(x)=ax^3+bx^2+cx+1$이라 하면 $g'(x)=3ax^2+2bx+c$

주어진 함수를 $f(x)$라 하면

$$f(x)=\begin{cases} 1 & (x<0) \\ ax^3+bx^2+cx+1 & (0\le x\le 1) \\ 0 & (x>1) \end{cases}$$

STEP B $x=0$, $x=1$에서 미분가능 하도록 a, b, c 구하기

(i) $x=0$일 때,

함수 $f(x)$가 $x=0$에서 연속이므로

$f(0)=\lim_{x\to0-}1=\lim_{x\to0+}\{ax^3+bx^2+cx+1\}$

$f(x)$는 $x=0$에서 미분계수 $f'(0)$이 존재하므로

함수 $f(x)$를 미분하면 $f'(x)=\begin{cases} 0 & (x<0) \\ 3ax^2+2bx+c & (0<x<1) \end{cases}$

$f'(0)=\lim_{x\to0-}0=\lim_{x\to0+}(3ax^2+2bx+c)$

$\therefore\ 0=c$ …… ㉠

(ii) $x=1$일 때,

함수 $f(x)$가 $x=1$에서 연속이므로

$f(1)=\lim_{x\to1-}\{ax^3+bx^2+cx+1\}=\lim_{x\to1+}0$

$a+b+c+1=0$

$\therefore\ a+b=-1$ …… ㉡

$f(x)$는 $x=1$에서 미분계수 $f'(1)$이 존재하므로

함수 $f(x)$를 미분하면 $f'(x)=\begin{cases} 3ax^2+2bx+c & (0<x<1) \\ 0 & (x>1) \end{cases}$

$f'(1)=\lim_{x\to1-}(3ax^2+2bx+c)=\lim_{x\to1+}0$

$3a+2b+c=0$

$\therefore\ 3a+2b=0$ …… ㉢

㉡, ㉢을 연립하여 풀면 $a=2$, $b=-3$

따라서 $a^2+b^2+c^2=2^2+(-3)^2+0^2=13$

0227

이차함수 $f(x)=ax^2+bx+c$에 대하여 함수 $g(x)$를

$$g(x)=\begin{cases} -x-1 & (x<-1) \\ f(x) & (-1 \le x < 1) \\ x-1 & (x \ge 1) \end{cases}$$

로 정의한다. 함수 $g(x)$가 모든 실수 x에 대하여 미분가능하도록 상수 a, b, c의 값을 정할 때, $a+b-c$의 값을 구하여라.

STEP A 주어진 그림에서 함수 $f(x)$의 그래프 개형 파악하기

$g(x)$가 모든 실수 x에 대하여 미분가능하려면 $x=-1$, $x=1$일 때도 미분가능이어야 한다.

$$g(x)=\begin{cases} -x-1 & (x<-1) \\ ax^2+bx+c & (-1 \le x < 1) \\ x-1 & (x \ge 1) \end{cases}$$

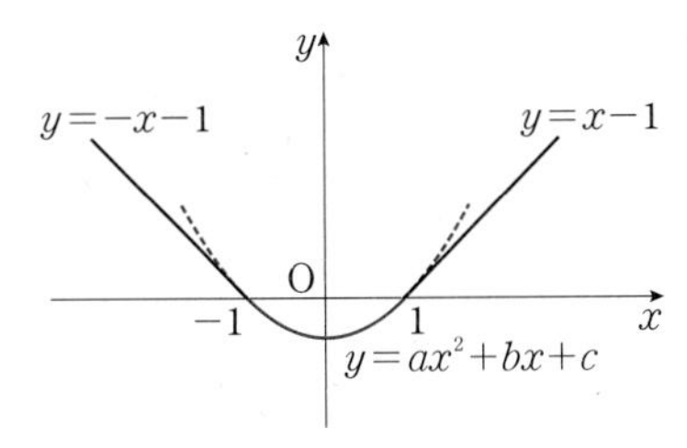

STEP B $x=-1$, $x=1$에서 미분가능 하도록 a, b, c 구하기

(i) $x=-1$일 때,

함수 $g(x)$가 $x=-1$에서 연속이므로

$g(-1)=\lim_{x\to-1-}(-x-1)=\lim_{x\to-1+}(ax^2+bx+c)$

$0=a-b+c$

$\therefore a-b+c=0$ ······ ㉠

$x=-1$에서의 미분계수 $g'(-1)$이 존재해야하므로

함수 $g(x)$를 미분하면 $g'(x)=\begin{cases} -1 & (x<-1) \\ 2ax+b & (-1<x<1) \end{cases}$

$g'(-1)=\lim_{x\to-1-}-1=\lim_{x\to-1+}(2ax+b)$

$-1=-2a+b$

$\therefore -2a+b=-1$ ······ ㉡

(ii) $x=1$일 때,

함수 $g(x)$가 $x=1$에서 연속이므로

$g(1)=\lim_{x\to1-}(ax^2+bx+c)=\lim_{x\to1+}(x-1)$

$\therefore a+b+c=0$ ······ ㉢

$x=1$에서의 미분계수 $g'(1)$이 존재해야하므로

함수 $g(x)$를 미분하면 $g'(x)=\begin{cases} 2ax+b & (-1<x<1) \\ 1 & (x>1) \end{cases}$

$g'(1)=\lim_{x\to1-}(2ax+b)=\lim_{x\to1+}1$

$\therefore 2a+b=1$ ······ ㉣

㉠, ㉡, ㉣을 연립하여 풀면 $a=\frac{1}{2}$, $b=0$, $c=-\frac{1}{2}$

따라서 $a+b-c=1$

0228

삼차함수 $f(x)=x^3+3x^2-9x$에 대하여 함수 $g(x)$를

$$g(x)=\begin{cases} f(x) & (x<a) \\ m-f(x) & (a \le x < b) \\ n+f(x) & (x \ge b) \end{cases}$$

로 정의한다. 함수 $g(x)$가 모든 실수 x에서 미분가능하도록 상수 a, b와 m, n의 값을 정할 때, $m+n$의 값을 구하여라.

STEP A 함수 $g(x)$가 $x=a$, $x=b$에서 미분가능임을 이용하기

함수 $g(x)$가 모든 실수 x에 대하여 미분가능하려면 $x=a$, $x=b$에서 연속이고 미분계수가 존재해야 한다.

(i) $x=a$일 때,

함수 $g(x)$가 $x=a$에서 연속이므로

$g(a)=\lim_{x\to a-}f(x)=\lim_{x\to a+}(m-f(x))$

$f(a)=m-f(a)$

$\therefore m=2f(a)$ ······ ㉠

$x=a$에서의 미분계수 $g'(a)$가 존재해야 하므로

$g'(x)=\begin{cases} f'(x) & (x<a) \\ -f'(x) & (a<x<b) \end{cases}$에서

$g'(a)=\lim_{x\to a-}f'(x)=\lim_{x\to a+}\{-f'(x)\}$

$f'(a)=-f'(a)$

$\therefore f'(a)=0$ ······ ㉡

(ii) $x=b$일 때,

함수 $g(x)$는 $x=b$에서 연속이므로

$g(b)=\lim_{x\to b-}(m-f(x))=\lim_{x\to b+}(n+f(x))$

$m-f(b)=n+f(b)$

$\therefore n=m-2f(b)$ ······ ㉢

$x=b$에서의 미분계수 $g'(b)$가 존재해야 하므로

$g'(x)=\begin{cases} -f'(x) & (a<x<b) \\ f'(x) & (x>b) \end{cases}$에서

$g'(b)=\lim_{x\to b-}\{-f'(x)\}=\lim_{x\to b+}f'(x)$

$-f'(b)=f'(b)$

$\therefore f'(b)=0$ 

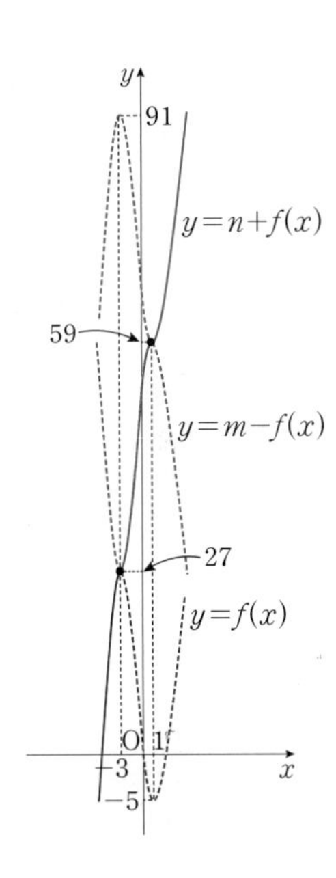

STEP B $m+n$의 값 구하기

㉡, ㉣에서 방정식 $f'(x)=0$의 두 근이 $x=a$, $b\ (b>a)$이므로

$f'(x)=3x^2+6x-9=0$, $3(x+3)(x-1)=0$

$\therefore x=-3$ 또는 $x=1$

그런데 $b>a$이므로 $a=-3$, $b=1$

㉠에서 $m=2f(-3)=2(-27+27+27)=54$

㉢에서 $n=m-2f(1)=54-2(-5)=64$이므로 $m=54$, $n=64$

따라서 $m+n=54+64=118$

0229

다항식 x^n+1을 $(x-1)^2$으로 나눈 나머지를 a_nx+b_n이라고 할 때, $\sum_{k=1}^{10}(a_k-b_k)$의 값을 구하여라.

STEP A $x^n+1=(x-1)^2Q(x)+a_nx+b_n$**이라 놓고 미분하여** $x=1$ **대입하기**

x^n+1을 $(x-1)^2$으로 나눈 몫을 $Q(x)$로 놓으면

$x^n+1=(x-1)^2Q(x)+a_nx+b_n$ …… ㉠

㉠의 양변에 $x=1$을 대입하면 $2=a_n+b_n$ …… ㉡

또, ㉠의 양변을 x에 대하여 미분하면

$nx^{n-1}=2(x-1)Q(x)+(x-1)^2Q'(x)+a_n$

이 식에 $x=1$을 대입하면 $n=a_n$ …… ㉢

㉢을 ㉡에 대입하면 $b_n=2-n$

STEP B **시그마의 성질을 이용하여 구하기**

$\therefore a_n-b_n=2n-2$

따라서 $\sum_{k=1}^{10}(a_k-b_k)=\sum_{k=1}^{10}(2k-2)=2\cdot\frac{10\cdot11}{2}-2\cdot10=90$

0230

오른쪽 그림과 같이 다항함수 $y=f(x)$의 그래프에서 $x=1$에서의 접선을 l이라 하고 $f(x)$를 $(x-1)^2$으로 나눈 나머지를 $R(x)$라고 할 때, $R(2)$의 값은?

① 4 ② 6 ③ 8 ④ 10 ⑤ 16

STEP A **다항식** $f(x)$**를** $(x-1)^2$**으로 나눈 나머지를** $ax+b$**로 놓고** $f(1)=a+b$, $f'(1)=a$**임을 이용하기**

$f(x)$를 $(x-1)^2$으로 나눌 때의 몫을 $Q(x)$라 하고

나머지를 $R(x)=ax+b$ (단, a, b는 상수)라 하면

$f(x)=(x-1)^2Q(x)+ax+b$ …… ㉠

점 $(1, 4)$가 함수 $y=f(x)$의 그래프 위의 점이므로

$f(1)=a+b=4$ …… ㉡

㉠의 양변을 x에 대하여 미분하면

$f'(x)=2(x-1)Q(x)+(x-1)^2Q'(x)+a$

STEP B $x=1$**인 점에서의 접선의 기울기가** 2**임을 이용하기**

$x=1$인 점에서의 접선의 기울기가 $\frac{4}{2}=2$이므로 $f'(1)=a=2$

$a=2$을 ㉡에 대입하면 $b=2$

따라서 $R(x)=2x+2$이므로 $R(2)=4+2=6$

0231

다음 물음에 답하여라.

(1) 다항식 $f(x)$에 대하여 $\lim_{x\to2}\frac{f(x)-a}{x-2}=4$이고 $f(x)$를 $(x-2)^2$으로 나눈 나머지를 $bx+3$이라 할 때, $a+b$의 값을 구하여라.

STEP A **(분모)**$\to0$**이므로 (분자)**$\to0$**임을 이용하여** $f(2)$, $f'(2)$ **구하기**

$x\to2$일 때, (분모)$\to0$이고 극한값이 존재하므로 (분자)$\to0$이어야 한다.

즉 $\lim_{x\to2}\{f(x)-a\}=0$이므로 $f(2)=a$

$\lim_{x\to2}\frac{f(x)-a}{x-2}=\lim_{x\to2}\frac{f(x)-f(2)}{x-2}=f'(2)=4$

$\therefore f(2)=a,\ f'(2)=4$

STEP B **미분을 이용하여** $f(x)$**를** $(x-2)^2$**으로 나눌 때, 나머지 구하기**

$f(x)$를 $(x-2)^2$으로 나눌 때의 몫을 $Q(x)$라 하면

$f(x)=(x-2)^2Q(x)+bx+3$ …… ㉠

㉠의 양변에 $x=2$를 대입하면 $f(2)=2b+3=a$

㉠의 양변을 x에 대하여 미분하면

$f'(x)=2(x-2)Q(x)+(x-2)^2Q'(x)+b$

이 식에 $x=2$를 대입하면 $f'(2)=b$

$\therefore a=11,\ b=4$

따라서 $a+b=15$

(2) 다항함수 $f(x)$에 대하여 $f(x)$를 $(x-1)^2$으로 나눈 나머지가 $3x+2$일 때, 곡선 $y=x^2f(x)$ 위의 $x=1$인 점에서의 접선의 기울기를 구하여라.

STEP A **완전제곱식으로 나눈 나머지를 미분을 이용하여** $f(1)$, $f'(1)$**의 값 구하기**

$f(x)$를 $(x-1)^2$으로 나눈 몫을 $Q(x)$라 하면

$f(x)=(x-1)^2Q(x)+3x+2$ …… ㉠

㉠의 양변에 $x=1$을 대입하면 $f(1)=0+3+2=5$

㉠의 양변을 x에 대하여 미분하면

$f'(x)=2(x-1)Q(x)+(x-1)^2Q'(x)+3$

이 식에 $x=1$을 대입하면 $f'(1)=0+0+3=3$

STEP B **곱의 미분법을 이용하여** $g'(1)$**의 값 구하기**

$g(x)=x^2f(x)$라 하면 $g'(x)=2xf(x)+x^2f'(x)$

따라서 $g'(1)=2f(1)+f'(1)=2\cdot5+3=13$

FINAL EXERCISE
단원종합문제
미분계수와 도함수

BASIC

0232

다음 물음에 답하여라.

(1) 함수 $f(x)=x^2-2x-12$에 대하여 $f'(5)$의 값을 구하여라.

STEP Ⓐ **다항함수의 미분법을 이용하여 미분계수 $f'(5)$의 값 구하기**

$f(x)=x^2-2x-12$에서 $f'(x)=2x-2$

따라서 $f'(5)=10-2=8$

(2) 함수 $f(x)=x^2+x+3$에 대하여 $f'(10)$의 값을 구하여라.

STEP Ⓐ **다항함수의 미분법을 이용하여 미분계수 $f'(10)$의 값 구하기**

$f(x)=x^2+x+3$에서 $f'(x)=2x+1$

따라서 $f'(10)=2\cdot 10+1=21$

0233

다음 물음에 답하여라.

(1) 함수 $f(x)=7x^3-ax+3$에 대하여 $f'(1)=2$를 만족시키는 상수 a의 값을 구하여라.

STEP Ⓐ **다항함수의 미분법을 이용하여 미분계수 $f'(1)$의 값 구하기**

$f(x)=7x^3-ax+3$에서 $f'(x)=21x^2-a$이므로

$f'(1)=21-a=2$

따라서 $a=19$

(2) 함수 $f(x)=2x^3+ax$에 대하여 $f'(1)=30$을 만족시키는 상수 a의 값을 구하여라.

STEP Ⓐ **다항함수의 미분법을 이용하여 미분계수 $f'(1)$의 값 구하기**

$f(x)=2x^3+ax$에서 $f'(x)=6x^2+a$이므로

$f'(1)=6+a=30$

따라서 $a=24$

0234

다음 물음에 답하여라.

(1) 함수 $f(x)=x^3-ax$에서 x의 값이 1에서 3까지 변할 때의 평균변화율이 8일 때, 상수 a의 값은?

① 1 ② 2 ③ 3
④ 4 ⑤ 5

STEP Ⓐ **구간 $[1, 3]$에서 평균변화율 구하기**

함수 $f(x)=x^3-ax$에서 x의 값이 1에서 3까지 변할 때의 평균변화율은

$\dfrac{f(3)-f(1)}{3-1}=\dfrac{(27-3a)-(1-a)}{2}=13-a$이므로

$13-a=8$

따라서 $a=5$

(2) 함수 $f(x)=x^3-kx^2$에서 x의 값이 -2에서 0까지 변할 때의 평균변화율과 0에서 3까지 변할 때의 평균변화율이 같을 때, 상수 k의 값은?

① 1 ② 3 ③ 5
④ 7 ⑤ 9

STEP Ⓐ **구간 $[-2, 0]$에서 평균변화율 구하기**

x의 값이 -2에서 0까지 변할 때의 평균변화율은

$\dfrac{f(0)-f(-2)}{0-(-2)}=\dfrac{8+4k}{2}=4+2k$ …… ㉠

STEP Ⓑ **구간 $[0, 3]$에서 평균변화율 구하기**

x의 값이 0에서 3까지 변할 때의 평균변화율은

$\dfrac{f(3)-f(0)}{3-0}=\dfrac{27-9k}{3}=9-3k$ …… ㉡

㉠, ㉡이 같아야 하므로

$4+2k=9-3k$, $5k=5$

따라서 $k=1$

0235

구간 $[1, 6]$에서 함수 $f(x)=(x-3)^2$의 그래프가 다음 그림과 같을 때,

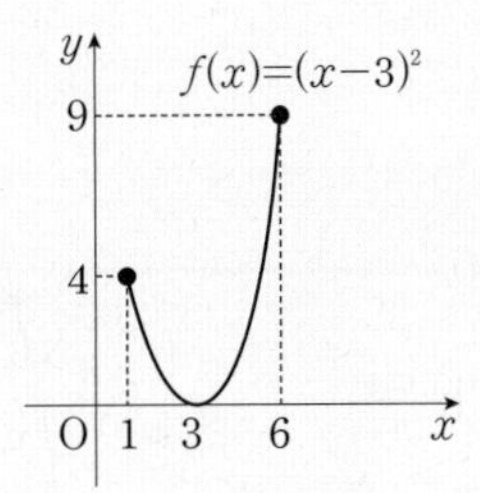

함수 $g(x)=\dfrac{f(x)-f(1)}{x-1}\ (1<x\le 6)$에 대하여 다음 [보기]에서 옳은 것을 모두 고르면?

ㄱ. $g(5)<g(6)$
ㄴ. $g(x)=0$인 x의 값은 1개이다.
ㄷ. $g(5)<f'(5)$

① ㄱ ② ㄴ ③ ㄱ, ㄷ
④ ㄴ, ㄷ ⑤ ㄱ, ㄴ, ㄷ

STEP Ⓐ **평균변화율과 미분계수를 이용하여 [보기]의 진위판단하기**

ㄱ. $g(5)=\dfrac{f(5)-f(1)}{5-1}=\dfrac{4-4}{4}=0$

$g(6)=\dfrac{f(6)-f(1)}{6-1}=\dfrac{9-4}{5}=1$

$g(5)<g(6)$ [참]

ㄴ. $g(x)=0$인 x의 값은 $x=5$이므로 1개이다. [참]

ㄷ. 다음 그림에서 $g(5)=0$

$f'(x)=2(x-3)$에서 $f'(5)=4$이므로 $g(5)<f'(5)$ [참]

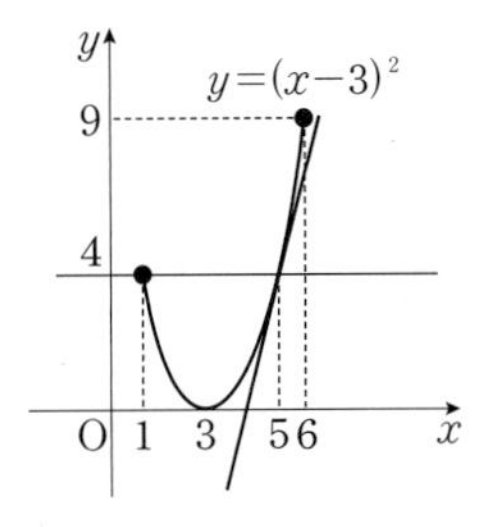

따라서 옳은 것은 ㄱ, ㄴ, ㄷ이다.

0236

다항함수 $y=f(x)$의 그래프가 오른쪽 그림과 같을 때, 다음 중 옳은 것은? (단, a, b, c, d, e는 상수이다.)

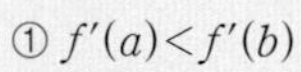

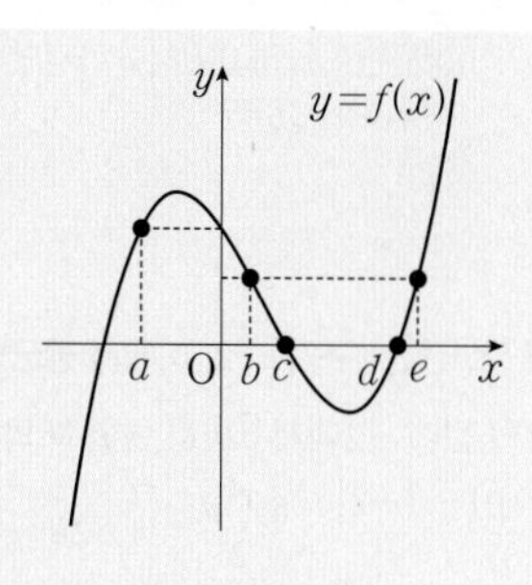

① $f'(a)<f'(b)$
② $f'(b)>f'(d)$
③ $\dfrac{f(d)-f(a)}{d-a}>f'(e)$
④ $\dfrac{f(e)-f(c)}{e-c}>f'(e)$
⑤ $\dfrac{f(e)-f(a)}{e-a}<f'(a)$

STEP Ⓐ 평균변화율과 미분계수를 이용하여 [보기]의 진위판단하기

[그림1]에서 직선 l, m, n의 기울기가
각각 $f'(a)$, $f'(b)$, $f'(d)$
이때 $f'(a)>0$, $f'(b)<0$, $f'(d)>0$
이므로 $f'(a)>f'(b)$, $f'(b)<f'(d)$

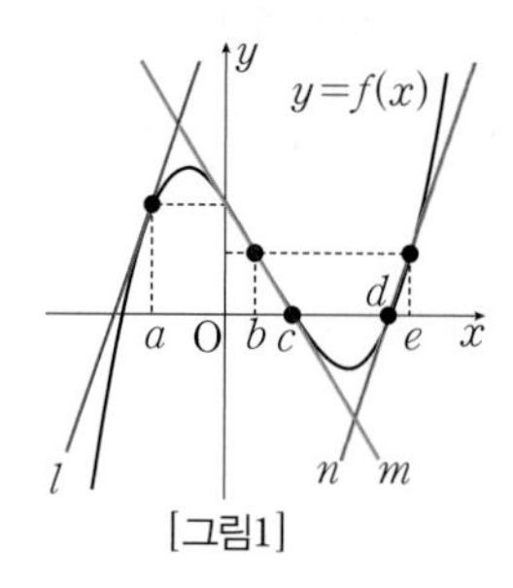

[그림1]

[그림2]에서 $\dfrac{f(d)-f(a)}{d-a}$는 직선 l의

기울기이므로 $\dfrac{f(d)-f(a)}{d-a}<0$

$f'(e)$는 직선 m의 기울기이므로

$f'(e)>0$

$\therefore \dfrac{f(d)-f(a)}{d-a}<f'(e)$

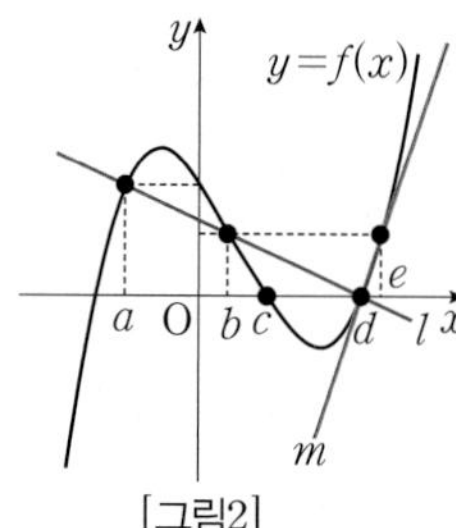
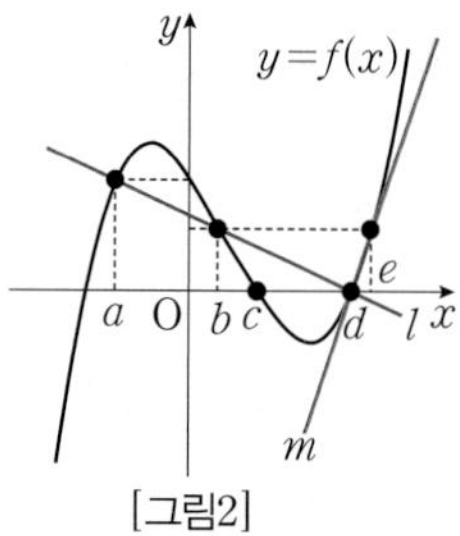

[그림2]

[그림3]에서 $\dfrac{f(e)-f(c)}{e-c}$는 직선 l의

기울기이므로 $\dfrac{f(e)-f(c)}{e-c}>0$

$f'(e)$는 직선 m의 기울기이므로

$f'(e)>0$

그림에서 알 수 있듯이 직선 l의
기울기가 직선 m의 기울기보다 작으므로

$\dfrac{f(e)-f(c)}{e-c}<f'(e)$

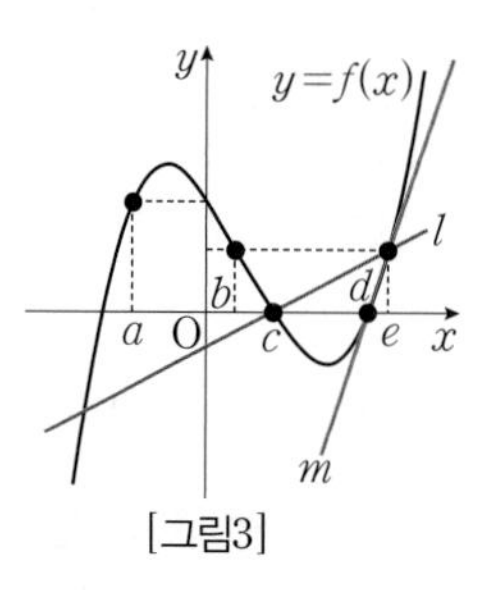

[그림3]

[그림4]에서 $\dfrac{f(e)-f(a)}{e-a}$는 직선 l의

기울기이므로 $\dfrac{f(e)-f(a)}{e-a}<0$

$f'(a)$는 직선 m의 기울기이므로

$f'(a)>0$

$\therefore \dfrac{f(e)-f(a)}{e-a}<f'(a)$

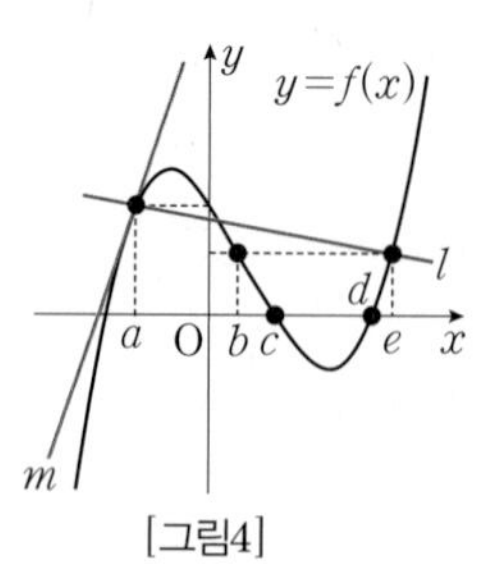

[그림4]

따라서 옳은 것은 ⑤이다.

0237

다음 물음에 답하여라.

(1) 함수 $f(x)=3x^2-2x$에 대하여 x의 값이 0에서 a까지 변할 때의 평균변화율과 $x=1$에서의 미분계수가 같을 때, 상수 a의 값은?

① 2　② 3　③ 4
④ 5　⑤ 6

STEP Ⓐ $[0,\ a]$에서 평균변화율 구하기

$y=f(x)$의 $x=0$에서 $x=a$까지의 평균변화율은

$\dfrac{\Delta y}{\Delta x}=\dfrac{f(a)-f(0)}{a-0}=\dfrac{3a^2-2a}{a}$

$=3a-2$ ...... ㉠

STEP Ⓑ $x=1$에서 미분계수 구하기

$f(x)=3x^2-2x$에서 $f'(x)=6x-2$이므로
$x=1$에서의 미분계수는
$f'(1)=6-2=4$ ...... ㉡
㉠, ㉡에서 $3a-2=4$
따라서 $a=2$

(2) 함수 $f(x)=2x^3-x+1$에서 x의 값이 -1에서 2까지 변할 때의 평균변화율과 $f'(k)$의 값이 서로 같을 때, 양수 k의 값은?

① 1　② $\dfrac{5}{4}$　③ $\dfrac{3}{2}$
④ $\dfrac{7}{4}$　⑤ 2

STEP Ⓐ $[-1,\ 2]$에서 평균변화율 구하기

함수 $f(x)=2x^3-x+1$에서
x의 값이 -1에서 2까지 변할 때의 평균변화율은

$\dfrac{f(2)-f(-1)}{2-(-1)}=\dfrac{15}{3}=5$ ...... ㉠

STEP Ⓑ $f'(k)$ 구하기

$f(x)=2x^3-x+1$에서 $f'(x)=6x^2-1$이므로
$f'(k)=6k^2-1$ ...... ㉡
㉠, ㉡에서 $5=6k^2-1$, $k^2=1$
따라서 k가 양수이므로 $k=1$

(3) 함수 $f(x)=x^3+ax$에서 x의 값이 0에서 2까지 변할 때의 평균변화율이 9일 때, $f'(3)$의 값은? (단, a는 상수이다.)

① 27　② 29　③ 31
④ 32　⑤ 35

STEP Ⓐ $[0,\ 2]$에서 평균변화율 구하기

함수 $f(x)=x^3+ax$에서
x의 값이 0에서 2까지 변할 때의 평균변화율이 9이므로

$\dfrac{f(2)-f(0)}{2-0}=\dfrac{(8+2a)-0}{2-0}=4+a=9$

$\therefore a=5$

STEP Ⓑ $x=3$에서 미분계수 구하기

$f(x)=x^3+5x$에서 $f'(x)=3x^2+5$
따라서 $f'(3)=27+5=32$

0238

다음 물음에 답하여라.

(1) 함수 $f(x)=2x^2+ax$에 대하여 $\lim_{h\to 0}\frac{f(1+h)-f(1)}{h}=6$일 때, 상수 a의 값은?

① -4 ② -2 ③ 0
④ 2 ⑤ 4

STEP Ⓐ 미분계수의 정의를 이용하여 식을 간단히 하기

$\lim_{h\to 0}\frac{f(1+h)-f(1)}{h}=f'(1)$이므로 $f'(1)=6$

STEP Ⓑ 다항함수의 미분법을 이용하여 $f'(1)=6$을 만족하는 a 구하기

$f(x)=2x^2+ax$에서 $f'(x)=4x+a$이므로 $f'(1)=4+a=6$
따라서 $a=2$

(2) 함수 $f(x)=x^2+ax$에 대하여 $\lim_{h\to 0}\frac{f(1+h)-f(1)}{h}=3$을 만족시킬 때, $f(3)$의 값은? (단, a는 상수이다.)

① 10 ② 12 ③ 14
④ 16 ⑤ 18

STEP Ⓐ 미분계수의 정의를 이용하여 식을 간단히 하기

$\lim_{h\to 0}\frac{f(1+h)-f(1)}{h}=f'(1)$이므로 $f'(1)=3$

STEP Ⓑ 다항함수의 미분법을 이용하여 $f'(1)=3$을 만족하는 a 구하기

$f(x)=x^2+ax$에서 $f'(x)=2x+a$이므로
$f'(1)=2+a=3$, $a=1$
따라서 $f(x)=x^2+x$이므로 $f(3)=3^2+3=12$

(3) 함수 $f(x)=x^2-6x+5$에 대하여 $\lim_{h\to 0}\frac{f(a+h)-f(a-h)}{h}=8$을 만족하는 상수 a의 값은?

① 5 ② 6 ③ 7
④ 8 ⑤ 9

STEP Ⓐ 미분계수의 정의를 이용하여 식을 간단히 하기

$$\begin{aligned}\lim_{h\to 0}\frac{f(a+h)-f(a-h)}{h}&=\lim_{h\to 0}\frac{f(a+h)-f(a)-f(a-h)+f(a)}{h}\\&=\lim_{h\to 0}\frac{f(a+h)-f(a)}{h}+\lim_{h\to 0}\frac{f(a-h)-f(a)}{-h}\\&=f'(a)+f'(a)\\&=2f'(a)\\&=8\end{aligned}$$

$\therefore f'(a)=4$

STEP Ⓑ 다항함수의 미분법을 이용하여 $f'(a)$ 구하기

이때 함수 $f(x)=x^2-6x+5$에서 $f'(x)=2x-6$
따라서 $f'(a)=2a-6=4$이므로 $a=5$

0239

함수 $f(x)=(x-1)(3x^2+2)$에 대하여 $\lim_{h\to 0}\frac{f(1+3h)-f(1)}{h}$의 값은?

① 5 ② 10 ③ 15
④ 20 ⑤ 25

STEP Ⓐ 곱의 미분법을 이용하여 $f'(x)$ 구하기

$f'(x)=(3x^2+2)+6x(x-1)=9x^2-6x+2$이므로
$f'(1)=9-6+2=5$

STEP Ⓑ $\lim_{h\to 0}\frac{f(1+3h)-f(1)}{h}$의 값 구하기

따라서 $\lim_{h\to 0}\frac{f(1+3h)-f(1)}{h}$

$$\begin{aligned}&=\lim_{h\to 0}\left\{\frac{f(1+3h)-f(1)}{3h}\cdot 3\right\}\\&=3f'(1)\\&=3\cdot 5\\&=15\end{aligned}$$

0240

다음 물음에 답하여라.

(1) 다항함수 $y=f(x)$ 위의 점 $(2,\ f(2))$에서의 접선의 기울기가 3일 때, $\lim_{h\to 0}\frac{f(2+3h)-f(2)}{h}$의 값은?

① 1 ② 3 ③ 5
④ 7 ⑤ 9

STEP Ⓐ $x=2$에서 접선의 기울기를 이용하여 $f'(2)$ 구하기

다항함수 $y=f(x)$의 그래프 위의 점 $(2,\ f(2))$에서의 접선의 기울기가 3이므로 $f'(2)=3$

STEP Ⓑ 미분계수의 정의를 이용하여 값 구하기

$$\begin{aligned}\text{따라서 }\lim_{h\to 0}\frac{f(2+3h)-f(2)}{h}&=\lim_{h\to 0}\left\{\frac{f(2+3h)-f(2)}{3h}\cdot 3\right\}\\&=3\lim_{h\to 0}\frac{f(2+3h)-f(2)}{3h}\\&=3f'(2)\\&=3\cdot 3=9\end{aligned}$$

(2) 다항함수 $y=f(x)$ 위의 점 $(3,\ f(3))$에서의 접선의 기울기가 3일 때, $\lim_{x\to 3}\frac{f(x)-f(3)}{x^2-9}$의 값은?

① $\frac{1}{4}$ ② $\frac{1}{3}$ ③ $\frac{1}{2}$
④ 1 ⑤ 2

STEP Ⓐ $x=3$에서 접선의 기울기를 이용하여 $f'(3)$ 구하기

다항함수 $y=f(x)$ 위의 점 $(3,\ f(3))$에서의 접선의 기울기가 3이므로 $f'(3)=3$

STEP Ⓑ 미분계수의 정의를 이용하여 값 구하기

$$\begin{aligned}\text{따라서 }\lim_{x\to 3}\frac{f(x)-f(3)}{x^2-9}&=\lim_{x\to 3}\frac{f(x)-f(3)}{x-3}\cdot\lim_{x\to 3}\frac{1}{x+3}\\&=f'(3)\cdot\frac{1}{6}\\&=\frac{3}{6}=\frac{1}{2}\end{aligned}$$

0241

다음 물음에 답하여라.

(1) 다항함수 $f(x)$에 대하여

$$\lim_{x\to 2}\frac{f(x)-1}{x-2}=2$$

일 때, $\lim_{h\to 0}\frac{f(2+h)-f(2-h)}{h}$의 값은?

① -2 ② -1 ③ 1
④ 2 ⑤ 4

STEP A (분모)→0이고 극한값이 존재하므로 (분자)→0임을 이용하기

$\lim_{x\to 2}\frac{f(x)-1}{x-2}=2$ …… ㉠

$x\to 2$일 때, (분모)→0이고 극한값이 존재하므로 (분자)→0이어야 한다.

$\lim_{x\to 2}\{f(x)-1\}=0$이므로 $f(2)-1=0$

$\therefore f(2)=1$

이것을 ㉠에 대입하면

$$\lim_{x\to 2}\frac{f(x)-1}{x-2}=\lim_{x\to 2}\frac{f(x)-f(2)}{x-2}=f'(2)=2$$

STEP B 미분계수의 정의를 이용하여 극한값 구하기

따라서 $\lim_{h\to 0}\frac{f(2+h)-f(2-h)}{h}=\lim_{h\to 0}\frac{f(2+h)-f(2)-\{f(2-h)-f(2)\}}{h}$

$=\lim_{h\to 0}\frac{f(2+h)-f(2)}{h}+\lim_{h\to 0}\frac{f(2-h)-f(2)}{-h}$

$=f'(2)+f'(2)$

$=2f'(2)$

$=2\cdot 2$

$=4$

(2) 함수 $f(x)=x^5-x^4+x^3$에 대하여

$$\lim_{x\to\infty}x\left\{f\left(1+\frac{3}{x}\right)-f\left(1-\frac{4}{x}\right)\right\}$$

의 값은?

① 21 ② 24 ③ 28
④ 29 ⑤ 32

STEP A $\frac{1}{x}=h$라 하면 $x\to\infty$에서 $h\to 0$을 이용하여 식을 정리하기

$x=\frac{1}{h}$라 하면 $x\to\infty$일 때, $h\to 0$이므로

$\lim_{x\to\infty}x\left\{f\left(1+\frac{3}{x}\right)-f\left(1-\frac{4}{x}\right)\right\}$

$=\lim_{h\to 0}\frac{f(1+3h)-f(1-4h)}{h}$

STEP B 변형한 식을 미분계수로 표현하기

$=\lim_{h\to 0}\frac{f(1+3h)-f(1)}{3h}\cdot 3-\lim_{h\to 0}\frac{f(1-4h)-f(1)}{-4h}\cdot(-4)$

$=3f'(1)-(-4)f'(1)$

$=7f'(1)$

STEP C 도함수를 이용하여 $f'(1)$의 값 구하기

$f'(x)=5x^4-4x^3+3x^2$이므로 $f'(1)=5-4+3=4$

따라서 $7f'(1)=7\cdot 4=28$

0242

다항함수 $f(x)$가

$$\lim_{x\to\infty}\frac{f(x)}{2x^3+3x-1}=1,\ \lim_{x\to 0}\frac{f'(x)}{x}=2$$

를 만족시킬 때, $f'(1)$의 값은?

① 6 ② 7 ③ 8
④ 9 ⑤ 10

STEP A $\frac{\infty}{\infty}$ 꼴을 이용하여 함수 $f(x)$의 식 작성하기

$\lim_{x\to\infty}\frac{f(x)}{2x^3+3x-1}=1$이므로 $f(x)$의 최고차항은 $2x^3$인 삼차식이다.

$f(x)=2x^3+ax^2+bx+c$ (a, b, c는 상수)라 하면

$f'(x)=6x^2+2ax+b$

STEP B (분모)→0이고 극한값이 존재하므로 (분자)→0임을 이용하기

$\lim_{x\to 0}\frac{f'(x)}{x}=2$에서 $x\to 0$일 때,

(분모)→0이고 극한값이 존재하므로 (분자)→0이어야 한다.

$\lim_{x\to 0}f'(x)=0$이므로 $f'(0)=0$

즉 $f'(0)=0$이므로 $b=0$

$\lim_{x\to 0}\frac{f'(x)}{x}=\lim_{x\to 0}\frac{6x^2+2ax}{x}$

$=\lim_{x\to 0}(6x+2a)$

$=2a$

이때 $2a=2$이므로 $a=1$

따라서 $f'(x)=6x^2+2x$이므로 $f'(1)=6+2=8$

0243

함수 $f(n)$이 $f(n)=\lim_{x\to 1}\frac{x^n+3x-4}{x-1}$일 때, $\sum_{n=1}^{10}f(n)$의 값은?

① 65 ② 70 ③ 75
④ 80 ⑤ 85

STEP A 미분계수의 정의를 이용하여 $f(n)$ 구하기

$f(n)=\lim_{x\to 1}\frac{x^n+3x-4}{x-1}$에서

$g(x)=x^n+3x$로 놓으면 $g(1)=4$이므로

$f(n)=\lim_{x\to 1}\frac{g(x)-g(1)}{x-1}=g'(1)$

이때 $g(x)=x^n+3x$에서 $g'(x)=nx^{n-1}+3$이므로

$g'(1)=n+3$

$\therefore f(n)=n+3$

STEP B 시그마의 성질을 이용하여 값 구하기

따라서 $\sum_{n=1}^{10}f(n)=\sum_{n=1}^{10}(n+3)=\sum_{n=1}^{10}n+\sum_{n=1}^{10}3$

$=\frac{10(10+1)}{2}+3\cdot 10$

$=55+30$

$=85$

0244

다음 물음에 답하여라.

(1) 함수 $f(x)=x^2+7ax+b$에 대하여 $\lim_{x\to2}\frac{f(x+1)-8}{x^2-4}=5$일 때, $f(2)$의 값을 구하여라. (단, a, b는 상수)

STEP Ⓐ (분모)→ 0이고 극한값이 존재하므로 (분자)→ 0임을 이용하기

$\lim_{x\to2}\frac{f(x+1)-8}{x^2-4}=5$에서

$x\to2$일 때, (분모)→ 0이고 극한값이 존재하므로 (분자)→ 0이어야 한다.

즉 $\lim_{x\to2}\{f(x+1)-8\}=0$이므로 $f(3)=8$

$f(3)=9+21a+b=8$

$\therefore 21a+b=-1$ ...... ㉠

STEP Ⓑ 미분계수의 정의를 이용하여 a의 값 구하기

$x+1=t$로 놓으면 $x\to2$일 때, $t\to3$이므로

$$\lim_{x\to2}\frac{f(x+1)-8}{x^2-4}=\lim_{t\to3}\frac{f(t)-8}{(t-1)^2-4} \quad \Leftarrow f(3)=8$$
$$=\lim_{t\to3}\left\{\frac{f(t)-f(3)}{t-3}\cdot\frac{1}{t+1}\right\}$$
$$=\frac{1}{4}f'(3)$$

즉 $\frac{1}{4}f'(3)=5$이므로 $f'(3)=20$

한편, $f(x)=x^2+7ax+b$에서 $f'(x)=2x+7a$

$f'(3)=20$에서 $6+7a=20$

$\therefore a=2$

$a=2$를 ㉠에 대입하면 $b=-43$

STEP Ⓒ $f(2)$의 값 구하기

따라서 $f(x)=x^2+14x-43$이므로 $f(2)=4+28-43=-11$

다른풀이 $g(x)=f(x+1)$로 놓고 풀이하기

$g(x)=f(x+1)$라 하면

$g(x)=(x+1)^2+7a(x+1)+b$이고 $f(3)=g(2)=8$

$$\lim_{x\to2}\frac{f(x+1)-8}{x^2-4}=\lim_{x\to2}\frac{g(x)-g(2)}{x^2-4}$$
$$=\lim_{x\to2}\left\{\frac{g(x)-g(2)}{x-2}\cdot\frac{1}{x+2}\right\}$$
$$=\frac{1}{4}g'(2)=5$$

한편 $g(x)=(x+1)^2+7a(x+1)+b$에서

$g'(x)=2(x+1)+7a$이므로 $\frac{1}{4}g'(2)=5$

$\frac{1}{4}(7a+6)=5$

$\therefore a=2$

$a=2$를 ㉠에 대입하면 $b=-43$

따라서 $f(x)=x^2+14x-43$이므로 $f(2)=4+28-43=-11$

(2) 함수 $f(x)=x^3+ax+b$가 $\lim_{x\to1}\frac{f(x+1)-3}{x^2-1}=4$를 만족시킬 때, $f(1)$의 값을 구하여라. (단, a, b는 상수)

STEP Ⓐ (분모)→ 0이고 극한값이 존재하므로 (분자)→ 0임을 이용하기

$\lim_{x\to1}\frac{f(x+1)-3}{x^2-1}=4$에서

$x\to1$일 때, (분모)→ 0이고 극한값이 존재하므로 (분자)→ 0이어야 한다.

즉 $\lim_{x\to1}\{f(x+1)-3\}=0$이므로 $f(2)=3$

$f(2)=8+2a+b=3$

$\therefore 2a+b=-5$ ...... ㉠

STEP Ⓑ 미분계수의 정의 이용하여 a의 값 구하기

$x+1=t$로 놓으면 $x\to1$일 때, $t\to2$이므로

$$\lim_{x\to1}\frac{f(x+1)-3}{x^2-1}=\lim_{t\to2}\frac{f(t)-3}{(t-1)^2-1} \quad \Leftarrow f(2)=3$$
$$=\lim_{t\to2}\left\{\frac{f(t)-f(2)}{t-2}\cdot\frac{1}{t}\right\}$$
$$=\frac{1}{2}f'(2)$$

즉 $\frac{1}{2}f'(2)=4$이므로 $f'(2)=8$

한편 $f(x)=x^3+ax+b$에서 $f'(x)=3x^2+a$

$f'(2)=8$에서 $12+a=8$

$\therefore a=-4$

$a=-4$를 ㉠에 대입하면 $b=3$

STEP Ⓒ $f(1)$의 값 구하기

따라서 $f(x)=x^3-4x+3$이므로 $f(1)=1-4+3=0$

0245

함수 $f(x)=2x^3+ax^2-x$의 그래프 위의 점 $(1, f(1))$에서의 접선이 원점을 지날 때, $f(2)$의 값은? (단, a는 상수)

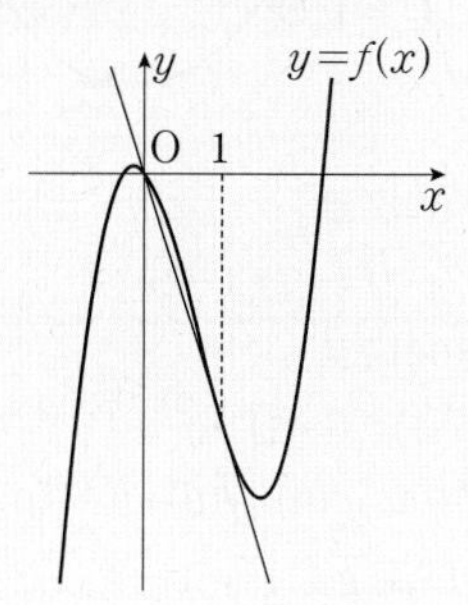

① -4 ② -3 ③ -2
④ -1 ⑤ 1

STEP Ⓐ $x=1$에서 미분계수와 두 점을 지나는 직선의 기울기가 같음을 이용하기

점 $(1, f(1))$에서의 접선이 원점을 지나므로 접선의 기울기는 점 $(1, f(1))$과 원점을 지나는 직선의 기울기이다.

즉 $f'(1)=\frac{f(1)-0}{1-0}=f(1)$ ...... ㉠

STEP Ⓑ $f(2)$의 값 구하기

$f(x)=2x^3+ax^2-x$에서 $f'(x)=6x^2+2ax-1$

$f'(1)=5+2a$, $f(1)=1+a$이므로

㉠에 대입하면 $5+2a=1+a$

$\therefore a=-4$

따라서 $f(x)=2x^3-4x^2-x$이므로 $f(2)=16-16-2=-2$

0246

모든 실수에서 미분가능한 함수 $y=f(x)$의 그래프의 개형이 다음 그림과 같다. $g(x)=xf(x)$로 정의되는 함수 $g(x)$에 대하여 다음 중 집합 $\left\{x \middle| \frac{dg(x)}{dx}>0\right\}$의 원소인 것은?

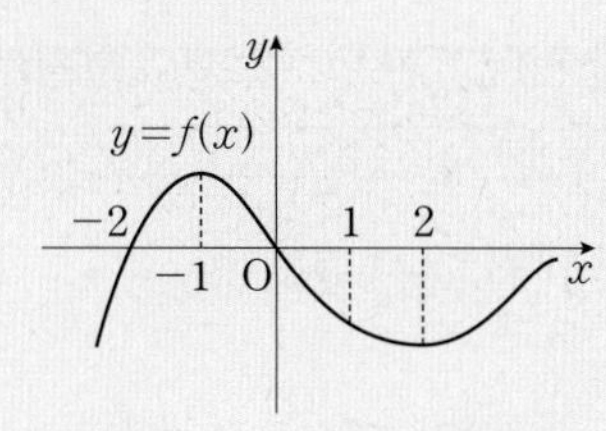

① -2　② -1　③ 0
④ 1　⑤ 2

STEP A 곱의 미분법에서 미분계수의 부호 정하기

$g(x)=xf(x)$이므로 $\frac{d}{dx}g(x)=f(x)+xf'(x)$

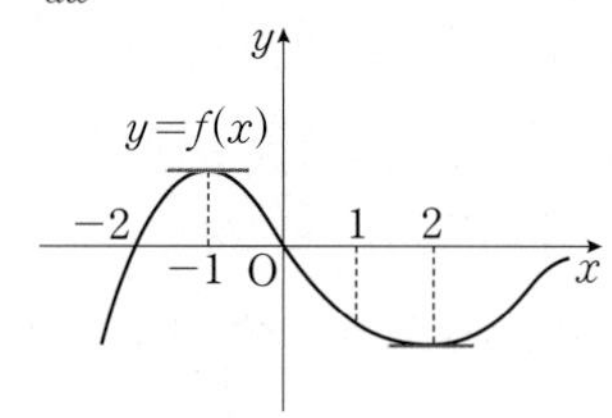

① $f(-2)=0,\ f'(-2)>0$이므로
$g'(-2)=f(-2)-2f'(-2)=-2f'(-2)<0$
② $f(-1)>0,\ f'(-1)=0$이므로
$g'(-1)=f(-1)-f'(-1)=f(-1)>0$
③ $f(0)=0,\ f'(0)<0$이므로 $g'(0)=f(0)+0\cdot f'(0)=f(0)=0$
④ $f(1)<0,\ f'(1)<0$이므로 $g'(1)=f(1)+f'(1)<0$
⑤ $f(2)<0,\ f'(2)=0$이므로 $g'(2)=f(2)+2f'(2)=f(2)<0$

따라서 $\frac{d}{dx}g(x)=f(x)+xf'(x)>0$인 원소는 -1

0247

다음 물음에 답하여라.

(1) 다항함수 $f(x)$가 $\lim_{x\to2}\frac{f(x)-3}{x-2}=4$를 만족시킨다.
함수 $g(x)=x^2f(x)$에 대하여 $g'(2)$의 값은?
① 20　② 24　③ 28
④ 32　⑤ 36

STEP A (분모)→0이고 극한값이 존재하므로 (분자)→0임을 이용하여 $f(2)$의 값 구하기

$\lim_{x\to2}\frac{f(x)-3}{x-2}=4$에서
$x\to2$일 때, (분모)→0이고 극한값이 존재하므로 (분자)→0이어야 한다.
즉 $\lim_{x\to2}\{f(x)-3\}=0$에서 $f(2)=3$

STEP B 미분계수의 정의를 이용하여 $f'(2)$의 값 구하기

$\lim_{x\to2}\frac{f(x)-3}{x-2}=\lim_{x\to2}\frac{f(x)-f(2)}{x-2}=f'(2)$이므로
$f'(2)=4$

STEP C 곱의 미분법을 이용하여 $g'(2)$ 구하기

$g(x)=x^2f(x)$의 양변을 x에 대하여 미분하면
$g'(x)=2xf(x)+x^2f'(x)$
따라서 $g'(2)=4f(2)+4f'(2)=4\cdot3+4\cdot4=28$

(2) 다항함수 $f(x)$가 $\lim_{x\to1}\frac{f(x)-3}{x^2-1}=4$를 만족시킨다.
함수 $g(x)=x^3f(x)$에 대하여 $g'(1)$의 값은?
① 15　② 17　③ 19
④ 21　⑤ 23

STEP A (분모)→0이고 극한값이 존재하므로 (분자)→0임을 이용하여 $f(1)$의 값 구하기

$\lim_{x\to1}\frac{f(x)-3}{x^2-1}=4$에서
$x\to1$일 때, (분모)→0이고 극한값이 존재하므로 (분자)→0이어야 한다.
즉 $\lim_{x\to1}\{f(x)-3\}=0$에서 $f(1)=3$

STEP B 미분계수의 정의를 이용하여 $f'(1)$의 값 구하기

$$\lim_{x\to1}\frac{f(x)-3}{x^2-1}=\lim_{x\to1}\frac{f(x)-f(1)}{(x-1)(x+1)}$$
$$=\lim_{x\to1}\left\{\frac{f(x)-f(1)}{x-1}\cdot\frac{1}{x+1}\right\}$$
$$=f'(1)\cdot\frac{1}{2}$$

$f'(1)\cdot\frac{1}{2}=4$에서 $f'(1)=8$

STEP C 곱의 미분법을 이용하여 $g'(1)$ 구하기

한편 $g(x)=x^3f(x)$의 양변을 x에 대하여 미분하면
$g'(x)=3x^2f(x)+x^3f'(x)$
따라서 $g'(1)=3\cdot1^2\cdot f(1)+1^3\cdot f'(1)$
$=3\cdot1^2\cdot3+1^3\cdot8$
$=17$

(3) 다항함수 $f(x)$에 대하여 곡선 $y=f(x)$ 위의 점 $(2, 4)$에서의 접선의 기울기는 5이다. 곡선 $y=xf(x)$ 위의 $x=2$인 점에서의 접선의 기울기는?
① 10　② 12　③ 14
④ 16　⑤ 18

STEP A 미분계수의 정의를 이용하여 $f(2)$와 $f'(2)$ 구하기

다항함수 $f(x)$에 대하여 곡선 $y=f(x)$ 위의 점 $(2, 4)$에서의 접선의 기울기는 5이므로 $f(2)=4,\ f'(2)=5$

STEP B 곱의 미분법을 이용하여 $g'(2)$ 구하기

$g(x)=xf(x)$라 하면
곡선 $y=g(x)$ 위의 $x=2$인 점에서의 접선의 기울기는 $g'(2)$이고
$g'(x)=f(x)+xf'(x)$
따라서 $g'(2)=f(2)+2f'(2)$
$=4+2\cdot5$
$=14$

0248

다음 물음에 답하여라.

(1) 두 다항함수 $f(x)$, $g(x)$가

$$\lim_{x\to 0}\frac{f(x)-2}{x}=3,\ \lim_{x\to 3}\frac{g(x-3)-1}{x-3}=6$$

을 만족시킨다. 함수 $h(x)=f(x)g(x)$일 때, $h'(0)$의 값은?

① 11 ② 12 ③ 13
④ 14 ⑤ 15

STEP A $\lim_{x\to 0}\frac{f(x)-2}{x}=3$에서 $f(0)$, $f'(0)$ **구하기**

$\lim_{x\to 0}\frac{f(x)-2}{x}=3$에서

$x\to 0$일 때, (분모)→0이고 극한값이 존재하므로 (분자)→0이어야 한다.

즉 $\lim_{x\to 0}\{f(x)-2\}=0$이므로 $f(0)=2$

$\lim_{x\to 0}\frac{f(x)-2}{x}=\lim_{x\to 0}\frac{f(x)-f(0)}{x}=f'(0)=3$

$\therefore f(0)=2,\ f'(0)=3$

STEP B $\lim_{x\to 3}\frac{g(x-3)-1}{x-3}=6$에서 $g(0)$, $g'(0)$ **구하기**

$\lim_{x\to 3}\frac{g(x-3)-1}{x-3}=6$이므로 $x-3=t$라 하면 $x\to 3$일 때, $t\to 0$

$\lim_{t\to 0}\frac{g(t)-1}{t}=6$에서

$t\to 0$일 때, (분모)→0이고 극한값이 존재하므로 (분자)→0이어야 한다.

즉 $\lim_{t\to 0}\{g(t)-1\}=0$이므로 $g(0)=1$

$\lim_{t\to 0}\frac{g(t)-1}{t}=\lim_{t\to 0}\frac{g(t)-g(0)}{t}=g'(0)=6$

$\therefore g(0)=1,\ g'(0)=6$

STEP C **곱의 미분법을 이용하여** $h'(0)$ **구하기**

$h(x)=f(x)g(x)$이므로

$h'(x)=f'(x)g(x)+f(x)g'(x)$

따라서 $h'(0)=f'(0)g(0)+f(0)g'(0)$

$=3\cdot 1+2\cdot 6$

$=15$

(2) 다항함수 $f(x)$가

$$\lim_{x\to 0}\frac{(x+2)f(x)-6}{x}=7$$

을 만족시킬 때, $f'(0)$의 값은?

① 2 ② 4 ③ 6
④ 8 ⑤ 10

STEP A **(분모)→0이고 극한값이 존재하므로 (분자)→0임을 이용하여 $f(0)$의 값 구하기**

$\lim_{x\to 0}\frac{(x+2)f(x)-6}{x}=7$에서

$x\to 0$일 때, (분모)→0이고 극한값이 존재하므로 (분자)→0이어야 한다.

즉 $\lim_{x\to 0}\{(x+2)f(x)-6\}=0$이므로 $2f(0)-6=0$

$\therefore f(0)=3$

STEP B **곱의 미분법을 이용하여** $f'(0)$ **구하기**

$g(x)=(x+2)f(x)$라 하면 $g(0)=2f(0)=6$이므로

$\lim_{x\to 0}\frac{(x+2)f(x)-6}{x}=\lim_{x\to 0}\frac{g(x)-g(0)}{x}=g'(0)$

$\therefore g'(0)=7$

$g'(x)=f(x)+(x+2)f'(x)$이므로

$g'(0)=f(0)+2f'(0)$, $7=3+2f'(0)$

따라서 $f'(0)=2$

0249

다음 물음에 답하여라.

(1) 다항함수 $f(x)$에 대하여 $f(1)=1$, $f'(1)=2$이고

함수 $g(x)=x^2+3x$일 때, $\lim_{x\to 1}\frac{f(x)g(x)-f(1)g(1)}{x-1}$의 값은?

① 11 ② 12 ③ 13
④ 14 ⑤ 15

STEP A **미분계수의 정의를 이용하여 식 정리하기**

함수 $h(x)=f(x)g(x)$라 하면

$\lim_{x\to 1}\frac{f(x)g(x)-f(1)g(1)}{x-1}=\lim_{x\to 1}\frac{h(x)-h(1)}{x-1}=h'(1)$

STEP B **곱의 미분법을 이용하여** $h'(1)$ **구하기**

이때 $g(x)=x^2+3x$에서 $g'(x)=2x+3$이므로

$g(1)=4,\ g'(1)=5$

$h(x)=f(x)g(x)$에서 $h'(x)=f'(x)g(x)+f(x)g'(x)$

따라서 $h'(1)=f'(1)g(1)+f(1)g'(1)=2\cdot 4+1\cdot 5=13$

(2) 다항함수 $f(x)$와 함수 $g(x)=x^2+3x-1$이

$$\lim_{x\to 1}\frac{f(x)g(x)-6}{x-1}=19$$

를 만족시킬 때, $f(1)+f'(1)$의 값은?

① 1 ② 2 ③ 3
④ 4 ⑤ 5

STEP A $\lim_{x\to 1}\frac{f(x)g(x)-6}{x-1}=19$에서 $f(1)$, $h'(1)$ **구하기**

$\lim_{x\to 1}\frac{f(x)g(x)-6}{x-1}=19$에서 $x\to 1$일 때,

(분모)→0이고 극한값이 존재하므로 (분자)→0이어야 한다.

즉 $\lim_{x\to 1}\{f(x)g(x)-6\}=0$이므로 $f(1)g(1)=6$

이때 $g(1)=3$이므로 $f(1)=2$ …… ㉠

$h(x)=f(x)g(x)$라 하면

$\lim_{x\to 1}\frac{f(x)g(x)-6}{x-1}=\lim_{x\to 1}\frac{h(x)-h(1)}{x-1}=h'(1)=19$

STEP B **곱의 미분법을 이용하여** $h'(1)$ **구하기**

$h'(x)=f'(x)g(x)+f(x)g'(x)$이므로

$h'(1)=f'(1)g(1)+f(1)g'(1)$

이때 $g'(x)=2x+3$, $g'(1)=5$이므로 ㉠에 의하여

$h'(1)=3f'(1)+2\cdot 5=19$

$3f'(1)=9$에서 $f'(1)=3$

따라서 $f(1)+f'(1)=2+3=5$

0250

다음 물음에 답하여라.

(1) 두 다항함수 $f(x)$, $g(x)$가 다음 조건을 만족시킬 때, $g'(0)$의 값을 구하여라.

(가) $f(0)=1,\ f'(0)=-6,\ g(0)=4$

(나) $\lim_{x\to0}\frac{f(x)g(x)-4}{x}=0$

STEP Ⓐ **미분계수의 정의를 이용하여 구하기**

$h(x)=f(x)g(x)$로 놓으면

$h(0)=f(0)g(0)=4$

조건 (나)에서

$$\lim_{x\to0}\frac{f(x)g(x)-4}{x}=\lim_{x\to0}\frac{h(x)-h(0)}{x}=h'(0)$$

STEP Ⓑ **곱의 미분법을 이용하여 $g'(0)$의 값 구하기**

$h'(x)=f'(x)g(x)+f(x)g'(x)$

$h'(0)=f(0)g'(0)+f'(0)g(0)$

$=1\cdot g'(0)+(-6)\cdot4=0$

따라서 $g'(0)-24=0$이므로 $g'(0)=24$

(2) 미분가능한 함수 $f(x)$와 최고차항의 계수가 1인 이차함수 $g(x)$가 다음 조건을 만족시킬 때, $g(3)$의 값은?

(가) $\lim_{h\to0}\frac{f(1+h)g(1+h)-f(1)g(1)}{h}=12$

(나) $f(1)=6,\ f'(1)=3$

① 6 ② 8 ③ 10 ④ 12 ⑤ 14

STEP Ⓐ **미분계수의 정의를 이용하여 구하기**

조건 (가)에서

$h(x)=f(x)g(x)$로 놓으면

$$\lim_{h\to0}\frac{f(1+h)g(1+h)-f(1)g(1)}{h}=\lim_{h\to0}\frac{h(1+x)-h(1)}{h}=h'(1)$$

STEP Ⓑ **곱의 미분법을 이용하여 $g(3)$의 값 구하기**

$h'(x)=f'(x)g(x)+f(x)g'(x)$이므로

$h'(1)=12$이므로 $f'(1)g(1)+f(1)g'(1)=12$

조건 (나)에서

$f(1)=6,\ f'(1)=3$이므로 $3g(1)+6g'(1)=12$

즉 $g(1)+2g'(1)=4$ ······ ㉠

한편 $g(x)$는 최고차항의 계수가 1인 이차함수이므로

$g(x)=x^2+ax+b$ (a, b는 상수)로 놓으면

$g'(x)=2x+a$

$g(1)=1+a+b,\ g'(1)=2+a$이므로

㉠에서 $(1+a+b)+2(2+a)=4$

$\therefore 3a+b=-1$

따라서 $g(3)=9+3a+b=9+(-1)=8$

0251

다음 물음에 답하여라.

(1) 함수

$$f(x)=\begin{cases}-x^2+ax+2 & (x\le0)\\ 3x+b & (x>0)\end{cases}$$

이 $x=0$에서 미분가능할 때, 상수 a, b에 대하여 $a+b$의 값은?

① 1 ② 2 ③ 3 ④ 4 ⑤ 5

STEP Ⓐ **함수 $f(x)$가 $x=0$에서 연속이 됨을 이용하기**

함수 $f(x)$가 $x=0$에서 연속이므로

$\lim_{x\to0-}f(x)=\lim_{x\to0+}f(x)=f(0)$이어야 한다.

$\lim_{x\to0-}(-x^2+ax+2)=\lim_{x\to0+}(3x+b)=2$에서 $2=b$

STEP Ⓑ **함수 $f(x)$가 $x=0$에서 미분가능하므로 $f'(0)$이 존재함을 이용하기**

함수 $f(x)$가 $x=0$에서 미분가능하므로

미분계수 $f'(0)=\lim_{x\to0}\frac{f(x)-f(0)}{x-0}$이 존재해야 하므로

$$\lim_{x\to0-}\frac{f(x)-f(0)}{x-0}=\lim_{x\to0-}\frac{(-x^2+ax+2)-2}{x}=\lim_{x\to0-}\frac{x(-x+a)}{x}=\lim_{x\to0-}(-x+a)=a$$

$$\lim_{x\to0+}\frac{f(x)-f(0)}{x-0}=\lim_{x\to0+}\frac{(3x+b)-2}{x}=\lim_{x\to0+}\frac{(3x+2)-2}{x}=\lim_{x\to0+}\frac{3x}{x}=3$$

$\lim_{x\to0-}\frac{f(x)-f(0)}{x-0}=\lim_{x\to0+}\frac{f(x)-f(0)}{x-0}$에서 $a=3$

따라서 $a+b=3+2=5$

다른풀이 미분한 후 $x=0$을 대입하여 풀이하기

STEP Ⓐ **$x=0$에서 연속이 됨을 이용하기**

함수 $f(x)$가 $x=0$에서 연속이므로

$\lim_{x\to0-}f(x)=\lim_{x\to0+}f(x)=f(0)$이어야 한다.

$\lim_{x\to0-}(-x^2+ax+2)=\lim_{x\to0+}(3x+b)=2$에서 $2=b$

STEP Ⓑ **미분한 후 $x=0$을 대입하여 a, b의 값 구하기**

함수 $f(x)$를 미분하면 $f'(x)=\begin{cases}-2x+a & (x<0)\\ 3 & (x>0)\end{cases}$

$x=0$에서 미분가능하므로

$\lim_{x\to0-}f'(x)=\lim_{x\to0+}f'(x)$

$\lim_{x\to0-}(-2x+a)=\lim_{x\to0+}3$에서 $a=3$

따라서 $a+b=3+2=5$

(2) 함수

$$f(x)=\begin{cases} ax^2+1 & (x<1) \\ x^4+a & (x \ge 1) \end{cases}$$

이 $x=1$에서 미분가능할 때, 상수 a의 값은?

① 1　② 2　③ 3
④ 4　⑤ 5

STEP A **함수 $f(x)$가 $x=1$에서 연속이 됨을 이용하기**

함수 $f(x)$가 $x=1$에서 미분가능하므로 $x=1$에서 연속이다.

$\lim_{x \to 1-} f(x)=\lim_{x \to 1+} f(x)=f(1)$이어야 한다.

$\lim_{x \to 1-}(ax^2+1)=\lim_{x \to 1+}(x^4+a)$에서 $a+1=1+a$이므로 성립한다.

STEP B **함수 $f(x)$가 $x=1$에서 미분가능하므로 $f'(1)$이 존재함을 이용하기**

$x=1$에서 미분가능하므로

미분계수 $f'(1)=\lim_{x \to 1}\frac{f(x)-f(1)}{x-1}$이 존재한다.

$$\begin{aligned}\lim_{x \to 1-}\frac{f(x)-f(1)}{x-1}&=\lim_{x \to 1-}\frac{ax^2+1-(a+1)}{x-1}\\&=\lim_{x \to 1-}\frac{a(x+1)(x-1)}{x-1}\\&=\lim_{x \to 1-}a(x+1)\\&=2a\end{aligned}$$

$$\begin{aligned}\lim_{x \to 1+}\frac{f(x)-f(1)}{x-1}&=\lim_{x \to 1+}\frac{x^4+a-(1+a)}{x-1}\\&=\lim_{x \to 1+}\frac{(x^2+1)(x+1)(x-1)}{x-1}\\&=\lim_{x \to 1+}\{(x^2+1)(x+1)\}\\&=4\end{aligned}$$

따라서 $2a=4$이므로 $a=2$

다른풀이 미분한 후 $x=1$을 대입하여 풀이하기

STEP A **$x=0$에서 연속이 됨을 이용하기**

$x=1$에서 연속이므로 $\lim_{x \to 1-} f(x)=\lim_{x \to 1+} f(x)=f(1)$에서

$a+1=1+a$이므로 성립한다.

STEP B **미분한 후 $x=1$을 대입하여 a의 값 구하기**

함수 $f(x)$를 미분하면 $f'(x)=\begin{cases} 2ax & (x<1) \\ 4x^3 & (x>1) \end{cases}$

$f(x)$는 $x=1$에서 미분가능하므로

$f'(1)=\lim_{x \to 1+}4x^3=\lim_{x \to 1-}2ax$에서 $4=2a$

따라서 $a=2$

(3) 함수

$$f(x)=\begin{cases} x^2+ax-1 & (x<2) \\ bx^2+12x-11 & (x \ge 2) \end{cases}$$

가 모든 실수 x에서 미분가능할 때, $f(1)+f(4)$의 값은? (단, a, b는 상수이다.)

① 11　② 13　③ 15
④ 17　⑤ 19

STEP A **$x=2$에서 연속이 됨을 이용하기**

함수 $f(x)$가 모든 실수 x에서 미분가능하므로 $x=2$에서 연속이다.

함수 $f(x)$가 $x=2$에서 연속이므로

$\lim_{x \to 2-} f(x)=\lim_{x \to 2+} f(x)=f(2)$이어야 한다.

$\lim_{x \to 2-}(x^2+ax-1)=\lim_{x \to 2+}(bx^2+12x-11)=4b+13$에서

$3+2a=4b+13$

$\therefore a-2b=5$　…… ㉠

STEP B **함수 $f(x)$가 $x=2$에서 미분계수가 존재함을 이용하기**

함수 $f(x)$가 $x=2$에서 미분가능하므로

미분계수 $f'(2)=\lim_{x \to 2}\frac{f(x)-f(2)}{x-2}$가 존재한다.

㉠에서 $a-2b=5$이므로

$$\begin{aligned}\lim_{x \to 2-}\frac{f(x)-f(2)}{x-2}&=\lim_{x \to 2-}\frac{(x^2+ax-1)-(4b+13)}{x-2}\\&=\lim_{x \to 2-}\frac{x^2+(2b+5)x-2(2b+7)}{x-2}\\&=\lim_{x \to 2-}\frac{(x-2)(x+2b+7)}{x-2}\\&=\lim_{x \to 2-}(x+2b+7)\\&=2b+9\end{aligned}$$

$$\begin{aligned}\lim_{x \to 2+}\frac{f(x)-f(2)}{x-2}&=\lim_{x \to 2+}\frac{bx^2+12x-11-(4b+13)}{x-2}\\&=\lim_{x \to 2+}\frac{bx^2+12x-2(2b+12)}{x-2}\\&=\lim_{x \to 2+}\frac{(x-2)(bx+2b+12)}{x-2}\\&=\lim_{x \to 2+}(bx+2b+12)\\&=4b+12\end{aligned}$$

에서 $2b+9=4b+12$

$\therefore b=-\frac{3}{2}$

㉠에서 $a=2b+5=2\cdot\left(-\frac{3}{2}\right)+5=2$

따라서 $f(x)=\begin{cases} x^2+2x-1 & (x<2) \\ -\frac{3}{2}x^2+12x-11 & (x \ge 2) \end{cases}$이므로

$f(1)+f(4)=2+13=15$

다른풀이 미분한 후 $x=2$를 대입하여 풀이하기

STEP A **$x=2$에서 연속이 됨을 이용하기**

함수 $f(x)$가 $x=2$에서 연속이므로

$\lim_{x \to 2-} f(x)=\lim_{x \to 2+} f(x)=f(2)$이어야 한다.

$\lim_{x \to 2-}(x^2+ax-1)=\lim_{x \to 2+}(bx^2+12x-11)=4b+13$에서

$3+2a=4b+13$

$\therefore a-2b=5$　…… ㉠

STEP B **미분한 후 $x=2$를 대입하여 a, b의 값 구하기**

함수 $f(x)$를 미분하면 $f'(x)=\begin{cases} 2x+a & (x<2) \\ 2bx+12 & (x>2) \end{cases}$

$f(x)$는 $x=2$에서 미분가능하므로

$f'(2)=\lim_{x \to 2-}(2x+a)=\lim_{x \to 2+}(2bx+12)$에서

$4+a=4b+12$

$\therefore a-4b=8$　…… ㉡

㉠, ㉡을 연립하여 풀면

$a=2$, $b=-\frac{3}{2}$

따라서 $f(x)=\begin{cases} x^2+2x-1 & (x<2) \\ -\frac{3}{2}x^2+12x-11 & (x \ge 2) \end{cases}$이므로

$f(1)+f(4)=2+13=15$

0252

다음 물음에 답하여라.

(1) 실수 전체의 집합에서 미분가능한 함수 $f(x)$와 연속인 함수 $g(x)$가 모든 실수 x에 대하여

$$(x^2-1)g(x)=f(x),\ f'(1)=1$$

을 만족시킬 때, $g(1)$의 값은?

① $-\frac{1}{2}$ ② $-\frac{1}{4}$ ③ 0

④ $\frac{1}{4}$ ⑤ $\frac{1}{2}$

STEP A **조건을 만족하는 $g(x)$의 값 구하기**

주어진 식에 $x=1$을 대입하면 $f(1)=0$

또, $x \neq \pm1$일 때, $g(x)=\frac{f(x)}{x^2-1}$

STEP B **$x=1$에서 연속인 함수 $g(x)$를 이용하여 $g(1)$ 구하기**

따라서 함수 $g(x)$가 $x=1$에서 연속이고 $f'(1)=1$이므로

$$\begin{aligned} g(1)&=\lim_{x\to1}g(x) \\ &=\lim_{x\to1}\frac{f(x)}{x^2-1} \\ &=\lim_{x\to1}\frac{f(x)-f(1)}{(x-1)(x+1)} \\ &=\lim_{x\to1}\frac{f(x)-f(1)}{x-1}\cdot\lim_{x\to1}\frac{1}{x+1} \\ &=f'(1)\cdot\frac{1}{2} \\ &=1\cdot\frac{1}{2}=\frac{1}{2} \end{aligned}$$

(2) 실수 전체의 집합에서 미분가능한 함수 $f(x)$가 모든 실수 x에 대하여

$$(x-2)f(x)=x^3+ax-4$$

를 만족시킬 때, $f(2)+f'(2)$의 값은? (단, a는 상수이다.)

① 12 ② 14 ③ 16

④ 18 ⑤ 20

STEP A **조건을 만족하는 $f(x)$의 값 구하기**

$(x-2)f(x)=x^3+ax-4$의 양변에 $x=2$를 대입하면

$0=2^3+2a-4$

$\therefore a=-2$

또, $x\neq2$일 때,

$$\begin{aligned} f(x)&=\frac{x^3-2x-4}{x-2}=\frac{(x-2)(x^2+2x+2)}{x-2} \\ &=x^2+2x+2 \end{aligned}$$

STEP B **$x=2$에서 연속인 함수 $f(x)$를 이용하여 $f(2)$, $f'(2)$ 구하기**

함수 $f(x)$가 $x=2$에서 미분가능하므로 $x=2$에서 연속이다.

즉 $f(2)=\lim_{x\to2}f(x)=\lim_{x\to2}(x^2+2x+2)=10$

$$\therefore f(x)=\begin{cases} x^2+2x+2 & (x\neq2) \\ 10 & (x=2) \end{cases}$$

$$\begin{aligned} f'(2)&=\lim_{x\to2}\frac{f(x)-f(2)}{x-2}=\lim_{x\to2}\frac{x^2+2x+2-10}{x-2} \\ &=\lim_{x\to2}\frac{(x-2)(x+4)}{x-2} \\ &=\lim_{x\to2}(x+4) \\ &=6 \end{aligned}$$

따라서 $f(2)+f'(2)=10+6=16$

0253

다음 물음에 답하여라.

(1) 함수 $f(x)=|x-1|(x+a)$가 $x=1$에서 미분가능하도록 하는 실수 a의 값은?

① -2 ② -1 ③ 0

④ 1 ⑤ 3

STEP A **함수 $f(x)$를 정리하기**

$f(x)=|x-1|(x+a)$에서

$$f(x)=\begin{cases} (x-1)(x+a) & (x\geq1) \\ -(x-1)(x+a) & (x<1) \end{cases}$$

STEP B **함수 $f(x)=|x-1|(x+a)$가 $x=1$에서 미분가능을 이용하여 a의 값 구하기**

(i) 함수 $f(x)$가 $x=1$에서 연속이다.

함숫값 $f(1)=0$

$\lim_{x\to1-}f(x)=\lim_{x\to1-}\{-(x-1)(x+a)\}=0$

$\lim_{x\to1+}f(x)=\lim_{x\to1+}(x-1)(x+a)=0$

이므로

$\lim_{x\to1}f(x)=f(1)$

즉 함수 $f(x)$는 $x=1$에서 연속이다.

(ii) 미분계수 $f'(1)$이 존재해야 한다.

$$\begin{aligned} \lim_{x\to1-}\frac{f(x)-f(1)}{x-1}&=\lim_{x\to1-}\frac{-(x-1)(x+a)-0}{x-1} \\ &=\lim_{x\to1-}-(x+a)=-(1+a) \end{aligned}$$

$$\begin{aligned} \lim_{x\to1+}\frac{f(x)-f(1)}{x-1}&=\lim_{x\to1+}\frac{(x-1)(x+a)-0}{x-1} \\ &=\lim_{x\to1+}(x+a)=1+a \end{aligned}$$

$$\lim_{x\to1-}\frac{f(x)-f(1)}{x-1}=\lim_{x\to1+}\frac{f(x)-f(1)}{x-1}$$

이므로

$-(1+a)=1+a$

따라서 $1+a=0$이므로 $a=-1$

$$f'(x)=\begin{cases} 2x+a-1 & (x>1) \\ -2x-a+1 & (x<1) \end{cases}$$

$x=1$에서 미분계수가 존재하므로

$\lim_{x\to1-}f'(x)=\lim_{x\to1+}f'(x)$

$-2-a+1=2+a-1$

$\therefore a=-1$

(2) 일차함수 $f(x)$가 다음 조건을 만족시킬 때, $f(3)$의 값은?

(가) $f(2)=5$

(나) 함수 $|x-1|f(x)$는 $x=1$에서 미분가능하다.

① 5 ② 10 ③ 15

④ 20 ⑤ 25

STEP A **조건 (가)을 만족하는 a, b의 관계식 구하기**

$f(x)=ax+b$ ($a\neq0$, a, b는 상수)라 하면

조건 (가)에서

$f(2)=2a+b=5$ …… ㉠

$g(x)=|x-1|f(x)$라 하면

$$g(x)=\begin{cases} -(x-1)f(x) & (x\leq1) \\ (x-1)f(x) & (x>1) \end{cases}$$

STEP B 조건 (나)에서 함수 $|x-1|f(x)$는 $x=1$에서 미분가능을 이용하여 a, b의 관계식 구하기

(i) 함수 $g(x)$가 $x=1$에서 연속이다.

함숫값 $g(1)=0$

$\lim_{x\to1-}g(x)=\lim_{x\to1-}\{-(x-1)f(x)\}=0$

$\lim_{x\to1+}g(x)=\lim_{x\to1+}(x-1)f(x)=0$

이므로

$\lim_{x\to1}g(x)=g(1)$

즉 함수 $g(x)$는 $x=1$에서 연속이다.

(ii) 미분계수 $g'(1)$이 존재해야 한다.

$$\lim_{x\to1-}\frac{g(x)-g(1)}{x-1}=\lim_{x\to1-}\frac{-(x-1)f(x)-0}{x-1}=\lim_{x\to1-}\{-f(x)\}=-f(1)$$

$$\lim_{x\to1+}\frac{g(x)-g(1)}{x-1}=\lim_{x\to1+}\frac{(x-1)f(x)-0}{x-1}=\lim_{x\to1+}f(x)=f(1)$$

$$\lim_{x\to1-}\frac{g(x)-g(1)}{x-1}=\lim_{x\to1+}\frac{g(x)-g(1)}{x-1}$$

이므로

$-f(1)=f(1)$

즉 $f(1)=0$

$\therefore a+b=0$ …… ㉡

㉠, ㉡을 연립하여 풀면 $a=5$, $b=-5$

따라서 $f(x)=5x-5$이므로 $f(3)=5\times3-5=10$

+α

$g(x)=\begin{cases}-(x-1)f(x) & (x\le1)\\(x-1)f(x) & (x>1)\end{cases}$에서

$g'(x)=\begin{cases}-f(x)-(x-1)f'(x) & (x<1)\\f(x)+(x-1)f'(x) & (x>1)\end{cases}$이고

$x=1$에서 미분계수가 존재하므로

$\lim_{x\to1-}g'(x)=\lim_{x\to1+}g'(x)$에서 $-f(1)=f(1)$

즉 $2f(1)=0$이므로 $f(1)=0$

0254

다음 [보기]의 함수 중 $x=0$에서 연속이지만 미분가능하지 않은 함수의 개수는? (단, $[x]$는 x보다 크지 않은 최대의 정수이다.)

ㄱ. $f(x)=[x]$ ㄴ. $f(x)=\begin{cases}\frac{|x|}{x} & (x\ne0)\\0 & (x=0)\end{cases}$ ㄷ. $f(x)=\sqrt{x^2}$

ㄹ. $f(x)=x|x|$ ㅁ. $f(x)=x+|x|$

① 1 ② 2 ③ 3
④ 4 ⑤ 5

STEP A $x=0$에서 연속이지만 미분가능하지 않은 함수의 개수 구하기

ㄱ. $\lim_{x\to0+}[x]=0$, $\lim_{x\to0-}[x]=-1$이므로 $\lim_{x\to0}f(x)$가 존재하지 않으므로

$f(x)$는 $x=0$에서 연속이 아니다.

즉 $x=0$에서 미분가능하지 않다.

ㄴ. $f(x)=\begin{cases}1 & (x>0)\\0 & (x=0)\\-1 & (x<0)\end{cases}$이므로

$\lim_{x\to0+}1=1$, $\lim_{x\to0-}(-1)=-1$이므로 $\lim_{x\to0}f(x)$가 존재하지 않으므로

함수 $f(x)$는 $x=0$에서 불연속이다.

즉 $x=0$에서 미분가능하지 않다.

ㄷ. $f(x)=\sqrt{x^2}=|x|=\begin{cases}x & (x\ge0)\\-x & (x<0)\end{cases}$

$\lim_{x\to0+}x=\lim_{x\to0-}(-x)=0$, $f(0)=0$이므로 $f(x)$는 $x=0$에서 연속이다.

$$\lim_{h\to0+}\frac{f(0+h)-f(0)}{h}=\lim_{h\to0+}\frac{|h|-0}{h}=\lim_{h\to0+}\frac{h}{h}=1$$

$$\lim_{h\to0-}\frac{f(0+h)-f(0)}{h}=\lim_{h\to0-}\frac{|h|-0}{h}=\lim_{h\to0-}\frac{-h}{h}=-1$$

이므로 $g(x)$는 $x=0$에서 미분가능하지 않다.

ㄹ. $f(x)=x|x|=\begin{cases}x^2 & (x\ge0)\\-x^2 & (x<0)\end{cases}$

$\lim_{x\to0+}x^2=\lim_{x\to0-}(-x^2)=0$, $f(0)=0$이므로

$f(x)$는 $x=0$에서 연속이다.

$$\lim_{h\to0+}\frac{f(0+h)-f(0)}{h}=\lim_{h\to0+}\frac{h|h|-0}{h}=\lim_{h\to0+}\frac{h^2}{h}=\lim_{h\to0+}h=0$$

$$\lim_{h\to0-}\frac{f(0+h)-f(0)}{h}=\lim_{h\to0-}\frac{h|h|-0}{h}=\lim_{h\to0-}\frac{-h^2}{h}=\lim_{h\to0-}(-h)=0$$

이므로 $f(x)$는 $x=0$에서 미분가능하다.

ㅁ. $\lim_{x\to0}f(x)=\lim_{x\to0}(x+|x|)=0$, $f(0)=0$이므로

$f(x)$는 $x=0$에서 연속이다.

$$\lim_{h\to0+}\frac{f(0+h)-f(0)}{h}=\lim_{h\to0+}\frac{h+|h|-0}{h}=\lim_{h\to0+}\frac{h+h}{h}=2$$

$$\lim_{h\to0-}\frac{f(0+h)-f(0)}{h}=\lim_{h\to0-}\frac{h+|h|-0}{h}=\lim_{h\to0-}\frac{h-h}{h}=0$$

이므로 $f(x)$는 $x=0$에서 미분가능하지 않다.

따라서 $x=0$에서 연속이지만 미분가능하지 않은 함수는 ㄷ, ㅁ이므로 2개이다.

0255

그림은 열린구간 $(-1, 6)$에서 정의된 함수 $y=f(x)$의 그래프이다.
이 그래프에 대한 설명 중 옳지 않은 것은?

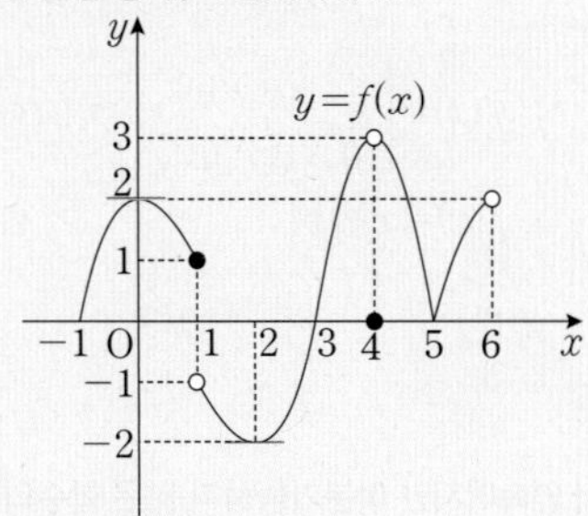

① $\lim_{x\to3}\frac{f(x)-f(3)}{x-3}>0$이다.

② $\lim_{x\to4}f(x)=f(4)$는 존재한다.

③ $f(x)$가 미분가능하지 않은 점은 3개이다.

④ $f'(x)=0$인 점은 2개이다.

⑤ $xf(x)$가 불연속인 점은 2개이다.

STEP A 함수 $f(x)$가 $x=a$에서 불연속, 미분계수가 존재하지 않으면 $x=a$에서 미분가능하지 않음을 이용하여 옳지 않은 것 구하기

① $\lim_{x\to3}\frac{f(x)-f(3)}{x-3}=f'(3)$이므로 $f'(3)$는 함수 $f(x)$ 위의 점 $(3, f(3))$에서의 접선의 기울기와 같으므로 $f'(3)>0$이다. [참]

② 함수 $f(x)$는 점 $x=4$에서 불연속이므로 $\lim_{x\to4}f(x)\neq f(4)$이다. [거짓]

③ 함수 $f(x)$가 $x=1$, $x=4$에서 불연속이므로 함수 $f(x)$는 $x=1$, $x=4$에서 미분가능하지 않다. 또, 함수 $f(x)$가 $x=5$에서 연속이지만 그래프가 꺾이는 점이므로 미분가능하지 않다.

즉 함수 $f(x)$가 미분가능하지 않는 x의 값은 $x=1$, $x=4$, $x=5$이므로 미분가능하지 않은 점은 3개이다. [참]

④ $f'(x)=0$인 점은 미분가능하면서 접선의 기울기가 0인 점이므로 $f'(0)=0$, $f'(2)=0$이므로 $f'(x)=0$인 점은 2개이다. [참]

⑤ $x=1$에서 $\lim_{x\to1+}xf(x)=-1$, $\lim_{x\to1-}xf(x)=1$

$\lim_{x\to1+}xf(x)\neq\lim_{x\to1-}xf(x)$이므로 $xf(x)$는 $x=1$에서 불연속 $x=4$에서

$\lim_{x\to4}xf(x)=12$, $4f(4)=0$

즉 $\lim_{x\to4}xf(x)\neq4f(4)$이므로 $xf(x)$는 $x=4$에서 불연속

즉 $xf(x)$의 불연속점은 2개이다. [참]

따라서 옳지 않은 것은 ②이다.

0256

다항식 x^4+ax^2+b를 $(x-1)^2$으로 나누었을 때의 나머지가 $-2x+1$이다. 상수 a, b에 대하여 ab의 값은?

① -3　② -2　③ -1　④ 1　⑤ 3

STEP A 다항식 나눗셈의 관계식 구하기

다항식 x^4+ax^2+b를 $(x-1)^2$으로 나누었을 때 몫을 $Q(x)$라고 하면

$x^4+ax^2+b=(x-1)^2Q(x)-2x+1$ ······ ㉠

STEP B 곱의 미분법을 이용하여 상수 a, b의 값 구하기

㉠의 양변에 $x=1$을 대입하면 $1+a+b=-1$, $a+b=-2$ ······ ㉡

㉠의 양변을 x에 대하여 미분하면

$4x^3+2ax=2(x-1)Q(x)+(x-1)^2Q'(x)-2$ ······ ㉢

㉢의 양변에 $x=1$을 대입하면 $4+2a=-2$ ∴ $a=-3$

따라서 ㉡에서 $b=1$이므로 $ab=(-3)\cdot1=-3$

0257

서술형

함수 $f(x)=x^2+2x+2$에 대하여 x의 값이 -1에서 a까지 변할 때의 평균변화율과 $x=1$에서 미분계수가 같을 때, 상수 a의 값을 구하는 과정을 다음 단계로 서술하여라.

[1단계] 함수 $f(x)$에 대하여 x의 값이 -1에서 a까지 변할 때의 평균변화율을 구한다.

[2단계] 함수 $f(x)$에 대하여 $x=1$에서 미분계수를 구한다.

[3단계] 평균변화율과 미분계수가 같음을 이용하여 a의 값을 구한다.

1단계 함수 $f(x)$에 대하여 x의 값이 -1에서 a까지 변할 때의 평균변화율을 구한다. ◀ 40%

x의 값이 -1에서 a까지 변할 때의 평균변화율은

$$\frac{f(a)-f(-1)}{a-(-1)}=\frac{(a^2+2a+2)-\{(-1)^2+2\times(-1)+2\}}{a+1}=\frac{(a+1)^2}{a+1}=a+1$$

2단계 함수 $f(x)$에 대하여 $x=1$에서 미분계수를 구한다. ◀ 40%

$f(x)=x^2+2x+2$에서 $f'(x)=2x+2$이므로 $f'(1)=2\times1+2=4$

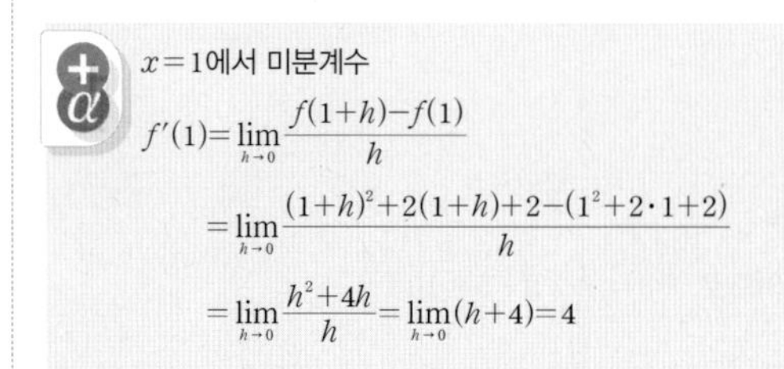

3단계 평균변화율과 미분계수가 같음을 이용하여 a의 값을 구한다. ◀ 20%

따라서 $a+1=4$이므로 $a=3$

0258

서술형

모든 실수 x에서 미분가능한 함수 $f(x)$에 대하여 $\lim_{x\to2}\frac{f(x)-5}{x^3-8}=\frac{1}{6}$이 성립할 때, $f(2)+f'(2)$의 값을 구하는 과정을 다음 단계로 서술하여라.

[1단계] $f(2)$의 값을 구한다.

[2단계] 미분계수의 정의를 이용하여 $f'(2)$의 값을 구한다.

[3단계] $f(2)+f'(2)$의 값을 구한다.

1단계 $f(2)$의 값을 구한다. ◀ 30%

$\lim_{x\to2}\frac{f(x)-5}{x^3-8}=\frac{1}{6}$에서

$x\to2$일 때, (분모)$\to0$이고 극한값이 존재하므로 (분자)$\to0$이어야 한다.

즉 $\lim_{x\to2}\{f(x)-5\}=0$이므로 $f(2)-5=0$

∴ $f(2)=5$ ······ ㉠

2단계 미분계수의 정의를 이용하여 $f'(2)$의 값을 구한다. ◀ 50%

$$\lim_{x\to2}\frac{f(x)-5}{x^3-8}=\lim_{x\to2}\frac{f(x)-f(2)}{(x-2)(x^2+2x+4)}=\lim_{x\to2}\frac{f(x)-f(2)}{x-2}\cdot\lim_{x\to2}\frac{1}{x^2+2x+4}=f'(2)\cdot\frac{1}{12}$$

이때 $f'(2)\cdot\frac{1}{12}=\frac{1}{6}$이므로 $f'(2)=2$ ······ ㉡

3단계 $f(2)+f'(2)$의 값을 구한다. ◀ 20%

따라서 ㉠, ㉡에서 $f(2)+f'(2)=5+2=7$

0259

서술형

다항함수 $f(x)$가 $\lim_{x\to 2}\frac{f(x)-2}{x-2}=3$을 만족시킨다.

함수 $g(x)=x^2f(x)$에 대하여 $g'(2)$값을 구하는 과정을 다음 단계로 서술하여라.

[1단계] $f(2)$의 값을 구한다.
[2단계] 미분계수의 정의를 이용하여 $f'(2)$의 값을 구한다.
[3단계] $g'(2)$의 값을 구한다.

1단계 $f(2)$의 값을 구한다. ◀ 30%

$\lim_{x\to 2}\frac{f(x)-2}{x-2}=3$에서

$x\to 2$일 때, (분모)$\to 0$이고 극한값이 존재하므로 (분자)$\to 0$이어야 한다.

즉 $\lim_{x\to 2}\{f(x)-2\}=0$이므로 $f(2)-2=0$

$\therefore f(2)=2$ …… ㉠

2단계 미분계수의 정의를 이용하여 $f'(2)$의 값을 구한다. ◀ 40%

$$\lim_{x\to 2}\frac{f(x)-2}{x-2}=\lim_{x\to 2}\frac{f(x)-f(2)}{x-2}=f'(2)=3 \quad \cdots\cdots ㉡$$

3단계 $g'(2)$의 값을 구한다. ◀ 30%

$g(x)=x^2f(x)$에서 $g'(x)=2xf(x)+x^2f'(x)$

따라서 ㉠, ㉡에 의하여 $g'(2)=4f(2)+4f'(2)$

$=4\cdot 2+4\cdot 3$
$=8+12=20$

0260

서술형

함수 $f(x)=\begin{cases}x^2 & (x\ge 0)\\ x & (x<0)\end{cases}$에 대하여 $x=0$에서 연속성과 미분가능성을 다음 단계로 서술하여라.

[1단계] $x=0$에서 연속성을 보인다.
[2단계] $x=0$에서 미분가능성을 보인다.
[3단계] 함수 $f(x)$가 $x=a$에서 미분가능하면 $x=a$에서 연속임을 증명한다.

1단계 $x=0$에서 연속성을 보인다. ◀ 20%

$f(x)=\begin{cases}x^2 & (x\ge 0)\\ x & (x<0)\end{cases}$은 $\lim_{x\to 0+}x^2=\lim_{x\to 0-}x=0$에서

$\lim_{x\to 0}f(x)=f(0)$이므로 함수 $f(x)$는 $x=0$에서 연속이다.

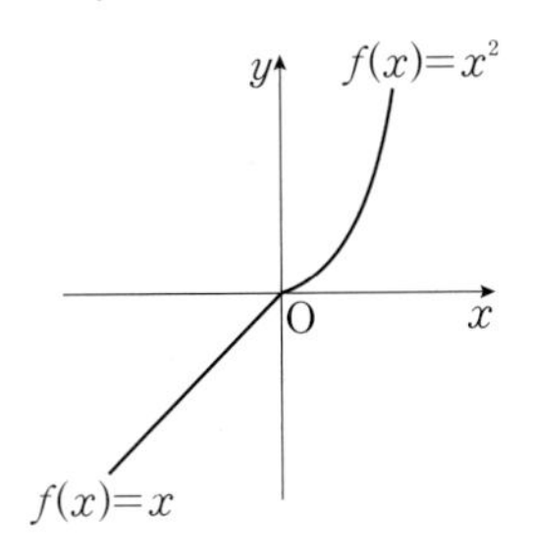

2단계 $x=0$에서 미분가능성을 보인다. ◀ 40%

$$\lim_{h\to 0+}\frac{f(0+h)-f(0)}{h}=\lim_{h\to 0+}\frac{h^2}{h}=\lim_{h\to 0+}h=0$$

$$\lim_{h\to 0-}\frac{f(0+h)-f(0)}{h}=\lim_{h\to 0-}\frac{h}{h}=1$$

즉 $f'(0)=\lim_{h\to 0}\frac{f(0+h)-f(0)}{h}$이 존재하지 않으므로

함수 $f(x)$는 $x=0$에서 미분가능하지 않다.

3단계 함수 $f(x)$가 $x=a$에서 미분가능하면 $x=a$에서 연속임을 증명한다. ◀ 40%

함수 $f(x)$가 $x=a$에서 미분가능하면

$\lim_{x\to a}\frac{f(x)-f(a)}{x-a}=f'(a)$이므로

$$\lim_{x\to a}\{f(x)-f(a)\}=\lim_{x\to a}\left\{\frac{f(x)-f(a)}{x-a}\cdot(x-a)\right\}$$
$$=\lim_{x\to a}\frac{f(x)-f(a)}{x-a}\cdot\lim_{x\to a}(x-a)$$
$$=f'(a)\cdot 0=0$$

즉 $\lim_{x\to a}f(x)=f(a)$

따라서 함수 $f(x)$는 $x=a$에서 연속이다.

0261

서술형

다항식 $x^{10}+5x^2+1$을 $(x-1)^2$으로 나누었을 때의 나머지를 구하는 과정을 다음 단계로 서술하여라.

[1단계] 나머지를 $ax+b$로 놓고 나눗셈의 관계식을 정리한다.
[2단계] 항등식의 수치대입법을 이용하여 a, b의 관계식을 구한다.
[3단계] 곱의 미분법에서 수치대입법을 이용하여 상수 a, b의 값을 구하여 나머지를 구한다.

1단계 나머지를 $ax+b$로 놓고 나눗셈의 관계식을 정리한다. ◀ 20%

다항식 $x^{10}+5x^2+1$을 이차식 $(x-1)^2$으로 나누었을 때의 몫을 $Q(x)$, 나머지를 $ax+b$라 하면

$x^{10}+5x^2+1=(x-1)^2Q(x)+ax+b$ …… ㉠

2단계 항등식의 수치대입법을 이용하여 a, b의 관계식을 구한다. ◀ 40%

㉠의 양변에 $x=1$을 대입하면

$7=a+b$ …… ㉡

3단계 곱의 미분법에서 수치대입법을 이용하여 상수 a, b의 값을 구하여 나머지를 구한다. ◀ 40%

㉠의 양변을 x에 대하여 미분하면

$10x^9+10x=2(x-1)Q(x)+(x-1)^2Q'(x)+a$

이 식의 양변에 $x=1$을 대입하면 $20=a$

$a=20$를 ㉡에 대입하면 $b=-13$

따라서 구하는 나머지는 $20x-13$

NORMAL

0262

두 다항함수 $f_1(x)$, $f_2(x)$가 다음 세 조건을 만족시킬 때, 상수 k의 값은?

(가) $f_1(0)=0$, $f_2(0)=0$
(나) $f_i'(0)=\lim_{x\to 0}\dfrac{f_i(x)+2kx}{f_i(x)+kx}$ $(i=1, 2)$
(다) $y=f_1(x)$와 $y=f_2(x)$의 원점에서의 접선이 서로 직교한다.

① $\frac{1}{2}$　② $\frac{1}{4}$　③ 0
④ $-\frac{1}{4}$　⑤ $-\frac{1}{2}$

STEP A $\lim_{x\to 0}\dfrac{f(x)}{x}=\lim_{x\to 0}\dfrac{f(x)-f(0)}{x-0}=f'(0)$**임을 보이기**

조건 (가)에서 $f_1(0)=0$, $f_2(0)=0$이므로

$$\lim_{x\to 0}\frac{f_i(x)}{x}=\lim_{x\to 0}\frac{f_i(x)-0}{x-0}=\lim_{x\to 0}\frac{f_i(x)-f_i(0)}{x-0}=f_i'(0) \text{ (단, } i=1, 2)$$

조건 (나)에서

$$f_i'(0)=\lim_{x\to 0}\frac{f_i(x)+2kx}{f_i(x)+kx}=\lim_{x\to 0}\frac{\frac{f_i(x)}{x}+2k}{\frac{f_i(x)}{x}+k}=\frac{f_i'(0)+2k}{f_i'(0)+k}$$

$f_i'(0)=\dfrac{f_i'(0)+2k}{f_i'(0)+k}$에서 $\{f_i'(0)\}^2+kf_i'(0)=f_i'(0)+2k$

STEP B 두 직선의 기울기의 곱이 -1임을 이용하여 k 구하기

조건 (다)에서 원점에서의 두 접선이 서로 직교하므로

$f_1'(0)\cdot f_2'(0)=-1$ (∵ 두 직선의 기울기가 수직이므로 $mm'=-1$)

$\{f_i'(0)\}^2+(k-1)f_i'(0)-2k=0$의 두 근이 $f_1'(0)$, $f_2'(0)$이므로

근과 계수의 관계에 의하여 두 근의 곱에서 $f_1'(0)f_2'(0)=-2k=-1$

따라서 $k=\frac{1}{2}$

다항함수 $f(x)$에 대하여 $f(0)=0$일 때, $x=0$에서 미분계수는

$f'(0)=\lim_{x\to 0}\dfrac{f(x)-f(0)}{x-0}=\lim_{x\to 0}\dfrac{f(x)}{x}$

0263

다음 물음에 답하여라.

(1) 미분가능한 함수 $f(x)$가 $f(1)=0$, $\lim_{x\to 1}\dfrac{\{f(x)\}^2-2f(x)}{1-x}=10$을 만족시킬 때, $x=1$에서의 미분계수 $f'(1)$의 값은?

① 2　② 3　③ 4
④ 5　⑤ 6

STEP A 미분계수의 정의를 이용하여 식을 간단히 하기

$$\begin{aligned}\lim_{x\to 1}\frac{\{f(x)\}^2-2f(x)}{1-x}&=\lim_{x\to 1}\frac{2f(x)-\{f(x)\}^2}{x-1}\\&=\lim_{x\to 1}\frac{f(x)\{2-f(x)\}}{x-1}\\&=\lim_{x\to 1}\frac{f(x)-f(1)}{x-1}\cdot\lim_{x\to 1}\{2-f(x)\}\\&=2\lim_{x\to 1}\frac{f(x)-f(1)}{x-1}\ (\because f(1)=0)\\&=2f'(1)\end{aligned}$$

따라서 $2f'(1)=10$이므로 $f'(1)=5$

(2) 최고차항의 계수가 1이고 $f(1)=0$인 삼차함수 $f(x)$가

$$\lim_{x\to 2}\frac{f(x)}{(x-2)\{f'(x)\}^2}=\frac{1}{4}$$

을 만족시킬 때, $f(3)$의 값은?

① 4　② 6　③ 8
④ 10　⑤ 12

STEP A 극한의 성질을 이용하여 삼차함수 $f(x)$의 식 작성하기

$\lim_{x\to 2}\dfrac{f(x)}{(x-2)\{f'(x)\}^2}=\dfrac{1}{4}$에서 $x\to 2$일 때,

(분모)→0이고 극한값이 존재하므로 (분자)→0이어야 한다.

즉 $\lim_{x\to 2}f(x)=0$에서 $f(2)=0$

또한, 삼차함수 $f(x)$의 최고차항의 계수가 1이고 $f(1)=0$이므로

$f(x)=(x-1)(x-2)(x+a)$로 놓을 수 있다.

STEP B 미분법을 이용하여 $f(x)$의 값을 구한 후 $f(3)$의 값 구하기

이때 $f'(x)=(x-2)(x+a)+(x-1)(x+a)+(x-1)(x-2)$이므로

$$\begin{aligned}\lim_{x\to 2}\frac{f(x)}{(x-2)\{f'(x)\}^2}&=\lim_{x\to 2}\frac{(x-2)(x-1)(x+a)}{(x-2)\{f'(x)\}^2}\\&=\frac{(2-1)(2+a)}{\{f'(2)\}^2}\\&=\frac{2+a}{(2+a)^2}=\frac{1}{2+a}\end{aligned}$$

← $f'(2)=(2-2)(2+a)+(2-1)(2+a)+(2-1)(2-2)=(2+a)$

$\dfrac{1}{2+a}=\dfrac{1}{4}$에서 $a=2$이므로 $f(x)=(x-1)(x-2)(x+2)$

따라서 $f(3)=2\cdot 1\cdot 5=10$

다른풀이 미분계수를 이용하여 구하기

$f(2)=0$이므로

$$\begin{aligned}\lim_{x\to 2}\frac{f(x)}{(x-2)\{f'(x)\}^2}&=\lim_{x\to 2}\frac{f(x)-f(2)}{x-2}\frac{1}{\{f'(x)\}^2}\\&=f'(2)\cdot\frac{1}{\{f'(2)\}^2}\\&=\frac{1}{f'(2)}\end{aligned}$$

즉 $\dfrac{1}{f'(2)}=\dfrac{1}{4}$에서 $f'(2)=4$　…… ㉠

이때 $f(1)=0$, $f(2)=0$이므로 $f(x)=(x-1)(x-2)(x+a)$라 하면

$f'(x)=(x-2)(x+a)+(x-1)(x+a)+(x-1)(x-2)$

㉠에서 $f'(2)=(2-1)(2+a)=4$　∴ $a=2$

따라서 $f(x)=(x-1)(x-2)(x+2)$이므로 $f(3)=2\times 1\times 5=10$

0264

다음 그림과 같이 삼차함수 $y=f(x)$의 그래프가 점 $(-1, 0)$을 지나고 $x=2$에서 x축에 접할 때, 세 함수 $y=|f(x)|$, $y=|f(-x)|$, $y=f(|x|)$의 그래프에서 미분가능하지 않은 점의 개수를 각각 a, b, c라 할 때, $2a+b+c$의 값은?

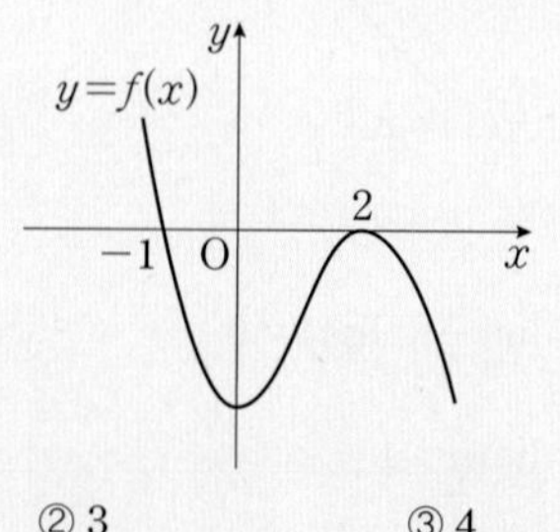

① 2　② 3　③ 4
④ 6　⑤ 8

STEP Ⓐ $y=|f(x)|$의 그래프의 미분불가능한 점의 개수 구하기

$y=|f(x)|$의 그래프는 $y=f(x)$의 그래프에서 $y \geq 0$인 부분은 그대로 두고, $y<0$인 부분을 x축에 대하여 대칭이동하면 되므로 오른쪽 그림과 같이 함수 $y=|f(x)|$는 $x=-1$에서 미분불가능하다.

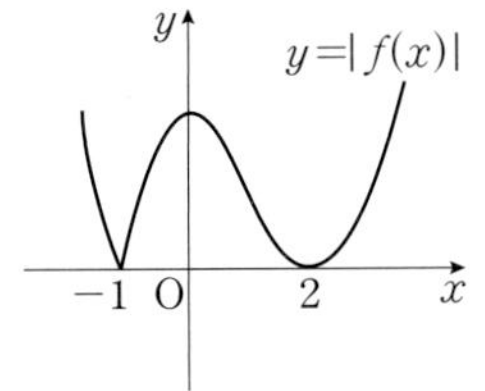

STEP Ⓑ $y=|f(-x)|$의 그래프의 미분불가능한 점의 개수 구하기

$y=|f(-x)|$의 그래프는 $y=f(-x)$의 그래프에서 $y \geq 0$인 부분은 그대로 두고, $y<0$인 부분을 x축에 대하여 대칭이동하면 되므로 오른쪽 그림과 같이 함수 $y=|f(-x)|$는 $x=1$에서 미분불가능하다.

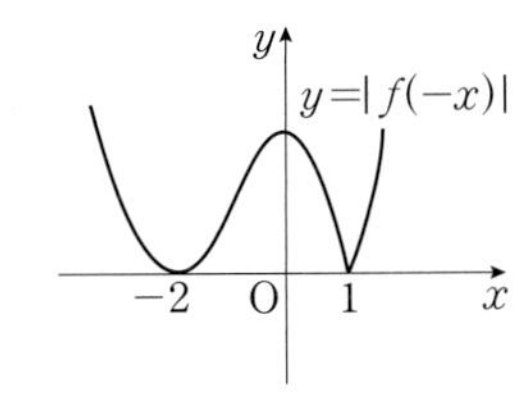

STEP Ⓒ $y=f(|x|)$의 그래프의 미분불가능한 점의 개수 구하기

$y=f(|x|)$의 그래프는 $y=f(x)$의 그래프에서 $x \geq 0$인 부분을 그리고, $x<0$인 부분은 $x \geq 0$인 부분을 y축에 대하여 대칭이동하면 되므로 오른쪽 그림과 같이 함수 $y=f(|x|)$는 모든 실수 x에서 미분가능하다.

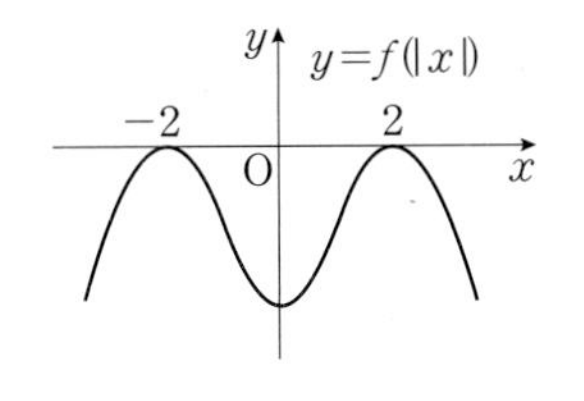

따라서 $a=1$, $b=1$, $c=0$이므로 $2a+b+c=2+1+0=3$

$f(x)=k(x+1)(x-2)^2$ $(k<0)$으로 놓으면

$f'(x)=k(x-2)^2+2k(x+1)(x-2)$이므로

$f'(0)=4k-4k=0$

0265

다항함수 $f(x)$가 다음 조건을 만족시킨다.

(가) $f(-x)=-f(x)$

(나) $\lim_{h \to 0} \frac{f(-1+3h)+f(1)}{2h}=6$

$\lim_{x \to -1} \frac{f(x)+f(1)}{x^2-1}$의 값을 구하여라.

STEP Ⓐ 원점대칭과 미분계수의 정의를 이용하여 극한값 구하기

조건 (가)에서 $f(-x)=-f(x)$

$\therefore f(1)=-f(-1)$

조건 (나)에 의하여

$$\begin{aligned}\lim_{h \to 0} \frac{f(-1+3h)+f(1)}{2h} &= \lim_{h \to 0} \frac{f(-1+3h)-f(-1)}{2h} \\ &= \lim_{h \to 0} \frac{f(-1+3h)-f(-1)}{3h} \cdot \frac{3}{2} \\ &= f'(-1) \cdot \frac{3}{2} \\ &= 6\end{aligned}$$

$\therefore f'(-1)=4$

따라서
$$\begin{aligned}\lim_{x \to -1} \frac{f(x)+f(1)}{x^2-1} &= \lim_{x \to -1} \frac{f(x)-f(-1)}{(x-1)(x+1)} \\ &= \lim_{x \to -1} \frac{f(x)-f(-1)}{x-(-1)} \cdot \frac{1}{x-1} \\ &= f'(-1) \cdot \left(-\frac{1}{2}\right) \\ &= -2\end{aligned}$$

0266

다음 물음에 답하여라.

(1) 미분가능한 두 함수 $f(x)$, $g(x)$에 대하여

$$\lim_{h \to 0} \frac{f(1-2h)-f(1)}{h}=3,\ g(x)=x(x+1)f(x)$$

가 성립하고 $g'(1)=-1$일 때, $f(1)$의 값은?

① $-\frac{3}{2}$ ② -1 ③ $\frac{2}{3}$ ④ $\frac{3}{2}$ ⑤ 1

STEP Ⓐ 미분계수의 정의에 의하여 주어진 식을 변형하기

$$\begin{aligned}\lim_{h \to 0} \frac{f(1-2h)-f(1)}{h} &= \lim_{h \to 0} \frac{f(1-2h)-f(1)}{-2h} \cdot (-2) \\ &= -2f'(1)\end{aligned}$$

$-2f'(1)=3$에서 $f'(1)=-\frac{3}{2}$

STEP Ⓑ 곱의 미분법을 이용하여 $f(1)$ 구하기

또, $g(x)=x(x+1)f(x)$의 양변을 x에 대하여 미분하면

$$\begin{aligned}g'(x) &= (x+1)f(x)+xf(x)+x(x+1)f'(x) \\ &= (2x+1)f(x)+x(x+1)f'(x)\end{aligned}$$

이 등식의 양변에 $x=1$을 대입하면

$g'(1)=3f(1)+2f'(1)$

이때 $g'(1)=-1$, $f'(1)=-\frac{3}{2}$

따라서 $f(1)=\frac{g'(1)-2f'(1)}{3}=\frac{-1-2\cdot\left(-\frac{3}{2}\right)}{3}=\frac{2}{3}$

(2) 두 다항함수 $f(x)$, $g(x)$에 대하여

$$\lim_{h \to 0} \frac{f(1+h)-f(1-h)}{h}=8,\ g(x)=x^3 f(x)$$

가 성립하고 $f(1)=3$일 때, $g'(1)$의 값을 구하여라.

STEP Ⓐ 미분계수의 정의에 의하여 주어진 식을 변형하기

$$\begin{aligned}&\lim_{h \to 0} \frac{f(1+h)-f(1-h)}{h} \\ &= \lim_{h \to 0} \frac{\{f(1+h)-f(1)\}+\{f(1)-f(1-h)\}}{h} \\ &= \lim_{h \to 0} \frac{f(1+h)-f(1)}{h} + \lim_{h \to 0} \frac{f(1-h)-f(1)}{-h} \\ &= f'(1)+f'(1) \\ &= 8\end{aligned}$$

$\therefore f'(1)=4$

STEP Ⓑ 곱의 미분법을 이용하여 $g'(x)$ 구하기

$g(x)=x^3f(x)$에서 $g'(x)=3x^2f(x)+x^3f'(x)$

따라서 $g'(1)=3f(1)+f'(1)=3\cdot3+4=13$

0267

다음 물음에 답하여라.

(1) 이차 이상의 다항식 $f(x)$에 대하여

$$\lim_{x \to 2} \frac{f(x)+3}{x-2} = -2$$

일 때, $f(x)$를 $(x-2)^2$으로 나눈 나머지를 $R(x)$라 할 때, $R(-1)$의 값을 구하여라.

STEP Ⓐ **(분모)→ 0이므로 (분자)→ 0임을 이용하여 $f(2)$, $f'(2)$ 구하기**

$x \to 2$일 때, (분모)→ 0이고 극한값이 존재하므로 (분자)→ 0이다.

$\lim_{x \to 2}\{f(x)+3\}=0$이므로 $f(2)=-3$

$$\lim_{x \to 2} \frac{f(x)+3}{x-2} = \lim_{x \to 2} \frac{f(x)-f(2)}{x-2} = f'(2) = -2$$

$\therefore f(2)=-3,\ f'(2)=-2$

STEP Ⓑ **미분을 이용하여 $f(x)$를 $(x-2)^2$으로 나눌 때, 나머지 구하기**

$f(x)$를 $(x-2)^2$으로 나눌 때의 몫을 $Q(x)$,

나머지를 $R(x)=ax+b$ (a, b는 상수)라 하면

$f(x)=(x-2)^2Q(x)+ax+b$ ...... ㉠

㉠의 양변에 $x=2$를 대입하면 $f(2)=2a+b=-3$

㉠의 양변을 x에 대하여 미분하면

$f'(x)=2(x-2)Q(x)+(x-2)^2Q'(x)+a$ ...... ㉡

㉡의 양변에 $x=2$를 대입하면 $f'(2)=a=-2$

$a=-2$을 $2a+b=-3$에 대입하면 $b=1$

따라서 구하는 나머지는 $R(x)=-2x+1$이므로 $R(-1)=3$

(2) 다항함수 $y=f(x)$의 그래프 위의 점 $(2, -1)$에서의 접선의 기울기가 -3이다. $f(x)$를 $(x-2)^2$으로 나눈 나머지를 $R(x)$라 할 때, $R(-6)$의 값을 구하여라.

STEP Ⓐ **함수 $y=f(x)$의 위의 점 $(2, -1)$에서 $f(2)$, $f'(2)$ 구하기**

점 $(2, -1)$이 함수 $y=f(x)$ 위의 점이므로 $f(2)=-1$

또한, $x=2$인 점에서의 접선의 기울기가 -3이므로 $f'(2)=-3$

STEP Ⓑ **미분을 이용하여 $f(x)$를 $(x-2)^2$으로 나눌 때, 나머지 구하기**

$f(x)$를 $(x-2)^2$으로 나눈 몫을 $Q(x)$,

나머지를 $R(x)=ax+b$(a, b는 상수)라 하면

$f(x)=(x-2)^2Q(x)+ax+b$ ...... ㉠

㉠의 양변에 $x=2$를 대입하면

$f(2)=2a+b=-1$ ...... ㉡

㉠의 양변을 x에 대하여 미분하면

$f'(x)=2(x-2)Q(x)+(x-2)^2Q'(x)+a$ ...... ㉢

㉢의 양변에 $x=2$를 대입하면 $f'(2)=a=-3$

이것을 ㉡에 대입하면 $-6+b=-1$

$\therefore b=5$

따라서 $R(x)=-3x+5$이므로 $R(-6)=18+5=23$

0268

다음과 같이 정의된 함수 $f(x)$가 있다.

$$f(x)=\begin{cases} x^3+ax^2+bx & (x \ge 1) \\ 2x^2+1 & (x<1) \end{cases}$$

$f(x)$가 $x=1$에서 미분가능할 때, $\lim_{h \to 0} \frac{f(1+2h)-f(1-h)}{h}$의 값을 구하여라. (단, a, b는 상수이다.)

STEP Ⓐ **함수 $f(x)$가 $x=1$에서 연속이 됨을 이용하기**

함수 $f(x)$가 $x=1$에서 연속이므로

$\lim_{x \to 1+} f(x) = \lim_{x \to 1-} f(x) = f(1)$이어야 한다.

$\lim_{x \to 1+}(x^3+ax^2+bx) = \lim_{x \to 1-}(2x^2+1) = 1+a+b$에서

$2+1=1+a+b$

$\therefore a+b=2$ ...... ㉠

STEP Ⓑ **함수 $f(x)$가 $x=1$에서 미분가능하므로 $f'(1)$이 존재함을 이용하기**

$x=1$에서 미분가능하므로 미분계수 $f'(1)=\lim_{x \to 1} \frac{f(x)-f(1)}{x-1}$이 존재한다.

$$\lim_{x \to 1+} \frac{f(x)-f(1)}{x-1} = \lim_{x \to 1+} \frac{x^3+ax^2+bx-(1+a+b)}{x-1}$$
$$= \lim_{x \to 1+} \frac{(x-1)\{x^2+x+1+a(x+1)+b\}}{x-1}$$
$$=3+2a+b$$

$$\lim_{x \to 1-} \frac{f(x)-f(1)}{x-1} = \lim_{x \to 1-} \frac{2x^2+1-3}{x-1}$$
$$= \lim_{x \to 1-} \frac{2(x-1)(x+1)}{x-1}$$
$$=4$$

$3+2a+b=4$에서 $2a+b=1$ ...... ㉡

㉠, ㉡을 연립하여 풀면 $a=-1$, $b=3$

$$\therefore f(x)=\begin{cases} x^3-x^2+3x & (x \ge 1) \\ 2x^2+1 & (x<1) \end{cases}$$

STEP Ⓒ **미분계수의 정의를 이용하여 구하기**

따라서 $\lim_{h \to 0} \frac{f(1+2h)-f(1-h)}{h}$

$$= \lim_{h \to 0} \frac{f(1+2h)-f(1)-f(1-h)+f(1)}{h}$$
$$= \lim_{h \to 0} \left\{ \frac{f(1+2h)-f(1)}{2h} \cdot 2 + \frac{f(1-h)-f(1)}{-h} \right\}$$
$$=2f'(1)+f'(1)$$
$$=3f'(1)$$
$$=3 \cdot 4=12$$

다른풀이 함수를 미분한 후 $x=1$을 대입하여 풀이하기

STEP Ⓐ **$x=1$에서 연속이 됨을 이용하기**

$x=1$에서 연속이므로 $\lim_{x \to 1-} f(x) = \lim_{x \to 1+} f(x) = f(1)$에서

$1+a+b=3 \quad \therefore a+b=2$ ...... ㉠

STEP Ⓑ **함수 $f(x)$가 $x=1$에서 미분계수가 존재함을 이용하기**

함수 $f(x)$를 미분하면 $f'(x)=\begin{cases} 3x^2+2ax+b & (x>1) \\ 4x & (x<1) \end{cases}$

$f(x)$는 $x=1$에서 미분가능하므로

$f'(1)=\lim_{x \to 1+}(3x^2+2ax+b)=\lim_{x \to 1-} 4x$

$3+2a+b=4 \quad \therefore 2a+b=1$ ...... ㉡

㉠, ㉡을 연립하여 풀면 $a=-1$, $b=3$

$$\therefore f(x)=\begin{cases} x^3-x^2+3x & (x \ge 1) \\ 2x^2+1 & (x<1) \end{cases}$$

STEP Ⓒ **미분계수의 정의를 이용하여 구하기**

따라서 $\lim_{h \to 0} \frac{f(1+2h)-f(1-h)}{h}$

$$= \lim_{h \to 0} \frac{f(1+2h)-f(1)-f(1-h)+f(1)}{h}$$
$$= \lim_{h \to 0} \left\{ \frac{f(1+2h)-f(1)}{2h} \cdot 2 + \frac{f(1-h)-f(1)}{-h} \right\}$$
$$=2f'(1)+f'(1)=3f'(1)$$
$$=3 \cdot 4=12$$

0269

함수 $g(x)$는 일차함수이고 $g\left(\frac{1}{2}\right)=0$이다. 함수

$$f(x)=\begin{cases} -x^2-4x+a & (x<-1) \\ g(x) & (-1\le x\le 1) \\ x^2-4x+b & (x>1) \end{cases}$$

은 모든 실수 x에서 미분가능하고 그래프의 일부분이 그림과 같다. 상수 a, b에 대하여 $a+b$의 값을 구하여라.

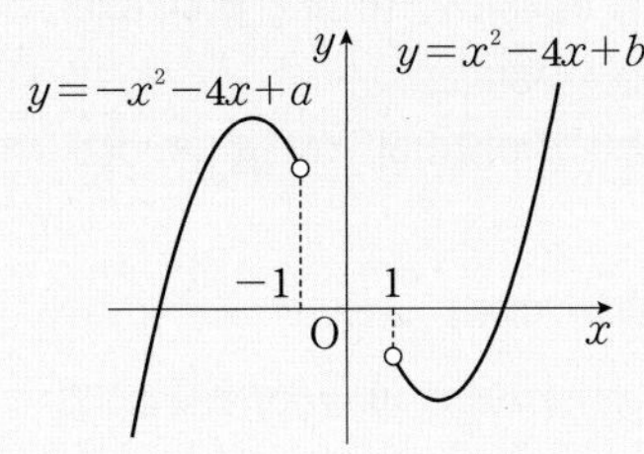

STEP A **함수 $f(x)$가 $x=-1$에서 미분가능임을 이용하기**

함수 $f(x)$가 모든 실수 x에 대하여 미분가능하려면 $x=-1$, $x=1$에서 연속이고 미분계수가 존재해야 한다.

$g(x)$가 일차함수이고 $g\left(\frac{1}{2}\right)=0$이므로

$g(x)=c\left(x-\frac{1}{2}\right)(c\neq 0)$이라 하자.

함수 $f(x)$가 $x=-1$에서 연속이므로

$\lim_{x\to -1-}f(x)=\lim_{x\to -1+}f(x)=f(-1)$

$\lim_{x\to -1-}(-x^2-4x+a)=\lim_{x\to -1+}c\left(x-\frac{1}{2}\right)=-\frac{3}{2}c$에서

$3+a=-\frac{3}{2}c$ …… ㉠

$x=-1$에서의 미분계수 $f'(-1)$이 존재해야 하므로

$f(x)$를 미분하면

$$f'(x)=\begin{cases} -2x-4 & (x<-1) \\ c & (-1<x<1) \end{cases}$$

$f'(-1)=\lim_{x\to -1-}(-2x-4)=\lim_{x\to -1+}c$

즉 $-2=c$

$c=-2$를 ㉠에 대입하면 $a=0$

STEP B **$x=1$에서 미분가능임을 이용하기**

함수 $f(x)$가 $x=1$에서 연속이므로

$\lim_{x\to 1-}f(x)=\lim_{x\to 1+}f(x)=f(1)$

$\lim_{x\to 1-}c\left(x-\frac{1}{2}\right)=\lim_{x\to 1+}(x^2-4x+b)=\frac{1}{2}c$에서

$-3+b=\frac{1}{2}c$ …… ㉡

$x=1$에서의 미분계수 $f'(1)$이 존재해야 하므로

$f(x)$를 미분하면

$$f'(x)=\begin{cases} c & (-1<x<1) \\ 2x-4 & (x>1) \end{cases}$$

$f'(1)=\lim_{x\to 1-}c=\lim_{x\to 1+}(2x-4)$

$c=2-4=-2$

$c=-2$를 ㉡에 대입하면 $b=2$

따라서 $a+b=0+2=2$

0270

$x>0$에서 함수 $f(x)$가 미분가능하고

$$2x\le f(x)\le 3x$$

이다. $f(1)=2$이고 $f(2)=6$일 때, $f'(1)+f'(2)$의 값은?

① 8 ② 7 ③ 6
④ 5 ⑤ 4

STEP A **$f(x)\ge 2x$에서 미분계수의 범위를 이용하여 $f'(1)$ 구하기**

양수 x에 대하여

$f(x)\ge 2x$에서 $f(1)=2$이므로 $f(x)-f(1)\ge 2x-2$

$x>1$일 때, $\frac{f(x)-f(1)}{x-1}\ge\frac{2x-2}{x-1}$이므로

$\lim_{x\to 1+}\frac{f(x)-f(1)}{x-1}\ge\lim_{x\to 1+}\frac{2x-2}{x-1}=2$

$x<1$일 때, $\frac{f(x)-f(1)}{x-1}\le\frac{2x-2}{x-1}$이므로

$\lim_{x\to 1-}\frac{f(x)-f(1)}{x-1}\le\lim_{x\to 1-}\frac{2x-2}{x-1}=2$

함수 $f(x)$가 미분가능하므로

$f'(1)=\lim_{x\to 1+}\frac{f(x)-f(1)}{x-1}=\lim_{x\to 1-}\frac{f(x)-f(1)}{x-1}$

$\therefore f'(1)=2$

STEP B **$f(x)\le 3x$에서 미분계수의 범위를 이용하여 $f'(2)$ 구하기**

$f(x)\le 3x$에서 $f(2)=6$이므로 $f(x)-f(2)\le 3x-6$

$x>2$일 때, $\frac{f(x)-f(2)}{x-2}\le\frac{3x-6}{x-2}$이므로

$\lim_{x\to 2+}\frac{f(x)-f(2)}{x-2}\le\lim_{x\to 2+}\frac{3x-6}{x-2}=3$

$x<2$일 때, $\frac{f(x)-f(2)}{x-2}\ge\frac{3x-6}{x-2}$이므로

$\lim_{x\to 2-}\frac{f(x)-f(2)}{x-2}\ge\lim_{x\to 2-}\frac{3x-6}{x-2}=3$

함수 $f(x)$가 미분가능하므로

$f'(2)=\lim_{x\to 2+}\frac{f(x)-f(2)}{x-2}=\lim_{x\to 2-}\frac{f(x)-f(2)}{x-2}$

$\therefore f'(2)=3$

따라서 $f'(1)+f'(2)=2+3=5$

다른풀이 함수의 그래프를 그려 직관적으로 풀이하기

STEP A **조건을 만족하는 함수 $y=f(x)$의 그래프의 개형 그리기**

조건에서 함수 $f(x)$가 $x>0$에서 미분가능하고 $f(1)=2$이고 $f(2)=6$이므로 함수 $y=f(x)$는 점 $(1, 2)$와 $(2, 6)$을 지난다.

즉 함수 $y=f(x)$의 그래프는 $x=1$에서 직선 $y=2x$와 만나고 $x=2$에서 직선 $y=3x$와 만난다.

함수 $y=f(x)$의 그래프의 개형은 오른쪽 그림과 같이 조건에서 $2x\le f(x)\le 3x$이므로 함수 $y=f(x)$의 그래프는 두 직선 $y=2x$와 $y=3x$ 사이에 있어야 한다.

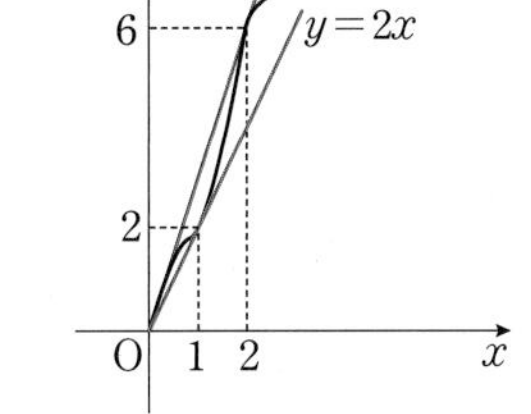

STEP B **함수 $y=f(x)$의 그래프가 두 직선 $y=2x$, $y=3x$에 접함을 이용하여 미분계수 구하기**

함수 $y=f(x)$가 점 $(1, 2)$를 지나며 직선 $y=2x$에 접하므로 $f'(1)=2$이고

함수 $f(x)$가 점 $(2, 6)$을 지나며 직선 $y=3x$에 접하므로 $f'(2)=3$

따라서 $f'(1)+f'(2)=5$

0271

실수 전체에서 미분가능한 함수 $f(x)$가 모든 실수 x, y에 대하여

$$f(x+y)=f(x)+f(y),\ f'(0)=3$$

을 만족할 때, $f'(3)-f'(1)$의 값은?

① 0　② 1　③ 2
④ 3　⑤ 4

STEP Ⓐ 조건 (가)에서 $f(0)$의 값 구하기

주어진 식에 $x=0$, $y=0$을 대입하면

$f(0)=f(0)+f(0)$

$\therefore f(0)=0$

STEP Ⓑ 도함수의 정의를 이용하여 $f'(x)$ 구하기

$$\begin{aligned}f'(x)&=\lim_{h\to 0}\frac{f(x+h)-f(x)}{h}\\&=\lim_{h\to 0}\frac{f(x)+f(h)-f(x)}{h} \quad \Leftarrow f(x+y)=f(x)+f(y)\\&=\lim_{h\to 0}\frac{f(h)}{h}\\&=\lim_{h\to 0}\frac{f(h)-f(0)}{h}\\&=f'(0)=3\ (\because f(0)=0)\end{aligned}$$

따라서 $f'(x)=3$이므로 $f'(3)-f'(1)=3-3=0$

0272

미분가능한 함수 $f(x)$가 모든 x, y에 대하여

$$f(x+y)=f(x)+f(y)+xy$$

를 만족시키고 $f'(1)=5$일 때, $f'(x)$를 구하는 과정을 다음 단계로 서술하여라.

[1단계] $f(0)$의 값을 구하여라.
[2단계] $f'(1)=5$를 이용하여 $f'(0)$의 값을 구하여라.
[3단계] $f'(3)$의 값을 구하여라.
[4단계] 도함수의 정의를 이용하여 $f'(x)$를 구하여라.

1단계 $f(0)$의 값을 구하여라. ◀ 10%

$f(x+y)=f(x)+f(y)+xy$에 $x=0$, $y=0$을 대입하면

$f(0)=f(0)+f(0)$

$\therefore f(0)=0$

2단계 $f'(1)=5$를 이용하여 $f'(0)$의 값을 구하여라. ◀ 30%

$$\begin{aligned}f'(1)&=\lim_{h\to 0}\frac{f(1+h)-f(1)}{h}\\&=\lim_{h\to 0}\frac{\{f(1)+f(h)+h\}-f(1)}{h}\\&=\lim_{h\to 0}\frac{f(h)+h}{h}\\&=\lim_{h\to 0}\frac{f(h)}{h}+1\\&=\lim_{h\to 0}\frac{f(h)-f(0)}{h}+1 \quad \Leftarrow f(0)=0\\&=f'(0)+1 \quad \Leftarrow \lim_{h\to 0}\frac{f(h)-f(0)}{h-0}=f'(0)\end{aligned}$$

이때 $f'(1)=5$이므로 $f'(0)+1=5$

$\therefore f'(0)=4$

3단계 $f'(3)$의 값을 구하여라. ◀ 30%

$$\begin{aligned}f'(3)&=\lim_{h\to 0}\frac{f(3+h)-f(3)}{h}\\&=\lim_{h\to 0}\frac{\{f(3)+f(h)+3h\}-f(3)}{h}\\&=\lim_{h\to 0}\frac{f(h)+3h}{h}\\&=\lim_{h\to 0}\frac{f(h)}{h}+3\\&=\lim_{h\to 0}\frac{f(h)-f(0)}{h}+3 \quad \Leftarrow f(0)=0\\&=f'(0)+3 \quad \Leftarrow \lim_{h\to 0}\frac{f(h)-f(0)}{h-0}=f'(0)\\&=4+3=7\end{aligned}$$

4단계 도함수의 정의를 이용하여 $f'(x)$를 구하여라. ◀ 30%

$$\begin{aligned}f'(x)&=\lim_{h\to 0}\frac{f(x+h)-f(x)}{h}\\&=\lim_{h\to 0}\frac{\{f(x)+f(h)+xh\}-f(x)}{h}\\&=\lim_{h\to 0}\frac{f(h)+xh}{h}\\&=\lim_{h\to 0}\frac{f(h)}{h}+x\\&=\lim_{h\to 0}\frac{f(h)-f(0)}{h}+x \quad \Leftarrow f(0)=0\\&=f'(0)+x \quad \Leftarrow \lim_{h\to 0}\frac{f(h)-f(0)}{h-0}=f'(0)\\&=x+4\end{aligned}$$

따라서 $f'(x)=x+4$

TOUGH

0273

최고차항의 계수가 1인 다항함수 $f(x)$가 다음 조건을 만족시킬 때, $f(3)$의 값은?

(가) $f(0)=-3$
(나) 모든 양의 실수 x에 대하여 $6x-6 \le f(x) \le 2x^3-2$이다.

① 36 ② 38 ③ 40
④ 42 ⑤ 44

STEP Ⓐ 주어진 조건을 만족하는 함수 $f(x)$의 차수의 범위 구하기

$y=6x-6$과 $y=2x^3-2$는 모두 $(1, 0)$을 지나고 $(1, 0)$에서의 접선의 기울기가 6이다.
조건 (나)에서 모든 양의 실수 x에 대하여 $6x-6 \le f(x) \le 2x^3-2$이므로
조건 (나)에 $x=1$을 대입하면
$0 \le f(1) \le 0$이므로 $f(1)=0$
즉 함수 $f(x)$의 그래프는 두 점 $(0, -3)$, $(1, 0)$을 지난다.
$y=f(x)$는 $x=1$에서 $y=6x-6$과 접해야 한다.
$f'(1)=6$ …… ㉠
$f(x)$가 다항함수이고 $x \to \infty$일 때, $f(x) \le 2x^3-2$에서
$f(x)$는 최고차항의 계수가 1이므로 삼차 이하의 다항함수이다.
($f(x)$가 사차 이상일 경우 $f(x)$가 $2x^3-2$보다 빨리 커진다.)

STEP Ⓑ 다항함수 $f(x)$를 차수별로 분류하여 $f(3)$의 값 구하기

(ⅰ) $f(x)$가 일차식인 경우
최고차항의 계수가 1이면서 ㉠을 만족시킬 수 없다.
즉 조건을 만족시키는 일차함수 $f(x)$는 존재하지 않는다.

(ⅱ) $f(x)$가 이차식인 경우
$f(x)=x^2+ax-3$ ($\because f(0)=-3$)이라 하면
$f(1)=1+a-3=0 \quad \therefore a=2$
$\therefore f(x)=x^2+2x-3$
이때 $f'(1)=4$이므로 ㉠을 만족시킬 수 없다.

(ⅲ) $f(x)$가 삼차식인 경우
함수 $f(x)$는 $x=1$에서 x축과 만나고 최고차항의 계수가 1, 상수항이 -3이므로
$f(x)=x^3+ax^2+bx-3$ ($\because f(0)=-3$)이라 하면
$f(1)=1+a+b-3=0$
$\therefore a+b=2$ …… ㉡
$f'(x)=3x^2+2ax+b$에서 $f'(1)=3+2a+b=6$
$\therefore 2a+b=3$ …… ㉢
㉡, ㉢을 연립하여 풀면 $a=1$, $b=1$이므로 $f(x)=x^3+x^2+x-3$

따라서 $f(3)=27+9+3-3=36$

$f'(1)$에서 미분계수의 정의를 이용하면

(ⅰ) $x>1$일 때,
조건 (나)에서 $f(1)=0$이므로
$6x-6 \le f(x) \le 2x^3-2$의 각 변을 $x-1$로 나누면

$$\frac{6x-6}{x-1} \le \frac{f(x)-f(1)}{x-1} \le \frac{2x^3-2}{x-1}$$

$$\lim_{x\to1+}\frac{6x-6}{x-1} \le \lim_{x\to1+}\frac{f(x)-f(1)}{x-1} \le \lim_{x\to1+}\frac{2x^3-2}{x-1}$$

$$\lim_{x\to1+}\frac{6(x-1)}{x-1} \le \lim_{x\to1+}\frac{f(x)-f(1)}{x-1} \le \lim_{x\to1+}\frac{2(x-1)(x^2+x+1)}{x-1}$$

$$6 \le \lim_{x\to1+}\frac{f(x)-f(1)}{x-1} \le 6$$

$$\therefore \lim_{x\to1+}\frac{f(x)-f(1)}{x-1}=6$$

(ⅱ) $x<1$일 때, 마찬가지로 $\lim_{x\to1-}\frac{f(x)-f(1)}{x-1}=6$

(ⅰ), (ⅱ)에서 $\lim_{x\to1}\frac{f(x)-f(1)}{x-1}=f'(1)=6$

0274

다항함수 $g(x)$와 자연수 k에 대하여 함수 $f(x)$가 다음과 같다.

$$f(x)=\begin{cases} x+1 & (x \le 0) \\ g(x) & (0<x<2) \\ k(x-2)+1 & (x \ge 2) \end{cases}$$

함수 $f(x)$가 모든 실수 x에 대하여 미분가능하도록 하는 가장 낮은 차수의 다항함수 $g(x)$에 대하여 $\frac{1}{4}<g(1)<\frac{3}{4}$일 때, k의 값을 구하여라.

STEP Ⓐ 조건을 만족하는 다항함수 $g(x)$ 구하기

함수 $f(x)$가 모든 실수 x에 대하여 미분가능하므로
다항함수 $g(x)$는 $x=0$, $x=2$에서 미분가능해야 한다.
즉 가장 낮은 차수의 다항함수 $g(x)$는 삼차함수

← $\frac{1}{4}<g(1)<\frac{3}{4}$을 만족하므로 구간 $(0, 1)$에서 감소구간, 구간 $(1, 2)$에서 증가구간이 반드시 존재하므로 낮은 차수는 최소한 삼차함수이다.

이고 아래 그림과 같이 양쪽 직선 $y=x+1$과 $y=k(x-2)+1$이 각각 $x=0$과 $x=2$에서 삼차함수 $y=g(x)$에 접한다.

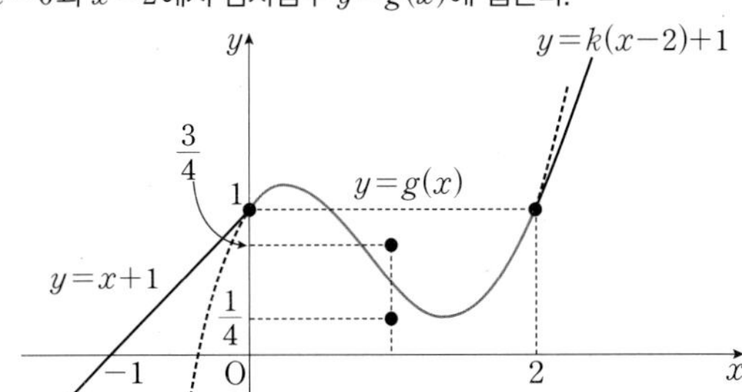

STEP Ⓑ $x=0$, $x=2$에서 미분가능할 조건을 이용하기

삼차함수 $g(x)=ax^3+bx^2+cx+d$ (단, a, b, c, d는 상수)라 하면
$g'(x)=3ax^2+2bx+c$
이때 $g(0)=1$, $g'(0)=1$이므로 ← $y=x+1$의 기울기가 1이다.
$g(0)=d=1$, $g'(0)=c=1$
$\therefore g(x)=ax^3+bx^2+x+1$
또한, $g(2)=1$, $g'(2)=k$이므로 ← $y=k(x-2)+1$의 기울기가 k이다.
$g(2)=8a+4b+2+1=1$
$\therefore 8a+4b+2=0$ …… ㉠
$g'(2)=12a+4b+1=k$ …… ㉡
㉠, ㉡을 연립하여 풀면

$a=\frac{k+1}{4}$, $b=-\frac{2k+4}{4}$

$\therefore g(x)=\frac{k+1}{4}x^3-\frac{2k+4}{4}x^2+x+1$

STEP Ⓒ $\frac{1}{4}<g(1)<\frac{3}{4}$을 만족하는 자연수 k 구하기

$\frac{1}{4}<g(1)<\frac{3}{4}$에서 $\frac{1}{4}<\frac{k+1}{4}-\frac{2k+4}{4}+1+1<\frac{3}{4}$

$-\frac{7}{4}<\frac{-k-3}{4}<-\frac{5}{4}$, $-7<-k-3<-5$

따라서 $2<k<4$이므로 자연수 k는 $k=3$

0275

최고차항의 계수가 1이 아닌 다항함수 $f(x)$가 다음 조건을 만족시킬 때, $f'(1)$의 값을 구하여라.

(가) $\lim_{x\to\infty}\frac{\{f(x)\}^2-f(x^2)}{x^3f(x)}=4$

(나) $\lim_{x\to0}\frac{f'(x)}{x}=4$

STEP Ⓐ 조건 (가)에서 다항함수 $f(x)$의 차수와 최고차항의 계수 구하기

조건 (가)에서 $f(x)$의 최고차항을 ax^n($a\neq0$, $a\neq1$인 상수, n은 자연수)로 놓으면 $\{f(x)\}^2-f(x^2)$의 최고차항은

$a^2x^{2n}-a^{2n}=a(a-1)x^{2n}$ …… ㉠

또, $x^3f(x)$의 최고차항은 ax^{n+3} …… ㉡

$\lim_{x\to\infty}\frac{\{f(x)\}^2-f(x^2)}{x^3f(x)}=\lim_{x\to\infty}\frac{(a^2-a)x^{2n}+\cdots}{ax^{n+3}+\cdots}=4$

조건 (가)에서 0이 아닌 극한값이 존재하려면 분모, 분자의 차수가 같고 분모, 분자의 최고차항의 계수의 비가 극한값이다.

㉠, ㉡에서 $2n=n+3$

$\therefore n=3$

이때 극한값이 4이므로 $\frac{a(a-1)}{a}=4$

$\therefore a=5(\because a\neq0)$

즉 $f(x)$는 최고차항의 계수가 5인 삼차함수이다.

STEP Ⓑ 조건 (나)에서 극한값이 존재함을 이용하여 $f'(1)$의 값 구하기

이때 $f(x)=5x^3+bx^2+cx+d$로 놓으면 $f'(x)=15x^2+2bx+c$

조건 (나)에서 $\lim_{x\to0}\frac{f'(x)}{x}=\lim_{x\to0}\frac{15x^2+2bx+c}{x}=4$

$x\to0$일 때, (분모)$\to0$이고 극한값이 존재하므로 (분자)$\to0$이어야 한다.

즉 $\lim_{x\to0}(15x^2+2bx+c)=0$이므로 $c=0$

$\lim_{x\to0}\frac{15x^2+2bx}{x}=\lim_{x\to0}\frac{x(15+2b)}{x}=\lim_{x\to0}(15x+2b)=2b=4$

$\therefore b=2$

따라서 $f'(x)=15x^2+4x$이므로 $f'(1)=15+4=19$

다른풀이 다항함수 $f(x)=ax^n+bx^{n-1}+\cdots$라 놓고 풀이하기

다항함수 $f(x)=ax^n+bx^{n-1}+\cdots(a\neq0)$라 하면

조건 (가)에서 $\lim_{x\to\infty}\frac{\{f(x)\}^2-f(x^2)}{x^3f(x)}=4$이므로 분모와 분자의 차수가 같다.

$\{f(x)\}^2-f(x^2)=(a^2x^{2n}+2abx^{2n-1}+\cdots)-(ax^{2n}+bx^{2n-2}+\cdots)$

$=(a^2-a)x^{2n}+2abx^{2n-1}+\cdots$

$\lim_{x\to\infty}\frac{\{f(x)\}^2-f(x^2)}{x^3f(x)}=\lim_{x\to\infty}\frac{(a^2-a)x^{2n}+2abx^{2n-1}+\cdots}{ax^{n+3}+bx^{n+2}\cdots}=4$

그런데 $a\neq1$, $a\neq0$이므로 $a^2-a\neq0$

$2n=n+3$, $a^2-a=4a$

$\therefore n=3$, $a=5$

$f(x)=5x^3+bx^2+cx+d$라 하면

$f'(x)=15x^2+2bx+c$

(나)에서 $\lim_{x\to0}\frac{f'(x)}{x}=\lim_{x\to0}\frac{15x^2+2bx+c}{x}=4$

$x\to0$일 때, (분모)$\to0$이고 극한값이 존재하므로 (분자)$\to0$이어야 한다.

$\lim_{x\to0}(15x^2+2bx+c)=c=0$

$\lim_{x\to0}\frac{15x^2+2bx}{x}=\lim_{x\to0}\frac{x(15x+2b)}{x}=2b=4$ $\therefore b=2$

따라서 $f'(x)=15x^2+4x$이므로 $f'(1)=15+4=19$

0276

함수 $f(x)=x^3-2x$에 대하여 함수 $g(x)$는 다음과 같다.

$$g(x)=\begin{cases}f(x) & (x<-1)\\ f(x+p)+q & (x\geq-1)\end{cases}$$

함수 $g(x)$가 실수 전체의 집합에서 미분가능할 때, $p+q$의 값을 구하여라. (단, p, q는 0이 아닌 상수이다)

STEP Ⓐ 함수 $g(x)$가 $x=-1$에서 미분가능하도록 하는 조건 구하기

$f(x)=x^3-2x$에서 $f'(x)=3x^2-2$이므로 $f'(-1)=1$

이때 $f'(x)=1$에서 $3x^2-2=1$ $\therefore x=-1$ 또는 $x=1$

즉 함수 $y=f(x)$의 그래프는 그림과 같다.

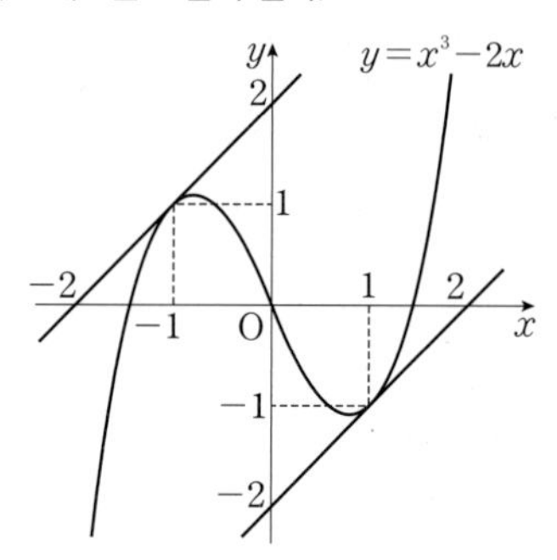

STEP Ⓑ 함수 $g(x)$가 실수 전체의 집합에서 미분가능할 조건을 이용하여 p, q의 값 구하기

함수 $g(x)$가 실수 전체의 집합에서 미분가능하려면 곡선 $y=f(x)$ 위에 있는 점 $(1, -1)$이 점 $(-1, 1)$의 위치에 오도록 x축의 방향으로 -2만큼, y축의 방향으로 2만큼 $y=f(x)(x\geq1)$의 그래프가 평행이동하면 된다.

즉 $x\geq-1$일 때, $g(x)=f(x+2)+2$

따라서 $p=2$, $q=2$이므로 $p+q=4$

0277

다항함수 $f(x)$와 두 자연수 m, n이

$$\lim_{x\to\infty}\frac{f(x)}{x^m}=1,\ \lim_{x\to\infty}\frac{f'(x)}{x^{m-1}}=a$$

$$\lim_{x\to0}\frac{f(x)}{x^n}=b,\ \lim_{x\to0}\frac{f'(x)}{x^{n-1}}=9$$

를 모두 만족시킬 때, 옳은 것만을 [보기]에서 있는 대로 고른 것은? (단, a, b는 실수이다.)

ㄱ. $m\geq n$
ㄴ. $ab\geq9$
ㄷ. $f(x)$가 삼차함수이면 $am=bn$이다.

① ㄱ ② ㄷ ③ ㄱ, ㄴ
④ ㄴ, ㄷ ⑤ ㄱ, ㄴ, ㄷ

STEP Ⓐ 주어진 조건으로 $f(x)$의 차수와 a, b, m, n 사이의 관계 구하기

$\lim_{x\to\infty}\frac{f(x)}{x^m}=1$이므로 $f(x)$의 최고차항은 x^m이다.

$\lim_{x\to\infty}\frac{f'(x)}{x^{m-1}}=m$이므로 $m=a$ ($\because f'(x)=mx^{m-1}+\cdots$)

$\lim_{x\to0}\frac{f(x)}{x^n}=b$에서 $f(x)$는 n차 이상의 항들로만 이루어져 있고 n차 항의 계수는 b이다.

즉 계수가 0이 아닌 차수가 가장 낮은 항은 bx^n이므로

$f(x)=x^m+\cdots+bx^n$ $(m\geq n)$라 하면

$f'(x)=mx^{m-1}+\cdots+bnx^{n-1}$이므로

$\lim_{x\to0}\frac{f'(x)}{x^{n-1}}=9$에서 $bn=9$

STEP Ⓑ a, b, m, n 사이의 관계를 이용하여 참, 거짓의 진위판단하기

ㄱ. m, n은 각각 $f(x)$의 차수가 가장 높은 항과 가장 낮은 항의 차수를 나타내므로 $m \geq n$ (단, 등호는 $f(x)=x^9$일 때, $m=n=9$이므로 성립) [참]

ㄴ. $a=m$, $nb=9$이므로

$ab=m\times\frac{9}{n}=\frac{9m}{n}\geq 9$ ($\because$ ㄱ에서 $m\geq n$이므로 $\frac{m}{n}\geq 1$) [참]

ㄷ. $f(x)$가 삼차함수이면 $a=m=3$이므로 $am=9$, $bn=9$ [참]

따라서 옳은 것은 ㄱ, ㄴ, ㄷ이다.

0278

함수 $f(x)$가

$$f(x)=\begin{cases}1-x & (x<0)\\ x^2-1 & (0\leq x<1)\\ \frac{2}{3}(x^3-1) & (x\geq 1)\end{cases}$$

일 때, [보기]에서 옳은 것을 모두 고른 것은?

ㄱ. $f(x)$는 $x=1$에서 미분가능하다.
ㄴ. $|f(x)|$는 $x=0$에서 미분가능하다.
ㄷ. $x^kf(x)$가 $x=0$에서 미분가능하도록 하는 최소의 자연수 k는 2이다.

① ㄱ ② ㄴ ③ ㄱ, ㄷ
④ ㄴ, ㄷ ⑤ ㄱ, ㄴ, ㄷ

STEP Ⓐ 미분계수의 정의를 이용하여 참, 거짓을 판별하기

함수 $y=f(x)$의 그래프는 다음과 같다.

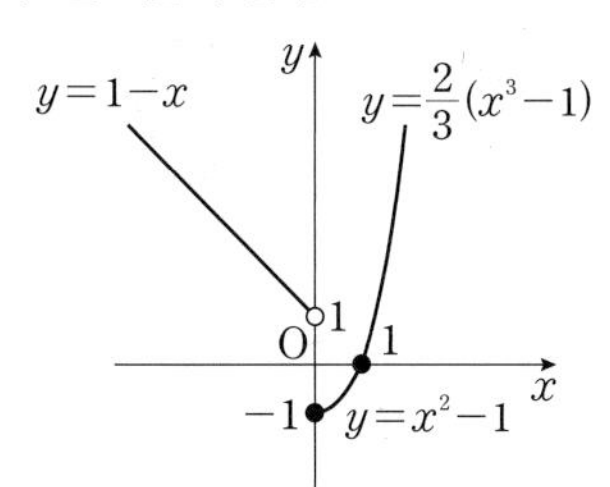

ㄱ. (ⅰ) $f(1)=\lim_{x\to 1-}(x^2-1)=\lim_{x\to 1+}\frac{2}{3}(x^3-1)=0$이므로

$x=1$에서 함수 $f(x)$는 연속이다.

(ⅱ) $f'(x)=\begin{cases}-1 & (x<0)\\ 2x & (0<x<1)\\ 2x^2 & (x>1)\end{cases}$에서

$f'(1)=\lim_{x\to 1-}2x=\lim_{x\to 1+}2x^2=2$

$x=1$에서의 미분계수 $f'(1)$이 존재한다.

(ⅰ), (ⅱ)에서 $f(x)$는 $x=1$에서 미분가능하다. [참]

ㄴ. $x<0$일 때, $f(x)>0$이므로 $|f(x)|=f(x)=1-x$

$0<x<1$일 때, $f(x)<0$이므로 $|f(x)|=-f(x)=1-x^2$

즉 $g(x)=|f(x)|=\begin{cases}1-x & (x<0)\\ -x^2+1 & (0\leq x<1)\end{cases}$라 하면

$g'(x)=\begin{cases}-1 & (x<0)\\ -2x & (0<x<1)\end{cases}$이므로

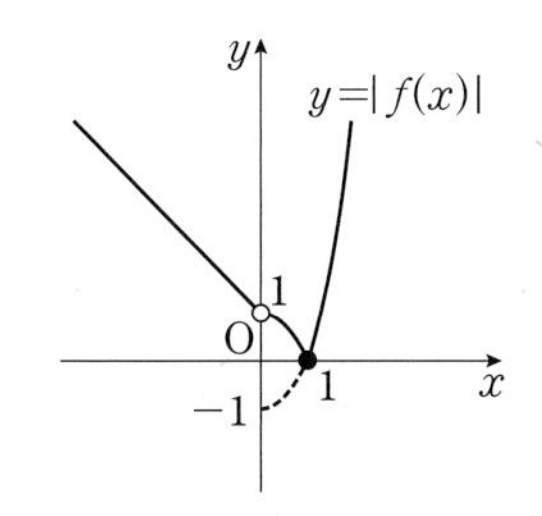

(ⅰ) $g(0)=|f(0)|=\lim_{x\to 0-}(1-x)$

$=\lim_{x\to 0+}(-x^2+1)=1$

$x=1$에서 함수 $f(x)$는 연속이다.

(ⅱ) $g'(x)=\begin{cases}-1 & (x<0)\\ -2x & (0<x<1)\end{cases}$에서

$\lim_{x\to 0-}(-1)=-1$, $\lim_{x\to 0+}(-2x)=0$이므로

$\lim_{x\to 0-}(-1)\neq\lim_{x\to 0+}(-2x)$

$x=0$에서의 미분계수 $g'(0)$이 존재하지 않는다.

(ⅰ), (ⅱ)에서 $|f(x)|$는 $x=0$에서 미분가능하지 않다. [거짓]

STEP Ⓑ 미분가능의 정의를 이용하여 자연수 k의 최솟값 구하기

ㄷ. $g(x)=x^kf(x)=\begin{cases}x^k(1-x) & (x<0)\\ x^k(x^2-1) & (0\leq x<1)\end{cases}$ (단, k는 자연수)

라 하면 $g(0)=0$

$\lim_{x\to 0-}\frac{g(x)-g(0)}{x-0}=\lim_{x\to 0-}\frac{x^k(1-x)}{x}$

$=\lim_{x\to 0-}x^{k-1}(1-x)$

이 극한은 $k=1$이면 1, $k\geq 2$이면 0의 값을 가진다.

$\lim_{x\to 0+}\frac{g(x)-g(0)}{x-0}=\lim_{x\to 0+}\frac{x^k(x^2-1)}{x}$

$=\lim_{x\to 0+}x^{k-1}(x^2-1)$

이 극한은 $k=1$이면 -1, $k\geq 2$이면 0의 값이다.

$k\geq 2$이면 $\lim_{x\to 0-}x^{k-1}(1-x)=\lim_{x\to 0+}x^{k-1}(x^2-1)=0$

즉 $x^kf(x)$가 $x=0$에서 미분가능하도록 하는 최소의 자연수 k는 2이다. [참]

따라서 옳은 것은 ㄱ, ㄷ이다.

0279

다음 물음에 답하여라.

(1) 곡선 $y=f(x)$와 직선 $y=x+1$이 점 $(2, 3)$에서 접할 때,

$\lim_{h \to 0} \dfrac{f(2+h)-f(2-h)}{h}$의 값을 구하여라.

STEP A $y=f(x)$**의 도함수를 이용하여 접선의 기울기 구하기**

$y=f(x)$의 그래프 위의 한 점 $(2, 3)$에서의 접선의 방정식이
$y=x+1$이므로 $f'(2)=1$

STEP B **미분계수의 정의를 이용하여 극한값 구하기**

따라서 $\lim_{h \to 0} \dfrac{f(2+h)-f(2-h)}{h}$

$=\lim_{h \to 0} \dfrac{f(2+h)-f(2)-\{f(2-h)-f(2)\}}{h}$

$=\lim_{h \to 0} \dfrac{f(2+h)-f(2)}{h}-\lim_{h \to 0} \dfrac{f(2-h)-f(2)}{-h}\cdot(-1)$

$=f'(2)+f'(2)=2f'(2)=2$

(2) 미분가능한 함수 $y=f(x)$의 그래프 위의 한 점 $(2, 1)$에서의 접선의 방정식이 $y=3x-5$일 때, $\lim_{x \to \infty} \dfrac{x}{2}\left\{f\left(2+\dfrac{1}{3x}\right)-f(2)\right\}$의 값을 구하여라.

STEP A $y=f(x)$**의 도함수를 이용하여 접선의 기울기 구하기**

$y=f(x)$의 그래프 위의 한 점 $(2, 1)$에서의 접선의 방정식이
$y=3x-5$이므로 $f'(2)=3$

STEP B **미분계수의 정의를 이용하여 극한값 구하기**

따라서 $\dfrac{1}{3x}=h$로 놓으면 $x \to \infty$이면 $h \to 0$이므로

$\lim_{x \to \infty} \dfrac{x}{2}\left\{f\left(2+\dfrac{1}{3x}\right)-f(2)\right\}=\dfrac{1}{6}\lim_{h \to 0} \dfrac{f(2+h)-f(2)}{h}$

$=\dfrac{1}{6}f'(2)=\dfrac{1}{6}\cdot 3=\dfrac{1}{2}$

0280

삼차함수 $f(x)=x^3+ax^2+9x+3$의 그래프 위의 점 $(1, f(1))$에서의 접선의 방정식이 $y=2x+b$이다. $a+b$의 값은? (단, a, b는 상수이다.)

① 1 ② 2 ③ 3
④ 4 ⑤ 5

STEP A $y=f(x)$**의 도함수를 이용하여 접선의 기울기 구하기**

$f(x)=x^3+ax^2+9x+3$에서 $f'(x)=3x^2+2ax+9$
점 $(1, f(1))$에서 접선의 기울기는 $f'(1)=3+2a+9=2a+12$
이때 점 $(1, f(1))$에서의 접선의 방정식이 $y=2x+b$이므로 $f'(1)=2$
$2a+12=2$
$\therefore a=-5$

STEP B **점** $(1, f(1))$**이 직선** $y=2x+b$ **위의 점임을 이용하여** b **구하기**

또, $f(1)=1+a+9+3=13-5=8$
직선 $y=2x+b$가 점 $(1, 8)$을 지나므로 $2+b=8$
$\therefore b=6$
따라서 $a+b=-5+6=1$

0281

다음 그림과 같이 삼차함수 $f(x)=-x^3+4x^2-3x$의 그래프 위의 점 $(a, f(a))$에서 기울기가 양의 값인 접선을 그어 x축과 만나는 점을 A, 점 B $(3, 0)$에서 접선을 그어 두 접선이 만나는 점을 C, 점 C에서 x축에 수선을 그어 만나는 점을 D라 하고, $\overline{\text{AD}}:\overline{\text{DB}}=3:1$일 때, a의 값들의 곱을 구하여라.

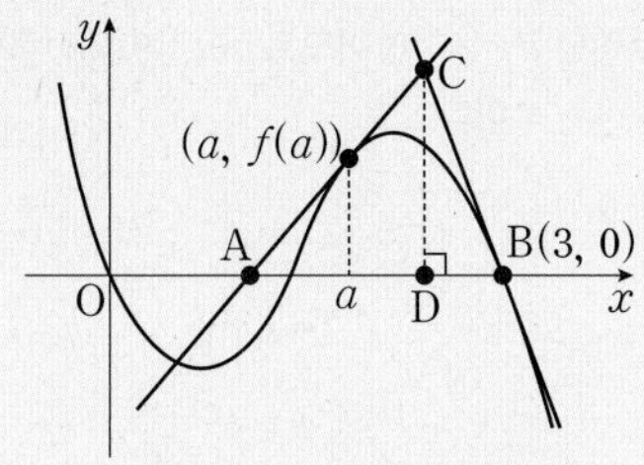

STEP A $\overline{\text{BD}}=k$**라 하고 직선 AC의 기울기 구하기**

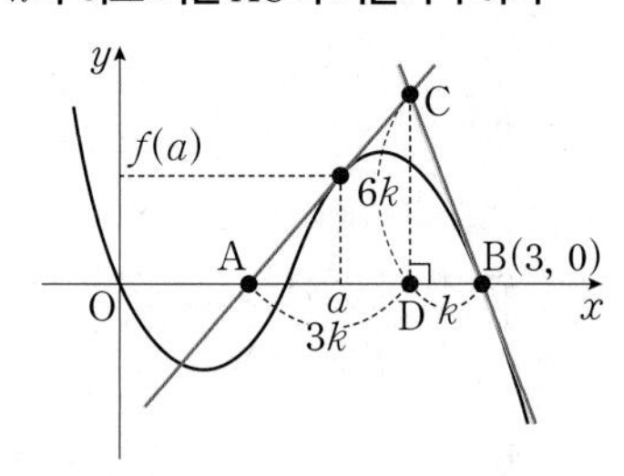

$f(x)=-x^3+4x^2-3x$에서 $f'(x)=-3x^2+8x-3$이므로
점 B$(3, 0)$에서의 접선의 기울기는 $f'(3)=-6$
이때 $\overline{\text{AD}}:\overline{\text{DB}}=3:1$이므로 $\overline{\text{BD}}=k$ $(k>0)$라 하면
$\overline{\text{AD}}=3k$
직선 BC의 기울기는 $\dfrac{\overline{\text{CD}}}{-k}=-6$이므로 $\overline{\text{CD}}=6k$
또, 직선 AC의 기울기는 $\dfrac{6k}{3k}=2$

STEP B **직선 AC의 기울기가 2임을 이용하여** a**값들의 곱 구하기**

$f'(a)=-3a^2+8a-3=2$를 만족하는 a를 구하면
$3a^2-8a+5=0$
따라서 $3a^2-8a+5=0$은 서로 다른 두 실근을 가지므로
근과 계수의 관계에 의하여 a값들의 곱은 $\dfrac{5}{3}$

0282

곡선 $y=x^3-ax+b$ 위의 점 $(1, 1)$에서의 접선과 수직인 직선의 기울기가 $-\dfrac{1}{2}$이다. 두 상수 a, b에 대하여 $a+b$의 값을 구하여라.

STEP A **두 직선이 수직이면 기울기의 곱이** -1**임을 이용하여** a **구하기**

$f(x)=x^3-ax+b$로 놓으면 $f'(x)=3x^2-a$이므로
점 $(1, 1)$에서의 접선의 기울기는 $f'(1)=3-a$
이때 이 접선과 수직인 직선의 기울기가 $-\dfrac{1}{2}$이므로
$(3-a)\cdot\left(-\dfrac{1}{2}\right)=-1$, $3-a=2$
$\therefore a=1$

STEP B **점** $(1, 1)$**을 곡선** $y=x^3-x+b$**에 대입하여** b **구하기**

또한, 점 $(1, 1)$은 곡선 $y=x^3-x+b$ 위의 점이므로 $1=1^3-1+b$
$\therefore b=1$
따라서 $a+b=1+1=2$

0283

함수 $f(x)=x(x-3)(x-a)$의 그래프 위의 점 $(0, 0)$에서의 접선과 점 $(3, 0)$에서의 접선이 서로 수직이 되도록 하는 모든 실수 a의 값의 합은?

① $\frac{3}{2}$ ② 2 ③ $\frac{5}{2}$
④ 3 ⑤ $\frac{7}{2}$

STEP A $x=0$**과** $x=3$**에서 접선의 기울기를 구하기**

$f(x)=x(x-3)(x-a)$에서

$f'(x)=(x-3)(x-a)+x(x-a)+x(x-3)$이므로

$f'(0)=3a,\ f'(3)=3(3-a)$

STEP B 수직인 두 직선의 기울기의 곱이 -1**임을 이용하여** a**의 값의 합 구하기**

이때 점 $(0, 0)$에서의 접선과 점 $(3, 0)$에서의 접선이 서로 수직이므로

$f'(0)\cdot f'(3)=-1$

즉, $3a\cdot 3(3-a)=-1,\ 9a^2-27a-1=0$

따라서 근과 계수의 관계에 의하여 두 근의 합은 $\frac{27}{9}=3$

0284

삼차함수 $f(x)$에 대하여 곡선 $y=f(x)$ 위의 점 $(1, f(1))$에서의 접선과 직선 $y=-\frac{1}{3}x+2$가 서로 수직일 때, $\lim_{x\to\infty}x\left\{f\left(1+\frac{1}{2x}\right)-f\left(1-\frac{1}{3x}\right)\right\}$의 값은?

① $\frac{5}{6}$ ② 1 ③ $\frac{5}{4}$
④ $\frac{5}{3}$ ⑤ $\frac{5}{2}$

STEP A 수직인 두 직선의 기울기의 곱이 -1**임을 이용하여** $f'(1)$ **구하기**

$y=f(x)$ 위의 점 $(1, f(1))$에서의 접선과 직선 $y=-\frac{1}{3}x+2$가

서로 수직이므로 $f'(1)\cdot\left(-\frac{1}{3}\right)=-1$

$\therefore f'(1)=3$

STEP B 미분계수의 정의를 이용하여 극한값 구하기

이때 $\frac{1}{x}=h$라 하면 $x\to\infty$일 때, $h\to 0$

$$\lim_{x\to\infty}x\left\{f\left(1+\frac{1}{2x}\right)-f\left(1-\frac{1}{3x}\right)\right\}$$

$$=\lim_{h\to 0}\frac{f\left(1+\frac{h}{2}\right)-f\left(1-\frac{h}{3}\right)}{h}$$

$$=\lim_{h\to 0}\left\{\frac{f\left(1+\frac{h}{2}\right)-f(1)}{\frac{h}{2}}\cdot\frac{1}{2}+\frac{f\left(1-\frac{h}{3}\right)-f(1)}{-\frac{h}{3}}\cdot\frac{1}{3}\right\}$$

$$=\frac{1}{2}f'(1)+\frac{1}{3}f'(1)$$

따라서 $\frac{1}{2}f'(1)+\frac{1}{3}f'(1)=\frac{1}{2}\cdot 3+\frac{1}{3}\cdot 3=\frac{5}{2}$

0285

다음 물음에 답하여라.

(1) 곡선 $y=x^3-2x^2+3x-4$ 위의 점 $(2, 2)$에서의 접선의 방정식을 구하여라.

STEP A 미분법을 이용하여 접선의 기울기 구하기

$f(x)=x^3-2x^2+3x-4$로 놓으면 $f'(x)=3x^2-4x+3$

점 $(2, 2)$에서의 접선의 기울기는 $f'(2)=12-8+3=7$

STEP B 곡선 위의 점 $(2, 2)$**에서 접선의 방정식 구하기**

점 $(2, 2)$에서의 접선의 방정식은

$y-2=7(x-2)$

따라서 $y=7x-12$

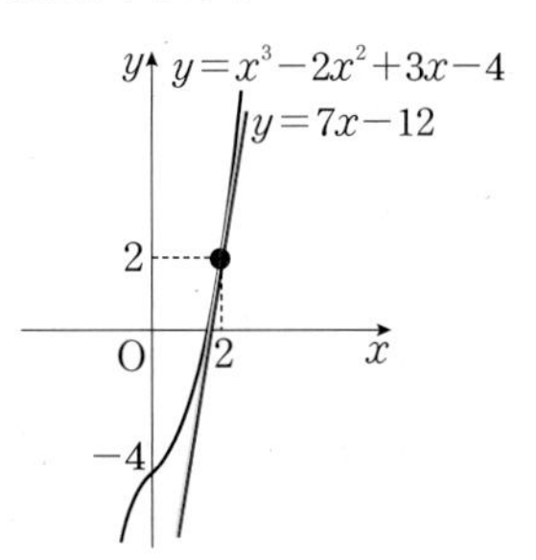

(2) 곡선 $y=-x^3-2x^2+3$ 위의 점 $(-1, 2)$를 지나고 이 점에서의 접선과 수직인 직선의 방정식을 구하여라.

STEP A 미분법을 이용하여 접선의 기울기 구하기

$f(x)=-x^3-2x^2+3$으로 놓으면 $f'(x)=-3x^2-4x$

점 $(-1, 2)$에서의 접선의 기울기는 $f'(-1)=-3+4=1$

STEP B 곡선 위의 점 $(-1, 2)$**에서 접선에 수직인 직선의 방정식 구하기**

점 $(-1, 2)$에서의 접선과 수직인 직선의 기울기는 -1이므로

구하는 직선의 방정식은

$y-2=-(x+1)$

따라서 $y=-x+1$

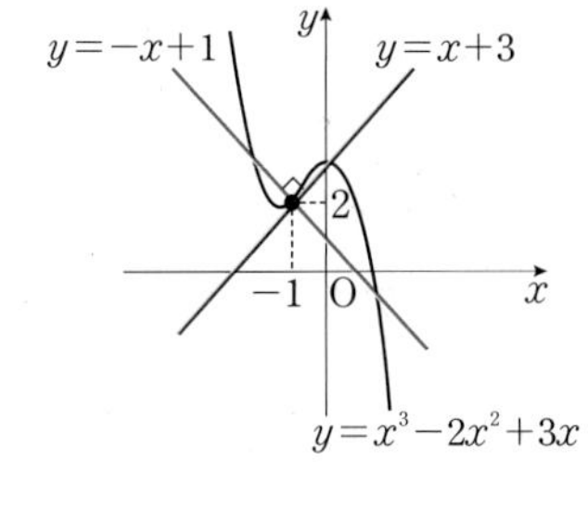

0286

다음 물음에 답하여라.

(1) 곡선 $y=x^3-x^2+a$ 위의 점 $(1, a)$에서의 접선이 점 $(0, 12)$를 지날 때, 상수 a의 값을 구하여라.

① 11 ② 12 ③ 13
④ 15 ⑤ 16

STEP A 다항함수의 미분을 이용하여 접선의 기울기 구하기

$f(x)=x^3-x^2+a$로 놓으면 $f'(x)=3x^2-2x$

$x=1$에서의 접선의 기울기는 $f'(1)=3-2=1$

STEP B 곡선 위의 점에서 접선의 방정식 구하기

점 $(1, a)$에서의 접선의 방정식은 $y-a=1(x-1)$

$\therefore y=x-1+a$

접선이 점 $(0, 12)$를 지나므로 $12=0-1+a$

따라서 $a=13$

02 접선의 방정식과 평균값 정리

(2) 곡선 $y=-x^3+2x$ 위의 점 $(1, 1)$에서의 접선이 점 $(-10, a)$를 지날 때, a의 값은?
① 8 ② 12 ③ 14
④ 16 ⑤ 18

STEP Ⓐ **다항함수의 미분을 이용하여 접선의 기울기 구하기**

$f(x)=-x^3+2x$로 놓으면 $f'(x)=-3x^2+2$

$x=1$에서의 접선의 기울기는 $f'(1)=-1$

STEP Ⓑ **곡선 위의 점 $(1, 1)$에서 접선의 방정식 구하기**

점 $(1, 1)$에서의 접선의 방정식은 $y-1=-(x-1)$

$\therefore y=-x+2$

따라서 접선이 점 $(-10, a)$를 지나므로 $a=-(-10)+2=12$

0287

다음 물음에 답하여라.

(1) 곡선 $y=x^3-5x$ 위의 점 $A(1, -4)$에서의 접선이 점 A가 아닌 점 B에서 곡선과 만난다. 선분 AB의 길이는?

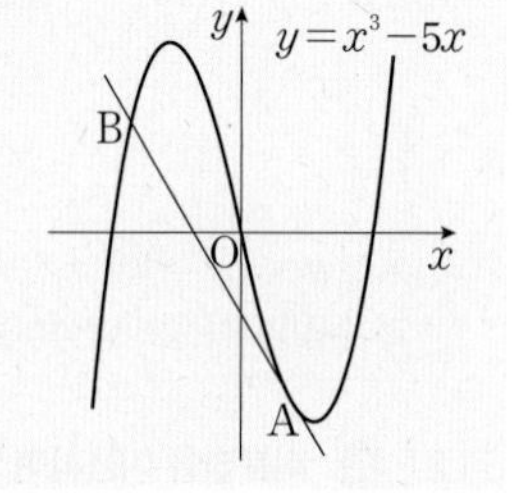

① $\sqrt{30}$ ② $\sqrt{35}$
③ $2\sqrt{10}$ ④ $3\sqrt{5}$
⑤ $5\sqrt{2}$

STEP Ⓐ **점 $A(1, -4)$에서의 접선의 방정식 구하기**

$f(x)=x^3-5x$로 놓으면 $f'(x)=3x^2-5$

$x=1$에서 접선의 기울기는 $f'(1)=3-5=-2$

점 $A(1, -4)$에서의 접선의 방정식은 $y-(-4)=-2(x-1)$

$\therefore y=-2x-2$

STEP Ⓑ **점 A에서의 접선과 곡선의 교점을 구하고 접점이 아닌 점 B를 구하여 두 점 사이의 거리 AB 구하기**

이때 접선과 곡선 $y=f(x)$가 만나는 점의 x좌표는

$x^3-5x=-2x-2$, $x^3-3x+2=0$

$(x-1)^2(x+2)=0$

$\therefore x=1$ 또는 $x=-2$

이때 조건에서 점 $A(1, -4)$가 아닌 교점의 좌표가 점 B이므로 점의 좌표는 $B(-2, 2)$

따라서 $\overline{AB}=\sqrt{(-2-1)^2+(2+4)^2}$
$=\sqrt{9+36}$
$=3\sqrt{5}$

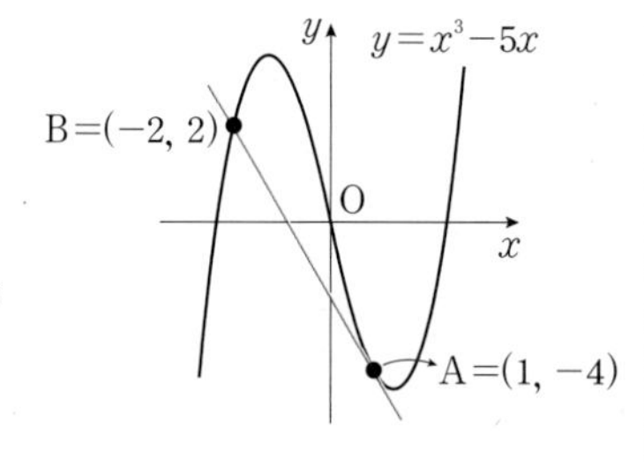

다른풀이 근과 계수의 관계를 이용하여 풀이하기

곡선 $y=x^3-5x$ 위의 점 $A(1, -4)$에서의 접선을 $y=mx+n$ (m, n은 상수)이라 하면

교점 B의 x좌표를 a라 하고

두 점 A, B가 곡선 $y=x^3-5x$와 직선 $y=mx+n$의 교점이고

점 A는 접점이므로 방정식 $x^3-5x=mx+n$

즉 $x^3-(5+m)x-n=0$의 세 근이 a, 1, 1이므로

$x^3-(5+m)x-n=(x-1)^2(x-a)$
$=x^3-(a+2)x^2+(2a+1)x-a$

계수를 비교하면 $a+2=0$

$\therefore a=-2$

따라서 점 B의 좌표는 $(-2, 2)$이므로 $\overline{AB}=\sqrt{(-2-1)^2+(2+4)^2}=3\sqrt{5}$

(2) 최고차항의 계수가 1인 삼차함수 $f(x)$에 대하여 곡선 $y=f(x)$ 위의 점 $(2, 4)$에서의 접선이 점 $(-1, 1)$에서 이 곡선과 만날 때, $f'(3)$의 값은?
① 10 ② 11 ③ 12
④ 13 ⑤ 14

STEP Ⓐ **곡선 $y=f(x)$ 위의 점 $(2, 4)$에서의 접선의 방정식 구하기**

$f(x)=x^3+ax^2+bx+c$로 놓으면 $f'(x)=3x^2+2ax+b$

두 점 $(2, 4)$, $(-1, 1)$을 지나는 직선의 방정식은 $y=x+2$

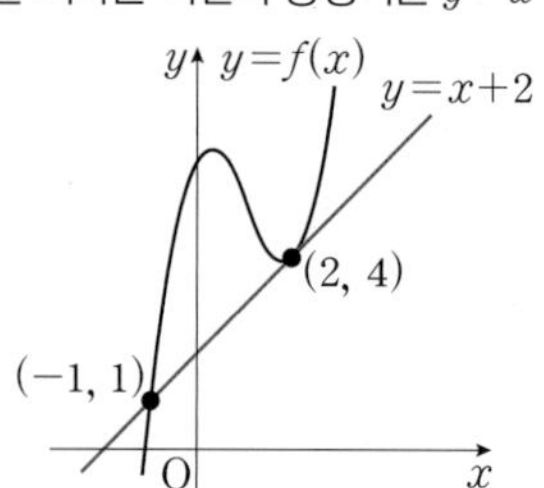

STEP Ⓑ **$f(2)=4$, $f(-1)=1$, $f'(2)=1$을 이용하여 $f'(x)$ 구하기**

$f(2)=4$에서 $4a+2b+c=-4$ …… ㉠

$f(-1)=1$에서 $a-b+c=2$ …… ㉡

$f'(2)=1$에서 $4a+b=-11$ …… ㉢

㉠, ㉡, ㉢에서 연립하여 풀면

$a=-3$, $b=1$, $c=6$

따라서 $f'(x)=3x^2-6x+1$이므로 $f'(3)=10$

다른풀이 곡선과 접선의 교점의 x좌표를 이용하여 삼차함수 $f(x)$ 구하기

두 점 $(2, 4)$, $(-1, 1)$을 지나는 직선의 방정식이 $y=x+2$이므로

$f(x)-(x+2)=(x-2)^2(x+1)$

$f(x)=x^3-3x^2+x+6$

$f'(x)=3x^2-6x+1$

따라서 $f'(3)=10$

0288

곡선 $y=x^3-ax^2+2ax+1$이 실수 a의 값에 관계없이 항상 지나는 점을 P, Q라 할 때, 두 점 P, Q에서의 접선이 수직이 되도록 하는 모든 실수 a의 값의 합을 구하여라.

STEP Ⓐ **a에 관한 항등식의 계수비교법을 이용하여 항상 지나는 점 구하기**

$y=x^3-ax^2+2ax+1$을 a에 대하여 정리하면

$a(-x^2+2x)+(x^3+1-y)=0$ …… ㉠

㉠이 a에 대한 항등식이므로

$-x^2+2x=0$, $x^3+1-y=0$

위의 식을 연립하면

$x=0$, $y=1$ 또는 $x=2$, $y=9$

즉 a의 값에 관계없이 지나는 두 점의 좌표는 $P(0, 1)$, $Q(2, 9)$

STEP Ⓑ **두 점 P, Q에서의 접선이 수직임을 이용하여 a값의 합 구하기**

$f(x)=x^3-ax^2+2ax+1$로 놓으면

$f'(x)=3x^2-2ax+2a$

점 $P(0, 1)$과 $Q(2, 9)$에서의 접선의 기울기는 각각

$f'(0)=2a$, $f'(2)=12-2a$

이때 두 접선이 서로 수직이므로 $2a(12-2a)=-1$

$4a^2-24a-1=0$

따라서 이차방정식의 근과 계수의 관계에 의하여 모든 실수 a의 합은 $\frac{24}{4}=6$

0289

다음 물음에 답하여라.

(1) 오른쪽 그림과 같이 곡선 $y=x^2$ 위를 움직이는 점 $\mathrm{P}(t, t^2)$이 있다. 점 P를 지나고 점 P에서의 접선과 수직인 직선의 y축과 만나는 점을 $\mathrm{Q}(0, g(t))$라 할 때, $\lim_{t\to 0} g(t)$의 값은?

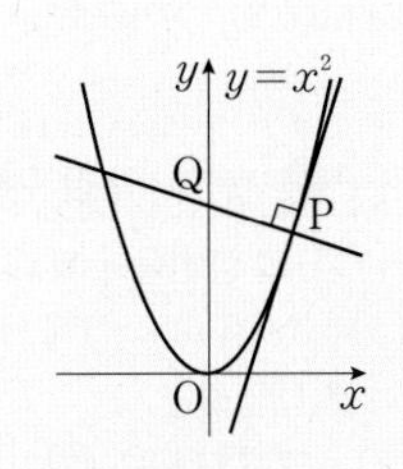

STEP A 점 $\mathrm{P}(t, t^2)$에서 접선에 수직인 직선의 방정식 구하기

$f(x)=x^2$로 놓으면 $f'(x)=2x$

점 $\mathrm{P}(t, t^2)$에서의 접선의 기울기는 $f'(t)=2t$

즉 접선에 수직인 직선의 기울기는 $-\frac{1}{2t}$이므로

접선과 수직인 직선의 방정식은 $y-t^2=-\frac{1}{2t}(x-t)$

$\therefore y=-\frac{1}{2t}x+\frac{1}{2}+t^2$

STEP B $\lim_{t\to 0} g(t)$의 값 구하기

이 직선이 y축과 만나는 점은 $\mathrm{Q}\left(0, \frac{1}{2}+t^2\right)$

이므로 $g(t)=\frac{1}{2}+t^2$

따라서 $\lim_{t\to 0} g(t)=\lim_{t\to 0}\left(\frac{1}{2}+t^2\right)=\frac{1}{2}$

(2) 오른쪽 그림과 같이 곡선 $y=x^3$ 위를 움직이는 점 $\mathrm{P}(t, t^3)$이 있다. 점 P를 지나고 점 P에서의 접선과 수직인 직선이 y축과 만나는 점을 $\mathrm{Q}(0, h(t))$라 할 때, $\lim_{t\to\infty}\frac{h(t)}{t^3}$의 값을 구하여라.

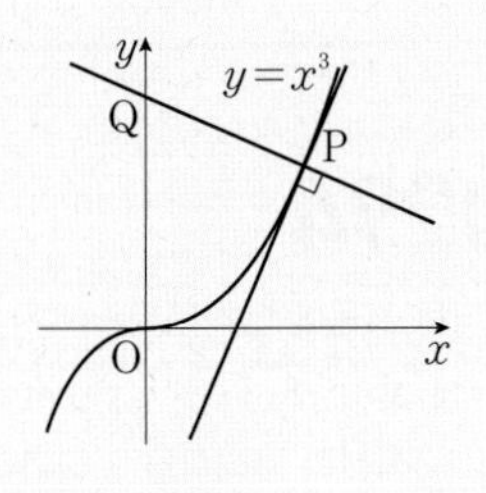

STEP A 점 $\mathrm{P}(t, t^3)$에서 접선에 수직인 직선의 방정식 구하기

$f(x)=x^3$로 놓으면 $f'(x)=3x^2$

점 $\mathrm{P}(t, t^3)$에서의 접선의 기울기는 $f'(t)=3t^2$

즉 접선에 수직인 직선의 기울기는 $-\frac{1}{3t^2}$이므로

접선과 수직인 직선의 방정식은

$y=-\frac{1}{3t^2}(x-t)+t^3=-\frac{1}{3t^2}x+t^3+\frac{1}{3t}$

STEP B $\lim_{t\to\infty}\frac{h(t)}{t^3}$의 값 구하기

이 직선이 y축과 만나는 점은 $\mathrm{Q}\left(0, t^3+\frac{1}{3t}\right)$

이므로 $h(t)=t^3+\frac{1}{3t}$

따라서 $\lim_{t\to\infty}\frac{h(t)}{t^3}=\lim_{t\to\infty}\left(1+\frac{1}{3t^4}\right)=1$

0290

곡선 $y=x^3$ 위의 점 $\mathrm{P}(t, t^3)$에서의 접선을 l이라 하고 점 P를 지나고 직선 l에 수직인 직선을 m이라 하자.

직선 l의 x절편을 $f(t)$, 직선 m의 y절편을 $g(t)$라 할 때,

$\lim_{t\to\infty}\frac{g(t)}{t^2\times f(t)}$의 값을 구하여라. (단, $t\neq 0$)

STEP A 점 P에서 접선의 방정식을 구하여 $f(t)$ 구하기

$y=x^3$에서 $y'=3x^2$

점 $\mathrm{P}(t, t^3)$에서의 접선의 기울기는 $3t^2$

이때 직선 l의 방정식은 $y-t^3=3t^2(x-t)$

이 식에 $y=0$을 대입하면 $-t^3=3t^2(x-t)$에서

$x=\frac{2}{3}t$이므로 $f(t)=\frac{2}{3}t$

STEP B 점 P에서 접선의 방정식을 구하여 $g(t)$ 구하기

또, 직선 l에 수직인 직선 m의 방정식은 $y-t^3=-\frac{1}{3t^2}(x-t)$이고

이 식에 $x=0$을 대입하면 $y-t^3=\frac{1}{3t}$에서

$y=t^3+\frac{1}{3t}$이므로 $g(t)=t^3+\frac{1}{3t}$

STEP C 극한값 구하기

따라서 $\lim_{t\to\infty}\frac{g(t)}{t^2\times f(t)}=\lim_{t\to\infty}\frac{t^3+\frac{1}{3t}}{\frac{2}{3}t^3}=\lim_{t\to\infty}\frac{3t^4+1}{2t^4}=\lim_{t\to\infty}\left(\frac{3}{2}+\frac{1}{2t^4}\right)=\frac{3}{2}$

0291

다항함수 $f(x)$가 $\lim_{x\to 1}\frac{f(x)}{x-1}=1$을 만족할 때, 곡선 $y=f(x)$ 위의 $x=1$인 점에서의 접선의 방정식을 구하여라.

STEP A $\lim_{x\to 1}\frac{f(x)}{x-1}=1$에서 $f(1)$, $f'(1)$의 값 구하기

$\lim_{x\to 1}\frac{f(x)}{x-1}=1$에서

$x\to 1$일 때, (분모)$\to 0$이고 극한값이 존재하므로 (분자)$\to 0$이다.

즉 $\lim_{x\to 1} f(x)=0$이므로 $f(1)=0$

또한, $f(1)=0$이므로 $\lim_{x\to 1}\frac{f(x)-f(1)}{x-1}=f'(1)=1$

STEP B $x=1$인 점에서의 접선의 방정식 구하기

곡선 $y=f(x)$ 위의 점 $(1, f(1))$에서 접선의 기울기는 $f'(1)=1$

점 $(1, 0)$을 지나고 기울기가 1인 접선의 방정식은 $y-0=1(x-1)$

따라서 $y=x-1$

0292

두 다항함수 $f(x)$, $g(x)$가 다음 조건을 만족시킨다.

(가) $\lim_{x\to 2}\frac{f(x)-2}{x-2}=-3$

(나) $g(x)=(x-1)^2$

곡선 $y=f(x)g(x)$ 위의 점 중 x좌표가 2인 점에서의 접선의 방정식은 $y=ax+b$일 때, 상수 a, b에 대하여 $a+b$의 값은?

① 1 ② 2 ③ 3 ④ 4 ⑤ 5

STEP A $\lim_{x\to 2}\frac{f(x)-2}{x-2}=-3$에서 $f(2)$, $f'(2)$의 값 구하기

조건 (가)에서 $\lim_{x\to 2}\frac{f(x)-2}{x-2}=-3$이므로

$x\to 2$일 때, (분모)$\to 0$이고 극한값이 존재하므로 (분자)$\to 0$이다.

즉 $\lim_{x\to 2}\{f(x)-2\}=0$이므로 $f(2)=2$

또한, $f(2)=2$이므로 $\lim_{x\to 2}\frac{f(x)-f(2)}{x-2}=f'(2)=-3$

STEP B $g(x)=(x-1)^2$에서 $g(2)$, $g'(2)$의 값 구하기

조건 (나)에서 $g(x)=(x-1)^2$에서 $g'(x)=2(x-1)$이므로

$g(2)=1$, $g'(2)=2$

STEP C 곡선 위의 점 $(2, f(2)g(2))$에서 접선의 방정식 구하기

이때 $y=f(x)g(x)$에서 $y'=f'(x)g(x)+f(x)g'(x)$이므로

곡선 $y=f(x)g(x)$ 위의 점 중 x좌표가 2인 점에서의 접선의 기울기는

$f'(2)g(2)+f(2)g'(2)=(-3)\cdot 1+2\cdot 2=1$

또한, $f(2)g(2)=2$이므로 기울기가 1이고 점 $(2, 2)$를 지나는

접선의 방정식은 $y-2=1\cdot(x-2)$ $\therefore y=x$

따라서 $a=1$, $b=0$이므로 $a+b=1$

0293

다음 물음에 답하여라.

(1) 다항함수 $f(x)$가 다음 조건을 만족시킨다.

(가) $\lim_{x\to\infty}\frac{f(x)}{x^2+2x-3}=5$ (나) $\lim_{x\to 0}\frac{f(x)}{x}=2$

함수 $y=f(x)$의 그래프 위의 점 $(2, f(2))$에서의 접선의 방정식이 $y=ax+b$일 때, 상수 a, b에 대하여 $a+b$의 값을 구하여라.

STEP A 조건 (가)를 이용하여 다항함수 $f(x)$의 식을 구하기

조건 (가)에서 $\lim_{x\to\infty}\frac{f(x)}{x^2+2x-3}=5$이므로

$f(x)=5x^2+px+q$ (p, q는 상수)로 놓는다. …… ㉠

STEP B $\lim_{x\to 0}\frac{f(x)}{x}=2$에서 $f(0)$, $f'(0)$의 값 구하기

조건 (나)에서 $\lim_{x\to 0}\frac{f(x)}{x}=2$

$x\to 0$일 때, (분모)$\to 0$이고 극한값이 존재하므로 (분자)$\to 0$이어야 한다.

즉 $\lim_{x\to 0}f(x)=0$이므로 $f(0)=0$ …… ㉡

또한, $\lim_{x\to 0}\frac{f(x)}{x}=\lim_{x\to 0}\frac{f(x)-f(0)}{x-0}=f'(0)=2$ …… ㉢

㉠, ㉡에서 $f(0)=q=0$

$f'(x)=10x+p$에서 $f'(0)=p=2$이므로 $f(x)=5x^2+2x$

STEP C 함수 $y=f(x)$의 그래프 위의 점 $(2, f(2))$에서의 접선의 방정식 구하기

$f(x)=5x^2+2x$에서 $f'(x)=10x+2$이므로

점 $(2, f(2))$에서의 접선의 기울기는 $f'(2)=10\cdot 2+2=22$

기울기가 22이고 점 $(2, 24)$를 지나는 접선의 방정식은

$y-24=22(x-2)$ $\therefore y=22x-20$

따라서 $a=22$, $b=-20$이므로 $a+b=22+(-20)=2$

(2) 두 다항함수 $f(x)$, $g(x)$가 다음 조건을 만족시킨다.

(가) $g(x)=x^3f(x)-7$ (나) $\lim_{x\to 2}\frac{f(x)-g(x)}{x-2}=2$

곡선 $y=g(x)$ 위의 점 $(2, g(2))$에서의 접선의 방정식이 $y=ax+b$일 때, a^2+b^2의 값을 구하여라. (단, a, b는 상수이다.)

STEP A $g(2)$의 값 구하기

조건 (나)에서 $\lim_{x\to 2}\frac{f(x)-g(x)}{x-2}=2$이므로

$x\to 2$일 때, (분모)$\to 0$이고 극한값이 존재하므로 (분자)$\to 0$이다.

즉 $\lim_{x\to 2}\{f(x)-g(x)\}=0$이므로 $f(2)-g(2)=0$

$\therefore f(2)=g(2)$

조건 (가)에 $x=2$를 대입하면

$g(2)=8f(2)-7$이므로 $g(2)=8g(2)-7$

$f(2)=g(2)=1$ …… ㉠

STEP B $g'(2)$의 값 구하기

조건 (가)의 양변을 x에 대하여 미분하면

$g'(x)=3x^2f(x)+x^3f'(x)$

$x=2$를 대입하면

$g'(2)=12f(2)+8f'(2)$ …… ㉡

$$\lim_{x\to 2}\frac{f(x)-g(x)}{x-2}=\lim_{x\to 2}\frac{\{f(x)-f(2)\}-\{g(x)-g(2)\}}{x-2} \quad \Leftarrow f(2)=g(2)$$

$$=\lim_{x\to 2}\frac{f(x)-f(2)}{x-2}-\lim_{x\to 2}\frac{g(x)-g(2)}{x-2}$$

$$=f'(2)-g'(2)=2 \quad \cdots\cdots ㉢$$

㉡에 ㉠, ㉢을 대입하면

$g'(2)=12\cdot 1+8\cdot\{g'(2)+2\}$

$=12+8g'(2)+16$

$=8g'(2)+28$

$\therefore g'(2)=-4$

STEP C 곡선 $g(x)$ 위의 점 $(2, g(2))$에서 접선의 방정식 구하기

이때 곡선 $y=g(x)$ 위의 점 $(2, g(2))$에서의 접선의 방정식은

$y-g(2)=g'(2)(x-2)$, $y-1=-4(x-2)$

$\therefore y=-4x+9$

따라서 $a=-4$, $b=9$이므로 $a^2+b^2=(-4)^2+9^2=16+81=97$

0294

다음 물음에 답하여라.

(1) 곡선 $f(x)=x^3-12x+3$에 접하고 직선 $y=-9x+2$에 평행한 직선의 방정식을 구하여라.

STEP A 평행한 접선의 기울기 구하기

$f(x)=x^3-12x+3$에서 $f'(x)=3x^2-12$

접점의 좌표를 $(a, a^3-12a+3)$이라 하면

직선 $y=-9x+2$에 평행하므로 접선의 기울기가 -9

$f'(a)=3a^2-12=-9$, $3a^2=3$, $a^2=1$

$\therefore a=-1$ 또는 $a=1$

STEP B 기울기가 주어진 접선의 방정식 구하기

$a=-1$일 때, 접점의 좌표는 $(-1, 14)$이므로 접선의 방정식은

$y-14=-9(x+1)$ $\therefore y=-9x+5$

$a=1$일 때, 접점의 좌표는 $(1, -8)$이므로 접선의 방정식은

$y-(-8)=-9(x-1)$ $\therefore y=-9x+1$

따라서 접선의 방정식은 $y=-9x+5$ 또는 $y=-9x+1$

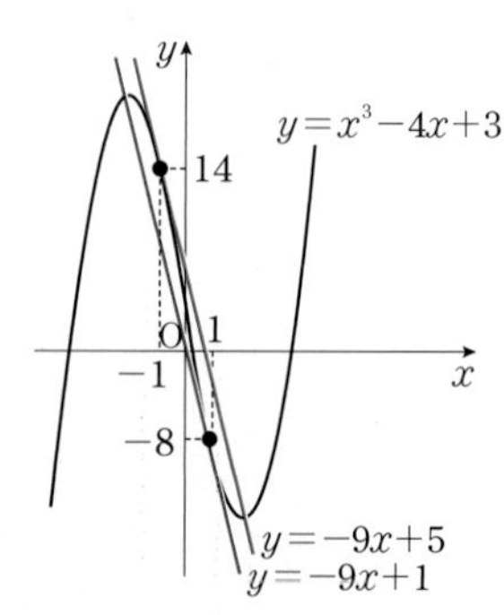

(2) 곡선 $f(x)=x^3-4x+3$에 접하고 직선 $y=x-1$에 수직인 직선의 방정식을 구하여라.

STEP A 수직인 접선의 기울기 구하기

$f(x)=x^3-4x+3$에서 $f'(x)=3x^2-4$

접점의 좌표를 $(a,\ a^3-4a+3)$이라 하면

직선 $y=x-1$에 수직인 접선의 기울기는 -1이므로

$f'(a)=3a^2-4=-1,\ 3a^2=3,\ a^2=1$

$\therefore\ a=-1$ 또는 $a=1$

STEP B 접선의 방정식 구하기

$a=-1$일 때, 접점의 좌표는 $(-1,\ 6)$이므로 접선의 방정식은

$y-6=-1\cdot(x+1)$

$\therefore\ y=-x+5$

$a=1$일 때, 접점의 좌표는 $(1,\ 0)$이므로 접선의 방정식은

$y-0=-1\cdot(x-1)$

$\therefore\ y=-x+1$

따라서 접선의 방정식은 $y=-x+5$ 또는 $y=-x+1$

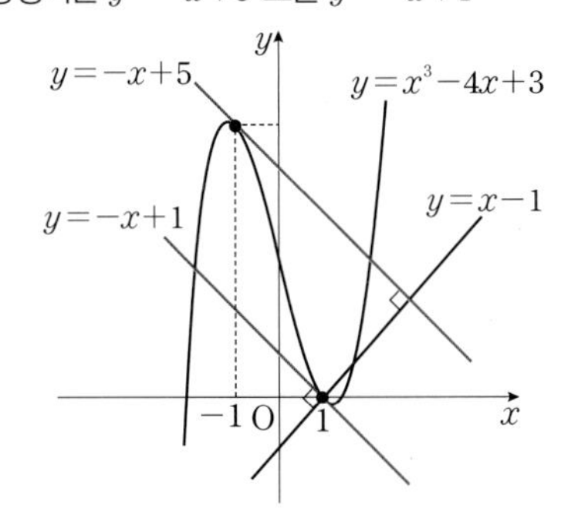

0295

다음 물음에 답하여라.

(1) 삼차함수 $f(x)=2x^3+3x^2-10x+9$의 그래프 위의 점 $(a,\ b)$에서 접선의 기울기가 2일 때, $10(a+b)$의 값을 구하여라. (단, $a>0$)

STEP A 점 $(a,\ b)$에서의 접선의 기울기를 이용하여 양수 a의 값 구하기

$f(x)=2x^3+3x^2-10x+9$에서 $f'(x)=6x^2+6x-10$

점 $(a,\ b)$에서 접선의 기울기가 2이므로 $f'(a)=6a^2+6a-10=2$

$6a^2+6a-12=0,\ a^2+a-2=0,\ (a-1)(a+2)=0$

$\therefore\ a=1(\because\ a>0)$

STEP B 점 $(1,\ b)$를 $y=f(x)$에 대입하여 b의 값 구하기

이때 $b=f(1)=2+3-10+9=4$ ⬅ 점 $(1,\ b)$를 $y=f(x)$에 대입

따라서 $10(a+b)=10(1+4)=50$

(2) 곡선 $f(x)=x^4-4x^3+6x^2+4$의 그래프 위의 점 $(a,\ b)$에서의 접선의 기울기가 4일 때, a^2+b^2의 값을 구하여라.

STEP A 점 $(a,\ b)$에서의 접선의 기울기를 이용하여 양수 a의 값 구하기

$f(x)=x^4-4x^3+6x^2+4$에서 $f'(x)=4x^3-12x^2+12x$

$x=a$에서의 접선의 기울기는 4이므로 $f'(a)=4a^3-12a^2+12a=4$

$a^3-3a^2+3a-1=0,\ (a-1)^3=0$

$\therefore\ a=1$

STEP B 점 $(1,\ b)$를 $y=f(x)$에 대입하여 b의 값 구하기

이때 $b=f(1)=1-4+6+4=7$ ⬅ 점 $(1,\ b)$를 $y=f(x)$에 대입

따라서 $a^2+b^2=1^2+7^2=50$

0296

다음 물음에 답하여라.

(1) 곡선 $y=x^3-4x^2$에 접하고 기울기가 2인 직선은 두 개가 있다. 이 두 접선의 접점의 x좌표를 각각 $\alpha,\ \beta$라 할 때, $\alpha+\beta$의 값을 구하여라.

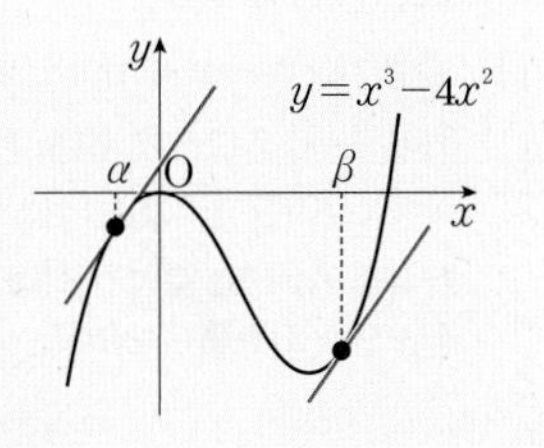

STEP A $f'(x)=2$를 만족하는 이차방정식 구하기

$f(x)=x^3-4x^2$로 놓으면 $f'(x)=3x^2-8x$

접점의 좌표를 $(a,\ a^3-4a^2)$이라 하면

접선의 기울기는 2이므로

$f'(a)=3a^2-8a=2,\ 3a^2-8a-2=0$

STEP B 근과 계수의 관계를 이용하여 두 근의 합 구하기

따라서 두 접점의 x좌표 $\alpha,\ \beta$가 이차방정식 $3a^2-8a-2=0$의 두 근이므로

근과 계수의 관계에 의하여 $\alpha+\beta=\frac{8}{3}$

(2) 다음 그림과 같이 정사각형 ABCD의 두 꼭짓점 A, C는 y축 위에 있고 두 꼭짓점 B, D는 x축 위에 있다. 변 AB와 변 CD가 각각 삼차함수 $y=x^3-5x$의 그래프에 접할 때, 정사각형 ABCD의 둘레의 길이를 구하여라.

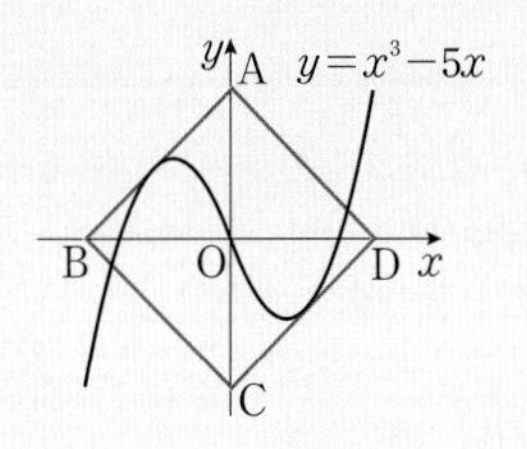

STEP A $y=x^3-5x$에 접하는 두 직선 AB와 CD의 기울기가 1임을 이용하기

직선 AB와 삼차함수 $y=x^3-5x$의 그래프가 접하는 점의 좌표를 $(a,\ a^3-5a)(a<0)$라 하자.

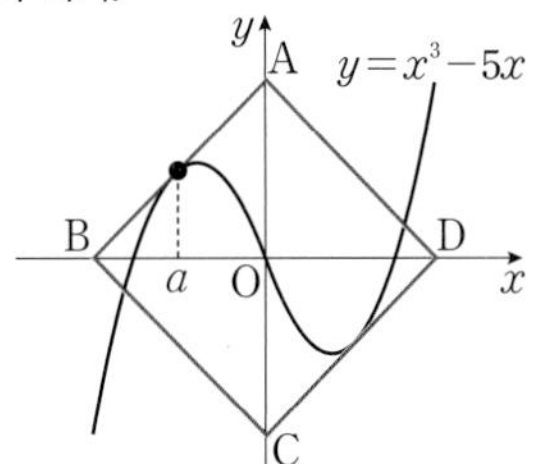

$y'=3x^2-5$이고 ABCD가 정사각형이므로 직선 AB의 기울기가 1이다.

$3a^2-5=1,\ a^2=2$

$\therefore\ a=-\sqrt{2}\ (\because\ a<0)$

$a^3-5a=-2\sqrt{2}+5\sqrt{2}=3\sqrt{2}$이므로

이때 접점의 좌표는 $(-\sqrt{2},\ 3\sqrt{2})$

즉 점 $(-\sqrt{2},\ 3\sqrt{2})$에서 직선 AB의 방정식은 $y-3\sqrt{2}=x-(-\sqrt{2})$

$\therefore\ y=x+4\sqrt{2}$

STEP B 두 점 A, B는 각각 직선 AB가 x축, y축과 만나는 점임을 이용하여 둘레의 길이 구하기

두 점 A, B는 각각 직선과 x축, y축의 교점이므로

$A(0,\ 4\sqrt{2}),\ B(-4\sqrt{2},\ 0)$

$\therefore\ \overline{AB}=\sqrt{(4\sqrt{2})^2+(4\sqrt{2})^2}=8$

따라서 정사각형 ABCD의 둘레의 길이는 $4\overline{AB}=4\cdot 8=32$

0297

다음 물음에 답하여라.

(1) 함수 $f(x)=-x^2+4x+1$의 그래프 위에 두 점 $A(1, 4)$, $B(4, 1)$과 두 점 A, B 사이를 움직이는 점 P가 있다. 삼각형 ABP의 넓이가 최대가 될 때, 점 P의 x좌표를 구하여라.

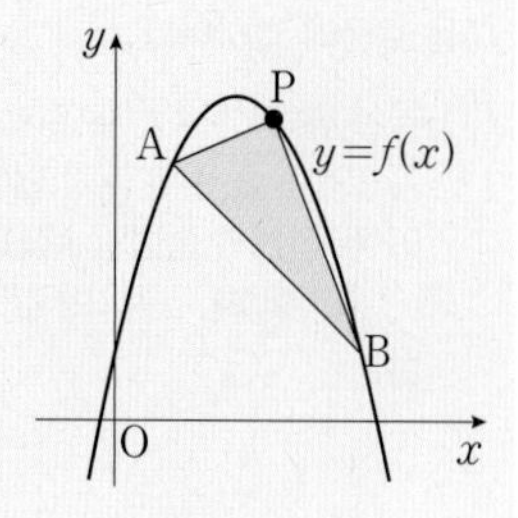

STEP A 삼각형 ABP의 넓이가 최대가 되는 점 P의 위치 구하기

선분 AB의 길이는 일정하므로 점 P에서 선분 AB에 내린 수선 PH의 길이가 최대일 때, 삼각형 ABP의 넓이가 최대이다.

직선 AB의 기울기가 $\frac{1-4}{4-1}=-1$이므로 점 P에서의 접선의 기울기가 -1이어야 한다.

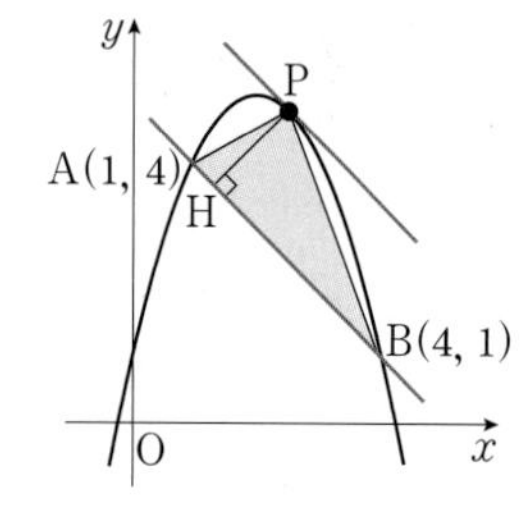

STEP B $f'(x)=-1$인 x의 값 구하기

$f(x)=-x^2+4x+1$에서 $f'(x)=-2x+4$

따라서 기울기가 -1일 때, $-2x+4=-1$ $\therefore x=\frac{5}{2}$

(2) 닫힌구간 $[0, 2]$에서 정의된 함수 $f(x)=ax(x-2)^2\left(a>\frac{1}{2}\right)$에 대하여 곡선 $y=f(x)$와 직선 $y=x$의 교점 중 원점 O가 아닌 점을 A라 하자. 점 P가 원점으로부터 점 A까지 곡선 $y=f(x)$ 위를 움직일 때, 삼각형 OAP의 넓이가 최대가 되는 점 P의 x좌표가 $\frac{1}{2}$이다. 상수 a의 값은?

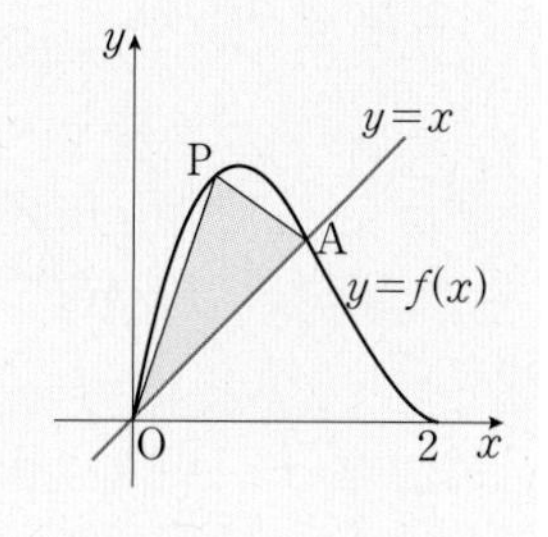

① $\frac{5}{4}$ ② $\frac{4}{3}$ ③ $\frac{17}{12}$
④ $\frac{3}{2}$ ⑤ $\frac{19}{12}$

STEP A 삼각형 OAP의 넓이가 최대가 되는 점 P의 위치 구하기

삼각형 OAP의 넓이가 최대일 때는 밑변의 길이가 $\overline{OA}$로 일정하므로 점 P에서 선분 OA 까지의 거리, 즉 점 P에서 직선 $y=x$까지 거리가 최대이어야 한다.
곡선 $y=f(x)$ 위의 점 P에서의 접선의 기울기가 직선 OA의 기울기인 1과 같아야 한다.

STEP B $f'\left(\frac{1}{2}\right)=1$을 만족하는 a의 값 구하기

즉 점 P에서 접선은 직선 $y=x$와 평행하면 된다.
이때 삼각형 OAP의 넓이가 최대가 되는 점 P의 x좌표가 $\frac{1}{2}$이므로

$f'\left(\frac{1}{2}\right)=1$이어야 한다.

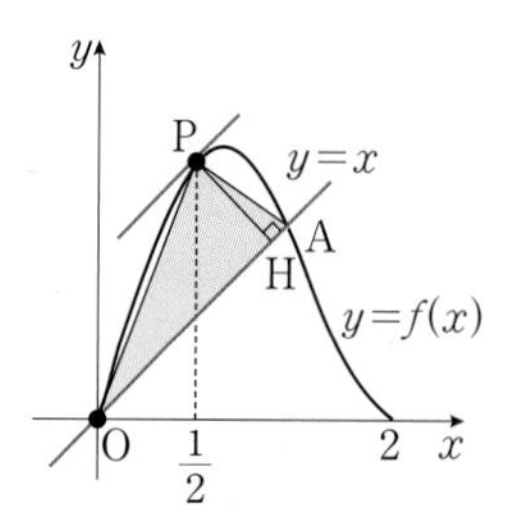

$f(x)=ax(x-2)^2$에서

$f'(x)=a(x-2)^2+2ax(x-2)$
$=a(x-2)(3x-2)$이므로

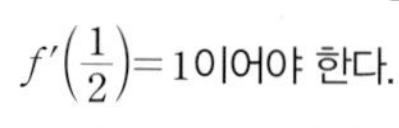

$f'\left(\frac{1}{2}\right)=a\cdot\left(-\frac{3}{2}\right)\cdot\left(-\frac{1}{2}\right)=\frac{3}{4}a=1$

따라서 $a=\frac{4}{3}$

0298

곡선 $y=x^3-5x^2+4x+4$ 위에 세 점 $A(-1, -6)$, $B(2, 0)$, $C(4, 4)$가 있다. 곡선 위에서 두 점 A, B 사이를 움직이는 점 P와 곡선 위에서 두 점 B, C 사이를 움직이는 점 Q에 대하여 사각형 AQCP의 넓이가 최대가 되도록 하는 두 점 P, Q의 x좌표의 곱을 구하여라.

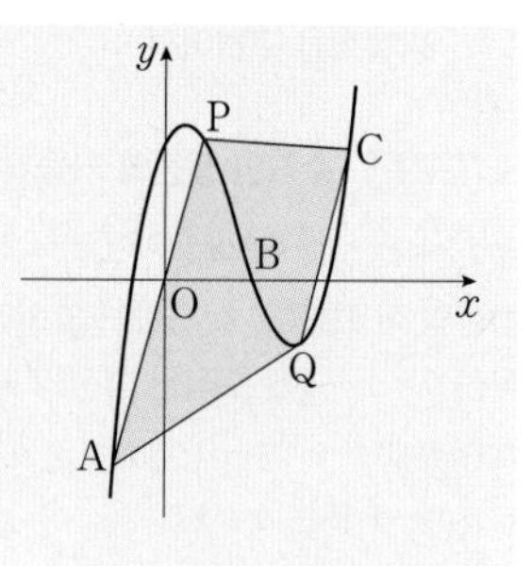

STEP A 세 점 A, B, C가 일직선 위에 있으므로 삼각형 ACP와 삼각형 AQC의 넓이가 최대일 때, 넓이가 최대임을 이해하기

직선 AB의 기울기는 $\frac{0-(-6)}{2-(-1)}=\frac{6}{3}=2$이고

직선 BC의 기울기는 $\frac{4-0}{4-2}=\frac{4}{2}=2$이므로

세 점 A, B, C는 일직선 위에 있다.

이때

(사각형 AQCP의 넓이)=(삼각형 ACP의 넓이)+(삼각형 AQC의 넓이)

이므로 세 점 A, B, C는 고정되어 있고 두 점 P, Q는 움직이는 점이다.

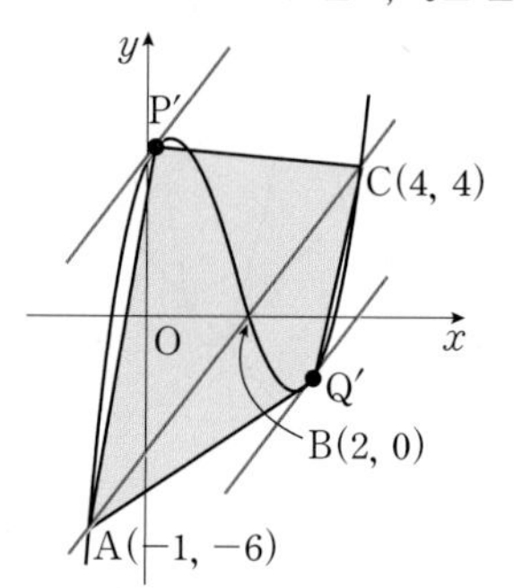

두 삼각형 ACP, AQC의 밑변을 선분 AC라 하면
높이는 각각 선분 AC에서 두 점 P, Q까지의 거리이다.
이때 선분 AC는 일정하므로 사각형 AQCP의 넓이가 최대가 되려면
선분 AC에서 두 점 P, Q까지의 거리가 각각 최대이어야 한다.
직선 AC의 기울기가 2이므로 접선의 기울기가 2가 되는 접점 P′, Q′이 각각 점 P, Q가 되어야 한다.

STEP B 사각형 AQCP의 넓이가 최대일 때 접선의 기울기가 2가 되는 접점 P, Q의 x좌표의 곱 구하기

$y=x^3-5x^2+4x+4$에서 $y'=3x^2-10x+4$이므로 기울기가 2일 때,

$3x^2-10x+4=2$

$\therefore 3x^2-10x+2=0$

따라서 이 이차방정식의 두 근이 사각형 AQCP의 넓이가 최대일 때의 두 점 P, Q의 x좌표이므로 이차방정식 $3x^2-10x+2=0$의 근과 계수의 관계에 의하여 두 근의 곱은 $\frac{2}{3}$

0299

곡선 $y=-2x^2+x+1$ 위의 점 P와 직선 $y=x+5$ 사이의 거리의 최솟값을 구하여라.

STEP A 직선 $y=x+5$ 사이의 거리가 최소가 되는 점 구하기

곡선 $y=-2x^2+x+1$ 위의 점 P와 직선 $y=x+5$ 사이의 거리의 최솟값은 이 직선과 평행하고 곡선에 접하는 접선의 접점과 직선 $y=x+5$ 사이의 거리와 같다.

STEP B 곡선 $y=-2x^2+x+1$에서 접선의 기울기가 1인 접점의 좌표 구하기

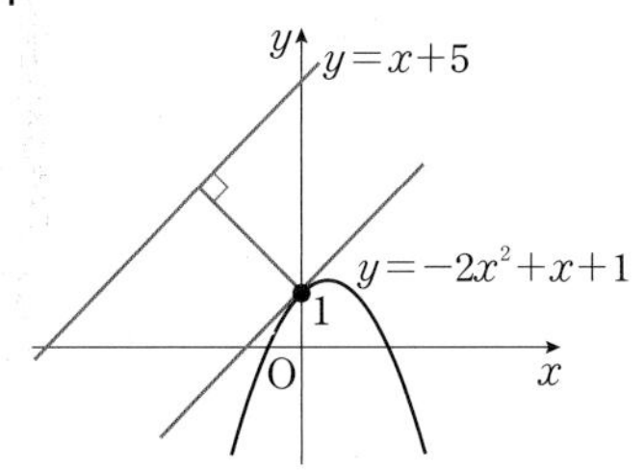

$f(x)=-2x^2+x+1$로 놓으면 $f'(x)=-4x+1$

접점의 좌표를 $(a,\ -2a^2+a+1)$이라 할 때, 접선의 기울기가 1이려면

$f'(a)=-4a+1=1$이므로 $a=0$, 즉 접점의 좌표는 $(0,\ 1)$

STEP C 점과 직선 사이의 거리 공식을 이용하여 구하기

따라서 점 $(0,\ 1)$과 직선 $x-y+5=0$ 사이의 거리는

$$\frac{|0-1+5|}{\sqrt{1^2+(-1)^2}}=\frac{4}{\sqrt{2}}=2\sqrt{2}$$

0300

곡선 $y=\frac{1}{3}x^3+\frac{11}{3}(x>0)$ 위를 움직이는 점 P와 직선 $x-y-10=0$ 사이의 거리를 최소가 되게 하는 곡선 위의 점 P의 좌표를 $(a,\ b)$라 할 때, $a+b$의 값을 구하여라.

STEP A 점 P가 곡선 위를 움직일 때, 점 P와 직선 사이의 거리가 최소가 되는 경우는 점 P에서의 접선이 직선과 평행인 경우임을 이해하기

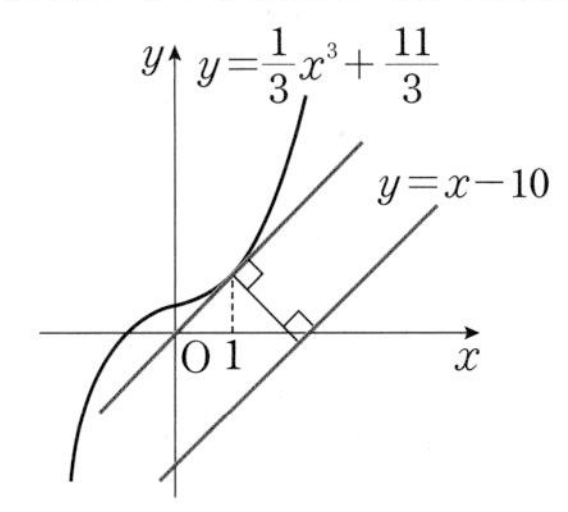

곡선과 직선은 $x>0$에서 곡선의 기울기가 급격하게 커지므로 만나지 않고 사이가 점점 벌어지므로 $f(x)=\frac{1}{3}x^3+\frac{11}{3}\ (x>0)$로 놓으면

곡선 $y=f(x)$ 위를 움직이는 점 $P(a,\ b)$에서의 기울기가 직선 $x-y-10=0$의 기울기와 같을 때, 점 P와 직선 사이의 거리가 최소가 된다.

STEP B 점 P의 좌표는 주어진 직선과 같은 기울기인 직선이 곡선에 접할 때의 접점의 좌표 구하기

점 P의 좌표를 $\left(a,\ \frac{1}{3}a^3+\frac{11}{3}\right)(a>0)$이라 하면

$f(x)=\frac{1}{3}x^3+\frac{11}{3}\ (x>0)$에서 $f'(x)=x^2$이므로

점 P에서의 접선의 기울기 $f'(a)=a^2=1$에서 $a=1\,(\because a>0)$

이때 $f(1)=\frac{1}{3}+\frac{11}{3}=4$

따라서 점 P의 좌표는 $(1,\ 4)$이므로 $a+b=5$

다른풀이 극대, 극소를 이용하여 풀이하기

STEP A 점 P에서 직선 사이의 거리 구하기

$y=\frac{1}{3}x^3+\frac{11}{3}$ 위의 점 P의 좌표를 $\left(k,\ \frac{1}{3}k^3+\frac{11}{3}\right)(k>0)$로 놓고

이 점 P에서 직선 $x-y-10=0$까지의 거리를 $d(k)$라 하면

$$d(k)=\frac{\left|k-\frac{1}{3}k^3-\frac{11}{3}-10\right|}{\sqrt{1^2+(-1)^2}}=\frac{\left|-\frac{1}{3}k^3+k-\frac{41}{3}\right|}{\sqrt{2}}$$

STEP B 극소가 되는 k의 값 구하기

$f(k)=-\frac{1}{3}k^3+k-\frac{41}{3}$이라 하면 $f(0)=-\frac{41}{3}$

$f'(k)=-k^2+1=-(k-1)(k+1)$

$f'(k)=0$에서 $k=-1$ 또는 $k=1$

함수 $f(k)$의 증가와 감소를 표로 나타내면 다음과 같다.

k		-1		1	
$f'(k)$	$-$	0	$+$	0	$-$
$f(k)$	↘	극소	↗	극대	↘

$k=1$에서 극대이고 $f(1)=-13<0$이므로

$d(k)=\frac{|f(k)|}{\sqrt{2}}$는 $k=1$일 때, 극솟값을 가진다.

$(\because k>0$일 때, $|f(k)|=-f(k))$

최소가 되는 점은 $k=1$일 때, $P(1,\ 4)$이므로 $a=1,\ b=4$

따라서 $a+b=1+4=5$

0301

다음 물음에 답하여라.

(1) 오른쪽 그림과 같이 곡선 $y=2x^2+5x+4$ 위의 임의의 점 P와 직선 $y=x-1$ 위의 두 점 $A(1,\ 0)$, $B(3,\ 2)$로 삼각형 PAB를 만들 때, 삼각형 PAB의 넓이의 최솟값을 구하여라.

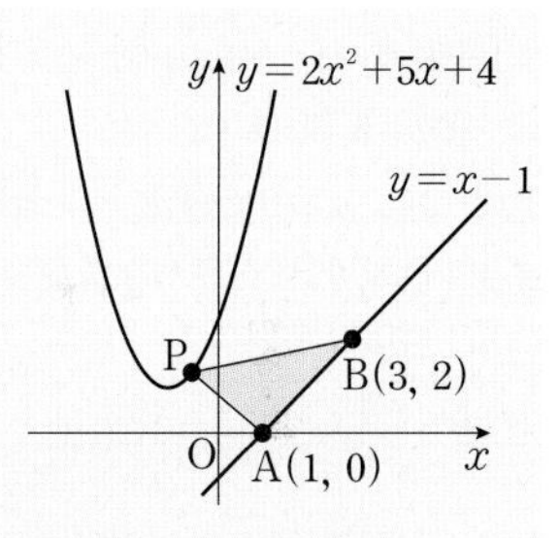

STEP A 점 P에서 접선의 기울기를 이용하여 점 P의 좌표 구하기

직선 $y=x-1$과 기울기가 같은 접선을 그어 본다.

삼각형 PAB에서 선분 AB를 밑변, 점 P와 직선 $y=x-1$ 사이의 거리를 높이라 하면 곡선 $y=2x^2+5x+4$ 위의 점 P가 기울기가 1인 접선 위의 점일 때, 삼각형 PAB의 넓이가 최소이다.

$f(x)=2x^2+5x+4$로 놓으면

$f'(x)=4x+5$

점 P의 좌표를 $(t,\ 2t^2+5t+4)$로 놓으면

이 점에서의 접선의 기울기가 1이므로 $f'(t)=4t+5=1$

$\therefore t=-1$

즉 점 P의 좌표는 $(-1,\ 1)$

STEP B 삼각형 PAB의 넓이의 최솟값 구하기

이때 점 $P(-1,\ 1)$과 직선 $y=x-1$, 즉 $x-y-1=0$ 사이의 거리 $\overline{PA}$는

$$\frac{|-3|}{\sqrt{1^2+(-1)^2}}=\frac{3}{\sqrt{2}}=\frac{3\sqrt{2}}{2}$$

또, 선분 AB의 길이는 $\sqrt{(3-1)^2+(2-0)^2}=2\sqrt{2}$

따라서 삼각형 PAB의 넓이의 최솟값은 $\frac{1}{2}\cdot\frac{3\sqrt{2}}{2}\cdot2\sqrt{2}=3$

(2) 삼차함수 $f(x)=-x^3+3x^2+x$에 대하여 곡선 $y=f(x)$ 위의 원점 O에서의 접선과 곡선 $y=f(x)$의 교점 중 원점 O가 아닌 점을 A라 하자. 점 P가 곡선 $y=f(x)$ 위에서 원점과 점 A 사이를 움직일 때, 삼각형 OAP의 넓이의 최댓값을 구하여라.

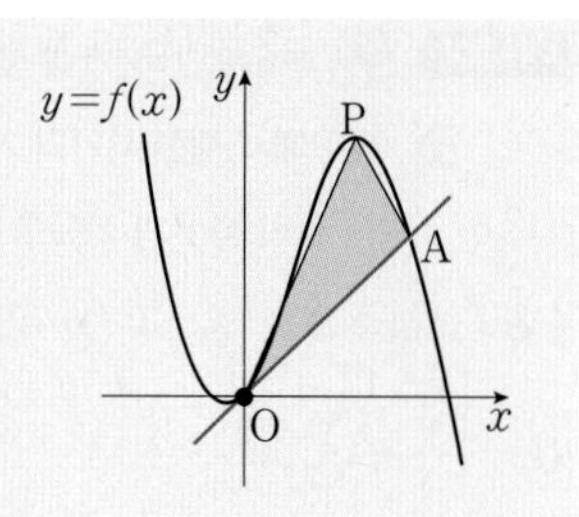

STEP A 점 O에서의 접선의 방정식 구하기

$f(x)=-x^3+3x^2+x$에서 $f'(x)=-3x^2+6x+1$

원점 O에서의 접선의 기울기는 $f'(0)=1$

점 O(0, 0)을 지나고 기울기가 1인 직선의 방정식은 $y=x$

STEP B 점 A의 좌표 구하기

이때 함수 $f(x)=-x^3+3x^2+x$와 접선 $y=x$의 교점의 x좌표는

$-x^3+3x^2+x=x$에서 $x^2(x-3)=0$

$\therefore x=0$ 또는 $x=3$

즉 $A(3, f(3))$이므로 $A(3, 3)$

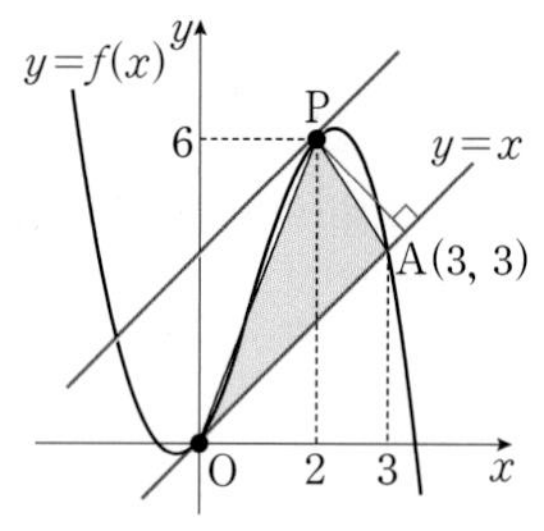

STEP C 삼각형 OAP의 넓이의 최댓값 구하기

삼각형 OAP의 넓이가 최대가 되려면 점 P에서의 접선의 기울기가 1이어야 한다.

점 P의 좌표를 $(a, -a^3+3a^2+a)$로 놓으면 이 점에서의 접선의 기울기가 1이므로 $f'(a)=-3a^2+6a+1=1$

$3a^2-6a=0$, $3a(a-2)=0$

$\therefore a=2(\because a\neq 0)$, 즉 점 P의 좌표는 (2, 6)

삼각형 OAP에서 선분 OA를 밑변으로 하면 점 P(2, 6)과 직선 $y=x$ 사이의 거리가 높이가 된다.

(높이)$=\dfrac{|2-6|}{\sqrt{1^2+(-1)^2}}=2\sqrt{2}$, $\overline{OA}=\sqrt{3^2+3^2}=3\sqrt{2}$

따라서 삼각형 OAP의 넓이의 최댓값은 $\dfrac{1}{2}\cdot 3\sqrt{2}\cdot 2\sqrt{2}=6$

0302

점 (1, −1)에서 곡선 $y=x^2-x$에 그은 두 접선의 접점을 각각 P, Q라 할 때, 선분 PQ의 길이는?

① 2 ② $\sqrt{5}$ ③ $2\sqrt{2}$
④ $\sqrt{13}$ ⑤ $3\sqrt{2}$

STEP A 접점을 (t, t^2-t)로 놓고 접선의 방정식 구하기

$f(x)=x^2-x$로 놓으면

$f'(x)=2x-1$

접점의 좌표를 (t, t^2-t)라 하면 이 점에서의 접선의 기울기는 $2t-1$이므로 접선의 방정식은

$y-(t^2-t)=(2t-1)(x-t)$

$y=(2t-1)x-t^2$

이 직선이 점 (1, −1)을 지나므로

$-1=(2t-1)\cdot 1-t^2$

$t^2-2t=0$, $t(t-2)=0$

$\therefore t=0$ 또는 $t=2$

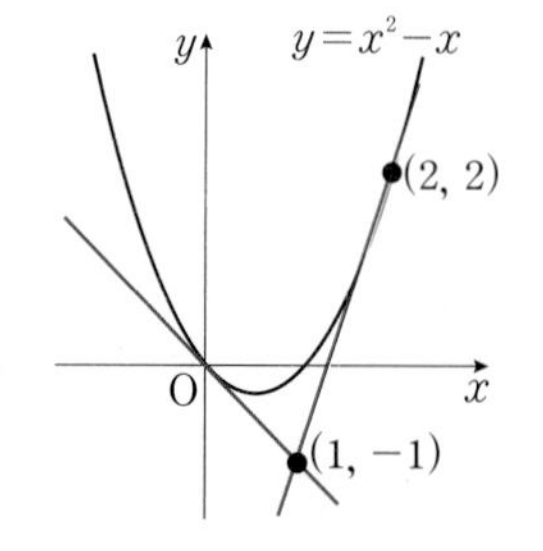

STEP B 접선이 점 (1, −1)를 지남을 이용하여 접점의 좌표 구하기

따라서 두 접점 P, Q의 좌표는 각각 (0, 0), (2, 2) 또는 (2, 2), (0, 0)이므로 두 점 사이의 거리는 $\sqrt{2^2+2^2}=2\sqrt{2}$

0303

다음 물음에 답하여라.

(1) 점 (0, −4)에서 곡선 $y=x^3-2$에 그은 접선이 x축과 만나는 점의 좌표를 $(a, 0)$이라 할 때, a의 값은?

① $\dfrac{7}{6}$ ② $\dfrac{4}{3}$ ③ $\dfrac{3}{2}$
④ $\dfrac{5}{3}$ ⑤ $\dfrac{11}{6}$

STEP A 접점의 좌표를 (t, t^3-2)로 놓고 접선의 방정식 구하기

$f(x)=x^3-2$로 놓으면 $f'(x)=3x^2$

접점의 좌표를 (t, t^3-2)라 하면 이 점에서 접선의 기울기는 $f'(t)=3t^2$이므로 접선의 방정식은 $y-(t^3-2)=3t^2(x-t)$ …… ㉠

STEP B 이 접선이 (0, −4)를 지남을 이용하여 t의 값을 구하고 a 구하기

이 접선이 (0, −4)를 지나므로

㉠에 대입하면

$-t^3-2=-3t^3$에서 $2t^3=2$

$\therefore t=1$ ($\because t$는 실수)

㉠에 대입하면 $y=3x-4$

이 접선이 x축과 만나는 점의 좌표가 $(a, 0)$이므로 $0=3a-4$

따라서 $a=\dfrac{4}{3}$

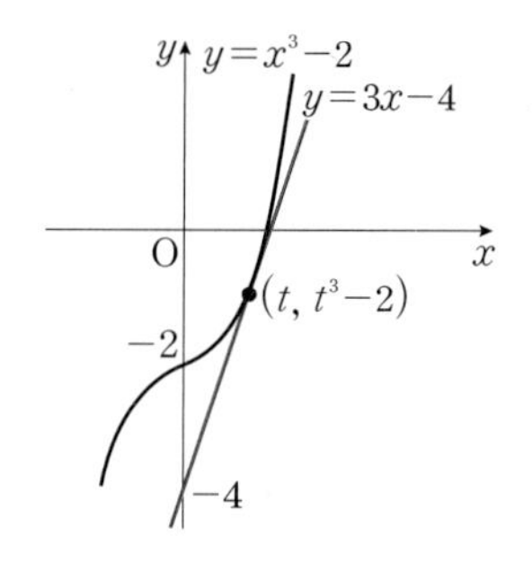

(2) 함수 $f(x)=x^3-ax$에 대하여 점 (0, 16)에서 곡선 $y=f(x)$에 그은 접선의 기울기가 8일 때, $f(a)$의 값은? (단, a는 상수이다.)

① 24 ② 36 ③ 48
④ 60 ⑤ 72

STEP A 접점의 좌표를 (t, t^3-at)로 놓고 접선의 방정식 구하기

$f(x)=x^3-ax$에서 $f'(x)=3x^2-a$

접점의 좌표를 (t, t^3-at)라 하면 이 점에서 접선의 기울기는 $f'(t)=3t^2-a$이므로 접선의 방정식은 $y-(t^3-at)=(3t^2-a)(x-t)$

STEP B 이 접선이 (0, 16)을 지남을 이용하여 t의 값 구하기

이 접선이 점 (0, 16)을 지나므로

대입하면

$16-(t^3-at)=(3t^2-a)(0-t)$

$2t^3=-16$, $t^3=-8$

$\therefore t=-2$ ($\because t$는 실수)

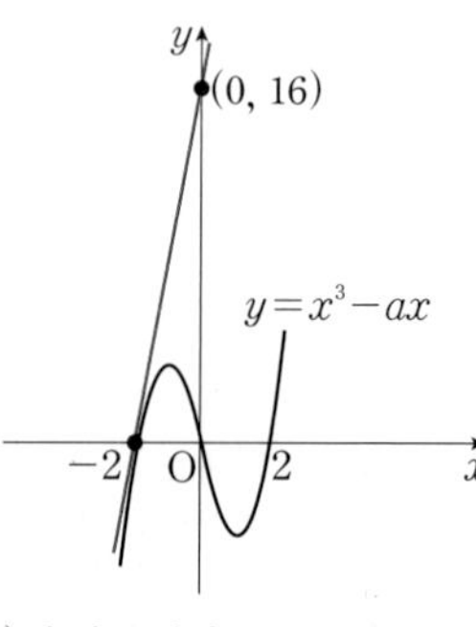

STEP C 접선의 기울기가 8일 때, $f(a)$의 값 구하기

이때 접선의 기울기는 8이므로

$f'(-2)=3\cdot(-2)^2-a=12-a=8$

$\therefore a=4$

따라서 $f(x)=x^3-4x$이므로 $f(a)=f(4)=4^3-4\cdot 4=48$

0304

다음 그림과 같이 점 $(0,\ 2)$에서 곡선 $y=x^3-2x$에 그은 접선이 곡선과 접하는 점을 A, 곡선과 만나는 점을 B라 할 때, $\overline{AB}$의 길이는?

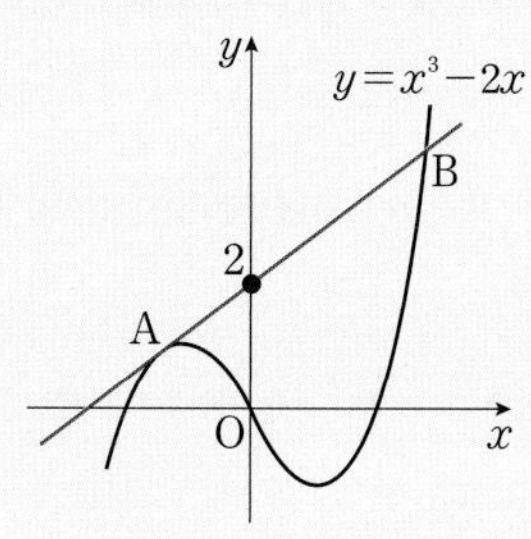

① $\sqrt{15}$ ② $\sqrt{17}$ ③ $3\sqrt{2}$
④ $2\sqrt{3}$ ⑤ $2\sqrt{5}$

STEP A **점 $(0,\ 2)$에서 곡선 $y=x^3-2x$에 그은 접선의 방정식 구하기**

$f(x)=x^3-2x$로 놓으면

$f'(x)=3x^2-2$

곡선 위의 접점 A의 좌표를 $(a,\ a^3-2a)$이라 하면

이 점에서 접선의 기울기는 $f'(a)=3a^2-2$이므로 접선의 방정식은

$y-(a^3-2a)=(3a^2-2)(x-a)$ …… ㉠

접선 ㉠이 점 $(0,\ 2)$를 지나므로

$2-(a^3-2a)=(3a^2-2)(0-a)$

$2-a^3+2a=-3a^3+2a,\ a^3=-1$

$\therefore\ a=-1$ ($\because$ a는 실수)

즉 접점 A의 좌표는 $(-1,\ 1)$이고 접선의 방정식은 $y=x+2$

STEP B **접선과 곡선을 연립하여 두 점 A, B 구하기**

이때 접선이 곡선과 만나는 점의 x좌표는

$x^3-2x=x+2$에서 $x^3-3x-2=0$

$(x+1)^2(x-2)=0$

$\therefore\ x=-1$ 또는 $x=2$

즉 점 A, B의 좌표는 $A(-1,\ 1),\ B(2,\ 4)$

따라서 $\overline{AB}=\sqrt{(-1-2)^2+(1-4)^2}=3\sqrt{2}$

0305

다음 물음에 답하여라.

(1) 두 곡선 $y=ax^3-x,\ y=bx^2+c$가 점 $(1,\ 0)$을 지나고, 이 점에서 공통접선을 가질 때, 상수 $a,\ b,\ c$에 대하여 $a+b+c$값을 구하여라.

STEP A **$f(1)=0,\ g(1)=0$임을 이용하기**

$f(x)=ax^3-x,\ g(x)=bx^2+c$로 놓으면

$f'(x)=3ax^2-1,\ g'(x)=2bx$

두 곡선 $y=f(x),\ y=g(x)$가 점 $(1,\ 0)$을 지나므로

$f(1)=a-1=0$에서 $a=1$

$g(1)=b+c=0$에서 $b=-c$ …… ㉠

STEP B **$f'(1)=g'(1)$임을 이용하기**

두 곡선 $y=f(x),\ y=g(x)$의 점 $(1,\ 0)$에서의 접선의 기울기가 같으므로

$f'(1)=g'(1)$에서 $3-1=2b$

$\therefore\ b=1$

㉠에서 $c=-1$

STEP C **$a+b+c$의 값 구하기**

따라서 $a=1,\ b=1,\ c=-1$이므로 $a+b+c=1$

(2) 두 곡선 $y=-x^2+3,\ y=ax^2-1$의 교점에서 두 곡선의 접선이 서로 수직일 때, 상수 a의 값을 구하여라.

STEP A **교점의 x좌표를 t라 하고 $f(t)=g(t)$임을 이용하기**

$f(x)=-x^2+3,\ g(x)=ax^2-1$로 놓으면

$f'(x)=-2x,\ g'(x)=2ax$

두 곡선의 교점의 x좌표를 t라 하면 $f(t)=g(t)$이므로

$-t^2+3=at^2-1$ …… ㉠

STEP B **두 곡선의 접선이 서로 수직임을 이용하기**

또, $x=t$인 점에서 두 곡선의 접선이 서로 수직이므로

$f'(t)g'(t)=-1$에서 $-2t\cdot 2at=-1$

$\therefore\ at^2=\frac{1}{4}$ …… ㉡

㉡을 ㉠에 대입하면

$-t^2+3=\frac{1}{4}-1$

$\therefore\ t^2=\frac{15}{4}$

㉡에서 $a\cdot\frac{15}{4}=\frac{1}{4}$

따라서 $a=\frac{1}{15}$

0306

두 함수 $y=-x^2+4,\ y=2x^2+ax+b$의 그래프가 점 $A(2,\ 0)$에서 만나고 점 A에서 공통인 접선을 가질 때, 상수 $a,\ b$에 대하여 $a+b$의 값은?

① 4 ② 5 ③ 6
④ 7 ⑤ 8

STEP A **두 함수가 점 $A(2,\ 0)$에서 만남을 이용하기**

$f(x)=-x^2+4,\ g(x)=2x^2+ax+b$로 놓으면

$f'(x)=-2x,\ g'(x)=4x+a$

함수 $y=g(x)$가 $A(2,\ 0)$을 지나므로 $g(2)=0$

$8+2a+b=0$ …… ㉠

STEP B **두 함수가 점 $A(2,\ 0)$에서 공통접선을 가짐을 이용하기**

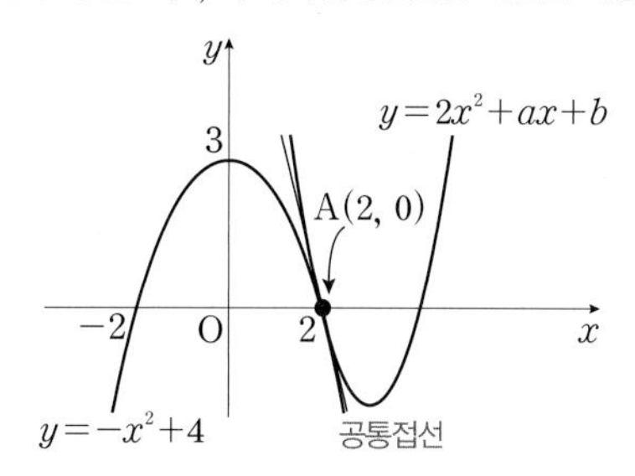

두 함수 $f(x)=-x^2+4,\ g(x)=2x^2+ax+b$의 그래프가 점 $A(2,\ 0)$에서 공통인 접선을 가지므로 기울기가 일치한다.

$f'(2)=-4,\ g'(2)=8+a$이므로

$f'(2)=g'(2)$에서 $-4=8+a$

$\therefore\ a=-12$

따라서 ㉠에서 $b=16$이므로 $a+b=(-12)+16=4$

0307

두 함수 $f(x)=x^3-3x^2+2ax+8$, $g(x)=-x^2+ax$의 그래프가 한 점에서 접할 때, 상수 a의 값을 구하여라.

STEP Ⓐ **두 함수의 접점의 x좌표를 t라 하면 $f(t)=g(t)$임을 이용하기**

$f(x)=x^3-3x^2+2ax+8$, $g(x)=-x^2+ax$에서

$f'(x)=3x^2-6x+2a$, $g'(x)=-2x+a$

두 곡선이 한 점에서 접하므로 두 곡선 $y=f(x)$와 $y=g(x)$의 접점의 x좌표를 $x=t$라 하면 함숫값이 서로 같으므로

$f(t)=g(t)$에서 $t^3-3t^2+2at+8=-t^2+at$

$\therefore t^3-2t^2+at+8=0$ …… ㉠

STEP Ⓑ **$f'(t)=g'(t)$임을 이용하기**

$x=t$인 점에서 접선의 기울기가 서로 같으므로

$f'(t)=g'(t)$에서 $3t^2-6t+2a=-2t+a$

$\therefore a=4t-3t^2$ …… ㉡

㉡을 ㉠에 대입하면

$t^3-2t^2+(4t-3t^2)t+8=0$

$t^3-t^2-4=0$, $(t-2)(t^2+t+2)=0$

$\therefore t=2$ ($\because t^2+t+2>0$)

따라서 $t=2$를 ㉡에 대입하면 $a=8-12=-4$

0308

곡선 $y=x^2$ 위의 점 $(-2, 4)$에서의 접선이 곡선 $y=x^3+ax-2$에 접할 때, 상수 a의 값은?

① -9 ② -7 ③ -5
④ -3 ⑤ -1

STEP Ⓐ **곡선 $y=x^2$ 위의 점 $(-2, 4)$에서의 접선의 방정식 구하기**

$f(x)=x^2$로 놓으면 $f'(x)=2x$이므로

점 $(-2, 4)$에서의 접선의 기울기는 $f'(-2)=2\cdot(-2)=-4$

점 $(-2, 4)$에서의 접선의 방정식은 $y-4=-4(x+2)$

$\therefore y=-4x-4$ …… ㉠

STEP Ⓑ **곡선 $y=x^3+ax-2$와 접선의 방정식이 접할 때, a 구하기**

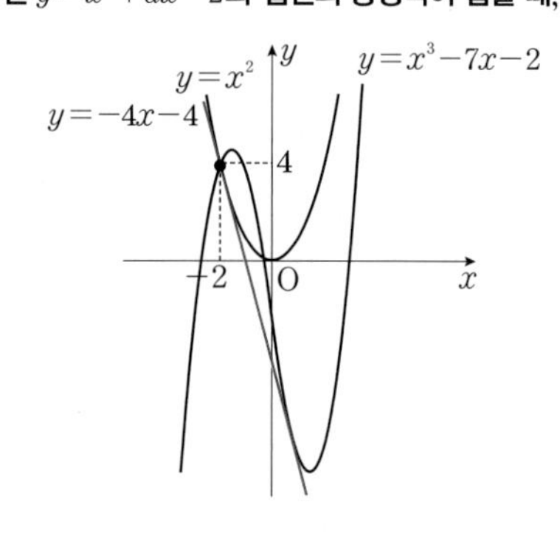

$g(x)=x^3+ax-2$로 놓으면 $g'(x)=3x^2+a$

접점 (t, t^3+at-2)에서의 접선의 방정식은

$y-(t^3+at-2)=(3t^2+a)(x-t)$

$\therefore y=(3t^2+a)x-2t^3-2$ …… ㉡

㉠, ㉡에서 두 직선은 일치하므로

$3t^2+a=-4$, $-2t^3-2=-4$, $t^3=1$

$\therefore t=1$ ($\because t$는 실수)

따라서 $t=1$을 $3t^2+a=-4$에 대입하면 $a=-7$

다른풀이 두 점을 지나는 직선의 기울기를 이용하여 풀이하기

$f(x)=x^2$로 놓으면 $f'(x)=2x$이므로

점 $(-2, 4)$에서의 접선의 기울기는 -4

또, $g(x)=x^3+ax-2$으로 놓고 접점의 좌표를 $(t, g(t))$라 하면

$g'(t)=3t^2+a=-4$

$\therefore a+4=-3t^2$ …… ㉠

또한, 두 점 $(-2, 4)$, (t, t^3+at-2)을 지나는 직선의 기울기가 -4와

같으므로 $\dfrac{t^3+at-2-4}{t-(-2)}=-4$

$t^3+at-6=-4(t+2)$

$t^3+(a+4)t+2=0$ …… ㉡

㉠을 ㉡에 대입하면 $t^3+(-3t^2)\cdot t+2=0$

$\therefore t^3=1$

따라서 $t=1$이므로 ㉠에서 $a=-7$

다른풀이 $x=t$에서 접점을 지나는 접선과 곡선을 이용하여 풀이하기

점 $(-2, 4)$에서의 접선의 방정식은 $y-4=-4(x+2)$

$\therefore y=-4x-4$ …… ㉠

직선 ㉠이 곡선 $y=x^3+ax-2$에 접하므로 접점의 좌표를

(t, t^3+at-2) (t는 실수)라 하면

$y'=3x^2+a$이고 $x=t$에서의 접선의 기울기가 -4이므로

$3t^2+a=-4$

$\therefore a=-3t^2-4$ …… ㉡

접선 ㉠이 점 (t, t^3+at-2)를 지나므로

$-4t-4=t^3+at-2$ …… ㉢

㉡을 ㉢에 대입하면

$-4t-4=t^3+(-3t^2-4)t-2$

$-4t-4=t^3-3t^3-4t-2$

$2t^3=2$, $t^3=1$

$\therefore t=1$

따라서 $t=1$을 ㉡에 대입하면 $a=-3\cdot1^2-4=-7$

0309

곡선 $y=x^3+2x^2+ax$가 직선 $y=3x+8$과 접할 때, 상수 a의 값은?

① -6 ② -5 ③ -4
④ -3 ⑤ -1

STEP Ⓐ **$x=t$에서 접점을 지나는 접선의 방정식 구하기**

$f(x)=x^3+2x^2+ax$로 놓으면 $f'(x)=3x^2+4x+a$

접점의 좌표를 (t, t^3+2t^2+at)라 하면

이 점에서의 접선의 기울기는 $f'(t)=3t^2+4t+a$이므로

접선의 방정식은

$y-(t^3+2t^2+at)=(3t^2+4t+a)(x-t)$

$\therefore y=(3t^2+4t+a)x-2t^3-2t^2$ …… ㉠

STEP Ⓑ **이 접선이 직선 $y=3x+8$과 일치함을 이용하여 상수 a의 값 구하기**

㉠이 직선 $y=3x+8$과 일치해야 하므로

$3t^2+4t+a=3$ …… ㉡

$-2t^3-2t^2=8$ …… ㉢

㉢에서 $t^3+t^2+4=0$, $(t+2)(t^2-t+2)=0$

$\therefore t=-2$ ($\because t^2-t+2>0$)

$t=-2$를 ㉡에 대입하면 $12-8+a=3$

따라서 $a=-1$

0310

두 함수 $f(x)=x^2$과 $g(x)=-(x-3)^2+k\,(k>0)$에 대하여 곡선 $y=f(x)$ 위의 점 $\mathrm{P}(1,\ 1)$에서의 접선을 l이라 하자.
직선 l에 곡선 $y=g(x)$가 접할 때의 접점을 Q, 곡선 $y=g(x)$와 x축이 만나는 두 점을 각각 R, S라 할 때, 삼각형 QRS의 넓이를 구하여라.

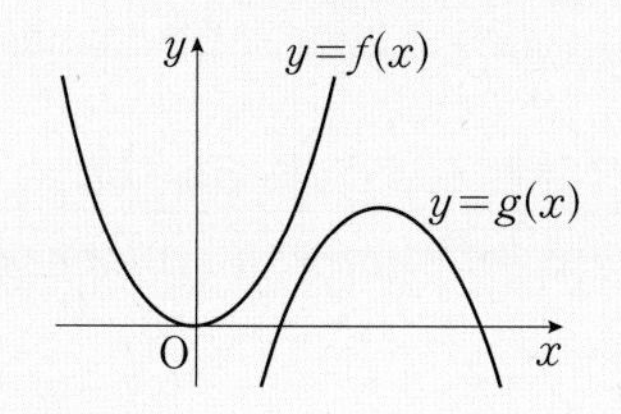

STEP A $y=f(x)$ **위의 점** $\mathrm{P}(1,\ 1)$**에서의 접선의 방정식 구하기**

$f(x)=x^2$에서 $f'(x)=2x$
점 $\mathrm{P}(1,\ 1)$에서의 접선 l의 기울기가 $f'(1)=2$
점 $\mathrm{P}(1,\ 1)$에서의 접선 l의 방정식은 $y-1=2(x-1)$
$\therefore\ y=2x-1$

STEP B 점 Q를 $(t,\ -(t-3)^2+k)$**라 하고 접선의 방정식을 구하여 접선** l**과 일치함을 이용하여 점 Q의 좌표 구하기**

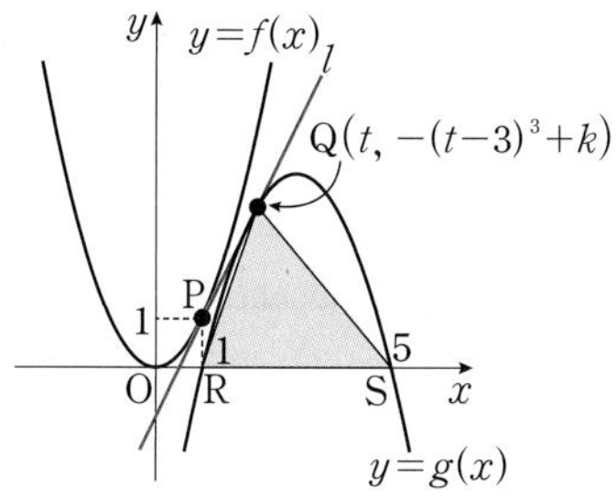

또한, $g(x)=-(x-3)^2+k$에서 $g'(x)=-2(x-3)=-2x+6$
접점 Q의 좌표를 $(t,\ -(t-3)^2+k)$라 하면
점 $\mathrm{Q}(t,\ -(t-3)^2+k)$에서의 접선의 기울기가 $g'(t)=-2t+6$
점 $(t,\ -(t-3)^2+k)$에서의 접선의 방정식은
$y+(t-3)^2-k=(-2t+6)(x-t)$
$y=(-2t+6)x+t^2-9+k$ ······ ㉠
이때 접선 ㉠이 직선 $y=2x-1$과 일치하므로
$-2t+6=2$
$t^2-9+k=-1\quad\therefore\ t=2,\ k=4$
즉 접점 Q의 좌표는 $(2,\ 3)$

STEP C 삼각형 QRS의 넓이 구하기

$g(x)=-(x-3)^2+4=-x^2+6x-5=-(x-1)(x-5)$이므로
곡선 $y=g(x)$와 x축이 만나는 두 점은 각각 $\mathrm{R}(1,\ 0),\ \mathrm{S}(5,\ 0)$
따라서 삼각형 QRS의 넓이는 $\frac{1}{2}\cdot(5-1)\cdot3=6$

접점 Q의 좌표를 $(a,\ b)$라 하면
$b=2a-1$ ······ ㉠
직선 l에 곡선 $y=g(x)$가 접하므로
$g'(x)=-2x+6$에서
$g'(a)=-2a+6=2\quad\therefore\ a=2$
$a=2$를 ㉠에 대입하면 $b=3$이므로
점 Q의 좌표는 $\mathrm{Q}(2,\ 3)$
$g(2)=-1+k=3$이므로 $k=4$
두 점 R, S 중에서 원점으로부터 가까운 점을 R이라 하면
$\mathrm{R}(1,\ 0),\ \mathrm{S}(5,\ 0)$
따라서 삼각형 QRS의 넓이는 $\frac{1}{2}\cdot(5-1)\cdot3=6$

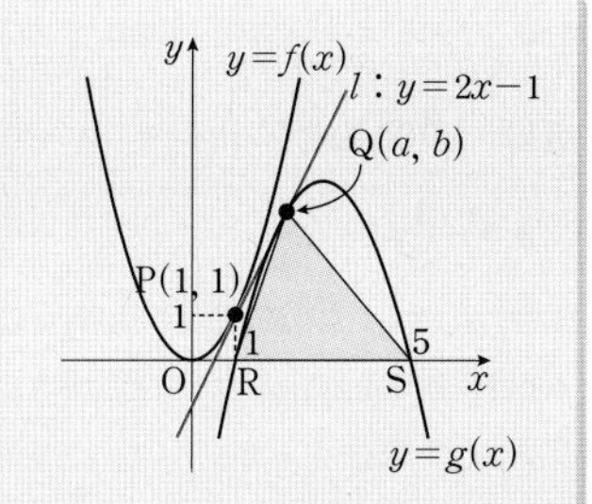

다른풀이 점 Q의 좌표와 k의 값을 이차방정식의 판별식으로 풀이하기

직선 $y=2x-1$과 곡선 $y=g(x)$가 접하므로
$2x-1=-(x-3)^2+k$
$(x-3)^2+2x-1-k=0$
이차방정식 $x^2-4x+8-k=0$의 판별식을 D라 하면
$\frac{D}{4}=4-(8-k)=0$
$\therefore\ k=4$
$k=4$일 때, $x^2-4x+4=(x-2)^2=0$
$\therefore\ x=2$
따라서 $\mathrm{Q}(2,\ 3)$

0311

다음 물음에 답하여라.

(1) 직선 $y=mx+8$이 곡선 $y=x^3+2x^2-3x$와 서로 다른 두 점에서 만날 때, 실수 m의 값은?

① $\frac{1}{2}$ ② $\frac{2}{3}$ ③ 1
④ $\frac{3}{2}$ ⑤ 2

STEP A 직선과 곡선의 그래프가 서로 다른 두 점에서 만나는 경우는 두 그래프가 접해야 함을 이해하기

$f(x)=x^3+2x^2-3x$로 놓으면 $f'(x)=3x^2+4x-3$
직선과 곡선이 서로 다른 두 점에서 만나는 경우는 다음 그림과 같이 직선과 곡선의 그래프가 접해야 한다.

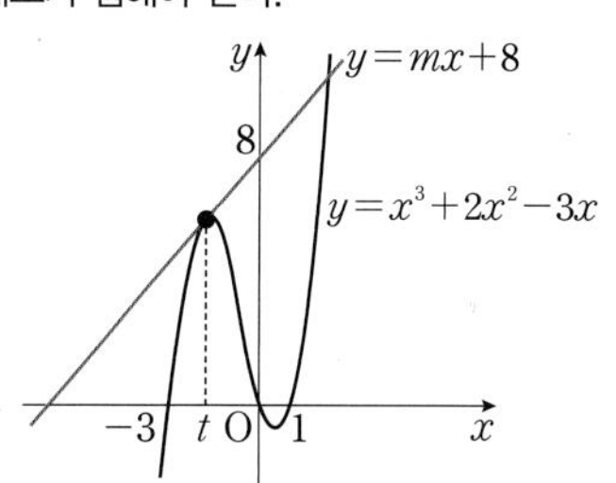

STEP B 곡선 위의 점에서 접선이 직선과 일치함을 이용하여 실수 m **구하기**

$f(x)=x^3+2x^2-3x$의 접점을 $(t,\ t^3+2t^2-3t)$라 하면
이 점에서의 접선의 기울기가 $f'(t)=3t^2+4t-3$이므로
접선의 방정식은
$y-(t^3+2t^2-3t)=(3t^2+4t-3)(x-t)$
$\therefore\ y=(3t^2+4t-3)x-2t^3-2t^2$ ······ ㉠
이때 ㉠이 $y=mx+8$과 일치해야 하므로
$3t^2+4t-3=m$ ······ ㉡
$-2t^3-2t^2=8$ ······ ㉢
㉢에서 $t^3+t^2+4=0,\ (t+2)(t^2-t+2)=0\quad\therefore\ t=-2$
따라서 $t=-2$를 ㉡에 대입하면 $m=12-8-3=1$

(2) 직선 $y=ax+3$이 곡선 $y=x^3-bx+1$와 서로 다른 두 점에서 만날 때, 상수 $a,\ b$에 대하여 $a+b$의 값은?

① 1 ② 2 ③ 3
④ 4 ⑤ 5

STEP A 직선과 곡선의 그래프가 서로 다른 두 점에서 만나는 경우는 두 그래프가 접해야 함을 이해하기

$f(x)=x^3-bx+1$로 놓으면 $f'(x)=3x^2-b$
직선과 곡선이 서로 다른 두 점에서 만나는 경우는
직선과 곡선의 그래프가 접해야 한다.

STEP B 곡선 위의 점에서 접선이 직선과 일치함을 이용하여 $a+b$ 구하기

$f(x)=x^3-bx+1$의 접점을 $(t,\ t^3-bt+1)$이라 하면

이 점에서의 접선의 기울기가 $f'(t)=3t^2-b$이므로 접선의 방정식은

$y-(t^3-bt+1)=(3t^2-b)(x-t)$

$\therefore\ y=(3t^2-b)x-2t^3+1$ …… ㉠

이때 ㉠이 $y=ax+3$과 일치해야 하므로

$3t^2-b=a$ …… ㉡

$-2t^3+1=3$ …… ㉢

㉢에서 $2t^3=-2$이므로 $t^3=-1$

$\therefore\ t=-1$ ($\because$ t는 실수)

따라서 $t=-1$을 ㉡에 대입하면 $3-b=a$이므로 $a+b=3$

0312

직선 $y=5x+k$와 함수 $f(x)=x(x+1)(x-4)$의 그래프가 서로 다른 두 점에서 만날 때, 양수 k의 값은?

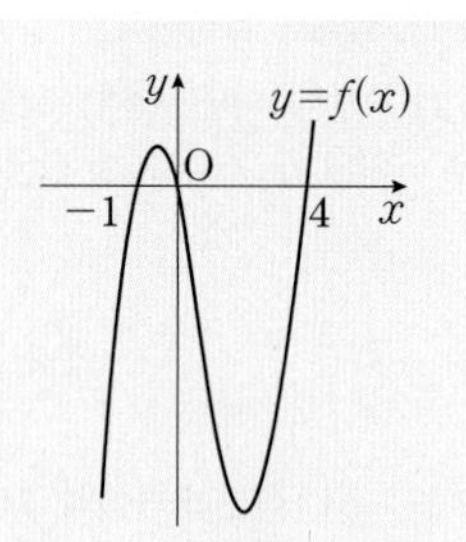

① 5
② $\frac{11}{2}$
③ 6
④ $\frac{13}{2}$
⑤ 7

STEP A 직선 $y=5x+k$와 함수 $y=f(x)$의 그래프가 서로 다른 두 점에서 만나기 위한 조건 이해하기

직선 $y=5x+k$가 함수 $y=f(x)$의 그래프와 서로 다른 두 점에서 만나려면 직선 $y=5x+k$가 삼차함수 $y=f(x)$의 그래프와 접해야 한다.

STEP B $y=f(x)$의 그래프에 접하고 기울기가 5인 접선을 이용하여 양수 k 구하기

$f(x)=x(x+1)(x-4)=x^3-3x^2-4x$에서

$f'(x)=3x^2-6x-4$

접선 $y=5x+k$의 기울기가 5이므로

$f'(x)=5$인 x의 값이 접점의 x좌표이다.

$3x^2-6x-4=5,\ 3x^2-6x-9=0$

$x^2-2x-3=0,\ (x+1)(x-3)=0$

$\therefore\ x=-1$ 또는 $x=3$

(ⅰ) $x=-1$일 때,

$f(-1)=-1-3+4=0$이고

접점 $(-1,\ 0)$에서 접선의 기울기가

$f'(-1)=5$이므로

접선의 방정식은 $y-0=5(x+1)$

$\therefore\ y=5x+5$

즉 $k=5$

(ⅱ) $x=3$일 때,

$f(3)=27-27-12=-12$이므로

접점 $(3,\ -12)$에서 접선의 기울기

$f'(3)=5$

접선의 방정식은 $y+12=5(x-3)$

$\therefore\ y=5x-27$

이때 $k=-27$이므로 양수인 k의 값은 없다.

(ⅰ), (ⅱ)에 의하여 $k=5$

다른풀이 직선과 함수 $f(x)$를 연립하여 풀이하기

직선 $y=5x+k$와 함수 $f(x)=x(x+1)(x-4)$의 그래프의 교점의 개수를 구하기 위해 연립하면 $x(x+1)(x-4)=5x+k$에서

$x^3-3x^2-9x-k=0$이 중근과 한 실근을 가져야 한다.

이때 $x^3-3x^2-9x=k$이므로 $g(x)=x^3-3x^2-9x$라 하면

$y=g(x)$와 $y=k$의 교점이 두 개이어야 한다.

$g'(x)=3x^2-6x-9=3(x-3)(x+1)$

$g'(x)=0$에서 $x=-1$ 또는 $x=3$

함수 $g(x)$의 증가와 감소를 표로 나타내면 다음과 같다.

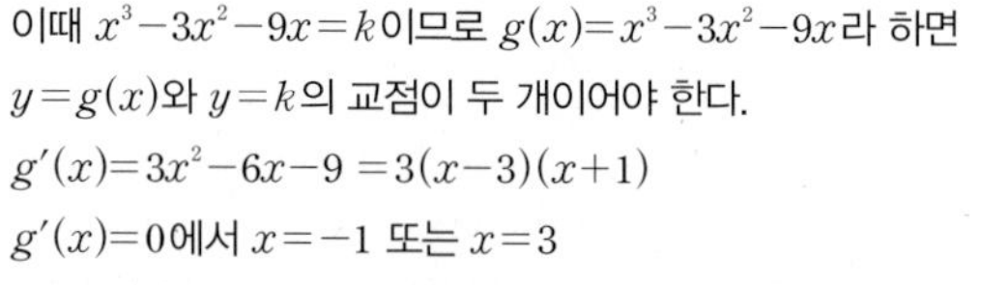

x		-1		3	
$g'(x)$	$+$	0	$-$	0	$+$
$g(x)$	↗	극대	↘	극소	↗

$g(x)$의 극솟값은 $g(3)=-27$, 극댓값은 $g(-1)=5$이므로 그래프는 다음과 같다.

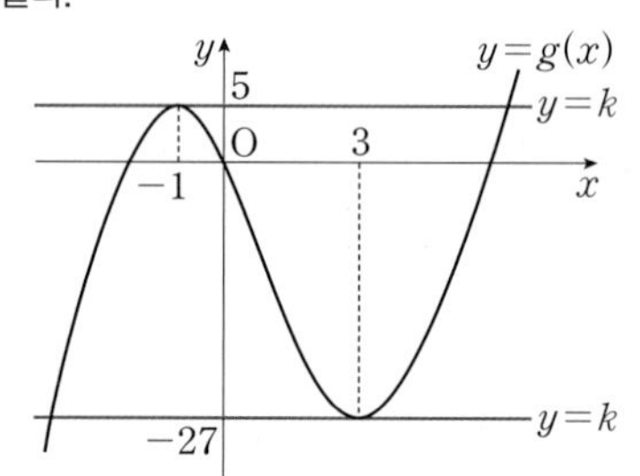

따라서 $k=5$ ($\because$ $k>0$)일 때, $g(x)=k$는 중근과 한 실근을 가진다.

0313

함수 $f(x)=\frac{1}{3}x^3+a$의 역함수를 $g(x)$라 하자. 두 함수 $y=f(x)$와 $y=g(x)$의 그래프가 서로 다른 두 점에서 만나도록 하는 모든 상수 a의 값의 곱을 구하여라.

STEP A 두 함수 $y=f(x)$, $y=g(x)$의 교점은 $y=f(x)$와 $y=x$의 교점임을 이해하기

함수 $g(x)$가 함수 $f(x)$의 역함수이고 함수 $y=f(x)$의 그래프와 함수 $y=g(x)$의 그래프가 서로 다른 두 점에서 만나므로

함수 $f(x)$의 그래프와 직선 $y=x$가 서로 다른 두 점에서 만난다.

즉 다음 그림과 같이 직선 $y=x$와 삼차함수 $y=f(x)$의 그래프가 접해야 한다.

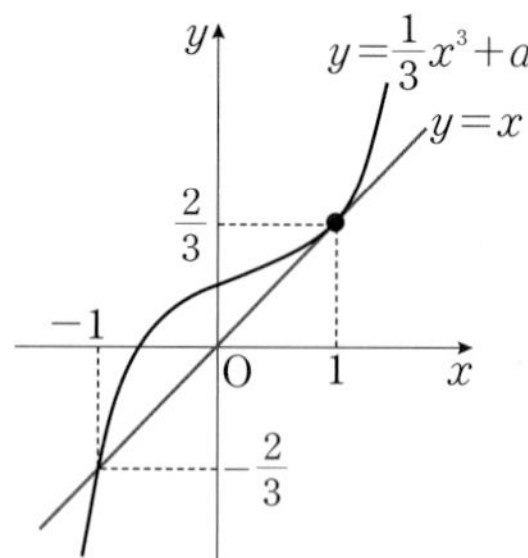

STEP B $f'(x)=1$을 만족하는 x의 값 구하여 상수 a의 값 구하기

함수 $f(x)=\frac{1}{3}x^3+a$의 그래프와 직선 $y=x$의 접점의 x좌표를 k라 하면

$f(k)=k$이므로 $\frac{1}{3}k^3+a=k$

$\therefore\ a=-\frac{1}{3}k^3+k$ …… ㉠

또한, $f'(x)=x^2$이므로 $x=k$에서 접선의 기울기는 1이므로

$f'(k)=k^2=1$

$\therefore\ k=-1$ 또는 $k=1$

$k=1$일 때, ㉠에 대입하면 $a=\frac{2}{3}$

$k=-1$일 때, ㉠에 대입하면 $a=-\frac{2}{3}$

따라서 모든 상수 a의 값의 곱은 $\frac{2}{3}\cdot\left(-\frac{2}{3}\right)=-\frac{4}{9}$

0314

다음 물음에 답하여라.

(1) 함수 $f(x)=x^2-6x+1$에 대하여 닫힌구간 $[1, 5]$에서 롤의 정리를 만족하는 상수 c의 값을 구하여라.

STEP A 닫힌구간 $[1, 5]$에서 롤의 정리의 성립조건 구하기

함수 $f(x)$는 다항함수이므로
닫힌구간 $[1, 5]$에서 연속이고
열린구간 $(1, 5)$에서 미분가능하고
$f(1)=-4$, $f(5)=-4$이므로
롤의 정리에 의해 $f'(c)=0$인 c가
구간 $(1, 5)$에 적어도 하나 존재한다.

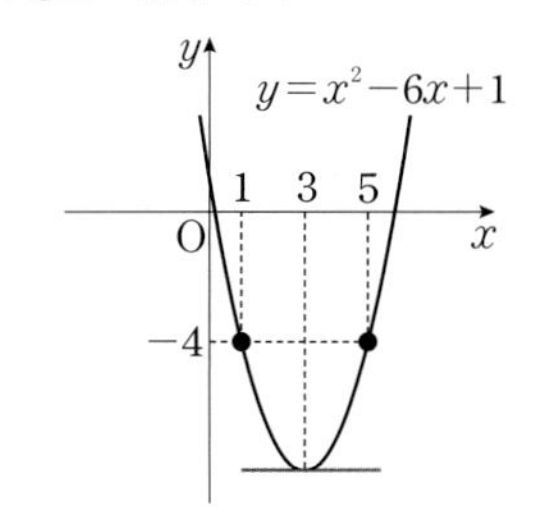

STEP B 도함수를 구하고 롤의 정리를 만족하는 c의 값 구하기

$f'(x)=2x-6$이므로 롤의 정리를 만족하는 상수 c는
$f'(c)=2c-6=0$
따라서 $c=3$

(2) 함수 $f(x)=-x^2+3x$에 대하여 닫힌구간 $[0, 2]$에서 평균값 정리를 만족하는 상수 c의 값을 구하여라.

STEP A 닫힌구간 $[0, 2]$에서 평균값 정리의 성립조건 구하기

함수 $f(x)$는 다항함수이므로
닫힌구간 $[0, 2]$에서 연속이고
열린구간 $(0, 2)$에서 미분가능하므로

평균값 정리에 의하여

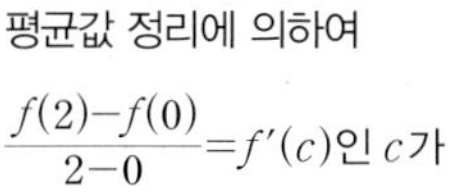
$\dfrac{f(2)-f(0)}{2-0}=f'(c)$인 c가
구간 $(0, 2)$에 적어도 하나 존재한다.

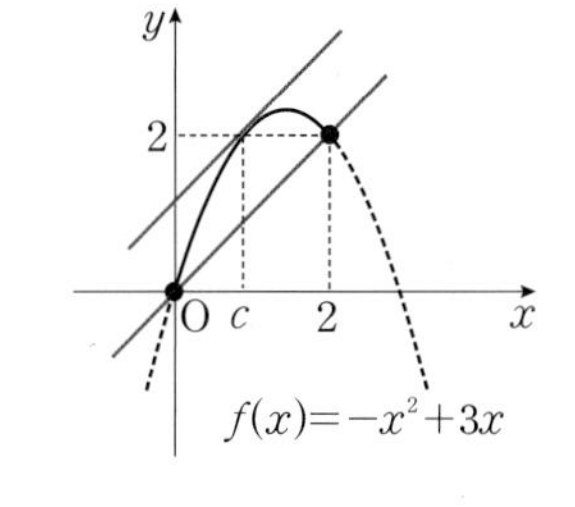

STEP B 도함수를 구하고 평균값 정리를 만족하는 c의 값 구하기

$f'(x)=-2x+3$이므로 $\dfrac{f(2)-f(0)}{2-0}=\dfrac{2-0}{2}=1$이고
$f'(c)=-2c+3$에서 $-2c+3=1$
따라서 $c=1$

0315

모든 실수 x에 대하여 미분가능한 함수 $f(x)$가 $\lim\limits_{x\to\infty}f'(x)=1$을 만족시킬 때, $\lim\limits_{x\to\infty}\{f(x+1)-f(x-1)\}$의 값은?

① 2 ② 3 ③ 4
④ 5 ⑤ 6

STEP A 닫힌구간 $[x-1, x+1]$에서 평균값 정리의 성립조건 구하기

함수 $f(x)$가 실수 전체의 집합에서 미분가능하므로
$f(x)$는 닫힌구간 $[x-1, x+1]$에서 연속이고
열린구간 $(x-1, x+1)$에서 미분가능하다.
평균값 정리에 의하여 $\dfrac{f(x+1)-f(x-1)}{(x+1)-(x-1)}=f'(c)$인 c가
구간 $(x-1, x+1)$에 적어도 하나 존재한다.

STEP B 도함수를 구하고 평균값 정리를 만족하는 극한값 구하기

즉 $f(x+1)-f(x-1)=2f'(c)$이고
이때 $x\to\infty$이면 $c\to\infty$
따라서 $\lim\limits_{x\to\infty}\{f(x+1)-f(x-1)\}=\lim\limits_{c\to\infty}2f'(c)=2\cdot1=2$

0316

다음 물음에 답하여라.

(1) 다항함수 $y=f(x)$의 그래프가 다음 조건을 모두 만족시킬 때, $f(2)$의 최댓값을 구하여라.

> (가) 점 $(0, 2)$를 지난다.
> (나) x좌표가 0보다 크고 2보다 작은 함수의 그래프 위의 임의의 점에서의 접선의 기울기가 4 이하이다.

STEP A 닫힌구간 $[0, 2]$에서 평균값 정리의 성립조건 구하기

다항함수는 모든 실수 x에서 미분가능하므로 함수 $f(x)$는
닫힌구간 $[0, 2]$에서 연속이고 열린구간 $(0, 2)$에서 미분가능하다.
즉 평균값 정리에 의하여

$\dfrac{f(2)-f(0)}{2-0}=f'(c)$ …… ㉠

인 c가 열린구간 $(0, 2)$에 적어도 하나 존재한다.

STEP B 조건 (가), (나)를 만족하는 $f(2)$의 최댓값 구하기

조건 (가)에서 $f(0)=2$ …… ㉡
조건 (나)에서 $f'(c)\le4$이므로 ㉠, ㉡에 의하여
$\dfrac{f(2)-2}{2}\le4$, $f(2)-2\le8$
따라서 $f(2)\le10$이므로 $f(2)$의 최댓값은 10

(2) 미분가능한 함수 $f(x)$가 다음 조건을 만족시킬 때, $f(1)$의 최댓값과 최솟값의 합을 구하여라.

> (가) 모든 실수 x에 대하여 $|f'(x)|\le5$이다.
> (나) $f(0)=2$

STEP A 닫힌구간 $[0, 1]$에서의 평균값 정리의 성립조건 구하기

모든 실수 x에 대하여 함수 $f(x)$는 미분가능하므로
함수 $f(x)$는 닫힌구간 $[0, 1]$에서 연속이고
열린구간 $(0, 1)$에서 미분가능하므로 평균값 정리에 의하여
$\dfrac{f(1)-f(0)}{1-0}=f'(c)\,(0<c<1)$을 만족시키는 c가 적어도 하나 존재한다.

STEP B 조건 (가), (나)를 만족하는 $f(1)$의 최댓값과 최솟값 구하기

조건 (가)에서
$|f'(c)|\le5$이므로 $\left|\dfrac{f(1)-f(0)}{1-0}\right|\le5$
$|f(1)-2|\le5$ ($\because f(0)=2$)
$-5\le f(1)-2\le5$, $-3\le f(1)\le7$
따라서 $f(1)$의 최댓값과 최솟값은 각각 7, -3이므로 구하는 합은
$7+(-3)=4$

$f(x)=5x+2$이면
함수 $f(x)$는 주어진 조건을 만족시키고 $f(1)=7$
또한, $f(x)=-5x+2$이면
함수 $f(x)$는 주어진 조건을 만족시키고 $f(1)=-3$

FINAL EXERCISE
단원종합문제
접선의 방정식과 평균값의 정리

BASIC

0317

다음 물음에 답하여라.

(1) 곡선 $y=(x^2-1)(2x+1)$ 위의 점 $(1, 0)$에서 접하는 직선의 기울기는?

① 2 ② 3 ③ 4 ④ 5 ⑤ 6

STEP A $y=f(x)$의 도함수를 이용하여 접선의 기울기 구하기

$f(x)=(x^2-1)(2x+1)$로 놓으면

$f'(x)=2x(2x+1)+2(x^2-1)$

따라서 $x=1$에서 접선의 기울기는 $f'(1)=2\cdot3=6$

(2) 곡선 $y=x^3-4x$ 위의 점 $(-2, 0)$ 에서의 접선의 기울기는?

① 4 ② 5 ③ 6 ④ 7 ⑤ 8

STEP A $y=f(x)$의 도함수를 이용하여 접선의 기울기 구하기

$f(x)=x^3-4x$로 놓으면 $f'(x)=3x^2-4$

따라서 $x=-2$에서 접선의 기울기는 $f'(-2)=12-4=8$

0318

다음 물음에 답하여라.

(1) 함수 $f(x)=x^3+ax^2-2$에 대하여 곡선 $y=f(x)$ 위의 점 $(-2, f(-2))$에서의 접선의 기울기가 4일 때, 상수 a의 값은?

① -2 ② -1 ③ 0 ④ 1 ⑤ 2

STEP A $y=f(x)$의 도함수를 이용하여 접선의 기울기 구하기

$f(x)=x^3+ax^2-2$에서 $f'(x)=3x^2+2ax$

곡선 $y=f(x)$ 위의 점 $(-2, f(-2))$에서의 접선의 기울기는 $f'(-2)=4$

따라서 $f'(-2)=12-4a=4$이므로 $a=2$

(2) 삼차함수 $f(x)=x^3+ax^2-7x+11$의 그래프 위의 점 $(1, f(1))$에서의 접선의 방정식이 $y=6x+b$일 때, 상수 a, b에 대하여 $a+b$의 값은?

① 3 ② 5 ③ 7 ④ 9 ⑤ 11

STEP A $f'(1)=6$을 이용하여 a 구하기

$f(x)=x^3+ax^2-7x+11$에서 $f'(x)=3x^2+2ax-7$

점 $(1, f(1))$에서의 접선의 기울기는 $f'(1)=3+2a-7=2a-4$

이때 점 $(1, f(1))$에서의 접선의 방정식이 $y=6x+b$이므로 $f'(1)=6$

$2a-4=6$

$\therefore a=5$

STEP B 점 $(1, f(1))$이 직선 $y=6x+b$ 위의 점임을 이용하여 b 구하기

점 $(1, f(1))$이 직선 $y=6x+b$ 위의 점이므로 $f(1)=6+b$

또, $f(1)=1+5-7+11=10$이므로 $6+b=10$

$\therefore b=4$

따라서 $a+b=5+4=9$

0319

다음 물음에 답하여라.

(1) 곡선 $y=-x^3+4x$ 위의 점 $(1, 3)$에서의 접선의 방정식이 $y=ax+b$일 때, 상수 a, b에 대하여 $10a+b$의 값은?

① 10 ② 12 ③ 14 ④ 16 ⑤ 18

STEP A $x=1$에서 접선의 기울기 구하기

$f(x)=-x^3+4x$로 놓으면 $f'(x)=-3x^2+4$

점 $(1, 3)$에서의 접선의 기울기는 $f'(1)=-3+4=1$

STEP B 점 $(1, 3)$에서 접선의 방정식 구하기

이때 점 $(1, 3)$에서의 접선의 방정식은 $y=1\cdot(x-1)+3=x+2$

따라서 $a=1$, $b=2$이므로 $10a+b=12$

(2) 곡선 $y=x^3+6x^2-11x+7$ 위의 점 $(1, 3)$에서의 접선의 방정식을 $y=mx+n$이라 할 때, 상수 m, n에 대하여 $m-n$의 값은?

① 5 ② 7 ③ 9 ④ 11 ⑤ 13

STEP A 다항함수의 미분을 이용하여 접선의 기울기 구하기

$f(x)=x^3+6x^2-11x+7$로 놓으면 $f'(x)=3x^2+12x-11$

점 $(1, 3)$에서의 접선의 기울기는 $f'(1)=3+12-11=4$

STEP B 곡선 위의 점 $(1, 3)$에서 접선의 방정식 구하기

점 $(1, 3)$에서 접선의 방정식은 $y-3=4(x-1)$

$\therefore y=4x-1$

따라서 $m=4$, $n=-1$이므로 $m-n=4-(-1)=5$

0320

다음 물음에 답하여라.

(1) 곡선 $y=x^3-5x$ 위의 점 $(2, -2)$에서의 접선의 방정식이 $y=mx+n$일 때, 두 상수 m, n에 대하여 $m+n$의 값은?

① -5 ② -6 ③ -7 ④ -8 ⑤ -9

STEP A 다항함수의 미분을 이용하여 접선의 기울기 구하기

$f(x)=x^3-5x$로 놓으면 $f'(x)=3x^2-5$

점 $(2, -2)$에서의 접선의 기울기는 $f'(2)=7$

STEP B 곡선 위의 점 $(2, -2)$에서 접선의 방정식 구하기

점 $(2, -2)$에서의 접선의 방정식은 $y+2=7(x-2)$

$\therefore y=7x-16$

따라서 $m=7$, $n=-16$이므로 $m+n=-9$

(2) 곡선 $y=x^3+x^2-2x+4$ 위의 점 $(1, 4)$에서의 접선의 방정식이 $y=mx+n$일 때, 상수 m, n에 대하여 $m-n$의 값은?

① 2 ② $\frac{5}{2}$ ③ 3
④ $\frac{7}{2}$ ⑤ 4

STEP Ⓐ 다항함수의 미분을 이용하여 접선의 기울기 구하기

$f(x)=x^3+x^2-2x+4$로 놓으면 $f'(x)=3x^2+2x-2$
점 $(1, 4)$에서의 접선의 기울기는 $f'(1)=3$

STEP Ⓑ 곡선 위의 점에서 접선의 방정식 구하기

점 $(1, 4)$에서의 접선의 방정식은 $y-4=3(x-1)$
$\therefore y=3x+1$
따라서 $m=3$, $n=1$이므로 $m-n=2$

0321

다음 물음에 답하여라.

(1) 곡선 $y=x^3+ax+b$ 위의 점 $(1, 1)$에서 그은 접선이 원점을 지날 때, 상수 a, b에 대하여 ab의 값은?

① -6 ② -4 ③ -2
④ 4 ⑤ 6

STEP Ⓐ 곡선 위의 점 $(1, 1)$에서의 접선의 방정식 구하기

$f(x)=x^3+ax+b$로 놓으면 $f'(x)=3x^2+a$
점 $(1, 1)$에서의 접선의 기울기는 $f'(1)=3+a$
점 $(1, 1)$에서의 접선의 방정식은 $y-1=(3+a)(x-1)$
$\therefore y=(3+a)(x-1)+1$

STEP Ⓑ 이 접선에 점 $(0, 0)$을 대입하여 a, b의 값 구하기

이 접선의 방정식이 원점을 지나므로 $0=-3-a+1$
$\therefore a=-2$ …… ㉠
또한, $y=x^3+ax+b$가 점 $(1, 1)$을 지나므로 $1=1+a+b$
$\therefore a+b=0$ …… ㉡
㉠, ㉡을 연립하여 풀면 $a=-2$, $b=2$
따라서 $ab=(-2)\cdot 2=-4$

(2) 곡선 $y=x^3+ax^2-ax+2$ 위의 점 $(1, 3)$에서의 접선이 점 $(a, 8)$을 지날 때, 상수 a의 값은? (단, $a>0$)

① 1 ② 2 ③ 3
④ 4 ⑤ 5

STEP Ⓐ 곡선 위의 점 $(1, 3)$에서의 접선의 방정식 구하기

$f(x)=x^3+ax^2-ax+2$로 놓으면 $f'(x)=3x^2+2ax-a$
점 $(1, 3)$에서의 접선의 기울기는 $f'(1)=3+a$
점 $(1, 3)$에서의 접선의 방정식은 $y-3=(3+a)(x-1)$
$\therefore y=(3+a)x-a$

STEP Ⓑ 이 접선에 점 $(a, 8)$을 대입하여 양수 a의 값 구하기

이 접선의 방정식이 점 $(a, 8)$을 지나므로
$8=(3+a)a-a$, $a^2+2a-8=0$
$(a+4)(a-2)=0$
따라서 $a>0$이므로 $a=2$

0322

다음 물음에 답하여라.

(1) 곡선 $y=x^3+2$ 위의 점 $P(a, -6)$에서의 접선의 방정식을 $y=mx+n$이라 할 때, 세 상수 a, m, n에 대하여 $a+m+n$의 값은?

① 20 ② 24 ③ 28
④ 32 ⑤ 36

STEP Ⓐ $P(a, -6)$을 대입하여 a 구하기

점 $P(a, -6)$은 곡선 $y=x^3+2$ 위의 점이므로 $-6=a^3+2$
즉 $a^3=-8$에서 $a=-2$

STEP Ⓑ 점 P에서 접선의 방정식 구하기

$f(x)=x^3+2$로 놓으면 $f'(x)=3x^2$
$x=-2$에서의 접선의 기울기는 $f'(-2)=3\cdot(-2)^2=12$
점 $P(-2, -6)$에서의 접선의 방정식은 $y+6=12(x+2)$
$\therefore y=12x+18$
따라서 $m=12$, $n=18$이므로 $a+m+n=-2+12+18=28$

(2) 곡선 $y=x^3+x+a$ 위의 점 $(1, b)$에서의 접선의 y절편이 -5일 때, 상수 a의 값은?

① -5 ② -4 ③ -3
④ -2 ⑤ -1

STEP Ⓐ 접점 $(1, b)$에서 접선의 방정식 구하기

$f(x)=x^3+x+a$로 놓으면 $f'(x)=3x^2+1$
$f(1)=b$이므로 $1+1+a=b$
점 $(1, b)$에서의 접선의 기울기는 $f'(1)=4$이므로
곡선 $y=x^3+x+a$ 위의 점 $(1, 2+a)$에서의 접선의 방정식은
$y-(2+a)=4(x-1)$
$\therefore y=4x+a-2$ …… ㉠

STEP Ⓑ 접선의 y절편이 -5임을 이용하여 a의 값 구하기

이때 직선 ㉠의 y절편이 -5이므로 $a-2=-5$
따라서 $a=-3$

0323

다항함수 $f(x)$에 대하여 곡선 $y=f(x)$ 위의 점 $(1, f(1))$에서의 접선의 방정식이 $y=2x+3$이다. 함수 $g(x)=xf(x)$에 대하여 곡선 $y=g(x)$ 위의 점 $(1, g(1))$에서의 접선의 방정식은?

① $y=5x+1$ ② $y=5x$ ③ $y=6x-1$
④ $y=7x-2$ ⑤ $y=7x-3$

STEP Ⓐ 곡선 $y=f(x)$ 위의 점 $(1, f(1))$에서 $f(1)$, $f'(1)$의 값 구하기

곡선 $y=f(x)$ 위의 점 $(1, f(1))$에서의 접선의 방정식이 $y=2x+3$이고
직선 $y=2x+3$이 점 $(1, 5)$를 지나므로 $f(1)=5$
또한, 곡선 $y=f(x)$ 위의 점 $(1, f(1))$에서의 접선의 기울기는 $f'(1)$이므로 $f'(1)=2$

STEP Ⓑ 곡선 $y=g(x)$ 위의 점 $(1, g(1))$에서의 접선의 방정식 구하기

$g(x)=xf(x)$에서 $g(1)=f(1)=5$
$g'(x)=f(x)+xf'(x)$이므로 $g'(1)=f(1)+f'(1)=5+2=7$
곡선 $y=g(x)$ 위의 점 $(1, 5)$에서의 접선의 방정식은
$y-5=g'(1)(x-1)$에서 $y-5=7(x-1)$
따라서 $y=7x-2$

0324

다음 물음에 답하여라.

(1) 곡선 $f(x)=x^2-9$와 x축과의 교점을 각각 A, B라 하자. 두 점 A, B에서 곡선 $f(x)$에 접하는 두 직선과 x축으로 둘러싸인 삼각형의 넓이를 구하여라.

STEP A 두 점 A, B에서 접선의 방정식 구하기

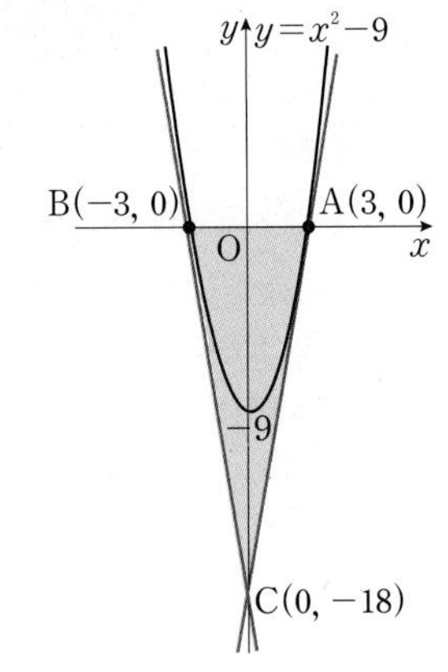

$f(x)=x^2-9=0$의 x좌표가

$x=-3$ 또는 $x=3$이므로

점 A$(3, 0)$, 점 B$(-3, 0)$이라 하고

$f(x)=x^2-9$라 하면 $f'(x)=2x$이므로

$f'(3)=6$, $f'(-3)=-6$

점 A$(3, 0)$에서의 접선의 방정식은

$y-0=6(x-3)$ $\therefore y=6x-18$

점 B$(-3, 0)$에서의 접선의 방정식은

$y-0=-6(x+3)$ $\therefore y=-6x-18$

STEP B 삼각형의 넓이 구하기

따라서 두 접선의 y절편이 점 C$(0, -18)$이므로 삼각형 ABC의 넓이는

$\frac{1}{2}\cdot 6\cdot 18=54$

(2) 곡선 $y=x^3-2x$ 위의 점 $(2, 4)$에서의 접선과 x축, y축으로 둘러싸인 삼각형의 넓이를 S라 할 때, $10S$의 값을 구하여라.

STEP A 점 $(2, 4)$에서 접선의 방정식 구하기

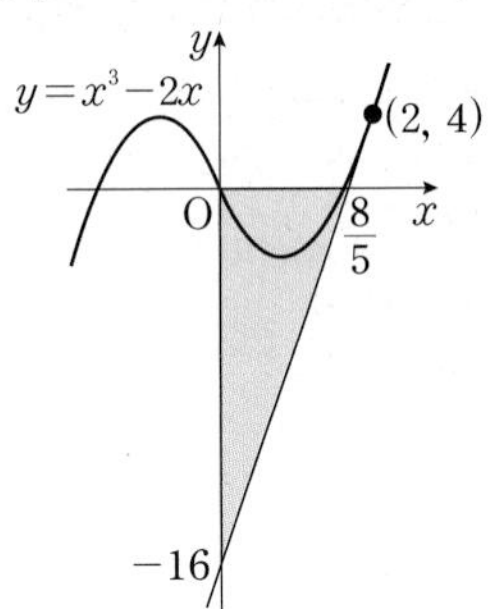

$f(x)=x^3-2x$로 놓으면 $f'(x)=3x^2-2$

$x=2$에서 접선의 기울기는

$f'(2)=10$

점 $(2, 4)$에서의 접선의 방정식은

$y-4=10(x-2)$

$\therefore y=10x-16$

STEP B 삼각형의 넓이 구하기

즉 접선의 x절편은 $\frac{8}{5}$이고 y의 절편은 -16

따라서 삼각형의 넓이 S는 $S=\frac{1}{2}\cdot 16\cdot \frac{8}{5}=\frac{64}{5}$ $\therefore 10S=128$

0325

다항함수 $f(x)$에 대하여 $\lim_{x\to 1}\frac{f(x)-3}{x^3-1}=\frac{2}{3}$일 때, 곡선 $y=f(x)$ 위의 점 $(1, f(1))$에서의 접선의 방정식은?

① $y=2x$ ② $y=2x+1$ ③ $y=2x+2$
④ $y=2x+3$ ⑤ $y=2x+4$

STEP A $\lim_{x\to 1}\frac{f(x)-3}{x^3-1}=\frac{2}{3}$에서 $f(1)$, $f'(1)$의 값 구하기

$\lim_{x\to 1}\frac{f(x)-3}{x^3-1}=\frac{2}{3}$에서

$x\to 1$일 때, (분모)→ 0이고 극한값이 존재하므로 (분자)→ 0이어야 한다.

즉 $\lim_{x\to 1}\{f(x)-3\}=0$ 이므로 $f(1)-3=0$

$\therefore f(1)=3$

$$\lim_{x\to 1}\frac{f(x)-3}{x^3-1}=\lim_{x\to 1}\frac{f(x)-f(1)}{(x-1)(x^2+x+1)}$$
$$=\lim_{x\to 1}\frac{f(x)-f(1)}{x-1}\cdot\lim_{x\to 1}\frac{1}{x^2+x+1}$$
$$=\frac{1}{3}f'(1)$$

즉 $\frac{1}{3}f'(1)=\frac{2}{3}$이므로 $f'(1)=2$

STEP B 곡선 $y=f(x)$ 위의 점 $(1, f(1))$에서의 접선의 방정식 구하기

이때 $f'(1)=2$이므로 $x=1$인 점에서의 접선의 기울기는 2

점 $(1, f(1))$, 즉 점 $(1, 3)$에서의 접선의 방정식은 $y-3=2(x-1)$

따라서 구하는 접선의 방정식은 $y=2x+1$

0326

다음 물음에 답하여라.

(1) 다항함수 $f(x)$에 대하여 $\lim_{x\to 0}\frac{f(x+1)}{x}=2$일 때, 곡선 $y=f(x)$ 위의 점 $(1, f(1))$에서의 접선의 x 절편을 a, y절편을 b라 할 때, 상수 a, b에 대하여 $a+b$의 값을 구하여라.

STEP A (분모)→ 0이고 극한값이 존재하므로 (분자)→ 0이어야 함을 이용하기

$\lim_{x\to 0}\frac{f(x+1)}{x}=2$에서

$x\to 0$일 때, (분모)→ 0이고 극한값이 존재하므로 (분자)→ 0이어야 한다.

즉 $\lim_{x\to 0}f(x+1)=0$이므로 $f(1)=0$

STEP B 미분계수의 변형을 이용하여 기울기 구하기

$x+1=t$로 놓으면 $x\to 0$일 때, $t\to 1$이고

$\lim_{x\to 0}\frac{f(x+1)}{x}=\lim_{t\to 1}\frac{f(t)}{t-1}=\lim_{t\to 1}\frac{f(t)-f(1)}{t-1}=f'(1)=2$

즉, $x=1$인 점에서의 접선의 기울기는 2

STEP C 곡선 $y=f(x)$ 위의 점 $(1, 0)$에서의 접선의 방정식 구하기

점 $(1, 0)$에서의 접선의 방정식은 $y-0=2(x-1)$

$\therefore y=2x-2$

직선 $y=2x-2$의 x절편은 1, y절편은 -2이므로 $a=1$, $b=-2$

따라서 $a+b=1+(-2)=-1$

(2) 다항함수 $f(x)$가 $\lim_{x\to 3}\frac{f(x-1)-4}{x-3}=1$을 만족시킬 때, 곡선 $y=f(x)$ 위의 점 $(2, f(2))$에서의 접선이 x축, y축과 만나는 점을 각각 A, B라 하자. 두 점 A, B 사이의 거리는?

① $\sqrt{2}$ ② 2 ③ $2\sqrt{2}$
④ 4 ⑤ $4\sqrt{2}$

STEP A (분모)→ 0이고 극한값이 존재하므로 (분자)→ 0이어야 함을 이용하기

$\lim_{x\to 3}\frac{f(x-1)-4}{x-3}=1$에서

$x\to 3$일 때, (분모)→ 0이고 극한값이 존재하므로 (분자)→ 0이어야 한다.

즉 $\lim_{x\to 3}\{f(x-1)-4\}=0$이므로 $f(2)-4=0$

$\therefore f(2)=4$

STEP B 미분계수의 변형을 이용하여 기울기 구하기

$x-1=t$로 놓으면 $x\to 3$일 때 $t\to 2$이고

$\lim_{x\to 3}\frac{f(x-1)-4}{x-3}=\lim_{t\to 2}\frac{f(t)-4}{t-2}=\lim_{t\to 2}\frac{f(t)-f(2)}{t-2}=f'(2)$

이므로 $f'(2)=1$

STEP **C** **곡선 $y=f(x)$ 위의 점 $(2, 4)$에서의 접선의 방정식 구하기**

곡선 $y=f(x)$ 위의 점 $(2, 4)$에서의 접선의 방정식은

$y-4=1\cdot(x-2)$

$\therefore y=x+2$

따라서 직선 $y=x+2$가 x축과 만나는 점은 $\mathrm{A}(-2, 0)$, y축과 만나는 점은 $\mathrm{B}(0, 2)$이므로 $\overline{\mathrm{AB}}=\sqrt{2^2+2^2}=2\sqrt{2}$

0327

다음 물음에 답하여라.

(1) 곡선 $y=(x^2-3)^2$ 위의 점 $(2, 1)$을 지나고, 이 점에서의 접선과 수직인 직선이 점 $(10, a)$를 지날 때, 상수 a의 값은?

① 0 ② 2 ③ 3
④ 4 ⑤ 5

STEP **A** **점 $(2, 1)$에 수직인 직선의 방정식 구하기**

$f(x)=(x^2-3)^2$로 놓으면 $f'(x)=2(x^2-3)\cdot 2x$

점 $(2, 1)$에서의 접선의 기울기는 $f'(2)=2(4-3)\cdot 4=8$

접선에 수직인 직선의 기울기는 $-\frac{1}{8}$이므로

점 $(2, 1)$을 지나고 기울기가 $-\frac{1}{8}$인 직선의 방정식은 $y-1=-\frac{1}{8}(x-2)$

$\therefore y=-\frac{1}{8}x+\frac{5}{4}$

STEP **B** **접선과 수직인 직선에 점 $(10, a)$를 대입하여 a의 값 구하기**

따라서 점 $(10, a)$가 직선 $y=-\frac{1}{8}x+\frac{5}{4}$ 위의 점이므로

$a=-\frac{1}{8}\cdot 10+\frac{5}{4}=0$

(2) 곡선 $y=2x^3+ax+b$ 위의 점 $(1, 1)$에서의 접선과 수직인 기울기가 $-\frac{1}{2}$이다. 상수 a, b에 대하여 a^2+b^2의 값은?

① 25 ② 27 ③ 29
④ 31 ⑤ 33

STEP **A** **곡선 $y=f(x)$에 점 $(1, 1)$을 대입하여 a, b의 관계식 구하기**

$f(x)=2x^3+ax+b$로 놓으면 $f'(x)=6x^2+a$

곡선이 $(1, 1)$을 지나므로 $f(1)=2+a+b=1$

$\therefore a+b=-1$ …… ㉠

STEP **B** **수직인 직선의 기울기를 이용하여 a의 값 구하기**

함수 $f(x)$ 위의 점 $(1, 1)$에서 접선과 수직인 직선의 기울기는 $-\frac{1}{2}$이므로

접선의 기울기는 2

즉 $f'(1)=2$이므로 $6+a=2$

$\therefore a=-4$

㉠에 대입하면 $b=-a-1=4-1=3$

따라서 $a=-4$, $b=3$이므로 $a^2+b^2=25$

0328

다음 물음에 답하여라.

(1) 곡선 $y=x^3-3x^2+x+1$ 위의 서로 다른 두 점 A, B에서의 접선이 평행하다. 점 A의 x좌표가 3일 때, 점 B에서의 접선의 y절편의 값은?

① 5 ② 6 ③ 7
④ 8 ⑤ 9

STEP **A** **곡선 위의 점 A에서 그은 접선의 기울기 구하기**

$f(x)=x^3-3x^2+x+1$로 놓으면

$f'(x)=3x^2-6x+1$

점 A의 x좌표가 3이므로 점 A에서 접선의 기울기는

$f'(3)=27-18+1=10$

STEP **B** **곡선 위의 두 점 A, B에서의 접선이 서로 평행함을 이용하여 점 B의 좌표를 구하여 접선의 방정식 구하기**

이때 두 점 A, B에서의 접선이 서로 평행하므로

두 접선의 기울기가 같아야 한다.

점 B의 x좌표를 $k(k\neq 3)$라 하면

$f'(k)=f'(3)$

$3k^2-6k+1=10$에서 $k^2-2k-3=0$, $(k-3)(k+1)=0$

$\therefore k=-1$ ($\because k\neq 3$)

즉 점 B의 x좌표가 -1이므로

$f(-1)=(-1)^3-3\times(-1)^2+(-1)+1=-4$

점 B의 좌표는 $(-1, -4)$이므로 점 B에서의 접선의 방정식은

$y-(-4)=10\{x-(-1)\}$

$\therefore y=10x+6$

따라서 y절편의 값은 $x=0$일 때의 함숫값이므로 $y=10\cdot 0+6=6$

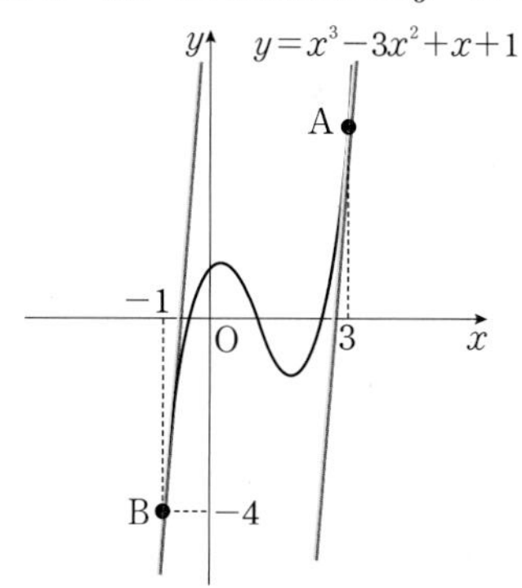

(2) 곡선 $y=-x^2+4$ 위의 두 점 $\mathrm{A}(0, 4)$, $\mathrm{B}(2, 0)$이 있다. 곡선 위의 한 점 P에서의 접선 l이 직선 AB와 평행할 때, 접선 l의 방정식은 $y=ax+b$이다. 두 상수 a, b에 대하여 $a+b$의 값은?

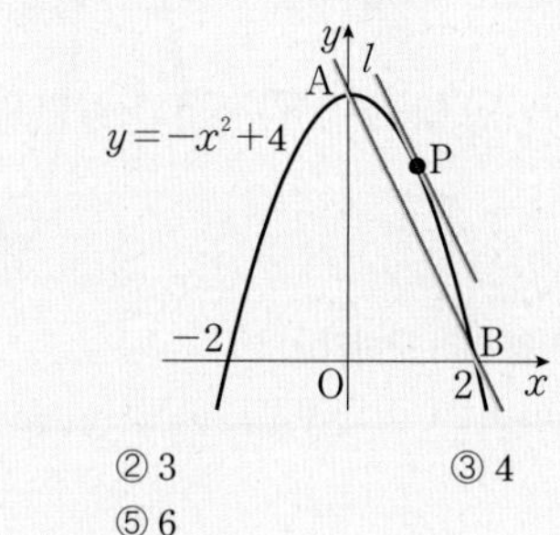

① 2 ② 3 ③ 4
④ 5 ⑤ 6

STEP **A** **도함수를 이용하여 접선의 접점 구하기**

두 점 $\mathrm{A}(0, 4)$, $\mathrm{B}(2, 0)$을 지나는 직선의 기울기는 $\frac{0-4}{2-0}=-2$이고

$f(x)=-x^2+4$로 놓으면 $f'(x)=-2x$이므로

$-2x=-2$에서 $x=1$

점 P의 좌표는 $(1, 3)$

STEP **B** **접선의 방정식 구하기**

접선 l은 기울기가 -2이고 점 $\mathrm{P}(1, 3)$을 지나므로 접선 l의 방정식은

$y-3=-2(x-1)$

$\therefore y=-2x+5$

따라서 $a=-2$, $b=5$이므로 $a+b=-2+5=3$

0329

곡선 $y=x^2-3x+a$와 직선 $y=-x+3$이 접할 때, 상수 a의 값은?

① 0　② 2　③ 4
④ 6　⑤ 8

tip 삼차함수와 직선의 두 점에서 만난다.

STEP Ⓐ $x=t$에서 접점을 지나는 접선의 방정식 구하기

$f(x)=x^2-3x+a$로 놓으면 $f'(x)=2x-3$
곡선과 직선의 접점을 $(t,\ t^2-3t+a)$라 하면
이 점에서의 접선의 기울기는 $f'(t)=2t-3$이므로 접선의 방정식은
$y-(t^2-3t+a)=(2t-3)(x-t)$
$\therefore\ y=(2t-3)x-t^2+a$ …… ㉠

STEP Ⓑ 이 접선과 직선 $y=-x+3$이 일치함을 이용하여 상수 a의 값 구하기

㉠이 직선 $y=-x+3$과 일치해야 하므로
$2t-3=-1$ …… ㉡
$-t^2+a=3$ …… ㉢
㉡에서 $2t=2$ $\therefore\ t=1$
따라서 $t=1$을 ㉢에 대입하면 $a=1+3=4$

0330

함수 $f(x)=x^3-6x+2$ 위에는 접선의 기울기가 6인 접점이 2개가 있다. 이때 두 점 사이의 거리는?

① $2\sqrt{3}$　② $4\sqrt{3}$　③ $2\sqrt{5}$
④ $4\sqrt{5}$　⑤ $6\sqrt{5}$

STEP Ⓐ $x=t$에서 접점을 지나는 접선의 기울기 구하기

$f(x)=x^3-6x+2$에서
$f'(x)=3x^2-6=6$
접점의 좌표를 $(a,\ a^3-6a+2)$라 하면
접선의 기울기는 $f'(a)=3a^2-6=6$
이므로
$3a^2-12=0,\ 3(a-2)(a+2)=0$
즉 $a=-2$ 또는 $a=2$
구하는 두 점의 좌표는 $(-2,\ 6)$, $(2,\ -2)$

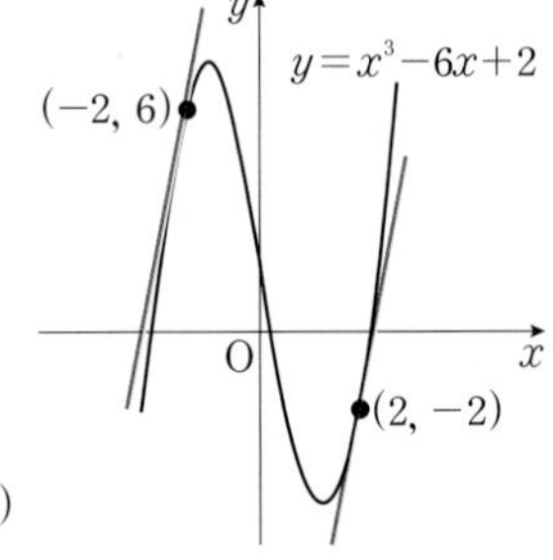

STEP Ⓑ 두 접점 사이의 거리 구하기

따라서 두 점 사이의 거리는 $\sqrt{\{2-(-2)\}^2+\{-2-6\}^2}=\sqrt{16+64}=4\sqrt{5}$

0331

점 $(0,\ 3)$에서 곡선 $y=x^3+5$에 그은 접선의 접점을 지나고, 접선에 수직인 직선의 방정식이 $(4,\ a)$를 지날 때, a의 값은?

① 1　② 2　③ 3
④ 4　⑤ 5

STEP Ⓐ 점 $(0,\ 3)$에서 곡선 $y=x^3+5$에 그은 접선의 접점 구하기

$f(x)=x^3+5$로 놓으면 $f'(x)=3x^2$이므로 접점을 $(t,\ t^3+5)$라고 하면
접선의 방정식은 $y-(t^3+5)=3t^2(x-t)$
$\therefore\ y=3t^2x-2t^3+5$
이 직선이 점 $(0,\ 3)$을 지나므로 $3=-2t^3+5$ $\therefore\ t^3=1$
t는 실수이므로 $t=1$, 즉 접점은 $(1,\ 6)$

STEP Ⓑ 접선에 수직인 직선의 방정식 구하기

이때 접점은 $(1,\ 6)$이고 접선의 기울기는 3이므로
접선에 수직인 직선의 기울기는 $-\frac{1}{3}$이다.
즉 접선에 수직인 직선은
$y-6=-\frac{1}{3}(x-1)$
$\therefore\ y=-\frac{1}{3}x+\frac{19}{3}$

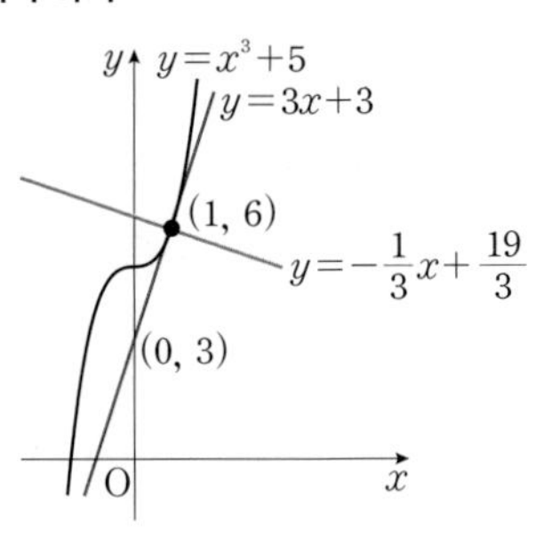

STEP Ⓒ $(4,\ a)$를 지날 때, a의 값 구하기

따라서 이 직선이 $(4,\ a)$을 지나므로 대입하면 $a=-\frac{4}{3}+\frac{19}{3}=5$

0332

다음 물음에 답하여라.

(1) 곡선 $y=-\frac{2}{3}x^3-2x^2+x+\frac{1}{3}$ 위의 점에서 접하는 접선 중에서 기울기가 최대인 접선의 방정식이 점 $(a,\ 7)$을 지날 때, 상수 a의 값은?

① 1　② 2　③ 3
④ 4　⑤ 5

STEP Ⓐ 도함수를 이용하여 최대가 되는 x 구하기

$f(x)=-\frac{2}{3}x^3-2x^2+x+\frac{1}{3}$로 놓으면
$f'(x)=-2x^2-4x+1=-2(x+1)^2+3$ ⬅ 접선의 기울기
이므로 $f'(x)$는 $x=-1$에서 최대이고 최댓값은 3이다.

STEP Ⓑ 접선에 수직인 직선의 방정식 구하기

$x=-1$일 때, $f(-1)=\frac{2}{3}-2-1+\frac{1}{3}=-2$이므로
점 $(-1,\ -2)$에서의 접선의 방정식은 $y-(-2)=3(x+1)$
$\therefore\ y=3x+1$

STEP Ⓒ 점 $(a,\ 7)$을 지날 때, 상수 a의 값 구하기

접선 $y=3x+1$이 점 $(a,\ 7)$을 지나므로 $7=3a+1$
따라서 $a=2$

(2) 곡선 $y=x^3-6x^2+9x$ 위의 점에서 접하는 접선 중에서 기울기가 최소인 접선의 방정식이 점 $(1,\ k)$를 지날 때, 상수 k의 값은?

① 1　② 2　③ 3
④ 4　⑤ 5

STEP Ⓐ 도함수를 이용하여 최소가 되는 x 구하기

$f(x)=x^3-6x^2+9x$로 놓으면
$f'(x)=3x^2-12x+9=3(x-2)^2-3$ ⬅ 접선의 기울기
이므로 $f'(x)$는 $x=2$일 때, 최솟값 -3을 갖는다.

STEP Ⓑ 접점이 주어진 접선의 방정식 구하기

$x=2$일 때, $f(2)=8-24+18=2$이므로
점 $(2,\ 2)$에서의 접선의 방정식은 $y-2=-3(x-2)$
$\therefore\ y=-3x+8$

STEP Ⓒ 점 $(1,\ k)$을 지날 때, 상수 k의 값 구하기

접선 $y=-3x+8$이 점 $(1,\ k)$를 지나므로 $k=-3\cdot1+8=5$
따라서 $k=5$

0333

사차함수 $y=f(x)$의 그래프가 오른쪽 그림과 같을 때,

등식 $\dfrac{f(b)-f(a)}{b-a}=f'(c)$를 만족시키는 상수 c의 개수는? (단, $a<c<b$)

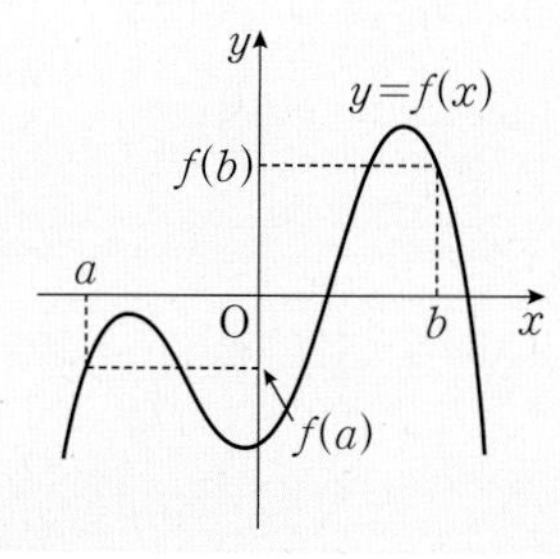

① 1 ② 2 ③ 3 ④ 4 ⑤ 5

STEP Ⓐ 닫힌구간 $[a, b]$에서의 평균값 정리 구하기

사차함수 $y=f(x)$는 닫힌구간 $[a, b]$에서 연속이고 열린구간 (a, b)에서 미분가능하므로 평균값 정리에 의하여 $\dfrac{f(b)-f(a)}{b-a}=f'(c)$를 만족시키는 상수 c가 a와 b 사이에 존재한다.

STEP Ⓑ 구하는 상수 c의 개수 구하기

이때 구하는 상수 c의 개수는 두 점 $(a, f(a))$와 $(b, f(b))$를 지나는 직선의 기울기와 같은 기울기를 가지는 접선이 열린구간 (a, b)에서 곡선 $y=f(x)$와 접하는 접점의 개수와 같다.

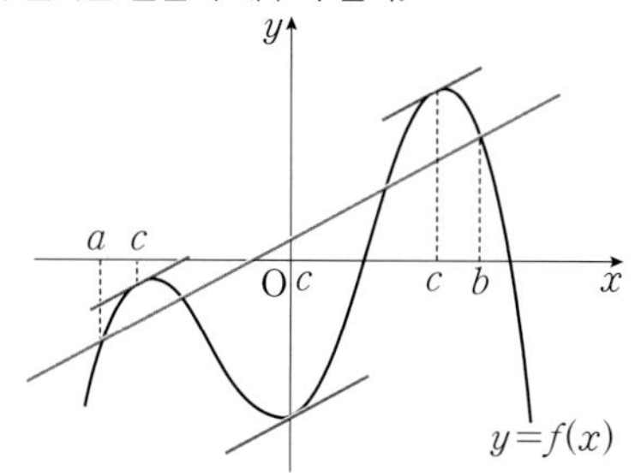

따라서 구하는 상수 c의 개수는 그림과 같이 3개이다.

0334

다음 물음에 답하여라.

(1) 함수 $f(x)=x^3-3x^2+2x$에 대하여 닫힌구간 $[0, 2]$에서 롤의 정리를 만족시키는 모든 상수 c의 값의 합은?

① 1 ② $\dfrac{3}{2}$ ③ 2 ④ $\dfrac{5}{2}$ ⑤ 3

STEP Ⓐ 롤의 정리의 성립 조건 구하기

함수 $f(x)$는 다항함수이므로 닫힌구간 $[0, 2]$에서 연속이고 열린구간 $(0, 2)$에서 미분가능하다.

또, $f(0)=f(2)=0$이므로 롤의 정리에 의하여 $f'(c)=0$인 c가 열린구간 $(0, 2)$에 적어도 하나 존재한다.

STEP Ⓑ 도함수를 구하여 롤의 정리를 만족하는 c의 값 구하기

$f'(x)=3x^2-6x+2$이고 롤의 정리를 만족시키는 실수 c의 값은

$f'(c)=3c^2-6c+2=0\,(0<c<2)$에서

$c=\dfrac{3-\sqrt{3}}{3}$ 또는 $c=\dfrac{3+\sqrt{3}}{3}$

따라서 모든 상수 c의 값의 합은

$\dfrac{3-\sqrt{3}}{3}+\dfrac{3+\sqrt{3}}{3}=2$

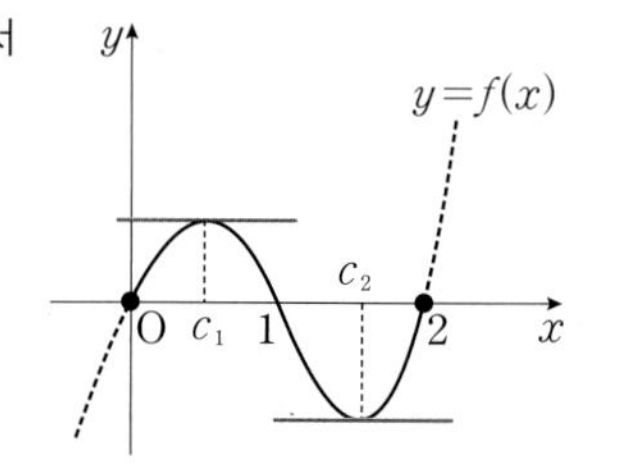

이차방정식 $f'(c)=3c^2-6c+2=0$의 근과 계수의 관계에서

두 근의 합은 $\alpha+\beta=\dfrac{6}{3}=2$

(2) 함수 $f(x)=x^2(x-a)$에 대하여 닫힌구간 $[0, a]$에서 롤의 정리를 만족시키는 c의 값이 $\dfrac{2}{3}$일 때, 실수 a의 값은?

① $\dfrac{1}{2}$ ② 1 ③ $\dfrac{3}{2}$ ④ 2 ⑤ $\dfrac{5}{2}$

STEP Ⓐ 롤의 정리의 성립 조건 구하기

함수 $f(x)$는 다항함수이므로 닫힌구간 $[0, a]$에서 연속이고 열린구간 $(0, a)$에서 미분가능하다.

또, $f(0)=f(a)=0$이므로 롤의 정리에 의하여 $f'(c)=0$인 c가 열린구간 $(0, a)$에 적어도 하나 존재한다.

STEP Ⓑ 도함수를 구하여 롤의 정리를 만족하는 c의 값 구하기

$f'(x)=2x(x-a)+x^2=3x^2-2ax$

이므로

$f'(c)=3c^2-2ac=0\,(0<c<a)$

에서 $c=\dfrac{2}{3}a$

따라서 $c=\dfrac{2}{3}a=\dfrac{2}{3}$이므로 $a=1$

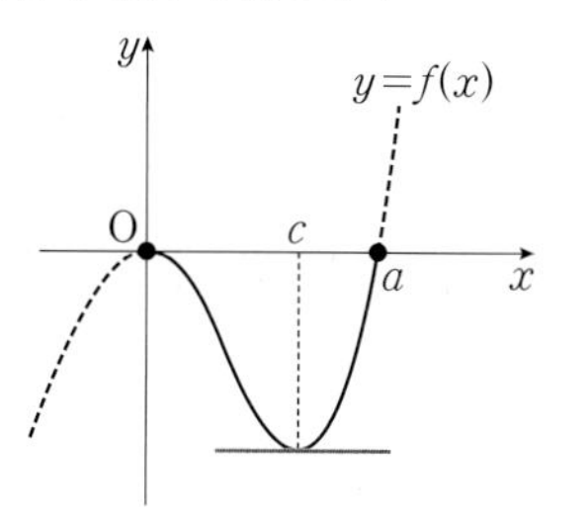

0335

다음 물음에 답하여라.

(1) 함수 $f(x)=-x^2+4x-2$에 대하여 닫힌구간 $[1, 4]$에서 평균값 정리를 만족시키는 c의 값은?

① $\dfrac{1}{2}$ ② 1 ③ $\dfrac{3}{2}$ ④ 2 ⑤ $\dfrac{5}{2}$

STEP Ⓐ 평균값 정리의 성립 조건 구하기

함수 $f(x)$는 다항함수이므로 닫힌구간 $[1, 4]$에서 연속이고 열린구간 $(1, 4)$에서 미분가능 하므로 평균값 정리에 의하여

$\dfrac{f(4)-f(1)}{4-1}=f'(c)$인 c가 열린구간 $(1, 4)$에 적어도 하나 존재한다.

STEP Ⓑ 도함수를 구하여 평균값 정리를 만족하는 c의 값 구하기

$\dfrac{f(4)-f(1)}{4-1}=\dfrac{(-4^2+4\cdot4-2)-(-1+4-2)}{3}=-1$

따라서 $f'(x)=-2x+4$이므로

평균값 정리를 만족시키는 c의 값은

$f'(c)=-2c+4=-1$에서 $c=\dfrac{5}{2}$

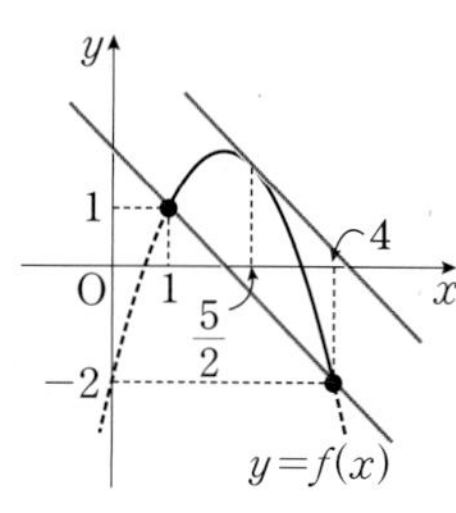

(2) 함수 $f(x)=x^2-3$에 대하여 닫힌구간 $[-1, a]$에서 평균값 정리를 만족시키는 c의 값이 $\dfrac{1}{2}$일 때, 실수 a의 값은?

① 1 ② 2 ③ 3 ④ 4 ⑤ 5

STEP Ⓐ 닫힌구간 $[-1, a]$에서 평균값 정리의 성립 조건 구하기

함수 $f(x)$는 다항함수이므로 닫힌구간 $[-1, a]$에서 연속이고 열린구간 $(-1, a)$에서 미분가능하므로 평균값 정리에 의하여

$\dfrac{f(a)-f(-1)}{a-(-1)}=f'(c)$인 c가 열린구간 $(-1, a)$에 적어도 하나 존재한다.

STEP **B** **도함수를 구하여 평균값 정리를 만족하는 a의 값 구하기**

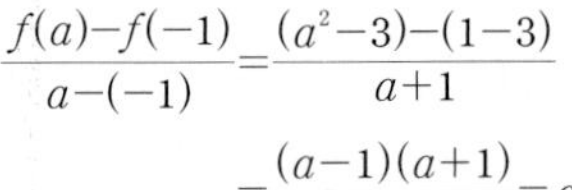

$$\frac{f(a)-f(-1)}{a-(-1)}=\frac{(a^2-3)-(1-3)}{a+1}$$

$$=\frac{(a-1)(a+1)}{a+1}=a-1$$

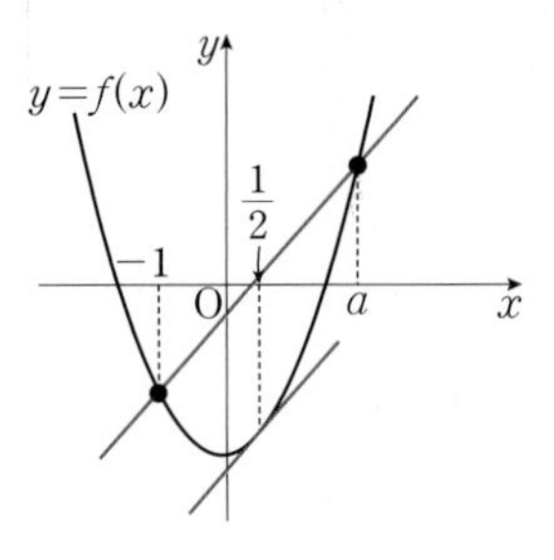

$f'(x)=2x$이므로

$f'(c)=a-1(-1<c<a)$에서

$2c=a-1$

따라서 $c=\frac{1}{2}$이므로 $a=2$

0336

다음 물음에 답하여라.

(1) 함수 $f(x)=x^2$에 대하여 닫힌구간 $[0,\ a+h]$에서

$$f(a+h)=f(a)+hf'(a+kh)$$

를 만족시키는 실수 k의 값은? (단, $h>0$, $0<k<1$)

① $\frac{1}{4}$　② $\frac{1}{3}$　③ $\frac{1}{2}$

④ $\frac{2}{3}$　⑤ $\frac{3}{4}$

STEP **A** **도함수를 이용하여 주어진 조건에 대입하여 k의 값 구하기**

$f(x)=x^2$에 대하여 $f'(x)=2x$

$f(a+h)=f(a)+hf'(a+kh)$에서 $(a+h)^2=a^2+h\cdot 2(a+kh)$

$a^2+2ah+h^2=a^2+2ah+2kh^2$

따라서 $h^2=2kh^2$이므로 $h>0$에서 $k=\frac{1}{2}$

(2) 이차함수 $f(x)=x^2+ax+b$에 대하여

$$\frac{f(x+h)-f(x)}{h}=f'(x+ph)\ (\text{단, } h>0,\ 0<p<1)$$

를 만족시키는 실수 p의 값은? (단, a, b는 상수이다.)

① $\frac{1}{5}$　② $\frac{1}{4}$　③ $\frac{1}{3}$

④ $\frac{1}{2}$　⑤ $\frac{2}{3}$

STEP **A** **도함수를 이용하여 주어진 조건에 대입하여 p의 값 구하기**

$f(x)=x^2+ax+b$에 대하여 $f'(x)=2x+a$

$\frac{f(x+h)-f(x)}{h}=f'(x+ph)$에서

$$\frac{(x+h)^2+a(x+h)+b-(x^2+ax+b)}{h}=2(x+ph)+a$$

$2x+h+a=2x+2ph+a$

따라서 $h=2ph$이므로 $h>0$에서 $p=\frac{1}{2}$

0337

서술형

함수 $f(x)=x^2-3x-4$에 대하여 단계로 서술하여라.

[1단계] 닫힌구간 $[-1,\ 4]$에서 롤의 정리를 만족시키는 실수 c의 값을 구하여라.

STEP **A** **롤의 정리의 성립 조건 구하기**

함수 $f(x)$는 다항함수이므로 닫힌구간 $[-1,\ 4]$에서 연속이고

열린구간 $(-1,\ 4)$에서 미분가능하다.

또, $f(-1)=f(4)=0$이므로 롤의 정리에 의하여 $f'(c)=0$인 c가

열린구간 $(-1,\ 4)$에 적어도 하나 존재한다.

STEP **B** **도함수를 구하여 롤의 정리를 만족하는 c의 값 구하기**

따라서 $f'(x)=2x-3$이므로

$f'(c)=2c-3=0$에서 $c=\frac{3}{2}$

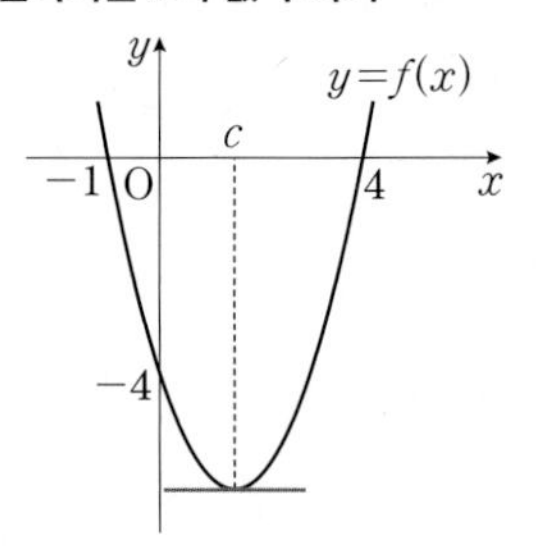

[2단계] 닫힌구간 $[0,\ 2]$에서 평균값 정리를 만족시키는 실수 c의 값을 구하여라.

STEP **A** **닫힌구간 $[0,\ 2]$에서 평균값 정리의 성립 조건 구하기**

함수 $f(x)$는 다항함수이므로 닫힌구간 $[0,\ 2]$에서 연속이고

열린구간 $(0,\ 2)$에서 미분가능하므로 평균값 정리에 의하여

$\frac{f(2)-f(0)}{2-0}=f'(c)$인 c가 열린구간 $(0,\ 2)$에 적어도 하나 존재한다.

STEP **B** **도함수를 구하여 평균값 정리를 만족하는 c의 값 구하기**

$f'(x)=2x-3$이므로

$$\frac{f(2)-f(0)}{2-0}=\frac{(4-6-4)-(-4)}{2}$$

$$=-1$$

즉 $f'(c)=2c-3$에서

$2c-3=-1\quad\therefore c=1$

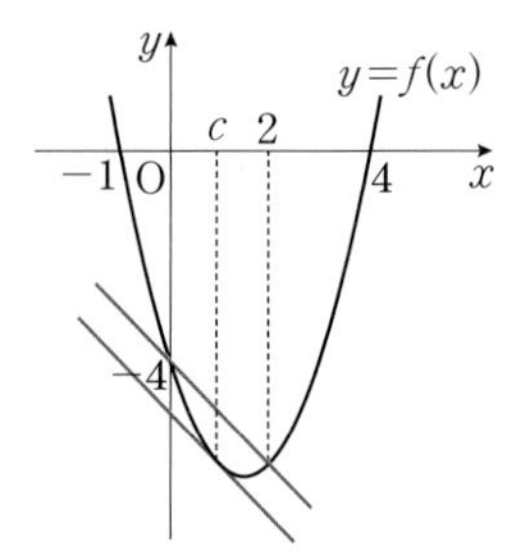

0338

서술형

함수 $f(x)=x^3+5$에 대하여 닫힌구간 $[-1,\ 2k]$에서 평균값 정리를 만족시키는 상수의 값이 k일 때, k의 값을 구하는 과정을 다음 단계로 서술하여라.

[1단계] 도함수 $f'(x)$를 구한다.

[2단계] 닫힌구간 $[-1,\ 2k]$에서 함수 $f(x)$에 대한 평균값 정리를 서술한다.

[3단계] [2단계] 의 관계식으로 부터 상수 k의 값을 구한다.

1단계	도함수 $f'(x)$를 구한다.	◀ 20%

$f(x)=x^3+5$에서 $f'(x)=3x^2$

2단계	닫힌구간 $[-1,\ 2k]$에서 함수 $f(x)$에 대한 평균값 정리를 서술한다.	◀ 40%

함수 $f(x)$는 다항함수이므로 닫힌구간 $[-1,\ 2k]$에서 연속이고

열린구간 $(-1,\ 2k)$에서 미분가능하므로 평균값 정리에 의하여

$\frac{f(2k)-f(-1)}{2k-(-1)}=f'(k)$인 k가 -1과 $2k$ 사이에 적어도 하나 존재한다.

3단계	[2단계]의 관계식으로 부터 상수 k의 값을 구한다.	◀ 40%

$$\frac{f(2k)-f(-1)}{2k-(-1)}=\frac{8k^3+5-(-1+5)}{2k+1}$$

$$=\frac{(2k+1)(4k^2-2k+1)}{2k+1}$$

$$=4k^2-2k+1$$

이때 $f'(k)=3k^2$이므로 $4k^2-2k+1=3k^2$

$k^2-2k+1=0,\ (k-1)^2=0$

따라서 $k=1$

NORMAL

0339

오른쪽 그림과 같이 정사각형 ABCD의 두 꼭짓점 A, C는 y축 위에 있고 두 꼭짓점 B, D는 x축 위에 있다. 변 AD와 변 BC가 각각 삼차함수 $y=-x^3+2x$의 그래프에 접할 때, 정사각형 ABCD의 넓이를 구하여라.

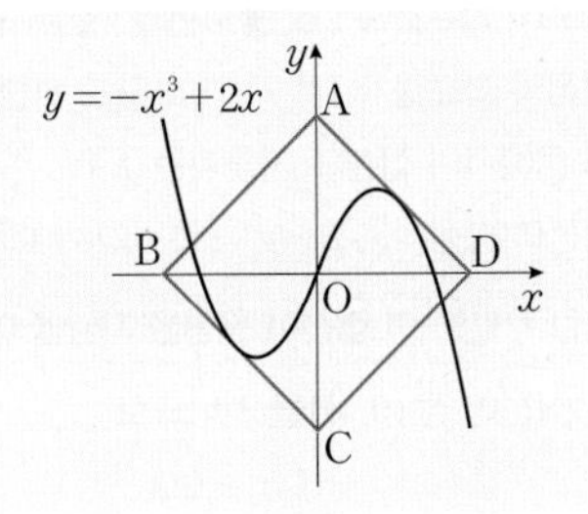

STEP A 기울기가 -1인 곡선 $y=-x^3+2x$에 접하는 접선의 방정식 구하기

$f(x)=-x^3+2x$로 놓으면

$f'(x)=-3x^2+2$

직선 AD가 삼차함수에 접하는 점의 좌표를 $(a, -a^3+2a)$라 하면

직선 AD의 기울기가 -1이므로

$f'(a)=-3a^2+2=-1$, $a^2=1$

$\therefore a=1\ (a>0)$

이때 점 $(1, 1)$을 지나고 기울기가 -1인 접선 AD의 방정식은 $y-1=-1(x-1)$

$\therefore y=-x+2$

STEP B 이 접선이 y축, x축과 만나는 점을 이용하여 정사각형의 넓이 구하기

이때 두 점 A, D는 각각 접선 AD의 y축, x축의 교점이므로

A$(0, 2)$, D$(2, 0)$

정사각형의 한 변의 길이는 $\overline{\mathrm{AD}}=\sqrt{(2-0)^2+(0-2)^2}=2\sqrt{2}$

따라서 정사각형 ABCD의 넓이는 $\overline{\mathrm{AD}}^2=(2\sqrt{2})^2=8$

0340

곡선 $y=x^3+ax^2+(2a-1)x+a+2$는 a의 값에 관계없이 항상 일정한 점 P를 지난다. 이 점 P에서의 접선의 방정식을 $y=mx+n$이라 할 때, 상수 m, n에 대하여 $m+n$의 값은?

① 2 ② 4 ③ 6
④ 8 ⑤ 10

STEP A a에 관한 항등식의 계수비교법을 이용하여 항상 지나는 점 구하기

곡선 $y=x^3+ax^2+(2a-1)x+a+2$의 식을 a에 대한 내림차순으로 정리하면 $(x^2+2x+1)a+(x^3-x+2-y)=0$

이것은 a에 대한 항등식이므로

$x^2+2x+1=0$, $x^3-x+2-y=0$

$\therefore x=-1$, $y=2$

즉 주어진 곡선은 a의 값에 관계없이 점 P$(-1, 2)$를 지난다.

STEP B 두 점 P에서의 접선의 방정식 구하기

$f(x)=x^3+ax^2+(2a-1)x+a+2$로 놓으면

$f'(x)=3x^2+2ax+2a-1$이므로

점 P$(-1, 2)$에서의 접선의 기울기는 $f'(-1)=3-2a+2a-1=2$

점 P$(-1, 2)$에서의 접선의 방정식은 $y-2=2\{x-(-1)\}$

$\therefore y=2x+4$

따라서 $m=2$, $n=4$이므로 $m+n=6$

0341

곡선 $y=x^3-x$ 위의 점 $(1, 0)$에서의 접선이 곡선 $y=-x^2+10x+a$에 접할 때, 상수 a의 값은?

① -10 ② -12 ③ -14
④ -16 ⑤ -18

STEP A 곡선 $y=x^3-x$ 위의 점 $(1, 0)$에서 접선의 방정식 구하기

$f(x)=x^3-x$로 놓으면

$f'(x)=3x^2-1$

곡선 $y=f(x)$ 위의 점 $(1, 0)$에서의 접선의 기울기는

$f'(1)=2$이므로

접선의 방정식은 $y-0=2(x-1)$

$\therefore y=2x-2$ …… ㉠

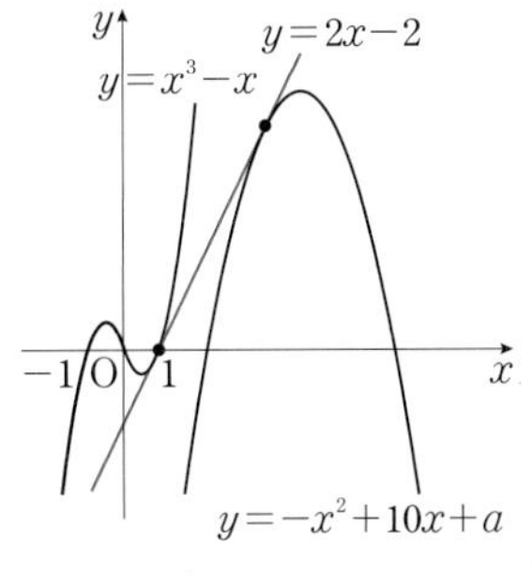

STEP B 곡선 $y=-x^2+10x+a$ 위의 점 $(t, -t^2+10t+a)$에서 접선의 방정식 구하기

또, $g(x)=-x^2+10x+a$로 놓으면 $g'(x)=-2x+10$

곡선 $y=g(x)$에 접하는 접점을 $(t, -t^2+10t+a)$라 하면

접선의 기울기는 $g'(t)=-2t+10$이므로 접선의 방정식은

$y-(-t^2+10t+a)=(-2t+10)(x-t)$

$y=(-2t+10)x+t^2+a$ …… ㉡

㉡이 ㉠과 일치해야 하므로

$-2t+10=2$ …… ㉢

$t^2+a=-2$ …… ㉣

따라서 ㉢에서 $t=4$이므로 ㉣에 대입하면 $a=-16-2=-18$

다른풀이 두 점을 지나는 직선의 기울기를 이용하여 풀이하기

$f(x)=x^3-x$로 놓으면 $f'(x)=3x^2-1$이므로

곡선 $y=f(x)$ 위의 점 $(1, 0)$에서의 접선의 기울기는 $f'(1)=2$

또, $g(x)=-x^2+10x+a$로 놓고 접점의 좌표를 $(t, g(t))$라 하면

$g'(t)=-2t+10=2$ $\therefore t=4$

두 점 $(1, 0)$, $(4, g(4))$를 지나는 직선의 기울기가 접선의 기울기 2와

같으므로 $\dfrac{g(4)-0}{4-1}=\dfrac{24+a}{3}=2$, $24+a=6$

따라서 $a=-18$

0342

곡선 $y=2x^3-ax^2+8x+1$에 접하고 직선 $y=2x-3$에 평행한 직선이 존재하지 않도록 하는 모든 정수 a의 개수는?

① 8 ② 9 ③ 10
④ 11 ⑤ 13

STEP A 직선 $y=2x-3$에 평행한 접선의 방정식 구하기

$f(x)=2x^3-ax^2+8x+1$로 놓으면 $f'(x)=6x^2-2ax+8$

접점의 x좌표를 t라고 하면 $f'(t)=2$이므로

$6t^2-2at+8=2$

$\therefore 6t^2-2at+6=0$ …… ㉠

STEP B 접점이 존재하지 않은 정수 a의 개수 구하기

접선이 존재하지 않기 위해서는 접점이 존재하지 않아야 한다.

그러므로 ㉠의 실수인 해가 존재하지 않아야 한다.

즉 $\dfrac{D}{4}=a^2-36<0$이므로 $-6<a<6$

따라서 정수 a는 $-5, -4, -3, \cdots, 3, 5$의 11개이다.

0343

곡선 $y=x^3$ 위의 점 $\mathrm{P}(t, t^3)$에서의 접선과 원점사이의 거리를 $f(t)$라 하면 $\lim_{t\to\infty}\frac{f(t)}{t}=\alpha$일 때, 30α의 값을 구하여라

STEP A 점 P에서의 접선의 방정식 구하기

$g(x)=x^3$으로 놓으면 $g'(x)=3x^2$

점 $\mathrm{P}(t, t^3)$에서 접선의 기울기는 $g'(t)=3t^2$

점 $\mathrm{P}(t, t^3)$에서의 접선의 방정식은 $y-t^3=3t^2(x-t)$

$\therefore 3t^2x-y-2t^3=0$

STEP B 접선과 원점 사이의 거리 구하기

이 접선에서 원점까지의 거리 $f(t)$는

$$f(t)=\frac{|0-0-2t^3|}{\sqrt{(3t^2)^2+(-1)^2}}=\frac{|2t^3|}{\sqrt{9t^4+1}}$$

STEP C $\lim_{t\to\infty}\frac{f(t)}{t}$의 극한값 구하기

$$\lim_{t\to\infty}\frac{f(t)}{t}=\lim_{t\to\infty}\frac{\frac{2t^3}{\sqrt{9t^4+1}}}{t}\ (\because t>0)$$

$$=\lim_{t\to\infty}\frac{2t^2}{\sqrt{9t^4+1}}$$

$$=\lim_{t\to\infty}\frac{2}{\sqrt{9+\frac{1}{t^4}}}$$

$$=\frac{2}{\sqrt{9}}=\frac{2}{3}$$

따라서 $\alpha=\frac{2}{3}$이므로 $30\alpha=30\cdot\frac{2}{3}=20$

0344

다음 물음에 답하여라.

(1) 원점 O에서 곡선 $y=x^4-3x^2+6$에 그은 두 접선의 접점을 각각 A, B라 할 때, 삼각형 OAB의 넓이를 구하여라.

(2) 원점 O에서 곡선 $y=x^4-x^2+2$에 그은 두 접선의 접점과 원점이 이루는 삼각형의 넓이를 구하여라.

STEP A 곡선 $y=f(x)$ 위의 점 $(t, f(t))$에서의 접선의 방정식 구하기

$f(x)=x^4-3x^2+6$으로 놓으면 $f'(x)=4x^3-6x$

접점의 좌표를 (t, t^4-3t^2+6)이라 하면 접선의 방정식은

$y-(t^4-3t^2+6)=(4t^3-6t)(x-t)$

$\therefore y=(4t^3-6t)x-3t^4+3t^2+6$

STEP B 이 접선이 원점을 지남을 이용하여 접점의 좌표 구하기

이 접선이 원점을 지나므로 $3t^4-3t^2-6=0,\ 3(t^2+1)(t^2-2)=0$

그런데 t는 실수이므로 $t=-\sqrt{2}$ 또는 $t=\sqrt{2}$

즉 접점의 좌표는 $(-\sqrt{2}, 4), (\sqrt{2}, 4)$

STEP C 삼각형 OAB의 넓이 구하기

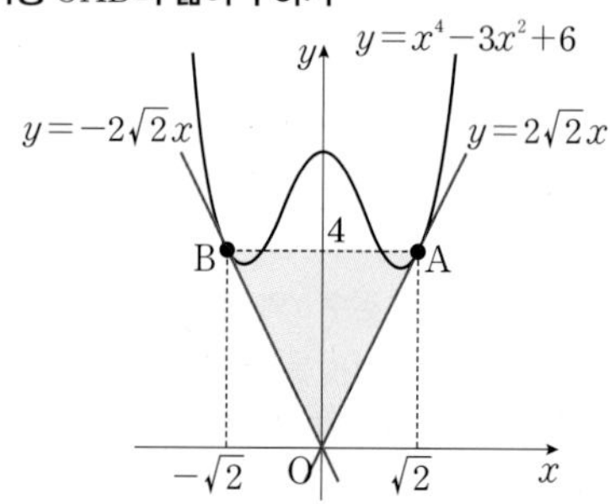

따라서 삼각형 OAB의 넓이는 $\frac{1}{2}\cdot2\sqrt{2}\cdot4=4\sqrt{2}$

STEP A 곡선 $y=f(x)$ 위의 점 $(t, f(t))$에서의 접선의 방정식 구하기

$f(x)=x^4-x^2+2$로 놓으면 $f'(x)=4x^3-2x$

접점의 좌표를 (t, t^4-t^2+2)라고 하면

이 점에서의 접선의 기울기는 $f'(t)=4t^3-2t$이므로

접선의 방정식은 $y-(t^4-t^2+2)=(4t^3-2t)(x-t)$

STEP B 이 접선이 원점을 지남을 이용하여 접점의 좌표 구하기

이 직선이 점 $(0, 0)$을 지나므로

$-(t^4-t^2+2)=-t(4t^3-2t)$

$3t^4-t^2-2=0,\ (t^2-1)(3t^2+2)=0$

$t^2-1=0$

$\therefore t=-1$ 또는 $t=1$

두 접점의 좌표는 $(-1, 2), (1, 2)$

STEP C 두 접선의 접점과 원점이 이루는 삼각형의 넓이 구하기

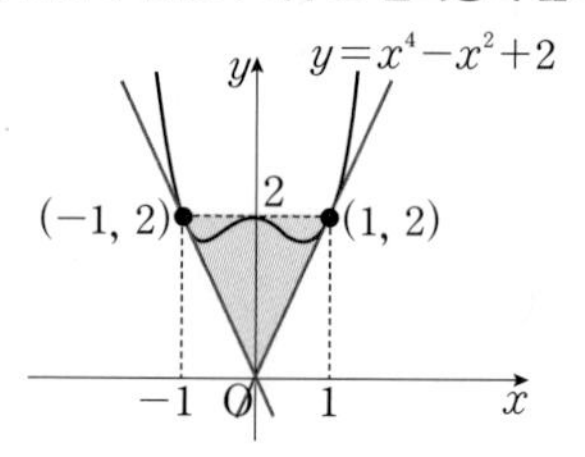

따라서 구하는 삼각형의 넓이는 $\frac{1}{2}\cdot2\cdot2=2$

0345

점 $(-1, 0)$에서 곡선 $y=-x^2+k$에 그은 두 접선이 서로 수직일 때, 상수 k의 값은?

① $-\frac{1}{4}$ ② $-\frac{1}{2}$ ③ -1
④ $\frac{1}{4}$ ⑤ $\frac{1}{2}$

STEP A 접점의 x좌표를 t로 놓고 접선의 방정식 구하기

$f(x)=-x^2+k$로 놓으면 $f'(x)=-2x$

접점의 좌표를 $(t, -t^2+k)$이라 하면

접선의 기울기는 $f'(t)=-2t$이므로

접선의 방정식은 $y-(-t^2+k)=-2t(x-t)$

STEP B 접선이 점 $(-1, 0)$을 지남을 이용하여 t의 이차방정식 구하기

이 접선이 점 $(-1, 0)$을 지나므로

$0-(-t^2+k)=-2t(-1-t)$

$\therefore t^2+2t+k=0$

STEP C 두 접선이 서로 수직임을 이용하여 k 구하기

이차방정식 $t^2+2t+k=0$의 두 근을 α, β라고 하면

근과 계수와의 관계에 의하여

$\alpha\beta=k$ …… ㉠

이때 두 접선이 서로 수직이므로 두 접선의 기울기의 곱이 -1

$(-2\alpha)\times(-2\beta)=-1,\ 4\alpha\beta=-1$

㉠에서 $4k=-1$

따라서 $k=-\frac{1}{4}$

0346

함수 $f(x)=x^3-6x^2+9x+1$에 대하여 닫힌구간 $[0,\ a]$에서 롤의 정리를 만족시키는 상수의 값이 c일 때, 상수 $a,\ c$에 대하여 $a+c$의 값은?

① 1 ② 2 ③ 3
④ 4 ⑤ 5

STEP Ⓐ 롤의 정리의 성립 조건 구하기

함수 $f(x)$는 다항함수이므로 닫힌구간 $[0,\ a]$에서 연속이고
열린구간 $(0,\ a)$에서 미분가능하다.
또, $f(0)=f(a)=1$이므로 롤의 정리에 의하여 $f'(c)=0$인 c가
열린구간 $(0,\ a)$에 적어도 하나 존재한다.

STEP Ⓑ 도함수를 구하여 롤의 정리를 만족하는 c의 값 구하기

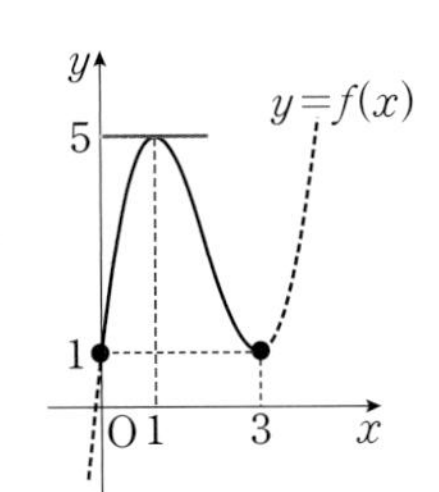

$f(0)=f(a)=1$에서
$f(a)=a^3-6a^2+9a+1=1$
즉 $a(a^2-6a+9)=a(a-3)^2=0$
$\therefore a=3(\because a\neq 0)$
$f'(x)=3x^2-12x+9$이고 롤의 정리를 만족시키는 실수 c의 값은
$f'(c)=3c^2-12c+9=0\,(0<c<3)$에서
$3(c-1)(c-3)=0\quad \therefore c=1(\because 0<c<3)$
따라서 $a+c=3+1=4$

0347

삼차함수 $f(x)=x^3+ax$가 있다. 곡선 $y=f(x)$ 위의 점 $\mathrm{A}(-1,\ -1-a)$에서의 접선이 이 곡선과 만나는 다른 한 점을 B라 하자.
또, 곡선 $y=f(x)$ 위의 점 B에서의 접선이 이 곡선과 만나는 다른 한 점을 C라 하자. 두 점 B, C의 x좌표를 각각 $b,\ c$라 할 때, $f(b)+f(c)=-80$을 만족시킨다. 상수 a의 값은?

① 8 ② 10 ③ 12
④ 14 ⑤ 16

STEP Ⓐ 점 A에서의 접선의 방정식과 $y=f(x)$와 연립하여 점 B의 x좌표 구하기

$f(x)=x^3+ax$로 놓으면 $f'(x)=3x^2+a$
$x=-1$에서의 접선의 기울기는 $f'(-1)=3+a$
점 $\mathrm{A}(-1,\ -1-a)$에서의 접선의 방정식은
$y-(-1-a)=(3+a)(x+1)$
$y=(3+a)x+2$
이 접선과 곡선 $y=f(x)$와 만나는 점의 x좌표를 구하면
$x^3+ax=(3+a)x+2$
$x^3-3x-2=0,\ (x+1)^2(x-2)=0$
$\therefore x=-1$ 또는 $x=2$
이때 점 A의 x좌표가 -1이므로 점 B의 x좌표는 2
$\therefore b=2$
$f(b)=f(2)=8+2a$이므로 $\mathrm{B}(2,\ 8+2a)$

STEP Ⓑ 점 B에서의 접선의 방정식과 $y=f(x)$를 연립하여 c를 구하고 $f(b)+f(c)=-80$을 이용하여 상수 a 구하기

$f'(2)=12+a$이므로 점 $\mathrm{B}(2,\ 8+2a)$에서의 접선의 방정식은
$y-(8+2a)=(12+a)(x-2)$
$\therefore y=(12+a)x-16$
이 접선의 방정식과 $y=f(x)$가 만나는 점의 x좌표를 구하면
$x^3+ax=(12+a)x-16$
$x^3-12x+16=0,\ (x-2)^2(x+4)=0$
$\therefore x=-4$ 또는 $x=2$
점 B의 x좌표는 2이므로 점 C의 x좌표는 -4
$\therefore c=-4$
주어진 조건에서 $f(b)+f(c)=f(2)+f(-4)=8+2a-64-4a=-80$
따라서 $2a=24$이므로 $a=12$

다른풀이 직접 접선의 방정식을 작성하여 계수 비교하여 풀이하기

점 A에서의 접선의 방정식을 $y=g(x)$라 하면
$f(x)-g(x)=(x+1)^2(x-b)$
$g(x)$는 일차식이므로 $f(x)-g(x)$는 이차항을 갖지 않는다.
즉 이차항의 계수는 0이므로 $-b+2=0$
$\therefore b=2$
점 B에서의 접선의 방정식을 $y=h(x)$라 하면
$f(x)-h(x)=(x-2)^2(x-c)$
마찬가지로 이차항의 계수는 0이므로 $-c-4=0$
$\therefore c=-4$
$f(b)+f(c)=f(2)+f(-4)=-56-2a=-80$
따라서 $a=12$

0348

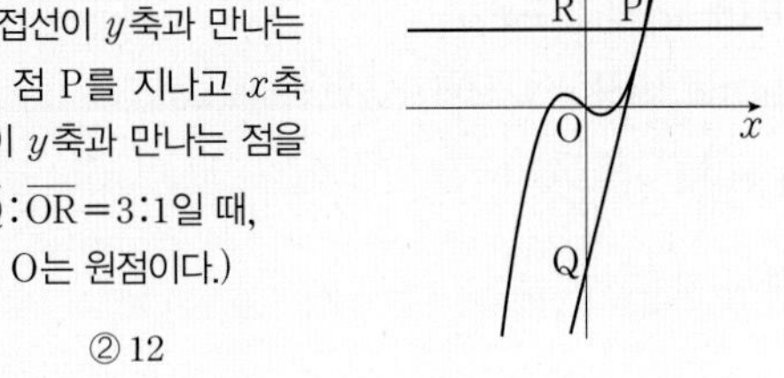

곡선 $y=\frac{1}{3}x^3-x$ 위의 점 중에서 제1사분면에 있는 한 점을 $\mathrm{P}(a,\ b)$라 하자. 점 P에서의 접선이 y축과 만나는 점을 Q라 하고, 점 P를 지나고 x축에 평행한 직선이 y축과 만나는 점을 R이라 하자. $\overline{\mathrm{OQ}}:\overline{\mathrm{OR}}=3:1$일 때, ab의 값은? (단, O는 원점이다.)

① 9 ② 12
③ 15 ④ 18
⑤ 21

STEP Ⓐ 점 Q의 좌표와 점 P에서 접선의 방정식 구하기

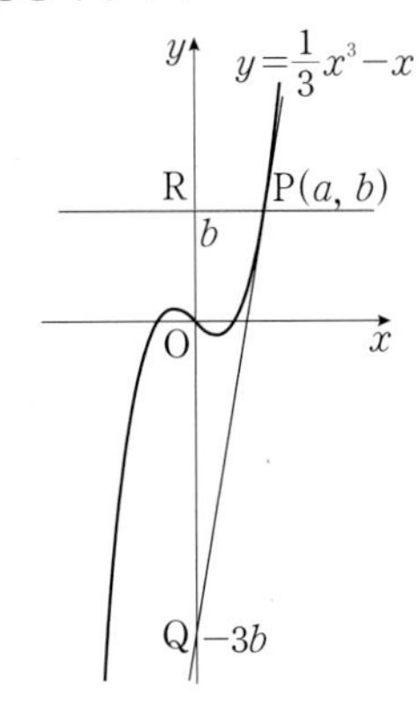

점 $\mathrm{P}(a,\ b)$가 제1사분면 위의 점이므로
$a>0,\ b>0$
점 $\mathrm{P}(a,\ b)$에서 y좌표가 b이고
$\overline{\mathrm{OQ}}:\overline{\mathrm{OR}}=3:1$이므로
접선의 y절편이 $-3b$
즉 $\mathrm{Q}(0,\ -3b)$
곡선 $y=\frac{1}{3}x^3-x$ 위의 점 $\mathrm{P}(a,\ b)$에서의 접선의 방정식은
$y-b=(a^2-1)(x-a)$
$\therefore y=(a^2-1)x-a^3+a+b$

STEP Ⓑ 접선과 곡선이 만나는 제1사분면 위의 점 P의 좌표 구하기

접선 $y=(a^2-1)x-a^3+a+b$의 y절편의 좌표는 $(0,\ -3b)$이므로
$-a^3+a+b=-3b$ …… ㉠
점 $\mathrm{P}(a,\ b)$가 곡선 $y=\frac{1}{3}x^3-x$ 위의 점이므로
$b=\frac{1}{3}a^3-a$ …… ㉡
㉠, ㉡에서 두 식을 연립하면
$a^3-a=4b=\frac{4}{3}a^3-4a,\ \frac{1}{3}a^3=3a$
$\therefore a=3\ (\because a>0,\ b>0)$
㉡에서 $b=6$
따라서 $a=3,\ b=6$이므로 $ab=18$

0349

곡선 $y=x^2$ 위의 점 $(2, 4)$에서의 접선과 x축과의 교점을 $(a_1, 0)$, 점 (a_1, a_1^2)에서의 접선과 x축과의 교점을 $(a_2, 0)$, 점 (a_2, a_2^2)에서의 접선과 x축과의 교점을 $(a_3, 0)$, $\cdots$ 이라 하자. 이와 같은 과정을 계속해서 얻은 수열 $\{a_n\}$에서 a_{11}의 값을 구하여라.

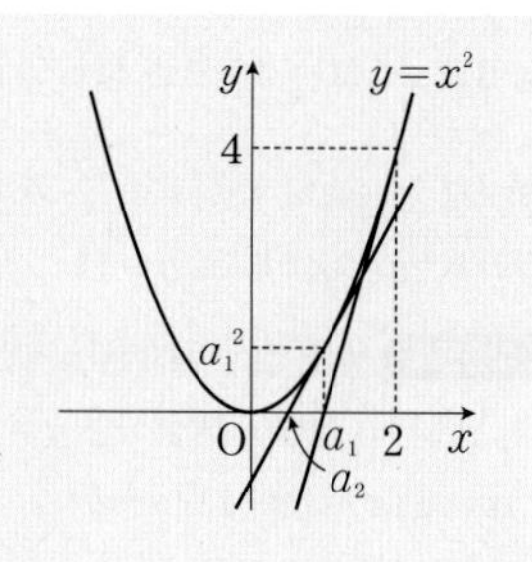

STEP A 접선의 방정식을 이용하여 a_1의 값 구하기

$f(x)=x^2$으로 놓으면 $f'(x)=2x$이므로 $f'(2)=4$

즉 점 $(2, 4)$에서의 접선의 방정식은 $y-4=4(x-2)$

$\therefore y=4x-4$

이 접선과 x축과의 교점의 좌표는 $(1, 0)$이므로 $a_1=1$

STEP B 수학적 귀납법을 이용하여 a_{n+1}과 a_n의 관계식 구하기

또, 곡선 위의 점 (a_n, a_n^2)에서의 접선의 방정식은 $y-a_n^2=2a_n(x-a_n)$

$\therefore y=2a_nx-a_n^2$

이 접선과 x축과의 교점의 좌표는 $\left(\frac{1}{2}a_n, 0\right)$이므로

$a_{n+1}=\frac{1}{2}a_n$

STEP C a_{11}의 값 구하기

수열 $\{a_n\}$은 첫째항이 1, 공비가 $\frac{1}{2}$인 등비수열이므로

$a_n=1\times\left(\frac{1}{2}\right)^{n-1}$

따라서 $a_{11}=\left(\frac{1}{2}\right)^{10}=\frac{1}{1024}$

0350

최고차항의 계수가 1인 삼차함수 $f(x)$가 다음 조건을 만족시킨다.

(가) 직선 $y=x+1$이 함수 $y=f(x)$의 그래프와 점 $(1, 2)$에서 접한다.

(나) $\lim_{x\to1}\frac{f(x)-(x+1)}{(x-1)\{f'(x)-x\}}=\frac{1}{3}$

$f(3)$의 값은?

① 8 ② 10 ③ 12
④ 14 ⑤ 16

STEP A 조건 (가)를 만족하는 $f(x)-f(x+1)$의 식 작성하기

조건 (가)에서

함수 $y=f(x)$의 그래프가 직선 $y=x+1$과 점 $(1, 2)$에서 접하므로

$f(x)-(x+1)=(x-1)^2(x-a)$(a는 상수)라 하자.

STEP B $f'(x)-x$의 식 작성하기

이때 양변을 x에 대하여 미분하면

$$\begin{aligned}f'(x)-1&=2(x-1)(x-a)+(x-1)^2\\&=(x-1)\{2(x-a)+(x-1)\}\\&=(x-1)(3x-2a-1)\end{aligned}$$

이므로

$f'(x)=(x-1)(3x-2a-1)+1$에서

$$\begin{aligned}f'(x)-x&=(x-1)(3x-2a-1)+1-x\\&=(x-1)(3x-2a-2)\end{aligned}$$

STEP C 조건 (나)을 만족하는 삼차함수 $f(x)$을 구하여 $f(3)$ 구하기

이때 조건 (나)에서

$$\begin{aligned}\lim_{x\to1}\frac{f(x)-(x+1)}{(x-1)\{f'(x)-x\}}&=\lim_{x\to1}\frac{(x-1)^2(x-a)}{(x-1)^2\{3x-2a-2\}}\\&=\lim_{x\to1}\frac{x-a}{3x-2a-2}\\&=\frac{1-a}{1-2a}=\frac{1}{3}\end{aligned}$$

이므로 $3-3a=1-2a$에서 $a=2$

따라서 ㉠에서 $f(x)=(x-1)^2(x-2)+x+1$이므로 $f(3)=4\times1+4=8$

0351

$x\le5$에서 정의된 함수 $f(x)=\frac{1}{3}x^3-x^2-x$가 있다. 두 점 $A(-3, 0)$, $B(0, 6)$과 곡선 $y=f(x)$ 위의 점 P에 대하여 삼각형 ABP의 넓이가 최소가 되게 하는 점 P를 Q라 하고 그 점에서의 접선이 $y=f(x)$와 다시 만나는 점을 R이라 할 때, 이 두 점 Q, R 사이의 거리를 구하여라.

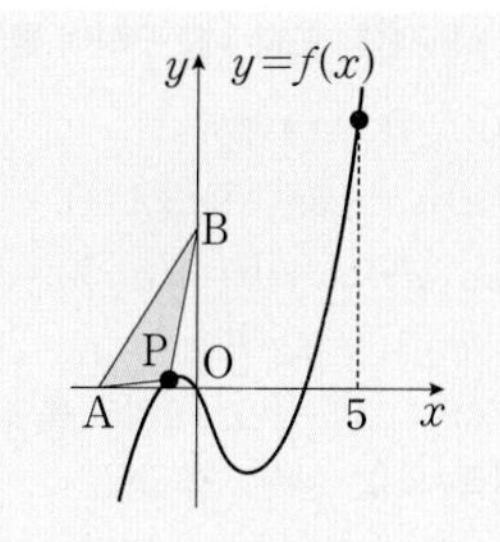

STEP A 기울기가 2인 함수 $y=f(x)$에 접하는 접점의 x좌표 구하기

직선 AB의 방정식이 $y=2x+6$

함수 $f(x)=\frac{1}{3}x^3-x^2-x$ 위의 점에서 접선의 기울기가 2이므로

$f'(x)=x^2-2x-1=2$에서 $x^2-2x-3=0$

$(x+1)(x-3)=0$

$\therefore x=-1$ 또는 $x=3$

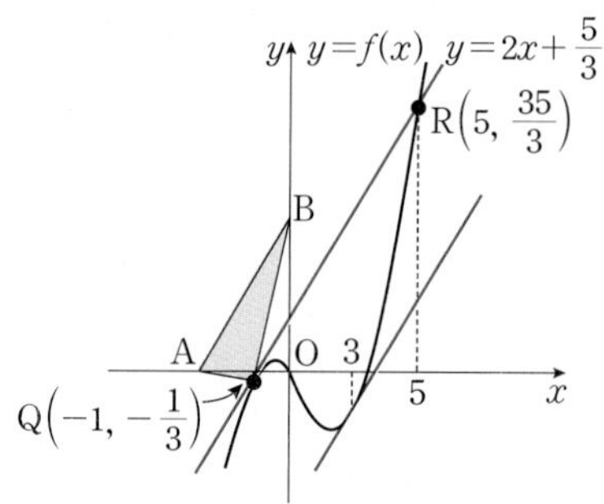

점 P의 좌표가 $\left(-1, -\frac{1}{3}\right)$일 때, 삼각형의 넓이는 최소이다.

점 $Q\left(-1, -\frac{1}{3}\right)$을 지나고 기울기가 2인 접선의 방정식은

$y+\frac{1}{3}=2(x+1)$

$\therefore y=2x+\frac{5}{3}$

STEP B 점 P에서의 접선과 곡선의 교점을 구한 후 접점이 아닌 점 P를 구하여 두 점 사이의 거리 $\overline{QR}$ 구하기

이때 곡선 $f(x)=\frac{1}{3}x^3-x^2-x$과 접선 $y=2x+\frac{5}{3}$의 교점의 x좌표는

$\frac{1}{3}x^3-x^2-x=2x+\frac{5}{3}$

$x^3-3x^2-9x-5=0$, $(x+1)^2(x-5)=0$

$\therefore x=-1$ 또는 $x=5$

이때 접선 $y=2x+\frac{5}{3}$에서 점 $Q\left(-1, -\frac{1}{3}\right)$가 아닌 교점의 좌표는

$R\left(5, \frac{35}{3}\right)$

따라서 $QR=\sqrt{(5+1)^2+\left(\frac{35}{3}+\frac{1}{3}\right)^2}=\sqrt{180}=6\sqrt{5}$

점 $\left(-1, -\frac{1}{3}\right)$에서의 접선의 방정식은 $y=2x+\frac{5}{3}$이므로
삼각형 ABP에서 선분 AB를 밑변으로 하면
점 B(0, 6)과 직선 $y=2x+\frac{5}{3}$ 사이의 거리가 높이이다.

$\overline{AB}=\sqrt{3^2+6^2}=3\sqrt{5}$

(높이)$=\dfrac{\left|-6+\frac{5}{3}\right|}{\sqrt{2^2+(-1)^2}}=\dfrac{13\sqrt{5}}{15}$이므로

삼각형 ABP의 넓이의 최솟값은 $\frac{1}{2}\cdot 3\sqrt{5}\cdot\frac{13\sqrt{5}}{15}=\frac{13}{2}$

주의 함수 $f(x)$의 정의역이 실수 전체의 집합인 경우 점 P의 x좌표를 t라 하면 $t=5$일 때, 밑변이 $\overline{AB}$인 삼각형 ABP의 높이가 $t=-1$일 때의 높이와 같고, $t>5$일 때의 높이는 $t=-1$일 때의 높이보다 작을 수 있다.

0352

서술형

다음 그림과 같이 곡선 $y=-x^2+x+2$ 위의 두 점 A(0, 2), B(2, 0)을 지나는 직선을 l이라 할 때, 곡선 위의 점 P에 대하여 삼각형 ABP의 넓이의 최댓값을 다음 단계로 서술하여라.

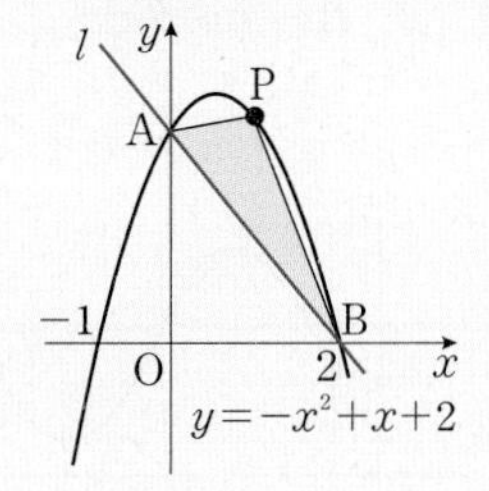

[1단계] 직선 l과 평행하고 곡선 $y=-x^2+x+2$에 접하는 직선의 방정식을 구한다.
[2단계] 제1사분면에 있는 곡선 $y=-x^2+x+2$위의 점과 직선 l 사이의 거리의 최댓값을 구한다.
[3단계] 삼각형 ABP의 넓이의 최댓값을 구한다.

1단계 직선 l과 평행하고 곡선 $y=-x^2+x+2$에 접하는 직선의 방정식을 구한다. ◀ 40%

직선 l은 두 점 A(0, 2), B(2, 0)을 지나므로
직선 l에 평행한 직선의 기울기는 $\frac{0-2}{2-0}=-1$
$f(x)=-x^2+x+2$로 놓으면 $f'(x)=-2x+1$
접점의 좌표를 $(a, -a^2+a+2)$라 하면 접선의 기울기가 -1이므로
$f'(a)=-2a+1=-1$, 즉 $a=1$
접점의 좌표가 (1, 2)이므로 구하는 직선의 방정식은 $y-2=-(x-1)$
$\therefore y=-x+3$

2단계 제1사분면에 있는 곡선 $y=-x^2+x+2$ 위의 점과 직선 l 사이의 거리의 최댓값을 구한다. ◀ 40%

제1사분면에서 직선 l과의 거리가 최대가 되는 곡선 $y=-x^2+x+2$ 위의 점은 직선 l과 평행한 접선의 접점이다.
구하는 거리의 최댓값은 점 (1, 2)와 직선 l, 즉 $x+y-2=0$ 사이의 거리이므로 $\dfrac{|1+2-2|}{\sqrt{1+1}}=\dfrac{1}{\sqrt{2}}=\dfrac{\sqrt{2}}{2}$

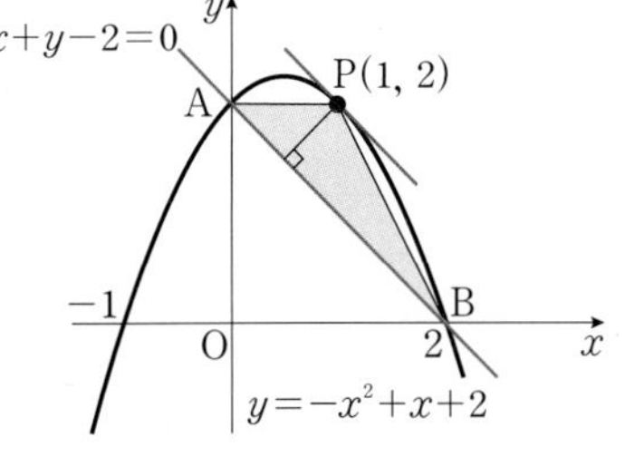

3단계 삼각형 ABP의 넓이의 최댓값을 구한다. ◀ 20%

선분 AB의 길이는 $\sqrt{(2-0)^2+(0-2)^2}=2\sqrt{2}$
따라서 구하는 삼각형 ABP의 넓이의 최댓값은 $\frac{1}{2}\cdot 2\sqrt{2}\cdot\frac{\sqrt{2}}{2}=1$

0353

서술형

원점에서 곡선 $y=x^4+12$에 그은 접선이 점 $(k, 16\sqrt{2})$를 지날 때, k의 값을 구하는 과정을 다음 단계로 서술하여라.
(단, 접점은 제1사분면에 있다.)

[1단계] 접점의 x좌표를 a로 놓고 접선의 방정식을 구한다.
[2단계] 이 접선이 원점을 지날 때, 양수 a의 값을 구한다.
[3단계] 원점에서 곡선 $y=x^4+12$에 그은 접선의 방정식을 구한다.
[4단계] 이 접선이 점 $(k, 16\sqrt{2})$를 지날 때, k의 값을 구한다.

1단계 접점의 x좌표를 a로 놓고 접선의 방정식을 구한다. ◀ 30%

$f(x)=x^4+12$로 놓으면 $f'(x)=4x^3$
접점의 좌표를 (a, a^4+12)라 하면
접선의 기울기는 $f'(a)=4a^3$
접선의 방정식은
$y-(a^4+12)=4a^3(x-a)$ …… ㉠

2단계 이 접선이 원점을 지날 때, 양수 a의 값을 구한다. ◀ 30%

이 접선이 원점을 지나므로
$-a^4-12=-4a^4$, $a^4-4=0$
$a=-\sqrt{2}$ 또는 $a=\sqrt{2}$
그런데 접점은 제1사분면에 있으므로 $a=\sqrt{2}$

3단계 원점에서 곡선 $y=x^4+12$에 그은 접선의 방정식을 구한다. ◀ 20%

$a=\sqrt{2}$를 ㉠에 대입하여 접선의 방정식을 구하면
$y=8\sqrt{2}x$

4단계 이 접선이 점 $(k, 16\sqrt{2})$를 지날 때, k의 값을 구한다. ◀ 20%

이때 접선이 점 $(k, 16\sqrt{2})$를 지나므로
$16\sqrt{2}=8\sqrt{2}k$
따라서 $k=2$

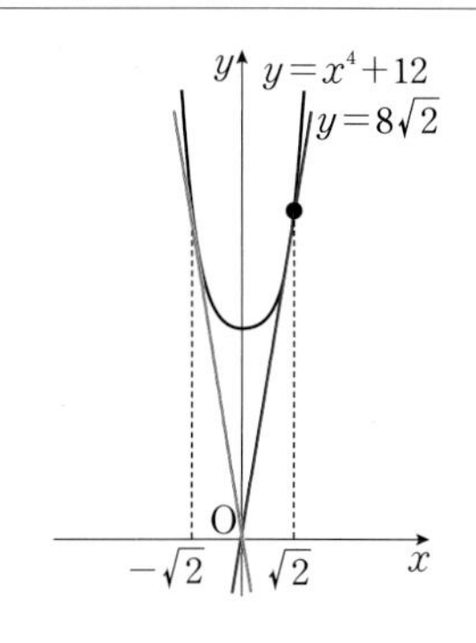

0354

서술형

다항함수 $f(x)$가 닫힌구간 $[0, 2]$에 속하는 모든 x에 대하여 $f'(x) \le 5$이고, $f(0)=3$일 때, $f(2)$의 최댓값을 구하는 과정을 다음 단계로 서술하여라.

[1단계] 닫힌구간 $[0, 2]$에서 함수 $f(x)$에 대한 평균값 정리를 서술한다.

[2단계] $f'(x) \le 5$이고 $f(0)=3$을 이용하여 $f(2)$의 최댓값을 구한다.

1단계 닫힌구간 $[0, 2]$에서 함수 $f(x)$에 대한 평균값 정리를 서술한다. ◀ 50%

다항함수는 모든 실수 x에서 미분가능하므로 함수 $f(x)$는
닫힌구간 $[0, 2]$에서 연속이고 열린구간 $(0, 2)$에서 미분가능하다.
평균값 정리에 의하여

$\frac{f(2)-f(0)}{2-0}=f'(c)$인 c가 열린구간 $(0, 2)$에 적어도 하나 존재한다.

2단계 $f'(x) \le 5$이고 $f(0)=3$을 이용하여 $f(2)$의 최댓값을 구한다. ◀ 50%

$f(0)=3$이고 $f'(c) \le 5$이므로

$f'(c)=\frac{f(2)-f(0)}{2-0} \le 5$에서 $f(2) \le 10+f(0)=13$

따라서 $f(2)$의 최댓값은 13

0355

서술형

다음 롤의 정리를 다음 단계로 서술하여라.

> 함수 $f(x)$가 닫힌구간 $[a, b]$에서 연속이고 열린구간 (a, b)에서 미분가능 할 때, $f(a)=f(b)$이면 $f'(c)=0$인 c가 열린구간 (a, b)에 적어도 하나 존재한다.

[1단계] 함수 $f(x)$가 상수함수인 경우 증명하여라.

[2단계] 함수 $f(x)$가 상수함수가 아닌 경우 $f(a)=f(b)$이므로 함수 $f(x)$는 열린구간 (a, b)에 속하는 어떤 c에서 최댓값을 가질 때, 증명하여라.

[3단계] 함수 $f(x)$가 상수함수가 아닌 경우 $f(a)=f(b)$이므로 함수 $f(x)$는 열린구간 (a, b)에 속하는 어떤 c에서 최솟값을 가질 때, 증명하여라.

1단계 함수 $f(x)$가 상수함수인 경우 증명하여라. ◀ 20%

다음 그림에서 알 수 있듯이 열린구간 (a, b)에 속하는 모든 c에서 $f'(c)=0$이다.

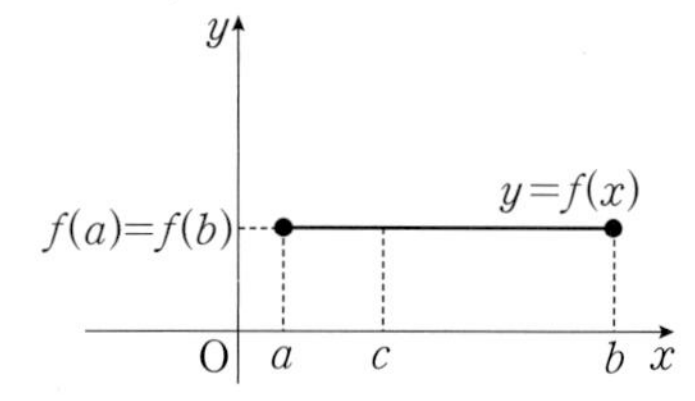

2단계 함수 $f(x)$가 상수함수가 아닌 경우 $f(a)=f(b)$이므로 함수 $f(x)$는 열린구간 (a, b)에 속하는 어떤 c에서 최댓값을 가질 때, 증명하여라. ◀ 40%

$x=c$에서 최댓값을 가질 때, $a<c+h<b$인 임의의 h에 대하여
$f(c+h) \le f(c)$

즉 $f(c+h)-f(c) \le 0$이므로

$\lim_{h \to 0-}\frac{f(c+h)-f(c)}{h} \ge 0$, $\lim_{h \to 0+}\frac{f(c+h)-f(c)}{h} \le 0$

그런데 함수 $f(x)$는 $x=c$에서 미분가능하므로 위의 좌극한과 우극한은 같다.

$0 \le \lim_{h \to 0+}\frac{f(c+h)-f(c)}{h}=\lim_{h \to 0-}\frac{f(c+h)-f(c)}{h} \le 0$이므로

$f'(c)=\lim_{h \to 0}\frac{f(c+h)-f(c)}{h}=0$

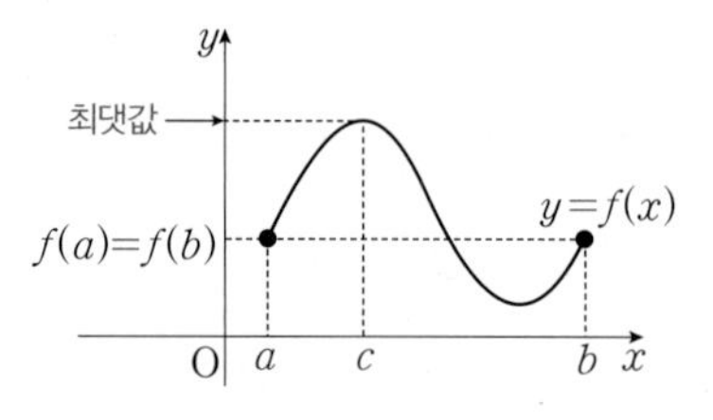

3단계 함수 $f(x)$가 상수함수가 아닌 경우 $f(a)=f(b)$이므로 함수 $f(x)$는 열린구간 (a, b)에 속하는 어떤 c에서 최솟값을 가질 때, 증명하여라. ◀ 40%

$x=c$에서 최솟값을 가질 때, $a<c+h<b$인 임의의 h에 대하여
$f(c+h) \ge f(c)$

즉 $f(c+h)-f(c) \ge 0$이므로

$\lim_{h \to 0-}\frac{f(c+h)-f(c)}{h} \le 0$, $\lim_{h \to 0+}\frac{f(c+h)-f(c)}{h} \ge 0$

그런데 함수 $f(x)$는 $x=c$에서 미분가능하므로 위의 좌극한과 우극한은 같다.

$0 \le \lim_{h \to 0-}\frac{f(c+h)-f(c)}{h}=\lim_{h \to 0+}\frac{f(c+h)-f(c)}{h} \le 0$

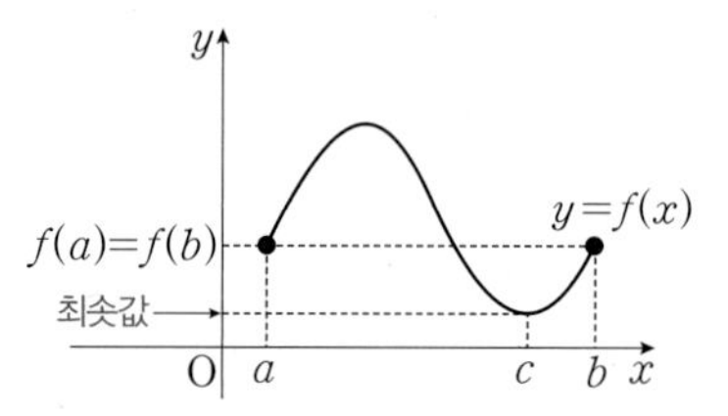

따라서 $f'(c)=\lim_{h \to 0}\frac{f(c+h)-f(c)}{h}=0$

TOUGH

0356

최고차항의 계수가 1이고 $f(0)=2$인 삼차함수 $f(x)$가

$$\lim_{x\to1}\frac{f(x)-x^2}{x-1}=-2$$

를 만족시킨다. 곡선 $y=f(x)$ 위의 점 $(3,\ f(3))$에서의 접선의 기울기를 구하여라.

STEP A (분모)→0이고 극한값이 존재하므로 (분자)→0임을 이용하기

$g(x)=f(x)-x^2$이라 하면

$\lim_{x\to1}\frac{f(x)-x^2}{x-1}=\lim_{x\to1}\frac{g(x)}{x-1}=-2$에서

$x\to1$일 때, (분모)→0이고 극한값이 존재하므로 (분자)→0이어야 한다.

즉 $\lim_{x\to1}g(x)=0$이므로 $g(1)=0$

즉 $g(1)=f(1)-1=0$

$\therefore f(1)=1$

STEP B 미분계수를 이용하여 $f'(1)$의 값 구하기

$\lim_{x\to1}\frac{g(x)-g(1)}{x-1}=g'(1)=-2$이므로

$g'(x)=f'(x)-2x$에서 $g'(1)=f'(1)-2=-2$

$\therefore f'(1)=0$

STEP C 삼차함수 $f(x)$를 구하기

$f(x)=x^3+ax^2+bx+c$ (단, a, b, c는 상수)라 하면

$f(0)=2$이므로 $c=2$

$f(1)=1+a+b+2=1$

$\therefore a+b=-2$ …… ㉠

$f'(x)=3x^2+2ax+b$

$f'(1)=3+2a+b=0$

$\therefore 2a+b=-3$ …… ㉡

㉠, ㉡을 연립하여 풀면 $a=-1$, $b=-1$

$\therefore f(x)=x^3-x^2-x+2$

STEP D 점 $(3,\ f(3))$에서의 접선의 기울기 구하기

$f(x)=x^3-x^2-x+2$에서 $f'(x)=3x^2-2x-1$

따라서 점 $(3,\ f(3))$에서의 접선의 기울기는 $f'(3)=3\cdot9-2\cdot3-1=20$

0357

양수 a에 대하여 점 $(a,\ 0)$에서 곡선 $y=3x^3$에 그은 접선과 점 $(0,\ a)$에서 곡선 $y=3x^3$에 그은 접선이 서로평행할 때, $90a$의 값을 구하여라.

STEP A 점 $(a,\ 0)$에서 곡선 $y=3x^3$에 그은 접선의 방정식 구하기

$y=3x^3$에서 $y'=9x^2$

점 $(a,\ 0)$에서 곡선 $y=3x^3$에 그은 접선의 접점을 $\mathrm{P}(p,\ 3p^3)$이라 하면

접선의 방정식은 $y-3p^3=9p^2(x-p)$

$\therefore y=9p^2x-6p^3$ …… ㉠

STEP B 점 $(0,\ a)$에서 곡선 $y=3x^3$에 그은 접선의 방정식 구하기

점 $(0,\ a)$에서 곡선 $y=3x^3$에 그은 접선의 접점을 $\mathrm{Q}(q,\ 3q^3)$이라 하면

접선의 방정식은 $y-3q^3=9q^2(x-q)$

$\therefore y=9q^2x-6q^3$ …… ㉡

STEP C 점 $(a,\ 0)$에서 곡선에 그은 접선과 점 $(0,\ a)$에서 곡선에 그은 접선이 서로 평행함을 이용하기

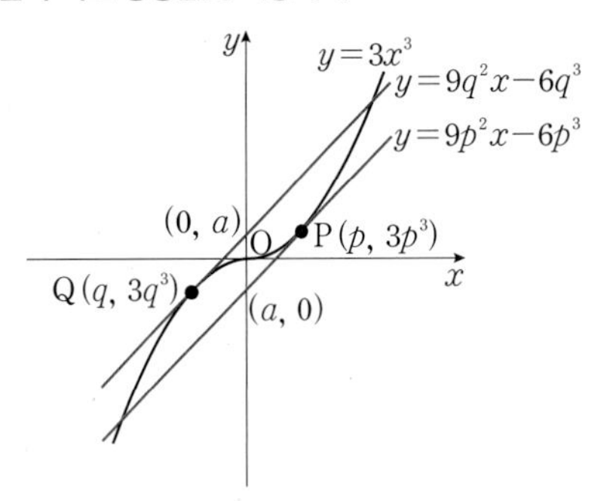

두 직선 ㉠, ㉡이 서로 평행하므로 $9p^2=9q^2$

$\therefore p=-q\,(\because p\neq q)$

이때 ㉠이 점 $(a,\ 0)$을 지나므로 $0=9p^2a-6p^3$

$\therefore a=\frac{2}{3}p$

㉡이 점 $(0,\ a)$를 지나므로 $a=9q^2\cdot0-6q^3$

$\therefore a=-6q^3$

즉 $a=\frac{2}{3}p=-6q^3$이므로 $p=-q$에서 $\frac{2}{3}p=6p^3$

$18p^3-2p=0$, $p(3p+1)(3p-1)=0$

$\therefore p=\frac{1}{3}\,(\because p>0)$

따라서 $a=\frac{2}{3}p=\frac{2}{9}$이므로 $90a=90\cdot\frac{2}{9}=20$

다른풀이 두 접선이 평행하므로 기울기가 같음을 이용하여 풀이하기

STEP A 접점을 $(t,\ 3t^3)$으로 놓고 접선의 방정식 구하기

$y=3x^3$에서 $y'=9x^2$

접점의 좌표를 $(t,\ 3t^3)$이라 하면 $y'=9t^2$이므로

접선의 방정식은

$y-3t^3=9t^2(x-t)$, $y=9t^2x-6t^3$ …… ㉠

(i) ㉠이 점 $(a,\ 0)$을 지날 때,

$9t^2a-6t^3=0$, $3a-2t=0$

$\therefore t=\frac{3}{2}a$

접선의 방정식은 $y=\frac{81}{4}a^2x-\frac{81}{4}a^3$ …… ㉡

(ii) ㉠이 점 $(0,\ a)$를 지날 때,

$a=-6t^3$

$\therefore t=\left(-\frac{a}{6}\right)^{\frac{1}{3}}$

접선의 방정식은 $y=9\left(-\frac{a}{6}\right)^{\frac{2}{3}}x+a$ …… ㉢

STEP B 점 $(a,\ 0)$에서 곡선에 그은 접선과 점 $(0,\ a)$에서 곡선에 그은 접선이 서로 평행함을 이용하기

이때 ㉡, ㉢이 서로 평행하므로

$\frac{81}{4}a^2=9\left(-\frac{a}{6}\right)^{\frac{2}{3}}$, $\left(\frac{9}{4}a^2\right)^3=\left(-\frac{a}{6}\right)^2$

$\frac{9^3}{4^3}a^6=\frac{1}{6^2}a^2$, $a^4=\frac{2^4}{3^8}$

$\therefore a=\frac{2}{3^2}=\frac{2}{9}$

따라서 $90a=20$

0358

다음 물음에 답하여라.

(1) 점 $(1, k)$에서 곡선 $y=x^3-2x+1$에 서로 다른 세 개의 접선을 그을 때, 세 접점의 x좌표는 등차수열을 이룬다고 한다. 이때 상수 k의 값을 구하여라.

STEP Ⓐ 접점의 x좌표를 t로 놓고 접선의 방정식 구하기

$f(x)=x^3-2x+1$로 놓으면 $f'(x)=3x^2-2$

접점의 좌표를 $(t,\ t^3-2t+1)$이라 하면

이 점에서의 접선의 기울기는 $f'(t)=3t^2-2$이므로

접선의 방정식은 $y-(t^3-2t+1)=(3t^2-2)(x-t)$

$\therefore\ y=(3t^2-2)x-2t^3+1$

STEP Ⓑ 접선이 점 $(1, k)$를 지남을 이용하여 삼차방정식 구하기

이 직선이 점 $(1, k)$를 지나므로 $k=3t^2-2-2t^3+1$

$\therefore\ 2t^3-3t^2+k+1=0$ …… ㉠

STEP Ⓒ 세 접점의 x좌표가 등차수열임을 이용하여 k 구하기

방정식 ㉠이 서로 다른 세 실근을 갖고 이 세 실근이 등차수열을 이루므로

세 실근을 $a-d,\ a,\ a+d$로 놓으면 근과 계수의 관계에 의하여

$(a-d)+a+(a+d)=\frac{3}{2}\quad\therefore\ a=\frac{1}{2}$

$t=\frac{1}{2}$이 방정식 ㉠의 근이므로 $\frac{1}{4}-\frac{3}{4}+k+1=0$

따라서 $k=-\frac{1}{2}$

(2) 곡선 밖의 점 $(a, 3)$에서 곡선 $y=x^3-3x^2+3$에 서로 다른 두 개의 접선을 그을 때, 상수 a의 값을 구하여라.

STEP Ⓐ 접점의 x좌표를 t로 놓고 접선의 방정식 구하기

$f(x)=x^3-3x^2+3$으로 놓으면 $f'(x)=3x^2-6x$

접점의 좌표를 $(t,\ t^3-3t^2+3)$라 하면 이 점에서 접선의 방정식은

$y-(t^3-3t^2+3)=(3t^2-6t)(x-t)$

$\therefore\ y=(3t^2-6t)x-2t^3+3t^2+3$ …… ㉠

STEP Ⓑ 점 $(a, 3)$을 접선에 대입하여 삼차방정식 작성하기

이 접선이 점 $(a, 3)$을 지나므로 ㉠에 대입하면

$3=(3t^2-6t)a-2t^3+3t^2+3$

$2t^3-3(a+1)t^2+6at=0$

$\therefore\ t\{2t^2-3(a+1)t+6a\}=0$ …… ㉡

STEP Ⓒ 서로 다른 두 실근을 가질 조건 구하기

두 개의 접선을 그을 수 있으므로 ㉡이 서로 다른 두 실근을 가진다.

$t=0$이 삼차방정식 ㉡의 실근이므로

이차방정식 $2t^2-3(a+1)t+6a=0$이 $t=0$을 근으로 가지거나

$t=0$이 아닌 중근을 가져야 한다.

(i) $2t^2-3(a+1)t+6a=0$이 $t=0$을 근으로 가지려면 $a=0$

이때 $2t^2-3t=0$에서 $t=0$ 또는 $t=\frac{3}{2}$

(ii) $2t^2-3(a+1)t+6a=0$이 $t=0$이 아닌 중근을 가지면 $a\neq0$이고

이 이차방정식의 판별식을 D라 할 때,

$D=9(a+1)^2-4\cdot2\cdot6a=0$

$9a^2-30a+9=0,\ 3(3a-1)(a-3)=0$

$\therefore\ a=\frac{1}{3}$ 또는 $a=3$

(i), (ii)에서 $a=0$ 또는 $a=\frac{1}{3}$ 또는 $a=3$

그런데 $a=0$일 때의 점 $(0, 3)$과 $a=3$일 때의 점 $(3, 3)$은

곡선 $y=x^3-3x^2+3$ 위의 점이므로 구하는 실수 a의 값은 $\frac{1}{3}$뿐이다.

0359

삼차함수 $f(x)=x(x-\alpha)(x-\beta)$와 두 실수 $a,\ b$에 대하여 $g(x)$를

$g(x)=f(a)+(b-a)f'(x)$라 하자.

$a<0,\ \alpha<b<\beta$일 때, 옳은 것만을 [보기]에서 있는 대로 고른 것은?

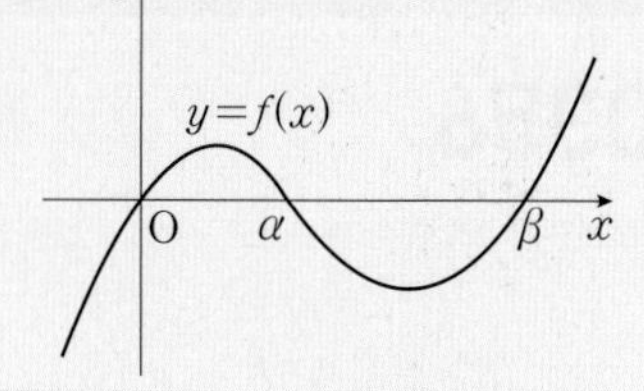

ㄱ. x에 대한 방정식 $g(x)=f(a)$는 서로 다른 두 실근을 갖는다.

ㄴ. $g(b)>f(a)$

ㄷ. $g(a)>f(b)$

① ㄱ ② ㄴ ③ ㄱ, ㄴ
④ ㄱ, ㄷ ⑤ ㄱ, ㄴ, ㄷ

STEP Ⓐ 방정식 $g(x)=f(a)$를 세우고 함수 $f(x)$가 극값을 가짐을 이용하여 참임을 판별하기

ㄱ. 방정식 $g(x)=f(a)$에서 $g(x)=f(a)+(b-a)f'(x)$이므로

$g(x)-f(a)=(b-a)f'(x)=0\ (b-a>0)$이므로 $f'(x)=0$

주어진 그래프에서 $y=f(x)$의 그래프에서 미분계수가 0인 것이 두 개이므로 방정식 $f'(x)=0$은 서로 다른 두 실근을 갖는다.

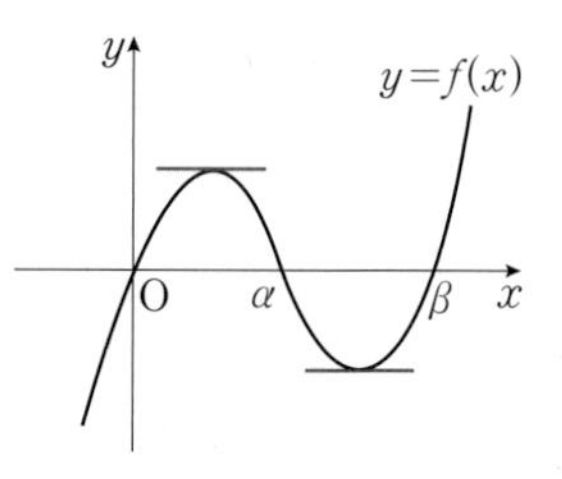

즉 방정식 $g(x)=f(a)$는 실근을 갖는다. [참]

STEP Ⓑ 부등식 $g(b)>f(a),\ g(a)>f(b)$의 식을 세우고 참, 거짓 판단하기

ㄴ. 반례 $g(b)=f(a)+(b-a)f'(b)$이고 $b-a>0$이므로

$g(b)-f(a)=(b-a)f'(b)$

$f'(b)$는 함수 $y=f(x)$의 그래프 위의 점 $(b,\ f(b))$에서의 접선의 기울기와 같으므로 $f'(b)$의 부호는 다음과 같다.

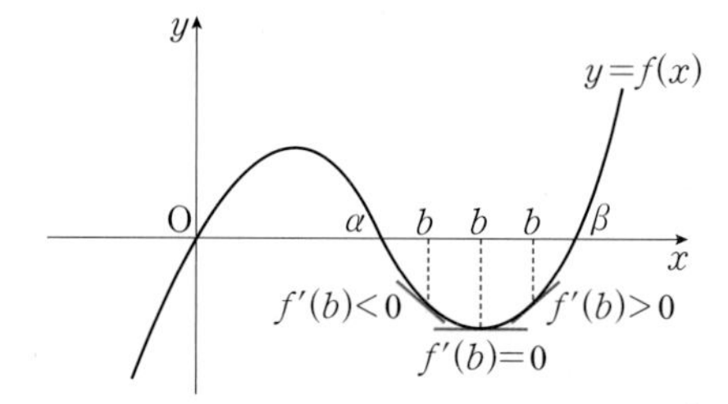

$\alpha<b<\beta$인 실수 b의 위치를 그림과 같이 잡으면

$f'(b)>0,\ f'(b)<0,\ f'(b)=0$이 모두 가능하므로

$g(b)\leq f(a)$가 성립하는 경우가 존재한다. [거짓]

ㄷ. $g(a)=f(a)+(b-a)f'(a)$는 함수 $y=f(x)$의 그래프 위의 점 $(a,\ f(a))\ (a<0)$에서의 접선의 방정식 $y=f'(a)(x-a)+f(a)$의 $x=b$일 때, y의 값이므로 다음 그래프에서

$g(a)=f(a)+(b-a)f'(a)>f(b)$ [참]

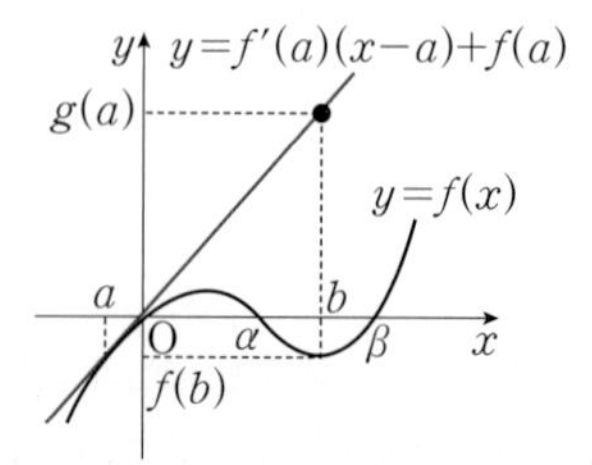

따라서 옳은 것은 ㄱ, ㄷ이다.

다른풀이 평균변화율과 순간변화율을 비교하여 풀이하기

평균변화율과 순간변화율을 비교한다.

$g(a)=f(a)+(b-a)f'(a)$

$g(a)-f(b)=f(a)-f(b)+(b-a)f'(a)$

$=(b-a)\left\{f'(a)-\frac{f(b)-f(a)}{b-a}\right\}$

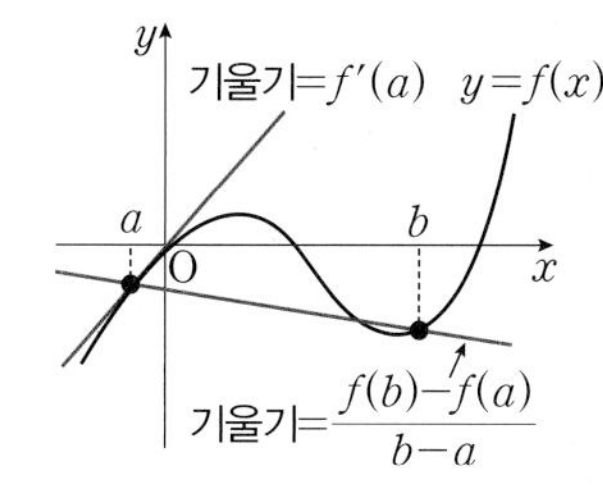

주어진 그래프에서 $f'(a)>\frac{f(b)-f(a)}{b-a}$이고 $b-a>0$이므로

함수 $f(x)$의 $x=a$에서의 접선의 기울기가 구간 $[a, b]$에서 평균변화율보다 크다.

즉 $g(a)-f(b)>0$이므로 $g(a)>f(b)$ [참]

따라서 옳은 것은 ㄱ, ㄷ이다.

0360

함수 $f(x)=\frac{1}{3}x^3-kx^2+1$ ($k>0$인 상수)의 그래프 위의 서로 다른 두 점 A, B에서의 접선 l, m의 기울기가 모두 $3k^2$이다. 곡선 $y=f(x)$에 접하고 x축에 평행한 두 직선과 접선 l, m으로 둘러싸인 도형의 넓이가 24일 때, k의 값은?

① $\frac{1}{2}$ ② 1 ③ $\frac{3}{2}$

④ 2 ⑤ $\frac{5}{2}$

STEP Ⓐ 함수 $f(x)$의 극대 극소 구하기

$f(x)=\frac{1}{3}x^3-kx^2+1$에서 $f'(x)=x^2-2kx=x(x-2k)$

$f'(x)=0$에서 $x=0$ 또는 $x=2k$

함수 $f(x)$의 증가와 감소를 표로 나타내면 다음과 같다.

x	$\cdots$	0	$\cdots$	$2k$	$\cdots$
$f'(x)$	+	0	−	0	+
$f(x)$	↗	극대	↘	극소	↗

$x=0$에서 극댓값 $f(0)=1$

$x=2k$에서 극솟값 $f(2k)=\frac{8k^3}{3}-4k^3+1=1-\frac{4}{3}k^3$

$f(0)-f(2k)=\frac{4}{3}k^3$

STEP Ⓑ 두 점 A, B에서의 접선 l, m의 기울기가 모두 $3k^2$인 x좌표 구하기

그래프 위의 서로 다른 두 점 A, B에서의 접선 l, m의 기울기가 모두 $3k^2$이므로 $f'(x)=x^2-2kx=3k^2$

$x^2-2kx-3k^2=0$에서 $(x-3k)(x+k)=0$

점 A, B의 x좌표는 $x=-k$, $x=3k$

$f(-k)=\frac{-k^3}{3}-k^3+1=1-\frac{4}{3}k^3$

$f(3k)=9k^3-9k^3+1=1$

곡선 $y=f(x)$에 접하고 x축에 평행한 두 직선은 각각 $x=0$, $x=2k$에서 곡선 $y=f(x)$에 접한다.

이를 그림으로 나타내면 다음과 같으므로 네 직선으로 둘러싸인 도형은 평행사변형이다.

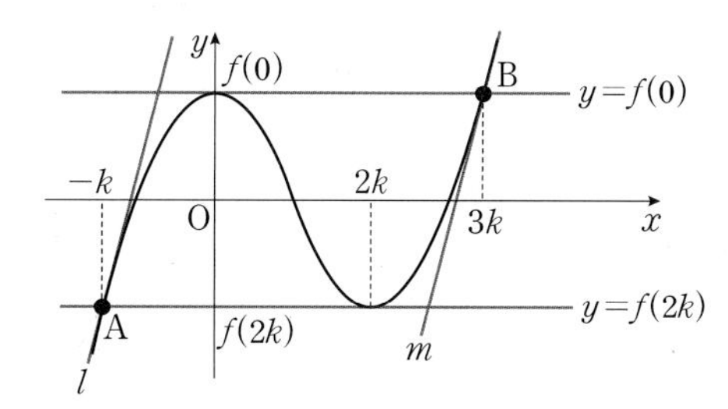

STEP Ⓒ 평행사변형의 넓이가 24일 때, k의 값 구하기

점 $A\left(-k, 1-\frac{3}{4}k^3\right)$에서의 접선 l의 방정식은

$y-\left(-\frac{4}{3}k^3+1\right)=3k^2(x+k)$

$\therefore y=3k^2x+\frac{5}{3}k^3+1$

점 $B(3k, 1)$에서의 접선 m의 방정식은 $y-1=3k^2(x-3k)$

$\therefore y=3k^2x-9k^3+1$

이때 직선 $y=1$과 두 접선 l, m의 교점의 x좌표를 각각 x_l, x_m이라 하면

$1=3k^2x_l+\frac{5}{3}k^3+1$

$\therefore x_l=-\frac{5}{9}k$

$1=3k^2x_m-9k^3+1$

$\therefore x_m=3k$

이므로 $x_m-x_l=3k+\frac{5}{9}k=\frac{32}{9}k$

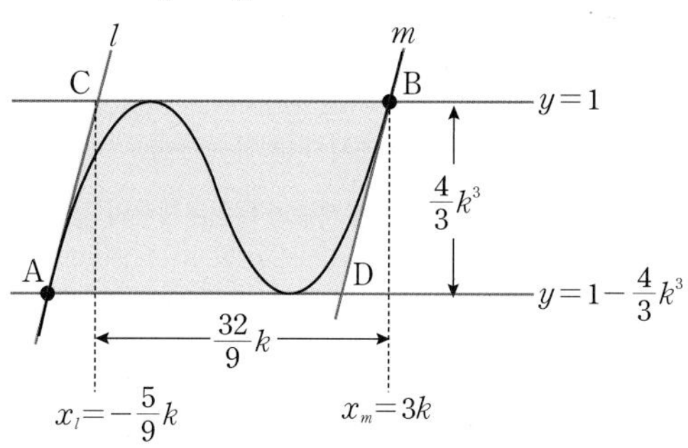

그러므로 구하는 평행사변형 ABCD의 넓이는 24이므로

$\{f(0)-f(2k)\}\times(x_m-x_l)$

$\frac{4}{3}k^3\times\frac{32}{9}k=24$

$\therefore k^4=\frac{81}{16}=\left(\frac{3}{2}\right)^4$

따라서 $k=\frac{3}{2}$ ($\because k>0$)

0361

두 실수 a와 k에 대하여 두 함수 $f(x)$와 $g(x)$는

$$f(x)=\begin{cases} 0 & (x \le a) \\ (x-1)^2(2x+1) & (x>a) \end{cases},$$

$$g(x)=\begin{cases} 0 & (x \le k) \\ 12(x-k) & (x>k) \end{cases}$$

이고, 다음 조건을 만족시킨다.

(가) 함수 $f(x)$는 실수 전체의 집합에서 미분가능하다.
(나) 모든 실수 x에 대하여 $f(x) \ge g(x)$이다.

k의 최솟값이 $\frac{q}{p}$일 때, $a+p+q$의 값을 구하여라.
(단, p와 q는 서로소인 자연수이다.)

STEP Ⓐ 함수 $f(x)$는 실수 전체의 집합에서 미분가능함을 이용하여 a 구하기

조건 (가)에서 함수 $f(x)$가 실수 전체의 집합에서 미분가능해야 하므로
함수 $f(x)$는 실수 전체의 집합에서 연속인 함수이다.
즉 $\lim_{x\to a-}f(x)=\lim_{x\to 0+}f(x)=f(a)$를 만족해야 한다.
$\lim_{x\to a-}f(x)=f(a)=0$이므로 $\lim_{x\to a+}f(x)=\lim_{x\to a+}(x-1)^2(2x+1)=0$에서
$(a-1)^2(2a+1)=0$
$\therefore a=-\frac{1}{2}$ 또는 $a=1$

(i) $a=-\frac{1}{2}$일 때,

함수 $f(x)$가 실수 전체의 집합에서 미분가능하므로
$x=-\frac{1}{2}$에서 함수 $f(x)$의 좌미분계수와 우미분계수의 값이 같아야 한다.

$$\lim_{x\to -\frac{1}{2}-}\frac{f(x)-f\left(-\frac{1}{2}\right)}{x-\left(-\frac{1}{2}\right)}=\lim_{x\to -\frac{1}{2}-}\frac{0-0}{x+\frac{1}{2}}=0 \quad \cdots\cdots ㉠$$

$$\lim_{x\to -\frac{1}{2}+}\frac{f(x)-f\left(-\frac{1}{2}\right)}{x-\left(-\frac{1}{2}\right)}=\lim_{x\to -\frac{1}{2}+}\frac{(x-1)^2(2x+1)}{x+\frac{1}{2}}$$
$$=\lim_{x\to -\frac{1}{2}+}2(x-1)^2$$
$$=\frac{9}{2} \quad \cdots\cdots ㉡$$

㉠의 값과 ㉡의 값이 같지 않으므로 $a=-\frac{1}{2}$일 때,
함수 $f(x)$는 $x=-\frac{1}{2}$에서 미분가능하지 않다.

(ii) $a=1$일 때,

$x=1$에서 $f(x)$의 좌미분계수와 우미분계수의 값이 같아야 한다.

$$\lim_{x\to 1-}\frac{f(x)-f(1)}{x-1}=\lim_{x\to 1-}\frac{0-0}{x-1}=0 \quad \cdots\cdots ㉢$$

$$\lim_{x\to 1+}\frac{f(x)-f(1)}{x-1}=\lim_{x\to 1+}\frac{(x-1)^2(2x+1)-0}{x-1}$$
$$=\lim_{x\to 1+}(x-1)(2x+1)=0 \quad \cdots\cdots ㉣$$

㉢의 값과 ㉣의 값이 같으므로 $a=1$일 때,
함수 $f(x)$는 실수전체의 집합에서 미분가능하다.

(i), (ii)에서 조건 (가)를 만족하는 실수 a의 값은 1이다.

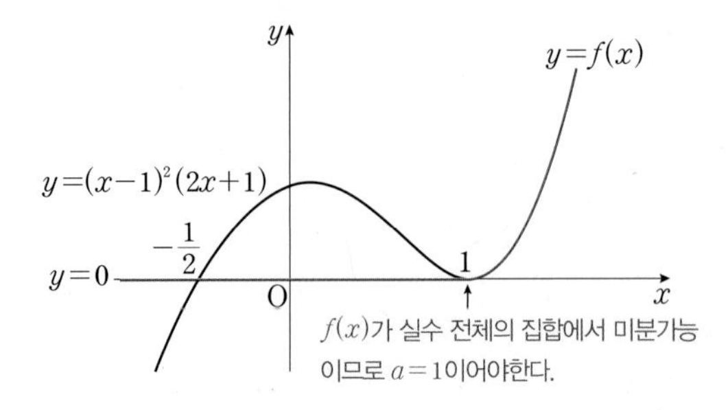

STEP Ⓑ 조건 (나)를 만족하는 함수 $g(x)$가 $f(x)$에 접할 때, 접선의 방정식 구하기

한편 조건 (나)에서 모든 실수 x에 대하여 $f(x) \ge g(x)$이어야 하므로
함수 $y=f(x)$의 그래프는 함수 $y=g(x)$의 그래프보다 위쪽에 있거나
접해야 한다.

함수 $y=f(x)$와 $y=g(x)$가 접할 때, k의 값이 최소이고 이때의 그래프를
그려보면 다음과 같다.

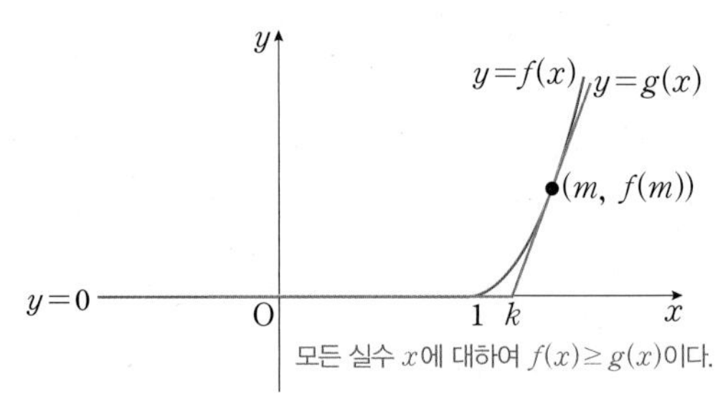

$x>1$일 때, 함수 $f(x)=(x-1)^2(2x+1)$과 접하고 기울기가 12인
접선의 접점을 $(m, f(m))(m>1)$이라 하자.
$f(x)=(x-1)^2(2x+1)$에서
$f'(x)=\{(x-1)^2\}'(2x+1)+(x-1)^2(2x+1)'$
$=2(x-1)(2x+1)+2(x-1)^2$
$=(x-1)\{(4x+2)+(2x-2)\}$
$=6x(x-1)$
$x=m$인 점에서 접하는 접선의 기울기가 12이므로
$6m(m-1)=12,\ m^2-m-2=0,\ (m+1)(m-2)=0$
$\therefore m=-1$ 또는 $m=2$
이때 $m>1$이므로 $m=2$
그러므로 접점은 $(2, 5)$에서 접선의 방정식은
$y-5=12(x-2),\ y=12x-19$
$\therefore y=12\left(x-\frac{19}{12}\right)$

STEP Ⓒ k의 최솟값 구하기

그러므로 $k \ge \frac{19}{12}$이므로 k의 최솟값은 $\frac{19}{12}$
따라서 $a+p+q=1+12+19=32$

0362

다음 물음에 답하여라.

(1) 삼차함수 $f(x)=x^3+ax^2+2ax$가 임의의 실수 x_1, x_2에 대하여

$x_1<x_2$이면 $f(x_1)<f(x_2)$가

성립하도록 하는 실수 a의 최댓값을 M, 최솟값을 m이라 할 때, $M-m$의 값을 구하여라.

STEP A 삼차함수가 모든 실수 x에 대하여 증가하기 위한 조건 구하기

임의의 실수 x_1, x_2에 대하여 $x_1<x_2$이면 $f(x_1)<f(x_2)$를 만족시키는 함수 $f(x)$는 실수 전체에서 증가해야 한다.

즉 모든 실수 x에 대하여 $f'(x)\ge 0$이어야 한다.

STEP B 이차방정식이 중근 또는 허근을 가질 조건 구하기

$f'(x)=3x^2+2ax+2a\ge 0$이어야 하므로

이차함수 $y=f'(x)$가 x축에 접하거나 x축보다 위에 있어야 한다.

이차방정식 $f'(x)=0$의 판별식을 D라 하면

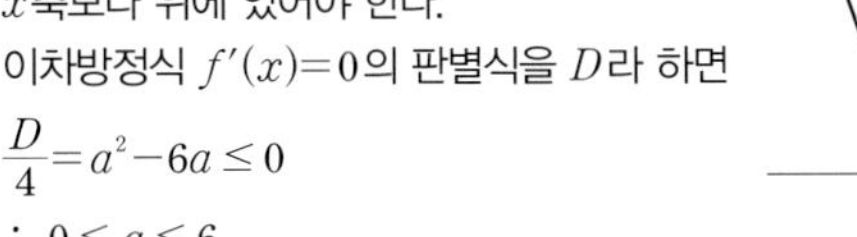

$\frac{D}{4}=a^2-6a\le 0$

$\therefore 0\le a\le 6$

실수 a의 최댓값 $M=6$, 최솟값 $m=0$

따라서 $M-m=6$

(2) 삼차함수 $f(x)=-x^3+ax^2-3x+9$가 임의의 실수 x_1, x_2에 대하여

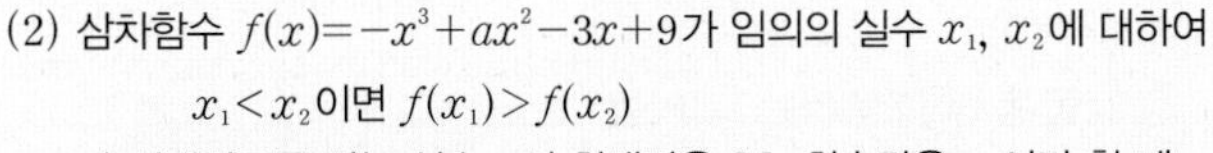

$x_1<x_2$이면 $f(x_1)>f(x_2)$

가 성립하도록 하는 실수 a의 최댓값을 M, 최솟값을 m이라 할 때, $M-m$의 값을 구하여라.

STEP A 삼차함수가 모든 실수 x에 대하여 감소하기 위한 조건 구하기

임의의 실수 x_1, x_2에 대하여 $x_1<x_2$이면 $f(x_1)>f(x_2)$를 만족시키는 함수 $f(x)$는 실수 전체에서 감소해야 한다.

즉 모든 실수 x에 대하여 $f'(x)\le 0$이어야 한다.

STEP B 이차방정식이 중근 또는 허근을 가질 조건 구하기

$f'(x)=-3x^2+2ax-3\le 0$이어야 하므로

이차함수 $y=f'(x)$가 x축에 접하거나 x축보다 아래에 있어야 한다.

이차방정식 $f'(x)=0$의 판별식을 D라 하면

$\frac{D}{4}=a^2-9=(a+3)(a-3)\le 0$

$-3\le a\le 3$

실수 a의 최댓값 $M=3$, 최솟값 $m=-3$

따라서 $M-m=6$

주의 상수함수가 아닌 다항함수 $f(x)$가 실수 전체의 집합에서 증가하려면 모든 실수 x에 대하여 $f'(x)\ge 0$을 만족시키면 된다.

그러나 $f(x)=3$, $f(x)=\begin{cases}-x^2 & (x<0)\\ 0 & (0\le x<1)\\ (x-1)^2 & (x\ge 1)\end{cases}$

과 같은 함수는 모든 실수 x에 대하여 $f'(x)\ge 0$이 성립하지만 실수 전체의 집합에서 증가한다고 할 수는 없다.

0363

함수 $f(x)=\frac{1}{3}x^3-ax^2+3ax$의 역함수가 존재하도록 하는 상수 a의 최댓값은?

① 3 ② 4 ③ 5 ④ 6 ⑤ 7

STEP A 삼차함수의 역함수가 존재할 조건 구하기

삼차함수 $f(x)$의 역함수가 존재하려면 일대일 대응이어야 한다.

삼차항의 계수가 양수이므로 $f(x)$는 모든 실수 x에 대하여 증가해야 한다.

즉 모든 실수 x에 대하여 $f'(x)\ge 0$이어야 한다.

STEP B 이차방정식이 중근 또는 허근을 가질 조건 구하기

$f'(x)=x^2-2ax+3a\ge 0$이어야 하므로

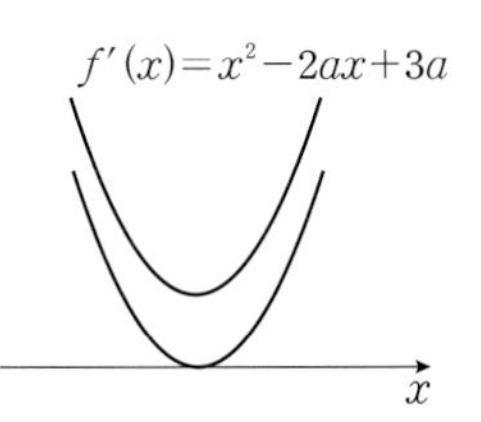

이차함수 $y=f'(x)$가 x축에 접하거나 x축보다 위에 있어야 한다.

이차방정식 $f'(x)=0$의 판별식을 D라 하면

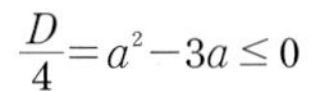

$\frac{D}{4}=a^2-3a\le 0$

$a(a-3)\le 0$ $\therefore 0\le a\le 3$

따라서 상수 a의 최댓값은 3

0364

임의의 실수 t에 대하여

직선 $y=t$가 곡선 $y=\frac{1}{3}x^3+ax^2+(5a-4)x+2$와 만나는 점의 개수를 $g(t)$라 하자. $g(t)$가 실수 전체의 집합에서 연속이 되도록 하는 정수 a의 개수는?

① 3 ② 4 ③ 6 ④ 8 ⑤ 10

STEP A $g(t)$가 실수전체의 집합에서 연속이 되려면 실수 t에 대하여 실근의 개수가 일정하므로 함수 $f(x)$는 증가함수임을 이해하기

$f(x)=\frac{1}{3}x^3+ax^2+(5a-4)x+2$로 놓으면

모든 실수 x에 대하여 함수 $g(t)$가 연속이려면 최고차항이 양수인 함수 $f(x)$가 증가해야 한다.

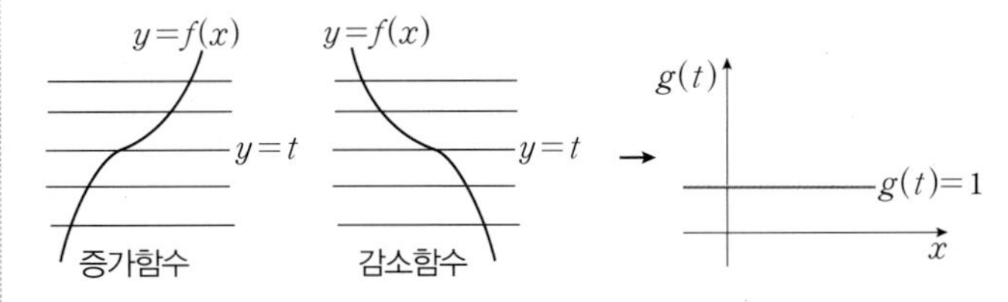

이때 $y=f(x)$의 그래프와 직선 $y=t$의 교점은 항상 1개이므로 $g(t)=1$

즉 $f(x)=\frac{1}{3}x^3+ax^2+(5a-4)x+2$는 모든 실수에서 증가한다.

STEP B 모든 실수 x에 대하여 $f'(x)\ge 0$을 만족하는 a의 범위 구하기

함수 $f(x)$ 증가함수이므로 모든 실수 x에 대하여 $f'(x)=x^2+2ax+5a-4\ge 0$ 이어야 한다.

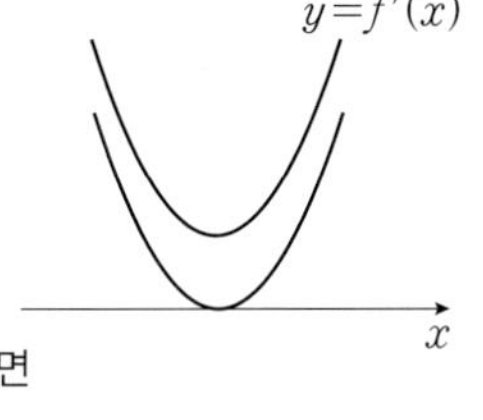

즉 이차함수 $y=f'(x)$가 x축에 접하거나 x축보다 위에 있어야 한다.

이차방정식 $y=f'(x)=0$의 판별식을 D라 하면

$\frac{D}{4}=a^2-(5a-4)\le 0$

$a^2-5a+4\le 0$, $(a-1)(a-4)\le 0$ $\therefore 1\le a\le 4$

따라서 정수 a의 개수는 1, 2, 3, 4이므로 4개이다.

0365

다음 물음에 답하여라.

(1) 함수 $f(x)=-x^3+x^2+ax-4$가 열린구간 $(1,\ 2)$에서 증가하도록 하는 실수 a의 값의 범위를 구하여라.

STEP Ⓐ 함수 $f(x)$가 열린구간 $(1,\ 2)$에서 증가하려면 $f'(x)\ge 0$임을 이용하기

함수 $f(x)$가 열린구간 $(1,\ 2)$에서 증가하려면 $1<x<2$에서

$f'(x)=-3x^2+2x+a\ge 0$

이어야 하므로

$f'(1)\ge 0,\ f'(2)\ge 0$이어야 한다.

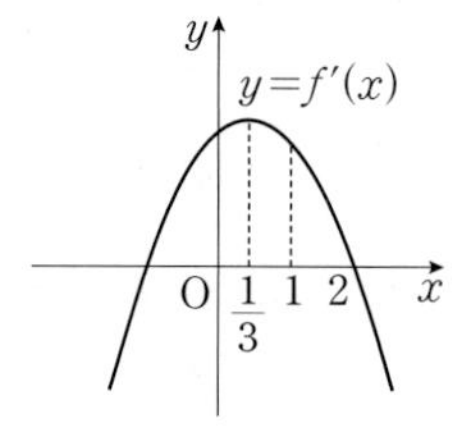

STEP Ⓑ $f'(1)\ge 0,\ f'(2)\ge 0$임을 이용하여 a의 값의 범위 구하기

$f'(1)=-3+2+a\ge 0$

$\therefore\ a\ge 1$ …… ㉠

$f'(2)=-8+a\ge 0$

$\therefore\ a\ge 8$ …… ㉡

따라서 ㉠, ㉡을 동시에 만족하는 a값의 범위는 $a\ge 8$

(2) 함수 $f(x)=x^3+ax^2-9x+1$이 열린구간 $(-1,\ 2)$에서 감소하도록 하는 실수 a의 값의 범위를 구하여라.

STEP Ⓐ 함수 $f(x)$가 열린구간 $(-1,\ 2)$에서 감소하려면 $f'(x)\le 0$임을 이용하기

함수 $f(x)$가 열린구간 $(-1,\ 2)$에서 감소하려면 $-1<x<2$에서

$f'(x)=3x^2+2ax-9\le 0$

이어야 하므로

$f'(-1)\le 0,\ f'(2)\le 0$이어야 한다.

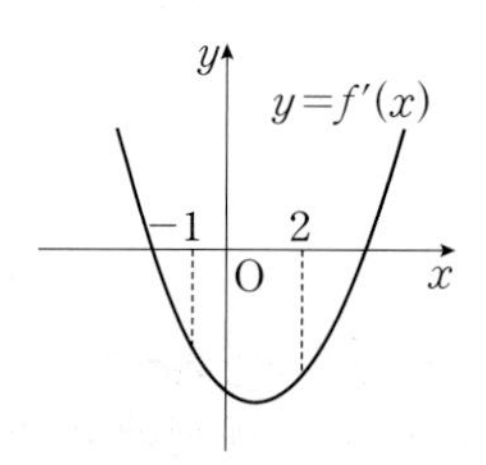

STEP Ⓑ $f'(-1)\le 0,\ f'(2)\le 0$임을 이용하여 a의 값의 범위 구하기

$f'(-1)=3-2a-9\le 0$

$\therefore\ a\ge -3$ …… ㉠

$f'(2)=12+4a-9\le 0$

$\therefore\ a\le -\frac{3}{4}$ …… ㉡

따라서 ㉠, ㉡으로부터 실수 a값의 범위는 $-3\le a\le -\frac{3}{4}$

0366

함수 $f(x)=x^3+ax^2-9x$가 $1<x<2$에서 감소하고 $x>3$에서 증가하기 위한 모든 정수 a의 개수는?

① 0 ② 1 ③ 2 ④ 3 ⑤ 4

STEP Ⓐ 함수 $f(x)$가 열린구간 $(1,\ 2)$에서 감소하려면 $f'(x)\le 0$임을 이용하기

함수 $f(x)=x^3+ax^2-9x$에서 $f'(x)=3x^2+2ax-9$

(ⅰ) 함수 $f(x)$가 $1<x<2$인 범위에서 감소하므로 이 구간에서 $f'(x)\le 0$ 이어야 한다.

즉 $f'(1)\le 0,\ f'(2)\le 0$이어야 하므로

$f'(1)=3+2a-9\le 0$

$\therefore\ a\le 3$ …… ㉠

$f'(2)=12+4a-9\le 0$

$\therefore\ a\le -\frac{3}{4}$ …… ㉡

㉠, ㉡을 동시에 만족하는 a값의 범위는

$a\le -\frac{3}{4}$ …… ㉢

$f'(x)=3x^2+2ax-9$

STEP Ⓑ 함수 $f(x)$가 $x>3$에서 증가하려면 $f'(x)\ge 0$임을 이용하기

(ⅱ) 함수 $f(x)$가 $x>3$인 범위에서 증가하므로 이 구간에서 $f'(x)\ge 0$이어야 한다.

즉 $f'(3)\ge 0$이어야 하므로

$f'(3)=27+6a-9\ge 0$

$\therefore\ a\ge -3$ …… ㉣

㉢, ㉣을 동시에 만족하는 a값의 범위는 $-3\le a\le -\frac{3}{4}$

따라서 정수 a의 개수는 $-3,\ -2,\ -1$이므로 3개이다.

0367

함수 $f(x)=x^3-(a+2)x^2+ax$에 대하여 곡선 $y=f(x)$ 위의 점 $(t,\ f(t))$에서의 접선의 y절편을 $g(t)$라 하자.
함수 $g(t)$가 열린구간 $(0,\ 5)$에서 증가할 때, a의 최솟값을 구하여라.

STEP Ⓐ 곡선 $y=f(x)$ 위의 점 $(t,\ f(t))$에서의 접선의 방정식의 y절편 $g(t)$ 구하기

$f(x)=x^3-(a+2)x^2+ax$에서 $f'(x)=3x^2-2(a+2)x+a$

점 $(t,\ f(t))$에서의 접선의 방정식은

$y-\{t^3-(a+2)t^2+at\}=\{3t^2-2(a+2)t+a\}(x-t)$

$x=0$일 때, y절편은 $g(t)$이므로

$g(t)-\{t^3-(a+2)t^2+at\}=\{3t^2-2(a+2)t+a\}(0-t)$

$\therefore\ g(t)=-2t^3+(a+2)t^2$

STEP Ⓑ 함수 $g(t)$가 열린구간 $(0,\ 5)$에서 증가하는 a의 범위 구하기

함수 $g(t)$가 열린구간 $(0,\ 5)$에서 증가하려면 $0<t<5$에서

$g'(t)=-6t^2+2(a+2)t\ge 0$

이어야 하므로 $g'(0)\ge 0,\ g'(5)\ge 0$ 이어야 한다.

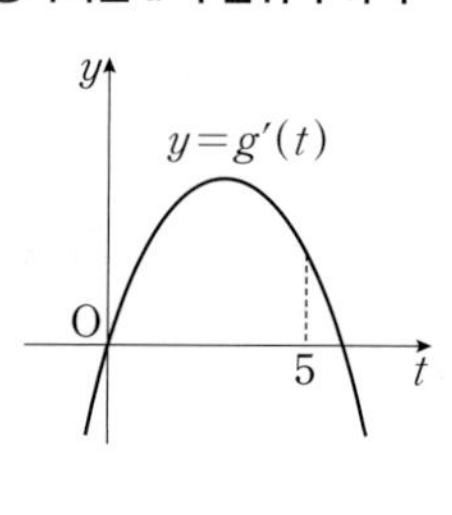

$g'(0)=0$이므로 만족한다.

$g'(5)=-150+10(a+2)=10a-130\ge 0$

$\therefore\ a\ge 13$

따라서 구하는 a의 최솟값은 13

다른풀이 함수 $g(t)$가 열린구간 $(0, 5)$에서 증가하는 a의 범위 구하기

함수 $g(t)$가 열린구간 $(0, 5)$에서 증가하므로 열린구간 $(0, 5)$에서 $g'(t) \geq 0$이어야 한다.

$g'(t)=-6t^2+2(a+2)t=-2t(3t-(a+2))$

$g'(t)=0$에서 $t=0$ 또는 $t=\frac{a+2}{3}$일 때, 함수 $g(t)$는 극값을 갖는다.

함수 $g(t)$의 증가와 감소를 표로 나타내면 다음과 같다.

t	$\cdots$	0	$\cdots$	$\frac{a+2}{3}$	$\cdots$
$g'(t)$	$-$	0	$+$	0	$-$
$g(t)$	↘	극소	↗	극대	↘

즉 그림에서 구간 $\left(0, \frac{a+2}{3}\right)$에서 증가한다.

따라서 $5 \leq \frac{a+2}{3}$에서 $a \geq 13$이므로

a의 최솟값은 13

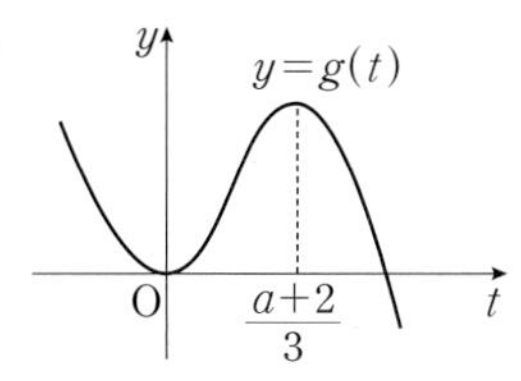

0368

다음 물음에 답하여라.

(1) 함수 $f(x)=x^3-9x^2+24x+5$의 극댓값과 극솟값을 구하여라.

STEP A 도함수 $f'(x)$를 구하고 $f'(x)=0$인 x의 값 구하기

함수 $f(x)=x^3-9x^2+24x+5$에서

$f'(x)=3x^2-18x+24=3(x-2)(x-4)$

$f'(x)=0$에서 $x=2$ 또는 $x=4$

STEP B $f(x)$의 증가와 감소를 나타내는 표를 작성하여 극대 극소 구하기

함수 $f(x)$의 증가와 감소를 표로 나타내면 다음과 같다.

x	$\cdots$	2	$\cdots$	4	$\cdots$
$f'(x)$	$+$	0	$-$	0	$+$
$f(x)$	↗	극대	↘	극소	↗

함수 $f(x)$는 $x=2$에서 극대이고 극댓값은

$f(2)=2^3-9\cdot2^2+24\cdot2+5=25$

$x=4$에서 극소이고 극솟값은

$f(4)=4^3-9\cdot4^2+24\cdot4+5=21$

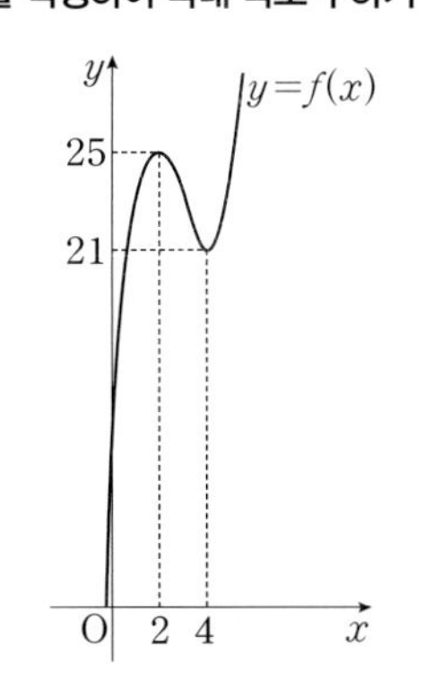

(2) 함수 $f(x)=-x^4+4x^3+2$의 극댓값을 구하여라.

STEP A 도함수 $f'(x)$를 구하고 $f'(x)=0$인 x의 값 구하기

$f(x)=-x^4+4x^3+2$에서 $f'(x)=-4x^3+12x^2=-4x^2(x-3)$

$f'(x)=0$에서 $x=0$ 또는 $x=3$

STEP B $f(x)$의 증가와 감소를 나타내는 표를 작성하여 극대 극소 구하기

함수 $f(x)$의 증가와 감소를 표로 나타내면 다음과 같다.

x	$\cdots$	0	$\cdots$	3	$\cdots$
$f'(x)$	$+$	0	$+$	0	$-$
$f(x)$	↗		↗	극대	↘

함수 $f(x)$는 $x=3$에서 극대이고

극댓값 $f(3)=-81+108+2=29$

따라서 함수 $y=f(x)$의 그래프는

오른쪽 그림과 같다.

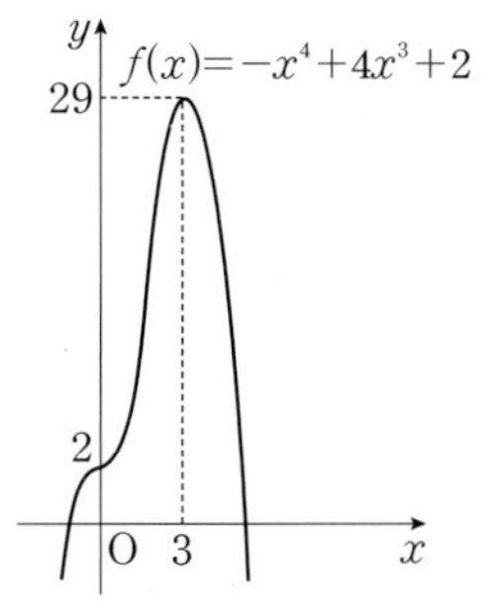

0369

삼차함수 $f(x)=-x^3+3x+1$이 $x=\alpha$, $x=\beta$에서 극값을 가질 때, 두 점 $(\alpha, f(\alpha))$, $(\beta, f(\beta))$를 지나는 직선의 기울기는?

① 1 ② 2 ③ 3
④ 4 ⑤ 5

STEP A $f(x)$의 증가와 감소를 나타내는 표를 작성하여 극대 극소 구하기

$f(x)=-x^3+3x+1$에서 $f'(x)=-3x^2+3=-3(x-1)(x+1)$

$f'(x)=0$에서 $x=1$ 또는 $x=-1$일 때, 함수 $f(x)$는 극값을 갖는다.

함수 $f(x)$의 증가와 감소를 표로 나타내면 다음과 같다.

x	$\cdots$	-1	$\cdots$	1	$\cdots$
$f'(x)$	$-$	0	$+$	0	$-$
$f(x)$	↘	극소	↗	극대	↘

STEP B 함수 $f(x)$의 극댓값과 극솟값 구하기

즉 $f(x)$는 $x=-1$에서 극소이고

극솟값 $f(-1)=1-3+1=-1$

$x=1$에서 극대이고

극댓값 $f(1)=-1+3+1=3$

따라서 두 점 $(-1, -1)$, $(1, 3)$을 지나는

직선의 기울기는 $\frac{3-(-1)}{1-(-1)}=2$

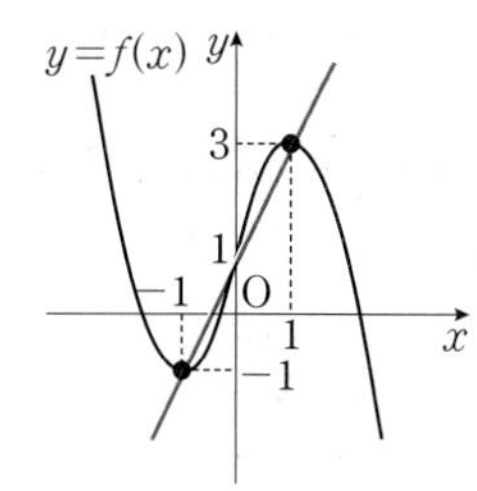

0370

함수 $f(x)=\frac{1}{3}x^3-x^2-3x$는 $x=a$에서 극솟값 b를 가진다. 함수 $y=f(x)$의 그래프 위의 점 $(2, f(2))$에서 접하는 직선을 l이라 할 때, 점 (a, b)에서 직선 l까지의 거리가 d이다. $90d^2$의 값을 구하여라.

STEP A 함수 $f(x)$의 $x=a$에서 극솟값 b 구하기

$f'(x)=x^2-2x-3=(x+1)(x-3)$

$f'(x)=0$에서 $x=-1$ 또는 $x=3$

함수 $f(x)$의 증가와 감소를 표로 나타내면 다음과 같다.

x	$\cdots$	-1	$\cdots$	3	$\cdots$
$f'(x)$	$+$	0	$-$	0	$+$
$f(x)$	↗	극대	↘	극소	↗

$x=-1$에서 극대이고 극댓값은 $f(-1)=-\frac{1}{3}-1+3=\frac{5}{3}$

$x=3$에서 극소이고 극솟값 $f(3)=9-9-9=-9$를 가지므로

$a=3$, $b=-9$

STEP B 함수 $y=f(x)$의 그래프 위의 점 $(2, f(2))$에서의 접선 l의 방정식 구하기

직선 l의 기울기는

$f'(2)=2^2-2\cdot2-3=-3$이고

$f(2)=\frac{1}{3}\cdot2^3-2^2-3\cdot2=-\frac{22}{3}$

이므로 점 $(2, f(2))$에서의 접선 l의

방정식은 $y-\left(-\frac{22}{3}\right)=-3(x-2)$

$3y+22=-9x+18$ $\therefore$ $9x+3y+4=0$

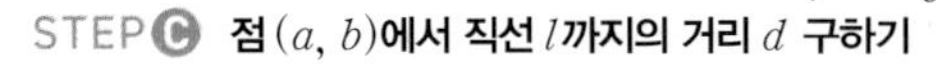

STEP C 점 (a, b)에서 직선 l까지의 거리 d 구하기

따라서 점 $(3, -9)$와 직선 $9x+3y+4=0$ 사이의 거리 d는

$d=\frac{|9\cdot3+3\cdot(-9)+4|}{\sqrt{9^2+3^2}}=\frac{4}{\sqrt{90}}$이므로 $90d^2=16$

0371

다음 물음에 답하여라.

(1) 함수 $f(x)=x^3+ax^2+9x+b$가 $x=1$에서 극댓값 0을 가질 때, 상수 a, b의 값을 구하여라.

STEP Ⓐ **함수 $f(x)$가 $x=1$에서 극댓값이 0이므로 $f'(1)=0$, $f(1)=0$임을 이용하여 a, b 구하기**

$f(x)=x^3+ax^2+9x+b$에서 $f'(x)=3x^2+2ax+9$

$x=1$에서 극댓값이 0이므로 $f(1)=0$, $f'(1)=0$

$f(1)=0$에서 $1+a+9+b=0$

$\therefore a+b=-10$ …… ㉠

$f'(1)=0$에서 $3+2a+9=0$

$\therefore a=-6$ …… ㉡

따라서 ㉠, ㉡을 연립하여 풀면 $a=-6$, $b=-4$

(2) 함수 $f(x)=2x^3-12x^2+ax-4$가 $x=1$에서 극댓값 M을 가질 때, $a+M$의 값을 구하여라. (단, a는 상수이다.)

STEP Ⓐ **$f'(1)=0$을 만족하는 a의 값 구하기**

$f(x)=2x^3-12x^2+ax-4$에서 $f'(x)=6x^2-24x+a$

함수 $f(x)$가 $x=1$에서 극댓값을 가지므로 $f'(1)=0$

$f'(1)=6-24+a=0$ $\therefore a=18$

$\therefore f(x)=2x^3-12x^2+18x-4$

STEP Ⓑ **극댓값 M을 구하기**

이때 $x=1$에서 극댓값 M을 가지므로 $M=f(1)=2-12+18-4=4$

따라서 $a+M=18+4=22$

0372

다음 물음에 답하여라. (단, a, b는 상수)

(1) 함수 $f(x)=x^3+ax^2-b$가 $x=-2$에서 극댓값 2를 가질 때, 이 함수의 극솟값은?

① -2 ② -1 ③ 0 ④ 2 ⑤ 6

STEP Ⓐ **함수 $f(x)$가 $x=-2$에서 극댓값이 2이므로 $f'(-2)=0$, $f(-2)=2$임을 이용하여 a, b 구하기**

$f(x)=x^3+ax^2-b$에서 $f'(x)=3x^2+2ax$

함수 $f(x)$가 $x=-2$에서 극댓값이 2이므로 $f'(-2)=0$, $f(-2)=2$

$f'(-2)=0$에서 $12-4a=0$

$\therefore a=3$ …… ㉠

$f(-2)=2$에서 $-8+4a-b=2$

$\therefore 4a-b=10$ …… ㉡

㉠, ㉡을 연립하여 풀면 $a=3$, $b=2$

$\therefore f(x)=x^3+3x^2-2$

STEP Ⓑ **$f(x)$의 증가와 감소를 나타내는 표를 작성하여 극솟값 구하기**

$f'(x)=3x^2+6x=3x(x+2)$

$f'(x)=0$에서 $x=-2$ 또는 $x=0$

함수 $f(x)$의 증가와 감소를 표로 나타내면 다음과 같다.

x	…	-2	…	0	…
$f'(x)$	+	0	−	0	+
$f(x)$	↗	극대	↘	극소	↗

따라서 $x=0$에서 극소이고 극솟값은 $f(0)=-2$

(2) 함수 $f(x)=x^3+ax^2+bx+30$이 $x=3$에서 극솟값 3을 가질 때, 이 함수의 극댓값은?

① -27 ② -20 ③ -9 ④ 27 ⑤ 35

STEP Ⓐ **함수 $f(x)$가 $x=3$에서 극솟값이 3이므로 $f'(3)=0$, $f(3)=3$임을 이용하여 a, b 구하기**

$f(x)=x^3+ax^2+bx+30$에서 $f'(x)=3x^2+2ax+b$

$f(x)$가 $x=3$에서 극솟값 3을 가지므로 $f'(3)=0$, $f(3)=3$

$f'(3)=0$에서 $27+6a+b=0$

$\therefore 6a+b=-27$ …… ㉠

$f(3)=3$에서 $27+9a+3b+30=3$

$\therefore 3a+b=-18$ …… ㉡

㉠, ㉡을 연립하여 풀면 $a=-3$, $b=-9$

$\therefore f(x)=x^3-3x^2-9x+30$

STEP Ⓑ **$f(x)$의 증가와 감소를 나타내는 표를 작성하여 극댓값 구하기**

$f'(x)=3x^2-6x-9=3(x^2-2x-3)=3(x+1)(x-3)$

$f'(x)=0$에서 $x=-1$ 또는 $x=3$

함수 $f(x)$의 증가와 감소를 표로 나타내면 다음과 같다.

x	…	-1	…	3	…
$f'(x)$	+	0	−	0	+
$f(x)$	↗	극대	↘	극소	↗

따라서 $x=-1$에서 극대이고 극댓값은 $f(-1)=-1-3+9+30=35$

0373

함수 $f(x)=\begin{cases} a(3x-x^3) & (x<0) \\ x^3-ax & (x\geq 0) \end{cases}$의 극댓값이 5일 때, $f(2)$의 값은? (단, a는 상수이다.)

① 5 ② 7 ③ 9 ④ 11 ⑤ 13

STEP Ⓐ **a의 값의 부호에 따라 함수 $f(x)$의 극대, 극소 구하기**

$f(x)=\begin{cases} a(3x-x^3) & (x<0) \\ x^3-ax & (x\geq 0) \end{cases}$에서

$f'(x)=\begin{cases} 3a(1-x^2) & (x<0) \\ 3x^2-a & (x>0) \end{cases}$

이므로 a의 값의 부호에 따라 $f'(x)$의 부호가 바뀌어 극대, 극소가 달라지므로 a의 값의 범위를 나누어서 생각한다.

(ⅰ) $a>0$인 경우

$f(x)=\begin{cases} a(3x-x^3) & (x<0) \\ x^3-ax & (x\geq 0) \end{cases}$

$=\begin{cases} -ax(x+\sqrt{3})(x-\sqrt{3}) & (x<0) \\ x(x-\sqrt{a})(x+\sqrt{a}) & (x\geq 0) \end{cases}$

이므로 두 삼차함수 $y=a(3x-x^2)$, $y=x^3-ax$의 그래프의 개형에서 $y=f(x)$의 그래프는 다음과 같다.

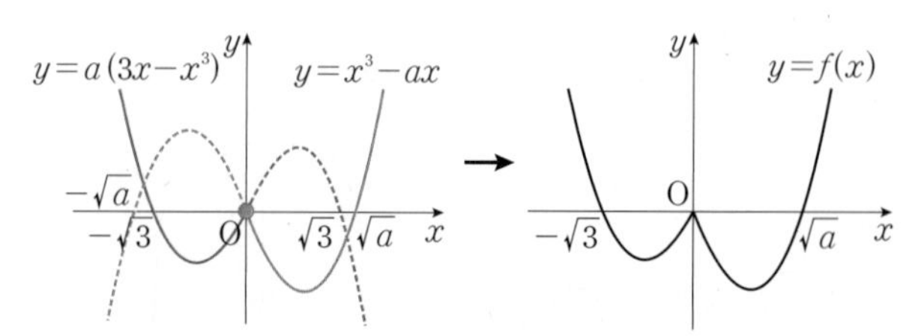

함수 $f(x)$는 $x=0$에서 극대이고 극댓값은 $f(0)=0$이므로 극댓값은 5가 아니다.

(ii) $a=0$인 경우

$$f(x)=\begin{cases} a(3x-x^2) & (x<0) \\ x^3-ax & (x\ge 0) \end{cases}$$
$$=\begin{cases} 0 & (x<0) \\ x^3 & (x\ge 0) \end{cases}$$

이므로 함수 $y=f(x)$의 그래프의 개형은 다음과 같다.

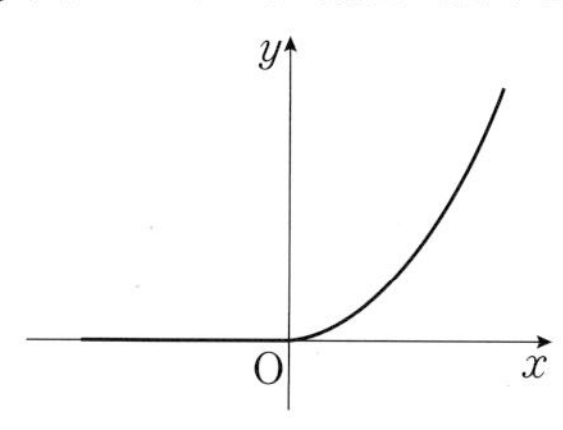

즉 $f(x)$의 극댓값은 존재하지 않는다.

(iii) $a<0$인 경우

$$f(x)=\begin{cases} a(3x-x^3) & (x<0) \\ x^3-ax & (x\ge 0) \end{cases}$$
$$=\begin{cases} -ax(x-\sqrt{3})(x+\sqrt{3}) & (x<0) \\ x(x^2-a) & (x\ge 0) \end{cases}$$

이므로 두 삼차함수 $y=a(3x-x^2)$, $y=x^3-ax$의 그래프의 개형에서 $y=f(x)$의 그래프는 다음과 같다.

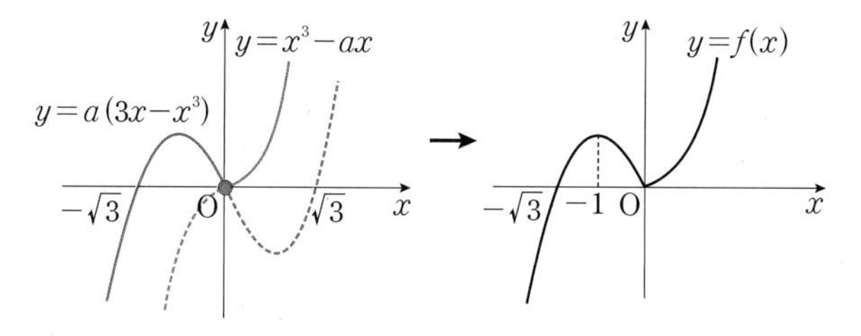

즉 함수 $f(x)$가 $x<0$인 부분에서 극댓값을 가지므로

$f(x)=a(3x-x^3)(x<0)$에서

$f'(x)=a(3-3x^2)=3a(1-x)(1+x)$

$f'(x)=0$에서 $x=-1(\because x<0)$

$x<0$에서 함수 $f(x)$의 증가와 감소를 표로 나타내면 다음과 같다.

x	$\cdots$	-1	$\cdots$	(0)
$f'(x)$	$+$	0	$-$	
$f(x)$	↗	극대	↘	

STEP B **함수 $f(x)$의 극댓값이 5임을 이용하여 a의 값 구하기**

함수 $f(x)$는 $x=-1$에서 극대이고 극댓값이 5이므로

즉 $f(-1)=5$이어야 하므로 $a\{3\cdot(-1)-(-1)^3\}=5$

$a(-3+1)=5$

$\therefore a=-\dfrac{5}{2}$

(i)~(iii)에서 $a=-\dfrac{5}{2}$이므로 $f(x)=\begin{cases} -\dfrac{5}{2}(3x-x^3) & (x<0) \\ x^3+\dfrac{5}{2}x & (x\ge 0) \end{cases}$

따라서 $f(2)=2^3+\dfrac{5}{2}\cdot 2=8+5=13$

0374

두 다항함수 $f(x)$와 $g(x)$가 모든 실수 x에 대하여

$$g(x)=(x^3+2)f(x)$$

를 만족시킨다. $g(x)$가 $x=1$에서 극솟값 24를 가질 때, $f(1)-f'(1)$의 값을 구하여라.

STEP A **곱의 미분법을 이용하여 $g'(x)$를 구하기**

$g(x)=(x^3+2)f(x)$에서

$g'(x)=3x^2f(x)+(x^3+2)f'(x)$

STEP B **$g(x)$가 $x=1$에서 극솟값 24를 가지므로 $g'(1)=0$, $g(1)=24$임을 이용하여 $f(1)$, $f'(1)$의 값 구하기**

$g(x)$가 $x=1$에서 극솟값을 가지므로 $g'(1)=0$

즉 $g'(1)=3f(1)+3f'(1)=0$

$\therefore f'(1)+f(1)=0$ …… ㉠

또, $g(x)$가 $x=1$에서 극솟값 24를 가지므로 $g(1)=24$

$g(1)=3f(1)=24$

$\therefore f(1)=8$ …… ㉡

㉠, ㉡에서 $f(1)=8$, $f'(1)=-8$

따라서 $f(1)-f'(1)=8-(-8)=16$

0375

미분가능한 함수 $f(x)$는 $x=-1$에서 극댓값 5를 갖는다.

$$g(x)=(3x+1)f(x)$$

라 할 때, 곡선 $y=g(x)$의 $x=-1$인 점에서의 접선의 y절편은?

① 1　② 2　③ 3
④ 5　⑤ 6

STEP A **곱의 미분법을 이용하여 $g'(x)$를 구하기**

$g(x)=(3x+1)f(x)$에서

$g'(x)=3f(x)+(3x+1)f'(x)$

STEP B **$f(x)$가 $x=-1$에서 극댓값 5를 가지므로 $f'(-1)=0$, $f(-1)=5$임을 이용하기**

함수 $f(x)$는 $x=-1$에서 극댓값 5를 가지므로

$f(-1)=5$, $f'(-1)=0$

이때 $g(x)=(3x+1)f(x)$에서 $g(-1)=-2f(-1)=-10$

$g'(x)=3f(x)+(3x+1)f'(x)$에서 $g'(-1)=3f(-1)-2f'(-1)=15$

STEP C **$y=g(x)$의 $x=-1$인 점에서 접선의 방정식 구하기**

곡선 $y=g(x)$의 $x=-1$에서 접선의 기울기는 $g'(-1)=15$이므로

점 $(-1,\ g(-1))$에서 접선의 방정식은 $y-(-10)=15(x+1)$

$\therefore y=15x+5$

따라서 이 접선의 y절편은 5

0376

다음 물음에 답하여라.

(1) 삼차함수 $f(x)$가 다음 조건을 모두 만족시킬 때, 함수 $f(x)$의 극댓값을 구하여라.

> (가) $\lim_{x\to0}\frac{f(x)}{x}=-12$
> (나) $x=1$에서 극솟값 -7을 갖는다.

STEP A 조건 (가), (나)를 이용하여 $f(x)$ 구하기

조건 (가)에서 $\lim_{x\to0}\frac{f(x)}{x}=-12$이므로

$x\to0$일 때, (분모)$\to0$이고 극한값이 존재하므로 (분자)$\to0$이어야 한다.

즉 $\lim_{x\to0}f(x)=0$이므로 $f(0)=0$

또한, $\lim_{x\to0}\frac{f(x)-f(0)}{x-0}=f'(0)=-12$

$\therefore f(0)=0,\ f'(0)=-12$

삼차함수 $f(x)$를 $f(x)=ax^3+bx^2+cx+d$ ($a\neq0$, b, c, d는 상수)라 하면

$f'(x)=3ax^2+2bx+c$

$f(0)=0$에서 $d=0$

$f'(0)=-12$에서 $c=-12$

조건 (나)에서 $x=1$에서 극솟값 -7을 가지므로 $f(1)=-7,\ f'(1)=0$

$f(1)=-7$에서 $a+b-12=-7$

$\therefore a+b=5$ …… ㉠

$f'(1)=0$에서 $3a+2b-12=0$

$\therefore 3a+2b=12$ …… ㉡

㉠, ㉡을 연립하여 풀면 $a=2,\ b=3$

$\therefore f(x)=2x^3+3x^2-12x$

STEP B 도함수 $f'(x)$를 구하고 $f'(x)=0$인 x의 값 구하기

$f(x)=2x^3+3x^2-12x$에서

$f'(x)=6x^2+6x-12=6(x+2)(x-1)$

$f'(x)=0$에서 $x=-2$ 또는 $x=1$

STEP C $f(x)$의 증가와 감소를 나타내는 표를 작성하여 극대, 극소 구하기

함수 $f(x)$의 증가와 감소를 표로 나타내면 다음과 같다.

x	…	-2	…	1	…
$f'(x)$	$+$	0	$-$	0	$+$
$f(x)$	↗	극대	↘	극소	↗

따라서 함수 $f(x)$는 $x=-2$에서 극대이고 극댓값 $f(-2)=20$을 갖는다.

(2) 다항함수 $f(x)$는 다음 조건을 만족시킨다.

> (가) $\lim_{x\to\infty}\frac{f(x)}{x^3}=1$
> (나) $x=-1$과 $x=2$에서 극값을 갖는다.

$\lim_{h\to0}\frac{f(3+h)-f(3-h)}{h}$의 값을 구하여라.

STEP A 조건 (가), (나)를 이용하여 $f'(x)$ 구하기

조건 (가)에서 $\lim_{x\to\infty}\frac{f(x)}{x^3}=1$이므로

$f(x)$는 최고차항의 계수가 1인 삼차함수이다.

또, $f'(x)$는 이차함수이고 이차항의 계수는 3이다.

조건 (나)에서 $x=-1$과 $x=2$에서 극값을 가지므로

$f'(-1)=0,\ f'(2)=0$

즉 $f'(x)$는 $x+1$과 $x-2$를 인수로 가지므로

$f'(x)=3(x+1)(x-2)$

STEP B 미분계수의 정의를 이용하여 구하기

$$\begin{aligned}\lim_{h\to0}\frac{f(3+h)-f(3-h)}{h}&=\lim_{h\to0}\frac{\{f(3+h)-f(3)\}-\{f(3-h)-f(3)\}}{h}\\&=\lim_{h\to0}\frac{f(3+h)-f(3)}{h}+\lim_{h\to0}\frac{f(3-h)-f(3)}{-h}\\&=f'(3)+f'(3)\\&=2f'(3)\end{aligned}$$

따라서 $2f'(3)=2\cdot3(3+1)(3-2)=24$

0377

다음 물음에 답하여라.

(1) 함수 $y=x^3-3x^2-9x+a$의 그래프가 x축과 서로 다른 두 점에서 만날 때, 모든 상수 a의 값의 합을 구하여라.

STEP A $f(x)$의 증가와 감소를 나타내는 표를 작성하여 극대, 극소 구하기

$f(x)=x^3-3x^2-9x+a$로 놓으면

$f'(x)=3x^2-6x-9=3(x+1)(x-3)$

$f'(x)=0$에서 $x=-1$ 또는 $x=3$

함수 $f(x)$의 증가와 감소를 표로 나타내면 다음과 같다.

x	…	-1	…	3	…
$f'(x)$	$+$	0	$-$	0	$+$
$f(x)$	↗	극대	↘	극소	↗

함수 $f(x)$는 $x=-1$에서 극대이고 극댓값은

$f(-1)=-1-3+9+a=5+a$

$x=3$에서 극소이고 극솟값은

$f(3)=27-27-27+a=-27+a$

STEP B 함수 $y=f(x)$의 그래프와 x축이 서로 다른 두 점에서 만나기 위해서는 함수 $f(x)$가 x축에 접함을 이용하기

함수 $y=f(x)$의 그래프와 x축이 서로 다른 두 점에서 만나기 위해서는 함수 $f(x)$가 x축에 접해야 하므로 극댓값 또는 극솟값이 0이어야 한다.

$f(-1)=5+a=0$에서 $a=-5$

$f(3)=-27+a=0$에서 $a=27$

따라서 상수 a의 모든 값의 합은 $-5+27=22$

(2) 삼차함수 $y=x^3-3ax^2+4a$의 그래프가 x축에 접할 때, 양수 a의 값을 구하여라.

STEP A $f(x)$의 증가와 감소를 나타내는 표를 작성하여 극대, 극소 구하기

$f(x)=x^3-3ax^2+4a$로 놓으면

$f'(x)=3x^2-6ax=3x(x-2a)$

$f'(x)=0$에서 $x=0$ 또는 $x=2a$

함수 $f(x)$의 증가와 감소를 표로 나타내면 다음과 같다.

x	…	0	…	$2a$	…
$f'(x)$	$+$	0	$-$	0	$+$
$f(x)$	↗	극대	↘	극소	↗

$a>0$이므로 $x=0$에서 극대이고 극댓값 $f(0)=4a$

$x=2a$에서 극소이고 극솟값 $f(2a)=-4a^3+4a$를 갖는다.

STEP Ⓑ **삼차함수의 y절편이 양수이고 그래프가 x축에 접하기 위해서는 극솟값이 0임을 이용하여 a의 값 구하기**

y절편이 양수이므로 삼차함수의 그래프가 x축에 접하기 위해서는 극솟값이 0이므로 그래프의 개형은 오른쪽 그림과 같다.
즉 $x=2a$일 때, x축에 접해야 하므로
$-4a^3+4a=0$
$a^3-a=0$, $a(a+1)(a-1)=0$
따라서 $a>0$이므로 $a=1$

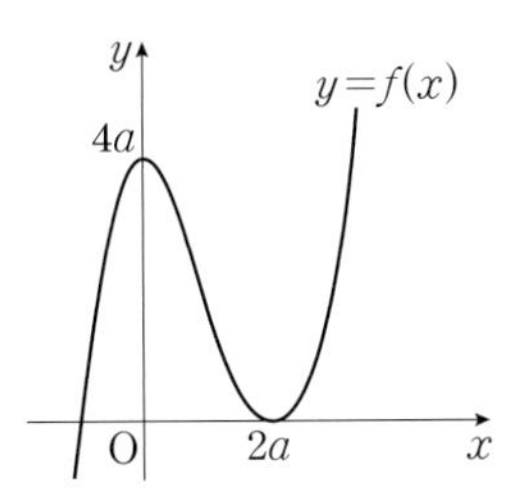

다른풀이 (극댓값)×(극솟값)=0임을 이용하여 풀이하기

$f(x)=x^3-3ax^2+4a$라 놓으면
$f'(x)=3x^2-6ax=3x(x-2a)$
$f(x)=0$에서 $x=0$ 또는 $x=2a$
함수 $f(x)$의 증가와 감소를 표로 나타내면 다음과 같다.

x	$\cdots$	0	$\cdots$	$2a$	$\cdots$
$f'(x)$	$+$	0	$-$	0	$+$
$f(x)$	↗	$4a$	↘	$-4a^3+4a$	↗

삼차함수 $f(x)=x^3-3ax^2+4a$는
$x=0$에서 극대, $x=2a$에서 극소이므로
함수 $f(x)$가 x축에 접하려면 극댓값 또는 극솟값이 0이어야 한다.
$f(0)\cdot f(2a)=(4a)\cdot(-4a^3+4a)$
$=-16a^2(a^2-1)=0$
따라서 $a>0$에서 $a=1$

0378

다음 물음에 답하여라.

(1) 최고차항의 계수가 1인 삼차함수 $f(x)$가

$$f(1)=f'(1)=0,\ f(0)=2$$

을 만족할 때, 함수 $f(x)$의 극댓값은?

① 2 ② 4 ③ 6
④ 8 ⑤ 10

STEP Ⓐ **조건을 만족하는 삼차함수 $f(x)$ 결정하기**

$f(1)=f'(1)=0$에서 함수 $y=f(x)$의 그래프는 $x=1$에서 x축에 접하므로
최고차항의 계수가 1인 삼차함수 $f(x)$를
$f(x)=(x-1)^2(x-a)$(단, a는 상수)
로 놓으면 $f(0)=2$에서 $-a=2$
$\therefore\ a=-2$
$\therefore\ f(x)=(x-1)^2(x+2)$

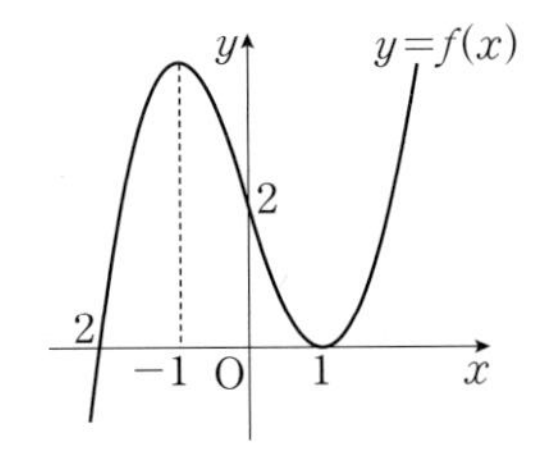

STEP Ⓑ **$f(x)$의 증가와 감소를 나타내는 표를 작성하여 극대, 극소 구하기**

$f(x)=(x-1)^2(x+2)$에서
$f'(x)=2(x-1)(x+2)+(x-1)^2=(x-1)(3x+3)$
$f'(x)=0$에서 $x=1$ 또는 $x=-1$
함수 $f(x)$의 증가와 감소를 표로 나타내면 다음과 같다.

x	$\cdots$	-1	$\cdots$	1	$\cdots$
$f'(x)$	$+$	0	$-$	0	$+$
$f(x)$	↗	극대	↘	극소	↗

따라서 함수 $f(x)$는 $x=-1$에서 극대이고 극댓값은 $f(-1)=4$

(2) 삼차함수 $y=f(x)$가 서로 다른 세 실수 a, b, c에 대하여

$$f(a)=f(b)=0,\ f'(a)=f'(c)=0$$

을 만족시킨다. c를 a와 b로 나타내면?

① $a+b$ ② $\dfrac{a+b}{2}$ ③ $\dfrac{a+b}{3}$
④ $\dfrac{a+2b}{3}$ ⑤ $\dfrac{2a+b}{3}$

STEP Ⓐ **조건을 만족하는 삼차함수 $f(x)$ 결정하기**

$f(a)=f(b)=0$이므로 $f(x)$는 $x-a$, $x-b$를 인수로 갖는다.
또한, $f(a)=f'(a)=0$이므로 $f(x)$는 $(x-a)^2$을 인수로 갖는다.
$f(x)=k(x-a)^2(x-b)$ (단, $k\neq0$인 상수) …… ㉠
$f'(c)=0$ …… ㉡

STEP Ⓑ **곱의 미분법을 이용하여 c를 a와 b로 나타내기**

이 조건을 사용하기 위해 ㉠을 x에 대하여 미분하면
$f'(x)=2k(x-a)(x-b)+k(x-a)^2$
$=k(x-a)(3x-a-2b)$
$f'(c)=k(c-a)(3c-a-2b)=0$ ($\because$ ㉡)
그런데 $a\neq c$이므로 $3c-a-2b=0$
따라서 $c=\dfrac{a+2b}{3}$

사차함수 $f(x)$에 대하여
$f'(a)=f(a)=0$, $f'(b)=f(b)=0$ (단, $a\neq b$)
이 성립할 때, 방정식 $f(x)=0$의 서로 다른 실근은 a, b이다.

증명 $f'(a)=f(a)=0$이므로 $f(x)$는 $(x-a)^2$을 인수로 갖는다.
$f'(b)=f(b)=0$이므로 $f(x)$는 $(x-b)^2$을 인수로 갖는다.
즉 $f(x)=k(x-a)^2(x-b)^2$ (k는 0이 아닌 상수)
따라서 함수 $f(x)=0$은 서로 다른 두 실근 a, b를 가진다.

0379

다음 물음에 답하여라.

(1) 함수 $f(x)=(x-1)(x^2+ax+b)$가 다음 조건을 만족시킬 때, 상수 a, b에 대하여 $a+b$의 값은? (단, $f'(1)\neq0$이다.).

(가) 함수 $y=f(x)$의 그래프는 x축과 서로 다른 두 점에서 만난다.
(나) 함수 $y=f(x)$의 그래프는 직선 $y=4$와 서로 다른 두 점에서 만난다.

① 2 ② 4 ③ 6
④ 8 ⑤ 10

STEP Ⓐ **조건을 만족하는 삼차함수 $f(x)$ 결정하기**

$f(x)=(x-1)(x^2+ax+b)$에서 $f(1)=0$, $f'(1)\neq0$이므로
조건 (가)에 의하여 함수 $y=f(x)$의 그래프는 다음 두 가지 중의 하나이다.

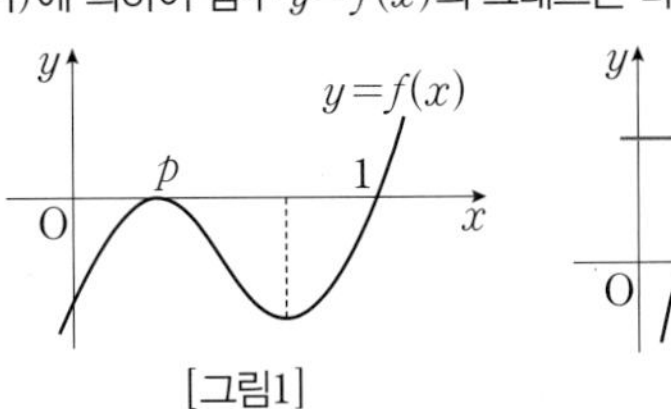

[그림1]

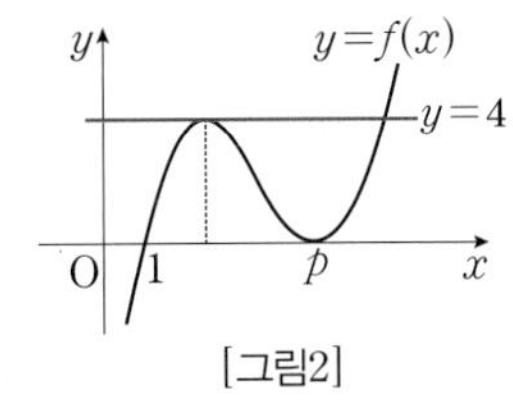

[그림2]

즉 $f(x)=(x-1)(x-p)^2$ ($p\neq1$)로 놓을 수 있다.
조건 (나)에 의하여 함수 $y=f(x)$의 그래프는 [그림2]와 같고
함수 $f(x)$의 극댓값은 4

STEP **B** $f(x)$**의 증가와 감소를 나타내는 표를 작성하여 극대, 극소 구하기**

$f(x)=(x-1)(x-p)^2$에서

$f'(x)=(x-p)^2+2(x-1)(x-p)$

$\quad=(x-p)(x-p+2x-2)$

$\quad=(x-p)(3x-p-2)$

$f'(x)=0$에서 $x=p$ 또는 $x=\dfrac{p+2}{3}$

$p>1$에서 $p>\dfrac{p+2}{3}$이므로

함수 $f(x)$의 증가와 감소를 표로 나타내면 다음과 같다.

x	$\cdots$	$\frac{p+2}{3}$	$\cdots$	p	$\cdots$
$f'(x)$	+	0	−	0	+
$f(x)$	↗	극대	↘	극소	↗

함수 $f(x)$는 $x=\dfrac{p+2}{3}$에서 극대이고 극댓값이 4이므로

$f\left(\dfrac{p+2}{3}\right)=\left(\dfrac{p+2}{3}-1\right)\left(\dfrac{p+2}{3}-p\right)^2=4$

$\dfrac{p-1}{3}\times\left\{\dfrac{2(1-p)}{3}\right\}^2=4$

$(p-1)^3=27,\ p-1=3$

$\therefore\ p=4$

$f(x)=(x-1)(x-4)^2=(x-1)(x^2-8x+16)$

따라서 $a=-8,\ b=16$이므로 $a+b=8$

(2) 최고차항의 계수가 1이고 다음 조건을 만족시키는 모든 삼차함수 $f(x)$에 대하여 $f(6)$의 최댓값과 최솟값의 합은?

(가) $f(2)=f'(2)=0$

(나) 모든 실수 x에 대하여 $f'(x)\ge -3$이다.

① 128 ② 144 ③ 160 ④ 176 ⑤ 192

STEP **A** **조건 (가)를 만족하는 삼차함수** $f(x)$ **결정하기**

조건 (가)에서

$f(2)=f'(2)=0$이므로 $f(x)$는 $(x-2)^2$을 인수로 갖는다.

최고차항의 계수가 1인 삼차함수를

$f(x)=(x-2)^2(x-a)$ (단, a는 상수)라 하면

$f(x)=(x-2)^2(x-a)$

$\quad=x^3-(4+a)x^2+(4+4a)x-4a$

STEP **B** **조건 (나)에서** a**의 범위 구하기**

조건 (나)에서

$f'(x)=3x^2-2(4+a)x+(4+4a)\ge -3$

즉 모든 실수 x에 대하여 $3x^2-2(4+a)x+(7+4a)\ge 0$이므로

이차방정식 $3x^2-2(4+a)x+(7+4a)=0$의 판별식을 D라 하면

$\dfrac{D}{4}=(4+a)^2-3(7+4a)\le 0$

$a^2-4a-5\le 0,\ (a-5)(a+1)\le 0$

$\therefore\ -1\le a\le 5$

STEP **C** $f(6)$**의 최댓값과 최솟값의 합 구하기**

$f(x)=(x-2)^2(x-a)$에서 $f(6)=16(6-a)$이므로

$y=-16a+96$ 라 하면

$-1\le a\le 5$에서

$a=-1$일 때, 최댓값은 $16+96=112$

$a=5$일 때, 최솟값은 $-80+96=16$

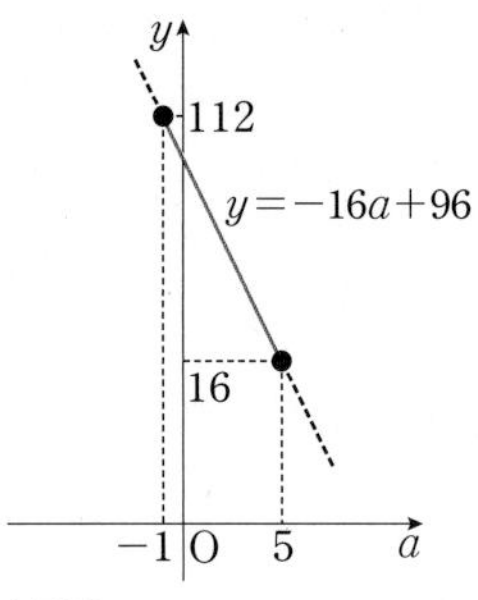

따라서 최댓값과 최솟값의 합은 $112+16=128$

0380

사차함수 $f(x)=x^4+ax^3+bx^2+cx+6$이 다음 조건을 만족할 때, $f(3)$의 값을 구하여라.

(가) 모든 실수 x에 대하여 $f(-x)=f(x)$

(나) 함수 $f(x)$는 극솟값 -10을 갖는다.

STEP **A** **조건을 만족하는 사차함수** $f(x)$**의 식 작성하기**

조건 (가)에서

$f(x)=x^4+ax^3+bx^2+cx+6$이 모든 실수 x에 대하여

$f(-x)=f(x)$이므로 $a=0,\ c=0$ ⬅ 지수가 짝수차인 함수, 상수함수

$\therefore\ f(x)=x^4+bx^2+6$

사차함수 $f(x)$가 $f(-x)=f(x)$이므로

$x^4-ax^3+bx^2-cx+6=x^4+ax^3+bx^2+cx+6$

$\therefore\ ax^3+cx=0$

모든 실수 x에 대하여 성립하려면 $a=0,\ c=0$

STEP **B** **도함수** $f'(x)$**를 구하고** $f'(x)=0$**인** x**의 값 구하기**

$f'(x)=4x^3+2bx=2x(2x^2+b)$

$f'(x)=0$에서

$b>0$일 때, $x=0$

$b<0$일 때, $x=0$ 또는 $x=\pm\sqrt{-\dfrac{b}{2}}$

그런데 $b>0$일 때, $x=0$인 경우 함수 $f(x)$는 $x=0$에서 극솟값을 갖고

$f(0)=6$이므로 조건 (나)의 조건을 만족시키지 못한다.

STEP **C** $f(x)$**의 증가와 감소를 나타내는 표를 작성하여 극대, 극소 구하기**

함수 $f(x)$의 증가와 감소를 표로 나타내면 다음과 같다.

x	$\cdots$	$-\sqrt{-\frac{b}{2}}$	$\cdots$	0	$\cdots$	$\sqrt{-\frac{b}{2}}$	$\cdots$
$f'(x)$	−	0	+	0	−	0	+
$f(x)$	↘	극소	↗	극대	↘	극소	↗

즉 $b<0$이고 사차항의 계수가 양수이고

조건 (가)에서 사차함수 $f(x)$의 그래프가

y축에 대하여 대칭이므로 함수 $f(x)$는

$x=\pm\sqrt{-\dfrac{b}{2}}$에서 극솟값을 가진다.

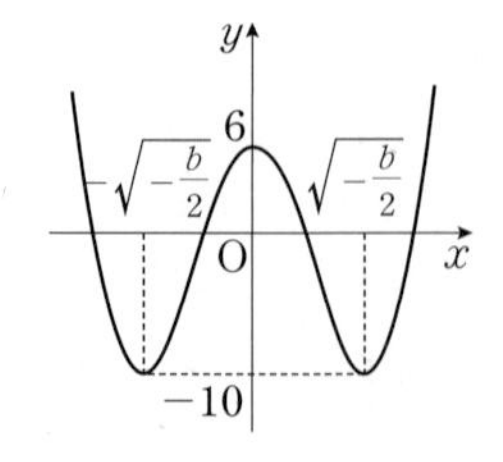

조건(나)에서 함수 $f(x)$의 극솟값이 -10이므로

$f\left(\pm\sqrt{-\dfrac{b}{2}}\right)=\dfrac{b^2}{4}+b\cdot\left(-\dfrac{b}{2}\right)+6=-10$

$-\dfrac{b^2}{4}+6=-10$에서 $\dfrac{b^2}{4}=16,\ b^2=64$

$\therefore\ b=-8\ (\because\ b<0)$

따라서 $f(x)=x^4-8x^2+6$이므로 $f(3)=3^4-8\cdot 3^2+6=15$

0381

다음 물음에 답하여라.

(1) 삼차함수 $f(x)$는 다음 조건을 만족시킨다.

(가) 모든 실수 x에 대하여 $f(-x)=-f(x)$이다.
(나) 함수 $g(x)=f(x)-18x$는 $x=1$에서 극댓값 2를 갖는다.

함수 $f(x)+g(x)$의 극댓값은?

① 26 ② 28 ③ 30
④ 32 ⑤ 34

STEP A 조건을 만족하는 삼차함수 $f(x)$의 식 작성하기

조건 (가)에 의하여 $f(x)=ax^3+bx$ (a, b는 상수, $a\neq 0$)으로 놓을 수 있다.
$g(x)=ax^3+bx-18x=ax^3+(b-18)x$에 대하여 $g'(x)=3ax^2+b-18$
조건 (나)에 의하여 $g'(1)=0$, $g(1)=2$
$g'(1)=3a+b-18=0$ …… ㉠
$g(1)=a+b-18=2$ …… ㉡
㉠, ㉡을 연립하여 풀면 $a=-1$, $b=21$
$\therefore f(x)=-x^3+21x$, $g(x)=-x^3+3x$

STEP B 도함수 $h'(x)$를 구하고 $h'(x)=0$인 x의 값 구하기

$h(x)=f(x)+g(x)=-x^3+21x+(-x^3+3x)=-2x^3+24x$라 하면
$h'(x)=-6x^2+24=-6(x+2)(x-2)$
$h'(x)=0$에서 $x=-2$ 또는 $x=2$

STEP C $f(x)+g(x)$의 증가와 감소를 나타내는 표를 작성하여 극댓값 구하기

함수 $h(x)$의 증가와 감소를 표로 나타내면 다음과 같다.

x	$\cdots$	-2	$\cdots$	2	$\cdots$
$f'(x)$	$-$	0	$+$	0	$-$
$f(x)$	↘	극소	↗	극대	↘

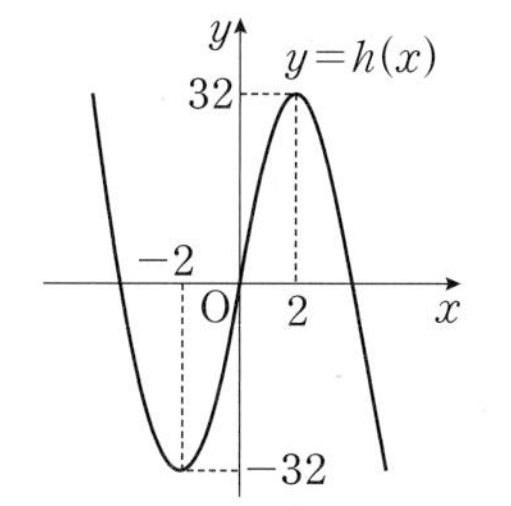

따라서 함수 $h(x)$는 $x=2$에서 극대이고
극댓값은 $h(2)=-16+48=32$

(2) 모든 계수가 정수인 삼차함수 $y=f(x)$는 다음 조건을 만족시킨다.

(가) 모든 실수 x에 대하여 $f(-x)=-f(x)$이다.
(나) $f(1)=5$
(다) $1<f'(1)<7$

함수 $y=f(x)$의 극댓값은 m이다. m^2의 값을 구하여라.

STEP A 조건 (가), (나), (다)를 이용하여 계수가 정수인 삼차함수 $f(x)$ 구하기

조건 (가)에서
$f(-x)=-f(x)$를 만족하는 삼차함수 $f(x)$는 원점에 대하여 대칭이므로
$f(x)=ax^3+bx$ (a, b는 정수, $a\neq 0$)로 놓으면 ⬅ 지수가 홀수차인 다항함수
조건 (나)에서 $f(1)=5$이므로 $f(1)=a+b=5$ …… ㉠
$f'(x)=3ax^2+b$이고 조건 (다)에서 $1<f'(1)<7$이므로
조건 (다)에서 $1<f'(1)<7$이므로 $1<3a+b<7$ …… ㉡
㉠에서 $b=5-a$이고 이를 ㉡에 대입하면
$1<3a+5-a<7$, $-4<2a<2$
$\therefore -2<a<1$
$f(x)$의 모든 계수가 정수이고 $f(x)$가 삼차함수이므로 $a=-1$ ($\because a\neq 0$)
㉠에서 $b=6$이므로 $f(x)=-x^3+6x$

STEP B $f(x)$의 증가와 감소를 나타내는 표를 작성하여 극대, 극소 구하기

$f(x)=-x^3+6x$에서 $f'(x)=-3x^2+6$
$f'(x)=0$에서 $x=\sqrt{2}$ 또는 $x=-\sqrt{2}$
함수 $f(x)$의 증가와 감소를 표로 나타내면 다음과 같다.

x	$\cdots$	$-\sqrt{2}$	$\cdots$	$\sqrt{2}$	$\cdots$
$f'(x)$	$-$	0	$+$	0	$-$
$f(x)$	↘	극소	↗	극대	↘

함수 $f(x)$는 $x=\sqrt{2}$에서 극대이고 극댓값은
$m=f(\sqrt{2})=-2\sqrt{2}+6\sqrt{2}=4\sqrt{2}$
따라서 $m^2=32$

(3) 최고차항의 계수가 1인 삼차함수 $f(x)$가 다음 조건을 만족시킬 때, $f(x)$의 극댓값을 구하여라.

(가) 모든 실수 x에 대하여 $f'(x)=f'(-x)$이다.
(나) 함수 $f(x)$는 $x=1$에서 극솟값 0을 갖는다.

STEP A 조건을 만족하는 최고차항의 계수가 1인 삼차함수 $f(x)$ 구하기

$f(x)=x^3+ax^2+bx+c$ (단, a, b, c는 상수)이라 하면
$f'(x)=3x^2+2ax+b$
조건 (가)에 의하여 $y=f'(x)$의 그래프는 y축에 대하여 대칭이므로 $a=0$
⬅ $f'(-x)=f'(x)$이면 짝수차항, 상수항으로 이루어진 다항함수
$\therefore f'(x)=3x^2+b$, $f(x)=x^3+bx+c$
조건 (나)에서 $f'(1)=0$이고 $f(1)=0$이므로
$f'(1)=3+b=0$, $f(1)=1+b+c=0$
두 식을 연립하여 풀면 $b=-3$, $c=2$
$\therefore f(x)=x^3-3x+2$

STEP B $f(x)$의 증가와 감소를 나타내는 표를 작성하여 극댓값 구하기

$f(x)=x^3-3x+2$에서
$f'(x)=3x^2-3=3(x^2-1)=3(x+1)(x-1)$
$f'(x)=0$에서 $x=-1$ 또는 $x=1$
함수 $f(x)$의 증가와 감소를 표로 나타내면 다음과 같다.

x	$\cdots$	-1	$\cdots$	1	$\cdots$
$f'(x)$	$+$	0	$-$	0	$+$
$f(x)$	↗	극대	↘	극소	↗

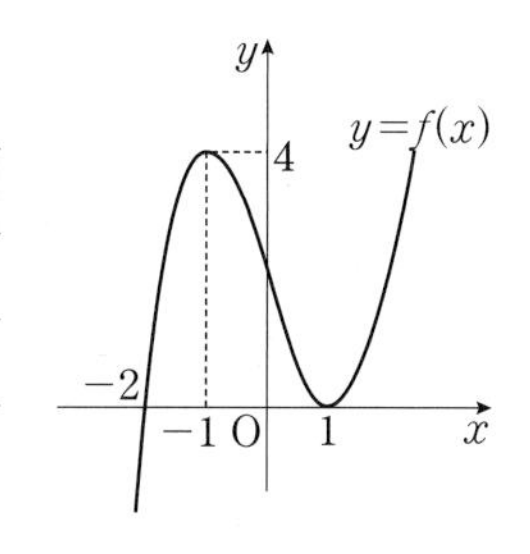

따라서 함수 $f(x)$는 $x=-1$에서 극대이고
극댓값은 $f(-1)=-1+3+2=4$

다른풀이 적분을 이용한 풀이하기

STEP A 조건 (가), (나)와 부정적분을 이용하여 삼차함수 $f(x)$ 구하기

삼차함수 $f(x)$는 조건 (나)에서 $x=1$에서 극솟값 0을 가지고 조건 (가)에서 모든 실수 x에 대하여 $f'(x)=f'(-x)$이므로 $f'(-1)=f'(1)=0$, 즉 삼차함수 $f(x)$는 $x=-1$에서 극댓값을 갖는다.
삼차함수 $f(x)$의 도함수
$f'(x)=3(x+1)(x-1)=3x^2-3$

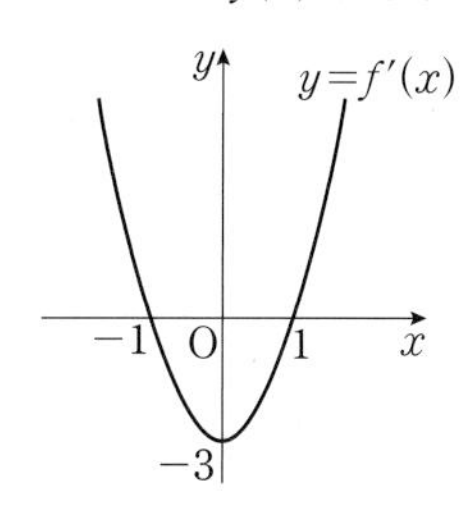

$\therefore f(x)=\int(3x^2-3)dx=x^3-3x+C$ (단, C는 적분상수)
이때 삼차함수 $f(x)$의 그래프는 점 $(1, 0)$을 지나므로
$f(1)=1-3+C=0$에서 $C=2$
$\therefore f(x)=x^3-3x+2$

STEP Ⓑ $f(x)$의 증가와 감소를 나타내는 표를 작성하여 극댓값 구하기

$f(x)=x^3-3x+2$에서

$f'(x)=3x^2-3=3(x^2-1)=3(x+1)(x-1)$

$f'(x)=0$에서 $x=-1$ 또는 $x=1$

함수 $f(x)$의 증가와 감소를 표로 나타내면 다음과 같다.

x	$\cdots$	-1	$\cdots$	1	$\cdots$
$f'(x)$	$+$	0	$-$	0	$+$
$f(x)$	↗	극대	↘	극소	↗

따라서 함수 $f(x)$는 $x=-1$에서 극대이고

극댓값은 $f(-1)=-1+3+2=4$

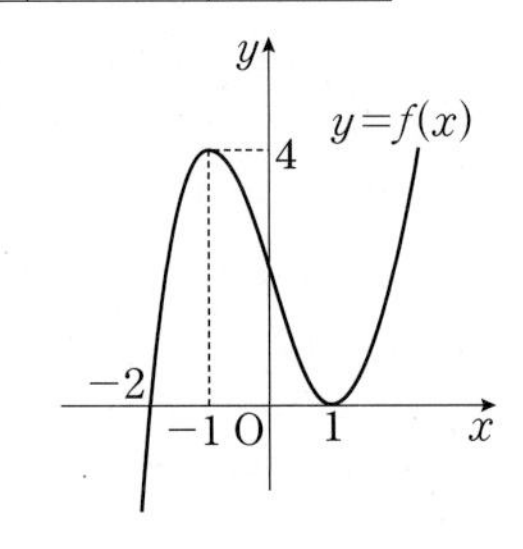

0382

다음 물음에 답하여라.

(1) 원점을 지나는 최고차항의 계수가 1인 사차함수 $y=f(x)$가 다음 두 조건을 만족한다.

(가) $f(2+x)=f(2-x)$
(나) $x=1$에서 극솟값을 갖는다.

이때 $f(x)$의 극댓값을 α라 할 때, α^2의 값을 구하여라.

STEP Ⓐ **함수 $f(x)$가 $f(2+x)=f(2-x)$이므로 함수 $f(x)$의 그래프는 직선 $x=2$에 대하여 대칭임을 이용하기**

원점을 지나고 최고차항의 계수가 1인 사차함수를

$f(x)=x^4+ax^3+bx^2+cx$ (단, a, b, c는 상수)라 하자.

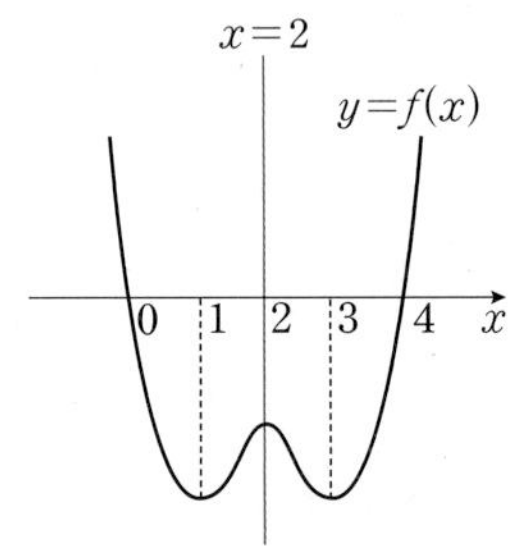

조건 (가)에서 $f(2+x)=f(2-x)$이므로 $y=f(x)$는 $x=2$에 대하여 대칭이다.

조건 (나)에서 함수 $f(x)$는 $x=1$에서 극솟값을 가지므로 $x=3$에서 극솟값을 가지고 $x=2$에서 극댓값을 가진다.

STEP Ⓑ $f(x)$의 극댓값 구하기

$f'(x)=4x^3+3ax^2+2bx+c$

$=4(x-1)(x-2)(x-3)$ ⬅ $x=1$, $x=3$에서 극소, $x=2$에서 극대를 가지므로 $f'(1)=f'(2)=f'(3)=0$

$=4x^3-24x^2+44x-24$

이때 $3a=-24$, $2b=44$, $c=-24$이므로

$a=-8$, $b=22$, $c=-24$

$\therefore f(x)=x^4-8x^3+22x^2-24x$

따라서 $x=2$에서 극대이고 극댓값 α는

$\alpha=f(2)=2^4-8\cdot2^3+22\cdot2^2-24\cdot2=-8$

$\therefore \alpha^2=64$

(2) 최고차항의 계수가 1인 삼차함수 $f(x)$와 그 도함수 $f'(x)$가 다음 조건을 모두 만족시킬 때, 함수 $f(x)$의 극댓값과 극솟값의 차를 구하여라.

(가) 함수 $f(x)$는 $x=-1$에서 극댓값을 갖는다.
(나) 모든 실수 x에서 $f'(1-x)=f'(1+x)$

STEP Ⓐ **조건을 만족하는 최고차항의 계수가 1인 삼차함수 $f(x)$ 구하기**

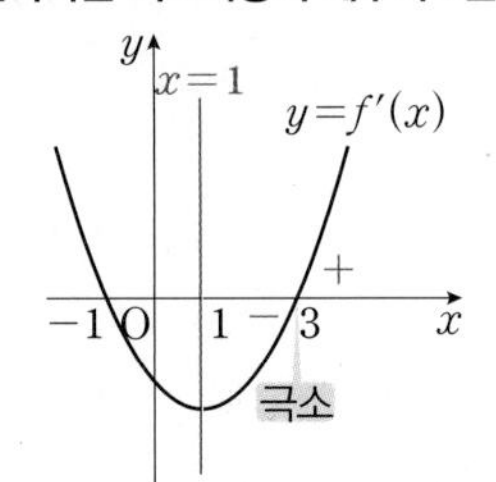

함수 $f(x)$는 $x=-1$에서 극댓값을 가지므로

$f'(-1)=0$

모든 실수 x에서 $f'(1-x)=f'(1+x)$이므로

이 식의 양변에 $x=2$를 대입하면 $f'(-1)=f'(3)$

이때 $f'(-1)=0$이므로 $f'(3)=0$

즉 함수 $f(x)$는 $x=3$에서 극솟값을 갖는다.

STEP Ⓑ **극댓값과 극솟값의 차 구하기**

$f(x)=x^3+ax^2+bx+c$ (a, b, c는 상수)라 하면

$f'(x)=3x^2+2ax+b$

이때 $f'(x)=0$이 $x=-1$, $x=3$을 근으로 가지므로

$f'(x)=3(x+1)(x-3)$으로 놓는다.

즉 $f'(x)=3x^2+2ax+b=3x^2-6x-9$이므로

$2a=-6$, $b=-9$에서 $a=-3$, $b=-9$

$\therefore f(x)=x^3-3x^2-9x+c$

따라서 함수 $f(x)$의 극댓값과 극솟값의 차는

$f(-1)-f(3)=(5+c)-(-27+c)=32$

0383

다음 물음에 답하여라.

(1) 함수 $f(x)=x^3+ax^2+(6-a)x+1$이 극댓값과 극솟값을 모두 가질 때, 실수 a의 값의 범위를 구하여라.

STEP Ⓐ **도함수 $f'(x)$ 구하기**

$f(x)=x^3+ax^2+(6-a)x+1$에서

$f'(x)=3x^2+2ax+6-a$

STEP Ⓑ **이차방정식 $f'(x)=0$의 판별식 D에 대하여 $D>0$임을 이용하기**

함수 $f(x)$가 극댓값과 극솟값을 모두 가지려면

도함수 $f'(x)$의 부호가 바뀌는 부분이 있어야 한다.

이차방정식 $f'(x)=0$이 서로 다른 두 실근을 가져야 하므로

$f'(x)=0$의 판별식을 D라 하면

$\frac{D}{4}=a^2-3(6-a)>0$

$a^2+3a-18>0$

$(a+6)(a-3)>0$

따라서 $a<-6$ 또는 $a>3$

(2) 실수 전체의 집합에서 함수 $f(x)=-2x^3+ax^2+ax$가 일대일대응이 되도록 하는 실수 a의 범위를 구하여라.

STEP A **도함수 $f'(x)$ 구하기**

$f(x)=-2x^3+ax^2+ax$에서

$f'(x)=-6x^2+2ax+a$

STEP B **이차방정식 $f'(x)=0$의 판별식 D에 대하여 $D\le 0$임을 이용하기**

삼차함수 $f(x)$가 일대일대응이 되려면 극값을 갖지 않아야 한다.

이차방정식 $f'(x)=0$이 중근 또는 허근을 가져야 하므로

$f'(x)=0$의 판별식을 D라 하면

$\frac{D}{4}=a^2+6a\le 0,\ a(a+6)\le 0$

따라서 $-6\le a\le 0$

0384

다음 물음에 답하여라.

(1) 삼차함수 $f(x)=x^3+ax^2+(a^2-4a)x+3$이 극값을 갖도록 하는 모든 정수 a의 개수는?

① 5 ② 6 ③ 7 ④ 8 ⑤ 9

STEP A **도함수 $f'(x)$ 구하기**

$f(x)=x^3+ax^2+(a^2-4a)x+3$에서

$f'(x)=3x^2+2ax+(a^2-4a)$

STEP B **이차방정식 $f'(x)=0$의 판별식 D에 대하여 $D>0$임을 이용하기**

함수 $f(x)$가 극값을 가지려면 이차방정식 $f'(x)=0$이 서로 다른 두 실근을 가져야 하므로 방정식 $3x^2+2ax+(a^2-4a)=0$의 판별식을 D라 하면 $D>0$이어야 한다.

$\frac{D}{4}=a^2-3(a^2-4a)>0$

$2a^2-12a<0,\ 2a(a-6)<0$

$\therefore\ 0<a<6$

따라서 함수 $f(x)$가 극값을 갖도록 하는 정수 a의 개수는 1, 2, 3, 4, 5이므로 5개이다.

(2) 삼차함수 $f(x)=x^3+ax^2+(a+6)x+2$가 극값을 갖지 않도록 하는 정수 a의 개수는?

① 8 ② 9 ③ 10 ④ 11 ⑤ 12

STEP A **도함수 $f'(x)$ 구하기**

$f(x)=x^3+ax^2+(a+6)x+2$에서

$f'(x)=3x^2+2ax+(a+6)$

STEP B **이차방정식 $f'(x)=0$의 판별식 D에 대하여 $D\le 0$임을 이용하기**

삼차함수 $f(x)$가 극값을 갖지 않으므로 도함수 $f'(x)=0$이 허근 또는 중근을 가져야 하므로 방정식 $3x^2+2ax+(a+6)=0$의 판별식을 D라 하면 $D\le 0$이어야 한다.

$\frac{D}{4}=a^2-3a-18\le 0,\ (a-6)(a+3)\le 0$

$\therefore\ -3\le a\le 6$

따라서 이를 만족하는 정수 a의 개수는 $6-(-3)+1=10$

최고차항의 계수가 양수이므로 극값을 갖지 않으려면

모든 실수 x에 대하여 $f'(x)\ge 0$($f(x)$가 증가함수)이어야 한다.

$f'(x)=3x^2+2ax+a+6\ge 0$

0385

함수 $f(x)=x^3-ax^2+(a^2-2a)x$는 극댓값과 극솟값을 모두 갖고, 함수 $g(x)=\frac{1}{3}x^3+ax^2+(5a-4)x+2$는 극댓값과 극솟값을 갖지 않을 때, 상수 a의 범위를 구하여라.

STEP A **이차방정식 $f'(x)=0$의 판별식 D에 대하여 $D>0$임을 이용하기**

$f(x)=x^3-ax^2+(a^2-2a)x$에서 $f'(x)=3x^2-2ax+a^2-2a$

함수 $f(x)$가 극값을 가지려면 도함수 $f'(x)$의 부호가 바뀌는 부분이 있어야 한다.

이차방정식 $f'(x)=0$이 서로 다른 두 실근을 가져야 하므로

방정식 $f'(x)=3x^2-2ax+a^2-2a=0$의 판별식을 D_1라 하면

$\frac{D_1}{4}=a^2-3(a^2-2a)>0$

$a^2-3a<0,\ a(a-3)<0$

$\therefore\ 0<a<3$ …… ㉠

STEP B **이차방정식 $g'(x)=0$의 판별식 D에 대하여 $D\le 0$임을 이용하기**

$g(x)=\frac{1}{3}x^3+ax^2+(5a-4)x+2$에서

$g'(x)=x^2+2ax+5a-4$

함수 $g(x)$가 극값을 갖지 않으려면 방정식 $g'(x)=0$이 중근 또는 허근을 가져야 하므로 방정식 $g'(x)=x^2+2ax+5a-4=0$의 판별식을 D_2라 하면

$\frac{D_2}{4}=a^2-5a+4\le 0$

$(a-1)(a-4)\le 0$

$\therefore\ 1\le a\le 4$ …… ㉡

따라서 ㉠, ㉡의 공통 범위는 $1\le a<3$

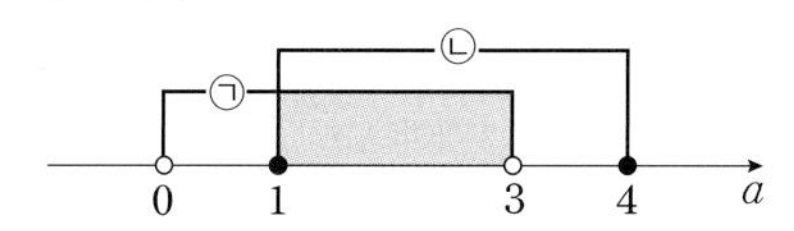

0386

함수 $f(x)=x^3+3x^2+ax$가 $-2<x<0$에서 극댓값과 극솟값을 모두 갖도록 하는 실수 a의 값의 범위를 구하여라.

STEP A **도함수 $f'(x)$ 구하기**

$f(x)=x^3+3x^2+ax$에서 $f'(x)=3x^2+6x+a$

STEP B **삼차함수가 $-2<x<0$에서 극값을 가질 조건 구하기**

$-2<x<0$에서 극댓값과 극솟값을 모두 가지려면 방정식 $f'(x)=0$의 서로 다른 두 근이 -2와 0 사이에 있어야 한다.

즉 이차방정식 $f'(x)=0$이 $-2<x<0$에서 서로 다른 두 실근을 가져야 한다.

STEP C **이차방정식의 근의 위치를 이용하여 a의 범위 구하기**

(ⅰ) $f'(x)=0$의 판별식을 D라고 하면 $D>0$이어야 하므로

$\frac{D}{4}=9-3a>0$

$\therefore\ a<3$

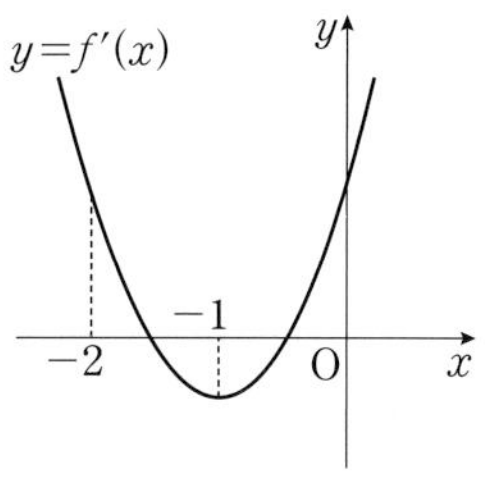

(ⅱ) $f'(-2)>0$에서

$f'(-2)=12-12+a>0$

$\therefore\ a>0$

$f'(0)>0$에서 $f'(0)=a>0$

(ⅲ) 이차함수 $y=f'(x)$의 그래프의 축의 방정식은 $x=-1$이므로 -2과 0 사이에 있다.

(ⅰ)~(ⅲ)을 동시에 만족하는 a의 범위는 실수 a의 값의 범위는 $0<a<3$

0387

함수 $f(x)=x^3+(a+1)x^2+ax+3$이 $-2<x<-1$에서 극댓값을 갖고, $x>-1$에서 극솟값을 갖기 위한 정수 a의 개수는?

① 0　② 1　③ 2　④ 3　⑤ 4

STEP A **도함수 $f'(x)$ 구하기**

$f(x)=x^3+(a+1)x^2+ax+3$에서

$f'(x)=3x^2+2(a+1)x+a$

STEP B **함수 $f(x)$가 $-2<x<-1$에서 극댓값 $x>-1$에서 극솟값을 가질 조건 구하기**

이차방정식 $f'(x)=0$의 두 실근을 α, $\beta(\alpha<\beta)$라 하면

함수 $f(x)$가 $-2<x<-1$에서 극댓값, $x>-1$에서 극솟값을 가지므로

$-2<\alpha<-1$, $\beta>-1$이어야 한다.

이차함수 $y=f'(x)$의 그래프는 오른쪽 그림과 같아야 하므로

$f'(-2)>0$, $f'(-1)<0$이어야 한다.

STEP C **이차방정식의 근의 위치를 이용하여 a의 범위 구하기**

(ⅰ) $f'(-2)=12-4(a+1)+a>0$에서 $8-3a>0$

$\therefore a<\dfrac{8}{3}$

(ⅱ) $f'(-1)=3-2(a+1)+a<0$에서 $1-a<0$

$\therefore a>1$

(ⅰ), (ⅱ)에서 실수 a의 값의 범위는 $1<a<\dfrac{8}{3}$

따라서 구하는 정수 a는 2이므로 1개이다.

0388

직선 $x=a$가 곡선 $f(x)=x^3-ax^2-100x+10$의 극대가 되는 점과 극소가 되는 점 사이를 지날 때, 정수 a의 개수를 구하여라.

STEP A **$y=f'(x)$의 그래프에서 직선 $x=a$가 곡선 $f(x)$의 극대인 점과 극소인 점 사이에 있을 조건을 구하기**

$f(x)=x^3-ax^2-100x+10$에서 $f'(x)=3x^2-2ax-100$

$y=f'(x)$는 최고차항의 계수가 양수인 이차함수이다.

이때 극대인 점과 극소인 점이 되는 x좌표의 값을 각각 α, β라 하면

곡선 $y=f(x)$의 도함수 $y=f'(x)$의 그래프는 다음 그림과 같다.

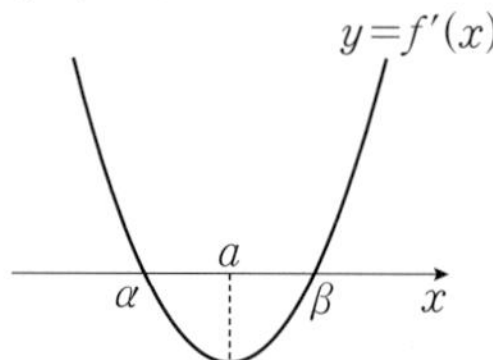

즉 직선 $x=a$는 극대인 점과 극소인 점 사이를 지나야 하므로

$\alpha<a<\beta$를 만족해야 한다.

$\therefore f'(a)<0$ ← $f'(x)=3x^2-2ax-100=0$의 두 근 사이에 a가 존재

STEP B **a가 정수라는 점에 주의하여 정수 a의 개수 구하기**

$f(x)=x^3-ax^2-100x+10$에서 $f'(x)=3x^2-2ax-100$

즉 $f'(a)=3a^2-2a^2-100<0$이 성립해야 하므로

$a^2-100<0$, $(a+10)(a-10)<0$

$\therefore -10<a<10$

따라서 정수 a의 개수는 $-9, -8, \cdots, -1, 0, 1, \cdots, 8, 9$로 19개이다.

← 정수 a의 개수는 $(10-(-10))-1=19$

다른풀이 직선 $x=a$가 극대인 점과 극소인 점 사이를 지나는 조건을 이용하여 풀이하기

직선 $x=a$가 곡선 $f(x)$의 극대인 점과 극소인 점 사이를 지나도록 그래프를 그려 보면 다음 그림과 같다.

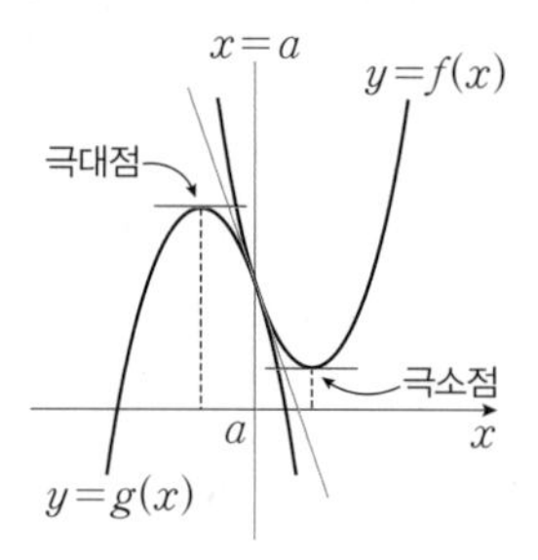

이때 $x=a$에서 곡선 $y=f(x)$의 접선의 방정식을 $y=g(x)$라 하면

접선 $g(x)$의 기울기는 $f'(a)$이므로 극대인 점과 극소인 점 사이를

직선 $x=a$가 지나는 조건은 $f'(a)<0$

$f(x)=x^3-ax^2-100x+10$에서

$f'(x)=3x^2-2ax-100$

즉 $f'(a)=3a^2-2a^2-100<0$이 성립해야 하므로

$a^2-100<0$, $(a+10)(a-10)<0$

$\therefore -10<a<10$

따라서 조건을 만족하는 정수 a의 개수는 $-9, -8, \cdots, -1, 0, 1, \cdots, 8, 9$이므로 19개이다.

0389

사차함수 $f(x)=-x^4+4x^3+2ax^2$에 대하여 다음 물음에 답하여라.

(1) $f(x)$가 극솟값을 가질 때, 실수 a의 값의 범위를 구하여라.

STEP A **도함수 $f'(x)$ 구하기**

$f(x)=-x^4+4x^3+2ax^2$에서

$f'(x)=-4x^3+12x^2+4ax=-4x(x^2-3x-a)$

STEP B **방정식 $f'(x)=0$이 서로 다른 세 실근을 가질 조건 구하기**

함수 $f(x)$가 극솟값을 가지려면 방정식 $f'(x)=0$이 서로 다른 세 실근을 가져야 하고 방정식 $-4x(x^2-3x-a)=0$의 한 근이 $x=0$이므로

$x^2-3x-a=0$은 0이 아닌 서로 다른 두 실근을 가져야 한다.

(ⅰ) $g(x)=x^2-3x-a$라 하면

$g(x)=0$은 0을 제외한 근을 가져야 하므로

$g(0)\neq 0$에서 $a\neq 0$

(ⅱ) 방정식 $x^2-3x-a=0$의 판별식 $D>0$이어야 하므로

$D=9+4a>0$에서 $a>-\dfrac{9}{4}$

(ⅰ), (ⅱ)에서 $-\dfrac{9}{4}<a<0$ 또는 $a>0$

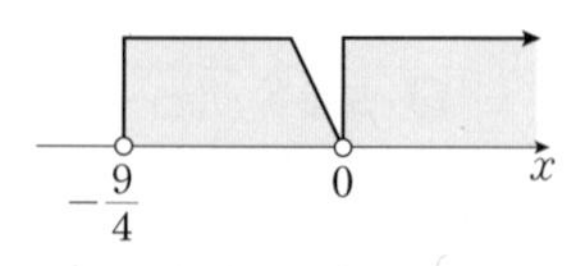

(2) $f(x)$가 극댓값만 갖기 위한 실수 a의 값의 범위를 구하여라.

STEP A **극솟값을 가질 조건을 구한 후 그 조건을 부정하여 구하기**

최고차항의 계수가 음수인 사차함수가 극댓값만 갖는다는 것은

사차함수가 극솟값을 갖지 않는다는 것을 뜻하므로

(1)에서 $f(x)$가 극솟값을 갖기 위한 실수 a의 범위가

$-\dfrac{9}{4}<a<0$ 또는 $a>0$이므로

$f(x)$가 극솟값을 갖지 않기 위한 실수 a값의 범위는

$a=0$ 또는 $a\leq -\dfrac{9}{4}$ ← 극솟값을 가질 조건을 구한 후 그 조건을 부정

0390

함수 $f(x)=\frac{1}{2}x^4+(a-1)x^2-2ax$가 극댓값을 갖지 않도록 하는 실수 a의 최솟값은?

① -2 ② -1 ③ $\frac{1}{4}$
④ $\frac{1}{2}$ ⑤ 1

STEP A 도함수 $f'(x)$ 구하기

$f(x)=\frac{1}{2}x^4+(a-1)x^2-2ax$에서

$f'(x)=2x^3+2(a-1)x-2a=2(x-1)(x^2+x+a)$

STEP B 방정식 $f'(x)=0$이 한 실근과 두 허근 또는 한 실근과 중근을 가질 조건 구하기

사차함수 $f(x)$가 극댓값을 갖지 않으려면 방정식 $f'(x)=0$이 한 실근과 두 허근 또는 한 실근과 중근 (또는 삼중근)을 가져야 한다.

(ⅰ) $2(x-1)(x^2+x+a)=0$이 한 실근과 두 허근을 갖는 경우
$x^2+x+a=0$이 허근을 가져야 하므로
$D=1-4a<0$
$\therefore a>\frac{1}{4}$

(ⅱ) $2(x-1)(x^2+x+a)=0$이 한 실근과 중근을 갖는 경우
$x^2+x+a=0$이 $x=1$을 근으로 갖거나 1이 아닌 실수를 중근으로 가져야 한다.
$x^2+x+a=0$이 $x=1$을 근으로 가지면 $2+a=0$
$\therefore a=-2$
$x^2+x+a=0$이 1이 아닌 실수를 중근으로 가지면
$D=1-4a=0$
$\therefore a=\frac{1}{4}$

(ⅲ) $x=1$을 삼중근으로 가질 수가 없다.

(ⅰ)~(ⅲ)에서 실수 a의 범위를 구하면 $a=-2$ 또는 $a\geq\frac{1}{4}$

따라서 a의 최솟값은 -2

다른풀이 극댓값을 가질 조건을 구한 후 그 조건을 부정하여 구하기

STEP A 사차함수 $f(x)$의 극댓값을 가질 조건 구하기

$f(x)=\frac{1}{2}x^4+(a-1)x^2-2ax$에서

$f'(x)=2x^3+2(a-1)x-2a=2(x-1)(x^2+x+a)$

$f(x)$가 극댓값을 가지려면 삼차방정식 $f'(x)=0$이 서로 다른 세 실근을 가져야 하므로 이차방정식 $x^2+x+a=0$이 1이 아닌 서로 다른 두 실근을 가져야 한다.

$x=1$이 $x^2+x+a=0$의 근이 될 수 없으므로
$a\neq-2$ …… ㉠
$x^2+x+a=0$의 판별식을 D라 하면
$D=1-4a>0$ $\therefore a<\frac{1}{4}$ …… ㉡

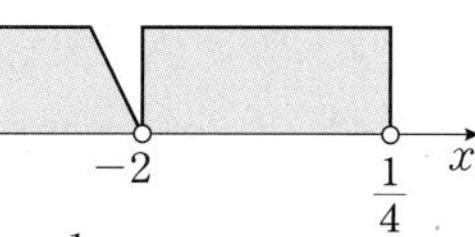

㉠, ㉡의 공통범위를 구하면 $a<-2$ 또는 $-2<a<\frac{1}{4}$

STEP B 극댓값을 가질 조건을 구한 후 그 조건을 부정하여 구하기

$f(x)$가 극댓값을 갖기 위한 실수 a의 범위가 $a<-2$ 또는 $-2<a<\frac{1}{4}$이므로

$f(x)$가 극댓값을 갖지 않기 위한 실수 a값의 범위는 $a=-2$ 또는 $a\geq\frac{1}{4}$

사차함수 $f(x)$가 극값을 한 개 가지기 위한 세 가지 경우

① $f'(x)=a(x-\alpha)^2(x-\beta)(\alpha\neq\beta)$

② $f'(x)=a(x-\alpha)(x^2+bx+c)(b^2-4c<0)$

③ $f'(x)=a(x-\alpha)^3$

0391

사차함수 $f(x)=\frac{1}{4}x^4+\frac{1}{3}(a+1)x^3-ax$가 $x=\alpha$, γ에서 극소, $x=\beta$에서 극대일 때, 실수 a의 값의 범위는? (단, $\alpha<0<\beta<\gamma<3$)

① $-\frac{9}{2}<a<-4$ ② $-4<a<-\frac{7}{2}$ ③ $-\frac{7}{2}<a<-3$
④ $-3<a<\frac{5}{2}$ ⑤ $-\frac{5}{2}<a<2$

STEP A 사차함수가 세 극값을 가질 조건 구하기

$f(x)=\frac{1}{4}x^4+\frac{1}{3}(a+1)x^3-ax$에서

$f'(x)=x^3+(a+1)x^2-a$
$=(x+1)(x^2+ax-a)$

$f'(x)=0$을 만족하는 x에서 극값을 가지므로

$(x+1)(x^2+ax-a)=0$의 서로 다른 세 실근이 α, β, γ

즉 $\alpha=-1$이고 이차방정식 $x^2+ax-a=0$의 서로 다른 두 실근이 β, γ

⬅ $\alpha<0<\beta<\gamma<3$

STEP B 이차함수의 두 근이 범위 $0<\beta<\gamma<3$에 있기 위한 조건 구하기

이때 $g(x)=x^2+ax-a$라 하면 $g(x)=0$의 두 근이 $0<\beta<\gamma<3$을 만족해야 하므로 판별식 D에 대하여 다음을 만족해야 한다.

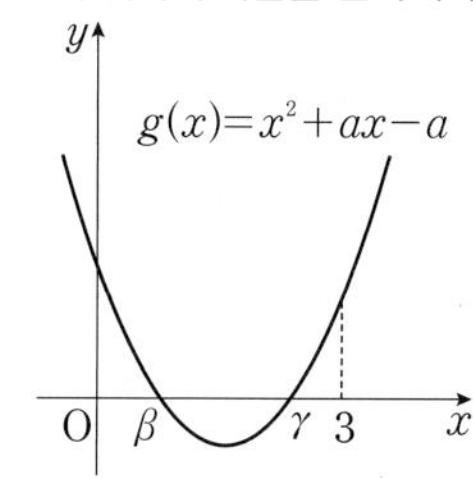

(ⅰ) $D=a^2+4a>0$, $a(a+4)>0$
$\therefore a<-4$ 또는 $a>0$

(ⅱ) $g(x)=x^2+ax-a=\left(x+\frac{a}{2}\right)^2-\frac{a^2}{4}-a$에서
축이 $x=-\frac{a}{2}$이므로 $0<-\frac{a}{2}<3$
$\therefore -6<a<0$

(ⅲ) $g(0)>0$에서 $g(0)=-a>0$
$\therefore a<0$

(ⅳ) $g(3)>0$에서 $g(3)=9+3a-a>0$
$\therefore a>-\frac{9}{2}$

(ⅰ)~(ⅳ)에 의하여 실수 a의 공통범위는 $-\frac{9}{2}<a<-4$

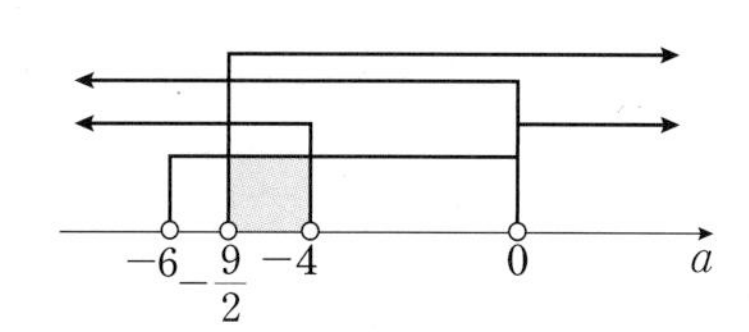

0392

다음 물음에 답하여라.

(1) 최고차항의 계수가 1인 삼차함수 $f(x)$가 다음 조건을 만족시킨다.

> (가) $f'\left(\frac{11}{3}\right)<0$
> (나) 함수 $f(x)$는 $x=2$에서 극댓값 35를 갖는다.
> (다) 방정식 $f(x)=f(4)$는 서로 다른 두 실근을 갖는다.

$f(0)$의 값은?

① 12 ② 13 ③ 14
④ 15 ⑤ 16

STEP A 조건 (다)에서 두 곡선 $y=f(x)$, $y=f(4)$의 위치 파악하기

삼차항의 계수가 1이고 방정식 $f(x)=f(4)$는 서로 다른 두 실근을 가지므로 두 가지 경우로 나누어 생각한다.

(i) 함수 $y=f(x)-f(4)$의 그래프가 $x=2$에서 x축에 접하고 $x=4$에서 만나는 경우

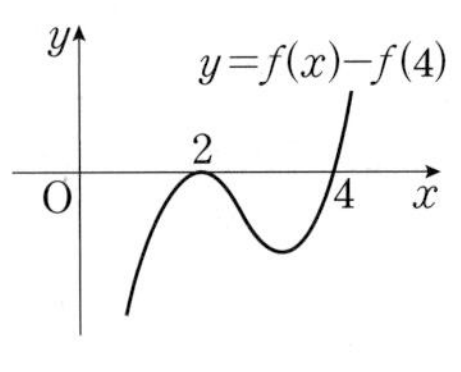

$f(x)-f(4)=(x-2)^2(x-4)$

양변을 x에 대하여 미분하면

$f'(x)=2(x-2)(x-4)+(x-2)^2$
$=(x-2)(3x-10)$

이므로 $f'\left(\frac{11}{3}\right)=\frac{5}{3}\cdot 1>0$이고 조건 (가)를 만족시키지 않는다.

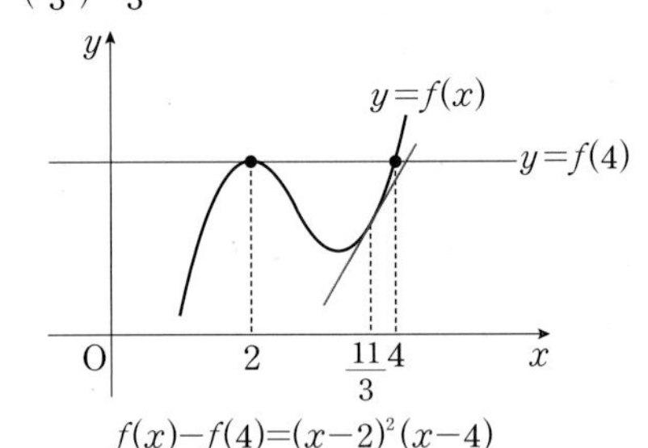

$f(x)-f(4)=(x-2)^2(x-4)$

(ii) 함수 $y=f(x)-f(4)$의 그래프가 $x=4$에서 x축에 접하는 경우

$f'(2)=0$, $f'(4)=0$이고

$f'(x)$는 최고차항의 계수가 3인 이차함수이므로

$f'(x)=3(x-2)(x-4)$

이때 $f'\left(\frac{11}{3}\right)=3\cdot\frac{5}{3}\cdot\left(-\frac{1}{3}\right)<0$이므로 조건 (가)를 만족시킨다.

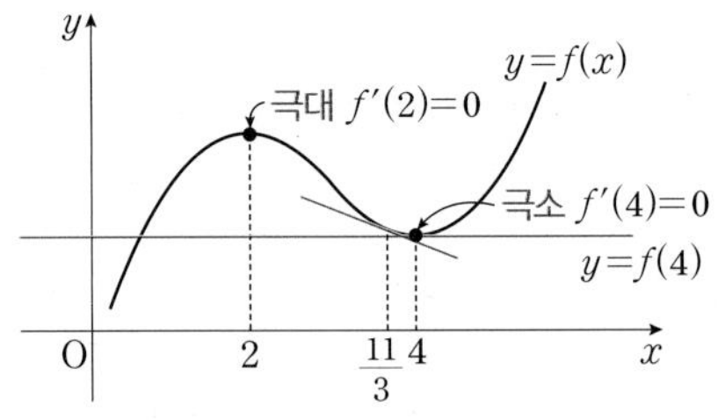

$f'(x)=3(x-2)(x-4)$ ← $f(x)$의 최고차항이 x^3이다.

STEP B 조건을 만족하는 삼차함수 $f(x)$ 구하기

$f(x)=x^3+ax^2+bx+c$ (a, b, c는 상수)라 하면

$f'(x)=3x^2+2ax+b$이므로 $f'(x)=0$의 두 근이 2, 4이므로

$f'(x)=3(x-2)(x-4)=3x^2-18x+24$에서 $a=-9$, $b=24$

$\therefore f(x)=x^3-9x^2+24x+c$

함수 $f(x)$가 $x=2$에서 극댓값이 35이므로 $f(2)=35$

즉 $f(2)=8-36+48+c=35$에서 $c=15$

따라서 $f(x)=x^3-9x^2+24x+15$이므로 $f(0)=15$

다른풀이 부정적분을 이용하여 함수 $f(x)$ 풀이하기

STEP A 함수 $f(x)$의 부정적분을 구하여 $f(0)$의 값 구하기

$f'(x)=3(x-2)(x-4)$

$f(x)=\int 3(x-2)(x-4)dx$
$=x^3-9x^2+24x+C$ (단, C는 상수이다.)

$f(2)=C+20=35$이므로 $C=15$

따라서 $f(x)=x^3-9x^2+24x+15$이므로 $f(0)=15$

0393

최고차항의 계수가 1이고 $f(0)=0$인 삼차함수 $f(x)$가 다음 조건을 만족시킨다.

> (가) $f(2)=f(5)$
> (나) 방정식 $f(x)-p=0$의 서로 다른 실근의 개수가 2가 되게 하는 실수 p의 최댓값은 $f(2)$이다.

함수 $f(x)$는 $x=a$에서 극솟값 m을 가질 때, $a+m$의 값은?

① 16 ② 18 ③ 20
④ 22 ⑤ 24

STEP A 조건을 만족하는 함수 $f(x)-p$의 식 구하기

삼차방정식 $f(x)-p=0$의 서로 다른 실근의 개수가 2이므로

중근과 하나의 실근을 가지므로 삼차함수 $y=f(x)$와 상수함수 $y=p$의 교점은 한 점에서 접하고 한 점을 지난다.

조건 (가)와 조건 (나)를 만족시키는 함수 $y=f(x)$의 그래프는 그림과 같다.

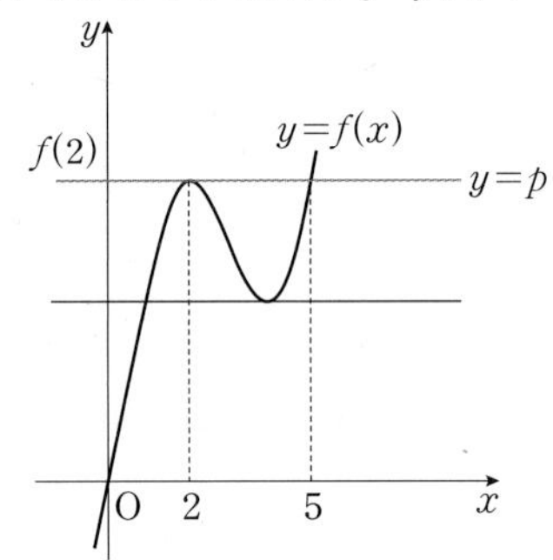

즉 $f(x)-p=(x-2)^2(x-5)$ ← $f(x)$의 최고차항의 계수가 1

STEP B p를 구하여 삼차함수 $f(x)$ 구하기

$f(0)=0$이므로 $f(0)-p=(0-2)^2(0-5)=-20$

$\therefore p=20$

$f(x)=(x-2)^2(x-5)+20=x^3-9x^2+24x$

STEP C $f(x)$의 증가와 감소를 나타내는 표를 작성하여 극솟값 구하기

$f(x)=x^3-9x^2+24x$에서

$f'(x)=3x^2-18x+24=3(x-2)(x-4)$

$f'(x)=0$에서 $x=2$ 또는 $x=4$

함수 $f(x)$의 증가와 감소를 표로 나타내면 다음과 같다.

x	$\cdots$	2	$\cdots$	4	$\cdots$
$f'(x)$	+	0	−	0	+
$f(x)$	↗	극대	↘	극소	↗

함수 $f(x)$는 $x=4$에서 극소이고 극솟값은 $f(4)=64-144+96=16$

따라서 $a=4$, $m=16$이므로 $a+m=20$

0394

삼차함수 $f(x)$가 다음 조건을 만족시킨다.

(가) $x=-2$에서 극댓값을 갖는다.
(나) $f'(-3)=f'(3)$

[보기]에서 옳은 것만을 있는 대로 고른 것은?

ㄱ. 도함수 $f'(x)$는 $x=0$에서 최솟값을 갖는다.
ㄴ. 방정식 $f(x)=f(2)$는 서로 다른 두 실근을 갖는다.
ㄷ. 곡선 $y=f(x)$ 위의 점 $(-1,\ f(-1))$에서의 접선은 점 $(2,\ f(2))$를 지난다.

① ㄱ　② ㄷ　③ ㄱ, ㄴ
④ ㄴ, ㄷ　⑤ ㄱ, ㄴ, ㄷ

STEP A 조건 (가), (나)를 만족하는 도함수 $f'(x)$ 구하기

$f(x)=ax^3+bx^2+cx+d\ (a\neq0)$라 하면
$f'(x)=3ax^2+2bx+c$
$f'(-3)=f'(3)$이므로 $f'(x)$는 $x=0$에 대하여 대칭이므로 $b=0$
조건 (가)에서 $f(x)$가 $x=-2$에서 극댓값을 가지므로 $f'(-2)=12a+c=0$
$\therefore c=-12a$
즉 $f'(x)=3ax^2+2bx+c$
$=3ax^2-12a$
$=3a(x+2)(x-2)\ (a>0)$
ㄱ. $f'(x)$는 $x=0$에서 최솟값을 갖는다. [참]

STEP B 삼차함수 $y=f(x)$와 상수함수 $y=f(2)$의 교점의 개수 구하기

ㄴ. $f'(x)=3ax^2-12a=3a(x+2)(x-2)$이고
조건 (가)에 의하여 삼차함수 $f(x)$는 $x=2$에서 극솟값을 갖는다.

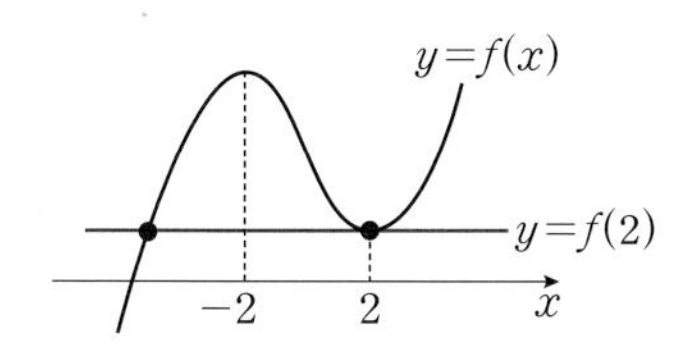

즉 그림과 같이 방정식 $f(x)=f(2)$는 서로 다른 두 실근을 갖는다. [참]

STEP C 점 $(-1,\ f(-1))$에서 접선의 방정식을 구하여 접선이 점 $(2,\ f(2))$를 지남을 보이기

ㄷ. $b=0,\ c=-12a$이므로 $f(x)=ax^3-12ax+d\ (a>0)$
$f'(x)=3ax^2-12a$에서 $x=-1$에서 접선의 기울기는
$f'(-1)=3a-12a=-9a$
점 $(-1,\ 11a+d)$에서의 접선의 방정식은 ← $f(-1)=-a+12a+d=11a+d$
$y-(11a+d)=-9a(x+1)$
$y=-9ax+2a+d$ …… ㉠
㉠에 점 $(2,\ f(2))$, 즉 $(2,\ -16a+d)$를 대입하면
$-16a+d=-18a+2a+d=-16a+d$
등식이 성립하므로 점 $(-1,\ f(-1))$에서의 접선이 점 $(2,\ f(2))$를 지난다. [참]
따라서 옳은 것은 ㄱ, ㄴ, ㄷ이다.

0395

다음 물음에 답하여라.

(1) 최고차항의 계수가 1인 삼차함수 $f(x)$가 모든 실수 x에 대하여 $f(-x)=-f(x)$를 만족시킨다. 방정식 $|f(x)|=2$의 서로 다른 실근의 개수가 4일 때, $f(3)$의 값은?
① 12　② 14　③ 16
④ 18　⑤ 20

STEP A $f(-x)=-f(x)$를 만족하는 함수 $f(x)$는 원점에 대하여 대칭임을 이용하여 함수 $y=f(x)$의 그래프의 개형 찾기

최고차항의 계수가 1이고 모든 실수 x에 대해 $f(-x)=-f(x)$를 만족시키는 삼차함수 $f(x)$는 원점에 대하여 대칭인 그래프는 다음 두 가지가 있다.

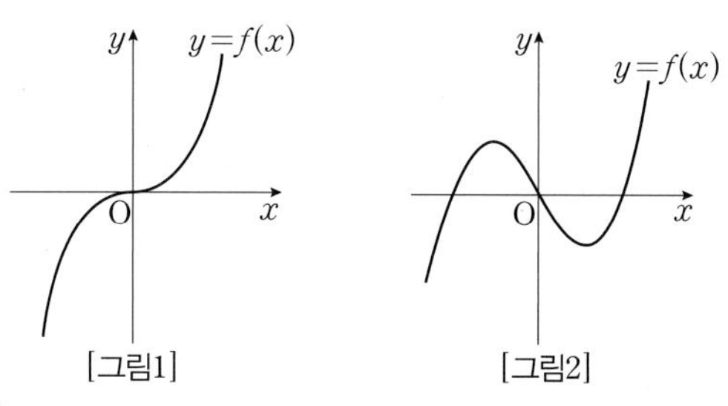

STEP B 방정식 $|f(x)|=2$의 서로 다른 실근의 개수가 4가 될 때, 함수 $f(x)$의 극댓값 극솟값 구하기

그런데 방정식 $|f(x)|=2$가 서로 다른 실근이 4개의 실근을 가지므로 가능한 $y=f(x)$의 그래프는 [그림2]이고 두 함수 $y=|f(x)|$, $y=2$의 그래프는 서로 다른 네 점에서 만나야 하므로 다음 그림과 같다.

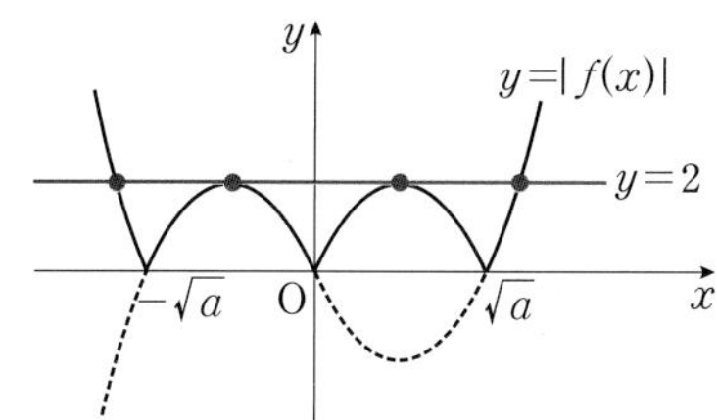

즉 함수 $y=f(x)$의 극솟값은 -2, 극댓값은 2를 갖는다.

STEP C 극솟값이 -2임을 이용하여 삼차함수 $f(x)$ 구하기

이때 최고차항의 계수가 1이고 $f(-x)=-f(x)$이므로
삼차함수 $f(x)$가 원점에 대한 대칭이므로 $f(x)=x^3-ax$로 놓으면
$f'(x)=3x^2-a=0$에서 $x=\pm\sqrt{\frac{a}{3}}$
$x=\sqrt{\frac{a}{3}}$에서 극솟값 -2를 갖는다.

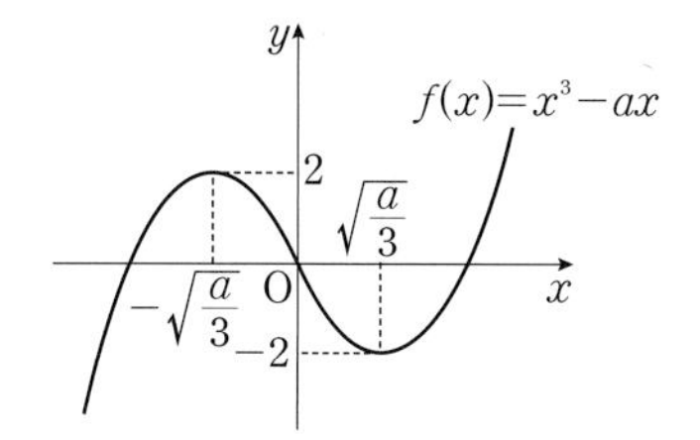

즉 $f\left(\sqrt{\frac{a}{3}}\right)=-2$이므로 $f\left(\sqrt{\frac{a}{3}}\right)=\left(\sqrt{\frac{a}{3}}\right)^3-a\cdot\sqrt{\frac{a}{3}}=-2$
즉 $\frac{a}{3}\sqrt{\frac{a}{3}}-a\cdot\sqrt{\frac{a}{3}}=-2$에서 $\frac{a}{3}\sqrt{\frac{a}{3}}=1$
양변을 제곱하면 $\frac{a^3}{27}=1,\ a^3=27\quad\therefore a=3$
따라서 $f(x)=x^3-3x$이므로 $f(3)=3^3-3\cdot3=18$

$x=-\sqrt{\frac{a}{3}}$에서 극댓값 2를 가지므로 $f\left(-\sqrt{\frac{a}{3}}\right)=2$를 이용하여 a의 값을 구해도 된다.

다른풀이 원점에 대하여 대칭인 삼차함수의 식을 작성하여 풀이하기

삼차함수 $f(x)$가 원점에 대하여 대칭이므로

x축과 만나는 점의 x좌표를 $-a,\ 0,\ a\,(a>0)$라 하면

$f(x)=x(x+a)(x-a)=x^3-a^2x$

$f'(x)=3x^2-a^2=0$

$f'(x)=0$에서 $x=-\dfrac{a}{\sqrt{3}}$ 또는 $x=\dfrac{a}{\sqrt{3}}$

이때 $x=\dfrac{a}{\sqrt{3}}$에서 극솟값 -2를 갖는다.

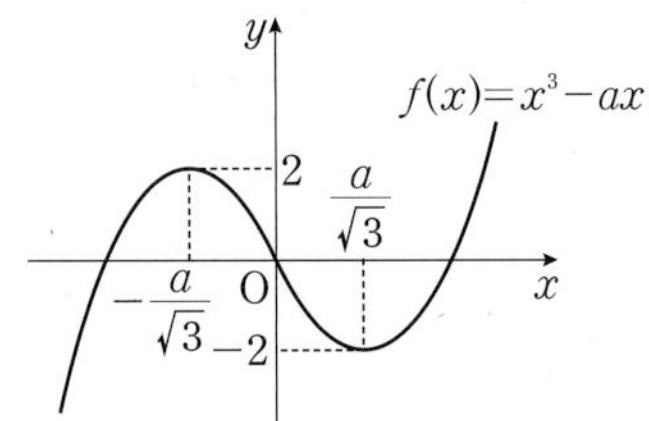

즉 $f\left(\sqrt{\dfrac{a}{3}}\right)=-2$이므로 $\left(\dfrac{a}{\sqrt{3}}\right)^3-a^2\left(\dfrac{a}{\sqrt{3}}\right)=-2$

$\dfrac{a^3}{3\sqrt{3}}-\dfrac{a^3}{\sqrt{3}}=-2,\ \dfrac{a^3}{3\sqrt{3}}=1$

$a^3=3\sqrt{3}$이므로 $a=\sqrt{3}$

따라서 $f(x)=x^3-3x$이므로 $f(3)=3^3-3\cdot3=18$

(2) 최고차항의 계수가 1인 사차함수 $f(x)$가 $f(0)=0$이고 모든 실수 x에 대하여 $f(-x)=f(x)$를 만족시킨다. 방정식 $|f(x)|=4$의 실근의 개수가 4일 때, $f(3)$의 값은?

① 25 ② 30 ③ 35
④ 40 ⑤ 45

STEP A $f(-x)=f(x)$**를 만족하는 함수** $f(x)$**는** y**축에 대하여 대칭임을 이용하여 함수** $y=f(x)$**의 그래프의 개형 찾기**

최고차항의 계수가 1인 사차함수 $f(x)$가 $f(0)=0,\ f(-x)=f(x)$를 만족시키고 방정식 $|f(x)|=4$의 실근의 개수가 4이려면

사차함수 $y=f(x)$의 극댓값은 0, 극솟값은 -4를 가져야 하며

두 함수 $y=|f(x)|,\ y=4$의 그래프는 서로 다른 네 점에서 만나야 하므로 그래프의 개형은 그림과 같아야 한다.

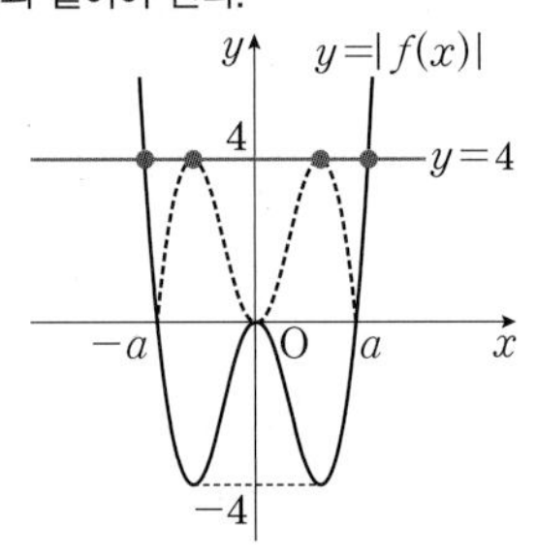

STEP B x**축과 만나는 점의 좌표를 임의로 두고 극솟값을 이용하여** $f(x)$ **구하기**

이때 최고차항의 계수가 1이고 $f(-x)=f(x)$이므로 사차함수 $f(x)$가 y축에 대칭이므로 x축에 만나는 점의 x좌표를 $-a,\ 0,\ a\,(a>0)$라 하면

$f(x)=x^2(x+a)(x-a)=x^4-a^2x^2\,(a>0)$라 하면

$f'(x)=4x^3-2a^2x=2x(\sqrt{2}x+a)(\sqrt{2}x-a)$

$f'(x)=0$에서 $x=-\dfrac{a}{\sqrt{2}}$ 또는 $x=0$ 또는 $x=\dfrac{a}{\sqrt{2}}$

이때 함수 $f(x)$는 $x=\dfrac{a}{\sqrt{2}}$에서 극솟값 -4를 가지므로

$f\left(\dfrac{a}{\sqrt{2}}\right)=-4$에서 $\dfrac{a^4}{4}-\dfrac{a^4}{2}=-4,\ a^4=16$

$\therefore a=2\ (\because a>0)$

따라서 $f(x)=x^4-4x^2$이므로 $f(3)=81-36=45$

0396

최고차항의 계수가 1이고 $f(0)<f(2)$인 사차함수 $f(x)$가 모든 실수 x에 대하여 $f(2+x)=f(2-x)$를 만족시킨다. 방정식 $f(|x|)=1$의 서로 다른 실근의 개수가 3일 때, 함수 $f(x)$의 극댓값은?

① 11 ② 13 ③ 15
④ 17 ⑤ 19

STEP A **함수** $f(x)$**가** $f(2+x)=f(2-x)$**이므로 함수** $f(x)$**의 그래프는 직선** $x=2$**에 대하여 대칭임을 이용하여** $f(x)$**의 함수식 구하기**

사차함수 $f(x)$는 최고차항의 계수가 1이고 모든 실수 x에 대하여 $f(2+x)=f(2-x)$를 만족하므로 직선 $x=2$에 대하여 대칭이다.

즉 함수 $f(x)$는 y축과 평행한 직선을 기준으로 대칭이므로 우함수의 꼴이며 그 직선이 $x=2$이므로 y축에 대하여 대칭인 x축의 양의 방향으로 2만큼 평행이동한 함수와 같다.

$\therefore f(x)=(x-2)^4+a(x-2)^2+b$

또한, $f(0)<f(2)$이고 방정식 $f(|x|)=1$의 서로 다른 실근의 개수가 3이려면 $f(x)$가 $x=0,\ 4$에서 극솟값 1을 갖고 $x=2$에서 극댓값을 가져야 한다.

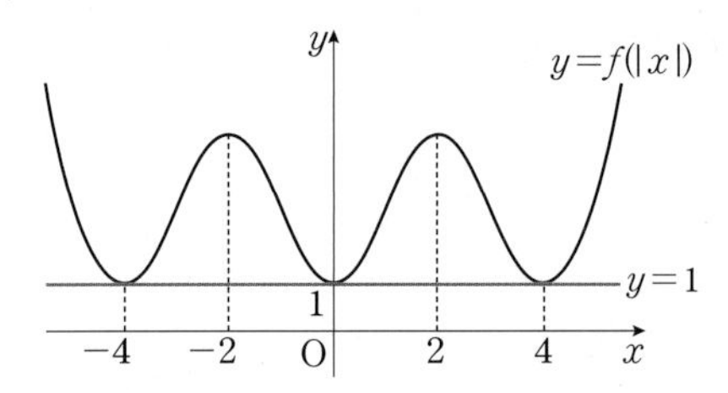

$f(0)=f(4)=1$에서 $16+4a+b=1$ …… ㉠

STEP B **함수식을 이용하여** $f(x)$**의 극댓값 구하기**

$f'(x)=4(x-2)^3+2a(x-2)$에서 $f'(0)=f'(4)=0$이므로

$-32-4a=0$ …… ㉡

㉠, ㉡을 연립하여 풀면 $a=-8,\ b=17$

따라서 $f(x)=(x-2)^4-8(x-2)^2+17$이므로 함수 $f(x)$의 극댓값은 $f(2)=17$

다른풀이 $y=f(|x|)$의 그래프와 $y=1$과 교점을 이용하여 풀이하기

$y=f(|x|)$의 그래프와 $y=1$과 교점을 이루는 여러 가지 그래프의 유형은 다음과 같다.

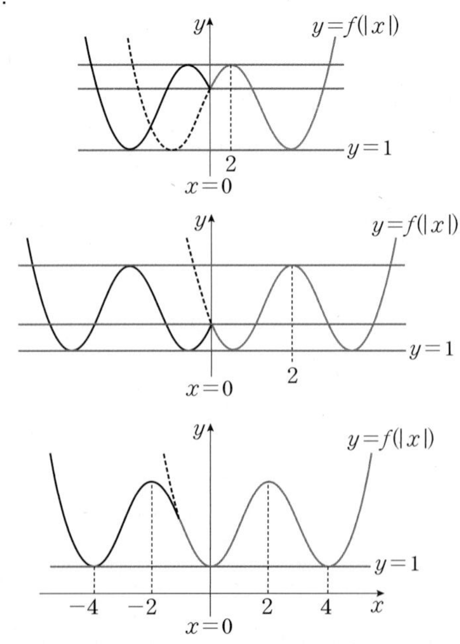

이때 조건을 만족하는 그래프는 세 번째 그래프이므로

$f(x)=x^2(x-4)^2+1$

따라서 극댓값은 $f(2)=4\cdot4+1=17$

사차함수가 x축과 $x=\alpha$, $x=\beta$에서 접하는 식을 작성하면 $y=a(x-\alpha)^2(x-\beta)^2$이다.

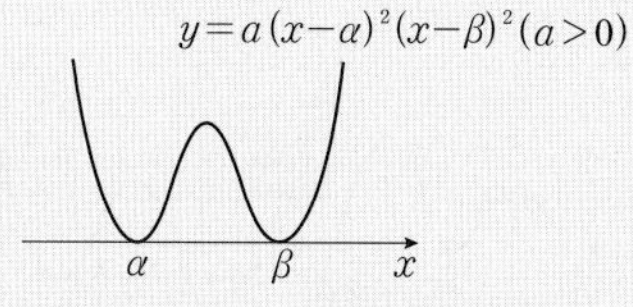

다른풀이 적분을 이용한 풀이하기

사차함수 $f(x)$는 최고차항의 계수가 1이고 모든 실수 x에 대하여 $f(2+x)=f(2-x)$를 만족하므로 직선 $x=2$에 대하여 대칭이다.
$f(0)<f(2)$이며 방정식 $f(|x|)=1$의 서로 다른 실근의 개수가 3이므로 사차함수 $f(x)$는 $x=0$, $x=4$에서 극솟값을 가지고 $x=2$에서 극댓값을 가진다.
즉 $f'(x)=4x(x-2)(x-4)=4x^3-24x^2+32x$라 하면
$f(x)=x^4-8x^3+16x^2+C$ (단, C는 적분상수)
이때 $f(0)=1$이므로 $C=1$
$\therefore f(x)=x^4-8x^3+16x^2+1$
따라서 구하는 극댓값은 $f(2)=2^4-8\cdot 2^3+16\cdot 2^2+1=17$

0397

삼차함수 $f(x)$의 도함수 $y=f'(x)$의 그래프가 오른쪽 그림과 같을 때, [보기]에서 옳은 것만을 있는 대로 고른 것은?

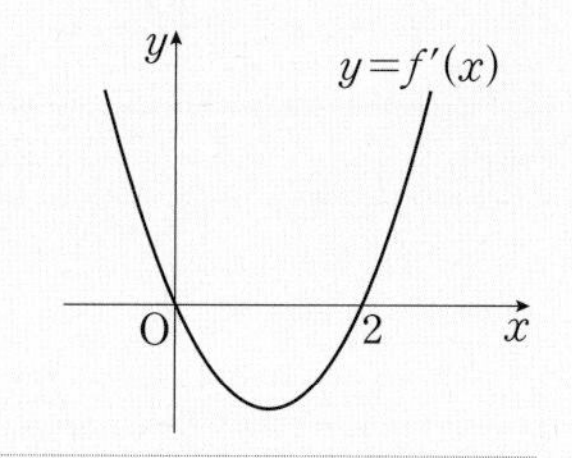

ㄱ. $f(0)<0$이면 $|f(0)|<|f(2)|$이다.
ㄴ. $f(0)f(2)\geq 0$이면 함수 $|f(x)|$가 $x=a$에서 극소인 a의 값의 개수는 2이다.
ㄷ. $f(0)+f(2)=0$이면 방정식 $|f(x)|=f(0)$의 서로 다른 실근의 개수는 4이다.

① ㄱ ② ㄱ, ㄴ ③ ㄱ, ㄷ
④ ㄴ, ㄷ ⑤ ㄱ, ㄴ, ㄷ

STEP A $f(0)<0$**일 때, 함수** $y=f(x)$**의 그래프의 개형 그리기**

도함수 $y=f'(x)$의 그래프에서 함수 $y=f(x)$는 $x=0$에서 극대, $x=2$에서 극소를 가진다.
ㄱ. $f(0)<0$이면 함수 $y=f(x)$의 그래프의 개형과 함수 $y=|f(x)|$의 그래프의 개형은 다음과 같다.

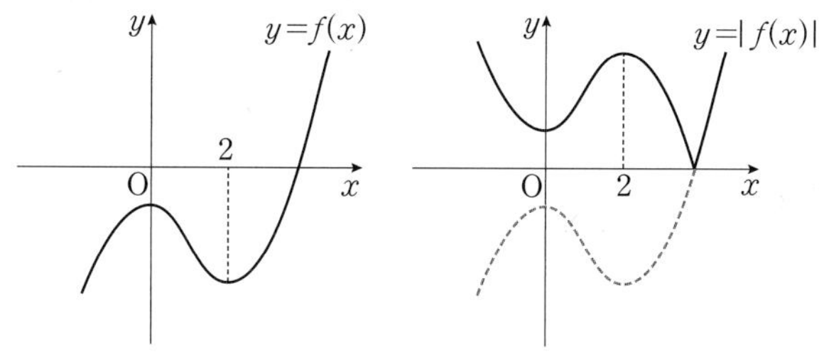

즉 $f(2)<f(0)<0$이므로 $|f(2)|>|f(0)|$ [참]

STEP B $f(0)f(2)\geq 0$**일 때, 함수** $y=|f(x)|$**의 그래프의 개형 그리기**

ㄴ. $f(0)f(2)\geq 0$일 때, $f(0)>f(2)$이므로 함수 $y=|f(x)|$의 그래프의 개형을 각 경우에 따라 그리면 다음과 같다.

(ⅰ) $f(0)>f(2)>0$일 때, 함수 $y=f(x)$의 그래프의 개형과 함수 $y=|f(x)|$의 그래프의 개형은 다음과 같다.

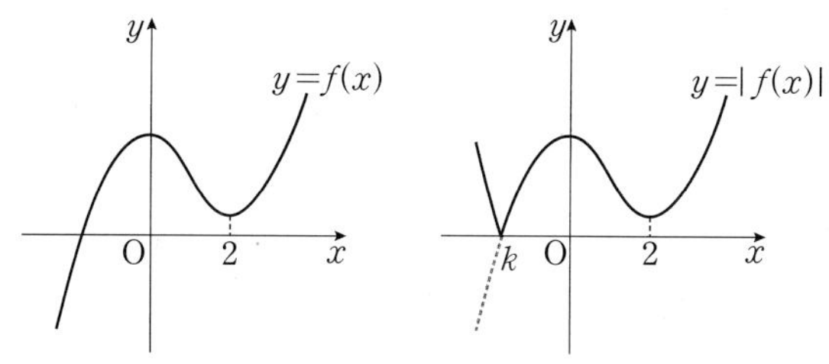

즉 $|f(k)|=0(k\neq 2)$이라 하면 극소인 a의 값은 k와 2로 개수는 2

(ⅱ) $f(0)>f(2)$이고 $f(2)=0$일 때, 함수 $y=f(x)$의 그래프의 개형과 함수 $y=|f(x)|$의 그래프의 개형은 다음과 같다.

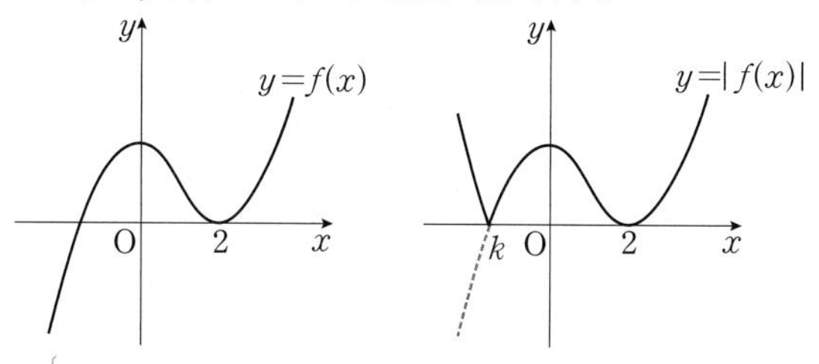

즉 $|f(k)|=0(k\neq 2)$이라 하면 극소인 a의 값은 k와 2로 개수는 2

(ⅲ) $f(0)=0$이고 $f(2)<0$일 때, 함수 $y=f(x)$의 그래프의 개형과 함수 $y=|f(x)|$의 그래프의 개형은 다음과 같다.

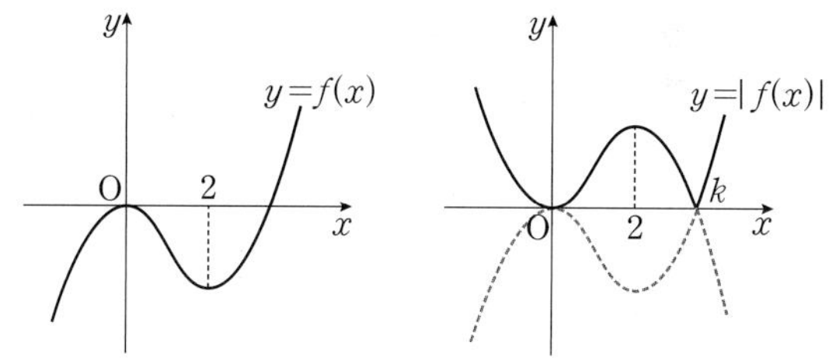

즉 $|f(k)|=0(k\neq 2)$이라 하면 극소인 a의 값은 0과 k로 개수는 2

(ⅳ) $f(2)<f(0)<0$일 때, 함수 $y=f(x)$의 그래프의 개형과 함수 $y=|f(x)|$의 그래프의 개형은 다음과 같다.

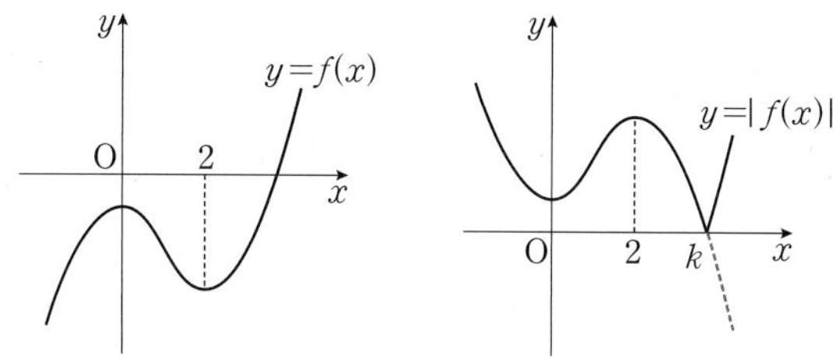

즉 $|f(k)|=0$이라 하면 극소인 a의 값은 0과 k로 개수는 2
(ⅰ)~(ⅳ)에서 극소인 a의 값의 개수는 2이다. [참]

STEP C $f(0)=-f(2)$**를 만족하는 함수** $y=f(x)$, $y=|f(x)|$**의 그래프 그리기**

ㄷ. $f(0)+f(2)=0$이므로 $f(2)=-f(0)$
함수 $y=f(x)$의 그래프의 개형과 함수 $y=|f(x)|$의 그래프의 개형은 다음과 같다.

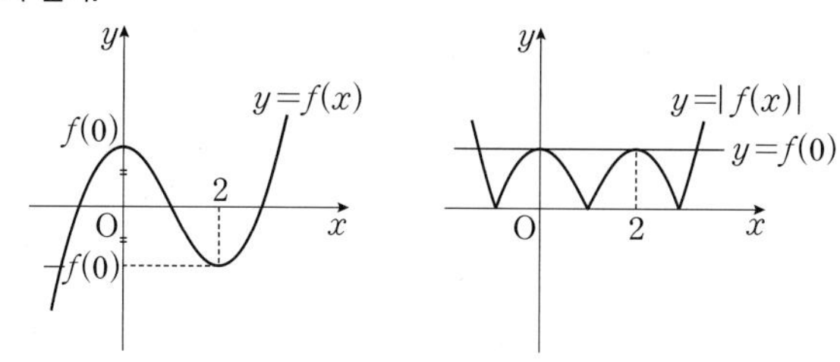

이때 방정식 $|f(x)|=f(0)$의 서로 다른 실근의 개수는 함수 $y=|f(x)|$와 직선 $y=f(0)$의 서로 다른 교점의 개수와 같다.
위의 그림에서 함수 $y=|f(x)|$의 그래프와 직선 $y=f(0)$의 서로 다른 교점의 개수는 4이므로 서로 다른 실근의 개수도 4이다. [참]
따라서 옳은 것은 ㄱ, ㄴ, ㄷ이다.

0398

다음 물음에 답하여라.

(1) 함수 $y=f(x)$의 도함수 $y=f'(x)$의 그래프가 다음 그림과 같을 때, 다음 중 옳은 것은?

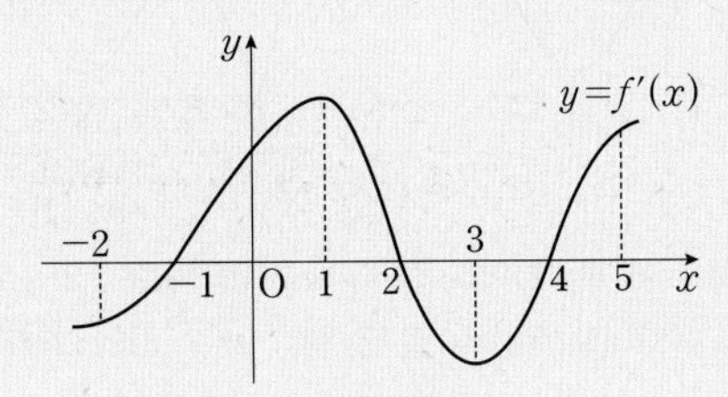

① $f(x)$는 닫힌구간 $[-2, 1]$에서 증가한다.
② $f(x)$는 닫힌구간 $[1, 3]$에서 감소한다.
③ $f(x)$는 닫힌구간 $[4, 5]$에서 증가한다.
④ $f(x)$는 $x=2$에서 극소이다.
⑤ $f(x)$는 $x=3$에서 극소이다.

STEP A 함수 $f(x)$의 증가와 감소를 조사하여 표로 정리하기

함수 $y=f'(x)$의 그래프에서
$f'(x)=0$에서 $x=-1$ 또는 $x=2$ 또는 $x=4$
함수 $f(x)$의 증가와 감소를 조사하면 다음 표와 같다.

x	$\cdots$	-1	$\cdots$	2	$\cdots$	4	$\cdots$
$f'(x)$	$-$	0	$+$	0	$-$	0	$+$
$f(x)$	↘	극소	↗	극대	↘	극소	↗

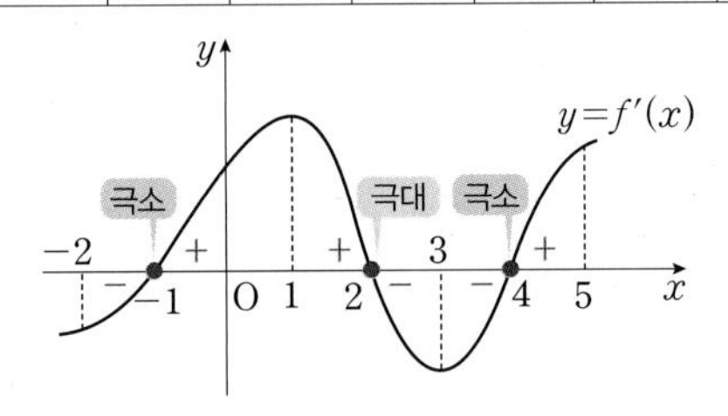

STEP B 도함수 $f'(x)$의 부호를 이용하여 참, 거짓의 진위판단하기

① 함수 $f(x)$는 닫힌구간 $[-2, -1]$에서 감소하고 닫힌구간 $[-1, 1]$에서 증가한다. [거짓]
② 함수 $f(x)$는 닫힌구간 $[1, 2]$에서 증가하고 닫힌구간 $[2, 3]$에서 감소한다. [거짓]
③ 닫힌구간 $[4, 5]$에서 $f'(x) \geq 0$이므로 증가한다. [참]
④ $x=2$의 좌우에서 $f'(x)$의 부호가 $(+)$에서 $(-)$로 바뀌므로 극대이다. [거짓]
⑤ $x=3$의 좌우에서 $f'(x)$의 부호가 바뀌지 않으므로 극값을 갖지 않는다. [거짓]

따라서 옳은 것은 ③이다.

(2) 열린구간 $(-5, 5)$에서 함수 $f(x)$의 도함수 $y=f'(x)$의 그래프가 다음 그림과 같다. [보기]에서 옳은 것만을 있는 대로 고른 것은?

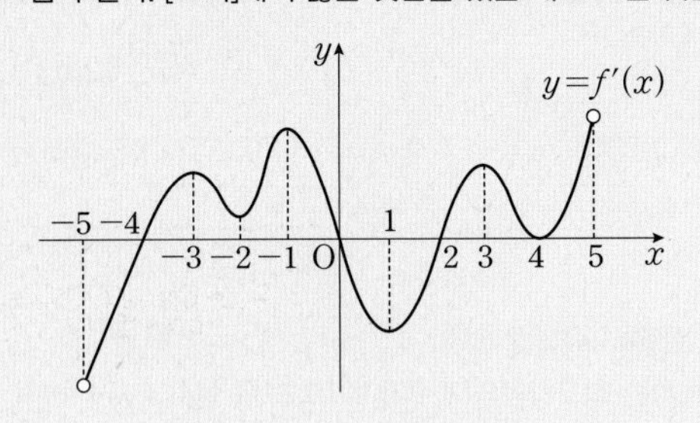

ㄱ. $f(x)$는 닫힌구간 $[-4, 0]$에서 증가한다.
ㄴ. 함수 $f(x)$는 $x=0$에서 극댓값을 갖는다.
ㄷ. 함수 $f(x)$는 $x=3$에서 극댓값을 갖는다.
ㄹ. 열린구간 $(-5, 5)$에서 $f(x)$가 극값을 갖는 x의 값은 3개이다.

① ㄱ　② ㄴ, ㄷ　③ ㄷ, ㄹ
④ ㄱ, ㄴ, ㄹ　⑤ ㄴ, ㄷ, ㄹ

STEP A 함수 $f(x)$의 증가와 감소를 조사하여 표로 정리하기

함수 $y=f'(x)$의 그래프에서
$f'(x)=0$에서 $x=-4$ 또는 $x=0$ 또는 $x=2$ 또는 $x=4$
함수 $f(x)$의 증가와 감소를 조사하면 다음 표와 같다.

x	$\cdots$	-4	$\cdots$	0	$\cdots$	2	$\cdots$	4	$\cdots$
$f'(x)$	$-$	0	$+$	0	$-$	0	$+$	0	$+$
$f(x)$	↘	극소	↗	극대	↘	극소	↗		↗

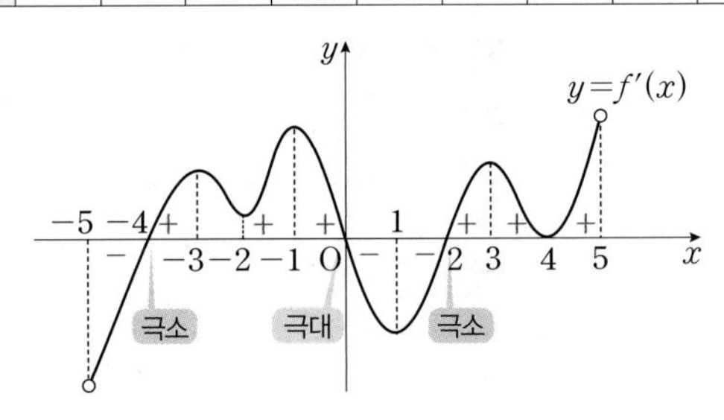

STEP B 도함수 $f'(x)$의 부호를 이용하여 참, 거짓의 진위판단하기

ㄱ. $f(x)$는 닫힌구간 $[-4, 0]$에서 $f'(x) \geq 0$이므로 증가한다. [참]
ㄴ. 함수 $f(x)$는 $x=0$의 좌우에서 $f'(x)$의 부호가 $(+)$에서 $(-)$로 바뀌므로 극댓값을 갖는다. [참]
ㄷ. 함수 $f(x)$는 $x=3$의 좌우에서 $f'(x)$의 부호가 바뀌지 않으므로 극값을 갖지 않는다. [거짓]
ㄹ. 열린구간 $(-5, 5)$에서 $x=-4$에서 극소, $x=0$에서 극대, $x=2$에서 극소를 가지므로 $f(x)$가 극값을 갖는 x의 값은 3개이다. [참]

따라서 옳은 것은 ㄱ, ㄴ, ㄹ이다.

0399

다음 물음에 답하여라.

(1) 연속함수 $y=f(x)$의 도함수 $y=f'(x)$의 그래프가 다음 그림과 같을 때, 다음 중 옳은 것은?

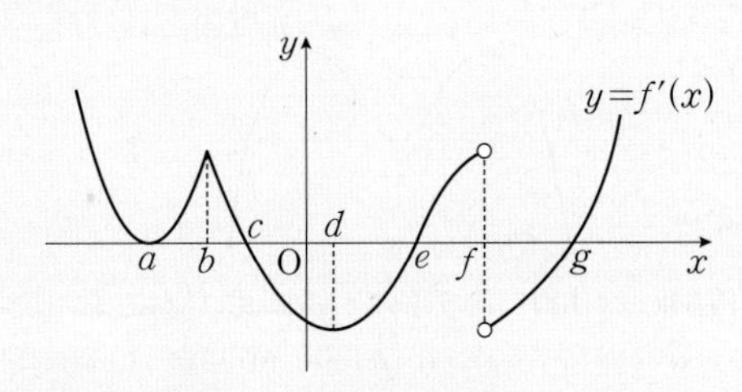

① $f(x)$는 $x=b$에서 미분가능하지 않다.
② $f(x)$는 $x=d$에서 극값을 갖는다.
③ $f(x)$는 극댓값을 3개 갖는다.
④ $f(x)$는 극솟값을 2개 갖는다.
⑤ $f(x)$는 $x=c$에서 극댓값 0을 갖는다.

STEP Ⓐ **함수 $f(x)$의 증가와 감소를 조사하여 표로 정리하기**

함수 $y=f'(x)$의 그래프에서
$f'(x)=0$에서 $x=a$ 또는 $x=c$ 또는 $x=e$ 또는 $x=g$
함수 $f(x)$의 증가와 감소를 조사하면 다음 표와 같다.

x	$\cdots$	a	$\cdots$	c	$\cdots$	e	$\cdots$	f	$\cdots$	g	$\cdots$
$f'(x)$	$+$	0	$+$	0	$-$	0	$+$		$-$	0	$+$
$f(x)$	↗		↗	극대	↘	극소	↗	극대	↘	극소	↗

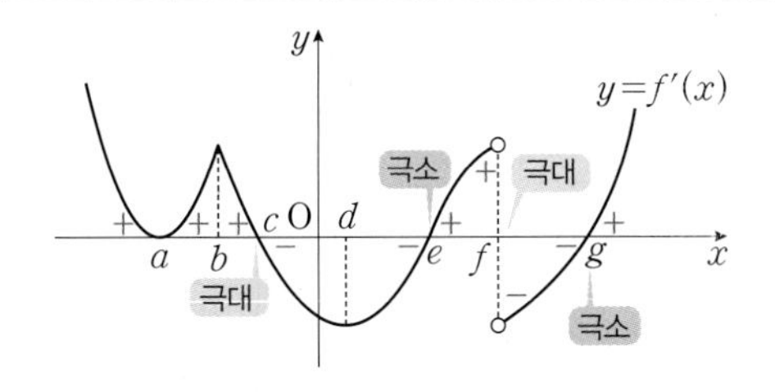

STEP Ⓑ **도함수 $f'(x)$의 부호를 이용하여 참, 거짓의 진위판단하기**

① $f'(b)$가 존재하므로 $f(x)$는 $x=b$에서 미분가능하다. [거짓]
② $x=d$의 좌우에서 $f'(x)$의 부호가 바뀌지 않으므로 극값을 갖지 않는다. [거짓]
③ $f(x)$는 $x=c$, $x=f$의 좌우에서 $f'(x)$의 부호가 양(+)에서 음(−)으로 바뀌므로 극댓값을 갖는다. [거짓]
④ $f(x)$는 $x=e$, $x=g$의 좌우에서 $f'(x)$의 부호가 음(−)에서 양(+)으로 바뀌므로 극솟값을 갖는다. [참]
⑤ $x=c$의 좌우에서 $f'(x)$의 부호가 양(+)에서 음(−)으로 바뀌므로 극대이지만 극댓값이 0인지는 알 수 없다. [거짓]

따라서 옳은 것은 ④이다.

(2) 함수 $y=f(x)$의 도함수 $y=f'(x)$의 그래프가 다음 그림과 같을 때, 다음 중 옳은 것은?

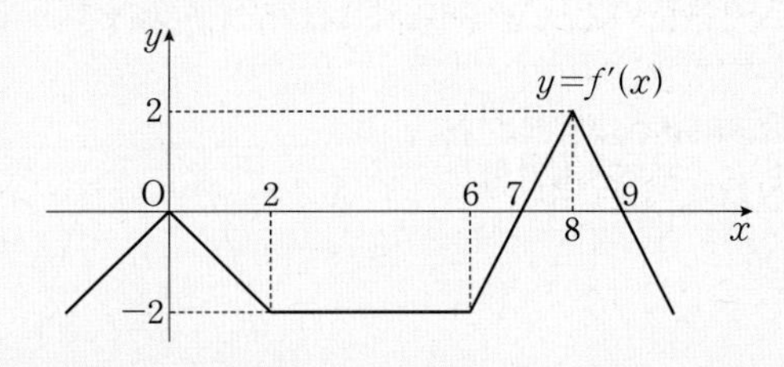

① $f(x)$의 극값은 3개이다.
② $f(x)$는 $x=8$일 때, 극댓값은 2이다.
③ $2<x<6$에서 $f(x)$는 상수함수이다.
④ $f(x)$는 $x=0$에서 미분가능하지 않다.
⑤ $0<x<7$일 때, $f(x)$는 감소한다.

STEP Ⓐ **함수 $f(x)$의 증가와 감소를 조사하여 표로 정리하기**

$y=f'(x)$의 그래프가 x축과 만나는 점의 x좌표가 0, 7, 9이므로
함수 $f(x)$의 증가와 감소를 표로 나타내면 다음과 같다.

x	$\cdots$	0	$\cdots$	7	$\cdots$	9	$\cdots$
$f'(x)$	$-$	0	$-$	0	$+$	0	$-$
$f(x)$	↘		↘	극소	↗	극대	↘

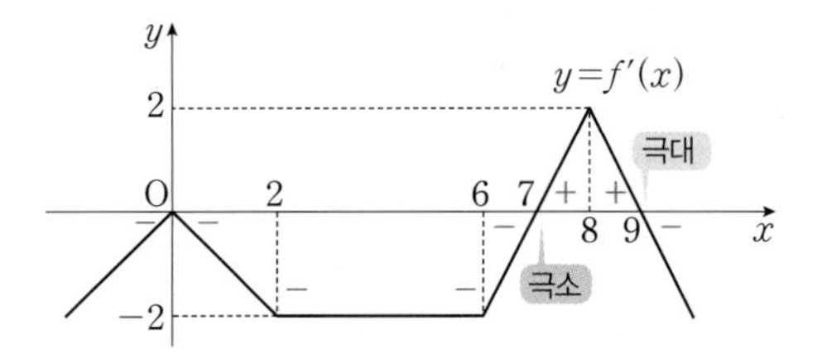

STEP Ⓑ **도함수 $f'(x)$의 부호를 이용하여 참, 거짓의 진위판단하기**

① $f(x)$는 $x=7$의 좌우에서 $f'(x)$의 부호가 음(−)에서 양(+)으로 바뀌므로 극소이고 $x=9$의 좌우에서 $f'(x)$의 부호가 양(+)에서 음(−)으로 바뀌므로 극대이므로 극값은 2개이다. [거짓]
② $x=8$의 좌우에서 $f'(x)$의 부호가 바뀌지 않으므로 극값을 갖지 않는다. [거짓]
③ $2<x<6$에서 $f'(x)=-2$이므로 함수 $f(x)$는 일차함수이다. [거짓]
④ $f'(0)=0$이므로 $f(x)$는 $x=0$에서 미분가능하다. [거짓]
⑤ $0<x<7$일 때, $f'(x)<0$이므로 $f(x)$는 이 구간에서 감소한다. [참]

따라서 옳은 것은 ⑤이다.

0400

다음 물음에 답하여라.

(1) 오른쪽 그림은 삼차함수 $f(x)$의 도함수 $f'(x)$의 그래프이다. 함수 $f(x)$에 대한 설명 중 [보기]에서 옳은 것만을 있는 대로 고른 것은?

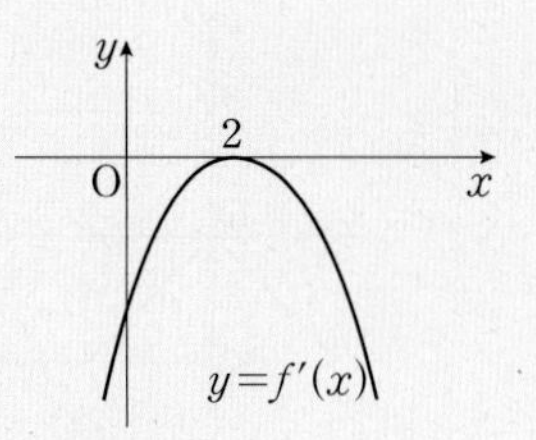

ㄱ. 함수 $f(x)$는 열린구간 $(0, 2)$에서 감소한다.
ㄴ. 함수 $f(x)$는 $x=2$에서 극댓값을 갖는다.
ㄷ. 함수 $y=f(x)$의 그래프는 x축과 오직 한 점에서 만난다.

① ㄱ ② ㄴ ③ ㄱ, ㄷ
④ ㄴ, ㄷ ⑤ ㄱ, ㄴ, ㄷ

STEP A **함수 $f(x)$의 증가와 감소를 조사하여 표로 정리하기**

$f'(x)=a(x-2)^2\ (a<0)$이므로
함수 $f(x)$의 증가와 감소를 조사하면 다음 표와 같다.

x	$\cdots$	2	$\cdots$
$f'(x)$	$-$	0	$-$
$f(x)$	↘		↘

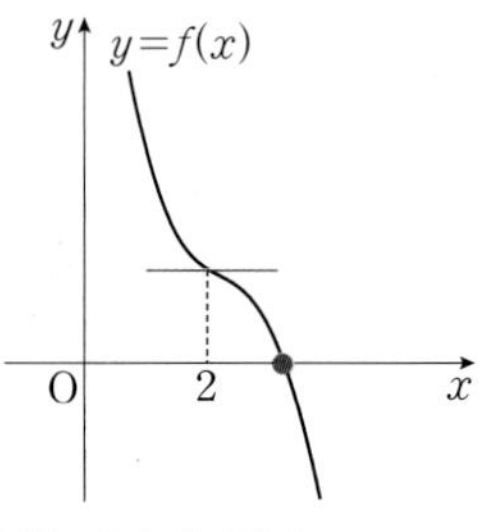

STEP B **도함수 $f'(x)$의 부호를 이용하여 참, 거짓 판단하기**

ㄱ. 함수 $f(x)$는 열린구간 $(0, 2)$에서 $f'(x)<0$이므로 감소한다. [참]
ㄴ. 함수 $f'(x)$는 $x=2$에서 $f'(2)=0$이지만
$x\neq 2$인 모든 실수 x에 대하여 $f'(x)<0$이므로
$x=2$의 좌우에서 $f'(x)$의 부호가 바뀌지 않는다.
즉 $x=2$에서 함수 $f(x)$는 극댓값이 존재하지 않는다. [거짓]
ㄷ. 모든 실수 x에 대하여 $f'(x)\leq 0$이므로 함수 $f(x)$는 실수 전체의 범위에서 감소한다.
즉 함수 $f(x)$는 일대일 함수이므로 곡선 $y=f(x)$의 그래프는 x축과 오직 한 점에서 만난다. [참]
따라서 옳은 것은 ㄱ, ㄷ이다.

(2) 미분가능한 함수 $f(x)$의 도함수 $f'(x)$에 대하여 함수 $y=xf'(x)$의 그래프가 다음 그림과 같다. 옳은 것만을 [보기]에서 있는 대로 고른 것은? (단, $f'(-1)=f'(1)=0$)

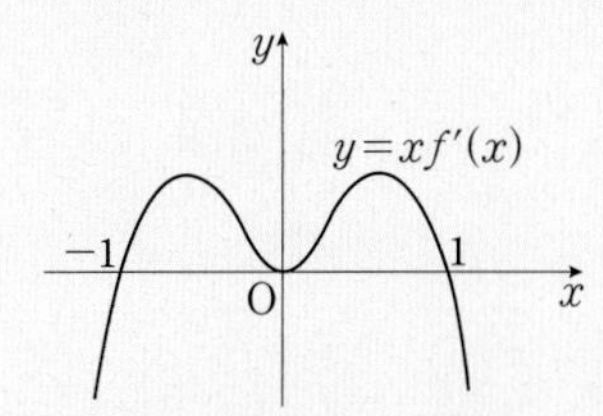

ㄱ. 함수 $f(x)$는 $x=-1$에서 극댓값을 갖는다.
ㄴ. 함수 $f(x)$는 $x=0$에서 극솟값을 갖는다.
ㄷ. 열린구간 $(0, 1)$에서 $f(x)$는 증가한다.

① ㄱ ② ㄴ ③ ㄱ, ㄷ
④ ㄴ, ㄷ ⑤ ㄱ, ㄴ, ㄷ

STEP A **$y=xf'(x)$의 그래프에서 부호를 살펴보기**

$y=xf'(x)$의 그래프에서 부호를 살펴보면
$xf'(x)=0$에서 $x=-1$ 또는 $x=0$ 또는 $x=1$

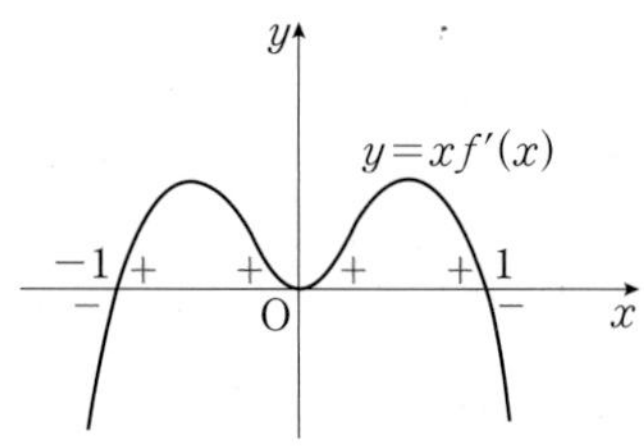

(ⅰ) $x<-1$일 때, $xf'(x)<0$, $f'(x)>0$이므로 $f(x)$는 증가한다.
(ⅱ) $-1<x<0$일 때, $xf'(x)>0$, $f'(x)<0$이므로 $f(x)$는 감소한다.
(ⅲ) $0<x<1$일 때, $xf'(x)>0$, $f'(x)>0$이므로 $f(x)$는 증가한다.
(ⅳ) $x>1$일 때, $xf'(x)<0$, $f'(x)<0$이므로 $f(x)$는 감소한다.

STEP B **함수 $f(x)$의 증가와 감소를 조사하여 표로 정리하기**

함수 $f(x)$의 증가와 감소를 조사하면 다음 표와 같다.

x	$\cdots$	-1	$\cdots$	0	$\cdots$	1	$\cdots$
$f'(x)$	$+$	0	$-$		$+$	0	$-$
$f(x)$	↗	극대	↘	극소	↗	극대	↘

ㄱ. 함수 $f(x)$는 $x=-1$에서 극댓값을 갖는다. [참]
ㄴ. 함수 $f(x)$는 $x=0$에서 극솟값을 갖는다. [참]
ㄷ. 열린구간 $(0, 1)$에서 $f'(x)>0$이므로 $f(x)$는 증가한다. [참]
따라서 옳은 것은 ㄱ, ㄴ, ㄷ이다.

(3) 오른쪽 그림은 삼차함수 $y=f(x)$의 도함수 $y=f'(x)$의 그래프가 두 점 $(a, 0)$, $(b, 0)$을 지나고, $f'(x)$의 최솟값은 -2이다. [보기]에서 옳은 것만을 있는 대로 고른 것은? (단, $a<b$)

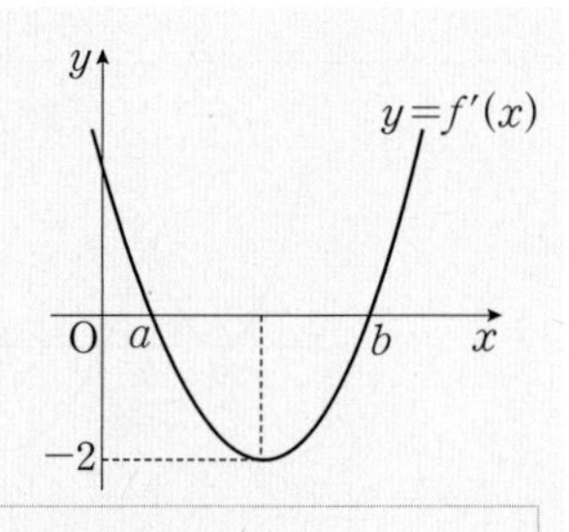

ㄱ. 함수 $f(x)$는 열린구간 (a, b)에서 감소한다.
ㄴ. 함수 $y=f(x)+x$가 열린구간 (c, d)에서 감소하면 $d-c<b-a$이다.
ㄷ. 함수 $y=f(x)+2x$는 실수 전체의 집합에서 증가한다.

① ㄱ ② ㄱ, ㄴ ③ ㄱ, ㄷ
④ ㄴ, ㄷ ⑤ ㄱ, ㄴ, ㄷ

STEP A **도함수의 부호를 이용하여 참, 거짓 판단하기**

ㄱ. 열린구간 (a, b)에서 $f'(x)<0$이므로
함수 $f(x)$는 열린구간 (a, b)에서 감소한다. [참]
ㄴ. $g(x)=f(x)+x$라 하면 $g'(x)=f'(x)+1$이므로
$y=g'(x)$의 그래프는 그림과 같다.

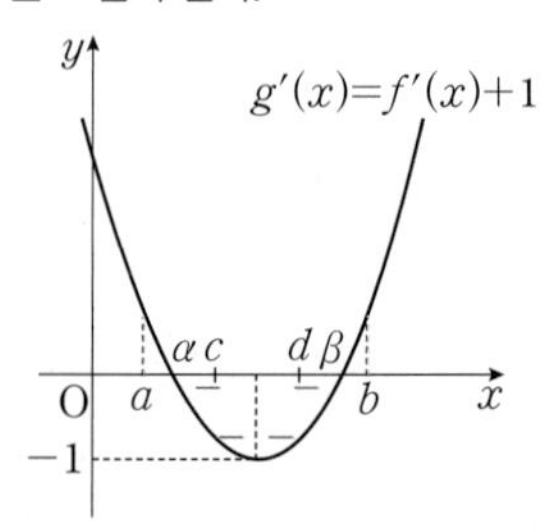

$y=g'(x)$의 그래프가 x축과 만나는 두 점의 x좌표를 각각 α, $\beta\ (\alpha<\beta)$라 하면 $\alpha\leq c<d\leq\beta$이고 $\beta-\alpha<b-a$이므로
$d-c<b-a$이다. [참]

ㄷ. $h(x)=f(x)+2x$라 하면 $h'(x)=f'(x)+2$이므로
$y=h'(x)$의 그래프는 그림과 같다.

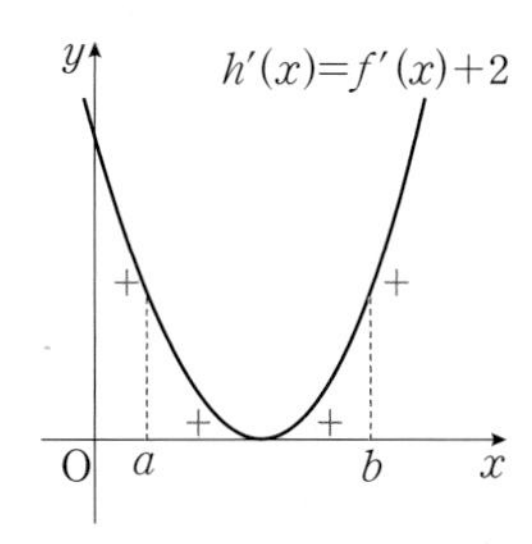

즉 모든 실수 x에서 $h'(x)=f'(x)+2\ge 0$이므로

함수 $y=f(x)+2x$는 실수 전체의 집합에서 증가한다. [참]

따라서 옳은 것은 ㄱ, ㄴ, ㄷ이다.

0401

함수 $f(x)=ax^3+bx^2+cx+d$의 그래프가 오른쪽 그림과 같을 때, 다음 중 그 값이 양수인 것은? (단, $\alpha+\beta>0$)

① ab ② ac
③ bc ④ bd
⑤ cd

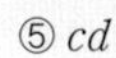

STEP A 도함수의 그래프를 이용하여 계수의 부호 결정하기

함수 $f(x)=ax^3+bx^2+cx+d$의 그래프에서
$x\to\infty$일 때, $f(x)\to\infty$이므로 $a>0$

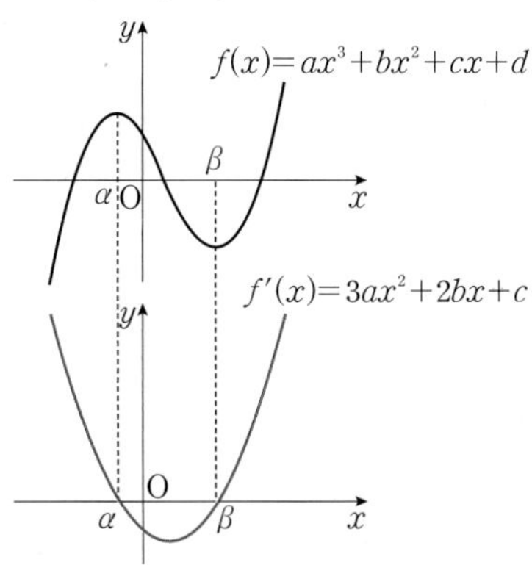

또, 주어진 그래프의 y절편이 양수이므로 $d>0$
$f'(x)=3ax^2+2bx+c$에서 $f'(0)=c$
c는 $x=0$인 점에서의 접선의 기울기이므로 $c<0$
한편 방정식 $f'(x)=3ax^2+2bx+c=0$의 두 실근이 α, β이고
$\alpha+\beta>0$이므로 근과 계수의 관계에 의해
$\alpha+\beta=-\dfrac{2b}{3a}>0$, $a>0$이므로 $b<0$
즉 $a>0$, $b<0$, $c<0$, $d>0$이므로 $bc>0$
따라서 값이 양수인 것은 ③이다.

0402

다음 물음에 답하여라.

(1) 삼차함수 $f(x)=ax^3+bx^2+cx+d$의 그래프가 오른쪽 그림과 같이 $x=\alpha$, $x=\beta$에서 극값을 가질 때, $\dfrac{a}{|a|}+\dfrac{2b}{|b|}+\dfrac{3c}{|c|}+\dfrac{4d}{|d|}$의 값을 구하여라. (단, a, b, c, d는 상수)

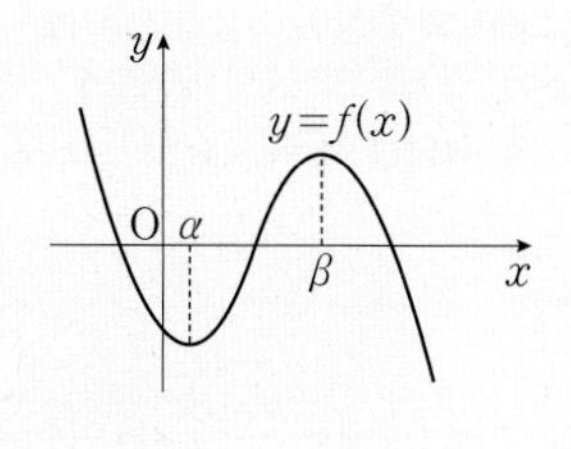

STEP A 도함수의 그래프를 이용하여 계수의 부호 결정하기

함수 $f(x)=ax^3+bx^2+cx+d$의 그래프에서 $x\to\infty$일 때, $f(x)\to-\infty$이므로 $a<0$
$f(x)$가 $x=\alpha$, $x=\beta$에서 극값을 가지므로
방정식 $f'(x)=3ax^2+2bx+c=0$의 두 근이 α, β이므로
근과 계수의 관계에서
$\alpha+\beta=-\dfrac{2b}{3a}>0$
$a<0$이므로 $b>0$
$\alpha\beta=\dfrac{c}{3a}>0$에서 $a<0$이므로 $c<0$
또, $y=f(x)$의 그래프의 y절편에서 $d<0$

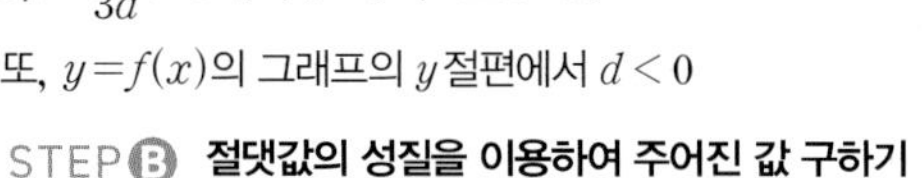

STEP B 절댓값의 성질을 이용하여 주어진 값 구하기

따라서 $a<0$, $b>0$, $c<0$, $d<0$이므로

$$\frac{a}{|a|}+\frac{2b}{|b|}+\frac{3c}{|c|}+\frac{4d}{|d|}=\frac{a}{-a}+\frac{2b}{b}+\frac{3c}{-c}+\frac{4d}{-d}=-1+2-3-4=-6$$

(2) 함수 $f(x)=-x^3+ax^2+bx+c$의 그래프가 오른쪽 그림과 같을 때, $\dfrac{|a|}{a}+\dfrac{2|b|}{b}+\dfrac{|c|}{c}$의 값을 구하여라. (단, a, b, c는 0이 아닌 상수)

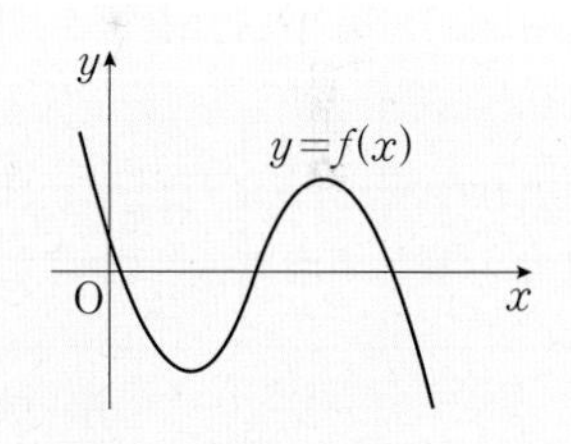

STEP A 도함수의 그래프를 이용하여 계수의 부호 결정하기

$f'(x)=-3x^2+2ax+b$이고
함수 $f(x)$가 $x=\alpha$와 $x=\beta$에서 극값을 갖는다고 하면
이차방정식 $f'(x)=0$의 해는
$x=\alpha$ 또는 $x=\beta$
$\alpha>0$, $\beta>0$이므로
근과 계수의 관계에 의하여
$\alpha+\beta=\dfrac{2a}{3}>0$에서 $a>0$
$\alpha\beta=-\dfrac{b}{3}>0$에서 $b<0$

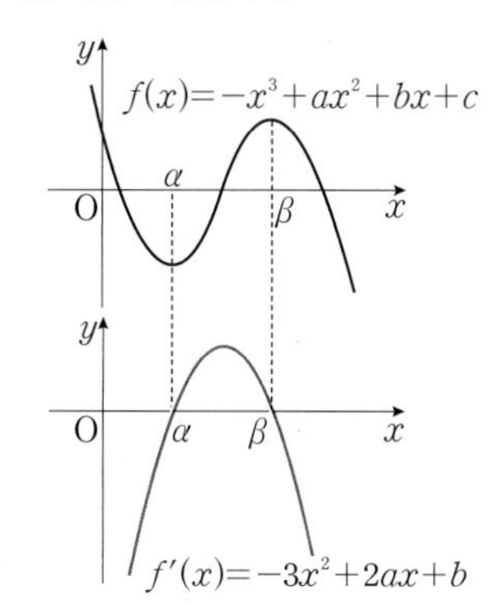

한편 함수 $y=f(x)$의 그래프와 y축의 교점의 y좌표가 c이므로 $c>0$

STEP B 절댓값의 성질을 이용하여 주어진 값 구하기

따라서 $a>0$, $b<0$, $c>0$이므로

$$\frac{|a|}{a}+\frac{2|b|}{b}+\frac{|c|}{c}=\frac{a}{a}+\frac{-2b}{b}+\frac{c}{c}=1-2+1=0$$

0403

함수 $f(x)$에 대하여 $y=f'(x)$의 그래프의 개형이 다음과 같을 때, $y=f(x)$의 그래프의 개형으로 가장 적당한 것은?

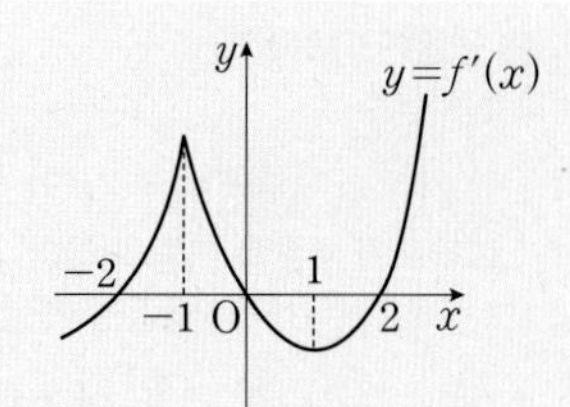

①
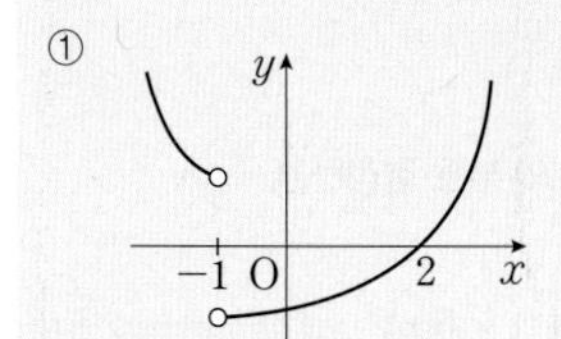

②
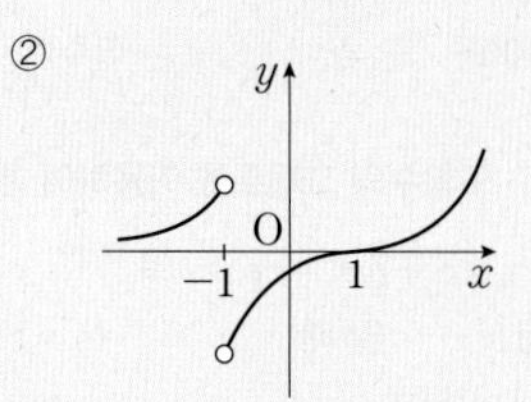

③
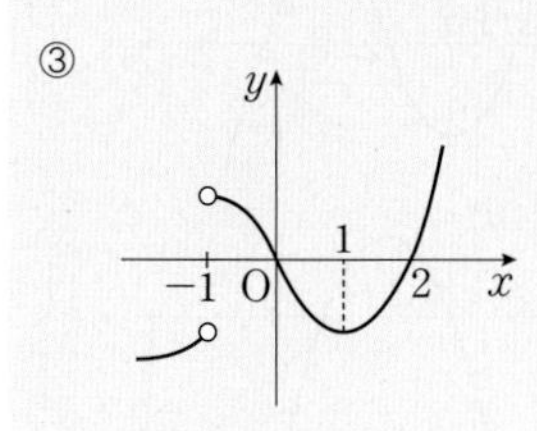

④
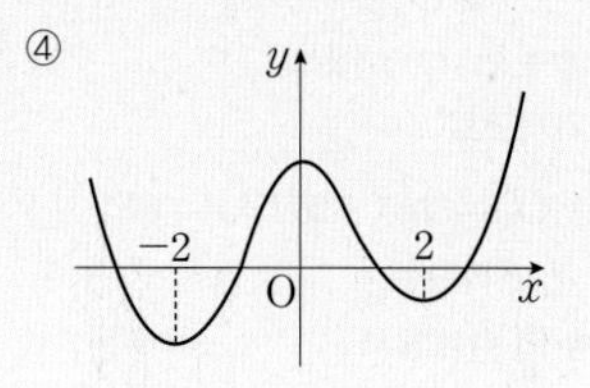

⑤
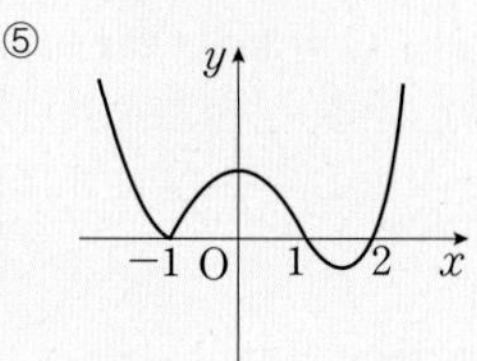

STEP Ⓐ 함수 $f(x)$의 증가와 감소를 조사하여 표로 나타내기

$y=f'(x)$의 그래프가 x축과 만나는 점의 x좌표가 -2, 0, 2이므로

$f'(x)=0$에서 $x=-2$ 또는 $x=0$ 또는 $x=2$

함수 $f(x)$의 증가와 감소를 표로 나타내면 다음과 같다.

x	$\cdots$	-2	$\cdots$	0	$\cdots$	2	$\cdots$
$f'(x)$	$-$	0	$+$	0	$-$	0	$+$
$f(x)$	↘	극소	↗	극대	↘	극소	↗

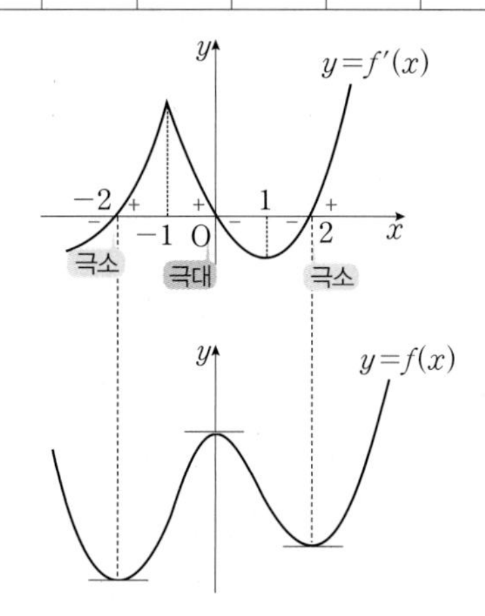

따라서 $x=-1$에서 미분가능하므로 그래프의 개형은 ④이다.

0404

다음 물음에 답하여라.

(1) 함수 $y=f(x)$의 도함수 $y=f'(x)$의 그래프가 오른쪽 그림과 같을 때, 다음 중 함수 $y=f(x)$의 그래프의 개형이 될 수 있는 것은?

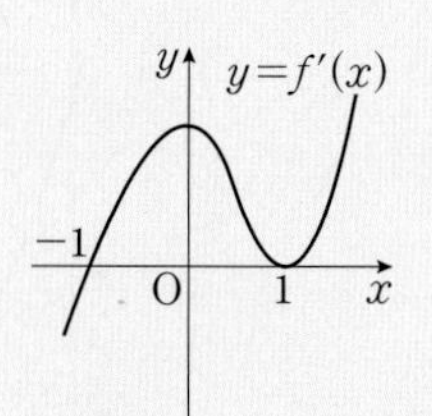

①
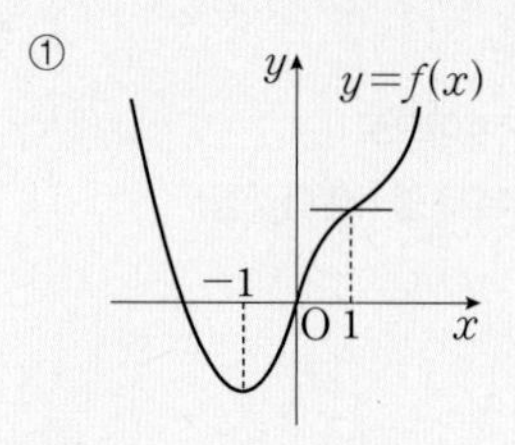

②
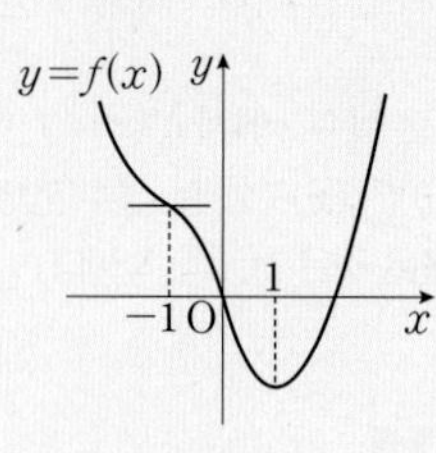

③
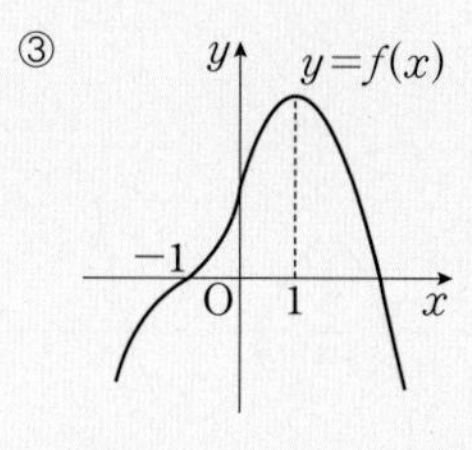

④
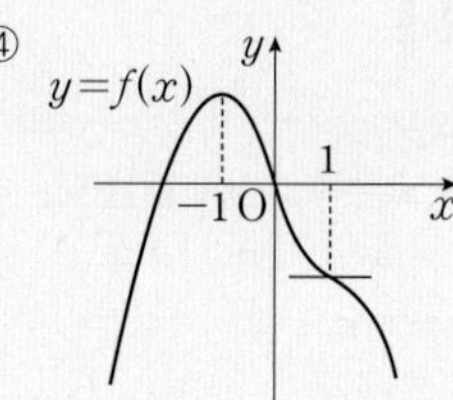

⑤
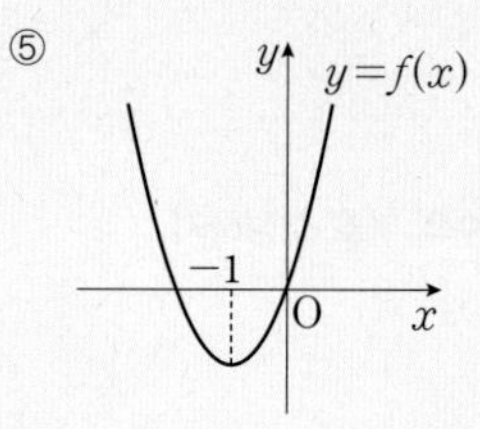

STEP Ⓐ 함수 $f(x)$의 증가와 감소를 표로 나타내기

방정식 $f'(x)=0$의 근이 $x=-1$, $x=1$이므로

함수 $f(x)$의 증가와 감소를 표로 나타내면 다음과 같다.

x	$\cdots$	-1	$\cdots$	1	$\cdots$
$f'(x)$	$-$	0	$+$	0	$+$
$f(x)$	↘	극소	↗		↗

STEP Ⓑ 그래프의 개형 그리기

함수 $f(x)$는 $x=-1$에서 극솟값을 갖고 $x=1$의 좌우에서는 $f'(x)$의 부호가 바뀌지 않으므로 극값을 갖지 않는다.

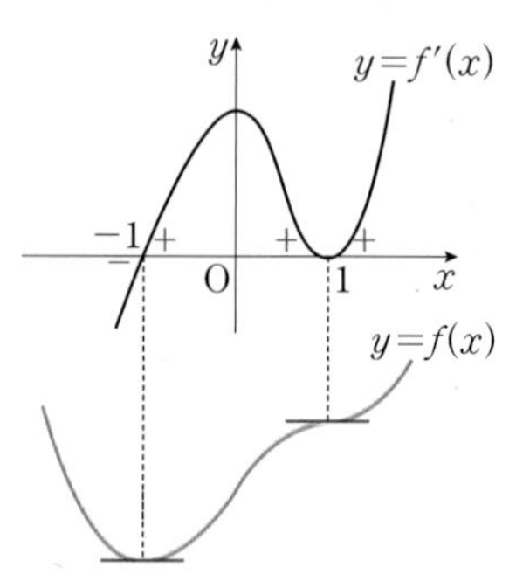

따라서 함수 $y=f(x)$의 그래프의 개형이 될 수 있는 것은 ①이다.

(2) 함수 $y=f(x)$의 도함수 $y=f'(x)$의 그래프가 오른쪽 그림과 같을 때, 다음 중 함수 $y=f(x)$의 그래프의 개형이 될 수 있는 것은?

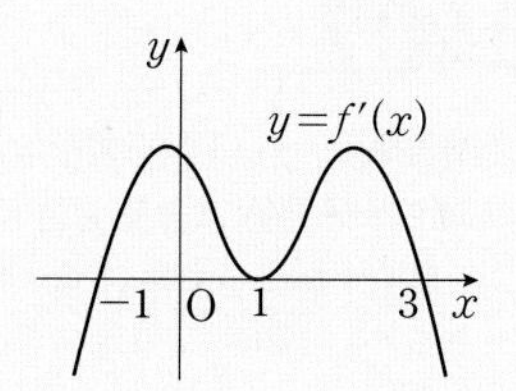

①

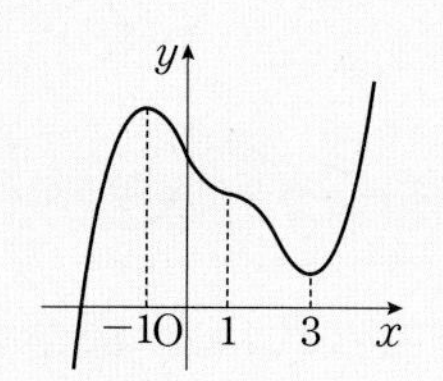

②

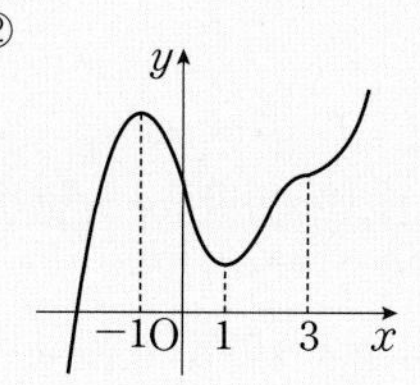

③

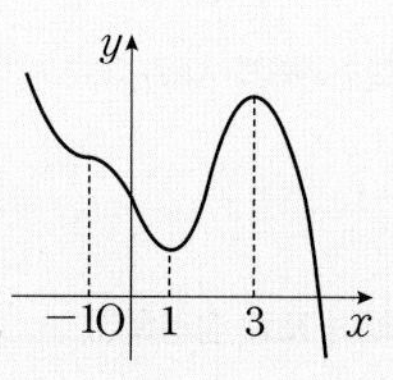

④

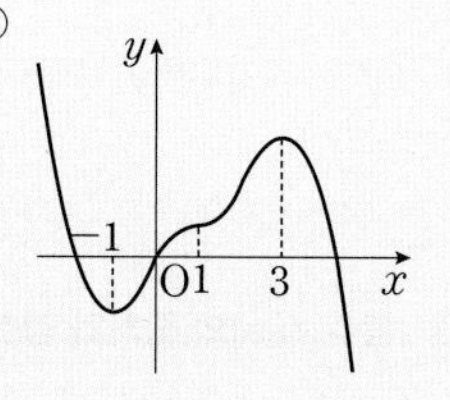

⑤

STEP A 함수 $f(x)$의 증가와 감소를 표로 나타내기

$y=f'(x)$의 그래프가 x축과 만나는 점의 x좌표가 -1, 1, 3이므로 함수 $f(x)$의 증가와 감소를 표로 나타내면 다음과 같다.

x	$\cdots$	-1	$\cdots$	1	$\cdots$	3	$\cdots$
$f'(x)$	$-$	0	$+$	0	$+$	0	$-$
$f(x)$	↘	극소	↗		↗	극대	↘

STEP B 그래프의 개형 그리기

함수 $f(x)$는 $x<-1$ 또는 $x>3$일 때, 감소하고 $-1<x<3$일 때, 증가하므로 $x=-1$에서 극소, $x=3$에서 극대이다.
또, $x=1$의 좌우에서 $f'(x)$의 부호가 바뀌지 않으므로 $x=1$에서는 극값을 갖지 않는다.

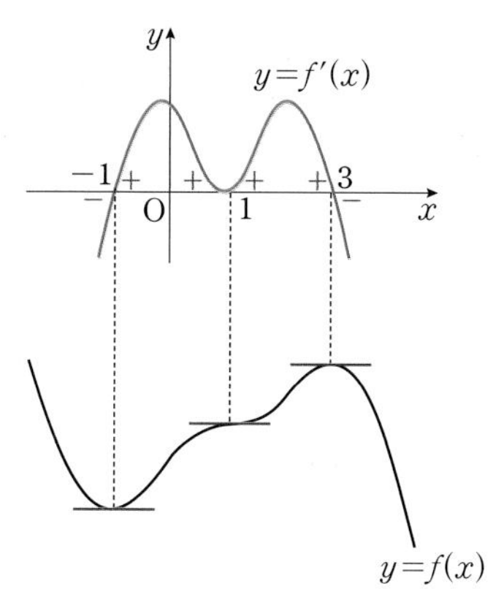

따라서 함수 $y=f(x)$의 그래프의 개형이 될 수 있는 것은 ④이다.

0405

$-3<x<3$에서 연속인 함수 $y=f(x)$의 도함수 $y=f'(x)$의 그래프는 다음 그림과 같다. 옳은 것만을 [보기]에서 있는 대로 고른 것은?
(단, $f(0)=0$)

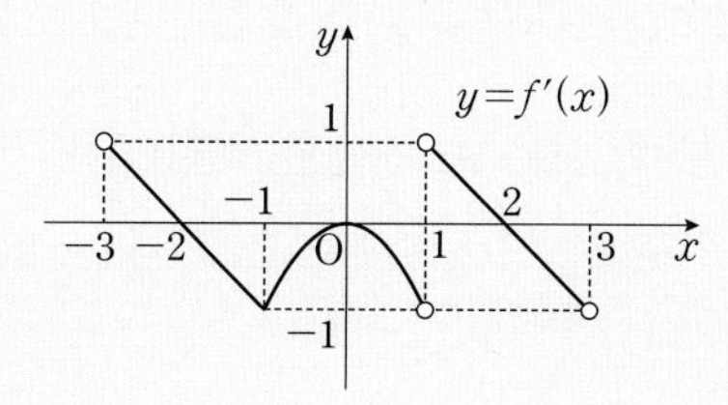

ㄱ. $\lim_{x\to 1+} f'(x)=-1$
ㄴ. $f(-2)>0$
ㄷ. 구간 $(-3, 3)$에서 함수 $f(x)$는 오직 3개의 극값을 가진다.

① ㄱ ② ㄴ ③ ㄷ
④ ㄱ, ㄷ ⑤ ㄴ, ㄷ

STEP A 함수 $f(x)$의 증가와 감소를 조사하여 표로 정리하기

함수 $f(x)$의 증가와 감소를 조사하면 다음 표와 같다.

x	(-3)	$\cdots$	-2	$\cdots$	0	$\cdots$	1	$\cdots$	2	$\cdots$	(3)
$f'(x)$		$+$	0	$-$	0	$-$		$+$	0	$-$	
$f(x)$		↗	극대	↘		↘	극소	↗	극대	↘	

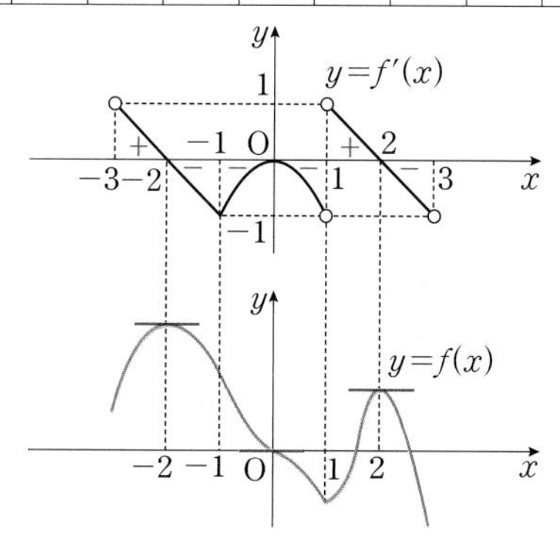

STEP B 도함수 $f'(x)$의 부호를 이용하여 참, 거짓 판단하기

ㄱ. x가 우측에서 1에 가까워질 때, $f'(x)$의 극한값이 1이므로
$\lim_{x\to 1+} f'(x)=1$ [거짓]
ㄴ. 열린구간 $(-2, 0)$에서 함수 $f(x)$가 감소하고 $f(0)=0$이므로
$f(-2)>f(0)=0$ [참]
ㄷ. 함수 $f(x)$는 열린구간 $(-3, 3)$에서 $x=-2$에서 극대, $x=1$일 때 극소, $x=2$일 때 극대로 3개의 극값을 가진다. [참]
따라서 옳은 것은 ㄴ, ㄷ이다.

0406

최고차항의 계수가 양수인 사차함수 $f(x)$에 대하여 방정식 $f'(x)=0$의 실근이 a, b, c뿐일 때, [보기]에서 옳은 것만을 있는 대로 골라라.

ㄱ. $a=b=c$이면 함수 $f(x)$는 극댓값을 갖지 않는다.
ㄴ. $a=b\neq c\,(a<c)$이고 $f(c)>0$이면 방정식 $f(x)=0$의 실근은 존재하지 않는다.
ㄷ. $a<b<c$이고 $f(a)f(c)<0$이면 방정식 $f(x)=0$은 서로 다른 두 실근을 갖는다.

STEP Ⓐ $a=b=c$이면 $f'(x)=0$인 x의 값을 구하여 증가와 감소를 나타내는 표를 작성하여 진위판단하기

$f'(a)=f'(b)=f'(c)=0$에서

$f'(x)=k(x-a)(x-b)(x-c)$(k는 양수)라 하자.

ㄱ. $a=b=c$이면 $f'(x)=k(x-a)^3$

$f'(x)=0$에서 $x=a$

함수 $f(x)$의 증가와 감소를 표로 나타내면 다음과 같다.

x	$\cdots$	a	$\cdots$
$f'(x)$	$-$	0	$+$
$f(x)$	↘	극소	↗

즉 함수 $f(x)$는 극댓값을 갖지 않는다. [참]

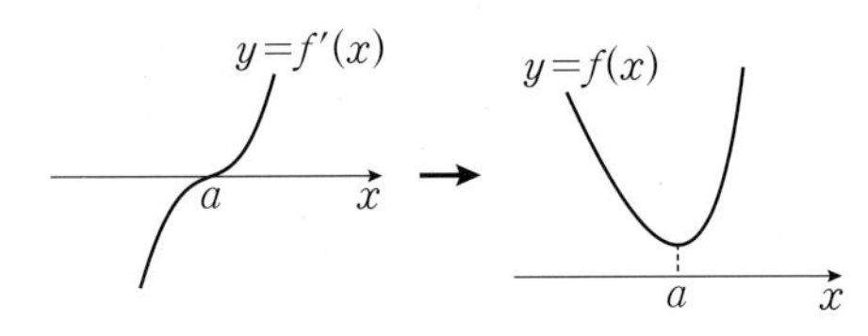

STEP Ⓑ $a=b\neq c\,(a<c)$이면 $f'(x)=0$인 x의 값을 구하여 증가와 감소를 나타내는 표를 작성하여 진위판단하기

ㄴ. $a=b\neq c\,(a<c)$이면

$f'(x)=k(x-a)^2(x-c)$

$f'(x)=0$에서 $x=a$ 또는 $x=c$

x	$\cdots$	a	$\cdots$	c	$\cdots$
$f'(x)$	$-$	0	$-$	0	$+$
$f(x)$	↘		↘	극소	↗

즉 $f(c)$는 함수 $f(x)$의 최솟값이고 $f(c)>0$이므로

방정식 $f(x)=0$의 실근은 존재하지 않는다. [참]

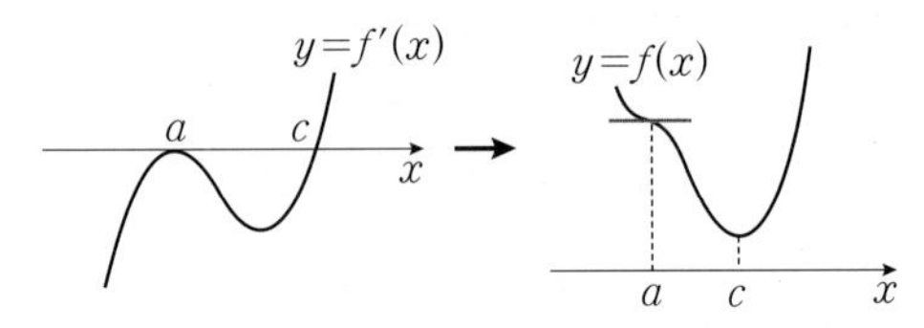

STEP Ⓒ $a<b<c$이면 $f'(x)=0$인 x의 값을 구하여 증가와 감소를 나타내는 표를 작성하여 진위판단하기

ㄷ. $a<b<c$일 때,

함수 $f(x)$의 증가와 감소를 표로 나타내면 다음과 같다.

x	$\cdots$	a	$\cdots$	b	$\cdots$	c	$\cdots$
$f'(x)$	$-$	0	$+$	0	$-$	0	$+$
$f(x)$	↘	극소	↗	극대	↘	극소	↗

$f(a)f(c)<0$이므로 함수 $y=f(x)$의 그래프의 개형은 그림과 같다.

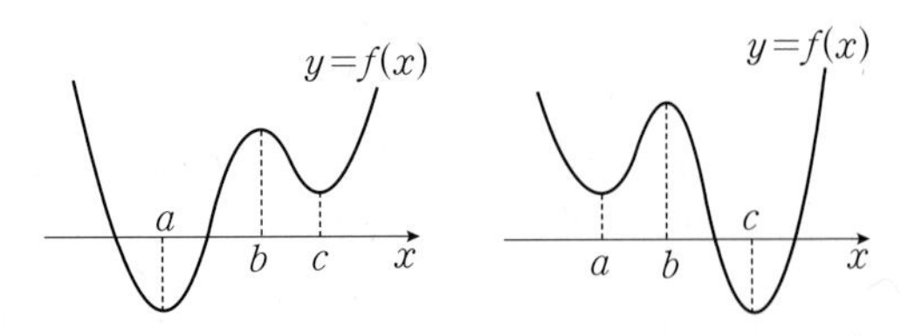

즉 방정식 $f(x)=0$은 서로 다른 두 실근을 갖는다. [참]

따라서 옳은 것은 ㄱ, ㄴ, ㄷ이다.

0407

삼차함수 $y=f(x)$의 도함수 $y=f'(x)$의 그래프가 오른쪽 그림과 같을 때, 다음 [보기]에서 옳은 것만을 있는 대로 골라라.

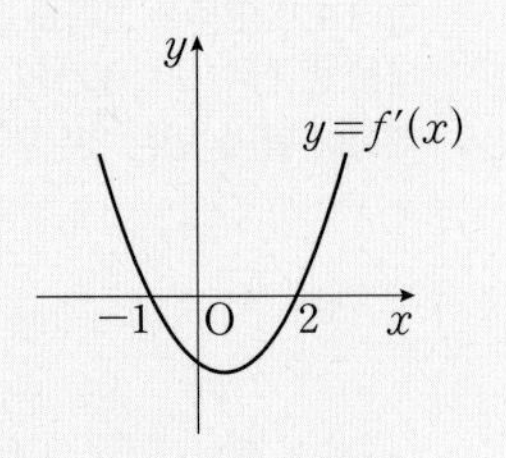

ㄱ. $f(-1)f(2)>0$이면 $y=f(x)$의 그래프는 x축과 오직 한 점에서 만난다.

ㄴ. $f(-1)f(2)=0$이면 $y=f(x)$의 그래프는 x축과 서로 다른 두 점에서 만난다.

ㄷ. $f(-1)f(2)<0$이면 $y=f(x)$의 그래프는 x축과 서로 다른 세 점에서 만난다.

STEP Ⓐ 함수 $f(x)$의 증가와 감소를 조사하여 표로 정리하기

함수 $y=f'(x)$의 그래프에서 $f'(x)=0$인 x의 값은 -1, 2이므로

함수 $f(x)$의 증가와 감소를 표로 나타내면 다음과 같다.

x	$\cdots$	-1	$\cdots$	2	$\cdots$
$f'(x)$	$+$	0	$-$	0	$+$
$f(x)$	↗	극대	↘	극소	↗

함수 $f(x)$는 $x=-1$에서 극대, $x=2$에서 극소이다.

STEP Ⓑ 함숫값의 부호를 이용하여 참, 거짓 판단하기

ㄱ. $f(-1)f(2)>0$이면 $y=f(x)$의 그래프는 다음 그림과 같다.

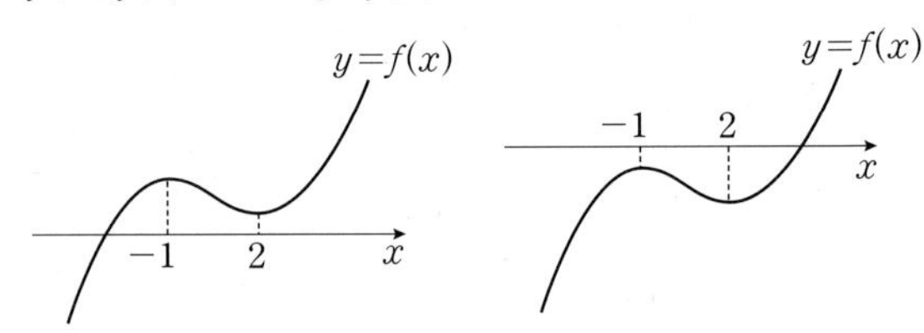

즉 $y=f(x)$의 그래프는 x축과 오직 한 점에서 만난다. [참]

ㄴ. $f(-1)f(2)=0$이면 $y=f(x)$의 그래프는 다음 그림과 같다.

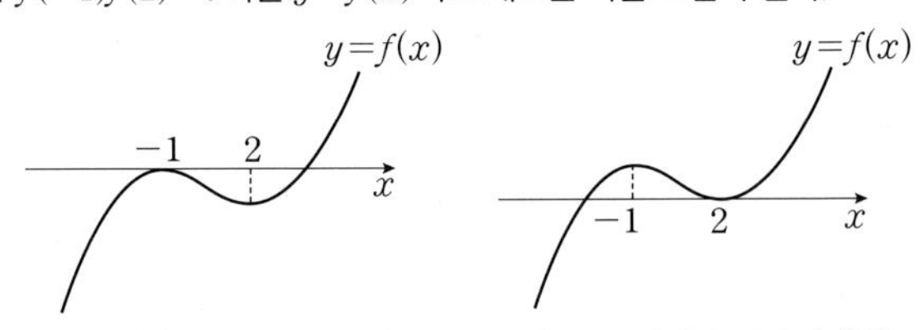

즉 $y=f(x)$의 그래프는 x축과 서로 다른 두 점에서 만난다. [참]

ㄷ. $f(-1)f(2)<0$이면 $y=f(x)$의 그래프는 다음 그림과 같으므로 x축과 서로 다른 세 점에서 만난다. [참]

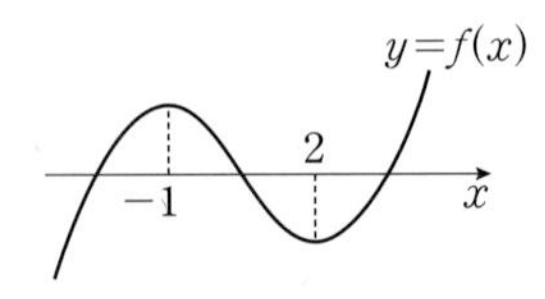

따라서 옳은 것은 ㄱ, ㄴ, ㄷ이다.

0408

최고차항의 계수가 양수인 사차함수 $y=f(x)$의 도함수 $y=f'(x)$의 그래프가 x축과 서로 다른 세 점 $\mathrm{A}(\alpha,\ 0)$, $\mathrm{B}(\beta,\ 0)$, $\mathrm{C}(\gamma,\ 0)(\alpha<\beta<\gamma)$에서 만난다. 옳은 것만을 [보기]에서 있는 대로 골라라.

> ㄱ. 방정식 $f(x)=k$(k는 실수)가 서로 다른 세 실근을 가지면 함수 $f(x)$의 극댓값은 k이다.
> ㄴ. $f(\alpha)f(\beta)f(\gamma)<0$이면 방정식 $f(x)=0$은 서로 다른 두 실근을 가진다.
> ㄷ. 방정식 $f(x)=0$이 서로 다른 네 실근을 갖기 위한 필요충분조건은 $f(\alpha)<0,\ f(\gamma)<0$이다.

STEP A 함수 $y=f'(x)$에서 그래프 개형 구하기

함수 $y=f'(x)$의 그래프가 x축과 서로 다른 세 점에서 만나므로 사차함수 $y=f(x)$는 극값을 3개 가진다.

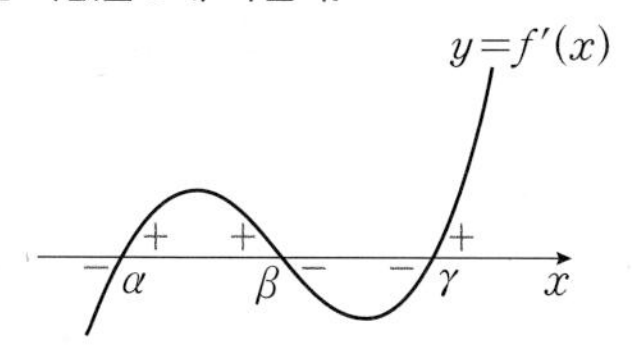

최고차항의 계수가 양수인 사차함수 $f(x)$의 증가와 감소를 조사하면 다음 표와 같다.

x	$\cdots$	α	$\cdots$	β	$\cdots$	γ	$\cdots$
$f'(x)$	$-$	0	$+$	0	$-$	0	$+$
$f(x)$	↘	극소	↗	극대	↘	극소	↗

STEP B 함수 $y=f'(x)$에서 사차함수 $y=f(x)$의 그래프의 개형의 참, 거짓 판단하기

ㄱ. 방정식 $f(x)=k$가 서로 다른 세 실근을 가지면 그래프가 다음과 같다.

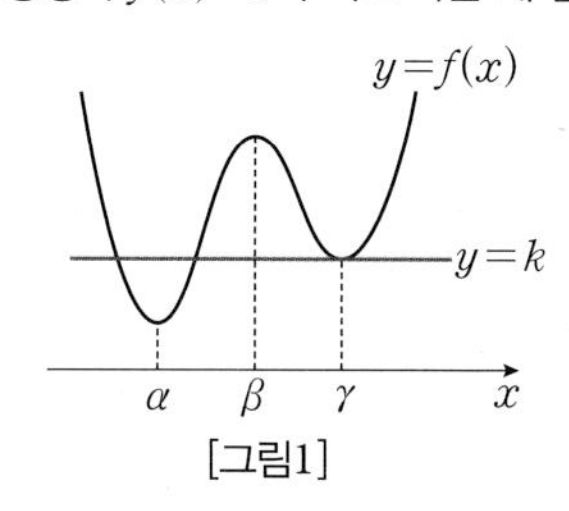

[그림1]

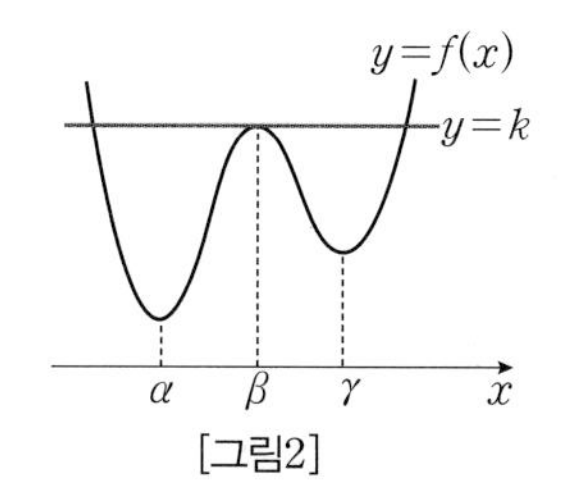

[그림2]

[그림1]에서 함수 $f(x)$의 극댓값은 k가 아니다. [거짓]

ㄴ. $f(\alpha)f(\beta)f(\gamma)<0$이면 사차함수 $y=f(x)$의 그래프는 다음과 같다.

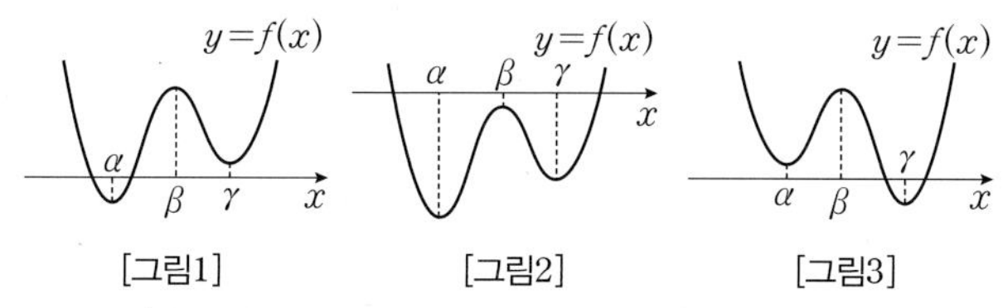

[그림1] [그림2] [그림3]

방정식 $f(x)=0$은 서로 다른 두 실근을 가진다. [참]

ㄷ. 방정식 $f(x)=0$이 서로 다른 네 실근을 가지려면 다음 그림과 같이

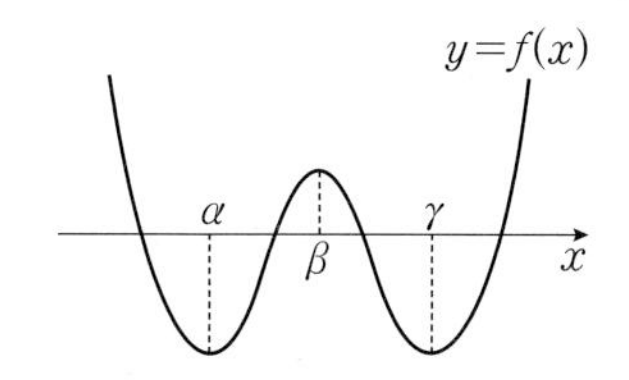

$f(\alpha)<0,\ f(\beta)>0,\ f(\gamma)<0$이어야한다. [거짓]

따라서 옳은 것은 ㄴ이다.

0409

다음 물음에 답하여라.

(1) 삼차함수 $y=f(x)$의 도함수와 이차함수 $y=g(x)$의 도함수의 그래프가 다음 그림과 같다. $h(x)=f(x)-g(x)$라 하고 $f(0)=g(0)$일 때, [보기]에서 옳은 것만을 있는 대로 고른 것은?

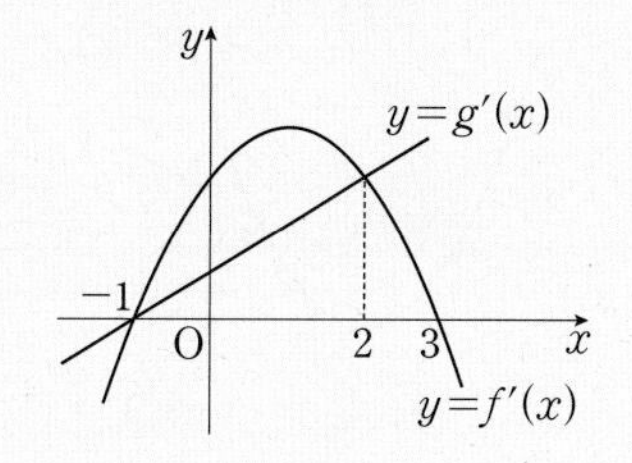

> ㄱ. $-1<x<2$에서 $h(x)$는 증가한다.
> ㄴ. 함수 $h(x)$는 $x=2$에서 극댓값을 갖는다.
> ㄷ. 방정식 $h(x)=0$은 서로 다른 세 실근을 갖는다.

① ㄱ　② ㄴ　③ ㄱ, ㄴ
④ ㄴ, ㄷ　⑤ ㄱ, ㄴ, ㄷ

STEP A 함수 $h(x)$의 증가와 감소를 조사하여 표로 정리하기

$h(x)=f(x)-g(x)$에서 $h'(x)=f'(x)-g'(x)$

이때 $y=f'(x)$와 $y=g'(x)$의 그래프가 $x=-1,\ x=2$에서 만나므로

$h'(x)=0$에서 $x=-1$ 또는 $x=2$

함수 $h(x)$의 증가와 감소를 표로 나타내면 다음과 같다.

x	$\cdots$	-1	$\cdots$	2	$\cdots$
$h'(x)$	$-$	0	$+$	0	$-$
$h(x)$	↘	극소	↗	극대	↘

STEP B 함숫값의 부호를 이용하여 참, 거짓 판단하기

ㄱ. $-1<x<2$일 때, $h'(x)>0$이므로 $h(x)$는 증가한다. [참]

ㄴ. $h'(2)=0$이고 $x=2$의 좌우에서 $h'(x)$의 부호가 양에서 음으로 바뀌므로 $h(x)$는 $x=2$에서 극댓값을 갖는다. [참]

ㄷ. $f(0)=g(0)$이므로 $h(0)=0$

$-1<0<2$이므로 $y=h(x)$의 그래프의 개형은 다음 그림과 같다.

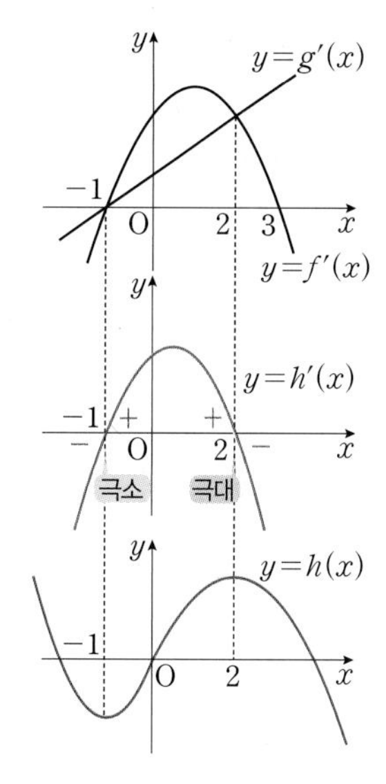

즉 $y=h(x)$의 그래프는 x축과 서로 다른 세 점에서 만나므로 방정식 $h(x)=0$은 서로 다른 세 실근을 갖는다. [참]

따라서 옳은 것은 ㄱ, ㄴ, ㄷ이다.

(2) 최고차항의 계수가 1인 삼차함수 $f(x)$의 도함수 $y=f'(x)$의 그래프와 이차함수 $g(x)$의 도함수 $y=g'(x)$의 그래프가 그림과 같다.
$h(x)=f(x)-g(x)$라 할 때, $h(1)=0$이다. 방정식 $h(x)h'(x)=0$의 실근을 작은 것부터 차례대로 α_1, α_2, α_3이라 할 때, $\alpha_2=-1$이고, $\alpha_3=1$이다. $h(2)$의 값은? (단, $f'(1)=g'(1)=0$)

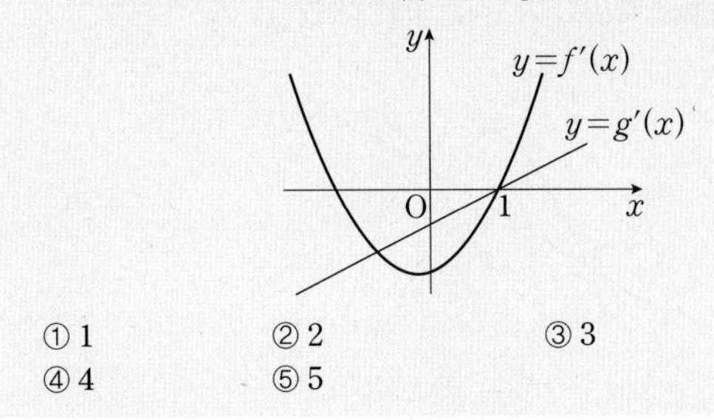

① 1　　② 2　　③ 3
④ 4　　⑤ 5

STEP Ⓐ **함수 $h(x)$의 증가와 감소를 조사하여 표로 정리하기**

$h(x)=f(x)-g(x)$에서 $h'(x)=f'(x)-g'(x)$
$h'(x)=0$에서 $f'(x)=g'(x)$이므로
두 그래프의 교점은 $x=p$ 또는 $x=1$이라 하면
함수 $h(x)$의 증가와 감소를 표로 나타내면 다음과 같다.

x	$\cdots$	p	$\cdots$	1	$\cdots$
$h'(x)$	$+$	0	$-$	0	$+$
$h(x)$	↗	극대	↘	극소	↗

STEP Ⓑ **삼차함수 $h(x)$의 식 작성하기**

함수 $h(x)$는 $x=1$에서 극소이고 극솟값은 $h(1)=0$이므로
$h(x)$는 $(x-1)^2$을 인수로 가지므로 ⬅ $h'(1)=f'(1)-g'(1)=0$
최고차항의 계수가 1인 삼차함수 $h(x)$를 $h(x)=(x-1)^2(x+a)$
(단, a는 상수)라 할 수 있다.
$x=1$, $x=-a$에서 $h(x)=0$이고 $h'(x)=0$에서 $x=p=-1$, $x=1$이므로
함수 $y=h(x)$의 그래프의 개형은 다음 그림과 같다.

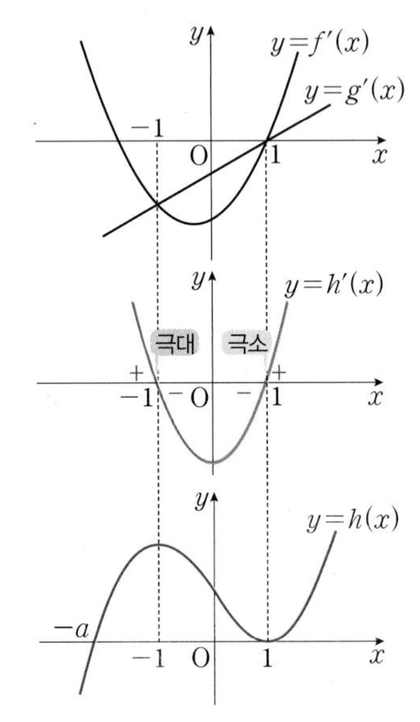

이때 $h(x)=(x-1)^2(x+a)$에서
$h'(x)=2(x-1)(x+a)+(x-1)^2$
$=(x-1)(2x+2a+x-1)$
$=(x-1)(3x+2a-1)$
$h'(x)=0$에서 $x=\dfrac{1-2a}{3}=-1$이므로 $1-2a=-3$, $2a=4$
$\therefore a=2$

STEP Ⓒ **$h(2)$의 값 구하기**

따라서 $h(x)=(x-1)^2(x+2)$이므로 $h(2)=4$

0410

다음 물음에 답하여라.

(1) 삼차함수 $f(x)$와 사차함수 $g(x)$의 도함수 $y=f'(x)$, $y=g'(x)$의 그래프가 오른쪽 그림과 같을 때, 함수 $h(x)=f(x)-g(x)$가 극소인 x의 값은?

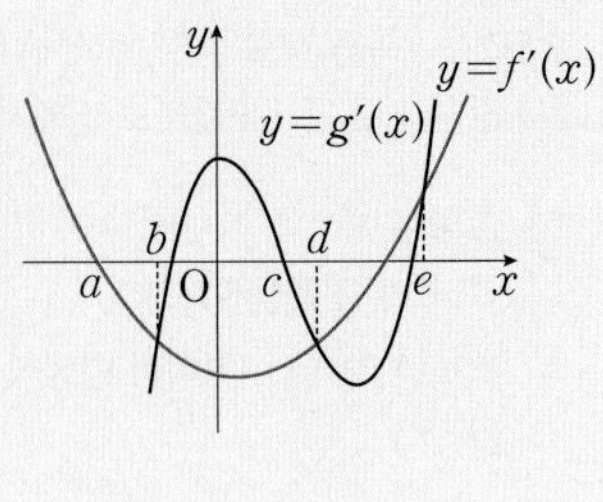

① a　　② b
③ c　　④ d
⑤ e

STEP Ⓐ **함수 $h(x)$의 증가와 감소를 조사하여 표로 정리하기**

$h(x)=f(x)-g(x)$에서 $h'(x)=f'(x)-g'(x)$
$h'(x)=0$에서 $x=b$ 또는 $x=d$ 또는 $x=e$
함수 $h(x)$의 증가와 감소를 표로 나타내면 다음과 같다.

x	$\cdots$	b	$\cdots$	d	$\cdots$	e	$\cdots$
$h'(x)$	$+$	0	$-$	0	$+$	0	$-$
$h(x)$	↗	극대	↘	극소	↗	극대	↘

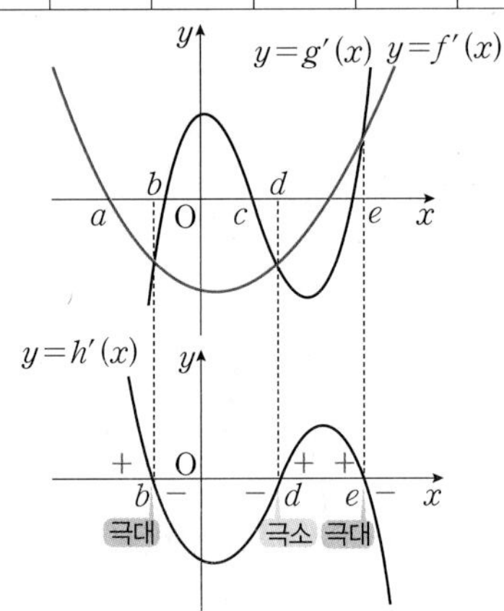

따라서 함수 $h(x)$는 $x=d$에서 극소이므로 ④이다.

(2) 사차함수 $f(x)$의 도함수 $y=f'(x)$의 그래프와 이차함수 $g(x)$의 도함수 $y=g'(x)$의 그래프가 다음 그림과 같다. $y=f'(x)$와 $y=g'(x)$의 그래프의 교점의 x좌표가 b, e이고
함수 $h(x)=f(x)-g(x)$가 극소일 때의 x의 값은?

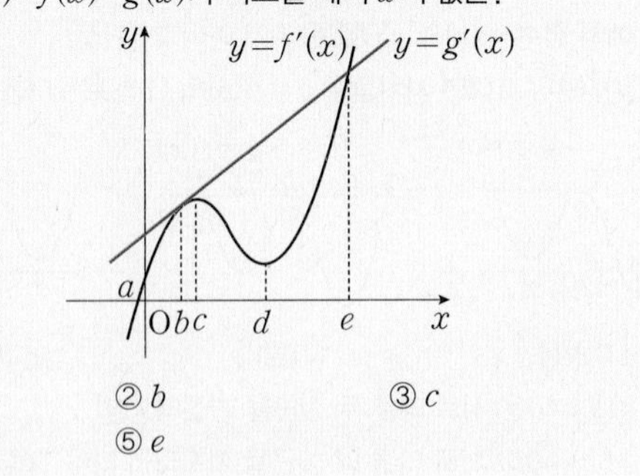

① a　　② b　　③ c
④ d　　⑤ e

STEP Ⓐ **함수 $h(x)$의 증가와 감소를 조사하여 표로 정리하기**

$h(x)=f(x)-g(x)$에서 $h'(x)=f'(x)-g'(x)$
$h'(x)=0$에서 $x=b$ 또는 $x=e$
함수 $h(x)$의 증가와 감소를 표로 나타내면 다음과 같다.

x	$\cdots$	b	$\cdots$	e	$\cdots$
$h'(x)$	$-$	0	$-$	0	$+$
$h(x)$	↘		↘	극소	↗

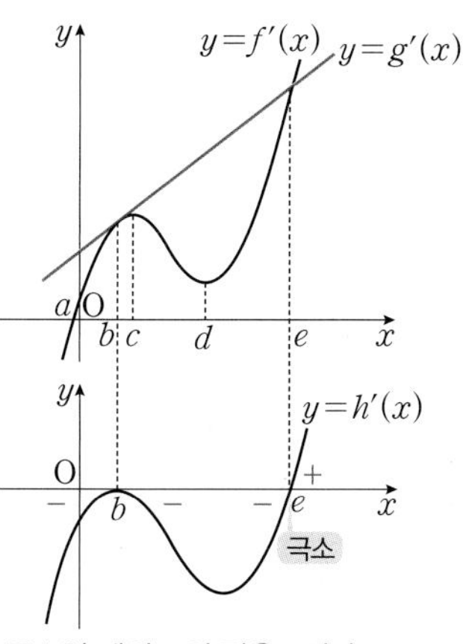

따라서 함수 $h(x)$가 극소일 때의 x의 값은 e이다.

0411

다음 물음에 답하여라.

(1) 다음 그림은 삼차함수 $y=f(x)$와 사차함수 $y=g(x)$의 도함수 $y=f'(x)$와 $y=g'(x)$의 그래프이다. 옳은 것을 [보기]에서 모두 고르면? (단, $f'(0)=0$, $g'(0)=0$)

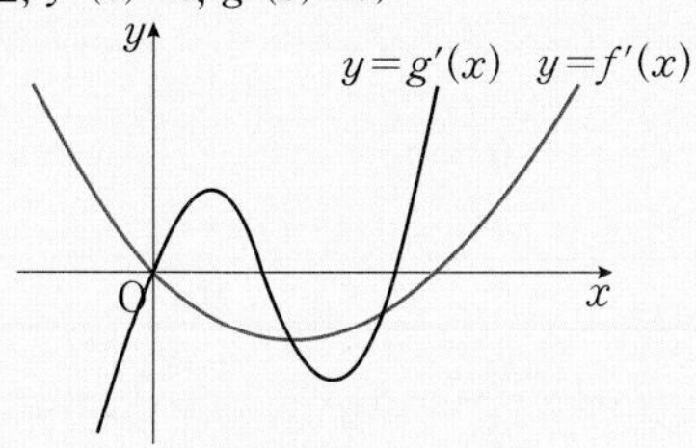

ㄱ. $x<0$에서 $y=f(x)-g(x)$는 증가한다.
ㄴ. $y=f(x)-g(x)$는 한 개의 극솟값을 갖는다.
ㄷ. $h(x)=f'(x)-g'(x)$라 할 때, $h'(x)=0$은 서로 다른 2개의 양의 실근을 갖는다.

① ㄱ ② ㄴ ③ ㄱ, ㄴ
④ ㄴ, ㄷ ⑤ ㄱ, ㄴ, ㄷ

STEP A $y=f(x)-g(x)$의 증감표를 작성하여 [보기]의 참, 거짓 판단하기

ㄱ. $x<0$에서 $f'(x)>g'(x)$이므로 $y'=f'(x)-g'(x)>0$
즉 $y=f(x)-g(x)$는 증가한다. [참]

ㄴ. $f'(x)=g'(x)$의 세 근을 $0,\ a,\ b\ (0<a<b)$라 하면
$f'(x)-g'(x)=0$에서 $x=0$ 또는 $x=a$ 또는 $x=b$
함수 $y=f(x)-g(x)$의 증가와 감소를 표로 나타내면 다음과 같다.

x	$\cdots$	0	$\cdots$	a	$\cdots$	b	$\cdots$
$f(x)-g'(x)$	+	0	−	0	+	0	−
$f(x)-g(x)$	↗	극대	↘	극소	↗	극대	↘

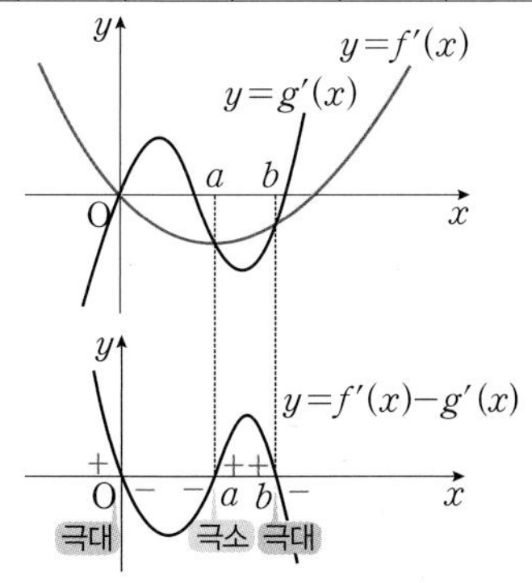

즉 $y=f(x)-g(x)$는 $x=a$에서 극솟값이 존재한다. [참]

STEP B $h(x)$의 그래프의 개형을 이용하여 2개의 양의 실근을 가짐을 보이기

ㄷ. $f'(x)=g'(x)$의 세 근을 $0,\ a,\ b\,(0<a<b)$라 하면
$f'(x)-g'(x)=0$에서
$x=0$ 또는 $x=a$ 또는 $x=b$이므로
$h(x)=f'(x)-g'(x)$
$=kx(x-a)(x-b)$ (단, $k<0$)
$y=h(x)$, $y=h'(x)$의 개형은 오른쪽 그림과 같으므로 $h'(x)=0$은 서로 다른 2개의 양의 실근을 갖는다. [참]

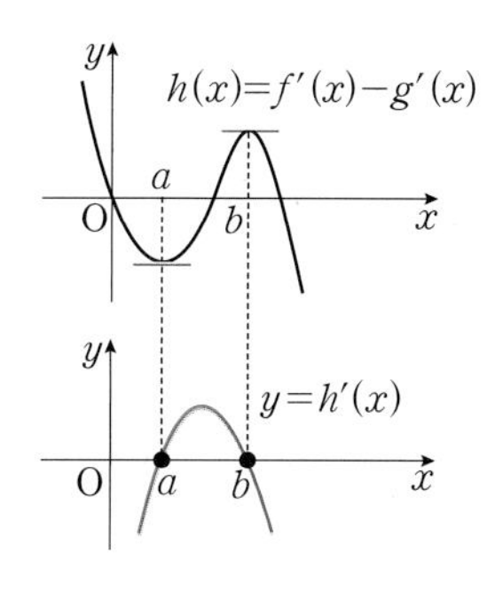

따라서 옳은 것은 ㄱ, ㄴ, ㄷ이다.

(2) 오른쪽 그림과 같이 두 삼차함수 $f(x)$, $g(x)$의 도함수 $y=f'(x)$, $y=g'(x)$의 그래프가 만나는 서로 다른 두 점의 x좌표는 $a,\ b\,(0<a<b)$이다. 함수 $h(x)$를 $h(x)=f(x)-g(x)$라 할 때, [보기]에서 옳은 것만을 있는 대로 고른 것은? (단, $f'(0)=7$, $g'(0)=2$)

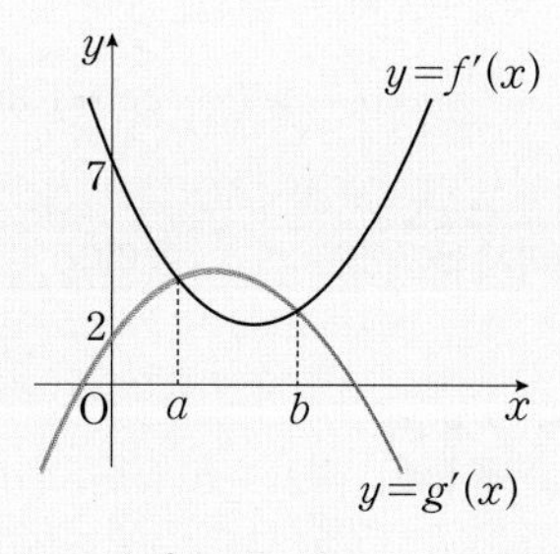

ㄱ. 함수 $h(x)$는 $x=a$에서 극댓값을 갖는다.
ㄴ. $h(b)=0$이면 방정식 $h(x)=0$의 서로 다른 실근의 개수는 2이다.
ㄷ. $0<\alpha<\beta<b$인 두 실수 α, β에 대하여 $h(\beta)-h(\alpha)<5(\beta-\alpha)$이다.

① ㄱ ② ㄷ ③ ㄱ, ㄴ
④ ㄴ, ㄷ ⑤ ㄱ, ㄴ, ㄷ

STEP A 함수 $h(x)$의 증가와 감소를 조사하여 표로 정리하기

$h(x)=f(x)-g(x)$에서 $h'(x)=f'(x)-g'(x)$
$h'(x)=0$에서 $x=a$ 또는 $x=b$
함수 $h(x)$의 증가와 감소를 표로 나타내면 다음과 같다.

x	$\cdots$	a	$\cdots$	b	$\cdots$
$h'(x)$	+	0	−	0	+
$h(x)$	↗	극대	↘	극소	↗

STEP B $h(x)$의 그래프의 개형을 이용하여 [보기]의 참, 거짓 판단하기

ㄱ. 함수 $h(x)$는 $x=a$에서 극댓값을 갖는다. [참]

ㄴ. $h(b)=0$일 때, 함수 $y=h(x)$의 그래프는 오른쪽 그림과 같다.
즉 방정식 $h(x)=0$의 서로 다른 실근의 개수는 2이다. [참]

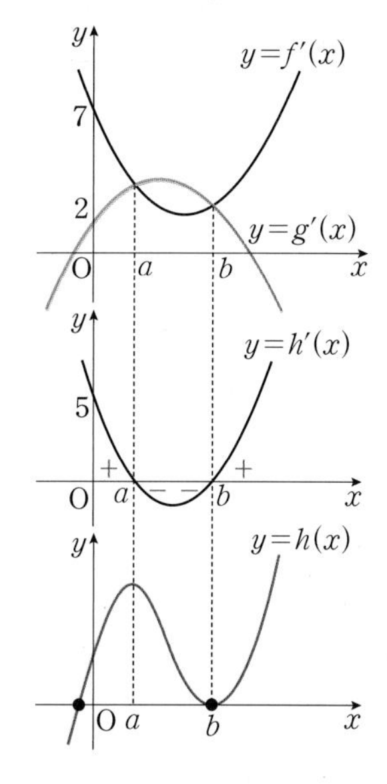

STEP Ⓒ **평균값 정리를 이용하여 $h(\beta)-h(\alpha)<5(\beta-\alpha)$임을 보이기**

ㄷ. 함수 $h(x)$는 닫힌구간 $[\alpha, \beta]$에서 연속이고 열린구간 (α, β)에서 미분가능하므로 평균값 정리에 의하여 $\frac{h(\beta)-h(\alpha)}{\beta-\alpha}=h'(\gamma)$를 만족시키는 γ가 열린구간 (α, β)에 존재한다.

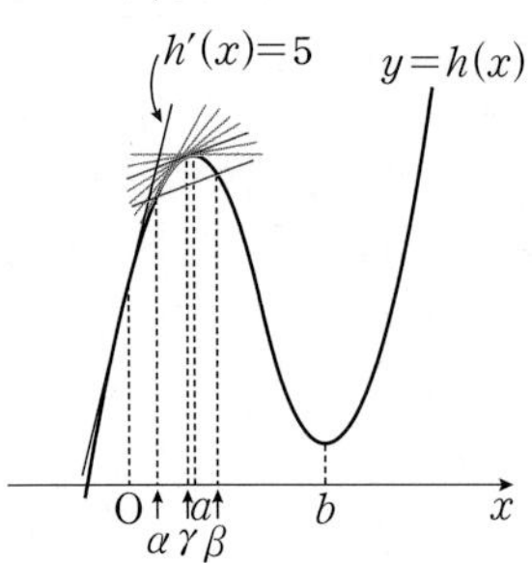

열린구간 $(0, b)$에 있는 모든 실수 x에 대하여 $h'(x)<5$이므로

$\frac{h(\beta)-h(\alpha)}{\beta-\alpha}=h'(\gamma)<5$ ⬅ $h'(0)=f'(0)-g'(0)=7-2=5$

$\therefore h(\beta)-h(\alpha)<5(\beta-\alpha)$ [참]

따라서 옳은 것은 ㄱ, ㄴ, ㄷ이다.

0412

삼차함수 $y=f(x)$와 일차함수 $y=g(x)$의 그래프가 다음 그림과 같고 $f'(b)=f'(d)=0$이다.

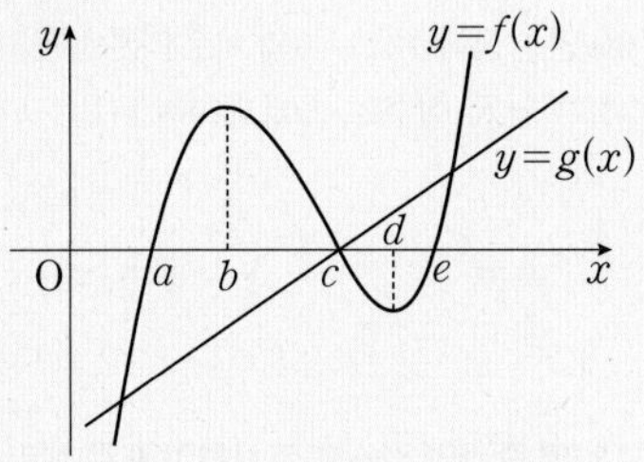

함수 $y=f(x)g(x)$는 $x=p$와 $x=q$에서 극소이다. 다음 중 옳은 것은? (단, $p<q$)

① $a<p<b$이고 $c<q<d$ ② $a<p<b$이고 $d<q<e$
③ $b<p<c$이고 $c<q<d$ ④ $b<p<c$이고 $d<q<e$
⑤ $c<p<d$이고 $d<q<e$

STEP Ⓐ **x의 값의 범위에 따른 $f(x)$, $f'(x)$, $g(x)$, $g'(x)$의 부호를 파악하기**

함수 $y=f(x)$의 그래프를 이용하여 함수 $y=f'(x)$의 그래프를 그리면 다음 그림과 같다.

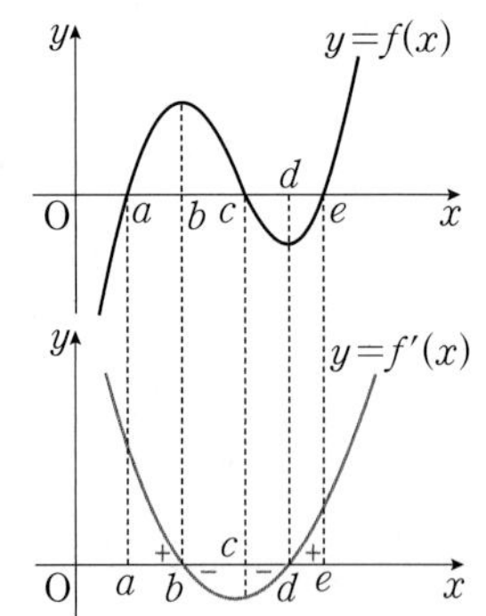

즉 $f'(x)$는 $x=b$, $x=d$일 때를 기준으로 부호가 바뀐다.
또한, 함수 $g(x)$는 기울기가 양수인 일차함수이므로
모든 실수 x에 대하여 $g'(x)>0$이고 $x=c$를 기준으로 $g(x)$의 부호가 바뀐다.
이때 x의 값에 따른 $f(x)$, $f'(x)$, $g(x)$, $g'(x)$의 부호를 살펴보면 다음 표와 같다.

x	$f(x)$	$f'(x)$	$g(x)$	$g'(x)$
$x<a$	$-$	$+$	$-$	$+$
$x=a$	0	$+$	$-$	$+$
$a<x<b$	$+$	$+$	$-$	$+$
$x=b$	$+$	0	$-$	$+$
$b<x<c$	$+$	$-$	$-$	$+$
$x=c$	0	$-$	0	$+$
$c<x<d$	$-$	$-$	$+$	$+$
$x=d$	$-$	0	$+$	$+$
$d<x<e$	$-$	$+$	$+$	$+$
$x=e$	0	$+$	$+$	$+$
$x>e$	$+$	$+$	$+$	$+$

STEP Ⓑ **$f'(x)g(x)+f(x)g'(x)$의 부호를 확인하여 극소 구하기**

$y=f(x)g(x)$의 양변을 x에 대하여 미분하면
$y'=f'(x)g(x)+f(x)g'(x)$이므로 위의 표를 이용하여
x의 값의 범위에 따른 y'의 값의 부호를 확인하면 다음 표와 같다.

x	$f'(x)g(x)$	$f(x)g'(x)$	y'
$x<a$	$-$	$-$	$-$
$x=a$	$-$	0	$-$
$a<x<b$	$-$	$+$	부호변화
$x=b$	0	$+$	$+$
$b<x<c$	$+$	$+$	$+$
$x=c$	0	0	0
$c<x<d$	$-$	$-$	$-$
$x=d$	0	$-$	$-$
$d<x<e$	$+$	$-$	부호변화
$x=e$	$+$	0	$+$
$x>e$	$+$	$+$	$+$

즉 함수 $y=f(x)g(x)$의 증가와 감소를 표로 나타내면 다음과 같다.

x	$\cdots$	a	$\cdots$	b	$\cdots$	c	$\cdots$	d	$\cdots$	e	$\cdots$
y'	$-$	$-$		$+$	$+$	0	$-$	$-$		$+$	$+$
y	↘	↘	극소	↗	↗	극대	↘	↘	극소	↗	↗

함수 $f(x)g(x)$는 $x=c$에서 극대이고 $a<x<b$와 $d<x<e$에서 y'의 부호가 $(-)\to(+)$이 되므로 극소이다.
따라서 극소가 되는 범위는 $p<q$이므로 $a<p<b$이고 $d<q<e$

다른풀이 두 함수 $f(x)$, $g(x)$의 식을 유도하여 풀이하기

삼차함수 $y=f(x)$와 일차함수 $y=g(x)$의 그래프에서
$f(x)=m(x-a)(x-c)(x-e)$, $g(x)=n(x-c)$(m, n은 양수)
라 놓으면 $f(x)g(x)=mn(x-a)(x-c)^2(x-e)$이고
그래프의 개형은 다음과 같다.

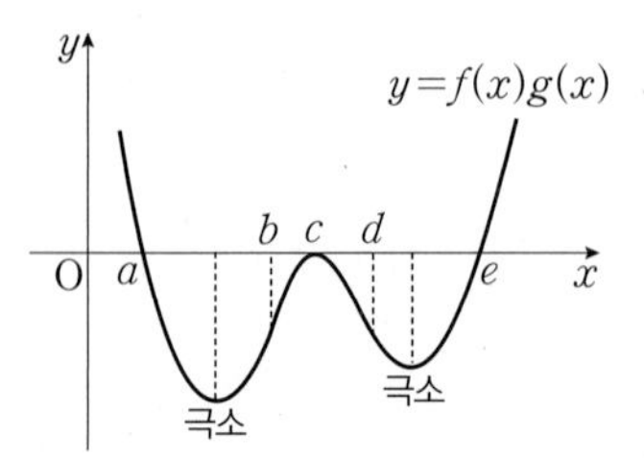

따라서 $a<x<b$인 구간과 $d<x<e$인 구간에서 극솟값을 가짐을 알 수 있다.

0413

$1 \le k < l < m \le 10$인 세 자연수 k, l, m에 대하여 함수 $f(x)$의 도함수 $f'(x)$가 $f'(x)=(x+1)^k x^l (x-1)^m$일 때, $x=0$에서 $f(x)$가 극댓값을 갖도록 하는 순서쌍 (k, l, m)의 개수를 구하여라.

STEP A **$x=0$에서 $f(x)$가 극댓값을 갖도록 하는 k, l, m 정하기**

$f'(x)=(x+1)^k x^l (x-1)^m$이므로 $f'(x)=0$에서

$x=-1$ 또는 $x=0$ 또는 $x=1$

함수 $f(x)$의 증가와 감소를 표로 나타내면 다음과 같다.

x	$\cdots$	-1	$\cdots$	0	$\cdots$	1	$\cdots$
$f'(x)$		0	$+$	0	$-$	0	$+$
$f(x)$			↗	극대	↘		↗

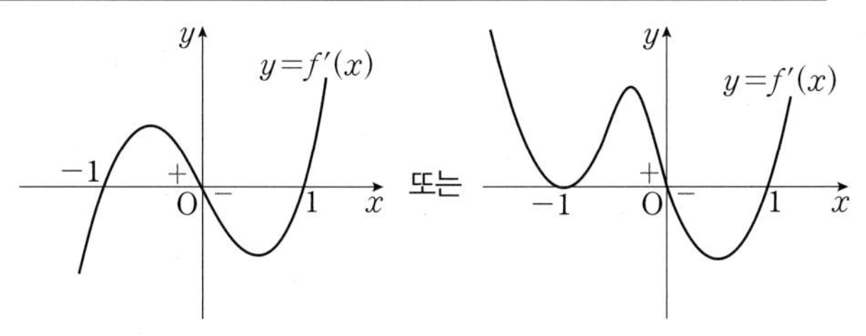

즉 k는 자연수, l은 홀수, m은 홀수라는 것을 알 수 있다.

STEP B **순서쌍 (k, l, m)의 개수 구하기**

이때 $1 \le k < l < m \le 10$이므로 l은 3 이상의 홀수이므로

가능한 순서쌍 (k, l, m)은

$(k, 3, m)$이 꼴은 $2 \times 3 = 6$(가지)

$(k, 5, m)$이 꼴은 $4 \times 2 = 8$(가지)

$(k, 7, m)$이 꼴은 $6 \times 1 = 6$(가지)

따라서 구하는 순서쌍의 개수는 $6+8+6=20$

0414

두 삼차함수 $f(x)$와 $g(x)$가 모든 실수 x에 대하여 $f(x)g(x)=(x-1)^2(x-2)^2(x-3)^2$을 만족시킨다. $g(x)$의 최고차항의 계수가 3이고, $g(x)$가 $x=2$에서 극댓값을 가질 때, $f'(0)=\frac{q}{p}$이다. $p+q$의 값을 구하여라. (단, p와 q는 서로소인 자연수이다.)

STEP A **삼차함수 $f(x)$의 최고차항의 계수 결정하기**

$f(x)g(x)=(x-1)^2(x-2)^2(x-3)^2$에서

삼차함수 $g(x)$의 최고차항의 계수가 3이고 함수 $f(x)g(x)$의 최고차항의 계수가 1이므로 삼차함수 $f(x)$의 최고차항의 계수는 $\frac{1}{3}$

STEP B **$x=2$에서 극대가 되는 다항함수 $g(x)$ 구하기**

삼차함수 $g(x)$는 $(x-1)^2(x-2)^2(x-3)^2$의 인수이므로

함수 $y=g(x)$의 그래프의 개형으로 가능한 것은 다음 그림과 같다.

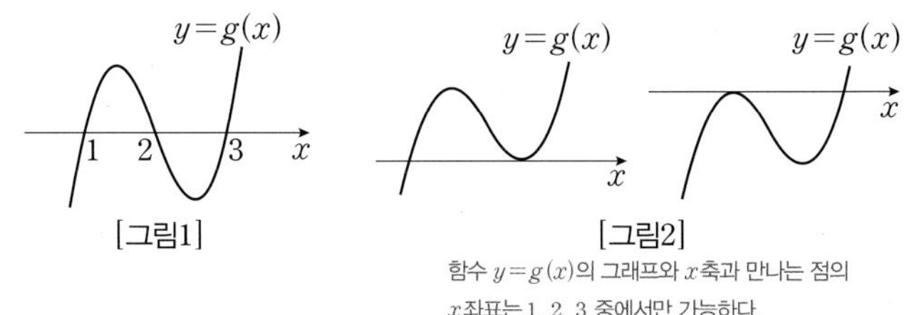

[그림1] [그림2]

함수 $y=g(x)$의 그래프와 x축과 만나는 점의 x좌표는 1, 2, 3 중에서만 가능하다.

이때 함수 $g(x)$가 $x=2$에서 극댓값을 가지므로 [그림1]은 이를 만족시키지 않으므로 [그림2]의 두 가지 경우가 있다.

(ⅰ) [그림2]에서 극댓값이 $g(2)>0$인 경우

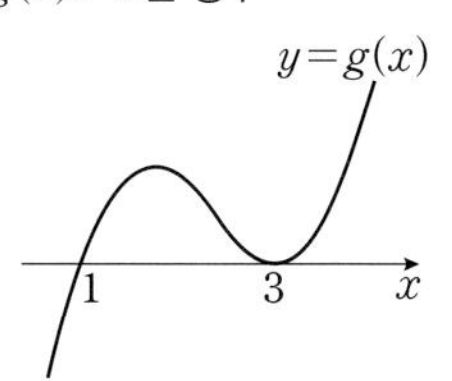

$g(x)=3(x-1)(x-3)^2$이므로

$g'(x)=3(x-3)^2+6(x-1)(x-3)=3(x-3)(3x-5)$에서

$g'(2) \ne 0$이므로 $x=2$에서 극댓값을 가짐을 만족시키지 않는다.

+α 삼차함수의 그래프의 성질에 의하여

$g(x)=3(x-1)(x-3)^2$의 그래프는 $x=\frac{5}{3}$에서 극댓값을 가진다.

$x=k$에서 극댓값을 갖는다고 하면 $k-1:3-k=1:2$이므로

$3-k=2k-2 \quad \therefore x=\frac{5}{3}$

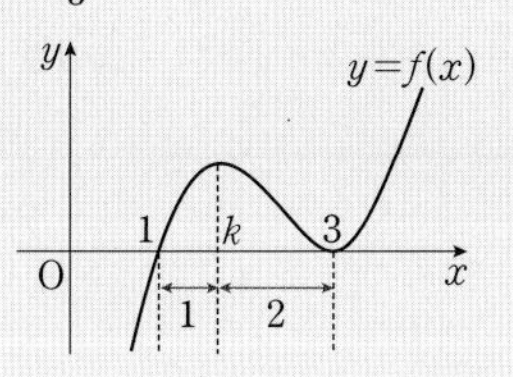

(ⅱ) [그림2]에서 극댓값이 $f(2)=0$인 경우

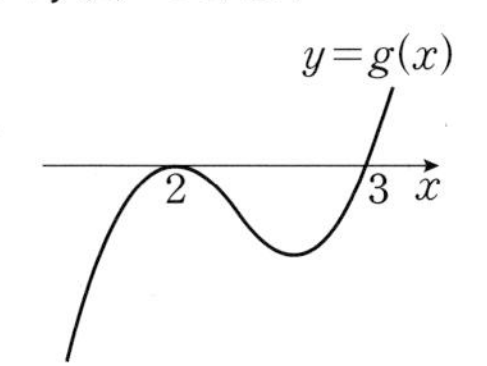

$g(x)=3(x-2)^2(x-3)$이므로 주어진 조건을 만족한다.

(ⅰ), (ⅱ)에서 $g(x)=3(x-2)^2(x-3)$이므로

$f(x)=\frac{1}{3}(x-1)^2(x-3)$

STEP C **다항함수 $f(x)$를 결정하여 $f'(0)$ 구하기**

$f'(x)=\frac{1}{3}\{2(x-1)(x-3)+(x-1)^2\}$

$=\frac{1}{3}(x-1)(3x-7)$

이므로 $f'(0)=\frac{1}{3}\cdot(-1)\cdot(-7)=\frac{7}{3}$

따라서 $p=3$, $q=7$이므로 $p+q=10$

다른풀이 $g(x)$가 $(x-2)^2$을 인수로 가짐을 이용하여 풀이하기

두 삼차함수 $f(x)$, $g(x)$의 곱이 $(x-1)^2(x-2)^2(x-3)^2$이므로

$f(x)$, $g(x)$는 인수 $x-1$, $x-2$, $x-3$을 각각 3개씩 가져야 한다.

(두 개까지 중복 가능)

이때 $g(x)$가 $x=2$에서 극댓값을 가지므로 $g'(2)=0$

즉 $g(x)$는 $(x-2)^2$을 인수로 가지므로

$g(x)=3(x-2)^2(x-1)$ 또는 $g(x)=3(x-2)^2(x-3)$

(ⅰ) $g(x)=3(x-2)^2(x-1)$일 때,

$g(x)$는 $x=2$에서 극솟값을 가지므로 주어진 조건을 만족시키지 않는다.

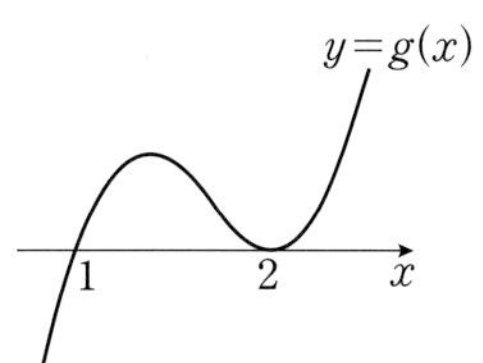

(ⅱ) $g(x)=3(x-2)^2(x-3)$일 때,

$g(x)$는 $x=2$에서 극댓값을 가지므로 주어진 조건을 만족시킨다.

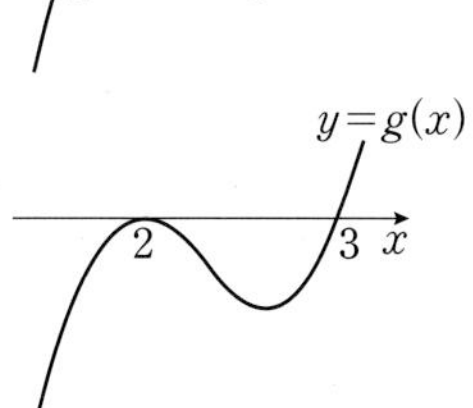

(ⅰ), (ⅱ)에서 $g(x)=3(x-2)^2(x-3)$

$g(x)=3(x-2)^2(x-3)$이므로

$f(x)=\frac{1}{3}(x-1)^2(x-3)$

$f'(x)=\frac{1}{3}\{2(x-1)(x-3)+(x-1)^2\}$

$=\frac{1}{3}(x-1)(3x-7)$

이므로 $f'(0)=\frac{1}{3}\cdot(-1)\cdot(-7)=\frac{7}{3}$

따라서 $p=3$, $q=7$이므로 $p+q=10$

0415

최고차항의 계수가 1인 사차함수 $f(x)$에 대하여 함수 $g(x)=|f(x)|$가 다음 조건을 만족시킨다.

(가) $g(x)$는 $x=1$에서 미분가능하고 $g(1)=g'(1)$이다.
(나) $g(x)$는 $x=-1$, $x=0$, $x=1$에서 극솟값을 갖는다.

$g(2)$의 값은?

① 2 ② 4 ③ 6
④ 8 ⑤ 10

STEP A 조건을 만족하는 $y=g(x)$의 그래프의 개형 그리기

$g(1)=g'(1)$이고 $x=1$에서 극솟값을 가지므로

$g(1)=g'(1)=0$ …… ㉠

㉠에 의하여 $g(x)=|f(x)|$이므로 $zf(1)=f'(1)=0$,

$g(x)$는 $x=-1$, $x=0$, $x=1$에서

극솟값을 가지므로 그림을 그리면 다음과 같다.

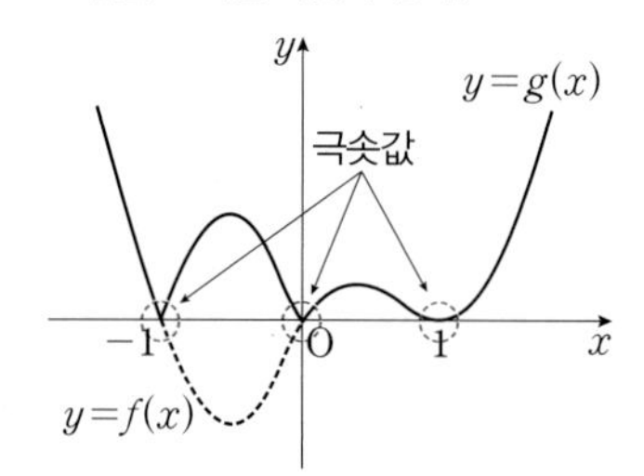

STEP B $g(2)$의 값 구하기

최고차항의 계수가 1인 사차함수 $f(x)$는 다음과 같다.

$f(x)=(x-1)^2x(x+1)$

$g(x)=|(x-1)^2x(x+1)|$

따라서 $g(2)=|1\cdot2\cdot3|=6$

0416

다음 물음에 답하여라.

(1) 다음 조건을 만족시키는 모든 삼차함수 $f(x)$에 대하여 $\frac{f'(0)}{f(0)}$의 최댓값을 M, 최솟값을 m이라 하자. Mm의 값은?

(가) 함수 $|f(x)|$는 $x=-1$에서만 미분가능하지 않다.
(나) 방정식 $f(x)=0$은 닫힌구간 $[3, 5]$에서 적어도 하나의 실근을 갖는다.

① $\frac{1}{15}$ ② $\frac{1}{10}$ ③ $\frac{2}{15}$
④ $\frac{1}{6}$ ⑤ $\frac{1}{5}$

STEP A 삼차함수 $f(x)$의 개형 그리기

조건 (가)에서 $f(-1)=0$, $f'(-1)\neq0$이고

$x=-1$이 아닌 임의의 실수 p에 대하여

$f(p)\neq0$이거나 $f(p)=0$, $f'(p)=0$

즉 방정식 $f(x)=0$은 $x=-1$을 실근으로 가져야 하는데

함수 $|f(x)|$가 $x=-1$에서 미분가능하지 않으므로

$x=-1$은 중근이 아니고 $x=-1$의 좌우에서 부호가 바뀐다.

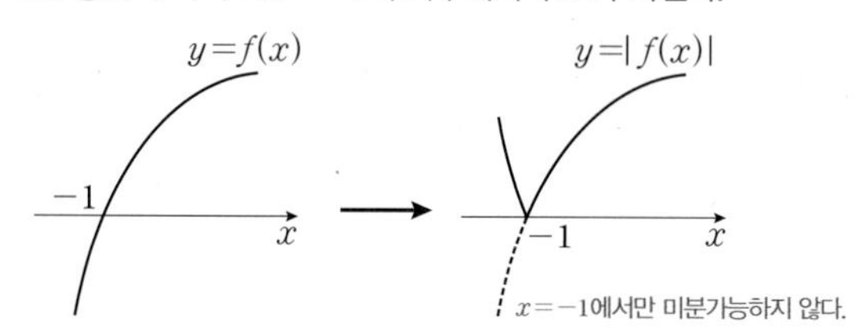

조건 (나)에 의하여 닫힌구간 $[3, 5]$에서 함수 $|f(x)|$는 미분가능해야 하므로

방정식 $f(x)=0$은 닫힌구간 $[3, 5]$에서 중근을 가져야 한다.

← $f(x)=0$의 한 실근을 k라 하면 $f(k)=0$, $f'(k)=0$

함수 $f(x)$의 그래프가 x축에 접하는 접점의 x좌표를

$\alpha\,(3\leq\alpha\leq5)$라 하면

조건 (가), (나)를 동시에 만족하는 삼차함수 $f(x)$의 개형은 다음과 같다.

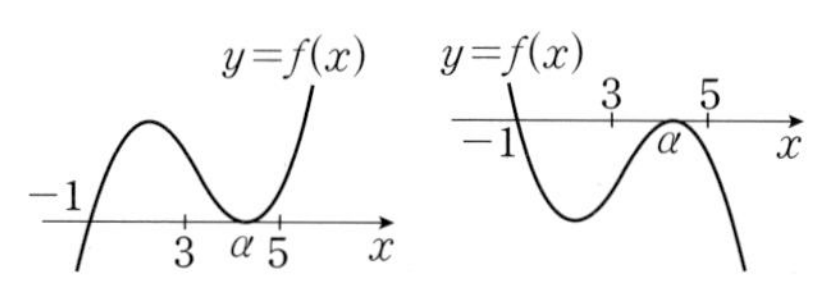

STEP B 삼차함수 $f(x)$의 식을 이용하여 $\frac{f'(0)}{f(0)}$의 최댓값, 최솟값을 구하기

$f(x)=k(x+1)(x-\alpha)^2\,(k\neq0,\ 3\leq\alpha\leq5)$라 하면

$f'(x)=k(x-\alpha)^2+2k(x+1)(x-\alpha)$

$\therefore\ \frac{f'(0)}{f(0)}=\frac{-2k\alpha+k\alpha^2}{k\alpha^2}=1-\frac{2}{\alpha}$

이때 $3\leq\alpha\leq5$이므로 $\frac{f'(0)}{f(0)}$은

$\alpha=5$일 때, 최댓값 $M=1-\frac{2}{5}=\frac{3}{5}$을 가지고

$\alpha=3$일 때, 최솟값 $m=1-\frac{2}{3}=\frac{1}{3}$을 가진다.

따라서 $Mm=\frac{3}{5}\cdot\frac{1}{3}=\frac{1}{5}$

(2) 다음 조건을 만족하는 삼차함수 $f(x)$에 대하여 $\frac{f'(1)}{f(1)}$의 최댓값은?

(가) 함수 $f(x)$의 최고차항의 계수는 1이다.
(나) 함수 $|f(x)|$는 $x=0$에서만 미분가능하지 않다.
(다) 방정식 $f(x)=0$은 닫힌구간 $[4, 6]$에서 적어도 하나의 실근을 갖는다.

① $\frac{1}{15}$ ② $\frac{1}{5}$ ③ $\frac{1}{3}$
④ $\frac{7}{15}$ ⑤ $\frac{3}{5}$

STEP A 삼차함수 $f(x)$의 개형 그리기

조건 (나)에서 $f(0)=0$, $f'(0)\neq 0$이고
$x=0$이 아닌 임의의 실수 p에 대하여
$f(p)\neq 0$이거나 $f(p)=0$, $f'(p)=0$
즉 방정식 $f(x)=0$은 $x=0$을 실근으로 가져야 하는데
함수 $|f(x)|$가 $x=0$에서 미분가능하지 않으므로
$x=0$은 중근이 아니고 $x=0$의 좌우에서 부호가 바뀐다.

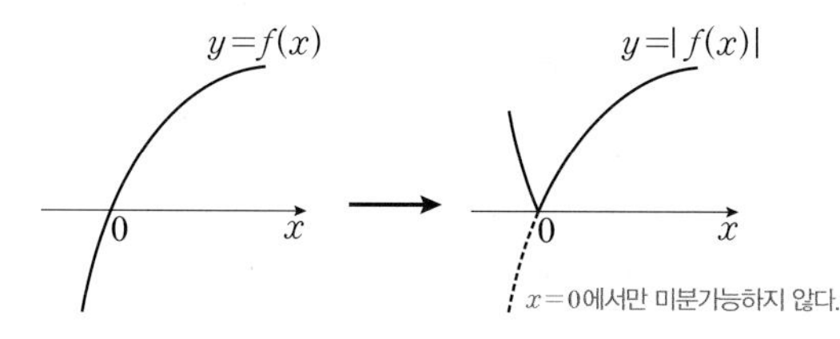

조건 (다)에 의하여 닫힌구간 $[4, 6]$에서 함수 $|f(x)|$는 미분가능해야 하므로
방정식 $f(x)=0$은 닫힌구간 $[4, 6]$에서 중근을 가져야 한다.
⬅ $f(x)=0$의 한 실근을 k라 하면 $f(k)=0$, $f'(k)=0$
함수 $f(x)$의 그래프가 x축에 접하는 접점의 x좌표를
$\alpha(4\leq\alpha\leq 6)$라 하면
조건 (가), (나), (다)를 동시에 만족하는 삼차함수 $f(x)$의 개형은
다음 그림과 같다.

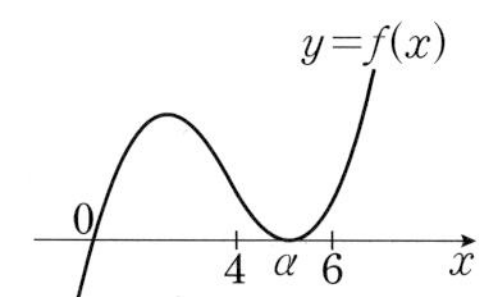

STEP B 삼차함수 $f(x)$의 식을 이용하여 $\frac{f'(1)}{f(1)}$의 최댓값, 최솟값을 구하기

$f(x)=x(x-\alpha)^2\ (4\leq\alpha\leq 6)$이라 하면
$f'(x)=(x-\alpha)^2+2x(x-\alpha)$
$\therefore \frac{f'(1)}{f(1)}=\frac{(1-\alpha)^2+2(1-\alpha)}{(1-\alpha)^2}=\frac{3-\alpha}{1-\alpha}$
이때 $4\leq\alpha\leq 6$이므로 $\frac{f'(1)}{f(1)}$은
$\alpha=6$일 때, 최댓값 $\frac{3-6}{1-6}=\frac{3}{5}$을 가지고
$\alpha=4$일 때, 최솟값 $\frac{3-4}{1-4}=\frac{1}{3}$을 가진다.
따라서 최댓값은 $\frac{3}{5}$

0417

다음 물음에 답하여라.
(1) 최고차항의 계수가 1인 삼차함수 $f(x)$가 다음 조건을 만족시킬 때, 함수 $f(x)$의 극솟값은?

(가) $f(0)=8$
(나) 함수 $|f(x)|$는 $x=-2$에서만 미분가능하지 않다.
(다) 방정식 $f(x)=0$의 서로 다른 실근의 개수는 2이다.

① -4 ② -2 ③ 0
④ 2 ⑤ 4

STEP A 최고차항의 계수가 1이고 조건 (가), (나)를 만족하는 삼차함수 $f(x)$의 식 작성하기

조건 (가)에서 $f(x)=x^3+ax^2+bx+8$ (a, b는 상수) …… ㉠
이라 하면 조건 (나)에서 함수 $f(x)$의 그래프는 점 $(-2, 0)$을 지나므로
$f(-2)=-8+4a-2b+8=0$에서 $b=2a$ …… ㉡
㉠과 ㉡에서 $f(x)=x^3+ax^2+2ax+8$

STEP B 조건 (나), (다)를 만족하는 삼차방정식의 근을 이해하기

즉 $f(x)=x^3+ax^2+2ax+8=(x+2)\{x^2+(a-2)x+4\}$이므로
⬅ 조립제법으로 인수분해
조건 (다)에서 방정식 $f(x)=0$은 $x=-2$이외의 근을 하나만 가져야 하고
조건 (나)에서 방정식 $f(x)=0$이 $x=-2$를 중근으로 갖게 되면
함수 $|f(x)|$는 $x=-2$에서 미분가능하게 되므로
$x^2+(a-2)x+4=0$의 근은 -2가 아닌 중근을 가져야 한다.
즉 이차방정식 $x^2+(a-2)x+4=0$의 판별식을 D라 하면
$D=(a-2)^2-4\cdot4=0$에서 $a^2-4a-12=0$, $(a-6)(a+2)=0$
$\therefore a=6$ 또는 $a=-2$

STEP C $f(x)$의 극솟값 구하기

(i) $a=6$일 때, $f(x)=(x+2)^3$이므로 조건 (다)를 만족시키지 않는다.
(ii) $a=-2$일 때, $f(x)=(x+2)(x-2)^2$이므로 조건 (다)를 만족시킨다.
㉠에서 $f(x)=x^3-2x^2-4x+8$이므로
$f'(x)=3x^2-4x-4=(x-2)(3x+2)$
$f'(x)=0$에서 $x=-\frac{2}{3}$ 또는 $x=2$
함수 $f(x)$의 증가와 감소를 표로 나타내면 다음과 같다.

x	…	$-\frac{2}{3}$	…	2	…
$f'(x)$	+	0	−	0	+
$f(x)$	↗	극대	↘	극소	↗

따라서 함수 $f(x)$는 $x=2$에서 극소이고 극솟값은
$f(2)=2^3-2\cdot2^2-4\cdot2+8=0$

다른풀이 $y=f(x)$의 그래프를 이용하여 풀이하기

조건 (나)에서 함수 $|f(x)|$는 $x=-2$에서만 미분가능하지 않고,
조건 (다)를 만족시키는 함수 $y=f(x)$의 그래프와 x축이 서로 다른
두 점에서 만나므로 함수 $y=f(x)$의 그래프의 개형은 다음 그림과 같다.

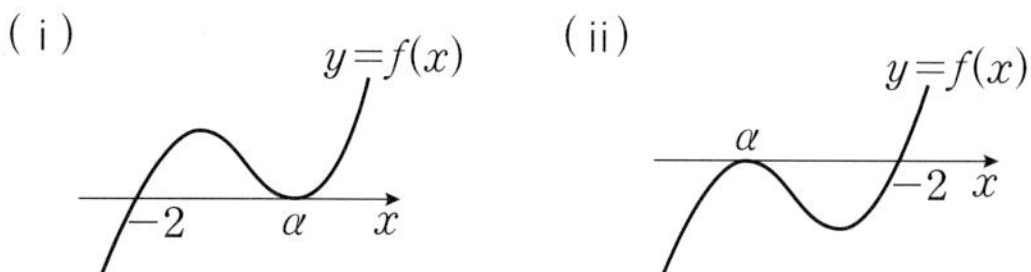

$f(x)=(x+2)(x-\alpha)^2\ (\alpha\neq-2)$라 하면
조건 (가)에서 $f(0)=2(-\alpha)^2=2\alpha^2=8$
이때 $\alpha\neq-2$이므로 $\alpha=2$
따라서 함수 $y=f(x)$의 그래프는 (i)과 같으므로 함수 $f(x)$의 극솟값은
$f(\alpha)=f(2)=0$

(2) 최고차항의 계수가 1이고 상수항을 포함한 모든 항의 계수가 정수인 삼차함수 $f(x)$가 다음 조건을 만족시킬 때, $f(4)$의 값은?

(가) 방정식 $f(x)=0$은 서로 다른 세 실근을 갖는다.
(나) 함수 $|f(x)|$는 $x=3$에서 극댓값 1을 갖는다.
(다) $f'(0)\times f'(1)=-12$

① 2　② 4　③ 6
④ 8　⑤ 10

STEP Ⓐ **함수 $f(x)$의 그래프 그리기**

삼차항의 계수가 1이므로 조건 (가), (나)에 의하여 함수 $y=f(x)$의 그래프는 다음 그림과 같이 두 가지의 경우로 나누어 생각할 수 있다.

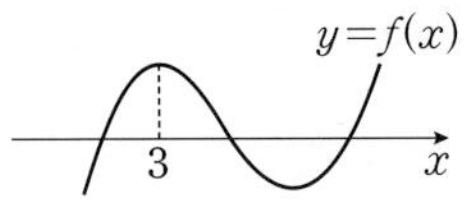

[그림1]

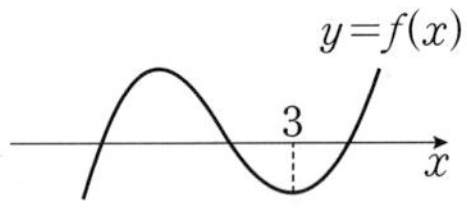

[그림2]

[그림1]에서 $f'(0)>0$, $f'(1)>0$이므로 조건 (다)를 만족시킬 수 없다.
따라서 함수 $y=f(x)$의 그래프는 [그림2]와 같다.

STEP Ⓑ **그래프와 조건 (다)를 이용하여 $f(x)$의 식 구하기**

즉 함수 $f(x)$는 $x=3$에서 극솟값 -1을 갖는다.
$f(x)=x^3+ax^2+bx+c$ (a, b, c는 정수)로 놓으면
$f(3)=27+9a+3b+c=-1$ …… ㉠
$f'(x)=3x^2+2ax+b$이므로
$f'(3)=27+6a+b=0$ …… ㉡
조건 (다)에 의하여
$f'(0)\times f'(1)=b(3+2a+b)=-12$ …… ㉢
㉡에서 $b=-6a-27$이므로 ㉢에 대입하면
$(-6a-27)(3+2a-6a-27)=-12$
$(2a+9)(a+6)=-1$, $2a^2+21a+55=0$
$(2a+11)(a+5)=0$
$\therefore$ a는 정수이므로 $a=-5$
㉡에서 $b=3$
㉠에서 $c=8$

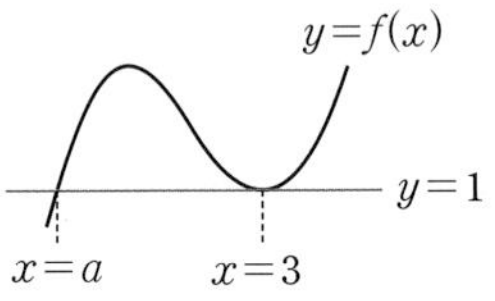

따라서 $f(x)=x^3-5x^2+3x+8$이므로 $f(4)=64-80+12+8=4$

다른풀이 $f(x)+1$의 그래프가 $x=3$에서 x축과 접함을 이용하여 풀이하기

[그림2]에서 함수 $f(x)$는 $x=3$에서 극솟값 -1을 가지므로
함수 $y=f(x)$의 그래프와 직선 $y=-1$의 교점의 x좌표를 a, 3이라 하면
$f(x)+1=(x-a)(x-3)^2$
$f(x)=(x-a)(x-3)^2-1$
$f'(x)=(x-3)^2+2(x-a)(x-3)$이므로
$f'(0)=9+6a$
$f'(1)=4-4(1-a)=4a$
따라서 $f'(0)\times f'(1)=(9+6a)\times 4a=-12$에서
$24a^2+36a+12=0$, $2a^2+3a+1=0$
$(a+1)(2a+1)=0$
$a=-1$ 또는 $a=-\frac{1}{2}$
함수 $f(x)$의 모든 항의 계수가 정수이므로 $a=-1$
따라서 $f(x)=(x+1)(x-3)^2-1$이므로 $f(4)=5\times 1-1=4$

0418

최고차항의 계수가 1인 삼차함수 $f(x)$가 다음 조건을 만족시킨다.

(가) 함수 $\frac{1}{f(x)}$이 정의되지 않는 서로 다른 x의 값의 개수는 2이다.
(나) 함수 $|f(x)|$의 모든 극값의 합은 $\frac{108}{27}$이다.

[보기]에서 옳은 것만을 있는 대로 고른 것은?

ㄱ. 함수 $y=f(x)$의 그래프가 x축과 만나는 서로 다른 점의 개수는 2이다.
ㄴ. 함수 $|f(x)|$의 서로 다른 극값의 개수는 2이다.
ㄷ. 방정식 $f'(x)=0$의 두 근의 차는 2이다.

① ㄱ　② ㄷ　③ ㄱ, ㄴ
④ ㄴ, ㄷ　⑤ ㄱ, ㄴ, ㄷ

STEP Ⓐ **조건 (가)를 만족하는 삼차함수 $f(x)$의 개형을 그려 참, 거짓 판단하기**

ㄱ. 조건 (가)에서 $f(x)=0$인 x의 값의 개수가 2이므로
함수 $y=f(x)$의 그래프가 x축과 만나는 서로 다른 점의 개수는 2이다.
[참]

ㄴ. 함수 $y=f(x)$의 그래프와 x축이 만나는 서로 다른 두 점의 x좌표를 각각 a, $b(a<b)$라 하면 ㄱ에서 최고차항의 계수가 1인 삼차함수 $y=f(x)$의 그래프는 그림과 같이 두 가지 경우가 있다.

(ⅰ)
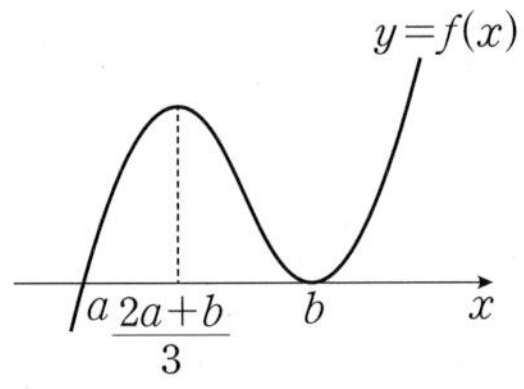

(ⅱ)
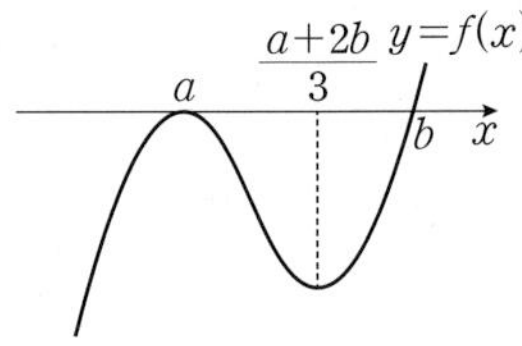

위의 두 가지 경우 모두 함수 $|f(x)|$는 극댓값 1개와 극솟값 2개를 갖는다.
그런데 함수 $|f(x)|$의 극솟값이 모두 0이므로
함수 $|f(x)|$의 서로 다른 극값의 개수는 2이다. [참]

STEP Ⓑ **함수 $|f(x)|$의 모든 극값의 합이 $\frac{108}{27}$임을 이용하여 방정식 $f'(x)=0$의 두 근의 차를 구하기**

ㄷ. (ⅰ)의 경우
$f(x)=(x-a)(x-b)^2\,(a<b)$로 놓으면
$f'(x)=(x-b)^2+(x-a)\cdot 2(x-b)$
$=(x-b)(3x-2a-b)$
$f'(x)=0$에서 $x=b$ 또는 $x=\frac{2a+b}{3}$
즉 함수 $f(x)$는 $x=\frac{2a+b}{3}$에서 극대이다.
함수 $|f(x)|$의 두 극솟값은 모두 0이고 극댓값은
$f\left(\frac{2a+b}{3}\right)=\left(\frac{2a+b}{3}-a\right)\left(\frac{2a+b}{3}-b\right)^2=\frac{4}{27}(b-a)^3$
이므로 조건 (나)에서
$\frac{4}{27}(b-a)^3=\frac{108}{27}$에서 $b-a=3$ ⬅ $(b-a)^3=27$
이때 방정식 $f'(x)=0$의 두 근이 $x=\frac{2a+b}{3}$, $x=b$이므로
두 근의 차는 $b-\frac{2a+b}{3}=\frac{2(b-a)}{3}=\frac{2\cdot 3}{3}=2$
(ⅱ)의 경우
$f(x)=(x-a)^2(x-b)\,(a<b)$로 놓으면
$f'(x)=2(x-a)\cdot(x-b)+(x-a)^2$
$=(x-a)(3x-a-2b)$

$f'(x)=0$에서 $x=a$ 또는 $x=\frac{a+2b}{3}$

즉 함수 $f(x)$는 $x=\frac{a+2b}{3}$에서 극소이다.

함수 $|f(x)|$의 두 극솟값은 모두 0이고 극댓값은

$-f\left(\frac{a+2b}{3}\right)=-\left(\frac{a+2b}{3}-a\right)^2\left(\frac{a+2b}{3}-b\right)=\frac{4}{27}(b-a)^3$

이므로 조건 (나)에서

$\frac{4}{27}(b-a)^3=\frac{108}{27}$에서 $b-a=3$ ⬅ $(b-a)^3=27$

이때 방정식 $f'(x)=0$의 두 근이 $x=a$, $x=\frac{a+2b}{3}$이므로

두 근의 차는 $\frac{a+2b}{3}-a=\frac{2(b-a)}{3}=\frac{2\cdot3}{3}=2$

즉 방정식 $f'(x)=0$의 두 근의 차는 2이다. [참]

따라서 옳은 것은 ㄱ, ㄴ, ㄷ이다.

0419

다음 물음에 답하여라.

(1) 다음 그림은 극댓값이 3, 극솟값이 1인 삼차함수 $y=f(x)$의 그래프를 나타낸 것이다.
함수 $g(x)=|f(x)-k|$(k는 정수)의 모든 극값들의 합이 2일 때, 함수 $g(x)$의 극대 또는 극소인 점의 개수를 a라 하자.
$k+a$가 취할 수 있는 모든 값들의 합을 구하여라.

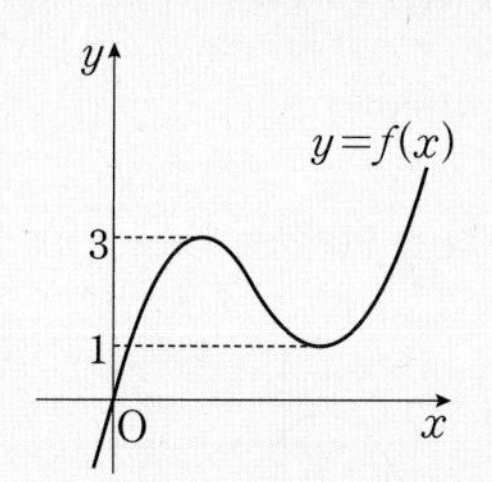

STEP A 극값들의 합이 2가 되도록 그래프를 평행이동하여 k, a의 값 구하기

(ⅰ) $k=1$일 때,
$y=f(x)-1$, $y=|f(x)-1|$의 그래프는 그림과 같다.

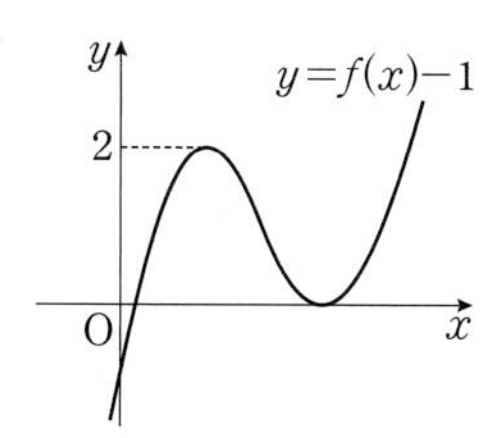

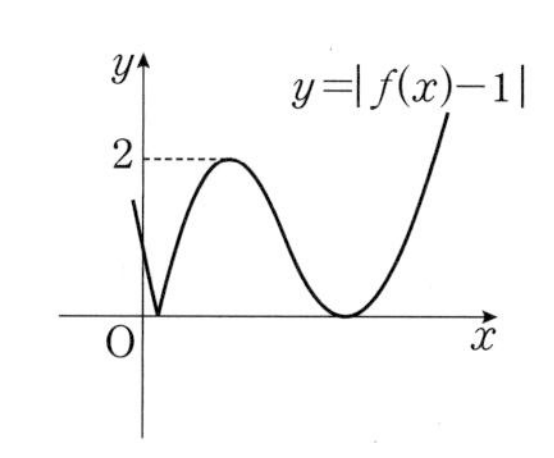

$\therefore k+a=1+3=4$

(ⅱ) $k=2$일 때,
$y=f(x)-2$, $y=|f(x)-2|$의 그래프는 그림과 같다.

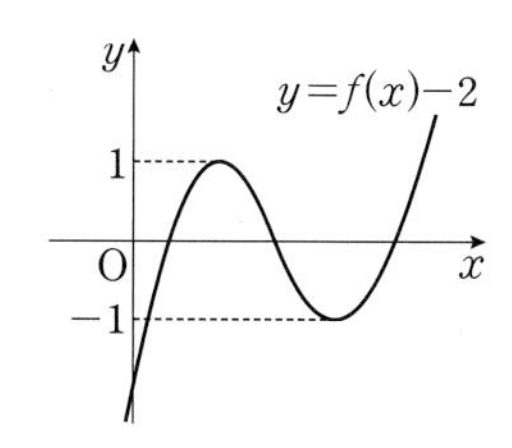

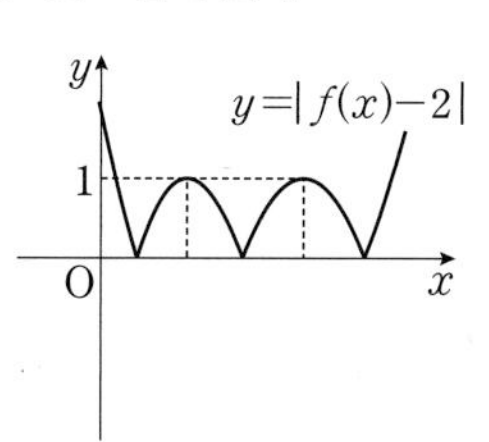

$\therefore k+a=2+5=7$

(ⅲ) $k=3$일 때,
$y=f(x)-3$, $y=|f(x)-3|$의 그래프는 그림과 같다.

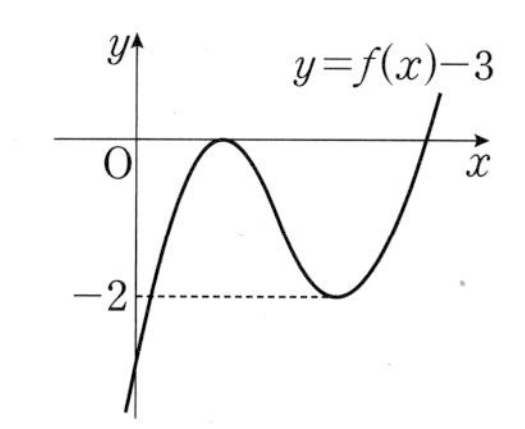

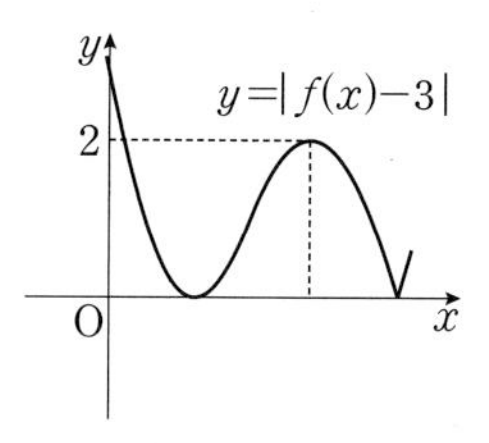

$\therefore k+a=3+3=6$

(ⅳ) $k\le0$ 또는 $k\ge4$일 때,
함수 $g(x)$의 모든 극값들의 합은 2가 될 수 없다.

(ⅰ)~(ⅳ)에서 구하는 $k+a$값은 4, 7, 6이므로 합은 $4+7+6=17$

(2) 함수 $f(x)=2x^3-9x^2+12x-5$에 대하여 함수 $g(x)=|f(x)+a|$는 $x=k$에서만 미분가능하지 않을 때, 양수 a의 값의 범위를 구하여라. (단, k는 상수)

STEP A 함수 $f(x)$의 증가와 감소를 표로 나타내기

$f(x)=2x^3-9x^2+12x-5$에서

$f'(x)=6x^2-18x+12=6(x-1)(x-2)$

$f'(x)=0$에서 $x=1$ 또는 $x=2$

함수 $f(x)$의 증가와 감소를 표로 나타내면 다음과 같다.

x	$\cdots$	1	$\cdots$	2	$\cdots$
$f'(x)$	+	0	−	0	+
$f(x)$	↗	0	↘	−1	↗

함수 $y=f(x)$의 그래프의 개형은 [그림1]과 같다.

STEP B $g(x)$는 $x=k$에서만 미분가능하지 않을 조건 구하기

이때 함수 $g(x)$는 $x=k$에서만 미분가능하지 않으므로

함수 $y=g(x)$의 그래프의 개형은 [그림2]와 같아야 한다.

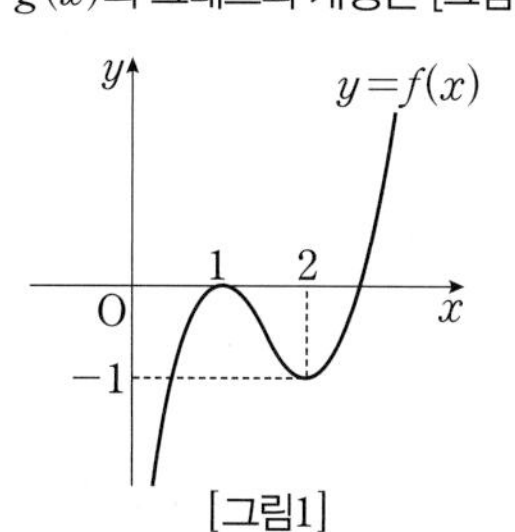

[그림1]

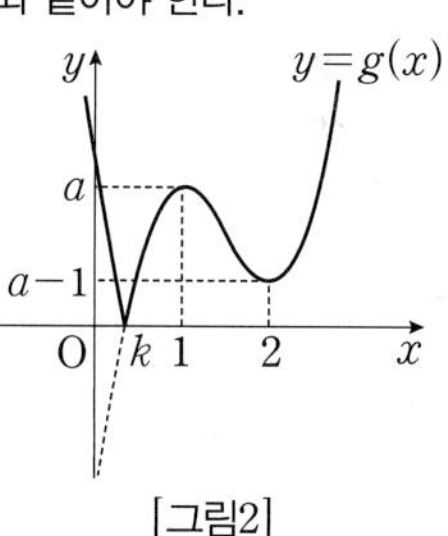

[그림2]

즉 $a-1\ge0$이어야 하므로 구하는 a의 값의 범위는 $a\ge1$

0420

사차함수 $f(x)$가 다음 조건을 만족시킬 때, $\frac{f'(5)}{f'(3)}$의 값을 구하여라.

(가) 함수 $f(x)$는 $x=2$에서 극값을 갖는다.
(나) 함수 $|f(x)-f(1)|$은 오직 $x=a(a>2)$에서만 미분가능하지 않다.

STEP A 함수 $|f(x)-f(1)|$이 $x=a$에서 미분가능하지 않으면 $f(a)-f(1)=0$임을 이용하기

조건 (가)에서 함수 $f(x)$가 $x=2$에서 극값을 가지므로 $f'(2)=0$
조건 (나)에서 $g(x)=f(x)-f(1)$이라 하면 $f(x)$가 사차함수이므로 $g(x)$도 사차함수이다.
$g(x)=f(x)-f(1)$의 양변을 x에 대하여 미분하면
$g'(x)=f'(x)$ ...... ㉠
즉 $g'(2)=f'(2)=0$이고 함수 $g(x)$도 $x=2$에서 극값을 갖는다.
한편 $|g(x)|$가 미분가능하지 않은 점은 $g(x)=0$인 점이고
$g(x)=0$인 점은 $g(1)=f(1)-f(1)=0$, $g(a)=0(a>2)$
그런데 조건 (나)에서 $|g(x)|$가 $x=a(a>2)$에서만 미분가능하지 않으므로 $x=1$에서는 미분가능해야만 한다.

STEP B 조건을 만족하는 함수 $g(x)$의 그래프의 개형을 유추하기

$g(x)=f(x)-f(1)$의 그래프는 다음 두 가지 개형의 경우이다.

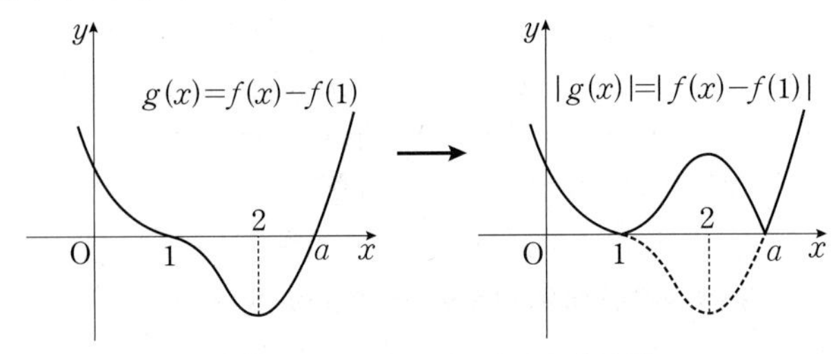

[$f(x)$의 최고차항의 계수가 양수인 경우]

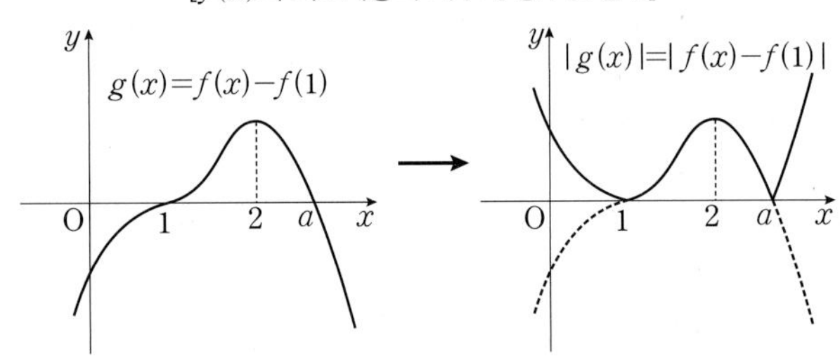

[$f(x)$의 최고차항의 계수가 음수인 경우]

즉 함수 $g(x)$는 $(x-1)^3$을 인수로 가지므로
$g'(x)$는 $(x-1)^2$을 인수로 갖고 $g'(2)=0$, $x-2$도 인수를 갖는다.
$g'(x)=k(x-1)^2(x-2)$(k는 0이 아닌 상수)라 하면
$f'(x)=k(x-1)^2(x-2)$ ($\because$ ㉠)

따라서 $\frac{f'(5)}{f'(3)}=\frac{k(5-1)^2(5-2)}{k(3-1)^2(3-2)}=\frac{k\cdot4^2\cdot3}{k\cdot2^2\cdot1}=12$

$g(x)$가 $x=1$에서 삼중근을 갖고 $x=a$에서 나머지 한 근을 가져야 하므로
$\therefore g(x)=k(x-1)^3(x-a)$
$f'(x)=g'(x)=3k(x-1)^2(x-a)+k(x-1)^3$
$f'(2)=0$이므로 $3k(2-a)+k=0$
$\therefore a=\frac{7}{3}$

따라서 $\frac{f'(5)}{f'(3)}=\frac{3k\cdot4^2\cdot\left(5-\frac{7}{3}\right)+k\cdot4^3}{3k\cdot2^2\cdot\left(3-\frac{7}{3}\right)+k\cdot2^3}=12$

함수 $y=|g(x)|$의 그래프의 개형

(ⅰ) $g(a)\neq0$이면 $y=|g(x)|$는 $x=a$에서 미분가능하다.
(ⅱ) $g(a)=0$일 때,

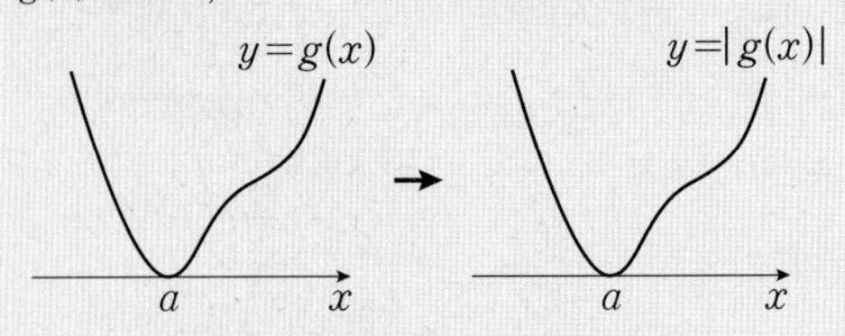

⇨ $g'(a)=0$이면 $y=|g(x)|$는 $x=a$에서 미분가능하다.

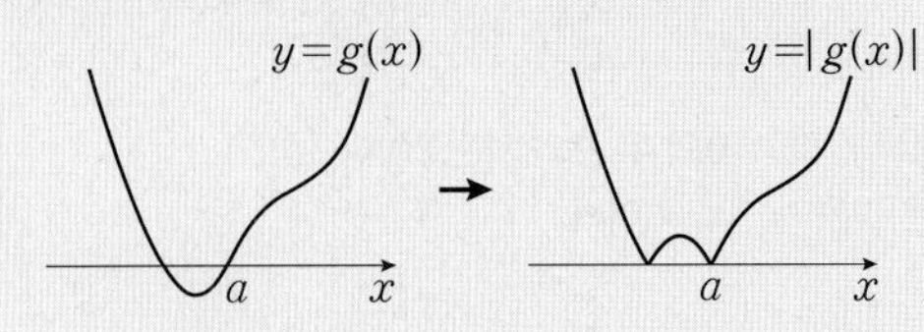

⇨ $g'(a)\neq0$이면 $y=|g(x)|$는 $x=a$에서 미분가능하지 않다.

(ⅰ), (ⅱ)에서 $g(a)=0$이고 $y=|g(x)|$는 $x=a$에서 미분가능해야 하므로 $g'(a)=0$

0421

좌표평면에서 최고차항의 계수가 1인 삼차함수 $f(x)$와 원점을 지나는 직선 $y=g(x)$가 다음 조건을 만족시킨다.

(가) 함수 $f(x)$는 $x=0$에서 극댓값 27을 갖는다.
(나) 함수 $|f(x)-g(x)|$는 $x=-3$에서만 미분가능하지 않다.
(다) 곡선 $y=f(x)$와 직선 $y=g(x)$는 서로 다른 두 점에서 만난다.

함수 $f(x)$의 극솟값을 구하여라.

STEP A 조건 (나), (다)를 만족하는 함수 $|f(x)-g(x)|$의 식 세우기

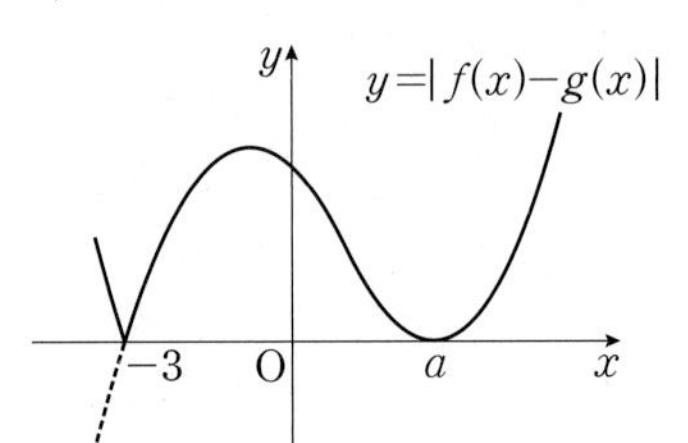

$h(x)=f(x)-g(x)$라 하면
조건 (나), (다)에서 함수 $h(x)$의 그래프는 점 $(-3, 0)$을 지나고 $x=a\ (a\neq-3)$에서 x축과 접하므로
$h(x)=(x+3)(x-a)^2$ ⬅ 최고차항의 계수가 1인 삼차함수 $f(x)$

STEP B 함수 $f(x)$는 $x=0$에서 극댓값 27, 함수 $g(x)$는 원점을 지나는 직선임을 이용하여 $f(x)$, $g(x)$의 식 구하기

조건 (가)에서 삼차함수 $f(x)$가 $x=0$에서 극댓값이 27이므로
$f(0)=27$, $f'(0)=0$
또한, 직선 $y=g(x)$가 원점을 지나므로 $g(0)=0$
$h(0)=f(0)-g(0)=27-0=27$
$3a^2=27$
$\therefore a=3\ (\because a\neq-3)$
즉 $h(x)=f(x)-g(x)=(x+3)(x-3)^2=x^3-3x^2-9x+27$
$h'(x)=f'(x)-g'(x)=3x^2-6x-9$
$f'(0)=0$이므로 $f'(0)-g'(0)=-9$
$\therefore g'(0)=9$
즉 $y=g(x)$는 원점을 지나는 직선이므로 $g(x)=9x$

STEP **C** **함수 $f(x)$의 극솟값 구하기**

$f(x)-g(x)=x^3-3x^2-9x+27$에서 $g(x)=9x$이므로

$f(x)=x^3-3x^2+27$

$f'(x)=3x^2-6x=3x(x-2)$

$f'(x)=0$에서 $x=0$ 또는 $x=2$

함수 $f(x)$의 증가와 감소를 표로 나타내면 다음과 같다.

x	$\cdots$	0	$\cdots$	2	$\cdots$
$f'(x)$	$+$	0	$-$	0	$+$
$f(x)$	↗	27	↘	23	↗

따라서 함수 $f(x)$는 $x=2$에서 극솟값 $f(2)=23$을 갖는다.

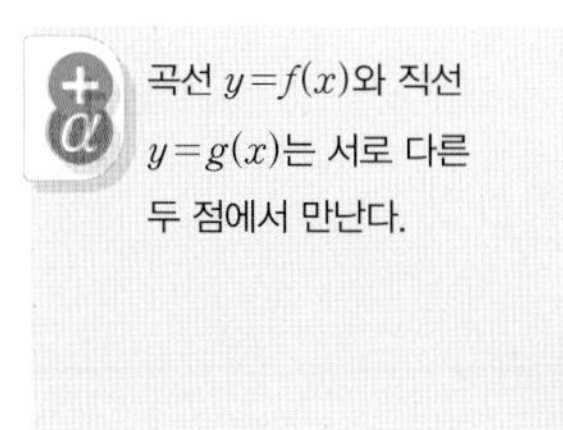

곡선 $y=f(x)$와 직선 $y=g(x)$는 서로 다른 두 점에서 만난다.

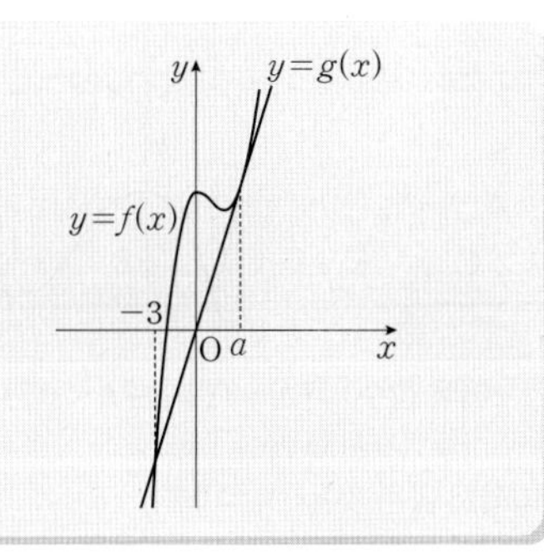

0422

최고차항의 계수가 1이고 $f(0)=3$, $f'(3)<0$인 사차함수 $f(x)$가 있다. 실수 t에 대하여 집합 S를

$$\mathrm{S}=\{a \mid \text{함수 } |f(x)-t| \text{가 } x=a\text{에서 미분가능하지 않다.}\}$$

라 하고 집합 S의 원소의 개수를 $g(t)$라 하자. 함수 $g(t)$가 $t=3$과 $t=19$에서만 불연속일 때, $f(-2)$의 값을 구하여라.

STEP **A** **사차함수 $f(x)$의 그래프의 개형에 따라 달라지는 함수 $y=|f(x)-t|$의 미분가능한 원소의 개수 구하기**

함수 $y=f(x)-t$의 그래프는 함수 $y=f(x)$의 그래프를 y축의 방향으로 $-t$만큼 평행이동시킨 것이고 함수 $y=|f(x)-t|$의 그래프는 함수 $y=f(x)-t$의 그래프에서 x축 아래에 있는 부분을 x축에 대하여 대칭이동시켜 위로 꺾어 올린 것이다.

t의 값에 따라 $y=|f(x)-t|$의 그래프의 형태가 달라지기 때문에 미분불가능한 점의 개수가 달라진다.

사차함수 그래프의 개형의 종류는 다음과 같이 4가지이다.

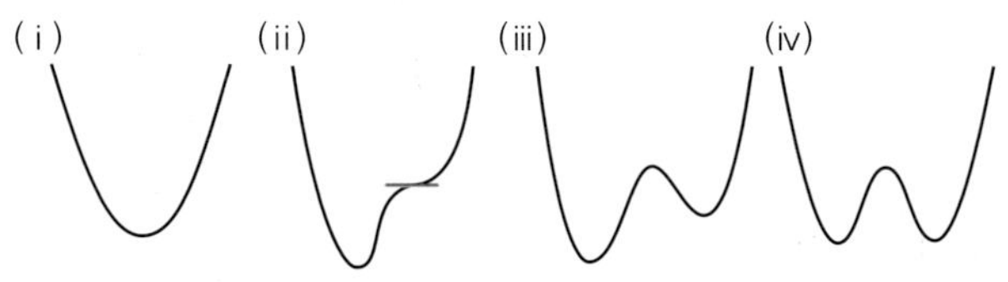

이때 $g(t)$의 불연속점이 2개인 경우는 (ii), (iv) 두 유형뿐이다.

$g(t)$의 그래프는 다음과 같다.

(i) $f'(x)=0$의 실근이 1개일 때,

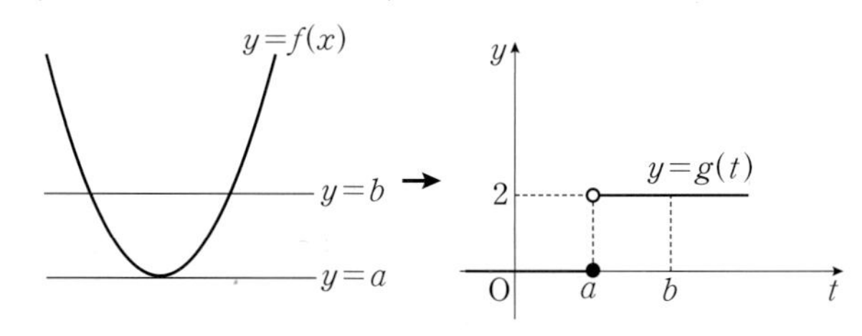

⇨ 함수 $g(t)$의 불연속인 점은 1개이다.

(ii) $f'(x)=0$의 실근이 2개일 때,

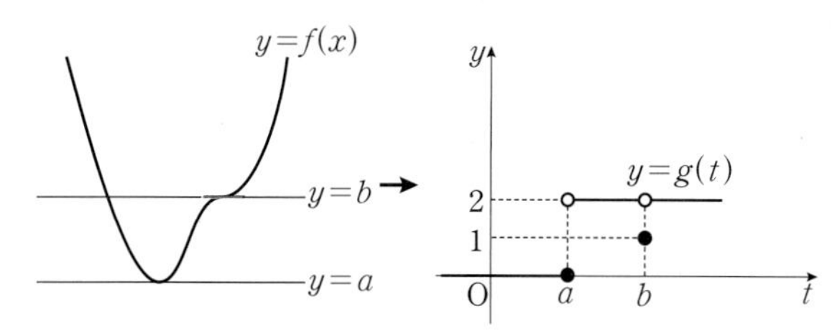

⇨ 함수 $g(t)$의 불연속인 점은 2개이다.

그러나 함수 $g(t)$는 $t=3$, $t=19$에서 불연속이므로 함수 $f(x)$의 극솟값이 3이다.

이때 $f(0)=3$이므로 $x=0$에서 극소이지만 $f'(3)>0$이 되어 모순이다. ($\because f'(3)<0$)

(iii) $f'(x)=0$의 실근이 3개이고 극솟값이 다를 때,

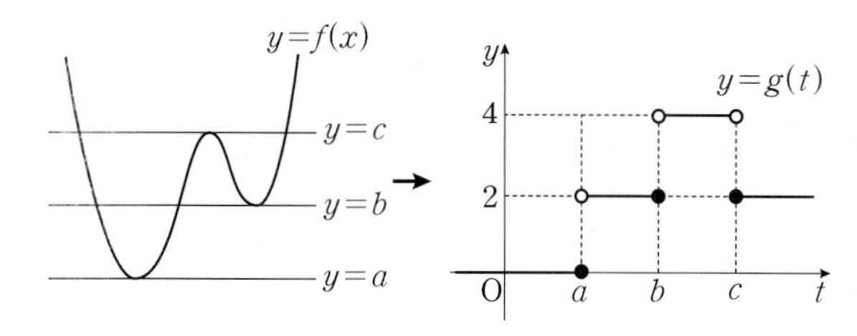

⇨ 함수 $g(t)$의 불연속인 점은 3개이다.

(iv) $f'(x)=0$의 실근이 3개이고 극솟값이 같을 때,

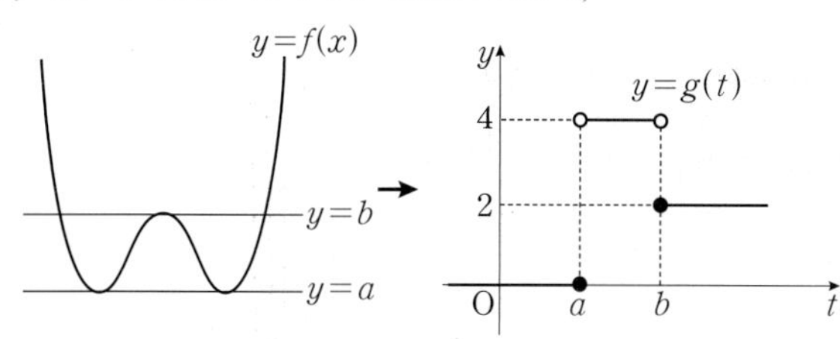

⇨ 함수 $g(t)$의 불연속인 점은 2개이고 $f(0)=3$, $f'(3)<0$을 만족한다.

STEP **B** **주어진 조건에 맞는 사차함수 $f(x)$의 그래프의 개형 찾기**

그런데 t의 값이 점점 증가할 때,

$g(t)$가 $t=3$에서 처음으로 불연속이라는 것은

$y=f(x)-t$가 $t=3$일 때, x축에 접한다는 것이다.

즉 $y=f(x)$가 극솟값 3을 가진다는 의미이다.

조건에서 $f(0)=3$이므로 $f(x)$는 $x=0$에서 극솟값을 가진다.

그리고 또 다른 조건 $f'(3)<0$을 만족하려면 $f(x)$의 그래프의 개형은 다음 그림과 같아야 한다.

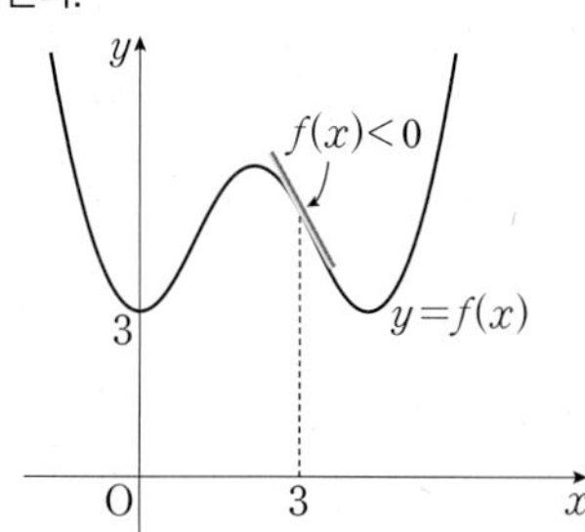

STEP **C** **$f(0)=3$과 함수 $g(t)$가 $t=3$과 $t=19$에서만 불연속임을 이용하여 사차함수 $f(x)$ 구하기**

$f(x)$가 극소가 되는 점 $(0, 3)$ 이외의 점의 x좌표를 α라 하면

$x=0$, $x=\alpha$에서 두 극솟값이 모두 3이므로 ← $f(0)=3$, $f(\alpha)=3$

$f(x)=x^2(x-\alpha)^2+3$이고

$f'(x)=2x(x-\alpha)^2+2x^2(x-\alpha)$

$\quad\;\;=2x(x-\alpha)(2x-\alpha)$

$f'(x)=0$에서 $x=0$ 또는 $x=\alpha$ 또는 $x=\dfrac{\alpha}{2}$

이때 $x=\frac{\alpha}{2}$에서 극댓값이 19이므로

$f\left(\frac{\alpha}{2}\right)=\left(\frac{\alpha}{2}\right)^2\left(-\frac{\alpha}{2}\right)^2+3=19$

$\frac{\alpha^4}{16}=16 \quad \therefore \alpha=\pm4$

그런데 $\alpha=-4$이면 $f'(3)>0$이므로 $\alpha=4$ ($\because f'(3)<0$)

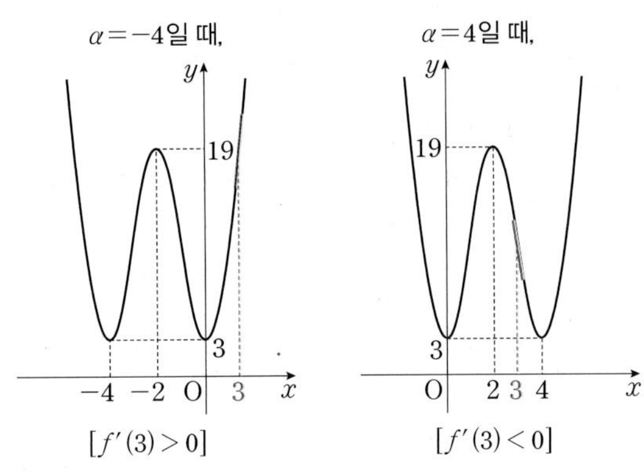

따라서 $f(x)=x^2(x-4)^2+3$이므로 $f(-2)=4\cdot36+3=147$

0423

사차함수 $f(x)$가 다음 조건을 만족시킨다.

(가) $f'(x)=x(x-2)(x-a)$ (단, a는 실수)
(나) 방정식 $|f(x)|=f(0)$은 실근을 갖지 않는다.

[보기]에서 옳은 것만을 있는 대로 고른 것은?

ㄱ. $a=0$이면 방정식 $f(x)=0$은 서로 다른 두 실근을 갖는다.
ㄴ. $0<a<2$이고 $f(a)>0$이면 방정식 $f(x)=0$은 서로 다른 네 실근을 갖는다.
ㄷ. 함수 $|f(x)-f(2)|$가 $x=k$에서만 미분가능하지 않으면 $k<0$이다.

① ㄱ ② ㄷ ③ ㄱ, ㄷ
④ ㄴ, ㄷ ⑤ ㄱ, ㄴ, ㄷ

STEP A 조건 (가), (나)을 만족하는 사차함수 그래프 개형에 따른 참, 거짓의 진위판단하기

조건 (나)에서 $|f(x)|\geq0$이므로 방정식 $|f(x)|=f(0)$이 실근을 갖지 않으려면 $f(0)<0$이어야 한다.

ㄱ. $a=0$이면 조건 (가)에서 $f'(x)=x^2(x-2)$이므로 함수 $y=f(x)$의 그래프는 다음 그림과 같다.

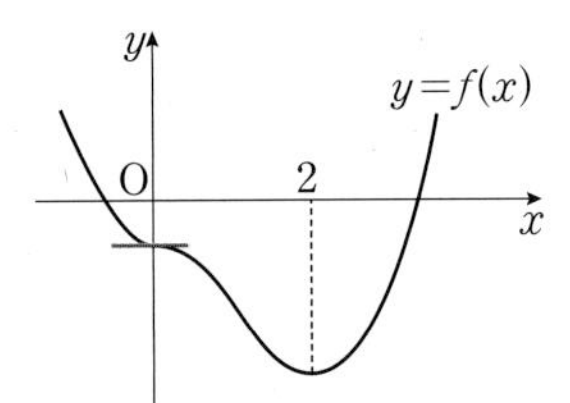

즉 방정식 $f(x)=0$은 서로 다른 두 실근을 갖는다. [참]

ㄴ. 반례 $0<a<2$이고 $f(a)>0$일 때, $f(2)>0$이면 다음 그림과 같이 방정식 $f(x)=0$은 서로 다른 두 실근을 갖는다. [거짓]

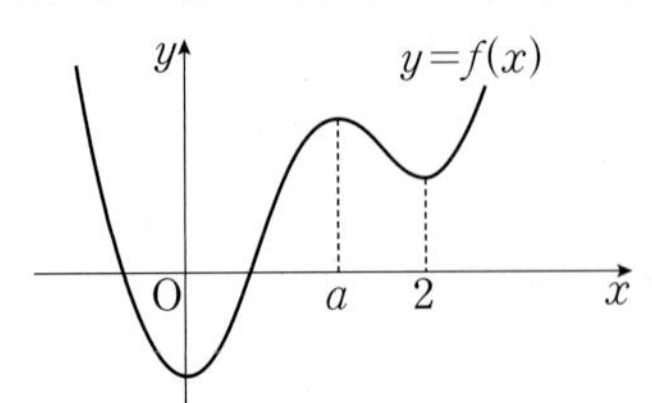

STEP B $|f(x)-f(2)|$을 이해하여 미분가능하지 않는 k의 위치 구하기

ㄷ. 함수 $|f(x)-f(2)|$가 $x=k$에서만 미분가능하지 않으려면

$f(x)-f(2)=\frac{1}{4}(x-k)(x-2)^3$이어야 한다.

또, $f'(0)=0$이므로 함수 $y=|f(x)-f(2)|$의 그래프는 다음 그림과 같다.

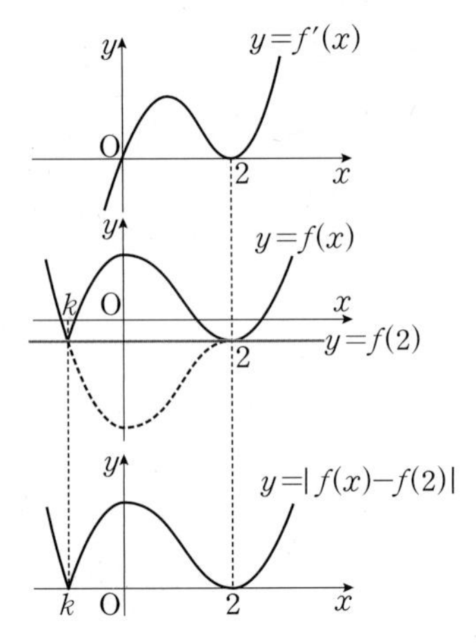

이때 함수 $|f(x)-f(2)|$는 $k<0$인 실수 k에 대하여 $x=k$에서만 미분가능하지 않다. [참]

따라서 옳은 것은 ㄱ, ㄷ이다.

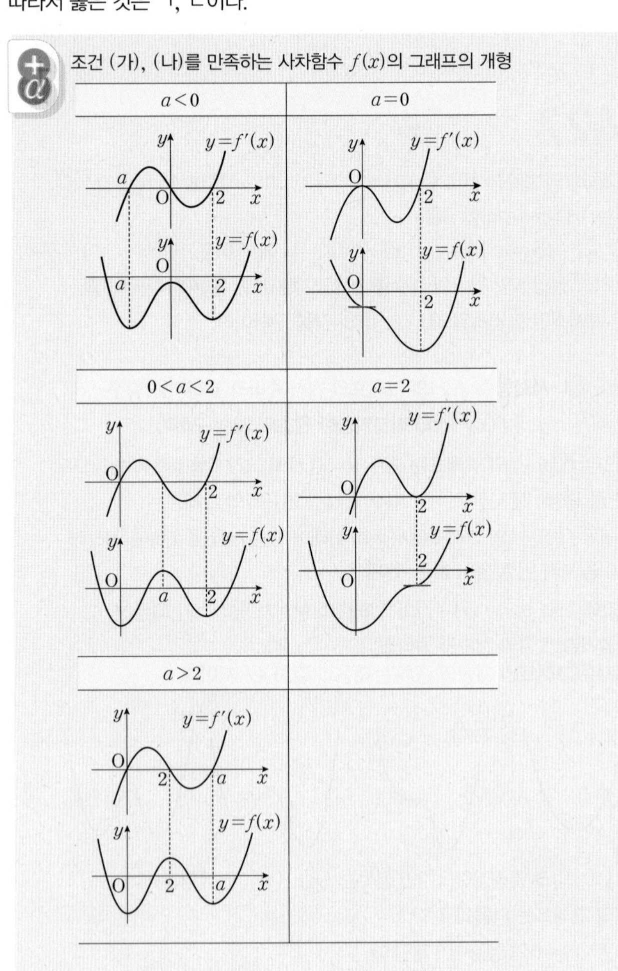

0424

최고차항의 계수가 1인 삼차함수 $f(x)$가 다음 조건을 만족시킨다.

(가) 방정식 $f(x)=f(2)$는 서로 다른 두 실근을 갖는다.
(나) $f'(-1)=f'(3)$

함수 $|f(x)-f(2)|$의 극댓값이 자연수일 때, $f(3)-f(1)$의 값을 구하여라.

STEP Ⓐ 조건 (가)를 만족하는 삼차함수 $f(x)$의 식 작성하기

조건 (가)에 의하여 방정식 $f(x)=f(2)$의 서로 다른 두 실근을 2, $\alpha\,(\alpha\neq2)$라 하자.

$\alpha>2$일 때, 가능한 함수 $y=f(x)$의 그래프의 개형은 다음의 두 가지이다.

(i)

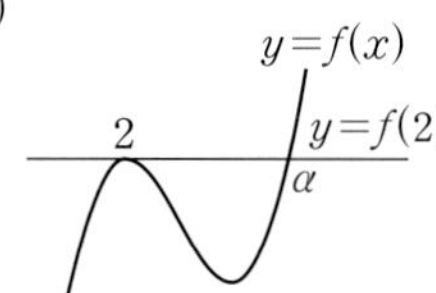

(ii)

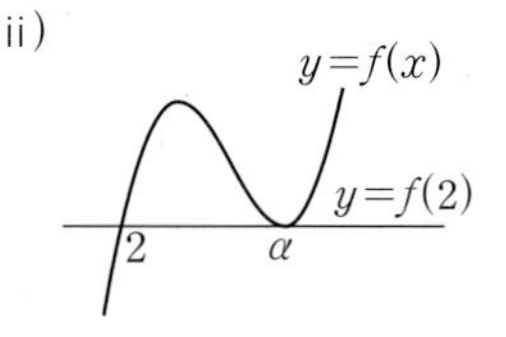

또, $\alpha<2$일 때, 가능한 함수 $y=f(x)$의 그래프의 개형은 다음의 두 가지이다.

(i)

(ii)

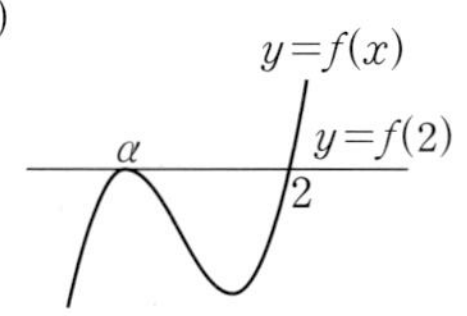

따라서 $f(2)=k$라 하면 함수 $f(x)$를

$f(x)=(x-2)(x-\alpha)^2+k$ 또는 $f(x)=(x-2)^2(x-\alpha)+k$로 놓을 수 있다.

STEP Ⓑ $f'(-1)=f'(3)$을 만족하고 함수 $|f(x)-f(2)|$의 극댓값이 자연수인 삼차함수 $f(x)$ 구하기

(i) $f(x)=(x-2)(x-\alpha)^2+k$인 경우

$f'(x)=(x-\alpha)^2+2(x-2)(x-\alpha)$
$\quad=(x-\alpha)(3x-\alpha-4)$

이고

$f'(-1)=(-1-\alpha)(-\alpha-7)=\alpha^2+8\alpha+7$
$f'(3)=(3-\alpha)(5-\alpha)=\alpha^2-8\alpha+15$

이므로

$f'(-1)=f'(3)$에서 $\alpha=\frac{1}{2}$

즉 $f(x)=(x-2)\left(x-\frac{1}{2}\right)^2+k$이고 $f'(x)=\left(x-\frac{1}{2}\right)\left(3x-\frac{9}{2}\right)$

이므로 함수 $y=f(x)$의 그래프의 개형은 다음 그림과 같다.

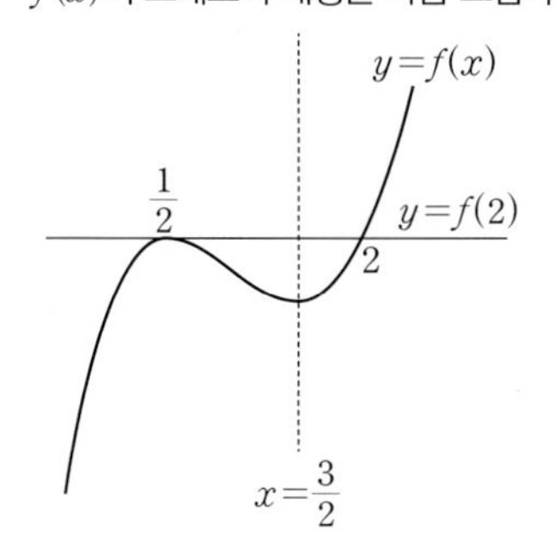

이때 함수 $y=|f(x)-f(2)|$는 $x=\frac{3}{2}$에서 극댓값을 갖고 그 값은

$\left|f\left(\frac{3}{2}\right)-f(2)\right|=\left|\left(k-\frac{1}{2}\right)-k\right|=\frac{1}{2}$

(ii) $f(x)=(x-2)^2(x-\alpha)+k$인 경우

$f'(x)=2(x-2)(x-\alpha)+(x-2)^2$
$\quad=(x-2)(3x-2\alpha-2)$

이고

$f'(-1)=-3(-5-2\alpha)=15+6\alpha$
$f'(3)=7-2\alpha$

이므로

$f'(-1)=f'(3)$에서 $\alpha=-1$

즉 $f(x)=(x+1)(x-2)^2+k$이고 $f'(x)=3x(x-2)$

이므로 함수 $y=f(x)$의 그래프의 개형은 다음 그림과 같다.

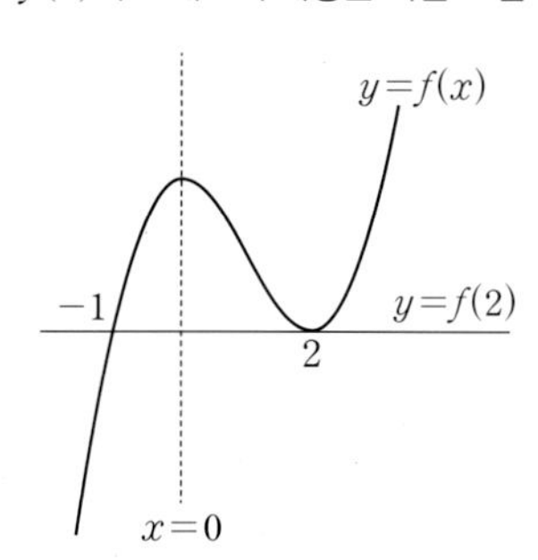

이때 함수 $y=|f(x)-f(2)|$는 $x=0$에서 극댓값을 갖고 그 값은

$|f(0)-f(2)|=|(k+4)-k|=4$

(i), (ii)에 의하여 함수 $|f(x)-f(2)|$의 극댓값이 자연수인 경우

함수 $f(x)$는 $f(x)=(x-2)^2(x+1)+k$

따라서 $f(3)-f(1)=(4+k)-(2+k)=2$

FINAL EXERCISE

단원종합문제

BASIC

0425

함수 $f(x)=\frac{1}{3}x^3-9x+30$이 열린구간 $(-a, a)$에서 감소할 때, 양수 a의 최댓값은?

① 1　② 2　③ 3　④ 4　⑤ 5

STEP A 함수 $f(x)$가 감소하는 x의 값의 범위 구하기

$f(x)=\frac{1}{3}x^3-9x+3$에서 $f'(x)=x^2-9$

이때 $f(x)$가 감소하려면 $f'(x) \le 0$이어야 하므로 $x^2-9 \le 0$

$\therefore -3 \le x \le 3$

STEP B 양수 a의 최댓값 구하기

따라서 $f(x)$가 닫힌구간 $[-3, 3]$에서 감소하고 열린구간 $(-a, a)$가 닫힌구간 $[-3, 3]$에 포함되므로 양수 a의 최댓값은 $a=3$

$f(x)=\frac{1}{3}x^3-9x+3$에서 $f'(x)=x^2-9$

$f'(x)=0$에서 $x=-3$ 또는 $x=3$

함수 $f(x)$의 증가와 감소를 표로 나타내면 다음과 같다.

x	$\cdots$	-3	$\cdots$	3	$\cdots$
$f'(x)$	$+$	0	$-$	0	$+$
$f(x)$	↗	21	↘	-15	↗

$-3 \le x \le 3$에서 $f'(x) \le 0$

0426

다음 물음에 답하여라.

(1) 함수 $f(x)=x^3+ax^2+ax+3$가 임의의 두 실수 x_1, x_2에 대하여

$x_1<x_2$이면 $f(x_1)<f(x_2)$

를 만족하도록 하는 정수 a의 개수는?

① 2　② 3　③ 4　④ 5　⑤ 6

tip 함수 $f(x)$가 실수 전체의 집합에서 증가하는 조건

STEP A 함수 $f(x)$가 증가함수이기 위한 조건 구하기

함수 $f(x)$가 임의의 두 실수 x_1, x_2에 대하여

$x_1<x_2$이면 $f(x_1)<f(x_2)$를 만족시키는 함수는 증가함수이다.

즉 구간 $(-\infty, \infty)$에서 증가해야 하므로 모든 실수 x에 대하여 부등식 $f'(x) \ge 0$이 성립해야 한다.

STEP B 이차방정식이 중근 또는 허근을 가질 조건 구하기

$f'(x)=3x^2+2ax+a \ge 0$이어야 하므로 이차함수 $y=f'(x)$가 x축에 접하거나 x축 보다 위에 있어야 한다.

이차방정식 $f'(x)=0$의 판별식을 D라 하면

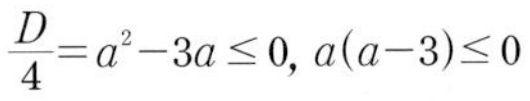

$\frac{D}{4}=a^2-3a \le 0$, $a(a-3) \le 0$

$\therefore 0 \le a \le 3$

따라서 정수 a의 개수는 $0, 1, 2, 3$의 4개이다.

(2) 함수 $f(x)=-x^3+ax^2-3x+1$가 임의의 두 실수 x_1, x_2에 대하여

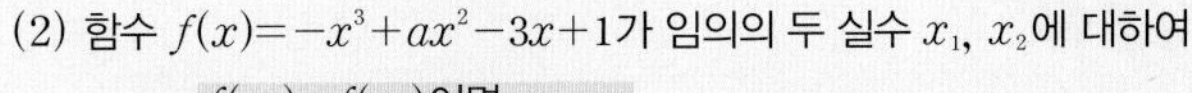

$f(x_1)=f(x_2)$이면 $x_1=x_2$

를 만족시키는 정수 a의 개수는?

① 3　② 5　③ 7　④ 9　⑤ 11

STEP A 함수 $f(x)$가 일대일함수가 되기 위한 조건 구하기

함수 $f(x)$가 임의의 두 실수 x_1, x_2에 대하여

$f(x_1)=f(x_2)$이면 $x_1=x_2$를 만족시키는 함수는 일대일함수이고 최고차항의 계수가 음수이므로

함수 $f(x)$는 실수 전체에서 감소하여야 한다.

즉 모든 실수 x에 대하여 부등식 $f'(x) \le 0$이 성립해야 한다.

STEP B 이차방정식이 중근 또는 허근을 가질 조건 구하기

$f'(x)=-3x^2+2ax-3 \le 0$이어야 하므로 이차함수 $y=f'(x)$가 x축에 접하거나 x축 보다 아래에 있어야 한다.

이차방정식 $f'(x)=0$의 판별식을 D라 하면

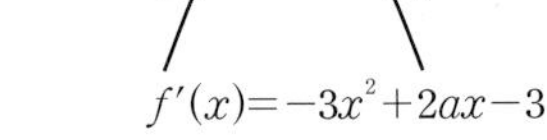

$\frac{D}{4}=a^2-9 \le 0$, $(a+3)(a-3) \le 0$

$\therefore -3 \le a \le 3$

따라서 정수 a의 개수는 $-3, -2, -1, 0, 1, 2, 3$의 7개이다.

0427

다음 물음에 답하여라.

(1) 함수 $f(x)=x^3-ax^2+ax+3$의 역함수가 존재하도록 하는 모든 정수 a의 개수는?

① 2　② 4　③ 5　④ 6　⑤ 8

STEP A 삼차함수의 역함수가 존재할 조건 구하기

함수 $f(x)$가 역함수를 가지려면 일대일대응이어야 하고 실수 전체의 집합에서 증가하거나 감소하여야 한다.

이때 $f(x)$의 최고차항의 계수가 양수이므로 실수 전체의 집합에서 함수 $f(x)$는 증가해야 한다.

즉 모든 실수 x에 대하여 $f'(x) \ge 0$이 성립해야 한다.

STEP B 이차방정식이 중근 또는 허근을 가질 조건 구하기

$f'(x)=3x^2-2ax+a \ge 0$이어야 하므로 이차함수 $y=f'(x)$가 x축에 접하거나 x축 보다 위에 있어야 한다.

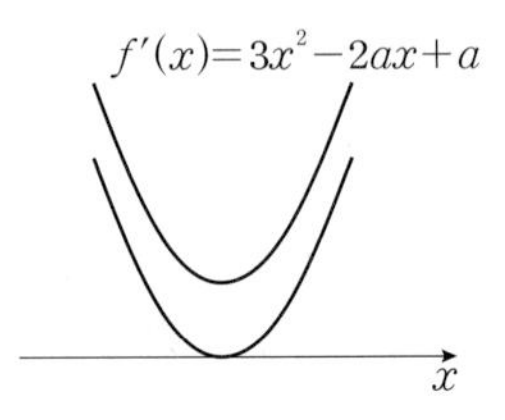

이차방정식 $f'(x)=0$의 판별식을 D라 하면

$\frac{D}{4}=a^2-3a \le 0$, $a(a-3) \le 0$

$\therefore 0 \le a \le 3$

따라서 정수 a의 개수는 $0, 1, 2, 3$의 4개이다.

(2) 실수 전체의 집합에서 정의된 함수

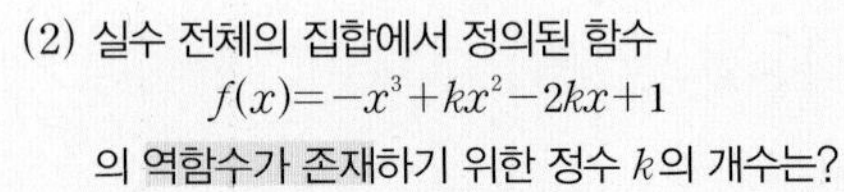

$f(x)=-x^3+kx^2-2kx+1$

의 역함수가 존재하기 위한 정수 k의 개수는?

① 3　② 5　③ 7　④ 9　⑤ 11

STEP Ⓐ **삼차함수의 역함수가 존재할 조건 구하기**

함수 $f(x)$가 역함수를 가지려면 일대일대응이어야 하고 실수 전체의 집합에서 증가하거나 감소하여야 한다.
함수 $f(x)$의 최고차항의 계수가 음수이므로 함수 $f(x)$는 실수 전체의 집합에서 감소해야 한다.

STEP Ⓑ **이차방정식이 중근 또는 허근을 가질 조건 구하기**

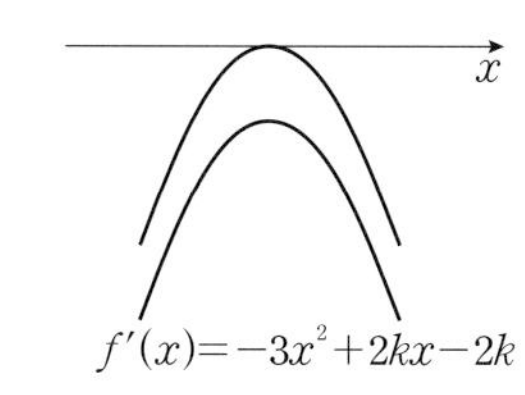

$f'(x)=-3x^2+2kx-2k\le 0$이어야 하므로 이차함수 $y=f'(x)$가 x축에 접하거나 x축 보다 아래에 있어야 한다.
이차방정식 $f'(x)=0$의 판별식을 D라 하면
$\frac{D}{4}=k^2-6k\le 0,\ k(k-6)\le 0$
$\therefore\ 0\le k\le 6$
따라서 정수 k의 개수는 $0, 1, 2, 3, 4, 5, 6$의 7개이다.

0428

다음 물음에 답하여라.

(1) 함수 $f(x)=-x^3+x^2+ax+1$이 열린구간 $(1, 3)$에서 증가할 때, 실수 a의 최솟값은?

① 15　② 17　③ 19
④ 21　⑤ 23

STEP Ⓐ **함수 $f(x)$가 열린구간 $(1, 3)$에서 증가하려면 $f'(x)\ge 0$임을 이용하기**

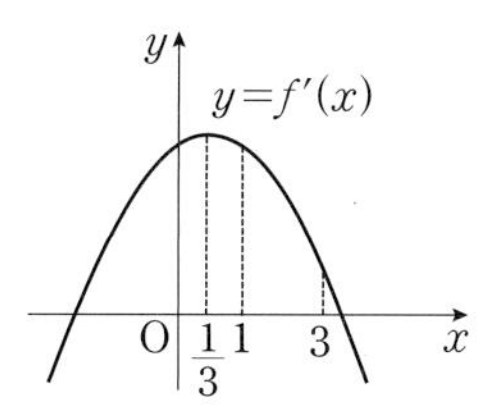

함수 $f(x)$가 열린구간 $(1, 3)$에서 증가하려면 $1<x<3$에서 $f'(x)=-3x^2+2x+a\ge 0$이어야 하므로 $f'(1)\ge 0,\ f'(3)\ge 0$이어야 한다.

STEP Ⓑ **$f'(1)\ge 0,\ f'(3)\ge 0$임을 이용하여 a의 값의 범위 구하기**

$f'(1)=-3+2+a\ge 0$에서 $a\ge 1$　…… ㉠
$f'(3)=-27+6+a\ge 0$에서 $a\ge 21$　…… ㉡
㉠, ㉡을 동시에 만족하는 a값의 범위는 $a\ge 21$
따라서 a의 최솟값은 21

(2) 함수 $f(x)=x^3+3x^2+ax-4$가 열린구간 $(-2, 1)$에서 감소하도록 하는 실수 a의 최댓값은?

① -10　② -9　③ -7
④ -6　⑤ -5

STEP Ⓐ **함수 $f(x)$가 열린구간 $(-2, 1)$에서 감소하려면 $f'(x)\le 0$임을 이용하기**

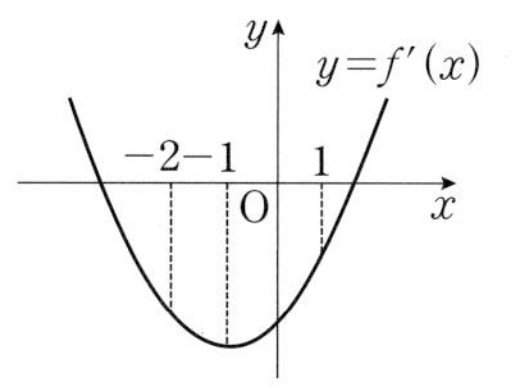

함수 $f(x)$가 열린구간 $(-2, 1)$에서 감소하려면 $-2<x<1$에서 $f'(x)=3x^2+6x+a\le 0$이어야 하므로 $f'(-2)\le 0,\ f'(1)\le 0$이어야 한다.

STEP Ⓑ **$f'(-2)\le 0,\ f'(1)\le 0$임을 이용하여 a의 값의 범위 구하기**

$f'(-2)=12-12+a\le 0$에서 $a\le 0$　…… ㉠
$f'(1)=3+6+a\le 0$에서 $a\le -9$　…… ㉡
㉠, ㉡을 동시에 만족하는 a값의 범위는 $a\le -9$
따라서 a의 최댓값은 -9

0429

열린구간 $(0, 10)$에서 정의된 함수 $f(x)$의 도함수 $y=f'(x)$의 그래프가 그림과 같다.

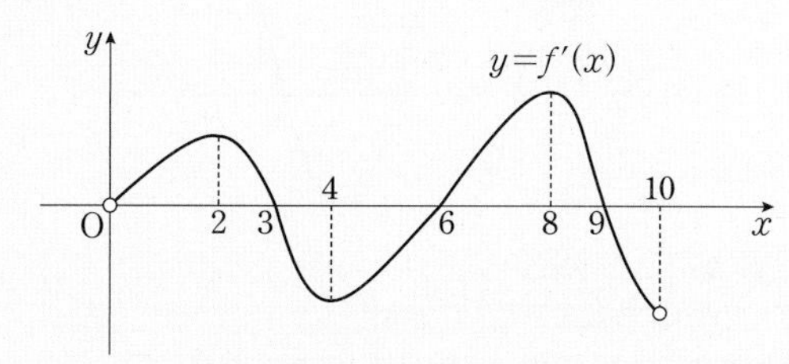

함수 $f(x)$가 열린구간 $\left(a-\frac{1}{5},\ a+\frac{1}{5}\right)$에서 증가하도록 하는 모든 자연수 a의 값의 합은?

① 18　② 21　③ 24
④ 27　⑤ 30

STEP Ⓐ **함수 $f(x)$가 열린구간 $\left(a-\frac{1}{5},\ a+\frac{1}{5}\right)$에서 증가하므로 $f'(x)\ge 0$이어야 함을 이용하기**

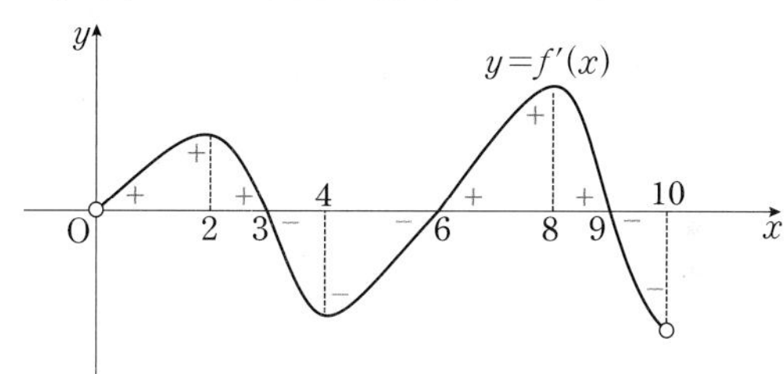

자연수 a가 $1, 2, 7, 8$일 때, 열린구간 $\left(a-\frac{1}{5},\ a+\frac{1}{5}\right)$에서 $f'(x)>0$이므로 함수 $f(x)$는 증가한다.
자연수 a가 $3, 4, 5, 6, 9$일 때, 열린구간 $\left(a-\frac{1}{5},\ a+\frac{1}{5}\right)$에서 $f'(x)<0$인 구간이 있으므로 함수 $f(x)$는 감소하는 구간이 있다.
즉 함수 $f(x)$가 조건을 만족시키지 않는다.
따라서 조건을 만족시키는 모든 자연수 a의 값의 합은 $1+2+7+8=18$

0430

다음 물음에 답하여라.

(1) 오른쪽 그림은 $-1<x<7$에서 정의된 함수 $y=f(x)$의 그래프를 나타낸 것이다. 다음 중 옳지 않은 것은?

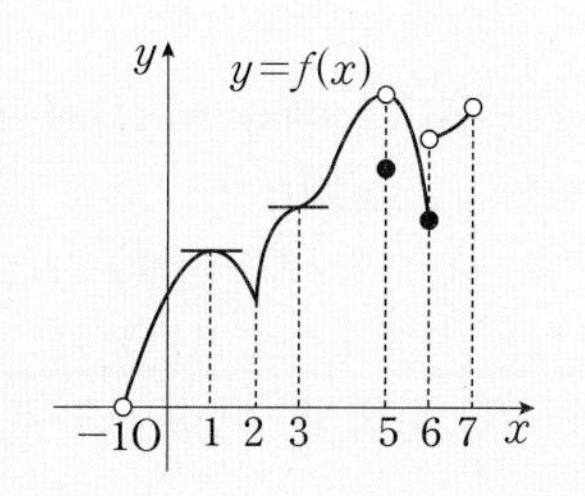

① $f'(0)>0$이다.
② $\lim_{x\to 5} f(x)$는 존재한다.
③ $f(x)$의 미분불가능인 점은 3개이다.
④ $f'(x)=0$인 점은 2개이다.
⑤ $f(x)$의 극댓값은 존재하지만, 극솟값은 존재하지 않는다.

STEP Ⓐ **함수 $f(x)$의 그래프에서 옳지 않은 것 구하기**

① $x=0$에서 접선의 기울기가 양수이므로 $f'(0)>0$이다. [참]
② $\lim_{x\to 5-} f(x)=\lim_{x\to 5+} f(x)$이므로 $\lim_{x\to 5} f(x)$는 존재한다. [참]
③ 꺾인 점인 $x=2$와 불연속점인 $x=5,\ x=6$에서 미분불가능하므로 $f(x)$의 미분불가능한 점은 3개이다. [참]
④ $f'(x)=0$인 점은 $x=1$과 $x=3$의 2개이다. [참]
⑤ $f(x)$는 $x=1$에서 극댓값을, $x=2$에서 극솟값을 가지므로 극댓값과 극솟값이 모두 존재한다. [거짓]
따라서 옳지 않은 것은 ⑤이다.

(2) 다음 그림은 열린구간 (a, f)에서 정의된 연속함수 $y=f(x)$의 그래프이다.

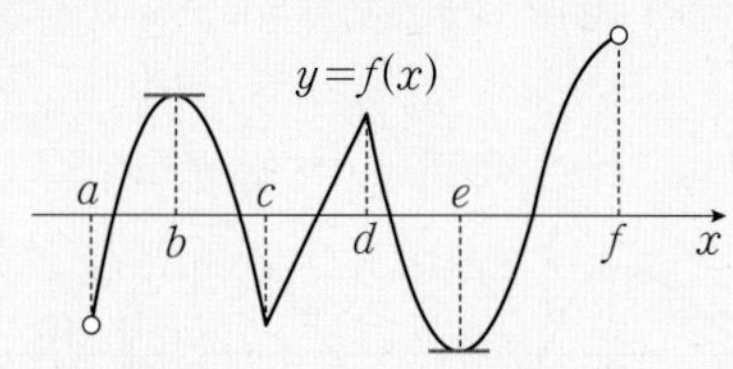

다음 중 옳지 않은 것은?
① $x=b$에서 극대, $x=e$에서 극소이다.
② 구간 (b, c), (d, e)에서 함수 $f(x)$는 감소한다.
③ $x=c$에서 극소이다.
④ $x=d$에서 극대이다.
⑤ $x=c$와 $x=d$에서 미분가능하다.

STEP **A** **함수 $f(x)$의 그래프에서 옳지 않은 것 구하기**

① 함수 $f(x)$는 구간 (a, c)에서 미분가능하고
$x=b$의 좌우에서 $f'(x)$의 부호가 양(+)에서 음(−)으로 바뀌므로
$x=b$에서 극대이다.
함수 $f(x)$는 구간 (d, f)에서 미분가능하고
$x=e$의 좌우에서 $f'(x)$의 부호가 음(−)에서 양(+)으로 바뀌므로
$x=e$에서 극소이다. [참]
② 구간 (b, c), (d, e)에서 $f'(x)<0$이므로 함수 $f(x)$는 감소한다. [참]
③ $x=c$를 포함하는 구간 $(c-h, c+h)(h>0)$에서 $f(x)\geq f(c)$이므로
함수 $f(x)$는 $x=c$에서 극소이다. [참]
④ $x=d$를 포함하는 구간 $(d-h, d+h)(h>0)$에서 $f(x)\leq f(d)$이므로
함수 $f(x)$는 $x=d$에서 극대이다. [참]
⑤ $x=c$와 $x=d$에서 미분불가능하다. [거짓]
따라서 옳지 않은 것은 ⑤이다.

0431

다음 물음에 답하여라.

(1) 함수 $f(x)=x^3-12x$가 $x=a$에서 극댓값 b를 가질 때, 상수 a, b에 대하여 $a+b$의 값을 구하여라.

STEP **A** **$f(x)$의 증가와 감소를 나타내는 표를 작성하여 극대 극소 구하기**

$f(x)=x^3-12x$에서
$f'(x)=3x^2-12=3(x+2)(x-2)$
$f'(x)=0$에서 $x=-2$ 또는 $x=2$
함수 $f(x)$의 증가와 감소를 표로 나타내면 다음과 같다.

x	$\cdots$	-2	$\cdots$	2	$\cdots$
$f'(x)$	+	0	−	0	+
$f(x)$	↗	극대	↘	극소	↗

STEP **B** **극댓값을 구하기**

$f(x)$는 $x=-2$일 때, 극댓값은 $f(-2)=-8+24=16$
$\therefore a=-2, b=16$
따라서 $a+b=14$

(2) 함수 $f(x)=-x^3+3x^2+a$의 극댓값이 7일 때, 함수 $f(x)$의 극솟값은? (단, a는 상수이다.)
① 1 ② 2 ③ 3
④ 4 ⑤ 5

STEP **A** **$f(x)$의 증가와 감소를 나타내는 표를 작성하기**

$f(x)=-x^3+3x^2+a$에서
$f'(x)=-3x^2+6x=-3x(x-2)$
$f'(x)=0$에서 $x=0$ 또는 $x=2$
함수 $f(x)$의 증가와 감소를 표로 나타내면 다음과 같다.

x	$\cdots$	0	$\cdots$	2	$\cdots$
$f'(x)$	−	0	+	0	−
$f(x)$	↘	극소	↗	극대	↘

STEP **B** **함수 $f(x)$의 극댓값이 7임을 이용하여 a의 값 구하기**

함수 $f(x)$는 $x=2$에서 극대이고 극댓값은 7이므로
$f(2)=-8+12+a=7$
$\therefore a=3$
따라서 함수 $f(x)$는 $x=0$에서 극소이고 극솟값은 $f(0)=3$

0432

다음 물음에 답하여라.

(1) 함수 $f(x)=x^3-3x+a$의 극댓값이 7일 때, 상수 a의 값은?
① 1 ② 2 ③ 3
④ 4 ⑤ 5

STEP **A** **$f(x)$의 증가와 감소를 나타내는 표를 작성하기**

$f(x)=x^3-3x+a$에서
$f'(x)=3x^2-3=3(x+1)(x-1)$
$f'(x)=0$에서 $x=-1$ 또는 $x=1$
함수 $f(x)$의 증가와 감소를 표로 나타내면 다음과 같다.

x	$\cdots$	-1	$\cdots$	1	$\cdots$
$f'(x)$	+	0	−	0	+
$f(x)$	↗	극대	↘	극소	↗

STEP **B** **함수 $f(x)$의 극댓값이 7임을 이용하여 a의 값 구하기**

함수 $f(x)$는 $x=-1$에서 극대이고 극댓값이 7이므로
$f(-1)=-1+3+a=2+a=7$
따라서 $a=5$

(2) 함수 $f(x)=x^3-x^2-5x+k$의 극댓값이 20일 때, 상수 k의 값은?
① 13 ② 14 ③ 15
④ 16 ⑤ 17

STEP **A** **$f(x)$의 증가와 감소를 나타내는 표를 작성하여 극대 극소 구하기**

$f(x)=x^3-x^2-5x+k$에서
$f'(x)=3x^2-2x-5=(x+1)(3x-5)$
$f'(x)=0$에서 $x=-1$ 또는 $x=\frac{5}{3}$
함수 $f(x)$의 증가와 감소를 표로 나타내면 다음과 같다.

x	$\cdots$	-1	$\cdots$	$\frac{5}{3}$	$\cdots$
$f'(x)$	+	0	−	0	+
$f(x)$	↗	극대	↘	극소	↗

함수 $f(x)$는 $x=-1$에서 극대이고 극댓값이 20이므로
$f(-1)=-1-1+5+k=20$
따라서 $k=17$

(3) 함수 $f(x)=x^3-9x^2+24x+a$의 극댓값이 10일 때, 상수 a의 값은?
① -12 ② -10 ③ -8
④ -6 ⑤ -4

STEP Ⓐ $f(x)$의 증가와 감소를 나타내는 표를 작성하여 극대 극소 구하기

$f(x)=x^3-9x^2+24x+a$에서
$f'(x)=3x^2-18x+24$
$=3(x^2-6x+8)$
$=3(x-2)(x-4)$
$f'(x)=0$에서 $x=2$ 또는 $x=4$
함수 $f(x)$의 증가와 감소를 표로 나타내면 다음과 같다.

x	$\cdots$	2	$\cdots$	4	$\cdots$
$f'(x)$	+	0	−	0	+
$f(x)$	↗	$20+a$	↘	$16+a$	↗

STEP Ⓑ $x=2$에서 극댓값이 10임을 이용하여 a의 값 구하기

함수 $f(x)$는 $x=2$에서 극대이고 극댓값이 10이므로
$f(2)=8-36+48+a=20+a=10$
따라서 $a=-10$

0433

함수 $f(x)=x^3-3x^2-9x+k$의 극댓값과 극솟값의 절댓값이 같고 그 부호가 서로 다를 때, 상수 k의 값은?
① 8 ② 10 ③ 11
④ 13 ⑤ 15

STEP Ⓐ $f(x)$의 증가와 감소를 나타내는 표를 작성하여 극대 극소 구하기

$f(x)=x^3-3x^2-9x+k$에서
$f'(x)=3x^2-6x-9$
$=3(x+1)(x-3)=0$
$f'(x)=0$에서 $x=-1$ 또는 $x=3$
함수 $f(x)$의 증가와 감소를 표로 나타내면 다음과 같다.

x	$\cdots$	-1	$\cdots$	3	$\cdots$
$f'(x)$	+	0	−	0	+
$f(x)$	↗	$5+k$	↘	$-27+k$	↗

함수 $f(x)$는
$x=-1$에서 극대이고 극댓값 $f(-1)=5+k$
$x=3$에서 극소이고 극솟값 $f(3)=-27+k$

STEP Ⓑ 극댓값과 극솟값의 절댓값이 같고 그 부호가 서로 다름을 이용하여 k의 값 구하기

또한, 극댓값과 극솟값의 절댓값이 같고 그 부호가 서로 다르므로
$5+k+(-27+k)=0$에서 $2k=22$
따라서 $k=11$

0434

다음 물음에 답하여라.

(1) 함수 $f(x)=x^3+ax^2+bx+c$는 $x=0$에서 극댓값 2를 갖고 $x=2$에서는 극솟값을 가질 때, 극솟값은?
① -4 ② -2 ③ 0
④ 2 ⑤ 6

STEP Ⓐ 조건을 만족하는 상수 a, b, c의 값 구하기

$f(x)=x^3+ax^2+bx+c$에서
$f'(x)=3x^2+2ax+b$
함수 $f(x)$가 $x=0$, $x=2$에서 극값을 가지므로
$f'(0)=b=0$ …… ㉠
$f'(2)=12+4a+b=0$ …… ㉡
㉠, ㉡을 연립하여 풀면 $a=-3$, $b=0$
또, $x=0$일 때, 극댓값이 2이므로 $f(0)=c=2$
$\therefore f(x)=x^3-3x^2+2$

STEP Ⓑ 극솟값 구하기

따라서 $x=2$에서 극소이고 극솟값은 $f(2)=8-12+2=-2$

(2) 함수 $f(x)=x^3+ax^2+bx+c$가 $x=1$에서 극댓값을 갖고, $x=3$에서 극솟값 -6을 갖는다고 한다. 이 함수의 극댓값은?
① -4 ② -2 ③ 0
④ 3 ⑤ 6

STEP Ⓐ 조건을 만족하는 상수 a, b, c의 값 구하기

함수 $f(x)=x^3+ax^2+bx+c$에서
$f'(x)=3x^2+2ax+b$
$x=1$에서 극대이므로 $f'(1)=0$
$\therefore 3+2a+b=0$ …… ㉠
$x=3$에서 극소이므로 $f'(3)=0$
$\therefore 27+6a+b=0$ …… ㉡
㉠, ㉡에서 $a=-6$, $b=9$
또, 극솟값 $f(3)=-6$이므로 $27+9a+3b+c=-6$
$\therefore c=-6$
$\therefore f(x)=x^3-6x^2+9x-6$

STEP Ⓑ 극댓값 구하기

따라서 극댓값은 $f(1)=1-6+9-6=-2$

0435

함수 $f(x)=x^3+ax^2+bx+c$의 도함수 $y=f'(x)$의 그래프가 오른쪽 그림과 같다. 함수 $f(x)$의 극댓값이 5일 때, 상수 a, b, c의 값과 극솟값의 합은?

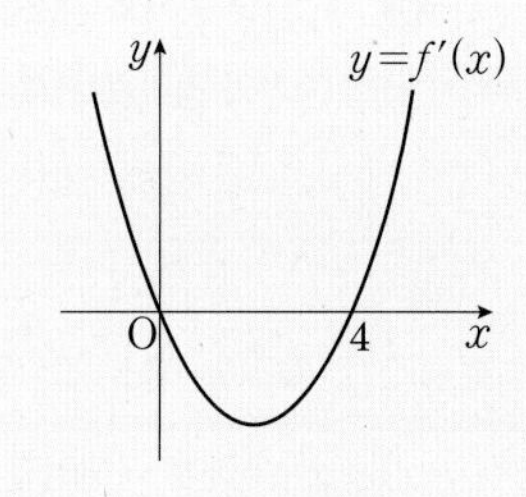

① -32 ② -30
③ -28 ④ -26
⑤ -24

STEP Ⓐ $f'(x)=0$의 두 근이 0, 4임을 이용하여 a, b의 값 구하기

$f(x)=x^3+ax^2+bx+c$에서 $f'(x)=3x^2+2ax+b$
$f'(0)=0$에서 $b=0$
$f'(4)=0$에서 $48+8a+b=0$
$\therefore a=-6$
$f(x)=x^3-6x^2+c$

STEP Ⓑ 극댓값이 5임을 이용하여 c의 값 구하기

함수 $f(x)$는 $x=0$에서 극대이고 극댓값이 5이므로
$f(0)=5$에서 $c=5$

STEP Ⓒ 극솟값을 구하여 합 구하기

$f(x)=x^3-6x^2+5$이고 $x=4$에서 극소이므로 극솟값은 $f(4)=-27$
따라서 $a+b+c+(\text{극솟값})=-6+0+5+(-27)=-28$

0436

다음 물음에 답하여라.

(1) 함수 $f(x)=(x-1)^2(x-4)+a$의 극솟값이 10일 때, 상수 a의 값을 구하여라.

STEP A 도함수 $f'(x)$를 구하고 $f'(x)=0$인 x의 값 구하기

$f(x)=(x-1)^2(x-4)+a$에서

$f'(x)=2(x-1)(x-4)+(x-1)^2$

$=(x-1)\{2(x-4)+(x-1)\}$

$=(x-1)(3x-9)$

$=3(x-1)(x-3)$

$f'(x)=0$에서 $x=1$ 또는 $x=3$

STEP B $f(x)$의 증가와 감소를 나타내는 표를 작성하여 극대 극소 구하기

함수 $f(x)$의 증가와 감소를 표로 나타내면 다음과 같다.

x	$\cdots$	1	$\cdots$	3	$\cdots$
$f'(x)$	+	0	−	0	+
$f(x)$	↗	극대	↘	극소	↗

이때 함수 $f(x)$는 $x=3$에서 극소이고 극솟값 10을 가지므로

$f(3)=(3-1)^2(3-4)+a=10$

따라서 $a=14$

(2) 사차함수 $f(x)=x^2(3x^2+4x-12)+a$의 극댓값이 10일 때, 모든 극솟값의 합은? (단, a는 상수이다.)

① -11　② -13　③ -15　④ -17　⑤ -19

STEP A 도함수 $f'(x)$를 구하고 $f'(x)=0$인 x의 값 구하기

$f(x)=3x^4+4x^3-12x^2+a$에서

$f'(x)=12x^3+12x^2-24x$

$=12x(x+2)(x-1)$

$f'(x)=0$에서 $x=-2$ 또는 $x=0$ 또는 $x=1$

STEP B $f(x)$의 증가와 감소를 나타내는 표를 작성하여 극대 극소 구하기

함수 $f(x)$의 증가와 감소를 표로 나타내면 다음과 같다.

x	$\cdots$	-2	$\cdots$	0	$\cdots$	1	$\cdots$
$f'(x)$	−	0	+	0	−	0	+
$f(x)$	↘	극소	↗	극대	↘	극소	↗

함수 $f(x)$는 $x=0$에서 극대이고 극댓값이 10이므로

$f(0)=a=10$

함수 $f(x)$는 $x=-2$, $x=1$에서 극소이고 극솟값은

$f(-2)=3\cdot(-2)^4+4\cdot(-2)^3-12\cdot(-2)^2+10=-22$

$f(1)=3+4-12+10=5$

따라서 모든 극솟값의 합은 $(-22)+5=-17$

0437

다음 물음에 답하여라.

(1) 함수 $f(x)=x^3+ax^2+ax+3$이 $x=\alpha$, $x=\beta$에서 각각 극값을 갖는다. 두 점 $(\alpha, f(\alpha))$, $(\beta, f(\beta))$를 지나는 직선의 기울기가 -4일 때, 양수 a의 값은? (단, $\alpha\neq\beta$이다.)

① 4　② 5　③ 6　④ 7　⑤ 8

STEP A $f'(x)=0$인 x의 값을 근과 계수의 관계를 이용하여 나타내기

$f(x)=x^3+ax^2+ax+3$에서 $f'(x)=3x^2+2ax+a$

방정식 $f'(x)=3x^2+2ax+a=0$의 두 실근이 $x=\alpha$, $x=\beta$이므로

이차방정식의 근과 계수의 관계에 의하여

$\alpha+\beta=-\frac{2}{3}a$, $\alpha\beta=\frac{a}{3}$

STEP B 두 점을 지나는 직선의 기울기를 이용하여 양수 a의 값 구하기

두 점 $(\alpha, f(\alpha))$, $(\beta, f(\beta))$를 지나는 직선의 기울기는

$\frac{f(\beta)-f(\alpha)}{\beta-\alpha}=\frac{(\beta^3-\alpha^3)+a(\beta^2-\alpha^2)+a(\beta-\alpha)}{\beta-\alpha}$

$=(\beta^2+\alpha\beta+\alpha^2)+a(\beta+\alpha)+a$

$=(\alpha+\beta)^2-\alpha\beta+a(\alpha+\beta)+a$

$=\left(-\frac{2}{3}a\right)^2-\frac{a}{3}+a\times\left(-\frac{2}{3}a\right)+a$

$=\frac{4}{9}a^2-\frac{a}{3}-\frac{2}{3}a^2+a$

$=-\frac{2}{9}a^2+\frac{2}{3}a$

이므로 $-\frac{2}{9}a^2+\frac{2}{3}a=-4$에서 $a^2-3a-18=0$, $(a+3)(a-6)=0$

따라서 $a>0$이므로 $a=6$

(2) 함수 $f(x)=-2x^3+6a^2x+1$이 $x=\alpha$, $x=\beta(\alpha\neq\beta)$에서 극값을 갖는다. 두 점 $(\alpha, f(\alpha))$, $(\beta, f(\beta))$를 지나는 직선의 기울기가 36일 때, 양수 a의 값은? (단, $\alpha\neq\beta$이다.)

① $\sqrt{2}$　② $\sqrt{3}$　③ 2　④ $2\sqrt{2}$　⑤ 3

STEP A 함수 $f(x)$의 증가와 감소를 나타내는 표를 작성하여 극대와 극소 구하기

$f(x)=-2x^3+6a^2x+1$에서

$f'(x)=-6x^2+6a^2=-6(x+a)(x-a)$

$f'(x)=0$에서 $x=-a$ 또는 $x=a$

함수 $f(x)$의 증가와 감소를 표로 나타내면 다음과 같다.

x	$\cdots$	$-a$	$\cdots$	a	$\cdots$
$f'(x)$	−	0	+	0	−
$f(x)$	↘	극소	↗	극대	↘

함수 $f(x)$는

$x=-a$에서 극소이고 극솟값은 $f(-a)=2a^3-6a^3+1=-4a^3+1$

$x=a$에서 극대이고 극댓값은 $f(a)=-2a^3+6a^3+1=4a^3+1$

STEP B 두 점을 지나는 직선의 기울기를 이용하여 양수 a의 값 구하기

두 점 $(-a, f(-a))$, $(a, f(a))$를 지나는 직선의 기울기가 36이므로

$\frac{f(a)-f(-a)}{a-(-a)}=\frac{(4a^3+1)-(-4a^3+1)}{2a}$

$=\frac{8a^3}{2a}=4a^2=36$

따라서 $a^2=9$이므로 $a=3(\because a>0)$

0438

함수 $f(x)=x^3-\frac{3}{2}ax^2-6a^2x$의 극댓값과 극솟값의 차가 $\frac{1}{2}$일 때, 상수 a의 값은? (단, $a>0$)

① $\frac{1}{5}$ ② $\frac{1}{4}$ ③ $\frac{1}{3}$
④ $\frac{1}{2}$ ⑤ 2

STEP A 함수 $f(x)$의 증가와 감소를 나타내는 표를 작성하여 극대와 극소 구하기

$f(x)=x^3-\frac{3}{2}ax^2-6a^2x$에서

$f'(x)=3x^2-3ax-6a^2=3(x^2-ax-2a^2)$

$=3(x+a)(x-2a)$

$f'(x)=0$에서 $x=-a$ 또는 $x=2a$

함수 $f(x)$의 증가와 감소를 표로 나타내면 다음과 같다.

x	$\cdots$	$-a$	$\cdots$	$2a$	$\cdots$
$f'(x)$	+	0	−	0	+
$f(x)$	↗	극대	↘	극소	↗

함수 $f(x)$는

$x=-a$에서 극대이고 극댓값 $f(-a)=\frac{7}{2}a^3$

$x=2a$에서 극소이고 극솟값 $f(2a)=-10a^3$

STEP B 극댓값과 극솟값의 차가 $\frac{1}{2}$임을 이용하여 a의 값 구하기

극댓값과 극솟값의 차가 $\frac{1}{2}$이므로

$\frac{7}{2}a^3-(-10a^3)=\frac{1}{2}$, $\frac{27}{2}a^3=\frac{1}{2}$, $a^3=\frac{1}{27}$

따라서 $a=\frac{1}{3}$

다른풀이 삼차함수의 극댓값과 극솟값의 차 공식을 이용하여 풀이하기

삼차함수의 극댓값과 극솟값의 차

삼차함수 $f(x)=ax^3+bx^2+cx+d\,(a>0)$가 $x=\alpha$, $x=\beta\,(\alpha<\beta)$에서 극댓값과 극솟값을 가질 때, 극댓값과 극솟값의 차는 $\frac{|a|}{2}(\beta-\alpha)^3$이 된다.

$f'(x)=0$에서 $\alpha=-a$, $\beta=2a$이고 최고차항의 계수가 1이다.

극댓값과 극솟값의 차가 $\frac{1}{2}$이므로 $\frac{|1|}{2}(\beta-\alpha)^3=\frac{1}{2}$

$\frac{1}{2}\{2a-(-a)\}^3=\frac{1}{2}\cdot 27a^3=\frac{1}{2}$

$\therefore a^3=\frac{1}{27}$

따라서 $a=\frac{1}{3}$

0439

함수 $f(x)=\frac{1}{4}x^4-2x^2+1$의 그래프에서 극대 또는 극소가 되는 세 점을 꼭짓점으로 하는 삼각형의 넓이는?

① 2 ② 4 ③ 6
④ 8 ⑤ 10

STEP A 함수 $f(x)$의 증가와 감소를 나타내는 표를 작성하여 극대와 극소 구하기

$f'(x)=x^3-4x=x(x+2)(x-2)$

$f'(x)=0$에서 $x=-2$ 또는 $x=0$ 또는 $x=2$

함수 $f(x)$의 증가와 감소를 표로 나타내면 다음과 같다.

x	$\cdots$	-2	$\cdots$	0	$\cdots$	2	$\cdots$
$f'(x)$	−	0	+	0	−	0	+
$f(x)$	↘	-3	↗	1	↘	-3	↗

함수 $f(x)$는

$x=-2$ 또는 $x=2$에서 극소이고 극솟값은 $f(-2)=f(2)=-3$

$x=0$에서 극대이고 극댓값 1을 가진다.

STEP B 삼각형의 넓이 구하기

함수 $y=f(x)$의 그래프는 다음 그림과 같다.

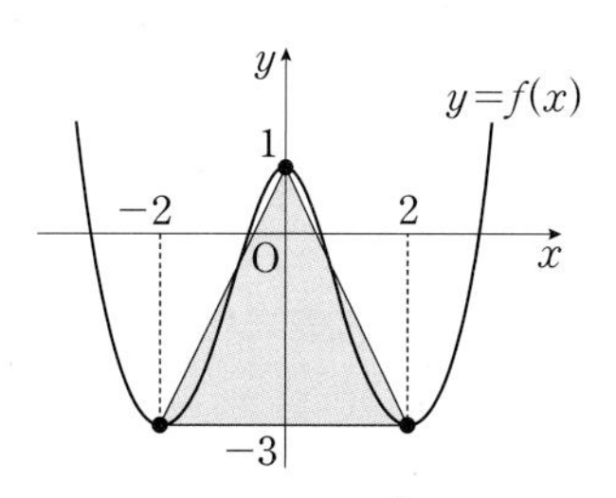

따라서 세 점으로 둘러싸인 삼각형의 넓이는 $\frac{1}{2}\cdot 4\cdot 4=8$

0440

함수 $f(x)=x^3+ax^2+3x+5$는 극값을 갖고, 함수 $g(x)=x^3+ax^2-2ax+3$은 극값을 갖지 않도록 하는 정수 a의 합은?

① -25 ② -20 ③ -15
④ -10 ⑤ -5

STEP A 이차방정식 $f'(x)=0$의 판별식 D에 대하여 $D>0$임을 이용하기

$f(x)=x^3+ax^2+3x+5$에서 $f'(x)=3x^2+2ax+3$

함수 $f(x)$가 극값을 가지려면

도함수 $f'(x)$의 부호가 바뀌는 부분이 있어야 한다.

이차방정식 $f'(x)=0$이 서로 다른 두 실근을 가져야 하므로

방정식 $f'(x)=3x^2+2ax+3=0$의 판별식을 D_1이라 하면

$\frac{D_1}{4}=a^2-9>0$

$(a+3)(a-3)>0$

$\therefore a<-3$ 또는 $a>3$ ······ ㉠

STEP B 이차방정식 $g'(x)=0$의 판별식 D에 대하여 $D\le 0$임을 이용하기

$g(x)=x^3+ax^2-2ax+3$에서 $g'(x)=3x^2+2ax-2a$

함수 $g(x)$가 극값을 갖지 않으려면

방정식 $g'(x)=0$이 중근 또는 허근을 가져야 하므로

방정식 $g'(x)=3x^2+2ax-2a=0$의 판별식을 D_2라 하면

$\frac{D_2}{4}=a^2+6a\le 0$

$a(a+6)\le 0$

$\therefore -6\le a\le 0$ ······ ㉡

㉠, ㉡의 공통 범위는 $-6\le a<-3$

따라서 정수 a는 -6, -5, -4이므로 합은 $-6+(-5)+(-4)=-15$

0441

함수 $f(x)=x^3+ax^2+(a+18)x+a$의 그래프를 x축에 대하여 대칭이동하고 다시 y축의 방향으로 b만큼 평행이동하였더니 함수 $y=g(x)$의 그래프가 되었다. 함수 $f(x)-g(x)$가 극값을 가지도록 하는 a의 범위가 $a<p$ 또는 $a>q$일 때, 상수 p, q에 대하여 $p+q$의 값은?

① -5 ② -3 ③ -1
④ 1 ⑤ 3

STEP A x축에 대하여 대칭이동하고 다시 y축의 방향으로 b만큼 평행이동한 함수 $y=g(x)$의 식 구하기

함수 $y=f(x)$의 그래프를 x축에 대하여 대칭이동하고 다시 y축의 방향으로 b만큼 평행이동한 도형의 방정식은 $y=-f(x)+b$

STEP B 함수 $f(x)-g(x)$가 극값을 가지도록 하는 a의 범위 구하기

$h(x)=f(x)-g(x)$라 하면

$g(x)=-f(x)+b$이므로 $h(x)=2f(x)-b$

$h'(x)=2f'(x)=2(3x^2+2ax+a+18)$

삼차함수 $h(x)$가 극값을 가지려면

이차방정식 $h'(x)=0$이 서로 다른 두 실근을 가져야 한다.

이차방정식 $3x^2+2ax+a+18=0$의 판별식을 D라 하면

$\frac{D}{4}=a^2-3\cdot(a+18)>0$

$a^2-3a-54>0$, $(a+6)(a-9)>0$

$\therefore a<-6$ 또는 $a>9$

따라서 $p=-6$, $q=9$이므로 $p+q=3$

0442

다음 물음에 답하여라.

(1) 삼차함수 $f(x)=x^3-kx^2-k^2x+3$이 $-2<x<2$에서 극댓값을 갖고, $x>2$에서 극솟값을 갖기 위한 정수 k의 개수는?

① 0 ② 1 ③ 2
④ 3 ⑤ 4

STEP A 도함수 $f'(x)$ 구하기

$f(x)=x^3-kx^2-k^2x+3$에서 $f'(x)=3x^2-2kx-k^2$

STEP B 함수 $f(x)$가 $-2<x<2$에서 극댓값을 갖고 $x>2$에서 극솟값을 가질 조건 구하기

함수 $f(x)$가 $-2<x<2$에서 극댓값을 갖고 $x>2$에서 극솟값을 가지려면 방정식 $f'(x)=0$의 두 실근 중 한 근은 $-2<x<2$에 있고 다른 한 근은 $x>2$에 있어야 하므로 $y=f'(x)$의 그래프가 오른쪽 그림과 같아야 한다.

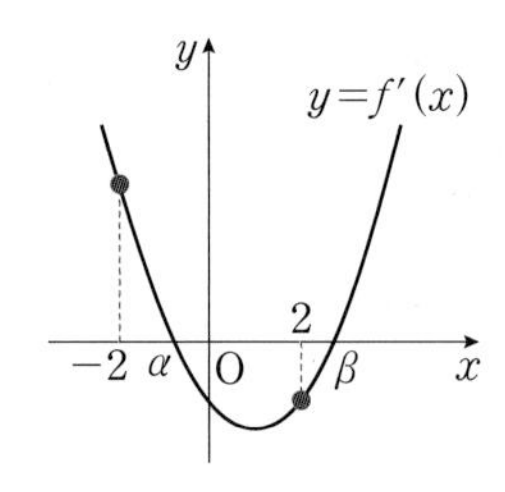

STEP C 이차방정식의 근의 위치를 이용하여 k의 범위 구하기

방정식 $f'(x)=0$의 두 실근을 α, $\beta(\alpha<\beta)$라 하면

$-2<\alpha<2<\beta$이어야 하므로

(i) $f'(-2)>0$에서 $f'(-2)=-k^2+4k+12>0$

$(k+2)(k-6)<0$ $\therefore -2<k<6$

(ii) $f'(2)<0$에서 $f'(2)=-k^2-4k+12<0$

$(k+6)(k-2)>0$ $\therefore k<-6$ 또는 $k>2$

(i), (ii)에서 $2<k<6$

따라서 정수 k의 개수는 3, 4, 5의 3개이다.

(2) 삼차함수 $f(x)=-2x^3+ax^2+4a^2x-3$이 $-1<x<1$에서 극솟값, $x>1$에서 극댓값을 갖기 위한 실수 a의 값의 범위가 $p<a<q$일 때, 상수 p, q에 대하여 $p+q$의 값은?

① $\frac{3}{2}$ ② 2 ③ $\frac{5}{2}$
④ 3 ⑤ $\frac{7}{2}$

STEP A 도함수 $f'(x)$ 구하기

$f(x)=-2x^3+ax^2+4a^2x-3$에서 $f'(x)=-6x^2+2ax+4a^2$

STEP B 함수 $f(x)$가 $-1<x<1$에서 극솟값, $x>1$에서 극댓값을 가질 조건 구하기

이차방정식 $f'(x)=0$의 두 실근을 α, $\beta(\alpha<\beta)$라 하면 함수 $f(x)$가 $-1<x<1$에서 극솟값, $x>1$에서 극댓값을 가지므로 $-1<\alpha<1$, $\beta>1$이어야 한다.

이차함수 $y=f'(x)$의 그래프는 오른쪽 그림과 같아야 하므로

$f'(-1)<0$, $f'(1)>0$이어야 한다.

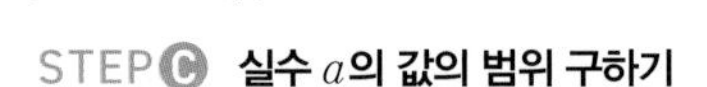

STEP C 실수 a의 값의 범위 구하기

(i) $f'(-1)<0$에서 $f'(-1)=-6-2a+4a^2<0$

$2a^2-a-3<0$, $(a+1)(2a-3)<0$

$\therefore -1<a<\frac{3}{2}$

(ii) $f'(1)>0$에서 $f'(1)=-6+2a+4a^2>0$

$2a^2+a-3>0$, $(2a+3)(a-1)>0$

$\therefore a<-\frac{3}{2}$ 또는 $a>1$

(i), (ii)에 의하여 $1<a<\frac{3}{2}$

따라서 $p=1$, $q=\frac{3}{2}$이므로 $p+q=1+\frac{3}{2}=\frac{5}{2}$

(3) 함수 $f(x)=x^3-2x^2+ax+1$이 열린구간 $(-1, 2)$에서 극댓값과 극솟값을 모두 갖도록 하는 정수 a의 개수는?

① 2 ② 3 ③ 4
④ 5 ⑤ 6

STEP A 도함수 $f'(x)$ 구하기

$f(x)=x^3-2x^2+ax+1$에서 $f'(x)=3x^2-4x+a$

STEP B 삼차함수가 $-1<x<2$에서 극값을 가질 조건 구하기

열린구간 $(-1, 2)$에서 극댓값과 극솟값을 모두 가지려면

방정식 $f'(x)=0$의 서로 다른 두 근이 -1과 2 사이에 있어야 한다.

이차방정식 $f'(x)=0$이 $-1<x<2$에서 서로 다른 두 실근을 가져야 한다.

STEP C 이차방정식의 근의 위치를 이용하여 a의 범위 구하기

(i) 방정식 $f'(x)=0$의 판별식을 D라고 하면

$\frac{D}{4}=4-3a>0$ $\therefore a<\frac{4}{3}$

(ii) $f'(-1)>0$에서

$f'(-1)=3+4+a>0$ $\therefore a>-7$

(iii) $f'(2)>0$에서

$f'(2)=12-8+a>0$ $\therefore a>-4$

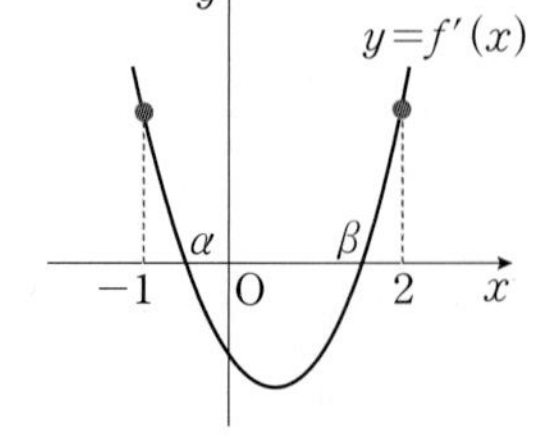

(i)~(iii)에서 $-4<a<\frac{4}{3}$

따라서 정수 a의 개수는 -3, -2, -1, 0, 1의 5개이다.

0443

함수 $f(x)=x^3-3x^2-9x+4$의 그래프 위의 점 $(-2, 2)$에서의 접선의 방정식을 $y=g(x)$라 할 때, 함수 $y=f(x)-g(x)$의 극댓값은?

① 0 ② 2 ③ 4
④ 6 ⑤ 8

STEP A 함수 $f(x)$ 위의 점 $(-2, 2)$에서 접선의 방정식 구하기

$f(x)=x^3-3x^2-9x+4$에서 $f'(x)=3x^2-6x-9$
$x=-2$에서 접선의 기울기가 $f'(-2)=15$이므로
점 $(-2, 2)$에서의 접선의 방정식은 $y-2=15(x+2)$
$\therefore y=15x+32$
즉 $g(x)=15x+32$

STEP B 함수 $f(x)-g(x)$의 증가와 감소를 나타내는 표를 작성하여 극대와 극소 구하기

$h(x)=f(x)-g(x)$라 하면
$h(x)=(x^3-3x^2-9x+4)-(15x+32)=x^3-3x^2-24x-28$에서
$h'(x)=3x^2-6x-24=3(x+2)(x-4)$
$h'(x)=0$에서 $x=-2$ 또는 $x=4$
$h(x)$의 증가와 감소를 표로 나타내면 다음과 같다.

x	$\cdots$	-2	$\cdots$	4	$\cdots$
$h'(x)$	$+$	0	$-$	0	$+$
$h(x)$	↗	0	↘	-108	↗

따라서 함수 $h(x)$는 $x=-2$에서 극대이고 극댓값 0을 갖는다.

0444

오른쪽 그림은 삼차함수 $y=f(x)$의 도함수 $y=f'(x)$에 대하여 함수 $y=xf'(x)$의 그래프가 그림과 같이 원점에서 x축과 접할 때, 다음 중 $f(x)$의 극솟값을 나타낸 것은?

y $y=xf'(x)$ O 2 x

① $f(-2)$ ② $f(-1)$
③ $f(0)$ ④ $f(1)$
⑤ $f(2)$

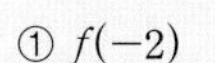

STEP A 함수 $y=xf'(x)$의 식 작성하기

$g(x)=xf'(x)$라 하면 $g(x)$는 삼차함수이고 그 그래프는 원점에서 x축과 접하므로 $g(x)=kx^2(x-2)$ $(k>0)$라 하자.

STEP B 함수 $f(x)$의 증가와 감소를 나타내는 표를 작성하여 극대와 극소 구하기

즉 $xf'(x)=kx^2(x-2)$에서 $f'(x)=kx(x-2)$
$f'(x)=0$에서 $x=0$ 또는 $x=2$
함수 $f(x)$의 증가와 감소를 표로 나타내면 다음과 같다.

x	$\cdots$	0	$\cdots$	2	$\cdots$
$f'(x)$	$+$	0	$-$	0	$+$
$f(x)$	↗	극대	↘	극소	↗

따라서 $x=2$에서 극소이고 극솟값은 $f(2)$

0445

모든 실수에서 미분가능한 함수 $f(x)$에 대하여 [보기]의 옳은 것만을 있는 대로 고른 것은?

ㄱ. 모든 실수 x에 대하여 $f'(x)>0$이면 함수 $f(x)$는 실수 전체의 집합에서 증가한다.
ㄴ. 모든 실수전체의 집합에서 함수 $f(x)$가 증가하면 모든 실수 x에 대하여 $f'(x)>0$이다.
ㄷ. 다항함수 $f(x)$가 $x=a$에서 극값을 가지면 $f'(a)=0$이다.
ㄹ. $f'(a)=0$이면 함수 $f(x)$는 $x=a$에서 극값을 갖는다.

① ㄱ ② ㄱ, ㄷ ③ ㄷ, ㄹ
④ ㄱ, ㄴ, ㄹ ⑤ ㄱ, ㄴ, ㄷ

STEP A 함수의 증가와 감소, 극값의 진위판단하기

ㄱ. 모든 실수 x에 대하여 $f'(x)>0$이면
함수 $f(x)$는 실수 전체의 집합에서 증가한다. [참]
ㄴ. 반례 $f(x)=x^3$은 모든 실수 x에서 증가하지만 $f'(0)=0$이다. [거짓]
ㄷ. 다항함수 $f(x)$는 모든 실수에서 미분가능하므로
$x=a$에서 극값을 가지면 $f'(a)=0$ [참]
ㄹ. 반례 $f(x)=x^3$은 $f'(0)=0$이지만 $x=0$에서 극값을 갖지 않는다. [거짓]
따라서 옳은 것은 ㄱ, ㄷ이다.

미분가능한 함수 $f(x)$에서
① $f'(x)>0$인 구간에서 함수 $f(x)$는 증가하고
$f'(x)<0$인 구간에서 함수 $f(x)$는 감소한다.
② 어떤 구간에서
함수 $f(x)$가 증가하면 그 구간에서 $f'(x)\geq 0$이고
함수 $f(x)$가 감소하면 $f'(x)\leq 0$이다.

0446

함수 $f(x)$의 도함수 $y=f'(x)$의 그래프가 다음 그림과 같을 때, 다음 중 옳은 것은?

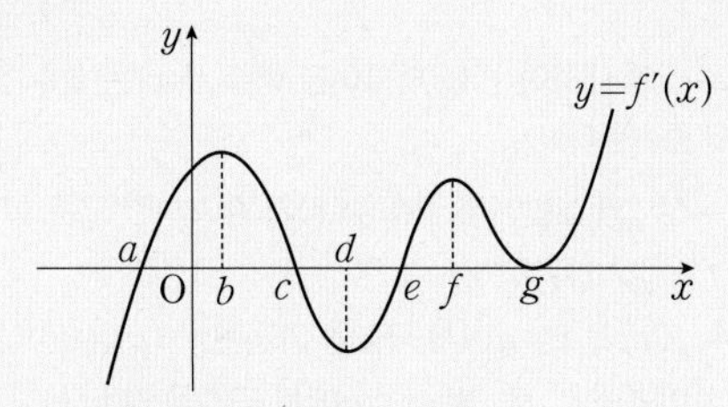

① $f(x)$는 $x=b$에서 극대이다.
② $f(x)$는 $x=c$에서 극소이다.
③ $f(x)$는 $x=d$에서 극소이다.
④ $f(x)$는 닫힌구간 $[b, d]$에서 감소한다.
⑤ $f(x)$는 닫힌구간 $[f, g]$에서 증가한다.

STEP A 함수 $f(x)$의 증가와 감소를 조사하여 표로 정리하기

함수 $y=f'(x)$의 그래프에서

$f'(x)=0$에서 $x=a$ 또는 $x=c$ 또는 $x=e$ 또는 $x=g$

함수 $f(x)$의 증가와 감소를 조사하면 다음 표와 같다.

x	$\cdots$	a	$\cdots$	c	$\cdots$	e	$\cdots$	g	$\cdots$
$f'(x)$	$-$	0	$+$	0	$-$	0	$+$	0	$+$
$f(x)$	↘	극소	↗	극대	↘	극소	↗		↗

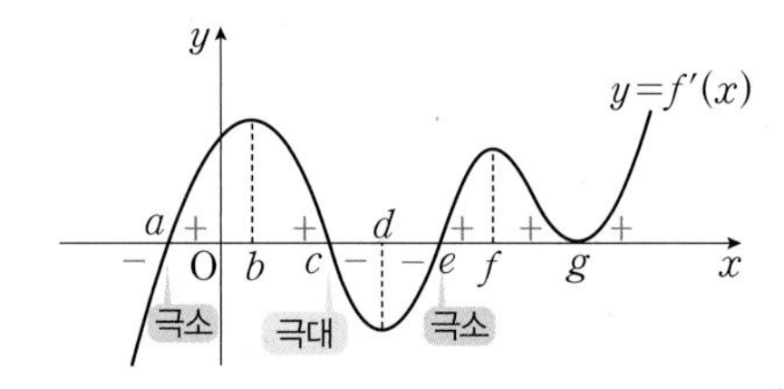

STEP B $f'(x)$의 부호를 이용하여 [보기]의 참, 거짓 판단하기

① $x=b$의 좌우에서 $f'(x)$의 부호가 바뀌지 않으므로 극값을 갖지 않는다. [거짓]

② $f'(c)=0$이고 $x=c$의 좌우에서 $f'(x)$의 부호가 양에서 음으로 바뀌므로 $f(x)$는 $x=c$에서 극대이다. [거짓]

③ $x=d$의 좌우에서 $f'(x)$의 부호가 바뀌지 않으므로 극값을 갖지 않는다. [거짓]

④ 닫힌구간 $[b, c]$에서 $f'(x)\geq 0$이므로 $f(x)$는 증가하고
닫힌구간 $[c, d]$에서 $f'(x)\leq 0$이므로 $f(x)$는 감소한다. [거짓]

⑤ 닫힌구간 $[f, g]$에서 $f'(x)\geq 0$이므로 $f(x)$는 증가한다. [참]

따라서 옳은 것은 ⑤이다.

0447

다음 물음에 답하여라.

(1) 미분가능한 연속함수 $f(x)$의 도함수 $y=f'(x)$의 그래프가 다음 그림과 같고

$$f(-1)<0<f(3)<f(1)$$

일 때, 옳은 것만을 [보기]에서 있는 대로 고른 것은?

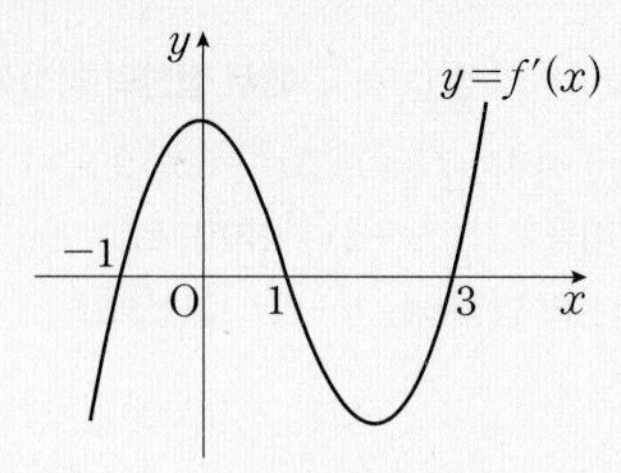

ㄱ. $f(2)>0$
ㄴ. $f(x)$는 $x=-1$에서 극소이다.
ㄷ. $y=f(x)$의 그래프는 x축과 서로 다른 네 점에서 만난다.

① ㄱ ② ㄱ, ㄴ ③ ㄱ, ㄷ
④ ㄴ, ㄷ ⑤ ㄱ, ㄴ, ㄷ

STEP A 함수 $f(x)$의 증가와 감소를 조사하여 표로 정리하기

$y=f'(x)$의 그래프가 x축과 만나는 점의 x좌표가 -1, 1, 3이므로

함수 $f(x)$의 증가와 감소를 표로 나타내면 다음과 같다.

x	$\cdots$	-1	$\cdots$	1	$\cdots$	3	$\cdots$
$f'(x)$	$-$	0	$+$	0	$-$	0	$+$
$f(x)$	↘	극소	↗	극대	↘	극소	↗

이때 $f(-1)<0<f(3)<f(1)$이므로 함수 $y=f(x)$의 그래프의 개형은 다음 그림과 같다.

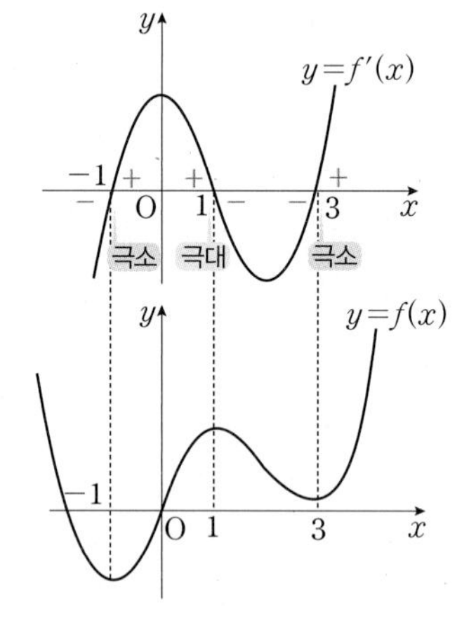

STEP B $f'(x)$의 부호를 이용하여 [보기]의 참, 거짓 판단하기

ㄱ. $f(1)>0$, $f(3)>0$이고 $f(x)$는 구간 $(1, 3)$에서 감소하므로
$f(2)>0$이다. [참]

ㄴ. $x=-1$의 좌우에서 $f'(x)$의 부호가 음에서 양으로 바뀌므로
$f(x)$는 $x=-1$에서 극솟값을 갖는다. [참]

ㄷ. 함수 $y=f(x)$의 그래프는 x축과 두 개의 교점을 갖는다. [거짓]

따라서 옳은 것은 ㄱ, ㄴ이다.

(2) 다음 그림은 사차함수 $f(x)$의 도함수 $y=f'(x)$의 그래프이다. $f(\alpha)<f(\gamma)<0<f(\beta)$일 때, [보기] 중 옳은 것만을 있는 대로 고른 것은?

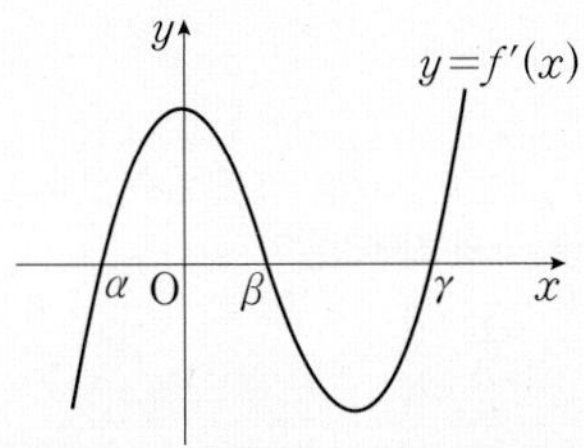

ㄱ. $f(x)$는 $x=\beta$에서 극대이다.
ㄴ. $f(\beta-x)=f(\beta+x)$
ㄷ. $y=f(x)$의 그래프는 x축과 네 개의 교점을 갖는다.

① ㄱ ② ㄴ ③ ㄱ, ㄷ
④ ㄴ, ㄷ ⑤ ㄱ, ㄴ, ㄷ

STEP A 함수 $f(x)$의 증가와 감소를 조사하여 표로 정리하기

$y=f'(x)$의 그래프가 x축과 만나는 점의 x좌표가 α, β, γ이므로 함수 $f(x)$의 증가와 감소를 표로 나타내면 다음과 같다.

x	$\cdots$	α	$\cdots$	β	$\cdots$	γ	$\cdots$
$f'(x)$	$-$	0	$+$	0	$-$	0	$+$
$f(x)$	↘	극소	↗	극대	↘	극소	↗

이때 $f(\alpha)<f(\gamma)<0<f(\beta)$이므로 함수 $y=f(x)$의 그래프의 개형은 다음 그림과 같다.

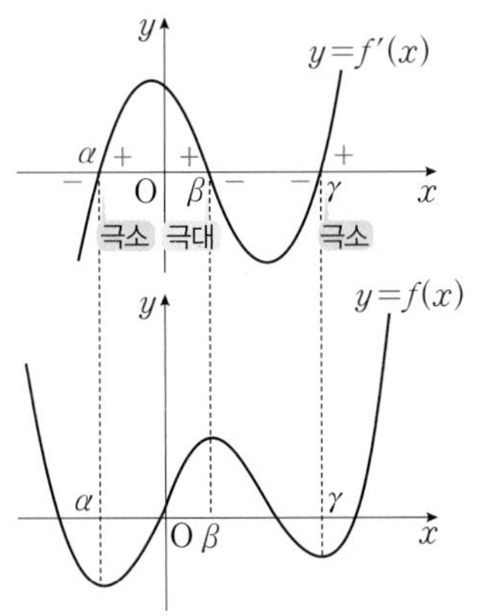

STEP B $f'(x)$의 부호를 이용하여 [보기]의 참, 거짓 판단하기

ㄱ. $x=\beta$의 좌우에서 $f'(x)$의 부호가 양에서 음으로 변하므로 $f(x)$는 $x=\beta$에서 극대이다. [참]

ㄴ. $f(\beta-x)=f(\beta+x)$이려면 $y=f(x)$의 그래프가 $x=\beta$에 대하여 대칭이어야 한다. [거짓]

ㄷ. $y=f(x)$의 그래프는 x축과 서로 다른 네 점에서 만난다. [참]

따라서 옳은 것은 ㄱ, ㄷ이다.

0448

미분가능한 함수 $y=f(x)$의 도함수 $y=f'(x)$의 그래프가 다음 그림과 같을 때, [보기] 중 옳은 것만을 있는 대로 고른 것은? (단, $f(4)=0$)

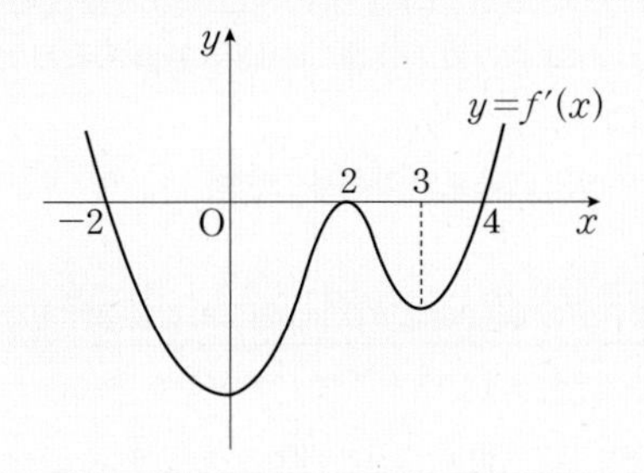

ㄱ. $f(x)$는 3개의 극값을 갖는다.
ㄴ. $f(x)$는 $x=-2$일 때 극값을 갖는다.
ㄷ. $f(x)$는 구간 $(0, 2)$에서 감소한다.
ㄹ. $f(x)$의 그래프는 $x=4$에서 x축에 접한다.

① ㄱ, ㄴ ② ㄴ, ㄹ ③ ㄱ, ㄷ
④ ㄱ, ㄴ, ㄹ ⑤ ㄴ, ㄷ, ㄹ

STEP A 함수 $f(x)$의 증가와 감소를 조사하여 표로 정리하기

$y=f'(x)$의 그래프가 x축과 만나는 점의 x좌표가 -2, 2, 4이므로 함수 $f(x)$의 증가와 감소를 표로 나타내면 다음과 같다.

x	$\cdots$	-2	$\cdots$	2	$\cdots$	4	$\cdots$
$f'(x)$	$+$	0	$-$	0	$-$	0	$+$
$f(x)$	↗	극대	↘		↘	극소	↗

함수 $y=f(x)$의 그래프의 개형은 다음 그림과 같다.

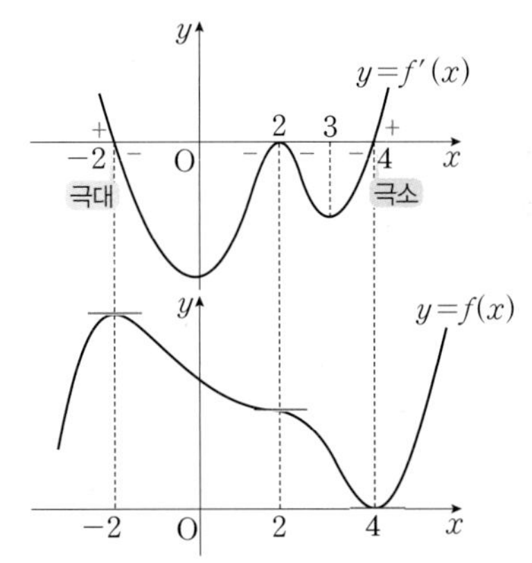

STEP B $f'(x)$의 부호를 이용하여 [보기]의 참, 거짓 판단하기

ㄱ. $f(x)$의 극값은 2개이다. [거짓]

ㄴ. $f(x)$는 $x=-2$일 때, 극댓값을 갖는다. [참]

ㄷ. $f(x)$는 구간 $(0, 2)$에서 $f'(x)<0$이므로 감소한다. [참]

ㄹ. 함수 $y=f(x)$는 $x=4$에서 극솟값을 갖고 그때의 y의 값이 0이므로 x축에 접한다. [참]

따라서 옳은 것은 ㄴ, ㄷ, ㄹ이다.

0449

서술형

함수 $f(x)=2x^3-9x^2+12x+2$에 대하여 다음 단계로 서술하여라.

[1단계] 도함수 $f'(x)$를 구하고 $f'(x)=0$인 x의 값을 구한다.
[2단계] 함수 $f(x)$의 증가와 감소를 나타내는 표를 작성하여 극댓값과 극솟값을 각각 구한다.
[3단계] 함수 $f(x)$의 그래프의 개형을 그린다.

1단계 도함수 $f'(x)$를 구하고 $f'(x)=0$인 x의 값을 구한다. ◀ 30%

$f(x)=2x^3-9x^2+12x+2$
$f'(x)=6x^2-18x+12=6(x-1)(x-2)$
$f'(x)=0$에서 $x=1$ 또는 $x=2$

2단계 함수 $f(x)$의 증가와 감소를 나타내는 표를 작성하여 극댓값과 극솟값을 각각 구한다. ◀ 40%

함수 $f(x)$의 증가와 감소를 표로 나타내면 다음과 같다.

x	$\cdots$	1	$\cdots$	2	$\cdots$
$f'(x)$	+	0	−	0	+
$f(x)$	↗	7	↘	6	↗

함수 $f(x)$는 $x=1$에서 극대이고 극댓값은 $f(1)=7$
$x=2$에서 극소이고 극솟값은 $f(2)=6$

3단계 함수 $f(x)$의 그래프의 개형을 그린다. ◀ 30%

$f(0)=2$이므로 함수 $y=f(x)$의 그래프는 y축과 점 $(0, 2)$에서 만난다.
따라서 함수 $y=f(x)$의 그래프의 개형을 그리면 다음 그림과 같다.

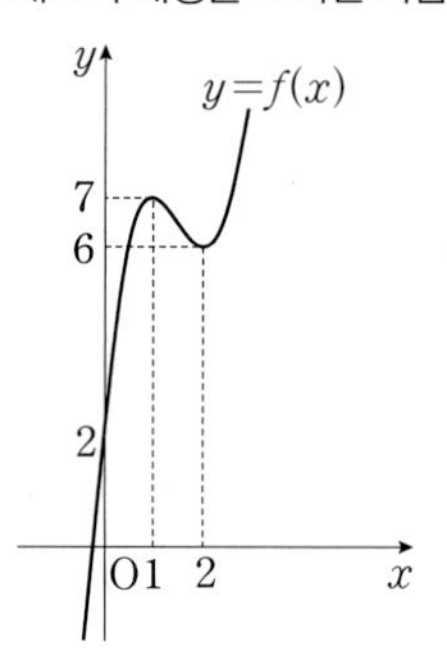

NORMAL

0450

함수 $f(x)=x^3+6x^2+15|x-2a|+3$이 실수 전체의 집합에서 증가하도록 하는 실수 a의 최댓값은?

① $-\frac{5}{2}$ ② -2 ③ $-\frac{3}{2}$
④ -1 ⑤ $-\frac{1}{2}$

STEP A 함수 $f(x)$가 증가함수가 되기 위한 조건 구하기

함수 $f(x)$가 실수 전체의 집합에서 증가함수가 되기 위한 조건은 $f'(x)\geq 0$

STEP B $x=2a$를 기준으로 x의 값의 범위를 나누고 각 경우에서 $f'(x)\geq 0$이 되는 a의 값의 범위 구하기

(i) $x>2a$일 때, $f(x)=x^3+6x^2+15x-30a+3$에서
$f'(x)=3x^2+12x+15=3(x^2+4x+5)>0$이므로
$x>2a$일 때, 함수 $f(x)$는 증가함수이다.

(ii) $x\leq 2a$일 때, $f(x)=x^3+6x^2-15x+30a+3$
$f'(x)=3(x+5)(x-1)$
$f'(x)=0$에서 $x=-5$ 또는 $x=1$
함수 $f(x)$의 증가와 감소를 표로 나타내면 다음과 같다.

x	$\cdots$	-5	$\cdots$	1	$\cdots$
$f'(x)$	+	0	−	0	+
$f(x)$	↗	극대	↘	극소	↗

함수 $f(x)$는 $x=-5$에서 극대, $x=1$에서 극소이고 그래프는 오른쪽 그림과 같다.

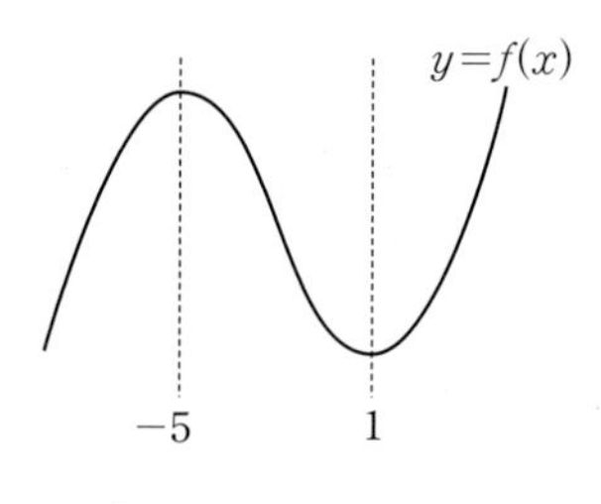

함수 $f(x)$가 실수 전체의 집합에서 증가하려면 $2a\leq -5$
$\therefore a\leq -\frac{5}{2}$

따라서 실수 a의 최댓값은 $-\frac{5}{2}$

다른풀이 함수 $f(x)$에 절댓값이 있으므로 $x=2a$를 기준으로 x의 값의 범위를 나누어 $f'(x)\geq 0$이 되는 a의 값 구하여 풀이하기

함수 $f(x)$가 실수 전체의 집합에서 증가함수가 되기 위한 조건은 $f'(x)\geq 0$

(i) $x>2a$일 때, $f(x)=x^3+6x^2+15x-30a+3$이므로
$f'(x)=3x^2+12x+15=3(x^2+4x+4)-12+15=3(x+2)^2+3>0$
따라서 $x>2a$일 때, 함수 $f(x)$는 증가함수이다.

(ii) $x=2a$일 때, $f(x)=x^3+6x^2+3$이므로
$f'(x)=3x^2+12x=3x(x+4)$
이때 $f'(x)\geq 0$이어야 하므로 $3x(x+4)\geq 0$
$\therefore x\leq -4$ 또는 $x\geq 0$

(iii) $x<2a$일 때, $f(x)=x^3+6x^2-15x+30a+3$이므로
$f'(x)=3x^2+12x-15=3(x^2+4x-5)=3(x+5)(x-1)$
이때 $f'(x)\geq 0$이어야 하므로 $3(x+5)(x-1)\geq 0$
$\therefore x\leq -5$ 또는 $x\geq 1$

(ii), (iii)을 동시에 만족하는 x의 범위는 $x\leq -5$ 또는 $x\geq 1$

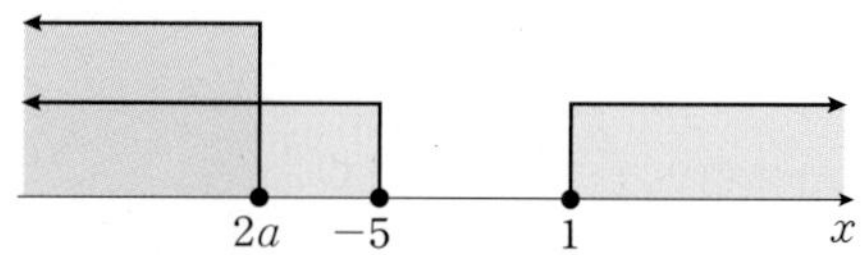

$x\leq 2a$일 때, $x\geq 1$ 또는 $x\leq -5$가 성립하여야 함수 $f(x)$가 증가함수가 되므로 $2a\leq -5$
따라서 $a\leq -\frac{5}{2}$이므로 실수 a의 최댓값은 $-\frac{5}{2}$

0451

다음 물음에 답하여라.

(1) 삼차함수 $f(x)$가 다음 조건을 모두 만족시킬 때, $f(1)$의 값은?

(가) $x=-3$에서 극댓값 1을 갖는다.
(나) 곡선 $y=f(x)$ 위의 점 $(0, 1)$에서의 접선의 방정식은 $y=9x+1$이다.

① 13 ② 14 ③ 17
④ 18 ⑤ 20

STEP A 함수 $f(x)$ 위의 점 $(0, 1)$에서의 접선의 방정식이 $y=9x+1$이므로 $f(0)=1$, $f'(0)=9$임을 이용하여 d, c의 값 구하기

$f(x)=ax^3+bx^2+cx+d$로 놓으면 $f'(x)=3ax^2+2bx+c$
조건 (나)에서 곡선 $y=f(x)$는 점 $(0, 1)$을 지나고
그 점에서의 접선의 기울기가 9이므로 $f(0)=1$, $f'(0)=9$
$\therefore d=1, c=9$

STEP B $x=-3$에서 극댓값 1이므로 $f'(-3)=0$, $f(-3)=1$임을 이용하여 a, b의 값 구하기

조건 (가)에서 함수 $f(x)$는 $x=-3$에서 극댓값 1을 가지므로
$f'(-3)=0$, $f(-3)=1$
$f'(-3)=27a-6b+9=0$에서 $9a-2b=-3$ …… ㉠
$f(-3)=-27a+9b-3\cdot9+1=1$에서 $-3a+b=3$ …… ㉡
㉠, ㉡을 연립하여 풀면 $a=1$, $b=6$ $\therefore f(x)=x^3+6x^2+9x+1$
따라서 $f(1)=1+6+9+1=17$

(2) 삼차함수 $f(x)$가 다음 조건을 모두 만족시킬 때, $f(x)$의 극솟값은?

(가) $x=-1$에서 극댓값 7을 갖는다.
(나) 곡선 $y=f(x)$ 위의 점 $(0, 0)$에서의 접선의 방정식은 $y=-12x$이다.

① -30 ② -20 ③ -10
④ 10 ⑤ 20

STEP A 곡선 $y=f(x)$ 위의 점 $(0, 0)$에서의 접선의 방정식은 $y=-12x$이므로 $f(0)=0$, $f'(0)=-12$임을 이용하여 d, c의 값 구하기

$f(x)=ax^3+bx^2+cx+d$로 놓으면 $f'(x)=3ax^2+2bx+c$
조건 (나)에서 곡선 $y=f(x)$는 점 $(0, 0)$을 지나므로 $d=0$
이때 $f'(x)=3ax^2+2bx+c$이고 접선의 기울기가 $f'(0)=-12$이므로
$c=-12$

STEP B $x=-1$에서 극댓값 7이므로 $f'(-1)=0$, $f(-1)=7$임을 이용하여 a, b의 값 구하기

조건 (가)에 의하여 $f'(-1)=0$에서 $3a-2b-12=0$ …… ㉠
$f(-1)=7$에서 $-a+b+12=7$ …… ㉡
㉠, ㉡을 연립하여 풀면 $a=2$, $b=-3$

STEP C $f'(x)=0$을 만족하는 x를 구하여 극솟값 구하기

$f(x)=2x^3-3x^2-12x$에서 $f'(x)=6x^2-6x-12=6(x+1)(x-2)$
$f'(x)=0$에서 $x=-1$ 또는 $x=2$
함수 $f(x)$의 증가와 감소를 표로 나타내면 다음과 같다.

x	$\cdots$	-1	$\cdots$	2	$\cdots$
$f'(x)$	+	0	−	0	+
$f(x)$	↗	극대	↘	극소	↗

따라서 $x=2$에서 극소이고 극솟값은 $f(2)=-20$

0452

삼차함수 $f(x)$에 대하여

$$\lim_{x\to0}\frac{f(x)-5}{x}=12,\ \lim_{x\to-2}\frac{f(x)-9}{x+2}=-24$$

가 성립한다. 함수 $f(x)$는 $x=\alpha$에서 극댓값을, $x=\beta$에서 극솟값을 가진다고 할 때, $\alpha-\beta$의 값을 구하여라.

STEP A 주어진 조건을 이용하여 삼차함수 $f(x)$의 식 구하기

$f(x)=ax^3+bx^2+cx+d\ (a\neq0)$로 놓으면
$f'(x)=3ax^2+2bx+c$

(i) $\lim_{x\to0}\frac{f(x)-5}{x}=12$에서
$x\to0$일 때, (분모)→0이고 극한값이 존재하므로 (분자)→0이어야 한다.
즉 $\lim_{x\to0}\{f(x)-5\}=0$이므로 $f(0)-5=0$
$\therefore f(0)=5$
또한, $\lim_{x\to0}\frac{f(x)-5}{x}=\lim_{x\to0}\frac{f(x)-f(0)}{x-0}=f'(0)=12$
$\therefore f(0)=d=5$, $f'(0)=c=12$

(ii) $\lim_{x\to-2}\frac{f(x)-9}{x+2}=-24$에서
$x\to-2$일 때, (분모)→0이고 극한값이 존재하므로 (분자)→0이다.
즉 $\lim_{x\to-2}\{f(x)-9\}=0$이므로 $f(-2)-9=0$
$\therefore f(-2)=9$
또한, $\lim_{x\to-2}\frac{f(x)-9}{x+2}=\lim_{x\to-2}\frac{f(x)-f(-2)}{x-(-2)}=f'(-2)=-24$
$f(-2)=-8a+4b-24+5=9$
$\therefore -2a+b=7$ ……㉠
$f'(-2)=12a-4b+12=-24$
$\therefore 3a-b=-9$ ……㉡
㉠, ㉡을 연립하여 풀면 $a=-2$, $b=3$
$\therefore f(x)=-2x^3+3x^2+12x+5$

STEP B 도함수 $f'(x)$를 구하여 $f'(x)=0$인 x의 값 구하기

$f(x)=-2x^3+3x^2+12x+5$에서
$f'(x)=-6x^2+6x+12=-6(x+1)(x-2)$
$f'(x)=0$에서 $x=-1$ 또는 $x=2$

STEP C $f(x)$의 증가와 감소를 나타내는 표를 작성하여 극대 극소 구하기

함수 $f(x)$의 증가와 감소를 표로 나타내면 다음과 같다.

x	$\cdots$	-1	$\cdots$	2	$\cdots$
$f'(x)$	−	0	+	0	−
$f(x)$	↘	극소	↗	극대	↘

즉 함수 $f(x)$는 $x=2$에서 극댓값을 $x=-1$에서 극솟값을 갖는다.
따라서 $\alpha-\beta=2-(-1)=3$

0453

다음 물음에 답하여라.

(1) 함수 $f(x)=x^3+ax^2+bx$에 대하여 곡선 $y=f(x)$가 오른쪽 그림과 같고, 극댓값이 0, 극솟값이 -4일 때, 상수 a, b에 대하여 $a+b$의 값은?

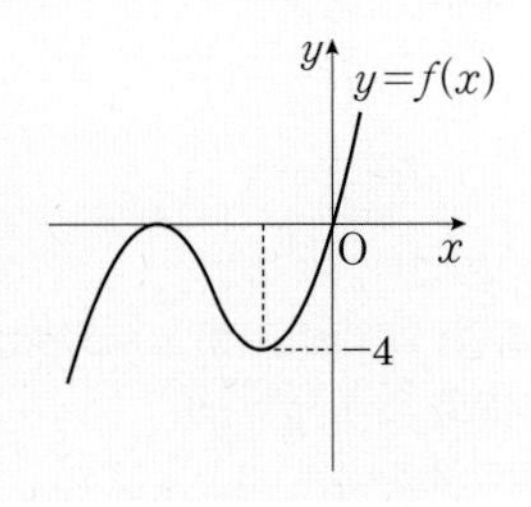

① 10 ② 11
③ 12 ④ 13
⑤ 15

STEP Ⓐ 함수 $f(x)$의 증가와 감소를 조사하여 표로 정리하기

함수 $y=f(x)$의 그래프는 원점을 지나고 x축과 한 점에서 접하므로

$f(x)=x(x^2+ax+b)=x\left(x+\frac{a}{2}\right)^2$

$\quad =x^3+ax^2+\frac{a^2}{4}x$

이때 $-\frac{a}{2}<0$이므로 $a>0$, $b=\frac{a^2}{4}$

$f'(x)=3x^2+2ax+\frac{a^2}{4}=\frac{1}{4}(2x+a)(6x+a)$

$f'(x)=0$에서 $x=-\frac{a}{2}$ 또는 $x=-\frac{a}{6}$

함수 $f(x)$의 증가와 감소를 표로 나타내면 다음과 같다.

x	$\cdots$	$-\frac{a}{2}$	$\cdots$	$-\frac{a}{6}$	$\cdots$
$f'(x)$	$+$	0	$-$	0	$+$
$f(x)$	↗	극대	↘	극소	↗

STEP Ⓑ 극솟값이 -4임을 이용하여 a, b의 값 구하기

그런데 $a>0$이므로 $f(x)$는 $x=-\frac{a}{6}$에서 극솟값 -4를 가진다.

즉 $f\left(-\frac{a}{6}\right)=\left(-\frac{a}{6}\right)\cdot\left(\frac{a}{3}\right)^2=-\frac{a^3}{54}=-4$에서

$a^3=216$

따라서 $a=6$, $b=\frac{6^2}{4}=9$이므로 $a+b=15$

(2) 함수 $f(x)=-x^3+px^2+qx$의 그래프가 오른쪽 그림과 같다. 함수 $f(x)$의 극솟값이 -4일 때, 상수 p, q에 대하여 $p+q$의 값은?

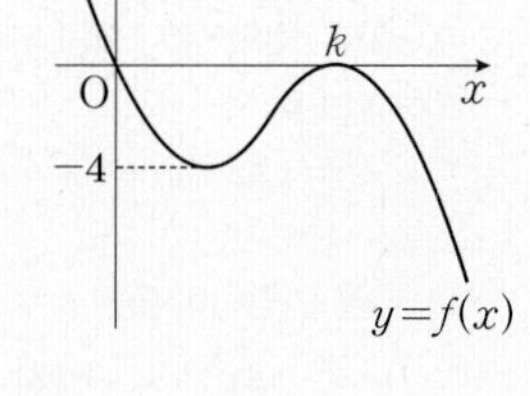

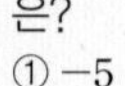
① -5
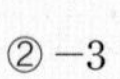
② -3
③ -1
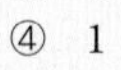
④ 1
⑤ 3

STEP Ⓐ 함수 $f(x)$의 증가와 감소를 조사하여 표로 정리하기

$y=f(x)$의 그래프는 원점을 지나고 $x=k$에서 x축과 접하고 삼차항의 계수가 -1이므로

$f(x)=-x(x-k)^2\,(k>0)$으로 놓는다.

$f(x)=-x(x-k)^2=-x^3+2kx^2-k^2x$에서

$f'(x)=-3x^2+4kx-k^2=-(3x-k)(x-k)$

$f'(x)=0$에서 $x=\frac{k}{3}$ 또는 $x=k\,(k>0)$

함수 $f(x)$의 증가와 감소를 표로 나타내면 다음과 같다.

x	$\cdots$	$\frac{k}{3}$	$\cdots$	k	$\cdots$
$f'(x)$	$-$	0	$+$	0	$-$
$f(x)$	↘	극소	↗	극대	↘

STEP Ⓑ 극솟값이 -4임을 이용하여 p, q의 값 구하기

함수 $f(x)$는 $x=\frac{k}{3}$에서 극솟값이 -4이므로

$f\left(\frac{k}{3}\right)=-\frac{k}{3}\left(\frac{k}{3}-k\right)^2$

$\quad =-\frac{4}{27}k^3=-4$

$\therefore k=3\,(\because k>0)$

즉 $f(x)=-x(x-3)^2=-x^3+6x^2-9x$

이므로 $p=6$, $q=-9$

따라서 $p+q=-3$

0454

오른쪽 그림은 원점 O에 대하여 대칭인 삼차함수 $f(x)$의 그래프이다. 곡선 $y=f(x)$와 x축이 만나는 점 중 원점이 아닌 점을 각각 A, B라 하고 함수 $f(x)$의 극대, 극소인 점을 각각 C, D라 하자. 점 D의 x좌표가 $\frac{1}{2}$이고 사각형 ADBC의 넓이가 $\sqrt{3}$일 때, 함수 $f(x)$의 극댓값은?

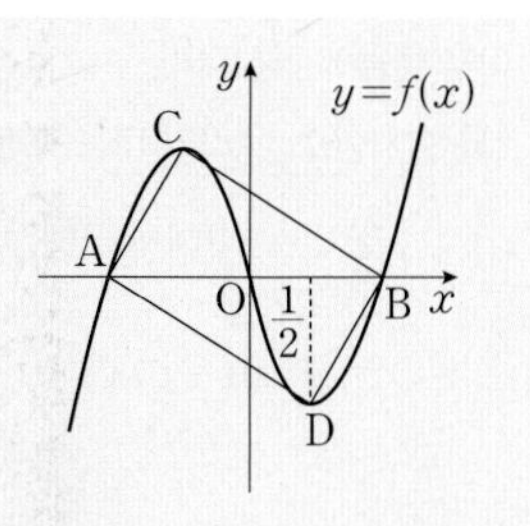

① 1 ② $\frac{4}{3}$ ③ $\frac{5}{3}$
④ $\frac{\sqrt{3}}{2}$ ⑤ $\sqrt{2}$

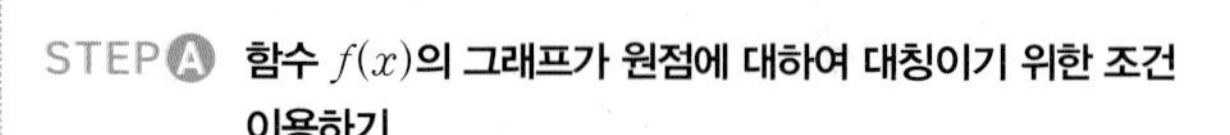

STEP Ⓐ 함수 $f(x)$의 그래프가 원점에 대하여 대칭이기 위한 조건 이용하기

삼차함수 $f(x)$의 그래프가 원점에 대하여 대칭이므로

$f(x)=-f(-x)$가 성립한다.

즉 삼차함수 $f(x)$는 이차항과 상수항이 없으므로

$f(x)=ax^3+bx$ ($a>0$, a, b는 상수) …… ㉠

STEP Ⓑ 함수 $f(x)$가 $x=k$에서 극점을 가질 때, $f'(k)=0$임을 이용하기

삼차함수 $f(x)$는 극소가 되는 x좌표가 $x=\frac{1}{2}$이므로

극대가 되는 x좌표는 $x=-\frac{1}{2}$

$f'(x)=3ax^2+b=3a\left(x^2-\frac{1}{4}\right)$이므로 계수비교하면 $b=-\frac{3a}{4}$

$f(x)=ax^3-\frac{3a}{4}x=ax\left(x-\frac{\sqrt{3}}{2}\right)\left(x+\frac{\sqrt{3}}{2}\right)$

$f(x)=0$에서 $x=0$ 또는 $x=-\frac{\sqrt{3}}{2}$ 또는 $x=\frac{\sqrt{3}}{2}$

이때 $A\left(-\frac{\sqrt{3}}{2}, 0\right)$, $B\left(\frac{\sqrt{3}}{2}, 0\right)$이고 $\overline{AB}=2\times\frac{\sqrt{3}}{2}=\sqrt{3}$

점 C의 y좌표가 극댓값 $f\left(-\frac{1}{2}\right)$이므로 삼각형 ACB의 넓이는

$\frac{1}{2}\cdot\sqrt{3}\cdot f\left(-\frac{1}{2}\right)$

STEP Ⓒ 사각형 ADBC의 넓이가 $\sqrt{3}$임을 이용하여 극댓값 구하기

점 C에서 선분 AB에 내린 수선의 발을 H라 하면 점 C의 y좌표의 값인 $\overline{CH}$가 극댓값이 된다.

이때 △ABC와 △BAD는 원점에 대하여 대칭이므로

두 삼각형 ABC, BAD의 넓이가 같다.

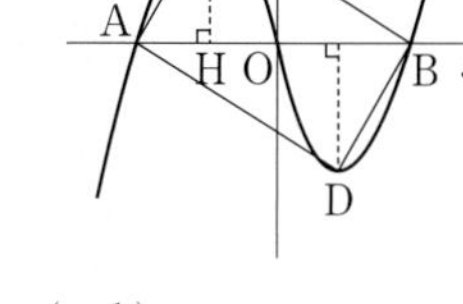

사각형 ADBC의 넓이가 $\sqrt{3}$이므로

$2\cdot\frac{1}{2}\cdot\sqrt{3}\cdot f\left(-\frac{1}{2}\right)=\sqrt{3}f\left(-\frac{1}{2}\right)=\sqrt{3}$ $\quad\therefore f\left(-\frac{1}{2}\right)=1$

따라서 함수 $f(x)$의 극댓값은 $f\left(-\frac{1}{2}\right)=1$

다른풀이 적분을 이용한 풀이하기

STEP Ⓐ 함수 $f(x)$의 그래프가 원점에 대하여 대칭이므로 두 점 C, D가 각각 극대인 점과 극소인 점이라는 것을 이용하여 $f'(x)$의 식 세우기

함수 $f(x)$가 원점에 대하여 대칭이고 극소인 점 D의 x좌표가 $\frac{1}{2}$이므로

극대인 점 C의 x좌표는 $-\frac{1}{2}$

즉 $f'(x)=a\left(x-\frac{1}{2}\right)\left(x+\frac{1}{2}\right)=a\left(x^2-\frac{1}{4}\right)\,(a>0)$이므로

$f(x)=\int a\left(x^2-\frac{1}{4}\right)dx=a\int\left(x^2-\frac{1}{4}\right)dx$

$\quad =a\left(\frac{1}{3}x^3-\frac{1}{4}x+C\right)$ (단, C는 적분상수)

이때 함수 $f(x)$가 원점에 대하여 대칭이므로 $C=0$

$\therefore f(x)=a\left(\frac{1}{3}x^3-\frac{1}{4}x\right)$

$f(x)=0$의 실근은 두 점 A, B의 x좌표가 되므로

$f(x)=a\left(\frac{1}{3}x^3-\frac{1}{4}x\right)=\frac{a}{3}x\left(x+\frac{\sqrt{3}}{2}\right)\left(x-\frac{\sqrt{3}}{2}\right)=0$

$\therefore x=-\frac{\sqrt{3}}{2}$ 또는 $x=\frac{\sqrt{3}}{2}$

이때 $A\left(-\frac{\sqrt{3}}{2}, 0\right)$, $B\left(\frac{\sqrt{3}}{2}, 0\right)$이고 $\overline{AB}=2\times\frac{\sqrt{3}}{2}=\sqrt{3}$

STEP B 사각형 ADBC의 넓이가 $\sqrt{3}$임을 이용하여 극댓값 구하기

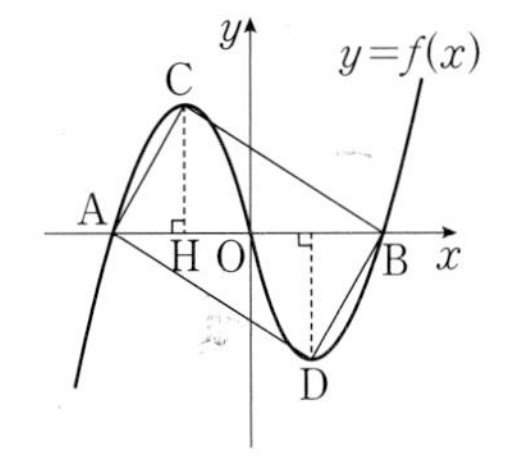

점 C에서 선분 AB에 내린 수선의 발을 H라 하면 점 C의 y좌표의 값인 $\overline{CH}$가 극댓값이 된다.

이때 △ABC와 △BAD는 원점에 대하여 대칭이므로 두 삼각형 ABC, BAD의 넓이가 같다.

$\triangle ABC=\frac{1}{2}\square ADBC$에서

사각형 ADBC의 넓이가 $\sqrt{3}$이므로 $\frac{1}{2}\cdot\sqrt{3}\cdot\overline{CH}=\frac{\sqrt{3}}{2}$ $\quad\therefore \overline{CH}=1$

따라서 함수 $f(x)$의 극댓값은 1

0455

삼차함수 $y=f(x)$, $y=g(x)$의 그래프가 그림과 같고, 다음 조건을 만족시킨다.

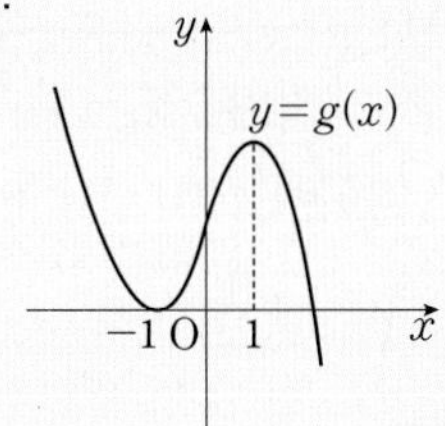

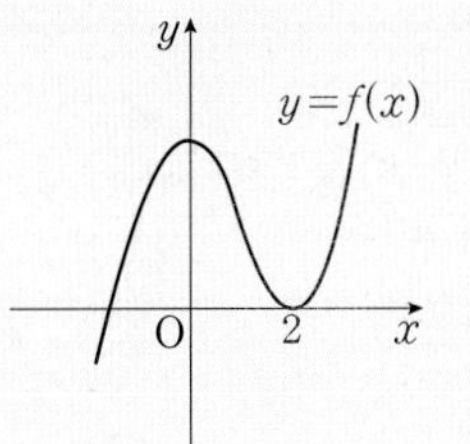

(가) 함수 $f(x)$는 $x=0$, $x=2$에서 극값을 가지고 극솟값은 0이다.
(나) 함수 $g(x)$는 $x=-1$, $x=1$에서 극값을 가지고 극솟값은 0이다.

$h(x)=f(x)g(x)$라 할 때, 옳은 것만을 [보기]에서 있는 대로 고른 것은?

ㄱ. $h'(-1)>0$
ㄴ. $h'(0)>0$
ㄷ. $h'(1)<0$

① ㄱ ② ㄴ ③ ㄱ, ㄴ
④ ㄴ, ㄷ ⑤ ㄱ, ㄴ, ㄷ

STEP A 곱의 미분법을 이용하여 부호 정리하기

$h(x)=f(x)g(x)$에서 $h'(x)=f'(x)g(x)+f(x)g'(x)$

ㄱ. 곡선 $y=f(x)$ 위의 $x=-1$인 점에서의 접선의 기울기는 양수이므로
$f'(-1)>0$
또, $g(-1)=0$, $g'(-1)=0$이므로
$h'(-1)=f'(-1)g(-1)+f(-1)g'(-1)=0+0=0$ [거짓]

ㄴ. 곡선 $y=g(x)$ 위의 $x=0$인 점에서의 접선의 기울기는 양수이므로
$g'(0)>0$
또, $f(0)>0$, $f'(0)=0$이므로 $h'(0)=f'(0)g(0)+f(0)g'(0)>0$ [참]

ㄷ. 곡선 $y=f(x)$ 위의 $x=1$인 점에서의 접선의 기울기는 음수이므로
$f'(1)<0$
또, $g(1)>0$, $g'(1)=0$이므로 $h'(1)=f'(1)g(1)+f(1)g'(1)<0$ [참]

따라서 옳은 것은 ㄴ, ㄷ이다.

0456

서로 다른 두 실수 α, β가 사차방정식 $f(x)=0$의 근일 때, 옳은 것만을 [보기]에서 있는 대로 고른 것은?

ㄱ. $f'(\alpha)=0$이면 다항식 $f(x)$는 $(x-\alpha)^2$으로 나누어떨어진다.
ㄴ. $f'(\alpha)f'(\beta)=0$이면 방정식 $f(x)=0$은 허근을 갖지 않는다.
ㄷ. $f'(\alpha)f'(\beta)>0$이면 방정식 $f(x)=0$은 서로 다른 네 실근을 갖는다.

① ㄱ ② ㄷ ③ ㄱ, ㄴ
④ ㄴ, ㄷ ⑤ ㄱ, ㄴ, ㄷ

STEP A 나머지정리를 이용하여 다항식의 인수를 확인하기

ㄱ. $f(x)$를 $(x-\alpha)^2$으로 나눈 몫을 $Q(x)$, 나머지를 $ax+b$ (a, b는 상수)라 하면 $f(x)=(x-\alpha)^2Q(x)+ax+b$
양변을 x에 대하여 미분하면
$f'(x)=2(x-\alpha)Q(x)+(x-\alpha)^2Q'(x)+a$
$f(\alpha)=0$, $f'(\alpha)=0$이므로 $f(\alpha)=a\alpha+b=0$, $f'(\alpha)=a=0$
$\therefore a=0$, $b=0$
즉 $f(x)=(x-\alpha)^2Q(x)$이므로 $f(x)$는 $(x-\alpha)^2$으로 나누어떨어진다. [참]

ㄴ. $f'(\alpha)f'(\beta)=0$에서 $f'(\alpha)=0$ 또는 $f'(\beta)=0$, $\alpha<\beta$라 하자.

(ⅰ) $f'(\alpha)=0$일 때,
ㄱ에서 $f(x)$는 $(x-\alpha)^2$과 $(x-\beta)$를 인수로 갖기 때문에
$f(x)=(x-\alpha)^2(x-\beta)(ax+b_1)$ (단, a는 양수)

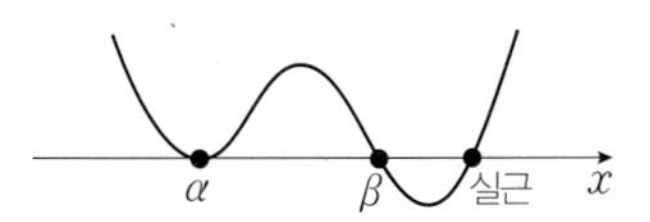

(ⅱ) $f'(\beta)=0$일 때,
ㄱ에서 $f(x)$는 $(x-\beta)^2$과 $(x-\alpha)$를 인수로 갖기 때문에
$f(x)=(x-\alpha)(x-\beta)^2(ax+b_2)$

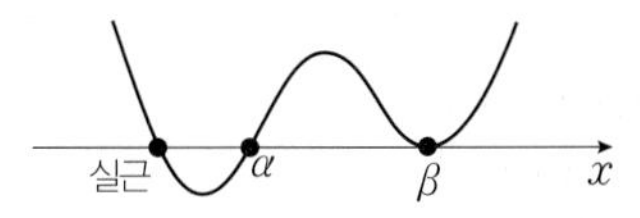

(ⅲ) $f'(\alpha)=0$이고 $f'(\beta)=0$인 경우
ㄱ에서 $f(x)$는 $(x-\alpha)^2$과 $(x-\beta)^2$를 인수로 갖기 때문에
$f(x)=(x-\alpha)^2(x-\beta)^2$

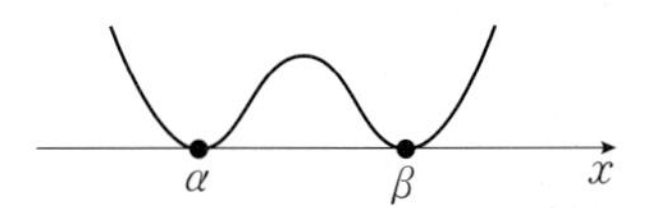

(ⅰ), (ⅱ)에서 사차방정식 $f(x)=0$은 실수인 중근과 한 근을 가지므로 나머지 한 근도 실근이 된다.
(ⅲ)에서는 두 개의 중근을 가진다. 즉 허근을 갖지 않는다. [참]

STEP B 조건에 맞는 $y=f(x)$의 그래프의 개형을 그리기

ㄷ. $f'(\alpha)f'(\beta)>0$이면
$f'(\alpha)>0$, $f'(\beta)>0$ 또는 $f'(\alpha)<0$, $f'(\beta)<0$

(ⅰ) $f'(\alpha)>0$, $f'(\beta)>0$일 때,
$x=\alpha$, β에서 함수 $f(x)$는 증가이고 그래프의 개형 [그림1]은 다음과 같다.

(ⅱ) $f'(\alpha)<0$, $f'(\beta)<0$일 때,
$x=\alpha$, β에서 함수 $f(x)$는 감소이고 그래프의 개형 [그림2]는 다음과 같다.

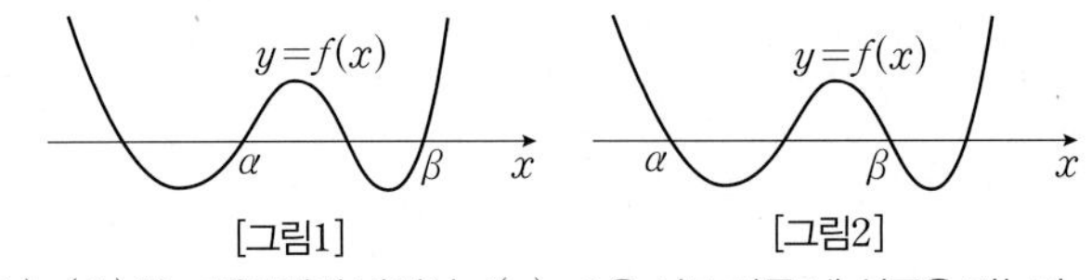

[그림1] [그림2]

(i), (ii)의 그래프에서 방정식 $f(x)=0$은 서로 다른 네 실근을 갖는다.
[참]

따라서 옳은 것은 ㄱ, ㄴ, ㄷ이다.

사차함수에서 가능한 실근과 허근의 개수의 경우의 수는
(i) 실근 4개
(ii) 실근 2개, 허근 2개
(iii) 허근 4개
이므로 $f'(\alpha)=0$일 때, ㄱ에서 $f(x)$는 $(x-\alpha)^2$과 $(x-\beta)$를
인수로 갖기 때문에 $f(x)=(x-\alpha)^2(x-\beta)(ax+b_1)(a\neq0)$
실근이 α, α, β로 3개이므로 나머지 한 근도 실근이다.

0457

다음 물음에 답하여라.

(1) 사차함수 $f(x)$와 삼차함수 $g(x)$의 도함수 $y=f'(x)$, $y=g'(x)$의 그래프가 다음 그림과 같을 때, 함수 $h(x)=f(x)-g(x)$가 극대가 되는 x의 값은?

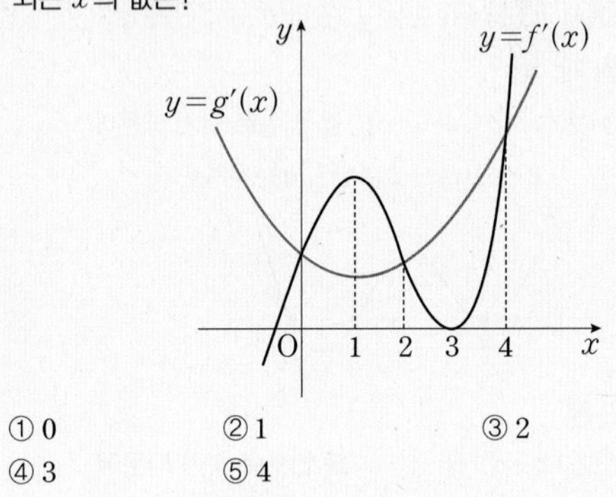

① 0 ② 1 ③ 2
④ 3 ⑤ 4

STEP A 함수 $h(x)$의 증가와 감소를 조사하여 표로 정리하기

$h(x)=f(x)-g(x)$에서 $h'(x)=f'(x)-g'(x)$

$h'(x)=0$인 x의 값은 $f'(x)=g'(x)$를 만족시키는 x의 값과 같으므로 주어진 그래프에서 $x=0$ 또는 $x=2$ 또는 $x=4$

$h(x)$의 증가와 감소를 표로 나타내면 다음과 같다.

x	$\cdots$	0	$\cdots$	2	$\cdots$	4	$\cdots$
$h'(x)$	$-$	0	$+$	0	$-$	0	$+$
$h(x)$	↘	극소	↗	극대	↘	극소	↗

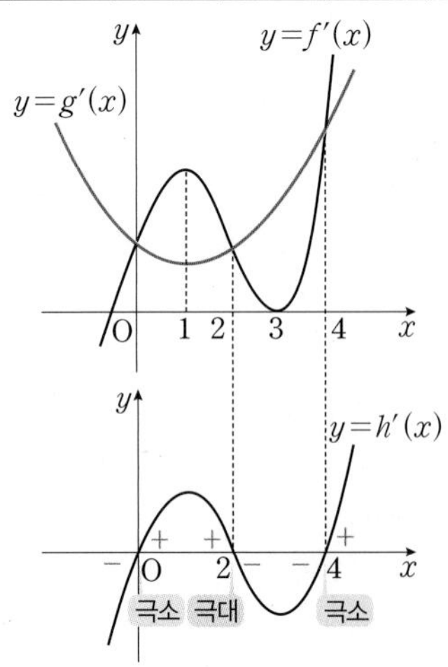

따라서 $h(x)=f(x)-g(x)$는 $x=2$에서 극대가 된다.

(2) 곡선 $y=f'(x)$와 직선 $y=g'(x)$가 다음 그림과 같이 세 점에서 만나고 $g(\beta)<f(\beta)$일 때, 함수 $h(x)=f(x)-g(x)$가 x축과 만나는 점의 개수는?

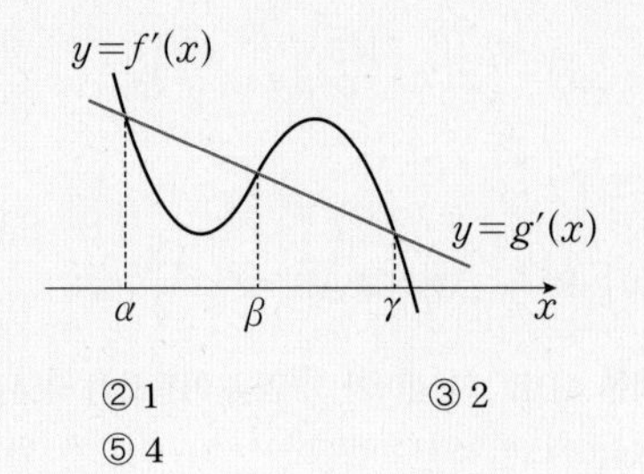

① 0 ② 1 ③ 2
④ 3 ⑤ 4

STEP A $h'(x)$의 부호를 확인하여 $h(x)$의 그래프의 개형을 그리기

$h(x)=f(x)-g(x)$에서 $h'(x)=f'(x)-g'(x)$

$h'(x)=0$에서 $x=\alpha$ 또는 $x=\beta$ 또는 $x=\gamma$

함수 $h(x)$의 증가와 감소를 표로 나타내면 다음과 같다.

x	$\cdots$	α	$\cdots$	β	$\cdots$	γ	$\cdots$
$h'(x)$	$+$	0	$-$	0	$+$	0	$-$
$h(x)$	↗	극대	↘	극소	↗	극대	↘

$h(\beta)=f(\beta)-g(\beta)>0$이므로 $y=h(x)$의 그래프의 개형은 다음 그림과 같다.

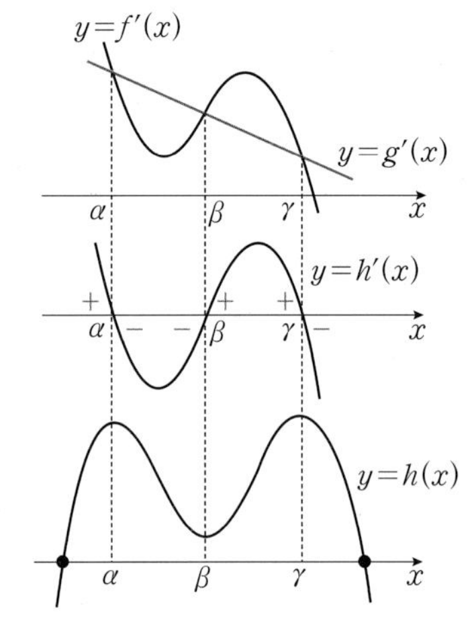

따라서 x축과 만나는 점의 개수는 2개이다.

0458

사차함수 $f(x)$의 도함수 $y=f'(x)$의 그래프가 오른쪽 그림과 같을 때, [보기]에서 옳은 것만을 있는 대로 고른 것은?
(단, $f'(-2)=f'(0)=f'(2)=0$)

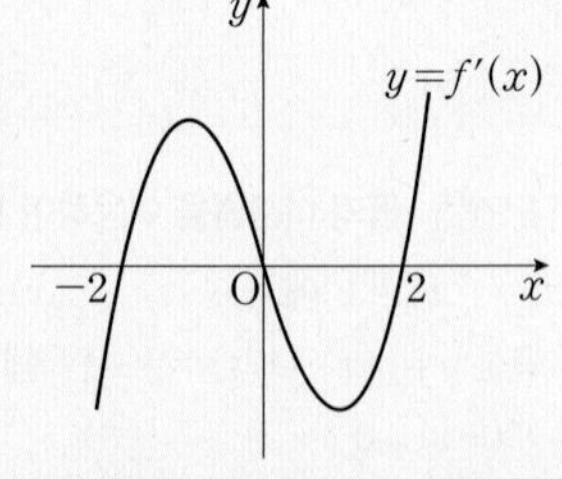

ㄱ. 함수 $f(x)$가 열린구간 $(a, a+1)$에서 감소할 때, 실수 a의 최댓값은 1이다.
ㄴ. 함수 $f(x)$가 극솟값을 가지는 x의 값은 2개이다.
ㄷ. $f(0)=0$이면 방정식 $f(x)f'(x+2)=0$의 서로 다른 실근의 개수는 6이다.

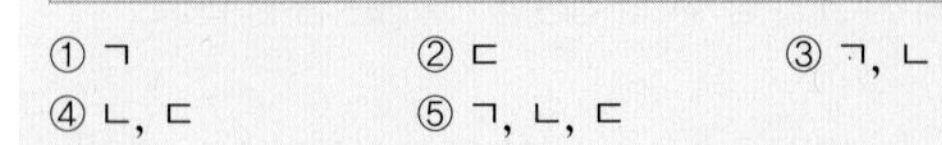

① ㄱ ② ㄷ ③ ㄱ, ㄴ
④ ㄴ, ㄷ ⑤ ㄱ, ㄴ, ㄷ

STEP Ⓐ $f(x)$의 증가와 감소를 표로 나타내기

사차함수 $f(x)$의 증가와 감소를 표로 나타내면 다음과 같다.

x	$\cdots$	-2	$\cdots$	0	$\cdots$	2	$\cdots$
$f'(x)$	$-$	0	$+$	0	$-$	0	$+$
$f(x)$	↘	극소	↗	극대	↘	극소	↗

ㄱ. 함수 $f(x)$가 $x<-2$와 $0<x<2$에서 감소하므로 실수 $a+1$의 최댓값이 2이다.
즉 a의 최댓값은 1이다. [참]

ㄴ. 함수 $f(x)$는 $x=-2$와 $x=2$에서 극소이므로 개수는 2이다. [참]

ㄷ. 함수 $f(x)$의 극댓값이 0이면 $f(0)=0$이므로
$y=f(x)$의 그래프는 그림과 같다.

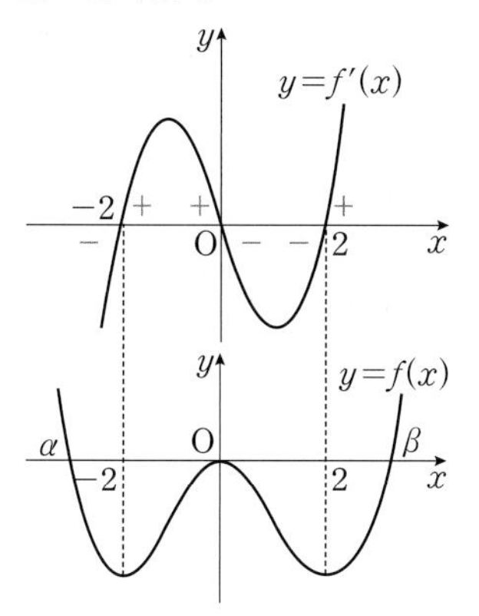

$f(x)f'(x+2)=0$에서 $f(x)=0$ 또는 $f'(x+2)=0$

(ⅰ) $f(x)=0$인 경우는
$f(\alpha)=f(0)=f(\beta)=0$ $(\alpha<-2,\ \beta>2)$이므로
$f(x)=0$을 만족시키는 x의 값은 α, 0, β

(ⅱ) $f'(x+2)=0$인 경우는
$x+2$의 값이 -2, 0, 2이므로 $f'(x+2)=0$을 만족시키는
x의 값은 -4, -2, 0

(ⅰ), (ⅱ)에 의해 방정식 $f(x)f'(x+2)=0$의 서로 다른 실근은
-4, α, -2, 0, β로 개수는 5개이다. [거짓]

따라서 옳은 것은 ㄱ, ㄴ이다.

0459

다음 그림과 같이 함수 $f(x)$의 도함수 $f'(x)$의 그래프가 y축에 대하여 대칭이고 $x>0$일 때, 위로 볼록하다. 함수 $f(x)$에 대하여 옳은 것만을 [보기]에서 있는 대로 고른 것은? (단, $f'(-1)=f'(0)=f'(1)=0$)

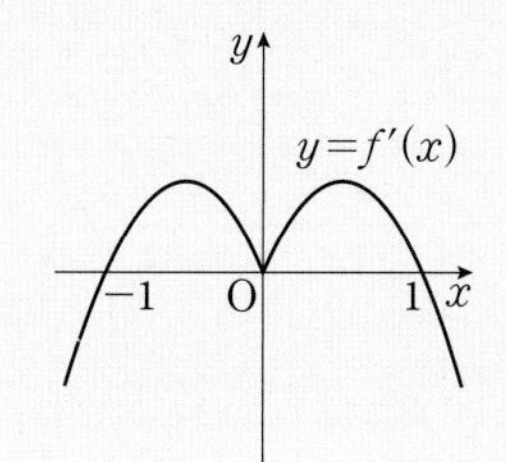

ㄱ. 함수 $f(x)$는 $x=0$에서 극값을 갖는다.
ㄴ. $f(0)=0$이면 함수 $f(x)$의 극댓값과 극솟값의 합은 0이다.
ㄷ. $f(1)<0$이면 방정식 $f(x)=0$은 오직 하나의 실근을 갖는다.

① ㄱ　② ㄴ　③ ㄷ
④ ㄱ, ㄴ　⑤ ㄴ, ㄷ

STEP Ⓐ 도함수 $f'(x)$의 그래프를 이용하여 증가, 감소를 표로 나타내기

도함수 $f'(x)$의 그래프로부터 함수 $f(x)$의 증가와 감소를 표로 나타내면 다음과 같다.

x	$\cdots$	-1	$\cdots$	0	$\cdots$	1	$\cdots$
$f'(x)$	$-$	0	$+$	0	$+$	0	$-$
$f(x)$	↘	극소	↗		↗	극대	↘

ㄱ. $f(x)$는 $x=0$의 좌우에서 $f'(x)$의 부호가 바뀌지 않으므로 $x=0$에서 극값을 갖지 않는다. [거짓]

STEP Ⓑ 도함수 $f'(x)$의 그래프로부터 함수 $f(x)$의 그래프의 개형 그리기

ㄴ. 도함수 $f'(x)$는 y축에 대하여 대칭이므로 $f(0)=0$이면 함수 $f(x)$의 그래프는 원점에 대하여 대칭이다.

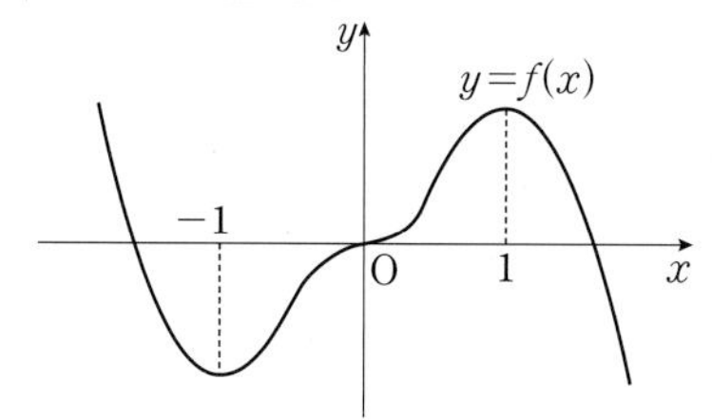

즉 극댓값 $f(1)$, 극솟값 $f(-1)$에 대하여 $f(1)=-f(-1)$이므로
$f(1)+f(-1)=0$이다. [참]

ㄷ. 극댓값 $f(1)<0$이면 함수 $f(x)$의 그래프의 개형은 다음과 같다.

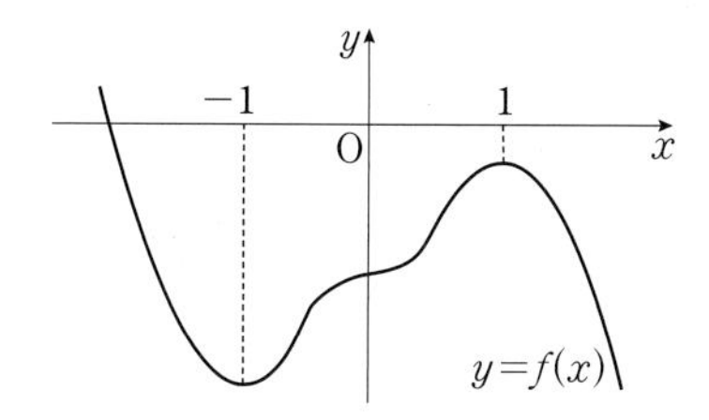

방정식 $f(x)=0$은 $x<-1$인 오직 하나의 실근을 갖는다. [참]

따라서 옳은 것은 ㄴ, ㄷ이다.

$f'(x)$의 그래프가 y축에 대하여 대칭이고 $f(0)=0$이면 $f(x)$는 원점에 대하여 대칭이다.

설명 도함수 $f'(x)$는 y축에 대하여 대칭이므로 $f'(x)=f'(-x)$
양변을 적분하면

$$\int f'(x)dx=\int f'(-x)dx$$

$f(x)=-f(-x)+C$ (단, C는 적분상수) …… ㉠

㉠에 $x=0$을 대입하면 $f(0)=-f(0)+C$

$\therefore C=0(\because f(0)=0)$

즉 ㉠에서 $f(x)=-f(-x)$이므로 함수 $f(x)$의 그래프는 원점에 대하여 대칭이다.

반례 $f'(x)=x^2$이면 $f(x)=\frac{1}{3}x^3+C$ (단, C는 적분상수)

이때 $f(0)=0$이면 $C=0$이므로 원점에 대하여 대칭이고
$f(0)\neq0$이면 $C\neq0$이므로 원점에 대하여 대칭이 아니다.

0460

최고차항의 계수가 양수인 사차함수 $y=f(x)$의 도함수 $y=f'(x)$의 그래프가 다음 그림과 같다.

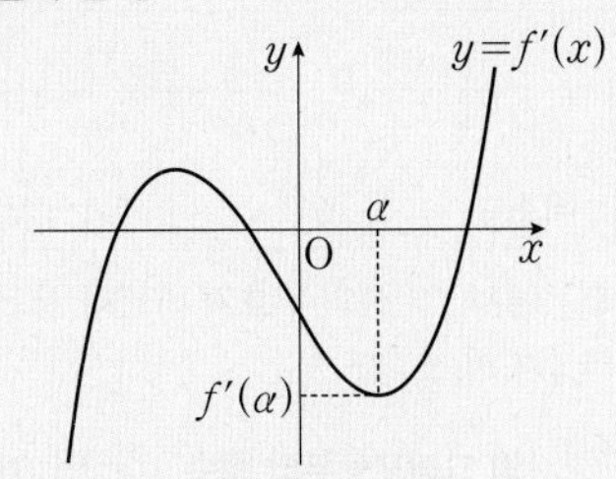

양수 α에 대하여 $f'(\alpha)>-2$이고 $f(0)=0$이다.
함수 $h(x)$를 $h(x)=f(x)+2x$라 할 때, [보기]에서 옳은 것만을 있는 대로 고른 것은? (단, 함수 $f'(x)$는 $x=\alpha$에서 극소이다.)

> ㄱ. $h'(\alpha)>0$
> ㄴ. 함수 $y=h(x)$는 열린구간 $(0, \alpha)$에서 감소한다.
> ㄷ. 방정식 $h(x)=0$은 서로 다른 두 실근을 갖는다.

① ㄱ　② ㄴ　③ ㄱ, ㄴ
④ ㄱ, ㄷ　⑤ ㄴ, ㄷ

STEP Ⓐ **도함수 $f'(x)$의 그래프에서 함수 $h(x)=f(x)+2x$의 그래프를 추론하기**

ㄱ. $h(x)=f(x)+2x$에서 $h'(x)=f'(x)+2$이므로
$h'(\alpha)=f'(\alpha)+2>0$ [참]

ㄴ. 구간 $(0, \alpha)$에서 $-2<f'(x)<0$
$0<h'(x)<2$이므로 함수 $h(x)$는 증가한다. [거짓]

ㄷ. $h(0)=f(0)+2\times0=0$
$h'(x)=f'(x)+2=0$을 만족시키는 x의 값을 β라 하자.
함수 $h(x)$의 증가와 감소를 표로 나타내면 다음과 같다.

x	$\cdots$	β	$\cdots$	0	$\cdots$
$h'(x)$	$-$	0	$+$	$+$	$+$
$h(x)$	↘	극소	↗	0	↗

함수 $y=h(x)$의 그래프의 개형은 다음 그림과 같다.

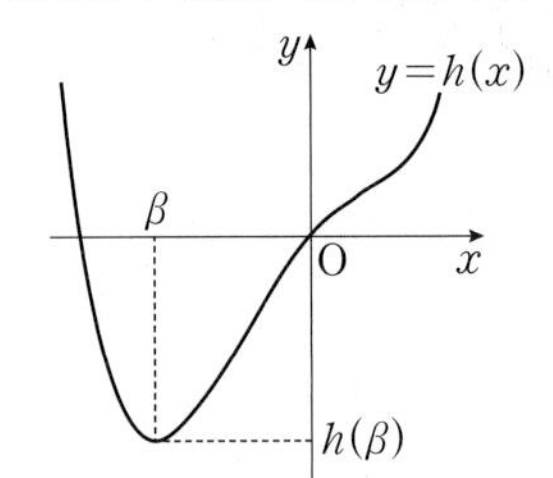

방정식 $h(x)=0$은 서로 다른 두 실근을 갖는다. [참]
따라서 옳은 것은 ㄱ, ㄷ이다.

0461

함수 $f(x)=-(x+1)^2$에 대하여 함수 $g(x)$는 다음과 같다.

$$g(x)=\begin{cases} f(x) & (x<0) \\ f(-x) & (0\le x<3) \\ f(x-6) & (x\ge3) \end{cases}$$

함수 $y=g(x)$의 그래프에서 극소가 되는 두 점을 각각 A, B라 하고 두 점 A, B 사이를 움직이는 곡선 $y=g(x)$ 위의 점을 P라 하자.
삼각형 ABP의 넓이가 최대가 되도록 하는 점 P의 x좌표를 a라 할 때, $20a$의 값은?

① 10　② 20　③ 30
④ 40　⑤ 50

STEP Ⓐ **함수 $y=g(x)$의 그래프 그리기**

$y=g(x)$의 그래프는 다음 그림과 같다.

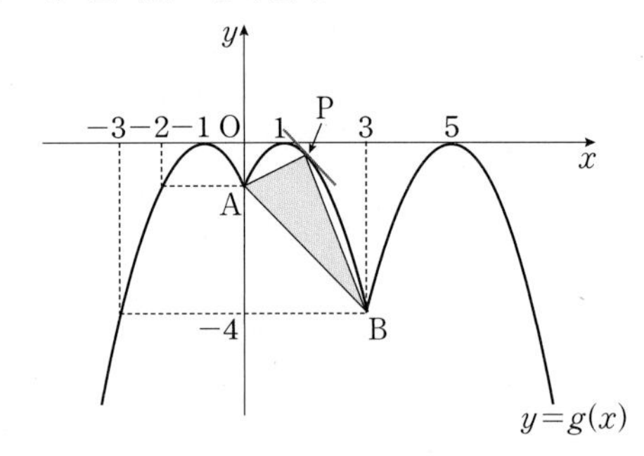

극소가 되는 점을 각각 A$(0, -1)$, B$(3, -4)$로 놓으면
삼각형 ABP의 밑변을 선분 AB라 할 때, 삼각형 ABP의 넓이가 최대가 되려면 점 P와 직선 AB 사이의 거리가 최대가 되어야 한다.

STEP Ⓑ **삼각형 ABP의 넓이가 최대가 되는 점 P의 좌표 구하기**

즉 함수 $g(x)=f(-x)=-(1-x)^2\ (0<x<3)$의 그래프에 직선 AB와 기울기가 같은 접선을 긋고 그 접점을 P로 잡으면
점 P와 직선 AB 사이의 거리가 최대가 되므로
삼각형 ABP의 넓이가 최대가 된다.
$0<x<3$에서 $g(x)=-x^2+2x-1$이므로
$g'(x)=-2x+2$
직선 AB의 기울기는 $\dfrac{-4+1}{3-0}=-1$이므로
$-2x+2=-1$에서 $x=\dfrac{3}{2}$
따라서 $a=\dfrac{3}{2}$이므로 $20a=20\cdot\dfrac{3}{2}=30$

0462 서술형

함수 $f(x)=x^3+ax^2+bx+c$는 $x=1$에서 극댓값, $x=3$에서 극솟값을 갖고 극댓값이 극솟값의 3배일 때, 함수 $f(x)$의 극댓값을 구하는 과정을 다음 단계로 서술하여라. (단, a, b, c는 상수)

[1단계] 함수 $f(x)$가 $x=1$에서 극대, $x=3$에서 극소임을 이용하여 상수 a, b의 값을 구한다.
[2단계] 함수 $f(x)$가 극솟값을 갖고 극댓값이 극솟값의 3배임을 이용하여 상수 c의 값을 구한다.
[3단계] 함수 $f(x)$의 극댓값을 구한다.

1단계 함수 $f(x)$가 $x=1$에서 극대, $x=3$에서 극소임을 이용하여 상수 a, b의 값을 구한다. ◀ 40%

$f(x)=x^3+ax^2+bx+c$에서 $f'(x)=3x^2+2ax+b$
$f(x)$가 $x=1$, $x=3$에서 극값을 가지므로 $f'(1)=0$, $f'(3)=0$
$f'(1)=3+2a+b=0$ …… ㉠
$f'(3)=27+6a+b=0$ …… ㉡
㉠, ㉡을 연립하여 풀면 $a=-6$, $b=9$

2단계 함수 $f(x)$가 극솟값을 갖고 극댓값이 극솟값의 3배임을 이용하여 상수 c의 값을 구한다. ◀ 30%

즉 $f(x)=x^3-6x^2+9x+c$
극댓값이 극솟값의 3배이므로 $f(1)=3f(3)$
$4+c=3c$, 즉 $c=2$

3단계 함수 $f(x)$의 극댓값을 구한다. ◀ 30%

따라서 $f(x)=x^3-6x^2+9x+2$이므로 함수 $f(x)$가 $x=1$에서 극대이고 극댓값은 $f(1)=1-6+9+2=6$

0463 서술형

삼차함수 $f(x)=x^3-3x^2+2x$에 대하여 곡선 $y=f(x)$ 위의 한 점 $\mathrm{P}(t, f(t))$에서의 접선의 y절편을 $g(t)$라 할 때, 함수 $g(t)$의 극댓값과 극솟값의 합을 구하는 과정을 다음 단계로 서술하여라.

[1단계] 곡선 $y=f(x)$ 위의 한 점 $\mathrm{P}(t, f(t))$에서의 접선의 y절편 $g(t)$를 구한다.
[2단계] 함수 $g(t)$의 증가와 감소를 표로 나타낸다.
[3단계] 함수 $g(t)$의 극댓값과 극솟값의 합을 구한다.

1단계 곡선 $y=f(x)$ 위의 한 점 $\mathrm{P}(t, f(t))$에서의 접선의 y절편 $g(t)$를 구한다. ◀ 40%

$f(x)=x^3-3x^2+2x$에서 $f'(x)=3x^2-6x+2$이므로
점 $\mathrm{P}(t, f(t))$에서의 접선의 방정식은
$y-(t^3-3t^2+2t)=(3t^2-6t+2)(x-t)$
$\therefore y=(3t^2-6t+2)x-2t^3+3t^2$
즉 접선의 y절편이 $g(t)=-2t^3+3t^2$

2단계 함수 $g(t)$의 증가와 감소를 표로 나타낸다. ◀ 40%

$g(t)=-2t^3+3t^2$에서 $g'(t)=-6t^2+6t=-6t(t-1)$
$g'(t)=0$에서 $t=0$ 또는 $t=1$
함수 $g(t)$의 증가와 감소를 표로 나타내면 다음과 같다.

t	…	0	…	1	…
$g'(t)$	−	0	+	0	−
$g(t)$	↘	극소	↗	극대	↘

3단계 함수 $g(t)$의 극댓값과 극솟값의 합을 구한다. ◀ 20%

함수 $g(t)$는
$t=0$에서 극소이고 극솟값 $g(0)=0$
$t=1$에서 극대이고 극댓값 $g(1)=1$을 갖는다.
따라서 극댓값과 극솟값의 합은 $1+0=1$

0464 서술형

최고차항의 계수가 2인 삼차함수 $f(x)$가 $x=-2$에서 극댓값을 가지고, $\lim_{x\to 0}\frac{f(x)}{x}=-12$를 만족시킨다.
이때 함수 $f(x)$의 극솟값을 다음 단계로 서술하여라.

[1단계] $\lim_{x\to 0}\frac{f(x)}{x}=-12$에서 $f(0)$, $f'(0)$의 값을 구한다.
[2단계] $f(x)=2x^3+ax^2+bx+c$ (단, a, b, c는 상수)로 놓고 $f(0)$, $f'(0)$의 값을 이용하여 상수 c, b를 구하고 $f'(-2)$의 값을 이용하여 상수 a의 값을 구하여 삼차함수 $f(x)$를 구한다.
[3단계] 삼차함수 $f(x)$의 극솟값을 구한다.

1단계 $\lim_{x\to 0}\frac{f(x)}{x}=-12$에서 $f(0)$, $f'(0)$의 값을 구한다. ◀ 30%

조건 (가) $\lim_{x\to 0}\frac{f(x)}{x}=-12$에서
$x\to 0$일 때, (분모)→0이고 극한값이 존재하므로 (분자)→0이어야 한다.
즉 $\lim_{x\to 0}f(x)=0$이므로 $f(0)=0$
또한, $\lim_{x\to 0}\frac{f(x)-f(0)}{x-0}=f'(0)=-12$
$\therefore f(0)=0$, $f'(0)=-12$

2단계 $f(x)=2x^3+ax^2+bx+c$ (a, b, c는 상수)로 놓고 $f(0)$, $f'(0)$의 값을 이용하여 상수 c, b를 구하고 $f'(-2)$의 값을 이용하여 상수 a의 값을 구하여 삼차함수 $f(x)$를 구한다. ◀ 40%

$f(x)=2x^3+ax^2+bx+c$에서 $f'(x)=6x^2+2ax+b$
$f(0)=0$에서 $c=0$
$f'(0)=-12$에서 $b=-12$
함수 $f(x)$가 $x=-2$에서 극댓값을 가지므로 $f'(-2)=0$
$f'(-2)=24-4a+b=0$
이때 $b=-12$에서 $a=3$
$\therefore f(x)=2x^3+3x^2-12x$

3단계 삼차함수 $f(x)$의 극솟값을 구한다. ◀ 30%

$f(x)=2x^3+3x^2-12x$에서
$f'(x)=6x^2+6x-12=6(x+2)(x-1)$
$f'(x)=0$에서 $x=-2$ 또는 $x=1$
함수 $f(x)$의 증가와 감소를 표로 나타내면 다음과 같다.

x	…	−2	…	1	…
$f'(x)$	+	0	−	0	+
$f(x)$	↗	극대	↘	극소	↗

따라서 함수 $f(x)$는 $x=1$에서 극소이고 극솟값 $f(1)=-7$을 갖는다.

TOUGH

0465

함수 $f(x)=x^4-16x^2$에 대하여 다음 조건을 만족시키는 모든 정수 k값의 제곱의 합을 구하여라.

(가) 구간 $(k,\ k+1)$에서 $f'(x)<0$이다.

(나) $f'(k)f'(k+2)<0$

STEP A 함수 $f(x)$와 $f'(x)$의 그래프를 그리기

$f(x)=x^4-16x^2$에서 $f'(x)=4x(x^2-8)$이므로

$f'(x)=0$에서 $x=-2\sqrt{2}$ 또는 $x=0$ 또는 $x=2\sqrt{2}$

함수 $f(x)$의 증가와 감소를 표로 나타내면 다음과 같다.

x	$\cdots$	$-2\sqrt{2}$	$\cdots$	0	$\cdots$	$2\sqrt{2}$	$\cdots$
$f'(x)$	$-$	0	$+$	0	$-$	0	$+$
$f(x)$	↘	극소	↗	극대	↘	극소	↗

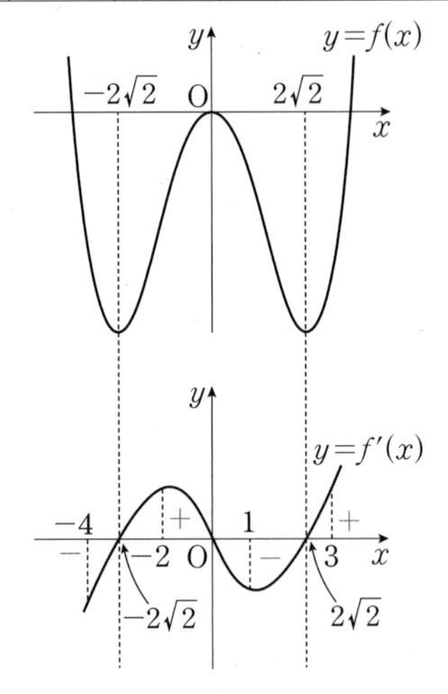

STEP B 조건 (가), (나)를 이용하여 정수 k의 값 구하기

조건 (가)에서

구간 $(k,\ k+1)$에서 $f'(x)<0$을 만족시키는 x의 값의 범위는

$x<-2\sqrt{2}$ 또는 $0<x<2\sqrt{2}$

이때 구간 $(k,\ k+1)$에서 $k\le-2\sqrt{2}-1=-3.8\cdots$

$\therefore k\le-4$ …… ㉠

또는 $k\ge0$ 또는 $k+1\le2\sqrt{2}$에서

$0\le k\le2\sqrt{2}-1=1.8\cdots$

$\therefore 0\le k\le1$ …… ㉡

㉠, ㉡에서 k는 정수이므로 $k=0,\ 1$ 또는 $-4,\ -5,\ \cdots$

조건 (나)에서

$f'(k)f'(k+2)<0$이므로 정수 k를 대입하여 모두 만족하는 정수 k의 값은

$k=1$ 또는 $k=-4$

따라서 모든 정수 k값의 제곱의 합은 $1^2+(-4)^2=17$

0466

최고차항의 계수가 1인 사차함수 $f(x)$가 다음 조건을 만족시킨다.

(가) $f'(0)=0,\ f'(2)=16$

(나) 어떤 양수 k에 대하여 두 열린구간 $(-\infty,\ 0),\ (0,\ k)$에서 $f'(x)<0$이다.

[보기]에서 옳은 것만을 있는 대로 고른 것은?

ㄱ. 방정식 $f'(x)=0$은 열린구간 $(0,\ 2)$에서 한 개의 실근을 갖는다.

ㄴ. 함수 $f(x)$는 극댓값을 갖는다.

ㄷ. $f(0)=0$이면 모든 실수 x에 대하여 $f(x)\ge-\frac{1}{3}$이다.

① ㄱ ② ㄴ ③ ㄱ, ㄷ

④ ㄴ, ㄷ ⑤ ㄱ, ㄴ, ㄷ

STEP A 조건을 만족시키는 사차함수의 그래프와 도함수의 그래프를 그리기

두 조건 (가), (나)를 만족시키는 도함수 $y=f'(x)$와 함수 $y=f(x)$의 그래프의 개형을 그리면 다음과 같다.

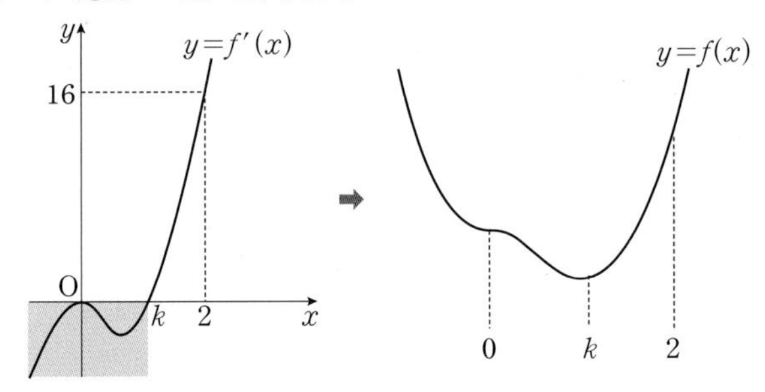

$f(x)$가 최고차항의 계수가 1인 사차함수이므로

미분하면 삼차항의 계수가 4이다.

이때 $f'(0)=0$이고 $f'(k)=0$이므로 $f'(x)=4x^2(x-k)$라 하면

$f'(2)=16$에서 $f'(2)=4\cdot2^2(2-k)=16$

$2-k=1 \quad \therefore k=1$

즉 $f'(x)=4x^2(x-1)$

STEP B [보기]의 참, 거짓 판단하기

ㄱ. 함수 $y=f'(x)$의 그래프에서 함수 $y=f'(x)$의 그래프와 x축은 열린구간 $(0,\ 2)$에서 한 점 $(k,\ 0)$ $(0<k<2)$에서 만난다.
즉 방정식 $f'(x)=0$은 열린구간 $(0,\ 2)$에서 한 개의 실근을 갖는다. [참]

ㄴ. 함수 $y=f(x)$의 그래프에서 함수 $f(x)$는 극솟값만 갖는다. [거짓]

ㄷ. $f(0)=0$이면 양수 a에 대하여 $f(x)=x^3(x-a)$로 놓을 수 있다.

$f(x)=x^4-ax^3$에서 $f'(x)=4x^3-3ax^2$이고

$f'(2)=32-12a=16$에서 $a=\frac{4}{3}$

즉 $f(x)=x^3\left(x-\frac{4}{3}\right)$

$f'(x)=4x^3-4x^2=4x^2(x-1)$

$f'(x)=0$에서 $x=0$ 또는 $x=1$

함수 $f(x)$의 증가와 감소를 표로 나타내면 다음과 같다.

x	$\cdots$	0	$\cdots$	1	$\cdots$
$f'(x)$	$-$	0	$-$	0	$+$
$f(x)$	↘		↘	극소	↗

함수 $f(x)$는 $x=1$에서 극소이고 극솟값 $f(1)=-\frac{1}{3}$을 가지므로

$y=f(x)$의 그래프는 그림과 같다.

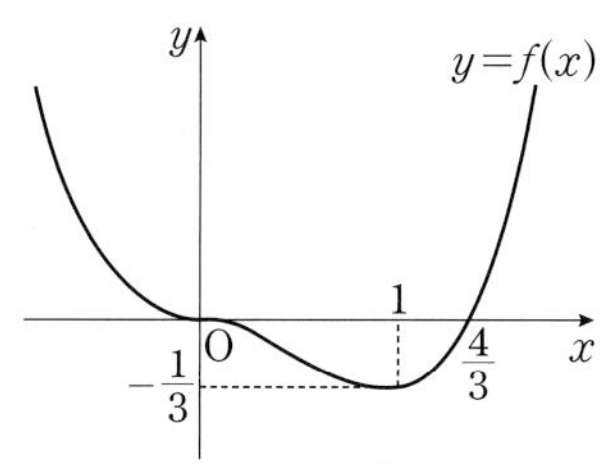

즉 모든 실수 x에 대하여 $f(x) \geq -\frac{1}{3}$이다. [참]

따라서 옳은 것은 ㄱ, ㄷ이다.

적분을 이용하여 ㄷ의 사차함수 $f(x)$ 풀이하기

ㄷ. $f'(x)=4x^2(x-1)=4x^3-4x^2$이므로

⬅ 사차함수의 최고차항의 계수가 1이므로 $f'(x)$의 최고차항의 계수는 4이다.

$f(x)=\int(4x^3-4x^2)dx=x^4-\frac{4}{3}x^3+C$ (단, C는 적분상수)

$f(0)=0$이므로 $f(0)=C=0$

$\therefore f(x)=x^4-\frac{4}{3}x^3=x^3\left(x-\frac{4}{3}\right)$

0467

상수 a, b에 대하여 삼차함수 $f(x)=x^3+ax^2+bx$가 다음 조건을 만족시킨다.

(가) $f(-1)>-1$
(나) $f(1)-f(-1)>8$

[보기]에서 옳은 것만을 있는 대로 고른 것은?

ㄱ. 방정식 $f'(x)=0$은 서로 다른 두 실근을 갖는다.
ㄴ. $-1<x<1$일 때, $f'(x) \geq 0$이다.
ㄷ. 방정식 $f(x)-f'(k)x=0$의 서로 다른 실근의 개수가 2가 되도록 하는 모든 실수 k의 개수는 4이다.

① ㄱ ② ㄱ, ㄴ ③ ㄱ, ㄷ
④ ㄴ, ㄷ ⑤ ㄱ, ㄴ, ㄷ

STEP A 조건을 만족하는 a, b의 대소 관계 구하기

조건 (가)에서

$f(-1)=-1+a-b>-1$

$\therefore a>b$ …… ㉠

조건 (나)에서

$f(1)-f(-1)=1+a+b-(-1+a-b)=2+2b>8$

$\therefore b>3$ …… ㉡

㉠, ㉡에서 $a>b>3$

STEP B [보기]의 참, 거짓 판단하기

ㄱ. $f'(x)=3x^2+2ax+b$에서 $f'(x)=0$이 서로 다른 두 실근을 가지려면

판별식 D에서 $\frac{D}{4}=a^2-3b>0$이어야 한다.

$a^2>3b$에서 $a>3$이고 $a>b$이므로 $a^2>3b$ [참]

㉠, ㉡에 의해 $a>b$이므로 $a^2>ab>3b$($\because a>b>3$)

따라서 $\frac{D}{4}=a^2-3b>0$ [참]

ㄴ. 함수 $f'(x)$의 그래프의 축은 $x=-\frac{a}{3}$이고

이때 $a>3$이므로 축은 $x<-1$에 위치한다.

$f'(-1)=3-2a+b$에서 $a>3$, $a>b$이므로 $2a>b+3$

$\therefore f'(-1)<0$

또한, $f'(0)=b>0$이므로 함수 $f'(x)$의 그래프는 다음 그림과 같다.

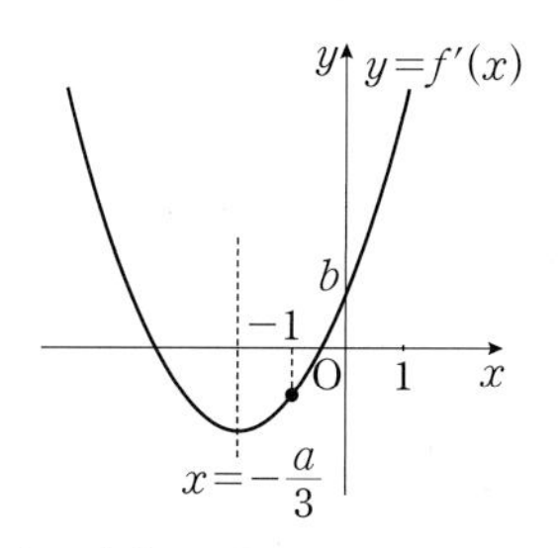

즉 $-1<x<1$일 때, $f'(x) \geq 0$은 거짓이다.

사이값 정리

$f'(-1)=3-2a+b=3-a+b-a$이고

$3-a<0$, $b-a<0$이므로 $f'(-1)<0$

또한, $f'(1)=3+2a+b>0$이므로 사이값 정리에 의해

$f'(x)$는 $(-1, 1)$에서 근을 가진다.

$f'(\alpha)=0$이라 하면 x가 $(-1, \alpha)$에서 $f'(x)<0$이다. [거짓]

ㄷ. $f(x)-f'(k)x=0$에서

$x^3+ax^2+bx-x(3k^2+2ak+b)=0$

$x\{x^2+ax+b-(3k^2+2ak+b)\}=0$

$x\{x^2+ax-(3k^2+2ak)\}=0$

이때 $g(x)=x^2+ax-3k^2-2ak$라 하면

방정식 $f(x)-f'(k)x=0$이 서로 다른 실근 2개를 가지려면

중근 1개가 있어야 한다.

(i) $g(x)=0$이 중근을 가질 때,

방정식 $g(x)=x^2+ax-3k^2-2ak=0$의 판별식 D가

$D=0$이어야 하므로 $D=a^2+4(3k^2+2ak)=0$

$12k^2+8ak+a^2=0$, $(2k+a)(6k+a)=0$

$\therefore k=-\frac{a}{2}$ 또는 $k=-\frac{a}{6}$

(ii) $g(x)=0$이 $x=0$의 근을 가질 때,

$g(0)=-3k^2-2ak=k(-3k-2a)=0$

$\therefore k=0$ 또는 $k=-\frac{2a}{3}$

(i), (ii)에서 k는 모두 4개이다. [참]

따라서 옳은 것은 ㄱ, ㄷ이다.

다른풀이 ㄷ. 기하학적으로 풀이하기

방정식 $f(x)=f'(k)x$가 서로 다른 실근 2개를 가지려면

삼차함수 $y=f(x)$와 원점 $(0, 0)$을 지나는 직선 $y=f'(k)x$가 2개의 교점을 가져야 한다.

즉 직선 $y=f'(k)x$는 삼차함수 $f(x)$의 접선이어야 한다.

ㄱ에 의해 $f'(x)$는 두 근을 가지므로 원점 $(0, 0)$에서 $f(x)$에 그은 접선은 l_1, l_2 두 개이다.

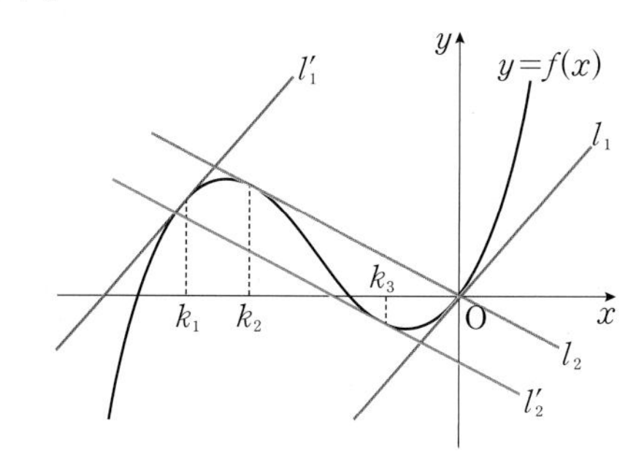

(i) l_1인 경우

$f'(k)=f'(0)$이므로 그림에서 $k=0$ 또는 $k=k_1$

(ii) l_2인 경우

원점 $(0, 0)$에서 $f(x)$에 그은 접선의 접점을 k_2라 할 때,

$f'(k)=f'(k_2)$이므로 그림에서 $k=k_2$ 또는 $k=k_3$

(i), (ii)에서 k의 개수는 4개이다.

0468

다음 물음에 답하여라.

(1) 좌표평면에서 삼차함수 $f(x)=x^3+ax^2+bx$와 실수 t에 대하여 곡선 $y=f(x)$ 위의 점 $(t,\ f(t))$에서의 접선이 y축과 만나는 점을 P라 할 때, 원점에서 점 P까지의 거리를 $g(t)$라 하자. 함수 $f(x)$와 함수 $g(t)$가 다음 조건을 만족시킬 때, $f(3)$의 값을 구하여라. (단, a, b는 상수이다.)

> (가) $f(1)=2$
> (나) 함수 $g(t)$ 는 실수 전체의 집합에서 미분가능하다.

STEP Ⓐ $y=f(x)$ **위의 점** $(t,\ f(t))$**에서의 접선의 방정식을 구하고 점 P의 좌표를 구하기**

$f(x)=x^3+ax^2+bx$에서 $f'(x)=3x^2+2ax+b$

곡선 $y=f(x)$ 위의 점 $(t,\ f(t))$에서의 접선의 방정식은

$y-(t^3+at^2+bt)=(3t^2+2at+b)(x-t)$

$y=(3t^2+2at+b)x-3t^3-2at^2-bt+(t^3+at^2+bt)$

$\therefore\ y=(3t^2+2at+b)x-2t^3-at^2$

접선이 y축과 만나는 점 P의 좌표는 $\mathrm{P}(0,\ -2t^3-at^2)$

STEP Ⓑ **함수** $g(t)$**의 그래프의 개형을 그리기**

이때 $g(t)$는 원점에서 점 P까지의 거리이므로

$g(t)=|-2t^3-at^2|=|2t^3+at^2|=|t^2(2t+a)|$

이때 $g(t)$의 그래프는 $t=0$ 또는 $t=-\dfrac{a}{2}$에서 t축과 만나고 함수 $g(t)$의 그래프는 $y=t^2(2t+a)$의 그래프에서 t축 아래에 있는 부분을 위로 꺾어 올려 그린 그래프이므로 다음과 같다.

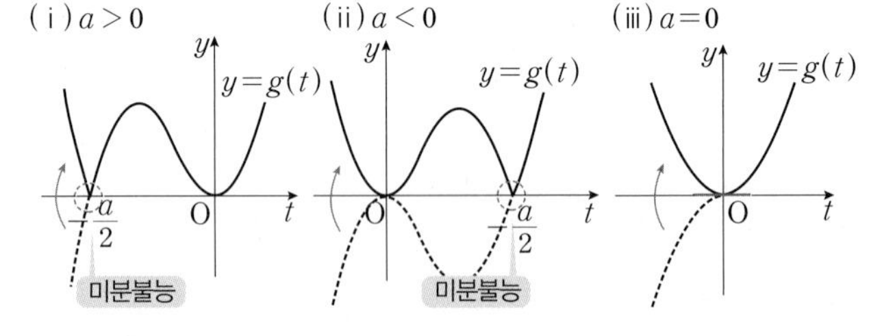

STEP Ⓒ **조건 (나)에서** a, b**의 값을 구한 후** $f(3)$ **구하기**

이때 위의 그림과 같이 $a>0$ 또는 $a<0$이면

함수 $g(t)$는 $t=-\dfrac{a}{2}$에서 좌미분계수와 우미분계수의 값이 서로 다르므로 미분가능하지 않는다.

그런데 조건 (나)에 의하여 함수 $g(t)$는 실수 전체의 집합에서 미분가능해야 하므로 $a=0$이어야 한다.

$\therefore\ f(x)=x^3+bx$

조건 (가)에서 $f(1)=2$이므로 $f(1)=1+b=2$

$\therefore\ b=1$

따라서 $f(x)=x^3+x$이므로 $f(3)=3^3+3=30$

실수전체의 집합에서 미분가능한 함수 $f(x)$에 대하여 $f(a)=0$일 때, $g(x)=|f(x)|$가 $x=a$에서 미분가능하기 위한 조건은 $f'(a)=0$임을 이용하여 풀이하기

$g(t)=|-2t^3-at^2|$에서 $h(t)=-2t^3-at^2$이라 하면

방정식 $h(t)=0$에서 $t=0$ 또는 $t=-\dfrac{a}{2}$이므로

함수 $g(t)=|h(t)|$가 실수 전체의 집합에서 미분가능하려면

$h'(0)=0,\ h'\left(-\dfrac{a}{2}\right)=0$을 만족시켜야 한다.

이때 $h'(t)=-6t^2-2at$이므로 a의 값에 관계없이 $h'(0)=0$이 성립하고

$h'\left(-\dfrac{a}{2}\right)=-\dfrac{1}{2}a^2=0$에서 $a=0$임을 알 수 있다.

미분가능한 함수 $h(t)$에 대하여
$g(t)=|h(t)|$가 모든 실수에서 미분가능하려면
⇨ $h(t)=0$인 t에 대하여 $h'(t)=0$이다.
⇨ 꺾어 올린 그래프가 뾰족점 없이 이어져야 한다.

(2) 실수 t에 대하여 직선 $x=t$가 두 함수 $y=x^4-4x^3+10x-30$, $y=2x+2$의 그래프와 만나는 점을 각각 A, B라 할 때, 점 A와 점 B 사이의 거리를 $f(t)$라 하자.

$$\lim_{h\to0+}\frac{f(t+h)-f(t)}{h}\times\lim_{h\to0-}\frac{f(t+h)-f(t)}{h}\le0$$

을 만족시키는 모든 실수 t의 값의 합을 구하여라.

STEP Ⓐ **두 점 A, B 사이의 거리** $f(t)$ **구하기**

두 점 A, B의 좌표는 $\mathrm{A}(t,\ t^4-4t^3+10t-30)$, $\mathrm{B}(t,\ 2t+2)$

$f(t)=\overline{\mathrm{AB}}$는 두 함수의 함숫값의 차와 같으므로 $f(t)=|t^4-4t^3+8t-32|$

STEP Ⓑ $f(t)$**의 그래프의 개형을 그리기**

$g(t)=t^4-4t^3+8t-32$라 하면

$g'(t)=4t^3-12t^2+8=4(t-1)(t^2-2t-2)$

$g'(t)=0$에서 $t=1$ 또는 $t=1-\sqrt{3}$ 또는 $t=1+\sqrt{3}$

함수 $g(t)$의 증가와 감소를 표로 나타내면 다음과 같다.

t	$\cdots$	$1-\sqrt{3}$	$\cdots$	1	$\cdots$	$1+\sqrt{3}$	$\cdots$
$g'(t)$	$-$	0	$+$	0	$-$	0	$+$
$g(t)$	↘	극소	↗	극대	↘	극소	↗

사차함수 $g(t)$는 $t=1$에서 극대이고 극댓값 $g(-1)=-27$을 갖고 $t=1-\sqrt{3}$, $t=1+\sqrt{3}$에서 극솟값을 갖는다.

또한, $g(t)=t^4-4t^3+8t-32=(t+2)(t-4)(t^2-2t+4)$이므로

$g(t)=0$에서 $t=-2$ 또는 $t=4$

함수 $g(t)$의 그래프의 개형은 다음과 같다.

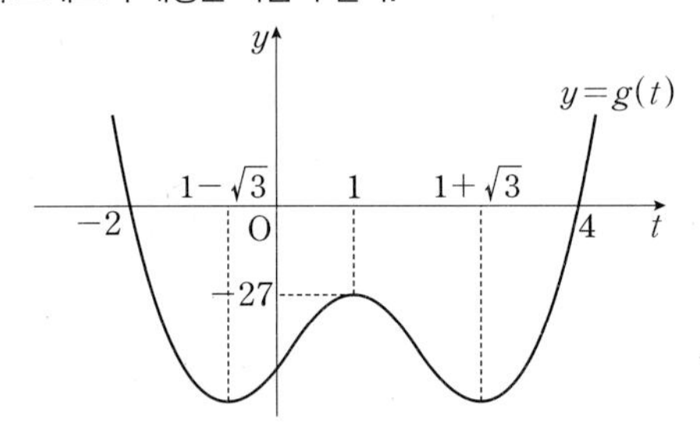

즉 함수 $f(t)$의 그래프의 개형은 다음과 같다.

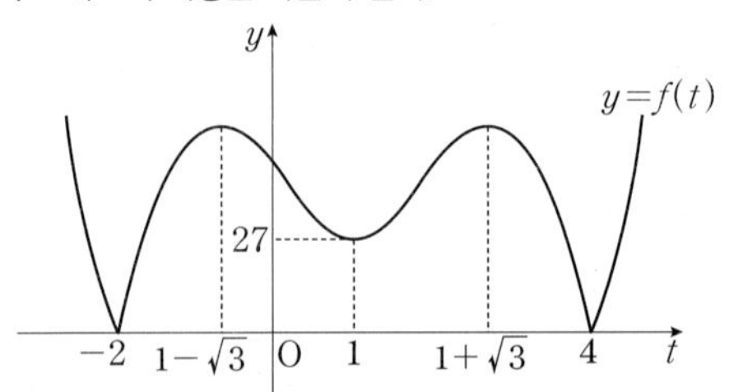

STEP Ⓒ **주어진 조건을 만족하는 실수** t**의 값의 합 구하기**

$\displaystyle\lim_{h\to0+}\frac{f(t+h)-f(t)}{h}\times\lim_{h\to0-}\frac{f(t+h)-f(t)}{h}\le0$을 만족하려면

$x=t$에서 좌미분계수와 우미분계수의 부호가 서로 다르거나 ⬅ 미분불가능

$f'(t)=0$이어야 한다.

이때 좌미분계수와 우미분계수의 부호가 다른 t는

$t=-2$ 또는 $t=4$이고

$f'(t)=0$인 t는 $t=1-\sqrt{3}$ 또는 $t=1+\sqrt{3}$ 또는 $t=1$

따라서 조건을 만족시키는 t의 값의 합은 $-2+(1-\sqrt{3})+1+(1+\sqrt{3})+4=5$

0469

최고차항의 계수가 양수인 삼차함수 $f(x)$에 대하여 방정식

$$(f \circ f)(x)=x$$

의 모든 실근이 $0,\ 1,\ a,\ 2,\ b$이다.

$f'(1)<0,\ f'(2)<0,\ f'(0)-f'(1)=6$일 때, $f(5)$의 값을 구하여라.

(단, $1<a<2<b$)

STEP A $(f \circ f)(x)=x$의 근이 5개임을 이해하기

$(f \circ f)(x)=x$의 근

$f(x)=x$의 실근 또는 $f(\alpha)=\beta$이면 $f(\beta)=\alpha$

$x=\alpha$가 방정식 $(f \circ f)(x)=f(f(x))=x$의 한 실근이라고 하면 다음과 같은 두 가지 경우 중의 하나이다.

(i) $f(\alpha)=\alpha$일 때,

α는 곡선 $y=f(x)$와 직선 $y=x$의 교점의 x좌표이다.

(ii) $f(\alpha)=\beta$이고 $f(\beta)=\alpha$일 때, (단, $\alpha \neq \beta$)

곡선 $y=f(x)$는 두 점 $(\alpha,\ \beta),\ (\beta,\ \alpha)$를 지나고 이 두 점을 모두 지나는 직선의 기울기는 $\dfrac{\alpha-\beta}{\beta-\alpha}=-1$이고 두 점은 $y=x$에 대하여 대칭관계이다.

이때 (i) 또는 (ii)와 주어진 조건 $f'(1)<0,\ f'(2)<0$ 및 $0<1<a<2<b$를 모두 만족시키고 α의 개수가 5가 되도록 하는 최고차항의 계수가 양수인 삼차함수 $y=f(x)$의 그래프는 다음과 같은 경우뿐이다.

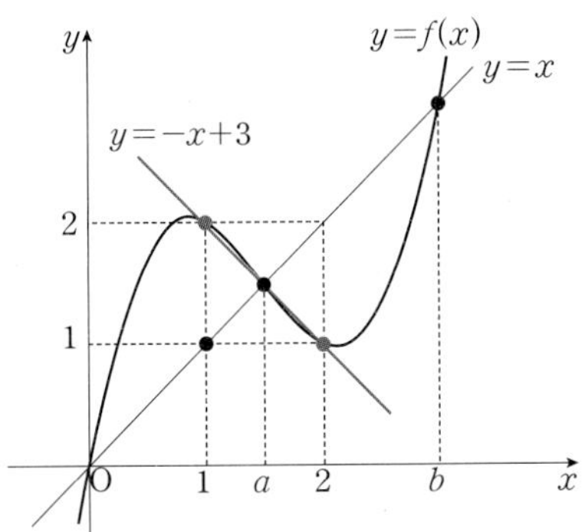

즉 방정식 $f(x)=x$를 만족시키는 실수는 $0,\ a,\ b$의 3개이고 $f(1)=2,\ f(2)=1$이어야 한다.

STEP B 삼차함수 $f(x)-(-x+3)$의 식 작성하기

이때 점 $(1,\ 2),\ (2,\ 1)$을 지나는 직선의 방정식은 $y=-x+3$

이 직선이 점 $(a,\ a)$를 지나므로 $a=-a+3$

$\therefore a=\dfrac{3}{2}$

즉 $f(x)-(-x+3)=0$의 해가 $1,\ \dfrac{3}{2},\ 2$이므로

$f(x)-(-x+3)=k(x-1)\left(x-\dfrac{3}{2}\right)(x-2)$

양변을 x로 미분하면

$f'(x)+1=k\left\{\left(x-\dfrac{3}{2}\right)(x-2)+(x-1)(x-2)+(x-1)\left(x-\dfrac{3}{2}\right)\right\}$ …… ㉠

STEP C $f'(0)-f'(1)=6$을 이용하여 삼차함수 $f(x)$ 구하기

㉠의 양변에 $x=0$을 대입하면 $f'(0)+1=\dfrac{13}{2}k$ …… ㉡

㉠의 양변에 $x=1$을 대입하면 $f'(1)+1=\dfrac{1}{2}k$ …… ㉢

㉡-㉢을 하면 $f'(0)-f'(1)=6k=6$

$\therefore k=1$

따라서 $f(x)-(-x+3)=(x-1)\left(x-\dfrac{3}{2}\right)(x-2)$이므로

$f(5)+2=4\cdot\dfrac{7}{2}\cdot 3=42 \quad \therefore f(5)=40$

다른풀이 방정식 $f(x)-x=0$의 근을 이용하여 풀이하기

STEP A $(f \circ f)(x)=x$의 근이 5개임을 이해하기

방정식 $(f \circ f)(x)=f(f(x))=x$의 근을 $\alpha,\ f(\alpha)=\beta$라 하면

$f(f(\alpha))=\alpha$이므로 $f(\beta)=\alpha$

즉 $y=f(x)$는 두 점 $(\alpha,\ \beta),\ (\beta,\ \alpha)$를 모두 지나야 한다.

$\alpha=\beta$인 경우는 $f(x)=x$의 근인데 많아야 3개이고 이 근은 $f(f(x))=x$를 만족한다.

이때 조건에 따르면 $f(f(x))=x$의 근은 5개이므로 $f(x)=x$의 근 이외의 근이 필요하다.

이 근이 존재하기 위해서는 $y=f(x)$ 위에 $y=x$에 대칭인 점이 존재해야 한다.

이때 $f(1)=1,\ f(2)=2$가 되면 $f(x)$는 $f'(1)<0,\ f'(2)<0$인 조건에 만족하지 않는다.

즉 $y=f(x)$와 $y=x$는 아래와 같이 만난다.

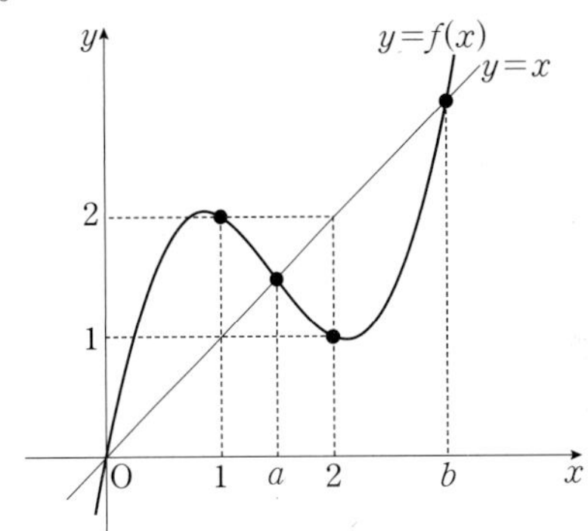

STEP B 삼차함수 $f(x)-x$의 식 작성하기

$f(x)-x=px(x-a)(x-b)\,(p>0)$라 하면

$f(1)=2,\ f(2)=1$이므로

$f(1)=2$에서

$f(1)-1=p(1-a)(1-b)=p(1-a-b+ab)$

$\therefore 1=p(1-a-b+ab)$ …… ㉠ ⬅ $f(1)-1=2-1=1$

$f(2)=$에서

$f(2)-2=p\cdot 2(2-a)(2-b)=2p(4-2a-2b+ab)$

$\therefore -1=2p(4-2a-2b+ab)$ …… ㉡ ⬅ $f(2)-2=1-2=-1$

이때 $f(x)-x=px(x-a)(x-b)$에서

$f'(x)-1=p(x-a)(x-b)+px(x-b)+px(x-a)$이므로

$f'(0)-1=pab$

$f'(1)-1=p(3-2a-2b+ab)$

$f'(0)-f'(1)=p(2a+2b-3)=6$ …… ㉢

STEP C 연립하여 $a,\ b,\ p$의 값 구하기

㉠, ㉡, ㉢에서 $a+b=t,\ ab=s$로 치환하면

㉠에서 $1-t+s=\dfrac{1}{p}$ …… ㉣

㉡에서 $4-2t+s=-\dfrac{1}{2p}$ …… ㉤

㉢에서 $2t-3=\dfrac{6}{p}$ …… ㉥

㉣+㉤×2에서 $9-5t+3s=0$ …… ㉦

㉣×6-㉥에서 $9-8t+6s=0$ …… ㉧

㉦, ㉧에서 $t=a+b=\dfrac{9}{2},\ s=ab=\dfrac{9}{2}$이므로

$a=\dfrac{3}{2},\ b=3,\ p=1$ ⬅ $a+b,\ ab$를 두 근으로 하는 이차방정식 $x^2-(a+b)x+ab=0$

$x^2-\dfrac{9}{2}x+\dfrac{9}{2}=0,\ 2x^2-9x+9=0$

$(2x-3)(x-3)=0$

따라서 $f(x)-x=x\left(x-\dfrac{3}{2}\right)(x-3)$이므로 $f(5)=5\cdot\dfrac{7}{2}\cdot 2+5=40$

$f(1)=2,\ f(2)=1,\ f(0)=0$와 $f'(0)-f'(1)=6$을 만족하므로

$f(x)=px^3+qx^2+rx+s$라 하면

$f'(x)=3px^2+2px+r$

$f(1)=p+q+r+s=2$ ⋯⋯ ㉠

$f(2)=8p+4q+2r+s=1$ ⋯⋯ ㉡

$f(0)=s=0$ ⋯⋯ ㉢

$f'(0)-f'(1)=r-3p-2q-r=6$

$\therefore 3p+2q=-6$ ⋯⋯ ㉣

㉠, ㉡, ㉢, ㉣을 연립하여 풀면

$p=1,\ q=-\frac{9}{2},\ r=\frac{11}{2}$이므로

$f(x)=x^3-\frac{9}{2}x^2+\frac{11}{2}x$

따라서 $f(5)=125-\frac{225}{2}+\frac{55}{2}=125-85=40$

내/신/연/계/문/제/

함수

$$f(x)=\begin{cases} ax+b & (x<1) \\ cx^2+\frac{5}{2}x & (x \geq 1) \end{cases}$$

이 실수 전체의 집합에서 연속이고 역함수를 갖는다. 함수 $y=f(x)$의 그래프와 역함수 $y=f^{-1}(x)$의 그래프의 교점의 개수가 3이고 그 교점의 x좌표가 각각 $-1,\ 1,\ 2$일 때, $2a+4b-10c$의 값을 구하여라.
(단, $a,\ b,\ c$는 상수이다.)

STEP Ⓐ 두 함수 $y=f(x),\ y=f^{-1}(x)$의 교점이 3개이기 위한 조건 구하기

함수 $f(x)$의 역함수 $f^{-1}(x)$가 존재하고 연속이므로
$f(x)$는 증가함수이거나 감소함수이다.

(i) $f(x)$가 증가함수일 때,
$f(x)$가 증가함수이므로 두 곡선 $y=f(x)$와 $y=f^{-1}(x)$의 교점은 $y=x$ 위에만 존재한다.
즉 $f(-1)=-1,\ f(1)=1,\ f(2)=2$가 성립한다.
주어진 조건에 대입하면

$f(1)=c+\frac{5}{2}=1$에서 $c=-\frac{3}{2}$이고

$f(2)=4c+5=2$에서 $c=-\frac{3}{4}$이므로 모순이다.

← $y=f(x),\ y=f^{-1}(x)$의 교점이 3개뿐이어야 하는데 $x<1$에서 $f(x)=x\ (x<1)$이 되어 교점은 무한개이다.

(ii) $f(x)$가 감소함수일 때,
$f(x)$가 감소함수이므로 곡선 $y=f(x)$는 $y=x$와 한 점에서 만나고 $y=f^{-1}(x)$와 두 점에서 만난다.
두 곡선 $y=f(x)$와 $y=f^{-1}(x)$의 두 교점은 $y=x$에 대하여 대칭이므로 $y=f(x)$는 $y=x$와 $x=1$에서 만나고 $y=f^{-1}(x)$와 $x=-1,\ 2$에서 만난다.

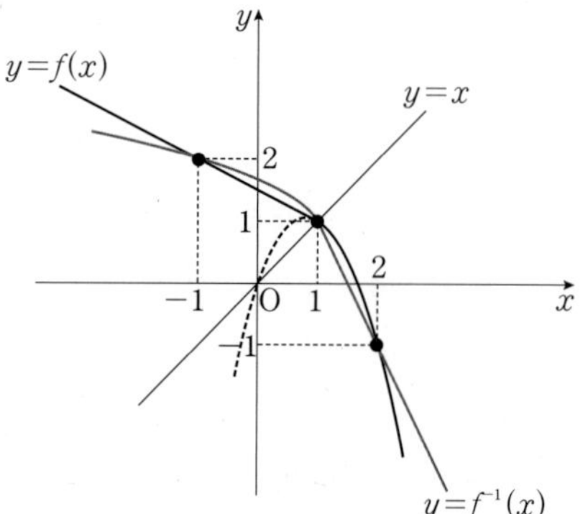

STEP Ⓑ $2a+4b-10c$의 값 구하기

즉 세 교점의 좌표는 $(-1,\ 2),\ (1,\ 1),\ (2,\ -1)$이 되므로
$y=f(x)$에 대입하면

$f(-1)=-a+b=2$ ⋯⋯ ㉠

$f(1)=a+b=c+\frac{5}{2}=1$ ⋯⋯ ㉡

$f(2)=4c+5=-1$ ⋯⋯ ㉢

㉠, ㉡, ㉢을 연립하여 풀면

$a=-\frac{1}{2},\ b=\frac{3}{2},\ c=-\frac{3}{2}$

따라서 $2a+4b-10c=-1+6+15=20$

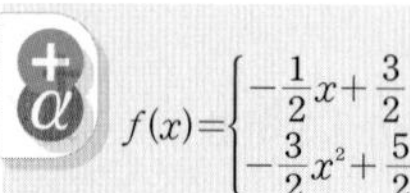

$$f(x)=\begin{cases} -\frac{1}{2}x+\frac{3}{2} & (x<1) \\ -\frac{3}{2}x^2+\frac{5}{2}x & (x \geq 1) \end{cases}$$

함수 $y=f(x)$와 그 역함수 $y=f^{-1}(x)$의 그래프는 직선 $y=x$에 대하여 대칭이므로 두 함수 $y=f(x),\ y=f^{-1}(x)$의 그래프의 교점은 일반적으로 함수 $y=f(x)$의 그래프와 직선 $y=x$의 교점과 같다.
함수 $y=f(x)$의 그래프와 직선 $y=x$의 교점이 존재하면 그 교점은 함수 $y=f(x)$의 그래프와 그 역함수 $y=f^{-1}(x)$의 그래프의 교점이지만 함수 $y=f(x)$의 그래프와 그 역함수 $y=f^{-1}(x)$의 그래프의 교점이 반드시 함수 $y=f(x)$의 그래프와 직선 $y=x$의 교점만 되는 것이 아니다.

0470

주어진 구간에서 함수 $f(x)$의 최댓값과 최솟값을 구하여라.

(1) $f(x)=x^3+3x^2-9x+4$ $[-4, 2]$

STEP Ⓐ $f'(x)=0$이 되는 x의 값 구하기

$f(x)=x^3+3x^2-9x+4$에서

$f'(x)=3x^2+6x-9=3(x+3)(x-1)$

$f'(x)=0$에서 $x=-3$ 또는 $x=1$

STEP Ⓑ 닫힌구간 $[-4, 2]$에서 함수 $f(x)$의 증가와 감소를 조사하여 최댓값, 최솟값 구하기

닫힌구간 $[-4, 2]$에서 함수 $f(x)$의 증가와 감소를 표로 나타내면 다음과 같다.

x	-4	$\cdots$	-3	$\cdots$	1	$\cdots$	2
$f'(x)$		$+$	0	$-$	0	$+$	
$f(x)$	24	↗	31	↘	-1	↗	6

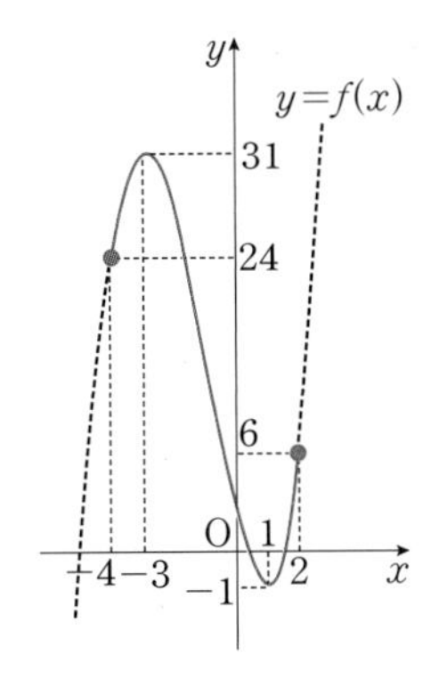

따라서 함수 $f(x)$는

$x=-3$일 때, 최댓값 $f(-3)=31$

$x=1$일 때, 최솟값 $f(1)=-1$을 가진다.

(2) $f(x)=x^4+4x^3-16x$ $[-3, 2]$

STEP Ⓐ $f'(x)=0$이 되는 x의 값 구하기

$f(x)=x^4+4x^3-16x$에서

$f'(x)=4x^3+12x^2-16=4(x+2)^2(x-1)$

$f'(x)=0$에서 $x=-2$ 또는 $x=1$

STEP Ⓑ 닫힌구간 $[-3, 2]$에서 함수 $f(x)$의 증가와 감소를 조사하여 최댓값, 최솟값 구하기

닫힌구간 $[-3, 2]$에서 함수 $f(x)$의 증가와 감소를 표로 나타내면 다음과 같다.

x	-3	$\cdots$	-2	$\cdots$	1	$\cdots$	2
$f'(x)$		$-$	0	$-$	0	$+$	
$f(x)$	21	↘	16	↘	-11	↗	16

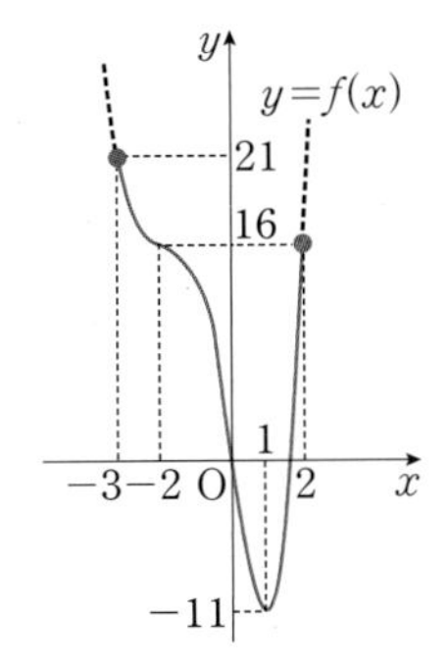

따라서 함수 $f(x)$는

$x=-3$일 때, 최댓값 $f(-3)=21$

$x=1$일 때, 최솟값 $f(1)=-11$을 가진다.

0471

다음 물음에 답하여라.

(1) 닫힌구간 $[-2, 3]$에서 함수 $f(x)=-x^3+ax^2+bx-1$이 $x=-1$에서 극솟값 -6을 가질 때, 함수 $f(x)$의 최댓값은?

① 1 ② 13 ③ 17 ④ 23 ⑤ 26

STEP Ⓐ $x=-1$에서 극솟값 -6임을 이용하여 a, b의 값 구하기

$f(x)=-x^3+ax^2+bx-1$에서 $f'(x)=-3x^2+2ax+b$

함수 $f(x)$가 $x=-1$에서 극솟값 -6을 가지므로

$f(-1)=-6$, $f'(-1)=0$

$f(-1)=1+a-b-1=-6$ $\therefore a-b=-6$ ⋯⋯ ㉠

$f'(-1)=-3-2a+b=0$ $\therefore 2a-b=-3$ ⋯⋯ ㉡

㉠, ㉡을 연립하여 풀면 $a=3$, $b=9$

STEP Ⓑ 닫힌구간 $[-2, 3]$에서 함수 $f(x)$의 증가와 감소를 조사하여 최댓값 구하기

$f(x)=-x^3+3x^2+9x-1$에서

$f'(x)=-3x^2+6x+9$
$=-3(x+1)(x-3)$

$f'(x)=0$에서 $x=-1$ 또는 $x=3$

닫힌구간 $[-2, 3]$에서 함수 $f(x)$의 증가와 감소를 표로 나타내면 다음과 같다.

x	-2	$\cdots$	-1	$\cdots$	3
$f'(x)$		$-$	0	$+$	
$f(x)$	1	↘	-6	↗	26

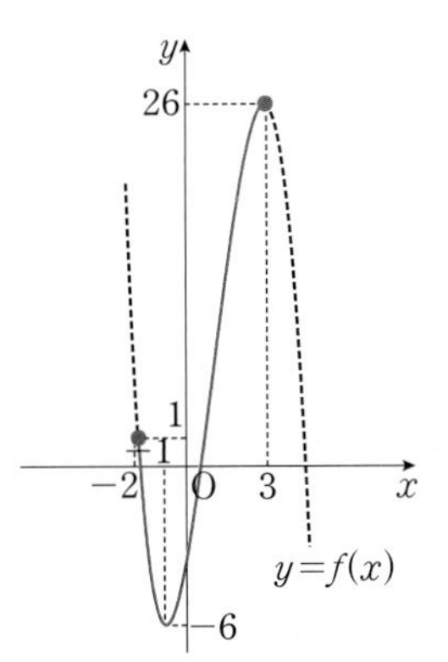

따라서 함수 $f(x)$는 $x=3$일 때, 최댓값 $f(3)=26$을 가진다.

(2) 오른쪽 그림은 함수 $f(x)=x^3+ax^2+bx+c$의 도함수 $y=f'(x)$의 그래프이다. 함수 $f(x)$의 극댓값이 5일 때, 닫힌구간 $[-2, 3]$에서 최댓값은?

① 5 ② 10 ③ 15 ④ 20 ⑤ 25

STEP Ⓐ 그림을 이용하여 a, b, c의 값 구하기

$y=f'(x)$의 그래프가 x축과 만나는 점의 좌표가 $(0, 0)$, $(2, 0)$이므로

$f'(0)=0$, $f'(2)=0$

$f(x)=x^3+ax^2+bx+c$에서 $f'(x)=3x^2+2ax+b$

$f'(0)=0$, $f'(2)=0$이므로

$f'(0)=b=0$ ⋯⋯ ㉠

$f'(2)=12+4a+b=0$ ⋯⋯ ㉡

㉠, ㉡을 연립하여 풀면 $a=-3$, $b=0$

또, 함수 $f(x)$의 극댓값이 5이므로 $f(0)=c=5$ ⬅ $x=0$에서 극대

$\therefore f(x)=x^3-3x^2+5$

STEP Ⓑ 닫힌구간 $[-2, 3]$에서 함수 $f(x)$의 증가와 감소를 조사하여 최댓값 구하기

닫힌구간 $[-2, 3]$에서 $f(x)$의 증가와 감소를 표로 나타내면 다음과 같다.

x	-2	$\cdots$	0	$\cdots$	2	$\cdots$	3
$f'(x)$		$+$	0	$-$	0	$+$	
$f(x)$	-15	↗	5	↘	1	↗	5

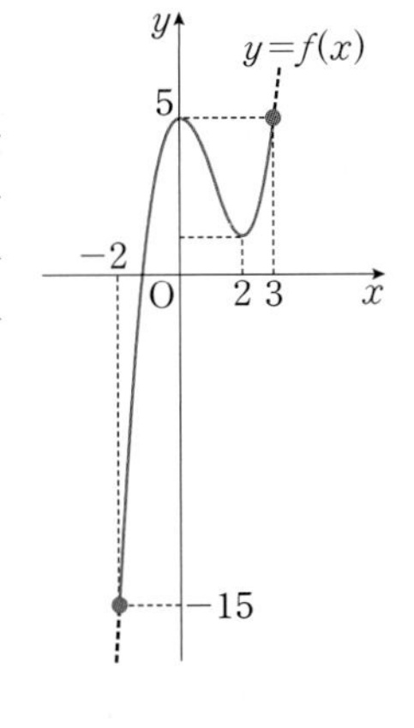

따라서 함수 $f(x)$는 $x=0$, $x=3$일 때, 최댓값은 5

0472

닫힌구간 $[-1, 3]$에서 함수 $f(x)=|x^4-6x^2-8x-3|$의 최댓값과 최솟값을 각각 M, m이라 할 때, $M+m$의 값을 구하여라.

STEP Ⓐ 닫힌구간 $[-1, 3]$에서 함수 $y=x^4-6x^2-8x-3$의 증가와 감소를 조사하여 최댓값, 최솟값 구하기

$g(x)=x^4-6x^2-8x-3$로 놓으면

$g'(x)=4x^3-12x-8$

$=4(x+1)^2(x-2)$

$g'(x)=0$에서 $x=-1$ 또는 $x=2$

함수 $g(x)$의 증가와 감소를 조사하면 다음 표와 같다.

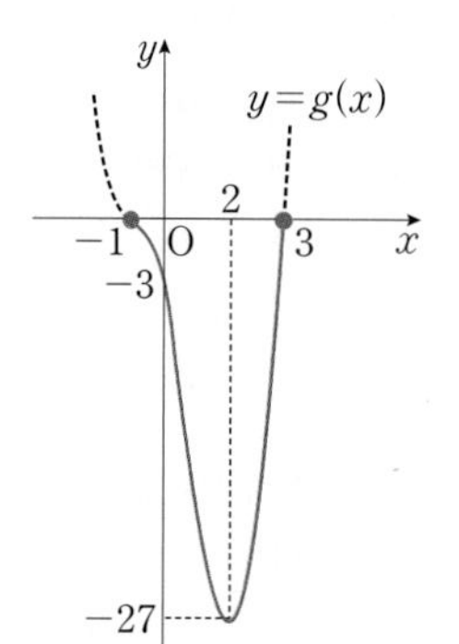

x	$\cdots$	-1	$\cdots$	2	$\cdots$	3
$g'(x)$	$-$	0	$-$	0	$+$	0
$g(x)$	↘	0	↘	-27	↗	0

$x=2$일 때, 극솟값 $g(2)=-27$

STEP Ⓑ 함수 $f(x)$의 그래프를 그려 최댓값, 최솟값 구하기

$g(x)$의 그래프에서 $f(x)=|g(x)|$의 그래프가 오른쪽과 같으므로

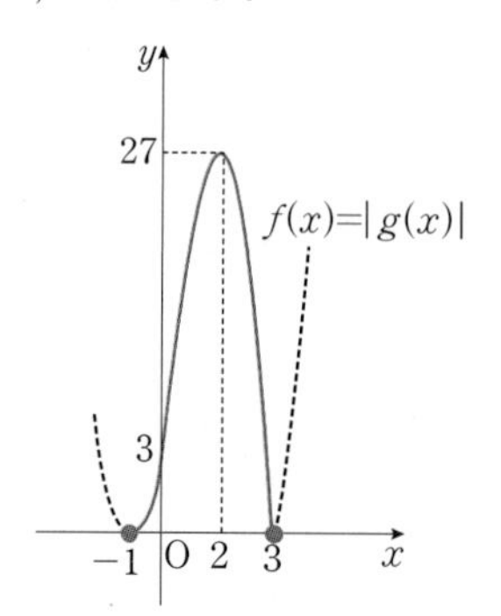

$f(-1)=0$

$f(0)=|-3|=3$

$f(2)=|-27|=27$

$f(3)=0$

즉 최댓값은 $M=f(2)=27$,

최솟값은 $m=f(-1)=f(3)=0$

따라서 $M+m=27+0=27$

0473

구간 $[-1, 2]$에서 정의된 함수 $f(x)=ax^3-6ax^2+b$ $(a>0)$의 최댓값이 3이고 최솟값이 -29일 때, 상수 a, b에 대하여 $a+b$의 값을 구하여라.

STEP Ⓐ 닫힌구간 $[-1, 2]$에서 삼차함수 $f(x)$의 증가와 감소를 표로 나타내기

$f(x)=ax^3-6ax^2+b$에서

$f'(x)=3ax^2-12ax=3ax(x-4)$

$f'(x)=0$에서 $x=0$ 또는 4

구간 $[-1, 2]$에서 함수 $f(x)$의 증가와 감소를 표로 나타내면 다음과 같다.

x	-1	$\cdots$	0	$\cdots$	2
$f'(x)$		$+$	0	$-$	
$f(x)$	$-7a+b$	↗	b	↘	$-16a+b$

STEP Ⓑ 최댓값이 3, 최솟값이 -29임을 이용하여 a, b의 값 구하기

이때 $a>0$이므로

$b-16a<b-7a<b$

함수 $f(x)$는

$x=0$일 때 최댓값은 $f(0)=b$,

$x=2$일 때 최솟값은 $f(2)=-16a+b$

즉 $b=3$, $-16a+b=-29$을 연립하여 풀면

$a=2$, $b=3$

따라서 $a+b=2+3=5$

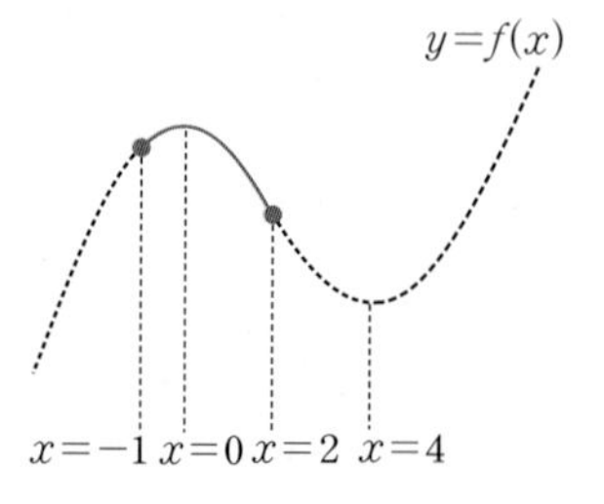

0474

다음 물음에 답하여라.

(1) 닫힌구간 $[1, 4]$에서 함수 $f(x)=x^3-3x^2+a$의 최댓값을 M, 최솟값을 m이라 하자. $M+m=20$일 때, 상수 a의 값은?

① 1　② 2　③ 3　④ 4　⑤ 5

STEP Ⓐ 구간 $[1, 4]$에서 함수 $f(x)$의 증가와 감소를 표로 나타내기

$f(x)=x^3-3x^2+a$에서

$f'(x)=3x^2-6x=3x(x-2)$

$f'(x)=0$에서 $x=0$ 또는 $x=2$

구간 $[1, 4]$에서 함수 $f(x)$의 증가와 감소를 표로 나타내면 다음과 같다.

x	1	$\cdots$	2	$\cdots$	4
$f'(x)$	$-$	$-$	0	$+$	$+$
$f(x)$	$a-2$	↘	$a-4$	↗	$a+16$

STEP Ⓑ $M+m=20$임을 이용하여 a의 값 구하기

함수 $f(x)$는

$x=4$에서 최댓값 $M=f(4)=a+16$

$x=2$에서 최솟값 $m=f(2)=a-4$

이때 $M+m=20$이므로

$(a+16)+(a-4)=20$

$2a+12=20$

따라서 $2a=8$이므로 $a=4$

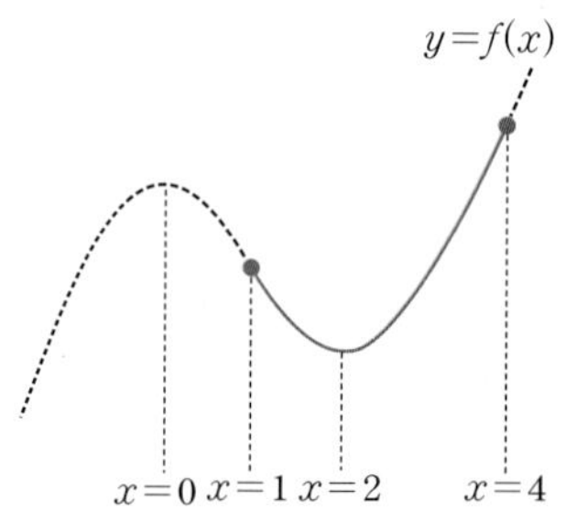

(2) 닫힌구간 $[-2, 3]$에서 함수 $f(x)=2x^3+3x^2-12x-a$의 최솟값이 -10일 때, 함수 $f(x)$의 최댓값은? (단, a는 상수이다.)

① 36　② 38　③ 40　④ 42　⑤ 46

STEP Ⓐ $f'(x)=0$이 되는 x의 값 구하기

$f(x)=2x^3+3x^2-12x-a$에서

$f'(x)=6x^2+6x-12=6(x^2+x-2)=6(x+2)(x-1)$

$f'(x)=0$에서 $x=-2$ 또는 $x=1$

STEP Ⓑ 닫힌구간 $[-2, 3]$에서 삼차함수 $f(x)$의 증가와 감소를 표로 나타내어 최댓값, 최솟값 구하기

닫힌구간 $[-2, 3]$에서 함수 $f(x)$의 증가와 감소를 표로 나타내면 다음과 같다.

x	-2	$\cdots$	1	$\cdots$	3
$f'(x)$		$-$	0	$+$	
$f(x)$	$-a+20$	↘	$-a-7$	↗	$-a+45$

이때 $-a-7<-a+20<-a+45$이므로

함수 $f(x)$는 $x=1$에서

최솟값 $f(1)=-a-7=-10$

$\therefore a=3$

따라서 함수 $f(x)$는 $x=3$일 때,

최댓값 $f(3)=-3+45=42$

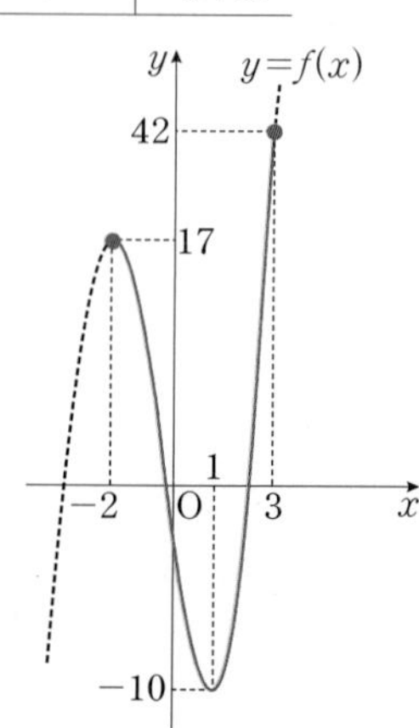

0475

양수 a에 대하여 함수

$$f(x)=x^3+ax^2-a^2x+2$$

가 닫힌구간 $[-a, a]$에서 최댓값 M, 최솟값 $\frac{14}{27}$를 갖는다.
$a+M$의 값을 구하여라.

STEP A $f'(x)=0$인 x의 값과 증감표 구하기

$f(x)=x^3+ax^2-a^2x+2$에서

$f'(x)=3x^2+2ax-a^2=(x+a)(3x-a)$

$f'(x)=0$에서 $x=-a$ 또는 $x=\frac{a}{3}$

$f(x)$의 증가와 감소를 표로 나타내면 다음과 같다.

x	$\cdots$	$-a$	$\cdots$	$\frac{a}{3}$	$\cdots$
$f'(x)$	$+$	0	$-$	0	$+$
$f(x)$	↗	극대	↘	극소	↗

함수 $f(x)$는 $x=-a$에서 극대이고 $x=\frac{a}{3}$에서 극소이다.

STEP B 최솟값을 이용하여 a의 값 구하기

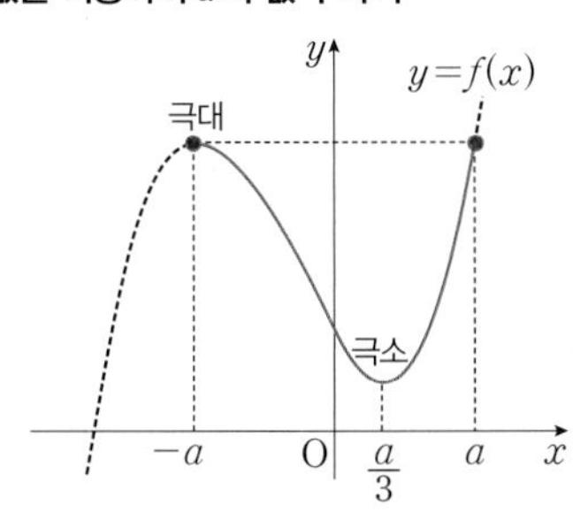

함수 $f(x)$는 $x=\frac{a}{3}$에서 극소이면서 최솟값은 $f\left(\frac{a}{3}\right)=\frac{14}{27}$를 갖는다.

$f\left(\frac{a}{3}\right)=\left(\frac{a}{3}\right)^3+a\cdot\left(\frac{a}{3}\right)^2-a^2\cdot\left(\frac{a}{3}\right)+2$

$=-\frac{5}{27}a^3+2$

$-\frac{5}{27}a^3+2=\frac{14}{27}$에서 $a^3-8=(a-2)(a^2+2a+4)=0$

$\therefore a=2$

$\therefore f(x)=x^3+2x^2-4x+2$

STEP C 최댓값 M 구하기

최댓값을 구하기 위해 구간의 양 끝 값을 구해보면

$f(2)=2^3+2\cdot2^2-4\cdot2+2=10$

$f(-2)=(-2)^3+2\cdot(-2)^2-4\cdot(-2)+2=10$이므로

최댓값은 $M=10$

따라서 $a+M=2+10=12$

0476

이차함수 $y=x^2-x-1$의 그래프 위의 한 점을 P라 하자.
선분 OP의 길이가 최소일 때, 점 P의 좌표는 (a, b)이다.
두 상수 a, b에 대하여 $b-a$의 값을 구하여라. (단, O는 원점이다.)

STEP A 거리공식을 이용하여 선분 OP의 길이 구하기

점 P의 좌표를 (x, x^2-x-1)이라 하고

선분 OP의 길이를 l이라 하면

$l^2=x^2+(x^2-x-1)^2=x^4-2x^3+2x+1$

$f(x)=x^4-2x^3+2x+1$로 놓으면

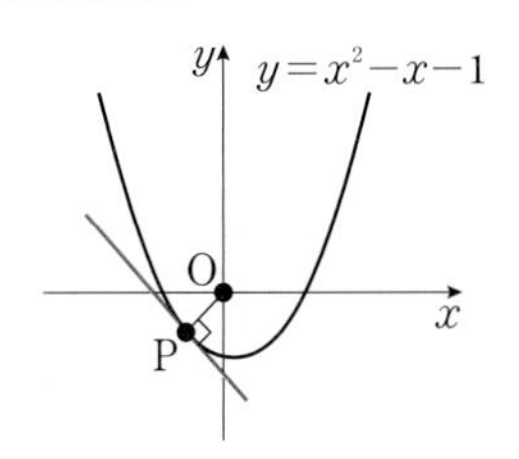

STEP B 선분 OP의 길이가 최소일 때, 점 P의 좌표 구하기

$f'(x)=4x^3-6x^2+2=2(2x^3-3x^2+1)$

$=2(x-1)(2x^2-x-1)$

$=2(x-1)^2(2x+1)$

$f'(x)=0$에서 $x=1$ 또는 $x=-\frac{1}{2}$

함수 $f(x)$의 증가와 감소를 표로 나타내면 다음과 같다.

x	$\cdots$	$-\frac{1}{2}$	$\cdots$	1	$\cdots$
$f'(x)$	$-$	0	$+$	0	$+$
$f(x)$	↘	극소	↗		↗

함수 $f(x)$는 $x=-\frac{1}{2}$일 때, 극소이면서 최소이므로

점 P의 좌표는 $\left(-\frac{1}{2}, -\frac{1}{4}\right)$

따라서 $b-a=-\frac{1}{4}-\left(-\frac{1}{2}\right)=\frac{1}{4}$

0477

다음 그림과 같이 곡선 $y=x^2$ 위를 움직이는 점 P와 원 $(x-3)^2+y^2=1$ 위를 움직이는 점 Q가 있을 때, 선분 PQ의 길이의 최솟값을 구하여라.

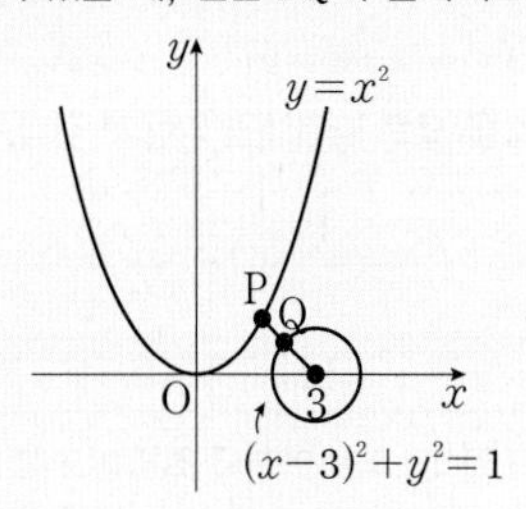

STEP A 점 P와 원의 중심 사이의 거리를 구하기

선분 PQ의 길이는 원 $(x-3)^2+y^2=1$의 중심과 점 P 사이의 거리가 최소일 때, 최소이다.

원의 중심을 C(3, 0), 점 P의 좌표를 (a, a^2)라 하면

두 점 P, C 사이의 거리는

$\overline{PC}=\sqrt{(a-3)^2+(a^2-0)^2}=\sqrt{a^4+a^2-6a+9}$

STEP B 선분 PQ의 길이의 최솟값 구하기

$f(a)=a^4+a^2-6a+9$로 놓으면

$f'(a)=4a^3+2a-6=2(a-1)(2a^2+2a+3)$

$f'(a)=0$에서 $a=1$ ($\because 2a^2+2a+3>0$)

함수 $f(a)$의 증가와 감소를 표로 나타내면 다음과 같다.

a	$\cdots$	1	$\cdots$
$f'(a)$	$-$	0	$+$
$f(a)$	↘	극소	↗

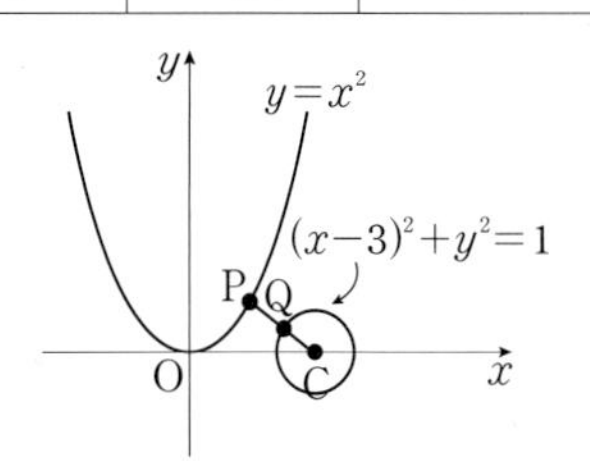

함수 $f(a)$는 $a=1$일 때, 극소이면서 최소이므로 최솟값은 $f(1)=5$

$\overline{PC}$의 길이의 최솟값은 $\sqrt{5}$

따라서 구하는 $\overline{PQ}$의 길이의 최솟값은

$\sqrt{f(1)}-$(원의 반지름의 길이)$=\sqrt{5}-1$

0478

O(0, 0), A(10, 0)인 두 점 O, A가 있다. 점 P가 곡선 $y=x^2+1$ 위를 움직일 때, $\overline{\mathrm{OP}}^2+\overline{\mathrm{AP}}^2$의 최솟값을 구하여라.

STEP Ⓐ **거리공식을 이용하여 $\overline{\mathrm{OP}}^2+\overline{\mathrm{AP}}^2$을 정리하기**

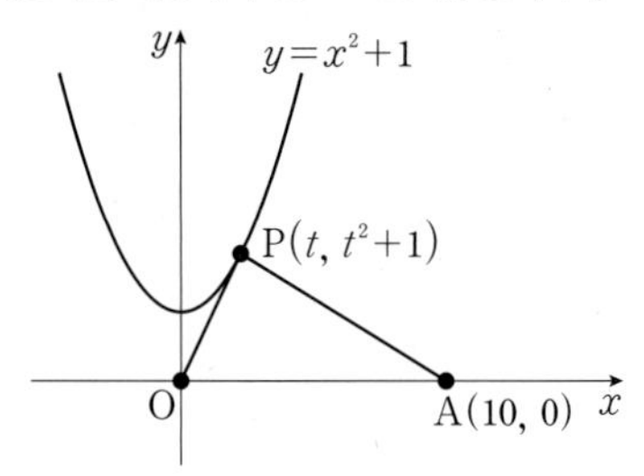

곡선 $y=x^2+1$ 위의 점 $\mathrm{P}(t,\ t^2+1)$이라 하면

$\overline{\mathrm{OP}}^2+\overline{\mathrm{AP}}^2=t^2+(t^2+1)^2+(t-10)^2+(t^2+1)^2$
$=2t^4+6t^2-20t+102$

STEP Ⓑ **$\overline{\mathrm{OP}}^2+\overline{\mathrm{AP}}^2$의 최솟값 구하기**

$f(t)=2t^4+6t^2-20t+102$로 놓으면

$f'(t)=8t^3+12t-20=4(t-1)(2t^2+2t+5)$

$f'(t)=0$에서 $t=1$ ($\because 2t^2+2t+5>0$)

함수 $f(t)$의 증가와 감소를 표로 나타내면 다음과 같다.

t	$\cdots$	1	$\cdots$
$f'(t)$	$-$	0	$+$
$f(t)$	↘	극소	↗

따라서 함수 $f(t)$는 $t=1$일 때, 극소이면서 최소이므로 최솟값은 $f(1)=90$

선분 OA의 중점을 M(5, 0)이라 하면 중선정리에 의하여
$\overline{\mathrm{OP}}^2+\overline{\mathrm{AP}}^2=2(\overline{\mathrm{OM}}^2+\overline{\mathrm{PM}}^2)$을 이용할 수 있다.

0479

다음 그림과 같이 꼭짓점 A, D는 곡선 $y=9-x^2$ 위에 있고, 꼭짓점 B, C는 x축 위에 놓인 직사각형 ABCD의 넓이의 최댓값을 구하여라. (단, 점 D는 제1 사분면 위의 점이다.)

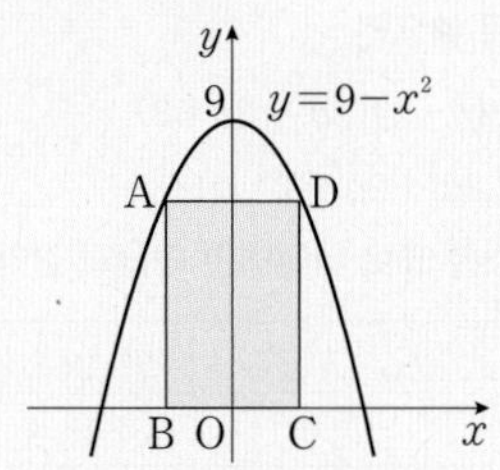

STEP Ⓐ **직사각형의 각 꼭짓점의 좌표 구하기**

다음 그림과 같이 직사각형 ABCD의 꼭짓점 D의 x좌표를 $a(0<a<3)$라 하면

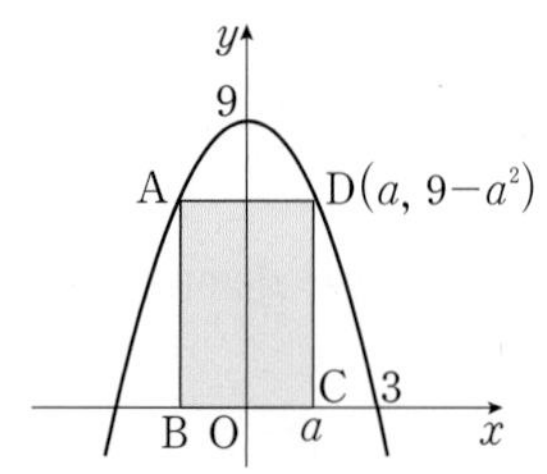

A(a, 9 a^2), B(a, 0), C(a, 0), D(a, $9-a^2$)이므로

$\overline{\mathrm{AD}}=2a$, $\overline{\mathrm{AB}}=9-a^2$

STEP Ⓑ **직사각형의 넓이를 a에 대한 함수 $S(a)$로 나타내기**

직사각형 ABCD의 넓이를 $S(a)$라 하면

$S(a)=2a(9-a^2)=-2a^3+18a$

$S'(a)=-6a^2+18=-6(a^2-3)=-6(a+\sqrt{3})(a-\sqrt{3})$

$S'(a)=0$에서 $a=-\sqrt{3}$ 또는 $a=\sqrt{3}$

$0<a<3$에서 함수 $S(a)$의 증가와 감소를 표로 나타내면 다음과 같다.

a	(0)	$\cdots$	$\sqrt{3}$	$\cdots$	(3)
$S'(a)$		$+$	0	$-$	
$S(a)$		↗	극대	↘	

따라서 함수 $S(a)$는 $a=\sqrt{3}$일 때,
극대이면서 최대이므로
직사각형 ABCD넓이의 최댓값은
$S(\sqrt{3})=12\sqrt{3}$

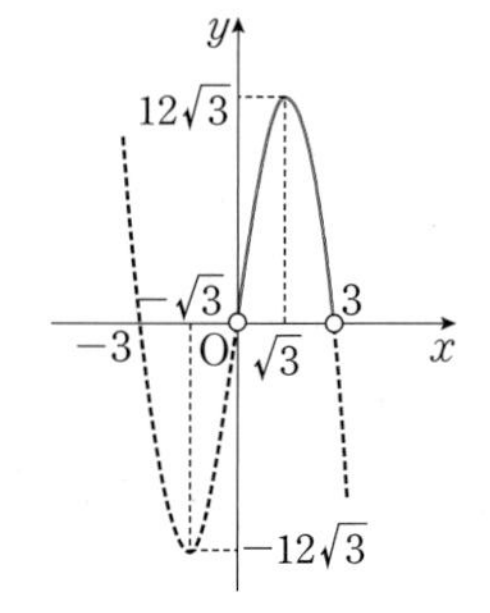

0480

두 점 A(−3, 0), B(3, 0)에서 x축과 만나는 곡선 $y=9-x^2$이 있다.
오른쪽 그림과 같이 이 곡선과 x축으로 둘러싸인 부분에 내접한 사다리꼴 ABCD의 넓이의 최댓값은?

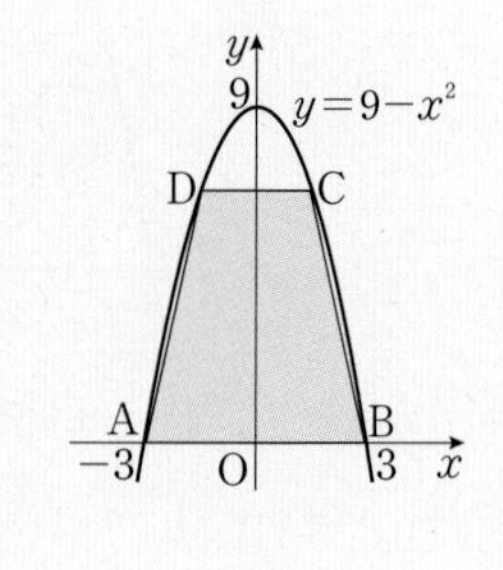

① 12 ② 16
③ 24 ④ 28
⑤ 32

STEP Ⓐ **사다리꼴 ABCD의 넓이 $S(a)$ 구하기**

점 C의 x좌표를 $a(0<a<3)$라 하면

$\mathrm{C}(a,\ 9-a^2)$, $\mathrm{D}(-a,\ 9-a^2)$이므로

$\overline{\mathrm{CD}}=2a$, $\overline{\mathrm{AB}}=6$

사다리꼴 ABCD의 높이는 $9-a^2$이므로

사다리꼴 ABCD의 넓이를 $S(a)$라 하면

$S(a)=\frac{1}{2}(2a+6)(9-a^2)$
$=-a^3-3a^2+9a+27$

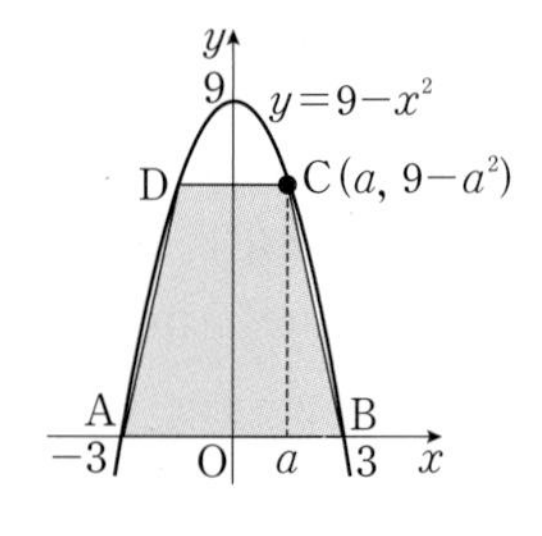

STEP Ⓑ **사다리꼴 ABCD의 넓이의 최댓값 구하기**

$S'(a)=-3a^2-6a+9=-3(a-1)(a+3)$

$S'(a)=0$에서 $a=-3$ 또는 $a=1$

$0<a<3$에서 $S(a)$의 증가와 감소를 표로 나타내면 다음과 같다.

a	(0)	$\cdots$	1	$\cdots$	(3)
$S'(a)$		$+$	0	$-$	
$S(a)$		↗	극대	↘	

따라서 넓이 $S(a)$는 $a=1$일 때,
극대이면서 최대이므로
사다리꼴 ABCD의 넓이의 최댓값은
$S(1)=32$

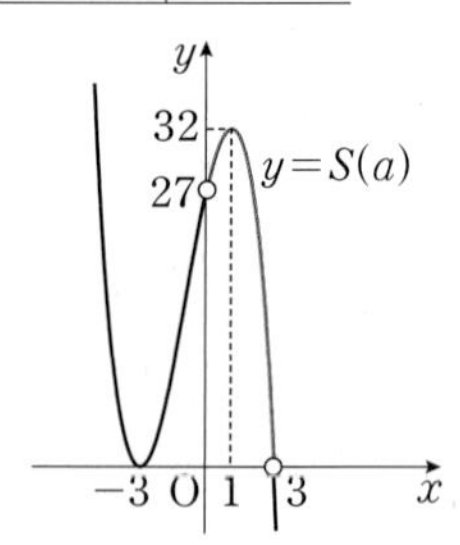

0481

다음 그림과 같이 좌표평면 위에 네 점

$\mathrm{O}(0, 0)$, $\mathrm{A}(8, 0)$, $\mathrm{B}(8, 8)$, $\mathrm{C}(0, 8)$

을 꼭짓점으로 하는 정사각형 OABC와 한 변의 길이가 8이고 네 변이 좌표축과 평행한 정사각형 PQRS가 있다.

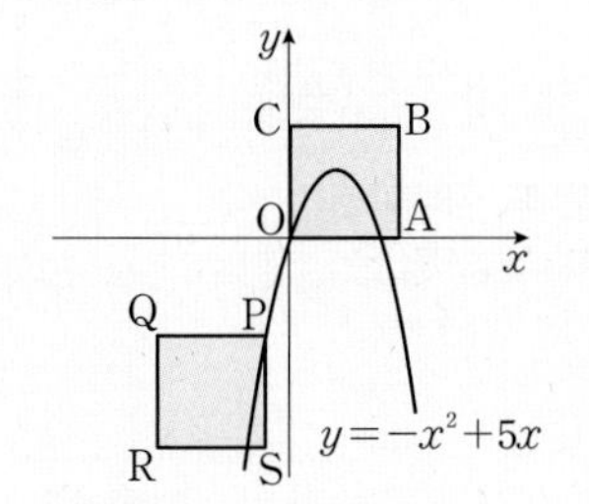

점 P가 점 $(-1, -6)$에서 출발하여 포물선 $y=-x^2+5x$를 따라 움직이도록 정사각형 PQRS를 평행이동 시킨다. 평행이동시킨 정사각형과 정사각형 OABC가 겹치는 부분의 넓이의 최댓값을 $\frac{q}{p}$라 할 때, $p+q$의 값을 구하여라. (단, p와 q는 서로소인 자연수이다.)

STEP Ⓐ **점 P의 좌표를 $(x, -x^2+5x)$라 하면 겹쳐지는 부분의 넓이 구하기**

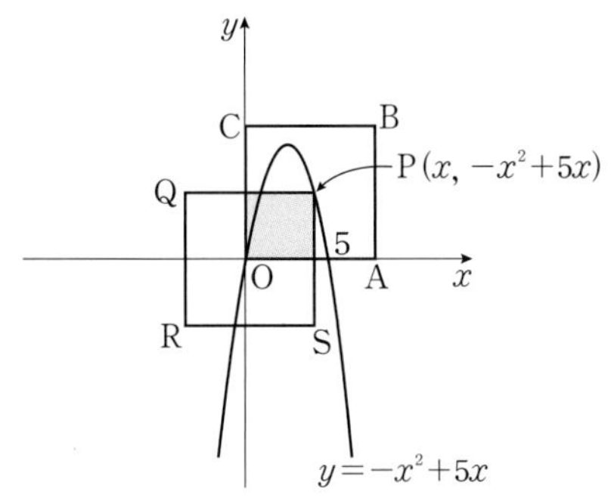

점 P의 좌표를 $(x, -x^2+5x)$라 하면

두 정사각형 OABC, PQRS가 겹칠 때, $0<x<5$

두 정사각형이 겹치는 부분의 넓이를 $S(x)$라 하면

$S(x)=x(-x^2+5x)=-x^3+5x^2$

STEP Ⓑ **두 정사각형이 겹치는 부분의 넓이 $S(x)$를 미분하여 최댓값 구하기**

$S'(x)=-3x^2+10x=-3x\left(x-\frac{10}{3}\right)$

$S'(x)=0$에서 $x=0$ 또는 $x=\frac{10}{3}$

함수 $S(x)$의 증가와 감소를 표로 나타내면 다음과 같다.

x	(0)	$\cdots$	$\frac{10}{3}$	$\cdots$	(5)
$S'(x)$		+	0	−	
$S(x)$		↗	극대	↘	

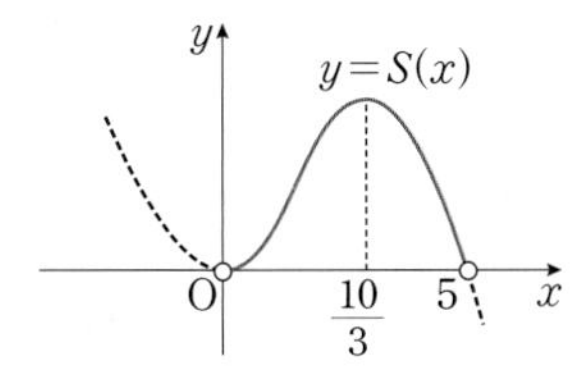

$S(x)$는 $x=\frac{10}{3}$일 때, 극대이면서 최대이므로 구하는 최댓값은

$S\left(\frac{10}{3}\right)=-\frac{1000}{27}+5\cdot\frac{100}{9}=\frac{500}{27}$

따라서 $p=27$, $q=500$이므로 $p+q=27+500=527$

0482

다음 그림과 같이 가로의 길이가 15 cm, 세로의 길이가 8 cm인 직사각형 모양의 종이가 있다. 네 모퉁이에서 크기가 같은 정사각형 모양의 종이를 잘라 낸 후 남는 부분을 접어서 뚜껑이 없는 직육면체 모양의 상자를 만들려고 한다. 이 상자의 부피가 최대가 되도록 할 때, 정사각형의 한 변의 길이를 구하여라. (단, 종이의 두께는 무시한다.)

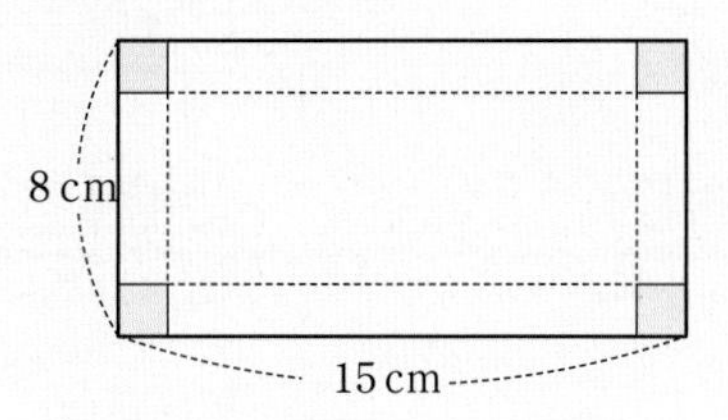

STEP Ⓐ **상자의 부피 구하기**

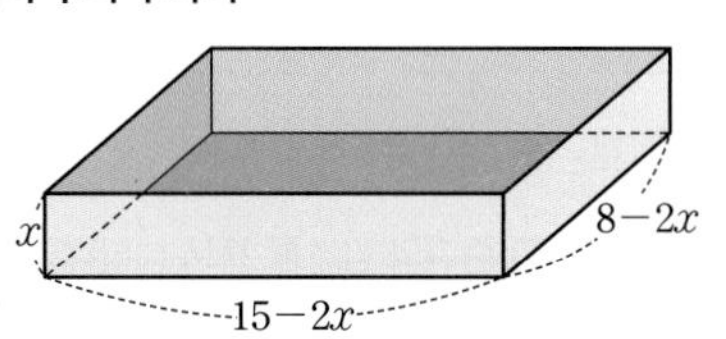

잘라낸 정사각형의 한 변의 길이를 $x$cm라 하면

상자의 가로의 길이는 $(15-2x)$cm, 세로의 길이는 $(8-2x)$cm이고

높이는 $x$cm인 직육면체이다.

상자의 모서리의 길이 x는 $x>0$, $15-2x>0$, $8-2x>0$

$\therefore 0<x<4$

상자의 부피를 $V(x)$라 하면

$V(x)=x(15-2x)(8-2x)=4x^3-46x^2+120x$

STEP Ⓑ **미분하여 상자의 부피의 최댓값 구하기**

$V'(x)=12x^2-92x+120=4(3x-5)(x-6)$

$V'(x)=0$에서 $x=\frac{5}{3}$ 또는 $x=6$

$0<x<4$에서 함수 $V(x)$의 증가와 감소를 표로 나타내면 다음과 같다.

x	(0)	$\cdots$	$\frac{5}{3}$	$\cdots$	(4)
$V'(x)$		+	0	−	
$V(x)$		↗	극대	↘	

따라서 부피 $V(x)$는 $x=\frac{5}{3}$에서 극대이면서 최대이므로 상자의 부피가 최대가 되도록 할 때, 잘라 내야할 정사각형의 한 변의 길이는 $\frac{5}{3}$cm

0483

오른쪽 그림과 같이 한 변의 길이가 a인 정삼각형 모양의 종이의 세 꼭짓점에서 합동인 사각형을 잘라 내어 뚜껑이 없는 삼각기둥 모양의 상자를 만들려고 한다. 상자의 부피가 최대가 되도록 할 때, x의 길이와 삼각기둥의 부피의 최댓값을 구하여라.

STEP Ⓐ **x의 값의 범위와 삼각기둥의 높이 h 구하기**

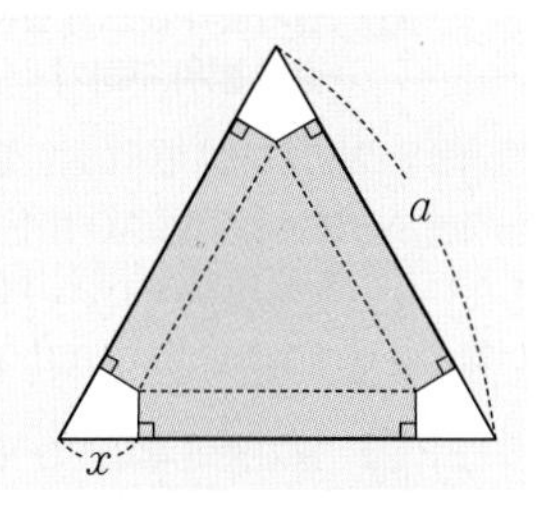

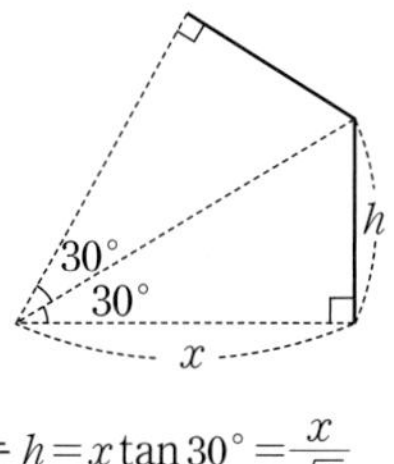

잘라 낼 사각형의 한 변의 길이를 x라 하면 x의 범위 $x>0$, $a-2x>0$에서

$0<x<\frac{a}{2}$

이때 정삼각형의 한 내각의 크기가 $60°$이므로 각 꼭짓점에서 잘라 내는 사각형은 한 내각의 크기가 $30°$인 합동인 두 직각삼각형으로 나눌 때, 삼각기둥의 높이 h는 $h=x\tan 30°=\frac{x}{\sqrt{3}}$

STEP **B** **삼각기둥의 부피를 $V(x)$로 표현하기**

삼각기둥의 밑면인 정삼각형 ABC의

넓이는 $\frac{1}{2}(a-2x)(a-2x)\sin 60°$

$=\frac{\sqrt{3}}{4}(a-2x)^2$

삼각기둥의 부피를 $V(x)$라 하면

$V(x)=\frac{\sqrt{3}}{4}(a-2x)^2\times\frac{x}{\sqrt{3}}$

$=\frac{1}{4}x(a-2x)^2$

$=\frac{1}{4}(a^2x-4ax^2+4x^3)$

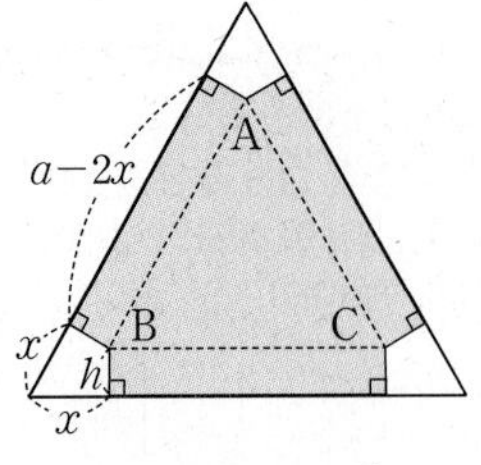

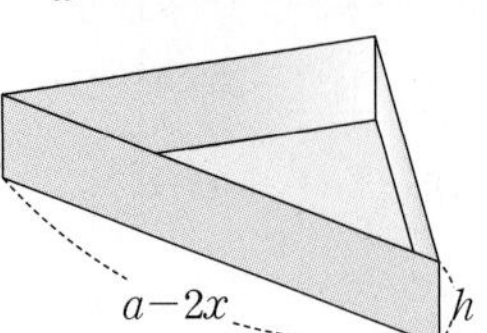

STEP **C** **삼각기둥의 부피의 최댓값 구하기**

$V'(x)=\frac{1}{4}(12x^2-8ax+a^2)=\frac{1}{4}(2x-a)(6x-a)$

$V'(x)=0$에서 $x=\frac{a}{6}$ 또는 $x=\frac{a}{2}$

열린구간 $\left(0,\ \frac{a}{2}\right)$에서 $V(x)$의 증가와 감소를 표로 나타내면 다음과 같다.

x	(0)	$\cdots$	$\frac{a}{6}$	$\cdots$	$\left(\frac{a}{2}\right)$
$V'(x)$		$+$	0	$-$	
$V(x)$		↗	극대	↘	

따라서 $V(x)$는 $x=\frac{a}{6}$일 때, 극대이면서

최대이므로 상자의 부피의 최댓값은

$V\left(\frac{a}{6}\right)=\frac{1}{4}\cdot\frac{a}{6}\cdot\left(\frac{2}{3}a\right)^2=\frac{a^3}{54}$

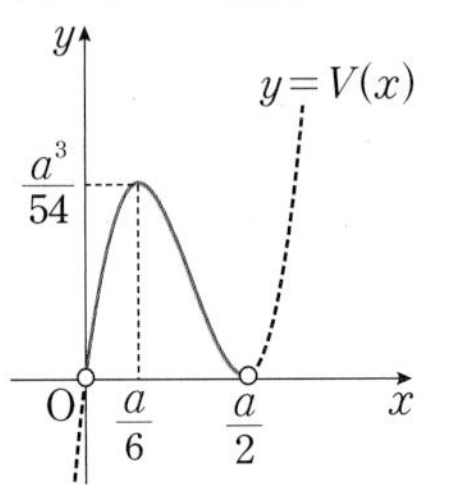

0484

오른쪽 그림과 같이 밑면의 반지름의 길이가 3 cm이고 높이가 12 cm인 원뿔이 있다.
이 원뿔에 내접하는 원기둥 중에서 부피가 최대인 원기둥의 밑면의 반지름의 길이와 부피의 최댓값을 구하여라.

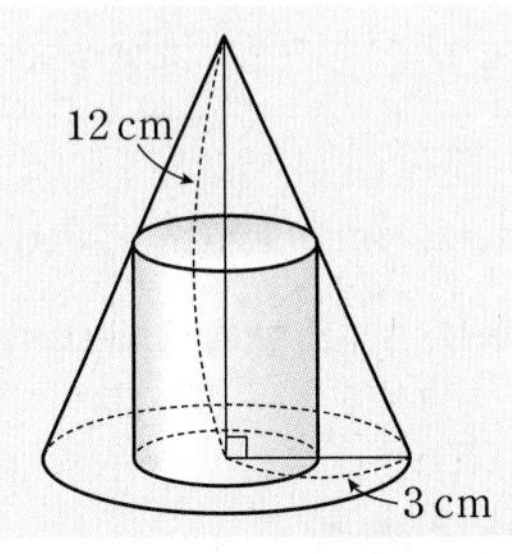

STEP **A** **원기둥의 밑면의 반지름의 길이 r과 높이 h의 관계를 구하고 r의 값의 범위 구하기**

원기둥의 밑면의 반지름의 길이를 $r$cm, 높이를 $h$cm라 하면

삼각형 AOB와 삼각형 AO′B′은 서로 닮음이므로

$3:12=r:(12-h)$에서 $12r=3(12-h)$ $\therefore h=12-4r$

이때 $r>0$, $h=12-4r>0$이므로 $0<r<3$

STEP **B** **원기둥의 부피 $V(r)$를 r로 정리하기**

원기둥의 부피를 $V(r)$cm^{3}라 하면

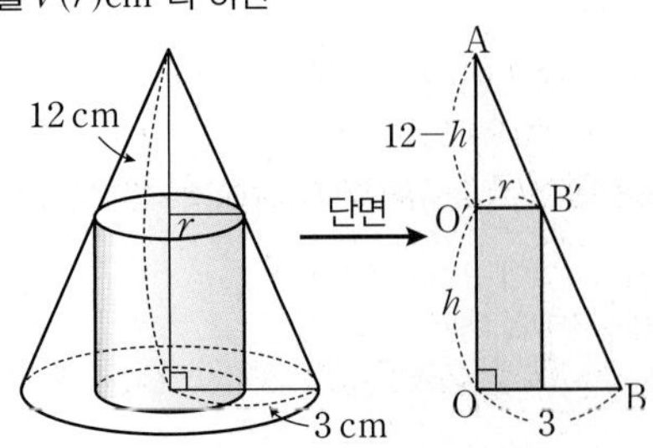

$V(r)=\pi r^2h=\pi r^2(12-4r)=-4\pi r^3+12\pi r^2$

STEP **C** **원기둥의 부피의 최댓값 구하기**

$V'(r)=-12\pi r^2+24\pi r=-12\pi r(r-2)$

$V'(r)=0$에서 $r=0$ 또는 $r=2$

$0<r<3$에서 $V(r)$의 증가와 감소를 표로 나타내면 다음과 같다.

h	(0)	$\cdots$	2	$\cdots$	(3)
$V'(h)$		$+$	0	$-$	
$V(h)$		↗	극대	↘	

따라서 $V(r)$는 $r=2$일 때, 극대이면서

최대이므로 원기둥 부피의 최댓값은

$V(2)=16\pi(\text{cm}^3)$

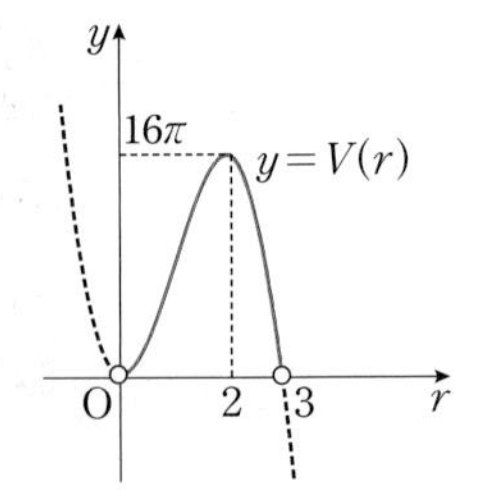

0485

오른쪽 그림과 같이 반지름의 길이가 6 cm인 구에 원기둥이 내접하고 있다.
이 원기둥의 부피가 최대일 때, 원기둥의 높이는? (단, 단위는 cm)

① $2\sqrt{3}$ ② $3\sqrt{3}$
③ $4\sqrt{3}$ ④ $5\sqrt{3}$
⑤ $6\sqrt{3}$

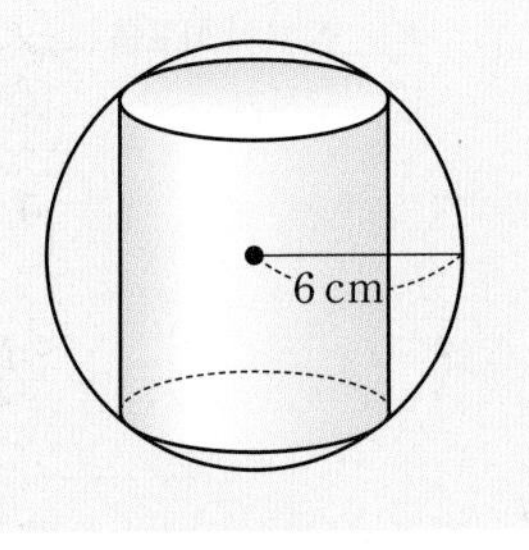

STEP **A** **원기둥의 밑면의 반지름의 길이 r과 높이 h의 관계를 구하고 h의 값의 범위 구하기**

오른쪽 그림과 같이 원기둥의 밑면의

반지름의 길이를 $r$cm, 높이를 $h$cm

라고 하면 $0<h<12$

$(2r)^2+h^2=12^2$

$\therefore r^2=\frac{144-h^2}{4}$ …… ㉠

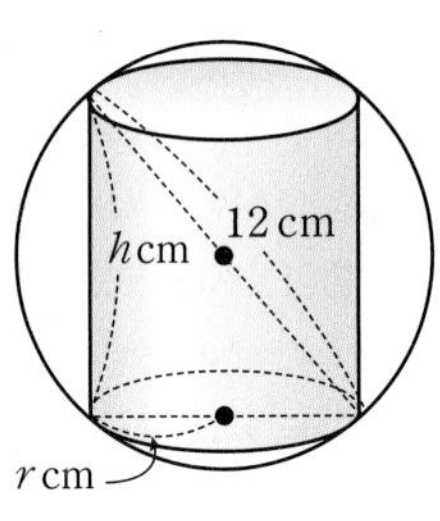

STEP **B** **원기둥의 부피 $V(h)$를 h로 정리하기**

원기둥의 부피를 $V(h)$cm^{3}라고 하면

$V(h)=\pi r^2h$

㉠을 대입하면

$V(h)=\pi\cdot\frac{144-h^2}{4}\cdot h=\frac{\pi}{4}(-h^3+144h)$

STEP **C** **원기둥의 부피의 최댓값 구하기**

$V'(h)=\frac{\pi}{4}(-3h^2+144)$

$=-\frac{3}{4}\pi(h^2-48)$

$=-\frac{3}{4}\pi(h+4\sqrt{3})(h-4\sqrt{3})$

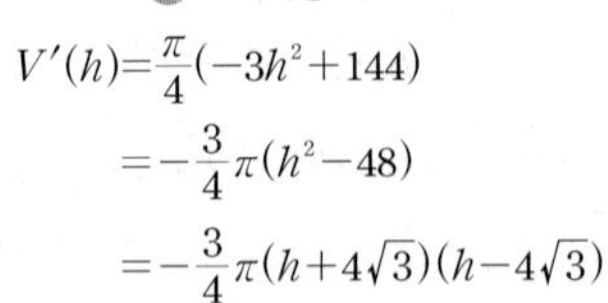

$V'(h)=0$에서 $h=-4\sqrt{3}$ 또는 $h=4\sqrt{3}$

$0<h<12$에서 $V(h)$의 증가와 감소를 표로 나타내면 다음과 같다.

h	(0)	$\cdots$	$4\sqrt{3}$	$\cdots$	(12)
$V'(h)$		$+$	0	$-$	
$V(h)$		↗	극대	↘	

따라서 $V(h)$는 $h=4\sqrt{3}$일 때, 극대이면서 최대이므로 구하는 높이는

$4\sqrt{3}$cm

0486

반지름의 길이가 20인 구에 오른쪽 그림과 같이 원뿔이 내접하고 있다. 원뿔의 부피가 최대가 될 때의 원뿔의 높이를 구하여라.

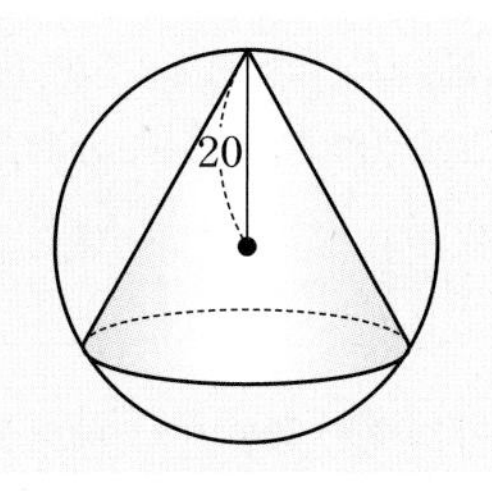

STEP Ⓐ **원뿔의 높이를 h라고 할 때, 원뿔의 부피를 h에 대한 식으로 나타내기**

구에 내접하는 원뿔의 밑면의 반지름의 길이를 r, 높이를 h라고 하면

$0<h<40$

오른쪽 그림의 직각삼각형 OAB에서 피타고라스의 정리에 의해

$\overline{OA}^2+\overline{AB}^2=\overline{OB}^2$이므로

$(h-20)^2+r^2=20^2$

$\therefore\ r^2=40h-h^2$ $\cdots\cdots$ ㉠

원뿔의 부피를 $V(h)$라고 하면

$V(h)=\dfrac{1}{3}\pi r^2 h$

㉠을 대입하면

$V(h)=\dfrac{1}{3}\pi(40h-h^2)h$

$=\dfrac{1}{3}\pi(40h^2-h^3)$

STEP Ⓑ **원뿔의 부피가 최대일 때, 원뿔의 높이 구하기**

$V'(h)=\dfrac{1}{3}\pi(80h-3h^2)$

$=-\dfrac{1}{3}\pi h(3h-80)$

$V'(h)=0$에서 $h=0$ 또는 $h=\dfrac{80}{3}$

열린구간 $(0, 40)$에서 $V(h)$의 증가와 감소를 표로 나타내면 다음과 같다.

h	(0)	$\cdots$	$\dfrac{80}{3}$	$\cdots$	(40)
$V'(h)$		$+$	0	$-$	
$V(h)$		↗	극대	↘	

따라서 $V(h)$는 $h=\dfrac{80}{3}$에서 최대이므로 원뿔의 부피가 최대일 때, 원뿔의 높이는 $\dfrac{80}{3}$

FINAL EXERCISE

단원종합문제

함수의 최대 최소

BASIC

0487

다음 물음에 답하여라.

(1) 닫힌구간 $[-2, 0]$에서 함수 $f(x)=x^3-3x^2-9x+8$의 최댓값은?

① 7 ② 9 ③ 11
④ 13 ⑤ 15

STEP Ⓐ **$f'(x)=0$이 되는 x의 값 구하기**

$f(x)=x^3-3x^2-9x+8$에서

$f'(x)=3x^2-6x-9=3(x+1)(x-3)$

$f'(x)=0$에서 $x=-1$ 또는 $x=3$

STEP Ⓑ **닫힌구간 $[-2, 0]$에서 함수 $f(x)$의 증가와 감소를 조사하여 최댓값 구하기**

닫힌구간 $[-2, 0]$에서 함수 $f(x)$의 증가와 감소를 표로 나타내면 다음과 같다.

x	-2	$\cdots$	-1	$\cdots$	0
$f'(x)$		$+$	0	$-$	
$f(x)$	6	↗	극대	↘	8

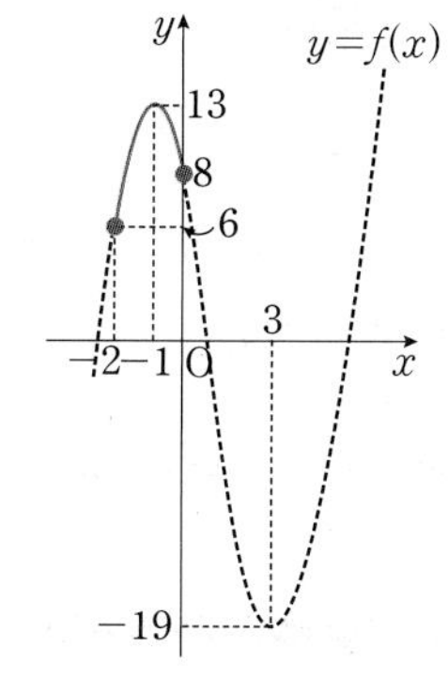

따라서 함수 $f(x)$는 $x=-1$에서 극대이면서 최대이므로 최댓값은

$f(-1)=-1-3+9+8=13$

(2) 닫힌구간 $[-1, 3]$에서 함수 $f(x)=x^3-3x+5$의 최솟값은?

① 1 ② 2 ③ 3
④ 4 ⑤ 5

STEP Ⓐ **$f'(x)=0$이 되는 x의 값 구하기**

$f(x)=x^3-3x+5$에서

$f'(x)=3x^2-3=3(x+1)(x-1)$

$f'(x)=0$에서 $x=-1$ 또는 $x=1$

STEP Ⓑ **닫힌구간 $[-1, 3]$에서 함수 $f(x)$의 증가와 감소를 조사하여 최솟값 구하기**

닫힌구간 $[-1, 3]$에서 함수 $f(x)$의 증가와 감소를 표로 나타내면 다음과 같다.

x	$\cdots$	-1	$\cdots$	1	$\cdots$	3
$f'(x)$	$+$	0	$-$	0	$+$	
$f(x)$	↗	7	↘	3	↗	23

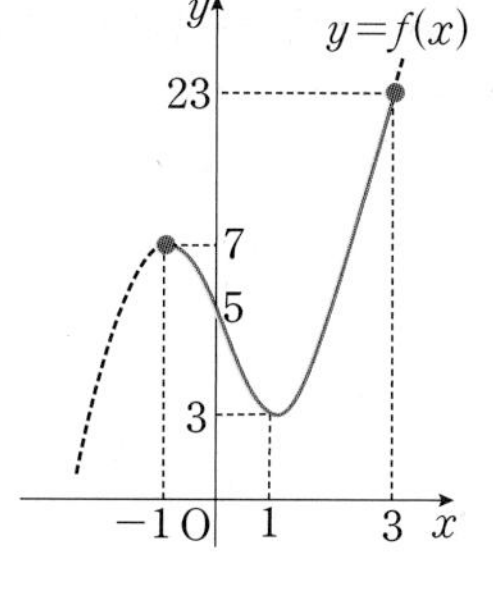

$x=-1$에서 극대이고 극댓값은 $f(-1)=7$

$x=1$에서 극소이고 극솟값은 $f(1)=3$

$x=3$에서 함숫값은 $f(3)=23$

따라서 $[-1, 3]$에서의 $f(x)$의 최솟값은 3

0488

다음 물음에 답하여라.

(1) 닫힌구간 $[-2, 3]$에서 함수 $f(x)=-x^3+3x^2-6$의 최댓값과 최솟값을 각각 M, m이라 할 때, $M+m$의 값은?

① 4 ② 6 ③ 8
④ 10 ⑤ 12

STEP A $f'(x)=0$**이 되는** x**의 값 구하기**

$f(x)=-x^3+3x^2-6$에서

$f'(x)=-3x^2+6x=-3x(x-2)$

$f'(x)=0$에서 $x=0$ 또는 $x=2$

STEP B 닫힌구간 $[-2, 3]$**에서 함수** $f(x)$**의 증가와 감소를 조사하여 최댓값, 최솟값 구하기**

닫힌구간 $[-2, 3]$에서 $f(x)$의 증가와 감소를 표로 나타내면 다음과 같다.

x	-2	$\cdots$	0	$\cdots$	2	$\cdots$	3
$f'(x)$		$-$	0	$+$	0	$-$	0
$f(x)$	14	↘	-6	↗	-2	↘	-6

$x=-2$일 때, 최댓값 $M=14$

$x=0$ 또는 $x=3$일 때, 최솟값 $m=-6$

따라서 $M+m=14+(-6)=8$

(2) 닫힌구간 $[1, 4]$에서 함수 $f(x)=x^3-3x^2+8$의 최댓값을 M, 최솟값을 m이라 할 때, $M+m$의 값은?

① 28 ② 32 ③ 36
④ 40 ⑤ 44

STEP A $f'(x)=0$**이 되는** x**의 값 구하기**

$f(x)=x^3-3x^2+8$에서

$f'(x)=3x^2-6x=3x(x-2)$

$f'(x)=0$에서 $x=0$ 또는 $x=2$

STEP B 닫힌구간 $[1, 4]$**에서 함수** $f(x)$**의 증가와 감소를 조사하여 최댓값, 최솟값 구하기**

닫힌구간 $[1, 4]$에서 함수 $f(x)$의 증가와 감소를 표로 나타내면 다음과 같다.

x	1	$\cdots$	2	$\cdots$	4
$f'(x)$		$-$	0	$+$	
$f(x)$	6	↘	4	↗	24

함수 $f(x)$는

$x=2$에서 최솟값 $f(2)=4$

$x=4$에서 최댓값 $f(4)=24$를 갖는다.

따라서 $M=24$, $m=4$이므로 $M+m=28$

0489

함수 $f(x)=x^3+ax^2+bx+2$가 $x=2$에서 극솟값 -2를 가질 때, 함수 $f(x)$의 구간 $[0, 3]$에서의 최댓값은?

① 1 ② 2 ③ 3
④ 4 ⑤ 5

STEP A 함수 $f(x)$**가** $x=2$**에서 극솟값** -2**임을 이용하여** a, b**의 값 구하기**

$f(x)=x^3+ax^2+bx+2$에서

$f'(x)=3x^2+2ax+b$

이때 $x=2$에서 극솟값 -2이므로

$f'(2)=0$, $f(2)=-2$

$f'(2)=12+4a+b=0$ …… ㉠

$f(2)=8+4a+2b+2=-2$ …… ㉡

㉠, ㉡을 연립하여 풀면 $a=-3$, $b=0$

STEP B 닫힌구간 $[0, 3]$**에서 삼차함수** $f(x)$**의 증가와 감소를 표로 나타내어 최댓값 구하기**

$f(x)=x^3-3x^2+2$에서

$f'(x)=3x^2-6x=3x(x-2)$

$f'(x)=0$에서 $x=0$ 또는 $x=2$

구간 $[0, 3]$에서 함수 $f(x)$의 증가와 감소를 표로 나타내면 다음과 같다.

x	0	$\cdots$	2	$\cdots$	3
$f'(x)$	0	$-$	0	$+$	$+$
$f(x)$	2	↘	-2	↗	2

따라서 $x=0$ 또는 $x=3$일 때, 최댓값 $f(3)=2$

0490

다음 물음에 답하여라.

(1) 닫힌구간 $[0, 4]$에서 함수 $f(x)=ax^3-3ax^2+b$가 최댓값 11, 최솟값 -9를 가질 때, 상수 a, b에 대하여 $a+b$의 값은? (단, $a>0$)

① 4 ② 2 ③ 0
④ -2 ⑤ -4

STEP A $f'(x)=0$**이 되는** x**의 값 구하기**

$f(x)=ax^3-3ax^2+b$에서

$f'(x)=3ax^2-6ax=3ax(x-2)$

$f'(x)=0$에서 $x=0$ 또는 $x=2$

STEP B 닫힌구간 $[0, 4]$**에서 삼차함수** $f(x)$**의 증가와 감소를 표로 나타내기**

닫힌구간 $[0, 4]$에서 함수 $f(x)$의 증가와 감소를 표로 나타내면 다음과 같다.

x	0	$\cdots$	2	$\cdots$	4
$f'(x)$	0	$-$	0	$+$	
$f(x)$	b	↘	$-4a+b$	↗	$16a+b$

이때 $a>0$이므로 $-4a+b<16a+b$

함수 $f(x)$는

$x=4$일 때, 최댓값 $f(4)=16a+b$이고

$x=2$일 때, 최솟값 $f(2)=-4a+b$

STEP C 주어진 최댓값과 최솟값을 이용하여 a, b**의 값 구하기**

$16a+b=11$, $-4a+b=-9$이므로 연립하여 풀면 $a=1$, $b=-5$

따라서 $a+b=1+(-5)=-4$

(2) 닫힌구간 $[1, 4]$에서 정의된 함수 $f(x)=ax^4-4ax^3+b\,(a>0)$가 최댓값 3, 최솟값 -6을 가질 때, 상수 a, b에 대하여 ab의 값은?
① 1　② 2　③ 4
④ 6　⑤ 8

STEP Ⓐ **구간 $[1, 4]$에서 함수 $f(x)$의 증가와 감소를 표로 나타내기**

$f(x)=ax^4-4ax^3+b$에서
$f'(x)=4ax^3-12ax^2=4ax^2(x-3)$
$f'(x)=0$에서 $x=0$ 또는 $x=3$
닫힌구간 $[1, 4]$에서 함수 $f(x)$의 증가와 감소를 표로 나타내면 다음과 같다.

x	1	$\cdots$	3	$\cdots$	4
$f'(x)$		$-$	0	$+$	
$f(x)$	$-3a+b$	↘	$-27a+b$	↗	b

STEP Ⓑ **주어진 최댓값과 최솟값을 이용하여 a, b의 값 구하기**

이때 $a>0$이므로 $b-27a<b-3a<b$
함수 $f(x)$는
$x=4$일 때, 최댓값 $f(4)=b$,
$x=3$일 때, 최솟값 $f(3)=-27a+b$를 가지므로
$b=3$, $-27a+b=-6$을 연립하여 풀면 $a=\frac{1}{3}$, $b=3$
따라서 $ab=1$

0491

다음 물음에 답하여라.

(1) 닫힌구간 $[-2, 2]$에서 함수 $f(x)=2x^3-6x^2+a$의 최댓값이 3일 때, 최솟값은? (단, a는 상수이다.)
① -31　② -33　③ -35
④ -37　⑤ -39

STEP Ⓐ **닫힌구간 $[-2, 2]$에서 함수 $f(x)$의 증가와 감소를 표로 나타내기**

$f(x)=2x^3-6x^2+a$에서
$f'(x)=6x^2-12x=6x(x-2)$
$f'(x)=0$에서 $x=0$ 또는 $x=2$
닫힌구간 $[-2, 2]$에서 함수 $f(x)$의 증가와 감소를 표로 나타내면 다음과 같다.

x	-2	$\cdots$	0	$\cdots$	2
$f'(x)$		$+$	0	$-$	0
$f(x)$	$a-40$	↗	a	↘	$a-8$

STEP Ⓑ **최댓값이 3임을 이용하여 최솟값 구하기**

함수 $f(x)$가
$x=0$일 때, 극대이면서 최대이므로
최댓값은 $f(0)=a$이므로 $a=3$
따라서 함수 $f(x)$는 $x=-2$일 때, 최솟값을 가지므로
$f(-2)=3-40=-37$

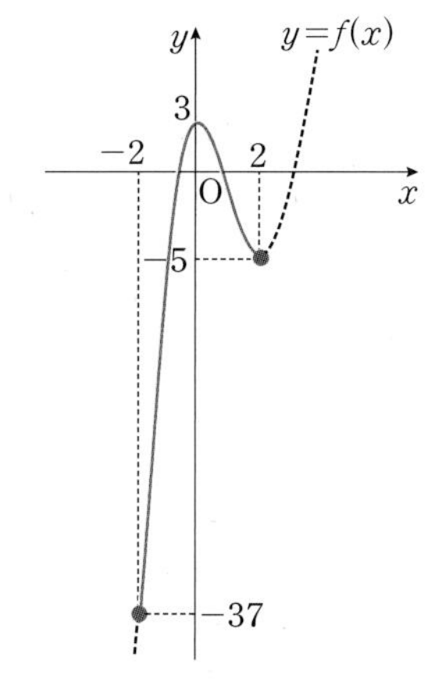

(2) 닫힌구간 $[1, 3]$에서 함수 $f(x)=2x^3-9x^2+12x+a$의 최솟값이 3일 때, 최댓값은? (단, a는 상수이다.)
① 6　② 7　③ 8
④ 9　⑤ 10

STEP Ⓐ **닫힌구간 $[1, 3]$에서 함수 $f(x)$의 증가와 감소를 표로 나타내기**

$f(x)=2x^3-9x^2+12x+a$에서
$f'(x)=6x^2-18x+12=6(x-1)(x-2)$
$f'(x)=0$에서 $x=1$ 또는 $x=2$
닫힌구간 $[1, 3]$에서 함수 $f(x)$의 증가와 감소를 표로 나타내면 다음과 같다.

x	1	$\cdots$	2	$\cdots$	3
$f'(x)$	0	$-$	0	$+$	$+$
$f(x)$	$a+5$	↘	$a+4$	↗	$a+9$

STEP Ⓑ **최솟값이 3임을 이용하여 최댓값 구하기**

함수 $f(x)$는 $x=2$일 때, 극소이면서 최소이므로
최솟값은 $f(2)=a+4=3$에서 $a=-1$
$\therefore f(x)=2x^3-9x^2+12x-1$
함수 $f(x)$의 그래프를 그리면 오른쪽과 같다.
이때 $a+5<a+9$이므로 함수 $f(x)$는 $x=3$일 때, 최댓값을 갖는다.
따라서 최댓값은 $f(3)=a+9=-1+9=8$

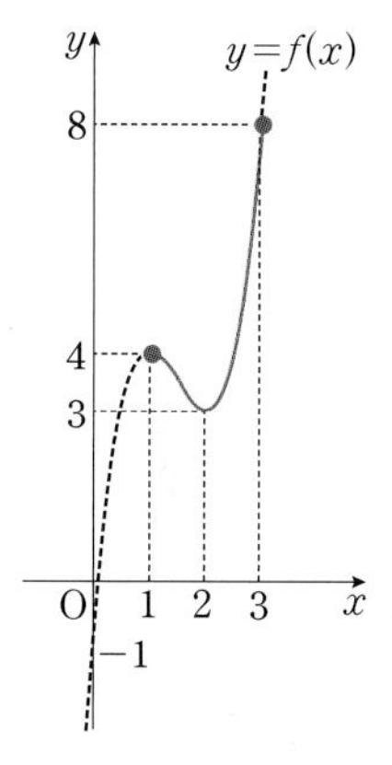

(3) 닫힌구간 $[-2, 2]$에서 함수 $f(x)=-x^3+3x^2+a$의 최솟값이 -4일 때, 최댓값은? (단, a는 상수이다.)
① 16　② 18　③ 20
④ 22　⑤ 24

STEP Ⓐ **닫힌구간 $[-2, 2]$에서 함수 $f(x)$의 증가와 감소를 표로 나타내기**

$f(x)=-x^3+3x^2+a$에서
$f'(x)=-3x^2+6x=-3x(x-2)$
$f'(x)=0$에서 $x=0$ 또는 $x=2$
닫힌구간 $[-2, 2]$에서 함수 $f(x)$의 증가와 감소를 표로 나타내면 다음과 같다.

x	-2	$\cdots$	0	$\cdots$	2
$f'(x)$	$-$	$-$	0	$+$	0
$f(x)$	$a+20$	↘	a	↗	$a+4$

STEP Ⓑ **최솟값이 -4임을 이용하여 최댓값 구하기**

함수 $f(x)$는 $x=0$일 때, 극소이면서 최소이므로
최솟값 $f(0)=a=-4$이므로 $a=-4$
$\therefore f(x)=-x^3+3x^2-4$
함수 $f(x)$의 그래프를 그리면 오른쪽과 같다.
이때 $a+4<a+20$이므로 함수 $f(x)$는 $x=-2$일 때, 최댓값을 갖는다.
따라서 최댓값은 $f(-2)=-4+20=16$

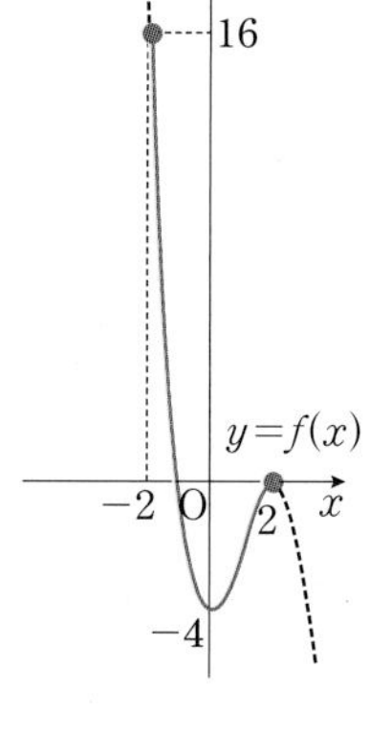

0492

닫힌구간 $[-2,\ 2]$에서 함수 $f(x)=x^4-2x^2+a$의 최댓값을 M, 최솟값을 m이라 하자. $M+m=13$일 때, 상수 a의 값은?

① 1 ② 2 ③ 3
④ 4 ⑤ 5

STEP A 닫힌구간 $[-2,\ 2]$에서 함수 $f(x)$의 증가와 감소를 표로 나타내기

$f(x)=x^4-2x^2+a$에서

$f'(x)=4x^3-4x=4x(x+1)(x-1)$

$f'(x)=0$에서 $x=-1$ 또는 $x=0$ 또는 $x=1$

구간 $[-2,\ 2]$에서 함수 $f(x)$의 증가와 감소를 표로 나타내면 다음과 같다.

x	-2	$\cdots$	-1	$\cdots$	0	$\cdots$	1	$\cdots$	2
$f'(x)$	$-$	$-$	0	$+$	0	$-$	0	$+$	$+$
$f(x)$	$a+8$	↘	$a-1$	↗	a	↘	$a-1$	↗	$a+8$

STEP B $M+m=13$임을 이용하여 상수 a의 값 구하기

함수 $f(x)$는

$x=-1,\ x=1$에서 극솟값 $f(-1)=f(1)=a-1$을 가지고

$x=0$에서 극댓값 $f(0)=a$를 갖는다.

그런데 $f(-2)=f(2)=a+8$이므로

함수 $f(x)$의 최댓값 $M=a+8$, 최솟값 $m=a-1$

$M+m=(a+8)+(a-1)=13$에서 $2a+7=13$

따라서 $a=3$

0493

삼차함수 $f(x)$에 대하여 그 도함수의 그래프의 개형이 오른쪽 그림과 같을 때, 닫힌구간 $[-1,\ 2]$에서의 함수 $f(x)$의 최댓값은?

$y=f'(x)$

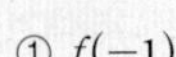

① $f(-1)$ ② $f(0)$
③ $f(1)$ ④ $f(2)$
⑤ $f(-2)$

STEP A 닫힌구간 $[-1,\ 2]$에서 함수 $f(x)$의 증가와 감소를 표로 나타내기

닫힌구간 $[-1,\ 2]$에서 함수 $f(x)$의 증가와 감소를 표로 나타내면 다음과 같다.

x	-1	$\cdots$	0	$\cdots$	2	$\cdots$
$f'(x)$		$+$	0	$-$	0	$+$
$f(x)$		↗	극대	↘	극소	↗

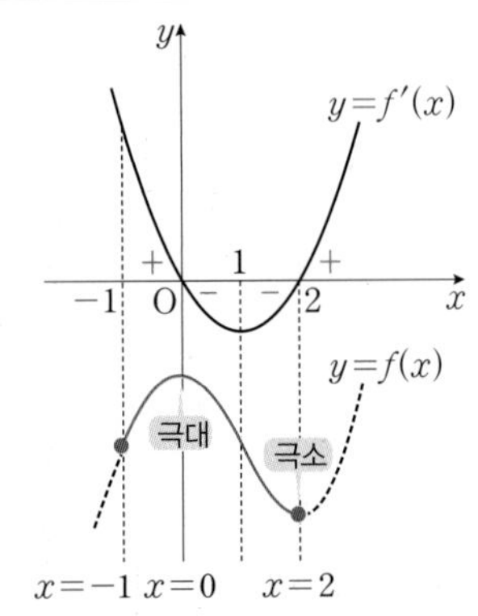

따라서 $f(x)$는 $x=0$일 때, 최대이고 최댓값은 $f(0)$

0494

다음 물음에 답하여라.

(1) 두 함수 $f(x)$, $g(x)$가 $f(x)=x^3-3x+4$, $g(x)=x^2-4x+3$일 때, 합성함수 $(f\circ g)(x)$의 최솟값은?

① 1 ② 2 ③ 3
④ 4 ⑤ 5

STEP A 함수 $g(x)$의 치역을 구하기

$g(x)=x^2-4x+3=(x-2)^2-1$이므로

$g(x)=t$로 놓으면 $t\geq -1$

STEP B 함수 $f(t)$의 증가와 감소를 표로 나타내어 최솟값 구하기

$(f\circ g)(x)=f(g(x))=f(t)=t^3-3t+4$이므로

$f'(t)=3t^2-3=3(t+1)(t-1)$

$f'(t)=0$에서 $t=-1$ 또는 $t=1$

구간 $t\geq -1$에서 함수 $f(t)$의 증가와 감소를 조사하면 다음 표와 같다.

t	-1	$\cdots$	1	$\cdots$
$f'(t)$	0	$-$	0	$+$
$f(t)$	6	↘	2	↗

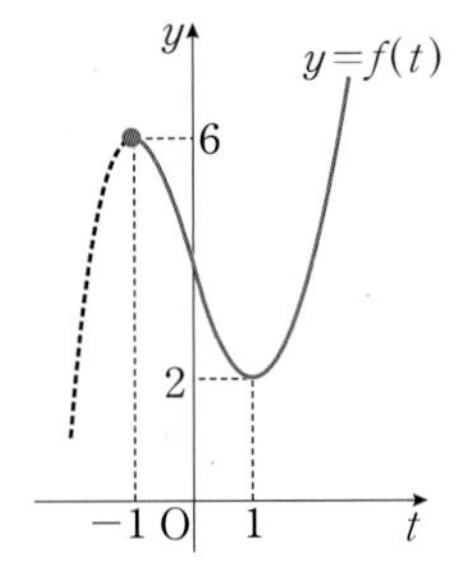

따라서 함수 $f(t)$는 $t=1$일 때, 극소이면서 최소이므로 주어진 함수의 최솟값은 2

(2) $0\leq x\leq 3$일 때, 함수 $f(x)=(x^2-2x+2)^3-3(x^2-2x+2)^2+1$의 최댓값을 M, 최솟값을 m이라 할 때, $M+m$의 값은?

① 24 ② 36 ③ 48
④ 60 ⑤ 72

STEP A 반복되는 식을 t로 치환하여 간단히 하고 t의 값의 범위 구하기

$t=x^2-2x+2$로 놓으면

$t=(x-1)^2+1$이므로

$0\leq x\leq 3$일 때, $1\leq t\leq 5$

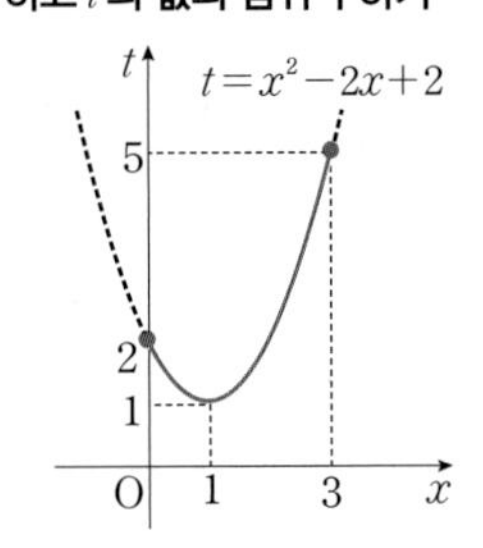

STEP B $g'(t)=0$이 되는 t의 값 구하기

$g(t)=t^3-3t^2+1$라 하면 $g'(t)=3t^2-6t=3t(t-2)$

$g'(t)=0$에서 $t=0$ 또는 $t=2$

STEP C 닫힌구간 $[1,\ 5]$에서 함수 $g(t)$의 증가와 감소를 표로 나타내어 최댓값과 최솟값 구하기

닫힌구간 $[1,\ 5]$에서 함수 $g(t)$의 증가와 감소를 표로 나타내면 다음과 같다.

t	1	$\cdots$	2	$\cdots$	5
$g'(t)$		$-$	0	$+$	0
$g(t)$	-1	↘	-3	↗	51

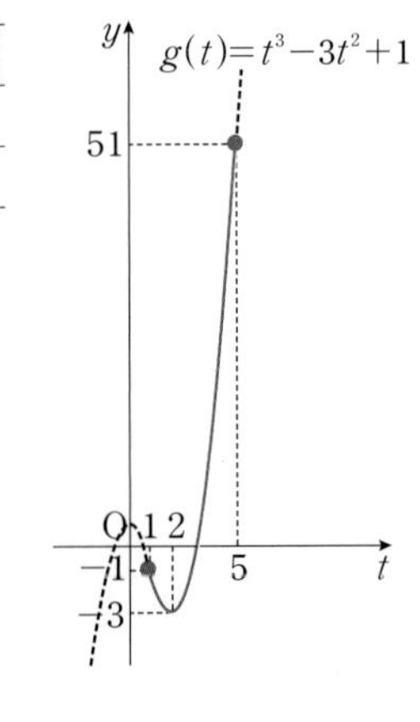

함수 $g(t)$는

$t=5$일 때, 최댓값은 $g(5)=51$

$t=2$일 때, 최솟값은 $g(2)=-3$

따라서 $M+m=51+(-3)=48$

0495

다음 물음에 답하여라.

(1) 함수 $f(x)=2\sin^3 x+3\cos^2 x$의 최댓값과 최솟값을 각각 M, m이라 할 때, $M+m$의 값은?

① 0 ② 1 ③ 2
④ 3 ⑤ 4

STEP Ⓐ **삼각함수 사이의 관계를 이용하여 $\sin x$에 대한 식으로 나타내기**

$\cos^2 x=1-\sin^2 x$이므로

$f(x)=2\sin^3 x+3(1-\sin^2 x)$

$=2\sin^3 x-3\sin^2 x+3$

STEP Ⓑ **$\sin x=t$로 치환하여 $g'(t)=0$이 되는 t의 값 구하기**

$\sin x=t$라 하면 $-1\le t\le 1$이므로

$g(t)=2t^3-3t^2+3$으로 놓으면

$g'(t)=6t^2-6t=6t(t-1)$

$g'(t)=0$에서 $t=0$ 또는 $t=1$

STEP Ⓒ **닫힌구간 $[-1, 1]$에서 함수 $g(t)$의 증가와 감소를 표로 나타내어 최댓값과 최솟값 구하기**

닫힌구간 $[-1, 1]$에서 함수 $g(t)$의 증가와 감소를 표로 나타내면 다음과 같다.

t	-1	$\cdots$	0	$\cdots$	1
$g'(t)$		+	0	−	0
$g(t)$	-2	↗	3	↘	2

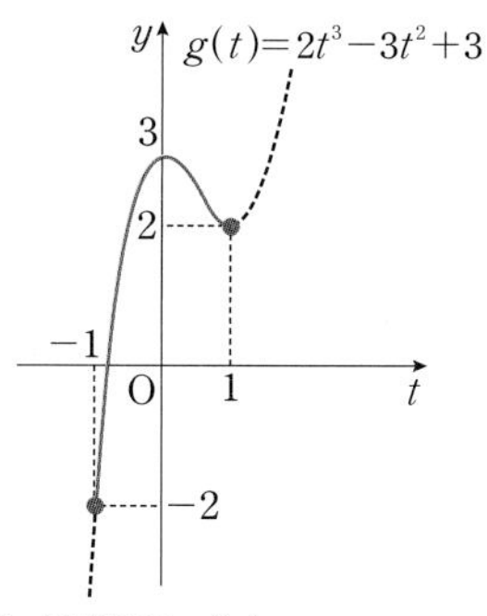

함수 $g(t)$는 $t=0$일 때, 최댓값은 $g(0)=3$

$t=-1$일 때, 최솟값은 $g(-1)=-2$

따라서 $M+m=3+(-2)=1$

(2) 실수 전체의 집합에서 정의된 두 함수

$f(x)=x^3+3x^2+2$, $g(x)=\sin x$

가 있다. 이때 합성함수 $(f\circ g)(x)$의 최댓값과 최솟값의 합은?

① 6 ② 8 ③ 10
④ 12 ⑤ 14

STEP Ⓐ **$g(x)=t$로 치환하여 정리하기**

$g(x)=\sin x=t$라 하면 $-1\le t\le 1$에서

$(f\circ g)(x)=f(g(x))=f(t)=t^3+3t^2+2$

STEP Ⓑ **닫힌구간 $[-1, 1]$에서 함수 $f(t)$의 증가와 감소를 표로 나타내어 최댓값과 최솟값 구하기**

$f'(x)=3t^2+6t=3t(t+2)$

$f'(t)=0$에서 $t=0$ 또는 $t=-2$

$-1\le t\le 1$에서 $f(t)$의 증가와 감소를 표로 나타내면 다음과 같다.

t	-1	$\cdots$	0	$\cdots$	1
$f'(t)$	$\cdots$	−	0	+	$\cdots$
$f(t)$	4	↘	극소	↗	6

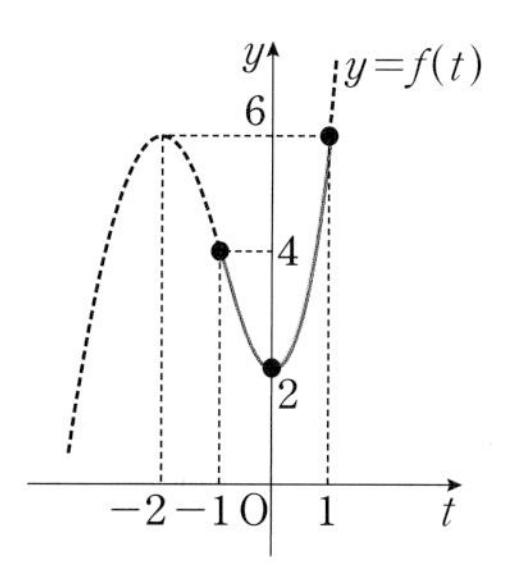

따라서 $-1\le t\le 1$에서 최댓값은 $f(1)=6$, 최솟값은 $f(0)=2$이므로

합성함수 $(f\circ g)(x)$의 최댓값과 최솟값의 합은 $6+2=8$

0496

곡선 $y=\frac{1}{2}x^4-2x^3+8\,(x>0)$ 위의 점에서 그은 접선 중에서 기울기가 최소인 접선과 x축, y축으로 둘러싸인 도형의 넓이를 구하여라.

STEP Ⓐ **접선 중에서 기울기가 최소인 접선의 방정식 구하기**

$f(x)=\frac{1}{2}x^4-2x^3+8\,(x>0)$로 놓으면

곡선 위의 임의의 점에서 접선의 기울기는

$f'(x)=2x^3-6x^2$

이때 접선의 기울기를 $g(x)=2x^3-6x^2$라 하면

$g'(x)=6x^2-12x$

$g'(x)=0$에서 $x=0$ 또는 $x=2$

$x>0$에서 함수 $g(x)$의 증가와 감소를 표로 나타내면 다음과 같다.

x	$\cdots$	(0)	$\cdots$	2	$\cdots$
$g'(x)$	+	0	−	0	+
$g(x)$	↗	극대	↘	극소	↗

함수 $g(x)$는 $x=2$일 때, 극소이면서 최소이다.

$f(2)=0$, $g(2)=-8$이므로 점 $(2, 0)$에서의 접선의 방정식은

$y-0=-8(x-2)$

$\therefore y=-8x+16$

STEP Ⓑ **기울기가 최소인 접선과 x축, y축으로 둘러싸인 도형의 넓이 구하기**

이 방정식의 x절편은 $(2, 0)$이고 y절편은 $(0, 16)$

따라서 구하는 도형의 넓이는 $\frac{1}{2}\cdot 2\cdot 16=16$

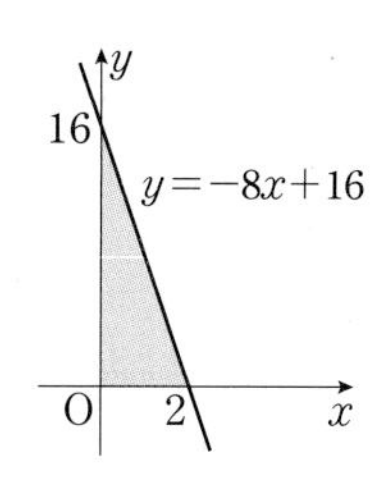

0497

다음 그림과 같이 곡선 $y=x^2-6x+9$ 위의 점 (a, b)에서의 접선과 x축 및 y축으로 둘러싸인 부분의 넓이가 최대가 되도록 하는 실수 a, b에 대하여 $a+b$의 값은? (단, $0<a<3$)

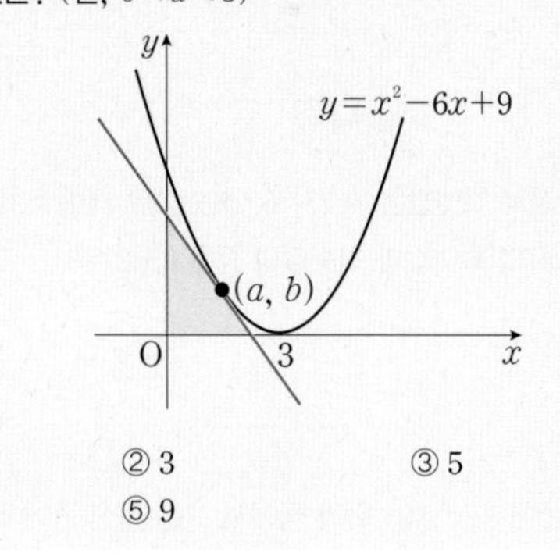

① 2 ② 3 ③ 5
④ 7 ⑤ 9

STEP Ⓐ **점 (a, b)에서의 접선의 방정식 구하기**

$f(x)=x^2-6x+9$로 놓으면 $f'(x)=2x-6$이므로

점 (a, b)에서 접선의 기울기는 $f'(a)=2a-6$

점 (a, b)는 곡선 $y=x^2-6x+9$ 위의 점이므로

점 (a, a^2-6a+9)에서의 접선의 방정식은

$y-(a^2-6a+9)=(2a-6)(x-a)$

$\therefore y=2(a-3)x-a^2+9$

STEP Ⓑ **접선과 x축 및 y축으로 둘러싸인 부분의 넓이 구하기**

다음 그림과 같이 이 직선과 x축, y축의 교점을 각각 A, B라 하면

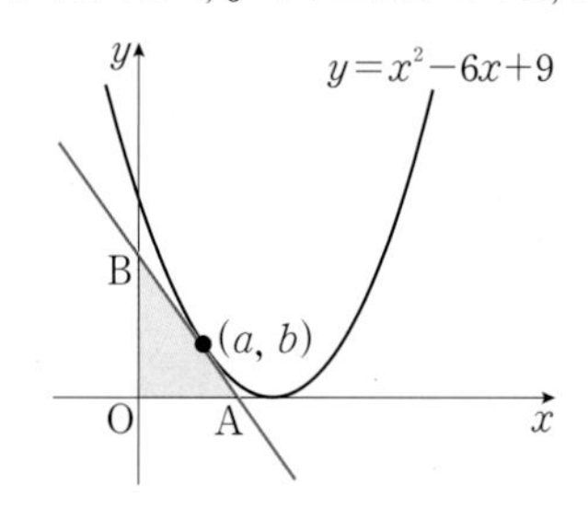

$\overline{OA}=\frac{a+3}{2}$, $\overline{OB}=-a^2+9$ ⬅ 접선의 x절편 $x=\frac{a^2-9}{2(a-3)}=\frac{a+3}{2}$

삼각형 OAB의 넓이를 $S(a)$라 하면

$S(a)=\frac{1}{4}(a+3)(-a^2+9)$

STEP Ⓒ **넓이가 최대가 되도록 하는 실수 a, b의 값 구하기**

$S'(a)=\frac{1}{4}(-3a^2-6a+9)$

$\quad=-\frac{3}{4}(a+3)(a-1)$

$S'(a)=0$에서 $a=-3$ 또는 $a=1$

$0<a<3$에서 함수 $S(a)$의 증가와 감소를 표로 나타내면 다음과 같다.

a	(0)	⋯	1	⋯	(3)
$S'(a)$		+	0	−	
$S(a)$		↗	극대	↘	

$S(a)$는 $a=1$에서 극대이면서 최대이므로

$f(1)=b=1-6+9=4$

따라서 $a+b=1+4=5$

NORMAL

0498

함수 $f(x)=x^3-6x^2+9x+a$에 대하여 닫힌구간 $[1, 4]$에서 함수 $|f(x)|$의 최댓값이 6일 때, 이 구간에서 함수 $f(x)$의 최댓값은? (단, $a<0$)

① −4 ② −2 ③ 0
④ 2 ⑤ 4

STEP Ⓐ **닫힌구간 $[1, 4]$에서 함수 $f(x)$의 증가와 감소를 표로 나타내기**

$f(x)=x^3-6x^2+9x+a$에서

$f'(x)=3x^2-12x+9=3(x-1)(x-3)$이므로

$f'(x)=0$에서 $x=1$ 또는 $x=3$

닫힌구간 $[1, 4]$에서 함수 $f(x)$의 증가와 감소를 표로 나타내면 다음과 같다.

x	1	⋯	3	⋯	4
$f'(x)$		−	0	+	
$f(x)$	$a+4$	↘	a	↗	$a+4$

STEP Ⓑ **닫힌구간 $[1, 4]$에서 함수 $|f(x)|$의 최댓값이 6임을 이용하여 a의 값 구하기**

$a<0$이므로 닫힌구간 $[1, 4]$에서 함수 $y=|f(x)|$의 그래프는 다음과 같이 세 경우로 나누어 생각할 수 있다.

(ⅰ) $f(1)\le 0$인 경우 [그림1]

(ⅱ) $f(1)>0$이고 $f(1)\le|f(3)|$인 경우 [그림2]

(ⅲ) $f(1)>0$이고 $f(1)>|f(3)|$인 경우 [그림3]

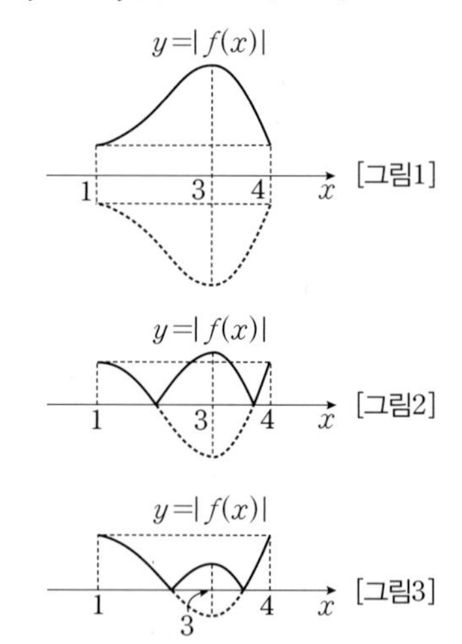

(ⅰ)의 경우 함수 $|f(x)|$의 최댓값은 $|a|$이므로

$|a|=6$에서 $a=-6$

(ⅱ)의 경우 함수 $|f(x)|$의 최댓값은 $|a|$이므로

$|a|=6$에서 $a=-6$이지만 $f(1)=a+4=-2<0$이 되어 모순이다.

(ⅲ)의 경우 함수 $|f(x)|$의 최댓값은 $a+4$이므로

$a+4=6$에서 $a=2$이지만 $a>0$이 되어 모순이다.

(ⅰ)~(ⅲ)에서 $a=-6$

STEP Ⓒ **함수 $f(x)$의 최댓값 구하기**

함수 $y=|f(x)|$의 그래프는 [그림1]과 같다.

따라서 닫힌구간 $[1, 4]$에서 함수 $f(x)$의 최댓값은

$f(1)=f(4)=a+4=-2$

0499

다음 물음에 답하여라.

(1) 오른쪽 그림과 같이 곡선 $y=-x^2+6x$의 제 1사분면 위의 한 점 P에서 x축에 내린 수선의 발을 H라 할 때, 삼각형 POH의 넓이의 최댓값을 구하여라.

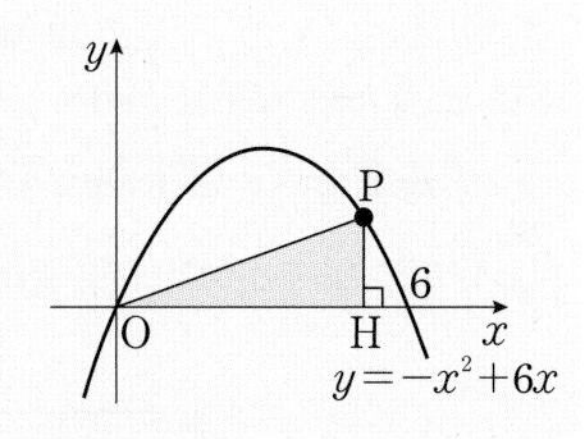

STEP A 직각삼각형의 각 꼭짓점의 좌표 구하기

점 $P(t, -t^2+6t)$라 하면 점 H의 좌표가 $(t, 0)$이므로

$\overline{OH}=t$, $\overline{PH}=-t^2+6t$

STEP B 직각삼각형의 넓이의 최댓값 구하기

삼각형 POH의 넓이를 $S(t)(0<t<6)$라 하면

$S(t)=\frac{1}{2}\overline{OH}\cdot\overline{PH}=\frac{1}{2}t(-t^2+6t)=\frac{1}{2}(-t^3+6t^2)$

$S'(t)=\frac{1}{2}(-3t^2+12t)=-\frac{3}{2}t(t-4)$

구간 $(0, 6)$에서 $S(t)$의 증가와 감소를 표로 나타내면 다음과 같다.

t	(0)	$\cdots$	4	$\cdots$	(6)
$S'(t)$		$+$	0	$-$	
$S(t)$		↗	극대	↘	

따라서 넓이의 최댓값은 $t=4$일 때, $S(4)=\frac{1}{2}\cdot4\cdot(-16+24)=16$

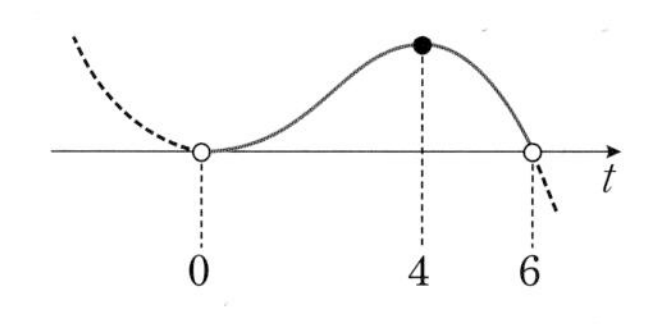

(2) 다음 그림과 같이 곡선 $y=\frac{1}{2}x^2-2$, $y=-\frac{1}{2}x^2+2$로 둘러싸인 도형에 내접하는 직사각형 PQRS의 넓이의 최댓값을 구하여라. (단, 점 P는 제 1사분면 위의 점이다.)

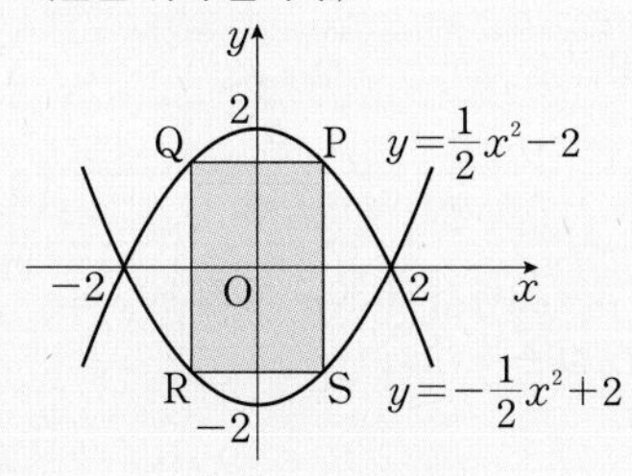

STEP A 직사각형의 각 꼭짓점의 좌표 구하기

다음 그림과 같이 직사각형 PQRS의 꼭짓점 P의 x좌표를 $a(0<a<2)$라 하면

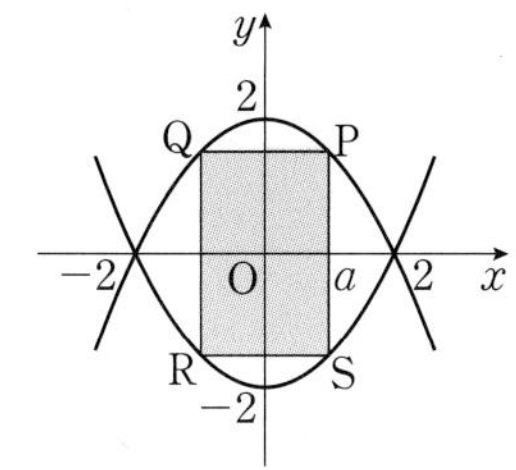

$Q\left(-a, -\frac{1}{2}a^2+2\right)$, $P\left(a, -\frac{1}{2}a^2+2\right)$,

$R\left(-a, \frac{1}{2}a^2-2\right)$, $S\left(a, \frac{1}{2}a^2-2\right)$

이므로 $\overline{PQ}=2a$, $\overline{PS}=-\frac{1}{2}a^2+2-\left(\frac{1}{2}a^2-2\right)=-a^2+4$

STEP B 직사각형의 넓이를 a에 대한 함수 $S(a)$로 나타내기

직사각형 PQRS의 넓이를 $S(a)$라고 하면

$S(a)=2a(-a^2+4)=-2a^3+8a$

STEP C 직사각형 PQRS의 넓이의 최댓값 구하기

$S'(a)=-6a^2+8=-6\left(a-\frac{2\sqrt{3}}{3}\right)\left(a+\frac{2\sqrt{3}}{3}\right)$

$S'(a)=0$에서 $a=\frac{2\sqrt{3}}{3}$ 또는 $a=-\frac{2\sqrt{3}}{3}$

그런데 $0<a<2$이므로 $a=\frac{2\sqrt{3}}{3}$

$0<a<2$에서 함수 $S(a)$의 증가와 감소를 표로 나타내면 다음과 같다.

a	(0)	$\cdots$	$\frac{2\sqrt{3}}{3}$	$\cdots$	(2)
$S'(a)$		$+$	0	$-$	
$S(a)$		↗	극대	↘	

따라서 넓이 $S(a)$는 $a=\frac{2\sqrt{3}}{3}$일 때, 극대이면서 최대이므로 최댓값은

$S\left(\frac{2\sqrt{3}}{3}\right)=-2\left(\frac{2\sqrt{3}}{3}\right)^3+8\cdot\left(\frac{2\sqrt{3}}{3}\right)=\frac{32\sqrt{3}}{9}$

0500

다음 물음에 답하여라.

(1) 삼차함수 $f(x)=x(x-4)^2$에 대하여 곡선 $y=f(x)$ 위의 점 $P(t, f(t))$ $(0<t<4)$에서 x축, y축에 내린 수선의 발을 각각 Q, R이라 하자. 사각형 OQPR의 넓이의 최댓값을 구하여라. (단, O는 원점이다.)

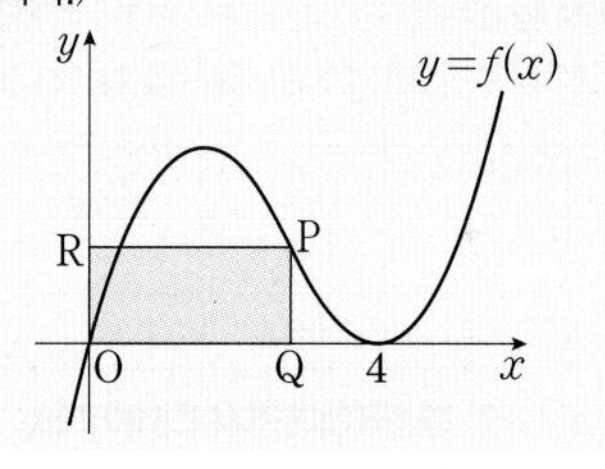

STEP A 직사각형의 각 꼭짓점의 좌표 구하기

$P(t, f(t))$이므로 $Q(t, 0)$, $R(0, f(t))$

$\overline{PR}=t$, $\overline{PQ}=f(t)$

STEP B 직사각형의 넓이의 최댓값 구하기

사각형 OQPR의 넓이를 $S(t)(0<t<4)$라 하면

$S(t)=t\cdot f(t)=t^2(t-4)^2=t^4-8t^3+16t^2$

$S'(t)=4t^3-24t^2+32t=4t(t-2)(t-4)$

$S'(t)=0$에서 $t=0$ 또는 $t=2$ 또는 $t=4$

$0<t<4$에서 함수 $S(t)$의 증가와 감소를 표로 나타내면 다음과 같다.

t	(0)	$\cdots$	2	$\cdots$	(4)
$S'(t)$		$+$	0	$-$	
$S(t)$		↗	극대	↘	

따라서 함수 $S(t)$는 $t=2$일 때, 극대이면서 최대이므로 최댓값은

$S(2)=2^4-8\cdot2^3+16\cdot2^2=16$

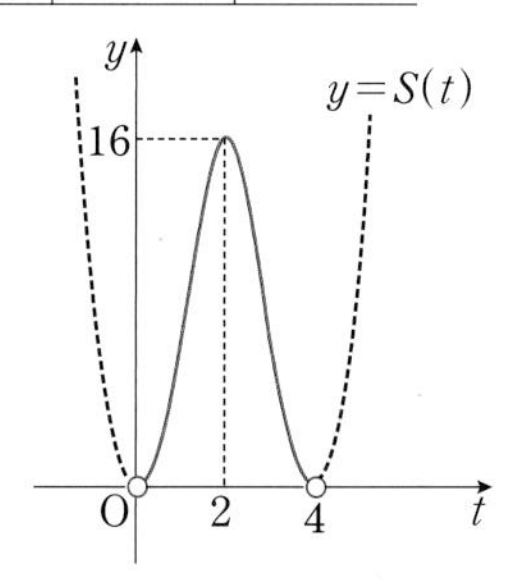

(2) 함수 $f(x)=x^3-4x^2+4$에 대하여 그림과 같이 곡선 $y=f(x)$ 위의 점 $A(0, 4)$에서의 접선 l이 곡선 $y=f(x)$와 제 1사분면에서 만나는 점을 B라 하자. 곡선 $y=f(x)$ 위에서 두 점 A, B를 제외하고 두 점 A, B 사이를 움직이는 점 P에서 직선 l에 내린 수선의 발을 H라 할 때, 삼각형 APH의 넓이의 최댓값을 구하여라.

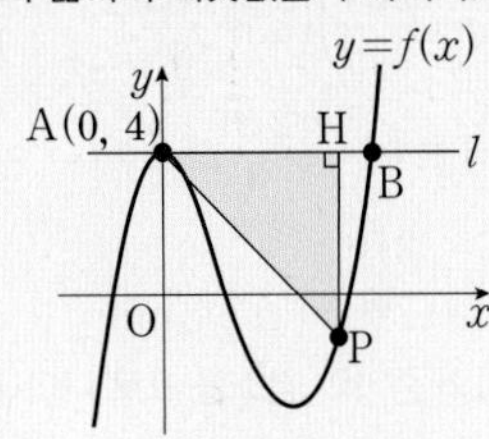

STEP Ⓐ 직각삼각형의 각 꼭짓점의 좌표 구하기

$f'(x)=3x^2-8x$에서 $f'(0)=0$이므로

곡선 $y=f(x)$ 위의 점 $A(0, 4)$에서의 접선 l의 방정식은 $y=4$

곡선 $y=f(x)$와 직선 $y=4$의 교점의 x좌표를 구하면

$x^3-4x^2+4=4$에서 $x^2(x-4)=0$

$x=0$ 또는 $x=4$

이때 점 P의 좌표를 (a, a^3-4a^2+4)로 놓으면

$0<a<4$이고 점 H의 좌표는 $(a, 4)$이므로

$\overline{PH}=4-(a^3-4a^2+4)=-a^3+4a^2$

STEP Ⓑ 직각삼각형의 넓이의 최댓값 구하기

삼각형 APH의 넓이를 $S(a)$라 하면

$S(a)=\frac{1}{2}\cdot a\cdot(-a^3+4a^2)=-\frac{1}{2}a^4+2a^3$

$S'(a)=-2a^3+6a^2=-2a^2(a-3)$

$S'(a)=0$에서 $a=0$ 또는 $a=3$

열린구간 $(0, 4)$에서 함수 $S(a)$의 증가와 감소를 표로 나타내면 다음과 같다.

a	(0)	$\cdots$	3	$\cdots$	(4)
$S'(a)$		+	0	−	
$S(a)$		↗	극대	↘	

따라서 함수 $S(a)$는 $a=3$일 때, 극대이면서 최대이므로 최댓값은

$S(3)=-\frac{1}{2}\cdot 81+2\cdot 27=\frac{27}{2}$

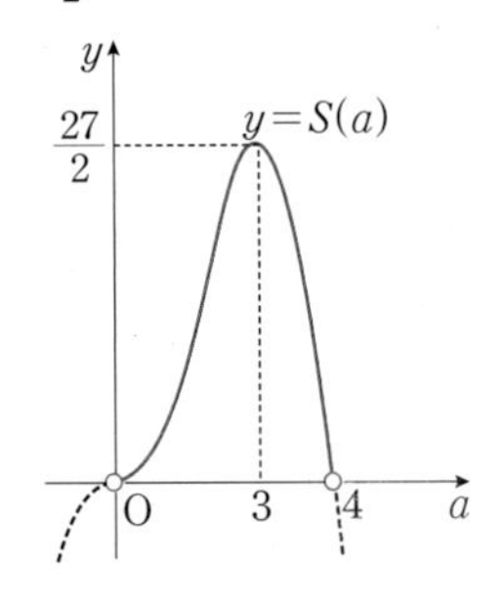

0501

[그림1]과 같이 가로의 길이가 12 cm, 세로의 길이가 6 cm인 직사각형 모양의 종이가 있다. 네 모퉁이에서 크기가 같은 정사각형 모양의 종이를 잘라 낸 후 남는 부분을 접어서 [그림2]와 같이 뚜껑이 없는 직육면체 모양의 상자를 만들려고 한다. 이 상자의 부피의 최댓값을 $M\text{ cm}^3$라 할 때, $\frac{\sqrt{3}}{3}M$의 값을 구하여라. (단, 종이의 두께는 무시한다.)

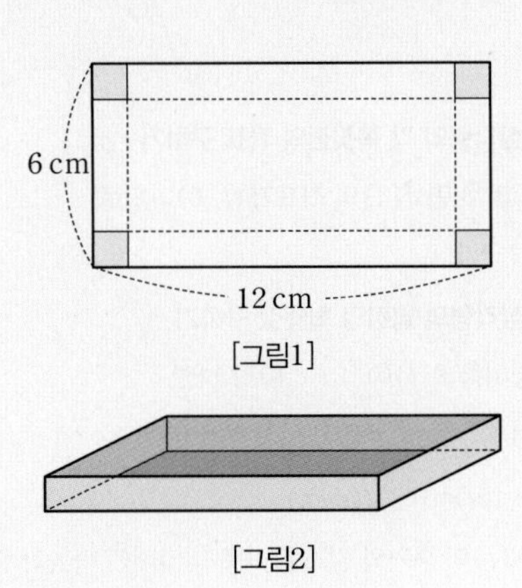

[그림1]

[그림2]

STEP Ⓐ 상자의 부피 구하기

잘라낸 정사각형의 한 변의 길이를 $x$cm$(0<x<3)$라 하고

[그림2]에서 만든 상자의 부피를 $V(x)$라 하면

상자의 밑면의 넓이가 $(12-2x)(6-2x)$이고

높이가 x인 직육면체이므로

$$V(x)=x(6-2x)(12-2x)$$
$$=x(4x^2-36x+72)$$
$$=4x^3-36x^2+72x$$

STEP Ⓑ 미분하여 상자의 부피의 최댓값 구하기

$V'(x)=12x^2-72x+72=12(x^2-6x+6)$

$V'(x)=0$에서 $x=3-\sqrt{3}$ ($\because 0<x<3$)

함수 $V(x)$의 증가와 감소를 표로 나타내면 다음과 같다.

x	(0)	$\cdots$	$3-\sqrt{3}$	$\cdots$	(3)
$V'(x)$		+	0	−	
$V(x)$		↗	극대	↘	

부피 $V(x)$는 $x=3-\sqrt{3}$에서 극대이면서 최대이므로

구하는 부피의 최댓값은

$$M=V(3-\sqrt{3})$$
$$=(3-\sqrt{3})\{12-2(3-\sqrt{3})\}\{6-2(3-\sqrt{3})\}$$
$$=(3-\sqrt{3})(6+2\sqrt{3})\cdot 2\sqrt{3}$$
$$=2(3-\sqrt{3})(3+\sqrt{3})\cdot 2\sqrt{3}$$
$$=2\cdot(9-3)\cdot 2\sqrt{3}$$
$$=24\sqrt{3}$$

따라서 $M=24\sqrt{3}$이므로 $\frac{\sqrt{3}}{3}M=24$

0502

다음 물음에 답하여라.

(1) 오른쪽 그림과 같이 반지름의 길이가 8인 구에 내접하는 원뿔이 있다. 이 원뿔의 부피가 최대일 때, 원뿔의 높이는?

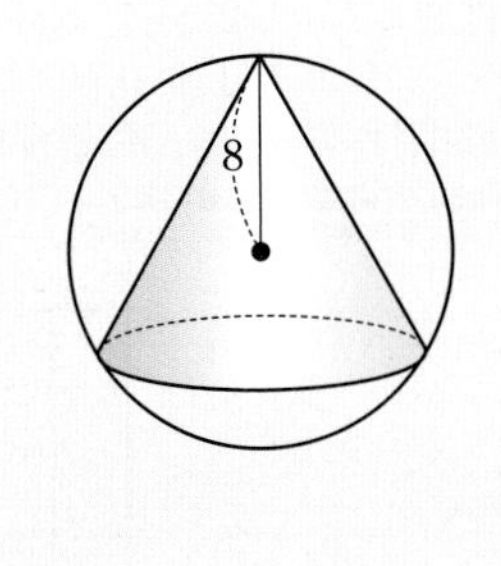

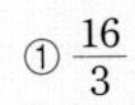
① $\frac{16}{3}$　② $\frac{19}{3}$　③ $\frac{31}{3}$　④ $\frac{32}{3}$　⑤ $\frac{35}{3}$

STEP A 원뿔의 높이를 h라고 할 때, 원뿔의 부피를 h에 대한 식으로 나타내기

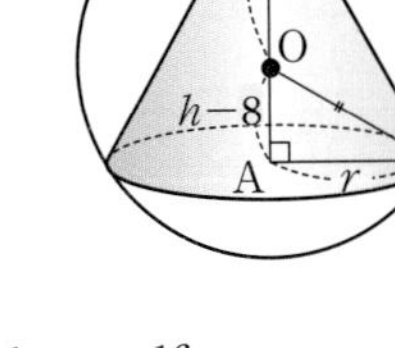

구에 내접한 원뿔의 밑면의 반지름의 길이를 r, 높이를 h라고 하면

$8 < h < 16$

직각삼각형 OAB에서 $(h-8)^2+r^2=8^2$

$r^2=-h^2+16h$ …… ㉠

원뿔의 부피를 $V(h)$라고 하면

$V(h)=\frac{1}{3}\pi r^2 h$

㉠을 대입하면 $V(h)=\frac{1}{3}\pi(-h^2+16h)h=-\frac{1}{3}\pi h^3+\frac{16}{3}\pi h^2$

STEP B 원뿔의 부피가 최대일 때, 원뿔의 높이 구하기

$V'(h)=-\pi h^2+\frac{32}{3}\pi h=-\pi h\left(h-\frac{32}{3}\right)$

$V'(h)=0$에서 $h=\frac{32}{3}$ ($\because 8 < h < 16$)

함수 $V(h)$의 증가와 감소를 표로 나타내면 다음과 같다.

h	(8)	…	$\frac{32}{3}$	…	(16)
$V'(h)$		+	0	−	
$V(h)$		↗	극대	↘	

따라서 $V(h)$는 $h=\frac{32}{3}$에서 최대이므로 원뿔의 부피가 최대일 때, 원뿔의 높이는 $\frac{32}{3}$

(2) 반지름의 길이가 8 cm인 부채꼴 모양의 종이로 오른쪽 그림과 같은 원뿔 모양의 그릇을 만들려고 한다. 그릇의 용량을 최대로 할 때, 이 그릇의 높이는? (단, 단위는 cm)

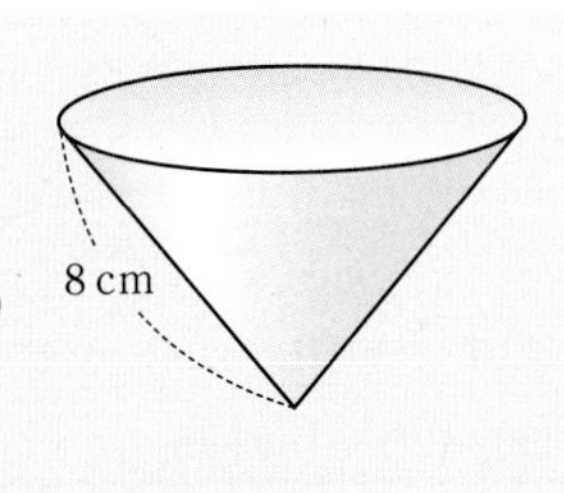

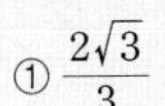
① $\frac{2\sqrt{3}}{3}$　② $\frac{4\sqrt{3}}{3}$　③ $2\sqrt{3}$　④ $\frac{8\sqrt{3}}{3}$　⑤ $\frac{10\sqrt{3}}{3}$

STEP A 원뿔의 높이를 h라고 할 때, 원뿔의 부피를 h에 대한 식으로 나타내기

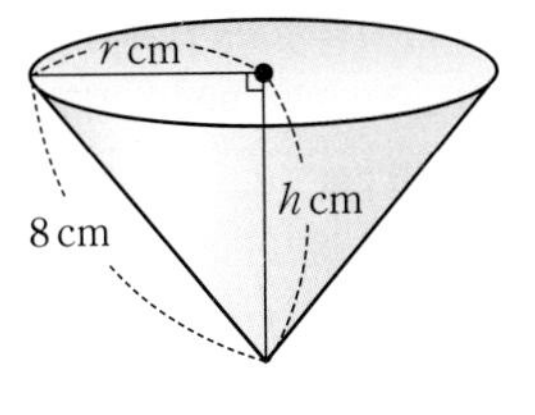

원뿔 모양의 그릇의 윗면의 반지름의 길이를 r cm, 높이를 h cm라고 하면

$0 < h < 8$

오른쪽 그림의 직각삼각형에서

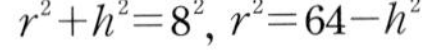
$r^2+h^2=8^2$, $r^2=64-h^2$ …… ㉠

한편 그릇의 부피를 $V(h)$라고 하면

㉠에 의하여

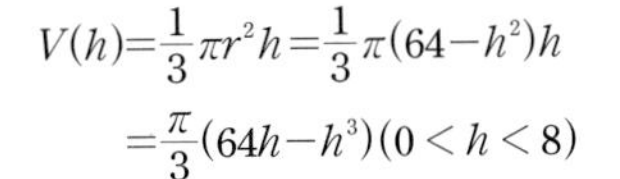
$V(h)=\frac{1}{3}\pi r^2 h=\frac{1}{3}\pi(64-h^2)h$

$=\frac{\pi}{3}(64h-h^3)(0 < h < 8)$

STEP B 원뿔의 부피가 최대일 때, 원뿔의 높이 구하기

$V'(h)=\frac{\pi}{3}(64-3h^2)$

$=-\pi\left(h^2-\frac{64}{3}\right)$

$=-\pi\left(h+\frac{8\sqrt{3}}{3}\right)\left(h-\frac{8\sqrt{3}}{3}\right)$

$V'(h)=0$에서 $h=\frac{8\sqrt{3}}{3}$

$0 < h < 8$일 때, $V(h)$의 증가와 감소를 표로 나타내면 다음과 같다.

h	(0)	…	$\frac{8\sqrt{3}}{3}$	…	(8)
$V'(h)$		+	0	−	
$V(h)$		↗	극대	↘	

따라서 $V(h)$는 $h=\frac{8\sqrt{3}}{3}$에서 최대이므로 원뿔의 부피가 최대일 때, 원뿔의 높이는 $\frac{8\sqrt{3}}{3}$ cm

(3) 밑면의 반지름의 길이와 높이의 합이 10인 원기둥의 부피가 최대일 때, 밑면의 반지름의 길이는?

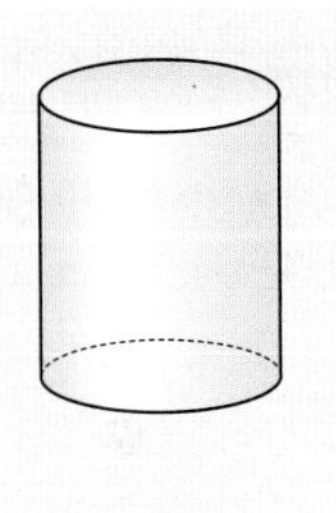

① $\frac{14}{3}$　② $\frac{17}{3}$　③ $\frac{20}{3}$　④ $\frac{23}{3}$　⑤ $\frac{26}{3}$

STEP A 원기둥의 높이를 h라고 할 때, 원기둥의 부피를 r에 대한 식으로 나타내기

원기둥의 밑면의 반지름의 길이를 r, 높이를 h라고 하면 $0 < r < 10$

$r+h=10$

$h=10-r$ …… ㉠

한편 원기둥의 부피를 $V(r)$라고 하면

㉠에 의하여

$V(r)=\pi r^2 h=\pi r^2(10-r)$

$=\pi(10r^2-r^3)$

STEP B 원기둥의 부피가 최대일 때, 반지름의 길이를 구하기

$V'(r)=\pi(20r-3r^2)$

$=\pi r(20-3r)$

$V'(r)=0$에서 $r=0$ 또는 $r=\frac{20}{3}$

$0 < r < 10$일 때, $V(r)$의 증가와 감소를 표로 나타내면 다음과 같다.

r	(0)	…	$\frac{20}{3}$	…	(10)
$V'(r)$		+	0	−	
$V(r)$		↗	극대	↘	

따라서 $V(r)$는 $r=\frac{20}{3}$에서 최대이므로 원기둥의 부피가 최대일 때, 원기둥의 밑면의 반지름의 길이는 $\frac{20}{3}$

0503 서술형

두 점 $A(-2, 0)$, $B(2, 0)$에서 x축과 만나는 곡선 $y=4-x^2$이 있다.
다음 그림과 같이 이 곡선과 x축으로 둘러싸인 부분에 내접하는 사다리꼴 ABCD의 넓이의 최댓값을 구하는 과정을 다음 단계로 서술하여라.

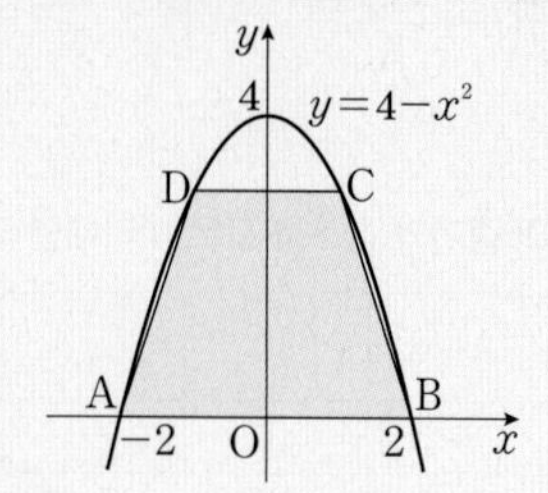

[1단계] 점 C의 x좌표를 a라 하고 선분 CD의 길이를 a에 대한 식으로 나타낸다.
[2단계] 사다리꼴 ABCD의 넓이 $S(a)$를 구한다.
[3단계] 사다리꼴 ABCD의 넓이의 최댓값을 구한다.

1단계 점 C의 x좌표를 a라 하고 선분 CD의 길이를 a에 대한 식으로 나타낸다. ◀ 20%

점 C의 x좌표를 $a\,(0<a<2)$라 하면
$C(a,\ 4-a^2)$, $D(-a,\ 4-a^2)$이므로 $\overline{CD}=2a$

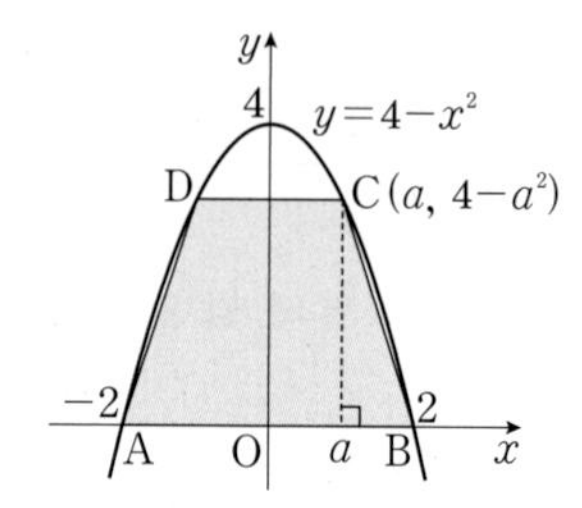

2단계 사다리꼴 ABCD의 넓이 $S(a)$를 구한다. ◀ 30%

$\overline{AB}=4$, $\overline{CD}=2a$
사다리꼴 ABCD의 높이는 $4-a^2$이므로
사다리꼴 ABCD의 넓이를 $S(a)$라 하면

$S(a)=\frac{1}{2}(4+2a)(4-a^2)$
$=-a^3-2a^2+4a+8$

3단계 사다리꼴 ABCD의 넓이의 최댓값을 구한다. ◀ 50%

$S'(a)=-3a^2-4a+4$
$=-(a+2)(3a-2)$

$S'(a)=0$에서 $a=-2$ 또는 $a=\frac{2}{3}$

$0<a<2$에서 $S(a)$의 증가와 감소를 표로 나타내면 다음과 같다.

a	(0)	$\cdots$	$\frac{2}{3}$	$\cdots$	(2)
$S'(a)$		+	0	−	
$S(a)$		↗	극대	↘	

따라서 $S(a)$는 $a=\frac{2}{3}$일 때, 극대이면서 최대이므로 사다리꼴 ABCD의 넓이의 최댓값은 $S\left(\frac{2}{3}\right)=\frac{256}{27}$

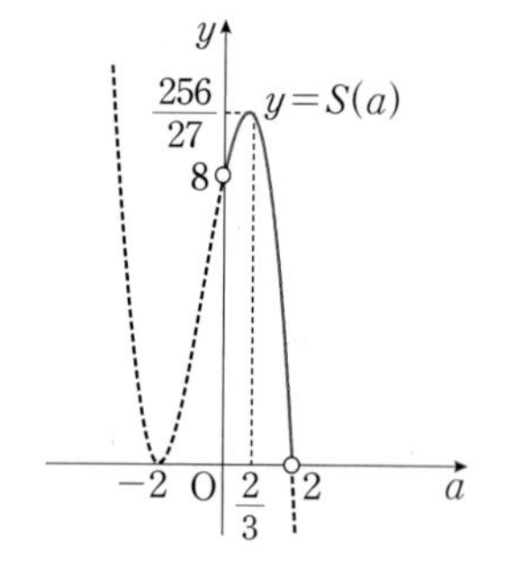

0504 서술형

한 변의 길이가 12 cm인 정사각형 모양의 종이가 있다.
다음 그림과 같이 네 귀퉁이에서 같은 크기의 정사각형 모양을 잘라 낸 후, 접어서 뚜껑이 없는 직육면체 모양의 상자를 만들려고 한다.
다음 단계로 서술하여라.

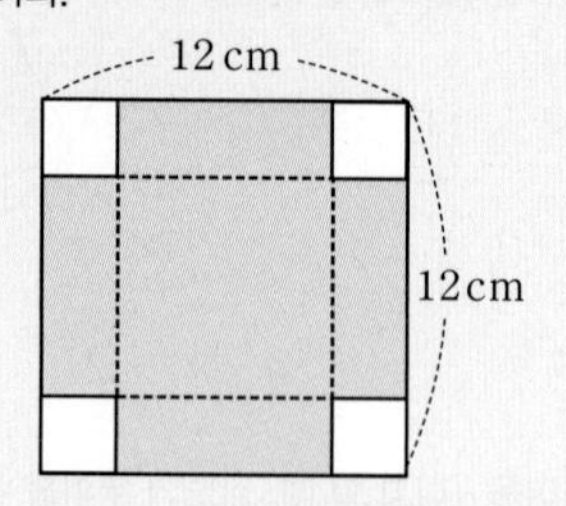

[1단계] 네 귀퉁이의 정사각형의 한 변의 길이 x의 값의 범위를 구한다.
[2단계] 뚜껑이 없는 직육면체 모양의 상자의 부피를 $V(x)$라 할 때, $V(x)$를 구한다.
[3단계] 부피가 최대일 때, x의 값과 그때의 최댓값을 구한다.

1단계 네 귀퉁이의 정사각형의 한 변의 길이 x의 값의 범위를 구한다. ◀ 20%

잘라 낼 정사각형의 한 변의 길이를 x cm라 하면
x의 범위 $x>0$, $12-2x>0$에서 $0<x<6$

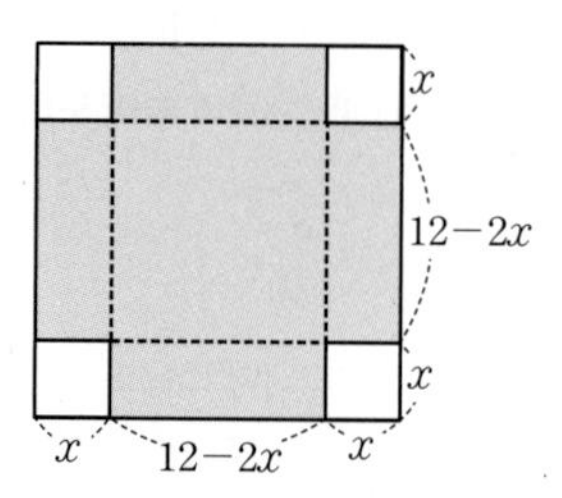

2단계 뚜껑이 없는 직육면체 모양의 상자의 부피를 $V(x)$라 할 때, $V(x)$를 구한다. ◀ 30%

직육면체 모양의 상자의 부피를 $V(x)\text{cm}^3$라고 하면
$V(x)=x(12-2x)^2\,(0<x<6)$

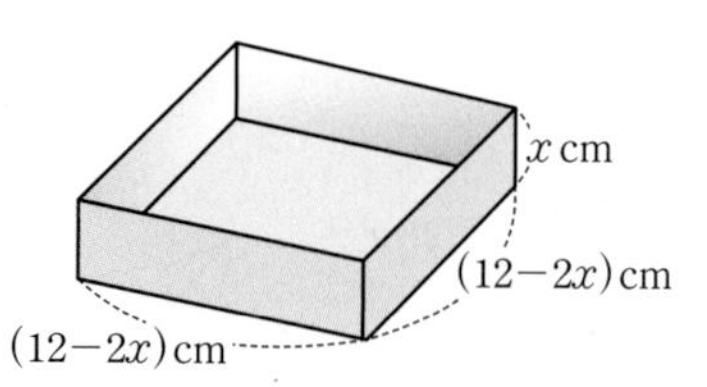

3단계 부피가 최대일 때, x의 값과 그때의 최댓값을 구한다. ◀ 50%

$V'(x)=12(x-2)(x-6)$
$0<x<6$이므로 $V'(x)=0$에서 $x=2$
열린구간 $(0, 6)$에서 $V(x)$의 증가와 감소를 표로 나타내면 다음과 같다.

x	0	$\cdots$	2	$\cdots$	6
$V'(x)$		+	0	−	
$V(x)$		↗	128	↘	

따라서 $V(x)$는 $x=2$일 때, 극대이면서 최대이므로 상자의 부피의 최댓값은
$V(2)=128\text{ cm}^3$

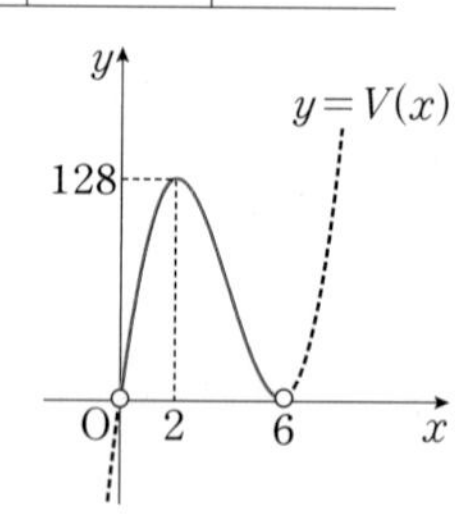

0505

서술형

오른쪽 그림과 같이 한 변의 길이가 12인 정삼각형 모양의 종이의 세 꼭짓점에서 합동인 사각형을 잘라 내어 뚜껑이 없는 삼각기둥 모양의 상자를 만들려고 한다. 다음 단계로 서술하여라.

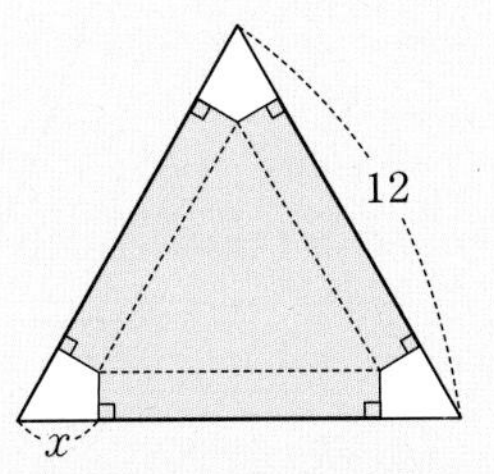

[1단계] x의 값의 범위를 구한다.
[2단계] 삼각기둥의 높이 h를 x로 나타낸다.
[3단계] 삼각기둥의 부피를 $V(x)$라 할 때, $V(x)$를 구한다.
[4단계] 삼각기둥의 부피의 최댓값을 구한다.

1단계 x의 값의 범위를 구한다. ◀ 20%

잘라 낼 사각형의 한 변의 길이를 x라 하면
x의 범위 $x>0$, $12-2x>0$에서 $0<x<6$

2단계 삼각기둥의 높이 h를 x로 나타낸다. ◀ 30%

이때 정삼각형의 한 내각의 크기가 $60°$이므로 각 꼭짓점에서 잘라 내는 사각형을 한 내각의 크기가 $30°$인 합동인 두 직각삼각형으로 나눌 때,

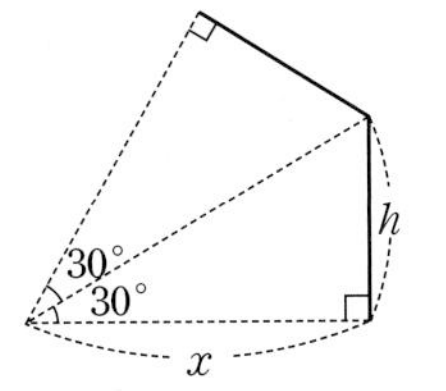

삼각기둥의 높이 h는
$h=x\tan 30°=\dfrac{x}{\sqrt{3}}$

3단계 삼각기둥의 부피를 $V(x)$라 할 때, $V(x)$를 구한다. ◀ 20%

삼각기둥의 밑면인 한 변의 길이가 $12-2x$인 정삼각형 ABC의 넓이는

$\dfrac{1}{2}(12-2x)(12-2x)\sin 60°$

$=\dfrac{\sqrt{3}}{4}(12-2x)^2$

이므로

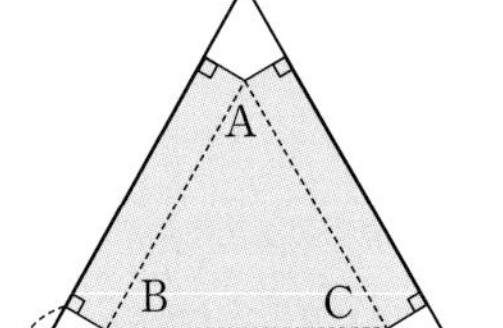

삼각기둥의 부피를 $V(x)$라 하면

$V(x)=\dfrac{\sqrt{3}}{4}(12-2x)^2\times\dfrac{x}{\sqrt{3}}$

$=\dfrac{1}{4}x(12-2x)^2$

$=x^3-12x^2+36x$

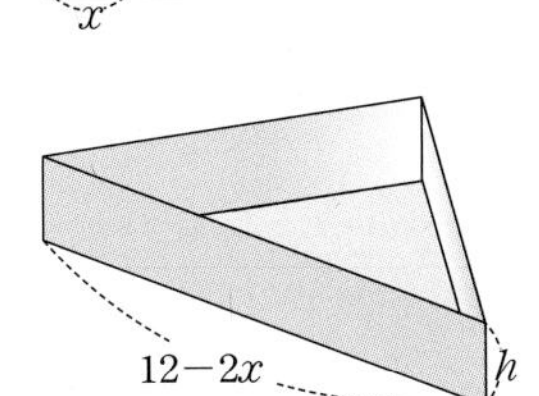

4단계 삼각기둥의 부피의 최댓값을 구한다. ◀ 30%

$V'(x)=3x^2-24x+36=3(x-2)(x-6)$

$V(x)=0$에서 $x=2$ 또는 $x=6$

열린구간 $(0, 6)$에서 $V(x)$의 증가와 감소를 표로 나타내면 다음과 같다.

x	0	$\cdots$	2	$\cdots$	6
$V'(x)$		+	0	−	
$V(x)$		↗	극대	↘	

따라서 $V(x)$는 $x=2$일 때, 극대이면서 최대이므로 상자의 부피의 최댓값은

$V(2)=32$

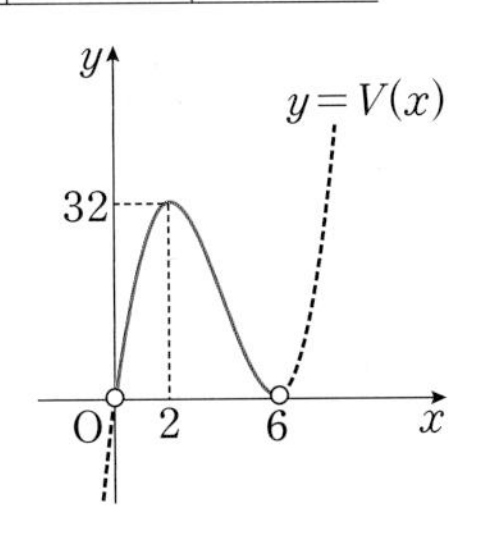

TOUGH

0506

좌표평면 위에 점 $A(0, 2)$가 있다. $0<t<2$일 때, 원점 O와 직선 $y=2$ 위의 점 $P(t, 2)$를 잇는 선분 OP의 수직이등분선과 y축의 교점을 B라 하자. 삼각형 ABP의 넓이를 $f(t)$라 할 때, $f(t)$의 최댓값은 $\dfrac{b}{a}\sqrt{3}$이다. $a+b$의 값을 구하여라. (단, a, b는 서로소인 자연수이다.)

STEP Ⓐ 선분 OP의 수직이등분선의 방정식을 구한 후, 점 B의 좌표 구하기

다음 그림에서 직선 OP의 기울기는 $\dfrac{2}{t}$, 선분 OP의 중점의 좌표는 $\left(\dfrac{t}{2}, 1\right)$이므로 선분 OP의 수직이등분선의 방정식을 구하면

$y-1=-\dfrac{t}{2}\left(x-\dfrac{t}{2}\right)$ $\therefore y=-\dfrac{t}{2}x+\dfrac{t^2}{4}+1$

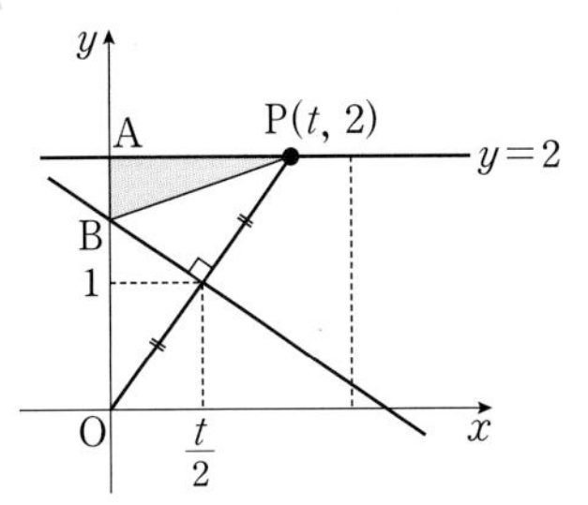

즉 점 B의 좌표를 구하면 $\left(0, \dfrac{t^2}{4}+1\right)$

STEP Ⓑ 삼각형 ABP의 넓이를 $f(t)$라 할 때, $f(t)$의 최댓값 구하기

삼각형 ABP의 넓이를 $f(t)$라 하면

$f(t)=\dfrac{1}{2}\cdot\overline{AB}\cdot\overline{AP}$

$=\dfrac{1}{2}\cdot t\cdot\left\{2-\left(\dfrac{t^2}{4}+1\right)\right\}$

$=-\dfrac{t^3}{8}+\dfrac{t}{2}$

$f'(t)=-\dfrac{3}{8}t^2+\dfrac{1}{2}$

$f'(t)=0$에서 $t=-\dfrac{2\sqrt{3}}{3}$ 또는 $t=\dfrac{2\sqrt{3}}{3}$

$0<t<2$에서 함수 $f(t)$의 증가와 감소를 표로 나타내면 다음과 같다.

t	0	$\cdots$	$\frac{2\sqrt{3}}{3}$	$\cdots$	(2)
$f'(t)$		+	0	−	
$f(t)$		↗	극대	↘	

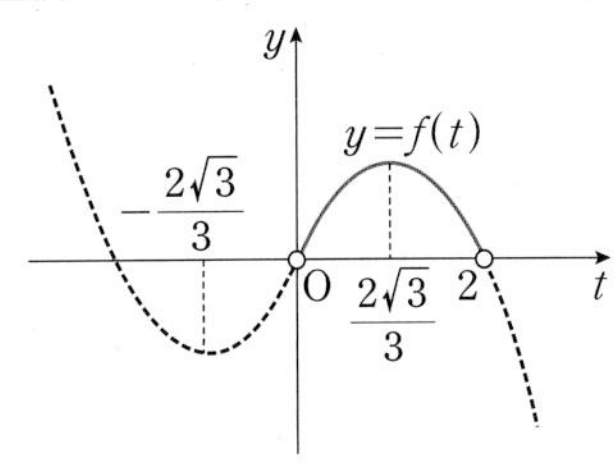

$t=\dfrac{2\sqrt{3}}{3}$에서 극대이면서 최대이므로 최댓값은

$f\left(\dfrac{2\sqrt{3}}{3}\right)=-\dfrac{1}{8}\left(\dfrac{2\sqrt{3}}{3}\right)^3+\dfrac{1}{2}\cdot\dfrac{2\sqrt{3}}{3}$

$=-\dfrac{\sqrt{3}}{9}+\dfrac{\sqrt{3}}{3}=\dfrac{2\sqrt{3}}{9}$

따라서 $a=9$, $b=2$이므로 $a+b=11$

0507

다음 그림과 같이 한 변의 길이가 1인 정사각형 ABCD의 두 대각선의 교점의 좌표는 (0, 1)이고, 한 변의 길이가 1인 정사각형 EFGH의 두 대각선의 교점은 곡선 $y=x^2$ 위에 있다. 두 정사각형의 내부의 공통부분의 넓이의 최댓값은? (단, 정사각형의 모든 변은 x축 또는 y축에 평행하다.)

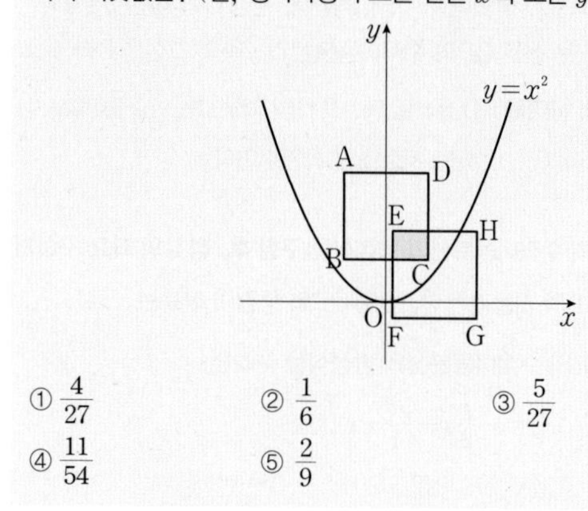

① $\frac{4}{27}$　② $\frac{1}{6}$　③ $\frac{5}{27}$
④ $\frac{11}{54}$　⑤ $\frac{2}{9}$

STEP A 정사각형 EFGH의 두 대각선의 교점을 (a, a^2)으로 놓고 공통부분의 넓이를 a에 대한 식으로 나타내기

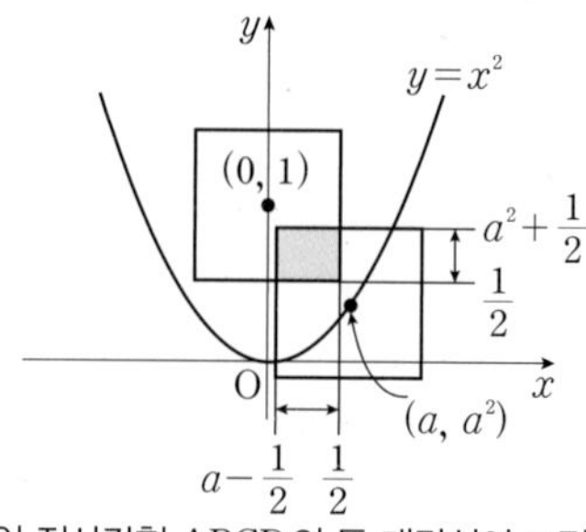

한 변의 길이가 1인 정사각형 ABCD의 두 대각선이 교점의 좌표가 (0, 1)이므로 점 C의 좌표는 $\left(\frac{1}{2}, \frac{1}{2}\right)$

한 변의 길이가 1인 정사각형 EFGH의 두 대각선의 교점이 곡선 $y=x^2$ 위에 있으므로 두 대각선의 교점의 좌표를 (a, a^2) $(0<a<1)$이라 하면

점 E의 좌표는 $\left(a-\frac{1}{2}, a^2+\frac{1}{2}\right)$

이때 두 정사각형의 내부의 공통부분은 가로의 길이가

$\frac{1}{2}-\left(a-\frac{1}{2}\right)=1-a$이고 세로의 길이가 $\left(a^2+\frac{1}{2}\right)-\frac{1}{2}=a^2$인 직사각형이다.

두 정사각형의 공통부분의 넓이를 $S(a)$이라 하면

$S(a)=\left\{\frac{1}{2}-\left(a-\frac{1}{2}\right)\right\}\left(a^2+\frac{1}{2}-\frac{1}{2}\right)=(1-a)a^2=a^2-a^3$ $(0<a<1)$

STEP B 공통부분의 넓이 $S(a)$를 미분하여 최댓값 구하기

$S'(a)=2a-3a^2=a(2-3a)$

$S'(a)=0$에서 $a=\frac{2}{3}$ $(\because 0<a<1)$

함수 $S(a)$의 증가와 감소를 표로 나타내면 다음과 같다.

a	0	$\cdots$	$\frac{2}{3}$	$\cdots$	1
$S'(a)$		+	0	−	
$S(a)$		↗	극대	↘	

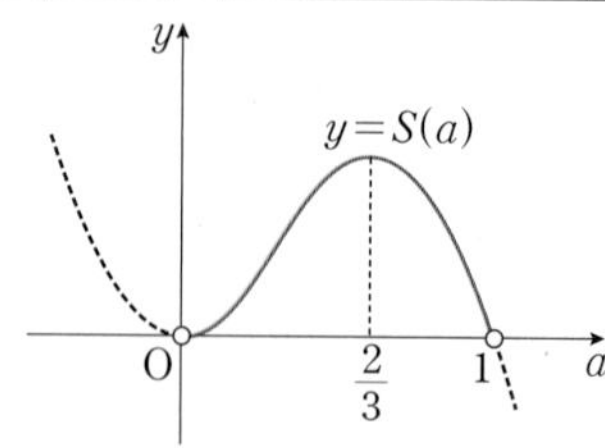

따라서 함수 $S(a)$는 $a=\frac{2}{3}$에서 극대이면서 최대이므로 구하는 넓이의 최댓값은 $S\left(\frac{2}{3}\right)=\frac{4}{9}-\frac{8}{27}=\frac{4}{27}$

다른풀이 직접 점 E가 그리는 이차곡선의 식을 세워 문제를 해결하기

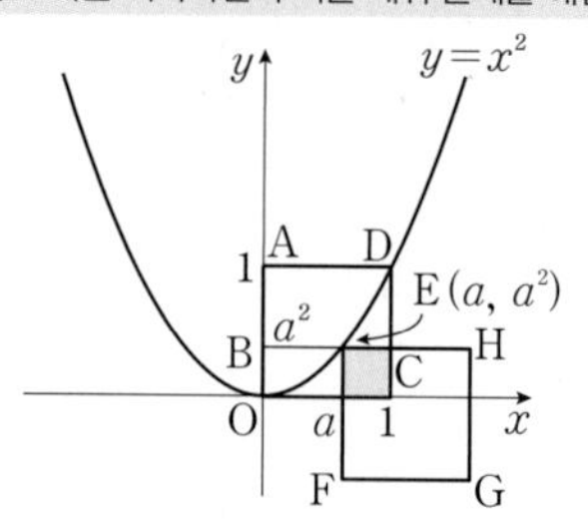

정사각형 ABCD가 고정되어 있으므로 점 E가 정해지면 공통부분의 직사각형의 넓이를 구할 수 있다.

정사각형 EFGH의 두 대각선의 교점이 $y=x^2$ 위를 지나므로

점 E가 그리는 도형은 이차곡선 $y=\left(x+\frac{1}{2}\right)^2+\frac{1}{2}$

이때 정사각형 ABCD와 정사각형 EFGH를 x축으로 $\frac{1}{2}$, y축으로 $-\frac{1}{2}$만큼 평행이동하면 점 E가 그리는 도형은 이차함수 $y=x^2$이 된다.

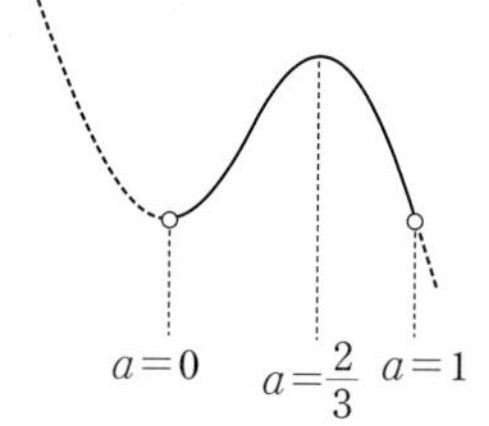

점 E의 좌표를 (a, a^2), 공통부분의 넓이를 $f(a)$라 하면 $0<a<1$에서

$f(a)=a^2(1-a)=a^2-a^3$이므로

$f'(a)=2a-3a^2=a(2-3a)=0$에서

$a=0$ 또는 $a=\frac{2}{3}$

따라서 $f(a)$는 $a=\frac{2}{3}$에서 극대이면서 최대이므로 $f\left(\frac{2}{3}\right)=\frac{4}{9}\left(1-\frac{2}{3}\right)=\frac{4}{27}$

0508

두 곡선 $y=x^3$, $y=-x^3+2x$의 교점 중 제1사분면에 있는 점을 A라 하고, 두 곡선 $y=x^3$, $y=-x^3+2x$와 직선 $x=k$ $(0<k<1)$의 교점을 각각 B, C라 하자. 사각형 OBAC의 넓이가 최대가 되도록 하는 실수 k의 값은? (단, O는 원점이다.)

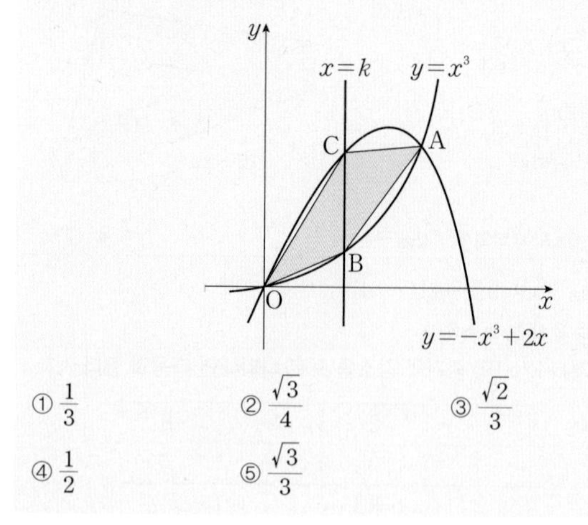

① $\frac{1}{3}$　② $\frac{\sqrt{3}}{4}$　③ $\frac{\sqrt{2}}{3}$
④ $\frac{1}{2}$　⑤ $\frac{\sqrt{3}}{3}$

STEP A 사각형 OBAC의 넓이를 k에 대한 식으로 나타내기

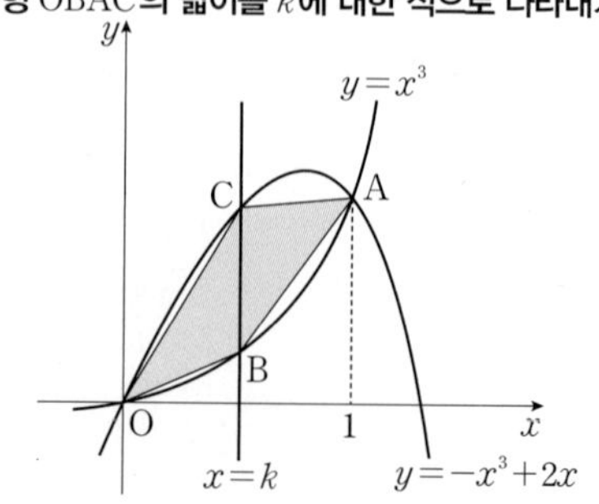

$y=x^3$, $y=-x^3+2x$의 교점을 구하면

$x^3=-x^3+2x$, $x^3-x=0$

$x(x-1)(x+1)=0$

$\therefore x=0$ 또는 1 또는 -1

이때 $A(1, 1)$이고 두 곡선 $y=x^3$, $y=-x^3+2x$와

직선 $x=k(0<k<1)$의 교점이 $B(k, k^3)$, $C(k, -k^3+2k)$이므로

$\overline{CB}=(-k^3+2k)-k^3=-2k^3+2k$

사각형 OBAC의 넓이는 $\triangle OBC+\triangle ACB$

$\frac{1}{2}\cdot(-2k^3+2k)\cdot(k-0)+\frac{1}{2}\cdot(-2k^3+2k)(1-k)=-k^3+k$

STEP B 미분을 이용하여 넓이가 최대일 때를 구하기

$f(k)=-k^3+k(0<k<1)$라 놓으면

$f'(k)=-3k^2+1=0$에서

$k=\frac{\sqrt{3}}{3}$ 또는 $k=-\frac{\sqrt{3}}{3}$

$(0, 1)$에서 $f(k)$의 증가와 감소를 표로 나타내면 다음과 같다.

k	(0)	$\cdots$	$\frac{\sqrt{3}}{3}$	$\cdots$	(1)
$f'(k)$		$+$	0	$-$	
$f(k)$		↗	극대	↘	

$0<k<1$이므로 $k=\frac{\sqrt{3}}{3}$

따라서 사각형 OBAC의 넓이는 $k=\frac{\sqrt{3}}{3}$일 때, 최대이다.

0509

다음 그림과 같이 좌표평면에서 곡선 $y=\frac{1}{2}x^2$ 위의 점 중에서 제 1사분면에 있는 점 $A\left(t, \frac{1}{2}t^2\right)$을 지나고 x축에 평행한 직선이 직선 $y=-x+10$과 만나는 점을 B라 하고, 두 점 A, B에서 x축에 내린 수선의 발을 각각 C, D라 하자. 직사각형 ACDB의 넓이가 최대일 때, $10t$의 값을 구하여라. (단, 점 A의 x좌표는 점 B의 x좌표보다 작다.)

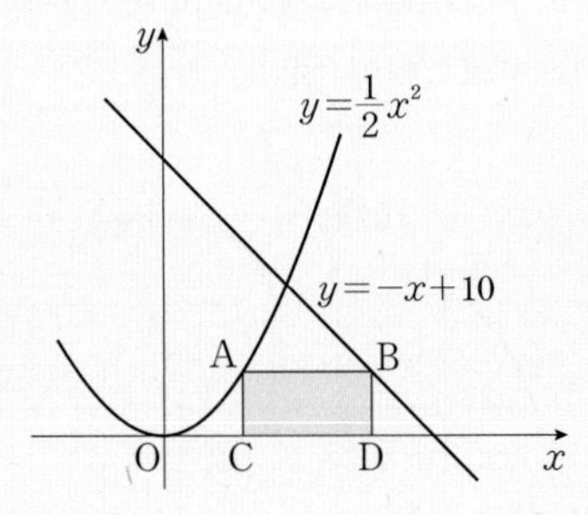

STEP A 직사각형 ACDB의 넓이 $S(t)$ 구하기

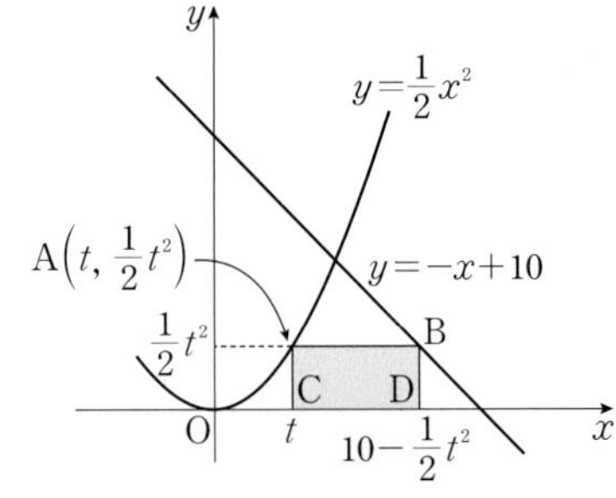

점 A의 좌표가 $A\left(t, \frac{1}{2}t^2\right)$이므로 곡선 $y=\frac{1}{2}x^2$과 직선 $y=-x+10$의 교점의 x좌표는 $\frac{1}{2}x^2=-x+10$에서 $x^2+2x-20=0$

$\therefore x=-1\pm\sqrt{21}$

곡선 $y=\frac{1}{2}x^2$과 직선 $y=-x+10$이 $x=-1+\sqrt{21}$에서 만나므로

t의 값의 범위는 $0<t<-1+\sqrt{21}$

이때 두 점 A, B의 y좌표가 같으므로 $-x+10=\frac{1}{2}t^2$에서 $x=10-\frac{1}{2}t^2$

점 B의 좌표는 $B\left(10-\frac{1}{2}t^2, \frac{1}{2}t^2\right)$

$\therefore \overline{AB}=\left(10-\frac{1}{2}t^2\right)-t$, $\overline{AC}=\frac{1}{2}t^2$

직사각형 ACDB의 넓이를 $S(t)$라 하면

$S(t)=\overline{AB}\times\overline{AC}$

$=\left(10-\frac{1}{2}t^2-t\right)\left(\frac{1}{2}t^2\right)$

$=-\frac{1}{4}t^4-\frac{1}{2}t^3+5t^2\ (0<t<-1+\sqrt{21})$

STEP B 직사각형의 넓이 $S(t)$를 미분하여 최댓값 구하기

$S'(t)=-t^3-\frac{3}{2}t^2+10t$

$=-\frac{t}{2}(2t-5)(t+4)$

$S'(t)=0$에서 $t=\frac{5}{2}$ ($\because 0<t<-1+\sqrt{21}$)

함수 $S(t)$의 증가와 감소를 조사하면 다음과 같다.

t	(0)	$\cdots$	$\frac{5}{2}$	$\cdots$	$(-1+\sqrt{21})$
$S'(t)$		$+$	0	$-$	
$S(t)$		↗	극대	↘	

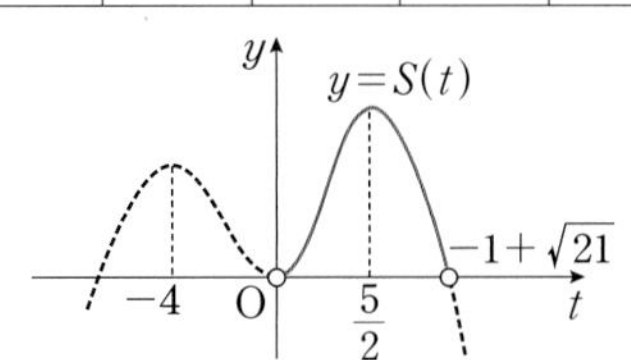

함수 $S(t)$는 $t=\frac{5}{2}$일 때, 극대이고 최대이다.

따라서 $10t=10\times\frac{5}{2}=25$

0510

곡선 $y=x^2-8x+17$ 위의 점 $P(t, t^2-8t+17)$에서의 접선이 y축과 만나는 점을 Q, 점 P를 지나고 x축에 평행한 직선이 y축과 만나는 점을 R이라 하고 삼각형 PQR의 넓이를 $S(t)$라 하자. $1\le t\le 3$일 때, $S(t)$가 최대가 되는 t의 값은?

① $\frac{4}{3}$ ② $\frac{5}{3}$ ③ 2
④ $\frac{7}{3}$ ⑤ $\frac{8}{3}$

STEP A 접선의 방정식을 이용하여 Q와 R의 좌표 구하기

$f(x)=x^2-8x+17$이라 하면

$f'(x)=2x-8$

점 $P(t, t^2-8t+17)$에서

접선의 기울기가 $f'(t)=2t-8$

이므로 접선의 방정식은

$y-(t^2-8t+17)=(2t-8)(x-t)$

$\therefore y=(2t-8)(x-t)+t^2-8t+17$

접선이 y축과 만나는

점 $Q(0, -t^2+17)$

또한, 점 R의 좌표는

$R(0, t^2-8t+17)$

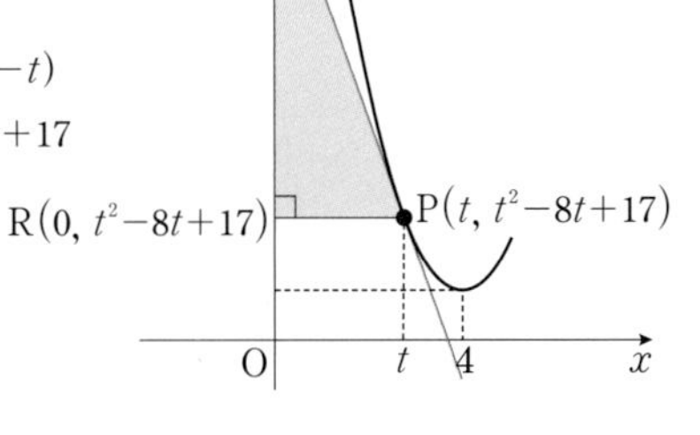

STEP B 삼각형의 넓이 $S(t)$가 최대가 되는 t의 값 구하기

삼각형 PQR의 넓이

$S(t)=\frac{1}{2}t(-2t^2+8t)=-t^3+4t^2$

$S'(t)=-3t^2+8t=t(-3t+8)$

$S'(t)=0$에서 $t=0$ 또는 $t=\frac{8}{3}$

$1\le t\le 3$에서 $S(t)$의 증가와 감소를 표로 나타내면 다음과 같다.

t	1	$\cdots$	$\frac{8}{3}$	$\cdots$	3
$S'(t)$		+	0	−	
$S(t)$	3	↗	극대	↘	9

$t=\frac{8}{3}$에서 극대이고 극댓값은 $S\left(\frac{8}{3}\right)$이고 그래프는 다음 그림과 같다.

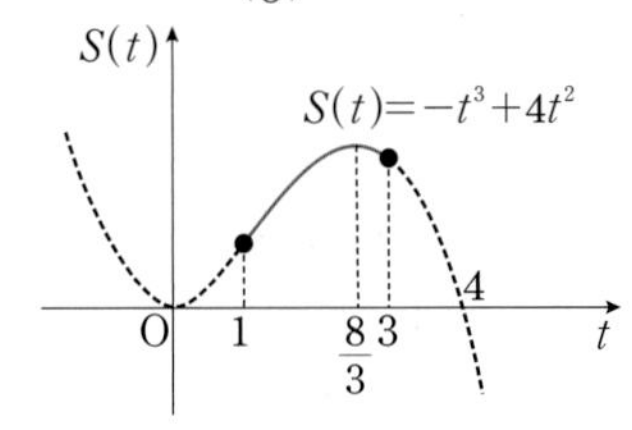

따라서 $1\le t\le 3$일 때, 최댓값은 $t=\frac{8}{3}$에서 갖는다.

0511

함수 $f(x)=-3x^4+4(a-1)x^3+6ax^2\,(a>0)$과 실수 t에 대하여 $x\le t$에서 $f(x)$의 최댓값을 $g(t)$라 하자. 함수 $g(t)$가 실수 전체의 집합에서 미분가능하도록 하는 a의 최댓값을 구하여라.

STEP A 함수 $f(x)$를 미분하여 극값 구하기

$f(x)=-3x^4+4(a-1)x^3+6ax^2\,(a>0)$에서

$f'(x)=-12x^3+12(a-1)x^2+12ax$

$=-12x\{x^2-(a-1)x-a\}$

$=-12x(x+1)(x-a)$

$f'(x)=0$에서 $x=-1$ 또는 $x=0$ 또는 $x=a$

함수 $f(x)$의 증가와 감소를 표로 나타내면 다음과 같다.

x	$\cdots$	-1	$\cdots$	0	$\cdots$	a	$\cdots$
$f'(x)$	+	0	−	0	+	0	−
$f(x)$	↗	극대	↘	극소	↗	극대	↘

즉 $f(x)$는 사차함수이고 최고차항 계수가 음수이므로

$x=-1$, $x=a$에서 극댓값 $f(-1)=2a+1$, $f(a)=a^4+2a^3$을 갖고

$x=0$에서 극솟값을 갖는다.

STEP B $f(-1)\ge f(a)$일 때와 $f(-1)<f(a)$일 때로 나누어 $y=f(x)$의 그래프의 개형 그리기

(i) $f(-1)\ge f(a)$일 때, $y=f(x)$의 그래프의 개형은 다음과 같다.

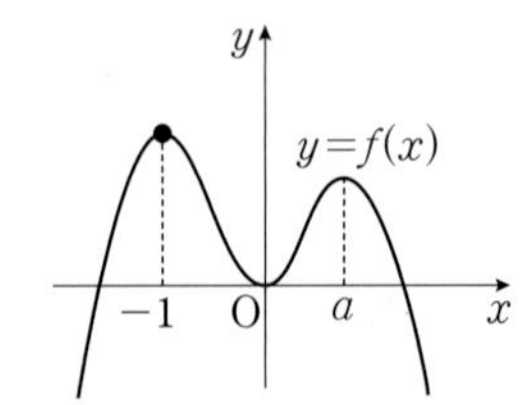

$t<-1$이면 $g(t)=f(t)=-3t^4+4(a-1)t^3+6at^2$

$t\ge -1$이면 $g(t)=f(-1)=2a+1$

이때 $f(t)$, $f(-1)$은 다항함수이고 $t=-1$에서 미분가능을 확인하면

$g'(t)=\begin{cases}-12t^3+12(a-1)t^2+12at & (t<-1)\\ 0 & (t>-1)\end{cases}$이고

$\lim_{t\to-1-}g'(t)=\lim_{t\to-1+}g'(t)=0$이므로

$g(t)$는 $t=-1$에서 미분가능하다.

즉 $g(t)$는 실수 전체에서 미분가능하다.

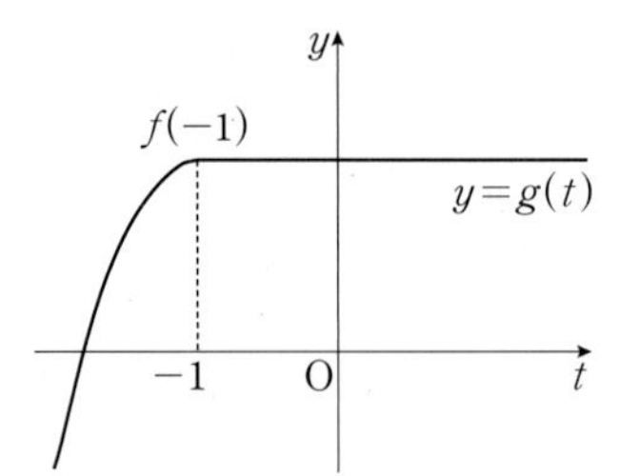

(ii) $f(-1)<f(a)$일 때, $y=f(x)$의 그래프의 개형은 다음과 같다.

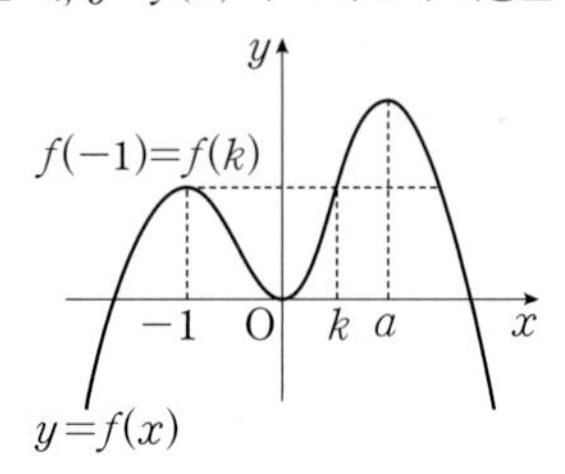

$f(-1)=f(k)\,(0<k\le a)$이라 하자.

$t<-1$이면 $g(t)=f(t)=-3t^4+4(a-1)t^3+6at^2$

$-1\le t<k$이면 $g(t)=f(-1)=2a+1$

$k\le t<a$이면 $g(t)=f(t)=-3t^4+4(a-1)t^3+6at^2$

$t\ge a$이면 $g(t)=f(a)=a^4+2a^3$

이때 $g'(t)=\begin{cases}-12t^3+12(a-1)t^2+12at & (t<-1)\\ 0 & (-1<t<k)\\ -12t^3+12(a-1)t^2+12at & (k<t<a)\\ 0 & (t>a)\end{cases}$

먼저 $t=-1$에서 미분가능성을 조사하면

$\lim_{t\to-1-}g'(t)=\lim_{t\to-1+}g'(t)=0$이므로

$g(t)$는 $t=-1$에서 미분가능하다.

또한, $t=k$에서 미분가능성을 조사하면 $\lim_{t\to k-}g'(t)=0\ne\lim_{t\to k+}g'(t)$

이므로 $t=k$에서 미분가능하지 않다.

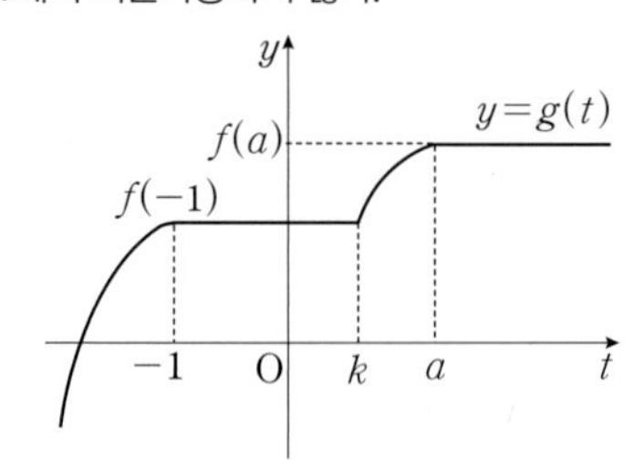

($\because$ $k\le t<a$이면 $g(t)=f(t)=-3t^4+4(a-1)t^3+6at^2$이므로

$t=k$에서 극값을 가지지 않으므로 $\lim_{t\to k+}g'(t)\ne 0$이다.)

STEP C $g(t)$가 실수 전체의 집합에서 미분가능한 조건을 구하고 a의 최댓값 구하기

(i), (ii)에서 모든 실수에서 미분가능할 조건은 $f(-1)\ge f(a)$일 때,

$-3-4(a-1)+6a\ge -3a^4+4(a-1)a^3+6a^3$

$a^4+2a^3-2a-1\le 0$

$(a+1)^3(a-1)\le 0$

이때 $a>0$이므로 $a-1\le 0$

$\therefore 0<a\le 1$

따라서 a의 최댓값은 1

0512

x에 대한 삼차방정식 $x^3-3x-a=0$이 다음 조건을 만족할 때, 상수 a의 값의 범위를 구하여라.

(1) 서로 다른 세 실근을 갖도록 하는 실근 a의 값의 범위를 구하여라.
(2) 이중근과 하나의 실근을 가지도록 하는 실수 a의 값의 범위를 구하여라.
(3) 서로 다른 두 음근과 하나의 양근을 갖도록 하는 실수 a의 값의 범위를 구하여라.

STEP Ⓐ **방정식을 a와 x에 대한 식 $f(x)$로 분리하여 $f'(x)=0$이 되는 x의 값 구하기**

$x^3-3x=a$이므로 이 방정식의 실근은
곡선 $y=x^3-3x$와 직선 $y=a$의 교점의 x좌표이다.
$f(x)=x^3-3x$로 놓으면
$f'(x)=3x^2-3=3(x-1)(x+1)$
$f'(x)=0$에서 $x=-1$ 또는 $x=1$
$f'(x)$의 부호를 조사하여 함수 $f(x)$의 증가와 감소를 표로 나타내면 다음과 같다.

x	$\cdots$	-1	$\cdots$	1	$\cdots$
$f'(x)$	$+$	0	$-$	0	$+$
$f(x)$	↗	2	↘	-2	↗

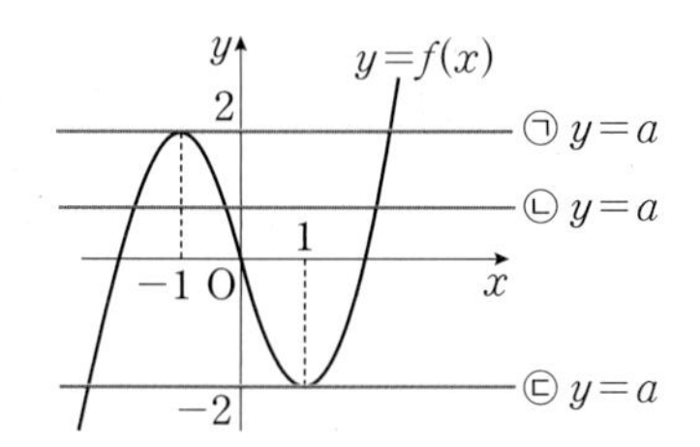

STEP Ⓑ **주어진 조건을 만족하는 a의 값 구하기**

(1) 서로 다른 세 실근을 갖는 경우는 교점이 세 개이므로
㉡과 같은 경우이다.
$\therefore -2<a<2$
(2) 이중근과 하나의 실근을 갖는 경우는 교점이 두 개이므로
㉠, ㉢과 같은 경우이다.
$\therefore a=-2$ 또는 $a=2$
(3) 서로 다른 두 음근과 하나의 양근을 갖는 경우는 $x<0$에서의 교점이 두 개이고 $x>0$에서의 교점이 한 개이므로 ㉡과 같은 경우이다.
$\therefore 0<a<2$

0513

다음 물음에 답하여라.

(1) 방정식 $x^3-3x^2-9x-k=0$의 서로 다른 실근의 개수가 3이 되도록 하는 정수 k의 최댓값은?
① 2 ② 4 ③ 6
④ 8 ⑤ 10

STEP Ⓐ **방정식을 두 곡선으로 분리하여 $f'(x)=0$인 x의 값 구하기**

방정식 $x^3-3x^2-9x-k=0$이 서로 다른 세 실근을 가지려면
$x^3-3x^2-9x=k$에서 두 그래프 $y=x^3-3x^2-9x$와 $y=k$가 서로 다른 세 점에서 만나야 한다.
$f(x)=x^3-3x^2-9x$라 하면
$f'(x)=3x^2-6x-9=3(x+1)(x-3)$
$f'(x)=0$에서 $x=-1$ 또는 $x=3$
함수 $f(x)$의 증가와 감소를 표로 나타내면 다음과 같다.

x	$\cdots$	-1	$\cdots$	3	$\cdots$
$f'(x)$	$+$	0	$-$	0	$+$
$f(x)$	↗	극대	↘	극소	↗

함수 $f(x)$는
$x=-1$에서 극대이고 극댓값 $f(-1)=5$
$x=3$에서 극소이고 극솟값 $f(3)=-27$
을 갖는다.

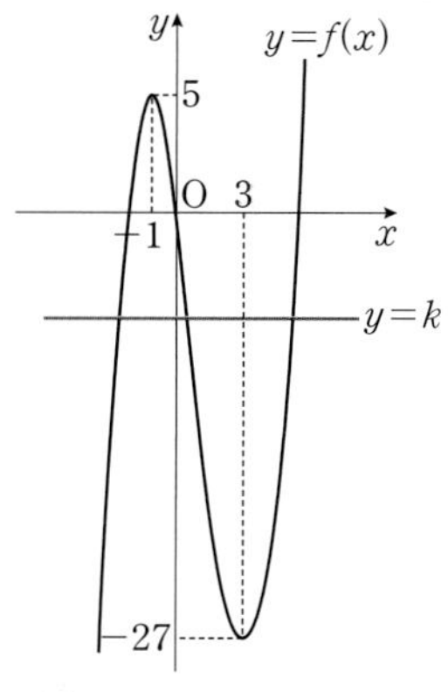

STEP Ⓑ **곡선 $y=f(x)$와 직선 $y=k$의 교점이 3개가 되도록 하는 k의 값의 범위 구하기**

방정식 $f(x)=k$가 서로 다른 세 개의 실근을 가지려면 $y=f(x)$의 그래프와 직선 $y=k$가 서로 다른 세 점에서 만나야 하므로 구하는 k의 값의 범위는
$-27<k<5$
따라서 정수 k의 최댓값은 4

다른풀이 (극댓값)(극솟값)<0을 이용하여 풀이하기

STEP Ⓐ **삼차방정식이 서로 다른 세 실근을 가질 조건 구하기**

$f(x)=x^3-3x^2-9x-k$라 하면
$f'(x)=3x^2-6x-9=3(x+1)(x-3)$
$f'(x)=0$에서 $x=-1$ 또는 $x=3$
함수 $f(x)$의 증가와 감소를 표로 나타내면 다음과 같다.

x	$\cdots$	-1	$\cdots$	3	$\cdots$
$f'(x)$	$+$	0	$-$	0	$+$
$f(x)$	↗	극대	↘	극소	↗

함수 $f(x)$는
$x=-1$에서 극대이고 극댓값 $f(-1)=5-k$
$x=3$에서 극소이고 극솟값 $f(3)=-27-k$을 갖는다.
삼차방정식 $f(x)=0$이 서로 다른 세 개의 실근을 가지려면
$f(-1)f(3)<0$이어야 한다.
$f(-1)f(3)=(5-k)(-27-k)<0$
$(k-5)(k+27)<0$
$\therefore -27<k<5$
따라서 정수 k의 최댓값은 4

(2) 삼차방정식 $x^3+3x^2-9x+4-k=0$이 서로 다른 세 실근을 갖도록 하는 모든 정수 k의 개수는?
① 28 ② 31 ③ 34
④ 37 ⑤ 40

STEP Ⓐ 두 곡선으로 분리하고 $f'(x)=0$이 되는 x의 값 구하기

삼차방정식 $x^3+3x^2-9x+4-k=0$이 서로 다른 세 실근을 가지려면 $x^3+3x^2-9x+4-k=0$에서 곡선 $y=x^3+3x^2-9x+4$와 직선 $y=k$가 서로 다른 세 점에서 만나야 한다.

$f(x)=x^3+3x^2-9x+4$라 하면

$f'(x)=3x^2+6x-9=3(x+3)(x-1)$

$f'(x)=0$에서 $x=-3$ 또는 $x=1$

STEP Ⓑ 함수 $f(x)$의 증가와 감소를 조사하고 그래프 그리기

$f'(x)$의 부호를 조사하여 함수 $f(x)$의 증가와 감소를 표로 나타내면 다음과 같다.

x	$\cdots$	-3	$\cdots$	1	$\cdots$
$f'(x)$	$+$	0	$-$	0	$+$
$f(x)$	↗	극대	↘	극소	↗

$x=-3$에서 극댓값 31이고 $x=1$에서 극솟값이 -1이므로 $y=x^3+3x^2-9x+4$의 그래프는 오른쪽 그림과 같다.

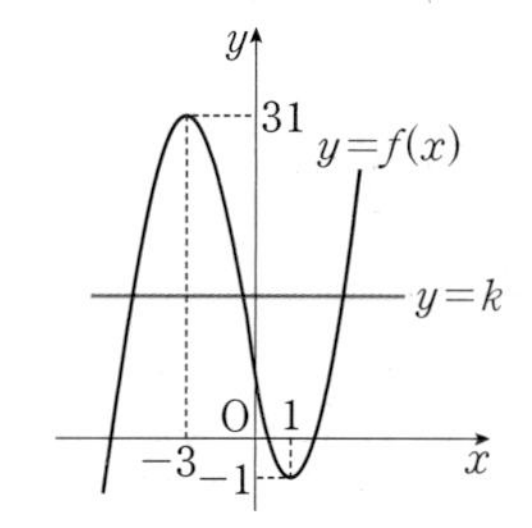

STEP Ⓒ 두 그래프 $y=x^3+3x^2-9x+4$와 $y=k$가 세 점에서 만날 조건 구하기

따라서 $f(x)=x^3+3x^2-9x+4$와 $y=k$가 서로 다른 세 점에서 만나려면 $-1<k<31$을 만족해야 하므로 정수 k의 개수는 31개이다.

다른풀이 (극댓값)(극솟값)<0을 이용하여 풀이하기

STEP Ⓐ 삼차방정식이 서로 다른 세 실근을 가질 조건 구하기

$f(x)=x^3+3x^2-9x+4-k$라 하면

$f'(x)=3(x+3)(x-1)$

$f'(x)=0$에서 $x=-3$ 또는 $x=1$

$f'(x)$의 부호를 조사하여 함수 $f(x)$의 증가와 감소를 표로 나타내면 다음과 같다.

x	$\cdots$	-3	$\cdots$	1	$\cdots$
$f'(x)$	$+$	0	$-$	0	$+$
$f(x)$	↗	$31-k$	↘	$-1-k$	↗

함수 $f(x)$는 $x=-3$에서 극대, $x=1$에서 극소이므로 삼차방정식 $f(x)=0$이 서로 다른 세 실근을 가지려면 $f(-3)f(1)<0$이어야 한다.

STEP Ⓑ 조건을 만족하는 k의 값의 범위 구하기

$f(-3)=-27+27+27+4-k=31-k$

$f(1)=1+3-9+4-k=-1-k$이므로

$f(-3)f(1)=(31-k)(-1-k)<0$

$(k-31)(k+1)<0$

$\therefore -1<k<31$

따라서 모든 정수 k의 개수는 $0, 1, \cdots, 30$이므로 31개이다.

0514

함수 $f(x)=2x^3-3x^2-12x-10$의 그래프를 y축의 방향으로 a만큼 평행이동 시켰더니 함수 $y=g(x)$의 그래프가 되었다.
방정식 $g(x)=0$이 서로 다른 두 실근만을 갖도록 하는 모든 a의 값의 합을 구하여라.

STEP Ⓐ y축의 방향으로 a만큼 평행이동한 $g(x)$ 구하기

함수 $y=2x^3-3x^2-12x-10$의 그래프를 y축의 방향으로 a만큼 평행이동 시키면 $y-a=2x^3-3x^2-12x-10$

$g(x)=2x^3-3x^2-12x-10+a$

방정식 $2x^3-3x^2-12x-10+a=0$에서

$-2x^3+3x^2+12x+10=a$이므로 주어진 실근의 개수는 곡선 $y=-2x^3+3x^2+12x+10$과 직선 $y=a$의 교점의 개수와 같다.

STEP Ⓑ 함수 $f(x)$의 증가와 감소를 조사하고 그래프 그리기

$f(x)=-2x^3+3x^2+12x+10$라 하면

$f'(x)=-6x^2+6x+12=-6(x+1)(x-2)$

$f'(x)=0$에서 $x=-1$ 또는 $x=2$

$f'(x)$의 부호를 조사하여 함수 $f(x)$의 증가와 감소를 표로 나타내면 다음과 같다.

x	$\cdots$	-1	$\cdots$	2	$\cdots$
$f'(x)$	$-$	0	$+$	0	$-$
$f(x)$	↘	극소	↗	극대	↘

$x=-1$에서 극솟값 3이고 $x=2$에서 극댓값이 30이므로 $f(x)=-2x^3+3x^2+12x+10$의 그래프는 오른쪽 그림과 같다.

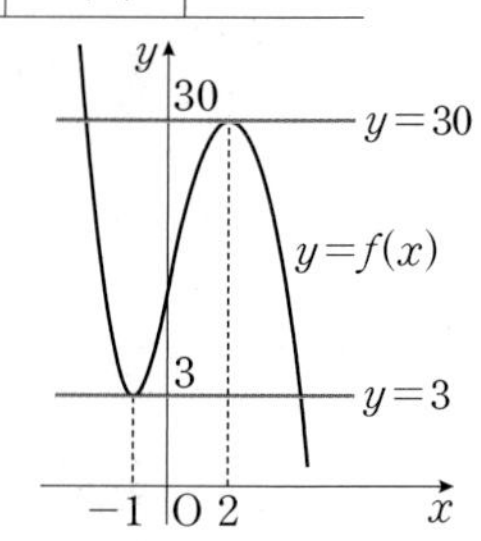

STEP Ⓒ 곡선 $y=f(x)$와 직선 $y=a$가 한 점을 지나고 접할 때, a의 값 구하기

곡선 $y=f(x)$와 직선 $y=a$가 한 점을 지나고 접할 때, a의 값은 $a=3$, $a=30$

따라서 모든 a의 값의 합은 33

다른풀이 (극댓값)(극솟값)$=0$을 이용하여 풀이하기

삼차방정식이 서로 다른 두 실근만을 가지는 경우는 다음 그림과 같이 중근과 다른 한 실근을 가지는 경우이므로 극댓값 또는 극솟값이 0이어야 한다.

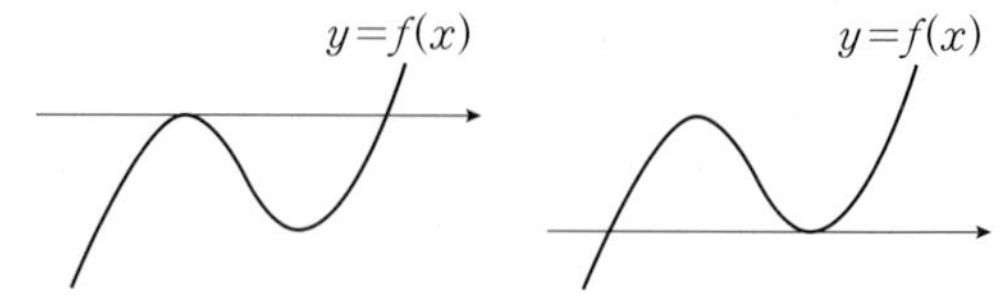

$g'(x)=6x^2-6x-12=6(x+1)(x-2)$

$g'(x)=0$에서 $x=-1$ 또는 $x=2$

함수 $g(x)$의 증가와 감소를 표로 나타내면 다음과 같다.

x	$\cdots$	-1	$\cdots$	2	$\cdots$
$g'(x)$	$+$	0	$-$	0	$+$
$g(x)$	↗	$-3+a$	↘	$-30+a$	↗

$g(x)=0$이 서로 다른 두 실근만을 갖기 위해서 극댓값 또는 극솟값이 0이어야 한다.

$g(2)=16-12-24-10+a=-30+a=0$, $a=30$

$g(-1)=-2-3+12-10+a=-3+a=0$, $a=3$

따라서 모든 a의 값의 합은 33

0515

곡선 $y=2x^3-3x^2$과 직선 $y=12x+k$가 서로 다른 세 점에서 만나도록 하는 실수 k의 값의 범위를 구하여라.

STEP Ⓐ **두 곡선의 방정식에서 y를 소거하여 얻은 방정식을 다시 k와 $f(x)$로 분리하여 $f'(x)=0$이 되는 x의 값 구하기**

주어진 곡선과 직선이 서로 다른 세 점에서 만나려면
방정식 $2x^3-3x^2=12x+k$
즉 $2x^3-3x^2-12x-k=0$이 서로 다른 세 실근을 가져야 한다.
이때 곡선 $y=2x^3-3x^2-12x$와 직선 $y=k$가 서로 다른 세 점에서 만나야 한다.
$f(x)=2x^3-3x^2-12x$이라 하면
$f'(x)=6x^2-6x-12=6(x+1)(x-2)$
$f'(x)=0$에서 $x=-1$ 또는 $x=2$

STEP Ⓑ **함수 $f(x)$의 증가와 감소를 조사하고 그래프 그리기**

$f'(x)$의 부호를 조사하여 함수 $f(x)$의 증가와 감소를 표로 나타내면 다음과 같다.

x	$\cdots$	-1	$\cdots$	2	$\cdots$
$f'(x)$	$+$	0	$-$	0	$+$
$f(x)$	↗	7	↘	-20	↗

$x=-1$에서 극댓값 7이고
$x=2$에서 극솟값이 -20이므로
$f(x)=2x^3-3x^2-12x$의 그래프는
오른쪽 그림과 같다.

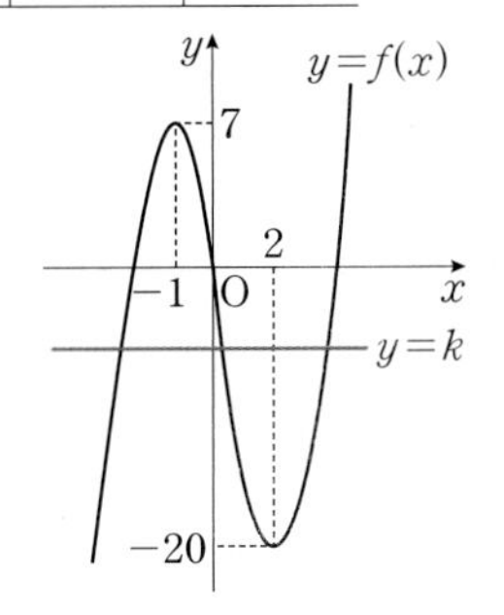

STEP Ⓒ **곡선 $y=f(x)$와 직선 $y=k$의 교점이 3개가 되도록 하는 k의 값의 범위 구하기**

따라서 곡선 $y=f(x)$와 직선 $y=k$가 서로 다른 세 점에서 만나도록 하는 k의 값의 범위는 $-20<k<7$

다른풀이 (극댓값)(극솟값)<0을 이용하여 풀이하기

주어진 곡선과 직선이 서로 다른 세 점에서 만나려면
방정식 $2x^3-3x^2=12x+k$
즉 $2x^3-3x^2-12x-k=0$이 서로 다른 세 실근을 가져야 한다.
$f(x)=2x^3-3x^2-12x-k$로 놓으면
$f'(x)=6x^2-6x-12=6(x+1)(x-2)$
$f'(x)=0$에서 $x=-1$ 또는 $x=2$
함수 $f(x)$의 증가와 감소를 표로 나타내면 다음과 같다.

x	$\cdots$	-1	$\cdots$	2	$\cdots$
$f'(x)$	$+$	0	$-$	0	$+$
$f(x)$	↗	$7-k$	↘	$-20-k$	↗

삼차방정식 $f(x)=0$이 서로 다른 세 실근을 가지려면
(극댓값)×(극솟값)<0
$f(-1)f(2)<0$, 즉 $(7-k)(-20-k)<0$, $(k+20)(k-7)<0$
따라서 $-20<k<7$

0516

다음 물음에 답하여라.

(1) 두 곡선 $y=x^3-2x^2-10x+a$, $y=4x^2+5x-a$가 서로 다른 두 점에서 만나도록 하는 모든 a의 값의 합은?

① 46 ② 47 ③ 48
④ 49 ⑤ 50

STEP Ⓐ **두 곡선의 방정식에서 y를 소거하여 얻은 방정식을 다시 a와 $f(x)$로 분리하여 $f'(x)=0$이 되는 x의 값 구하기**

두 곡선 $y=x^3-2x^2-10x+a$, $y=4x^2+5x-a$가 서로 다른 두 점에서 만나려면 방정식 $x^3-2x^2-10x+a=4x^2+5x-a$
즉 $x^3-6x^2-15x+2a=0$이 서로 다른 두 실근을 가져야 한다.
이때 곡선 $y=-x^3+6x^2+15x$와 직선 $y=2a$가 서로 다른 두 점에서 만나야 한다.
$f(x)=-x^3+6x^2+15x$이라 하면
$f'(x)=-3x^2+12x+15=-3(x+1)(x-5)$
$f'(x)=0$에서 $x=-1$ 또는 $x=5$

STEP Ⓑ **함수 $f(x)$의 증가와 감소를 조사하고 그래프 그리기**

$f'(x)$의 부호를 조사하여 함수 $f(x)$의 증가와 감소를 표로 나타내면 다음과 같다.

x	$\cdots$	-1	$\cdots$	5	$\cdots$
$f'(x)$	$-$	0	$+$	0	$-$
$f(x)$	↘	-8	↗	100	↘

$x=-1$에서 극솟값 -8이고
$x=5$에서 극댓값이 100이므로
$f(x)=-x^3+6x^2+15x$의 그래프는
오른쪽 그림과 같다.

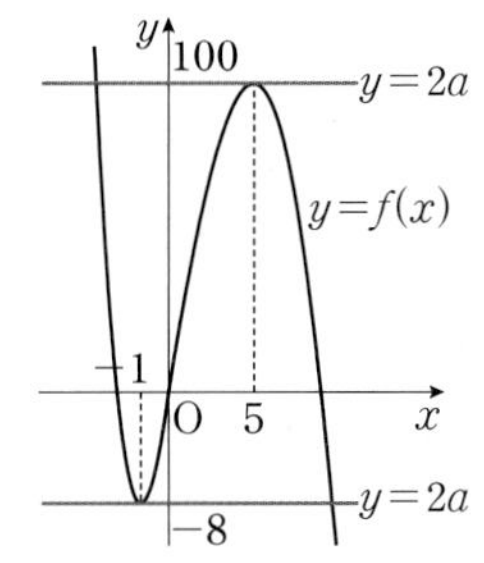

STEP Ⓒ **곡선 $y=f(x)$와 직선 $y=2a$의 교점이 2개가 되도록 하는 a의 값 구하기**

곡선 $y=f(x)$와 직선 $y=2a$가 서로 다른 두 점에서 만나도록 하는 a의 값은 $2a=-8$, $2a=100$
$\therefore a=-4$ 또는 $a=50$
따라서 모든 a의 값의 합은 $50+(-4)=46$

다른풀이 (극댓값)(극솟값)$=0$을 이용하여 풀이하기

$f(x)=x^3-6x^2-15x+2a$라고 하자.
$f'(x)=3x^2-12x-15=3(x^2-4x-5)$
$=3(x-5)(x+1)$
$f'(x)=0$에서 $x=-1$ 또는 $x=5$
$f(x)$의 증가와 감소를 나타내는 표는 다음과 같다.

x	$\cdots$	-1	$\cdots$	5	$\cdots$
$f'(x)$	$+$	0	$-$	0	$+$
$f(x)$	↗	$2a+8$	↘	$2a-100$	↗

$f(x)=0$이 서로 다른 두 실근을 가지려면
(극댓값)×(극솟값)$=0$
$(a+4)(a-50)=0$
$\therefore a=50$ 또는 $a=-4$
따라서 모든 a의 값의 합은 $50+(-4)=46$

(2) 두 함수 $f(x)=x^4-4x+a$, $g(x)=-x^2+2x-a$의 그래프가 오직 한 점에서 만날 때, a의 값은?
① 1 ② 2 ③ 3
④ 4 ⑤ 5

STEP A 두 곡선의 방정식에서 y를 소거하여 얻은 방정식을 다시 a와 $h(x)$로 분리하기

두 함수의 그래프가 한 점에서 만나므로 방정식 $x^4-4x+a=-x^2+2x-a$
즉 $x^4+x^2-6x+2a=0$의 실근이 오직 1개이어야 한다.
$x^4+x^2-6x=-2a$

STEP B 함수 $h(x)$의 증가와 감소를 조사하고 그래프 그리기

$h(x)=x^4+x^2-6x$라 하면
$h'(x)=4x^3+2x-6=2(x-1)(2x^2+2x+3)$
$h'(x)=0$에서 $2x^2+2x+3>0$이므로 $x=1$
$h'(x)$의 부호를 조사하여 함수 $h(x)$의 증가와 감소를 표로 나타내면 다음과 같다.

x	$\cdots$	1	$\cdots$
$h'(x)$	$-$	0	$+$
$h(x)$	↘	-4	↗

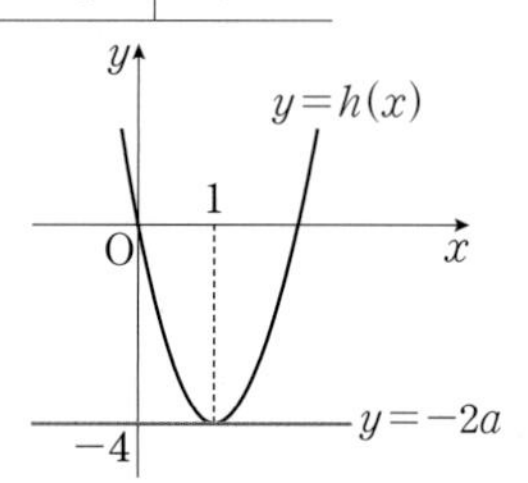

STEP C 두 함수 $y=x^4+x^2-6x$와 $y=-2a$가 접할 때, a 구하기

즉 곡선 $y=h(x)$와 직선 $y=-2a$가 한 점에서 만나도록 하는 a의 값은 직선이 점 $(1, -4)$를 지날 때이므로 $-2a=-4$
따라서 $a=2$

다른풀이 $h(x)=f(x)-g(x)$로 놓고 풀이하기

$h(x)=f(x)-g(x)$라 하면
$h(x)=x^4-4x+a+x^2-2x+a=x^4+x^2-6x+2a$
$h(x)=0$이 x축과 오직 한 점에서 만나야 한다.
$h'(x)=4x^3+2x-6=(x-1)(4x^2+4x+6)$
$h'(x)=0$에서 $x=1$ ($\because 4x^2+4x+6>0$)
함수 $h(x)$의 증가와 감소를 표로 나타내면 다음과 같다.

x	$\cdots$	1	$\cdots$
$h'(x)$	$-$	0	$+$
$h(x)$	↘	$2a-4$(극소)	↗

이때 $h(x)=0$의 실근이 오직 한 개 존재하려면 함수 $h(x)$의 최솟값이 0이어야 한다.
따라서 $h(1)=2a-4=0$에서 $a=2$

다른풀이 공통접선의 조건을 이용하여 풀이하기

$f(x)=x^4-4x+a$, $g(x)=-x^2+2x-a$이므로
$f'(x)=4x^3-4$, $g'(x)=-2x+2$
두 함수가 한 점에서 접하므로 두 곡선 $y=f(x)$와 $y=g(x)$의 접점의 x좌표를 $x=t$라 하면 $f(t)=g(t)$, $f'(t)=g'(t)$이어야 한다.

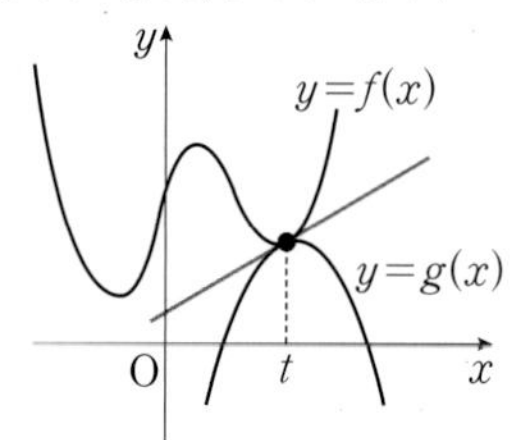

(ⅰ) $f(t)=g(t)$
$t^4-4t+a=-t^2+2t-a$
$t^4+t^2-6t=-2a$ …… ㉠
(ⅱ) $f'(t)=g'(t)$
$4t^3-4=-2t+2$
$4t^3+2t-6=0$
$2t^3+t-3=0$
$(t-1)(2t^2+2t+3)=0$
$\therefore t=1$ ($\because 2t^2+2t+3>0$)
$t=1$을 ㉠에 대입하면 $1+1-6=-2a$
따라서 $a=2$

0517

두 함수
$$f(x)=3x^3-x^2-3x,\ g(x)=x^3-4x^2+9x+a$$
에 대하여 $f(x)=g(x)$가 서로 다른 두 개의 양의 실근과 한 개의 음의 실근을 갖도록 하는 모든 정수 a의 개수는?
① 6 ② 7 ③ 8
④ 9 ⑤ 10

STEP A 방정식 $f(x)=g(x)$를 $2x^3+3x^2-12x=a$로 변형하기

방정식 $f(x)=g(x)$에서
$3x^3-x^2-3x=x^3-4x^2+9x+a$
$2x^3+3x^2-12x=a$
이때 $h(x)=2x^3+3x^2-12x$라 하면 방정식 $f(x)=g(x)$의 실근은 방정식 $h(x)=a$의 실근과 같다.
즉 $y=h(x)$의 그래프와 직선 $y=a$의 교점의 x좌표가 서로 다른 두 개의 양의 실수와 한 개의 음의 실수이어야 한다.

STEP B 함수 $h(x)$의 증가와 감소를 조사하고 그래프 그리기

$h(x)=2x^3+3x^2-12x$
$h'(x)=6x^2+6x-12=6(x+2)(x-1)$
$h'(x)=0$에서 $x=-2$ 또는 $x=1$
이때 함수 $h(x)$의 증가와 감소를 표로 나타내면 다음과 같다.

x	$\cdots$	-2	$\cdots$	1	$\cdots$
$h'(x)$	$+$	0	$-$	0	$+$
$h(x)$	↗	20	↘	-7	↗

함수 $h(x)$는
$x=-2$에서 극댓값 $h(-2)=20$
$x=1$에서 극솟값 $h(1)=-7$을 갖는다.
$h(0)=0$이므로 $y=h(x)$의 그래프가 원점을 지나므로 다음 그림과 같다.

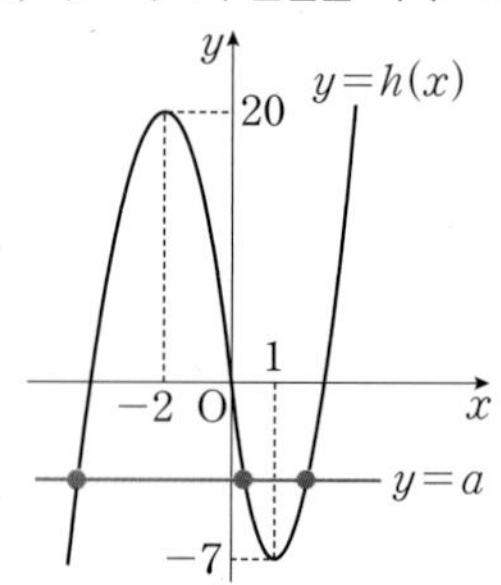

STEP C 곡선 $y=h(x)$와 직선 $y=a$의 교점이 두 개의 양수, 한 개의 음수가 되도록 하는 a의 값의 범위 구하기

이때 함수 $y=h(x)$의 그래프와 직선 $y=a$의 교점의 x좌표가 서로 다른 두 개의 양의 실수와 한 개의 음의 실수이려면 $-7<a<0$이어야 한다.
따라서 정수 a의 개수는 $-6, -5, -4, -3, -2, -1$이므로 6개이다.

0518

다음 물음에 답하여라.

(1) 사차함수 $f(x)$에 대하여 $y=f'(x)$의 그래프가 다음 그림과 같다.
$f(-2)=5$, $f(1)=-5$, $f(3)=-1$, $f(0)=-3$일 때,
방정식 $|f(x)|-3=0$의 실근의 개수를 구하면?

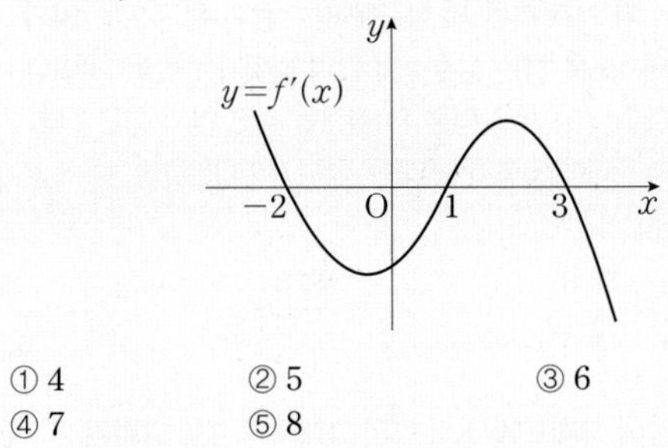

① 4 ② 5 ③ 6
④ 7 ⑤ 8

STEP A $y=f'(x)$의 그래프에서 $f(x)$의 그래프의 개형 그리기

$f'(x)$의 부호를 조사하여 함수 $f(x)$의 증가와 감소를 표로 나타내면 다음과 같다.

x	$\cdots$	-2	$\cdots$	1	$\cdots$	3	$\cdots$
$f'(x)$	$+$	0	$-$	0	$+$	0	$-$
$f(x)$	↗	5	↘	-5	↗	-1	↘

함수 $f(x)$는
$x=-2$, $x=3$에서 극대이고 극댓값은 $f(-2)=5$, $f(3)=-1$
$x=1$에서 극소이고 극솟값은 $f(1)=-5$이므로
$y=f(x)$의 그래프의 개형을 그리면 다음 그림과 같다.

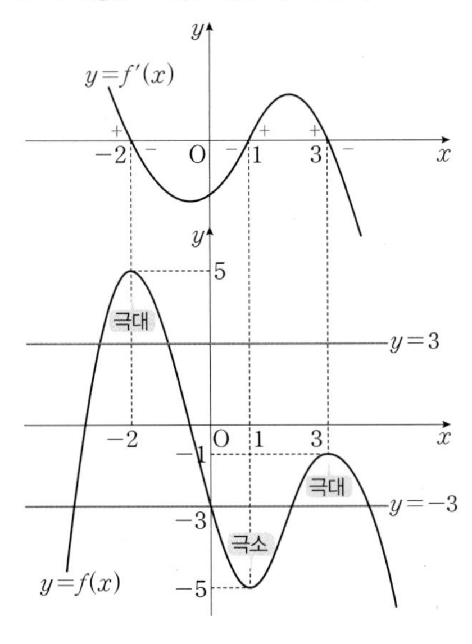

STEP B $|f(x)|=3$의 실근의 개수 구하기

$|f(x)|-3=0$에서 $|f(x)|=3$
$\therefore$ $f(x)=3$ 또는 $f(x)=-3$
$f(x)=3$일 때,
함수 $y=f(x)$의 그래프와 직선 $y=3$이 만나는 점의 개수는 2개이다.
$f(x)=-3$일 때,
함수 $y=f(x)$의 그래프와 직선 $y=-3$이 만나는 점의 개수는 4개이다.
따라서 구하는 실근의 개수는 6개이다.

(2) 삼차함수 $f(x)$의 도함수 $y=f'(x)$의 그래프가 다음 그림과 같다.
$f(0)=0$일 때, 방정식 $f(x)=k$가 서로 다른 두 실근을 갖도록 하는 양수 k의 값은?

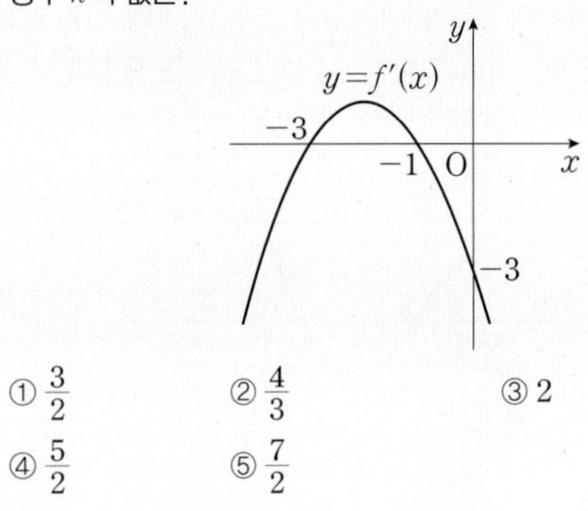

① $\frac{3}{2}$ ② $\frac{4}{3}$ ③ 2
④ $\frac{5}{2}$ ⑤ $\frac{7}{2}$

STEP A $f'(x)$의 부호를 조사하여 삼차함수 $f(x)$의 식 작성하기

$f(x)=ax^3+bx^2+cx+d$ (a, b, c, d는 상수)라고 하면
$f(0)=0$이므로 $d=0$
$f'(x)=3ax^2+2bx+c$
주어진 그래프에서 $f'(-3)=0$, $f'(-1)=0$이므로
$f'(x)=3a(x+3)(x+1)$ $(a<0)$
또, $f'(0)=-3$이므로 $9a=-3$
$\therefore$ $a=-\frac{1}{3}$
$f'(x)=-(x+3)(x+1)=-x^2-4x-3$이므로
$b=-2$, $c=-3$
$\therefore$ $f(x)=-\frac{1}{3}x^3-2x^2-3x$

STEP B 함수 $f(x)$의 증가와 감소를 표로 나타내기

$f'(x)$의 부호를 조사하여 함수 $f(x)$의 증가와 감소를 표로 나타내면 다음과 같다.

x	$\cdots$	-3	$\cdots$	-1	$\cdots$
$f'(x)$	$-$	0	$+$	0	$-$
$f(x)$	↘	0	↗	$\frac{4}{3}$	↘

STEP C 방정식 $f(x)=k$가 서로 다른 두 실근을 갖도록 하는 양수 k의 값 구하기

함수 $y=f(x)$의 그래프의 개형은 다음 그림과 같으므로
방정식 $f(x)=k$가 서로 다른 두 실근을 갖도록 하는 k의 값은
$k=0$ 또는 $k=\frac{4}{3}$

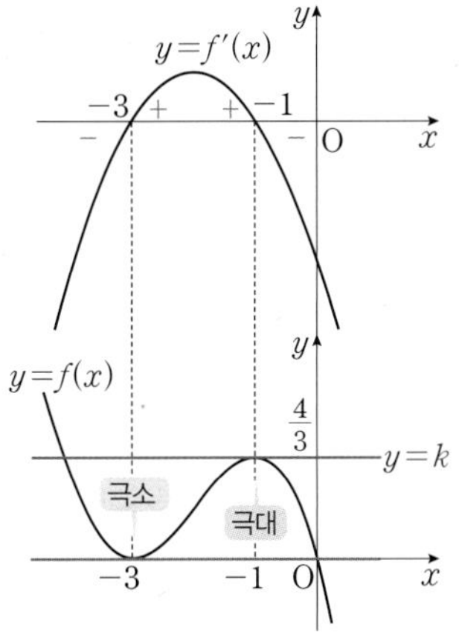

따라서 양수 k는 $\frac{4}{3}$

0519

다음 물음에 답하여라.

(1) 다항함수 $f(x)$에 대하여 함수 $y=f'(x)$의 그래프가 다음 그림과 같고 $f'(a)=f'(b)=f'(c)=0$이다. 함수 $f(x)$가 다음 조건을 만족시킨다.

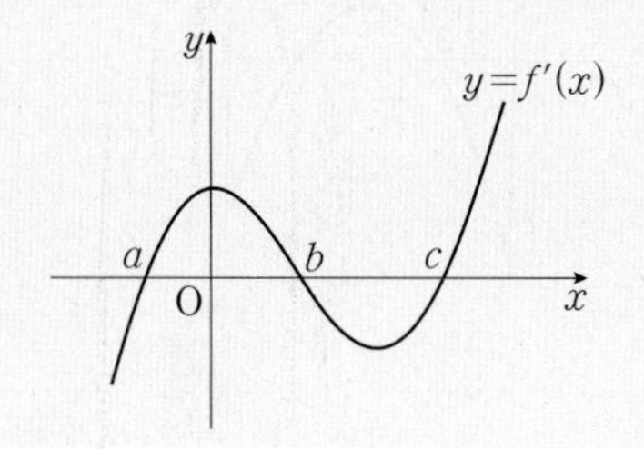

(가) $f(0)=0$
(나) $\{f(a)-f(c)\}f(b)f(c)>0$
(다) 두 상수 k, l에 대하여 $k=f(a)$이고 $0<l<f(b)$

이때 방정식 $f(x)-k=0$의 서로 다른 실근의 개수를 p, 방정식 $f(x)-l=0$의 서로 다른 실근의 개수를 q라 하자. $p+q$의 값은?

① 3 ② 4 ③ 5
④ 6 ⑤ 7

STEP Ⓐ $f'(x)$의 부호를 조사하여 삼차함수 그래프의 개형 그리기

조건 (가)에서 $f(0)=0$이므로 $f(b)>0$

조건 (나)의 $\{f(a)-f(c)\}f(b)f(c)>0$에서 $f(b)>0$이므로

(i) $f(a)-f(c)>0$이고 $f(c)>0$인 경우
$f(a)>f(c)>0$이고 주어진 $y=f'(x)$의 그래프에서
$f(0)=0$이므로 $f(a)<0$이어야 한다.
즉 $f(x)$는 존재할 수 없다.

(ii) $f(a)-f(c)<0$이고 $f(c)<0$인 경우
$f(a)<f(c)<0$이므로 함수 $y=f(x)$의 그래프의 개형은
다음 그림과 같다.

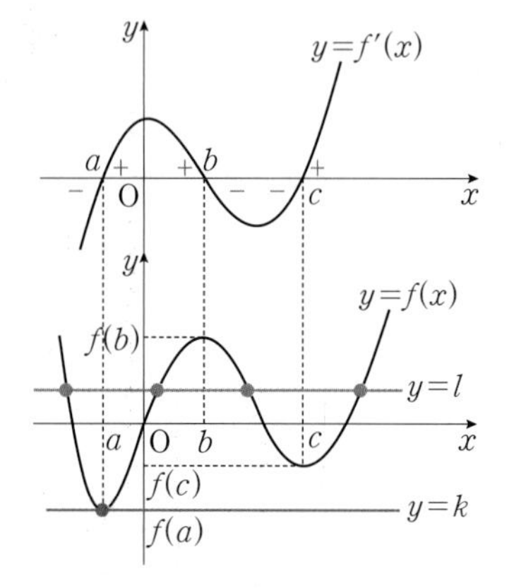

STEP Ⓑ 실근의 개수 구하기

$k=f(a)$이므로

함수 $y=f(x)$의 그래프와 직선 $y=k$가 만나는 점의 개수는 1이다.

즉 방정식 $f(x)-k=0$의 서로 다른 실근의 개수는 1이므로 $p=1$

또한, $0<l<f(b)$이므로 함수 $y=f(x)$의 그래프와 직선 $y=l$이 만나는 점의 개수는 4이다.

즉 방정식 $f(x)-l=0$의 서로 다른 실근의 개수는 4이므로 $q=4$

따라서 $p+q=1+4=5$

(2) 최고차항의 계수가 양수인 삼차함수 $y=f(x)$가 다음 두 조건을 만족한다.

(가) $f'(-2)=0$
(나) $f(2)=f'(2)=0$

방정식 $f(x)=k$가 서로 다른 세 실근을 갖고 음의 실근 2개, 양의 실근 1개가 존재하도록 하는 실수 k의 값의 범위가 $4<k<8$이다. 이때 방정식 $f(x)=l$이 서로 다른 세 실근을 갖고 양의 실근 2개, 음의 실근 1개가 존재하도록 하는 모든 정수 l의 합은?
(단, k, l은 상수)

① 4 ② 6 ③ 8
④ 10 ⑤ 12

STEP Ⓐ $y=f'(x)$의 그래프에서 $f(x)$의 그래프의 개형 그리기

조건 (가)에서 $x=-2$에서 극값을 가진다.

조건 (나)에서 $f'(2)=0$이므로 $x=2$에서 극값을 가진다.

이때 최고차항이의 계수가 양수인 삼차함수이므로
$x=-2$에서 극대이고 $x=2$에서 극소를 갖는다.

한편 $f(2)=0$이므로 $x=2$에서 극솟값으로 0을 가지며 x축과 접한다.

이때 그래프의 개형은 다음 그림과 같다.

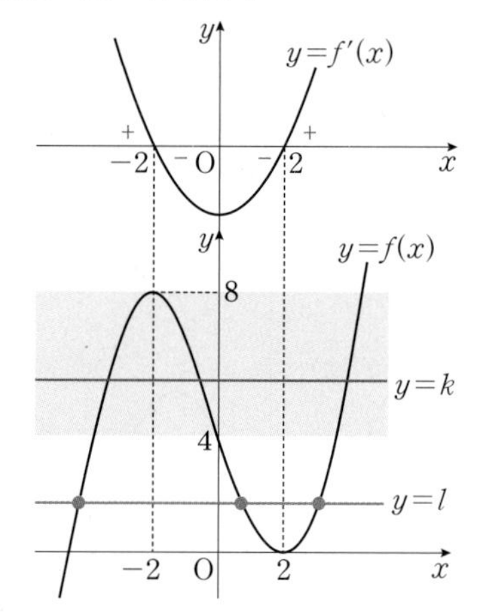

STEP Ⓑ 정수 l의 합 구하기

방정식 $f(x)=l$의 해가 양의 실근 2개, 음의 실근 1개가 존재하도록 하는 실수 l의 값의 범위는 $0<l<4$

따라서 정수 l은 1, 2, 3이므로 합 $1+2+3=6$

0520

6차 다항함수 $y=f(x)$를 미분하여 다음과 같은 증감표를 완성하였다.

x	$\cdots$	-2	$\cdots$	0	$\cdots$	1	$\cdots$	3	$\cdots$
$f'(x)$	$+$	0	$-$	0	$+$	0	$-$	0	$-$
$f(x)$		5		2		5		-1	

다음 [보기]에서 항상 옳은 것을 모두 고르면?

ㄱ. 극댓값과 극솟값의 총합은 11이다.
ㄴ. 방정식 $f(x)=0$은 한 개의 음근과 한 개의 양근을 갖는다.
ㄷ. 상수 a의 값에 따라 방정식 $f(x)-a=0$은 최대 5개의 실근을 갖는다.
ㄹ. 방정식 $f(x)-5=0$의 서로 다른 두 실근은 -2, 1이다.

① ㄱ, ㄴ ② ㄴ, ㄷ ③ ㄱ, ㄷ
④ ㄴ, ㄹ ⑤ ㄷ, ㄹ

STEP Ⓐ $y=f'(x)$의 그래프에서 $f(x)$의 그래프의 개형 그리기

$f'(x)$의 부호를 조사하여 함수 $f(x)$의 증가와 감소를 표로 나타내면 다음과 같다.

x	$\cdots$	-2	$\cdots$	0	$\cdots$	1	$\cdots$	3	$\cdots$
$f'(x)$	$+$	0	$-$	0	$+$	0	$-$	0	$-$
$f(x)$	↗	5	↘	2	↗	5	↘	-1	↘

이때 그래프의 개형은 다음 그림과 같다.

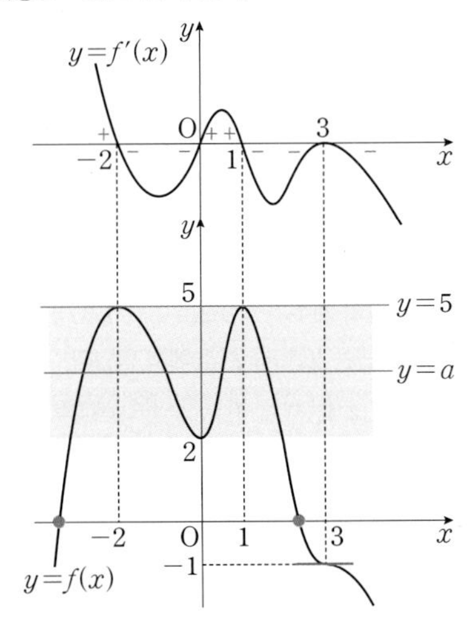

STEP Ⓑ [보기]의 참, 거짓의 진위판단하기

ㄱ. 극댓값은 $x=-2$, $x=1$에서 각각 5이고 극솟값은 $x=0$에서 2이므로 합은 12이다. [거짓]
ㄴ. 방정식 $f(x)=0$은 한 개의 음근과 한 개의 양근을 갖는다. [참]
ㄷ. 상수 a의 값에 따라 방정식 $f(x)-a=0$은 최대 4개의 실근을 갖는다. [거짓]
ㄹ. 방정식 $f(x)-5=0$의 서로 다른 두 실근은 -2, 1이다. [참]

따라서 옳은 것은 ㄴ, ㄹ이다.

0521

점 $P(1, a)$에서 곡선 $y=x^3-3x$에 세 개의 접선을 그을 수 있도록 하는 a값의 범위를 구하여라.

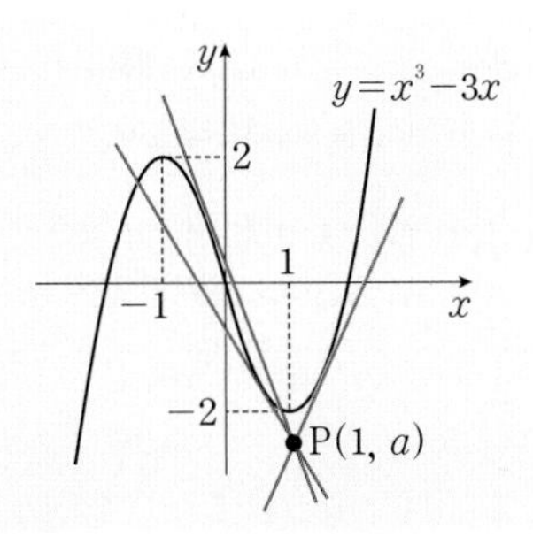

STEP Ⓐ 접점의 좌표를 (t, t^3-3t)라 하고 접선의 방정식 구하기

$f(x)=x^3-3x$라 하면 $f'(x)=3x^2-3$

접점의 좌표를 (t, t^3-3t)라고 하면 접선의 방정식은

$y-(t^3-3t)=(3t^2-3)(x-t)$

$y=(3t^2-3)x-2t^3$

STEP Ⓑ 구한 접선이 점 $P(1, a)$를 지남을 이용하여 t와 a 사이의 관계식 구하기

이 접선이 $(1, a)$를 지나므로 $a=(3t^2-3)-2t^3$

$a=-2t^3+3t^2-3$ …… ㉠

접점이 3개가 존재하려면 ㉠이 서로 다른 세 실근을 가져야 한다.

$g(t)=-2t^3+3t^2-3$이라 하면

$g'(t)=-6t^2+6t=-6t(t-1)$

$g'(t)=0$에서 $t=0$ 또는 $t=1$

$g'(t)$의 부호를 조사하여 함수 $g(t)$의 증가와 감소를 표로 나타내면 다음과 같다.

t	$\cdots$	0	$\cdots$	1	$\cdots$
$g'(t)$	$-$	0	$+$	0	$-$
$g(t)$	↘	-3	↗	-2	↘

$t=0$일 때,
극소이고 극솟값 $g(0)=-3$
$t=1$일 때,
극대이고 극댓값 $g(1)=-2$

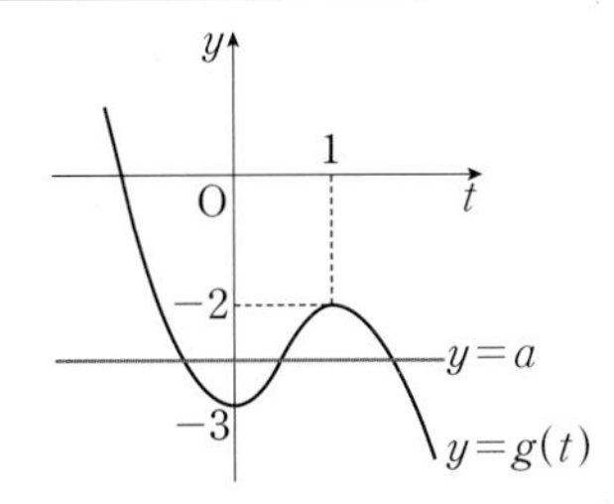

STEP Ⓒ 접선의 개수가 3이 되도록 하는 실수 a의 값의 범위 구하기

따라서 이 함수 $g(t)$와 직선 $y=a$의 교점의 개수가 3개이기 위한 a의 범위는 $-3<a<-2$

다른풀이 방정식 $2t^3-3t^2+3+a=0$이 서로 다른 세 실근을 가지려면 (극댓값)×(극솟값)<0을 이용하여 풀이하기

$h(t)=2t^3-3t^2+3+a$라 하면

$h'(t)=6t^2-6t=6t(t-1)$

$h'(t)=0$에서 $t=0$ 또는 $t=1$

$h'(t)$의 부호를 조사하여 함수 $h(t)$의 증가와 감소를 표로 나타내면 다음과 같다.

t	$\cdots$	0	$\cdots$	1	$\cdots$
$h'(t)$	$+$	0	$-$	0	$+$
$h(t)$	↗	극대	↘	극소	↗

$t=0$일 때, 극대이고 극댓값 $h(0)=a+3$

$t=1$일 때, 극소이고 극솟값 $h(1)=a+2$

따라서 방정식 $h(x)=0$이 서로 다른 세 실근을 가지려면

(극댓값)×(극솟값)<0이어야 하므로 $h(0)h(1)<0$에서 $(a+3)(a+2)<0$

$\therefore -3<a<-2$

0522

함수 $f(x)=x^3+3x^2$에 대하여 다음 조건을 만족시키는 정수 a의 최댓값을 M이라 할 때, M^2의 값은?

(가) 점 $(-4,\ a)$를 지나고 곡선 $y=f(x)$에 접하는 직선이 세 개있다.
(나) 세 접선의 기울기의 곱은 음수이다.

① 4 ② 9 ③ 16
④ 25 ⑤ 36

STEP Ⓐ 함수 $y=f(x)$의 그래프 그리기

$f(x)=x^3+3x^2$에서

$f'(x)=3x^2+6x=3x(x+2)$

$f'(x)=0$에서 $x=-2$ 또는 $x=0$

함수 $f(x)$의 증가와 감소를 표로 나타내면 다음과 같다.

x		-2	$\cdots$	0	$\cdots$
$f'(x)$	$+$		$-$	0	$+$
$f(x)$	↗	극대	↘	극소	↗

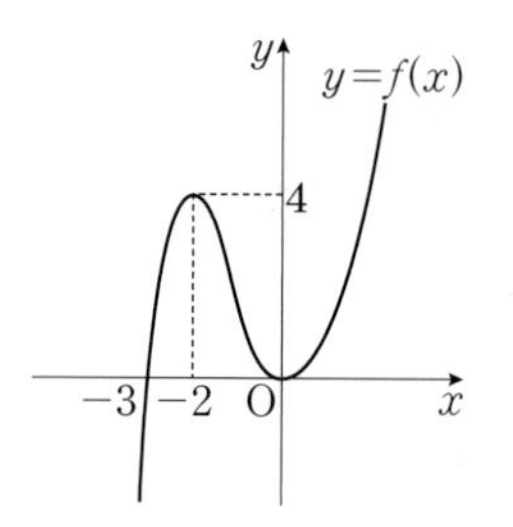

함수 $y=f(x)$는 $x=-2$에서 극댓값 4

$x=0$에서 극솟값 0을 갖는다.

STEP Ⓑ 점 $(-4,\ a)$를 지나고 $y=f(x)$의 그래프에 접하는 세 직선의 기울기의 곱이 음수인 a의 범위 구하기

조건 (가), (나)에서 점 $(-4,\ a)$를 지나고 $y=f(x)$의 그래프에 접하는 세 직선의 기울기의 곱은 음수이다.

이때 세 접선의 기울기가 모두 음수인 경우는 불가능하므로 세 접선의 기울기 중 한 접선의 기울기만 음수이고 나머지 두 직선의 기울기는 양수이어야 한다.

따라서 $0 < a < 4$에서 세 접선의 기울기 중 한 접선의 기울기만 음수이므로 정수 a의 최댓값 M은 3

$\therefore M^2=9$

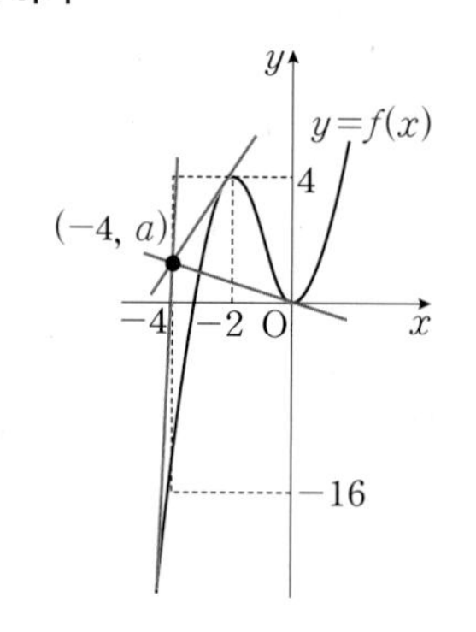

a의 범위에 따른 접선의 기울기가 양, 음, 0인 개수 구하기

a의 범위	기울기가 양수인 접선의 개수	기울기가 음수인 접선의 개수	기울기가 0인 접선의 개수
$a>4$	1개	1개 또는 2개	
$a=4$	1개	1개	1개
$0<a<4$	2개	1개	
$a=0$	2개		1개
$-16<a<0$	3개		
$a=-16$	2개		
$a<-16$	1개		

(ⅰ) $a>4$일 때,
오른쪽 그림과 같이 곡선의 볼록과 오목이 바뀌는 점이 P이면 기울기가 음수인 접선이 1개, 양수인 접선도 1개이고 그 이외의 경우에는 기울기가 음수인 접선이 2개, 양수인 접선도 1개이다.

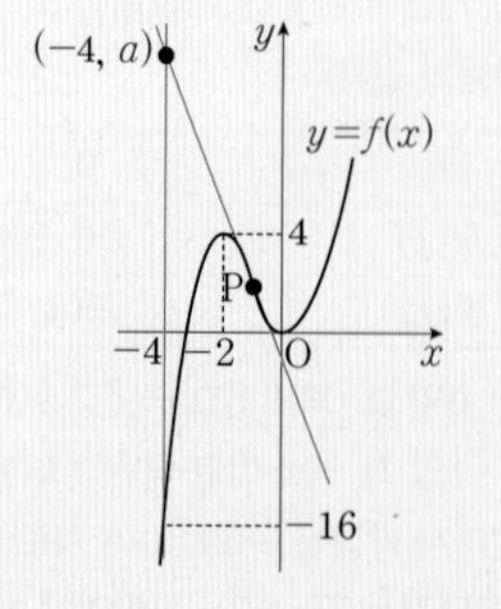

(ⅱ) $a=-16$경우
곡선 위의 점 $(-4,\ -16)$이 곡선과 직선의 접점이면 기울기가 양수인 접선은 2개이다.
$-16<a<0$인 경우는 기울기가 양수인 접선이 3개이다.
$a<-16$인 경우는 기울기가 양수인 접선이 1개이다.

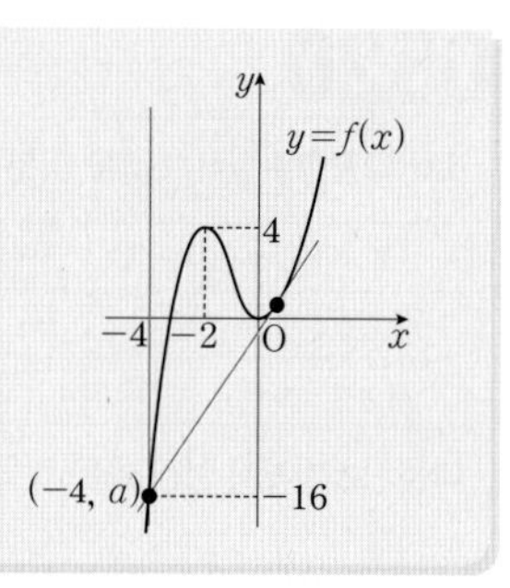

0523

다음 물음에 답하여라.

(1) 최고차항의 계수가 1인 삼차함수 $f(x)$와 최고차항의 계수가 -1인 이차함수 $g(x)$가 다음 조건을 만족시킨다.

(가) 곡선 $y=f(x)$ 위의 점 $(0,\ 0)$에서의 접선과 곡선 $y=g(x)$ 위의 점 $(2,\ 0)$에서의 접선은 모두 x축이다.
(나) 점 $(2,\ 0)$에서 곡선 $y=f(x)$에 그은 접선의 개수는 2이다.
(다) 방정식 $f(x)=g(x)$는 오직 하나의 실근을 갖는다.

$x>0$인 모든 실수 x에 대하여

$g(x) \le kx-2 \le f(x)$

를 만족시키는 실수 k의 최댓값과 최솟값을 각각 α, β라 할 때, $\alpha-\beta=a+b\sqrt{2}$이다. a^2+b^2의 값을 구하여라.
(단, a, b는 유리수이다.)

STEP Ⓐ 조건 (가)를 만족하는 이차함수 $g(x)$ 구하기

조건 (가)에서 곡선 $y=g(x)$ 위의 점 $(2,\ 0)$에서의 접선이 x축이고

함수 $g(x)$는 최고차항의 계수가 -1인 이차함수이므로

$g(x)=-(x-2)^2$

삼차함수 $f(x)$의 최고차항의 계수가 1이므로 $x<0$인 범위에서 두 곡선 $y=f(x)$, $y=g(x)$는 반드시 한 점에서 만난다.

조건 (다)에서 방정식 $f(x)=g(x)$는 오직 하나의 실근을 가지므로 두 곡선 $y=f(x)$, $y=g(x)$는 $x<0$에서 만나는 점을 제외한 점에서는 만나지 않아야 한다.

STEP Ⓑ 조건을 만족하는 삼차함수 $f(x)$의 식 구하기

또, 조건 (가)에서 곡선 $y=f(x)$ 위의 점 $(0,\ 0)$에서의 접선이 x축이므로 곡선 $y=f(x)$는 x축과 접해야 한다.

그러므로 함수 $y=f(x)$가 극값을 갖는 경우와 극값을 갖지 않는 경우로 나눈 후, 함수 $y=f(x)$의 그래프의 개형을 그려 점 $(2,\ 0)$에서 곡선 $y=f(x)$에 그은 접선의 개수를 조사하면 다음과 같다.

(ⅰ) 함수 $f(x)$가 극값을 갖는 경우

함수 $f(x)$가 $x=0$에서 극솟값을 가질 때, 점 $(2,\ 0)$에서 곡선 $y=f(x)$에 그은 접선의 개수는 오른쪽 그림과 같이 x축을 포함하여 3개이다.

한편 함수 $f(x)$가 $x=0$에서 극댓값을 가질 때는 조건 (다)에 의하여 $y=f(x)$와 $y=g(x)$가 $x<0$에서 이미 한 점에서 만나므로 아래 그림과 같다.

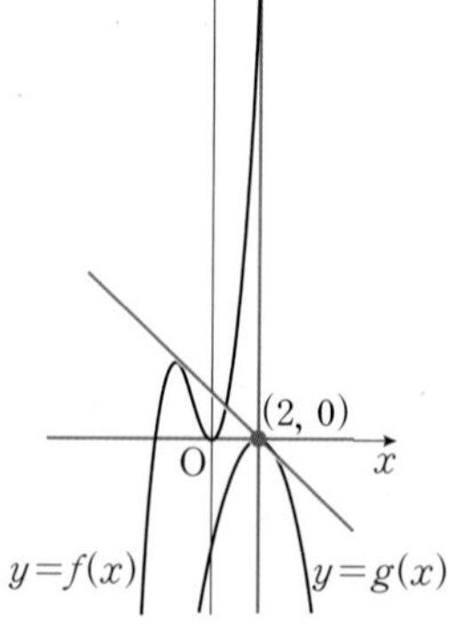

따라서 점 $(2,\ 0)$에서 곡선 $y=f(x)$에 그은 접선의 개수는 다음 그림과 같이 x축을 포함하여 3개이다.

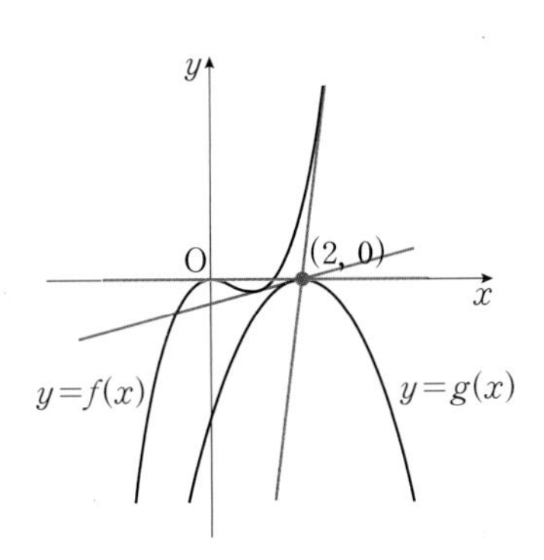

(ii) 함수 $f(x)$가 극값을 갖지 않은 경우

함수 $f(x)=x^3$이고 점 $(2, 0)$에서 곡선 $y=f(x)$에 그은 접선의 개수는 그림과 같이 x축 포함하여 2개이다.

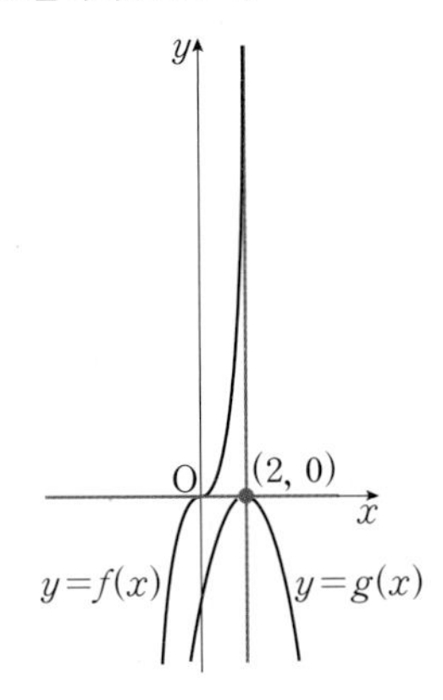

(i), (ii)에서 $f(x)=x^3$

STEP **C** **곡선 밖의 점에서 접선의 방정식을 이용하여 k의 최대 최소 구하기**

한편 $x>0$인 모든 실수 x에 대하여

$g(x) \le kx-2 \le f(x)$이므로 곡선 $y=f(x)$는 직선 $y=kx-2$와 만나거나 아래쪽에 있어야 하고 곡선 $y=f(x)$는 직선 $y=kx-2$와 만나거나 위쪽에 있어야 한다.

한편 $y=kx-2$는 점 $(0, -2)$를 지나는 직선이고 k는 이 직선의 기울기이므로 k가 최소가 되는 직선과 최대가 되는 직선은 다음 그림과 같이 접선이다.

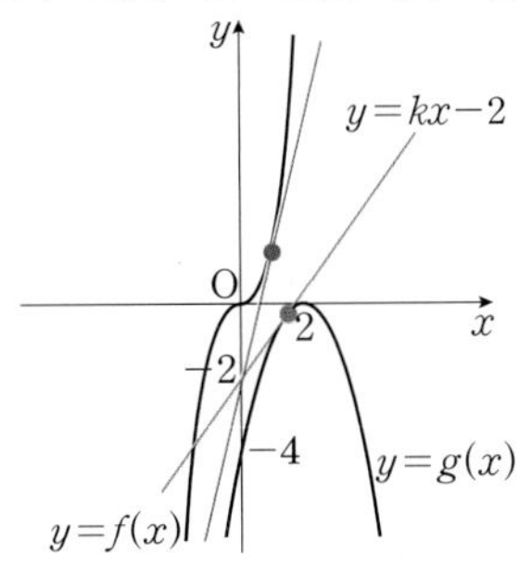

점 $(0, -2)$를 지나고 곡선 $y=f(x)$와의 접점을 (p, p^3)이라 하면

$f'(x)=3x^2$이므로 접선의 방정식은 $y=3p^2(x-p)+p^3$

이 접선이 $(0, -2)$를 지나므로 대입하면 $-2=3p^2(-p)+p^3$

$p^3=1 \quad \therefore p=1$

즉 실수 k의 최댓값은 $\alpha=3$

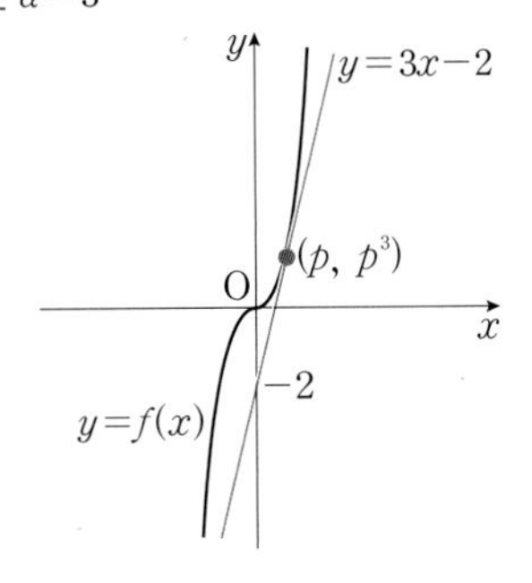

또, 점 $(0, -2)$를 지나고

곡선 $y=g(x)$의 접점을 $(q, -(q-2)^2)$이라 하면

$g'(x)=-2(x-2)$이므로 접선의 방정식은

$y=-2(q-2)(x-q)-(q-2)^2$

이 접선이 $(0, -2)$를 지나므로 대입하면

$-2=-2(q-2)(-q)-(q-2)^2$

$-2=2q^2-4q-q^2+4q-4, \ q^2=2$

$\therefore q=\sqrt{2} \ (\because q>0)$

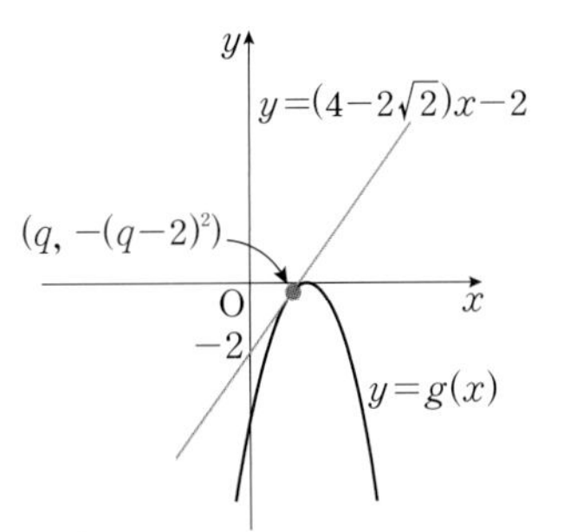

즉 실수 k의 최솟값은 $\beta=-2(\sqrt{2}-2)=4-2\sqrt{2}$

이때 $\alpha-\beta=3-(4-2\sqrt{2})=-1+2\sqrt{2}$

따라서 $a=-1, \ b=2$이므로 $a^2+b^2=(-1)^2+2^2=5$

(2) 최고차항의 계수가 1인 삼차함수 $f(x)$와 실수 t가 다음 조건을 만족시킨다.

> 등식 $-1=f'(a)(t-a)+f(a)$를 만족시키는 실수 a의 값이 6 하나뿐이기 위한 필요충분조건은 $-2<t<k$이다.

$f(8)$의 값을 구하여라. (단, k는 -2보다 큰 상수이다.)

STEP **A** **점 $\mathrm{P}(t, -1)$에서 곡선 $y=f(x)$에 그은 접선의 접점이 $(a, f(a))$임을 이해하기**

등식 $-1=f'(a)(t-a)+f(a)$ ...... ㉠

은 곡선 $y=f(x)$ 위의 점 $(a, f(a))$에서의 접선 $y=f'(a)(x-a)+f(a)$가 점 $\mathrm{P}(t, -1)$을 지남을 뜻한다.

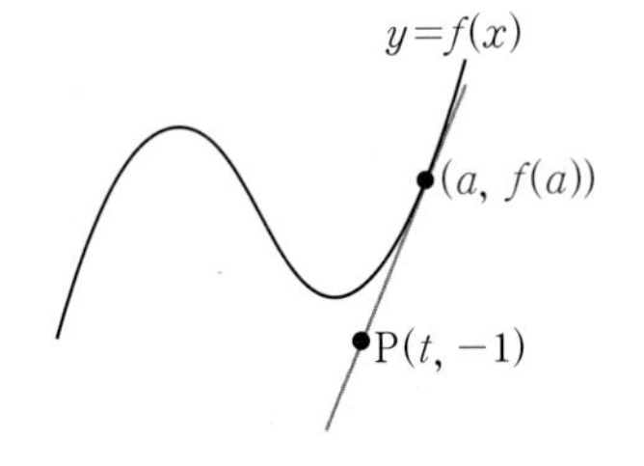

즉 점 $\mathrm{P}(t, -1)$에서 곡선 $y=f(x)$에 그은 접선의 접점이 $(a, f(a))$이다.

⬅ 접선의 접점이 $(6, f(6))$오직 하나밖에 없다.

STEP **B** **실수 a의 값이 6 하나뿐인 방정식에서 t에 대한 항등식을 이용하여 $f'(6)$과 $f(6)$의 값 구하기**

조건에서 등식 ㉠을 만족시키는 실수 a의 값이 6 하나뿐이므로

$-1=f'(6)(t-6)+f(6)$ ...... ㉡

$-2<t<k$인 모든 실수 t에 대하여 ㉡이 성립하므로

$f'(6)t=-f(6)-1+6f'(6)$이 t에 관한 항등식이므로

$f'(6)=0, \ f(6)=-1$

즉 함수 $y=f(x)$의 그래프는 점 $\mathrm{A}(6, -1)$에서

직선 $y=-1$에 접하므로

$f(x)+1=(x-6)^2(x-m)$라 하면

$f(x)=(x-6)^2(x-m)-1$ (m은 상수) ...... ㉢

STEP C **삼차함수 $f(x)$를 결정하여 $f(8)$의 값 구하기**

따라서 두 점 $\mathrm{P}(t,\ -1)$, $\mathrm{A}(6,\ -1)$에 대하여 ⓒ을 만족시키는 삼차함수 $y=f(x)$의 그래프는 다음과 같이 3가지이다.

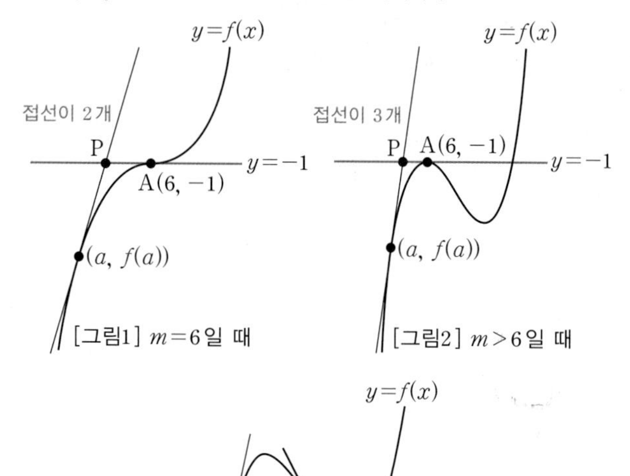

[그림1] $m=6$일 때

[그림2] $m>6$일 때

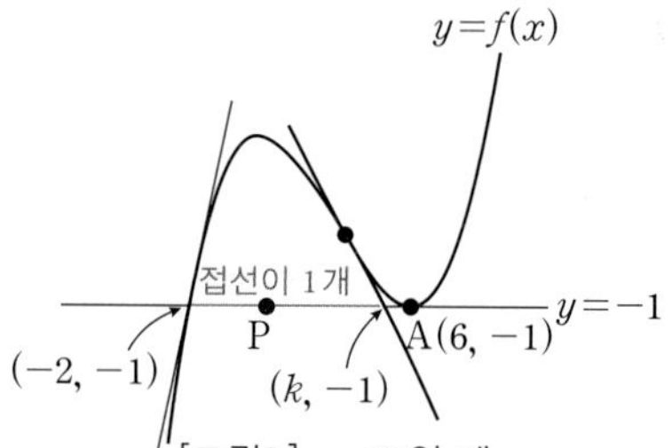

[그림3] $m<6$일 때

[그림1], [그림2]에서는 6보다 작은 모든 실수 t에 대하여 등식 ㉠을 만족시키는 6이 아닌 실수 a가 존재하므로 조건을 만족시키지 않는다.
[그림3]에서 $k>-2$인 상수 k에 대하여 등식 ㉠을 만족시키는 실수 a의 값이 6 하나뿐이기 위한 필요충분조건이 $-2<t<k$이려면
함수 $y=f(x)$의 그래프가 점 $(-2,\ -1)$을 지나야 한다.

즉 $m=-2$ ⬅ $f(x)+1=(x-6)^2(x+2)$

$f(x)=(x-6)^2(x+2)-1$

따라서 $f(8)=(8-6)^2(8+2)-1=39$

$f(x)=(x-6)^2(x-m)-1$

$f'(x)=2(x-6)(x-m)+(x-6)^2=(x-6)(3x-2m-6)$

이므로 등식 $f(a)+1=f'(a)(a-t)$에서

$(a-6)^2(a-m)=(a-6)(3a-2m-6)(a-t)$

$(a-6)\{2a^2-(3t+m)a+2mt+6t-6m\}=0$

$a=6$ 또는 $2a^2-(3t+m)a+2mt+6t-6m=0$ …… ㉠

이 등식을 만족시키는 실수 a의 값이 6 하나뿐이려면 a에 대한 이차방정식 ㉠이 중근 6을 가지거나 실근을 갖지 않아야 한다.

(i) ㉠이 중근 6을 가지는 경우

$2a^2-(3t+m)a+2mt+6t-6m=2(a-6)^2$에서 $t=6,\ m=6$

즉 조건을 만족시키는 실수 t는 6 하나뿐이므로

$-2<t<k$라는 조건을 만족시키지 않는다.

(ii) ㉠이 실근을 갖지 않는 경우

㉠의 판별식을 D라 하면

$D=(3t+m)^2-8(2mt+6t-6m)$

$=(t-m)(9t-m-48)<0$ …… ㉡

① $m<\dfrac{m+48}{9}$

즉 $m<6$이면 부등식 ㉡의 해는 $m<t<\dfrac{m+48}{9}$

이때 실수 t의 범위가 $-2<t<k$이어야 하므로

$m=-2,\ k=\dfrac{46}{9}$

② $m>\dfrac{m+48}{9}$

즉 $m>6$이면 부등식 ㉡의 해는 $\dfrac{m+48}{9}<t<m$

이때 $\dfrac{m+48}{9}>6$이므로 조건을 만족시키지 않는다.

(i), (ii)에서 $m=-2,\ k=\dfrac{46}{9}$이므로 $f(x)=(x-6)^2(x+2)-1$

0524

다음 물음에 답하여라.

(1) $x>0$에서 부등식 $x^3-6x^2+9x+k>0$이 성립하도록 하는 실수 k의 범위를 구하여라.

STEP A **부등식을 $f(x)>0$으로 정리하여 $f'(x)=0$이 되는 x의 값 구하기**

$f(x)=x^3-6x^2+9x+k$로 놓으면

$f'(x)=3x^2-12x+9=3(x-1)(x-3)$

$f'(x)=0$에서 $x=1$ 또는 $x=3$

STEP B **$f(x)$의 증가와 감소를 조사하기**

함수 $f(x)$의 증가와 감소를 표로 나타내면 다음과 같다.

x	0	$\cdots$	1	$\cdots$	3	$\cdots$
$f'(x)$		+	0	−	0	+
$f(x)$	k	↗	$k+4$	↘	k	↗

STEP C **$f(x)$의 최솟값이 0보다 클 때, k의 값의 범위 구하기**

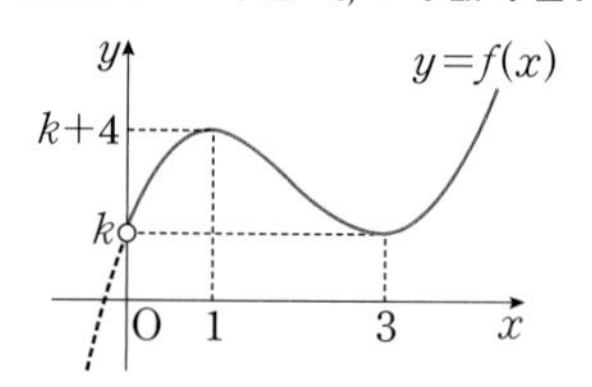

$x>0$에서 함수 $f(x)$는 $x=3$에서 극소이면서 최소이므로 최솟값은

$f(3)=k$

따라서 $x>0$일 때, $f(x)>0$이려면 $f(3)>0$이어야 하므로 $k>0$

(2) 모든 실수 x에 대하여 부등식 $2x^4-4x^2\geq k$가 성립하도록 하는 k의 범위를 구하여라.

STEP A **부등식을 $f(x)\geq 0$으로 정리하여 $f'(x)=0$이 되는 x의 값 구하기**

$f(x)=2x^4-4x^2-k$로 놓으면

$f'(x)=8x^3-8x=8x(x+1)(x-1)$

$f'(x)=0$에서 $x=-1$ 또는 $x=0$ 또는 $x=1$

STEP B **$f(x)$의 증가와 감소를 조사하기**

$f'(x)$의 부호를 조사하여 함수 $f(x)$의 증가와 감소를 표로 나타내면 다음과 같다.

x	$\cdots$	−1	$\cdots$	0	$\cdots$	1	$\cdots$
$f'(x)$	−	0	+	0	−	0	+
$f(x)$	↘	$-k-2$	↗	$-k$	↘	$-k-2$	↗

STEP C **$f(x)$의 최솟값이 0보다 크거나 같을 때, k의 값의 범위 구하기**

함수 $f(x)$는 $x=-1,\ x=1$일 때, 극소이면서 최소이다.

즉 최솟값은 $f(-1)=f(1)=-k-2$이므로 모든 실수 x에 대하여 $f(x)\geq 0$이려면 $-k-2\geq 0$

따라서 $k\leq -2$

0525

모든 실수 x에 대하여 부등식 $x^4+2ax^2-4(a+1)x+a^2\ge 0$이 성립하도록 하는 양수 a의 최솟값은?

① 1 ② 2 ③ 3
④ 4 ⑤ 5

STEP A 부등식을 $f(x)\ge 0$으로 정리하여 $f'(x)=0$이 되는 x의 값 구하기

최고차항의 계수가 양수인 사차함수는 반드시 최솟값을 가진다.

$f(x)=x^4+2ax^2-4(a+1)x+a^2$로 놓으면

$f'(x)=4x^3+4ax-4(a+1)$

$=4(x-1)(x^2+x+a+1)$

이때 $a>0$에서 $x^2+x+a+1=\left(x+\frac{1}{2}\right)^2+\frac{3}{4}+a>0$이므로

$f'(x)=0$에서 $x=1$

STEP B $f(x)$의 증가와 감소를 조사하기

$f'(x)$의 부호를 조사하여 함수 $f(x)$의 증가와 감소를 표로 나타내면 다음과 같다.

x	$\cdots$	1	$\cdots$
$f'(x)$	$-$	0	$+$
$f(x)$	↘	극소	↗

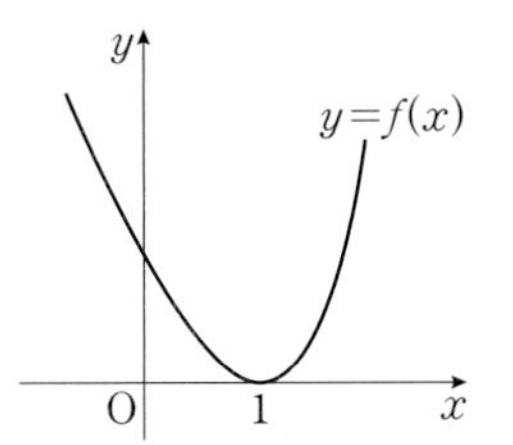

STEP C $f(x)$의 최솟값이 0보다 클 때, a의 값의 범위 구하기

이때 함수 $f(x)$는 $x=1$에서 극소이면서 최소이므로

최솟값은 $f(1)=1+2a-4(a+1)+a^2=a^2-2a-3$

모든 실수 x에 대하여 $f(x)\ge 0$이려면 $a^2-2a-3\ge 0$

$(a+1)(a-3)\ge 0$ $\therefore a\le -1$ 또는 $a\ge 3$

따라서 양수 a의 최솟값은 3

0526

두 함수 $f(x)=5x^3-10x^2+k$, $g(x)=5x^2+2$에 대하여 열린구간 $(0, 3)$에서 부등식 $f(x)\ge g(x)$가 성립하도록 하는 상수 k의 최솟값을 구하여라.

STEP A $h(x)=f(x)-g(x)$로 놓고 $h(x)$의 그래프 그리기

$h(x)=f(x)-g(x)$라 하면

$h(x)=f(x)-g(x)=5x^3-10x^2+k-(5x^2+2)$

$=5x^3-15x^2+k-2$

$h'(x)=15x^2-30x=15x(x-2)$

$h'(x)=0$에서 $x=0$ 또는 $x=2$

함수 $h(x)$의 증가와 감소를 표로 나타내면 다음과 같다.

x	$\cdots$	0	$\cdots$	2	$\cdots$
$h'(x)$	$+$	0	$-$	0	$+$
$h(x)$	↗	극대	↘	극소	↗

$h(x)$는 $x=0$일 때, 극댓값 $h(0)=k-2$

$x=2$일 때, 극솟값 $h(2)=k-22$를 갖는다.

STEP B $0<x<3$에서 $f(x)\ge g(x)$가 성립할 조건 구하기

$0<x<3$에서 $y=h(x)$의 그래프의 개형은 오른쪽 그림과 같고 $x=2$에서 최솟값 $h(2)=k-22$이므로

$h(x)\ge 0$이려면 $k-22\ge 0$

따라서 $k\ge 22$이므로 k의 최솟값은 22

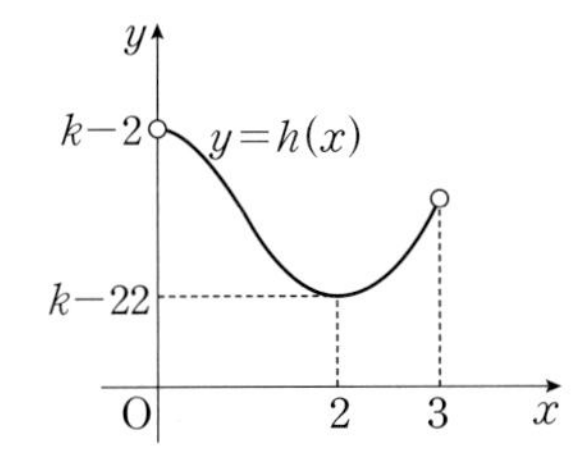

다른풀이 상수함수를 이용하여 k의 최솟값 풀이하기

STEP A 부등식 $f(x)\ge g(x)$의 식을 정리하기

$f(x)\ge g(x)$에서 $5x^3-10x^2+k\ge 5x^2+2$이므로

$5x^3-15x^2-2\ge -k$

이때 $p(x)=5x^3-15x^2-2$라 하면 $0<x<3$에서 $p(x)\ge -k$가 되도록 한다.

$p'(x)=15x^2-30x=15x(x-2)$

$p'(x)=0$에서 $x=0$ 또는 $x=2$

함수 $p(x)$의 증가와 감소를 표로 나타내면 다음과 같다.

x	$\cdots$	0	$\cdots$	2	$\cdots$
$p'(x)$	$+$	0	$-$	0	$+$
$p(x)$	↗	극대	↘	극소	↗

$p(x)$는 $x=0$일 때, 극댓값 $p(0)=-2$

$x=2$일 때, 극솟값 $p(2)=-22$를 갖는다.

STEP B $0<x<3$에서 $p(x)\ge -k$가 성립할 k의 최솟값 구하기

$p(x)$는 $0<x<3$에서 $x=2$일 때, 최솟값 $p(2)$를 가지므로

$p(2)=-22\ge -k$

$\therefore k\ge 22$

따라서 k의 최솟값은 22

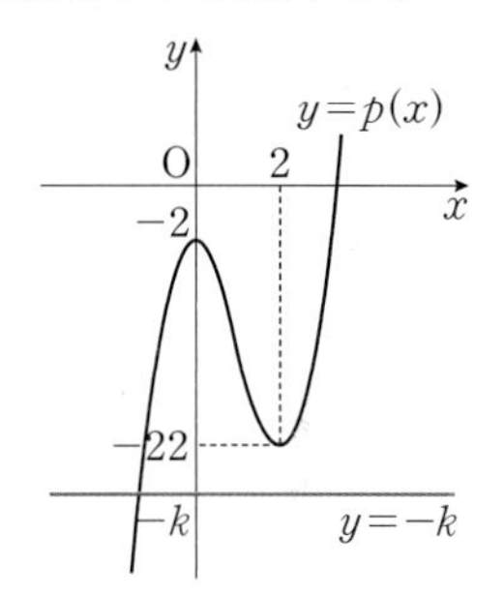

0527

두 함수 $f(x)=x^4-4x^3+12x$, $g(x)=2x^2+a$가 모든 실수 x에 대하여 $f(x)\ge g(x)$를 만족할 때, 실수 a의 최댓값은?

① -11 ② -10 ③ -9
④ -8 ⑤ -7

STEP A 부등식을 $h(x)\ge 0$으로 정리하여 $h'(x)=0$이 되는 x의 값 구하기

$f(x)\ge g(x)$에서 $f(x)-g(x)\ge 0$

$h(x)=f(x)-g(x)$라 하면

$h(x)=x^4-4x^3-2x^2+12x-a$

$h'(x)=4x^3-12x^2-4x+12=4(x+1)(x-1)(x-3)$

$h'(x)=0$에서 $x=-1$ 또는 $x=1$ 또는 $x=3$

STEP B $h(x)$의 증가와 감소를 조사하기

$h'(x)$의 부호를 조사하여 함수 $h(x)$의 증가와 감소를 표로 나타내면 다음과 같다.

x	$\cdots$	-1	$\cdots$	1	$\cdots$	3	$\cdots$
$h'(x)$	$-$	0	$+$	0	$-$	0	$+$
$h(x)$	↘	극소	↗	극대	↘	극소	↗

STEP C $h(x)$의 최솟값이 0보다 크거나 같을 때, a의 값의 범위 구하기

함수 $h(x)$는 $x=-1$과 $x=3$에서 극소이므로 극솟값은

$h(-1)=h(3)=-9-a$

모든 실수 x에 대하여 부등식 $h(x)\ge 0$이 성립하려면 $-9-a\ge 0$

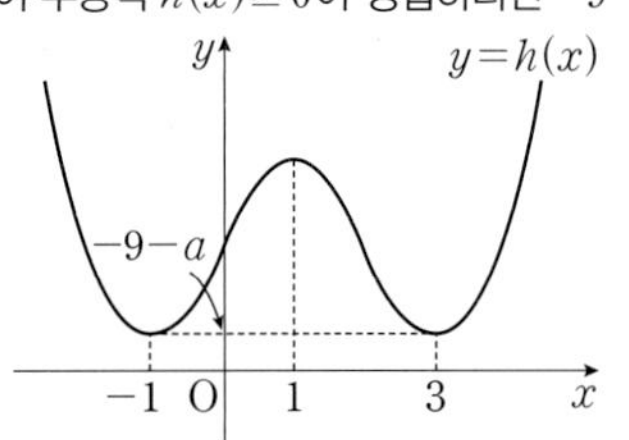

따라서 $a\le -9$이므로 a의 최댓값은 -9

0528

두 함수 $f(x)=x^4+x^2-6x$, $g(x)=-2x^2-16x+a$에 대하여 다음 물음에 답하여라.

(1) 모든 실수 x에 대하여 $f(x)\geq g(x)$가 성립하도록 하는 상수 a의 값의 범위를 구하여라.

STEP A 부등식을 $h(x)\geq 0$으로 정리하여 $h'(x)=0$이 되는 x의 값 구하기

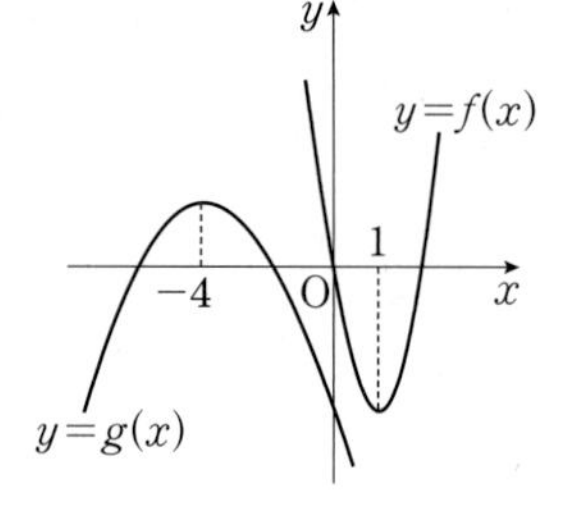

$h(x)=f(x)-g(x)$로 놓으면

$h(x)=x^4+3x^2+10x-a$

$h'(x)=4x^3+6x+10$

$=2(x+1)(2x^2-2x+5)$

$h'(x)=0$에서

$x=-1$ ($\because 2x^2-2x+5>0$)

STEP B $h(x)$의 증가와 감소를 조사하기

$h'(x)$의 부호를 조사하여 함수 $h(x)$의 증가와 감소를 표로 나타내면 다음과 같다.

x	$\cdots$	-1	$\cdots$
$h'(x)$	$-$	0	$+$
$h(x)$	↘	극소	↗

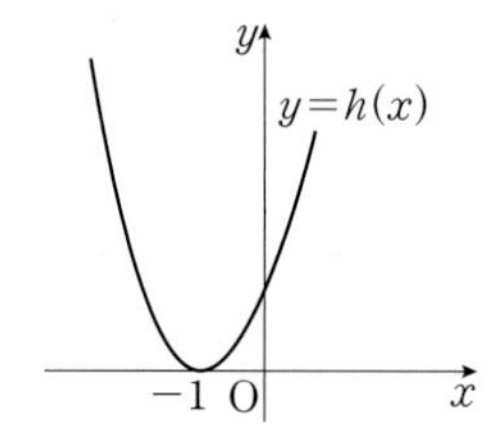

STEP C $h(x)$의 최솟값이 0보다 크거나 같을 때, a의 값의 범위 구하기

$h(x)$는 $x=-1$에서 극소이고 최소이므로 $h(-1)\geq 0$이어야 한다.

따라서 $h(-1)=-6-a\geq 0$이므로 $a\leq -6$

(2) 임의의 두 실수 x_1, x_2에 대하여 $f(x_1)\geq g(x_2)$가 성립하도록 하는 상수 a의 값의 범위를 구하여라.

STEP A $f(x)$의 최솟값 구하기

임의의 두 실수 x_1, x_2에 대하여 $f(x_1)\geq g(x_2)$가 성립하려면

($f(x)$의 최솟값)$\geq$($g(x)$의 최댓값)이어야 한다.

$f(x)=x^4+x^2-6x$에서

$f'(x)=4x^3+2x-6=2(x-1)(2x^2+2x+3)$

$f'(x)=0$에서 $x=1$ ($\because 2x^2+2x+3>0$)

$f'(x)$의 부호를 조사하여 함수 $f(x)$의 증가와 감소를 표로 나타내면 다음과 같다.

x	$\cdots$	1	$\cdots$
$f'(x)$	$-$	0	$+$
$f(x)$	↘	극소	↗

$f(x)$는 $x=1$에서 극소이고 최소이므로 $f(x)$의 최솟값은

$f(1)=-4$ …… ㉠

STEP B $g(x)$의 최댓값 구하기

$g(x)=-2x^2-16x+a$에서

$g(x)=-2(x+4)^2+32+a$

$g(x)$는 $x=-4$에서 최댓값은

$g(-4)=32+a$ …… ㉡

㉠, ㉡에서 $-4\geq 32+a$

따라서 $a\leq -36$

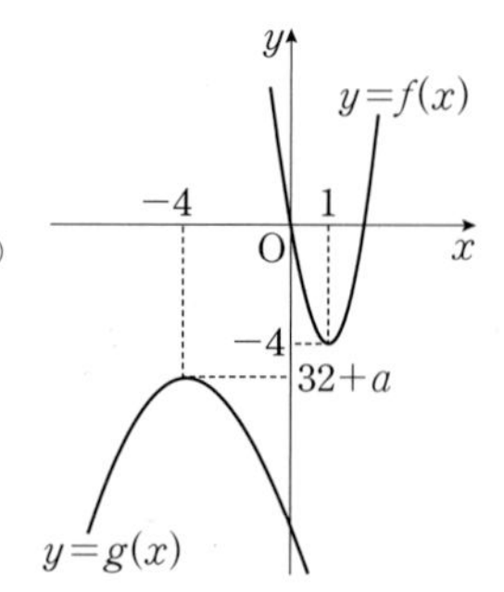

0529

함수 $f(x)$가 다음과 같다.

$$f(x)=\begin{cases}-x+2 & (x\leq 1)\\ x^3 & (x>1)\end{cases}$$

모든 실수 x에 대하여 부등식 $f(x)\geq k(x-1)+1$이 성립하도록 하는 실수 k의 최댓값과 최솟값의 합은?

① -2 ② -1 ③ 0 ④ 1 ⑤ 2

STEP A 부등식 $f(x)\geq k(x-1)+1$에서 곡선 $y=f(x)$와 직선 $y=k(x-1)+1$의 위치 관계 구하기

모든 실수 x에 대하여 $f(x)\geq k(x-1)+1$이 성립하려면

함수 $y=f(x)$의 그래프가 직선 $y=k(x-1)+1$보다 항상 위쪽에 위치해야 한다.

직선 $y=k(x-1)+1$이 k의 값에 관계없이 점 $(1, 1)$을 지나므로

다음 그림을 그린다.

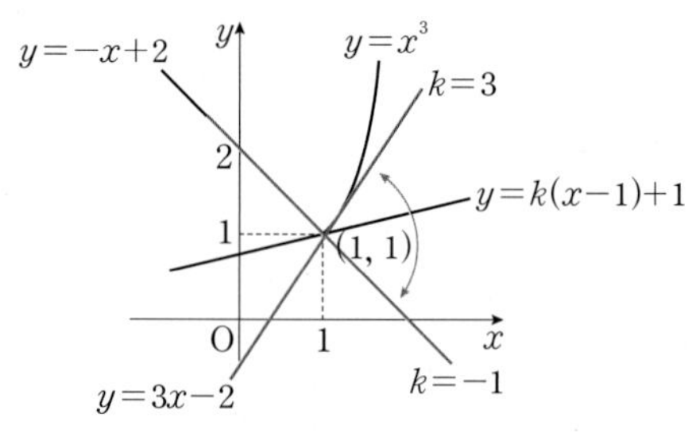

STEP B $x\leq 1$일 때와 $x>1$일 때로 나누어 실수 k의 범위 구하기

(i) $x\leq 1$일 때,

직선 $y=k(x-1)+1$이 직선 $y=-x+2$의 그래프보다 아래쪽에 위치하거나 같아야 하므로 직선 $y=k(x-1)+1$의 기울기는 -1보다 크거나 같아야 한다.

$\therefore k\geq -1$

(ii) $x>1$일 때,

$y=x^3$에서 $y'=3x^2$이므로 점 $(1, 1)$에서의 접선의 기울기가 3이므로

직선 $y=k(x-1)+1$의 기울기는 3보다 작거나 같아야 한다.

$\therefore k\leq 3$

(i), (ii)에서 $-1\leq k\leq 3$

따라서 k의 최댓값과 최솟값의 합은 $3+(-1)=2$

FINAL EXERCISE

단원종합문제

방정식과 부등식의 활용

BASIC

0530

다음 물음에 답하여라.

(1) 방정식 $x^3-3x^2-k=0$이 서로 다른 세 실근을 갖도록 하는 정수 k의 개수는?

① 1 ② 2 ③ 3
④ 4 ⑤ 5

STEP Ⓐ 방정식을 두 곡선으로 분리하여 $f'(x)=0$인 x의 값 구하기

방정식 $x^3-3x^2-k=0$에서 $x^3-3x^2=k$이므로

주어진 방정식의 실근의 개수는 곡선 $y=x^3-3x^2$과 직선 $y=k$의 교점의 개수와 같다.

$f(x)=x^3-3x^2$로 놓으면

$f'(x)=3x^2-6x=3x(x-2)$

$f'(x)=0$에서 $x=0$ 또는 $x=2$

STEP Ⓑ 함수 $f(x)$의 증가와 감소를 조사하고 그래프 그리기

함수 $f(x)$의 증가와 감소를 표로 나타내고 그 그래프를 그리면 다음과 같다.

x	$\cdots$	0	$\cdots$	2	$\cdots$
$f'(x)$	+	0	−	0	+
$f(x)$	↗	0	↘	−4	↗

$x=0$에서 극댓값이 0이고

$x=2$에서 극솟값이 −4이므로

$y=x^3-3x^2$의 그래프는

오른쪽 그림과 같다.

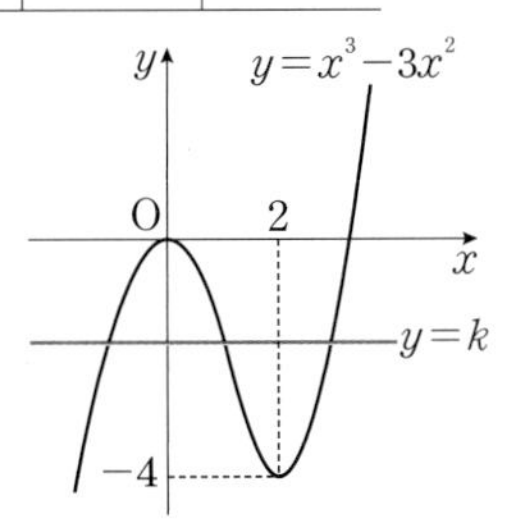

STEP Ⓒ 곡선 $y=f(x)$와 직선 $y=k$의 교점이 3개가 되도록 하는 k의 값의 범위 구하기

두 그래프의 교점이 3개가 되도록 하는 k의 값의 범위는

$-4<k<0$

따라서 구하는 정수 k는 −3, −2, −1이므로 3개이다.

다른풀이 (극댓값)(극솟값)< 0을 이용하여 풀이하기

$f(x)=x^3-3x^2-k$이라 하면

$f'(x)=3x^2-6x=3x(x-2)$

$f'(x)=0$에서 $x=0$ 또는 $x=2$

$f'(x)$의 부호를 조사하여 함수 $f(x)$의 증가와 감소를 표로 나타내면 다음과 같다.

x	$\cdots$	0	$\cdots$	2	$\cdots$
$f'(x)$	+	0	−	0	+
$f(x)$	↗	$-k$	↘	$-4-k$	↗

삼차방정식 $f(x)=0$이 서로 다른 세 실근을 가지려면

(극댓값)(극솟값)< 0이므로 $f(0)f(2)<0$

$(-k)(-4-k)<0$, $k(k+4)<0$

$\therefore -4<k<0$

따라서 구하는 정수 k는 −3, −2, −1이므로 3개이다.

(2) x에 대한 삼차방정식 $x^3-6x^2-n=0$이 서로 다른 세 실근을 갖도록 하는 정수 n의 개수는?

① 21 ② 25 ③ 31
④ 35 ⑤ 41

STEP Ⓐ $y=x^3-6x^2$의 그래프 그리기

삼차방정식 $x^3-6x^2-n=0$이 서로 다른 세 실근을 가지려면

$x^3-6x^2=n$에서 곡선 $y=x^3-6x^2$과 직선 $y=n$이 서로 다른 세 점에서 만나야 한다.

$f(x)=x^3-6x^2$로 놓으면

$f'(x)=3x^2-12x=3x(x-4)$

$f'(x)=0$에서 $x=0$ 또는 $x=4$

함수 $f(x)$의 증가와 감소를 표로 나타내면 다음과 같다.

x	$\cdots$	0	$\cdots$	4	$\cdots$
$f'(x)$	+	0	−	0	+
$f(x)$	↗	극대	↘	극소	↗

$x=0$에서 극대이고 극댓값 $f(0)=0$

$x=4$에서 극소이고 극솟값 $f(4)=-32$

STEP Ⓑ 두 그래프 $y=x^3-6x^2$과 $y=n$이 세 점에서 만날 조건 구하기

즉 $y=x^3-6x^2$과 $y=n$이 서로 다른 세 점에서 만나려면 $-32<n<0$을 만족해야 하므로 정수 n의 개수는 31개이다.

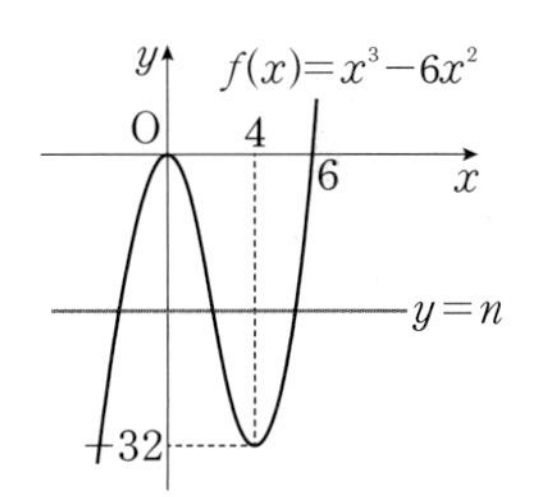

다른풀이 (극댓값)(극솟값)< 0을 이용하여 풀이하기

$f(x)=x^3-6x^2-n$이라 하면

$f'(x)=3x^2-12x=3x(x-4)$

$f'(x)=0$에서 $x=0$ 또는 $x=4$

$f'(x)$의 부호를 조사하여 함수 $f(x)$의 증가와 감소를 표로 나타내면 다음과 같다.

x	$\cdots$	0	$\cdots$	4	$\cdots$
$f'(x)$	+	0	−	0	+
$f(x)$	↗	$-n$	↘	$-32-n$	↗

삼차방정식 $f(x)=0$이 서로 다른 세 실근을 가지려면

(극댓값)(극솟값)< 0이므로 $f(0)f(4)<0$

$(-n)(-32-n)<0$, $n(n+32)<0$

$\therefore -32<n<0$

따라서 구하는 정수 n의 개수는 −31, −30, ⋯, −1이므로 31개이다.

(3) 방정식 $x^3-3a^2x+8a=0$의 서로 다른 실근의 개수가 2일 때, 양수 a의 값은?

① $\frac{1}{2}$ ② 1 ③ $\frac{3}{2}$
④ 2 ⑤ $\frac{5}{2}$

STEP Ⓐ $f'(x)=0$인 x의 값 구하기

$x^3-3a^2x+8a=0$

$f(x)=x^3-3a^2x+8a$로 놓으면

$f'(x)=3x^2-3a^2=3(x-a)(x+a)$

$a>0$이므로 $f'(x)=0$은 서로 다른 두 실근 a, $-a$를 가진다.

STEP Ⓑ **함수 $f(x)$의 증가와 감소를 조사하고 그래프 그리기**

함수 $f(x)$의 증가와 감소를 표로 나타내면 다음과 같다.

x	$\cdots$	$-a$	$\cdots$	a	$\cdots$
$f'(x)$	$+$	0	$-$	0	$+$
$f(x)$	↗	$2a^3+8a$	↘	$-2a^3+8a$	↗

함수 $f(x)$는

$x=-a$일 때, 극댓값 $f(-a)=2a^3+8a$

$x=a$일 때, 극솟값 $f(a)=-2a^3+8a$을 갖는다.

STEP Ⓒ **(극댓값)×(극솟값)$=0$이면 삼차방정식 $f(x)=0$의 서로 다른 실근의 개수는 2임을 이용하기**

이때

$f(-a)=2a^3+8a=2a(a^2+4)>0$

이므로 함수 $y=f(x)$의 그래프가

x축과 서로 다른 두 점에서 만나려면

$f(a)=-2a^3+8a=0$이어야 한다.

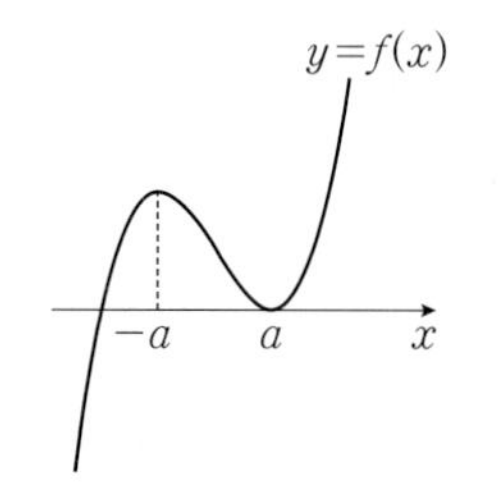

$-2a(a^2-4)=0$에서

$-2a(a+2)(a-2)=0$

$a=0$ 또는 $a=-2$ 또는 $a=2$

따라서 $a>0$이므로 $a=2$

0531

다음 물음에 답하여라.

(1) 곡선 $y=x^3-x$와 직선 $y=2x+k$가 서로 다른 세 점에서 만나도록 하는 상수 k의 값의 범위는?

① $-3<k<-1$ ② $-2<k<2$ ③ $-1<k<3$

④ $0<k<4$ ⑤ $1<k<5$

STEP Ⓐ **두 곡선의 방정식에서 y를 소거하여 얻은 방정식을 다시 k와 $f(x)$로 분리하여 $f'(x)=0$이 되는 x의 값 구하기**

방정식 $x^3-x=2x+k$

즉 $x^3-3x=k$가 서로 다른 세 실근을 가질 조건을 구하면 된다.

$f(x)=x^3-3x$로 놓으면

$f'(x)=3x^2-3=3(x+1)(x-1)$

$f'(x)=0$에서 $x=-1$ 또는 $x=1$

STEP Ⓑ **함수 $f(x)$의 증가와 감소를 조사하고 그래프 그리기**

함수 $f(x)$의 증가와 감소를 표로 나타내고 그 그래프를 그리면 다음과 같다.

x	$\cdots$	-1	$\cdots$	1	$\cdots$
$f'(x)$	$+$	0	$-$	0	$+$
$f(x)$	↗	2	↘	-2	↗

함수 $f(x)$는

$x=-1$일 때, 극댓값 $f(-1)=2$

$x=1$일 때, 극솟값 $f(1)=-2$를

갖는다.

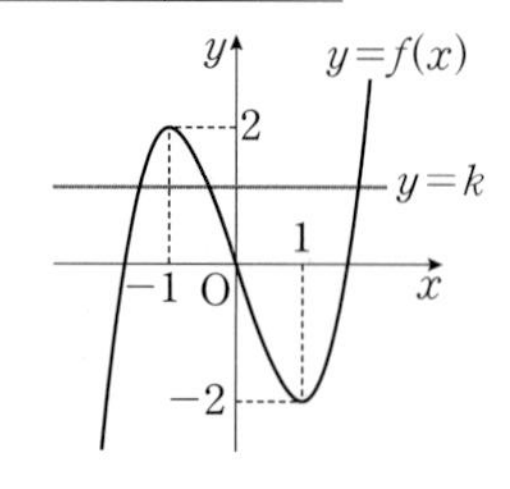

STEP Ⓒ **곡선 $y=f(x)$와 직선 $y=k$의 교점이 3개가 되도록 하는 k의 값의 범위 구하기**

이때 방정식 $f(x)=k$가 서로 다른 세 실근을 가지려면 $y=f(x)$의 그래프와 직선 $y=k$가 서로 다른 세 점에서 만나야 하므로 구하는 k의 값의 범위는

$-2<k<2$

(2) 곡선 $y=2x^3-3x^2+x$와 직선 $y=x+k$가 서로 다른 세 점에서 만나기 위한 상수 k의 값의 범위는?

① $-1<k<0$ ② $0<k<1$ ③ $1<k<2$

④ $2<k<3$ ⑤ $3<k<4$

STEP Ⓐ **두 곡선의 방정식에서 y를 소거하여 얻은 방정식을 다시 k와 $f(x)$로 분리하여 $f'(x)=0$이 되는 x의 값 구하기**

곡선 $y=2x^3-3x^2+x$와 직선 $y=x+k$가 서로 다른 세 점에서 만나려면

방정식 $2x^3-3x^2+x=x+k$

즉 $2x^3-3x^2-k=0$이 서로 다른 세 실근을 가져야 한다.

이때 곡선 $y=2x^3-3x^2$와 직선 $y=k$가 서로 다른 세 점에서 만나야 한다.

$f(x)=2x^3-3x^2$로 놓으면

$f'(x)=6x^2-6x=6x(x-1)$

$f'(x)=0$에서 $x=0$ 또는 $x=1$

STEP Ⓑ **함수 $f(x)$의 증가와 감소를 조사하고 그래프 그리기**

함수 $f(x)$의 증가와 감소를 표로 나타내고 그 그래프를 그리면 다음과 같다.

x	$\cdots$	0	$\cdots$	1	$\cdots$
$f'(x)$	$+$	0	$-$	0	$+$
$f(x)$	↗	극대	↘	극소	↗

$x=0$에서 극댓값 0이고 $x=1$에서 극솟값 -1을 갖는다.

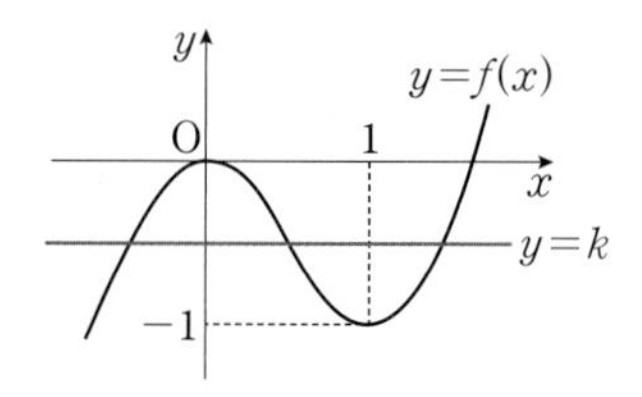

STEP Ⓒ **곡선 $y=f(x)$와 직선 $y=k$의 교점이 3개가 되도록 하는 k의 값의 범위 구하기**

이때 방정식 $f(x)=k$가 서로 다른 세 실근을 가지려면 $y=f(x)$의 그래프와 직선 $y=k$가 서로 다른 세 점에서 만나야 하므로 구하는 k의 값의 범위는

$-1<k<0$

다른풀이 (극댓값)(극솟값)<0을 이용하여 풀이하기

$f(x)=2x^3-3x^2-k$라 하면

$f'(x)=6x^2-6x=6x(x-1)$

$f'(x)=0$에서 $x=0$ 또는 $x=1$

함수 $f(x)$의 증가와 감소를 표로 나타내면 다음과 같다.

x	$\cdots$	0	$\cdots$	1	$\cdots$
$f'(x)$	$+$	0	$-$	0	$+$
$f(x)$	↗	극대	↘	극소	↗

$x=0$일 때, 극대이고 극댓값 $f(0)=-k$

$x=1$일 때, 극소이고 극솟값 $f(1)=-k-1$

이때 방정식 $f(x)=0$이 서로 다른 세 실근을 가지려면

(극댓값)·(극솟값)<0이어야 하므로

$f(0)f(1)<0$에서 $(-k)(-1-k)<0$, $k(k+1)<0$

따라서 $-1<k<0$

0532

다음 물음에 답하여라.

(1) 방정식 $4x^3-3x-a=0$이 하나의 음의 실근과 서로 다른 두 양의 실근을 갖게 하는 실수 a의 값의 범위는?
① $-2<a<-1$ ② $-1<a<0$ ③ $0<a<1$
④ $1<a<2$ ⑤ $2<a<3$

STEP Ⓐ **방정식을 두 곡선으로 분리하여 $f'(x)=0$인 x의 값 구하기**

$4x^3-3x-a=0$에서 $4x^3-3x=a$이므로 방정식의 실근의 개수는 함수 $y=4x^3-3x$의 그래프와 직선 $y=a$의 교점의 개수와 같다.

$f(x)=4x^3-3x$로 놓으면

$f'(x)=12x^2-3=3(2x+1)(2x-1)$

$f'(x)=0$에서 $x=-\frac{1}{2}$ 또는 $x=\frac{1}{2}$

STEP Ⓑ **함수 $f(x)$의 증가와 감소를 조사하고 그래프 그리기**

함수 $f(x)$의 증가와 감소를 표로 나타내고 $y=f(x)$의 그래프를 그리면 다음과 같다.

x	$\cdots$	$-\frac{1}{2}$	$\cdots$	$\frac{1}{2}$	$\cdots$
$f'(x)$	$+$	0	$-$	0	$+$
$f(x)$	↗	1	↘	-1	↗

함수 $f(x)$는

$x=-\frac{1}{2}$일 때, 극댓값 $f\left(-\frac{1}{2}\right)=1$

$x=\frac{1}{2}$일 때, 극솟값 $f\left(\frac{1}{2}\right)=-1$을

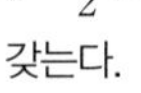
갖는다.

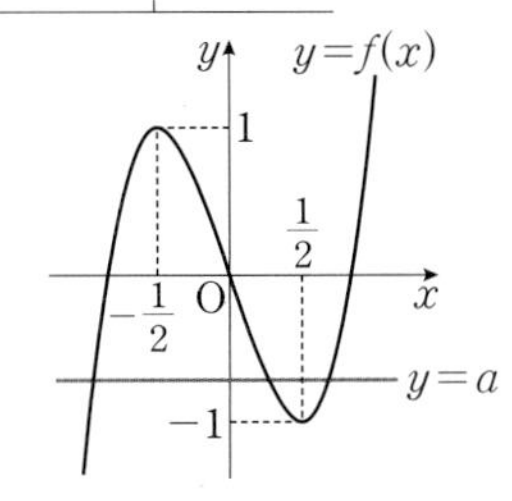

STEP Ⓒ **곡선 $y=f(x)$와 직선 $y=a$의 교점의 x좌표의 부호가 조건에 맞는 a의 범위 구하기**

따라서 곡선 $y=f(x)$와 직선 $y=a$와의 교점의 x좌표가 두 개의 양수와 한 개의 음수이어야 하므로 a의 값의 범위는 $-1<a<0$

(2) 방정식 $2x^3-1=6x+k$가 서로 다른 두 개의 양의 근과 한 개의 음의 근을 갖도록 하는 실수 k의 값의 범위는?
① $-5<k<-1$ ② $-5<k<0$ ③ $0<k<3$
④ $-5<k<3$ ⑤ $-1<k<0$

STEP Ⓐ **방정식을 k와 $f(x)$로 분리하여 $f'(x)=0$이 되는 x의 값 구하기**

$2x^3-1=6x+k$에서 $2x^3-6x-1=k$

$f(x)=2x^3-6x-1$로 놓으면

$f'(x)=6x^2-6=6(x+1)(x-1)$

$f'(x)=0$에서 $x=-1$ 또는 $x=1$

STEP Ⓑ **함수 $f(x)$의 증가와 감소를 조사하고 그래프 그리기**

함수 $f(x)$의 증가와 감소를 표로 나타내면 다음과 같다.

x	$\cdots$	-1	$\cdots$	1	$\cdots$
$f'(x)$	$+$	0	$-$	0	$+$
$f(x)$	↗	3	↘	-5	↗

함수 $f(x)$는

$x=-1$일 때, 극대이고 극댓값 $f(-1)=3$

$x=1$일 때, 극소이고 극솟값 $f(1)=-5$를

갖는다.

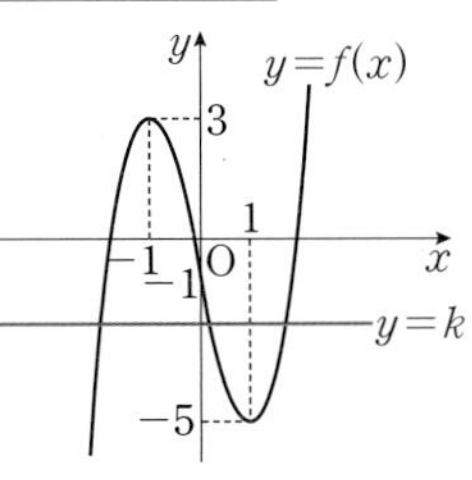

STEP Ⓒ **곡선 $y=f(x)$와 직선 $y=k$의 교점의 x좌표의 부호가 조건에 맞는 k의 범위 구하기**

따라서 곡선 $y=f(x)$와 직선 $y=k$와의 교점의 x좌표가 두 개의 양수와 한 개의 음수이어야 하므로 $-5<k<-1$

0533

삼차함수 $f(x)=x^3-6x^2+9$를 y축의 방향으로 a만큼 평행이동시킨 함수를 $y=g(x)$라 하자. 이때 방정식 $g(x)=0$이 서로 다른 두 개의 양의 실근과 한 개의 음의 실근을 갖는 정수 a의 개수는?
① 12 ② 17 ③ 22
④ 27 ⑤ 31

STEP Ⓐ **$g(x)=0$을 a와 $h(x)$로 분리하여 $h'(x)=0$이 되는 x의 값 구하기**

$y=f(x)$를 y축의 방향으로 a만큼 평행이동 시키면 $y-a=f(x)$

$\therefore\ y=f(x)+a$

즉 $g(x)=x^3-6x^2+9+a$이므로

$g(x)=0$에서 $x^3-6x^2+9+a=0$

$y=x^3-6x^2+9$, $y=-a$로 놓으면

함수 $h(x)=x^3-6x^2+9$의 그래프와 직선 $y=-a$의 교점의 x좌표가 서로 다른 양의 실수 2개, 음의 실수 1개이어야 한다.

$h(x)=x^3-6x^2+9$

$h'(x)=3x^2-12x=3x(x-4)$

$h'(x)=0$에서 $x=0$ 또는 $x=4$

STEP Ⓑ **함수 $h(x)$의 증가와 감소를 조사하고 그래프 그리기**

$h'(x)$의 부호를 조사하여 함수 $h(x)$의 증가와 감소를 표로 나타내면 다음과 같다.

x	$\cdots$	0	$\cdots$	4	$\cdots$
$h'(x)$	$+$	0	$-$	0	$+$
$h(x)$	↗	9	↘	-23	↗

함수 $h(x)$는

$x=0$일 때, 극대이고 극댓값 $h(0)=9$

$x=4$일 때, 극소이고 극솟값 $h(4)=-23$

을 갖는다.

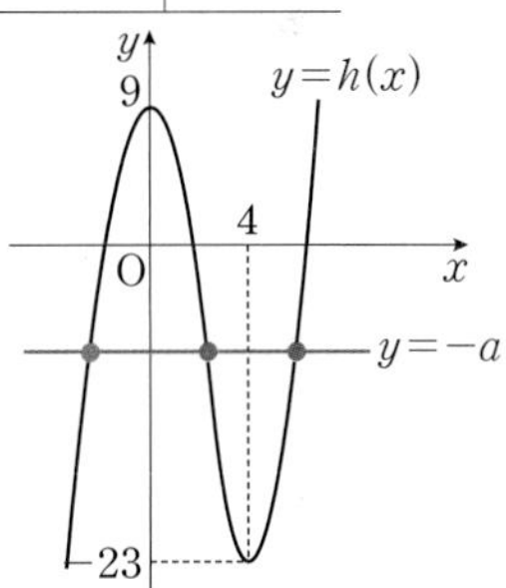

STEP Ⓒ **곡선 $y=h(x)$와 직선 $y=-a$의 양수인 교점이 2, 음수인 교점이 1개가 되도록 하는 a의 값의 범위 구하기**

$y=h(x)$와 $y=-a$와의 두 교점의 x좌표가 양이고

한 교점의 x좌표가 음이어야 하므로 $-23<-a<9$

$\therefore\ -9<a<23$

따라서 정수 a는 $-8,\ -7,\ \cdots,\ 22$이므로 개수는 31개이다.

0534

다음 물음에 답하여라.

(1) 두 함수 $y=x^3-6x^2$, $y=-9x+2a$의 그래프가 한 점에서 만나도록 하는 자연수 a의 최솟값은?

① 3 ② 4 ③ 5 ④ 6 ⑤ 7

STEP Ⓐ **두 곡선의 방정식에서 y를 소거하여 얻은 방정식을 다시 a와 $f(x)$로 분리하여 $f'(x)=0$이 되는 x의 값 구하기**

두 곡선 $y=x^3-6x^2$, $y=-9x+2a$가 한 점에서 만나려면

방정식 $x^3-6x^2=-9x+2a$

즉 $x^3-6x^2+9x-2a=0$이 한 개의 실근을 가져야 한다.

$x^3-6x^2+9x=2a$

$f(x)=x^3-6x^2+9x$로 놓으면

$f'(x)=3x^2-12x+9=3(x-1)(x-3)$

$f'(x)=0$에서 $x=1$ 또는 $x=3$

STEP Ⓑ **함수 $f(x)$의 증가와 감소를 조사하고 그래프 그리기**

함수 $f(x)$의 증가와 감소를 표로 나타내면 다음과 같다.

x	$\cdots$	1	$\cdots$	3	$\cdots$
$f'(x)$	+	0	−	0	+
$f(x)$	↗	4	↘	0	↗

함수 $f(x)$는

$x=1$일 때,

극대이고 극댓값 $f(1)=4$

$x=3$일 때,

극소이고 극솟값 $f(3)=0$

을 갖는다.

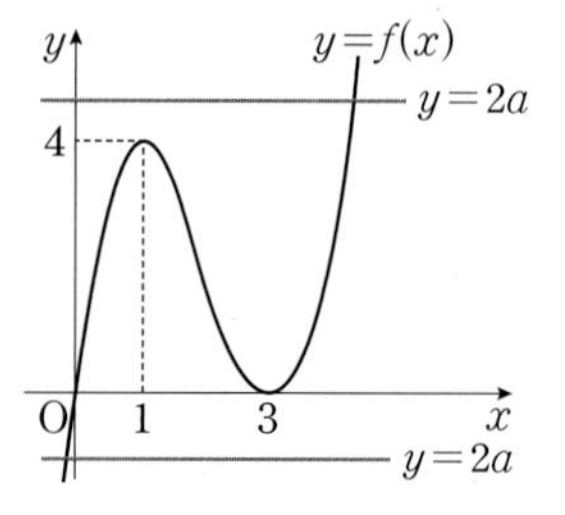

STEP Ⓒ **곡선 $y=f(x)$와 직선 $y=2a$의 교점이 1개가 되도록 하는 a의 값의 범위 구하기**

함수 $y=f(x)$의 그래프가 직선 $y=2a$와 한 점에서 만나려면

$2a<0$ 또는 $2a>4$

$\therefore a<0$ 또는 $a>2$

따라서 자연수 a의 최솟값은 3

(2) 두 곡선 $y=x^3-3x^2-4x$, $y=5x+k$가 서로 다른 두 점에서 만날 때, 양수 k의 값은?

① 3 ② 5 ③ 7 ④ 9 ⑤ 11

STEP Ⓐ **두 곡선의 방정식에서 y를 소거하여 얻은 방정식을 다시 k와 $f(x)$로 분리하여 $f'(x)=0$이 되는 x의 값 구하기**

곡선 $y=x^3-3x^2-4x$와 직선 $y=5x+k$가 서로 다른 두 점에서 만나려면

방정식 $x^3-3x^2-4x=5x+k$가 서로 다른 두 실근을 가져야 한다.

$f(x)=x^3-3x^2-9x$, $y=k$의 그래프가 서로 다른 두 점에서 만나야 한다.

$f'(x)=3x^2-6x-9=3(x+1)(x-3)$

$f'(x)=0$에서 $x=-1$ 또는 $x=3$

STEP Ⓑ **함수 $f(x)$의 증가와 감소를 조사하고 그래프 그리기**

$f'(x)$의 부호를 조사하여 함수 $f(x)$의 증가와 감소를 표로 나타내면 다음과 같다.

x	$\cdots$	−1	$\cdots$	3	$\cdots$
$f'(x)$	+	0	−	0	+
$f(x)$	↗	5	↘	−27	↗

함수 $f(x)$는

$x=-1$일 때, 극대이고 극댓값 $f(-1)=5$

$x=3$일 때, 극소이고 극솟값 $f(3)=-27$

을 갖는다.

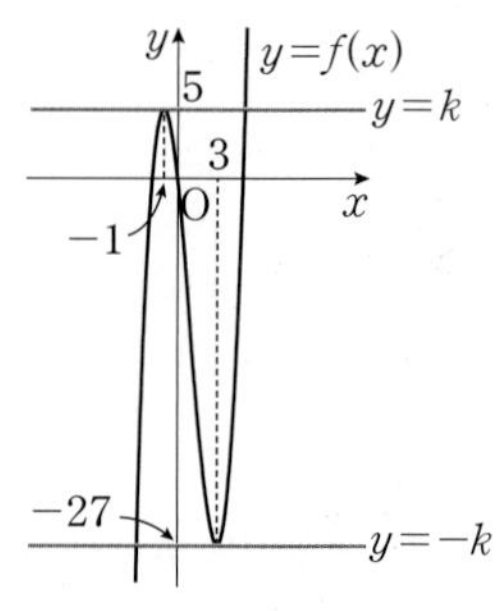

STEP Ⓒ **곡선 $y=f(x)$와 직선 $y=k$의 교점이 2개가 되도록 하는 k의 값의 범위 구하기**

곡선 $y=f(x)$와 직선 $y=k$가 서로 다른 두 점에서 만나도록 하는 k의 값은

$k=-27$ 또는 $k=5$이어야 한다.

따라서 k는 양수이므로 $k=5$

0535

오른쪽 그림은 삼차함수 $f(x)$의 도함수 $y=f'(x)$의 그래프이다.

$f(-1)=6$, $f(2)=2$일 때, 방정식 $f(x)-3=0$의 서로 다른 실근의 개수는?

① 0 ② 1 ③ 2 ④ 3 ⑤ 4

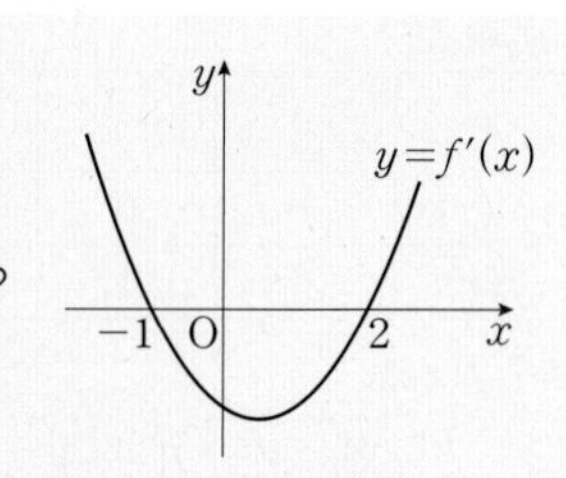

STEP Ⓐ **$y=f'(x)$의 그래프에서 $f(x)$의 그래프의 개형 그리기**

$f'(x)$의 부호를 조사하여 함수 $f(x)$의 증가와 감소를 표로 나타내면 다음과 같다.

x	$\cdots$	−1	$\cdots$	2	$\cdots$
$f'(x)$	+	0	−	0	+
$f(x)$	↗	극대	↘	극소	↗

함수 $f(x)$는

$x=-1$에서 극대이고 극댓값은 $f(-1)=6$

$x=2$에서 극소이고 극솟값은 $f(2)=2$이므로

$y=f(x)$의 그래프의 개형을 그리면 다음 그림과 같다.

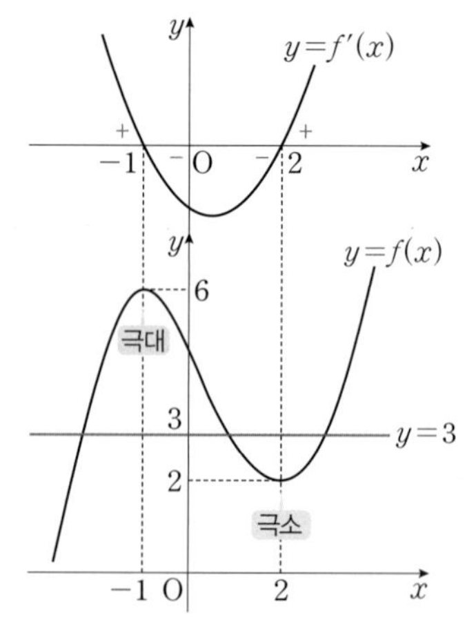

STEP Ⓑ **곡선 $y=f(x)$와 직선 $y=3$의 교점의 개수 구하기**

따라서 곡선 $y=f(x)$와 직선 $y=3$이 서로 다른 세 점에서 만나므로 방정식 $f(x)-3=0$은 서로 다른 세 실근을 갖는다.

0536

다음 $x \ge 0$일 때, 부등식 $x^3 \ge 3x^2-4$가 성립함을 증명하는 과정이다.

> $f(x)=x^3-(3x^2-4)=x^3-3x^2+4$라 하면
> $f'(x)=3x^2-6x=3x(x-2)$
> 함수 $f(x)$는 $x=$ (가) 에서 극소이면서 최소이다.
> 이때 함수 $f(x)$의 최솟값은 (나) 이므로
> $x \ge 0$인 모든 실수 x에 대하여 $f(x)=x^3-3x^2+4 \ge$ (나) 이므로
> $x^3 \ge 3x^2-4$

위의 (가), (나)에 알맞은 수를 각각 a, b라 할 때, $a+b$의 값은?
① 1　② 2　③ 3
④ 4　⑤ 5

STEP A **조건을 만족하는 빈칸 추론하기**

$f(x)=x^3-(3x^2-4)=x^3-3x^2+4$라 하면
$f'(x)=3x^2-6x=3x(x-2)$
$f'(x)=0$에서 $x=0$ 또는 $x=2$
함수 $f(x)$의 증가와 감소를 표로 나타내면 다음과 같다.

x	$\cdots$	0	$\cdots$	2	$\cdots$
$f'(x)$	+	0	−	0	+
$f(x)$	↗	4	↘	0	↗

함수 $f(x)$는 $x=$ 2 에서 극소이면서 최소이다.
이때 함수 $f(x)$의 최솟값은 0 이므로 $x \ge 0$인 모든 실수 x에 대하여
$f(x)=x^3-3x^2+4 \ge$ 0
즉 $x^3-3x^2+4 \ge 0$이므로 $x^3 \ge 3x^2-4$
따라서 (가), (나)에 알맞은 수는 각각 2, 0이므로 $a+b=2+0=2$

0537

다음 물음에 답하여라.
(1) $x \ge 0$일 때, 부등식 $x^3+3x^2-9x-1 \ge k$가 항상 성립하도록 하는 실수 k의 최댓값은?
① −10　② −8　③ −6
④ −4　⑤ −2

STEP A **부등식을 정리하여 $f(x) \ge 0$으로 놓고 $f'(x)=0$이 되는 x의 값 구하기**

$f(x)=x^3+3x^2-9x-1-k$라 하면
$f'(x)=3x^2+6x-9=3(x+3)(x-1)$
$f'(x)=0$에서 $x=-3$ 또는 $x=1$

STEP B **$f(x)$의 증가와 감소를 조사하기**

$x \ge 0$일 때, 함수 $f(x)$의 증가와 감소를 표로 나타내면 다음과 같다.

x	0	$\cdots$	1	$\cdots$
$f'(x)$		−	0	+
$f(x)$	$-1-k$	↘	$-6-k$	↗

STEP C **$f(x)$의 최솟값이 0보다 크거나 같을 때, k의 값의 범위 구하기**

$x \ge 0$일 때, 함수 $f(x)$는 $x=1$에서 극소이면서 최소이므로 최솟값은 $-6-k$
즉 $x \ge 0$일 때, $f(x) \ge 0$이려면
$f(1) \ge 0$이어야 하므로
$-6-k \ge 0$ ∴ $k \le -6$
따라서 실수 k의 최댓값은 −6

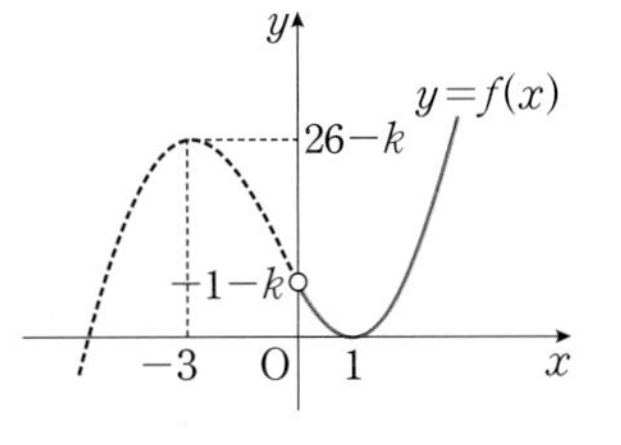

(2) $x \ge 0$일 때, 부등식 $x^3-2x^2-4x \ge p$을 만족시키는 실수 p의 최댓값은?
① −8　② −4　③ 0
④ 4　⑤ 8

STEP A **부등식을 정리하여 $f(x) \ge 0$으로 놓고 $f'(x)=0$이 되는 x의 값 구하기**

$f(x)=x^3-2x^2-4x-p$라 하면
$f'(x)=3x^2-4x-4=(3x+2)(x-2)$
$f'(x)=0$에서 $x=-\frac{2}{3}$ 또는 $x=2$

STEP B **$f(x)$의 증가와 감소를 조사하기**

$x \ge 0$일 때, 함수 $f(x)$의 증가와 감소를 표로 나타내면 다음과 같다.

x	0	$\cdots$	2	$\cdots$
$f'(x)$		−	0	+
$f(x)$	$-p$	↘	$-p-8$	↗

STEP C **$f(x)$의 최솟값이 0보다 크거나 같을 때, p의 값의 범위 구하기**

$x \ge 0$일 때, 함수 $f(x)$는
$x=2$에서 극소이면서 최소이므로
최솟값은 $-p-8$
$x \ge 0$에서 $f(x) \ge 0$이려면
$f(2) \ge 0$이어야 하므로
$-p-8 \ge 0$
따라서 $p \le -8$이므로 p의 최댓값은
−8

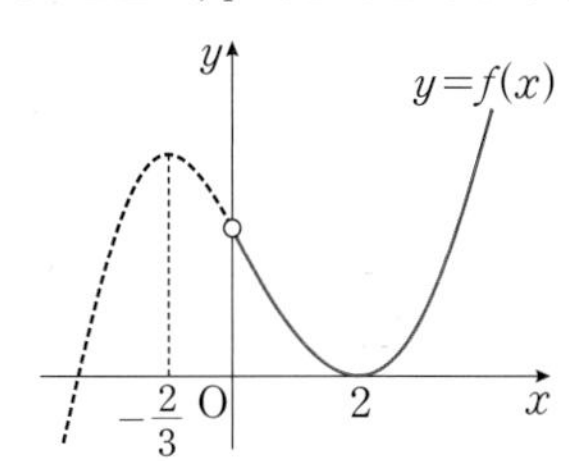

0538

다음 물음에 답하여라.
(1) 모든 실수 x에 대하여 부등식 $x^4-6x^2-8x+a \ge 0$이 성립하기 위한 실수 a의 최솟값은?
① 16　② 18　③ 20
④ 22　⑤ 24

STEP A **$f(x) \ge 0$으로 놓고 $f'(x)=0$이 되는 x의 값 구하기**

$f(x)=x^4-6x^2-8x+a$라 하면
$f'(x)=4x^3-12x-8=4(x+1)^2(x-2)$
$f'(x)=0$에서 $x=-1$ 또는 $x=2$

STEP B **$f(x)$의 증가와 감소를 조사하기**

$x \ge 0$일 때, $f'(x)$의 부호를 조사하여 함수 $f(x)$의 증가와 감소를 표로 나타내면 다음과 같다.

x	$\cdots$	−1	$\cdots$	2	$\cdots$
$f'(x)$	−	0	−	0	+
$f(x)$	↘	$3+a$	↘	$-24+a$	↗

STEP C **$f(x)$의 최솟값이 0보다 크거나 같을 때, a의 값의 범위 구하기**

함수 $f(x)$는 $x=2$에서 극소이면서 최소이므로 최솟값은 $-24+a$
모든 실수 x에 대하여
$f(x) \ge 0$이려면 $f(2) \ge 0$이어야 하므로 $-24+a \ge 0$
따라서 $a \ge 24$이므로 실수 a의 최솟값은 24

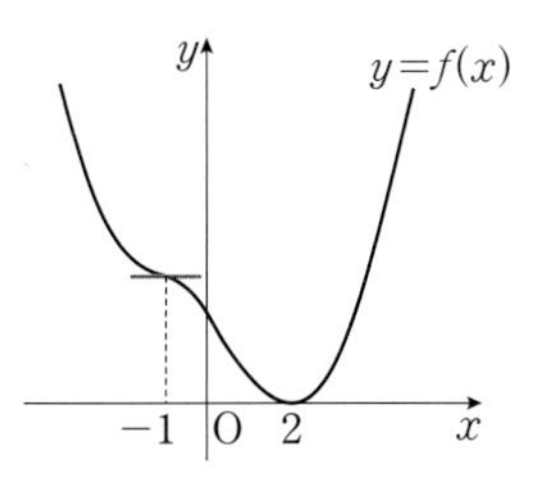

(2) 모든 실수 x에 대하여 부등식 $x^4-4x-a^2+a+9\geq 0$이 항상 성립하도록 하는 정수 a의 개수는?
① 6 ② 7 ③ 8
④ 9 ⑤ 10

STEP A $f(x)\geq 0$으로 놓고 $f'(x)=0$이 되는 x의 값 구하기

$f(x)=x^4-4x-a^2+a+9$라 하면
$f'(x)=4x^3-4=4(x-1)(x^2+x+1)$
$f'(x)=0$에서 $x=1\,(\because x^2+x+1>0)$

STEP B $f(x)$의 증가와 감소를 조사하기

함수 $f(x)$의 증가와 감소를 표로 나타내면 다음과 같다.

x	$\cdots$	1	$\cdots$
$f'(x)$	$-$	0	$+$
$f(x)$	↘	극소	↗

STEP C $f(x)$의 최솟값이 0보다 크거나 같을 때, a의 값의 범위 구하기

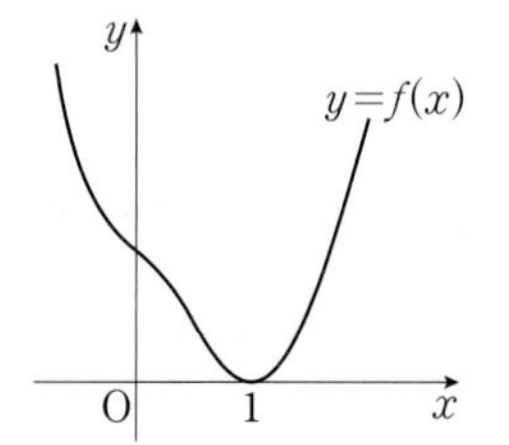

함수 $f(x)$는 $x=1$에서 극소이면서 최소이므로 최솟값은
$f(1)=-a^2+a+6$
모든 실수 x에 대하여 $f(x)\geq 0$이 성립하려면
$-a^2+a+6\geq 0,\ (a+2)(a-3)\leq 0$
$\therefore -2\leq a\leq 3$
따라서 정수 a의 개수는 $-2,\ -1,\ 0,\ 1,\ 2,\ 3$이므로 6개이다.

(3) 모든 실수 x에 대하여 부등식 $x^4+4k^3x+3\geq 0$이 항상 성립하도록 하는 정수 k의 개수는?
① 3 ② 4 ③ 5
④ 6 ⑤ 7

STEP A 부등식을 정리하여 $f(x)\geq 0$으로 놓고 $f'(x)=0$이 되는 x의 값 구하기

$f(x)=x^4+4k^3x+3$라 하면
$f'(x)=4x^3+4k^3=4(x+k)(x^2-kx+k^2)$
$f'(x)=0$에서 $x=-k\,(\because x^2-kx+k^2>0)$

STEP B $f(x)$의 증가와 감소를 조사하기

$f'(x)$의 부호를 조사하여 함수 $f(x)$의 증가와 감소를 표로 나타내고 그 그래프를 그리면 다음과 같다.

x	$\cdots$	$-k$	$\cdots$
$f'(x)$	$-$	0	$+$
$f(x)$	↘	극소	↗

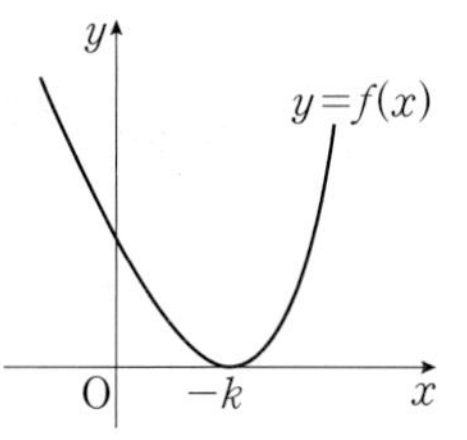

STEP C $f(x)$의 최솟값이 0보다 크거나 같을 때, k의 값의 범위 구하기

함수 $f(x)$는 $x=-k$일 때, 극소이면서 최소이므로
최솟값은 $f(-k)=-3k^4+3$
모든 실수 x에 대하여 $f(x)\geq 0$이려면 $f(-k)\geq 0$이어야 하므로
$-3k^4+3\geq 0$
$k^4-1\leq 0,\ (k+1)(k-1)(k^2+1)\leq 0$ ⬅ $k^4-1=(k^2-1)(k^2+1)$
이때 $k^2+1>0$이므로 $(k+1)(k-1)\leq 0$
$\therefore -1\leq k\leq 1$
따라서 정수 k는 $-1,\ 0,\ 1$이므로 3개이다.

0539

두 함수

$$f(x)=x^4+3x^3-2x^2-9x,\ g(x)=3x^3+4x^2-x+a$$

가 모든 실수 x에 대하여 부등식 $f(x)\geq g(x)$를 만족할 때, 상수 a의 최댓값은?
① -25 ② -24 ③ -23
④ -22 ⑤ -21

STEP A 부등식을 $h(x)\geq 0$으로 정리하여 $h'(x)=0$이 되는 x의 값 구하기

$h(x)=f(x)-g(x)$라고 하면
$h(x)=x^4+3x^3-2x^2-9x-(3x^3+4x^2-x+a)$
$=x^4-6x^2-8x-a$
$h'(x)=4x^3-12x-8$
$=4(x^3-3x-2)$
$=4(x+1)^2(x-2)$
$h'(x)=0$에서 $x=-1$ 또는 $x=2$

STEP B $h(x)$의 증가와 감소를 조사하기

함수 $h(x)$의 증가와 감소를 표로 나타내면 다음과 같다.

x	$\cdots$	-1	$\cdots$	2	$\cdots$
$h'(x)$	$-$	0	$-$	0	$+$
$h(x)$	↘	$-a+3$	↘	$-a-24$	↗

STEP C $h(x)$의 최솟값이 0보다 크거나 같을 때, a의 값의 범위 구하기

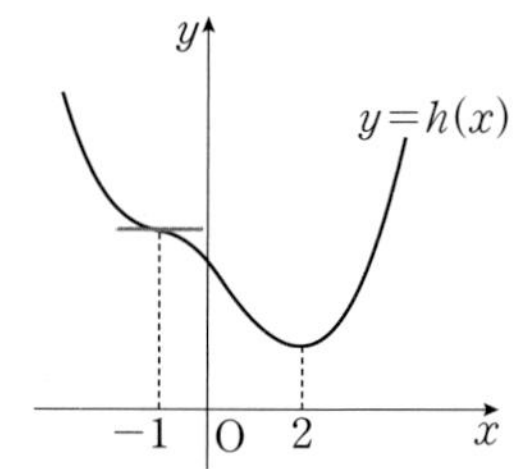

함수 $h(x)$는 $x=2$에서 극소이면서 최소이므로 최솟값은
$h(2)=-a-24$
모든 실수 x에 대하여 주어진 부등식이 성립하려면 $-a-24\geq 0$
$\therefore a\leq -24$
따라서 상수 a의 최댓값은 -24

NORMAL

0540

다음 물음에 답하여라.

(1) 두 함수 $f(x)=x^3+x^2+x$, $g(x)=4x^2+x+k$에 대하여 닫힌구간 $[1, 3]$에서 부등식 $f(x)\ge g(x)$가 항상 성립하도록 하는 실수 k의 최댓값은?

① -5 ② -4 ③ -3
④ -2 ⑤ -1

STEP A 부등식을 $h(x)\ge 0$으로 정리하여 $h'(x)=0$이 되는 x의 값 구하기

$h(x)=f(x)-g(x)$라고 하면

$h(x)=(x^3+x^2+x)-(4x^2+x+k)=x^3-3x^2-k$

$h'(x)=3x^2-6x=3x(x-2)$

$h'(x)=0$에서 $x=0$ 또는 $x=2$

STEP B $h(x)$의 증가와 감소를 조사하기

닫힌구간 $[1, 3]$에서 함수 $h(x)$의 증가와 감소를 표로 나타내면 다음과 같다.

x	1	$\cdots$	2	$\cdots$	3
$h'(x)$		$-$	0	$+$	
$h(x)$		↘	$-4-k$	↗	

STEP C $h(x)$의 최솟값이 0보다 크거나 같을 때, k의 값의 범위 구하기

$1\le x\le 3$에서 함수 $h(x)$는
$x=2$일 때, 극소이면서 최소이므로
최솟값은 $h(2)=-4-k$
따라서 주어진 부등식이 항상 성립하려면
$-4-k\ge 0$에서 $k\le -4$이므로
k의 최댓값은 -4

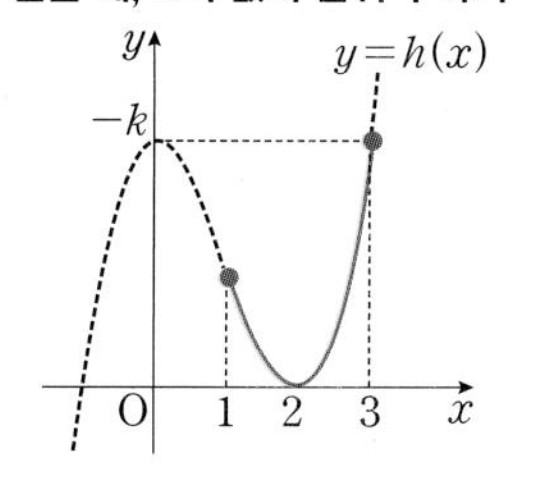

(2) 두 함수 $f(x)=x^4+x^2-6x$, $g(x)=-2x^2-16x+a$가 닫힌구간 $[-2, 0]$에서 부등식 $f(x)>g(x)$를 만족시킬 때, 실수 a의 값의 범위는?

① $a<-6$ ② $a<-4$ ③ $a<-2$
④ $a>2$ ⑤ $a>4$

STEP A 부등식을 $h(x)>0$으로 정리하여 $h'(x)=0$이 되는 x의 값 구하기

$h(x)=f(x)-g(x)$라 하면

$h(x)=(x^4+x^2-6x)-(-2x^2-16x+a)=x^4+3x^2+10x-a>0$

$h'(x)=4x^3+6x+10=2(x+1)(2x^2-2x+5)$

$h'(x)=0$에서 $x=-1$ ($\because 2x^2-2x+5>0$)

STEP B $h(x)$의 증가와 감소를 조사하기

닫힌구간 $[-2, 0]$에서 함수 $h(x)$의 증가와 감소를 표로 나타내면 다음과 같다.

x	-2	$\cdots$	-1	$\cdots$	0
$h'(x)$	$-$	$-$	0	$+$	$+$
$h(x)$	$8-a$	↘	$-6-a$	↗	$-a$

STEP C $h(x)$의 최솟값이 0보다 클 때, a의 값의 범위 구하기

함수 $h(x)$는 $x=-1$에서 극소이면서
최소이다.
최솟값은 $h(-1)=-6-a$
이때 닫힌구간 $[-2, 0]$에서
$h(x)>0$이 성립해야 하므로
$-6-a>0$에서 $a<-6$

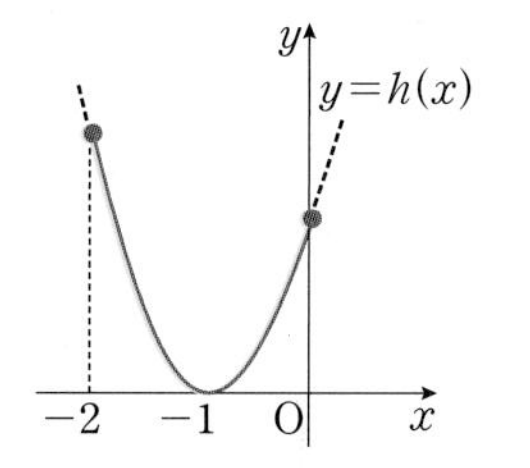

0541

$0\le x\le 4$에서 부등식 $1\le x^3-3x^2+k\le 25$가 항상 성립하도록 하는 정수 k의 개수는?

① 3 ② 4 ③ 5
④ 6 ⑤ 8

STEP A $f(x)$의 증가와 감소를 표로 나타내고 그래프 그리기

$f(x)=x^3-3x^2+k$라 하면

$f'(x)=3x^2-6x=3x(x-2)$

$f'(x)=0$에서 $x=0$ 또는 $x=2$

$0\le x\le 4$에서 함수 $f(x)$의 증가와 감소를 표로 나타내고 그 그래프를 그리면 다음과 같다.

x	0	$\cdots$	2	$\cdots$	4
$f'(x)$	0	$-$	0	$+$	
$f(x)$	k	↘	$k-4$	↗	$k+16$

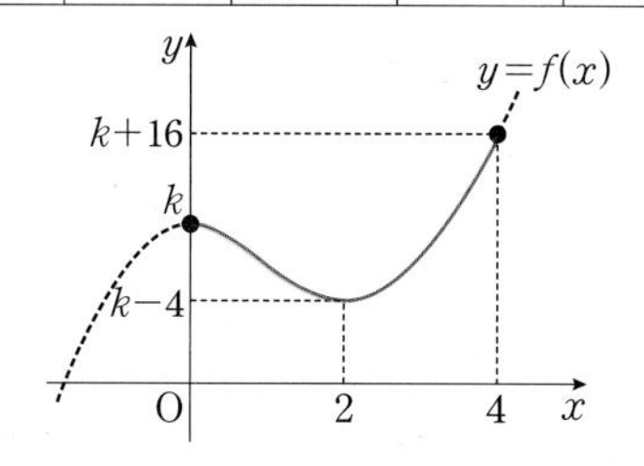

STEP B $0\le x\le 4$에서 $1\le x^3-3x^2+k\le 25$를 만족하는 k의 범위 구하기

즉 $0\le x\le 4$에서 함수 $f(x)$는 $x=2$에서 최솟값 $k-4$

$x=4$에서 최댓값 $k+16$을 가진다.

이때 $1\le f(x)\le 25$이려면 $k-4\ge 1$, $k+16\le 25$이어야 하므로

상수 k의 범위는 $5\le k\le 9$

따라서 정수 k는 5, 6, 7, 8, 9의 5개이다.

0542

실수 x에 대한 3차방정식 $x^3-3x=t-2$의 실수 t의 값에 따른 실근의 개수를 $f(t)$라 하자. 실수 t에 대한 방정식 $f(t)=at+1$이 실근을 갖게 하는 양의 실수 a의 최솟값은?

① $\frac{1}{4}$ ② $\frac{1}{3}$ ③ 2
④ 3 ⑤ 4

STEP A 함수 $g(x)$의 증가와 감소를 표로 나타내어 그래프 그리기

방정식 $x^3-3x=t-2$의 실근의 개수는

삼차함수 $y=x^3-3x+2$의 그래프와 $y=t$와의 교점의 개수가 되므로

$g(x)=x^3-3x+2$이라 하면

$g'(x)=3x^2-3=3(x-1)(x+1)$

$g'(x)=0$에서 $x=-1$ 또는 $x=1$

함수 $g(x)$의 증가와 감소를 표로 나타내고 그 그래프를 그리면 다음과 같다.

x	$\cdots$	-1	$\cdots$	1	$\cdots$
$g'(x)$	$+$	0	$-$	0	$+$
$g(x)$	↗	극대	↘	극소	↗

$x=-1$일 때, 극댓값은 $g(-1)=4$
$x=1$일 때, 극솟값은 $g(1)=0$이므로
그래프는 오른쪽 그림과 같다.

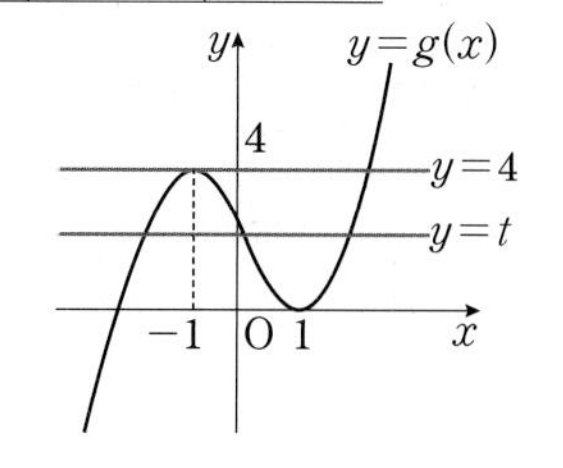

STEP B 실근의 개수 $f(t)$의 함수의 그래프 그리기

즉 $t<0$ 또는 $t>4$일 때, 실근의 개수는 1개
$0<t<4$일 때, 실근의 개수는 3개
$t=0$, 4일 때, 실근의 개수는 2개
이므로 함수 $y=f(t)$의 그래프는 다음 그림과 같다.

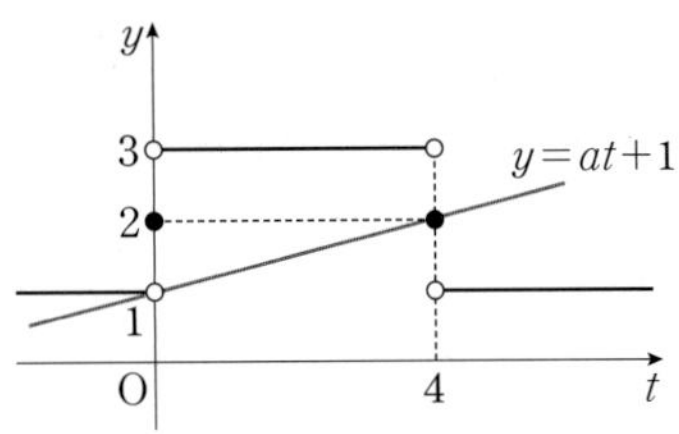

STEP C 방정식 $f(t)=at+1$이 실근을 갖게 하는 양의 실수 a의 최솟값 구하기

일차함수 $y=at+1$은 $(0, 1)$을 지나므로 $(4, 2)$를 지날 때, 주어진 방정식은 처음으로 실근을 가진다.
따라서 $(4, 2)$를 지나므로 $2=4a+1$에서 a의 최솟값은 $\frac{1}{4}$

0543

함수 $f(x)=2x^3+3x^2-12x$에 대하여 방정식 $\{f(x)\}^2=k$가 서로 다른 5개의 실근을 갖도록 하는 상수 k의 값은? (단, $k>0$)

① 25 ② 36 ③ 49
④ 64 ⑤ 81

STEP A 함수 $f(x)$의 증가와 감소를 표로 나타내고 그래프 그리기

$f(x)=2x^3+3x^2-12x$에서
$f'(x)=6x^2+6x-12=6(x+2)(x-1)$
$f'(x)=0$에서 $x=-2$ 또는 $x=1$
함수 $f(x)$의 증가와 감소를 표로 나타내면 다음과 같다.

x	$\cdots$	-2	$\cdots$	1	$\cdots$
$f'(x)$	$+$	0	$-$	0	$+$
$f(x)$	↗	20	↘	-7	↗

$x=-2$일 때, 극댓값 $f(-2)=20$
$x=1$일 때, 극솟값 $f(1)=-7$

STEP B 방정식 $\{f(x)\}^2=k$가 서로 다른 5개의 실근을 갖도록 하는 상수 k의 값 구하기

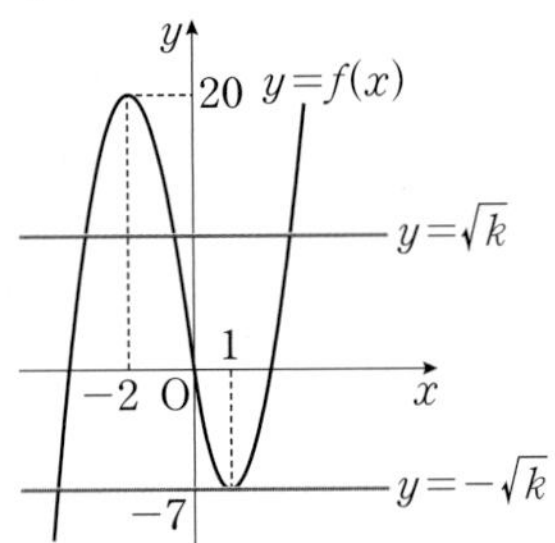

방정식 $\{f(x)\}^2=k$에서 $f(x)=\sqrt{k}$ 또는 $f(x)=-\sqrt{k}$
방정식 $f(x)=\sqrt{k}$의 실근의 개수는
함수 $y=f(x)$의 그래프와 직선 $y=\sqrt{k}$의 교점의 개수와 같고
방정식 $f(x)=-\sqrt{k}$의 실근의 개수는
함수 $y=f(x)$의 그래프와 직선 $y=-\sqrt{k}$의 교점의 개수와 같다.
방정식 $\{f(x)\}^2=k$가 서로 다른 5개의 실근을 가지려면 $\sqrt{k}=7$이고
이때 함수 $y=f(x)$의 그래프와 직선 $y=7$, $y=-7$의 교점의 개수는 각각 3, 2이다.
따라서 $k=49$

0544

사차함수 $y=f(x)$의 도함수 $y=f'(x)$의 그래프가 그림과 같이 $x=-1$에서 x축에 접하고 점 $(3, 0)$을 지날 때, 옳은 것만을 [보기]에서 있는 대로 고른 것은?

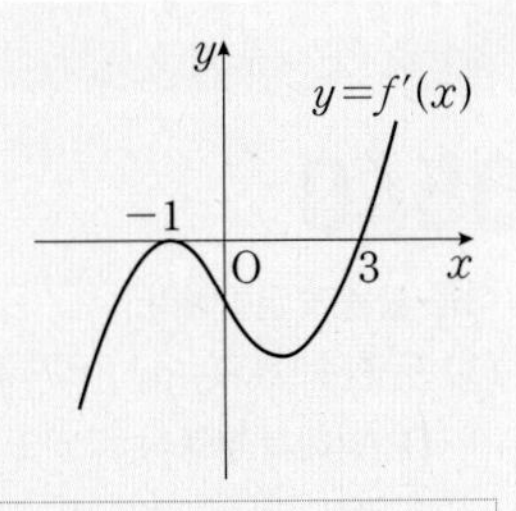

ㄱ. 함수 $f(x)$는 $x=-1$에서 극댓값을 가진다.
ㄴ. 모든 실수 x에 대하여 부등식 $f(x)\geq f(3)$이 성립한다.
ㄷ. $a\neq-1$일 때, $f(-1)=f(a)$를 만족시키는 실수 a에 대하여 함수 $f(x)$는 구간 $x\geq-a$에서 항상 최솟값을 가진다.

① ㄱ ② ㄱ, ㄴ ③ ㄱ, ㄷ
④ ㄴ, ㄷ ⑤ ㄱ, ㄴ, ㄷ

STEP A $y=f'(x)$의 그래프에서 $f(x)$의 그래프의 개형 그리기

ㄱ. 함수 $f(x)$의 증가와 감소를 표로 나타내면 다음과 같다.

x	$\cdots$	-1	$\cdots$	3	$\cdots$
$f'(x)$	$-$	0	$-$	0	$+$
$f(x)$	↘		↘	극소	↗

함수 $f(x)$는 $x=-1$에서 $f'(x)$의 부호가 변하지 않으므로 극댓값을 가지지 않는다. [거짓]

STEP B [보기]의 참, 거짓의 진위판단하기

ㄴ. 함수 $f(x)$는 $x=3$에서 극소이면서 최소이므로 최솟값은 $f(3)$
즉 $f(x)\geq f(3)$이 성립한다. [참]

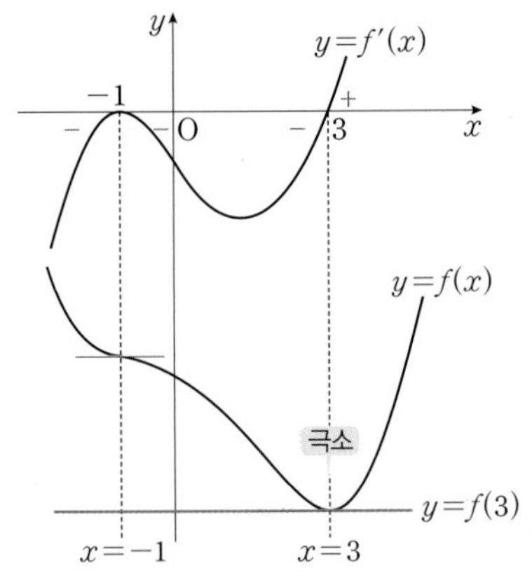

ㄷ. 다음은 $f(-1)=f(a)=k$일 때, 함수 $y=f(x)$와 직선 $y=k$의 그래프이다.

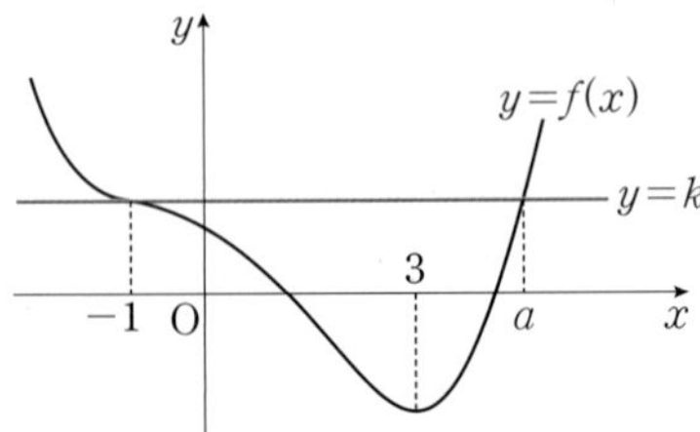

$a>3$이므로 $-a<-3$
함수 $f(x)$는 $x\geq-a$에서 최솟값 $f(3)$을 가진다. [참]
따라서 옳은 것은 ㄴ, ㄷ이다.

0545

다음 표는 사차함수 $f(x)$의 증가와 감소를 나타낸 것이다.

x	$\cdots$	-1	$\cdots$	1	$\cdots$	2	
$f'(x)$	$-$	0	$+$	0	$-$	0	$+$
$f(x)$	↘	$a-21$	↗	$a+11$	↘	$a+6$	↗

방정식 $f(x)=10$이 서로 다른 세 실근을 갖도록 상수 a의 값을 정할 때, 모든 a의 값의 합을 구하여라.

STEP A **함수 $f(x)$의 증가와 감소를 이용하여 그래프 개형 그리기**

사차함수 $f(x)$는 $x=-1$에서 극솟값,
$x=1$에서 극댓값, $x=2$에서 극솟값을 갖는다.
$a-21<a+6<a+11$이므로
함수 $y=f(x)$의 그래프의 개형은 다음과 같다.

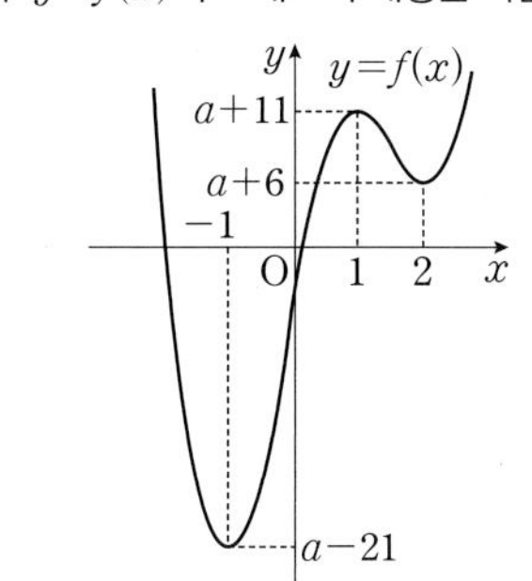

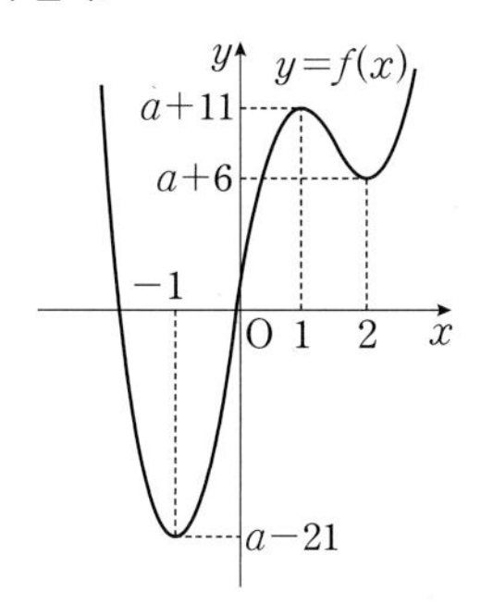

방정식 $f(x)=10$의 실근의 개수는 $y=f(x)$의 그래프와 직선 $y=10$의 교점의 개수와 같다.

STEP B **방정식 $f(x)=10$이 서로 다른 세 실근을 갖도록 상수 a의 값 구하기**

따라서 직선 $y=10$이 그림과 같이 점 $(1,\ f(1))$ 또는 점 $(2,\ f(2))$를 지나면 서로 다른 교점의 개수는 3이 될 수 있다.

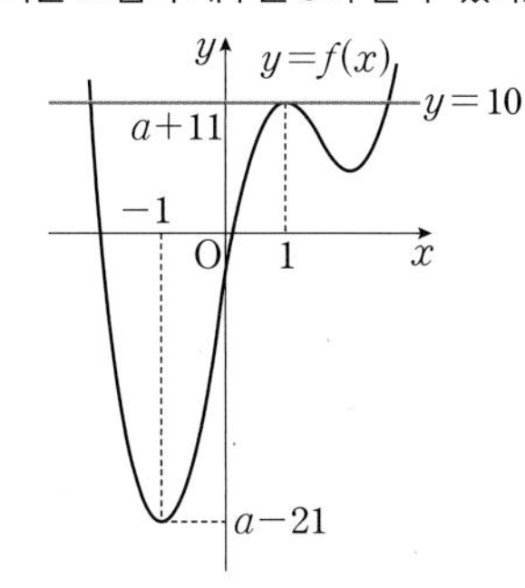

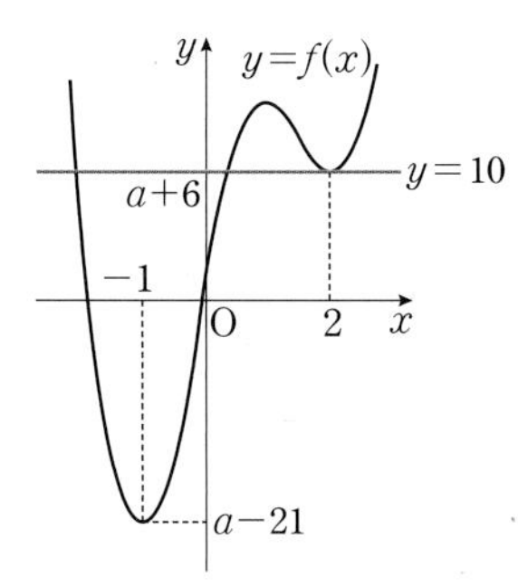

그러므로 $a+11=10$ 또는 $a+6=10$이므로
$a=-1$ 또는 $a=4$
따라서 구하는 모든 a의 값의 합은 $-1+4=3$

0546

서술형

방정식 $2x^3+6x^2+k=0$의 서로 다른 실근의 개수를 실수 k의 범위에 따라 조사하려고 할 때, 다음을 서술하여라.

[1단계] $f(x)=2x^3+6x^2$이라 할 때, 함수 $f(x)$의 그래프의 개형을 그린다.
[2단계] 곡선 $y=f(x)$와 직선 $y=-k$의 교점의 개수를 k의 값의 범위에 따라 조사한다.
[3단계] [2단계]의 결과를 이용하여 방정식 $2x^3+6x^2+k=0$의 서로 다른 세 실근을 갖도록 하는 실수 k의 범위를 구한다.

1단계 $f(x)=2x^3+6x^2$이라 할 때, 함수 $f(x)$의 그래프의 개형을 그린다. ◀ 40%

$f(x)=2x^3+6x^2$라고 하면
$f'(x)=6x^2+12x=6x(x+2)$
$f'(x)=0$에서 $x=0$ 또는 $x=-2$
함수 $f(x)$의 증가와 감소를 표로 나타내고 그 그래프를 그리면 다음과 같다.

x	$\cdots$	-2	$\cdots$	0	$\cdots$
$f'(x)$	$+$	0	$-$	0	$+$
$f(x)$	↗	8	↘	0	↗

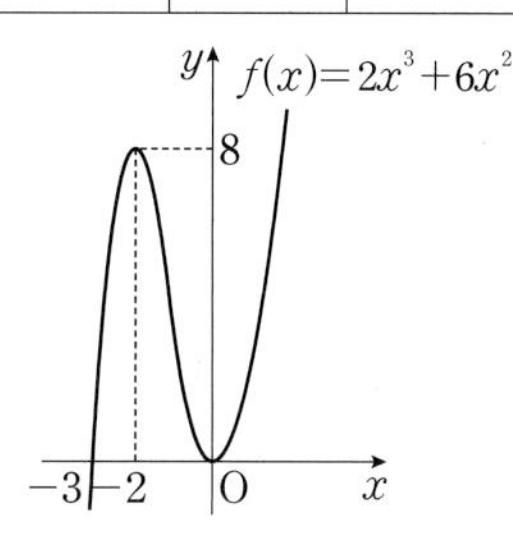

2단계 곡선 $y=f(x)$와 직선 $y=-k$의 교점의 개수를 k의 값의 범위에 따라 조사한다. ◀ 40%

곡선 $y=f(x)$와 직선 $y=-k$의 교점의 개수를 k의 값의 범위에 따라 나타내면 다음과 같다.

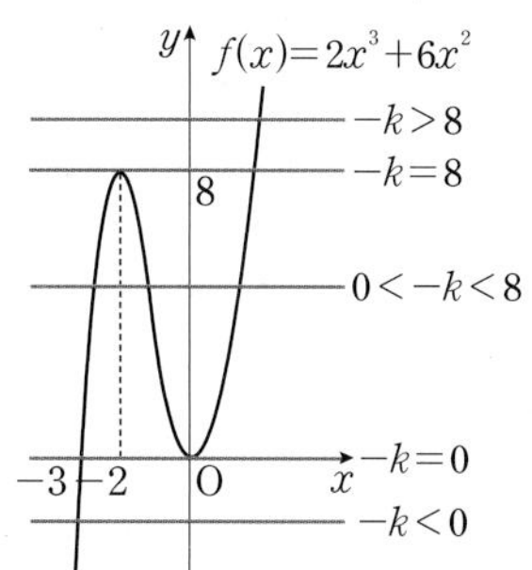

(i) $-8<k<0$일 때, 3개
(ii) $k=-8$ 또는 $k=0$일 때, 2개
(iii) $k<-8$ 또는 $k>0$일 때, 1개

3단계 [2단계]의 결과를 이용하여 방정식 $2x^3+6x^2+k=0$의 서로 다른 세 실근을 갖도록 하는 실수 k의 범위를 구한다. ◀ 20%

방정식 $2x^3+6x^2+k=0$에서 $2x^3+6x^2=-k$이므로
주어진 방정식이 서로 다른 세 실근을 가지려면
$y=2x^3+6x^2$의 그래프와 직선 $y=-k$가
서로 다른 세 점에서 만나야 하므로 $-8<k<0$이어야 한다.

0547

두 함수 $f(x)=4x^3+x^2-3x$, $g(x)=2x^3+4x^2+9x+a$에 대하여 방정식 $f(x)=g(x)$가 서로 다른 두 개의 양의 실근과 한 개의 음의 실근을 갖도록 하는 모든 정수 a의 개수를 구하는 과정을 다음 단계로 서술하여라.

[1단계] 방정식 $f(x)=g(x)$을 다시 a와 $h(x)$로 분리하여 $h'(x)=0$이 되는 x의 값을 구한다.

[2단계] $h'(x)$의 부호를 조사하여 함수 $h(x)$의 증가와 감소를 표로 나타내어 그래프를 그린다.

[3단계] 곡선 $y=h(x)$와 직선 $y=a$의 두 교점의 x좌표가 양이고 한 교점의 x좌표가 음이 되도록 하는 a의 범위를 구한다.

[4단계] 정수 a의 개수를 구한다.

1단계 방정식 $f(x)=g(x)$을 다시 a와 $h(x)$로 분리하여 $h'(x)=0$이 되는 x의 값 구한다. ◀ 30%

$f(x)=g(x)$에서

$4x^3+x^2-3x=2x^3+4x^2+9x+a$

이 식을 정리하면 $2x^3-3x^2-12x=a$

이때 $h(x)=2x^3-3x^2-12x$로 놓으면

$h'(x)=6x^2-6x-12=6(x+1)(x-2)$

$h'(x)=0$에서 $x=-1$ 또는 $x=2$

2단계 $h'(x)$의 부호를 조사하여 함수 $h(x)$의 증가와 감소를 표로 나타내어 그래프를 그린다. ◀ 30%

함수 $h(x)$의 증가와 감소를 표로 나타내면 다음과 같다.

x	$\cdots$	-1	$\cdots$	2	$\cdots$
$h'(x)$	$+$	0	$-$	0	$+$
$h(x)$	↗	7	↘	-20	↗

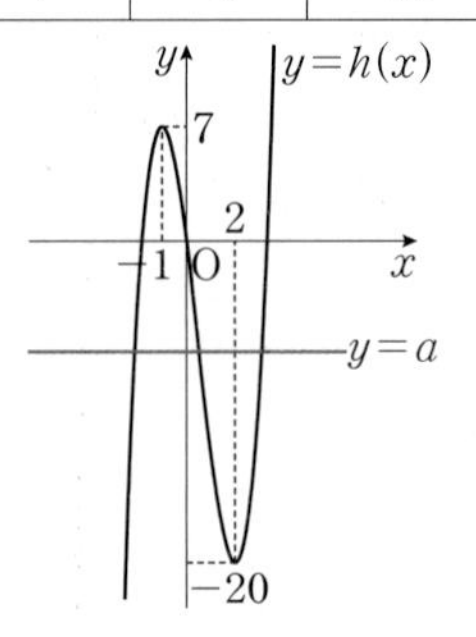

함수 $h(x)$는

$x=-1$일 때, 극댓값 $f(-1)=7$

$x=2$일 때, 극솟값 $f(2)=-20$을 갖는다.

3단계 곡선 $y=h(x)$와 직선 $y=a$의 두 교점의 x좌표가 양이고 한 교점의 x좌표가 음이 되도록 하는 a의 범위를 구한다. ◀ 30%

함수 $y=h(x)$의 그래프와 직선 $y=a$의 교점의 x좌표가 한 개는 음수이고 다른 두 개는 양수가 되는 실수 a의 값의 범위는 $-20<a<0$

4단계 정수 a의 개수를 구한다. ◀ 10%

따라서 구하는 정수 a의 개수는 19개이다.

0548

함수 $f(x)=x^3-3x-1$일 때, 방정식 $|f(x)|=a$의 서로 다른 실근의 개수가 3이다. 양수 a의 값을 구하는 과정을 다음 단계로 서술하여라.

[1단계] 함수 $y=|f(x)|$의 그래프를 그린다.

[2단계] 함수 $y=|f(x)|$의 그래프와 직선 $y=a$가 서로 다른 세 점에서 만날 때 양수 a의 값을 구한다.

1단계 함수 $y=|f(x)|$의 그래프를 그린다. ◀ 60%

$f'(x)=3x^2-3=3(x+1)(x-1)$이므로

$f'(x)=0$에서 $x=-1$ 또는 $x=1$

함수 $f(x)$의 증가와 감소를 표로 나타내면 다음과 같다.

x	$\cdots$	-1	$\cdots$	1	$\cdots$
$f'(x)$	$+$	0	$-$	0	$+$
$f(x)$	↗	1	↘	-3	↗

$y=f(x)$, $y=|f(x)|$의 그래프를 그리면 다음과 같다.

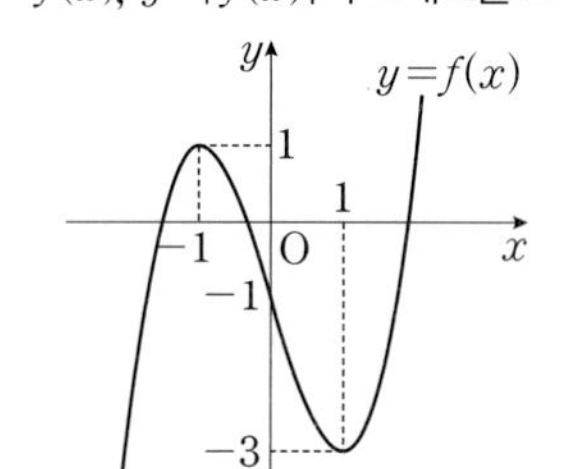

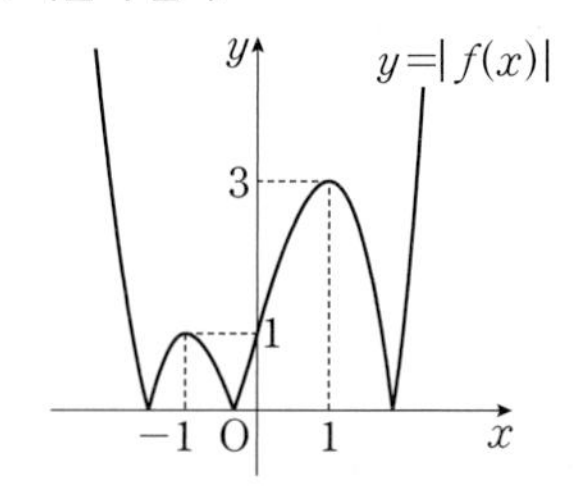

2단계 함수 $y=|f(x)|$의 그래프와 직선 $y=a$가 서로 다른 세 점에서만 만날 때 양수 a의 값을 구한다. ◀ 40%

따라서 $y=|f(x)|$의 그래프와 직선 $y=a\,(a>0)$가 서로 다른 세 점에서 만나야 하므로 $a=3$

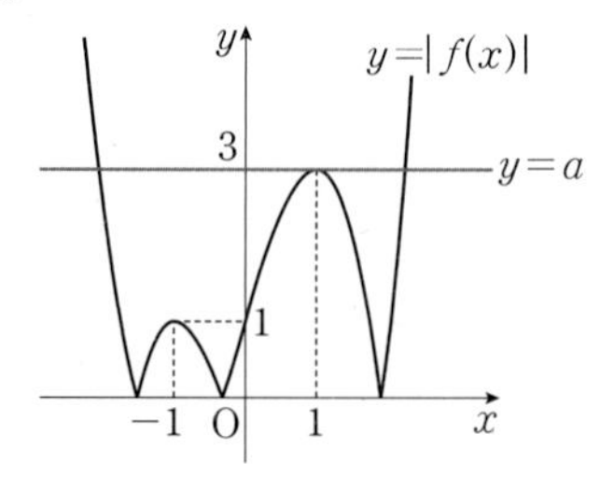

0549

점 A $(0,\ a)$에서 곡선 $y=x^3+3x^2+2x$에 서로 다른 세 접선을 그을 수 있을 때, 실수 a의 값의 범위를 구하는 과정을 다음 단계로 서술하여라.

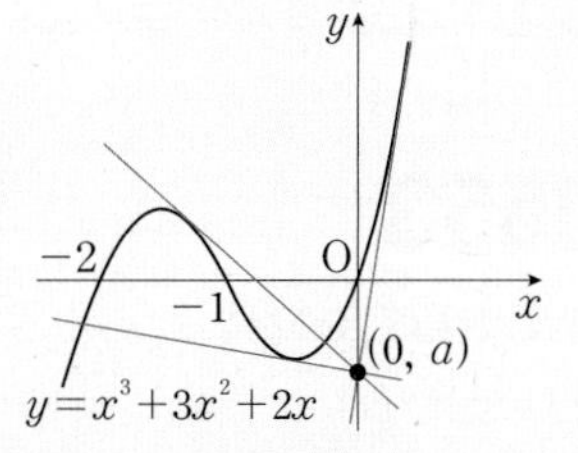

[1단계] 곡선 위의 접점의 좌표를 $(t,\ t^3+3t^2+2t)$라 하여 접선의 방정식을 구한다.

[2단계] [1단계]에서 구한 접선이 점 A $(0,\ a)$를 지남을 이용하여 a와 t 사이의 관계식을 구한다.

[3단계] 접선의 개수가 3이 되도록 하는 실수 a의 값의 범위를 구한다.

1단계 곡선 위의 접점의 좌표를 $(t,\ t^3+3t^2+2t)$라 하여 접선의 방정식을 구한다. ◀ 30%

$f(x)=x^3+3x^2+2x$라 하면 $f'(x)=3x^2+6x+2$

접점의 좌표를 $(t,\ t^3+3t^2+2t)$라 하면 접선의 기울기는

$f'(t)=3t^2+6t+2$이므로 접선의 방정식은

$y-(t^3+3t^2+2t)=(3t^2+6t+2)(x-t)$

2단계 [1단계]에서 구한 접선이 점 A $(0,\ a)$를 지남을 이용하여 a와 t 사이의 관계식을 구한다. ◀ 40%

이 직선이 점 $(0,\ a)$를 지나므로 $a-(t^3+3t^2+2t)=-3t^3-6t^2-2t$

즉 $a=-2t^3-3t^2$ ······ ㉠

점 $(0,\ a)$에서 곡선 $y=x^3+3x^2+2x$에 서로 다른 세 접선을 그을 수 있으려면 방정식 ㉠이 서로 다른 세 실근을 가져야 한다.

즉 직선 $y=a$와 곡선 $y=-2t^3-3t^2$이 서로 다른 세 점에서 만나야 한다.

$g(t)=-2t^3-3t^2$이라 하면

$g'(t)=-6t^2-6t=-6t(t+1)$

$g'(t)=0$에서 $t=-1$ 또는 $t=0$

함수 $g(t)$의 증가와 감소를 표로 나타내고 $y=g(t)$의 그래프를 그리면 다음과 같다.

t	⋯	-1	⋯	0	⋯
$g'(t)$	$-$	0	$+$	0	$-$
$g(t)$	↘	-1	↗	0	↘

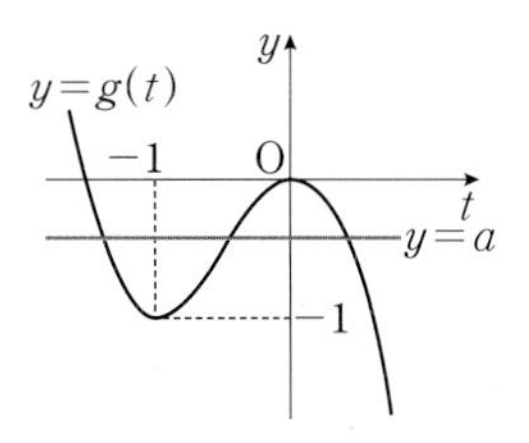

함수 $g(t)$에서

$t=-1$일 때, 극솟값 $g(-1)=-1$

$t=0$일 때, 극댓값 $g(0)=0$

3단계 접선의 개수가 3이 되도록 하는 실수 a의 값의 범위를 구한다. ◀ 30%

따라서 직선 $y=a$와 직선 $y=-2t^3-3t^2$이 서로 다른 세 점에서 만나게 하는 a의 값의 범위는 $-1<a<0$

다른풀이 방정식 $2t^3+3t^2+a=0$이 서로 다른 세 실근을 가지려면 (극댓값)×(극솟값)<0을 이용하여 풀이하기

$h(t)=2t^3+3t^2+a$라 하면 $h'(t)=6t^2+6t=6t(t+1)$

$h'(t)=0$에서 $t=-1$ 또는 $t=0$

$h'(t)$의 부호를 조사하여 함수 $h(t)$의 증가와 감소를 표로 나타내면 다음과 같다.

t	⋯	-1	⋯	0	⋯
$h'(t)$	$+$	0	$-$	0	$+$
$h(t)$	↗	극대	↘	극소	↗

$t=-1$일 때, 극대이고 극댓값 $h(-1)=a+1$

$t=0$일 때, 극소이고 극솟값 $h(0)=a$

따라서 방정식 $h(x)=0$이 서로 다른 세 실근을 가지려면

(극댓값)×(극솟값)<0이어야 하므로 $h(-1)h(0)<0$에서 $(a+1)a<0$

$\therefore -1<a<0$

TOUGH

0550

방정식 $x^4-4x^3+4x^2-k=0$의 서로 다른 실근의 개수가 3일 때, 상수 k의 값은?

① 1 ② 2 ③ 3
④ 4 ⑤ 5

STEP Ⓐ 두 곡선으로 분리하고 $f'(x)=0$이 되는 x의 값 구하기

방정식 $x^4-4x^3+4x^2-k=0$이 서로 다른 세 실근을 가지려면

$x^4-4x^3+4x^2-k=0$에서 곡선 $y=x^4-4x^3+4x^2$과 $y=k$가 서로 다른 세 점에서 만나야 한다.

$f(x)=x^4-4x^3+4x^2$이라 하면

$f'(x)=4x^3-12x^2+8x=4x(x-1)(x-2)$

$f'(x)=0$에서 $x=0$ 또는 $x=1$ 또는 $x=2$

STEP Ⓑ 함수 $f(x)$의 증가와 감소를 조사하고 그래프 그리기

함수 $f(x)$의 증가와 감소를 표로 나타내면 다음과 같다.

x	⋯	0	⋯	1	⋯	2	⋯
$f'(x)$	$-$	0	$+$	0	$-$	0	$+$
$f(x)$	↘	극소	↗	극대	↘	극소	↗

$x=0$과 $x=2$에서 극소이고 극솟값은 $f(0)=0,\ f(2)=0$

$x=1$에서 극대이고 극댓값은 $f(1)=1$이므로

함수 $f(x)$의 그래프는 다음 그림과 같다.

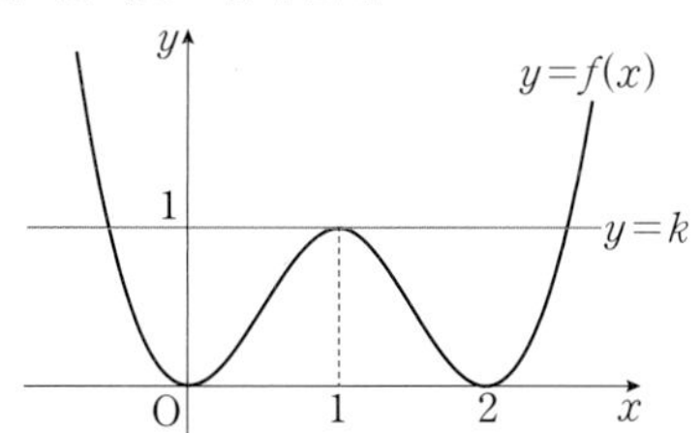

따라서 방정식 $f(x)=k$의 서로 다른 실근의 개수가 3이 되려면 $k=1$

0551

자연수 n에 대하여 삼차함수 $y=n(x^3-3x^2)+k$의 그래프가 x축과 만나는 점의 개수가 3이 되도록 하는 정수 k의 개수를 a_n이라 할 때, $\sum_{n=1}^{10} a_n$의 값은?

① 195 ② 200 ③ 205
④ 210 ⑤ 215

STEP Ⓐ 함수와 방정식의 관계를 이용하기

함수 $y=n(x^3-3x^2)+k$가 x축과 만나는 점의 개수는 방정식 $n(x^3-3x^2)+k=0$의 실근의 개수와 같다.

즉 방정식을 정리하면 $x^3-3x^2=-\dfrac{k}{n}$ (단, n은 자연수)

이때 실근의 개수는 함수 $y=x^3-3x^2$과 $y=-\dfrac{k}{n}$의 교점의 개수와 같다.

STEP Ⓑ 실근이 3개이기 위한 $-\dfrac{k}{n}$의 범위를 이용하여 k의 범위 구하기

$f(x)=x^3-3x^2$이라 하면

$f'(x)=3x^2-6x=3x(x-2)$

$f'(x)=0$에서 $x=0$ 또는 $x=2$

$f(x)$의 증가와 감소를 표로 나타내면 다음과 같다.

x	$\cdots$	0	$\cdots$	2	$\cdots$
$f'(x)$	+	0	−	0	+
$f(x)$	↗	극대	↘	극소	↗

$x=0$에서 극대이고 극댓값은 $f(0)=0$
$x=2$에서 극소이고 극솟값은 $f(2)=-4$
이므로 그래프는 오른쪽 그림과 같다.

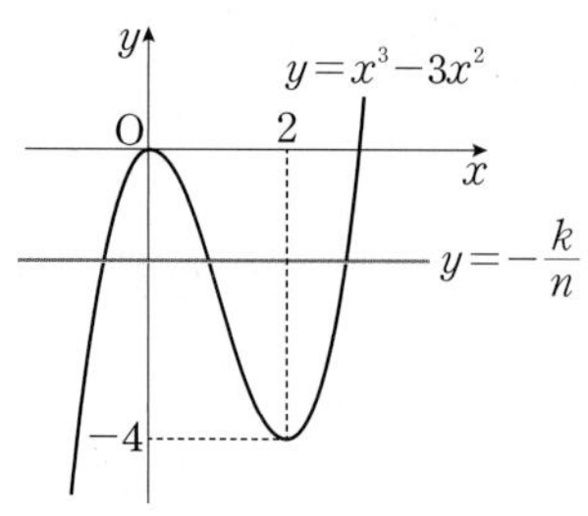

이때 함수 $y=x^3-3x^2$과 $y=-\frac{k}{n}$의 교점의 개수가 3개가 되기 위해서는

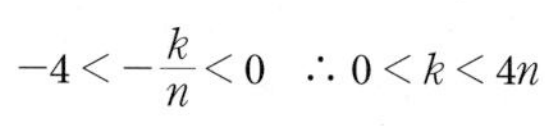
$-4<-\frac{k}{n}<0 \quad \therefore 0<k<4n$

STEP Ⓒ **수열의 합 구하기**

정수 k의 개수가 a_n이므로 $a_n=4n-1$

따라서 $\sum_{n=1}^{10} a_n=\sum_{n=1}^{10}(4n-1)=4\cdot\frac{10\cdot 11}{2}-10=210$

0552

자연수 k에 대하여 삼차방정식 $x^3-12x+22-4k=0$의 양의 실근의 개수를 $f(k)$라 하자. $\sum_{k=1}^{10} f(k)$의 값을 구하여라.

STEP Ⓐ **삼차방정식을 $y=x^3-12x+22$와 $y=4k$로 나누어 교점 구하기**

$x^3-12x+22-4k=0$에서 $x^3-12x+22=4k$이므로
$g(x)=x^3-12x+22$와 $y=4k$라 하면
주어진 방정식의 실근은 두 함수의 교점의 양의 x좌표이다.
$g(x)=x^3-12x+22$라 하면
$g'(x)=3(x-2)(x+2)$
$g'(x)=0$에서 $x=-2$ 또는 $x=2$
함수 $g(x)$의 증가와 감소를 표로 나타내면 다음과 같다.

x	$\cdots$	−2	$\cdots$	2	$\cdots$
$g'(x)$	+	0	−	0	+
$g(x)$	↗	극대	↘	극소	↗

함수 $g(x)$는 $x=-2$에서 극댓값 $g(-2)=38$
$x=2$에서 극솟값 $g(2)=6$

STEP Ⓑ **k의 값에 따른 양의 실근의 개수를 구하여 $\sum_{k=1}^{10} f(k)$의 값 구하기**

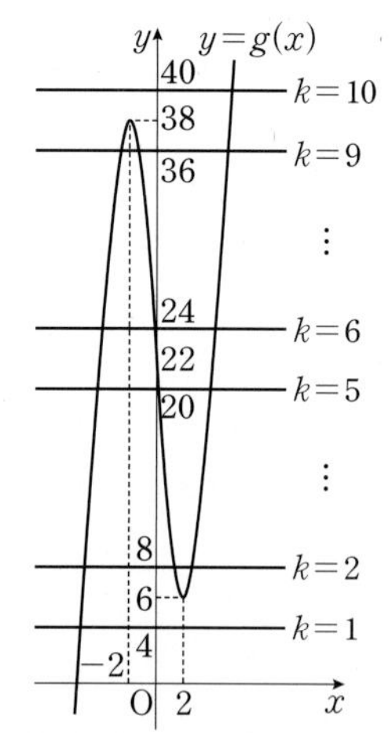

삼차방정식의 양의 실근의 개수 $f(k)$는 $y=g(x)$의 그래프와 직선 $y=4k$가 제1사분면에서 만나는 교점의 개수와 같다.
(ⅰ) $k=1$일 때, $f(k)=0$
(ⅱ) $k-2, 3, 4, 5$일 때, $f(k)=2$
(ⅲ) $k=6, 7, \cdots, 10$일 때, $f(k)=1$

따라서 $\sum_{k=1}^{10} f(k)=0\cdot 1+2\cdot 4+1\cdot 5=13$

주의 양의 실근의 개수이므로 26으로 답을 하면 안 된다.

0553

다음 물음에 답하여라.

(1) 함수 $f(x)=x^3-6x^2+9x-1$에 대하여 방정식 $|f(x)|=k$의 서로 다른 실근의 개수를 $g(k)$라 할 때, $\sum_{k=0}^{10} g(k)$의 값을 구하여라.

STEP Ⓐ **함수 $f(x)$의 증가와 감소를 표로 나타내어 그래프 그리기**

$f(x)=x^3-6x^2+9x-1$에서
$f'(x)=3x^2-12x+9=3(x-1)(x-3)$
$f'(x)=0$에서 $x=1$ 또는 $x=3$
함수 $f(x)$의 증가와 감소를 나타내는 표는 다음과 같다.

x	$\cdots$	1	$\cdots$	3	$\cdots$
$f'(x)$	+	0	−	0	+
$f(x)$	↗	3	↘	−1	↗

STEP Ⓑ **곡선 $y=|f(x)|$와 직선 $y=k$의 교점의 개수 구하기**

이때 함수 $y=f(x)$, $y=|f(x)|$의 그래프는 각각 다음과 같고 방정식 $|f(x)|=k$의 서로 다른 실근의 개수는 함수 $y=|f(x)|$의 그래프와 직선 $y=k$의 교점의 개수와 같다.

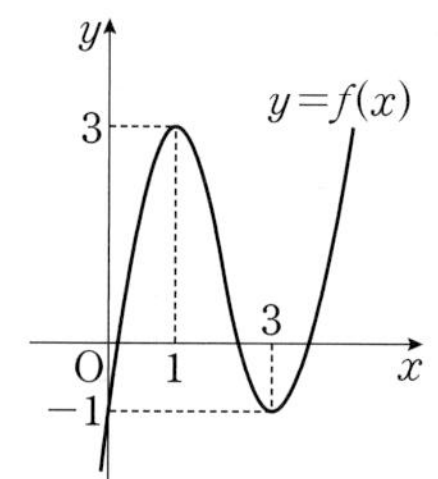

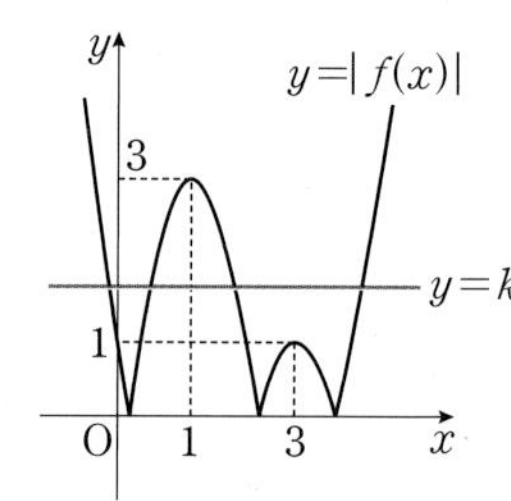

STEP Ⓒ **$\sum_{k=0}^{10} g(k)$의 값 구하기**

$g(0)=3$, $g(1)=5$, $g(2)=4$, $g(3)=3$이고 $k\geq 4$일 때, $g(k)=2$

따라서 $\sum_{k=0}^{10} g(k)=3+5+4+3+2\cdot 7=29$

방정식 $|f(x)|=k$의 서로 다른 실근의 개수는 함수 $y=|f(x)|$의 그래프와 직선 $y=k$의 교점의 개수와 같다.
$y=|f(x)|$의 그래프는 $f(x)\geq 0$인 부분에서는 $y=f(x)$, $f(x)<0$인 부분에서는 $y=-f(x)$의 그래프를 그리면 된다.

(2) 자연수 n에 대하여 삼차방정식 $|2x^3-9x^2+12|=n$의 서로 다른 실근의 개수를 a_n이라 할 때, $\sum_{n=1}^{20} a_n$의 값을 구하여라.

STEP Ⓐ **함수 $f(x)$의 증가와 감소를 표로 나타내어 그래프 그리기**

$f(x)=2x^3-9x^2+12$에서 $f'(x)=6x^2-18x=6x(x-3)$
$f'(x)=0$에서 $x=0$ 또는 $x=3$
함수 $f(x)$의 증가와 감소를 표로 나타내면 다음과 같다.

x	$\cdots$	0	$\cdots$	3	$\cdots$
$f'(x)$	+	0	−	0	+
$f(x)$	↗	극대	↘	극소	↗

$x=0$에서 극댓값 $f(0)=12$
$x=3$에서 극솟값 $f(3)=54-81+12=-15$

STEP B 곡선 $y=|f(x)|$와 직선 $y=n$의 교점의 개수 구하기

즉 $y=f(x)$와 $y=|f(x)|$의 그래프의 개형은 다음과 같다.

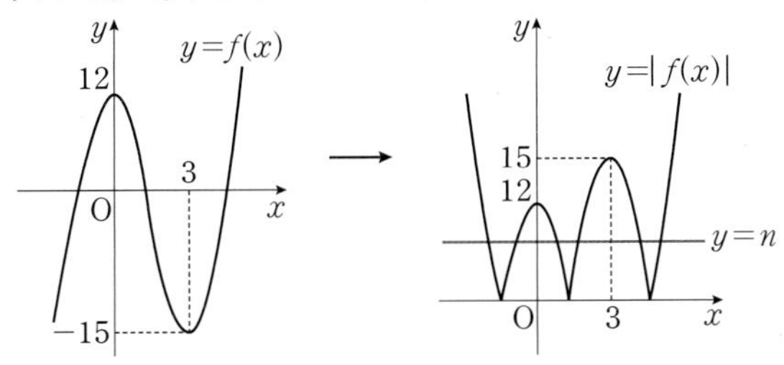

STEP C $\sum_{n=1}^{20} a_n$의 값 구하기

(ⅰ) $n=1, 2, 3, \cdots, 11$일 때, $a_n=6$

(ⅱ) $n=12$일 때, $a_n=5$

(ⅲ) $n=13, 14$일 때, $a_n=4$

(ⅳ) $n=15$일 때, $a_n=3$

(ⅴ) $n=16, 17, 18, 19, 20$일 때, $a_n=2$

따라서 $\sum_{n=1}^{20} a_n=11\cdot6+1\cdot5+2\cdot4+1\cdot3+5\cdot2=92$

0554

다음을 만족시키는 한 자리 자연수 a의 개수는?

방정식 $x^3-x^2-ax-3=0$이 서로 다른 세 실근을 가진다.

① 1 ② 2 ③ 3
④ 4 ⑤ 5

STEP A 방정식 $x^3-x^2-ax-3=0$이 서로 다른 세 실근을 가질 조건 구하기

방정식 $x^3-x^2-ax-3=0$에서 $x^3-x^2-3=ax$가 서로 다른 세 실근을 가진다.

즉 $f(x)=x^3-x^2-3$과 $g(x)=ax$의 교점의 개수가 세 개이다.

$f(x)=x^3-x^2-3$에서 $f'(x)=3x^2-2x=x(3x-2)=0$

$f'(x)=0$에서 $x=0$ 또는 $x=\frac{2}{3}$

함수 $f(x)$의 증가와 감소를 표로 나타내면 다음과 같다.

x	$\cdots$	0	$\cdots$	$\frac{2}{3}$	$\cdots$
$f'(x)$	+	0	−	0	+
$f(x)$	↗	극대	↘	극소	↗

$x=0$일 때, 극댓값은 $f(0)=-3$

$x=\frac{2}{3}$일 때, 극솟값은 $f\left(\frac{2}{3}\right)=\frac{8}{27}-\frac{4}{9}-3=-\frac{85}{27}$

STEP B 곡선 밖의 점 $(0, 0)$에서 접선의 방정식을 구하여 a의 범위 구하기

원점을 지나는 직선 $g(x)=ax$가 $y=f(x)$와 접할 때의 a값을 구하면 기울기 a가 접할 때의 기울기보다 크면 두 그래프가 서로 다른 세 점에서 만난다.

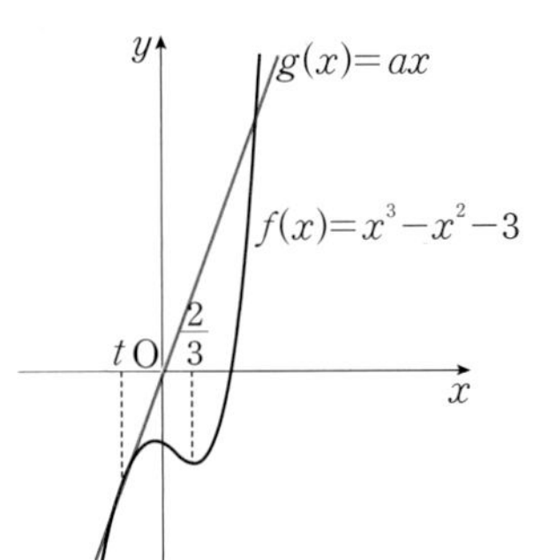

곡선 밖의 점 $(0, 0)$에서 접선의 방정식을 구하면

접점을 (t, t^3-t^2-3)으로 놓으면

$x=t$에서 접선의 기울기 $f'(t)=3t^2-2t$이므로

$x=t$에서의 접선의 방정식은 $y-(t^3-t^2-3)=(3t^2-2t)(x-t)$

접선은 원점을 지나므로 $0-t^3+t^2+3=(3t^2-2t)(0-t)$

$2t^3-t^2+3=0$, $(t+1)(2t^2-3t+3)=0$

$\therefore t=-1(\because 2t^2-3t+3>0)$

이때 기울기는 $f'(-1)=5$이므로 서로 다른 세 실근을 가지기 위해서는 $a>5$

따라서 a는 한자리 자연수이므로 $5<a<10$에서 자연수의 개수는 4개이다.

0555

자연수 n에 대하여 최고차항의 계수가 1이고 다음 조건을 만족시키는 삼차함수 $f(x)$의 극댓값을 a_n이라 하자.

(가) $f(n)=0$
(나) 모든 실수 x에 대하여 $(x+n)f(x)\geq0$이다.

a_n이 자연수가 되도록 하는 n의 최솟값은?

① 1 ② 2 ③ 3
④ 4 ⑤ 5

STEP A 조건을 만족하는 삼차함수 $f(x)$ 구하기

삼차함수 $f(x)$에 대하여

조건 (가)에서 $f(x)$는 최고차항의 계수가 1인 삼차함수이고 $f(n)=0$이므로

$f(x)=(x-n)(x^2+ax+b)$ (단, a, b는 상수)라 하면

조건 (나)에서 모든 실수 x에 대하여 $(x+n)f(x)\geq0$이어야 하므로

$(x+n)f(x)=(x+n)(x-n)(x^2+ax+b)\geq0$

이때 부등식 $(x+n)(x-n)\geq0$이 모든 실수 x에 대하여 성립하는 것은 아니고 x^2+ax+b는 이차함수이므로 $(x+n)f(x)\geq0$이 성립하려면 $(x+n)f(x)=(x+n)^2(x-n)^2$이어야 한다.

$\therefore f(x)=(x+n)(x-n)^2$

STEP B $f(x)$의 극댓값 a_n 구하기

$f(x)=(x+n)(x-n)^2$에서

$f'(x)=(x-n)^2+2(x+n)(x-n)$
$=(x-n)(2x+2n+x-n)$
$=(x-n)(3x+n)$

$f'(x)=0$에서 $x=-\frac{n}{3}$ 또는 $x=n$

함수 $f(x)$의 증가와 감소를 표로 나타내면 다음과 같다.

x	$\cdots$	$-\frac{n}{3}$	$\cdots$	n	$\cdots$
$f'(x)$	+	0	−	0	+
$f(x)$	↗	극대	↘	극소	↗

함수 $f(x)$는 $x=-\frac{n}{3}$에서 극대이고 극댓값은

$a_n=f\left(-\frac{n}{3}\right)=\left(-\frac{n}{3}+n\right)\left(-\frac{n}{3}-n\right)^2$
$=\frac{2}{3}n\cdot\frac{16}{9}n^2$
$=\frac{32}{27}n^3$

따라서 $a_n=\frac{32}{27}n^3$이 자연수가 되려면 n^3은 27의 배수가 되어야 하므로

자연수 n의 최솟값은 3

0556

지면에서 30 m/s의 속도로 지면과 수직 위로 쏘아 올린 물체의 t초 후의 높이 x m가

$$x=30t-5t^2$$

일 때, 다음을 구하여라.

(1) 이 물체가 최고 높이에 도달했을 때까지 걸린 시간과 그때 높이를 구하여라.
(2) 이 물체가 지면에 떨어지는 순간의 속도를 구하여라.
(3) 물체가 땅에 떨어질 때까지 움직인 거리를 구하여라.

STEP Ⓐ **이 물체가 최고 높이에 도달했을 때까지 걸린 시간과 그때 높이 구하기**

(1) t초 후의 물체의 속도를 v m/s라 하면

$v=\dfrac{dx}{dt}=30-10t$

최고 높이에서 물체의 속도는 $v=0$이므로

$v=30-10t=0$에서 $t=3$초

즉 물체가 최고 높이에 도달할 때까지 걸린 시간은 3초이고

그때의 높이는 $x=30\cdot3-5\cdot3^2=45(\text{m})$

STEP Ⓑ **이 물체가 지면에 떨어지는 순간의 속도 구하기**

(2) 물체가 지면에 닿는 순간의 높이는 $x=0$이므로

$x=30t-5t^2=0$에서 $5t(6-t)=0$

그런데 $t>0$이므로 $t=6$

이때 물체가 지면에 닿는 순간의 속도는 $v=30-10\cdot6=-30(\text{m/s})$

STEP Ⓒ **물체가 땅에 떨어질 때까지 움직인 거리 구하기**

(3) 최고 지점의 높이가 45(m)이므로 물체가 지면에 떨어질 때까지 움직인 거리는 $2\cdot45=90(\text{m})$

0557

x축 위를 움직이는 점 P의 시각 t에서의 위치 x는 $x=t^3-6t^2+5t$라 할 때, 다음 물음에 답하여라.

(1) 점 P가 마지막으로 원점을 지날 때의 속도를 구하여라.
(2) $0\le t\le3$에서 최대속력을 구하여라.

STEP Ⓐ **점 P가 마지막으로 원점을 지날 때의 속도 구하기**

t초 후의 점 P의 속도를 v라 하면

$v=\dfrac{dx}{dt}=3t^2-12t+5$

(1) 점 P가 원점을 지날 때 위치는 $x=0$이므로

$x=t^3-6t^2+5t=0$에서 $t(t-1)(t-5)=0$

$\therefore t=0$ 또는 $t=1$ 또는 $t=5$

그런데 마지막으로 원점을 지날 때, 시각은 $t=5$

이때의 속도는 $v=3\cdot5^2-12\cdot5+5=20$

STEP Ⓑ **$0\le t\le3$에서 최대속력 구하기**

(2) $v=3t^2-12t+5=3(t-2)^2-7$

이므로 점 P의 속력 $|v|$는 오른쪽 그림과 같다.

따라서 $0\le t\le3$에서 최대속력은

$|-7|=7$

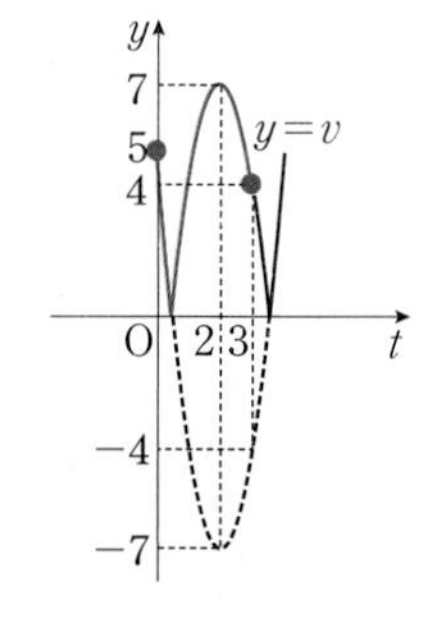

0558

수직선 위를 움직이는 두 점 P, Q의 시각 t일 때의 위치는 각각

$$\text{P}(t)=\frac{1}{3}t^3+4t-\frac{2}{3},\ \text{Q}(t)=2t^2-10$$

이다. 두 점 P, Q의 속도가 같아지는 시각을 a, 그 순간 두 점 P, Q 사이의 거리를 b라 할 때, $a+b$의 값을 구하여라.

STEP Ⓐ **두 점 P, Q가 속도가 같아지는 시각 구하기**

시각 t일 때의 두 점 P, Q의 속도를 각각 v_{P}, v_{Q}라 하면

$v_{\text{P}}=\text{P}'(t)=t^2+4,\ v_{\text{Q}}=\text{Q}'(t)=4t$

시각 t에서 두 점 P, Q의 속도가 같아지므로

$v_{\text{P}}=v_{\text{Q}}$에서 $t^2+4=4t$

$t^2-4t+4=0$

$(t-2)^2=0$

$\therefore t=2$

STEP Ⓑ **$t=2$일 때, 두 점 P, Q 사이의 거리 구하기**

$t=2$일 때, 두 점 P, Q의 위치는 각각

$\text{P}(2)=\dfrac{8}{3}+8-\dfrac{2}{3}=10$

$\text{Q}(2)=8-10=-2$

두 점 P, Q 사이의 거리는 $10-(-2)=12$

따라서 $a=2$, $b=12$이므로 $a+b=2+12=14$

0559

직선도로를 달리던 자동차에 제동을 건 후 t초 동안 달린 거리를 x m라고 하면 t와 x 사이에는 $x=30t-5t^2$의 관계가 있다고 한다. 다음을 구하여라.

(1) 자동차에 제동을 건 후 그 자동차가 정지할 때까지 걸린 시간과 그 사이에 움직인 거리를 구하여라.
(2) 제동을 건 순간의 가속도를 구하여라.

STEP Ⓐ **제동을 건 후 그 자동차가 정지할 때까지 걸린 시간과 움직인 거리 구하기**

(1) 자동차가 제동을 건 후 t초 후의 속도를 v라고 하면

$v=\dfrac{dx}{dt}=30-10t$

차가 정지할 때의 속도는 0이므로 $30-10t=0$

$\therefore t=3$초

3초 동안 차가 움직인 거리는 $x=30\cdot3-5\cdot3^2=45\text{m}$

STEP Ⓑ **제동을 건 순간의 가속도 구하기**

(2) 제동을 건 순간의 가속도를 a라 하면

$a=\dfrac{dv}{dt}=-10\text{m/s}^2$

0560

수직선 위를 움직이는 점 P의 시각 $t\,(t>0)$에서의 위치 x가

$$x=t^3-12t+k\,(k\text{는 상수})$$

이다. 점 P의 운동 방향이 원점에서 바뀔 때, k의 값은?

① 10 ② 12 ③ 14
④ 16 ⑤ 18

STEP Ⓐ 위치를 시각 t에 대하여 미분하여 속도 구하기

점 P의 시각 t에서의 위치 x가 $x=t^3-12t+k$이므로

점 P의 시각 t에서의 속도 v는 $v=\dfrac{dx}{dt}=3t^2-12$

STEP Ⓑ 운동 방향을 바꾸는 순간의 속도가 0임을 이용하여 시각 t 구하기

점 P의 운동 방향이 바뀔 때의 점 P의 속도는 0이므로

$3t^2-12=0$에서 $3(t+2)(t-2)=0$

이때 $t>0$이므로 $t=2$

점 P의 운동 방향이 원점에서 바뀌므로 $t=2$일 때, 점 P의 위치는 원점이다.

따라서 $2^3-12\cdot 2+k=0$에서 $k=16$

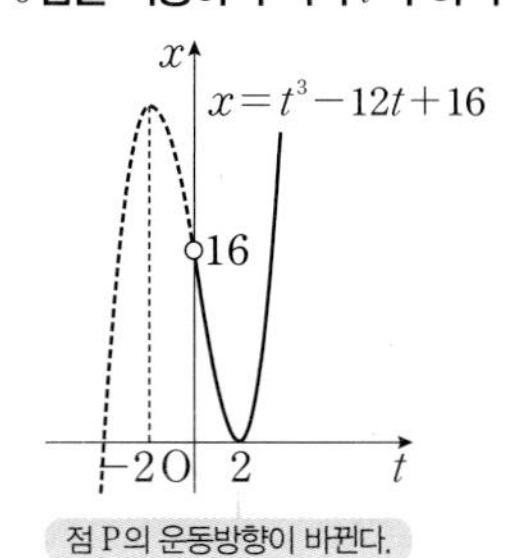

점 P의 운동방향이 바뀐다.

0561

오른쪽 그림과 같이 편평한 바닥에 60°로 기울어진 경사면과 반지름의 길이가 0.5 m인 공이 있다. 이 공의 중심은 경사면과 바닥이 만나는 점에서 바닥에 수직으로 높이가 21 m인 위치에 있다. 이 공을 자유낙하시킬 때, t초 후 공의 중심의 높이 $h(t)$는 $h(t)=21-5t^2$(m)라고 한다. 공이 경사면과 처음으로 충돌하는 순간, 공의 속도는? (단, 경사면의 두께와 공기의 저항은 무시한다.)

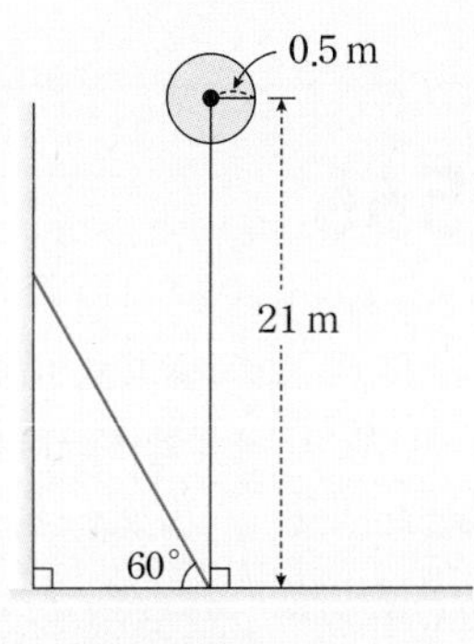

① −20 m/초 ② −17 m/초 ③ −15 m/초
④ −12 m/초 ⑤ −10 m/초

STEP Ⓐ 공이 경사면에 충돌하는 순간, 공이 경사면에 접하게 됨을 이용하여 충돌하는 순간의 시각 t 구하기

공이 경사면과 처음으로 충돌하는 순간은 오른쪽 그림과 같이 공의 중심과 경사면 사이의 거리가 0.5 m가 될 때이다.

이때 바닥으로부터 공의 중심까지의 높이를 a m라 하면

$\sin 30^\circ=\dfrac{0.5}{a}$, 즉 $a=\dfrac{0.5}{\sin 30^\circ}=1$(m)

공이 경사면과 처음으로 충돌하는 순간 공의 중심의 높이가 1 m이므로

이때 시각은 $21-5t^2=1$에서 $5t^2=20$, $t^2-4=0$

$(t+2)(t-2)=0$

$\therefore t=-2$ 또는 $t=2$

$t>0$이므로 $t=2$

STEP Ⓑ $t=2$일 때의 공의 속도 구하기

t초 후의 공의 중심의 속도를 v라 하면 $v=\dfrac{dh}{dt}=-10t$

따라서 공이 경사면과 처음으로 충돌하는 순간 공의 속도는

$-10\cdot 2=-20$(m/초)

0562

수직선 위를 움직이는 점 P의 시각 $t\,(t\ge 0)$에서의 위치 x가

$$x=-\frac{1}{3}t^3+2t^2-3t+1$$

이다. 점 P의 속도가 최대인 순간의 점 P의 가속도를 구하여라.

STEP Ⓐ 점 P의 속도와 가속도 구하기

점 P의 시각 $t\,(t\ge 0)$에서의 위치 x가 $x=-\dfrac{1}{3}t^3+2t^2-3t+1$이므로

점 P의 시각 $t\,(t\ge 0)$에서의 속도 v는 $v=\dfrac{dx}{dt}=-t^2+4t-3$이고

점 P의 시각 $t\,(t\ge 0)$에서의 가속도 a는 $a=\dfrac{dv}{dt}=-2t+4$

STEP Ⓑ 점 P의 속도가 최대인 순간의 점 P의 가속도 구하기

이때 점 P의 속도가

$v=-t^2+4t-3=-(t-2)^2+1$이므로

$t=2$일 때, 점 P의 속도가 최대이다.

따라서 $t=2$일 때, 가속도는

$a(2)=-2\cdot 2+4=0$

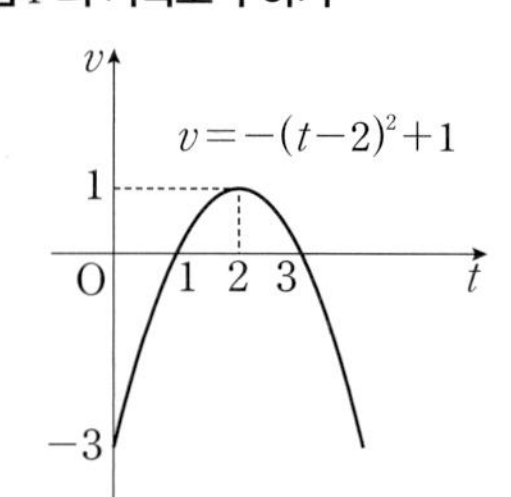

0563

다음 물음에 답하여라.

(1) 수직선 위를 움직이는 점 P의 시각 $t\,(t\ge 0)$에서의 위치 x가

$$x=t^3-5t^2+at+5$$

이다. 점 P가 움직이는 방향이 바뀌지 않도록 하는 자연수 a의 최솟값은?

① 9 ② 10 ③ 11
④ 12 ⑤ 13

STEP Ⓐ 점 P가 움직이는 방향이 바뀌지 않도록 하는 조건 구하기

점 P의 시각 $t\,(t\ge 0)$에서의 위치 x가 $x=t^3-5t^2+at+5$이므로

점 P의 시각 t에서의 속도 v는

$v(t)=\dfrac{dx}{dt}=3t^2-10t+a$

점 P가 움직이는 방향이 바뀌지 않으려면 실수 $t\,(t\ge 0)$에 대하여 항상 $v(t)\ge 0$이거나 $v(t)\le 0$이어야 한다.

이때 $v(t)=3\left(t-\dfrac{5}{3}\right)^2+a-\dfrac{25}{3}$이므로 실수 $t\,(t\ge 0)$에 대하여

항상 $v(t)\le 0$일 수는 없다.

즉 실수 $t\,(t\ge 0)$에 대하여 항상 $v(t)\ge 0$이어야 한다.

STEP Ⓑ 판별식 D가 $D\le 0$임을 이용하여 a의 범위 구하기

$3t^2-10t+a=0$의 판별식을 D라 하면 $D\le 0$이다.

$\dfrac{D}{4}=5^2-3a\le 0$에서

$a\ge \dfrac{25}{3}=8.3\cdots$

따라서 자연수 a의 최솟값은 9

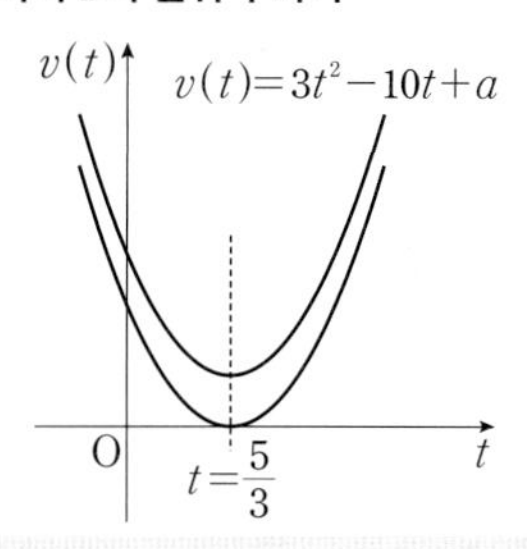

$v(t)=3\left(t-\dfrac{5}{3}\right)^2+a-\dfrac{25}{3}$이므로 실수 $t\,(t\ge 0)$에 대하여

항상 $v(t)\ge 0$이어야 하므로 $a-\dfrac{25}{3}\ge 0$

따라서 $a\ge\dfrac{25}{3}$이므로 조건을 만족시키는 자연수 a의 최솟값은 9

(2) 수직선 위를 움직이는 점 P의 시각 $t(t \ge 0)$에서의 위치 x가

$$x=t^3+at^2+bt\ (a,\ b\text{는 상수})$$

이다. 시각 $t=1$에서 점 P가 운동 방향을 바꾸고, 시각 $t=2$에서 점 P의 가속도는 0이다. $a+b$의 값은?

① 3 ② 4 ③ 5
④ 6 ⑤ 7

STEP A 점 P의 속도와 가속도 구하기

점 P의 시각 $t(t \ge 0)$에서의 위치 x가 $x=t^3+at^2+bt\ (a,\ b$는 상수)이므로

점 P의 시각 $t(t \ge 0)$에서의 속도 v는 $v=\dfrac{dx}{dt}=3t^2+2at+b$이고

점 P의 시각 $t(t \ge 0)$에서의 가속도 a는 $a=\dfrac{dv}{dt}=6t+2a$

STEP B $t=2$에서 점 P의 가속도가 0임을 이용하여 a 구하기

$t=2$에서 점 P의 가속도가 0이므로

$a(2)=12+2a=0$

$\therefore a=-6$

STEP C $t=1$에서 점 P가 운동 방향을 바꿈을 이용하여 b 구하기

$t=1$에서 점 P가 운동 방향을 바뀌는 시각에서의 속도가 0이므로

$v(1)=3+2a+b=3-12+b=0$

$\therefore b=9$

따라서 $a=-6,\ b=9$이므로 $a+b=3$

0564

수직선 위를 움직이는 점 P의 시각 $t(t \ge 0)$에서의 위치 x가

$$x=-\frac{1}{3}t^3+3t^2+k\ (k\text{는 상수})$$

이다. 점 P의 가속도가 0일 때, 점 P의 위치는 40이다. k의 값을 구하여라.

STEP A 점 P의 가속도가 0이 되는 시각 구하기

점 P의 시각 $t(t \ge 0)$에서의 위치 x가 $x=-\dfrac{1}{3}t^3+3t^2+k$이므로

점 P의 시각 $t(t \ge 0)$에서의 v는 $v=\dfrac{dx}{dt}=-t^2+6t$이고

점 P의 시각 $t(t \ge 0)$에서의 가속도 a는 $a=\dfrac{dv}{dt}=-2t+6$

점 P의 가속도가 0이므로

$-2t+6=0$에서 $t=3$

STEP B 점 P의 위치가 40일 때, k의 값 구하기

$t=3$일 때, 점 P의 위치가 40이므로

$x(3)=-\dfrac{1}{3}\times 3^3+3\times 3^2+k=40$

따라서 $k=22$

0565

수직선 위를 움직이는 두 점 P, Q의 시각 t에서의 위치가 각각

$$t^2(t^2-8t+18),\ mt$$

일 때, 점 P의 속도와 점 Q의 속도가 같게 되는 때가 3회 있도록 실수 m의 값의 범위를 구하여라.

STEP A 시각 t에서 속도 구하기

시각 t에서의 두 점 P, Q의 속도를 각각 $v_P,\ v_Q$라 하면

$v_P=4t^3-24t^2+36t,\ v_Q=m$

STEP B $f(t)$의 증가와 감소를 표로 나타내기

두 점 P, Q의 속도가 같게 되는 때가 세 번 있으려면 $v_P=v_Q$를 만족시키는 시각 t의 값이 3개 존재하야 하므로 t에 대한 방정식 $4t^3-24t^2+36t=m$이 양의 서로 다른 세 점에서 만나야 한다.

$f(t)=4t^3-24t^2+36t$이라 하면

$f'(t)=12t^2-48t+36=12(t-1)(t-3)$

$f'(t)=0$에서 $t=1$ 또는 $t=3$

$f'(t)$의 부호를 조사하여 함수 $f(t)$의 증가와 감소를 표로 나타내면 다음과 같다.

t	0	$\cdots$	1	$\cdots$	3	$\cdots$
$f'(t)$		+	0	−	0	+
$f(t)$	0	↗	극대	↘	극소	↗

$t=1$일 때, 극대이고 극댓값은 $f(1)=16$

$t=3$일 때, 극소이고 극솟값은 $f(3)=0$

STEP C 곡선 $y=f(t)$와 직선 $y=m$의 교점이 3개가 되도록 하는 m의 값의 범위 구하기

따라서 $t>0$일 때, $y=f(t)$의 그래프는 오른쪽 그림과 같으므로 곡선 $y=f(t)$와 직선 $y=m$이 양의 서로 다른 세 점에서 만나려면 $0<m<16$

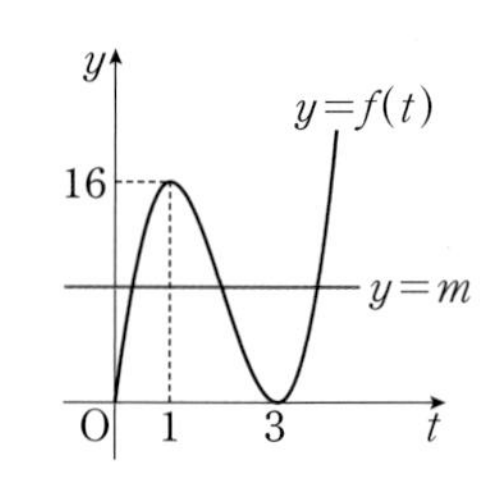

0566

수직선 위를 움직이는 두 점 P, Q의 시각 t일 때의 위치는 각각

$$f(t)=2t^2-2t,\ g(t)=t^2-8t\text{이다.}$$

두 점 P와 Q가 서로 반대방향으로 움직이는 시각 t의 범위는?

① $\dfrac{1}{2}<t<4$ ② $1<t<5$ ③ $2<t<5$
④ $\dfrac{3}{2}<t<6$ ⑤ $2<t<8$

STEP A 시각 t에서의 점 P, Q의 속도 v 구하기

두 점 P, Q의 시각 t에서의 위치가 각각

$f(t)=2t^2-2t,\ g(t)=t^2-8t$이므로

두 점 P, Q의 시각 t에서의 속도는 각각

$f'(t)=4t-2,\ g'(t)=2t-8$

STEP B 두 점이 서로 반대방향으로 움직이려면 속도의 부호가 반대이므로 두 점의 속도의 곱은 음수임을 이용하기

이때 점 P, Q가 서로 반대방향으로 움직이려면 속도의 부호가 반대이므로 $f'(t)g'(t)<0$이어야 한다.

$(4t-2)(2t-8)=4(2t-1)(t-4)<0$

따라서 $\dfrac{1}{2}<t<4$

점 P의 속도를 v라 하면
① $v>0$이면 점 P는 양의 방향으로 움직인다.
② $v<0$이면 점 P는 음의 방향으로 움직인다.
③ $v=0$이면 점 P가 운동방향을 바꾸거나 정지한다.

0567

원점 O를 동시에 출발하여 수직선 위를 움직이는 두 점 P, Q의 t분 후의 좌표를 각각 x_p, x_q라 하면 $x_p=2t^3-9t^2$, $x_q=t^2+8t$이다.
선분 PQ의 중점을 M이라 할 때, 두 점 P, Q가 원점을 출발한 후 4분 동안 세 점 P, Q, M이 움직이는 방향을 바꾼 횟수를 각각 a, b, c라고 하자. 이때 $a+b+c$의 값을 구하여라.

STEP A 점 P가 원점을 출발한 후 4분 동안 움직이는 방향을 바꾼 횟수 a 구하기

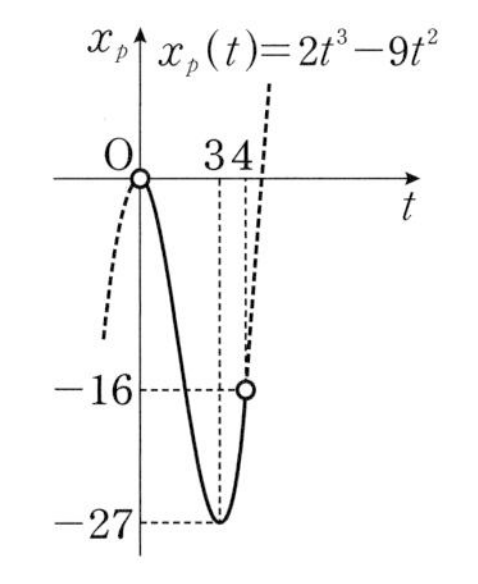

점 P가 운동방향을 바꾸는 순간의 속도가 0이므로

$v_p=\dfrac{dx_p}{dt}=6t^2-18t=6t(t-3)=0$

이므로 점 P는 $t=3$일 때, 운동방향이 바뀐다.

$\therefore a=1$

STEP B 점 Q가 원점을 출발한 후 4분 동안 움직이는 방향을 바꾼 횟수 b를 구하기

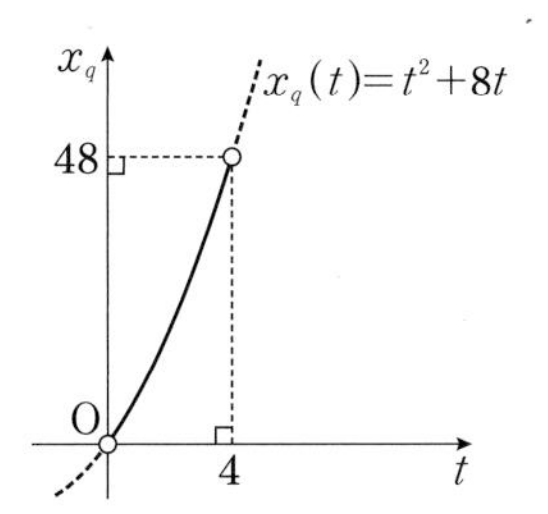

점 Q가 운동방향을 바꾸는 순간의 속도가 0이므로

$v_q=\dfrac{dx_q}{dt}=2t+8=2(t+4)=0$이므로

$0<t<4$에서 위의 식을 만족하는 t는 존재하지 않는다.

$\therefore b=0$

STEP C 점 M이 원점을 출발한 후 4분 동안 움직이는 방향을 바꾼 횟수 c를 구하기

두 점 P, Q의 위치가 $x_p=2t^3-9t^2$, $x_q=t^2+8t$이므로

중점 M의 t분 후의 좌표를 x_m라 하면

$x_m=\dfrac{x_p+x_q}{2}=\dfrac{(2t^3-9t^2)+t^2+8t}{2}$

$=t^3-4t^2+4t$

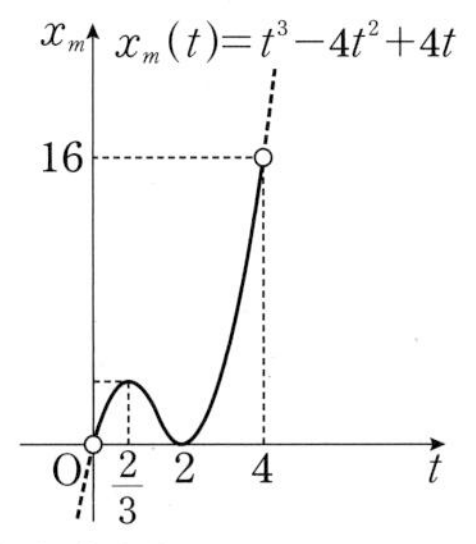

점 M이 운동방향을 바꾸는 순간의 속도가 0이므로

$v_m=\dfrac{dx_m}{dt}$

$=3t^2-8t+4$

$=(3t-2)(t-2)=0$

이므로 점 P는 $t=2$ 또는 $t=\dfrac{2}{3}$일 때, 운동방향이 바뀐다.

$\therefore c=2$

STEP D $a+b+c$의 값 구하기

따라서 $a+b+c=3$

0568

수직선 위를 움직이는 점 P의 시각 t에서의 속도 $v(t)$의 그래프가 오른쪽 그림과 같을 때, [보기] 중 옳은 것을 모두 고르면?

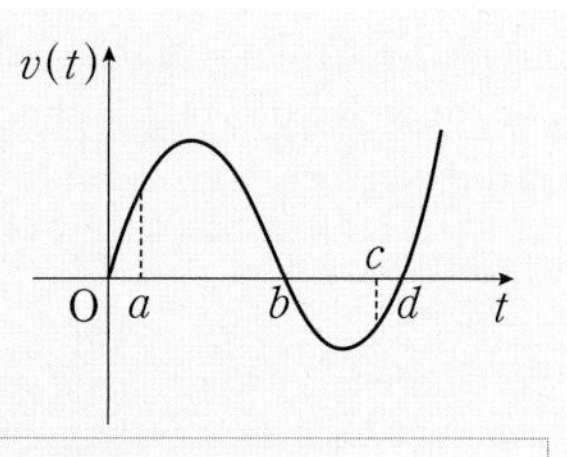

> ㄱ. $t=a$와 $t=c$에서 점 P의 운동 방향은 반대이다.
> ㄴ. $t=b$에서 점 P의 운동 방향이 바뀐다.
> ㄷ. $t=c$에서 점 P의 가속도는 음의 값이다.

① ㄴ ② ㄷ ③ ㄱ, ㄴ
④ ㄱ, ㄷ ⑤ ㄱ, ㄴ, ㄷ

STEP A 속도 $v(t)$그래프에서 부호를 이용하여 진위판단하기

$v(t)=f'(t)=0$인 시각 t에서 운동 방향이 바뀐다.

ㄱ. $v=f'(a)>0$이므로 점 P는 $t=a$에서 양의 방향으로 움직이고 $v=f'(c)<0$이므로 점 P는 $t=c$에서 음의 방향으로 움직이므로 $t=a$와 $t=c$에서 점 P의 운동 방향은 반대이다. [참]

ㄴ. $v(b)=0$이므로 $t=b$에서 양에서 음으로 바뀌므로 점 P의 운동 방향이 바뀐다. [참]

ㄷ. $t=c$에서의 접선의 기울기가 양이므로 $t=c$에서 점 P의 가속도가 양이다. [거짓]

따라서 옳은 것은 ㄱ, ㄴ이다.

0569

수직선 위를 움직이는 점 P의 시각 t에서의 위치 $x(t)$의 그래프가 오른쪽 그림과 같을 때, 다음 [보기] 중 옳은 것을 모두 고르면?

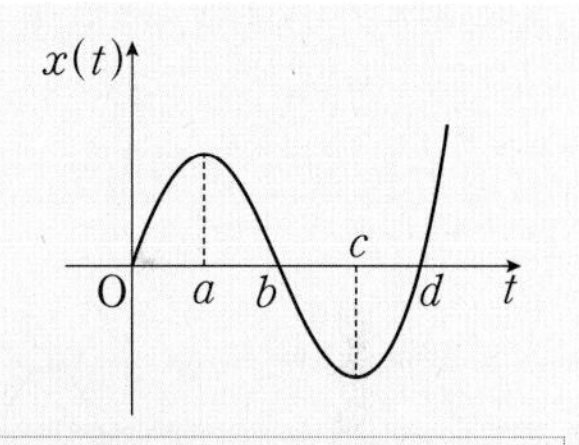

> ㄱ. $0<t<d$에서 점 P는 운동 방향이 2번 바뀐다.
> ㄴ. $0<t<d$에서 속도가 0이 되는 경우는 2번이다.
> ㄷ. $0<t\le d$에서 원점을 두 번 지난다.
> ㄹ. $t=d$일 때, 점 P의 속도는 양의 값이다.

① ㄴ ② ㄴ, ㄷ ③ ㄱ, ㄹ
④ ㄱ, ㄴ, ㄷ ⑤ ㄱ, ㄴ, ㄷ, ㄹ

STEP A 위치 $x(t)$그래프에서 진위판단하기

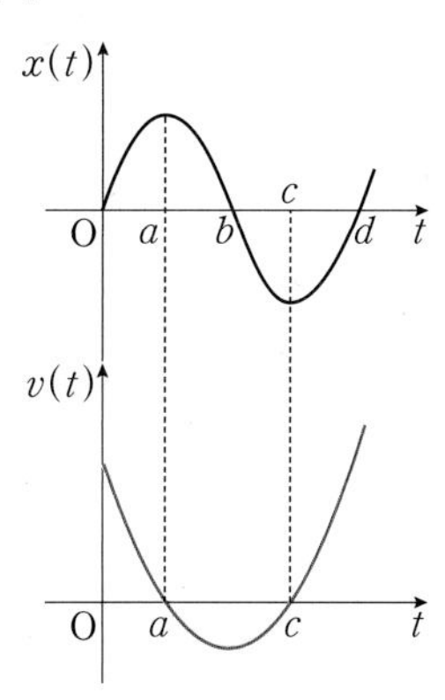

주어진 점 P의 시간 t에서의 속도 $v(t)$의 그래프는 오른쪽 그림과 같다.

ㄱ. 점 P는 $t=a$, $t=c$에서 방향이 바뀌므로 점 P의 운동방향은 2번 바뀐다. [참]

ㄴ. $0<t<d$에서 $v(a)=v(c)=0$이므로 속도가 0이 되는 경우는 모두 2번이다. [참]

ㄷ. $x(b)=0$, $x(d)=0$이므로 점 P는 $0<t\le d$에서 원점을 두 번 지난다. [참]

ㄹ. $v(d)>0$이므로 $t=d$일 때, 점 P의 속도는 양의 값이다. [참]

따라서 옳은 것은 ㄱ, ㄴ, ㄷ, ㄹ이다.

0570

수직선 위를 움직이는 점 P의 시각 t와 그 때의 위치 x 사이의 관계식 $x=f(t)$의 그래프가 다음 그림과 같을 때, 옳은 것만을 [보기]에서 있는 대로 골라라. (단, $0 \le t \le c$)

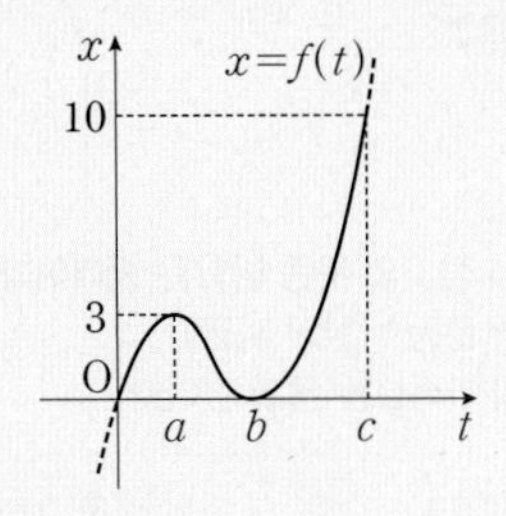

ㄱ. 점 P는 한 방향으로만 움직인다.
ㄴ. 점 P가 실제로 움직인 거리는 16이다.
ㄷ. 점 P의 속도가 점 P의 c초 동안의 평균속도와 같아지는 경우가 두 번 있다.

STEP Ⓐ **위치 $x(t)$그래프에서 진위판단하기**

ㄱ. $t=a$와 $t=b$의 좌우에서 $f'(t)$의 부호가 바뀌므로 점 P는 움직이는 동안 두 번 방향이 바뀐다. [거짓]

ㄴ. 점 P는 원점을 출발한 후 3만큼 왕복한 다음 10만큼 직진하므로 실제로 움직인 거리는 $2\cdot3+10=16$ [참]

ㄷ. 점 P의 c초 동안의 평균속도는 두 점 $(0,\ 0)$과 $(c,\ 10)$을 잇는 직선의 기울기와 같다.
다음 그림과 같이 두 점 $(0,\ 0)$과 $(c,\ 10)$을 잇는 직선과 평행하여 $x=f(t)$와 접하는 접선을 두 개 그을 수 있으므로
평균 속도와 같아지는 경우는 두 번이다. [참]

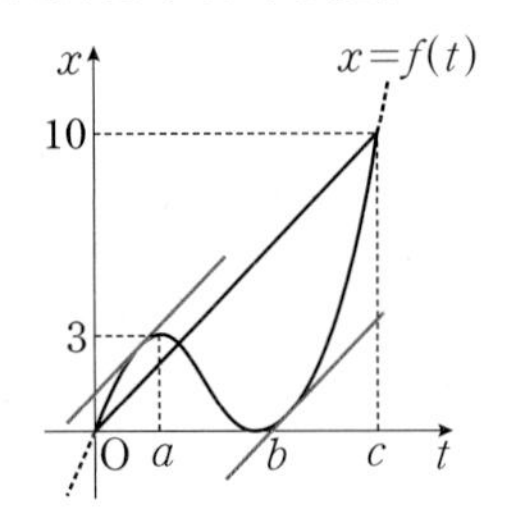

따라서 옳은 것은 ㄴ, ㄷ이다.

0571

키가 1.8 m인 준기가 지면으로부터의 높이가 4.5 m인 가로등 바로 밑에서 출발하여 일직선으로 초속 1.2 m의 속도로 걸어가고 있다.
다음에 답하여라.

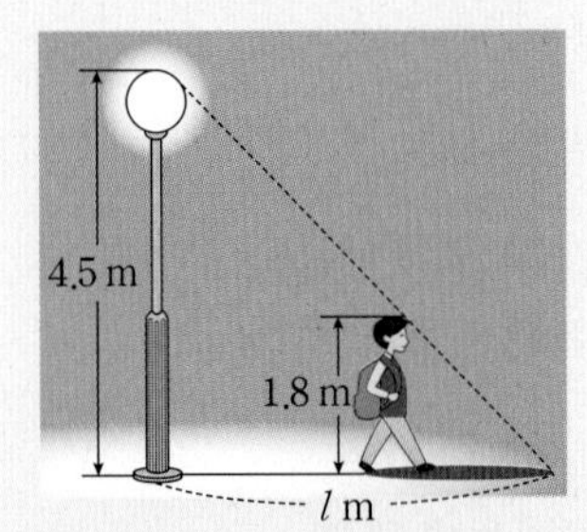

(1) 준기가 출발 후 t초 동안 걸은 거리를 t로 나타내어라.
(2) 가로등의 바로 아래에서 준기의 그림자끝까지의 거리를 l m라 할 때, l를 t로 나타내어라.
(3) 준기의 그림자의 끝이 움직이는 속도를 구하여라.
(4) 준기의 그림자의 길이가 늘어나는 속도를 구하여라.

STEP Ⓐ **준기가 출발 후 t초 동안 걸은 거리 구하기**

(1) 가로등 바로 밑에서 출발하여 일직선으로 초속 1.2m의 속도로 걸어가므로 t초 동안 준기가 움직인 거리는 $1.2t$

STEP Ⓑ **가로등의 바로 아래에서 준기의 그림자 끝까지의 거리를 lm라 할 때, l를 t로 나타내기**

(2) t초 동안 준기가 움직인 거리는 $1.2t$이고
그림자의 길이를 xm라고 하면
다음 그림에서 $\triangle$ABC$\backsim\triangle$ADE이므로
$4.5:1.8=(1.2t+x):x$

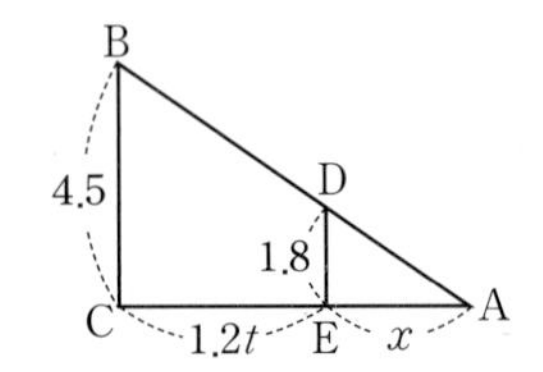

$\therefore\ x=0.8t$
$l=\overline{CE}+\overline{EA}$이므로 가로등으로부터 그림자 끝까지의 길이는
$l=1.2t+0.8t=2t$

STEP Ⓒ **준기의 그림자의 끝이 움직이는 속도 구하기**

(3) 가로등으로부터 그림자 끝까지의 길이를 $l(t)$라고 하면
$l(t)=2t$
준기의 그림자 끝이 움직이는 속도는 $\dfrac{dl}{dt}=2$ (m/s)

STEP Ⓓ **준기의 그림자의 길이가 늘어나는 속도 구하기**

(4) t초 후 준기의 그림자의 길이가 $x=0.8t$이므로
그림자의 길이가 늘어나는 속도는 $\dfrac{dx}{dt}=0.8$ (m/s)

0572

가로와 세로의 길이가 각각 9 cm, 4 cm인 직사각형이 있다.
이 직사각형의 가로와 세로의 길이가 각각 매초 0.2 cm, 0.3 cm씩 늘어난다고 할 때, 이 직사각형이 정사각형이 되는 순간의 넓이의 변화율은 몇 (cm²/초)인지 구하여라.

STEP Ⓐ **직사각형의 가로, 세로의 길이가 같으면 정사각형이 됨을 이용하기**

가로와 세로의 길이가 각각 9cm, 4cm이고
각각 매초 0.2cm, 0.3cm씩 늘어나므로
t초 후의 가로, 세로의 길이는 각각 $(9+0.2t)$cm, $(4+0.3t)$cm
즉 정사각형의 가로와 세로의 길이가 같을 때의 t의 값은
$9+0.2t=4+0.3t$
$\therefore\ t=50$

STEP Ⓑ **$t=50$일 때의 넓이의 순간변화율 구하기**

이때 직사각형의 넓이 $S(t)$라 하면
$S(t)=(9+0.2t)(4+0.3t)=0.06t^2+3.5t+36$에서
$S'(t)=0.12t+3.5$
$t=50$(초)일 때, 직사각형은 정사각형이 되므로
$S'(50)=0.12\times50+3.5=9.5$
따라서 이 직사각형이 정사각형이 되는 순간의 넓이의 변화율 9.5(cm²/초)

0573

다음 물음에 답하여라.

(1) 밑변의 반지름의 길이가 6 cm, 깊이가 18 cm인 원뿔 모양의 그릇이 있다. 이 그릇에 물의 높이가 매초 1 cm씩 늘어나도록 물을 부을 때, 3초 후 물의 부피의 변화율을 구하여라.

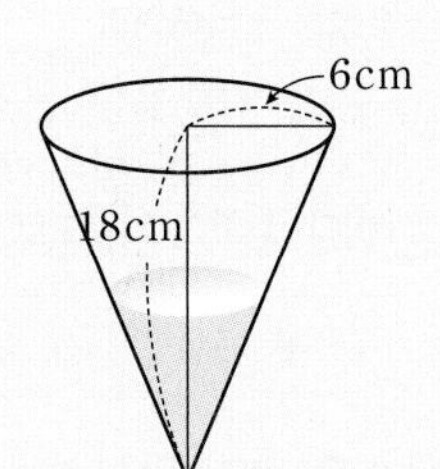

STEP Ⓐ **닮음을 이용하여 물의 부피 구하기**

t초 후의 물의 높이를 $h$cm,
수면의 반지름의 길이를 $r$cm,
물의 부피를 Vcm^{3}라 하면

$V=\frac{1}{3}\pi r^2 h$ ⋯⋯ ㉠

오른쪽 그림에서 $\triangle$OAB$\backsim\triangle$OCD이므로

$r : h=6 : 18$

$\therefore r=\frac{1}{3}h$

$r=\frac{1}{3}h$를 ㉠에 대입하면

$V=\frac{1}{3}\pi\cdot\left(\frac{1}{3}h\right)^2\cdot h=\frac{1}{27}\pi h^3$

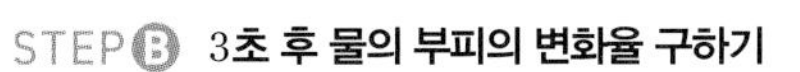

STEP Ⓑ **3초 후 물의 부피의 변화율 구하기**

이때 $h=t$이므로 $V(t)=\frac{1}{27}\pi t^3$, $\frac{dV}{dt}=\frac{1}{9}\pi t^2$

따라서 $t=3$일 때, 물의 부피의 변화율은 $\frac{1}{9}\pi\cdot 3^2=\pi$(cm^3/초)

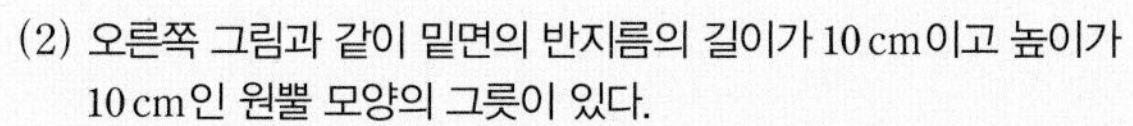

(2) 오른쪽 그림과 같이 밑면의 반지름의 길이가 10 cm이고 높이가 10 cm인 원뿔 모양의 그릇이 있다.
비어 있는 이 그릇에 매초 2 cm의 속도로 수면의 높이가 상승하도록 물을 부을 때, 2초 후 그릇에 담긴 물의 부피의 변화율을 구하여라. (단, 그릇의 두께는 무시한다.)

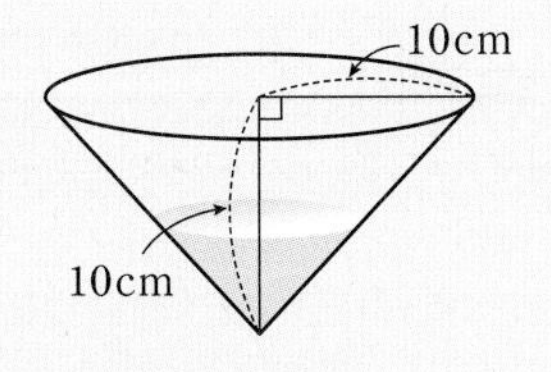

STEP Ⓐ **닮음을 이용하여 물의 부피 구하기**

t초 후 수면의 높이는 $2t$cm이므로
t초 후 수면의 반지름의 길이를 $r$cm라고 하면
$r : 10=2t : 10$, $r=2t$
t초 후 그릇에 담긴 물의 부피를 $V(t)$cm^{3}라고 하면

$V(t)=\frac{1}{3}\pi r^2\cdot 2t=\frac{8}{3}\pi t^3$

STEP Ⓑ **2초 후 물의 부피의 변화율 구하기**

$V'(t)=8\pi t^2$

따라서 $t=2$일 때, 그릇에 담긴 물의 부피의 변화율은 $8\pi\cdot 2^2=32\pi$
즉 32πcm^3/s

BASIC

0574

다음 물음에 답하여라.

(1) 수직선 위를 움직이는 점 P의 시각 t에서의 위치 x가

$x=-t^2+4t$

이다. $t=a$에서 점 P의 속도가 0일 때, 상수 a의 값은?

① 1 ② 2 ③ 3
④ 4 ⑤ 5

STEP Ⓐ **위치를 시각 t에 대하여 미분하여 속도 구하기**

시각 t에서의 위치가 $x=-t^2+4t$이므로 속도를 v라 하면

$v=\frac{dx}{dt}=-2t+4$

STEP Ⓑ **속도가 0이 되는 순간 시각 a 구하기**

$t=a$에서 점 P의 속도가 0이므로 $-2a+4=0$
따라서 $a=2$

(2) 원점을 출발하여 수직선 위를 움직이는 점 P의 시각 t에서의 위치는

$P(t)=t^3-9t^2+34t$

이다. 점 P의 속도가 처음으로 10이 되는 순간 점 P의 위치는?

① 38 ② 40 ③ 42
④ 44 ⑤ 46

STEP Ⓐ **속도 v를 구하여 $v=10$이 되는 시각 구하기**

시각 t에서의 점 P의 속도는 $v(t)=P'(t)=3t^2-18t+34$
속도가 10일 때의 시각을 구하면
$3t^2-18t+34=10$
$t^2-6t+8=(t-2)(t-4)=0$이므로 $t=2$ 또는 $t=4$

STEP Ⓑ **속도가 처음으로 10이 되는 순간 점 P의 위치 구하기**

따라서 속도가 처음으로 10이 되는 순간 $t=2$일 때 위치는
$P(2)=8-36+68=40$

0575

다음 물음에 답하여라.

(1) 원점을 출발하여 수직선 위를 움직이는 점 P의 시각 t에서의 좌표가

$x=t^3+at^2-3t$

로 주어지고 $t=3$일 때, 점 P의 속도가 12이다.
이때 상수 a의 값은?

① -2 ② 2 ③ 4
④ 6 ⑤ 8

STEP Ⓐ **시각 t에서의 점 P의 속도 v 구하기**

점 P의 시각 t에서의 속도를 v라 하면

$v=\frac{dx}{dt}=3t^2+2at-3$

STEP Ⓑ **$t=3$일 때 점 P의 속도가 12일 때, 상수 a의 값 구하기**

$t=3$일 때, 점 P의 속도가 12이므로 $v=3\cdot 9+2a\cdot 3-3=12$
따라서 $a=-2$

(2) 원점을 출발하여 수직선 위를 움직이는 점 P의 시각 t에서의 좌표가

$x=2t^3-3t^2-8t$

로 주어질 때, 속도가 4인 순간의 점 P의 가속도는?

① 16 ② 18 ③ 20
④ 22 ⑤ 24

STEP Ⓐ **시각 t에서의 점 P의 속도 v와 가속도 a 구하기**

점 P의 시각 t에서의 속도를 v라 하면

$v=\frac{dx}{dt}=6t^2-6t-8$

$a=\frac{dv}{dt}=12t-6$

STEP Ⓑ **속도가 4일 때, 시각 구하기**

속도가 4일 때, 시각을 구하면

$v=6t^2-6t-8=4$, $6(t+1)(t-2)=0$

$t\geq 0$에서 $t=2$

STEP Ⓒ **점 P의 가속도 구하기**

따라서 $t=2$에서 가속도는 $a=12\cdot 2-6=18$

0576

다음 물음에 답하여라.

(1) 수직선 위를 움직이는 점 P의 시각 $t\,(t\geq 0)$에서의 속도 $v(t)$가

$v(t)=-t^2+10t$

이다. $t=k$에서의 점 P의 가속도가 0일 때, 상수 k의 값은?

① 4 ② 5 ③ 6
④ 7 ⑤ 8

STEP Ⓐ **시각 t에서의 점 P의 속도 v와 가속도 a 구하기**

점 P의 시각 t에서의 속도를 v, 가속도를 a라 하면

$v=\frac{dx}{dt}=-t^2+10t$

$a=\frac{dv}{dt}=-2t+10$

STEP Ⓑ **점 P의 가속도가 0일 때, 상수 k 구하기**

$t=k$에서의 가속도는 $a=0$

$a=-2k+10=0$

따라서 $k=5$

(2) 수직선 위를 움직이는 점 P의 시각 $t\,(t\geq 0)$에서의 위치 x가

$x=t^3-6t^2+5$

이다. 점 P의 가속도가 0일 때, 점 P의 속도는?

① -12 ② -10 ③ -8
④ -6 ⑤ -4

STEP Ⓐ **시각 t에서의 점 P의 속도 v와 가속도 a 구하기**

점 P의 시각 t에서의 속도를 v, 가속도를 a라 하면

$v=\frac{dx}{dt}=3t^2-12t$

$a=\frac{dv}{dt}=6t-12$

STEP Ⓑ **점 P의 가속도가 0일 때의 시각 $t\,(t\geq 0)$ 구하여 속도 구하기**

이때 시각 t에서의 점 P의 가속도가 0이 되는 순간은

$a=6t-12=0$에서 $t=2$

따라서 $t=2$일 때, 점 P의 속도는 $v=3\cdot 2^2-12\cdot 2=-12$

0577

다음 물음에 답하여라.

(1) 수직선 위를 움직이는 점 P의 시각 $t\,(t>0)$에서의 위치 x가

$x=t^3-9t^2+8t$

이다. 점 P가 처음으로 원점을 지날 때, 점 P의 속도는?

① -15 ② -13 ③ -11
④ -9 ⑤ -7

STEP Ⓐ **위치가 0이 되는 시각 t 구하기**

점 P의 시각 $t\,(t>0)$에서의 위치 x가 0인 시각을 구하면

$x=t^3-9t^2+8t=t(t-1)(t-8)=0$

$t=1$에서 처음으로 원점을 지난다.

STEP Ⓑ **점 P의 속도 구하기**

시각 t에서의 점 P의 속도를 v라 하면

$v=\frac{dx}{dt}=3t^2-18t+8$

따라서 $t=1$에서의 속도는 $v(1)=3-18+8=-7$

(2) 원점에서 출발하여 수직선 위를 움직이는 점 P의 시각 t에서의 위치 x가

$x=-t^3+16t$

이다. 점 P가 출발한 후 다시 원점에 도착했을 때의 가속도는?

① -24 ② -22 ③ -20
④ -18 ⑤ -16

STEP Ⓐ **점 P의 시각 t에서의 속도 v, 가속도 a 구하기**

점 P의 시각 t에서의 속도를 v, 가속도를 a라고 하면

$v=\frac{dx}{dt}=-3t^2+16$, $a=\frac{dv}{dt}=-6t$ …… ㉠

STEP Ⓑ **다시 원점에 도착했을 때 시각 구하기**

다시 원점에 도착했을 때 $x=0$이므로 $-t^3+16t=0$, $t(t+4)(t-4)=0$

이때 $t>0$이므로 $t=4$

STEP Ⓒ **점 P의 가속도 구하기**

따라서 $t=4$일 때, ㉠에서 $v=-32$, $a=-24$이므로 구하는 가속도는 -24

0578

원점을 출발하여 수직선 위를 움직이는 두 점 A, B의 t초 후의 좌표가 각각 $f(t)=2t^3-6t^2$, $g(t)=-7t^2+8t$일 때, 두 점 A, B가 움직이는 동안 선분 AB의 중점 M은 운동방향을 두 번 바꾼다고 한다. 이때 점 M이 두 번째로 운동방향을 바꾸는 순간 점 M의 좌표를 구하여라.

STEP Ⓐ **선분 AB의 중점 M의 좌표 구하기**

t초 후의 선분 AB의 중점 M의 좌표를 $h(t)$라 하면

$h(t)=\frac{(2t^3-6t^2)+(-7t^2+8t)}{2}=t^3-\frac{13}{2}t^2+4t$

STEP Ⓑ **중점 M의 운동방향이 바뀌는 시각 구하기**

점 M의 속도를 v라 하면 $v=h'(t)=3t^2-13t+4$

점 M이 운동방향을 바꿀 때의 속도는 0이므로

$3t^2-13t+4=0$, $(3t-1)(t-4)=0$

$\therefore t=\frac{1}{3}$ 또는 $t=4$

STEP Ⓒ **점 M이 두 번째로 운동방향을 바꾸는 순간 점 M의 좌표 구하기**

따라서 점 M이 두 번째로 운동 방향을 바꾸는 시각은 $t=4$일 때이므로

$h(4)=4^3-\frac{13}{2}\cdot 4^2+4\cdot 4=-24$

0579

다음 물음에 답하여라.

(1) 수직선 위를 움직이는 점 P의 시각 t에서의 위치 x가

$x=t^3-9t^2+kt$ (k는 상수)

이다. 점 P의 시각 $t=5$에서의 속도가 0일 때,
점 P의 시각 $t=k$에서의 가속도는?

① 24 ② 36 ③ 48
④ 60 ⑤ 72

STEP A 시각 t에서의 점 P의 속도 v와 가속도 a 구하기

점 P의 시각 t에서의 속도를 v, 가속도를 a라 하면

$v=\frac{dx}{dt}=3t^2-18t+k$

$a=\frac{dv}{dt}=6t-18$

STEP B 점 P의 시각 $t=5$에서의 속도가 0일 때, 상수 k 구하기

점 P의 시각 $t=5$에서의 속도는 $v=75-90+k=k-15$이므로
$k-15=0$에서 $k=15$

STEP C 점 P의 시각 $t=k$에서의 가속도 구하기

따라서 점 P의 시각 $t=15$에서의 가속도는
$a=6\times15-18=90-18=72$

(2) 수직선 위를 움직이는 점 P의 t초 후의 위치 x는

$x=t^3-9t^2+15t$

로 주어진다고 한다.
원점을 출발하여 점 P가 두 번째로 운동방향을 바꾸는 순간의 점 P의 가속도는?

① 2 ② 4 ③ 6
④ 10 ⑤ 12

STEP A 점 P의 방향이 바뀌는 시각 구하기

점 P가 운동 방향을 바꾸는 순간의 속도는 0이므로
속도를 v라 하면

$v=\frac{dx}{dt}=3t^2-18t+15$

$=3(t-1)(t-5)$

$v=0$에서 $t=1$ 또는 $t=5$

STEP B 두 번째로 운동 방향이 바뀌는 시각에서 가속도 구하기

즉 $t=1$일 때, 점 P는 첫 번째로 운동 방향을 바꾸고
$t=5$일 때, 두 번째로 운동 방향을 바꾼다.

따라서 점 P의 가속도를 a라 하면 $a=\frac{dv}{dt}=6t-18$이므로 $t=5$일 때,
점 P의 가속도는 $a=6\cdot5-18=12$

0580

다음 물음에 답하여라.

(1) 수평인 지면으로부터 5 m 높이에서 30 m/s의 속도로 수직으로 위로 던져 올린 물체의 t초 후의 높이 h m가

$h=5+30t-5t^2$

이다. 이 물체가 최고 높이에 도달했을 때 지면으로부터의 높이는? (단, 단위는 m)

① 20 ② 30 ③ 40
④ 50 ⑤ 60

STEP A 이 물체가 최고 높이에 도달했을 때 시각 t구하기

점 P의 시각 t에서의 속도를 v라 하면

$v=\frac{dh}{dt}=30-10t$

이 물체가 최고 높이에 도달하면 속도가 $v=0$이므로
$30-10t=0$ $\therefore t=3$

STEP B 최고 높이에 도달했을 때 지면으로부터의 높이 구하기

따라서 최고 높이에 도달했을 때 시각은 $t=3$이므로
지면으로부터의 높이 $h=5+30\cdot3-5\cdot9=50$m

(2) 수면으로부터 10 m의 높이에 위치한 다이빙대에서 뛰어오른 다이빙 선수의 t초 후의 수면으로부터의 높이 x m는

$x=-5t^2+5t+10$

이다. 이 선수가 수면에 닿는 순간의 속도를 v m/s라고 할 때, v의 값은?

① -17 ② -16 ③ -15
④ -14 ⑤ -13

STEP A 수면에 닿는 순간 시각 t 구하기

선수가 수면에 닿는 순간의 높이는 0m이므로
$-5t^2+5t+10=0$에서 $t^2-t-2=0$
$(t+1)(t-2)=0$
이때 $t>0$이므로 $t=2$

STEP B 수면에 닿는 순간의 속도 구하기

한편 t초 후 선수의 순간의 속도는 $\frac{dx}{dt}=-10t+5$이므로
$t=2$일 때, 선수의 순간의 속도는 $v=-20+5=-15$(m/s)

0581

다음 물음에 답하여라.

(1) 수직선 위를 움직이는 두 점 P, Q의 시각 t일 때의 위치가 각각

$P(t)=\frac{1}{3}t^3+9t-6$, $Q(t)=3t^2-7$

일 때, 두 점 P, Q의 속도가 같아지는 순간 두 점 P, Q 사이의 거리는?

① 10 ② 20 ③ 30
④ 40 ⑤ 50

STEP A 두 점 P, Q의 속도를 각각 구하기

두 점 P, Q의 속도를 각각 $v_P(t)$, $v_Q(t)$라고 하면
$v_P(t)=P'(t)=t^2+9$, $v_Q(t)=Q'(t)=6t$

STEP B 두 점 P, Q의 속도가 같아지는 시각 t 구하기

두 점 P, Q의 속도가 같으므로 $t^2+9=6t$, $(t-3)^2=0$
$\therefore t=3$

STEP C 두 점 P, Q 사이의 거리 구하기

따라서 $P(3)=30$, $Q(3)=20$이므로 $t=3$일 때, 두 점 P, Q 사이의 거리는 10

(2) 수직선 위를 움직이는 두 점 P, Q의 시각 t에서의 위치가 각각

$$x_P(t)=\frac{1}{3}t^3-3t+1,\ x_Q(t)=t^2+4$$

일 때, 두 점 P, Q의 속도가 같아지는 순간 두 점 사이의 거리는?

① 11 ② 12 ③ 13
④ 14 ⑤ 15

STEP Ⓐ **두 점 P, Q의 속도를 각각 구하기**

점 P의 속도를 $v_P(t)$, 점 Q의 속도를 $v_Q(t)$라고 하면

$v_P(t)=t^2-3,\ v_Q(t)=2t$

STEP Ⓑ **두 점 P, Q의 속도가 같아지는 시각 t 구하기**

$t^2-3=2t$에서 $(t+1)(t-3)=0$

이때 $t>0$이므로 $t=3$

STEP Ⓒ **두 점 P, Q 사이의 거리 구하기**

따라서 $x_P(3)=1,\ x_Q(3)=13$이므로 구하는 두 점 P, Q 사이의 거리는

$13-1=12$

0582

다음 물음에 답하여라.

(1) 수직선 위를 움직이는 두 점 P, Q의 시각 t초 후의 위치가 각각

$$P(t)=t^2-2t+3,\ Q(t)=1-2t^2$$

일 때, 두 점 P와 Q가 서로 같은 방향으로 움직이는 시각 t의 범위는?

① $0<t<1$ ② $1<t<2$ ③ $2<t<3$
④ $3<t<6$ ⑤ $4<t<8$

STEP Ⓐ **두 점 P, Q의 속도를 각각 구하기**

두 점 P, Q의 시각 t일 때의 위치가 각각

$P(t)=t^2-2t+3,\ Q(t)=1-2t^2$이므로

두 점 P, Q의 시각 t에서의 속도는 각각

$v_P(t)=P'(t)=2t-2,\ v_Q(t)=Q'(t)=-4t$

STEP Ⓑ **두 점 P와 Q가 서로 같은 방향으로 움직일 조건 구하기**

점 P, Q가 서로 같은 방향으로 움직이려면 속도의 부호가 같아야 한다.

즉 $v_P(t)v_Q(t)>0$이어야 하므로 $(2t-2)\cdot(-4t)>0$

$t(t-1)<0$

따라서 $0<t<1$

(2) 수직선 위를 움직이는 두 점 P, Q의 시각 t에서의 위치가 각각

$$x_P(t)=t^3-9t^2,\ x_Q(t)=t^3-6t^2$$

일 때, 두 점 P, Q가 서로 반대 방향으로 움직이는 시각 t의 범위는?

① $1<t<2$ ② $2<t<3$ ③ $3<t<4$
④ $4<t<6$ ⑤ $6<t<8$

STEP Ⓐ **두 점 P, Q의 속도를 각각 구하기**

t초 후 점 P의 속도를 $v_P(t)$, 점 Q의 속도를 $v_Q(t)$라 하면

$v_P(t)=3t^2-18t=3t(t-6)$

$v_Q(t)=3t^2-12t=3t(t-4)$

STEP Ⓑ **두 점 P와 Q가 서로 반대 방향으로 움직일 조건 구하기**

두 점 P, Q가 서로 반대 방향으로 움직이려면 $v_P(t),\ v_Q(t)$의 부호가 반대이어야 하므로

$v_P(t)v_Q(t)=9t^2(t-4)(t-6)<0$

따라서 $t>0$이므로 구하는 값의 범위는 $4<t<6$

0583

수직선 위를 움직이는 점 P의 시각 t에서의 속도 $v(t)$와 점 Q의 위치 $f(t)$가 다음 그림과 같을 때, 점 P와 Q는 진행방향을 각각 $m,\ n$번 바꾼다.

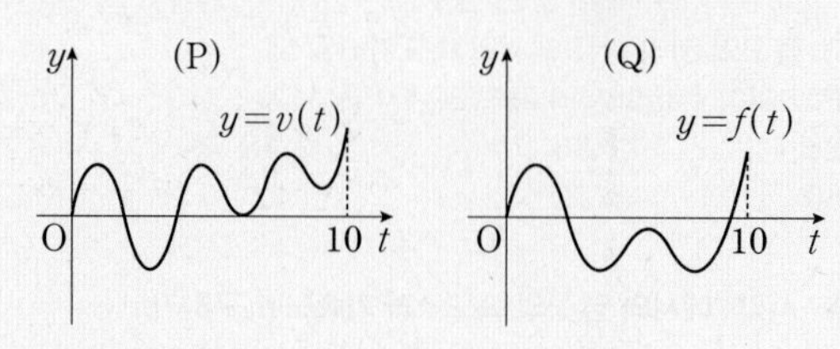

$m+n$의 값을 구하여라. (단, $0\le t\le 10$)

STEP Ⓐ **점 P가 진행 방향을 바꾸는 횟수 구하기**

점 P의 시각 t에서의 속도 $v(t)$의 부호가 바뀌는 시각 t에서 점 P의 진행 방향이 바뀐다.

다음 그림에서 $v(t)$의 부호가 바뀌는 시각은 $t=a$ 또는 $t=b$이므로 점 P는 2번 바뀐다.

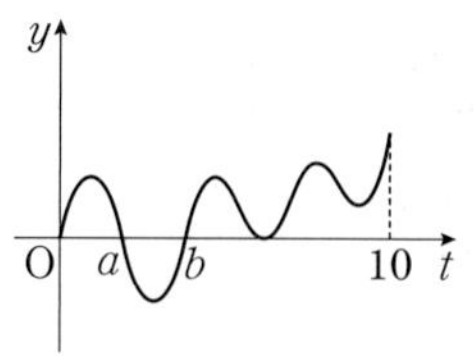

STEP Ⓑ **점 Q가 진행 방향을 바꾸는 횟수 구하기**

점 Q의 위치 $f(t)$에서 $v(t)=\frac{df(t)}{dt}$이므로 $v(t)=0$이고 $v(t)$의 부호가 바뀌는 시각 t에서 점 Q의 진행 방향이 바뀐다.

다음 그림에서와 같이 시각 $t=c,\ d,\ e,\ f$에서 점 Q는 4번 바뀐다.

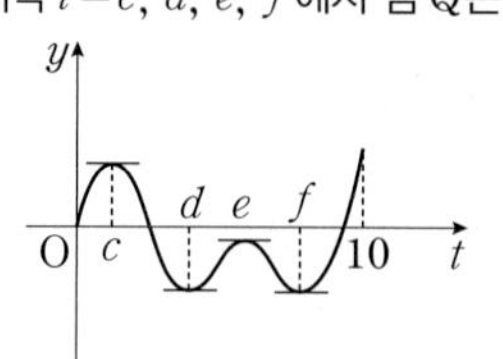

따라서 $m+n=2+4=6$

0584

수직선 위를 움직이는 점 P의 t초 후의 위치 $x(t)$의 그래프가 오른쪽 그림과 같을 때, 다음 [보기]의 설명 중 옳은 것은?

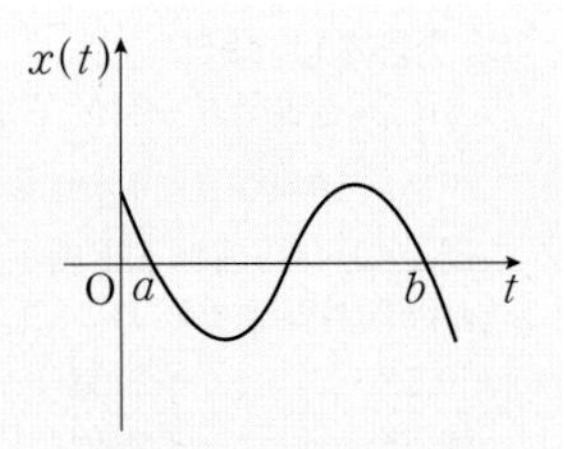

> ㄱ. $t=a$일 때, 점 P의 속도는 0이다.
> ㄴ. $0<t<b$에서 점 P는 운동방향이 총 2번 바뀐다.
> ㄷ. $0<t<b$에서 점 P는 원점을 총 2번 지난다.

① ㄱ ② ㄴ ③ ㄱ, ㄴ
④ ㄴ, ㄷ ⑤ ㄱ, ㄴ, ㄷ

STEP A 속도 $v(t)$그래프에서 부호를 이용하여 진위판단하기

ㄱ. $t=a$일 때, 점 P의 속도는 0보다 작다. [거짓]

ㄴ. $0<t<b$에서 속도 $v(t)$의 부호가 2번 바뀌므로 점 P는 운동 방향이 총 2번 바뀐다. [참]

ㄷ. $0<t<b$에서 $y=x(t)$와 x축의 교점의 개수는 2이므로 점 P는 원점을 총 2번 지난다. [참]

따라서 옳은 것은 ㄴ, ㄷ이다.

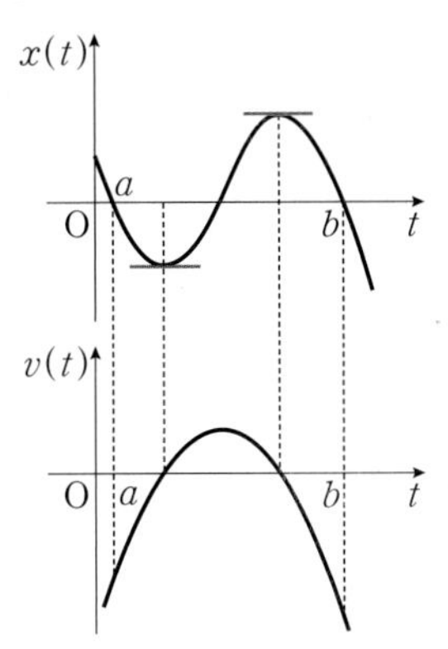

0585

수직선 위를 움직이는 점 P의 시각 t에서 의 위치 $x(t)$의 그래프가 오른쪽 그림과 같다. 점 P에 대한 설명으로 옳은 것만을 [보기]에서 있는 대로 고르면?

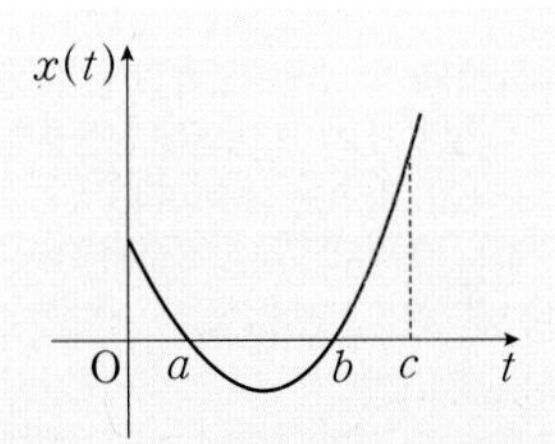

> ㄱ. $0<t<c$에서 원점을 두 번 지난다.
> ㄴ. $a<t<b$에서 한 방향으로만 움직인다.
> ㄷ. $0<t<c$에서 운동방향이 두 번 바뀐다.

① ㄱ ② ㄴ ③ ㄱ, ㄴ
④ ㄴ, ㄷ ⑤ ㄱ, ㄴ, ㄷ

STEP A 위치 $x(t)$그래프에서 진위판단하기

ㄱ. $x(a)=0$, $x(b)=0$이므로 점 P는 $0<t<c$에서 원점을 두 번지난다. [참]

ㄴ. $a<t<b$에서 $x'(t)$의 부호가 음에서 양으로 바뀌므로 점 P의 운동 방향이 음의 방향에서 양의 방향으로 바뀐다. [거짓]

ㄷ. $0<t<c$에서 $x'(t)$의 부호가 한 번 바뀌므로 점 P의 운동 방향은 한 번 바뀐다. [거짓]

따라서 옳은 것은 ㄱ뿐이다.

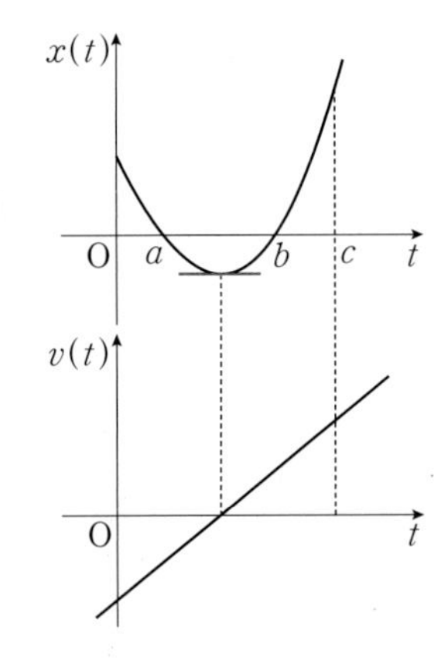

0586

수직선 위를 움직이는 점 P의 t에서 속도 $v(t)$의 그래프가 오른쪽 그림과 같을 때, 다음 [보기] 중 옳은 것을 모두 고른 것은?

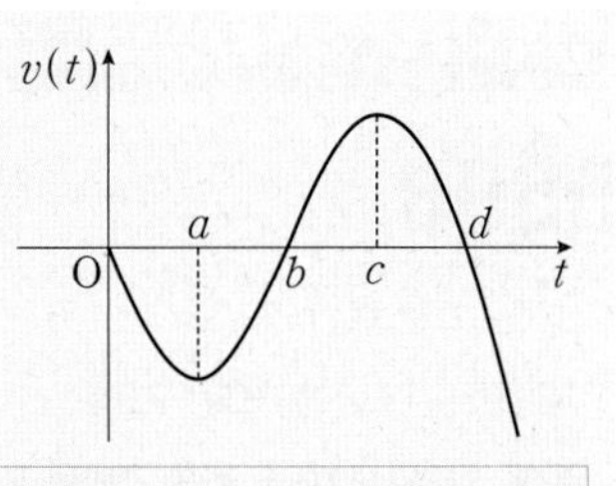

> ㄱ. $t=a$일 때, 점 P의 가속도는 0이다.
> ㄴ. $a<t<c$일 때, 점 P의 가속도는 양의 값이다.
> ㄷ. $t=b$일 때와 $t=d$일 때, 점 P의 운동방향이 바뀐다.

① ㄱ ② ㄴ ③ ㄱ, ㄴ
④ ㄴ, ㄷ ⑤ ㄱ, ㄴ, ㄷ

STEP A 속도 $v(t)$그래프에서 부호를 이용하여 진위판단하기

ㄱ. $t=a$에서의 접선의 기울기가 0이므로 $t=a$에서 점 P의 가속도는 0이다. [참]

ㄴ. $a<t<c$일 때, 접선의 기울기가 양수이므로 점 P의 가속도는 양의 값이다. [참]

ㄷ. $t=b$에서 음에서 양으로 $t=d$에서 양에서 음으로 바뀌므로 점 P의 운동 방향이 바뀐다. [참]

따라서 옳은 것은 ㄱ, ㄴ, ㄷ이다.

0587

원점을 출발하여 수직선 위를 움직이는 두 점 A, B의 t초 후의 위치를 각각 $f(t)$, $g(t)$라 할 때, $f(t)$는 t에 대한 삼차식이고, $g(t)$는 t에 대한 사차식이다.
$y=f'(t)$, $y=g'(t)$의 그래프가 오른쪽 그림과 같을 때, 옳은 것만을 [보기]에서 있는 대로 고른 것은?
(단, 함수 $g'(t)$는 $t=a$, $t=d$에서 극값을 가진다.)

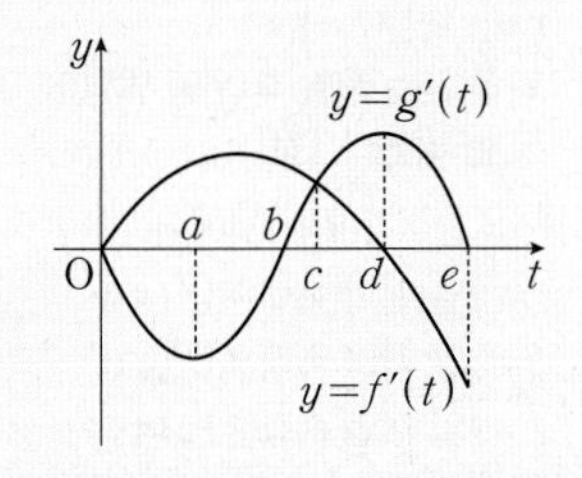

> ㄱ. $t=c$일 때, 두 점 A와 B의 속도는 서로 같다.
> ㄴ. $a<t<b$에서 두 점 A와 B의 진행방향은 서로 반대이다.
> ㄷ. $0<t<e$에서 점 B의 가속도가 0이 되는 순간이 두 번 있다.

① ㄱ ② ㄴ ③ ㄱ, ㄴ
④ ㄱ, ㄷ ⑤ ㄱ, ㄴ, ㄷ

STEP A 속도 $v(t)$그래프에서 부호를 이용하여 진위판단하기

ㄱ. 두 점 A, B의 시각 t에서의 속도는 각각 $f'(t)$, $g'(t)$이고
$f'(c)=g'(c)$이므로 $t=c$일 때,
두 점 A, B의 속도는 서로 같다. [참]

ㄴ. $0<t<b$에서 점 A는 양의 방향으로 점 B는 음의 방향으로 진행한다. [참]

ㄷ. $\frac{d}{dt}g'(t)=0$이면 가속도가 0이다.
$t=a$, $t=d$에서 가속도가 0이므로 점 B의 가속도가 0이 되는 순간이 두 번 있다. [참]

따라서 옳은 것은 ㄱ, ㄴ, ㄷ이다.

NORMAL

0588

수직선 위를 움직이는 점 P의 t초 후의 위치 x가

$$x=\frac{1}{3}t^3-5t^2+16t$$

일 때, 다음 [보기] 중 옳은 것만을 있는 대로 고르면?

ㄱ. 시각 $t=5$에서의 가속도는 -2이다.
ㄴ. 점 P의 출발 후 운동방향이 두 번 바뀐다.
ㄷ. 출발 후 2초부터 9초까지에서 점 P의 최대 속력은 9이다.

① ㄱ　② ㄴ　③ ㄱ, ㄴ
④ ㄴ, ㄷ　⑤ ㄱ, ㄴ, ㄷ

STEP A 속도와 가속도를 구하여 [보기]의 참, 거짓의 진위판단하기

점 P의 t초 후의 속도를 v, 가속도를 a라고 하면

$v=\frac{dx}{dt}=t^2-10t+16$

$a=\frac{dv}{dt}=2t-10$

ㄱ. 시각 $t=5$에서의 가속도는
$a=2\cdot5-10=0$ [거짓]

ㄴ. 운동 방향이 바뀌는 순간의 속도는 0이므로
$v=t^2-10t+16=0$에서
$t=2$ 또는 $t=8$
즉 점 P는 출발 후 운동 방향이 두 번 바뀐다. [참]

ㄷ. $|v|=|t^2-10t+16|$에서
$t=2$일 때의 속력은 $|v|=0$
$t=5$일 때의 속력은 $|v|=9$
$t=9$일 때의 속력은 $|v|=7$
즉 출발 후 2초부터 9초까지에서 점 P의 최대 속력은 9이다. [참]

따라서 옳은 것은 ㄴ, ㄷ이다.

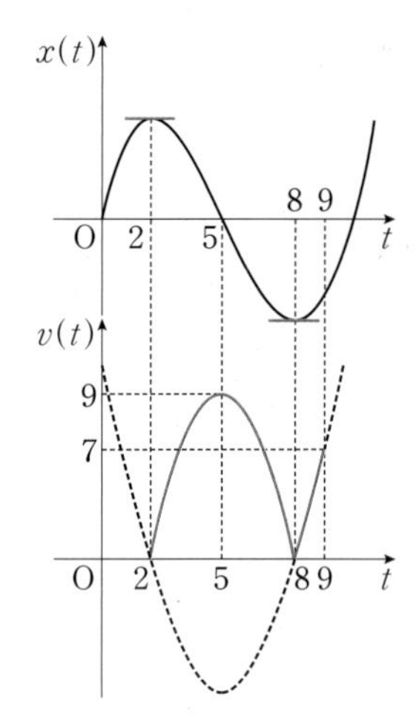

0589

수직선 위를 움직이는 점 P의 시각 $t\,(t\geq0)$에서의 위치 함수 $f(t)$가

$$f(t)=t^3+3t^2-2t$$

이다. 점 P의 $0\leq t\leq10$에서의 평균속도와 $t=c$에서의 순간속도가 서로 같을 때, $3c^2+6c$의 값을 구하여라.

STEP A $0\leq t\leq10$에서의 평균속도 구하기

점 P의 시각 $t\,(t\geq0)$에서의 위치함수 $f(t)=t^3+3t^2-2t$에서
$0\leq t\leq10$에서의 평균속도는

$\frac{f(10)-f(0)}{10-0}=\frac{10^3+3\cdot10^2-2\cdot10}{10}=128$

STEP B $t=c$에서의 순간속도 구하기

또한, $f'(t)=3t^2+6t-2$이므로 $t=c$에서의 순간속도는
$f'(c)=3c^2+6c-2$

STEP C 평균속도와 순간속도가 같아지는 $3c^2+6c$의 값 구하기

평균속도와 순간속도가 같으므로 $128=3c^2+6c-2$
따라서 $3c^2+6c=130$

0590

다음 물음에 답하여라.

(1) 원점을 출발하여 수직선 위를 움직이는 점 P의 시각 t에서의 위치는

$$x=t^3+pt^2+qt+9$$

라 한다. $t=3$에서 점 P의 운동방향이 바뀌고, 그 위치가 -27일 때, $t=5$에서의 점 P의 가속도는? (단, p, q는 상수이다.)

① 12　② 24　③ 26
④ 36　⑤ 42

STEP A $t=3$에서 점 P의 운동 방향이 바뀜을 이용하여 p, q의 관계식 구하기

$x=t^3+pt^2+qt+9$이므로 시각 t에서의 점 P의 속도를 v라 하면

$v=\frac{dx}{dt}=3t^2+2pt+q$

$t=3$에서 점 P의 운동 방향이 바뀌므로

$3\cdot3^2+2p\cdot3+q=0$

$\therefore\ 6p+q=-27$ …… ㉠

STEP B $t=3$에서 위치가 -27임을 이용하여 p, q의 관계식 구하기

또한, $t=3$에서 점 P의 위치가 -27이므로

$3^3+p\cdot3^2+q\cdot3+9=-27$

$\therefore\ 3p+q=-21$ …… ㉡

㉠, ㉡을 연립하여 풀면 $p=-2$, $q=-15$

STEP C $t=5$에서의 점 P의 가속도 구하기

시각 t에서의 점 P의 가속도를 a라 하면

$a=\frac{dv}{dt}=6t+2p=6t-4$

따라서 $t=5$에서의 점 P의 가속도는 $6\cdot5-4=26$

(2) 수직선 위를 움직이는 점 P의 시각 t에서의 위치가

$$x=t^3+at^2+bt+4$$

이다. $t=3$일 때, 점 P는 운동방향을 바꾸며 이때의 위치는 -5일 때, 점 P가 $t=3$ 이외에 운동방향을 바꾸는 시각은?
(단, a, b는 상수이다.)

① $\frac{1}{4}$　② $\frac{1}{3}$　③ $\frac{1}{2}$
④ 1　⑤ 2

STEP A $t=3$에서 점 P의 운동 방향이 바뀜을 이용하여 a, b의 관계식 구하기

$x=t^3+at^2+bt+4$이므로 시각 t에서의 점 P의 속도를 v라 하면

$v=\frac{dx}{dt}=3t^2+2at+b$에서 $t=3$일 때, 속도가 0이므로

$27+6a+b=0$

$\therefore\ 6a+b=-27$ …… ㉠

STEP B $t=3$에서 위치가 -5임을 이용하여 p, q의 관계식 구하기

$t=3$일 때, 위치가 -5이므로

$27+9a+3b+4=-5$

$\therefore\ 3a+b=-12$ …… ㉡

㉠, ㉡을 연립하여 풀면 $a=-5$, $b=3$

STEP C 점 P가 $t=3$이외에 운동 방향을 바꾸는 시각 구하기

$\frac{dx}{dt}=3t^2-10t+3=(3t-1)(t-3)$이므로

$\frac{dx}{dt}=0$에서 $t=\frac{1}{3}$ 또는 $t=3$

따라서 $t=3$ 이외에 운동 방향을 바꾸는 시각은 $t=\frac{1}{3}$

0591

수직선 위를 움직이는 점 P의 시각 $t\,(t \ge 0)$에서의 위치 x가

$$x=t^3-12t^2+kt+5$$

이다. $t=a$와 $t=b$에서 점 P가 운동방향을 바꾸고 $|a-b|=2$일 때, 상수 k의 값은?

① 45 ② 46 ③ 47
④ 48 ⑤ 49

STEP Ⓐ 점 P의 속도를 구하여 운동방향을 바꾸는 경우 구하기

$x=t^3-12t^2+kt+5$에서 $v=\dfrac{dx}{dt}=3t^2-24t+k$

$t=a$와 $t=b$에서 점 P가 운동 방향을 바꾸므로
$t=a$와 $t=b$에서의 속도는 0이다.

STEP Ⓑ 근과 계수의 관계와 곱셈공식의 변형을 이용하여 상수 k의 값 구하기

이차방정식 $3t^2-24t+k=0$의 두 근이 a, b이므로
근과 계수의 관계의 의하여

$a+b=8,\ ab=\dfrac{k}{3}$

$|a-b|^2=(a+b)^2-4ab=8^2-\dfrac{4k}{3}=2^2$

따라서 $\dfrac{4k}{3}=60$이므로 $k=45$

0592

서술형

수직선 위를 움직이는 점 P의 시각 $t\,(t \ge 0)$에서의 위치 x가

$$x=2t^3-6t^2+10$$

일 때, 다음 단계로 서술하여라.

[1단계] 처음 출발할 때의 위치 x_1을 구한다.
[2단계] 속도가 18인 순간의 위치 x_2를 구한다.
[3단계] 가속도가 12인 순간의 위치 x_3을 구한다.
[4단계] $x_1+x_2+x_3$의 값을 구한다.

1단계 처음 출발할 때의 위치 x_1을 구한다. ◀ 20%

$x=2t^3-6t^2+10$에서 처음 출발할 때는 $t=0$이므로
$x_1=10$

2단계 속도가 18인 순간의 위치 x_2을 구한다. ◀ 30%

시각 t에서의 속도를 v라 하면

$v=\dfrac{dx}{dt}=6t^2-12t$

$v=6t^2-12t=18$에서 $t^2-2t-3=0$, $(t+1)(t-3)=0$

$t \ge 0$이므로 $t=3$

$t=3$에서 점 P의 위치는 $x_2=2\cdot3^3-6\cdot3^2+10=10$

3단계 가속도가 12인 순간의 위치 x_3을 구한다. ◀ 30%

시각 t에서의 가속도를 a라 하면

$a=\dfrac{dv}{dt}=12t-12$

$a=12t-12=12$에서 $t=2$

$t=2$에서의 점 P의 위치는 $x_3=2\cdot2^3-6\cdot2^2+10=2$

4단계 $x_1+x_2+x_3$의 값을 구한다. ◀ 20%

따라서 $x_1+x_2+x_3=10+10+2=22$

0593

서술형

직선 철로 위를 달리는 열차가 제동을 건 후 t초 동안 움직인 거리를 x m라 하면 $x=-0.45t^2+18t$라 할 때, 다음 단계로 서술하여라.

[1단계] 제동을 건지 t초 후의 열차의 속도와 가속도를 구하여라.
[2단계] 제동을 건 후 열차가 정지할 때까지 걸린 시간과 움직인 거리를 구하여라.

1단계 제동을 건지 t초 후의 열차의 속도와 가속도를 구하여라. ◀ 50%

제동을 건 지 t초 후의 속도를 v, 가속도를 a라 하면

$v=\dfrac{dx}{dt}=-0.9t+18\,(\text{m/s})$

$a=\dfrac{dv}{dt}=-0.9\,(\text{m/s}^2)$

2단계 제동을 건 후 열차가 정지할 때까지 걸린 시간과 움직인 거리를 구하여라. ◀ 50%

열차가 정지할 때 속도는 $v=0$이므로
$-0.9t+18=0$에서 $t=20$
즉 열차가 정지할 때까지 걸린 시간은 20초이다.
이때 열차가 움직인 거리는 $-0.45\times20^2+18\times20=180\,(\text{m})$

TOUGH

0594

수직선 위를 움직이는 점 P의 시각 t에서의 좌표 $f(t)$가

$$f(t)=t^4-6t^2-at+3$$

일 때, 출발한 후 점 P의 운동방향이 2번만 바뀌도록 하는 정수 a의 개수를 구하여라.

STEP Ⓐ **속도 방정식 구하기**

점 P의 시각 t에서의 속도를 $v(t)$라 하면

$v(t)=f'(t)=4t^3-12t-a$

점 P의 운동 방향이 2번만 바뀌어야 하므로

방정식 $v(t)=0$은 중근이 아닌 2개의 양의 실근을 가져야 한다.

$g(t)=4t^3-12t$로 놓으면

$g'(t)=12t^2-12=12(t+1)(t-1)$

$g'(t)=0$에서 $t=-1$ 또는 $t=1$

$g(t)$의 증가와 감소를 표로 나타내면 다음과 같다.

t	0	$\cdots$	1	$\cdots$
$g'(t)$	$-$	$-$	0	$+$
$g(t)$	0	↘	-8	↗

STEP Ⓑ **직선 $y=a$가 $y=g(t)$의 그래프와 두 점에서 만나도록 하는 정수 a의 개수 구하기**

다음 그림에서 $-8<a<0$일 때, 직선 $y=a$는 $y=g(t)$의 그래프와 두 점에서 만나므로 방정식 $g(t)=a$는 서로 다른 두 양의 실근을 갖게 된다.

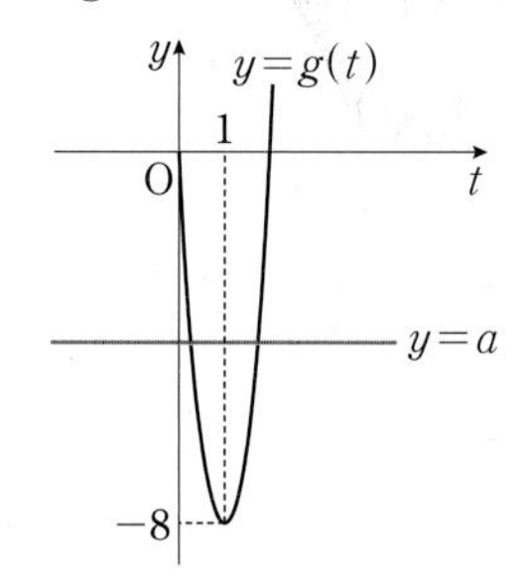

따라서 $-8<a<0$이므로 정수 a의 개수는 $-7, -6, -5, \cdots, -2, -1$이므로 7개이다.

0595

두 자동차 A, B가 같은 지점에서 동시에 출발하여 직선 도로를 한 방향으로만 달리고 있다. t초 동안 A, B가 움직인 거리는 각각 미분가능한 함수 $f(t)$, $g(t)$로 주어지고 다음이 성립한다고 한다.

(가) $f(20)=g(20)$

(나) $10\le t\le 30$, $f'(t)<g'(t)$

이로부터 $10\le t\le 30$에서 A와 B의 위치에 관한 다음 설명 중 옳은 것은?

① B가 항상 A의 앞에 있다.

② A가 항상 B의 앞에 있다.

③ B가 A를 한 번 추월한다.

④ A가 B를 한 번 추월한다.

⑤ A가 B를 추월한 후 B가 다시 A를 추월한다.

STEP Ⓐ **$f'(t)$, $g'(t)$는 시각 t에서의 두 자동차 A, B의 속도임을 이용하여 $10\le t\le 30$에서의 A와 B의 위치를 추론하기**

조건 (가)에서 $f(20)=g(20)$이므로

$t=20$초 동안 자동차 A, B가 움직인 거리는 같다.

즉 $t=20$일 때, A와 B는 만난다는 것이다.

조건 (나)에서 $10\le t\le 30$일 때, $f'(t)<g'(t)$이므로

자동차 B가 더 빠르게 움직이다.

즉 (A의 속도)<(B의 속도) 뜻한다.

이때 $t=20$초 동안 움직인 거리가 같으므로 $10\le t<20$일 때,

자동차 A가 앞질러 가다가 $t=20$일 때, 자동차 A와 B가 만나고

$20<t\le 30$에서는 자동차 B가 A보다 앞질러 간다.

따라서 $10\le t\le 30$에서 자동차 B가 A를 $t=20$일 때, 한 번 추월한다.

0596

오른쪽 그림은 수직선 위를 움직이는 점 P의 시각 t에서의 속도 $v(t)$를 나타내는 그래프이다. $v(t)$는 $t=2$를 제외한 열린구간 $(0, 3)$에서 미분가능한 함수이고 $v(t)$의 그래프는 열린구간 $(0, 1)$에서 원점과 점 $(1, k)$를 잇는 직선과 한 점에서 만난다.

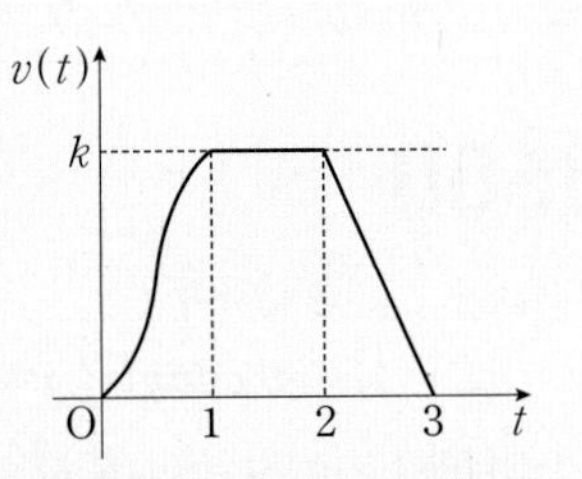

점 P의 시각 t에서의 가속도 $a(t)$를 나타내는 그래프의 개형으로 가장 알맞은 것은?

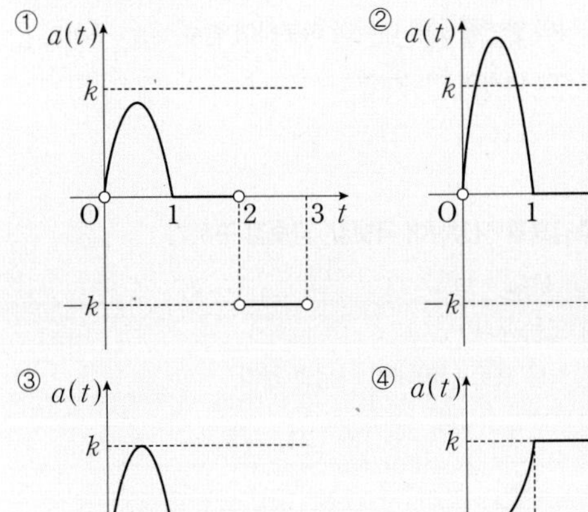

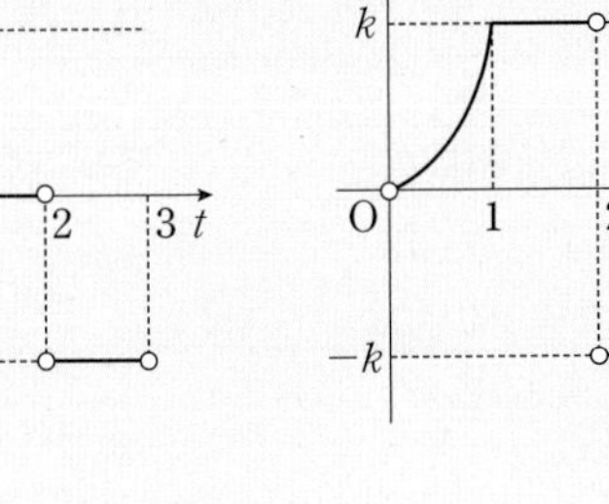

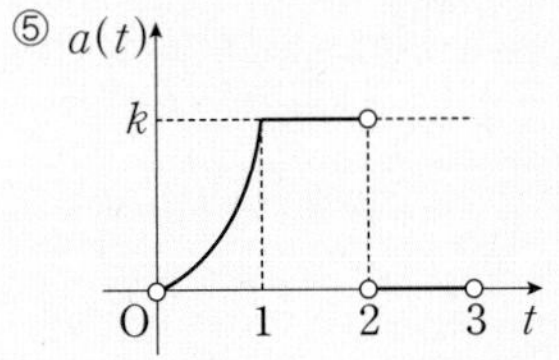

STEP Ⓐ $v'(t)=a(t)$임을 이용하여 각 구간에서의 $a(t)$의 부호 조사하기

$v'(t)=a(t)$이므로 $a(t)$의 그래프는 주어진 그래프의 도함수의 그래프가 된다.

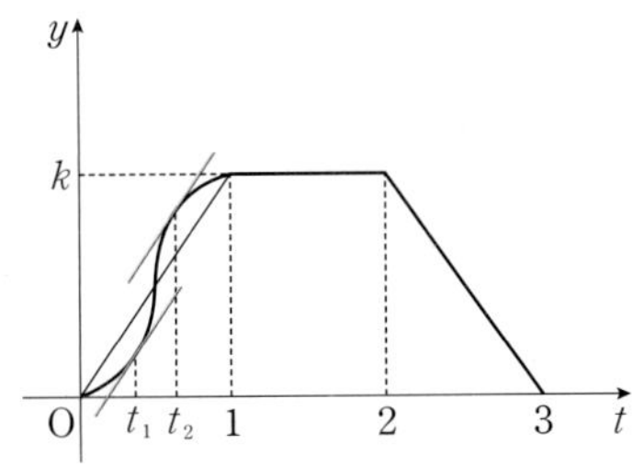

(ⅰ) $0<t<1$일 때,

$y=v(t)$의 그래프가 직선 $y=kt$와 한 점에서 만나므로
기울기가 k인 접선은 2개 존재한다.
접점을 각각 t_1, t_2라 하면

$0<t<t_1$일 때, $v'(t)<k$

$t_1<t<t_2$일 때, $v'(t)>k$

$t_2<t<1$ 일 때, $v'(t)<k$

(ⅱ) $1\le t<2$일 때,

$v(t)=k$이므로 $a(t)=v'(t)=0$

(ⅲ) $2<t<3$일 때,

$v(t)$의 그래프는 두 점 $(2, k)$, $(3, 0)$을 지나는 직선이므로

$v(t)=\dfrac{0-k}{3-2}(t-3)$ $\therefore v(t)=-k(t-3)$

$a(t)=v'(t)=-k$

STEP Ⓑ 가속도 $a(t)$의 그래프의 개형 그리기

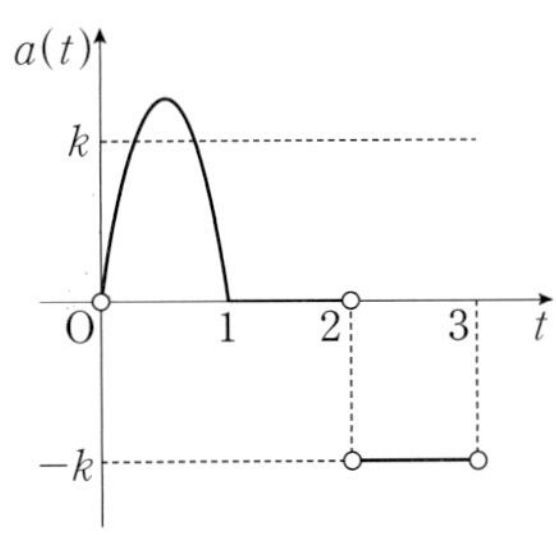

(ⅰ)~(ⅲ)에서 $y=a(t)$의 그래프의 개형으로 가장 알맞은 것은 ②이다.

0597

한 변의 길이가 $12\sqrt{3}$인 정삼각형과 그 정삼각형에 내접하는 원으로 이루어진 도형이 있다.
이 도형에서 정삼각형의 각 변의 길이가 매초 $3\sqrt{3}$씩 늘어남에 따라 원도 정삼각형에 내접하면서 반지름의 길이가 늘어난다.
정삼각형의 한 변의 길이가 $24\sqrt{3}$이 되는 순간, 정삼각형에 내접하는 원의 넓이의 시간(초)에 대한 변화율이 $a\pi$이다. 이때 상수 a의 값을 구하여라.

STEP Ⓐ 정삼각형의 넓이를 이용하여 $r(t)$ 구하기

t초 후의 정삼각형의 한 변의 길이를 $x(t)$라 하면
이 정삼각형 ABC의 내접원의 중심을 O라 하자.

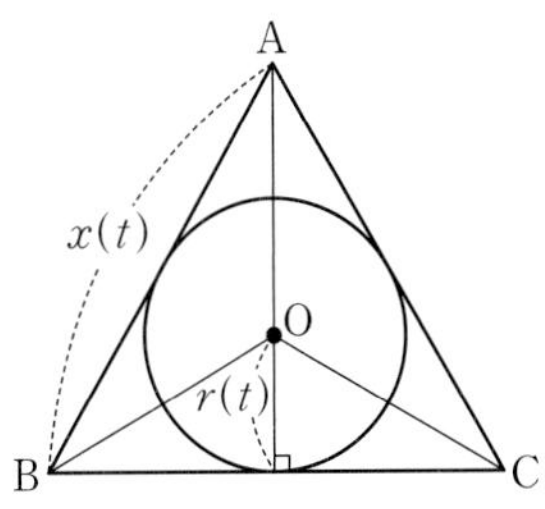

내접하는 원의 반지름의 길이를 $r(t)$라 하면 정삼각형의 넓이로부터

$\triangle ABC=\triangle ABO+\triangle BCO+\triangle CAO$

$\dfrac{\sqrt{3}}{4}\{x(t)\}^2=\dfrac{1}{2}\times x(t)\times r(t)\times 3$

$r(t)=\dfrac{\sqrt{3}}{6}x(t)$ …… ㉠

이때 처음 정삼각형의 한 변의 길이가 $12\sqrt{3}$이고 매초 $3\sqrt{3}$씩 늘어나므로

$x(t)=12\sqrt{3}+3\sqrt{3}t$ …… ㉡

㉡을 ㉠에 대입하면

$r(t)=\dfrac{\sqrt{3}}{6}(12\sqrt{3}+3\sqrt{3}t)=6+\dfrac{3}{2}t$

STEP Ⓑ 내접원의 넓이를 t에 관한 식으로 나타내고 넓이의 변화율 구하기

t초 후 정삼각형에 내접하는 원의 넓이는

$S(t)=\pi\left(6+\dfrac{3}{2}t\right)^2=9\pi\left(\dfrac{1}{4}t^2+2t+4\right)$

$\therefore S'(t)=9\pi\left(\dfrac{1}{2}t+2\right)$

한편 $x(t)=24\sqrt{3}$일 때의 시간 t는 $12\sqrt{3}+3\sqrt{3}t=24\sqrt{3}$

$3\sqrt{3}t=12\sqrt{3}$

$\therefore t=4$

구하는 넓이의 변화율은 $S'(4)=9\pi\left(\dfrac{1}{2}\cdot 4+2\right)=36\pi$

따라서 $a=36$

적분

01 부정적분

M A P L ; Y O U R M A S T E R P L A N

0598

다음 물음에 답하여라. (단, C는 적분상수이다.)

(1) 함수 $f(x)$에 대하여

$$\int(x-2)f(x)dx=2x^3-24x+C$$

일 때, $f(1)$의 값을 구하여라.

STEP A 주어진 등식의 양변을 x에 대하여 미분하여 함수 $f(x)$ 구하기

주어진 등식의 양변을 x에 대하여 미분하면

$(x-2)f(x)=6x^2-24$

$(x-2)f(x)=6(x-2)(x+2)$

따라서 $f(x)=6(x+2)$이므로 $f(1)=6\cdot3=18$

(2) 함수 $f(x)=\int(x^2+2x)dx$일 때,

$$\lim_{h\to0}\frac{f(2+h)-f(2-h)}{h}$$

의 값을 구하여라.

STEP A $f(x)=\int(x^2+2x)dx$의 양변을 x에 대하여 미분하기

$\lim_{h\to0}\frac{f(2+h)-f(2-h)}{h}$

$=\lim_{h\to0}\frac{f(2+h)-f(2)-\{f(2-h)-f(2)\}}{h}$

$=\lim_{h\to0}\frac{f(2+h)-f(2)}{h}-\lim_{h\to0}\frac{\{f(2-h)-f(2)\}}{-h}\times(-1)$

$=2f'(2)$

STEP B 미분계수 이용하여 $2f'(2)$ 구하기

$f(x)=\int(x^2+2x)dx$에서 양변을 x로 미분하면

$f'(x)=x^2+2x$

따라서 $2f'(2)=2(4+4)=16$

0599

다항함수 $f(x)$가 모든 실수 x에 대하여

$$\int f(x)dx=x^3-3ax^2+ax,\ f(1)=-2$$

를 만족할 때, $f(2)$의 값은? (단, a는 상수이다.)

① -3　② -2　③ -1　④ 1　⑤ 2

STEP A 주어진 등식의 양변을 x에 대하여 미분하여 함수 $f(x)$ 구하기

$\int f(x)dx=x^3-3ax^2+ax$에서 양변을 x에 대하여 미분하면

$\frac{d}{dx}\int f(x)dx=\frac{d}{dx}(x^3-3ax^2+ax)$

$f(x)=3x^2-6ax+a$

이때 $f(1)=3-6a+a=-2$이므로 $a=1$

따라서 $f(x)=3x^2-6x+1$에서 $f(2)=12-12+1=1$

0600

다항함수 $f(x)$에 대하여

$$\int\{1-f(x)\}dx=\frac{1}{4}x^2(6-x^2)+C$$

가 성립한다. $f(x)$의 극댓값을 M, 극솟값을 m이라고 할 때, $M+m$의 값을 구하여라. (단, C는 적분상수)

STEP A 주어진 등식의 양변을 x에 대하여 미분하여 함수 $f(x)$ 구하기

주어진 등식의 양변을 x에 대하여 미분하면

$1-f(x)=3x-x^3$

$\therefore\ f(x)=x^3-3x+1$

STEP B $f(x)$의 증감표를 작성하여 극댓값, 극솟값 구하기

$f'(x)=3x^2-3=3(x+1)(x-1)$

$f'(x)=0$에서 $x=-1$ 또는 $x=1$

함수 $f(x)$의 증가와 감소를 표로 나타내면 다음과 같다.

x	$\cdots$	-1	$\cdots$	1	$\cdots$
$f'(x)$	$+$	0	$-$	0	$+$
$f(x)$	↗	극대	↘	극소	↗

함수 $f(x)$는

$x=-1$에서 극대이고 극댓값은 $M=f(-1)=3$

$x=1$에서 극소이고 극솟값은 $m=f(1)=-1$

따라서 $M+m=3-1=2$

0601

다음 물음에 답하여라.

(1) $\frac{d}{dx}\left\{\int(ax^2+3x+2)dx\right\}=3x^2+bx+c$를 만족시키는 상수 a, b, c의 합 $a+b+c$의 값을 구하여라.

STEP A $\frac{d}{dx}\left\{\int f(x)dx\right\}=f(x)$임을 이용하여 식을 정리하기

$\frac{d}{dx}\left\{\int(ax^2+3x+2)dx\right\}=ax^2+3x+2$

이므로

$ax^2+3x+2=3x^2+bx+c$

따라서 $a=3$, $b=3$, $c=2$이므로 $a+b+c=8$

(2) $f(x)=\int\left\{\frac{d}{dx}(x^2+x)\right\}dx$에서 $f(1)=3$일 때, $f(3)$의 값을 구하여라.

STEP A $\int\left\{\frac{d}{dx}f(x)\right\}=f(x)+C$임을 이용하여 식을 정리하기

$f(x)=\int\left\{\frac{d}{dx}(x^2+x)\right\}dx$

$\quad=x^2+x+C$ (단, C는 적분상수)

STEP B $f(1)=3$임을 이용하여 C를 구하고 $f(3)$의 값 구하기

이때 $f(1)=1+1+C=3$이므로 $C=1$

따라서 $f(x)=x^2+x+1$이므로 $f(3)=9+3+1=13$

0602

다항함수 $f(x)$가

$$\frac{d}{dx}\int\{f(x)-x^2+4\}dx=\int\frac{d}{dx}\{2f(x)-3x+1\}dx$$

를 만족시킨다. $f(1)=3$일 때, $f(0)$의 값은?

① -2　　② -1　　③ 0
④ 1　　⑤ 2

STEP Ⓐ 부정적분과 미분의 관계를 이용하여 $f(x)$ 구하기

$\frac{d}{dx}\int\{f(x)-x^2+4\}dx=f(x)-x^2+4$

$\int\frac{d}{dx}\{2f(x)-3x+1\}dx=2f(x)-3x+1+C$ (단, C는 적분상수)

STEP Ⓑ $f(1)=3$을 이용하여 적분상수 C를 구하여 $f(0)$ 구하기

즉 $f(x)-x^2+4=2f(x)-3x+1+C$에서 $f(x)=-x^2+3x+3-C$

$f(1)=-1+3+3-C=3$에서 $C=2$

따라서 $f(x)=-x^2+3x+1$이므로 $f(0)=1$

0603

다음 물음에 답하여라.

(1) 두 다항함수 $f(x)$, $g(x)$가

$$f(x)=\int xg(x)dx,\ \frac{d}{dx}\{f(x)-g(x)\}=4x^3+2x$$

를 만족시킬 때, $g(1)$의 값은?

① 10　　② 11　　③ 12
④ 13　　⑤ 14

STEP Ⓐ 조건을 만족하는 함수 $g(x)$의 차수와 최고차항의 계수 구하기

$f(x)=\int xg(x)dx$에서 양변을 x에 대하여 미분하면

$f'(x)=xg(x)$　　…… ㉠

$\frac{d}{dx}\{f(x)-g(x)\}=4x^3+2x$에서

$f'(x)-g'(x)=4x^3+2x$　　…… ㉡

㉠을 ㉡에 대입하면

$xg(x)-g'(x)=4x^3+2x$　　…… ㉢

이때 ㉢의 양변을 비교하면 함수 $g(x)$는 최고차항의 계수가 4인 이차함수이므로 $g(x)=4x^2+ax+b$ (a, b는 상수)이라 하자.

STEP Ⓑ $xg(x)-g'(x)=4x^3+2x$에 대입하여 계수 비교하여 $g(x)$ 구하기

$g(x)=4x^2+ax+b$에서 $g'(x)=8x+a$

㉢에 대입하면

$$\begin{aligned}xg(x)-g'(x)&=x(4x^2+ax+b)-(8x+a)\\&=4x^3+ax^2+(b-8)x-a\\&=4x^3+2x\end{aligned}$$

이어야 하므로 계수 비교하면

$a=0$, $b-8=2$에서 $b=10$

따라서 $g(x)=4x^2+10$이므로 $g(1)=4+10=14$

(2) 이차함수 $f(x)$에 대하여 함수 $g(x)$가

$$g(x)=\int\{x^2+f(x)\}dx,\ f(x)g(x)=-2x^4+8x^3$$

을 만족시킬 때, $g(1)$의 값은?

① 1　　② 2　　③ 3
④ 4　　⑤ 5

STEP Ⓐ 조건을 만족하는 함수 $f(x)$의 식 구하기

이차함수 $f(x)$에 대하여 $g(x)=\int\{x^2+f(x)\}dx$이므로

$g(x)$는 다항함수이고 $f(x)g(x)$가 사차함수이므로 $g(x)$는 이차함수이다.

이때 $g(x)=\int\{x^2+f(x)\}dx$에서 $g'(x)=x^2+f(x)$

$g'(x)$가 일차함수이므로 $x^2+f(x)$는 일차함수이다.

즉 $f(x)=-x^2+ax+b$ $(a\neq0)$의 꼴이다. ← 만약 $a=0$이면 $x^2+f(x)$가 일차함수가 될 수 없다.

STEP Ⓑ $f(x)g(x)=-2x^4+8x^3$에 대입하여 계수 비교하여 $g(x)$ 구하기

$$\begin{aligned}g(x)=\int\{x^2+f(x)\}dx&=\int(x^2-x^2+ax+b)dx\\&=\int(ax+b)dx\\&=\frac{a}{2}x^2+bx+C\ (\text{단, } C\text{는 적분상수})\end{aligned}$$

$f(x)g(x)=(-x^2+ax+b)\left(\frac{a}{2}x^2+bx+C\right)=-2x^4+8x^3$

즉 $-\frac{a}{2}x^4+\left(\frac{a^2}{2}-b\right)x^3+\left(-C+\frac{3}{2}ab\right)x^2+(aC+b^2)x+bC=-2x^4+8x^3$

이므로 양변의 계수를 비교하면

x^4의 계수비교하면 $-\frac{a}{2}=-2$　∴ $a=4$

x^3의 계수비교하면 $-b+\frac{a^2}{2}=8$　∴ $b=0$

x^2의 계수비교하면 $-C+ab+\frac{ab}{2}=0$　∴ $C=0$

따라서 $g(x)=\frac{4}{2}x^2+0\cdot x+0=2x^2$이고 $g(1)=2$

다른풀이 계수를 비교하여 풀이하기

함수 $f(x)$가 이차함수이므로 $f(x)=ax^2+bx+c$ $(a\neq0)$라 하자.

$$\begin{aligned}g(x)&=\int\{x^2+f(x)\}dx\\&=\int\{x^2+ax^2+bx+c\}dx\\&=\int\{(1+a)x^2+bx+c\}dx\\&=\frac{1}{3}(1+a)x^3+\frac{b}{2}x^2+cx+C\ (C\text{는 적분상수})\end{aligned}$$　…… ㉠

한편 $f(x)g(x)=(ax^2+bx+c)g(x)=-2x^4+8x^3$　…… ㉡

이므로 $g(x)$는 이차함수이다.

∴ $a=-1$

㉠, ㉡에서

$(-x^2+bx+c)\left(\frac{b}{2}x^2+cx+C\right)=-2x^4+8x^3$

$-\frac{b}{2}x^4+\left(\frac{b^2}{2}-c\right)x^3+\left(-C+bc+\frac{bc}{2}\right)x^2+(bC+c^2)x+cC=-2x^4+8x^3$

에서 양변의 동차항의 계수를 비교하면

x^4의 계수비교하면 $-\frac{b}{2}=-2$　∴ $b=4$

x^3의 계수비교하면 $\frac{b^2}{2}-c=8$　∴ $c=0$

x^2의 계수비교하면 $-C+bc+\frac{bc}{2}=0$　∴ $C=0$

따라서 $g(x)=2x^2$이고 $g(1)=2$

다른풀이 직관적으로 풀이하기

$g(x)=\int\{x^2+f(x)\}dx$의 양변을 미분하면 $g'(x)=x^2+f(x)$

∴ $f(x)=g'(x)-x^2$

$$\begin{aligned}∴\ f(x)g(x)&=\{g'(x)-x^2\}g(x)\\&=-2x^4+8x^3\\&=2x^2(-x^2+4x)\end{aligned}$$　…… ㉠

이때 $g(x)=2x^2$이면 $g'(x)=4x$이므로 ㉠을 만족시킨다.

따라서 $g(1)=2$

0604

다음 부정적분을 구하여라.

(1) $\int (x+2)^2 dx - \int (x-2)^2 dx$

(2) $\int (\sin\theta+\cos\theta)^2 d\theta + \int (\sin\theta-\cos\theta)^2 d\theta$

(3) $\int \frac{x^3}{x+2} dx + \int \frac{8}{x+2} dx$

(4) $\int \frac{x^3}{x^2+x+1} dx - \int \frac{1}{x^2+x+1} dx$

STEP A 부정적분의 성질을 이용하여 분자를 인수분해하여 약분한 후 적분하기

(1) $\int (x+2)^2 dx - \int (x-2)^2 dx$

$= \int \{(x+2)^2-(x-2)^2\} dx$

$= \int 8x dx = 4x^2+C$ (C는 적분상수)

(2) $\int (\sin\theta+\cos\theta)^2 d\theta + \int (\sin\theta-\cos\theta)^2 d\theta$

$= \int (1+2\sin\theta\cos\theta) d\theta + \int (1-2\sin\theta\cos\theta) d\theta$ ← $\sin^2\theta+\cos^2\theta=1$

$= \int \{(1+2\sin\theta\cos\theta)+(1-2\sin\theta\cos\theta)\} d\theta$

$= \int 2 d\theta$

$= 2\theta + C$ (C는 적분상수)

(3) $\int \frac{x^3}{x+2} dx + \int \frac{8}{x+2} dx$

$= \int \frac{x^3+8}{x+2} dx$ ← $\int f(x)dx + \int g(x)dx = \int \{f(x)+g(x)\}dx$

$= \int \frac{(x+2)(x^2-2x+4)}{x+2} dx$

$= \int (x^2-2x+4) dx$

$= \frac{1}{3}x^3 - x^2 + 4x + C$ (C는 적분상수)

(4) $\int \frac{x^3}{x^2+x+1} dx - \int \frac{1}{x^2+x+1} dx$

$= \int \frac{x^3-1}{x^2+x+1} dx$

$= \int \frac{(x-1)(x^2+x+1)}{x^2+x+1} dx$

$= \int (x-1) dx$

$= \frac{1}{2}x^2 - x + C$ (C는 적분상수)

0605

함수 $f(x)$가

$$f(x) = \int \left(\frac{1}{2}x^3+2x+1\right) dx - \int \left(\frac{1}{2}x^3+x\right) dx$$

이고 $f(0)=1$일 때, $f(4)$의 값은?

① $\frac{23}{2}$ ② 12 ③ $\frac{25}{2}$

④ 13 ⑤ $\frac{27}{2}$

STEP A 부정적분의 성질을 이용하여 $f(x)$ 구하기

$f(x) = \int \left(\frac{1}{2}x^3+2x+1\right) dx - \int \left(\frac{1}{2}x^3+x\right) dx$

$= \int (x+1) dx$

$= \frac{1}{2}x^2 + x + C$ (단, C는 적분상수)

STEP B $f(0)=1$을 이용하여 적분상수 C를 구하여 $f(4)$ 구하기

이때 $f(0)=1$이므로 $C=1$

따라서 $f(x)=\frac{1}{2}x^2+x+1$이므로 $f(4)=\frac{1}{2}\cdot 4^2+4+1=13$

0606

모든 실수 x에 대하여 $\int (x-4) dx > 0$이 성립할 때, 적분상수 C값의 범위를 구하여라.

STEP A 모든 실수 x에 대하여 이차부등식 $ax^2+bx+c>0$가 성립할 조건 구하기

$\int (x-4) dx = \frac{1}{2}x^2 - 4x + C$ (단, C는 적분상수)

이므로 모든 실수 x에 대하여 $\frac{1}{2}x^2-4x+C>0$이 성립하려면

이차방정식 $\frac{1}{2}x^2-4x+C=0$의 판별식을 D라 할 때, $D<0$이어야 한다.

즉 $\frac{D}{4}=(-2)^2-\frac{1}{2}C<0$에서 $4-\frac{1}{2}C<0$

따라서 $C>8$

0607

다음 물음에 답하여라.

(1) 다항함수 $f(x)$의 도함수 $f'(x)$가 $f'(x)=3x^2-2x+7$이다. $f(1)=0$일 때, $f(2)$의 값을 구하여라.

STEP A $f'(x)$를 적분하여 $f(x)$ 구하기

$f'(x)=3x^2-2x+7$이므로

$f(x) = \int f'(x) dx$

$= \int (3x^2-2x+7) dx$

$= x^3 - x^2 + 7x + C$ (단, C는 적분상수)

STEP B $f(1)=0$임을 이용하여 적분상수 C를 구하고 $f(2)$의 값 구하기

$f(1)=0$이므로 $f(1)=1-1+7+C=0$

$\therefore C=-7$

따라서 $f(x)=x^3-x^2+7x-7$이므로 $f(2)=11$

(2) 점 $(2, 3)$을 지나는 곡선 $y=f(x)$ 위의 임의의 점 $(x, f(x))$에서의 접선의 기울기가 $6x^2-2x+2$일 때, $f(x)$를 구하여라.

STEP A 접선의 기울기가 $f'(x)$임을 이용하여 $f(x)$ 구하기

곡선 $y=f(x)$ 위의 임의의 점 (x, y)에서의 접선의 기울기가 $f'(x)$이므로

$f'(x)=6x^2-2x+2$

$f(x) = \int f'(x) dx$

$= \int (6x^2-2x+2) dx$

$= 2x^3 - x^2 + 2x + C$ (단, C는 적분상수)

STEP B 곡선 $y=f(x)$가 지나는 점을 대입하여 적분상수 C의 값 구하기

곡선 $y=f(x)$가 점 $(2, 3)$을 지나므로

$f(2)=16-4+4+C=3$

$\therefore C=-13$

따라서 함수 $f(x)$는 $f(x)=2x^3-x^2+2x-13$

0608

다음 물음에 답하여라.

(1) 다항함수 $f(x)$의 도함수 $f'(x)$가 $f'(x)=6x^2+4$이다.
함수 $y=f(x)$의 그래프가 점 $(0, 6)$을 지날 때, $f(1)$의 값은?

① 4 ② 6 ③ 12
④ 16 ⑤ 20

STEP A **$f'(x)$를 적분하여 $f(x)$ 구하기**

$f'(x)=6x^2+4$이므로 $f'(x)$의 부정적분을 구하면

$f(x)=\int f'(x)dx=\int(6x^2+4)dx$
$=2x^3+4x+C$ (단, C는 적분상수)

STEP B **곡선 $y=f(x)$가 지나는 점을 대입하여 적분상수 C의 값 구하기**

한편 함수 $y=f(x)$의 그래프가 점 $(0, 6)$을 지나므로

$f(0)=C=6$에서 $C=6$

$\therefore f(x)=2x^3+4x+6$

따라서 $f(1)=2+4+6=12$

(2) 다항함수 $f(x)$의 도함수가 $f'(x)=3x^2-2x+3$이고
곡선 $y=f(x)$가 두 점 $(1, 5)$, $(2, a)$를 지날 때, a의 값은?

① 6 ② 8 ③ 9
④ 12 ⑤ 15

STEP A **$f'(x)$를 적분하여 $f(x)$ 구하기**

$f'(x)=3x^2-2x+3$이므로 $f'(x)$의 부정적분을 구하면

$f(x)=\int f'(x)dx=\int(3x^2-2x+3)dx$
$=x^3-x^2+3x+C$ (단, C는 적분상수)

STEP B **곡선 $y=f(x)$가 지나는 점을 대입하여 적분상수 C의 값 구하기**

곡선 $y=f(x)$가 점 $(1, 5)$를 지나므로

$f(1)=1-1+3+C=5$에서 $C=2$

$\therefore f(x)=x^3-x^2+3x+2$

따라서 곡선 $y=f(x)$가 점 $(2, a)$를 지나므로 $a=2^3-2^2+3\cdot2+2=12$

0609

다음 물음에 답하여라.

(1) 다항함수 $f(x)$의 도함수 $f'(x)$가 $f'(x)=2x^3-x+1$이다.
함수 $y=f(x)$의 그래프 위의 점 $(1, f(1))$에서의 접선의 y절편이 3일 때, $f(2)$의 값을 구하여라.

STEP A **부정적분을 이용하여 $f(x)$ 구하기**

$f'(x)=2x^3-x+1$이므로 $f'(x)$의 부정적분을 구하면

$f(x)=\int f'(x)dx$
$=\frac{1}{2}x^4-\frac{1}{2}x^2+x+C$ (단, C는 적분상수)

STEP B **접선의 기울기가 $f'(x)$임을 이용하여 적분상수 C 구하기**

이때 점 $(1, f(1))$에서의 접선의 기울기는 $f'(1)=2-1+1=2$이고
y축과 교점의 y좌표가 3이므로 접선의 방정식은 $y=2x+3$
이 직선이 점 $(1, f(1))$을 지나므로 $f(1)=5$

이때 $f(1)=\frac{1}{2}-\frac{1}{2}+1+C=5$이므로 $C=4$

STEP C **$f(2)$의 값 구하기**

따라서 $f(x)=\frac{1}{2}x^4-\frac{1}{2}x^2+x+4$이므로 $f(2)=8-2+2+4=12$

(2) 다항함수 $f(x)$의 도함수 $f'(x)$가 $f'(x)=x^2-6x+5$이다.
닫힌구간 $[0, 3]$에서 함수 $f(x)$의 최솟값이 0일 때, 이 구간에서 함수 $f(x)$의 최댓값을 구하여라.

STEP A **부정적분을 이용하여 $f(x)$ 구하기**

$f'(x)=x^2-6x+5$이므로 $f'(x)$의 부정적분을 구하면

$f(x)=\int f'(x)dx=\frac{1}{3}x^3-3x^2+5x+C$ (단, C는 적분상수)

STEP B **함수 $f(x)$의 최솟값이 0임을 이용하여 적분상수 C를 구하고 최댓값 구하기**

$f'(x)=x^2-6x+5=(x-1)(x-5)$

$f'(x)=0$에서 $x=1$ 또는 $x=5$

닫힌구간 $[0, 3]$에서 함수 $f(x)$의 증가와 감소를 표로 나타내면 다음과 같다.

x	0	$\cdots$	1	$\cdots$	3
$f'(x)$		+	0	−	
$f(x)$		↗	극대	↘	

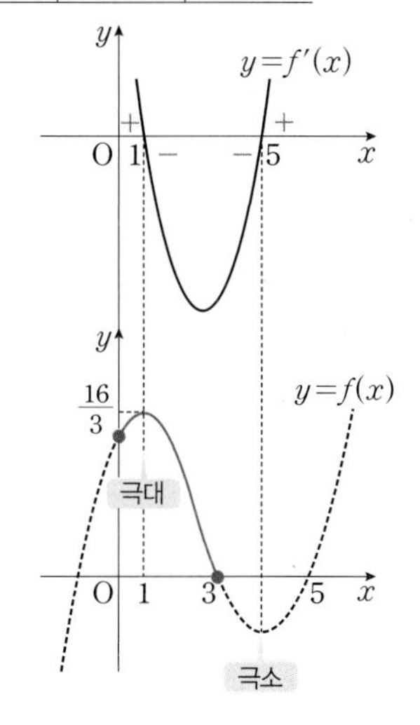

이때 $f(0)=C$, $f(3)=-3+C$에서
$f(0)>f(3)$이므로
닫힌구간 $[0, 3]$에서 함수 $f(x)$는
$x=3$에서 최솟값 $-3+C=0$을 갖는다.

함수 $f(x)$의 최솟값이 0이므로
$C=3$

$\therefore f(x)=\frac{1}{3}x^3-3x^2+5x+3$

따라서 닫힌구간 $[0, 3]$에서
함수 $f(x)$의 최댓값은

$f(1)=\frac{1}{3}-3+5+3=\frac{16}{3}$

0610

함수 $f(x)$의 도함수 $f'(x)$는 이차함수이고
$y=f'(x)$의 그래프는 오른쪽 그림과 같다.
함수 $f(x)$의 극솟값이 3이고 극댓값이 5일 때, $f(1)$의 값을 구하여라.

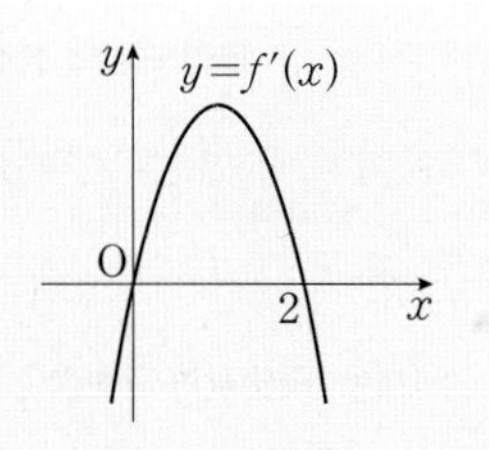

STEP A **그래프를 이용하여 $f'(x)$를 구하고 이를 적분하기**

삼차함수 $f(x)$의 도함수 $f'(x)$는 이차함수이고
함수 $y=f'(x)$의 그래프가 x축과 만나는 점의 x좌표는 0, 2이므로
$f'(x)=ax(x-2)\,(a<0)$로 놓을 수 있다.

$f(x)=\int f'(x)dx=\int ax(x-2)dx=a\int(x^2-2x)dx$
$=a\left(\frac{1}{3}x^3-x^2\right)+C=\frac{a}{3}x^3-ax^2+C$ (단, C는 적분상수)

STEP B **극댓값과 극솟값을 이용하여 $f(x)$ 구하기**

$f'(x)=0$에서 $x=0$ 또는 $x=2$

함수 $y=f'(x)$의 그래프를 보고 함수 $f(x)$의 증가와 감소를 표로 나타내면 다음과 같다.

x	$\cdots$	0	$\cdots$	2	$\cdots$
$f'(x)$	−	0	+	0	−
$f(x)$	↘	극소	↗	극대	↘

함수 $f(x)$는 $x=0$에서 극소이고
극솟값 $f(0)=3$, $x=2$에서 극대이고
극댓값 $f(2)=5$를 가지므로
$f(0)=C=3$
$f(2)=\frac{8}{3}a-4a+3=5$
$\therefore\ a=-\frac{3}{2}$
따라서 $f(x)=-\frac{1}{2}x^3+\frac{3}{2}x^2+3$
이므로 $f(1)=-\frac{1}{2}+\frac{3}{2}+3=4$

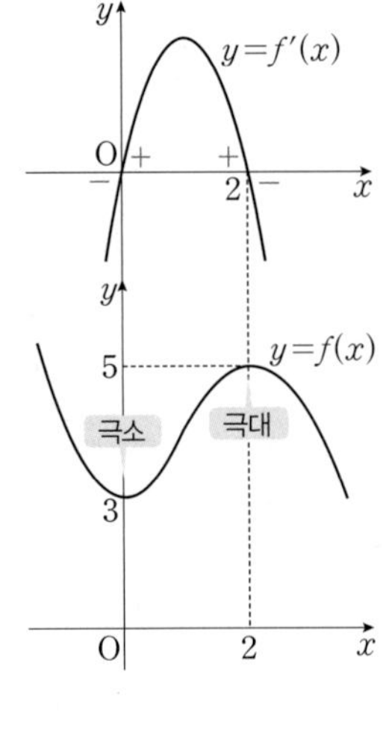

0611

함수 $y=f(x)$의 도함수 $y=f'(x)$의 그래프가 오른쪽 그림과 같은 이차함수이다. $\lim_{x\to\infty}\frac{f(x)}{x^3}=1$이고 극댓값이 3일 때, 함수 $f(x)$의 극솟값은?

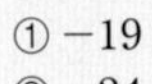

① -19 ② -21
③ -24 ④ -27
⑤ -29

STEP A 그래프를 이용하여 $f'(x)$를 구하고 이를 적분하기

삼차함수 $f(x)$의 도함수 $f'(x)$는 이차함수이고
함수 $y=f'(x)$의 그래프가 x축과 만나는 점의 x좌표는 0, 4이므로
$f'(x)=ax(x-4)\ (a>0)$로 놓을 수 있다.

$$f(x)=\int f'(x)dx=\int(ax^2-4ax)dx$$
$$=a\left(\frac{1}{3}x^3-2x^2\right)+C\ (\text{단, }C\text{는 적분상수})$$

STEP B $\frac{\infty}{\infty}$꼴의 극한의 성질을 이용하여 최고차항의 계수 구하기

$$\lim_{x\to\infty}\frac{f(x)}{x^3}=\lim_{x\to\infty}\frac{a\left(\frac{1}{3}x^3-2x^2\right)+C}{x^3}=\frac{a}{3}=1$$
$\therefore\ a=3$

STEP C 극댓값과 극솟값을 이용하여 $f(x)$ 구하기

$f'(x)=0$에서 $x=0$ 또는 $x=4$
함수 $y=f'(x)$의 그래프를 보고 함수 $f(x)$의 증가와 감소를 표로 나타내면 다음과 같다.

x	$\cdots$	0	$\cdots$	4	$\cdots$
$f'(x)$	+	0	−	0	+
$f(x)$	↗	극대	↘	극소	↗

함수 $f(x)$는 $x=0$에서 극대이고
극댓값은 $f(0)=3$이므로
$f(0)=C=3$
$\therefore\ f(x)=x^3-6x^2+3$
따라서 $x=4$에서 극소이고
극솟값은 $f(4)=64-96+3=-29$

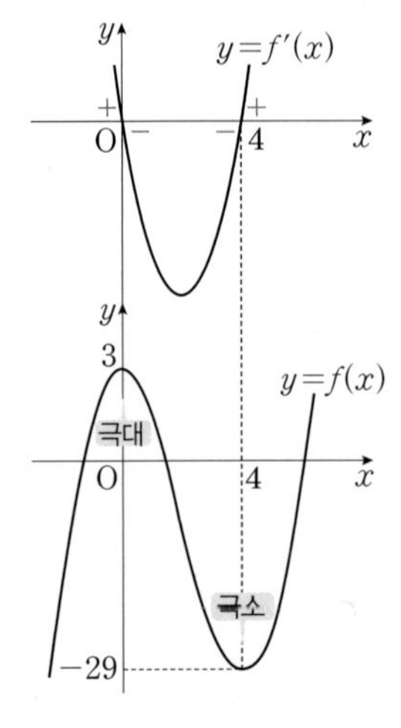

0612

다음 물음에 답하여라.
(1) 곡선 $y=f(x)$ 위의 임의의 점 $(x,\ y)$에서의 접선의 기울기가 $3x^2-12$이고 함수 $f(x)$의 극솟값이 3일 때, 함수 $f(x)$의 극댓값을 구하여라.

STEP A 접선의 기울기는 $f'(x)$이므로 부정적분을 이용하여 $f(x)$ 구하기

곡선 $y=f(x)$ 위의 임의의 점 $(x,\ y)$에서의 접선의 기울기가
$3x^2-12$이므로 $f'(x)=3x^2-12$
$f(x)=\int f'(x)dx=\int(3x^2-12)dx=x^3-12x+C$ (단, C는 적분상수)

STEP B $f(x)$의 극솟값이 3임을 이용하여 적분상수 C를 구하여 극댓값 구하기

$f'(x)=3x^2-12=3(x+2)(x-2)$
$f'(x)=0$ 에서 $x=-2$ 또는 $x=2$
함수 $f(x)$의 증가와 감소를 표로 나타내면 다음과 같다.

x	$\cdots$	-2	$\cdots$	2	$\cdots$
$f'(x)$	+	0	−	0	+
$f(x)$	↗	극대	↘	극소	↗

함수 $f(x)$는 $x=2$에서 극소이고 극솟값은
$f(2)=3$이므로 $f(2)=8-24+C=3$
$\therefore\ C=19$
$\therefore\ f(x)=x^3-12x+19$
따라서 $x=-2$에서 극대이고
극댓값은 $f(-2)=35$

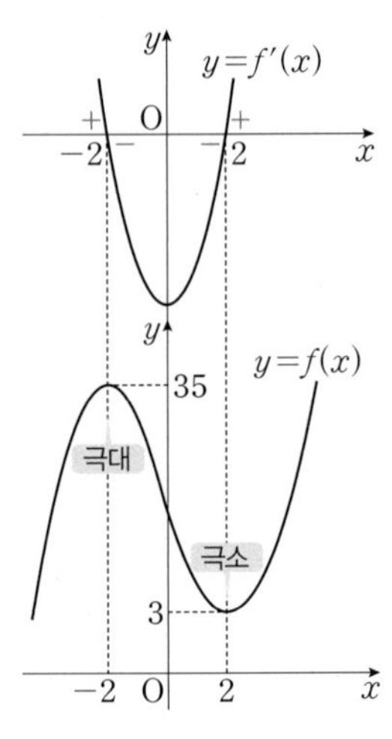

(2) 도함수 $f'(x)$가 $f'(x)=(3x+1)(x-2)$인 함수 $y=f(x)$의 그래프가 x축에 접하고 극댓값이 양수일 때, 함수 $f(x)$에 대하여 $f(4)$의 값을 구하여라.

STEP A 부정적분을 이용하여 $f(x)$ 구하기

$f'(x)=(3x+1)(x-2)$이므로
$$f(x)=\int f'(x)dx=\int(3x+1)(x-2)dx$$
$$=\int(3x^2-5x-2)dx$$
$$=x^3-\frac{5}{2}x^2-2x+C\ (\text{단, }C\text{는 적분상수})$$

STEP B $f(x)$의 극솟값이 0임을 이용하여 $f(x)$ 구하기

$f'(x)=(3x+1)(x-2)$
$f'(x)=0$에서 $x=-\frac{1}{3}$ 또는 $x=2$
함수 $f(x)$의 증가와 감소를 표로 나타내면 다음과 같다.

x	$\cdots$	$-\frac{1}{3}$	$\cdots$	2	$\cdots$
$f'(x)$	+	0	−	0	+
$f(x)$	↗	극대	↘	극소	↗

함수 $f(x)$의 그래프가 x축에 접하고
극댓값이 양수이므로 $x=2$에서
극소이고 극솟값은 $f(2)=0$
$f(2)=8-10-4+C=0$
$\therefore\ C=6$
따라서 $f(x)=x^3-\frac{5}{2}x^2-2x+6$이므로
$f(4)=64-40-8+6=22$

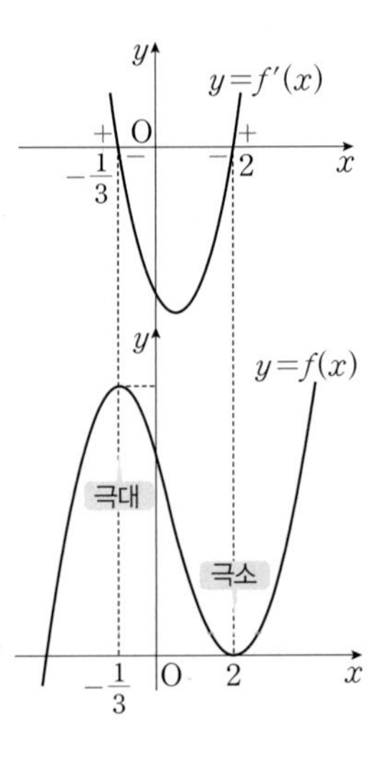

0613

다음 물음에 답하여라.

(1) 다항함수 $f(x)$와 그 부정적분 $F(x)$에 대하여

$$xf(x)-F(x)=3x^4-x^2,\ f(0)=-2$$

이 성립할 때, $f(2)$의 값을 구하여라.

STEP A **주어진 식의 양변을 미분하여 $f'(x)$ 구하기**

$F(x)$가 $f(x)$의 부정적분이므로

$F(x)=\int f(x)dx,\ F'(x)=f(x)$

$xf(x)-F(x)=3x^4-x^2$의 양변을 x에 대하여 미분하면

$f(x)+xf'(x)-f(x)=12x^3-2x$

$\therefore\ f'(x)=12x^2-2$

STEP B **$f'(x)$를 적분하여 $f(x)$ 구하기**

$f(x)=\int f'(x)dx=\int(12x^2-2)dx$

$=4x^3-2x+C$ (단, C는 적분상수)

$f(0)=-2$이므로 $C=-2$

따라서 $f(x)=4x^3-2x-2$이므로 $f(2)=32-4-2=26$

(2) 다항함수 $f(x)$의 부정적분 중 하나를 $F(x)$라 할 때,

$$F(x)=xf(x)+x^4-2x^2,\ F(1)=0$$

이 성립할 때, $f(2)$의 값을 구하여라.

STEP A **주어진 식의 양변을 미분하여 $f'(x)$ 구하기**

$F(x)=xf(x)+x^4-2x^2$의 양변을 x에 대하여 미분하면

$f(x)=f(x)+xf'(x)+4x^3-4x$

$xf'(x)=-4x^3+4x$

함수 $f(x)$가 다항함수이므로 $f'(x)=-4x^2+4$

STEP B **$f'(x)$를 적분하여 $f(x)$ 구하기**

$f(x)=\int f'(x)dx=\int(-4x^2+4)dx$

$=-\frac{4}{3}x^3+4x+C$ (C는 적분상수)

이때 $F(1)=f(1)+1-2=0$이므로 $f(1)=1$

$f(1)=-\frac{4}{3}+4+C=\frac{8}{3}+C$에서 $C=-\frac{5}{3}$

따라서 $f(x)=-\frac{4}{3}x^3+4x-\frac{5}{3}$이므로 $f(2)=-\frac{32}{3}+8-\frac{5}{3}=-\frac{13}{3}$

0614

다항함수 $f(x)$가

$$\int f(x)dx=xf(x)-2x^3+x^2$$

을 만족하고 함수 $y=f(x)$가 $(0, 1)$을 지날 때, $f(2)$의 값은?

① 6 ② 8 ③ 9 ④ 12 ⑤ 15

STEP A **주어진 식의 양변을 미분하여 $f'(x)$ 구하기**

$\int f(x)dx=xf(x)-2x^3+x^2$의 양변을 x에 대하여 미분하면

$f(x)=f(x)+xf'(x)-6x^2+2x$ ⬅ $\frac{d}{dx}\{\int f(x)dx\}=\frac{d}{dx}\{xf(x)-2x^3+x^2\}$

$xf'(x)=6x^2-2x$

$\therefore\ f'(x)=6x-2$

STEP B **$f'(x)$를 적분하여 $f(x)$ 구하기**

$f(x)=\int f'(x)dx=\int(6x-2)dx$

$=3x^2-2x+C$

곡선 $y=f(x)$가 점 $(0, 1)$을 지나므로 $f(0)=1$

$\therefore\ C=1$

따라서 $f(x)=3x^2-2x+1$이므로 $f(2)=12-4+1=9$

0615

함수 $f(x)$의 도함수 $f'(x)$에 대하여

$$\int(2x+3)f'(x)dx=\frac{4}{3}x^3+8x^2+15x$$

가 성립하고 $f(1)=3$일 때, 방정식 $f(x)=0$의 모든 근의 합을 구하여라.

STEP A **주어진 식의 양변을 미분하여 $f'(x)$ 구하기**

$\int(2x+3)f'(x)dx=\frac{4}{3}x^3+8x^2+15x$의 양변을 x에 대하여 미분하면

$(2x+3)f'(x)=4x^2+16x+15$

$=(2x+3)(2x+5)$

$\therefore\ f'(x)=2x+5$

STEP B **$f'(x)$를 적분하여 $f(x)$ 구하기**

$f(x)=\int f'(x)dx=\int(2x+5)dx$

$=x^2+5x+C$

이때 $f(1)=1+5+C=3$

$\therefore\ C=-3$

$\therefore\ f(x)=x^2+5x-3$

따라서 $x^2+5x-3=0$의 근과 계수의 관계에 의하여 두 근의 합은 -5

0616

두 다항함수 $f(x),\ g(x)$에 대하여

$$\frac{d}{dx}\{f(x)+g(x)\}=4,\ \frac{d}{dx}\{f(x)g(x)\}=6x-1$$

이고 $f(0)=2,\ g(0)=-1$을 만족할 때, $f(1)-g(1)$의 값을 구하여라.

STEP A **적분하여 $f(x)+g(x)$의 값 구하기**

$\frac{d}{dx}\{f(x)+g(x)\}=4$의 양변을 x에 대하여 적분하면

$f(x)+g(x)=4x+C_1$ (단, C_1은 적분상수)

이때 $f(0)=2,\ g(0)=-1$이므로

$f(0)+g(0)=C_1=1$

$\therefore\ f(x)+g(x)=4x+1$ …… ㉠

STEP B **적분하여 $f(x)g(x)$의 값 구하기**

$\frac{d}{dx}\{f(x)g(x)\}=6x-1$의 양변을 x에 대하여 적분하면

$f(x)g(x)=3x^2-x+C_2$ (단, C_2는 적분상수)

이때 $f(0)=2,\ g(0)=-1$이므로

$f(0)g(0)=C_2=-2$

$\therefore\ f(x)g(x)=3x^2-x-2=(x-1)(3x+2)$ …… ㉡

STEP C **$f(0)=2,\ g(0)=-1$을 만족하는 두 다항함수 $f(x),\ g(x)$ 구하기**

㉠, ㉡에서 $f(0)=2,\ g(0)=-1$을 동시에 만족해야 하므로

$f(x)=3x+2,\ g(x)=x-1$

따라서 $f(1)-g(1)=5-0=5$

0617

두 다항함수 $f(x)$, $g(x)$에 대하여

$$f'(x)+g'(x)=2x+3,\ f'(x)g(x)+f(x)g'(x)=3x^2+2x+1$$

이고 $f(0)=3$, $g(0)=-1$일 때, $f(2)g(3)$의 값은?

① 20 ② 22 ③ 24
④ 26 ⑤ 28

STEP Ⓐ **적분하여 $f(x)+g(x)$의 값 구하기**

$\{f(x)+g(x)\}'=f'(x)+g'(x)=2x+3$이므로

$f(x)+g(x)=\int(2x+3)dx=x^2+3x+C_1$ (단, C_1는 적분상수)

이때 $f(0)=3$, $g(0)=-1$이므로 $f(0)+g(0)=C_1=2$

$\therefore f(x)+g(x)=x^2+3x+2$ …… ㉠

STEP Ⓑ **적분하여 $f(x)g(x)$의 값 구하기**

한편 $\{f(x)g(x)\}'=f'(x)g(x)+f(x)g'(x)=3x^2+2x+1$이므로

$f(x)g(x)=\int(3x^2+2x+1)dx=x^3+x^2+x+C_2$ (단, C_2는 적분상수)

이때 $f(0)=3$, $g(0)=-1$이므로 $f(0)g(0)=C_2=-3$

$\therefore f(x)g(x)=x^3+x^2+x-3$

$=(x-1)(x^2+2x+3)$ …… ㉡

STEP Ⓒ **$f(0)=3$, $g(0)=-1$을 만족하는 두 다항함수 $f(x)$, $g(x)$ 구하기**

㉠, ㉡에서 $f(0)=3$, $g(0)=-1$을 동시에 만족해야 하므로

$f(x)=x^2+2x+3$, $g(x)=x-1$

따라서 $f(2)g(3)=(4+4+3)\cdot(3-1)=22$

0618

다항함수 $f(x)$, $g(x)$가 다음 세 조건을 만족한다.

(가) $f(x)+g(x)=x^3-2x$
(나) $2f'(x)+xg'(x)=14x-8$
(다) $g(0)=1$

이때 $f(-3)$의 값을 구하여라.

STEP Ⓐ **$f'(x)$와 $g'(x)$의 관계식 구하기**

조건 (가)에서 $f(x)+g(x)=x^3-2x$의 양변을 x에 대하여 미분하면

$f'(x)+g'(x)=3x^2-2$

$\therefore f'(x)=-g'(x)+3x^2-2$ …… ㉠

STEP Ⓑ **$g'(x)$ 구하기**

㉠을 $2f'(x)+xg'(x)=14x-8$에 대입하면

$2\{-g'(x)+3x^2-2\}+xg'(x)=14x-8$

$(x-2)g'(x)=-6x^2+14x-4$

$(x-2)g'(x)=-2(x-2)(3x-1)$

$g'(x)$는 다항함수이므로 $g'(x)=-6x+2$

STEP Ⓒ **두 다항함수 $f(x)$, $g(x)$ 구하기**

$g(x)=\int(-6x+2)dx=-3x^2+2x+C$ (단, C는 적분상수)

이때 $g(0)=1$이므로 $C=1$

$\therefore g(x)=-3x^2+2x+1$

조건 (가)에서 $f(x)+g(x)=x^3-2x$이므로

$f(x)=x^3-2x-g(x)=x^3-2x-(-3x^2+2x+1)$

$=x^3+3x^2-4x-1$

따라서 $f(-3)=-27+27+12-1=11$

0619

미분가능한 함수 $f(x)$가 임의의 실수 x, y에 대하여

$$f(x+y)=f(x)+f(y)+2xy$$

를 만족하고 $f'(0)=0$일 때, $f(2)$의 값을 구하여라.

STEP Ⓐ **주어진 식에 $x=0$, $y=0$을 대입하여 $f(0)$의 값 구하기**

$f(x+y)=f(x)+f(y)+2xy$에 $x=0$, $y=0$을 대입하면

$f(0)=f(0)+f(0)+0$

$\therefore f(0)=0$

STEP Ⓑ **도함수의 정의를 이용하여 $f'(x)$ 구하기**

$f(0)=0$이므로

$f'(0)=\lim_{h\to0}\frac{f(0+h)-f(0)}{h}=\lim_{h\to0}\frac{f(h)}{h}=0$ ⬅ $\lim_{h\to0}\frac{f(h)-f(0)}{h}=f'(0)=0$

도함수의 정의에 의하여

$$f'(x)=\lim_{h\to0}\frac{f(x+h)-f(x)}{h}$$
$$=\lim_{h\to0}\frac{f(x)+f(h)+2xh-f(x)}{h}$$
$$=\lim_{h\to0}\frac{f(h)}{h}+2x=2x$$

STEP Ⓒ **$f'(x)$를 적분하여 $f(x)$ 구하기**

$f(x)=\int f'(x)dx=\int 2xdx=x^2+C$ (단, C는 적분상수)

$f(0)=0$이므로 $C=0$

따라서 $f(x)=x^2$이므로 $f(2)=4$

0620

실수 전체의 집합에서 미분가능한 함수 $f(x)$가 다음 조건을 만족할 때, $f(3)$의 값은?

(가) $f'(1)=2$
(나) 모든 실수 x, y에 대하여 $f(x+y)=f(x)+f(y)+xy(x+y)-3$

① 9 ② 12 ③ 15
④ 18 ⑤ 21

STEP Ⓐ **주어진 식에 $x=0$, $y=0$을 대입하여 $f(0)$의 값 구하기**

$f(x+y)=f(x)+f(y)+xy(x+y)-3$의 양변에 $x=0$, $y=0$을 대입하면

$f(0)=f(0)+f(0)-3$ $\therefore f(0)=3$

STEP Ⓑ **도함수의 정의를 이용하여 $f'(x)$ 구하기**

미분계수의 정의에 의하여 $f'(1)=2$이므로

$$f'(1)=\lim_{h\to0}\frac{f(1+h)-f(1)}{h}=\lim_{h\to0}\frac{f(1)+f(h)+h(1+h)-3-f(1)}{h}$$
$$=\lim_{h\to0}\frac{f(h)+h+h^2-3}{h}$$
$$=\lim_{h\to0}\left\{\frac{f(h)-f(0)}{h}+1+h\right\}$$ ⬅ $f(0)=3$
$$=f'(0)+1=2$$

$\therefore f'(0)=1$

함수 $f(x)$에 대한 도함수를 구하면

$$f'(x)=\lim_{h\to0}\frac{f(x+h)-f(x)}{h}=\lim_{h\to0}\frac{f(x)+f(h)+xh(x+h)-3-f(x)}{h}$$
$$=\lim_{h\to0}\left\{\frac{f(h)-f(0)}{h}+x(x+h)\right\}(\because f(0)=3)$$
$$=f'(0)+x^2=x^2+1$$

STEP C $f'(x)$를 적분하여 $f(x)$ 구하기

$f(x)=\int(x^2+1)dx=\frac{1}{3}x^3+x+C$ (단, C는 적분상수)

$f(0)=3$이므로 $C=3$

따라서 $f(x)=\frac{1}{3}x^3+x+3$이므로 $f(3)=9+3+3=15$

0621

다항함수 $f(x)$는 모든 실수 x, y에 대하여

$$f(x+y)=f(x)+f(y)+2xy-1$$

을 만족시킨다. $\lim_{x\to1}\frac{f(x)-f'(x)}{x^2-1}=14$일 때, $f'(0)$의 값을 구하여라.

STEP A 주어진 식에 $x=0$, $y=0$을 대입하여 $f(0)$의 값 구하기

$f(x+y)=f(x)+f(y)+2xy-1$에 $x=0$, $y=0$을 대입하면

$f(0)=f(0)+f(0)-1$

$\therefore f(0)=1$

STEP B 도함수의 정의를 이용하여 $f'(x)$ 구하기

$$f'(x)=\lim_{h\to0}\frac{f(x+h)-f(x)}{h}$$
$$=\lim_{h\to0}\frac{f(x)+f(h)+2xh-1-f(x)}{h}$$
$$=\lim_{h\to0}\frac{f(h)+2xh-1}{h}$$
$$=\lim_{h\to0}\left\{2x+\frac{f(h)-f(0)}{h}\right\} \quad \Leftarrow f(0)=1$$
$$=2x+f'(0) \quad \cdots\cdots ㉠$$

STEP C $f'(x)$를 부정적분하여 $f(x)$ 구하기

$$f(x)=\int f'(x)dx=\int\{2x+f'(0)\}dx$$
$$=x^2+f'(0)x+C \text{ (단, } C\text{는 적분상수)}$$

이때 $f(0)=1$이므로 $C=1$

$\therefore f(x)=x^2+f'(0)x+1 \quad \cdots\cdots ㉡$

STEP D $f'(0)$의 값 구하기

㉠, ㉡에서

$$\lim_{x\to1}\frac{f(x)-f'(x)}{x^2-1}=\lim_{x\to1}\frac{\{x^2+f'(0)x+1\}-\{2x+f'(0)\}}{x^2-1}$$
$$=\lim_{x\to1}\frac{(x-1)^2+f'(0)(x-1)}{x^2-1}$$
$$=0+\frac{f'(0)}{2}=14$$

따라서 $f'(0)=28$

다른풀이 함수의 극한의 성질을 이용하여 풀이하기

$f(x+y)=f(x)+f(y)+2xy-1 \quad \cdots\cdots ㉠$

의 양변에 $x=y=0$을 대입하면 $f(0)=1$

도함수의 정의에 의하여

$$f'(x)=\lim_{h\to0}\frac{f(x+h)-f(x)}{h}$$
$$=\lim_{h\to0}\frac{f(x)+f(h)+2xh-1-f(x)}{h}$$
$$=\lim_{h\to0}\frac{f(h)-1}{h}+2x$$
$$=f'(0)+2x\left(\because f'(0)=\lim_{h\to0}\frac{f(h)-f(0)}{h}\right) \quad \cdots\cdots ㉡$$

$\lim_{x\to1}\frac{f(x)-f'(x)}{x^2-1}=14$에서

$x\to1$일 때, (분모)→0이고 극한값이 존재하므로 (분자)→0이어야 한다.

즉 $\lim_{x\to1}\{f(x)-f'(x)\}=0$이므로 $f(1)-f'(1)=0 \quad \cdots\cdots ㉢$

㉡에서 $f'(x)=f'(0)+2x$이므로 $f'(1)=f'(0)+2 \quad \cdots\cdots ㉣$

㉢, ㉣로 부터

$$\lim_{x\to1}\frac{f(x)-f'(x)}{x^2-1}=\lim_{x\to1}\frac{f(x)-f'(0)-2x}{x^2-1} \quad \Leftarrow f'(x)=f'(0)+2x$$
$$=\lim_{x\to1}\frac{f(x)-f(1)+2-2x}{x^2-1} \quad \Leftarrow f'(1)=f'(0)+2$$
$$=\lim_{x\to1}\frac{\{f(x)-f(1)\}-2(x-1)}{(x-1)(x+1)}$$
$$=\lim_{x\to1}\left\{\frac{1}{x+1}\cdot\frac{f(x)-f(1)}{x-1}\right\}-\lim_{x\to1}\frac{2(x-1)}{(x-1)(x+1)}$$
$$=\frac{1}{2}f'(1)-1=14 \quad \Leftarrow \lim_{x\to1}\frac{2(x-1)}{(x-1)(x+1)}=\lim_{x\to1}\frac{2}{x+1}=\frac{2}{2}=1$$

따라서 $f'(1)=30$을 ㉣에 대입하면 $f'(0)=28$

0622

모든 실수 x에 대하여 미분가능한 함수 $f(x)$의 도함수 $f'(x)$가

$$f'(x)=\begin{cases}6x^2 & (x\ge1)\\2x+4 & (x<1)\end{cases}$$

를 만족시키고 $f(2)=9$일 때, $f(-2)+f(3)$의 값을 구하여라.

STEP A $x\ge1$일 때, $f'(x)$를 적분하여 $f(x)$ 구하기

(i) $x\ge1$일 때,

$f'(x)=6x^2$이므로

$f(x)=\int6x^2dx=2x^3+C_1$ (단, C_1은 적분상수)

이때 $f(2)=9$이므로 $16+C_1=9$

$\therefore C_1=-7$

즉 $f(x)=2x^3-7 \quad \cdots\cdots ㉠$

STEP B $x<1$일 때, $f'(x)$를 적분하여 $f(x)$ 구하기

(ii) $x<1$일 때,

$f'(x)=2x+4$이므로

$f(x)=\int(2x+4)dx=x^2+4x+C_2$ (단, C_2는 적분상수)

(i), (ii)에서 $f(x)=\begin{cases}2x^2-7 & (x\ge1)\\x^2+4x+C_2 & (x<1)\end{cases}$이므로

함수 $f(x)$는 모든 실수 x에 대하여 미분가능하므로

$x=1$에서 연속이어야 한다.

$\lim_{x\to1+}f(x)=\lim_{x\to1-}f(x)=f(1)$

$\lim_{x\to1+}(2x^3-7)=\lim_{x\to1-}(x^2+4x+C_2)=-5$

$1+4+C_2=-5$

$\therefore C_2=-10$

즉 $f(x)=x^2+4x-10 \quad \cdots\cdots ㉡$

STEP C $f(-2)+f(3)$의 값 구하기

㉠, ㉡에서 $f(x)=\begin{cases}2x^3-7 & (x\ge1)\\x^2+4x-10 & (x<1)\end{cases}$

따라서 $f(-2)+f(3)=(4-8-10)+(54-7)=33$

0623

모든 실수 x에 대하여 연속인 함수 $f(x)$의 도함수 $f'(x)$가

$$f'(x)=\begin{cases} x^2 & (x \le 1) \\ -1 & (x > 1) \end{cases},\ f(0)=\frac{2}{3}$$

를 만족할 때, 함수 $f(x)$의 극댓값은?

① 1　② 2　③ 3
④ 4　⑤ 5

STEP Ⓐ **조건을 만족하는 함수 $f(x)$ 구하기**

$f'(x)=\begin{cases} x^2 & (x \le 1) \\ -1 & (x > 1) \end{cases}$에서

$f(x)=\begin{cases} \frac{1}{3}x^3+C_1 & (x \le 1) \\ -x+C_2 & (x > 1) \end{cases}$ (단, C_1, C_2는 적분상수)

함수 $f(x)$는 모든 실수 x에 대하여 연속이므로

$f(1)=\lim_{x\to 1-}\left(\frac{1}{3}x^3+C_1\right)$

$=\lim_{x\to 1+}(-x+C_2)$

$\frac{1}{3}+C_1=-1+C_2$ ...... ㉠

$f(0)=\frac{2}{3}$에서 $\frac{1}{3}\cdot 0+C_1=\frac{2}{3}$

$\therefore C_1=\frac{2}{3}$

이것을 ㉠에 대입하면 $C_2=2$

$f(x)=\begin{cases} \frac{1}{3}x^3+\frac{2}{3} & (x \le 1) \\ -x+2 & (x > 1) \end{cases}$

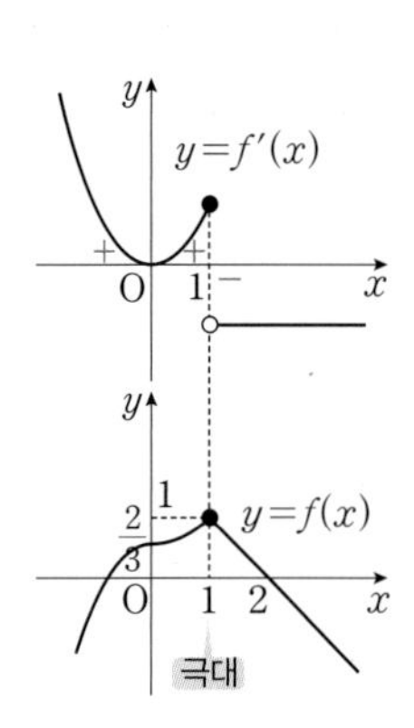

STEP Ⓑ **함수 $f(x)$의 극댓값 구하기**

$0<x<1$일 때, $f'(x)>0$이고 $x>1$일 때, $f'(x)<0$

따라서 $f(x)$는 $x=1$에서 극대이고 극댓값은 $f(1)=1$

0624

모든 실수 x에 대하여 연속함수 $f(x)$가

$$f(0)=0,\ f'(x)=x+|x-1|$$

일 때, $f(-1)+f(3)$의 값을 구하여라.

STEP Ⓐ **조건을 만족하는 함수 $f(x)$ 구하기**

$f'(x)=x+|x-1|=\begin{cases} 2x-1 & (x \ge 1) \\ 1 & (x < 1) \end{cases}$이므로

$f(x)=\begin{cases} x^2-x+C_1 & (x \ge 1) \\ x+C_2 & (x < 1) \end{cases}$ (단, C_1, C_2는 적분상수)

$f(0)=0$이므로 $C_2=0$

함수 $f(x)$는 모든 실수 x에 대하여 연속이므로 $x=1$에서 연속이다.

$f(1)=\lim_{x\to 1+}f(x)=\lim_{x\to 1-}f(x)$

$C_1=1+C_2$

$\therefore C_1=1\ (\because C_2=0)$

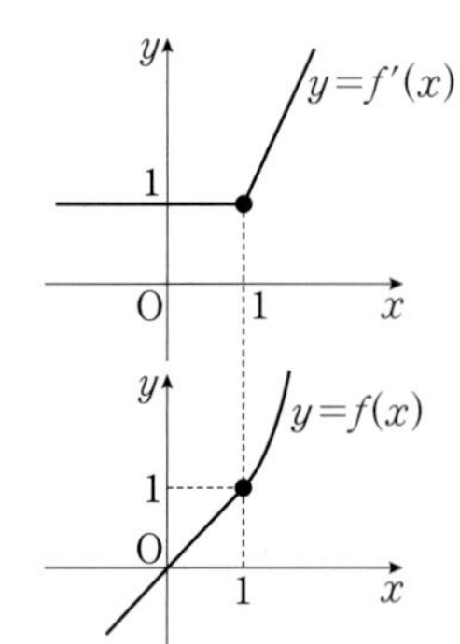

STEP Ⓑ **$f(-1)+f(3)$의 값 구하기**

따라서 $f(x)=\begin{cases} x^2-x+1 & (x \ge 1) \\ x & (x < 1) \end{cases}$이므로 $f(-1)+f(3)=-1+7=6$

BASIC

0625

다음 물음에 답하여라.

(1) 다항함수 $f(x)$의 임의의 두 부정적분을 $F(x)$, $G(x)$라고 하자. $F(0)=G(0)+1$일 때, $F(2)-G(2)$의 값은?

① -1　② 0　③ 1
④ 2　⑤ 3

STEP Ⓐ **$F(x)$, $G(x)$가 모두 함수 $f(x)$의 부정적분이면 $F(x)=G(x)+C$임을 이용하기**

$F'(x)=f(x)$, $G'(x)=f(x)$이므로

$\{F(x)-G(x)\}'=F'(x)-G'(x)$

$=f(x)-f(x)=0$

즉 도함수가 0인 함수는 상수함수이므로

$F(x)-G(x)=C$ (단, C는 상수)

STEP Ⓑ **$F(2)-G(2)$의 값 구하기**

$F(x)=G(x)+C$ (단, C는 상수)

이때 $F(0)=G(0)+1$이므로 $C=1$

$\therefore F(x)=G(x)+1$

따라서 $F(2)=G(2)+1$이므로 $F(2)-G(2)=1$

$F'(x)=G'(x)$이면 $F(x)=G(x)+C$ (단, C는 상수)

(2) 두 함수 $F(x)$, $G(x)$가 모두 다항함수 $f(x)$의 부정적분이고 $F(0)-G(0)=5$일 때, $F(3)-G(3)$의 값은?

① 2　② 3　③ 4
④ 5　⑤ 6

STEP Ⓐ **$F(x)$, $G(x)$가 모두 함수 $f(x)$의 부정적분이면 $F(x)=G(x)+C$임을 이용하기**

$F'(x)=f(x)$, $G'(x)=f(x)$이므로

$\{F(x)-G(x)\}'=F'(x)-G'(x)$

$=f(x)-f(x)=0$

즉 도함수가 0인 함수는 상수함수이므로

$F(x)-G(x)=C$ (단, C는 상수)

STEP Ⓑ **$F(3)-G(3)$의 값 구하기**

이때 $F(0)-G(0)=5$이므로 $C=5$

$\therefore F(x)-G(x)=5$

따라서 $F(3)-G(3)=5$

0626

다음 물음에 답하여라.

(1) 함수 $f(x)=\int\left\{\frac{d}{dx}(x^2-6x)\right\}dx$에 대하여 $f(x)$의 최솟값이 8일 때, $f(1)$의 값은?

① 8 ② 10 ③ 12
④ 14 ⑤ 16

STEP A 부정적분과 미분의 관계를 이용하여 $f(x)$ 구하기

$f(x)=\int\left\{\frac{d}{dx}(x^2-6x)\right\}dx$
$=x^2-6x+C$ (단, C는 적분상수)
$=(x-3)^2-9+C$

STEP B $f(x)$의 최솟값이 8임을 이용하여 $f(1)$ 구하기

이때 $f(x)$가 $x=3$일 때의 최솟값은 8이므로 $-9+C=8$
$\therefore C=17$
따라서 $f(x)=x^2-6x+17$이므로 $f(1)=1-6+17=12$

다른풀이 $f'(x)$의 증가와 감소를 이용하여 풀이하기

$f(x)=x^2-6x+C$ (단, C는 적분상수)
양변을 x에 대하여 미분하면
$f'(x)=2x-6$
$f'(x)=0$에서 $x=3$
함수 $f(x)$의 증가와 감소를 표로 나타내면 다음과 같다.

x	$\cdots$	3	$\cdots$
$f'(x)$	$-$	0	$+$
$f(x)$	↘	극소	↗

즉 $f(x)$는 $x=3$일 때, 최솟값을 가지므로
$f(3)=-9+C=8$
$\therefore C=17$
따라서 $f(x)=x^2-6x+17$이므로
$f(1)=1-6+17=12$

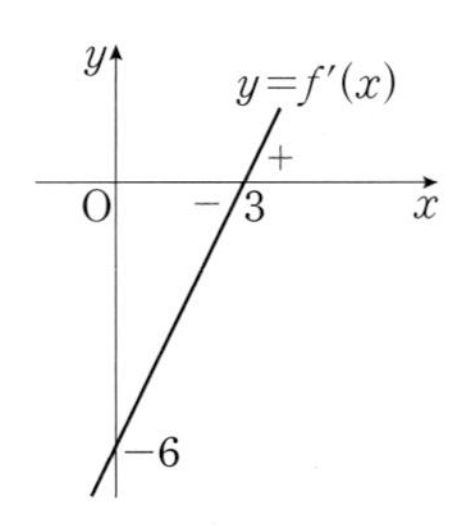

(2) 함수 $f(x)=x^2+3$에 대하여 두 함수 $g(x)$, $h(x)$를

$$g(x)=\frac{d}{dx}\int f(x)dx,\ h(x)=\int\left\{\frac{d}{dx}f(x)\right\}dx$$

로 정의하자. $g(0)+h(0)=8$일 때, $h(2)-g(2)$의 값은?

① 2 ② 3 ③ 4
④ 5 ⑤ 6

STEP A 부정적분과 미분의 관계를 이용하여 $g(x)$, $h(x)$ 구하기

$g(x)=\frac{d}{dx}\int f(x)dx=f(x)=x^2+3$
$h(x)=\int\left\{\frac{d}{dx}f(x)\right\}dx=f(x)+C=x^2+3+C$
$g(0)+h(0)=8$에서 $3+(3+C)=8$
$\therefore C=2$
$\therefore h(x)=x^2+5$

STEP B $h(2)-g(2)$의 값 구하기

따라서 $h(2)-g(2)=(4+5)-(4+3)=2$

0627

방정식 $\log_x\left(\frac{d}{dx}\int x^3dx\right)=x^2-4x-2$를 만족하는 x의 값은?

① 1 ② 2 ③ 3
④ 4 ⑤ 5

STEP A $\frac{d}{dx}\left\{\int f(x)dx\right\}=f(x)$임을 이용하여 식을 정리하기

$\frac{d}{dx}\int x^3dx=x^3$이므로
$\log_x\left(\frac{d}{dx}\int x^3dx\right)=\log_x x^3=3$ (단, $x>0$, $x\neq1$)

STEP B 로그의 성립조건을 이용하여 x의 값 구하기

주어진 방정식에서 $3=x^2-4x-2$
$x^2-4x-5=0$
$(x+1)(x-5)=0$
$\therefore x=-1$ 또는 $x=5$
따라서 로그의 밑 조건이 $x>0$, $x\neq1$이므로 $x=5$

0628

다음 물음에 답하여라.

(1) 다항함수 $f(x)$의 도함수 $f'(x)$가 $f'(x)=3x^2+2$이고 $f(0)=-1$일 때, $f(1)$의 값은?

① 1 ② 2 ③ 3
④ 4 ⑤ 5

STEP A $f'(x)$를 적분하기

$f'(x)=3x^2+2$이므로
$f(x)=\int f'(x)dx=\int(3x^2+2)dx$
$=x^3+2x+C$ (단, C는 적분상수)

STEP B $f(0)=-1$을 이용하여 적분상수 C의 값 구하기

이때 $f(0)=-1$이므로 $f(0)=C=-1$
$\therefore f(x)=x^3+2x-1$
따라서 $f(1)=2$

(2) 다항함수 $f(x)$에 대하여 $f'(x)=3x^2-4$이고 $f(0)=-3$일 때, $f(3)$의 값은?

① 10 ② 12 ③ 14
④ 16 ⑤ 18

STEP A $f'(x)$를 적분하기

$f'(x)=3x^2-4$에서
$f(x)=\int f'(x)dx=\int(3x^2-4)dx$
$=x^3-4x+C$ (단, C는 적분상수)

STEP B $f(0)=-3$을 이용하여 적분상수 C의 값 구하기

이때 $f(0)=-3$이므로 $f(0)=C=-3$
$\therefore f(x)=x^3-4x-3$
따라서 $f(3)=27-12-3=12$

0629

다음 물음에 답하여라.

(1) 함수 $f(x)$가 $f(x)=\int(x^2-3x+2)\,dx$일 때,

$\lim_{h\to0}\frac{f(3+2h)-f(3)}{h}$의 값은?

① 4 ② 6 ③ 8
④ 10 ⑤ 12

STEP Ⓐ $f(x)$를 미분하기

$f(x)=\int(x^2-3x+2)dx$의 양변을 x에 대하여 미분하면

$f'(x)=x^2-3x+2$

STEP Ⓑ 미분계수 구하기

따라서 $\lim_{h\to0}\frac{f(3+2h)-f(3)}{h}=2f'(3)=2\cdot2=4$

(2) 함수 $f(x)=\int(2x^3-x^2+1)\,dx$일 때,

$\lim_{x\to1}\frac{f(x^2)-f(1)}{x-1}$의 값은?

① 2 ② 4 ③ 8
④ 12 ⑤ 14

STEP Ⓐ $f(x)$를 미분하기

$f(x)=\int(2x^3-x^2+1)dx$의 양변을 x에 대하여 미분하면

$f'(x)=2x^3-x^2+1$

STEP Ⓑ 미분계수 구하기

따라서 $\lim_{x\to1}\frac{f(x^2)-f(1)}{x-1}=\lim_{x\to1}\frac{f(x^2)-f(1)}{x^2-1}\cdot(x+1)$

$=\lim_{x\to1}\frac{f(x^2)-f(1)}{x^2-1}\cdot\lim_{x\to1}(x+1)$

$=2f'(1)$

$=2\cdot2=4$

(3) 함수 $f(x)$에 대하여 $f(x)=\int(3x^2-2x+a)\,dx$이고

$\lim_{h\to0}\frac{f(1+h)-f(1)}{h}=2$일 때, $f(1)$의 값은? (단, $f(0)=2$)

① 2 ② 3 ③ 4
④ 5 ⑤ 6

STEP Ⓐ $f(x)$를 미분하기

$f(x)=\int(3x^2-2x+a)dx$의 양변을 x에 대하여 미분하면

$f'(x)=3x^2-2x+a$

STEP Ⓑ 미분계수 구하기

$\lim_{h\to0}\frac{f(1+h)-f(1)}{h}=2$에서

$f'(1)=2$이므로 $a=1$

STEP Ⓒ 적분하여 $f(1)$의 값 구하기

$f(x)=\int(3x^2-2x+1)dx$

$=x^3-x^2+x+C$ (단, C는 적분상수)

이때 $f(0)=2$이므로 $C=2$

따라서 $f(x)=x^3-x^2+x+2$이므로 $f(1)=3$

0630

다음 물음에 답하여라.

(1) 함수 $f(x)$가 다음 조건을 만족시킬 때, $f(2)$의 값은?

(가) $f'(x)=3x^2-4x+1$
(나) 곡선 $y=f(x)$는 점 $(1, 3)$을 지난다.

① 5 ② 6 ③ 7
④ 8 ⑤ 9

STEP Ⓐ $f'(x)$를 적분하기

조건 (가)에서 $f'(x)=3x^2-4x+1$

$f(x)=\int f'(x)dx$

$=\int(3x^2-4x+1)dx$

$=x^3-2x^2+x+C$ (C는 적분상수)

STEP Ⓑ 점 $(1, 3)$을 지남을 이용하여 적분상수 C 구하기

곡선 $y=f(x)$가 점 $(1, 3)$을 지나므로

$f(1)=1-2+1+C=3$에서 $C=3$

$\therefore f(x)=x^3-2x^2+x+3$

따라서 $f(2)=8-8+2+3=5$

(2) 원점을 지나는 곡선 $y=f(x)$ 위의 임의의 점 $(x, f(x))$에서의 접선의 기울기가 $3x^2+12x$일 때, $f(2)$의 값은?

① 20 ② 24 ③ 28
④ 32 ⑤ 36

STEP Ⓐ $f'(x)$를 적분하기

곡선 $y=f(x)$ 위의 임의의 점 $(x, f(x))$에서의 접선의 기울기가 $3x^2+12x$이므로 $f'(x)=3x^2+12x$

$\int f'(x)dx=\int(3x^2+12x)dx$

$=x^3+6x^2+C$ (C는 적분상수)

STEP Ⓑ 원점을 지남을 이용하여 적분상수 C 구하기

곡선 $y=f(x)$가 원점을 지나므로 $f(0)=0$

$f(0)=0+0+C$이므로 $C=0$

STEP Ⓒ $f(2)$의 값 구하기

따라서 $f(x)=x^3+6x^2$이므로 $f(2)=8+24=32$

0631

다음 물음에 답하여라.

(1) 함수 $f(x)$에 대하여 $f'(x)=2x-2$이고 함수 $f(x)$의 최솟값이 5일 때, $f(3)$의 값은?

① 6 ② 9 ③ 12
④ 15 ⑤ 18

STEP Ⓐ $f'(x)$를 적분하기

$f'(x)=2x-2$이므로

$f(x)=\int f'(x)dx$

$=\int(2x-2)dx$

$=x^2-2x+C$ (단, C는 적분상수)

STEP Ⓑ $f(x)$의 최솟값이 5임을 이용하여 적분상수 C 구하기

이때 $f(x)=(x-1)^2+C-1$이고 함수 $f(x)$의 최솟값이 5이므로

$C-1=5$

$\therefore C=6$

따라서 $f(x)=x^2-2x+6$이므로 $f(3)=9-6+6=9$

(2) 곡선 $y=f(x)$ 위의 임의의 점 (x, y)에서의 접선의 기울기가 $-4x+8$인 함수 $f(x)$의 최댓값이 10일 때, 닫힌구간 $[-1, 4]$에서 함수 $f(x)$의 최솟값은?

① -10 ② -8 ③ -6
④ -4 ⑤ -2

STEP Ⓐ 접선의 기울기는 $f'(x)$이므로 부정적분을 이용하여 $f(x)$ 구하기

곡선 $y=f(x)$ 위의 임의의 점 $\mathrm{P}(x, y)$에서의 접선의 기울기가 $-4x+8$이므로 $f'(x)=-4x+8$

$f(x)=\int f'(x)dx$

$=\int(-4x+8)dx$

$=-2x^2+8x+C$ (단, C는 적분상수)

STEP Ⓑ 함수 $f(x)$의 최댓값이 10임을 이용하여 적분상수 C 구하기

이때 $f(x)=-2(x-2)^2+8+C$에서

최댓값이 $8+C$이므로 $8+C=10$

$\therefore C=2$

따라서 $f(x)=-2x^2+8x+2$이고 닫힌구간 $[-1, 4]$에서 곡선 $y=f(x)$의 그래프가 다음 그림과 같으므로 구하는 최솟값은 $f(-1)=-8$

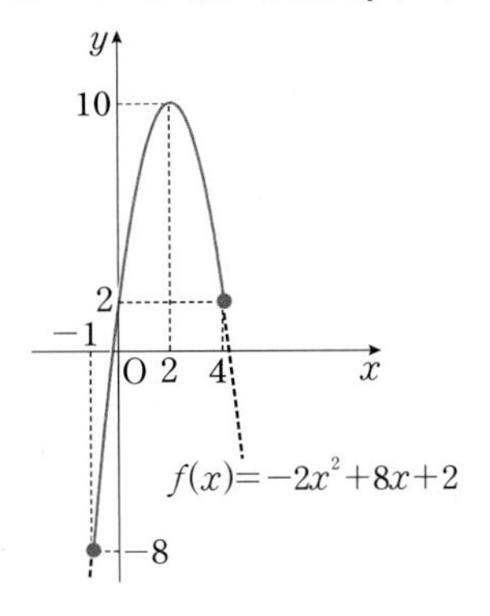

0632

함수 $f(x)$의 도함수가 $f'(x)=3x^2-6x+a$이고 $f(x)$가 이차식 x^2-5x+6으로 나누어 떨어질 때, $f(1)$의 값을 구하여라. (단, a는 실수)

STEP Ⓐ $f'(x)$를 적분하기

$f'(x)=3x^2-6x+a$이므로

$f(x)=\int(3x^2-6x+a)dx$

$=x^3-3x^2+ax+C$

STEP Ⓑ 다항식 $f(x)$가 x^2-5x+6으로 나누어떨어짐을 이용하여 a와 적분상수 C 구하기

$f(x)$가 $x^2-5x+6=(x-2)(x-3)$으로 나누어 떨어지므로

$f(2)=0$에서 $8-12+2a+C=0$ ...... ㉠

$f(3)=0$에서 $27-27+3a+C=0$ ...... ㉡

㉠, ㉡을 연립하여 풀면 $a=-4$, $C=12$

STEP Ⓒ $f(1)$의 값 구하기

따라서 $f(x)=x^3-3x^2-4x+12$이므로 $f(1)=1-3-4+12=6$

0633

다항함수 $f(x)$가 다음 두 조건을 만족시킨다.

(가) $\lim_{x\to\infty}\frac{f'(x)}{x-4}=3$

(나) $\lim_{x\to1}\frac{f(x)}{x-1}=2$

이때 $f(3)$의 값을 구하여라.

STEP Ⓐ 조건 (가)를 만족하는 $f'(x)$의 식 작성하기

조건 (가)에서 $\lim_{x\to\infty}\frac{f'(x)}{x-4}=3$이므로

$f'(x)=3x+a$ (단, a는 상수)로 놓는다.

STEP Ⓑ 조건 (나)에서 $f(1)$, $f'(1)$의 값을 구하여 미지수 구하기

조건 (나)에서 $\lim_{x\to1}\frac{f(x)}{x-1}=2$

$x\to1$일 때, (분모)$\to0$이고 극한값이 존재하므로 (분자)$\to0$이어야 한다.

즉 $\lim_{x\to1}f(x)=0$이므로 $f(1)=0$

이때 $\lim_{x\to1}\frac{f(x)-f(1)}{x-1}=f'(1)=2$이므로 $f'(1)=3+a=2$

$\therefore a=-1$

$f(x)=\int(3x-1)dx=\frac{3}{2}x^2-x+C$

이때 $f(1)=0$이므로 $\frac{3}{2}-1+C=0$

$\therefore C=-\frac{1}{2}$

STEP Ⓒ $f(3)$의 값 구하기

따라서 $f(x)=\frac{3}{2}x^2-x-\frac{1}{2}$이므로 $f(3)=\frac{27}{2}-3-\frac{1}{2}=10$

0634

삼차함수 $y=f(x)$는 $x=1$에서 극값을 갖고 그 그래프가 원점에 대하여 대칭일 때, 이 그래프와 x축과의 교점의 x좌표 중에서 양수인 것은?

① $\sqrt{2}$ ② $\sqrt{3}$ ③ 2
④ $\sqrt{5}$ ⑤ $\sqrt{6}$

STEP Ⓐ **삼차함수 $f(x)$가 원점에 대하여 대칭임을 이용하여 $f'(x)$ 식 구하기**

삼차함수 $y=f(x)$는 $x=1$에서 극값을 갖고 원점에 대하여 대칭일 때,
$x=-1$에서도 극값을 가지므로
$f'(x)=a(x-1)(x+1)=a(x^2-1)(a\neq0)$로 놓을 수 있다.

STEP Ⓑ **부정적분을 이용하여 $f(x)$를 구하고 x축과의 교점 구하기**

$f(x)=\int a(x^2-1)dx$

$=a\left(\frac{1}{3}x^3-x\right)+C$ (단, C는 적분상수)

또한, 삼차함수 $f(x)$가 원점에 대하여 대칭이므로
$f(0)=0$에서 $f(0)=C=0$

즉 $f(x)=a\left(\frac{1}{3}x^3-x\right)$이므로 이 그래프와 x축과의 교점의 x좌표는

$a\left(\frac{1}{3}x^3-x\right)=0$에서 $x=0$ 또는 $x=\pm\sqrt{3}$

따라서 양수인 것은 $x=\sqrt{3}$

0635

모든 실수 x, y에 대하여

$f(x+y)=f(x)+f(y)$

를 만족하는 미분가능한 함수 $f(x)$가 있다.
$f'(0)=3$일 때, $f(2)$의 값은?

① 2 ② 4 ③ 6
④ 8 ⑤ 10

STEP Ⓐ **주어진 식에 $x=0$, $y=0$을 대입하여 $f(0)$의 값 구하기**

$f(x+y)=f(x)+f(y)$에 $x=0$, $y=0$을 대입하면
$f(0)=f(0)+f(0)$
$\therefore f(0)=0$

STEP Ⓑ **도함수의 정의를 이용하여 $f'(x)$ 구하기**

$f'(0)=\lim_{h\to0}\frac{f(0+h)-f(0)}{h}$

$=\lim_{h\to0}\frac{f(h)}{h}=3$ ($\because f(0)=0$)

이므로

$f'(x)=\lim_{h\to0}\frac{f(x+h)-f(x)}{h}$

$=\lim_{h\to0}\frac{f(x)+f(h)-f(x)}{h}$

$=\lim_{h\to0}\frac{f(h)}{h}=3$

STEP Ⓒ **$f'(x)$를 적분하여 $f(x)$ 구하기**

$f(x)=\int f'(x)dx=\int 3dx=3x+C$ (단, C는 적분상수)

이때 $f(0)=0$이므로 $C=0$

따라서 $f(x)=3x$이므로 $f(2)=3\cdot2=6$

NORMAL

0636

다음 물음에 답하여라.

(1) 다항함수 $f(x)$의 도함수가 $f'(x)=3x(x-4)$이고 $f(x)$의 극댓값이 5일 때, $f(x)$의 극솟값은?

① 0 ② -5 ③ -16
④ -27 ⑤ -32

STEP Ⓐ **$f'(x)=0$을 이용하여 $f(x)$의 증가와 감소를 나타내는 표를 구하기**

$f'(x)=3x(x-4)$
$f'(x)=0$에서 $x=0$ 또는 $x=4$
함수 $f(x)$의 증가와 감소를 표로 나타내면 다음과 같다.

x	$\cdots$	0	$\cdots$	4	$\cdots$
$f'(x)$	$+$	0	$-$	0	$+$
$f(x)$	↗	극대	↘	극소	↗

즉 $f(x)$는 $x=0$에서 극대이고 극댓값 5
$x=4$에서 극소이고 극솟값을 갖는다.

STEP Ⓑ **$x=0$에서 극대이고 극댓값 5임을 이용하여 적분상수 C 구하기**

$f'(x)=3x(x-4)=3x^2-12x$에서

$f(x)=\int f'(x)dx=\int(3x^2-12x)dx$

$=x^3-6x^2+C$ (단, C는 적분상수)

이때 $f(0)=5$이므로 $f(0)=C=5$
$\therefore f(x)=x^3-6x^2+5$

STEP Ⓒ **함수 $f(x)$의 극솟값 구하기**

따라서 극솟값은 $f(4)=64-96+5=-27$

(2) 다항함수 $f(x)$의 도함수가 $f'(x)=3x^2-3$이고 $f(x)$의 극솟값이 1일 때, $f(x)$의 극댓값은?

① 2 ② 3 ③ 4
④ 5 ⑤ 6

STEP Ⓐ **$f'(x)=0$을 이용하여 $f(x)$의 증가와 감소를 나타내는 표를 구하기**

$f'(x)=3x^2-3=3(x-1)(x+1)$
$f'(x)=0$에서 $x=-1$ 또는 $x=1$
함수 $f(x)$의 증가와 감소를 표로 나타내면 다음과 같다.

x	$\cdots$	-1	$\cdots$	1	$\cdots$
$f'(x)$	$+$	0	$-$	0	$+$
$f(x)$	↗	극대	↘	극소	↗

즉 함수 $f(x)$는 $x=-1$에서 극대이고
$x=1$에서 극소이며 극솟값은 1을 갖는다.

STEP Ⓑ **$x=1$에서 극소이고 극솟값 1임을 이용하여 적분상수 C 구하기**

$f'(x)=3x^2-3$에서

$f(x)=\int f'(x)dx=\int(3x^2-3)dx$

$=x^3-3x+C$ (C는 적분상수)

이때 $f(1)=1$이므로 $f(1)=1-3+C=1$
$\therefore C=3$
$\therefore f(x)=x^3-3x+3$

STEP Ⓒ **함수 $f(x)$의 극댓값 구하기**

따라서 $f(x)$의 극댓값은 $f(-1)=-1+3+3=5$

0637

함수 $f(x)=\int(-x^2+x)\,dx$의 극댓값이 3일 때, $f(x)$의 극솟값은?

① $\frac{8}{3}$ ② $\frac{17}{6}$ ③ 3
④ $\frac{11}{3}$ ⑤ 4

STEP Ⓐ $f'(x)=0$을 이용하여 $f(x)$의 증가와 감소를 나타내는 표를 구하기

$f(x)=\int(-x^2+x)dx$에서

$f'(x)=-x^2+x=-x(x-1)$

$f'(x)=0$에서 $x=0$ 또는 $x=1$

함수 $f(x)$의 증가와 감소를 표로 나타내면 다음과 같다.

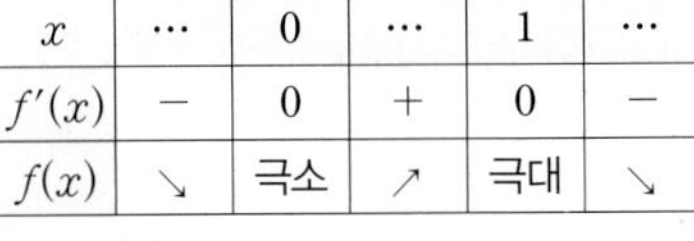

x	$\cdots$	0	$\cdots$	1	$\cdots$
$f'(x)$	$-$	0	$+$	0	$-$
$f(x)$	↘	극소	↗	극대	↘

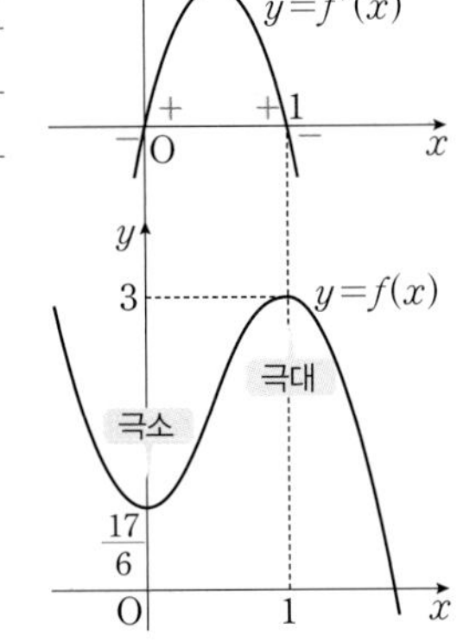

함수 $f(x)$는
$x=0$에서 극소이고 극솟값,
$x=1$에서 극대이고 극댓값 3을 갖는다.

STEP Ⓑ $x=1$에서 극대이고 극댓값 3임을 이용하여 적분상수 C 구하기

$f(x)=\int(-x^2+x)dx=-\frac{1}{3}x^3+\frac{1}{2}x^2+C$ (단, C는 적분상수)

$f(1)=3$에서 $-\frac{1}{3}+\frac{1}{2}+C=3$ $\therefore C=\frac{17}{6}$

$\therefore f(x)=-\frac{1}{3}x^3+\frac{1}{2}x^2+\frac{17}{6}$

STEP Ⓒ 함수 $f(x)$의 극솟값 구하기

따라서 함수 $f(x)$는 $x=0$에서 극소이므로 극솟값은 $f(0)=\frac{17}{6}$

0638

함수 $f(x)$에 대하여 $f'(x)=2x-a$, $f(0)=\frac{a^2}{4}$이고 $y=xf(x)$의 극댓값은 4이다. 이때 양수 a의 값을 구하여라.

STEP Ⓐ $f'(x)$를 적분하기

$f(x)=\int f'(x)dx=x^2-ax+C$ (단, C는 적분상수)

$f(0)=\frac{a^2}{4}$이므로 $C=\frac{a^2}{4}$

$\therefore f(x)=x^2-ax+\frac{a^2}{4}$

STEP Ⓑ $xf(x)$의 증가와 감소를 나타내는 표를 구하기

$f(x)=x^2-ax+\frac{a^2}{4}$에서 $y=xf(x)=x^3-ax^2+\frac{a^2}{4}x$

$y'=3x^2-2ax+\frac{a^2}{4}=0$에서 $12x^2-8ax+a^2=0$, $(6x-a)(2x-a)=0$

$y'=0$에서 $x=\frac{a}{6}$ 또는 $x=\frac{a}{2}$

함수 $y=xf(x)$의 증가와 감소를 표로 나타내면 다음과 같다.

x	$\cdots$	$\frac{a}{6}$	$\cdots$	$\frac{a}{2}$	$\cdots$
y'	$+$	0	$-$	0	$+$
y	↗	극대	↘	극소	↗

STEP Ⓒ 함수 $xf(x)$는 $x=\frac{a}{6}$에서 극대이고 극댓값은 4임을 이용하여 a의 값 구하기

함수 $xf(x)$는 $x=\frac{a}{6}$에서 극대이고 극댓값은 4이므로 $\frac{a}{6}f\left(\frac{a}{6}\right)=4$

즉 $\left(\frac{a}{6}\right)^3-a\left(\frac{a}{6}\right)^2+\frac{a^2}{4}\cdot\frac{a}{6}=4$, $a^3-6a^3+9a^3=864$, $a^3=216$

따라서 $a=6$

0639

다음 물음에 답하여라.

(1) 최고차항의 계수가 1인 삼차함수 $f(x)$가

$f'(0)=f'(2)=0$

을 만족한다. 함수 $f(x)$의 극댓값이 0일 때, 극솟값은?

① -10 ② -8 ③ -6
④ -4 ⑤ -2

STEP Ⓐ $f'(x)=0$을 이용하여 $f(x)$의 증가와 감소를 나타내는 표를 구하기

$f(x)$의 최고차항의 계수가 1이므로 $f'(x)$의 최고차항은 $3x^2$이고

$f'(0)=f'(2)=0$이므로 $f'(x)=3x(x-2)$

$f'(x)=0$에서 $x=0$ 또는 $x=2$

함수 $f(x)$의 증가와 감소를 표로 나타내면 다음과 같다.

x	$\cdots$	0	$\cdots$	2	$\cdots$
$f'(x)$	$+$	0	$-$	0	$+$
$f(x)$	↗	극대	↘	극소	↗

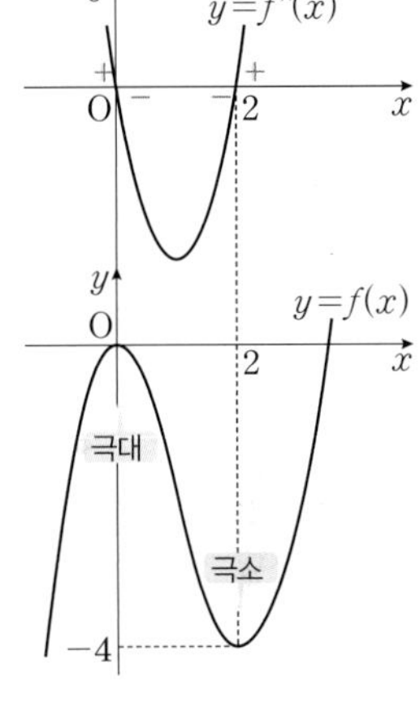

함수 $f(x)$는
$x=0$에서 극대이고 극댓값 0,
$x=2$에서 극소이고 극솟값을 갖는다.

STEP Ⓑ $x=0$에서 극대이고 극댓값 0임을 이용하여 적분상수 C 구하기

$f(x)=\int f'(x)dx=\int(3x^2-6x)dx$

$=x^3-3x^2+C$ (단, C는 적분상수)

이때 $f(0)=0$이므로 $f(0)=C=0$

$\therefore f(x)=x^3-3x^2$

STEP Ⓒ 함수 $f(x)$의 극솟값 구하기

따라서 $x=2$에서 극소이고 극솟값은 $f(2)=8-12=-4$

다른풀이 최고차항의 계수가 1인 삼차함수 $f(x)$의 식 작성하여 풀이하기

최고차항의 계수가 1인 삼차함수 $f(x)$를

$f(x)=x^3+ax^2+bx+c$라고 하면

$f'(x)=3x^2+2ax+b$

$f'(0)=0$, $f'(2)=0$이므로

$f'(0)=b=0$ …… ㉠

$f'(2)=12+4a+b=0$ …… ㉡

㉠, ㉡을 연립하여 풀면 $a=-3$, $b=0$

$\therefore f(x)=x^3-3x^2+c$

이때 $x=0$에서 극대이고 극댓값이 0이므로

$f(0)=0$에서 $c=0$

따라서 $f(x)=x^3-3x^2$이므로 극솟값은 $f(2)=8-12=-4$

(2) 최고차항의 계수가 -1인 삼차함수 $f(x)$가

$$f'(2)=f'(10)=0$$

을 만족한다. 함수 $f(x)$의 극솟값이 -56일 때, 극댓값은?

① 120 ② 160 ③ 180
④ 200 ⑤ 220

STEP A $f'(x)=0$을 이용하여 $f(x)$의 증가와 감소를 나타내는 표를 구하기

$f(x)$의 최고차항의 계수가 -1이므로
$f'(x)$의 최고차항은 $-3x^2$이고
$f'(2)=f'(10)=0$이므로
$f'(x)=-3(x-2)(x-10)$
$f'(x)=0$에서 $x=2$ 또는 $x=10$
함수 $f(x)$의 증가와 감소를 표로 나타내면 다음과 같다.

x	$\cdots$	2	$\cdots$	10	$\cdots$
$f'(x)$	$-$	0	$+$	0	$-$
$f(x)$	↘	극소	↗	극대	↘

함수 $f(x)$는
$x=2$에서 극소이고 극솟값 -56
$x=10$에서 극대이고 극댓값을 갖는다.

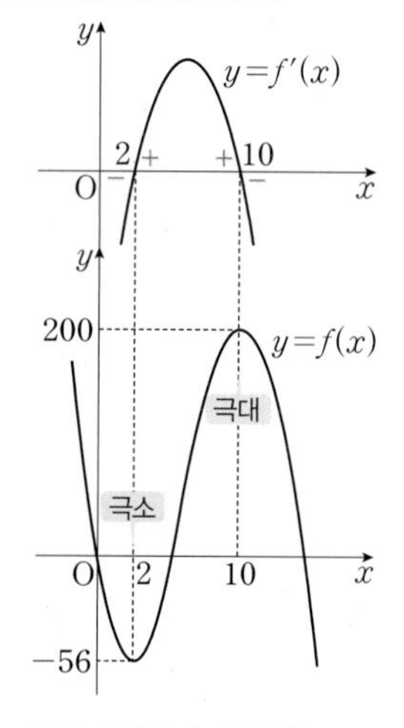

STEP B $x=2$에서 극소이고 극솟값 -56임을 이용하여 적분상수 C 구하기

$f'(x)=-3(x-2)(x-10)=-3x^2+36x-60$
$f(x)=\int f'(x)dx=\int(-3x^2+36x-60)dx$
$=-x^3+18x^2-60x+C$ (단, C는 적분상수)
이때 $f(2)=-56$이므로 $f(2)=-8+72-120+C=-56$
$\therefore C=0$
$\therefore f(x)=-x^3+18x^2-60x$

STEP C 함수 $f(x)$의 극댓값 구하기

따라서 $x=10$에서 극대이고 극댓값은 $f(10)=-1000+1800-600=200$

다른풀이 최고차항의 계수가 -1인 삼차함수 $f(x)$의 식 작성하여 풀이하기

$f(x)=-x^3+ax^2+bx+c$ (a, b, c는 상수)라고 하면
$f'(x)=-3x^2+2ax+b$
$f'(2)=0$, $f'(10)=0$이므로 $f'(2)=-12+4a+b=0$
$f'(10)=-300+20a+b=0$
두 식을 연립하여 풀면 $a=18$, $b=-60$
$\therefore f(x)=-x^3+18x^2-60x+c$
이때 $x=2$에서 극소이고 극솟값이 -56이므로
$f(2)=-56$에서 $c=0$
따라서 $f(x)=-x^3+18x^2-60x$이므로 극댓값은 $f(10)=200$

0640

삼차함수 $y=f(x)$의 도함수 $y=f'(x)$의 그래프가 그림과 같다. $f'(-1)=f'(1)=0$이고 함수 $f(x)$의 극댓값이 4, 극솟값이 0일 때, $f(3)$의 값은?

① 14 ② 16
③ 18 ④ 20
⑤ 22

STEP A 그래프를 이용하여 $f'(x)$의 식을 구하고 적분하기

삼차함수 $f(x)$의 도함수 $f'(x)$는 이차함수이고
함수 $y=f'(x)$의 그래프가 x축과 만나는 점의 x좌표는 -1, 1이므로
$f'(x)=a(x+1)(x-1)$ $(a>0)$로 놓을 수 있다.
$f(x)=\int a(x^2-1)dx=a\left(\frac{x^3}{3}-x\right)+C$ (단, C는 적분상수)

STEP B 극댓값과 극솟값을 이용하여 $f(x)$ 구하기

$f'(x)=0$에서 $x=-1$ 또는 $x=1$
$f'(x)$의 부호를 조사하여 함수 $f(x)$의 증가와 감소를 표로 나타내면 다음과 같다.

x	$\cdots$	-1	$\cdots$	1	$\cdots$
$f'(x)$	$+$	0	$-$	0	$+$
$f(x)$	↗	극대	↘	극소	↗

함수 $f(x)$는 $x=-1$에서 극대이고
극댓값은 $f(-1)=4$
$x=1$에서 극소이고 극솟값 $f(1)=0$을 가진다.

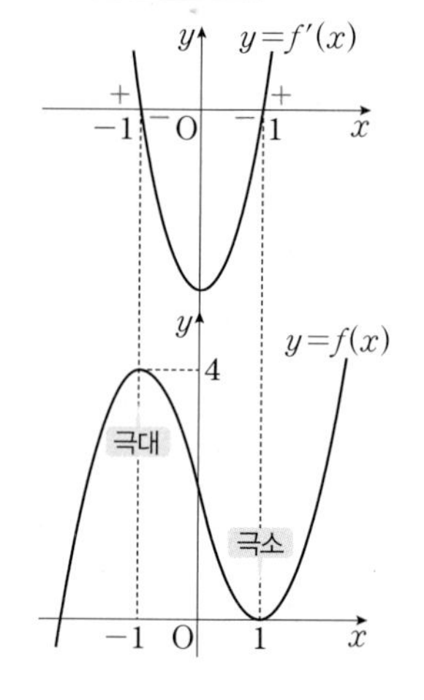

$f(-1)=a\left(-\frac{1}{3}+1\right)+C=4$
$\therefore \frac{2}{3}a+C=4$ …… ㉠
$f(1)=a\left(\frac{1}{3}-1\right)+C=0$
$\therefore -\frac{2}{3}a+C=0$ …… ㉡
㉠과 ㉡을 연립하여 풀면 $a=3$, $C=2$
따라서 $f(x)=3\left(\frac{x^3}{3}-x\right)+2=x^3-3x+2$
이므로 $f(3)=27-9+2=20$

0641

사차함수 $f(x)$의 도함수 $y=f'(x)$의 그래프가 오른쪽 그림과 같다. $f(x)$의 극댓값이 2이고 두 극솟값이 1일 때, $f(2)$의 값은?

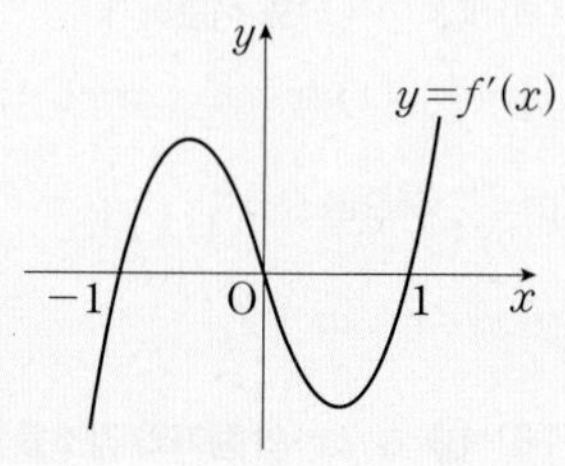

① 6 ② 8
③ 10 ④ 12
⑤ 24

STEP A 그래프를 이용하여 $f'(x)$의 식을 구하고 적분하기

사차함수 $f(x)$의 도함수 $f'(x)$는 삼차함수이고
함수 $y=f'(x)$의 그래프가 x축과 만나는 점의 x좌표는 -1, 0, 1이므로
$f'(x)=a(x-1)x(x+1)$ (단, $a>0$)로 놓을 수 있다.
$f(x)=\int f'(x)dx=\int a(x-1)x(x+1)dx$
$=a\int(x^3-x)dx$
$=a\left(\frac{1}{4}x^4-\frac{1}{2}x^2\right)+C$ (단, C는 적분상수)

STEP Ⓑ **극댓값과 극솟값을 이용하여 $f(x)$ 구하기**

$f'(x)=0$에서 $x=-1$ 또는 $x=0$ 또는 $x=1$

$f'(x)$의 부호를 조사하여 함수 $f(x)$의 증가 감소를 표로 나타내면 다음과 같다.

x	$\cdots$	-1	$\cdots$	0	$\cdots$	1	$\cdots$
$f'(x)$	$-$	0	$+$	0	$-$	0	$+$
$f(x)$	↘	극소	↗	극대	↘	극소	↗

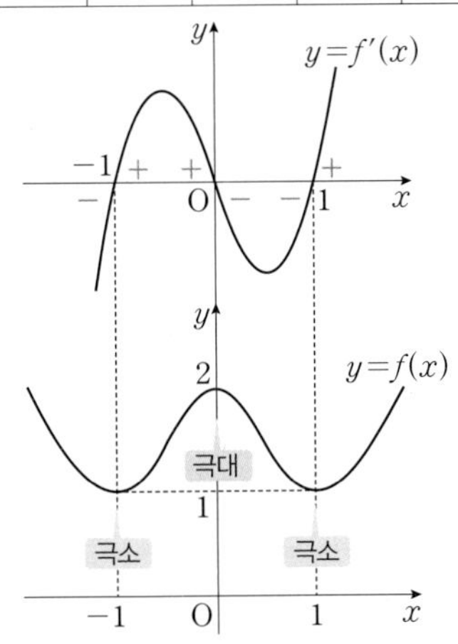

함수 $f(x)$는

$x=-1$, $x=1$에서 극소이고 극솟값은 $f(-1)=f(1)=1$

$x=0$에서 극대이고 극댓값은 $f(0)=2$를 가진다.

$f(0)=C=2$

$f(-1)=f(1)=-\frac{1}{4}a+C=1 \quad \therefore a=4$

$f(x)=4\left(\frac{1}{4}x^4-\frac{1}{2}x^2\right)+2=x^4-2x^2+2$

따라서 $f(2)=16-8+2=10$

다른풀이 중근의 성질을 이용하여 $f(x)$의 식 구하기

$f(x)$의 두 극솟값이 1이므로

$y=f(x)$와 $y=1$은 $x=-1$과 $x=1$에서 접한다.

그러므로 $f(x)=1$은 $x=-1$과 $x=1$을 중근으로 갖는다.

즉 $f(x)-1=a(x-1)^2(x+1)^2$

$f(x)=a(x-1)^2(x+1)^2+1$

그리고 $x=0$에서 극댓값이 2이므로 $f(0)=a+1=2$

$\therefore a=1$

$f(x)=(x-1)^2(x+1)^2+1=x^4-2x^2+2$

따라서 $f(2)=16-8+2=10$

0642

함수 $f(x)$에 대하여 $f'(x)=(x-1)^3$이다. 함수 $f(x)$의 극값을 M, 함수 $y=f(x)$의 그래프 위의 두 점 $\mathrm{A}(0,\ f(0))$, $\mathrm{B}(2,\ f(2))$에서 접하는 두 접선의 교점의 y좌표를 N이라 할 때, $16(M-N)$의 값을 구하여라.

STEP Ⓐ **부정적분을 이용하여 함수 $f(x)$를 구하고 극값 M 구하기**

$f'(x)=(x-1)^3$에서 $f(x)=\int(x-1)^3dx=\frac{1}{4}(x-1)^4+C$

또, $f'(x)=0$에서 $x=1$

함수 $f(x)$의 증가와 감소를 표로 나타내면 다음과 같다.

x	$\cdots$	1	$\cdots$
$f'(x)$	$-$	0	$+$
$f(x)$	↘	극소	↗

$f(x)$는 $x=1$에서 극소이고 극솟값은 $M=f(1)=C$

STEP Ⓑ **두 점 $\mathrm{A}(0,\ f(0))$, $\mathrm{B}(2,\ f(2))$에서 접선의 방정식 구하기**

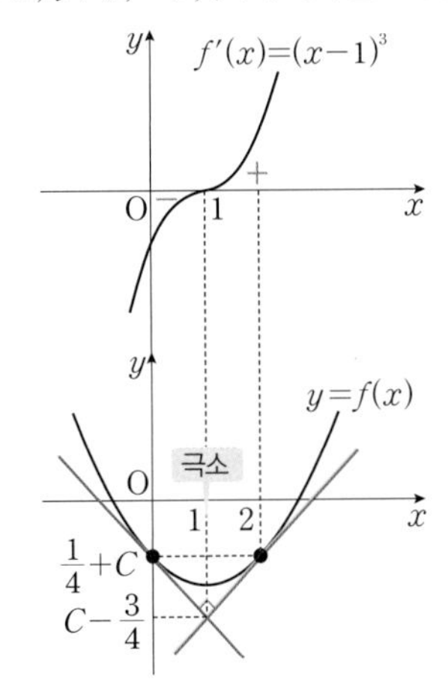

한편 $f'(0)=-1$, $f(0)=\frac{1}{4}+C$이므로 $x=0$에서의 접선의 방정식은

$y=-(x-0)+\frac{1}{4}+C$

또, $f'(2)=1$, $f(2)=\frac{1}{4}+C$이므로 $x=2$에서의 접선의 방정식은

$y=(x-2)+\frac{1}{4}+C$

STEP Ⓒ **두 접선의 교점의 y좌표를 구하여 $16(M-N)$ 구하기**

이때 두 접선의 교점의 x좌표는 $-x+\frac{1}{4}+C=x-2+\frac{1}{4}+C$에서

$x=1$이므로 $N=C-\frac{3}{4}$

따라서 $16(M-N)=16\left\{C-\left(C-\frac{3}{4}\right)\right\}=12$

0643

두 다항함수 $f(x)$, $g(x)$에 대하여

$$f'(x)+g'(x)=4,\ f'(x)g(x)+f(x)g'(x)=6x+1$$

이고 $f(0)=1$, $g(0)=-2$일 때, $f(4)g(2)$의 값은?

① 5　② 10　③ 15
④ 20　⑤ 25

STEP Ⓐ **적분하여 $f(x)+g(x)$의 값 구하기**

$\{f(x)+g(x)\}'=f'(x)+g'(x)=4$이므로

$f(x)+g(x)=\int 4dx=4x+C_1$ (단, C_1은 적분상수)

이때 $f(0)=1$, $g(0)=-2$이므로 $f(0)+g(0)=C_1=-1$

$\therefore f(x)+g(x)=4x-1$ $\cdots\cdots$ ㉠

STEP Ⓑ **적분하여 $f(x)g(x)$의 값 구하기**

한편 $\{f(x)g(x)\}'=f'(x)g(x)+f(x)g'(x)=6x+1$이므로

$f(x)g(x)=\int(6x+1)dx$

$=3x^2+x+C_2$ (단, C_2는 적분상수)

이때 $f(0)=1$, $g(0)=-2$이므로 $f(0)g(0)=C_2=-2$

$\therefore f(x)g(x)=3x^2+x-2$

$=(3x-2)(x+1)$ $\cdots\cdots$ ㉡

STEP Ⓒ **$f(0)=1$, $g(0)=-2$를 만족하는 두 다항함수 $f(x)$, $g(x)$ 구하기**

㉠, ㉡과 $f(0)=1$, $g(0)=-2$를 동시에 만족해야 하므로

$f(x)=x+1$, $g(x)=3x-2$

따라서 $f(4)g(2)=5\cdot4=20$

0644

서술형

함수 $f(x)$가 미분가능하고 그 도함수 $y=f'(x)$의 그래프가 다음 그림과 같다.
$f(2)=3$일 때, $f(-1)$의 값을 구하는 과정을 다음 단계로 서술하여라.

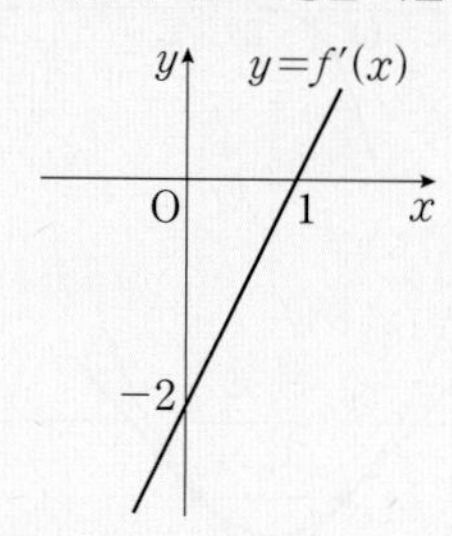

[1단계] 함수 $f(x)$의 도함수 $f'(x)$를 구한다.
[2단계] $f'(x)$의 부정적분을 구한다.
[3단계] 함수 $f(x)$를 구하여 $f(-1)$의 값을 구한다.

1단계 함수 $f(x)$의 도함수 $f'(x)$를 구한다. ◀ 30%

그래프에서 두 점 $(0, -2)$, $(1, 0)$을 지나는 직선의 방정식은
$f'(x)=2x-2$

2단계 $f'(x)$의 부정적분을 구한다. ◀ 30%

$f(x)=\int f'(x)dx=\int(2x-2)dx$
$=x^2-2x+C$ (단, C는 적분상수)

3단계 함수 $f(x)$를 구하여 $f(-1)$의 값을 구한다. ◀ 40%

$f(2)=3$이므로 $f(2)=4-4+C=3$
$\therefore C=3$
$f(x)=x^2-2x+3$
따라서 $f(-1)=1+2+3=6$

0645

서술형

다항함수 $f(x)=\int(3x^2+ax+9)dx$가 $x=-1$에서 극솟값 1을 가질 때, 상수 a의 값과 $f(x)$의 극댓값을 구하는 과정을 다음 단계로 서술하여라.

[1단계] 다항함수 $y=f(x)$가 $x=-1$에서 극소이므로 $f'(-1)=0$임을 이용하여 상수 a를 구한다.
[2단계] 다항함수 $y=f(x)$가 $x=-1$에서 극솟값이 1임을 이용하여 적분상수 C를 구한다.
[3단계] 함수 $f(x)$의 증가와 감소를 표로 나타내어 함수 $f(x)$의 극댓값을 구한다.

1단계 다항함수 $y=f(x)$가 $x=-1$에서 극소이므로 $f'(-1)=0$임을 이용하여 상수 a를 구한다. ◀ 30%

$f(x)$가 $x=-1$에서 극소이므로 $f'(-1)=0$
$f(x)=\int(3x^2+ax+9)dx$에서 양변을 x에 대하여 미분하면
$f'(x)=3x^2+ax+9$이므로 $f'(-1)=3-a+9=0$
$\therefore a=12$

2단계 다항함수 $y=f(x)$가 $x=-1$에서 극솟값이 1임을 이용하여 적분상수 C를 구한다. ◀ 30%

$f(x)=\int(3x^2+12x+9)dx$
$=x^3+6x^2+9x+C$ (단, C는 적분상수)
$f(x)$가 $x=-1$에서 극솟값 1을 가지므로 $f(-1)=1$
$f(-1)=-1+6-9+C=1$이므로 $C=5$

3단계 함수 $f(x)$의 증가와 감소를 표로 나타내어 함수 $f(x)$의 극댓값을 구한다. ◀ 40%

$f(x)=x^3+6x^2+9x+5$
$f'(x)=3x^2+12x+9=3(x+1)(x+3)$
$f'(x)=0$에서 $x=-3$ 또는 $x=-1$
함수 $f(x)$의 증가와 감소를 표로 나타내면 다음과 같다.

x	$\cdots$	-3	$\cdots$	-1	$\cdots$
$f'(x)$	$+$	0	$-$	0	$+$
$f(x)$	↗	극대	↘	극소	↗

따라서 $f(x)$는 $x=-3$에서 극대이고 극댓값은
$f(-3)=-27+54-27+5=5$

0646

서술형

함수 $f(x)$에 대하여 $f'(x)=3x^2+2x+a$이고 다항식 $f(x)$가 x^2-4x+3으로 나누어떨어질 때, $f(-2)$의 값을 구하는 과정을 다음 단계로 서술하여라. (단, a는 상수)

[1단계] $f'(x)$를 적분한다.
[2단계] 다항식 $f(x)$가 x^2-4x+3으로 나누어떨어짐을 이용하여 a와 적분상수 C를 구한다.
[3단계] $f(-2)$의 값을 구한다.

1단계 $f'(x)$를 적분한다. ◀ 20%

$f'(x)=3x^2+2x+a$이므로
$f(x)=\int f'(x)dx=\int(3x^2+2x+a)dx$
$=x^3+x^2+ax+C$ (단, C는 적분상수)

2단계 다항식 $f(x)$가 x^2-4x+3으로 나누어떨어짐을 이용하여 a와 적분상수 C를 구한다. ◀ 60%

다항식 $f(x)$가 x^2-4x+3으로 나누어떨어지므로
$x^3+x^2+ax+C=(x^2-4x+3)(x+k)$ (k는 상수)
로 놓을 수 있다.
즉 $x^3+x^2+ax+C=(x-1)(x-3)(x+k)$
$x=1$, $x=3$을 위의 등식의 양변에 대입하면
$a+C=-2$ …… ㉠
$3a+C=-36$ …… ㉡
㉠, ㉡을 연립하여 풀면
$a=-17$, $C=15$

3단계 $f(-2)$의 값을 구한다. ◀ 20%

따라서 $f(x)=x^3+x^2-17x+15$이므로 $f(-2)=-8+4+34+15=45$

TOUGH

0647

이차함수 $f(x)$에 대하여 함수 $g(x)$가

$$g(x)=\int\{f(x)-x^2\}dx,\ f(x)g(x)=x^4+2x^3$$

을 만족시킬 때, $f(1)+g(1)$의 값을 구하여라.

STEP Ⓐ 조건을 만족하는 두 이차함수 $f(x)$, $g(x)$의 식 작성하기

함수 $f(x)$가 이차함수이고 $f(x)g(x)$가 사차함수이므로

$g(x)$는 이차함수이다.

$g(x)=\int\{f(x)-x^2\}dx$에서 $g'(x)=f(x)-x^2$이고

$g'(x)$가 일차함수이므로 $f(x)-x^2$는 일차함수이다.

이때 $f(x)=x^2+ax+b\ (a\neq0)$라 하면

$$g(x)=\int\{f(x)-x^2\}dx$$
$$=\int(ax+b)dx$$
$$=\frac{a}{2}x^2+bx+C$$

STEP Ⓑ 계수를 비교하여 $g(x)$의 값 구하기

$f(x)g(x)=(x^2+ax+b)\left(\frac{a}{2}x^2+bx+C\right)=x^4+2x^3$이므로

양변의 동차항의 계수를 비교하면

x^4와 계수비교하면 $\frac{a}{2}=1\quad\therefore a=2$

x^3와 계수비교하면 $b+\frac{a^2}{2}=2\quad\therefore b=0$

x^2와 계수비교하면 $C+ab+\frac{ab}{2}=0\quad\therefore C=0$

따라서 $f(x)=x^2+2x$, $g(x)=x^2$이므로 $f(1)+g(1)=3+1=4$

0648

다항함수 $f(x)$가 모든 실수 x에 대하여

$$\frac{d}{dx}\left\{f(x)+\int xf(x)dx\right\}=x^3+2x^2-x+2$$

을 만족시킬 때, $f(3)$의 값을 구하여라.

STEP Ⓐ 주어진 조건을 만족하는 다항함수 $f(x)$의 차수 구하기

$\frac{d}{dx}\left\{f(x)+\int xf(x)dx\right\}=x^3+2x^2-x+2$에서

$f'(x)+xf(x)=x^3+2x^2-x+2$ …… ㉠

다항함수 $f(x)$의 차수를 n이라 하면

좌변의 차수는 $n+1$, 우변의 차수는 3이므로 $n+1=3$

$\therefore n=2$

즉 $f(x)$는 이차함수이므로 $f(x)=ax^2+bx+c\,(a,\ b,\ c$는 상수, $a\neq0)$로 놓을 수 있다.

STEP Ⓑ 계수비교를 하여 이차함수 $f(x)$ 구하기

$f(x)=ax^2+bx+c$에서 $f'(x)=2ax+b$이므로

㉠에 대입하면

$(2ax+b)+x(ax^2+bx+c)=x^3+2x^2-x+2$

$ax^3+bx^2+(2a+c)x+b=x^3+2x^2-x+2$ …… ㉡

㉡은 x에 대한 항등식이므로

$a=1,\ b=2,\ 2a+c=-1$

즉 $a=1,\ b=2,\ c=-3$

따라서 $f(x)=x^2+2x-3$이므로 $f(3)=9+6-3=12$

0649

최고차항의 계수가 1인 사차함수 $f(x)$가 다음 조건을 만족할 때, 함수 $f(x)$의 극솟값을 구하여라.

(가) 함수 $y=f(x)$의 그래프는 $x=0$에서 x축과 접한다.
(나) 함수 $y=f(x)$는 $x=-2$와 $x=2$에서 극값을 갖는다.

STEP Ⓐ $f'(x)=0$이 되는 점을 이용하여 $f'(x)$의 식 작성하기

조건 (가)에서

함수 $y=f(x)$의 그래프는 $x=0$에서 x축과 접하므로

$f(0)=f'(0)=0$

조건 (나)에서

함수 $y=f(x)$는 $x=-2$와 $x=2$에서 극값을 가지므로

$f'(-2)=f'(2)=0$

이때 사차함수 $f(x)$의 최고차항의 계수가 1이므로

$f'(x)$는 삼차함수이고 최고차항의 계수가 4이다.

$f'(0)=f'(-2)=f'(2)=0$이므로

$f'(x)=4x(x+2)(x-2)=4x^3-16x$

STEP Ⓑ $f'(x)$를 적분하여 $f(x)$의 식 작성하기

$f'(x)=4x^3-16x$에서

$$f(x)=\int f'(x)dx$$
$$=\int(4x^3-16x)dx$$
$$=x^4-8x^2+C\ (\text{단, }C\text{는 적분상수})$$

이때 $f(0)=0$이므로 $f(0)=C=0$

$\therefore f(x)=x^4-8x^2$

STEP Ⓒ $f(x)$의 증가와 감소를 표로 나타내어 극댓값 구하기

$f'(x)=4x(x+2)(x-2)$에서

$f'(x)=0$에서 $x=-2$ 또는 $x=0$ 또는 $x=2$

함수 $f(x)$의 증가와 감소를 표로 나타내면 다음과 같다.

x	$\cdots$	-2	$\cdots$	0	$\cdots$	2	$\cdots$
$f'(x)$	$-$	0	$+$	0	$-$	0	$+$
$f(x)$	↘	극소	↗	극대	↘	극소	↗

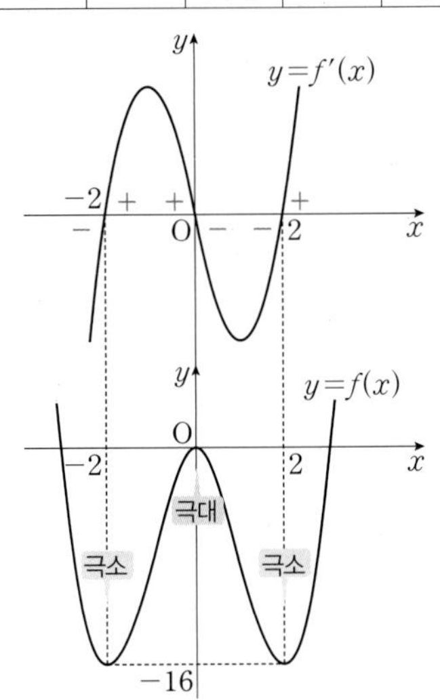

따라서 $x=-2$, $x=2$에서 극소이고 극솟값은 $f(2)=f(-2)=16-32=-16$

0650

최고차항의 계수가 1인 사차함수 $f(x)$가 다음 조건을 모두 만족시킨다.

(가) $f(1+x)=f(1-x)$
(나) $x=2$에서 극솟값을 갖는다.
(다) 그래프가 점 $(-1, 0)$을 지난다.

이때 함수 $f(x)$의 극댓값을 구하여라.

STEP A $f'(x)=0$이 되는 점을 이용하여 $f'(x)$의 식 작성하기

조건 (가)에서

사차함수 $y=f(x)$의 그래프는 직선 $x=1$에 대하여 대칭이다.

이때 최고차항의 계수가 1이므로 함수 $f(x)$는 $x=1$에서 극댓값을 갖는다.

조건 (나)에서

$x=2$에서 극솟값을 가지므로 $x=0$에서 극솟값을 갖는다.

이때 사차함수 $f(x)$의 최고차항의 계수가 1이므로

$f'(x)$는 삼차함수이고 최고차항의 계수가 4이다.

사차함수 $y=f(x)$는 $x=0,\ x=1,\ x=2$에서 극값을 가지므로

$f'(0)=f'(1)=f'(2)=0$

$f'(x)=4x(x-1)(x-2)=4x^3-12x^2+8x$

STEP B $f'(x)$를 적분하여 $f(x)$의 식 작성하기

$f'(x)=4x^3-12x^2+8x$에서

$f(x)=\int f'(x)dx$

$=\int(4x^3-12x^2+8x)dx$

$=x^4-4x^3+4x^2+C$ (단, C는 적분상수)

이때 $y=f(x)$의 그래프가 점 $(-1, 0)$을 지나므로

$f(-1)=9+C=0 \quad \therefore C=-9$

$\therefore f(x)=x^4-4x^3+4x^2-9$

STEP C 극댓값 구하기

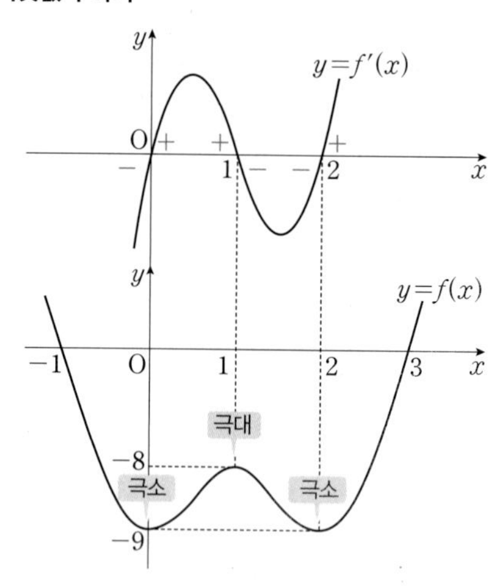

따라서 $f(x)$는 $x=1$에서 극대이고 극댓값은 $f(1)=1-4+4-9=-8$

0651

사차함수 $f(x)$의 도함수 $y=f'(x)$의 그래프가 오른쪽 그림과 같고 $f'(-\sqrt{2})=f'(0)=f'(\sqrt{2})=0$이다. $f(0)=1,\ f(\sqrt{2})=-3$일 때, $f(m)f(m+1)<0$을 만족시키는 모든 정수 m의 값의 합은?

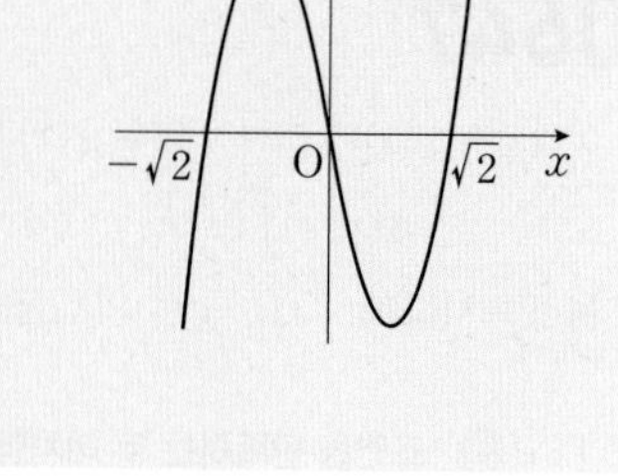

① -2　② -1　③ 0　④ 1　⑤ 2

STEP A 함수 $f'(x)$의 그래프와 주어진 조건을 만족하는 $f(x)$ 구하기

함수 $f'(x)$는 삼차함수이고 $f'(0)=f'(\sqrt{2})=f'(-\sqrt{2})=0$이므로

$f'(x)=kx(x+\sqrt{2})(x-\sqrt{2})=kx(x^2-2)=kx^3-2kx$ (단, k는 상수)

로 놓을 수 있다.

$f(x)=\int f'(x)dx=\int(kx^3-2kx)dx$

$=\frac{k}{4}x^4-kx^2+C$ (단, C는 적분상수)

이때 $f(0)=1$이므로 $f(0)=C=1$

또, $f(\sqrt{2})=-3$이므로 $f(\sqrt{2})=k-2k+C=-k+1=-3 \quad \therefore k=4$

$\therefore f(x)=x^4-4x^2+1$

STEP B 함수 $y=f(x)$의 그래프 그리기

$f'(x)=0$에서 $x=-\sqrt{2}$ 또는 $x=0$ 또는 $x=\sqrt{2}$

$f'(x)$의 부호를 조사하여 함수 $f(x)$의 증가와 감소를 표로 나타내면 다음과 같다.

x	$\cdots$	$-\sqrt{2}$	$\cdots$	0	$\cdots$	$\sqrt{2}$	$\cdots$
$f'(x)$	$-$	0	$+$	0	$-$	0	$+$
$f(x)$	↘	극소	↗	극대	↘	극소	↗

함수 $f(x)$는 $x=-\sqrt{2},\ x=\sqrt{2}$에서 극소이고 극솟값은

$f(-\sqrt{2})=f(\sqrt{2})=-3$이고 $x=0$에서 극대이고 극댓값 $f(0)=1$

즉 함수 $y=f(x)$의 그래프는 다음 그림과 같다.

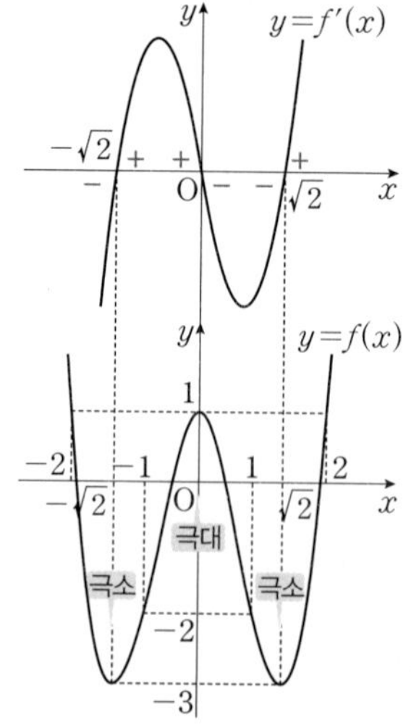

STEP C $f(m)f(m+1)<0$를 만족하는 정수 m 구하기

$f(-2)=f(2)=1>0,\ f(-1)=f(1)=-2<0$

$f(0)=1>0$이므로 $f(-2)f(-1)=1\cdot(-2)=-2<0$

$f(-1)f(0)=(-2)\cdot 1=-2<0$

$f(0)f(1)=1\cdot(-2)=-2<0$

$f(1)f(2)=(-2)\cdot 1=-2<0$

따라서 $f(m)f(m+1)<0$을 만족시키는 정수는 $-2,\ -1,\ 0,\ 1$이므로

모든 정수 m의 값의 합은 $-2-1+0+1=-2$

0652

최고차항의 계수가 1인 삼차함수 $f(x)$가

$$f(0)=0,\ f(\alpha)=0,\ f'(\alpha)=0$$

이고 함수 $g(x)$가 다음 두 조건을 만족시킬 때, $g\left(\frac{\alpha}{3}\right)$의 값은?
(단, α는 양수이다.)

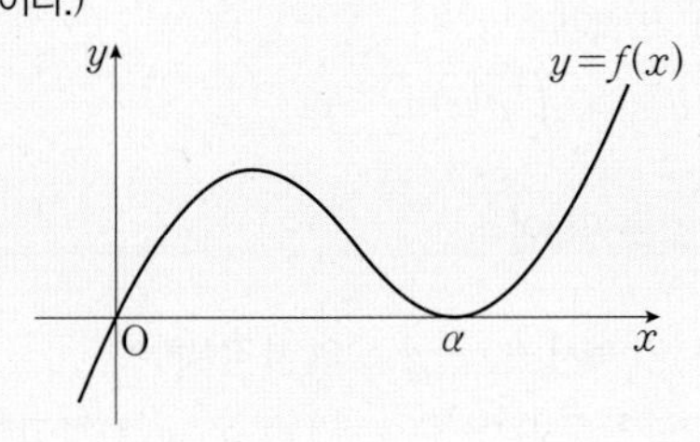

(가) $g'(x)=f(x)+xf'(x)$
(나) $g(x)$의 극댓값이 81이고 극솟값이 0이다.

① 56 ② 58 ③ 60
④ 62 ⑤ 64

STEP Ⓐ **주어진 그래프를 통해 삼차함수 $f(x)$ 구하기**

최고차항의 계수가 1인 삼차함수 $f(x)$에 대하여
방정식 $f(x)=0$의 실근은 $x=0,\ x=\alpha$(중근)이므로
$f(x)=x(x-\alpha)^2$ ⋯⋯ ㉠

STEP Ⓑ **곱의 미분법 $\{xf(x)\}'=f(x)+xf'(x)$를 이용하여 $g(x)$ 구하기**

조건 (가)에서 $g'(x)=f(x)+xf'(x)=\{xf(x)\}'$이므로

$g(x)=\int\{xf(x)\}'dx$
$=xf(x)+C$ (단, C는 적분상수) ⋯⋯ ㉡

㉠을 ㉡에 대입하면
$g(x)=x^2(x-\alpha)^2+C$

STEP Ⓒ **조건 (나)를 이용하여 α 구하기**

$g'(x)=2x(x-\alpha)^2+2x^2(x-\alpha)$
$=2x(x-\alpha)(2x-\alpha)$

$g'(x)=0$에서 $x=0$ 또는 $x=\frac{\alpha}{2}$ 또는 $x=\alpha$일 때,
함수 $g(x)$의 증가와 감소를 표로 나타내면 다음과 같다.

x		0		$\frac{\alpha}{2}$		α	
$g'(x)$	$-$	0	$+$	0	$-$	0	$+$
$g(x)$	↘	극소	↗	극대	↘	극소	↗

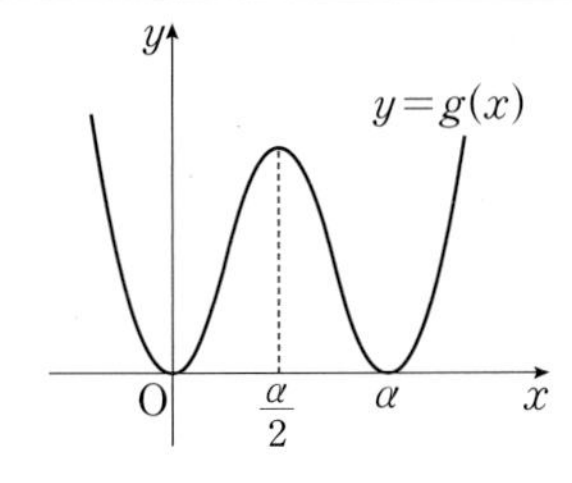

조건 (나)에서 함수 $g(x)$는 $x=0,\ x=\alpha$에서 극솟값이 0이므로
$g(0)=g(\alpha)=0$
$\therefore\ g(0)=g(\alpha)=C=0$
$x=\frac{\alpha}{2}$에서 극댓값이 81이므로 $g\left(\frac{\alpha}{2}\right)=81$
$g\left(\frac{\alpha}{2}\right)=\left(\frac{\alpha}{2}\right)^2\left(\frac{\alpha}{2}-\alpha\right)^2=81,\ \frac{1}{16}\alpha^4=81$
$\therefore\ \alpha=6\ (\because\ \alpha>0)$
따라서 $g(x)=x^2(x-6)^2$이므로 $g\left(\frac{\alpha}{3}\right)=g(2)=4\cdot16=64$

mapl YOUR MASTER PLAN
MEMO

02 정적분

0653

다음 정적분의 값을 계산하여라.

(1) $\int_0^2 (x+1)^2dx - \int_0^2 (x-1)^2dx$

STEP A 정적분의 성질을 이용하여 식을 정리하고 정적분의 값 구하기

$$\int_0^2 (x+1)^2dx - \int_0^2 (x-1)^2dx = \int_0^2 \{(x+1)^2-(x-1)^2\}dx$$
$$= \int_0^2 4xdx = \Big[2x^2\Big]_0^2 = 8$$

(2) $\int_0^2 \frac{x^3}{x-4}dx + \int_2^0 \frac{4y^2}{y-4}dy$

STEP A 정적분의 변수를 일치시키고 정적분의 성질을 이용하여 정적분의 값 구하기

$$\int_0^2 \frac{x^3}{x-4}dx + \int_2^0 \frac{4y^2}{y-4}dy = \int_0^2 \frac{x^3}{x-4}dx - \int_0^2 \frac{4x^2}{x-4}dx$$
$$= \int_0^2 \frac{x^3-4x^2}{x-4}dx = \int_0^2 \frac{x^2(x-4)}{x-4}dx$$
$$= \int_0^2 x^2dx = \Big[\frac{1}{3}x^3\Big]_0^2 = \frac{8}{3}$$

0654

이차함수 $y=f(x)$의 그래프와 직선 $y=g(x)$가 오른쪽 그림과 같이 서로 다른 두 점에서 만날 때, $\int_{-3}^3 f(x)dx - \int_{-3}^3 g(x)dx$의 값은?

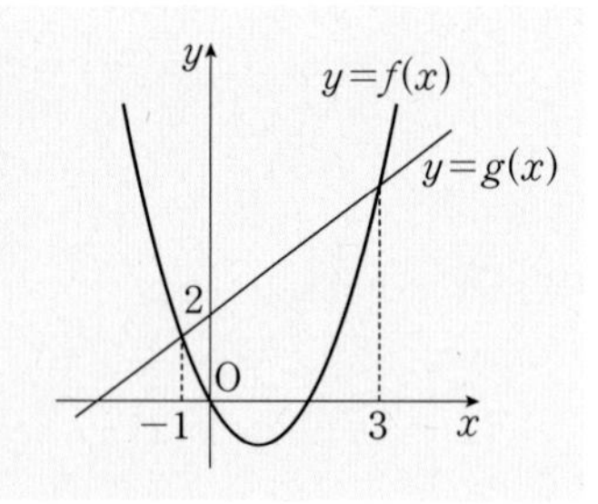

① 0 ② 1 ③ 2 ④ 3 ⑤ 5

STEP A 그래프에서 두 함수의 교점을 이용하여 $f(x)-g(x)$식 작성하기

두 그래프 $y=f(x)$, $y=g(x)$의 교점이 -1, 3이므로

$f(x)-g(x)=a(x+1)(x-3)\ (a\neq 0)$

그래프에서 $f(0)=0$, $g(0)=2$이므로 $f(0)-g(0)=-3a=-2$

$\therefore a=\frac{2}{3}$

이때 $f(x)-g(x)=\frac{2}{3}(x+1)(x-3)=\frac{2}{3}x^2-\frac{4}{3}x-2$

STEP B $\int_a^b f(x)dx \pm \int_a^b g(x)dx = \int_a^b \{f(x)\pm g(x)\}dx$를 이용하여 주어진 값 구하기

$\int_{-3}^3 f(x)dx - \int_{-3}^3 g(x)dx$

$= \int_{-3}^3 \{f(x)-g(x)\}dx$

$= \int_{-3}^3 \left(\frac{2}{3}x^2-\frac{4}{3}x-2\right)dx$

$= \Big[\frac{2}{9}x^3-\frac{2}{3}x^2-2x\Big]_{-3}^3$

$= \left\{\frac{2}{9}\cdot 3^3-\frac{2}{3}\cdot 3^2-2\cdot 3\right\}-\left\{\frac{2}{9}\cdot(-3)^3-\frac{2}{3}\cdot(-3)^2-2\cdot(-3)\right\}$

$=6-6-(-6+6)=0$

$\int_{-3}^3\left(\frac{2}{3}x^2-\frac{4}{3}x-2\right)dx = 2\int_0^3\left(\frac{2}{3}x^2-2\right)dx$를 이용하여 계산한다.

0655

최고차항의 계수가 1인 두 사차함수 $f(x)$, $g(x)$가 다음 조건을 만족시킨다.

(가) 두 함수 $y=f(x)$와 $y=g(x)$의 그래프가 만나는 세 점의 x좌표는 각각 -1, 0, 2이다.

(나) $\int_0^2 f(x)dx=4$, $\int_0^2 g(x)dx=12$

$f(3)-g(3)$의 값을 구하여라.

STEP A 조건 (가)에서 $f(x)-g(x)$의 식 작성하기

최고차항의 계수가 1인 두 사차함수 $y=f(x)$, $y=g(x)$의 그래프가 만나는 세 점의 x좌표가 -1, 0, 2이므로

$f(x)-g(x)=a(x+1)x(x-2)\ (a\neq 0)$

STEP B 조건 (나)에서 $\int_0^2 \{f(x)-g(x)\}dx$의 값에서 $f(x)-g(x)$ 구하기

조건 (나)에 의하여

$\int_0^2 f(x)dx=4$, $\int_0^2 g(x)dx=12$이므로

$\int_0^2 \{f(x)-g(x)\}dx=4-12=-8$

$\int_0^2 \{f(x)-g(x)\}dx = \int_0^2 \{a(x+1)x(x-2)\}dx$

$=a\int_0^2 (x^3-x^2-2x)dx$

$=a\Big[\frac{1}{4}x^4-\frac{1}{3}x^3-x^2\Big]_0^2$

$=a\left(4-\frac{8}{3}-4\right)$

$=-\frac{8}{3}a$

이때 $-\frac{8}{3}a=-8$이므로 $a=3$

따라서 $f(x)-g(x)=3(x+1)x(x-2)$이므로 $f(3)-g(3)=36$

0656

다음 물음에 답하여라.

(1) 함수 $f(x)=x^2-2x$에 대하여

$$\int_2^4 f(x)dx - \int_3^4 f(x)dx + \int_1^2 f(x)dx$$

의 값을 구하여라.

STEP A 정적분의 성질을 이용하여 식을 정리하고 정적분의 값 구하기

$\int_2^4 f(x)dx - \int_3^4 f(x)dx + \int_1^2 f(x)dx$

$=\left\{\int_1^2 f(x)dx + \int_2^4 f(x)dx\right\} - \int_3^4 f(x)dx$

$=\int_1^4 f(x)dx + \int_4^3 f(x)dx$

$=\int_1^3 f(x)dx$

$=\int_1^3 (x^2-2x)dx$

$=\Big[\frac{1}{3}x^3-x^2\Big]_1^3$

$=\frac{2}{3}$

(2) 다항함수 $f(x)$가 $\int_k^{k+1} f(x)dx=(k+1)^2$을 만족할 때, $\int_0^{10} f(x)dx$의 값을 구하여라. (단, k는 음이 아닌 정수)

STEP A 정적분의 분할을 이용하여 정적분의 값 구하기

$\int_k^{k+1} f(x)dx=(k+1)^2$이고 정적분의 분할을 이용하면

$$\int_0^{10} f(x)dx=\int_0^1 f(x)dx+\int_1^2 f(x)dx+\cdots+\int_9^{10} f(x)dx$$
$$=1^2+2^2+\cdots+10^2$$
$$=\sum_{k=1}^{10} k^2=\frac{10\cdot 11\cdot 21}{6}=385$$

0657

$\int_0^3 (x+1)^2dx-\int_{-1}^3 (x-1)^2dx+\int_{-1}^0 (x-1)^2dx$의 값은?

① 18 ② 20 ③ 22
④ 24 ⑤ 26

STEP A 적분하려는 함수가 같음을 이용하는 정적분의 성질로 계산하기

$$\int_0^3 (x+1)^2dx-\int_{-1}^3 (x-1)^2dx+\int_{-1}^0 (x-1)^2dx$$
$$\int_0^3 (x+1)^2dx-\left\{\int_{-1}^3 (x-1)^2dx+\int_0^{-1} (x-1)^2dx\right\}$$
$$=\int_0^3 (x+1)^2dx-\int_0^3 (x-1)^2dx$$
$$=\int_0^3 \{(x+1)^2-(x-1)^2\}dx$$
$$=\int_0^3 \{(x^2+2x+1)-(x^2-2x+1)\}dx$$
$$=\int_0^3 4xdx=\left[2x^2\right]_0^3$$
$$=18$$

0658

이차함수는 $f(x)$는 $f(0)=-1$이고

$$\int_{-1}^1 f(x)dx=\int_0^1 f(x)dx=\int_{-1}^0 f(x)dx$$

를 만족시킨다. $f(2)$의 값은?

① 11 ② 10 ③ 9
④ 8 ⑤ 7

STEP A 이차함수 $f(x)$에 대하여 $f(0)=-1$임을 이용하여 식 작성하기

$f(x)=ax^2+bx+c$ ($a\neq 0$, a, b, c는 상수)라 하면

$f(0)=-1$이므로 $c=-1$

$\therefore f(x)=ax^2+bx-1$

STEP B $\int_a^b f(x)dx=\int_a^c f(x)dx+\int_c^b f(x)dx$임을 이용하여 식을 변형하여 이차함수 $f(x)$ 구하기

(ⅰ) $\int_{-1}^1 f(x)dx=\int_0^1 f(x)dx$에서 정적분의 성질에 의해

$\int_{-1}^0 f(x)dx+\int_0^1 f(x)dx=\int_0^1 f(x)dx$

$\therefore \int_{-1}^0 f(x)dx=0$

즉 $\int_{-1}^0 f(x)dx=\int_{-1}^0 (ax^2+bx-1)dx$

$=\left[\frac{a}{3}x^3+\frac{b}{2}x^2-x\right]_{-1}^0$

$=\frac{a}{3}-\frac{b}{2}-1=0$ …… ㉠

(ⅱ) $\int_{-1}^1 f(x)dx=\int_{-1}^0 f(x)dx$에서 정적분의 성질에 의해

$\int_{-1}^0 f(x)dx+\int_0^1 f(x)dx=\int_{-1}^0 f(x)dx$

$\therefore \int_0^1 f(x)dx=0$

즉 $\int_0^1 f(x)dx=\int_0^1 (ax^2+bx-1)dx$

$=\left[\frac{a}{3}x^3+\frac{b}{2}x^2-x\right]_0^1$

$=\frac{a}{3}+\frac{b}{2}-1=0$ …… ㉡

㉠, ㉡에서 연립하여 풀면 $a=3$, $b=0$

따라서 $f(x)=3x^2-1$이므로 $f(2)=12-1=11$

다른풀이 정적분의 성질을 이용하여 풀이하기

STEP A 정적분 $\int_{-1}^1 f(x)dx$의 값 구하기

$\int_{-1}^1 f(x)dx=\int_{-1}^0 f(x)dx+\int_0^1 f(x)dx$이므로

$\int_{-1}^1 f(x)dx=\int_{-1}^1 f(x)dx+\int_{-1}^1 f(x)dx$에서

$\int_{-1}^1 f(x)dx=0$ ← $\int_{-1}^1 f(x)dx=\int_0^1 f(x)dx=\int_{-1}^0 f(x)dx$

STEP B $f(2)$의 값 구하기

이차함수 $f(x)$를 $f(x)=ax^2+bx+c$ ($a\neq 0$)로 놓으면

$f(0)=-1$에서 $c=-1$

이때 $\int_{-1}^1 f(x)dx=0$이므로

$\int_{-1}^1 (ax^2+bx-1)dx=2\int_0^1 (ax^2-1)dx$

$=\left[\frac{1}{3}ax^2-x\right]_0^1$

$=\frac{1}{3}a-1=0$

$\therefore a=3$

또한, $\int_{-1}^1 f(x)dx=\int_0^1 f(x)dx=0$이므로

$\int_0^1 (3x^2+bx-1)dx=\left[x^3+\frac{1}{2}bx^2-x\right]_0^1$

$=1+\frac{1}{2}b-1=0$

$\therefore b=0$

따라서 $f(x)=3x^2-1$이므로 $f(2)=11$

0659

다음 물음에 답하여라.

(1) 함수 $f(x)=\begin{cases} x-1 & (x\geq 1) \\ x^2-1 & (x<1)\end{cases}$에 대하여 정적분 $\int_0^2 f(x)dx$를 구하여라.

STEP A 구간에 따른 정적분의 값 구하기

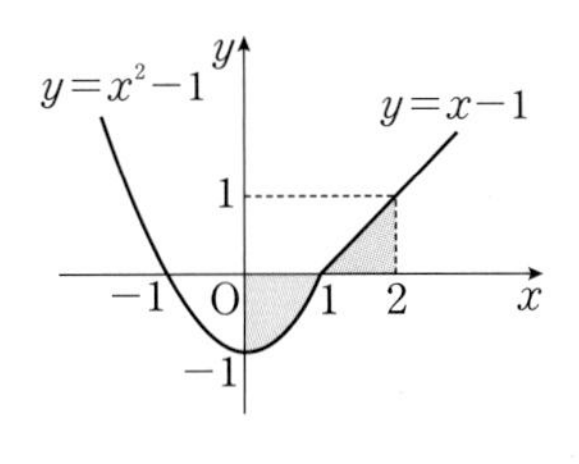

$\int_0^2 f(x)dx$

$=\int_0^1 f(x)dx+\int_1^2 f(x)dx$

$=\int_0^1 (x^2-1)dx+\int_1^2 (x-1)dx$

$=\left[\frac{1}{3}x^3-x\right]_0^1+\left[\frac{1}{2}x^2-x\right]_1^2$

$=-\frac{1}{6}$

(2) 함수 $y=f(x)$의 그래프가 오른쪽 그림과 같을 때, $\int_{-3}^{2} f(x)\,dx$의 값을 구하여라.

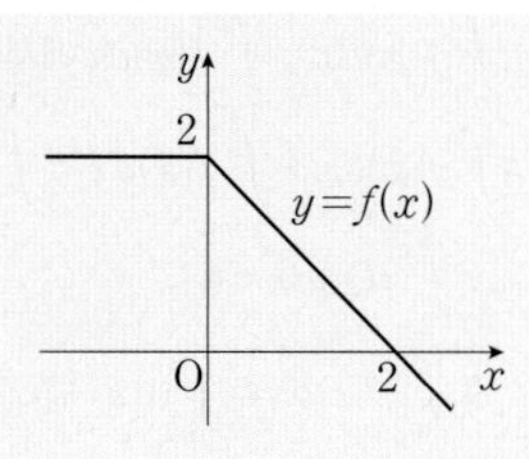

STEP A 구간에서 함수의 식 작성하기

주어진 그래프에서

$$f(x)=\begin{cases} 2 & (x \le 0) \\ -x+2 & (x \ge 0) \end{cases}$$

STEP B 구간에 따른 정적분의 값 구하기

$$\begin{aligned}\int_{-3}^{2} f(x)\,dx &= \int_{-3}^{0} f(x)\,dx + \int_{0}^{2} f(x)\,dx \\ &= \int_{-3}^{0} 2dx + \int_{0}^{2} (-x+2)\,dx \\ &= \Big[2x\Big]_{-3}^{0} + \Big[-\frac{1}{2}x^2+2x\Big]_{0}^{2} \\ &= \{0-(-6)\}+\{(-2+4)-0\} \\ &= 6+2=8\end{aligned}$$

0660

다음 물음에 답하여라. (단, a는 상수이다.)

(1) 실수 전체에서 연속인 함수

$$f(x)=\begin{cases} 2x+a & (x \ge 2) \\ 8-x & (x < 2) \end{cases}$$

에 대하여 $\int_{1}^{2a} f(x)\,dx$의 값은?

① $\frac{15}{2}$ ② $\frac{25}{2}$ ③ $\frac{35}{2}$ ④ $\frac{45}{2}$ ⑤ $\frac{55}{2}$

STEP A 함수 $f(x)$가 연속함수임을 이용하여 a의 값 구하기

함수 $f(x)$가 실수 전체의 구간에서 연속이므로 $x=2$에서 연속이다.

$\lim_{x \to 2+}(2x+a)=\lim_{x \to 2-}(8-x)=f(2)$

$4+a=6$에서 $a=2$

$$\therefore\ f(x)=\begin{cases} 2x+2 & (x \ge 2) \\ 8-x & (x < 2) \end{cases}$$

STEP B 구간에 따른 정적분의 값 구하기

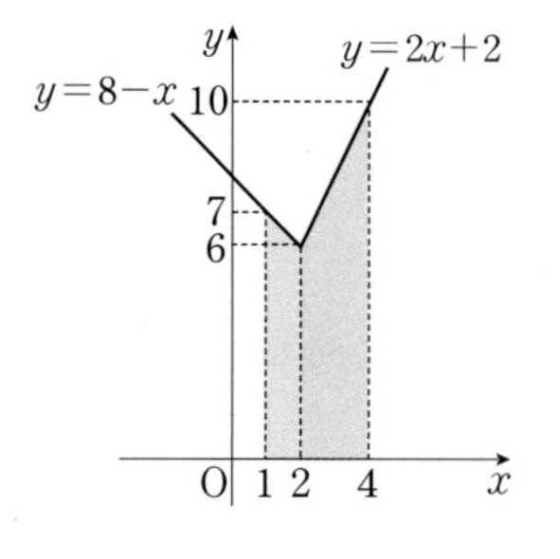

$$\begin{aligned}&\int_{1}^{2a} f(x)dx \\ &= \int_{1}^{4} f(x)dx \\ &= \int_{1}^{2} f(x)dx + \int_{2}^{4} f(x)dx \\ &= \int_{1}^{2} (8-x)dx + \int_{2}^{4} (2x+2)dx \\ &= \Big[8x-\frac{1}{2}x^2\Big]_{1}^{2} + \Big[x^2+2x\Big]_{2}^{4} \\ &= (16-2)-\Big(8-\frac{1}{2}\Big)+(16+8)-(4+4) \\ &= \frac{45}{2}\end{aligned}$$

(2) 모든 실수 x에서 연속인 함수

$$f(x)=\begin{cases} ax & (x < 1) \\ x^2-2ax+5 & (x \ge 1) \end{cases}$$

에 대하여 $\int_{0}^{2} f(x)\,dx$의 값은?

① 2 ② $\frac{7}{3}$ ③ $\frac{8}{3}$ ④ 3 ⑤ $\frac{10}{3}$

STEP A 함수 $f(x)$가 연속함수임을 이용하여 a의 값 구하기

함수 $f(x)$가 실수 전체의 구간에서 연속이므로 $x=1$에서 연속이다.

$\lim_{x \to 1-} f(x)=\lim_{x \to 1+} f(x)=f(1)$

$\lim_{x \to 1-} ax=\lim_{x \to 1+}(x^2-2ax+5)=6-2a$

$a=6-2a$에서 $a=2$

즉 $f(x)=\begin{cases} 2x & (x < 1) \\ x^2-4x+5 & (x \ge 1) \end{cases}$

STEP B 구간에 따른 정적분의 값 구하기

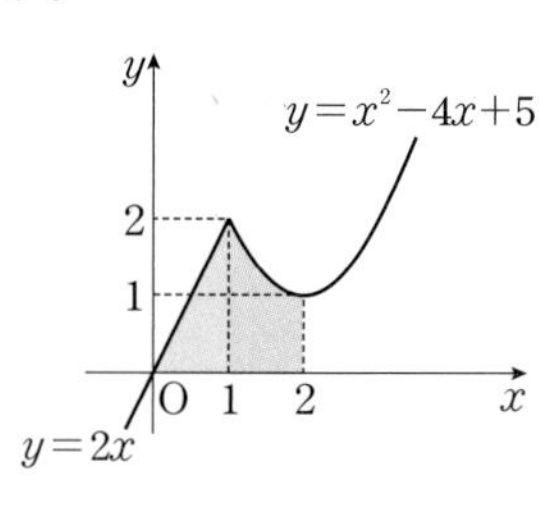

$$\begin{aligned}&\int_{0}^{2} f(x)dx \\ &= \int_{0}^{1} f(x)dx + \int_{1}^{2} f(x)dx \\ &= \int_{0}^{1} 2xdx + \int_{1}^{2} (x^2-4x+5)dx \\ &= \Big[x^2\Big]_{0}^{1} + \Big[\frac{1}{3}x^3-2x^2+5x\Big]_{1}^{2} \\ &= 1+\Big\{\Big(\frac{8}{3}-8+10\Big)-\Big(\frac{1}{3}-2+5\Big)\Big\} \\ &= 1+\frac{4}{3}=\frac{7}{3}\end{aligned}$$

0661

함수 $f(x)$를

$$f(x)=\begin{cases} 2x+2 & (x < 0) \\ -x^2+2x+2 & (x \ge 0) \end{cases}$$

이라 하자. 양의 실수 a에 대하여 $\int_{-a}^{a} f(x)\,dx$의 최댓값을 구하여라.

STEP A 정적분의 성질을 이용하여 계산하기

$f(x)=\begin{cases} 2x+2 & (x < 0) \\ -x^2+2x+2 & (x \ge 0) \end{cases}$에서

$g(a)=\int_{-a}^{a} f(x)dx$라 하면

$$\begin{aligned}g(a) &= \int_{-a}^{0} f(x)dx + \int_{0}^{a} f(x)dx \\ &= \int_{-a}^{0} (2x+2)dx + \int_{0}^{a} (-x^2+2x+2)dx \\ &= \Big[x^2+2x\Big]_{-a}^{0} + \Big[-\frac{1}{3}x^3+x^2+2x\Big]_{0}^{a} \\ &= \{0-(a^2-2a)\}+\Big\{\Big(-\frac{1}{3}a^3+a^2+2a\Big)-0\Big\} \\ &= -\frac{1}{3}a^3+4a\end{aligned}$$

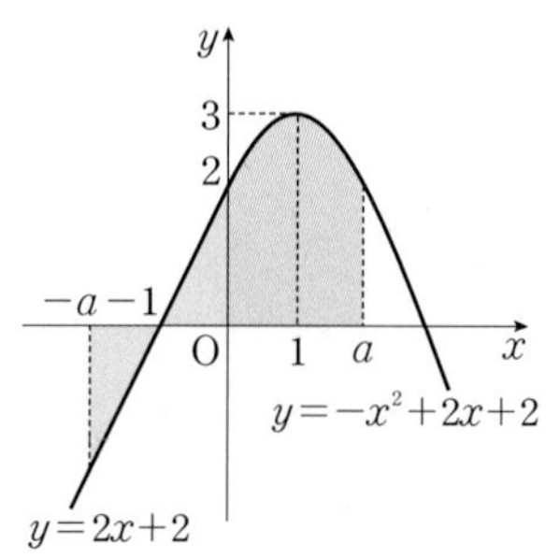

STEP **B** **$a>0$에서 최댓값 구하기**

$g(a)=-\frac{1}{3}a^3+4a$에서

$g'(a)=-a^2+4=-(a+2)(a-2)$

$g'(a)=0$에서 $a=-2$ 또는 $a=2$

$a>0$에서 $g(a)$의 증가와 감소를 나타낸 표는 다음과 같다.

a	0	$\cdots$	2	$\cdots$
$g'(a)$		$+$	0	$-$
$g(a)$		↗	$\frac{16}{3}$	↘

따라서 $g(a)$는 $a=2$에서 극대이고

최대이므로 최댓값은

$g(2)=-\frac{8}{3}+8=\frac{16}{3}$

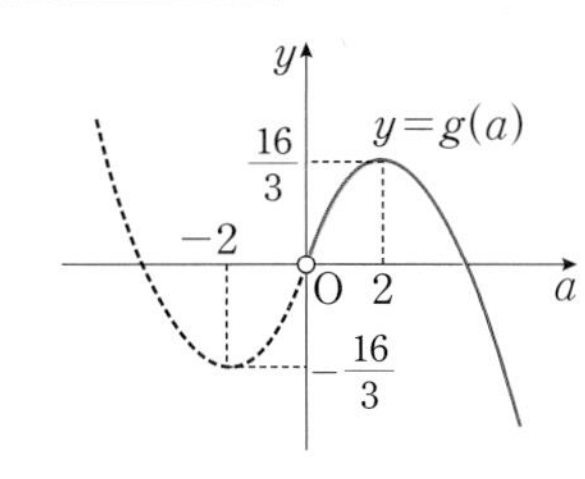

0662

다음 정적분의 값을 구하여라.

(1) $\int_0^2 |x-x^2|dx$

STEP **A** **절댓값 안의 식의 값이 0이 되는 $x=0$, $x=1$을 기준으로 적분 구간을 나누어 계산하기**

$f(x)=|x-x^2|$이라 하면

$f(x)=\begin{cases} x-x^2 & (0\le x<1) \\ -x+x^2 & (1\le x\le 2)\end{cases}$

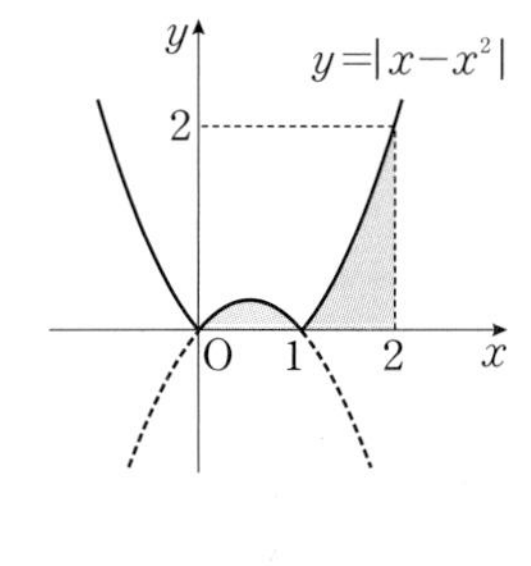

$\int_0^2 |x-x^2|dx$

$=\int_0^1 (x-x^2)dx+\int_1^2 (-x+x^2)dx$

$=\left[\frac{1}{2}x^2-\frac{1}{3}x^3\right]_0^1+\left[-\frac{1}{2}x^2+\frac{1}{3}x^3\right]_1^2$

$=\frac{1}{6}+\frac{5}{6}=1$

(2) $\int_0^2 |x^2(x-1)|dx$

STEP **A** **절댓값 기호 안을 0이 되게 하는 값을 기준으로 구간을 나누어 절댓값 기호를 없애고 정적분을 계산하기**

구간 $[0, 2]$에서 $x=1$을 기준으로

적분구간을 나누면

$|x^2(x-1)|=x^2|x-1|$

$=\begin{cases} -x^3+x^2 & (0\le x<1) \\ x^3-x^2 & (1\le x\le 2)\end{cases}$

$\int_0^2 |x^2(x-1)|dx$

$=\int_0^1 \{-x^2(x-1)\}dx+\int_1^2 \{x^2(x-1)\}dx$

$=\int_0^1 (-x^3+x^2)dx+\int_1^2 (x^3-x^2)dx$

$=\left[-\frac{1}{4}x^4+\frac{1}{3}x^3\right]_0^1+\left[\frac{1}{4}x^4-\frac{1}{3}x^3\right]_1^2$

$=\left(-\frac{1}{4}+\frac{1}{3}\right)+\left\{\left(4-\frac{8}{3}\right)-\left(\frac{1}{4}-\frac{1}{3}\right)\right\}$

$=\frac{1}{12}+\frac{4}{3}+\frac{1}{12}$

$=\frac{3}{2}$

0663

다음 물음에 답하여라.

(1) $\int_1^4 (x+|x-3|)dx$의 값은?

① 6 ② 8 ③ 10
④ 12 ⑤ 14

STEP **A** **절댓값 안의 식의 값이 0이 되게 하는 값을 기준으로 구간을 나누어 절댓값 기호를 없애고 정적분을 계산하기**

$\int_1^4 (x+|x-3|)$

$=\int_1^3 (x+|x-3|)dx+\int_3^4 (x+|x-3|)dx$

$=\int_1^3 \{x-(x-3)\}dx+\int_3^4 \{x+(x-3)\}dx$

$=\int_1^3 3dx+\int_3^4 (2x-3)dx$

$=\left[3x\right]_1^3+\left[x^2-3x\right]_3^4$

$=(9-3)+\{(16-12)-(9-9)\}$

$=6+4$

$=10$

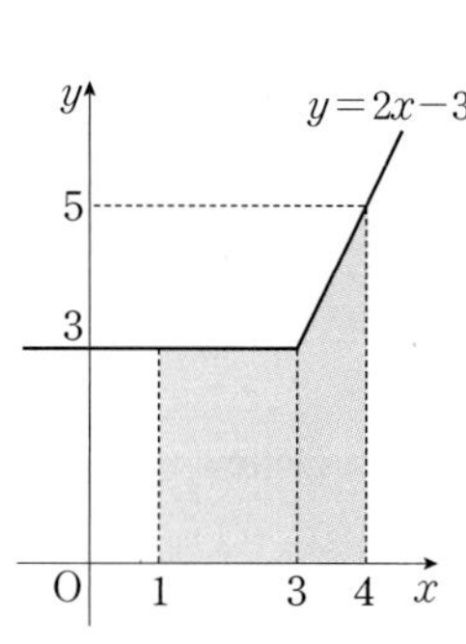

(2) 함수 $f(x)=2x+|x-2|$에 대하여 $\int_1^3 f(x)dx$의 값은?

① 3 ② 4 ③ 6
④ 8 ⑤ 9

STEP **A** **절댓값 안의 식의 값이 0이 되는 $x=2$를 기준으로 적분구간을 나누어 계산하기**

$f(x)=\begin{cases} 3x-2 & (x\ge 2) \\ x+2 & (x<2)\end{cases}$이므로

$\int_1^3 f(x)dx$

$=\int_1^2 (x+2)dx+\int_2^3 (3x-2)dx$

$=\left[\frac{1}{2}x^2+2x\right]_1^2+\left[\frac{3}{2}x^2-2x\right]_2^3$

$=6-\frac{5}{2}+\left(\frac{27}{2}-6\right)-(6-4)$

$=9$

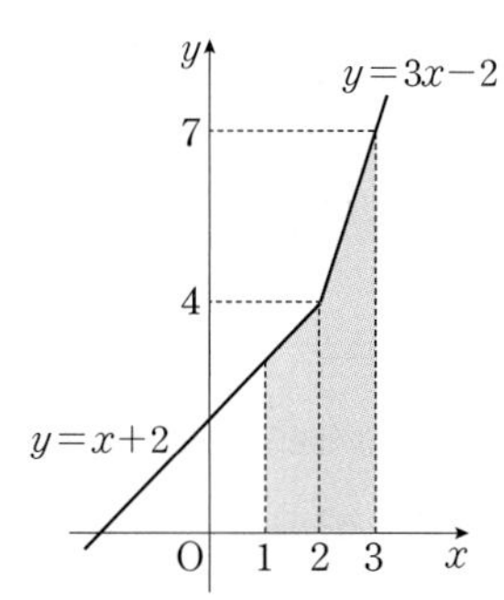

0664

다음 물음에 답하여라.

(1) 미분가능한 함수 $f(x)$가 두 조건을 만족한다.

> (가) 모든 실수 x에 대하여 $f'(x)>0$
> (나) $f(2)=0$, $\int_0^2 |f(x)|dx=3$, $\int_2^4 |f(x)|dx=13$

이때 정적분 $\int_0^4 f(x)dx$의 값을 구하여라.

STEP **A** **조건 (가)를 만족하는 미분가능한 함수 $f(x)$의 개형 그리기**

조건 (가)에 의하여 모든 실수 x에 대하여 $f'(x)>0$이므로

함수 $f(x)$는 증가함수이다.

또, $f(2)=0$이므로

$x<2$일 때, $f(x)<0$이고 $x>2$일 때, $f(x)>0$

STEP B $\int_0^4 f(x)dx$의 정적분 값 구하기

$\int_0^2 |f(x)|dx=3$에서

$-\int_0^2 f(x)dx=3$

$\therefore \int_0^2 f(x)dx=-3$

$\int_2^4 |f(x)|dx=13$에서

$\int_2^4 f(x)dx=13$

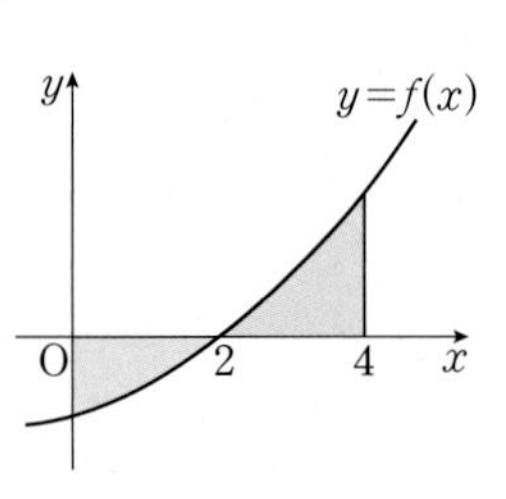

따라서 $\int_0^4 f(x)dx=\int_0^2 f(x)dx+\int_2^4 f(x)dx=-3+13=10$

(2) 이차함수 $f(x)$가 $f(0)=0$이고 다음 두 조건을 만족한다.

(가) $\int_0^2 |f(x)|dx=-\int_0^2 f(x)dx=4$

(나) $\int_2^3 |f(x)|dx=\int_2^3 f(x)dx$

$f(5)$의 값을 구하여라.

STEP A 정적분의 의미를 이해하여 이차함수 $f(x)$의 식 구하기

$f(0)=0$이므로 $f(x)=ax^2+bx$ (a, b는 상수, $a\neq 0$)이라 하면

조건 (가)에 의하여 닫힌구간 $[0, 2]$에서 $f(x)\leq 0$이고

조건 (나)에 의하여 닫힌구간 $[2, 3]$에서 $f(x)\geq 0$이므로 $f(2)=0$

이때 $f(2)=4a+2b=0$이므로 $b=-2a$

$\therefore f(x)=ax^2-2ax$

STEP B 조건 (가)를 이용하여 $f(x)$의 값 구하기

조건 (가)에서 $\int_0^2 f(x)dx=\int_0^2 (ax^2-2ax)dx$

$=\left[\frac{a}{3}x^3-ax^2\right]_0^2$

$=\frac{8}{3}a-4a$

$=-\frac{4}{3}a$

즉 $-\frac{4}{3}a=-4$이므로 $a=3$

따라서 $f(x)=3x^2-6x$이므로 $f(5)=75-30=45$

다른풀이 정적분의 성질을 이용하여 풀이하기

STEP A 조건을 만족하는 이차함수 $f(x)$의 식 구하기

조건 (가)에 의하여

$\int_0^2 |f(x)|dx=\int_0^2 \{-f(x)\}dx=4$이므로

구간 $0\leq x\leq 2$에서 $f(x)\leq 0$

또한, 조건 (나)에 의하여

$\int_2^3 |f(x)|dx=\int_2^3 f(x)dx$이므로

구간 $2\leq x\leq 3$에서 $f(x)\geq 0$,

$f(0)=0$, $f(2)=0$이므로

이차함수 $y=f(x)$의 그래프 개형은 다음 그림과 같다.

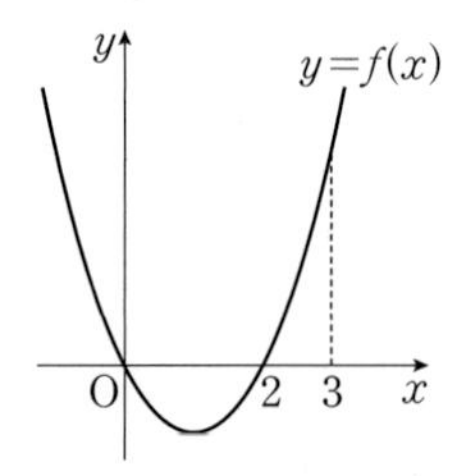

즉 양수 a에 대하여 $f(x)=ax(x-2)=ax^2-2ax$라 하자.

STEP B 조건 (가)를 이용하여 $f(5)$의 값 구하기

조건 (가)에서 $\int_0^2 f(x)dx=\int_0^2 (ax^2-2ax)dx$

$=\left[\frac{a}{3}x^3-ax^2\right]_0^2$

$=\frac{8}{3}a-4a$

$=-\frac{4}{3}a$

즉 $-\frac{4}{3}a=-4$이므로 $a=3$

따라서 $f(x)=3x^2-6x$이므로 $f(5)=3\cdot 5^2-6\cdot 5=75-30=45$

(3) 삼차항의 계수가 양수인 삼차함수 $f(x)$가 다음 두 조건을 만족시킨다.

(가) $0<a<b$인 임의의 두 실수 a, b에 대하여
$\int_a^b |f(x)|dx=\int_a^b f(x)dx$

(나) $c<d<0$인 임의의 두 실수 c, d에 대하여
$\int_c^d |f(x)|dx>\int_c^d f(x)dx$

옳은 것만을 [보기]에서 있는 대로 고르시오.

ㄱ. $f(0)=0$
ㄴ. $\alpha>0$이고 $f(\alpha)=0$이면 $f'(\alpha)=0$이다.
ㄷ. $\beta<0$이고 $f'(\beta)=0$이면 $f'(\gamma)=0$인 γ가 구간 $(-\infty, \beta)$에 존재한다.

① ㄱ ② ㄴ ③ ㄱ, ㄴ
④ ㄴ, ㄷ ⑤ ㄱ, ㄴ, ㄷ

STEP A 정적분의 성질을 이용하여 참, 거짓을 진위판단하기

ㄱ. 조건 (가)에 의하여 $x>0$일 때, $f(x)\geq 0$이고
조건 (나)에 의하여 $x<0$일 때, $f(x)\leq 0$
이므로 $f(0)=0$ [참] ← 삼차함수는 연속함수

ㄴ. $x>0$일 때, 삼차함수 $f(x)$는 $f(x)\geq 0$이므로 $\alpha>0$이고
$f(\alpha)=0$이면 $x=\alpha$에서 삼차함수 $f(x)$는 접한다.
즉 삼차함수 $f(x)$의 그래프의 개형은 다음 그림과 같다.

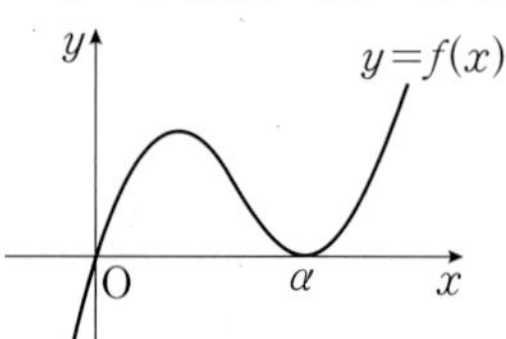

$\therefore f'(\alpha)=0$ [참]

ㄷ. 반례 $x<0$일 때, $f(x)\leq 0$이므로 $\beta<0$, $f'(\beta)=0$을 만족하는 삼차함수 $f(x)$의 그래프의 개형은 다음 그림과 같다.

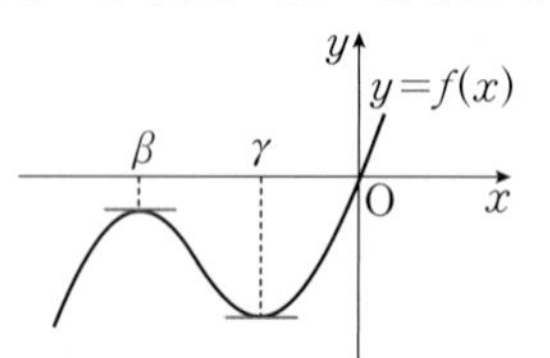

즉 $f'(\gamma)=0$인 γ는 열린구간 $(\beta, 0)$에 존재할 수 있다. [거짓]

따라서 옳은 것은 ㄱ, ㄴ이다.

0665

오른쪽 그림과 같이 삼차함수 $y=f(x)$가 $x=1$에서 극댓값 1을 가지고 $x=2$에서 극솟값 0을 가지며 $f(0)=-4$이다.
이때 $\int_0^2 |f'(x)|dx$의 값을 구하여라.

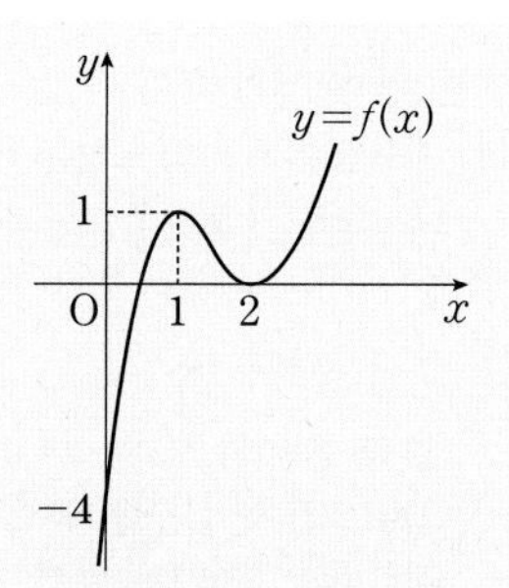

STEP A x의 값의 범위에 따른 $f'(x)$의 부호를 확인하여 $\int_a^b f'(x)dx=f(b)-f(a)$임을 이용하기

$x=1$, $x=2$에서 각각 극댓값, 극솟값을 가지므로 $y=f(x)$의 그래프에서
$0\le x\le 1$일 때, $f'(x)\ge 0$
$1\le x\le 2$일 때, $f'(x)\le 0$

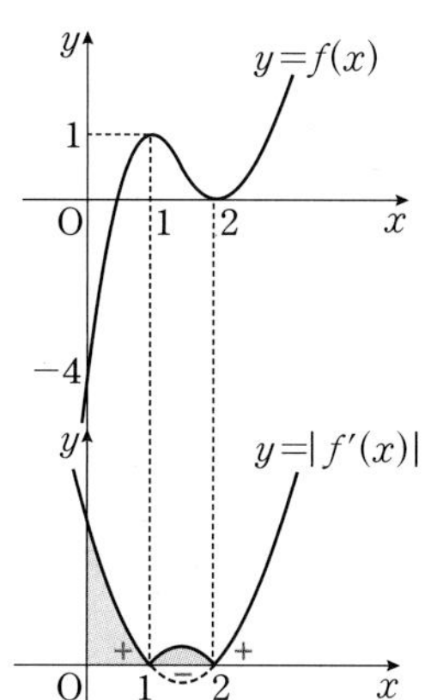

$\int_0^2 |f'(x)|dx$
$=\int_0^1 f'(x)dx+\int_1^2 \{-f'(x)\}dx$
$=\Big[f(x)\Big]_0^1-\Big[f(x)\Big]_1^2$
$=\{f(1)-f(0)\}+\{f(2)-f(1)\}$
$=1-(-4)-(0-1)$
$=6$

다른풀이 직접 삼차함수 $f(x)$를 구하여 풀이하기

STEP A 조건을 만족하는 이차함수 $f'(x)$ 구하기

$f'(x)=a(x-1)(x-2)\,(a>0)$라 놓으면
$f'(x)=ax^2-3ax+2a$
$f(x)=\int f'(x)dx$
$=\int(ax^2-3ax+2a)dx$
$=\frac{1}{3}ax^3-\frac{3}{2}ax^2+2ax+C$ (단, C는 적분상수)
$f(0)=-4$에서 $C=-4$ ...... ㉠
$f(1)=1$에서 $\frac{1}{3}a-\frac{3}{2}a+2a+C=1$
$\therefore \frac{5}{6}a+C=1$ ...... ㉡
㉠, ㉡을 연립하여 풀면 $a=6$, $C=-4$
$\therefore f'(x)=6(x-1)(x-2)$

STEP B $\int_0^3 |f'(x)|dx$의 값 구하기

따라서 $\int_0^2 |f'(x)|dx=\int_0^2 6|(x-1)(x-2)|dx$
$=6\int_0^1 (x-1)(x-2)dx-6\int_1^2 (x-1)(x-2)dx$
$=6\int_0^1 (x^2-3x+2)dx-6\int_1^2 (x^2-3x+2)dx$
$=6\Big[\frac{1}{3}x^3-\frac{3}{2}x^2+2x\Big]_0^1-6\Big[\frac{1}{3}x^3-\frac{3}{2}x^2+2x\Big]_1^2$
$=6\left(\frac{1}{3}-\frac{3}{2}+2\right)-6\left\{\left(\frac{8}{3}-6+4\right)-\left(\frac{1}{3}-\frac{3}{2}+2\right)\right\}$
$=6$

0666

다음 물음에 답하여라.

(1) 삼차함수 $y=f(x)$의 그래프가 오른쪽 그림과 같을 때, $\int_0^4 |f'(x)|dx$의 값은?

① 16 ② 20
③ 24 ④ 28
⑤ 32

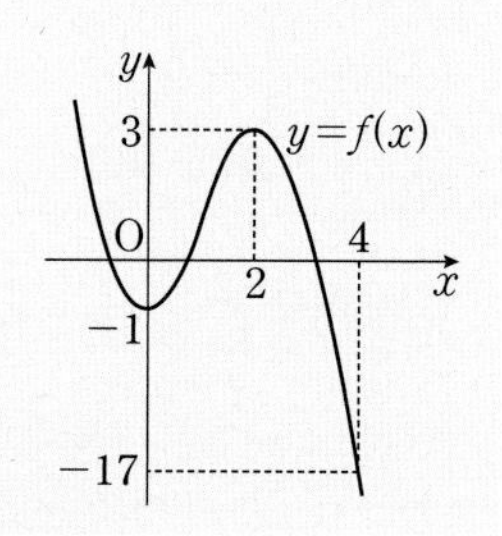

STEP A x의 값의 범위에 따른 $f'(x)$의 부호를 확인하여 $\int_a^b f'(x)dx=f(b)-f(a)$임을 이용하기

함수 $f(x)$의 증가와 감소를 다음과 같이 나타낸다.

x	$\cdots$	0	$\cdots$	2	$\cdots$
$f'(x)$	$-$	0	$+$	0	$-$
$f(x)$	↘	극소	↗	극대	↘

즉 $0\le x\le 2$일 때, $f'(x)\ge 0$이고
$x<0$, $x>2$일 때, $f'(x)<0$이므로
$|f'(x)|=\begin{cases} f'(x) & (0\le x\le 2) \\ -f'(x) & (x<0,\ x>2)\end{cases}$
또, $y=f(x)$의 그래프에서
$f(0)=-1$, $f(2)=3$, $f(4)=-17$
이므로

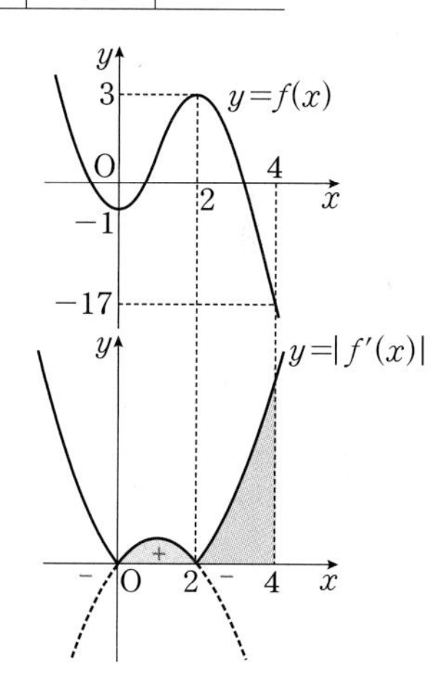

$\int_0^4 |f'(x)|dx$
$=\int_0^2 f'(x)dx+\int_2^4 \{-f'(x)\}dx$
$=\Big[f(x)\Big]_0^2-\Big[f(x)\Big]_2^4$
$=\{f(2)-f(0)\}-\{f(4)-f(2)\}$
$=(3+1)-(-17-3)$
$=24$

(2) 오른쪽 그림과 같이 삼차함수 $y=f(x)$가 $f(-1)=f(1)=f(2)=0$, $f(0)=2$를 만족시킬 때, $\int_0^2 f'(x)dx$의 값은?

① -2 ② -1
③ 0 ④ 1
⑤ 2

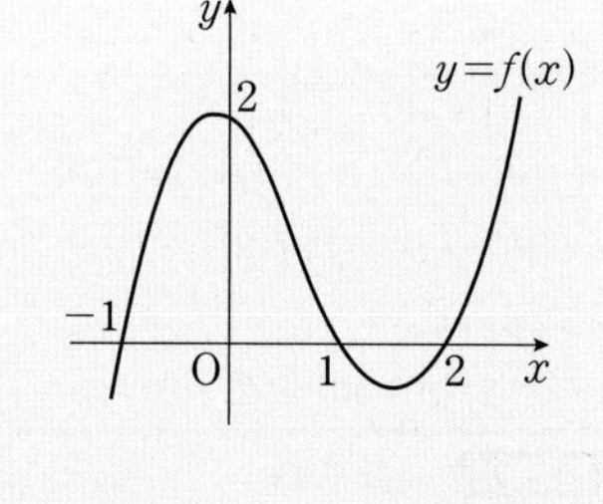

STEP A 삼차함수 $f(x)$의 식 작성하기

삼차함수 $f(x)$에 대하여 방정식 $f(x)=0$의 근이 $x=-1$, $x=1$, $x=2$이므로 $f(x)=a(x+1)(x-1)(x-2)\,(a>0)$라 놓으면
$f(x)=a(x^3-2x^2-x+2)$
이때 $f(0)=2$이므로 $f(0)=2a=2$
$\therefore a=1$
즉 $f(x)=x^3-2x^2-x+2$

STEP B $\int_0^2 f'(x)dx$의 값 구하기

$f(x)=x^3-2x^2-x+2$를 x에 대하여 미분하면
$f'(x)=3x^2-4x-1$
따라서 $\int_0^2 f'(x)dx=\int_0^2 (3x^2-4x-1)dx=\Big[x^3-2x^2-x\Big]_0^2=-2-0=-2$

다른풀이 정적분과 미분을 이용하여 풀이하기

$f(2)=0,\ f(0)=2$이므로

$$\int_0^2 f'(x)dx=\Big[f(x)\Big]_0^2$$
$$=f(2)-f(0)$$
$$=0-2$$
$$=-2$$

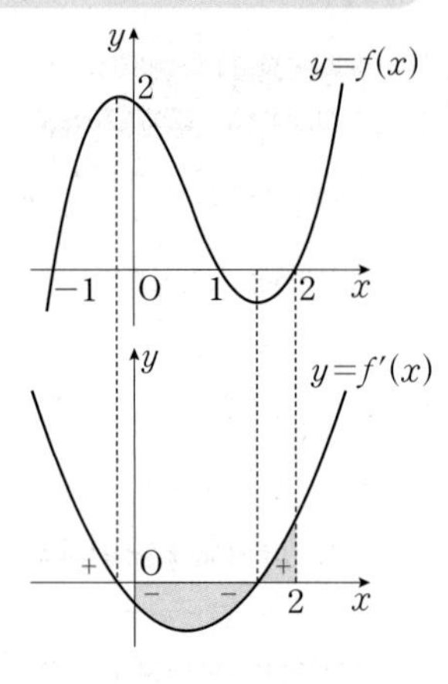

(3) 최고차항의 계수가 양수인 삼차함수 $y=f(x)$가 다음 조건을 만족시킨다.

> (가) $f'(0)=f'(2)=0$
> (나) $f(-1)=f(2)=2$

$\int_{-1}^{2}|f'(x)|dx=4$일 때, $f(0)$의 값은?

① 1 ② 2 ③ 3
④ 4 ⑤ 5

STEP A x**의 값의 범위에 따른** $f'(x)$**의 부호를 확인하여** $\int_a^b f'(x)dx=f(b)-f(a)$**임을 이용하기**

$f'(0)=f'(2)=0$이고 삼차함수 $y=f(x)$는 최고차항의 계수가 양수이므로 $y=f'(x)$의 그래프는 오른쪽 그림과 같다.

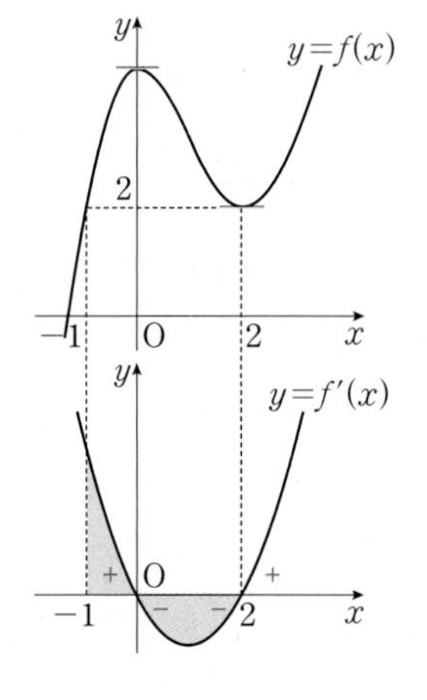

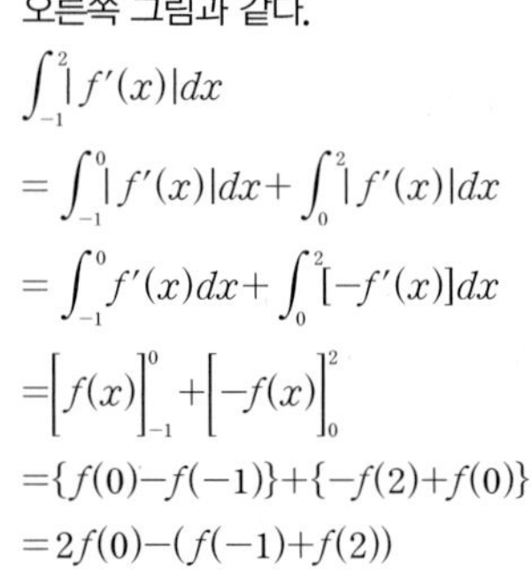

$$\int_{-1}^{2}|f'(x)|dx$$
$$=\int_{-1}^{0}|f'(x)|dx+\int_0^2|f'(x)|dx$$
$$=\int_{-1}^{0}f'(x)dx+\int_0^2\{-f'(x)\}dx$$
$$=\Big[f(x)\Big]_{-1}^{0}+\Big[-f(x)\Big]_0^2$$
$$=\{f(0)-f(-1)\}+\{-f(2)+f(0)\}$$
$$=2f(0)-(f(-1)+f(2))$$
$$=2f(0)-4=4$$

따라서 $2f(0)=8$이므로 $f(0)=4$

다른풀이 직접 삼차함수 $f(x)$를 구하여 풀이하기

$f'(x)=ax(x-2)\,(a>0)$이라 하면

$$\int_{-1}^{2}|f'(x)|dx=a\int_{-1}^{0}x(x-2)dx-a\int_0^2 x(x-2)dx$$
$$=a\int_{-1}^{0}(x^2-2x)dx-a\int_0^2(x^2-2x)dx$$
$$=a\Big[\frac{1}{3}x^3-x^2\Big]_{-1}^{0}-a\Big[\frac{1}{3}x^3-x^2\Big]_0^2$$
$$=a\Big\{0-\Big(-\frac{1}{3}-1\Big)\Big\}-a\Big\{\Big(\frac{8}{3}-4\Big)-0\Big\}$$
$$=\frac{8}{3}a$$

이때 $\frac{8}{3}a=4$이므로 $a=\frac{3}{2}$ $\quad\therefore f'(x)=\frac{3}{2}x(x-2)$

즉 $f(x)=\frac{1}{2}x^3-\frac{3}{2}x^2+C$ (단, C는 적분상수)

이때 $f(-1)=f(2)=2$에서 $C=4$

따라서 $f(x)=\frac{1}{2}x^3-\frac{3}{2}x^2+4$이므로 $f(0)=4$

0667

다음 물음에 답하여라.

(1) 사차함수 $f(x)$의 도함수 $f'(x)$의 그래프가 오른쪽 그림과 같다.
$f(-1)=1,\ f(2)=7,$
$\int_{-3}^{2}f'(x)dx=3$
일 때, 방정식 $f(x)-k=0$이 서로 다른 네 실근을 가지도록 하는 모든 정수 k의 합은?

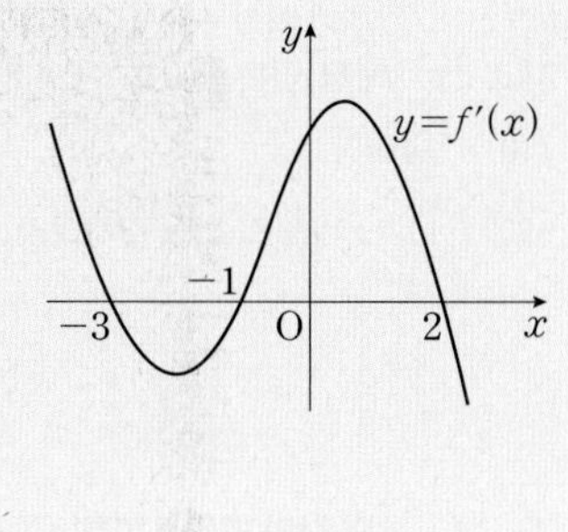

① 5 ② 11
③ 13 ④ 15
⑤ 18

STEP A 주어진 조건을 만족하는 $f(x)$ **구하기**

$\int_{-3}^{2}f'(x)dx=3$에서 $\Big[f(x)\Big]_{-3}^{2}=f(2)-f(-3)=3$

$f(2)=7$이므로 $f(-3)=4$

이때 $f'(x)=0$에서 $x=-3$ 또는 $x=-1$ 또는 $x=2$

함수 $f(x)$의 증가와 감소를 표로 나타내면 다음과 같다.

x	$\cdots$	-3	$\cdots$	-1	$\cdots$	2	$\cdots$
$f'(x)$	$+$	0	$-$	0	$+$	0	$-$
$f(x)$	↗	극대	↘	극소	↗	극대	↘

STEP B 방정식 $f(x)-k=0$**이 서로 다른 네 실근을 가지도록 하는 모든 정수** k**의 합 구하기**

$y=f(x)$의 그래프는 다음 그림과 같다.

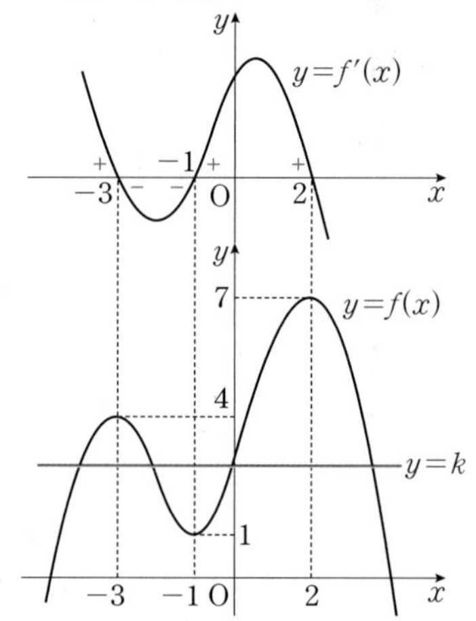

이때 방정식 $f(x)-k=0$이 서로 다른 네 실근을 가지려면 함수 $y=f(x)$의 그래프와 직선 $y=k$가 서로 다른 네 점에서 만나야 하므로 $1<k<4$

따라서 모든 정수 k는 2, 3이므로 합은 $2+3=5$

(2) 최고차항의 계수가 양수인 사차함수 $f(x)$의 도함수 $f'(x)$에 대하여 방정식 $f'(x)=0$이 세 실근 $\alpha,\ 0,\ \beta\ (\alpha<0<\beta)$를 갖는다.

$$S=\int_{\alpha}^{0}|f'(x)|dx,\ T=\int_0^{\beta}|f'(x)|dx$$

라 할 때, [보기]에서 옳은 것만을 있는 대로 고른 것은?

> ㄱ. 함수 $f(x)$는 $x=0$에서 극댓값을 갖는다.
> ㄴ. $\alpha+\beta=0$이면 $S=T$이다.
> ㄷ. $S<T$이고 $f(\alpha)=0$이면 방정식 $f(x)=0$의 양의 실근의 개수는 2이다.

① ㄱ ② ㄷ ③ ㄱ, ㄴ
④ ㄴ, ㄷ ⑤ ㄱ, ㄴ, ㄷ

STEP A 주어진 조건을 만족하는 $f(x)$의 식을 작성하여 진위판단하기

ㄱ. $f'(x)$의 최고차항의 계수가 양수이므로 함수 $y=f'(x)$의 그래프는 다음 그림과 같다.

$f'(0)=0$이고 $x=0$의 좌우에서 $f'(x)$의 부호가 양에서 음으로 바뀌므로 함수 $f(x)$는 $x=0$에서 극댓값을 갖는다. [참]

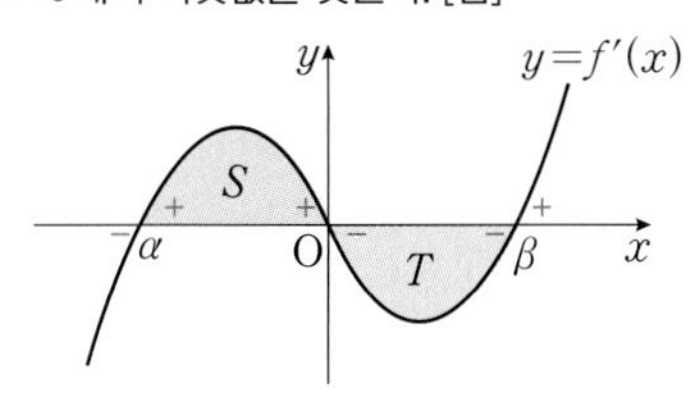

ㄴ. $\alpha=-\beta$에 의하여

$f'(x)=k(x-\beta)x(x+\beta)=kx^3-k\beta^2x\ (k>0)$

$f(x)=\frac{k}{4}x^4-\frac{k\beta^2}{2}x^2+C$ (단, C는 적분상수)

즉 $f(x)$는 y축에 대하여 대칭인 함수이므로

$f(-\beta)=f(\beta)$

$$S=\int_{\alpha}^{0}|f'(x)|dx=\int_{\alpha}^{0}f'(x)dx=\int_{-\beta}^{0}f'(x)dx=\Big[f(x)\Big]_{-\beta}^{0}=f(0)-f(-\beta)$$

$$T=\int_{0}^{\beta}|f'(x)|dx=\int_{0}^{\beta}\{-f'(x)\}dx=-\Big[f(x)\Big]_{0}^{\beta}=-f(\beta)+f(0)$$

즉 $f(-\beta)=f(\beta)$이므로 $S=T$ [참]

ㄷ. $$S=\int_{\alpha}^{0}|f'(x)|dx=\int_{\alpha}^{0}f'(x)dx=\Big[f(x)\Big]_{\alpha}^{0}=f(0)-f(\alpha)$$

$$T=\int_{0}^{\beta}|f'(x)|dx=\int_{0}^{\beta}\{-f'(x)\}dx=-\Big[f(x)\Big]_{0}^{\beta}=-f(\beta)+f(0)$$

이므로

$S<T$에서 $f(0)-f(\alpha)<-f(\beta)+f(0)$

이때 $f(\alpha)=0$이므로 $f(\beta)<0$이다.

함수 $f(x)$는 $x=\alpha$, $x=\beta$에서 극솟값, $x=0$에서 극댓값을 갖는다.

$y=f(x)$의 그래프의 개형은 다음 그림과 같다.

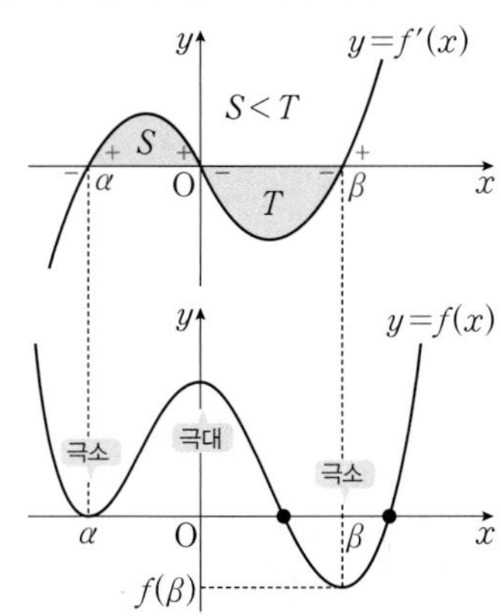

방정식 $f(x)=0$의 양의 실근의 개수는 2이다. [참]

따라서 옳은 것은 ㄱ, ㄴ, ㄷ이다.

0668

다음 물음에 답하여라.

(1) 다항함수 $f(x)$가 임의의 실수 x에 대하여

$$f(-x)=f(x),\ \int_{0}^{2}f(x)dx=4$$

를 만족할 때, 정적분 $\int_{-2}^{2}(x^3-3x-1)f(x)dx$를 구하여라.

STEP A $x^3f(x)$, $xf(x)$의 우함수, 기함수를 결정하기

$f(-x)=f(x)$이므로

$g(x)=x^3f(x)$, $h(x)=xf(x)$라 하면

$g(-x)=(-x)^3f(-x)=-x^3f(x)=-g(x)$이므로

$\int_{-2}^{2}x^3f(x)dx=0$ ⬅ $g(x)$는 원점에 대하여 대칭

$h(-x)=(-x)f(-x)=-xf(x)=-h(x)$이므로

$\int_{-2}^{2}xf(x)dx=0$ ⬅ $h(x)$는 원점에 대하여 대칭

STEP B 아래끝과 위끝의 절댓값이 같고 부호가 다를 때, 우함수, 기함수의 정적분의 성질을 이용하여 정적분 계산하기

따라서 $\int_{-2}^{2}(x^3-3x-1)f(x)dx$

$$=\int_{-2}^{2}x^3f(x)dx-3\int_{-2}^{2}xf(x)dx-\int_{-2}^{2}f(x)dx$$

$$=0-3\cdot0-2\int_{0}^{2}f(x)dx$$

$$=(-2)\cdot4$$

$$=-8$$

(2) 다항함수 $f(x)$가 모든 실수 x에 대하여

$$f(-x)=-f(x)$$

를 만족시킨다. $\int_{-3}^{3}(x+2)f'(x)dx=20$일 때, $f(3)$의 값을 구하여라.

STEP A $f(-x)=-f(x)$이면 $f'(-x)=f'(x)$임을 이해하기

다항함수 $y=f(x)$의 그래프는 원점에 대하여 대칭이고

$f(0)=0$

자연수 n에 대하여

$f(x)=a_{2n-1}x^{2n-1}+a_{2n-3}x^{2n-3}+\cdots+a_3x^3+a_1x$라 하면

$f'(x)=(2n-1)a_{2n-1}x^{2n-2}+(2n-3)a_{2n-3}x^{2n-4}+\cdots+3a_3x^2+a_1$이므로

함수 $f'(x)$는 모든 실수 x에 대하여 $f'(-x)=f'(x)$를 만족시킨다.

즉 $f(x)$는 y축에 대하여 대칭이다.

STEP B 조건을 만족하는 식에서 $f(3)$의 값 구하기

이때 는 원점에 대하여 대칭이므로 $\int_{-3}^{3}xf'(x)dx=0$

$$\int_{-3}^{3}(x+2)f'(x)dx=\int_{-3}^{3}\{xf'(x)+2f'(x)\}dx$$

$$=2\int_{0}^{3}2f'(x)dx \quad ⬅ \int_{-3}^{3}xf'(x)dx=0$$

$$=4\Big[f(x)\Big]_{0}^{3}$$

$$=4\{f(3)-f(0)\} \quad ⬅ f(0)=0$$

따라서 $4f(3)=20$이므로 $f(3)=5$

02 정적분

0669

두 다항함수 $f(x)$, $g(x)$가 모든 실수 x에 대하여

$$f(-x)=-f(x),\ g(-x)=g(x)$$

를 만족시킨다. 함수 $h(x)=f(x)g(x)$에 대하여

$\int_{-3}^{3}(x+5)h'(x)dx=10$일 때, $h(3)$의 값은?

① 1 ② 2 ③ 3
④ 4 ⑤ 5

STEP Ⓐ 주어진 조건을 이용하여 다항함수 $h(x)$, $h'(x)$의 꼴 추정하기

$h(x)=f(x)g(x)$에서

$f(-x)=-f(x)$, $g(-x)=g(x)$이므로

$h(-x)=f(-x)g(-x)=-f(x)g(x)=-h(x)$ ⬅ $h(x)$는 기함수

즉 다항함수 $h(x)$의 그래프는 원점에 대하여 대칭이고

$h(0)=0$

$h(x)=a_{2n+1}x^{2n+1}+a_{2n-1}x^{2n-1}+\cdots+a_1x$로 놓으면

$h'(x)=(2n+1)a_{2n+1}x^{2n}+(2n-1)a_{2n-1}x^{2n-2}+\cdots+a_1$이므로

$h'(-x)=h'(x)$를 만족시킨다. ⬅ $h'(x)$는 우함수

즉 $h'(x)$는 y축에 대하여 대칭이다.

STEP Ⓑ 적분구간이 원점에 대하여 대칭인 정적분의 값을 이용하여 $h(3)$ 구하기

이때 $xh'(x)$는 원점에 대하여 대칭이므로

$\int_{-3}^{3}xh'(x)dx=0$

즉 $\int_{-3}^{3}(x+5)h'(x)dx=\int_{-3}^{3}xh'(x)dx+\int_{-3}^{3}5h'(x)dx$

$=0+2\int_{0}^{3}5h'(x)dx$

$=10\Big[h(x)\Big]_{0}^{3}$

$=10(h(3)-h(0))$

따라서 $10(h(3)-h(0))=10$에서 $h(3)=h(0)+1=0+1=1$

다항함수에서 기함수를 미분하면 우함수가 되고 우함수를 미분하면 기함수가 된다.

① 다항함수 $f(x)$가 y축에 대하여 대칭일 때,

$f(-x)=f(x)$이면 $f'(-x)=-f'(x)$이고 $f'(0)=0$

설명 $f(-x)=f(x)$의 양변을 x에 대하여 미분하면

$-f'(-x)=f'(x)$

즉 $f'(-x)=-f'(x)$

② 다항함수 $f(x)$가 원점에 대하여 대칭일 때,

$f(-x)=-f(x)$이면 $f'(-x)=f'(x)$ (역은 성립하지 않는다.)

설명 $f(-x)=-f(x)$의 양변을 x에 대하여 미분하면

$-f'(-x)=-f'(x)$

즉 $f'(-x)=f'(x)$

0670

정수 a, b, c에 대하여 함수 $f(x)=x^4+ax^3+bx^2+cx+10$이 다음 두 조건을 모두 만족시킨다.

(가) 모든 실수 a에 대하여 $\int_{-a}^{a}f(x)dx=2\int_{0}^{a}f(x)dx$

(나) $-6<f'(1)<-2$

이때 함수 $y=f(x)$의 극솟값을 구하여라.

STEP Ⓐ 조건 (가)에서 $f(x)$가 우함수임을 이용하기

조건 (가)에 의하여 $\int_{-a}^{a}f(x)dx=2\int_{0}^{a}f(x)dx$이므로
(우함수를 정적분할 때, 성질)

$f(x)=x^4+ax^3+bx^2+cx+10$의 그래프는 y축에 대하여 대칭이다.

즉 $a=c=0$이므로 $f(x)=x^4+bx^2+10$

$\therefore f'(x)=4x^3+2bx$

STEP Ⓑ 조건 (나)에서 b의 값 구하기

$f'(1)=4+2b$이므로 조건 (나)에서

$-6<4+2b<-2$, $-10<2b<-6$ $\therefore -5<b<-3$

이때 b는 정수이므로 $b=-4$

$\therefore f(x)=x^4-4x^2+10$

STEP Ⓒ $f(x)$의 극솟값 구하기

$f'(x)=4x^3-8x=4x(x+\sqrt{2})(x-\sqrt{2})$

$f'(x)=0$에서 $x=-\sqrt{2}$ 또는 $x=\sqrt{2}$ 또는 $x=0$

함수 $f(x)$의 증가와 감소를 표로 나타내면 다음과 같다.

x	$\cdots$	$-\sqrt{2}$	$\cdots$	0	$\cdots$	$\sqrt{2}$	$\cdots$
$f'(x)$	$-$	0	$+$	0	$-$	0	$+$
$f(x)$	↘	극소	↗	극대	↘	극소	↗

따라서 $x=-\sqrt{2}$, $x=\sqrt{2}$에서 극소이고 극솟값은

$f(-\sqrt{2})=f(\sqrt{2})=4-8+10=6$

0671

다음 물음에 답하여라.

(1) 연속함수 $f(x)$가 다음 두 조건을 모두 만족시킬 때, 정적분 $\int_{-5}^{5}f(x)dx$의 값을 구하여라.

(가) $-1\le x\le 1$일 때, $f(x)=x^2+1$

(나) 임의의 실수 x에 대하여 $f(x)=f(x+2)$

STEP Ⓐ 조건 (가)에 대하여 정적분 구하기

$f(x)=x^2+1\ (-1\le x\le 1)$이므로

$\int_{-1}^{1}f(x)dx=\int_{-1}^{1}(x^2+1)dx=2\int_{0}^{1}(x^2+1)dx$

$=2\Big[\frac{1}{3}x^3+x\Big]_{0}^{1}=\frac{8}{3}$

STEP Ⓑ 함수 $f(x)$의 그래프가 같은 모양이 반복됨을 이용하여 주어진 정적분 구하기

함수 $f(x)$가 모든 실수 x에 대하여 $f(x)=f(x+2)$이므로

$\int_{-5}^{-3}f(x)dx=\int_{-3}^{-1}f(x)dx=\int_{-1}^{1}f(x)dx=\int_{1}^{3}f(x)dx=\int_{3}^{5}f(x)dx$

$\therefore \int_{-5}^{5}f(x)dx=\int_{-5}^{-3}f(x)dx+\int_{-3}^{-1}f(x)dx+\int_{-1}^{1}f(x)dx$

$+\int_{1}^{3}f(x)dx+\int_{3}^{5}f(x)dx$

$=5\int_{-1}^{1}f(x)dx=5\cdot\frac{8}{3}=\frac{40}{3}$

조건을 만족하는 함수 $y=f(x)$의 그래프의 개형은 다음과 같다.

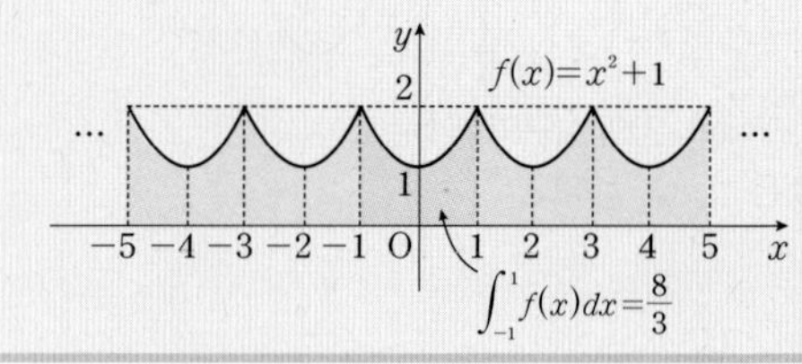

(2) 실수 전체의 집합에서 정의된 함수 $f(x)$가 다음 두 조건을 만족시킬 때, $\int_{-4}^{8} f(x)\,dx$의 값을 구하여라.

(가) $0 \le x \le 2$일 때, $f(x)=-x^2+2x$
(나) 모든 실수 x에 대하여 $f(x+2)=f(x)$이다.

STEP Ⓐ **조건 (가)에 대하여 정적분 구하기**

$f(x)=-x^2+2x\ (0 \le x \le 2)$이므로

$$\int_0^2 f(x)dx=\int_0^2(-x^2+2x)dx=\left[-\frac{1}{3}x^3+x^2\right]_0^2$$
$$=\left(-\frac{8}{3}+4\right)-0=\frac{4}{3}$$

STEP Ⓑ **함수 $f(x)$의 그래프가 같은 모양이 반복됨을 이용하여 주어진 정적분 구하기**

함수 $f(x)$가 모든 실수 x에 대하여 $f(x)=f(x+2)$이므로

정수 a에 대하여 $\int_a^{a+2} f(x)dx=\int_0^2 f(x)dx$가 성립한다.

$$\int_{-4}^{-2} f(x)dx=\int_{-2}^{0} f(x)dx=\cdots=\int_4^6 f(x)dx=\int_6^8 f(x)dx$$

따라서 $\int_{-4}^{8} f(x)dx=6\int_0^2 f(x)dx=6\cdot\frac{4}{3}=8$

조건을 만족하는 함수 $y=f(x)$의 그래프의 개형은 다음과 같다.

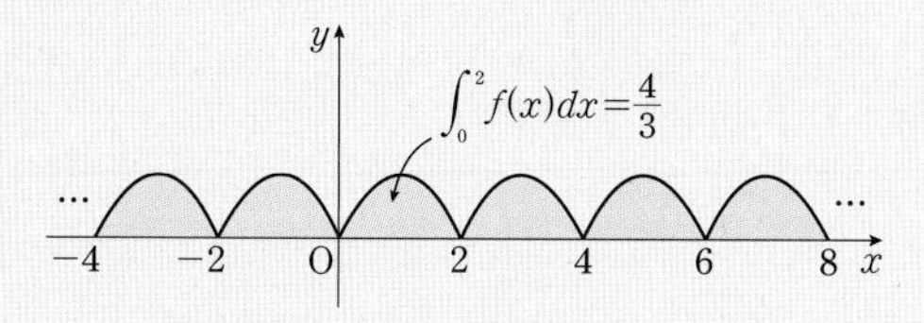

0672

다음 물음에 답하여라.

(1) 실수 전체의 집합에서 정의된 함수 $f(x)$가 다음 두 조건을 모두 만족시킬 때, 정적분 $\int_0^1 f(x)dx+\int_2^3 f(x)dx$의 값을 구하여라.

(가) $f(x)=\begin{cases} x^3 & (0 \le x < 1) \\ -x^2+2x & (1 \le x < 2) \end{cases}$
(나) 모든 실수 x에 대하여 $f(x+2)=f(x)$이다.

STEP Ⓐ **주어진 조건을 만족하는 함수 $f(x)$의 성질 파악하기**

함수 $f(x)$가 모든 실수 x에 대하여 $f(x+2)=f(x)$이므로

$y=f(x)$의 그래프는 다음과 같다.

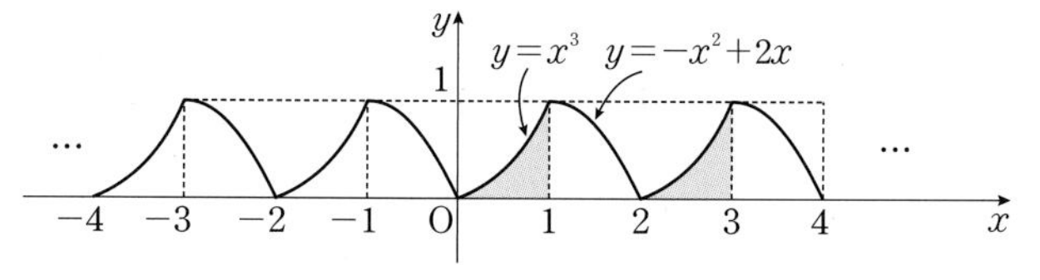

STEP Ⓑ **함수 $f(x)$의 그래프가 같은 모양이 반복됨을 이용하여 주어진 정적분 구하기**

이때 $\int_2^3 f(x)dx=\int_0^1 f(x)dx$이므로

$$\int_0^1 f(x)dx+\int_2^3 f(x)dx=2\int_0^1 f(x)dx=2\int_0^1 x^3dx$$
$$=2\left[\frac{1}{4}x^4\right]_0^1=\frac{1}{2}$$

(2) 연속함수 $f(x)$가 모든 실수 x에 대하여 다음 조건을 만족시킨다.

(가) $f(-x)=f(x)$
(나) $f(x+2)=f(x)$
(다) $\int_{-1}^{1}(2x+3)f(x)\,dx=15$

$\int_{-6}^{10} f(x)\,dx$의 값을 구하여라.

STEP Ⓐ **우함수와 주기함수의 성질을 이용하여 정적분의 값 구하기**

조건 (가)에서 $f(-x)=f(x)$이므로

함수 $f(x)$의 그래프는 y축에 대하여 대칭이다.

이때 $xf(x)$는 원점에 대하여 대칭이므로 $\int_{-1}^{1} xf(x)dx=0$

조건 (다)에서

$$\int_{-1}^{1}(2x+3)f(x)dx=2\int_{-1}^{1}xf(x)dx+3\int_{-1}^{1}f(x)dx$$
$$=0+\int_{-1}^{1}3f(x)dx=15$$

$\therefore \int_{-1}^{1} f(x)dx=5$

STEP Ⓑ **조건 (나)를 이용하여 $\int_{-6}^{10} f(x)dx$를 변형하여 구하기**

조건 (나)에서

함수 $f(x)$가 모든 실수 x에 대하여 $f(x)=f(x+2)$이므로

$\int_a^{a+2} f(x)dx=\int_{-1}^{1} f(x)dx$가 성립한다.

$$\text{따라서 } \int_{-6}^{10} f(x)dx=\int_{-6}^{-4} f(x)dx+\int_{-4}^{-2} f(x)dx+\cdots+\int_8^{10} f(x)dx$$
$$=8\int_0^2 f(x)dx$$
$$=8\int_{-1}^{1} f(x)dx$$
$$=8\cdot5=40$$

조건 (나)를 만족하는 함수 $y=f(x)$의 그래프의 개형은 다음과 같다.

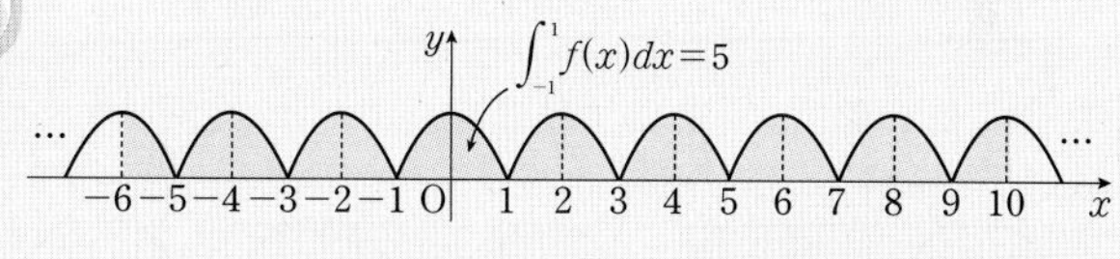

02 정적분

(3) 함수 $f(x)$는 모든 실수 x에 대하여 $f(x+3)=f(x)$를 만족시키고

$$f(x)=\begin{cases} x & (0 \le x < 1) \\ 1 & (1 \le x < 2) \\ -x+3 & (2 \le x < 3) \end{cases}$$

이다. $\int_{-a}^{a} f(x)\,dx=13$일 때, 상수 a의 값은?

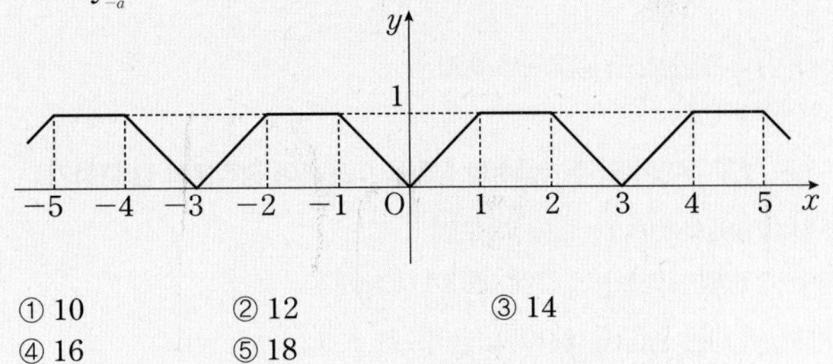

① 10 ② 12 ③ 14
④ 16 ⑤ 18

STEP Ⓐ $y=f(x)$의 그래프가 y축에 대하여 대칭임을 이용하여 $\int_0^a f(x)dx$의 값 구하기

$y=f(x)$의 그래프가 y축에 대하여 대칭이므로

$\int_{-a}^{a} f(x)dx=2\int_0^a f(x)dx=13$

$\therefore \int_0^a f(x)dx=\frac{13}{2}$

STEP Ⓑ $\int_0^a f(x)dx=\frac{13}{2}$을 만족하는 a의 값 구하기

한편 그래프에서 $\int_0^3 f(x)dx=\frac{1}{2}\cdot(3+1)\cdot 1=2$ ⬅ 사다리꼴의 넓이

이고 $f(x+3)=f(x)$이므로 x가 3씩 커질때마다 그 모양이 반복되므로

$\int_0^3 f(x)dx=\int_3^6 f(x)dx=\int_6^9 f(x)dx=2$

$\therefore \int_0^9 f(x)dx=3\int_0^3 f(x)dx=3\cdot 2=6$

이때 $\int_0^a f(x)dx=\int_0^9 f(x)dx+\int_9^a f(x)dx=\frac{13}{2}$이므로

$6+\int_9^a f(x)dx=\frac{13}{2}$

$\therefore \int_9^a f(x)dx=\frac{1}{2}$

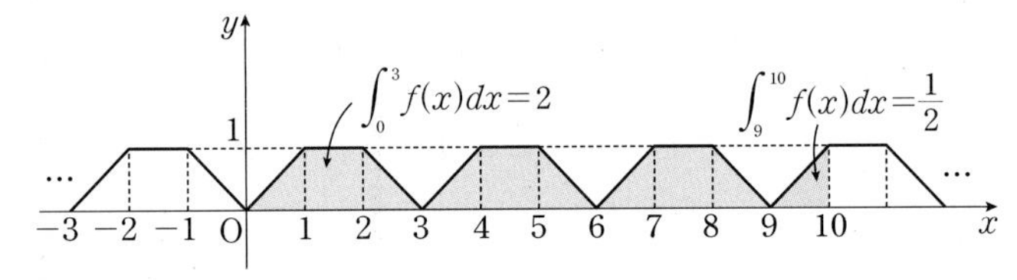

따라서 $\int_9^{10} f(x)dx=\int_0^1 f(x)dx=\frac{1}{2}$이므로 $a=10$

닫힌구간 $[0, x]$에 주어진 그래프와 x축으로 둘러싸인 부분의 넓이가 $\frac{13}{2}$이 되는 x의 값은 10이다.

즉 $a=10$이면

$\int_0^{10} f(x)dx=\int_0^3 f(x)dx+\int_3^6 f(x)dx+\int_6^9 f(x)dx+\int_9^{10} f(x)dx$

$=3\int_0^3 f(x)dx+\int_0^1 f(x)dx\,(\because f(x+3)=f(x))$

$=3\cdot 2+\frac{1}{2}$

$=\frac{13}{2}$

이 되어 주어진 조건을 만족시킨다.

0673

다음 물음에 답하여라.

(1) 실수 전체에서 정의된 연속함수 $f(x)$가 $f(x)=f(x+4)$를 만족하고

$f(x)=\begin{cases} -4x+2 & (0 \le x < 2) \\ x^2-2x+a & (2 \le x \le 4) \end{cases}$일 때, $\int_9^{11} f(x)\,dx$의 값을 구하여라.

STEP Ⓐ 함수 $y=f(x)$가 연속임을 이용하여 a의 값 구하기

함수 $y=f(x)$가 실수 전체에서 연속이므로 $x=2$에서도 연속이다.

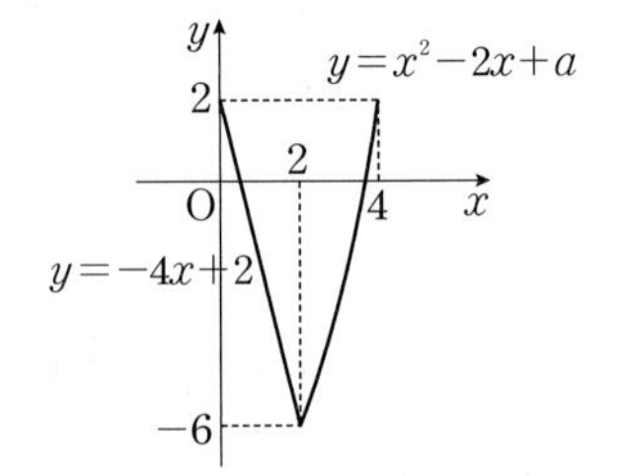

$\lim_{x\to 2-} f(x)=\lim_{x\to 2-}(-4x+2)$

$=-8+2=-6$

$\lim_{x\to 2+} f(x)=\lim_{x\to 2+}(x^2-2x+a)$

$=4-4+a=a$

$f(2)=4-4+a=a$

이때 $\lim_{x\to 2+} f(x)=\lim_{x\to 2-} f(x)=f(2)$이어야 하므로 $a=-6$

$+\alpha$ $f(x)=f(x+4)$이므로 $x=0$을 대입하면 $f(0)=f(4)$

즉 $f(0)=-4\cdot 0+2=2$이고 $f(4)=4^2-2\cdot 4+a=a+8$이므로

$2=a+8$ $\therefore a=-6$

STEP Ⓑ $f(x)=f(x+4)$임을 이용하여 $\int_9^{11} f(x)dx$ 구하기

$f(x)=\begin{cases} -4x+2 & (0 \le x < 2) \\ x^2-2x-6 & (2 \le x \le 4) \end{cases}$

$\int_9^{11} f(x)dx=\int_5^7 f(x)dx=\int_1^3 f(x)dx$

따라서 $\int_1^3 f(x)dx=\int_1^2 f(x)dx+\int_2^3 f(x)dx$

$=\int_1^2(-4x+2)dx+\int_2^3(x^2-2x-6)dx$

$=\left[-2x^2+2x\right]_1^2+\left[\frac{1}{3}x^3-x^2-6x\right]_2^3$

$=\{(-8+4)-(-2+2)\}+\left\{(9-9-18)-\left(\frac{8}{3}-4-12\right)\right\}$

$=-4-\frac{14}{3}=-\frac{26}{3}$

$+\alpha$ 조건을 만족하는 함수 $y=f(x)$의 그래프의 개형은 다음과 같다.

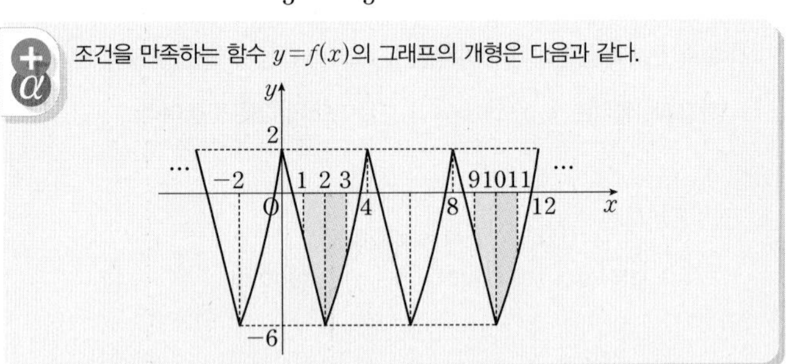

(2) 실수 전체에서 정의된 연속함수 $f(x)$가 $f(x+2)=f(x)$를 만족하고

$f(x)=\begin{cases} -x^2+2x & (0 \le x < 1) \\ -x+a & (1 \le x < 2) \end{cases}$일 때, $\int_0^{13} f(x)\,dx$의 값을 구하여라.

STEP Ⓐ 함수 $y=f(x)$가 연속임을 이용하여 a의 값 구하기

함수 $f(x)$가 실수 전체에서 연속이므로 $x=1$에서도 연속이다.

$\lim_{x\to 1+} f(x)=\lim_{x\to 1+}(-x+a)=-1+a$

$\lim_{x\to 1-} f(x)=\lim_{x\to 1-}(-x^2+2x)=-1+2=1$

$f(1)=-1+a$

이때 $\lim_{x\to 1+} f(x)=\lim_{x\to 1-} f(x)=f(1)$이어야 하므로 $-1+a=1$

$\therefore a=2$

STEP Ⓑ $f(x+2)=f(x)$임을 이용하여 $\int_0^{13} f(x)dx$ 구하기

$f(x)=\begin{cases} -x^2+2x & (0 \le x < 1) \\ -x+2 & (1 \le x < 2) \end{cases}$

함수 $f(x)$가 모든 실수 x에 대하여 $f(x+2)=f(x)$이므로

$0 \le x \le 13$에서 $0 \le x \le 1$의 모양은 7번,

$0 \le x \le 2$의 모양은 6번 나온다.

따라서 $\int_0^{13} f(x)dx = 7\int_0^1(-x^2+2x)dx + 6\int_1^2(-x+2)dx$

$= 7\left[-\frac{1}{3}x^3+x^2\right]_0^1 + 6\left[-\frac{1}{2}x^2+2x\right]_1^2$

$= 7\left(-\frac{1}{3}+1\right) + 6\left\{\left(-\frac{1}{2}\cdot 2^2+2^2\right)-\left(-\frac{1}{2}+2\right)\right\}$

$= \frac{23}{3}$

조건을 만족하는 함수 $y=f(x)$의 그래프는 다음과 같다.

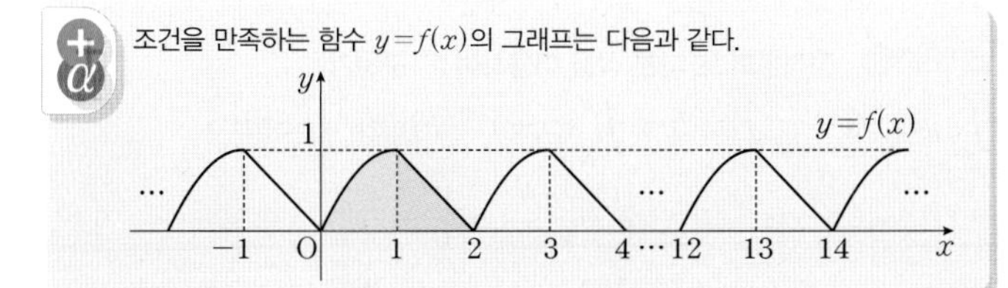

0674

연속함수 $f(x)$가 다음 두 조건을 모두 만족할 때, $\int_4^5 f(x)\,dx$의 값을 구하여라.

(가) $f(3+x)=f(3-x)$

(나) $\int_0^2 f(x)\,dx=10$, $\int_5^6 f(x)\,dx=4$

STEP Ⓐ 조건 (가)를 만족하는 그래프 개형을 그리기

조건 (가)에서 $f(3+x)=f(3-x)$이므로 함수 $y=f(x)$의 그래프는 직선 $x=3$에 대하여 대칭이다.

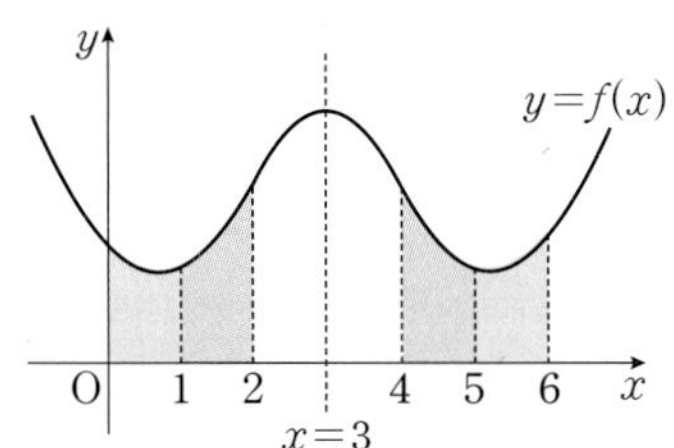

STEP Ⓑ $x=3$에 대하여 대칭임을 이용하여 $\int_4^5 f(x)dx$의 값 구하기

임의의 실수 a에 대하여 $\int_{3-a}^3 f(x)dx = \int_3^{3+a} f(x)dx$

따라서 $\int_0^2 f(x)dx = \int_4^6 f(x)dx = 10$이므로

$\int_4^5 f(x)dx = \int_4^6 f(x)dx - \int_5^6 f(x)dx = 10-4=6$

0675

실수 전체에서 정의된 연속함수 $f(x)$가 $f(2-x)=f(2+x)$를 만족하고

$f(x)=\begin{cases} 2x+5 & (2 \le x \le 3) \\ 3x^2+a & (3 \le x \le 5) \end{cases}$

일 때, $\int_{-1}^5 f(x)\,dx$의 값은?

① 122 ② 132 ③ 152
④ 162 ⑤ 180

STEP Ⓐ 함수 $y=f(x)$가 연속함수임을 이용하여 a의 값 구하기

함수 $f(x)$가 실수 전체에서 연속이므로 $x=3$에서도 연속이다.

$\lim_{x \to 3+} f(x) = \lim_{x \to 3+}(3x^2+a) = 27+a$

$\lim_{x \to 3-} f(x) = \lim_{x \to 3-}(2x+5) = 6+5=11$

$f(3)=27+a$

이때 $\lim_{x \to 3+} f(x) = \lim_{x \to 3-} f(x) = f(3)$이어야 하므로 $27+a=11$

$\therefore a=-16$

STEP Ⓑ $f(2-x)=f(2+x)$임을 이용하여 $\int_{-1}^5 f(x)dx$ 구하기

함수 $f(x)$가 $f(2-x)=f(2+x)$를 만족시키므로 함수 $f(x)$의 그래프는 직선 $x=2$에 대하여 대칭이다.

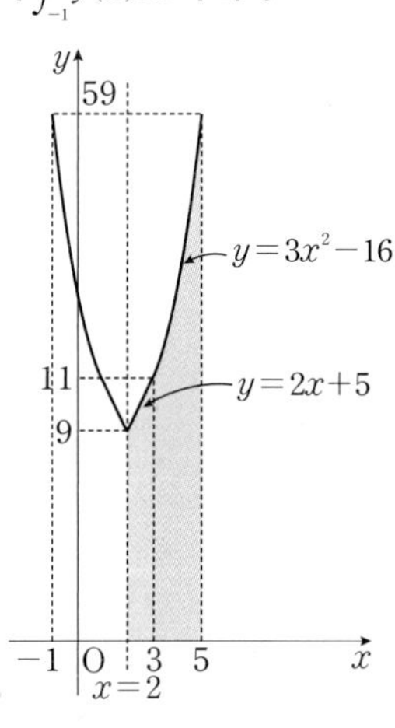

$\int_{-1}^5 f(x)dx$

$= \int_{-1}^2 f(x)dx + \int_2^5 f(x)dx$

$= 2\int_2^5 f(x)dx$

$= 2\left\{\int_2^3 f(x)dx + \int_3^5 f(x)dx\right\}$

$= 2\left\{\int_2^3 (2x+5)dx + \int_3^5 (3x^2-16)dx\right\}$

$= 2\left[x^2+5x\right]_2^3 + 2\left[x^3-16x\right]_3^5$

$= 2\{(9+15)-(4+10)\}+2\{(125-80)-(27-48)\}$

$= 152$

0676

다음 물음에 답하여라.

(1) 함수 $f(x)$는 모든 실수 x에 대하여

$f(-x)=f(x)$, $f(2-x)=f(2+x)$를 만족시키고,

$f(x)=\begin{cases} 2x & (0 \le x < 1) \\ -6x+8 & (1 \le x < 2) \\ 6x-16 & (2 \le x < 3) \\ -2x+8 & (3 \le x < 4) \end{cases}$

이다. $\int_{-n}^n f(x)\,dx=2$를 만족시키는 100 이하의 자연수 n의 개수를 구하여라.

STEP Ⓐ 조건을 만족하는 함수 $f(x)$의 그래프 개형 그리기

$f(-x)=f(x)$이므로 함수 $f(x)$는 y축에 대하여 대칭이고

$f(2-x)=f(2+x)$이므로 $x=2$에 대하여 대칭인 함수 $y=f(x)$의 그래프는 다음과 같다.

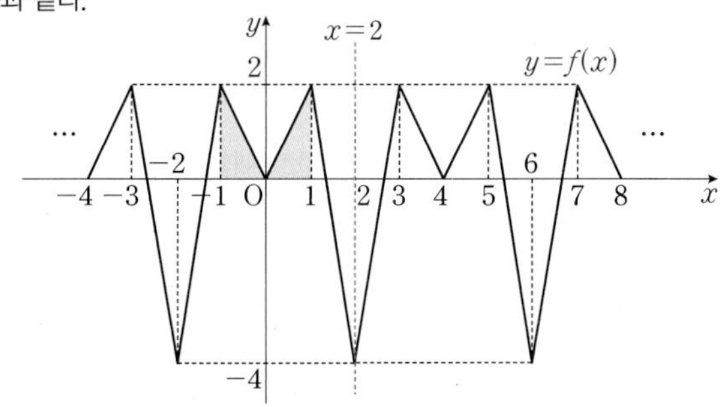

STEP Ⓑ $n=1, 2, 3, 4$을 대입하여 각각의 정적분 구하기

$\int_{-1}^1 f(x)dx = 2\int_0^1 f(x)dx$

$= 2\int_0^1 2xdx$

$= 2\left[x^2\right]_0^1 = 2$

$$\int_{-2}^{2}f(x)dx=2\int_{0}^{2}f(x)dx$$
$$=2\int_{0}^{1}f(x)dx+2\int_{1}^{2}(-6x+8)dx$$
$$=2+2\Big[-3x^2+8x\Big]_{1}^{2}$$
$$=2+(-2)=0$$
$$\int_{-3}^{3}f(x)dx=2\int_{0}^{3}f(x)dx$$
$$=2\int_{0}^{2}f(x)dx+2\int_{2}^{3}(6x-16)dx$$
$$=0+2\Big[3x^2-16x\Big]_{2}^{3}$$
$$=0+(-2)=-2$$
$$\int_{-4}^{4}f(x)dx=2\int_{0}^{4}f(x)dx$$
$$=2\int_{0}^{3}f(x)dx+2\int_{3}^{4}(-2x+8)dx$$
$$=-2+2\Big[-x^2+8x\Big]_{3}^{4}$$
$$=-2+2=0$$

STEP C $\int_{-n}^{n}f(x)dx=2$**를 만족시키는 100 이하의 자연수** n**의 개수 구하기**

즉 자연수 k에 대하여

$\int_{-4k+3}^{4k-3}f(x)dx=2$, $\int_{-4k+2}^{4k-2}f(x)dx=0$

$\int_{-4k+1}^{4k-1}f(x)dx=-2$, $\int_{-4k}^{4k}f(x)dx=0$

$4k-3\le 100$에서 $k\le \frac{103}{4}$이므로 $k=1, 2, 3, \cdots, 25$

따라서 100 이하의 자연수 n의 값은 $1, 5, 9, \cdots, 97$이고 그 개수는 25개이다.

(2) 함수 $f(x)$가 다음 조건을 만족시킬 때, $\int_{-n}^{n}f(x)dx=16$을 만족하는 자연수 n의 값을 구하여라.

(가) $0\le x\le 1$에서 $f(x)=x^2+1$이다.
(나) 모든 실수 x에 대하여 $f(-x)=f(x)$이다.
(다) 모든 실수 x에 대하여 $f(1-x)=f(1+x)$이다.

STEP A 주어진 조건을 이용하여 함수 $f(x)$**의 그래프의 개형 그리기**

두 조건 (나), (다)에서 함수 $y=f(x)$의 그래프는 y축에 대하여 대칭이고 직선 $x=1$에 대하여 대칭이므로 함수 $y=f(x)$의 그래프는 다음 그림과 같이 2를 주기로 같은 모양이 반복된다.

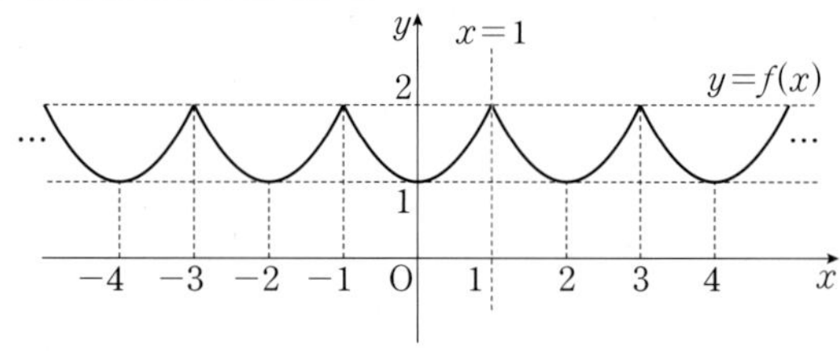

STEP B y**축에 대하여 대칭과** $x=1$**에 대하여 대칭인 함수의 그래프를 이용하여** $\int_{-n}^{n}f(x)dx$**를** n**에 대한 식으로 나타내기**

$$\int_{-n}^{n}f(x)dx=n\int_{-1}^{1}(x^2+1)dx$$
$$=2n\int_{0}^{1}(x^2+1)dx$$
$$=2n\Big[\frac{x^3}{3}+x\Big]_{0}^{1}$$
$$=2n\Big(\frac{1}{3}+1\Big)$$
$$=\frac{8}{3}n$$

따라서 $\frac{8}{3}n=16$이므로 $n=6$

0677

함수 $f(x)=x^3$의 그래프를 x축 방향으로 a만큼, y축 방향으로 b만큼 평행이동시켰더니 함수 $y=g(x)$의 그래프가 되었다.

$$g(0)=0\text{이고 }\int_{a}^{3a}g(x)dx-\int_{0}^{2a}f(x)dx=32$$

일 때, a^4의 값을 구하여라.

STEP A 평행이동시킨 함수 $g(x)$ **구하기**

함수 $y=g(x)$의 그래프는 $f(x)=x^3$의 그래프를 x축 방향으로 a만큼, y축 방향으로 b만큼 평행이동한 것이므로

$g(x)=(x-a)^3+b$

$g(0)=-a^3+b=0$이므로 $b=a^3$ ⋯⋯ ㉠

STEP B 정적분과 또 다른 식을 이용하여 a^4 **구하기**

$$\int_{a}^{3a}g(x)dx-\int_{0}^{2a}f(x)dx=\int_{a}^{3a}\{(x-a)^3+b\}dx-\int_{0}^{2a}x^3dx$$
$$=\Big[\frac{(x-a)^4}{4}+bx\Big]_{a}^{3a}-\Big[\frac{x^4}{4}\Big]_{0}^{2a}$$
$$=\frac{16a^4}{4}+3ab-ab-\frac{16a^4}{4}$$
$$=2ab$$

$2ab=32$이므로 $ab=16$ ⋯⋯ ㉡

따라서 ㉠, ㉡에서 $a^4=a\cdot a^3=ab=16$

다른풀이 $\int_{a}^{b}g(x)dx=\int_{a-c}^{b-c}g(x+c)dx$가 성립함을 이용하여 풀이하기

그래프의 평행이동에 의해

$$\int_{a}^{3a}g(x)dx=\int_{a}^{3a}\{(x-a)^3+b\}dx$$
$$=\int_{0}^{2a}(x^3+b)dx$$
$$\int_{a}^{3a}g(x)dx-\int_{0}^{2a}f(x)dx=\int_{0}^{2a}(x^3+b)dx-\int_{0}^{2a}x^3dx$$
$$=\int_{0}^{2a}\{(x^3+b)-x^3\}dx$$
$$=\int_{0}^{2a}bdx$$
$$=\Big[bx\Big]_{0}^{2a}$$
$$=2ab$$
$$=32 \quad \cdots\cdots ㉡$$

따라서 ㉠, ㉡에서 $2ab=2a^4=32$이므로 $a^4=16$

다른풀이 그래프의 평행이동을 이용하여 풀이하기

함수 $y=g(x)$의 그래프는 $f(x)=x^3$의 그래프를 x축 방향으로 a만큼, y축 방향으로 b만큼 평행이동한 것이므로

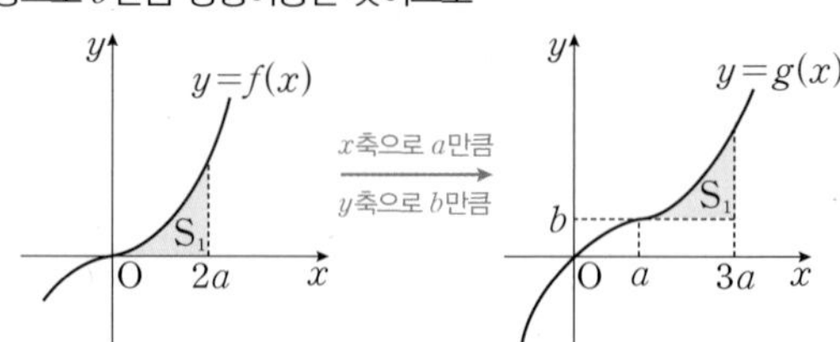

즉 그림에서 $\int_{0}^{2a}f(x)dx=\int_{a}^{3a}g(x)dx-2ab$가 성립하므로

$\int_{a}^{3a}g(x)dx-\int_{0}^{2a}f(x)dx=2ab$

즉 $2ab=32$이므로 $ab=16$

$g(0)=0$에서 $0=-a^3+b$

따라서 $b=a^3$이므로 $a^4=a\cdot a^3=ab=16$

0678

양수 a에 대하여 삼차함수 $f(x)=-x(x+a)(x-a)$의 극댓점의 x좌표를 b라 하자.

$$\int_{-b}^{a} f(x)\,dx=A,\ \int_{b}^{a+b} f(x-b)\,dx=B$$

일 때, $\int_{-b}^{a}|f(x)|dx$의 값은?

① $-A+2B$ ② $-2A+B$ ③ $-A+B$
④ $A+B$ ⑤ $A+2B$

STEP A $f(x)$의 그래프를 그리고 A, B의 값 구하기

$f(x)=-x(x+a)(x-a)$의 개형은 다음과 같다.

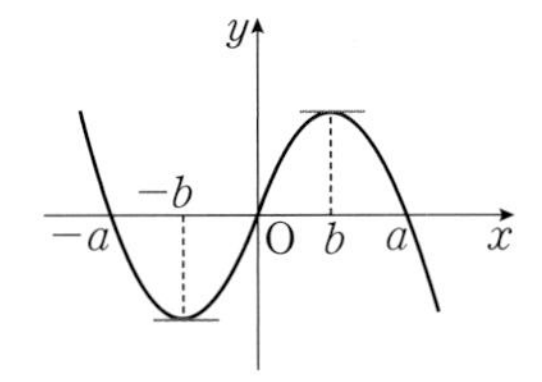

$A=\int_{-b}^{a}f(x)dx=\int_{-b}^{0}f(x)dx+\int_{0}^{a}f(x)dx$ …… ㉠

또한, $y=f(x-b)$의 그래프는 함수 $y=f(x)$의 그래프를 x축의 방향으로 b만큼 평행이동한 것이므로

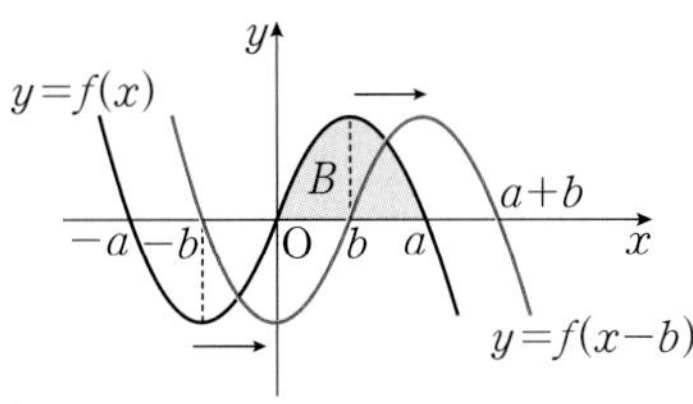

$B=\int_{b}^{a+b}f(x-b)dx=\int_{0}^{a}f(x)dx$이므로 ㉠에서

$\int_{-b}^{0}f(x)dx=A-B$

STEP B $\int_{-b}^{a}|f(x)|dx$의 값 구하기

이때 함수 $y=|f(x)|$의 그래프는 다음과 같고 $\int_{-b}^{a}|f(x)|dx$는 어두운 부분의 넓이와 같다.

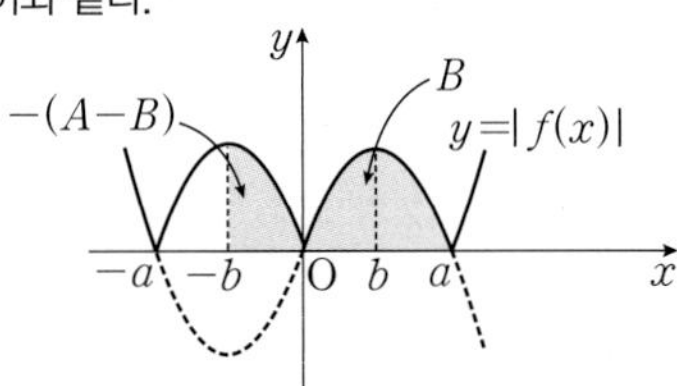

따라서 $\int_{-b}^{a}|f(x)|dx=-\int_{-b}^{0}f(x)dx+\int_{0}^{a}f(x)dx$

$=-(A-B)+B$

$=-A+2B$

0679

함수 $f(x)$가 다음 두 조건을 만족할 때, $\int_{1}^{4}f(x-1)dx$의 값을 구하여라.

(가) $-1\le x\le 1$일 때, $f(x)=1-x^2$이다.
(나) 모든 x에 대하여 $f(x+2)=f(x)$이다.

STEP A 주어진 조건을 만족하는 함수 $f(x)$의 그래프 개형 그리기

$f(x+2)=f(x)$에서 함수 $y=f(x)$의 그래프는 x가 2씩 커질 때마다 그 모양이 반복된다.

$-1\le x\le 1$일 때, $f(x)=1-x^2$이므로 함수 $y=f(x)$의 그래프는 [그림1]과 같다.

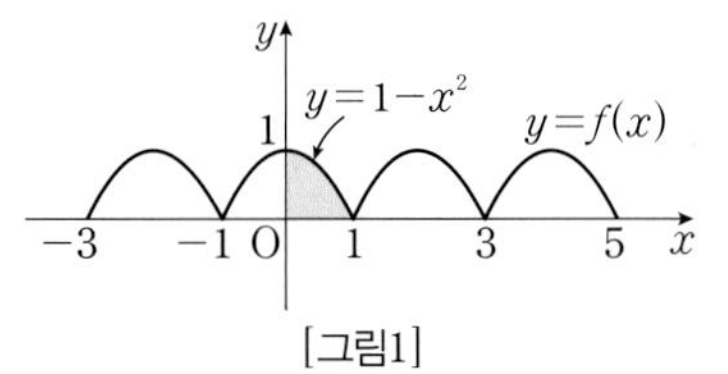

[그림1]

함수 $y=f(x-1)$의 그래프는 곡선 $y=f(x)$의 그래프를 x축의 양의 방향으로 1만큼 평행이동시킨 것이므로 [그림2]와 같다.

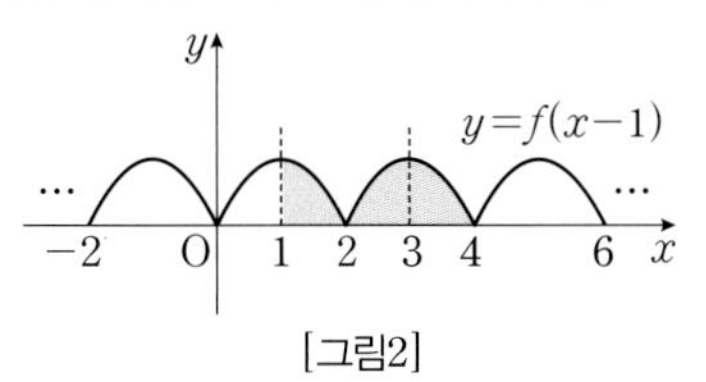

[그림2]

STEP B $\int_{1}^{4}f(x-1)dx$의 값 구하기

$\int_{1}^{4}f(x-1)dx$는 [그림2]의 어두운 부분의 넓이와 같고 이것은 [그림1]의 어두운 부분의 넓이의 3배가 된다.

$\therefore \int_{1}^{4}f(x-1)dx=3\int_{0}^{1}f(x)dx$

$=3\int_{0}^{1}(1-x^2)dx$

$=3\left[x-\frac{x^3}{3}\right]_{0}^{1}$

$=3\left(1-\frac{1}{3}\right)$

$=2$

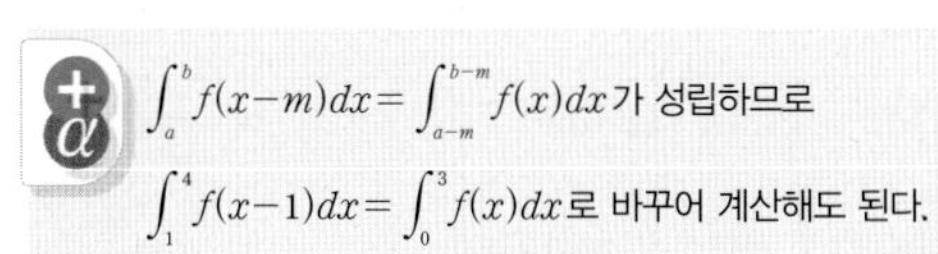

$+\alpha$ $\int_{a}^{b}f(x-m)dx=\int_{a-m}^{b-m}f(x)dx$가 성립하므로 $\int_{1}^{4}f(x-1)dx=\int_{0}^{3}f(x)dx$로 바꾸어 계산해도 된다.

단원종합문제 FINAL EXERCISE

BASIC

0680

다음 물음에 답하여라.

(1) $\int_0^1 (2x+a)\,dx=4$일 때, 상수 a의 값은?

① 1 ② 2 ③ 3
④ 4 ⑤ 5

STEP Ⓐ 부정적분을 구한 다음 정적분의 정의에 따라 값을 구하기

$$\int_0^1 (2x+a)dx=\left[x^2+ax\right]_0^1$$
$$=1+a$$
$$=4$$

따라서 $a=3$

(2) $\int_0^a (3x^2-4)\,dx=0$을 만족시키는 양수 a의 값은?

① 2 ② $\frac{9}{4}$ ③ $\frac{5}{2}$
④ $\frac{11}{4}$ ⑤ 3

STEP Ⓐ 부정적분을 구한 다음 정적분의 정의에 따라 값을 구하기

$$\int_0^a (3x^2-4)dx=\left[x^3-4x\right]_0^a$$
$$=a^3-4a$$
$$=a(a+2)(a-2)$$

이때 $a(a+2)(a-2)=0$이므로

$a=-2$ 또는 $a=0$ 또는 $a=2$

따라서 $a>0$이므로 $a=2$

0681

다음 정적분을 구하여라.

(1) $\int_0^1 (2x^2+5x+1)\,dx-\int_1^0 (3x-4x^2)\,dx$

(2) $\int_0^1 (x^3+3x^2+2)\,dx-\int_0^{-1} (t^3+3t^2+2)\,dt$

(3) $\int_{-4}^2 (x^3-3x^2+2x)\,dx-\int_{-4}^{-1} (x^3-3x^2+2x)\,dx$

STEP Ⓐ 정적분의 성질을 이용하여 식을 정리하여 정적분의 값 구하기

(1) $\int_0^1 (2x^2+5x+1)dx-\int_1^0 (3x-4x^2)dx$ ⬅ 구간이 같다.

$$=\int_0^1 (2x^2+5x+1)dx+\int_0^1 (3x-4x^2)dx$$
$$=\int_0^1 \{(2x^2+5x+1)dx+(3x-4x^2)\}dx$$
$$=\int_0^1 (-2x^2+8x+1)dx$$
$$=\left[-\frac{2}{3}x^3+4x^2+x\right]_0^1$$
$$=\frac{13}{3}$$

(2) $\int_0^1 (x^3+3x^2+2)dx-\int_0^{-1} (t^3+3t^2+2)dt$ ⬅ 피적분함수가 같다.

$$=\int_0^1 (x^3+3x^2+2)dx+\int_{-1}^0 (t^3+3t^2+2)dt$$
$$=\int_{-1}^1 (x^3+3x^2+2)dx$$
$$=2\int_0^1 (3x^2+2)dx$$
$$=2\left[x^3+2x\right]_0^1$$
$$=2(1+2)$$
$$=6$$

(3) $\int_{-4}^2 (x^3-3x^2+2x)dx-\int_{-4}^{-1} (x^3-3x^2+2x)dx$ ⬅ 피적분함수가 같다.

$$=\int_{-4}^2 (x^3-3x^2+2x)dx+\int_{-1}^{-4} (x^3-3x^2+2x)dx$$
$$=\int_{-1}^2 (x^3-3x^2+2x)dx$$
$$=\left[\frac{1}{4}x^4-x^3+x^2\right]_{-1}^2$$
$$=(4-8+4)-\left(\frac{1}{4}+1+1\right)$$
$$=-\frac{9}{4}$$

0682

다음 정적분의 값을 구하여라.

(1) 함수 $f(x)=x^3+6x+1$에 대하여 $\int_{-1}^1 \{f'(x)+2x\}dx$의 값을 구하여라.

STEP Ⓐ 아래끝과 위끝의 절댓값이 같고 부호가 다를 때, 우함수, 기함수의 정적분의 성질을 이용하여 정적분 계산하기

$$\int_{-1}^1 \{f'(x)+2x\}dx=\left[f(x)+x^2\right]_{-1}^1$$
$$=f(1)-f(-1)$$ ⬅ $f(x)=x^3+6x+1$에 $x=1$, $x=-1$대입
$$=(1+6+1)-(-1-6+1)$$
$$=8-(-6)$$
$$=14$$

(2) 함수 $f(x)=x^3+2x^2-3x+4$가 있다. 등식

$$\int_{-2}^2 f(x)\,dx=f(-a)+f(a)$$

를 만족시키는 실수 a에 대하여 $3a^2$의 값을 구하여라.

STEP Ⓐ 우함수, 기함수의 성질을 이용하여 $\int_{-2}^2 f(x)dx$의 값 구하기

$$\int_{-2}^2 f(x)dx=\int_{-2}^2 (x^3+2x^2-3x+4)dx$$
$$=\int_{-2}^2 (2x^2+4)dx+\int_{-2}^2 (x^3-3x)dx$$
$$=2\int_0^2 (2x^2+4)dx+0$$
$$=4\left[\frac{1}{3}x^3+2x\right]_0^2=\frac{80}{3}$$

STEP Ⓑ $f(-a)+f(a)$를 구하여 a^2 구하기

또한, $f(-a)+f(a)=(-a^3+2a^2+3a+4)+(a^3+2a^2-3a+4)$
$$=4a^2+8$$

$\int_{-2}^2 f(x)dx=f(-a)+f(a)$에서 $4a^2+8=\frac{80}{3}$

$\therefore a^2=\frac{14}{3}$

따라서 $3a^2=14$

0683

다음 물음에 답하여라.

(1) 실수 a에 대하여 $\int_{-a}^{a}(3x^2+2x)\,dx=\frac{1}{4}$일 때, $50a$의 값은?

① 25 ② 50 ③ 75 ④ 100 ⑤ 125

STEP Ⓐ x의 지수가 0 또는 짝수인 항과 홀수인 항으로 나누어 $\int_{-a}^{a}x^n\,dx$의 정적분 계산하기

$$\int_{-a}^{a}(3x^2+2x)dx=2\int_0^a 3x^2dx \quad \Leftarrow \int_{-a}^{a}2xdx=0$$
$$=2\Big[x^3\Big]_0^a=2a^3$$

STEP Ⓑ 실수 a의 값 구하기

이때 $2a^3=\frac{1}{4}$에서 $a^3=\frac{1}{8}$이므로 $\left(a-\frac{1}{2}\right)\left(a^2+\frac{a}{2}+\frac{1}{4}\right)=0$

$\therefore a=\frac{1}{2}\left(\because a^2+\frac{1}{2}a+\frac{1}{4}>0\right)$

따라서 $50a=25$

(2) 등식 $\int_{-a}^{a}(2x^5-5x^3+3x^2-3x+1)\,dx=20$을 만족하는 실수 a의 값은?

① 2 ② 3 ③ 4 ④ 5 ⑤ 6

STEP Ⓐ x의 지수가 0 또는 짝수인 항과 홀수인 항으로 나누어 $\int_{-a}^{a}x^n\,dx$의 정적분 계산하기

$\int_{-a}^{a}x^5dx=\int_{-a}^{a}x^3dx=\int_{-a}^{a}xdx=0$이므로

$$\int_{-a}^{a}(3x^2+1)dx=2\int_0^a(3x^2+1)dx$$
$$=2\Big[x^3+x\Big]_0^a=2(a^3+a)$$

STEP Ⓑ 실수 a의 값 구하기

이때 $2(a^3+a)=20$에서 $a^3+a-10=0$이므로

$(a-2)(a^2+2a+5)=0$

따라서 $a=2(\because a^2+2a+5>0)$

(3) $\int_{-a}^{a}(|x|-2)\,dx=5$일 때, 양수 a의 값은?

① 3 ② $\frac{7}{2}$ ③ 4 ④ $\frac{9}{2}$ ⑤ 5

STEP Ⓐ x의 지수가 0 또는 짝수인 항과 홀수인 항으로 나누어 $\int_{-a}^{a}x^n\,dx$의 정적분 계산하기

$f(x)=|x|-2$라 하면 모든 실수 x에 대하여

$f(-x)=|-x|-2=f(x)$이므로 곡선 $y=f(x)$는 y축에 대하여 대칭이다.

$$\int_{-a}^{a}(|x|-2)dx=2\int_0^a(x-2)dx$$
$$=2\Big[\frac{1}{2}x^2-2x\Big]_0^a=a^2-4a$$

STEP Ⓑ 양수 a의 값 구하기

이때 $\int_{-a}^{a}(|x|-2)dx=5$이므로 $a^2-4a-5=0$

$(a-5)(a+1)=0$

따라서 $a>0$이므로 $a=5$

0684

함수 $f(x)=x+1$에 대하여

$$\int_{-1}^{1}\{f(x)\}^2dx=k\left\{\int_{-1}^{1}f(x)dx\right\}^2$$

일 때, 상수 k의 값은?

① $\frac{1}{6}$ ② $\frac{1}{3}$ ③ $\frac{1}{2}$ ④ $\frac{2}{3}$ ⑤ $\frac{5}{6}$

STEP Ⓐ 아래끝과 위끝의 절댓값이 같고 부호가 다를 때, 우함수, 기함수의 정적분의 성질을 이용하여 정적분 계산하기

$$\int_{-1}^{1}\{f(x)\}^2dx=\int_{-1}^{1}(x+1)^2dx=\int_{-1}^{1}(x^2+2x+1)dx$$
$$=2\int_0^1(x^2+1)dx+\int_{-1}^{1}2xdx$$
$$=2\Big[\frac{1}{3}x^3+x\Big]_0^1$$
$$=2\left(\frac{1}{3}+1\right)=\frac{8}{3} \quad \cdots\cdots ㉠$$

$$\int_{-1}^{1}f(x)dx=\int_{-1}^{1}(x+1)dx=2\int_0^1 1dx$$
$$=2\Big[x\Big]_0^1=2 \quad \cdots\cdots ㉡$$

STEP Ⓑ k의 값 구하기

㉠, ㉡에서 $\int_{-1}^{1}\{f(x)\}^2dx=k\left\{\int_{-1}^{1}f(x)dx\right\}^2$이므로 $\frac{8}{3}=4k$

따라서 $k=\frac{2}{3}$

0685

다음 정적분의 값을 구하여라.

(1) $\int_{-2}^{2}(x+|x|+2)\,dx$의 값은?

① 4 ② 6 ③ 8 ④ 10 ⑤ 12

STEP Ⓐ x의 지수가 0 또는 짝수인 항과 홀수인 항으로 나누어 $\int_{-a}^{a}x^n\,dx$의 적분을 이용하기

$\int_{-2}^{2}xdx=0$이고 $\int_{-2}^{2}|x|dx=2\int_0^2 xdx$, $\int_{-2}^{2}2dx=2\int_0^2 2dx$이므로

$$\int_{-2}^{2}(x+|x|+2)dx=2\int_0^2(|x|+2)dx=2\int_0^2(x+2)dx$$
$$=2\Big[\frac{1}{2}x^2+2x\Big]_0^2$$
$$=2\cdot 6=12$$

(2) $\int_0^2 x|x-1|\,dx$의 값은?

① $\frac{1}{3}$ ② $\frac{2}{3}$ ③ 1 ④ $\frac{4}{3}$ ⑤ $\frac{5}{3}$

STEP Ⓐ 절댓값 안의 식의 값이 0이 되는 $x=1$를 기준으로 적분구간을 나누어 계산하기

$$x|x-1|=\begin{cases}-x(x-1) & (x\le 1)\\ x(x-1) & (x\ge 1)\end{cases}$$

이므로

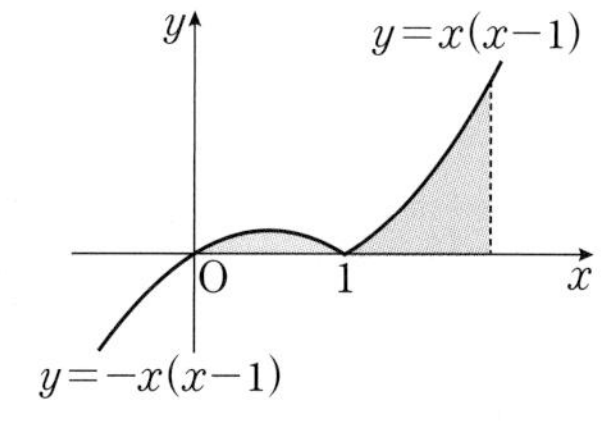

$\int_{0}^{2} x|x-1|dx$

$= \int_{0}^{1}\{-x(x-1)\}dx + \int_{1}^{2} x(x-1)dx$

$= \int_{0}^{1}(-x^2+x)dx + \int_{1}^{2}(x^2-x)dx$

$= \left[-\frac{1}{3}x^3+\frac{1}{2}x^2\right]_0^1 + \left[\frac{1}{3}x^3-\frac{1}{2}x^2\right]_1^2$

$= \left\{\left(-\frac{1}{3}+\frac{1}{2}\right)-0\right\} + \left\{\left(\frac{8}{3}-2\right)-\left(\frac{1}{3}-\frac{1}{2}\right)\right\}$

$=1$

(3) $\int_{-2}^{1}|2x^2-x-3|dx$의 값은?

① $\frac{7}{2}$　② $\frac{9}{2}$　③ $\frac{14}{3}$
④ $\frac{19}{6}$　⑤ $\frac{47}{6}$

STEP A 절댓값 안의 식의 값이 0이 되는 $x=-1$을 기준으로 적분구간을 나누어 계산하기

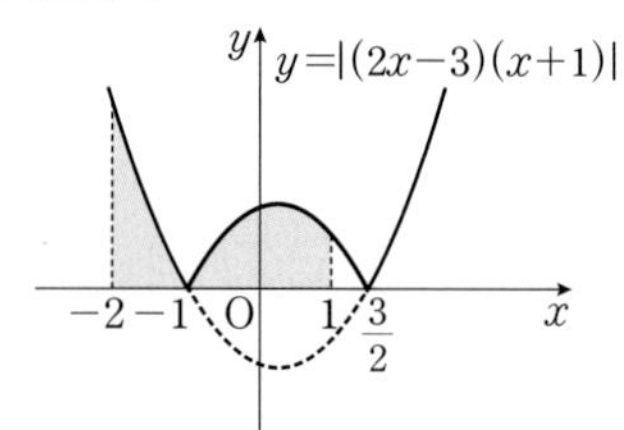

$2x^2-x-3=0$에서 $(2x-3)(x+1)=0$

$\therefore x=1$ 또는 $x=\frac{3}{2}$이므로

$|2x^2-x-3| = \begin{cases} 2x^2-x-3 & \left(x \le -1 \text{ 또는 } x \ge \frac{3}{2}\right) \\ -2x^2+x+3 & \left(-1 \le x \le \frac{3}{2}\right) \end{cases}$

$\int_{-2}^{1}|2x^2-x-3|dx = \int_{-2}^{-1}(2x^2-x-3)dx + \int_{-1}^{1}(-2x^2+x+3)dx$

$= \left[\frac{2}{3}x^3-\frac{1}{2}x^2-3x\right]_{-2}^{-1} + \left[-\frac{2}{3}x^3+\frac{1}{2}x^2+3x\right]_{-1}^{1}$

$= \frac{19}{6}+\frac{14}{3}$

$= \frac{47}{6}$

0686

함수 $y=4x^3-12x^2$의 그래프를 y축의 방향으로 k만큼 평행이동한 그래프를 나타내는 함수를 $y=f(x)$라 하자.

$$\int_{0}^{3} f(x)dx=0$$

을 만족시키는 상수 k의 값을 구하여라.

STEP A 평행이동하여 함수 $f(x)$의 식 구하기

함수 $y=4x^3-12x^2$의 그래프를 y축의 방향으로 k만큼 평행이동하면

$y-k=4x^3-12x^2$, $y=4x^3-12x^2+k$

$\therefore f(x)=4x^3-12x^2+k$

STEP B $\int_{0}^{3} f(x)dx=0$을 만족하는 k의 값 구하기

$\int_{0}^{3} f(x)dx = \int_{0}^{3}(4x^3-12x^2+k)dx$

$= \left[x^4-4x^3+kx\right]_0^3$

$=81-108+3k$

$=-27+3k$

따라서 $-27+3k=0$이므로 $k=9$

0687

두 다항함수 $f(x)$, $g(x)$가

$$\int_{-1}^{4}\{f(x)+g(x)\}dx=9,\ \int_{4}^{-1}\{f(x)-g(x)\}dx=5$$

를 만족시킬 때, $\int_{-1}^{4}\{3f(x)+2g(x)\}dx$의 값은?

① 16　② 17　③ 18
④ 19　⑤ 20

STEP A 정적분의 성질을 이용하여 연립하여 정적분 구하기

$\int_{-1}^{4}\{f(x)+g(x)\}dx = \int_{-1}^{4} f(x)dx + \int_{-1}^{4} g(x)dx = 9$ …… ㉠

$\int_{4}^{-1}\{f(x)-g(x)\}dx = -\int_{-1}^{4}\{f(x)-g(x)\}dx$

$= -\left\{\int_{-1}^{4} f(x)dx - \int_{-1}^{4} g(x)dx\right\}$

$= -\int_{-1}^{4} f(x)dx + \int_{-1}^{4} g(x)dx$

$=5$ …… ㉡

㉠, ㉡을 연립하여 풀면 $\int_{-1}^{4} f(x)dx=2$, $\int_{-1}^{4} g(x)dx=7$

따라서 $\int_{-1}^{4}\{3f(x)+2g(x)\}dx = 3\int_{-1}^{4} f(x)dx + 2\int_{-1}^{4} g(x)dx$

$=3\cdot 2+2\cdot 7=20$

0688

두 다항함수 $f(x)$, $g(x)$가

$$f(1)=4,\ f(2)=8,\ g(1)=1,\ g(2)=4$$

를 만족할 때, $\int_{1}^{2} f'(x)g(x)dx + \int_{1}^{2} f(x)g'(x)dx$의 값은?

① 28　② 29　③ 30
④ 31　⑤ 32

STEP A 곱의 미분법을 이용한 정적분 구하기

$\int_{1}^{2} f'(x)g(x)dx + \int_{1}^{2} f(x)g'(x)dx = \int_{1}^{2}\{f'(x)g(x)+f(x)g'(x)\}dx$

$= \int_{1}^{2}\{f(x)g(x)\}'dx$

$= \left[f(x)g(x)\right]_1^2$

$=f(2)g(2)-f(1)g(1)$

$=8\cdot 4-4\cdot 1=28$

0689

이차함수 $f(x)=-12x(x-a)$에 대하여

$$f'(0)+f'(2)=0$$

일 때, $\int_{0}^{a} f(x)dx$의 값을 구하여라. (단, a는 상수이다.)

STEP A $f'(x)$를 구하여 a의 값 구하기

$f(x)=-12x(x-a)=-12x^2+12ax$에서 $f'(x)=-24x+12a$

$f'(0)+f'(2)=12a+(-48+12a)=0$

$24a-48=0$　$\therefore a=2$

STEP B 정적분을 이용하여 계산하기

따라서 $\int_{0}^{a} f(x)dx = \int_{0}^{2}(-12x^2+24x)dx = \left[-4x^3+12x^2\right]_0^2$

$=-4\cdot 2^3+12\cdot 2^2$

$=16$

0690

포물선 $y=x^2$ 위의 한 점 $\mathrm{P}(x, y)$에서 접선이 x축의 양의 방향과 이루는 각의 크기를 $\theta(x)$라 할 때, $\int_0^1 \tan\theta(x)\,dx$의 값은?

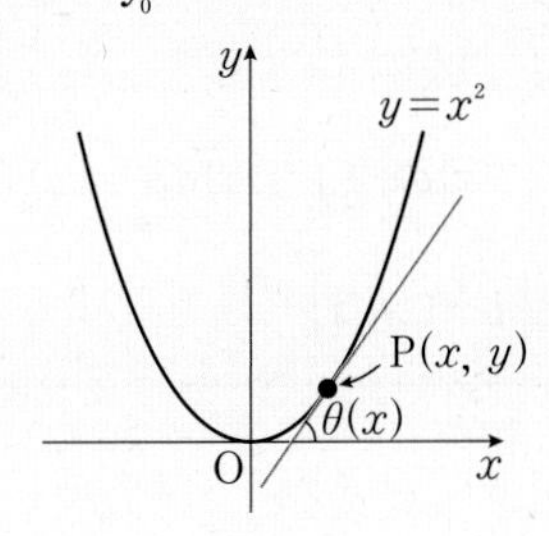

① $\frac{\sqrt{3}}{3}$ ② $\frac{1}{3}$ ③ $\frac{1}{2}$
④ $\frac{\sqrt{2}}{2}$ ⑤ 1

STEP A 접선의 기울기가 $\tan\theta(x)=2x$임을 이용하여 정적분 계산하기

포물선 위의 한 점 $\mathrm{P}(x, y)$에서의 접선의 기울기는 $y'=2x$이고
접선이 x축의 양의 방향과 이루는 각의 크기가 $\theta(x)$이므로
접선의 기울기는 $\tan\theta(x)=2x$
따라서 $\int_0^1 \tan\theta(x)\,dx=\int_0^1 2x\,dx=\left[x^2\right]_0^1=1$

0691

함수 $f(x)=x^3+3x^2-2x+2$에 대하여

$$\int_0^4 f(x)\,dx-\int_2^4 f(x)\,dx+\int_{-2}^0 f(x)\,dx$$

의 값을 구하여라.

STEP A 정적분의 성질을 이용하여 정적분 정리하기

$\int_0^4 f(x)dx-\int_2^4 f(x)dx+\int_{-2}^0 f(x)dx$
$=\int_{-2}^0 f(x)dx+\int_0^4 f(x)dx-\int_2^4 f(x)dx$
$=\int_{-2}^4 f(x)dx+\int_4^2 f(x)dx$
$=\int_{-2}^2 f(x)dx$

STEP B x의 지수가 0 또는 짝수인 항과 홀수인 항으로 나누어 $\int_{-a}^a x^n\,dx$의 적분을 이용하기

따라서 $\int_{-2}^2 f(x)dx=\int_{-2}^2 (x^3+3x^2-2x+2)dx$
$=2\int_0^2 (3x^2+2)dx$
$=2\left[x^3+2x\right]_0^2$
$=2(8+4)=24$

0692

양수 a에 대하여 함수 $f(x)=x(x-a)$가

$$\int_0^a |f(x)|dx=\int_a^{a+3} f(x)\,dx$$

를 만족시킬 때, $f(8)$의 값은?
① 12 ② 14 ③ 16
④ 18 ⑤ 20

STEP A 절댓값을 풀어 주어진 식 정리하기

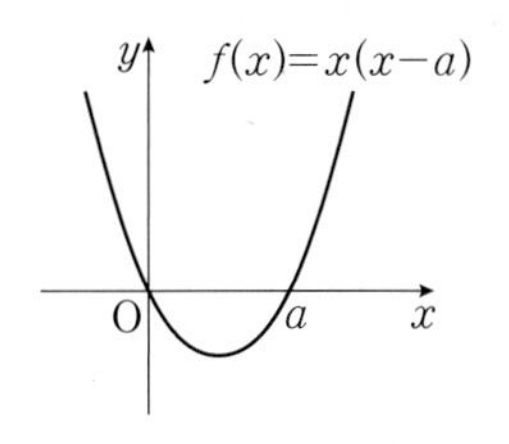

$0\le x\le a$일 때, $x(x-a)\le 0$이므로
$\int_0^a |f(x)|dx=-\int_0^a f(x)dx$
즉 $-\int_0^a f(x)dx=\int_a^{a+3} f(x)dx$이므로
$\int_0^a f(x)dx+\int_a^{a+3} f(x)dx=0$
$\therefore \int_0^{a+3} f(x)dx=0$

STEP B 정적분을 계산하여 a의 값 구하기

이때 $\int_0^{a+3} f(x)dx=\left[\frac{1}{3}x^3-\frac{a}{2}x^2\right]_0^{a+3}$
$=\frac{1}{3}(a+3)^3-\frac{1}{2}a(a+3)^2$
$=\frac{1}{6}(a+3)^2(2a+6-3a)$
이므로 $\frac{1}{6}(a+3)^2(6-a)=0$
$a>0$이므로 $a=6$
따라서 $f(x)=x(x-6)$이므로 $f(8)=16$

0693

다음 물음에 답하여라.
(1) 두 함수 $f(x)$, $g(x)$가 다음 두 조건을 만족할 때,
$\int_0^3 f(x)\,dx+\int_0^3 g(t)\,dt$의 값은?

(가) 모든 실수 x에 대하여 $f(-x)=f(x)$, $g(-x)=-g(x)$
(나) $\int_{-3}^3 f(x)\,dx=4$, $\int_{-3}^0 g(x)\,dx=3$

① -3 ② -1 ③ 1
④ 3 ⑤ 5

STEP A $f(x)$가 우함수임을 이용하여 $\int_0^3 f(x)dx$의 값 구하기

$f(-x)=f(x)$이므로 $f(x)$는 y축에 대하여 대칭이므로 우함수이다.
$g(-x)=-g(x)$이므로 $g(x)$는 원점에 대하여 대칭이므로 기함수이다.

STEP B 우함수, 기함수의 정적분의 성질을 이용하여 정적분 계산하기

$\int_{-3}^3 f(x)dx=4$이므로 $2\int_0^3 f(x)dx=4$
$\therefore \int_0^3 f(x)dx=2$
$\int_{-3}^0 g(x)dx=3$이므로 $\int_0^3 g(x)dx=-\int_{-3}^0 g(x)dx=-3$
따라서 $\int_0^3 f(x)dx+\int_0^3 g(t)dt=\int_0^3 f(x)dx+\int_0^3 g(x)dx$
$=2-3=-1$

(2) 함수 $f(x)$가 다음 두 조건을 만족할 때, 정적분 $\int_{-2}^{2}(x-3)f(x)\,dx$의 값은?

(가) 모든 실수 x에 대하여 $f(-x)=f(x)$

(나) $\int_{0}^{2}f(x)\,dx=-4$

① 20　② 22　③ 24
④ 26　⑤ 28

STEP A 우함수, 기함수의 정적분의 성질을 이용하여 정적분 계산하기

조건 (가)에서 함수 $y=f(x)$의 그래프는 y축에 대하여 대칭이므로

$\int_{-2}^{2}f(x)dx=2\int_{0}^{2}f(x)dx=-8$ ...... ㉠

한편 $g(x)=xf(x)$로 놓으면

$g(-x)=-xf(-x)=-xf(x)=-g(x)$이므로

$g(x)$는 원점에 대하여 대칭이다.

즉 $g(x)$는 기함수이다.

$\therefore \int_{-2}^{2}xf(x)dx=\int_{-2}^{2}g(x)dx=0$ ...... ㉡

따라서 ㉠, ㉡에서

$$\int_{-2}^{2}(x-3)f(x)dx=\int_{-2}^{2}xf(x)dx-3\int_{-2}^{2}f(x)dx$$
$$=0-3\cdot(-8)=24$$

0694

연속함수 $f(x)$와 양수 a에 대하여 다음 [보기]의 설명 중 옳은 것을 모두 고른 것은?

ㄱ. $f(x)=f(-x)$이면 $\int_{-a}^{a}f(x)dx=2\int_{0}^{a}f(x)dx$

ㄴ. $f(x)=-f(-x)$이면 $\int_{-a}^{a}f(x)dx=\int_{a}^{-a}f(x)dx$

ㄷ. $f(x)=f(x+a)$이면 $\int_{0}^{a}f(x)dx+\int_{-a}^{0}f(x)dx=2\int_{0}^{a}f(x)dx$

① ㄱ　② ㄴ　③ ㄱ, ㄷ
④ ㄴ, ㄷ　⑤ ㄱ, ㄴ, ㄷ

STEP A 정적분의 성질을 이용하여 [보기]의 참, 거짓 판단하기

ㄱ. $f(x)=f(-x)$이면 $f(x)$는 y축에 대하여 대칭이므로

$\int_{-a}^{a}f(x)dx=2\int_{0}^{a}f(x)dx$ [참]

ㄴ. $f(x)=-f(-x)$이면 $f(x)$는 원점에 대하여 대칭이므로

$\int_{-a}^{a}f(x)dx=0$

또, $\int_{a}^{-a}f(x)dx=-\int_{-a}^{a}f(x)dx=0$이므로

$\int_{-a}^{a}f(x)dx=\int_{a}^{-a}f(x)dx$ [참]

ㄷ. $f(x)=f(x+a)$이면

$\int_{-a}^{0}f(x)dx=\int_{0}^{a}f(x)dx$이므로

$\therefore \int_{0}^{a}f(x)dx+\int_{-a}^{0}f(x)dx=2\int_{0}^{a}f(x)dx$ [참]

따라서 옳은 것은 ㄱ, ㄴ, ㄷ이다.

0695

모든 다항함수 $f(x)$에 대하여 옳은 것만을 [보기]에서 있는 대로 고른 것은?

ㄱ. $\int_{0}^{3}f(x)dx=3\int_{0}^{1}f(x)dx$

ㄴ. $\int_{0}^{1}f(x)dx=\int_{0}^{2}f(x)dx+\int_{2}^{1}f(x)dx$

ㄷ. $\int_{0}^{1}\{f(x)\}^{2}dx=\left\{\int_{0}^{1}f(x)dx\right\}^{2}$

① ㄴ　② ㄷ　③ ㄱ, ㄴ
④ ㄱ, ㄷ　⑤ ㄴ, ㄷ

STEP A 정적분의 성질을 이용하여 [보기]의 참, 거짓의 진위판단하기

ㄱ. 반례 $f(x)=x$라고 하면

$\int_{0}^{3}f(x)dx=\int_{0}^{3}xdx=\left[\frac{1}{2}x^{2}\right]_{0}^{3}=\frac{9}{2}$

$3\int_{0}^{1}f(x)dx=3\int_{0}^{1}xdx=3\left[\frac{1}{2}x^{2}\right]_{0}^{1}=\frac{3}{2}$

$\therefore \int_{0}^{3}f(x)dx\neq 3\int_{0}^{1}f(x)dx$ [거짓]

ㄴ. 함수 $f(x)$의 부정적분을 $F(x)$라 하면

$\int_{0}^{1}f(x)dx=F(1)-F(0)$

$$\int_{0}^{2}f(x)dx+\int_{2}^{1}f(x)dx=F(2)-F(0)+F(1)-F(2)$$
$$=F(1)-F(0)$$

즉 $\int_{0}^{1}f(x)dx=\int_{0}^{2}f(x)dx+\int_{2}^{1}f(x)dx$ [참]

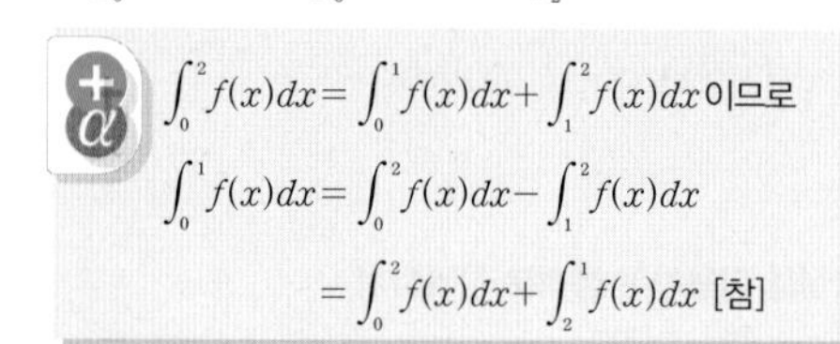

$\int_{0}^{2}f(x)dx=\int_{0}^{1}f(x)dx+\int_{1}^{2}f(x)dx$이므로

$\int_{0}^{1}f(x)dx=\int_{0}^{2}f(x)dx-\int_{1}^{2}f(x)dx$

$=\int_{0}^{2}f(x)dx+\int_{2}^{1}f(x)dx$ [참]

ㄷ. 반례 $f(x)=x$로 놓으면

$\int_{0}^{1}\{f(x)\}^{2}dx=\int_{0}^{1}x^{2}dx=\left[\frac{1}{3}x^{3}\right]_{0}^{1}=\frac{1}{3}$

$\left\{\int_{0}^{1}f(x)dx\right\}^{2}=\left\{\int_{0}^{1}xdx\right\}^{2}=\left(\left[\frac{1}{2}x^{2}\right]_{0}^{1}\right)^{2}=\frac{1}{4}$

$\therefore \int_{0}^{1}\{f(x)\}^{2}dx\neq\left\{\int_{0}^{1}f(x)dx\right\}^{2}$ [거짓]

따라서 옳은 것은 ㄴ이다.

NORMAL

0696

수열 $\{a_n\}$을 다음과 같이 정의하자.

$$a_n=\int_0^1 x^n(x-1)\,dx\,(n=1,\,2,\,3,\,\cdots)$$

$\sum_{n=1}^{10} a_n$의 값은?

① $-\frac{5}{12}$ ② $-\frac{1}{3}$ ③ $-\frac{1}{4}$
④ $-\frac{1}{6}$ ⑤ $-\frac{1}{12}$

STEP Ⓐ **정적분의 계산을 이용하여 a_n 구하기**

$$a_n=\int_0^1 x^n(x-1)dx=\int_0^1(x^{n+1}-x^n)dx$$
$$=\left[\frac{1}{n+2}x^{n+2}-\frac{1}{n+1}x^{n+1}\right]_0^1$$
$$=\frac{1}{n+2}-\frac{1}{n+1}$$

STEP Ⓑ **시그마의 성질을 이용하여 $\sum_{n=1}^{10} a_n$ 구하기**

따라서 $\sum_{n=1}^{10} a_n=\sum_{n=1}^{10}\left(\frac{1}{n+2}-\frac{1}{n+1}\right)$
$$=\left(\frac{1}{3}-\frac{1}{2}\right)+\left(\frac{1}{4}-\frac{1}{3}\right)+\cdots+\left(\frac{1}{12}-\frac{1}{11}\right)$$
$$=-\frac{1}{2}+\frac{1}{12}$$
$$=-\frac{5}{12}$$

다른풀이 정적분의 성질을 이용하여 풀이하기

$a_n=\int_0^1 x^n(x-1)dx=\int_0^1(x^{n+1}-x^n)dx=\int_0^1(-x^n+x^{n+1})dx$에서

$$\sum_{n=1}^{10} a_n=\sum_{n=1}^{10}\int_0^1(-x^n+x^{n+1})dx$$
$$=\int_0^1(-x+x^2)dx+\int_0^1(-x^2+x^3)dx+\cdots+\int_0^1(-x^{10}+x^{11})dx$$
$$=\int_0^1\{(-x+x^2)+(-x^2+x^3)+\cdots+(-x^{10}+x^{11})\}dx$$
$$=\int_0^1(-x+x^{11})dx$$
$$=\left[-\frac{1}{2}x^2+\frac{1}{12}x^{12}\right]_0^1$$
$$=-\frac{1}{2}+\frac{1}{12}$$
$$=-\frac{5}{12}$$

0697

삼차함수 $y=f(x)$의 그래프가 오른쪽 그림과 같을 때, $\int_{-1}^{1} f(x)\,dx$의 값은?

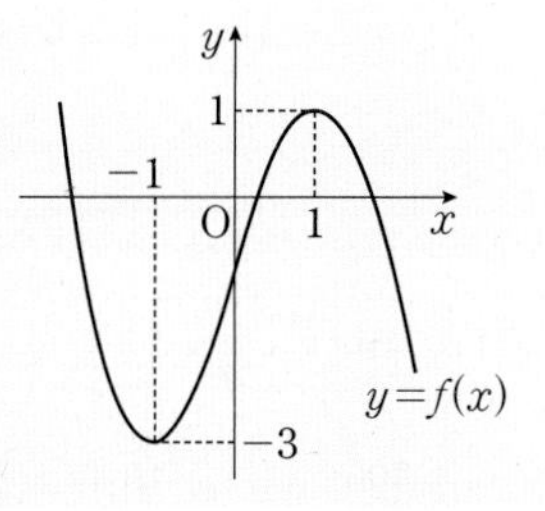

① -3 ② -2
③ 1 ④ 2
⑤ 3

STEP Ⓐ **삼차함수 $f(x)$의 식 작성하기**

$f'(x)=0$에서 $x=-1$ 또는 $x=1$

$f(x)$의 증가와 감소를 표로 나타내면 다음과 같다.

x	$\cdots$	-1	$\cdots$	1	$\cdots$
$f'(x)$	$-$	0	$+$	0	$-$
$f(x)$	↘	극소	↗	극대	↘

$x=-1$일 때, 극소이고 극솟값은 $f(-1)=-3$

$x=1$에서 극대이고 극댓값은 $f(1)=1$

삼차함수의 $f(x)$의 최고차항의 계수를 a라 하면

$f'(x)=3a(x+1)(x-1)$

$f(x)=\int 3a(x^2-1)dx=ax^3-3ax+C$ (단, C는 적분상수)

이때 $f(-1)=-3,\ f(1)=1$이므로

$f(-1)=-a+3a+C=-3$ …… ㉠

$f(1)=a-3a+C=1$ …… ㉡

㉠, ㉡을 연립하여 풀면 $C=-1,\ a=-1$

$\therefore\ f(x)=-x^3+3x-1$

STEP Ⓑ **x의 지수가 0 또는 짝수인 항과 홀수인 항으로 나누어 $\int_{-a}^{a} x^n dx$의 적분을 이용하기**

따라서 $\int_{-1}^{1} f(x)dx=\int_{-1}^{1}(-x^3+3x-1)dx=2\int_0^1(-1)dx=-2$

0698

다음 물음에 답하여라.

(1) 함수 $y=f(x)$의 그래프가 오른쪽 그림과 같을 때, $\int_{-3}^{2} xf(x)\,dx$의 값은?

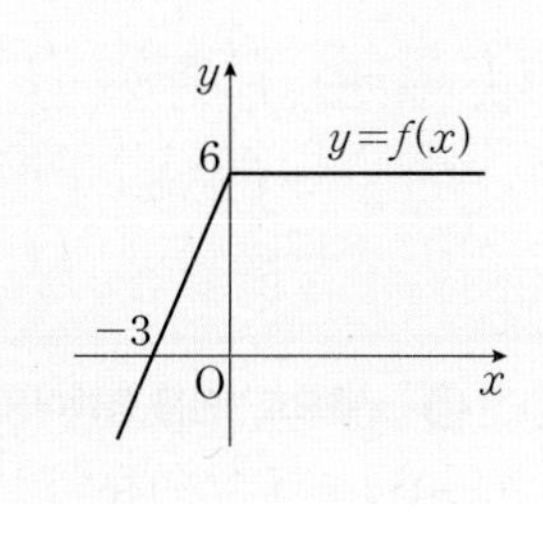

① 2 ② 3
③ 4 ④ 5
⑤ 6

STEP Ⓐ **구간별로 함수가 정의되어 있는 정적분 계산하기**

$y=f(x)$의 그래프에서 $f(x)=\begin{cases}2x+6 & (x<0)\\ 6 & (x\geq 0)\end{cases}$이므로

$$\int_{-3}^{2} xf(x)dx=\int_{-3}^{0} xf(x)dx+\int_0^2 xf(x)dx$$
$$=\int_{-3}^{0} x(2x+6)dx+\int_0^2 6xdx$$
$$=\int_{-3}^{0}(2x^2+6x)dx+\int_0^2 6xdx$$
$$=\left[\frac{2}{3}x^3+3x^2\right]_{-3}^{0}+\left[3x^2\right]_0^2$$
$$=-(-18+27)+12$$
$$=3$$

02 정적분

(2) 함수 $y=f(x)$의 그래프가 다음 그림과 같을 때,

$\int_{-2}^{2}(4x^2+x)f(x)\,dx$의 값은?

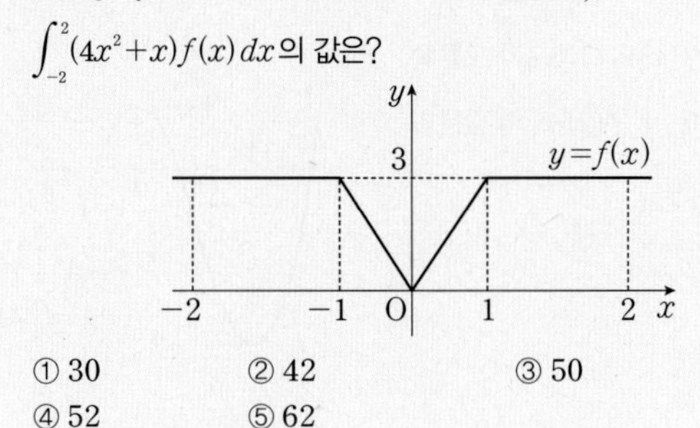

① 30　② 42　③ 50
④ 52　⑤ 62

STEP Ⓐ **구간별로 함수가 정의되어 있는 정적분 계산하기**

함수 $y=f(x)$의 그래프가 y축에 대하여 대칭이므로

$f(-x)=f(x)$

$0\le x<1$에서 $f(x)=3x$이고 $1\le x\le 2$에서 $f(x)=3$이므로

$$\begin{aligned}\int_{-2}^{2}(4x^2+x)f(x)dx&=\int_{-2}^{2}4x^2f(x)dx+\int_{-2}^{2}xf(x)dx\\&=8\int_{0}^{2}x^2f(x)dx+0\\&=8\left\{3\int_{0}^{1}x^3dx+3\int_{1}^{2}x^2dx\right\}\\&=8\left\{3\left[\frac{1}{4}x^4\right]_0^1+3\left[\frac{1}{3}x^3\right]_1^2\right\}\\&=8\left(\frac{3}{4}+7\right)=62\end{aligned}$$

0699

함수 $f(x)=\begin{cases}x^2 & (0\le x<1)\\2-x & (1\le x\le 2)\end{cases}$가 $f(x+2)=f(x)$를 만족할 때,

정적분 $\int_{0}^{12}f(x+1)\,dx$를 구하면?

① 3　② 4　③ 5
④ 6　⑤ 7

STEP Ⓐ **주기함수를 이용하여 $\int_{0}^{2}f(x)dx$의 정적분 구하기**

$f(x+2)=f(x)$이므로

$\int_{0}^{2}f(x)dx=\int_{1}^{3}f(x)dx=\int_{3}^{5}f(x)dx=\int_{5}^{7}f(x)dx=\cdots$

이때 $\int_{0}^{2}f(x)dx=\int_{0}^{1}f(x)dx+\int_{1}^{2}f(x)dx$

$$\begin{aligned}&=\int_{0}^{1}x^2dx+\int_{1}^{2}(2-x)dx\\&=\frac{5}{6}\end{aligned}$$

STEP Ⓑ **x축으로 1만큼 평행이동하여 주어진 정적분의 값 구하기**

$$\begin{aligned}\int_{0}^{12}f(x+1)dx&=\int_{1}^{13}f(x)dx\\&=\int_{1}^{3}f(x)dx+\int_{3}^{5}f(x)dx+\int_{5}^{7}f(x)dx+\cdots+\int_{11}^{13}f(x)dx\\&=6\int_{1}^{3}f(x)dx\\&=6\int_{0}^{2}f(x)dx\\&=6\times\frac{5}{6}=5\end{aligned}$$

+α 조건을 만족하는 함수 $y=f(x)$의 그래프는 다음과 같다.

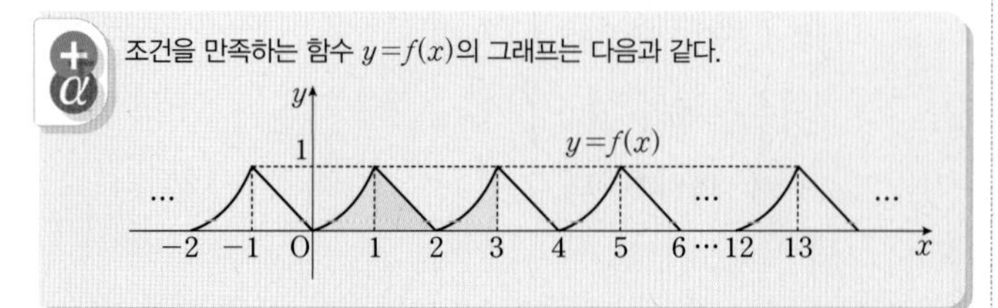

0700

다음 물음에 답하여라.

(1) 다음 두 조건을 만족하는 함수 $f(x)$에 대하여 정적분 $\int_{10}^{11}f(x)\,dx$의 값을 구하여라.

(가) $-2\le x\le 2$일 때, $f(x)=x^3-4x$
(나) 임의의 실수 x에 대하여 $f(x)=f(x+4)$

STEP Ⓐ **조건을 만족하는 함수 $f(x)$의 그래프 개형 그리기**

조건 (가)에 의하여 $f(x)=x^3-4x=x(x-2)(x+2)$

조건 (나)에서 $f(x)=f(x+4)$이므로 함수 $f(x)$의 그래프는 다음 그림과 같다.

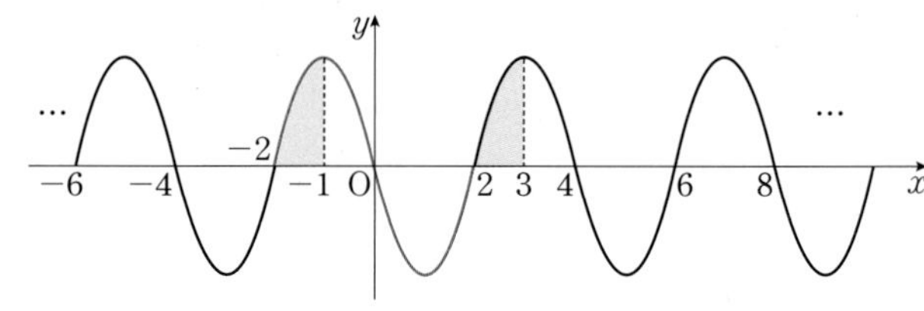

STEP Ⓑ **함수 $f(x)$가 $f(x)=f(x+4)$임을 이용하여 $\int_{10}^{11}f(x)dx$ 의 값 구하기**

함수 $f(x)$가 $f(x)=f(x+4)$이므로

$\int_{10}^{11}f(x)dx=\int_{6}^{7}f(x)dx=\int_{2}^{3}f(x)dx=\int_{-2}^{-1}f(x)dx$이다.

$$\begin{aligned}\therefore \int_{10}^{11}f(x)dx&=\int_{-2}^{-1}f(x)dx=\int_{-2}^{-1}(x^3-4x)dx=\left[\frac{1}{4}x^4-2x^2\right]_{-2}^{-1}\\&=\left(\frac{1}{4}-2\right)-(4-8)=\frac{9}{4}\end{aligned}$$

(2) 오른쪽 그림은 다음 조건을 만족시키는 함수 $y=f(x)$의 그래프의 일부이다.

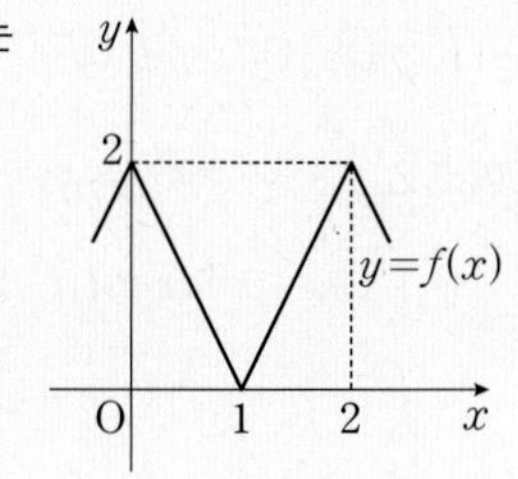

(가) $f(x)=2|x-1|\,(0\le x\le 2)$
(나) 모든 실수 x에 대하여 $f(x+2)=f(x)$이다.

$g(k)=\int_{2k}^{4k}f(x)\,dx$라 할 때, $\sum_{k=1}^{10}g(k)$의 값을 구하여라.

STEP Ⓐ **함수 $f(x)$의 그래프에서 $\int_{0}^{2k}f(x)dx$의 값 구하기**

$f(x)=\begin{cases}-2(x-1) & (0\le x\le 1)\\2(x-1) & (1\le x\le 2)\end{cases}$이므로

$$\begin{aligned}\int_{0}^{2}f(x)dx&=\int_{0}^{1}2(1-x)dx+\int_{1}^{2}2(x-1)dx\\&=2\left[x-\frac{1}{2}x^2\right]_0^1+2\left[\frac{1}{2}x^2-x\right]_1^2=1+1=2\end{aligned}$$

이때 $f(x+2)=f(x)$이므로

$\int_{0}^{2}f(x)dx=\int_{2}^{4}f(x)dx=\cdots=\int_{2(k-1)}^{2k}f(x)dx=2$

$$\begin{aligned}\therefore \int_{0}^{2k}f(x)dx&=\int_{0}^{2}f(x)dx+\int_{2}^{4}f(x)dx+\cdots+\int_{2(k-1)}^{2k}f(x)dx\\&=\underbrace{2+2+\cdots+2}_{k\text{개}}\\&=2k\ (k\text{는 자연수})\end{aligned}$$

STEP B 주기함수를 이용하여 $g(k)$를 구하여 $\sum_{k=1}^{10} g(k)$의 값 구하기

$g(k)=\int_{2k}^{4k} f(x)dx$

$=\int_{0}^{2k} f(x)dx$ ($\because$ $f(x+2k)=f(x)$)

$=2k$

따라서 $\sum_{k=1}^{10} g(k)=\sum_{k=1}^{10} 2k=2\cdot\dfrac{10\cdot 11}{2}=110$

0701

삼차함수 $f(x)$가 다음 조건을 만족시킬 때, $\int_{-1}^{1}(x+2)|f'(x)|dx$의 값은?

(가) 모든 실수 x에 대하여 $f(-x)=-f(x)$이다.
(나) 함수 $f(x)$는 $x=1$에서 극솟값 -2를 가진다.

① 8 ② 10 ③ 12
④ 14 ⑤ 16

STEP A 조건을 만족하는 함수 $y=f(x)$, $y=f'(x)$의 그래프의 개형 그리기

조건 (가)에서 함수 $f(x)$의 그래프는 원점에 대하여 대칭이고

조건 (나)에서 함수$f(x)$가 $x=1$에서 극솟값 -2를 가지므로 $x=-1$에서 극댓값은 2이다.

$-1\le x\le 1$에서 $f'(x)\le 0$이므로 $|f'(x)|=-f'(x)$이고

$f'(x)$는 y축에 대하여 대칭이므로 $xf'(x)$는 원점에 대하여 대칭이다.

즉 $\int_{-1}^{1}xf'(x)dx=0$

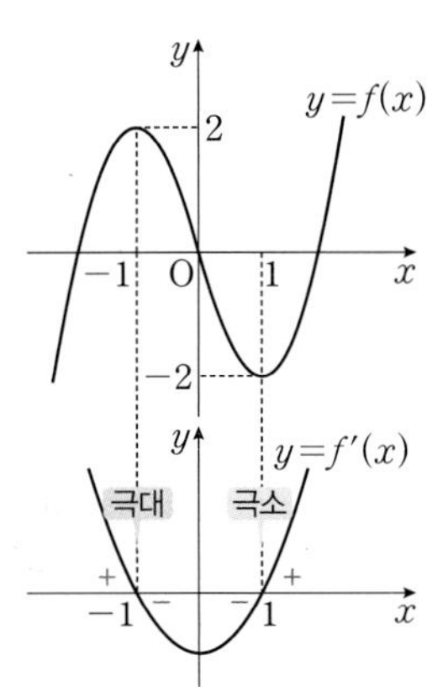

STEP B 주어진 정적분의 값 구하기

$\therefore \int_{-1}^{1}(x+2)|f'(x)|dx=-\int_{-1}^{1}(x+2)f'(x)dx$

$=-\int_{-1}^{1}xf'(x)dx-2\int_{-1}^{1}f'(x)dx$

$=0-2\int_{-1}^{1}f'(x)dx$

$=-2\{f(1)-f(-1)\}$

$=-2(-2-2)$

$=8$

($\because$ 함수 $y=xf'(x)$의 그래프는 원점에 대하여 대칭이다.)

다른풀이 삼차함수의 식을 직접 구하여 풀이하기

STEP A 조건을 만족하는 함수 $y=f(x)$의 식 구하기

함수 $y=f(x)$의 그래프가 원점에 대하여 대칭이고 삼차함수이므로

$f(x)=ax^3+bx$ ($a\ne 0$이고 a, b는 상수)로 놓으면

$f'(x)=3ax^2+b$이고 조건 (나)에 의하여

$f(1)=-2$, $f'(1)=0$이므로

$f(1)=a+b=-2$ ...... ㉠

$f'(1)=3a+b=0$ ...... ㉡

㉠, ㉡을 연립하여 풀면 $a=1$, $b=-3$

즉 $f(x)=x^3-3x$이므로 $f'(x)=3x^2-3$

STEP B 주어진 정적분의 값 구하기

따라서 $\int_{-1}^{1}(x+2)|f'(x)|dx=-\int_{-1}^{1}(x+2)(3x^2-3)dx$

$=-\int_{-1}^{1}(3x^3+6x^2-3x-6)dx$

$=-12\int_{0}^{1}(x^2-1)dx$

$=-12\left[\dfrac{1}{3}x^3-x\right]_0^1$

$=-12\left(\dfrac{1}{3}-1\right)$

$=8$

0702

모든 실수 x에 대하여 함수 $f(x)$는 다음 조건을 만족시킨다.

(가) $f(x+2)=f(x)$
(나) $f(x)=|x|(-1\le x<1)$

함수 $g(x)=\int_{-2}^{x}f(t)dt$라 할 때, 실수 a에 대하여 $g(a+4)-g(a)$의 값은?

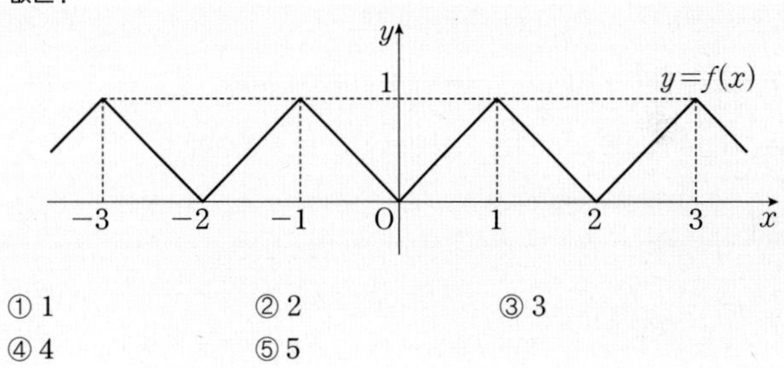

① 1 ② 2 ③ 3
④ 4 ⑤ 5

STEP A 정적분의 성질을 이용하여 $g(a+4)-g(a)$를 간단히 하기

$g(a+4)-g(a)=\int_{-2}^{a+4}f(t)dt-\int_{-2}^{a}f(t)dt$

$=\int_{-2}^{a+4}f(t)dt+\int_{a}^{-2}f(t)dt$

$=\int_{a}^{a+4}f(t)dt$

STEP B 함수 $f(x)$의 그래프를 이용하여 $\int_{a}^{a+4}f(t)dt$의 값 구하기

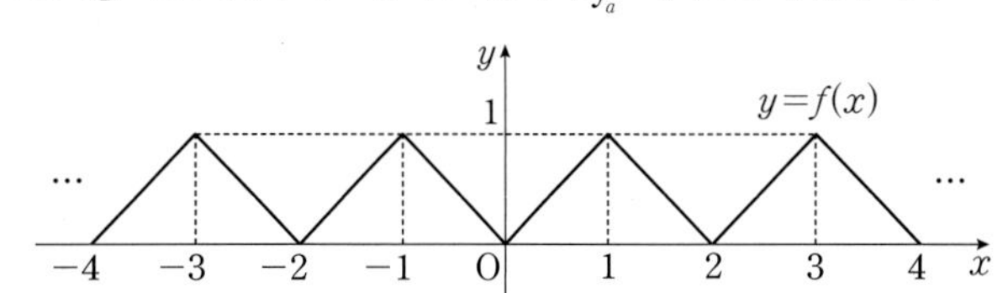

이때 조건 (가)(나)에서 $f(x+2)=f(x)$이고

조건 (나)에서 $f(x)=|x|(-1\le x\le 1)$이므로 임의의 실수 k에 대하여

$\int_{k}^{k+2}f(x)dx=1$이 성립한다.

← 임의의 닫힌구간 $[k, k+2]$에서 정적분 $\int_{k}^{k+2}f(x)dx$는 삼각형의 넓이 $\frac{1}{2}\cdot 2\cdot 1=1$

따라서 $\int_{a}^{a+4}f(t)dt=\int_{a}^{a+2}f(t)dt+\int_{a+2}^{a+4}f(t)dt$

$=\int_{a}^{a+2}f(t)dt+\int_{a}^{a+2}f(t)dt$

$=2\int_{a}^{a+2}f(t)dt$

$=2\int_{0}^{2}f(t)dt$

$=2\cdot 1$

$=2$

0703

서술형

다항함수 $f(x)$가 모든 실수 x에 대하여

$f(-x)=-f(x)$, $\int_0^2 xf(x)\,dx=3$을 만족시킬 때, 정적분

$\int_{-2}^2 (x^4+2x+10)f(x)\,dx$의 값을 구하는 과정을 다음 단계로 서술하여라.

[1단계] 원점에 대하여 대칭인 함수의 성질을 이용하여 $\int_{-2}^2 f(x)dx$, $\int_{-2}^2 x^4f(x)dx$의 값을 구한다.

[2단계] 정적분의 성질을 이용하여 $\int_{-2}^2 (x^4+2x+10)f(x)dx$의 값을 구한다.

1단계 원점에 대하여 대칭인 함수의 성질을 이용하여 $\int_{-2}^2 f(x)dx$, $\int_{-2}^2 x^4f(x)dx$의 값을 구한다. ◀ 50%

$f(-x)=-f(x)$이므로 $\int_{-2}^2 f(x)dx=0$

$g(x)=x^4f(x)$, $h(x)=xf(x)$라 하면

$g(-x)=(-x)^4f(-x)=-x^4f(x)=-g(x)$이므로

$\int_{-2}^2 x^4f(x)dx=0$ ← $g(x)$는 원점에 대하여 대칭

$h(-x)=(-x)f(-x)=xf(x)=h(x)$이므로

$\int_{-2}^2 xf(x)dx=2\int_0^2 xf(x)dx$ ← $h(x)$는 y축에 대하여 대칭

$f(x)$는 기함수이므로 $x^4f(x)$는 기함수, $xf(x)$는 우함수이다.

2단계 정적분의 성질을 이용하여 $\int_{-2}^2 (x^4+2x+10)f(x)dx$의 값을 구한다. ◀ 50%

따라서 $\int_{-2}^2 (x^4+2x+10)f(x)dx$

$=\int_{-2}^2 x^4f(x)dx+2\int_{-2}^2 xf(x)dx+10\int_{-2}^2 f(x)dx$

$=2\int_{-2}^2 xf(x)dx$

$=4\int_0^2 xf(x)dx$

$=4\cdot 3=12$

0704

서술형

모든 실수 x에서 연속인 함수

$$f(x)=\begin{cases} 3x^2-5x+a & (x\le 1) \\ 3x+4 & (x>1) \end{cases}$$

에 대하여 $\int_{-1}^3 f(x)\,dx=b$일 때, 상수 a, b에 대하여 ab의 값을 구하는 과정을 다음 단계로 서술하여라.

[1단계] 함수 $f(x)$가 모든 실수에서 연속임을 이용하여 a의 값을 구한다.

[2단계] 정적분의 성질을 이용하여 $\int_{-1}^3 f(x)\,dx=b$의 값을 구한다.

[3단계] ab의 값을 구한다.

1단계 함수 $f(x)$가 모든 실수에서 연속임을 이용하여 a의 값을 구한다. ◀ 40%

$f(x)$가 모든 실수 x에서 연속이므로 $x=1$에서 연속이다.

즉 $\lim_{x\to 1+}f(x)=\lim_{x\to 1-}f(x)=f(1)$이 성립하여야 한다.

$\lim_{x\to 1+}f(x)=\lim_{x\to 1+}(3x+4)=7$

$\lim_{x\to 1-}f(x)=\lim_{x\to 1-}(3x^2-5x+a)=3-5+a=-2+a$

$f(1)=3-5+a=-2+a$

즉 $7=-2+a$에서 $a=9$

2단계 정적분의 성질을 이용하여 $\int_{-1}^3 f(x)dx=b$의 값을 구한다. ◀ 50%

$$\therefore f(x)=\begin{cases} 3x^2-5x+9 & (x\le 1) \\ 3x+4 & (x>1) \end{cases}$$

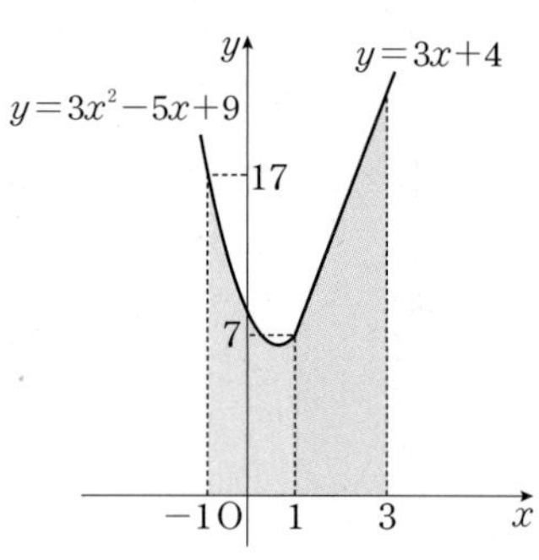

$\int_{-1}^3 f(x)dx=\int_{-1}^1 f(x)dx+\int_1^3 f(x)dx$

$=\int_{-1}^1 (3x^2-5x+9)dx+\int_1^3 (3x+4)dx$

$=\left[x^3-\frac{5}{2}x^2+9x\right]_{-1}^1+\left[\frac{3}{2}x^2+4x\right]_1^3$

$=\left(1-\frac{5}{2}+9\right)-\left(-1-\frac{5}{2}-9\right)+\left(\frac{27}{2}+12\right)-\left(\frac{3}{2}+4\right)$

$=40$

$\therefore b=40$

3단계 ab의 값을 구한다. ◀ 10%

따라서 $ab=9\cdot 40=360$

0705

서술형

모든 실수에서 연속인 함수 $f(x)$에 대하여

$$f'(x)=\begin{cases} 2x-1 & (x\ge 1) \\ 1 & (x<1) \end{cases}$$ 이고 $f(0)=1$

일 때, $\int_0^2 f(x)\,dx$의 값을 다음 단계로 서술하여라.

[1단계] 부정적분을 이용하여 연속인 함수 $f(x)$를 구한다.

[2단계] 정적분의 성질을 이용하여 $\int_0^2 f(x)dx$의 값을 구한다.

1단계 부정적분을 이용하여 연속인 함수 $f(x)$를 구한다. ◀ 50%

$x<1$에서 $f(x)=\int 1dx=x+C_1$ (단, C_1은 적분상수)

$f(0)=1$이므로 $C_1=1$

$x\ge 1$에서 $f(x)=\int (2x-1)dx=x^2-x+C_2$ (단, C_2는 적분상수)

함수 $f(x)$가 모든 실수에서 연속이므로 $x=1$에서 연속이어야 한다.

즉 $\lim_{x\to 1+}f(x)=\lim_{x\to 1-}f(x)=f(1)$에서 $2=C_2$

$$\therefore f(x)=\begin{cases} x^2-x+2 & (x\ge 1) \\ x+1 & (x<1) \end{cases}$$

2단계 정적분의 성질을 이용하여 $\int_0^2 f(x)dx$의 값을 구한다. ◀ 50%

$\int_0^2 f(x)dx$

$=\int_0^1 f(x)dx+\int_1^2 f(x)dx$

$=\int_0^1 (x+1)dx+\int_1^2 (x^2-x+2)dx$

$=\left[\frac{1}{2}x^2+x\right]_0^1+\left[\frac{1}{3}x^3-\frac{1}{2}x^2+2x\right]_1^2$

$=\left(\frac{1}{2}+1\right)+\left(\frac{8}{3}-2+4\right)-\left(\frac{1}{3}-\frac{1}{2}+2\right)$

$=\frac{13}{3}$

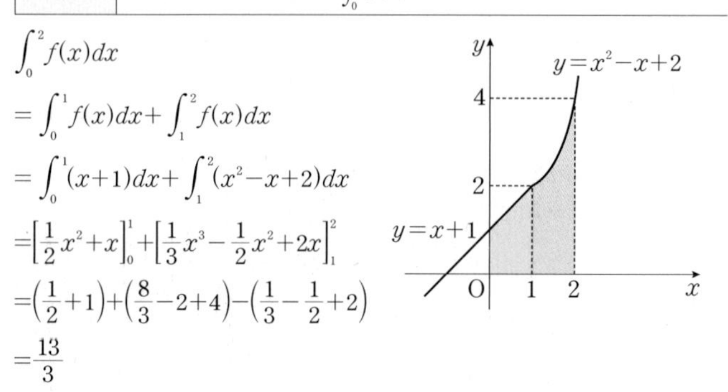

TOUGH

0706

최고차항의 계수가 1인 사차함수 $f(x)$가 다음 조건을 만족시킬 때, $\int_{-1}^{1}\frac{15}{2}f(x)\,dx$의 값을 구하여라.

> (가) 모든 실수 x에 대하여 $f(-x)=f(x)$이다.
> (나) 극댓값은 존재하지 않고 극솟값은 2이다.
> (다) $\int_{0}^{1}f'(x)dx=2$

STEP A 조건을 만족하는 사차함수 $f(x)$의 식 작성하기

조건 (가)에 의하여 $f(x)=x^4+ax^2+b$ (a, b는 상수)라 하면

$f'(x)=4x^3+2ax=2x(2x^2+a)$

그런데 조건 (나)에서 극댓값은 존재하지 않고 극솟값만 존재하므로

방정식 $f'(x)=2x(2x^2+a)=0$을 만족시키는 x의 값은 1개만 존재해야 한다.

극대가 존재하는 y축에 대칭인 사차함수

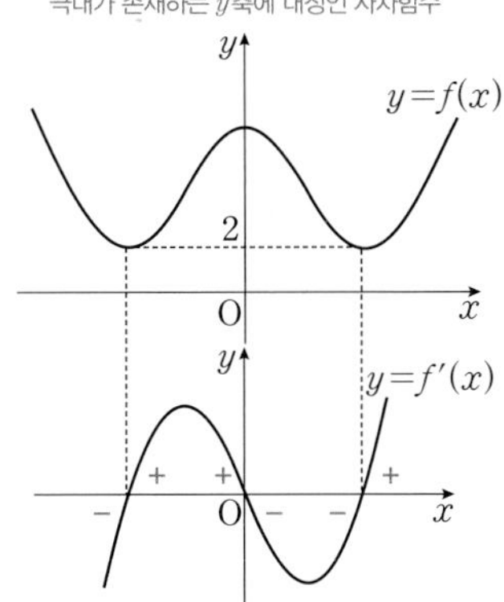

극대가 존재하지 않는 y축에 대칭인 사차함수

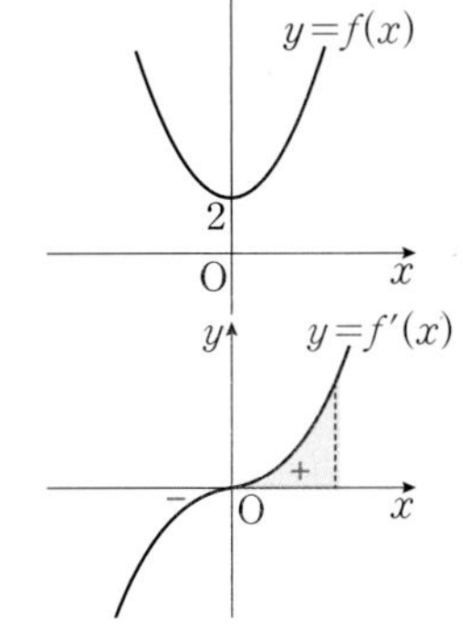

즉 $x=0$일 때, 극소이고 극솟값은 $f(0)=b=2$를 가지므로 $a\geq 0$이다.

조건 (다)에서

$\int_{0}^{1}f'(x)dx=\Big[f(x)\Big]_{0}^{1}=f(1)-f(0)=f(1)-2=2$

$f(1)=4$이므로 $f(1)=1+a+2=4$

$\therefore a=1$

즉 $f(x)=x^4+x^2+2$

STEP B $\int_{-1}^{1}\frac{15}{2}f(x)dx$의 값 구하기

따라서 $\int_{-1}^{1}\frac{15}{2}f(x)dx=\frac{15}{2}\cdot 2\int_{0}^{1}(x^4+x^2+2)dx$

$$=15\left[\frac{1}{5}x^5+\frac{1}{3}x^3+2x\right]_{0}^{1}$$

$$=15\left(\frac{1}{5}+\frac{1}{3}+2\right)$$

$$=3+5+30=38$$

0707

삼차함수 $f(x)=x^3-3x-1$이 있다. 실수 $t\,(t\geq -1)$에 대하여 $-1\leq x\leq t$에서 $|f(x)|$의 최댓값을 $g(t)$라고 하자.

$\int_{-1}^{1}g(t)\,dt=\frac{q}{p}$일 때, $p+q$의 값을 구하여라.

(단, p, q는 서로소인 자연수이다.)

STEP A $y=|f(x)|$의 그래프 그리기

$f(x)=x^3-3x-1$에서

$f'(x)=3x^2-3=3(x-1)(x+1)$

$f'(x)=0$에서 $x=-1$ 또는 $x=1$

함수 $f(x)$의 증가와 감소를 나타내면 다음 표와 같다.

x	$\cdots$	-1	$\cdots$	1	$\cdots$
$f'(x)$	$+$	0	$-$	0	$+$
$f(x)$	↗	극대	↘	극소	↗

$x=-1$일 때, 극대이고 극댓값 $f(-1)=1$

$x=1$일 때, 극소이고 극솟값 $f(1)=-3$이므로

$y=f(x)$의 그래프와 $y=|f(x)|$의 그래프는 다음과 같다.

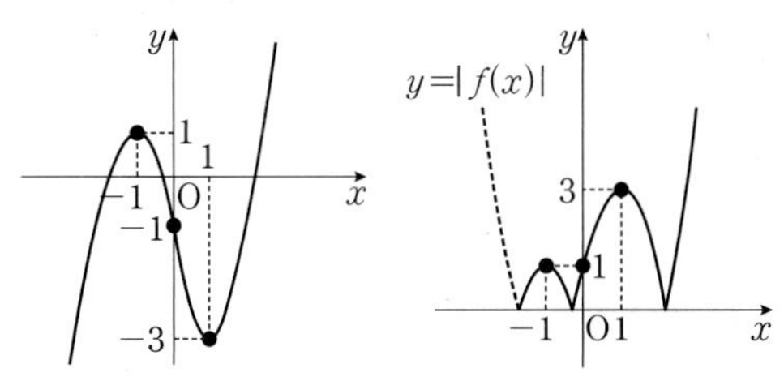

STEP B $y=|f(x)|$의 그래프를 이용하여 $g(t)$ 구하기

$-1\leq x\leq t$에서 $|f(x)|$의 최댓값 $g(t)$와 $y=g(t)$의 그래프는 구간 $[-1, 1]$에서 다음과 같이 나타낼 수 있다.

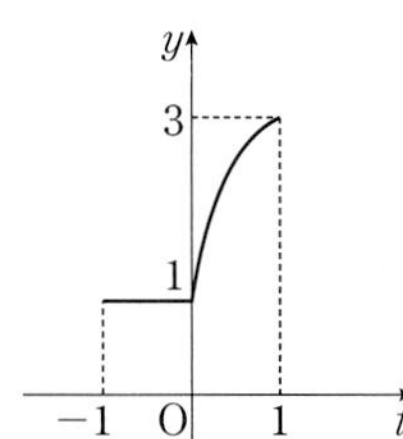

$$\therefore g(t)=\begin{cases}1 & (-1\leq t\leq 0)\\ -t^3+3t+1 & (0\leq t\leq 1)\end{cases}$$

STEP C $\int_{-1}^{1}g(t)dt$의 값 구하기

$$\int_{-1}^{1}g(t)dt=\int_{-1}^{0}g(t)dt+\int_{0}^{1}(-t^3+3t+1)dt$$

$$=\int_{-1}^{0}1dt+\int_{0}^{1}(-t^3+3t+1)dt$$

$$=\Big[t\Big]_{-1}^{0}+\left[-\frac{1}{4}t^4+\frac{3}{2}t^2+t\right]_{0}^{1}$$

$$=1+\left(-\frac{1}{4}+\frac{3}{2}+1\right)$$

$$=\frac{13}{4}$$

따라서 $p+q=4+13=17$

0708

최고차항의 계수가 1인 사차함수 $f(x)$가 모든 실수 x에 대하여 $f'(-x)=-f'(x)$를 만족시킨다. $f'(1)=0$, $f(1)=2$일 때, [보기]에서 옳은 것만을 있는 대로 고른 것은?

ㄱ. $f'(-1)=0$
ㄴ. 모든 실수 k에 대하여 $\int_{-k}^{0} f(x)dx=\int_{0}^{k} f(x)dx$
ㄷ. $0<t<1$인 모든 실수 t에 대하여 $\int_{-t}^{t} f(x)dx<6t$

① ㄱ ② ㄷ ③ ㄱ, ㄴ
④ ㄴ, ㄷ ⑤ ㄱ, ㄴ, ㄷ

STEP A **정적분의 성질을 활용하여 진위판단하기**

ㄱ. $f'(-x)=-f'(x)$이므로 ← 원점에 대하여 대칭
$f'(1)=0$에서 $f'(-1)=-f'(1)=0$ [참]

ㄴ. $f'(-x)=-f'(x)$이므로 삼차함수 $y=f'(x)$의 그래프는 원점을 지나므로 $f'(0)=0$ …… ㉠
또한, ㄱ에서 $f'(-1)=f'(1)=0$ …… ㉡
㉠, ㉡에서 $f'(x)=4x(x-1)(x+1)$
← 최고차항의 계수가 1인 사차함수 $f(x)$를 미분하면 최고차항의 계수가 4이다.
$\therefore f(x)=x^4-2x^2+C$ (단, C는 적분상수)
이때 $f(1)=2$이므로 $f(1)=1-2+C=2$ $\therefore C=3$
즉 $f(x)=x^4-2x^2+3$이므로 $f(-x)=f(x)$
그러므로 $\int_{-k}^{0} f(x)dx=\int_{0}^{k} f(x)dx$ [참]

STEP B **사차함수 $f(x)$를 이용하여 정적분의 넓이 구하기**

ㄷ. 함수 $f(x)=x^4-2x^2+3$에서
$f'(x)=4x(x-1)(x+1)$이므로
$f'(x)=0$에서 $x=-1$ 또는 $x=1$
$f(x)$의 그래프에서 증가와 감소는 다음과 같다.

x	$\cdots$	-1	$\cdots$	0	$\cdots$	1	$\cdots$
$f'(x)$	$-$	0	$+$	0	$-$	0	$+$
$f(x)$	↘	극소	↗	극대	↘	극소	↗

함수 $f(x)$의 $x=-1$, $x=1$에서 극소이고 극솟값은 $f(-1)=f(1)=2$
$x=0$에서 극대이고 극댓값은 $f(0)=3$이므로 그래프는 다음과 같다.

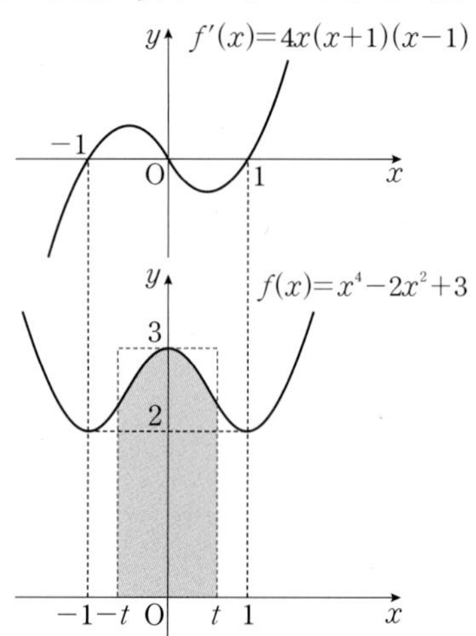

$\int_{-t}^{t} f(x)dx$는 $y=f(x)$와 x축 및 두 직선 $x=-t$, $x=t$로 둘러싸인 영역의 넓이이고 $6t$는 $x=-t$, $x=t$, x축, $y=3$으로 둘러싸인 직사각형의 넓이이므로 위의 그림에서 $\int_{-t}^{t} f(x)dx<6t$가 성립한다. [참]

따라서 옳은 것은 ㄱ, ㄴ, ㄷ이다.

0709

닫힌구간 [0, 8]에서 정의된 함수 $f(x)$는

$$f(x)=\begin{cases} -x(x-4) & (0\le x<4) \\ x-4 & (4\le x\le 8) \end{cases}$$

이다. 실수 $a\,(0\le a\le 4)$에 대하여 $\int_{a}^{a+4} f(x)\,dx$의 최솟값은 $\frac{q}{p}$이다. $p+q$의 값을 구하여라. (단, p와 q는 서로소인 자연수이다.)

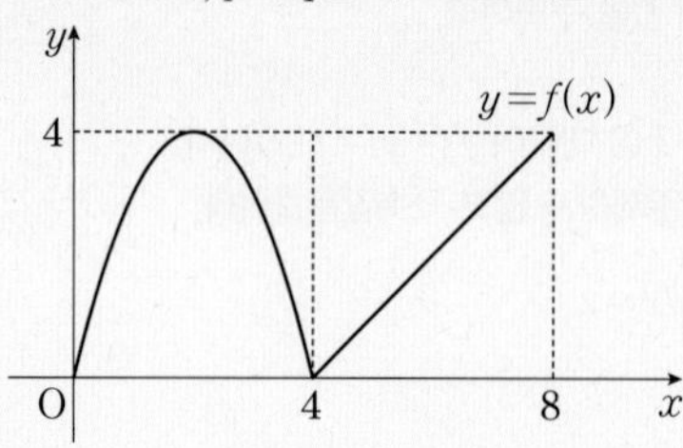

STEP A **$a=0$, $0<a<4$, $a=4$일 때, $g(a)$의 값 구하기**

$0\le a\le 4$에서 $g(a)=\int_{a}^{a+4} f(x)dx$라 하자.

(ⅰ) $a=0$일 때,

$$g(0)=\int_{0}^{4} f(x)dx=\int_{0}^{4}\{-x(x-4)\}dx=\int_{0}^{4}(-x^2+4x)dx=\left[-\frac{1}{3}x^3+2x^2\right]_{0}^{4}=-\frac{64}{3}+32=\frac{32}{3}$$

(ⅱ) $0<a<4$일 때,

$$g(a)=\int_{a}^{4} f(x)dx+\int_{4}^{a+4} f(x)dx=\int_{a}^{4}\{-x(x-4)\}dx+\int_{4}^{a+4}(x-4)dx$$
$$=\left[-\frac{1}{3}x^3+2x^2\right]_{a}^{4}+\left[\frac{1}{2}x^2-4x\right]_{4}^{a+4}$$
$$=\frac{32}{3}+\frac{1}{3}a^3-2a^2+\frac{1}{2}(a+4)^2-4(a+4)-(8-16)$$
$$=\frac{1}{3}a^3-\frac{3}{2}a^2+\frac{32}{3}$$

(ⅲ) $a=4$일 때,

$$g(a)=\int_{4}^{8} f(x)dx=\int_{4}^{8}(x-4)dx=\left[\frac{1}{2}x^2-4x\right]_{4}^{8}=32-32-(8-16)=8$$

STEP B **$0<a<4$에서 $g(a)$의 최솟값 구하기**

$0<a<4$에서 $g(a)=\frac{1}{3}a^3-\frac{3}{2}a^2+\frac{32}{3}$이므로
$g'(a)=a^2-3a=a(a-3)$
$g'(a)=0$에서 $0<a<4$이므로 $a=3$
함수 $g(a)$의 증가와 감소를 표로 나타내면 다음과 같다.

a	(0)	$\cdots$	3	$\cdots$	(4)
$g'(a)$		$-$	0	$+$	
$g(a)$	$\frac{32}{3}$	↘	극소	↗	8

이때 함수 $g(a)$는 $a=3$에서 극소이면서 최솟값을 갖는다.
즉 $g(a)$의 최솟값은

$$g(3)=\frac{1}{3}\cdot 3^3-\frac{3}{2}\cdot 3^2+\frac{32}{3}=9-\frac{27}{2}+\frac{32}{3}=\frac{54-81+64}{6}=\frac{37}{6}$$

(ⅰ)~(ⅲ)에서 $\frac{37}{6}<\frac{32}{3}<8$이므로 최솟값은 $\frac{37}{6}$
따라서 $p=6$, $q=37$이므로 $p+q=43$

다른풀이 그래프에서 넓이의 변화로 풀이하기

$y=x$와 $y=-x(x-4)$의 교점은 $x=-x^2+4x$에서 $x^2-3x=0$

$\therefore\ x=0$ 또는 $x=3$

a의 범위에 따라 $\int_a^{a+4} f(x)dx$의 변화를 아래 그림과 같이 나타내면 $a=3$일 때, 최솟값을 가진다.

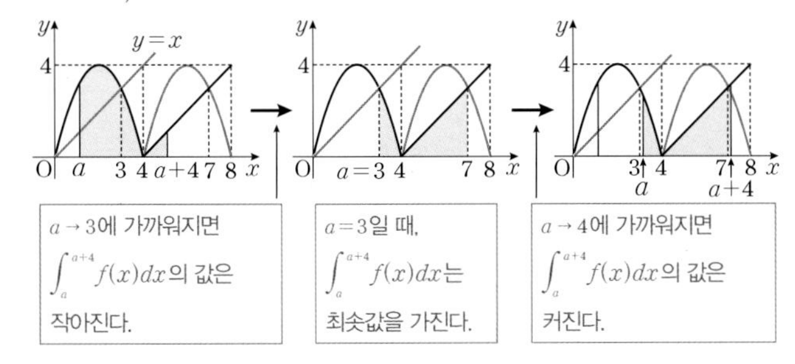

따라서 구하는 최솟값은

$$\begin{aligned}\int_3^7 f(x)dx&=\int_3^4 f(x)dx+\int_4^7 f(x)dx\\&=\int_3^4(-x^2+4x)dx+\int_4^7(x-4)dx\\&=\int_0^1(-x^2+4x)dx+\frac{1}{2}\cdot3\cdot3\\&=\left[-\frac{1}{3}x^3+2x^2\right]_0^1+\frac{9}{2}\\&=\frac{5}{3}+\frac{9}{2}=\frac{37}{6}\end{aligned}$$

정적분의 속해법

① $\int_\alpha^\beta a(x-\alpha)(x-\beta)dx=-\frac{|a|}{6}(\beta-\alpha)^3$

② $\int_\alpha^\beta a(x-\alpha)^2(x-\beta)dx=-\frac{|a|}{12}(\beta-\alpha)^4$

0710

다음 조건을 만족시키는 모든 삼차함수 $f(x)$에 대하여 $\int_{-1}^1 f(x)\,dx$의 최솟값은?

(가) $f(x)$의 최고차항의 계수는 1이다.

(나) $f'(a)=\frac{f(a)}{a}$인 양수 a가 존재한다.

(다) 방정식 $f'(x)=0$의 모든 실근의 합은 6이다.

① -12 ② -24 ③ -36 ④ -48 ⑤ -60

STEP Ⓐ 조건 (나)를 이용하여 $f(x)-\frac{f(a)}{a}x$의 식 작성하기

두 점 $(0,\ 0)$, $(a,\ f(a))$를 지나는 직선의 기울기가 $\frac{f(a)}{a}$이고

$f'(a)=\frac{f(a)}{a}$이므로 직선 $y=\frac{f(a)}{a}x$는 곡선 $y=f(x)$ 위의 점 $(a,\ f(a))$에서의 접선이다.

두 함수 $y=f(x)$, $y=\frac{f(a)}{a}x$의 그래프의 개형은 다음 그림과 같다.

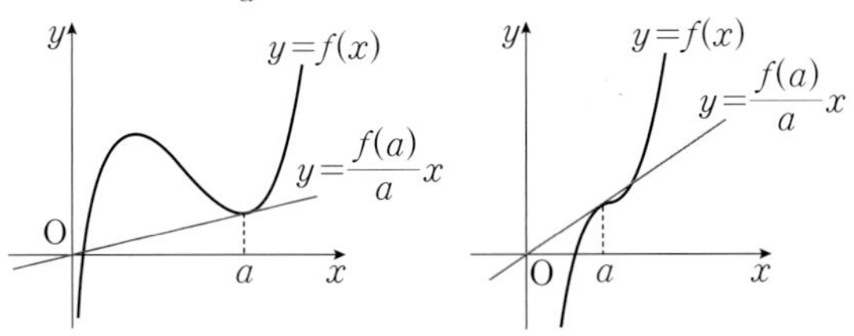

즉 $f(x)-\frac{f(a)}{a}x=(x-a)^2(x-b)$ (b는 상수)로 놓을 수 있다.

STEP Ⓑ $\int_{-1}^1 f(x)dx$를 a에 관한 삼차함수로 나타내기

$f(x)=x^3-(2a+b)x^2+(2ab+a^2)x-a^2b+\frac{f(a)}{a}x$에서

$f'(x)=3x^2-2(2a+b)x+2ab+a^2+\frac{f(a)}{a}$

방정식 $f'(x)=0$의 모든 실근의 합은 6이므로

근과 계수의 관계에 의하여

$\frac{2(2a+b)}{3}=6$

$\therefore\ 2a+b=9$ ...... ㉠

$f(x)=x^3-9x^2+(2ab+a^2)x-a^2b+\frac{f(a)}{a}x$

이므로

$$\begin{aligned}\int_{-1}^1 f(x)dx&=\int_{-1}^1\left\{x^3-9x^2+(2ab+a^2)x-a^2b+\frac{f(a)}{a}x\right\}dx\\&=2\int_0^1(-9x^2-a^2b)dx\\&=2\left[-3x^3-a^2bx\right]_0^1\\&=2(-3-a^2b)\\&=-6-2a^2(9-2a)\ (㉠에\ 의해)\\&=4a^3-18a^2-6\end{aligned}$$

STEP Ⓒ 양수 a에 대한 삼차함수의 최솟값 구하기

$g(a)=4a^3-18a^2-6\,(a>0)$이라 하면

$g'(a)=12a^2-36a=12a(a-3)$

$g'(a)=0$에서 $a=3$

$a>0$에서 함수 $g(a)$의 증가와 감소를 표로 나타내면 다음과 같다.

a	(0)	$\cdots$	3	$\cdots$
$g'(a)$		$-$	0	$+$
$g(a)$		↘	극소	↗

$a>0$에서 함수 $g(a)$는 $x=3$에서 극소이고 최솟값을 가지므로 그래프는 다음 그림과 같다.

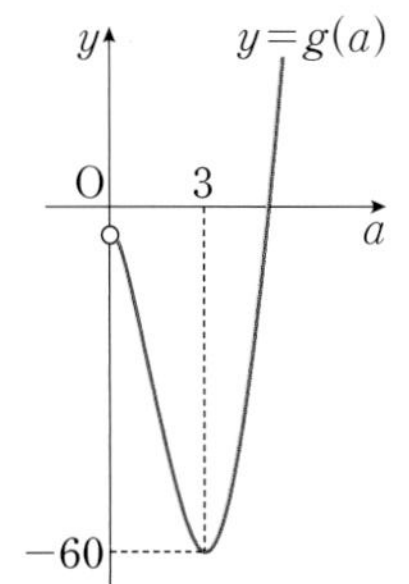

함수 $y=g(a)$의 최솟값은 $g(3)=4\cdot3^3-18\cdot3^2-6=-60$

따라서 $\int_{-1}^1 f(x)dx$의 최솟값은 -60

02 정적분

0711

최고차항의 계수가 양수인 이차함수 $f(x)$가 다음 조건을 만족시킨다.

(가) 모든 실수 t에 대하여 $\int_0^t f(x)dx = \int_{2a-t}^{2a} f(x)dx$이다.

(나) $\int_a^2 f(x)dx = 2$, $\int_a^2 |f(x)|dx = \frac{22}{9}$

$f(k)=0$이고 $k<a$인 실수 k에 대하여 $\int_k^2 f(x)dx = \frac{q}{p}$이다. $p+q$의 값을 구하여라. (단, a는 상수이고, p와 q는 서로소인 자연수이다.)

STEP Ⓐ 조건 (가), (나)를 만족하는 이차함수의 그래프 개형 구하기

함수 $f(x)$는 이차함수이고

조건 (가)에서 $\int_0^t f(x)dx = \int_{2a-t}^{2a} f(x)dx$이므로

함수 $y=f(x)$의 그래프는 직선 $x=\frac{0+2a}{2}=a$에 대하여 대칭이다.

조건 (나)에서 $0 < \int_a^2 f(x)dx < \int_a^2 |f(x)|dx$이므로 $a<2$

함수 $y=f(x)$의 그래프는 x축과 두 점 $(k, 0)$, $(2a-k, 0)$에서 만난다.

← $f(k)=0$이므로 x축과 k에서 만나고 $x=a$에서 대칭이므로 $2a-k$에서도 x축에서 만난다.

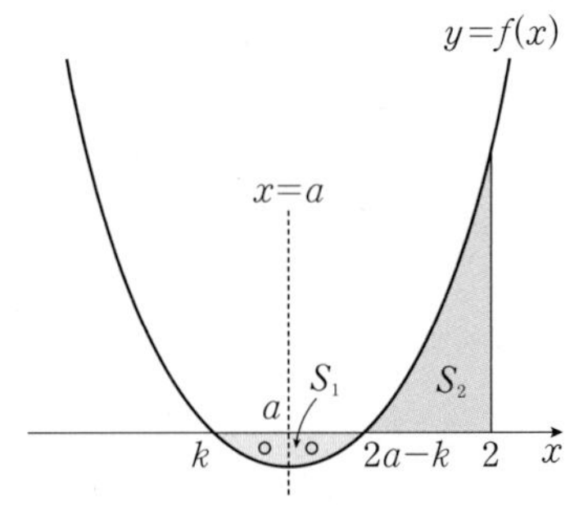

STEP Ⓑ 정적분 $\int_k^a f(x)dx$, $\int_{2a-k}^2 f(x)dx$의 값 구하기

위의 그림에서 곡선 $y=f(x)$와 x축으로 둘러싸인 부분의 넓이를 S_1,

곡선 $y=f(x)$와 x축 및 직선 $x=2$로 둘러싸인 부분의 넓이를 S_2라 하면

$\int_k^a f(x)dx = \int_a^{2a-k} f(x)dx = -\frac{S_1}{2}$ ← 정적분의 값

이므로 조건 (나)에서

$\int_a^2 f(x)dx = -\frac{S_1}{2} + S_2 = 2$ ······ ㉠

$\int_a^2 |f(x)|dx = \frac{S_1}{2} + S_2 = \frac{22}{9}$ ······ ㉡

㉠+㉡을 하면 $2S_2 = \frac{40}{9}$ $\therefore S_2 = \frac{20}{9}$

㉠에 대입하면 $S_1 = \frac{4}{9}$

STEP Ⓒ $\int_k^2 f(x)dx$의 값 구하기

$\int_k^2 f(x)dx = -S_1 + S_2 = \frac{16}{9}$

따라서 $p=9$, $q=16$이므로 $p+q=25$

다항함수 $f(x)$에 대하여

① $f(a-x)=f(b+x)$를 만족하는 함수의 그래프는

$x=\frac{a+b}{2}$에 대하여 대칭인 함수이다.

[예] $f(1-x)=f(1+x)$인 함수 $f(x)$는 $x=1$에 대하여 대칭인 함수이다.

② $\int_a^t f(x)dx = \int_{b-t}^b f(x)dx$를 만족하는 함수의 그래프는

$x=\frac{a+b}{2}$에 대하여 대칭인 함수이다.

mapl YOUR MASTER PLAN
MEMO

0712

다항함수 $f(x)$가 임의의 실수 x에 대하여

$$f(x)=3x^2+\int_0^1(2x-3)f(t)dt$$

를 만족할 때, 정적분 $\int_0^1 f(x)dx$의 값을 구하여라.

STEP A $\int_0^1 f(t)dt$**의 값이 상수임을 이용하여** $f(x)$**의 식 정하기**

$f(x)=3x^2+\int_0^1(2x-3)f(t)dt$에서 $f(x)=3x^2+(2x-3)\int_0^1 f(t)dt$

이므로 $\int_0^1 f(t)dt=k$ (k는 상수) …… ㉠

로 놓으면

$$f(x)=3x^2+(2x-3)\cdot k$$
$$=3x^2+2kx-3k \quad \cdots\cdots ㉡$$

STEP B $f(t)$**를 적분하여** k**의 값과** $\int_0^1 f(x)dx$**의 값 구하기**

㉡을 ㉠에 대입하면

$$k=\int_0^1 f(t)dt=\int_0^1(3t^2+2kt-3k)dt$$
$$=\Big[t^3+kt^2-3kt\Big]_0^1$$
$$=1+k-3k$$

즉 $1+k-3k=k$에서 $k=\frac{1}{3}$

따라서 $\int_0^1 f(x)dx=\int_0^1 f(t)dt=\frac{1}{3}$

0713

다음 물음에 답하여라.

(1) 다항함수 $f(x)$가 $f(x)=x^2-2x+\int_0^1 tf(t)dt$를 만족시킬 때, $f(3)$의 값은?

① $\frac{13}{6}$ ② $\frac{5}{2}$ ③ $\frac{17}{6}$
④ $\frac{19}{6}$ ⑤ $\frac{7}{2}$

STEP A $\int_0^1 f(t)dt$**의 값이 상수임을 이용하여** $f(x)$**의 식 정하기**

$f(x)=x^2-2x+\int_0^1 tf(t)dt$에서 $\int_0^1 tf(t)dt$는 상수이므로

$\int_0^1 tf(t)dt=k$ (k는 상수) …… ㉠

로 놓으면 $f(x)=x^2-2x+k$ …… ㉡

STEP B $tf(t)$**를 적분하여** k**의 값과** $\int_0^1 f(x)dx$**의 값 구하기**

$$k=\int_0^1 tf(t)dt=\int_0^1 t(t^2-2t+k)dt$$
$$=\int_0^1(t^3-2t^2+kt)dt$$
$$=\Big[\frac{1}{4}t^4-\frac{2}{3}t^3+\frac{k}{2}t^2\Big]_0^1$$
$$=\frac{1}{4}-\frac{2}{3}+\frac{k}{2}$$

즉 $\frac{k}{2}=-\frac{5}{12}$이므로 $k=-\frac{5}{6}$

STEP C $f(3)$**의 값 구하기**

따라서 $f(x)=x^2-2x-\frac{5}{6}$에서 $f(3)=9-6-\frac{5}{6}=\frac{13}{6}$

(2) 다항함수 $f(x)$가 모든 실수 x에 대하여

$$f(x)=\frac{3}{4}x^2+\left\{\int_0^1 f(x)dx\right\}^2$$

를 만족시킬 때, $\int_0^2 f(x)dx$의 값은?

① $\frac{9}{4}$ ② $\frac{5}{2}$ ③ $\frac{11}{4}$
④ 3 ⑤ $\frac{13}{4}$

STEP A $\int_0^1 f(x)dx$**의 값이 상수임을 이용하여** $f(x)$**의 식 정하기**

$f(x)=\frac{3}{4}x^2+\left(\int_0^1 f(x)dx\right)^2$에서 $\int_0^1 f(x)dx$는 상수이므로

$\int_0^1 f(x)dx=k$ (k는 상수) …… ㉠

로 놓으면 $f(x)=\frac{3}{4}x^2+k^2$ …… ㉡

㉡을 ㉠에 대입하면

$$\int_0^1\left(\frac{3}{4}x^2+k^2\right)dx=\Big[\frac{1}{4}x^3+k^2x\Big]_0^1=k^2+\frac{1}{4}=k$$

$k^2-k+\frac{1}{4}=0$, $\left(k-\frac{1}{2}\right)^2=0$

$\therefore k=\frac{1}{2}$

STEP B $\int_0^2 f(x)dx$**의 값 구하기**

따라서 $f(x)=\frac{3}{4}x^2+\frac{1}{4}$이므로

$$\int_0^2 f(x)dx=\int_0^2\left(\frac{3}{4}x^2+\frac{1}{4}\right)dx=\Big[\frac{1}{4}x^3+\frac{1}{4}x\Big]_0^2=\left(2+\frac{1}{2}\right)-0=\frac{5}{2}$$

0714

이차함수 $f(x)$가

$$f(x)=\frac{12}{7}x^2-2x\int_1^2 f(t)dt+\left\{\int_1^2 f(t)dt\right\}^2$$

일 때, $10\int_1^2 f(x)dx$의 값을 구하여라.

STEP A $\int_1^2 f(t)dt=k$ **(**k**는 상수)로 놓고** $f(x)$**의 식 구하기**

$\int_1^2 f(t)dt=k$ (k는 상수) …… ㉠

로 놓으면

$f(x)=\frac{12}{7}x^2-2kx+k^2$ …… ㉡

STEP B $f(t)$**를 적분하여** k**의 값과** $f(x)$ **구하기**

㉡을 ㉠에 대입하면

$$k=\int_1^2 f(t)dt=\int_1^2\left(\frac{12}{7}t^2-2kt+k^2\right)dt$$
$$=\Big[\frac{4}{7}t^3-kt^2+k^2t\Big]_1^2$$
$$=k^2-3k+4$$

즉 $k^2-3k+4=k$에서 $(k-2)^2=0$

$\therefore k=2$

따라서 $\int_1^2 f(t)dt=\int_1^2 f(x)dx=2$이므로 $10\int_1^2 f(x)dx=10\cdot 2=20$

0715

다음 물음에 답하여라. (단, a는 실수)

(1) 다항함수 $f(x)$에 대하여 $\int_1^x f(t)dt=x^3-2ax^2+ax$를 만족할 때, $f(3)$의 값을 구하여라.

STEP A $\int_1^1 f(x)dx=0$을 이용하여 a의 값 구하기

$\int_1^x f(t)dt=x^3-2ax^2+ax$의 양변에 $x=1$을 대입하면

$\int_1^1 f(t)dt=1-2a+a$에서 $0=1-a$ $\therefore a=1$

STEP B 주어진 식에 a의 값을 대입한 후 양변을 미분하여 $f(x)$ 구하기

$a=1$을 대입하면 $\int_1^x f(t)dt=x^3-2x^2+x$

위의 식의 양변을 x에 대하여 미분하면

$\frac{d}{dx}\int_1^x f(t)dt=\frac{d}{dx}(x^3-2x^2+x)$

$\therefore f(x)=3x^2-4x+1$

따라서 $f(3)=27-12+1=16$

(2) 다항함수 $f(x)$가 모든 실수 x에 대하여 $\int_a^x f(t)dt=\frac{1}{3}x^3-9$를 만족시킬 때, $f(a)$의 값을 구하여라. (단, a는 실수)

STEP A $\int_a^a f(x)dx=0$을 이용하여 a의 값 구하기

$\int_a^x f(t)dt=\frac{1}{3}x^3-9$에서 $x=a$를 대입하면

$0=\frac{1}{3}a^3-9$

a는 실수이므로 $a=3$

STEP B 주어진 식에 a의 값을 대입한 후 양변을 미분하여 $f(x)$ 구하기

$a=3$을 대입하면

$\int_3^x f(t)dt=\frac{1}{3}x^3-9$의 양변을 x에 대하여 미분하면

$\frac{d}{dx}\int_3^x f(t)dt=\frac{d}{dx}\left(\frac{1}{3}x^3-9\right)$ $\therefore f(x)=x^2$

따라서 $f(a)=f(3)=9$

0716

다음 물음에 답하여라. (단, a는 상수)

(1) 다항함수 $f(x)$가 모든 실수 x에 대하여

$$\int_1^x\left\{\frac{d}{dt}f(t)\right\}dt=x^3+ax^2-2$$

를 만족시킬 때, $f'(a)$의 값은?

① 1 ② 2 ③ 3
④ 4 ⑤ 5

STEP A $\int_1^1 f(x)dx=0$을 이용하여 a의 값 구하기

$\int_1^x\left\{\frac{d}{dt}f(t)\right\}dt=x^3+ax^2-2$ …… ㉠

㉠에 양변에 $x=1$을 대입하면

$0=1+a-2$에서 $a=1$

STEP B 정적분을 이용하여 구하기

한편 $\frac{d}{dt}f(t)=f'(t)$이므로

$\int_1^x\left\{\frac{d}{dt}f(t)\right\}dt=\int_1^x f'(t)dt=\Big[f(t)\Big]_1^x=f(x)-f(1)$

이때 $\int_1^x\left\{\frac{d}{dt}f(t)\right\}dt=x^3+x^2-2$에서 $f(x)-f(1)=x^3+x^2-2$

STEP C 양변을 미분하여 $f'(x)$ 구하기

$f(x)-f(1)=x^3+x^2-2$의 양변을 x에 관하여 미분하면

$f'(x)=3x^2+2x$

따라서 $f'(a)=f'(1)=3+2=5$

$\int_1^x\left\{\frac{d}{dt}f(t)\right\}dt=x^3+x^2-2$의 양변을 x에 관하여 미분하면

$f'(x)=3x^2+2x$

따라서 $f'(a)=f'(1)=3+2=5$

(2) 다항함수 $f(x)$가 모든 실수 x에 대하여

$$\int_a^x\left\{\frac{d}{dt}f(t)\right\}dt=x^3-8$$

를 만족시킬 때, $f'(a)$의 값은?

① 10 ② 12 ③ 14
④ 16 ⑤ 18

STEP A $\int_a^a f(x)dx=0$을 이용하여 a의 값 구하기

$\int_a^x\left\{\frac{d}{dt}f(t)\right\}dt=x^3-8$ …… ㉠

㉠에 양변에 $x=a$를 대입하면

$0=a^3-8$

$(a-2)(a^2+2a+4)=0$이므로 $a=2$ ($\because$ a는 실수)

STEP B 양변을 미분하여 $f'(x)$ 구하기

㉠의 양변을 x에 관하여 미분하면

$f'(x)=3x^2$

따라서 $f'(a)=f'(2)=3\cdot 2^2=12$

0717

다음 물음에 답하여라.

(1) 임의의 실수 x에 대하여 다항함수 $f(x)$가

$$xf(x)=2x^3-3x^2+\int_1^x f(t)dt$$

를 만족시킬 때, $f(2)$의 값을 구하여라.

STEP A $\int_1^1 f(t)dt=0$을 이용하여 $f(1)$의 값 구하기

$xf(x)=2x^3-3x^2+\int_1^x f(t)dt$ …… ㉠

㉠의 양변에 $x=1$을 대입하면

$1\cdot f(1)=2-3+0$

$\therefore f(1)=-1$ …… ㉡

STEP B 주어진 식의 양변을 x에 대하여 미분하여 $f'(x)$ 구하기

㉠의 양변을 x에 대하여 미분하면

$f(x)+xf'(x)=6x^2-6x+f(x)$ ← 곱의 미분법

$\therefore xf'(x)=6x(x-1)$

모든 실수 x에 대하여 성립하므로 $f'(x)=6x-6$

STEP C $f'(x)$를 적분하여 $f(x)$ 구하기

$f(x)=\int(6x-6)dx=3x^2-6x+C$ (단, C는 적분상수)

이때 ㉡에서 $f(1)=-1$이므로 $f(1)=3-6+C=-1$

$\therefore C=2$

따라서 $f(x)=3x^2-6x+2$이므로 $f(2)=12-12+2=2$

(2) 다항함수 $f(x)$에 대하여

$$\int_0^x f(t)dt=x^3-2x^2-2x\int_0^1 f(t)dt$$

일 때, $f(0)=a$라 하자. $60a$의 값을 구하여라.

STEP A $\int_0^1 f(t)dt=k$ (k는 상수)로 놓고 상수 k 구하기

$\int_0^1 f(t)dt=k$ (k는 상수)라고 하면

$\int_0^x f(t)dt=x^3-2x^2-2kx$ …… ㉠

㉠에 양변에 $x=1$을 대입하면

$\int_0^1 f(t)dt=1-2-2k=k \quad \therefore k=-\frac{1}{3}$

STEP B 주어진 식의 양변을 x에 대하여 미분하여 $f(x)$ 구하기

㉠의 양변을 x에 대하여 미분하면 $f(x)=3x^2-4x-2k$

$k=-\frac{1}{3}$을 대입하면 $f(x)=3x^2-4x+\frac{2}{3}$

따라서 $f(0)=a=\frac{2}{3}$이므로 $60a=60\cdot\frac{2}{3}=40$

다른풀이 $\int_0^1 f(t)dt=k$에 대입하여 풀이하기

$\int_0^1 f(t)dt=k$ (k는 상수)라고 하면

$\int_0^x f(t)dt=x^3-2x^2-2kx$

양변을 x에 대하여 미분하면 $f(x)=3x^2-4x-2k$

$\int_0^1 f(t)dt=k$에 대입하면 $\int_0^1 (3t^2-4t-2k)dt=k$

$\left[t^3-2t^2-2kt\right]_0^1=-2k-1=k \quad \therefore k=-\frac{1}{3}$

$\therefore f(x)=3x^2-4x+\frac{2}{3}$

따라서 $f(0)=a=\frac{2}{3}$이므로 $60a=60\cdot\frac{2}{3}=40$

0718

함수 $f(x)$가 모든 실수 x에 대하여 등식

$$\int_1^x (x-t)f(t)dt=x^4+ax^2-10x+6$$

를 만족시킬 때, $f(1)$의 값은?

① 18 ② 21 ③ 24
④ 27 ⑤ 30

STEP A $\int_1^1 f(x)dx=0$을 이용하여 a의 값 구하기

주어진 식의 좌변을 정리하면

$x\int_1^x f(t)dt-\int_1^x tf(t)dt=x^4+ax^2-10x+6$ …… ㉠

㉠의 양변에 $x=1$을 대입하면

$1\cdot\int_1^1 f(t)dt-\int_1^1 tf(t)dt=1+a-10+6$

$0=a-3 \quad \therefore a=3$

STEP B 주어진 식의 양변을 x에 대하여 각각 미분하여 $f(x)$ 구하기

㉠의 양변을 x에 대하여 미분하면

$\int_1^x f(t)dt+xf(x)-xf(x)=4x^3+2ax-10$

$\therefore \int_1^x f(t)dt=4x^3+2ax-10$

또한, 양변을 x에 대하여 미분하면 $f(x)=12x^2+2a$

$a=3$이므로 $f(x)=12x^2+6$

따라서 $f(1)=12+6=18$

0719

다음 물음에 답하여라.

(1) 다항함수 $f(x)$에 대하여

$$\int_1^x xf(t)dt=x^3+\frac{1}{2}ax^2+\frac{1}{2}+\int_1^x tf(t)dt$$

를 만족할 때, 상수 a에 대하여 $f(a)$의 값을 구하여라.

STEP A $\int_1^1 f(x)dx=0$을 이용하여 a의 값 구하기

$\int_1^x xf(t)dt=x^3+\frac{1}{2}ax^2+\frac{1}{2}+\int_1^x tf(t)dt$에서

$x\int_1^x f(t)dt=x^3+\frac{1}{2}ax^2+\frac{1}{2}+\int_1^x tf(t)dt$ …… ㉠

㉠의 양변에 $x=1$을 대입하면

$1\cdot\int_1^1 f(t)dt=1+\frac{1}{2}a+\frac{1}{2}+\int_1^1 tf(t)dt$

$0=1+\frac{1}{2}a+\frac{1}{2}+0$

$\therefore a=-3$

STEP B 주어진 식의 양변을 미분하여 $f(x)$의 값 구하기

㉠의 양변을 x에 대하여 미분하면

$\int_1^x f(t)dt+xf(x)=3x^2+ax+xf(x)$

$\therefore \int_1^x f(t)dt=3x^2+ax$ …… ㉡

㉡의 식을 다시 x에 대하여 미분하면

$f(x)=6x+a$

STEP C $f(a)$의 값 구하기

따라서 $a=-3$이므로 $f(x)=6x-3$

$\therefore f(a)=f(-3)=-18-3=-21$

(2) 다항함수 $f(x)$에 대하여

$$\int_1^x xf(t)dt=x^4-ax^2+1+\int_1^x tf(t)dt$$

를 만족할 때, 상수 a에 대하여 $f(a)$의 값을 구하여라.

STEP A $\int_1^1 f(x)dx=0$을 이용하여 a의 값 구하기

$\int_1^x xf(t)dt=x^4-ax^2+1+\int_1^x tf(t)dt$에서

$x\int_1^x f(t)dt=x^4-ax^2+1+\int_1^x tf(t)dt$ …… ㉠

㉠의 양변에 $x=1$을 대입하면

$0=1-a+1+0$

$\therefore a=2$

STEP B 주어진 식의 양변을 미분하여 $f(x)$의 값 구하기

$a=2$를 대입하여

$x\int_1^x f(t)dt=x^4-2x^2+1+\int_1^x tf(t)dt$의 양변을 x에 대하여 미분하면

$\int_1^x f(t)dt+xf(x)=4x^3-4x+xf(x)$

$\int_1^x f(t)dt=4x^3-4x$ …… ㉡

㉡의 양변을 x에 대하여 미분하면

$f(x)=12x^2-4$

STEP C $f(a)$의 값 구하기

따라서 $f(x)=12x^2-4$이므로 $f(a)=f(2)=48-4=44$

0720

다항함수 $f(x)$가 $\int_{1}^{x}(x-t)f(t)dt=x^4+ax^2+bx$를 만족할 때, 다음 물음에 답하여라.

(1) 상수 a, b의 값을 구하여라.

STEP A $\int_{1}^{1}f(x)dx=0$을 이용하여 a, b의 관계식 구하기

주어진 식의 좌변을 정리하면

$\int_{1}^{x}(x-t)f(t)dt=x\int_{1}^{x}f(t)dt-\int_{1}^{x}tf(t)dt$이므로

$x\int_{1}^{x}f(t)dt-\int_{1}^{x}tf(t)dt=x^4+ax^2+bx$ ...... ㉠

㉠의 양변에 $x=1$을 대입하면

$1\cdot\int_{1}^{1}f(t)dt-\int_{1}^{1}tf(t)dt=1+a+b$

$0=1+a+b$

$\therefore a+b=-1$ ...... ㉡

STEP B 주어진 식의 양변을 미분하여 정리하기

㉠의 양변을 x에 대하여 미분하면

$(x)'\int_{1}^{x}f(t)dt+x\left(\int_{1}^{x}f(t)dt\right)'-\left(\int_{1}^{x}tf(t)dt\right)'=4x^3+2ax+b$

$\int_{1}^{x}f(t)dt+xf(x)-xf(x)=4x^3+2ax+b$

$\int_{1}^{x}f(t)dt=4x^3+2ax+b$ ...... ㉢

STEP C 정적분의 성질을 이용하여 a, b의 값 구하기

㉢의 양변에 $x=1$을 대입하면

$\int_{1}^{1}f(t)dt=4+2a+b$

$0=4+2a+b$

$\therefore 2a+b=-4$ ...... ㉣

따라서 ㉡, ㉣을 연립하여 풀면 $a=-3$, $b=2$

(2) $\int_{1}^{2}f(x)dx$의 값을 구하여라.

STEP A 양변을 미분하여 $f(x)$의 값 구하기

$a=-3$, $b=2$를 ㉢에 대입하면

$\int_{1}^{x}f(t)dt=4x^3-6x+2$

위의 식의 양변을 x에 대하여 미분하면

$f(x)=12x^2-6$

STEP B $\int_{1}^{2}f(x)dx$의 값 구하기

따라서 $\int_{1}^{2}f(x)dx=\left[4x^3-6x\right]_{1}^{2}=(32-12)-(4-6)=22$

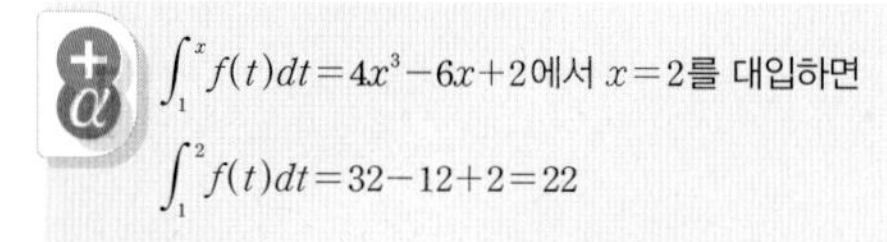

$\int_{1}^{x}f(t)dt=4x^3-6x+2$에서 $x=2$를 대입하면

$\int_{1}^{2}f(t)dt=32-12+2=22$

0721

다음 물음에 답하여라.

(1) 오른쪽 그림과 같이 이차함수 $y=f(x)$의 그래프가 두 점 $(0, 0)$, $(\alpha, 0)$을 지날 때, 함수 $g(x)=\int_{0}^{x}f(t)dt$에 대하여 옳은 것만을 [보기]에서 있는 대로 고른 것은? (단, α는 양수이다.)

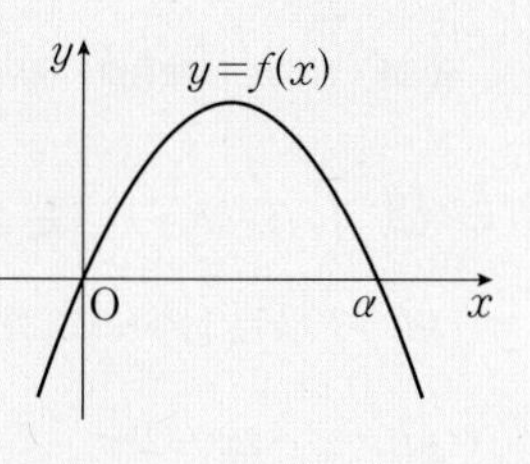

> ㄱ. $g'(\alpha)=0$이다.
> ㄴ. 함수 $g(x)$의 극솟값은 0이다.
> ㄷ. 방정식 $g(x)=0$의 모든 실근의 합은 α보다 크다.

① ㄱ　② ㄴ　③ ㄱ, ㄴ
④ ㄴ, ㄷ　⑤ ㄱ, ㄴ, ㄷ

STEP A 양변을 x로 미분하여 정적분의 성질을 이용하여 [보기]의 참, 거짓의 진위판단하기

ㄱ. $g(x)=\int_{0}^{x}f(t)dt$에서 $g'(x)=\frac{d}{dx}\int_{0}^{x}f(t)dt=f(x)$이므로

$g'(\alpha)=f(\alpha)=0$ [참]

ㄴ. $g'(x)=f(x)$이고 $f(0)=f(\alpha)=0$이므로

함수 $g(x)$의 증가와 감소를 표로 나타내면 다음과 같다.

x	$\cdots$	0	$\cdots$	α	$\cdots$
$g'(x)$	$-$	0	$+$	0	$-$
$g(x)$	↘	극소	↗	극대	↘

즉 함수 $g(x)$의 극솟값은 $g(0)$이고 $g(0)=\int_{0}^{0}f(t)dt=0$ [참]

ㄷ. 함수 $y=g(x)$의 그래프가 그림과 같으므로 방정식 $g(x)=0$은 서로 다른 두 개의 실근을 갖고 그 두 개의 실근 중 하나는 0이고 다른 하나를 β라 하면 $\alpha<\beta$

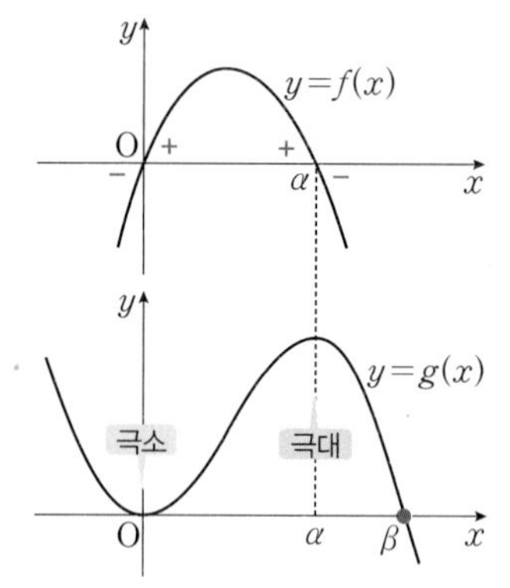

즉 모든 실근의 합은 α보다 크다. [참]

다른풀이 이차함수 $f(x)$를 정하여 풀이하기

$f(x)=ax(x-\alpha)$ $(a<0)$라 하면

$g(x)=\int_{0}^{x}f(t)dt=\int_{0}^{x}at(t-\alpha)dt$

$=\left[\frac{a}{3}t^3-\frac{a\alpha}{2}t^2\right]_{0}^{x}$

$=\frac{a}{3}x^3-\frac{a\alpha}{2}x^2$

$=\frac{a}{6}x^2(2x-3\alpha)$

이므로 $g(x)=0$의 근은 $x=0$(중근) 또는 $x=\frac{3}{2}\alpha$

즉 모든 실근의 합은 $\frac{3}{2}\alpha$이므로 α보다 크다. [참]

따라서 옳은 것은 ㄱ, ㄴ, ㄷ이다.

(2) 삼차함수 $y=f(x)$의 그래프가 오른쪽 그림과 같다.
함수 $F(x)$를 $F(x)=\int_b^x f(t)dt$로 정의할 때, [보기]에서 옳은 것만을 있는 대로 고른 것은?

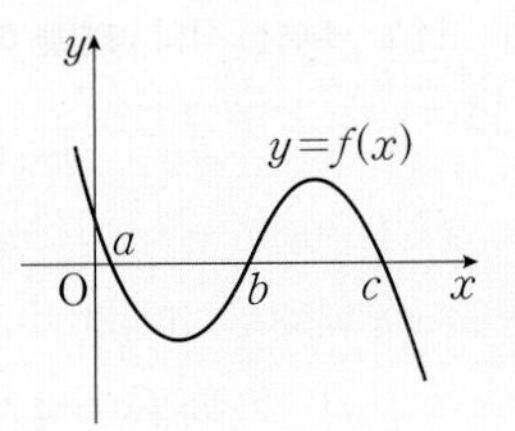

> ㄱ. $F(a)>0$
> ㄴ. 함수 $F(x)$는 $x=b$에서 극소이다.
> ㄷ. 방정식 $F(x)=0$은 서로 다른 세 실근을 갖는다.

① ㄱ　② ㄴ　③ ㄱ, ㄴ
④ ㄴ, ㄷ　⑤ ㄱ, ㄴ, ㄷ

STEP A **양변을 x로 미분하여 정적분의 성질을 이용하여 [보기]의 참, 거짓의 진위판단하기**

ㄱ. $F(a)=\int_b^a f(t)dt=-\int_a^b f(t)dt$

이때 정적분의 값이 $\int_a^b f(t)dt<0$이므로 $F(a)>0$ [참]

ㄴ. $F(x)=\int_b^x f(t)dt$의 양변을 x에 대하여 미분하면

$F'(x)=\frac{d}{dx}\int_b^x f(t)dt=f(x)$

$f(x)=0$에서 $x=a$ 또는 $x=b$ 또는 $x=c$

함수 $f(x)$의 증가와 감소를 표로 나타내면 다음과 같다.

x	$\cdots$	a	$\cdots$	b	$\cdots$	c	$\cdots$
$f(x)$	$+$	0	$-$	0	$+$	0	$-$
$F(x)$	↗	극대	↘	극소	↗	극대	↘

이때 $x=a$, c에서 극대, $x=b$에서 극소이다. [참]

ㄷ. $F(b)=\int_b^b f(t)dt=0$이고 $F'(x)=f(x)$이므로 $y=f(x)$의 그래프를 이용하여 $y=F(x)$의 그래프를 그리면 다음과 같다.

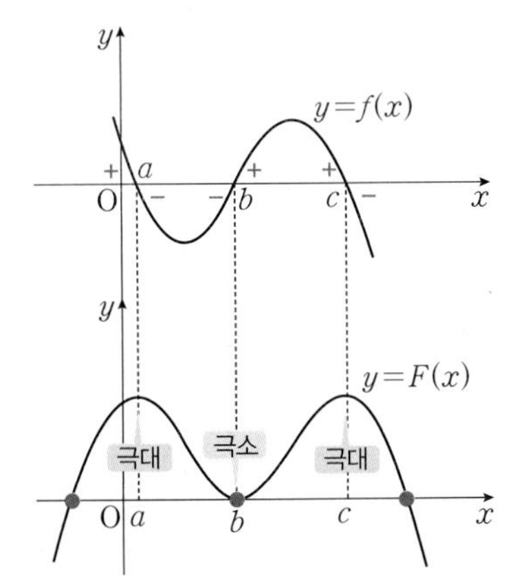

그러므로 방정식 $F(x)=0$은 서로 다른 세 실근을 갖는다. [참]
따라서 옳은 것은 ㄱ, ㄴ, ㄷ이다.

0722

다음 물음에 답하여라.

(1) 함수 $f(x)=x(x+2)(x+4)$에 대하여 함수

$$g(x)=\int_2^x f(t)dt$$

는 $x=\alpha$에서 극댓값을 갖는다. $g(\alpha)$의 값은?

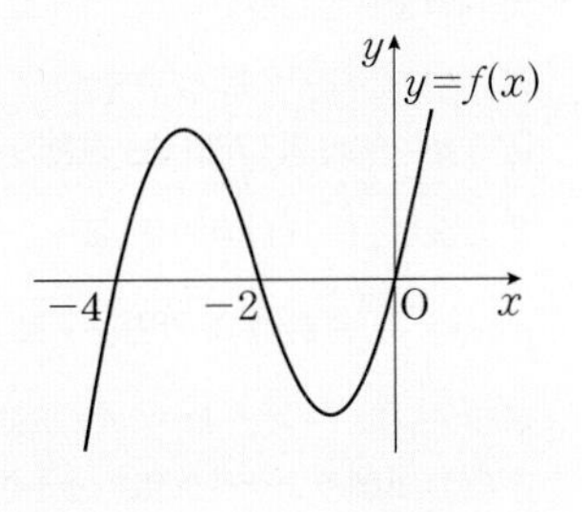

① -28　② -29
③ -30　④ -31
⑤ -32

STEP A **양변을 x로 미분하여 극대가 되는 α 구하기**

$g(x)=\int_2^x f(t)dt$의 양변을 x로 미분하면 $g'(x)=f(x)=x(x+2)(x+4)$

$g'(x)=0$에서 $x=-4$ 또는 $x=-2$ 또는 $x=0$

함수 $g(x)$의 증가와 감소를 표로 나타내면 다음과 같다.

x	$\cdots$	-4	$\cdots$	-2	$\cdots$	0	$\cdots$
$g'(x)$	$-$	0	$+$	0	$-$	0	$+$
$g(x)$	↘	극소	↗	극대	↘	극소	↗

$x=-2$에서 극대이고 $g(x)$는 극댓값이므로 $\alpha=-2$

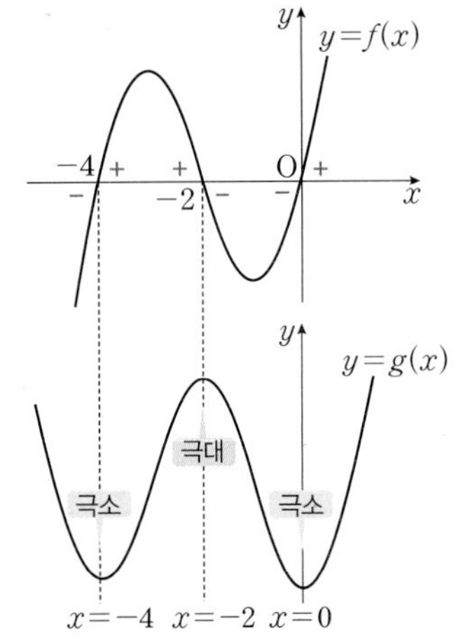

STEP B **극댓값 $g(\alpha)$ 구하기**

따라서 $g(\alpha)=g(-2)=\int_2^{-2} f(t)dt=\int_2^{-2}(t^3+6t^2+8t)dt$

$=-\int_{-2}^{2}(t^3+6t^2+8t)dt$

$=-2\int_0^2 6t^2dt=-2\Big[2t^3\Big]_0^2=-32$

(2) 함수 $f(x)=x^3-4x$에 대하여 함수 $g(x)$가

$$g(x)=\int_{-2}^x f(t)dt$$

일 때, 옳은 것만을 [보기]에서 있는 대로 고른 것은?

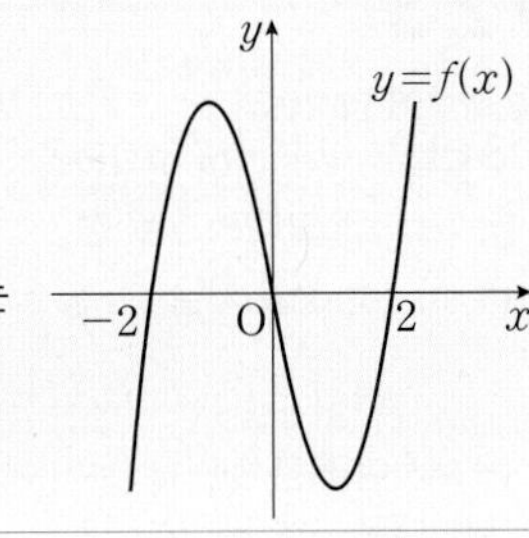

> ㄱ. $g(2)=0$
> ㄴ. 함수 $g(x)$의 극댓값은 4이다.
> ㄷ. 방정식 $g(x)=k$가 서로 다른 네 실근을 갖기 위한 자연수 k의 개수는 3이다.

① ㄱ　② ㄷ　③ ㄱ, ㄴ
④ ㄴ, ㄷ　⑤ ㄱ, ㄴ, ㄷ

STEP A 양변을 x로 미분하여 정적분의 성질을 이용하여 [보기]의 참, 거짓의 진위판단하기

ㄱ. $f(x)=x^3-4x$에서

$f(-x)=(-x)^3-4(-x)=-x^3+4x=-f(x)$이므로

함수 $y=f(x)$의 그래프는 원점에 대하여 대칭이다.

$\therefore\ g(2)=\int_{-2}^{2}f(t)dt=0$ [참]

ㄴ. $g(x)=\int_{-2}^{x}f(t)dt$의 양변을 x로 미분하면

$g'(x)=f(x)=x^3-4x=x(x-2)(x+2)$

$g'(x)=0$에서 $x=-2$ 또는 $x=0$ 또는 $x=2$

함수 $g(x)$의 증가와 감소를 표로 나타내면 다음과 같다.

x	$\cdots$	-2	$\cdots$	0	$\cdots$	2	$\cdots$
$g'(x)$	$-$	0	$+$	0	$-$	0	$+$
$g(x)$	↘	극소	↗	극대	↘	극소	↗

함수 $g(x)$는 $x=-2$, $x=2$에서 극소이고 극솟값은

$g(-2)=g(2)=0$을 갖고 $x=0$에서 극대이고 극댓값은

$g(0)=\int_{-2}^{0}(t^3-4t)dt=\left[\frac{t^4}{4}-2t^2\right]_{-2}^{0}=0-(4-8)=4$ [참]

ㄷ. 함수 $y=g(x)$의 그래프의 개형은 다음과 같다.

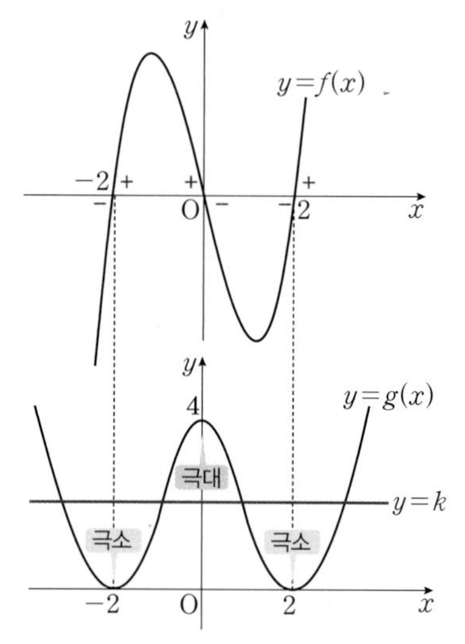

방정식 $g(x)=k$의 실근의 개수는 곡선 $y=g(x)$와 직선 $y=k$의 교점의 개수와 같으므로 서로 다른 네 실근을 갖기 위한 k의 범위는 $0<k<4$이므로 자연수 k의 값은 $1,\ 2,\ 3$이므로 자연수의 개수는 3개이다. [참]

따라서 옳은 것은 ㄱ, ㄴ, ㄷ이다.

0723

다음 물음에 답하여라.

(1) 오른쪽 그림과 같이 이차함수 $y=f(x)$의 그래프가 두 점 $(0,\ 0)$, $(4,\ 0)$을 지날 때, 함수

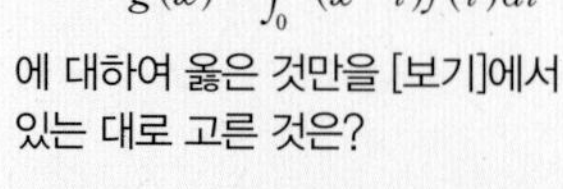

$$g(x)=\int_0^x(x-t)f(t)dt$$

에 대하여 옳은 것만을 [보기]에서 있는 대로 고른 것은?

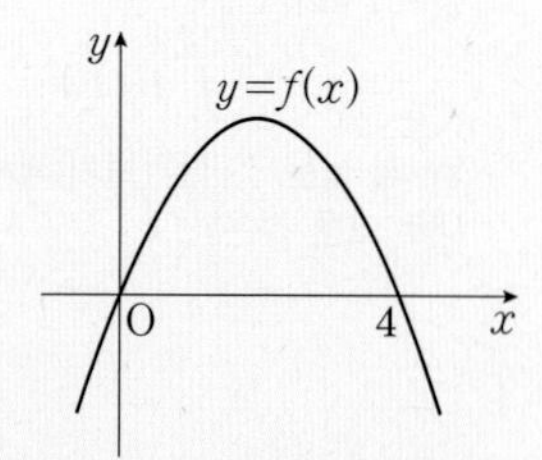

ㄱ. 방정식 $g'(x)=0$은 서로 다른 두 실근을 갖는다.
ㄴ. 함수 $g(x)$는 $x=6$일 때 극댓값을 가진다.
ㄷ. $g(m)>0$이 되도록 하는 자연수 m의 최댓값은 7이다.

① ㄱ ② ㄴ ③ ㄱ, ㄷ
④ ㄴ, ㄷ ⑤ ㄱ, ㄴ, ㄷ

STEP A 주어진 식의 양변을 미분하여 $g'(x)$의 값 구하기

$g(x)=\int_0^x(x-t)f(t)dt$

$=x\int_0^x f(t)dt-\int_0^x tf(t)dt$

양변을 x에 대하여 미분하면

$g'(x)=\int_0^x f(t)dt+xf(x)-xf(x)$

$=\int_0^x f(t)dt$

STEP B 양변을 x로 미분하여 정적분의 성질을 이용하여 [보기]의 참, 거짓의 진위판단하기

ㄱ. 함수 $g'(x)=\int_0^x f(t)dt$는 $g'(0)=0$이고 그 도함수가 $f(x)$이므로

함수 $y=g'(x)$의 그래프는 그림과 같다.

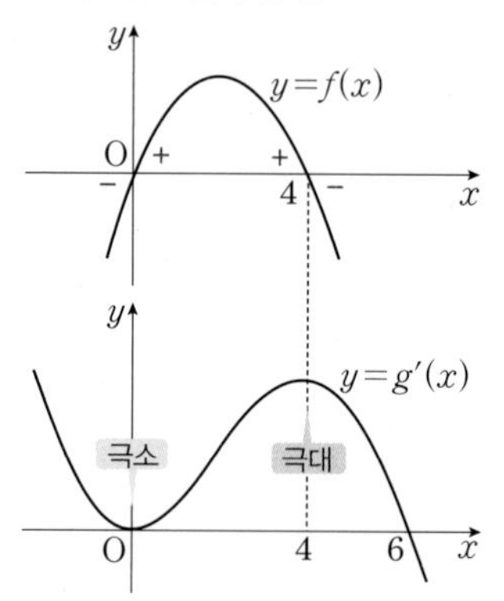

즉 방정식 $g'(x)=0$은 서로 다른 두 실근을 가진다. [참]

ㄴ. $g'(x)=\int_0^x f(t)dt=ax^2(x-b)\ (a<0)$라 하면

양변을 x에 대하여 미분하면

$f(x)=2ax(x-b)+ax^2=ax(3x-2b)$

$f(x)=0$에서 $x=0$ 또는 $x=\frac{2b}{3}$

즉 $x=\frac{2b}{3}=4$에서 $b=6$

$g'(x)=\int_0^x f(t)dt=ax^2(x-6)$이므로

함수 $g(x)$는 $x=6$일 때, 극댓값을 가진다. [참]

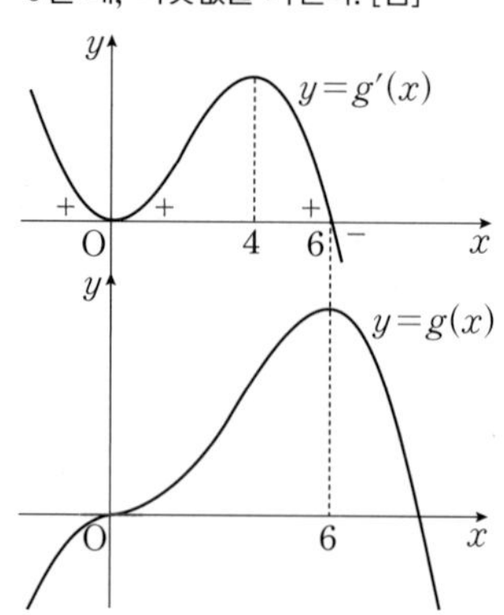

ㄷ. $g'(x)=ax^2(x-6)=a(x^3-6x^2)$이므로

$g(x)=a\left(\frac{1}{4}x^4-2x^3\right)+C$ (C는 적분상수)

그런데 $g(0)=C=0$이므로 $g(x)=a\left(\frac{1}{4}x^4-2x^3\right)$

$g(m)>0$에서

$g(m)=a\left(\frac{1}{4}m^4-2m^3\right)=am^3\left(\frac{1}{4}m-2\right)>0$

$a<0$이고 m이 자연수이므로 $\frac{1}{4}m-2<0$

$\therefore\ m<8$

즉 $g(m)>0$이 되도록 하는 자연수 m의 최댓값은 7이다. [참]

따라서 옳은 것은 ㄱ, ㄴ, ㄷ이다.

(2) 함수 $f(x)=-x+2-t$에 대하여 함수 $g(t)$를

$$g(t)=\int_0^t |f(x)|dx$$

라 하자. [보기]에서 옳은 것만을 있는 대로 고른 것은? (단, $t>0$)

> ㄱ. $g(1)=\frac{1}{2}$
> ㄴ. 함수 $g(t)$는 $t=2$에서 미분가능하다.
> ㄷ. 방정식 $g(t)=\frac{2}{3}$는 서로 다른 두 실근을 갖는다.

① ㄱ　　② ㄷ　　③ ㄱ, ㄴ
④ ㄴ, ㄷ　　⑤ ㄱ, ㄴ, ㄷ

STEP A　t의 범위에 따른 함수 $g(t)$의 그래프 그리기

함수 $|f(x)|$의 그래프와 x축이 만나는 점의 x좌표는 $2-t$이므로 $t>0$을 만족하는 t의 범위를 나누면 다음과 같다.

(i) $0<t<1$일 때,
함수 $y=|f(x)|$의 그래프와 직선 $x=t$는 그림과 같다.

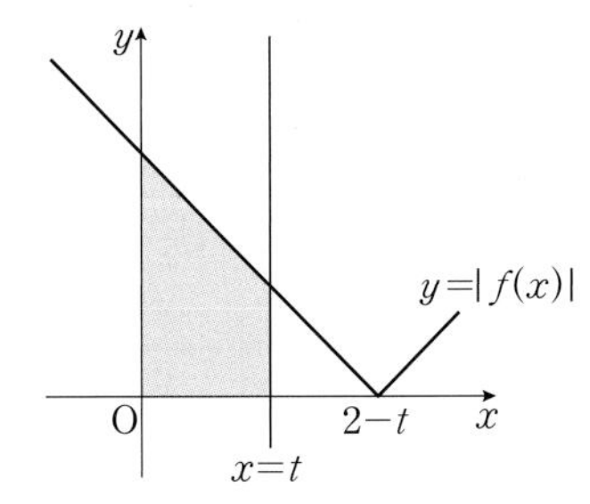

$$g(t)=\int_0^t(-x+2-t)dx$$
$$=\left[-\frac{1}{2}x^2+2x-tx\right]_0^t$$
$$=-\frac{3}{2}t^2+2t$$

(ii) $1\le t<2$일 때,
함수 $y=|f(x)|$의 그래프와 직선 $x=t$는 그림과 같다.

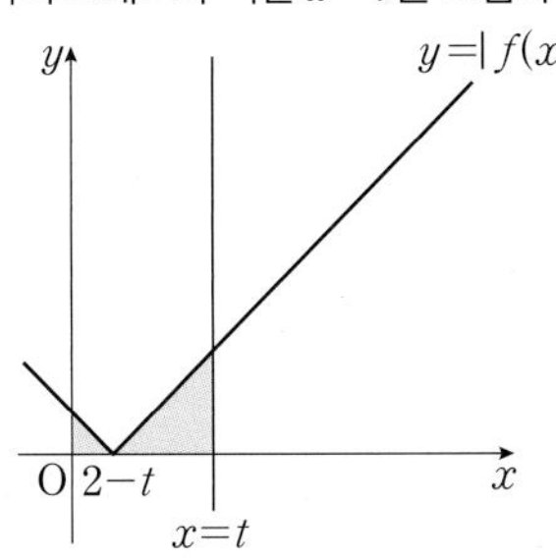

$$g(t)=\int_0^{2-t}(-x+2-t)dx+\int_{2-t}^t(x-2+t)dx$$
$$=\left[-\frac{1}{2}x^2+2x-tx\right]_0^{2-t}+\left[\frac{1}{2}x^2-2x+tx\right]_{2-t}^t$$
$$=\frac{5}{2}t^2-6t+4$$

(iii) $t\ge 2$일 때,
함수 $y=|f(x)|$의 그래프와 직선 $x=t$는 그림과 같다.

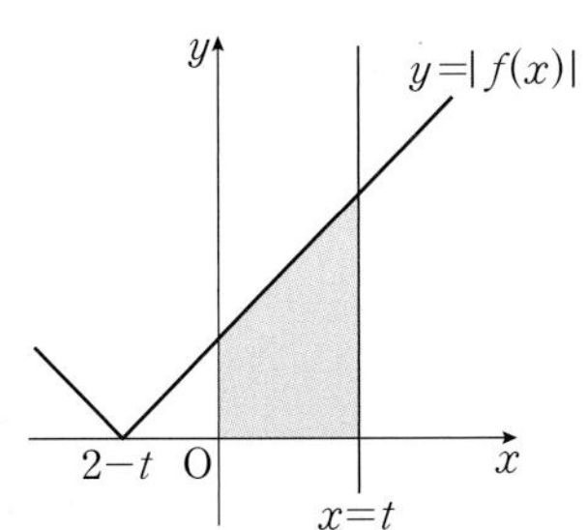

$$g(t)=\int_0^t(x-2+t)dx=\left[\frac{1}{2}x^2-2x+tx\right]_0^t=\frac{3}{2}t^2-2t$$

(i)~(iii)에 의해 함수

$$g(t)=\begin{cases}-\frac{3}{2}t^2+2t & (0<t<1)\\ \frac{5}{2}t^2-6t+4 & (1\le t<2)\\ \frac{3}{2}t^2-2t & (t\ge 2)\end{cases}$$

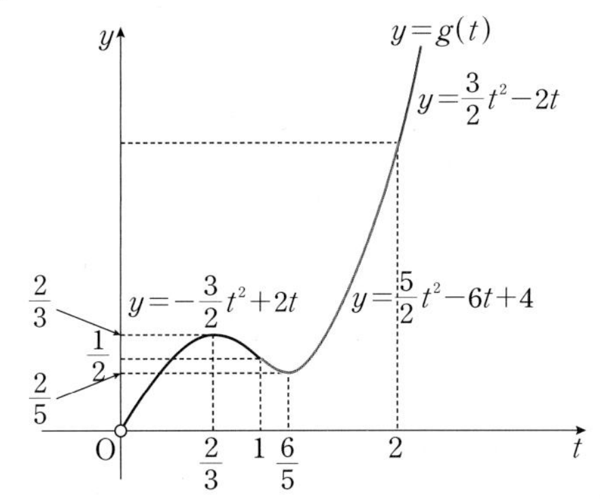

STEP B　[보기]의 참, 거짓의 진위판단하기

ㄱ. $g(1)=\int_0^1|-x+1|dx=\frac{1}{2}$ [참]

ㄴ. (i) $t=2$에서 연속

$$\lim_{t\to 2-}\left(\frac{5}{2}t^2-6t+4\right)=\lim_{t\to 2+}\left(\frac{3}{2}t^2-2t\right)=2,\ g(2)=2$$

(ii) $t=2$에서 미분가능

$$\lim_{t\to 2-}\frac{g(t)-g(2)}{t-2}=\lim_{t\to 2-}\left(\frac{5}{2}t-1\right)=4$$
$$\lim_{t\to 2+}\frac{g(t)-g(2)}{t-2}=\lim_{t\to 2+}\left(\frac{3}{2}t+1\right)=4$$

∴ 함수 $g(t)$는 $t=2$에서 미분가능 [참]

ㄷ. 함수 $g(t)$의 증가와 감소를 표로 나타내면 다음과 같다.

t	(0)	$\cdots$	$\frac{2}{3}$	$\cdots$	1	$\cdots$	$\frac{6}{5}$	$\cdots$	2	$\cdots$
$g'(t)$		+	0	−	−	−	0	+	+	+
$g(t)$		↗	$\frac{2}{3}$	↘		↘	극소	↗		↗

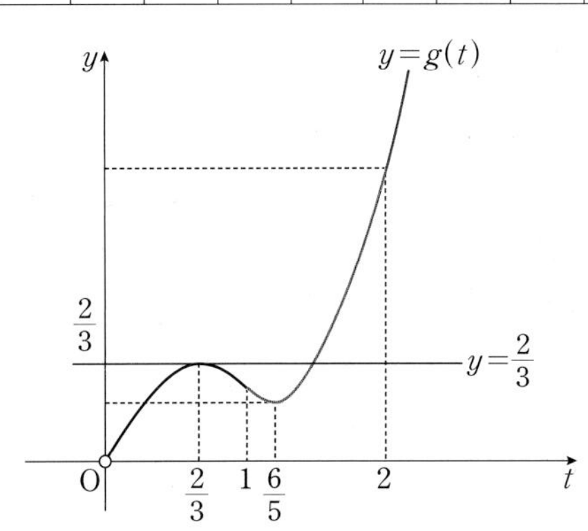

함수 $g(t)$는 $t=\frac{2}{3}$에서 극댓값 $\frac{2}{3}$를 가지므로

방정식 $g(t)=\frac{2}{3}$는 서로 다른 두 실근을 갖는다. [참]

따라서 옳은 것은 ㄱ, ㄴ, ㄷ이다.

0724

함수 $y=f(x)$의 그래프가 오른쪽 그림과 같을 때,

$$F(x)=\int_0^x f(t)dt$$

라 하면 연속함수 $y=F(x)$의 그래프의 개형은?

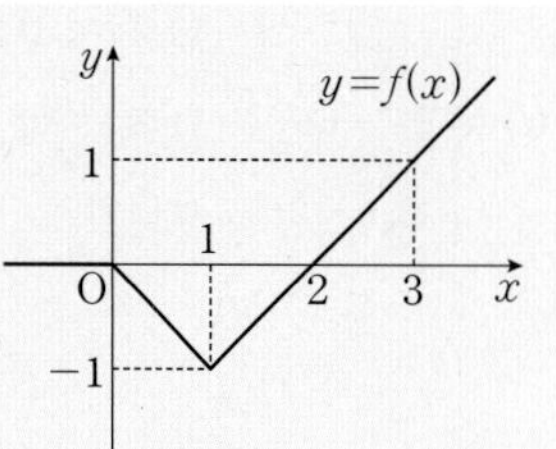

①
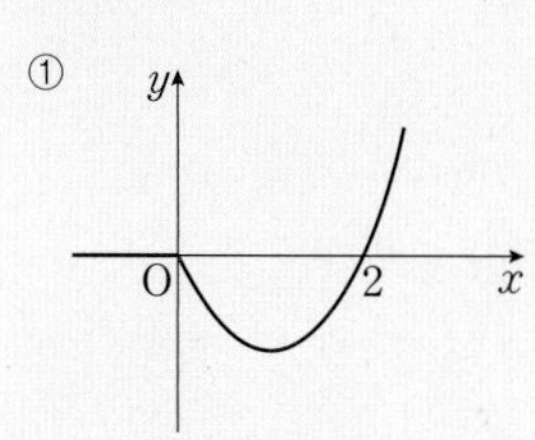

②
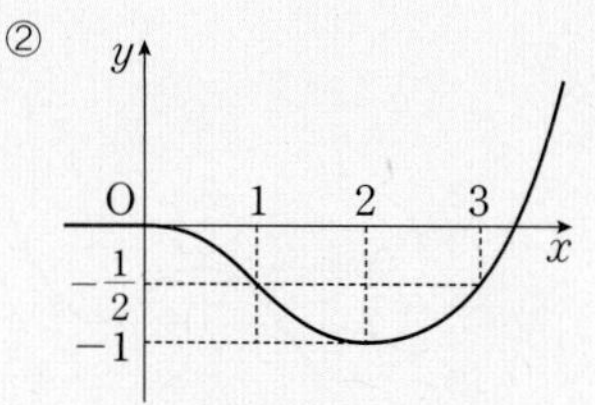

③
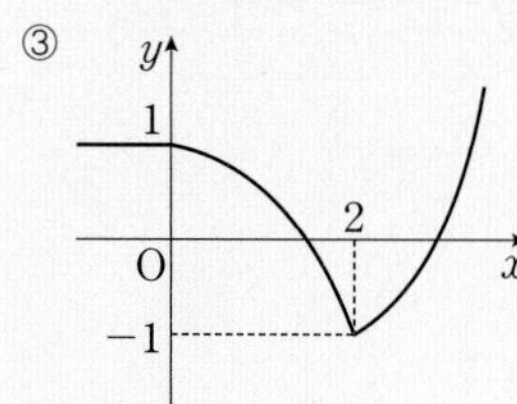

④
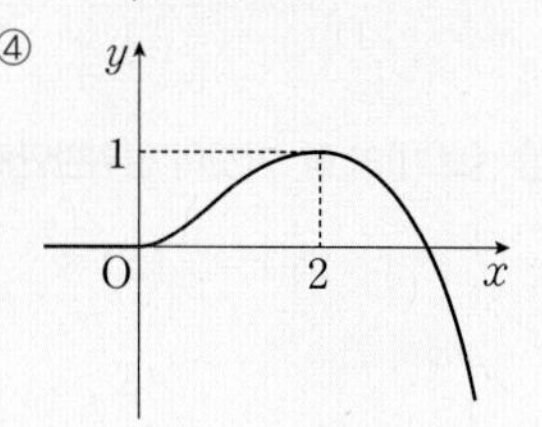

⑤
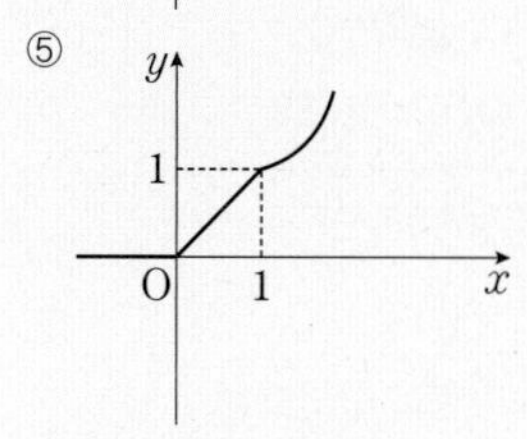

STEP Ⓐ **양변을 x로 미분하여 그래프 추정하기**

$f(x)=\begin{cases} 0 & (x<0) \\ -x & (0 \le x < 1) \\ x-2 & (x \ge 1) \end{cases}$이므로

(ⅰ) $x<0$일 때,

$F(x)=\int_0^x f(x)dx=0$

(ⅱ) $0 \le x < 1$일 때,

$F(x)=\int_0^x f(x)dx=\left[-\frac{1}{2}x^2\right]_0^x=-\frac{1}{2}x^2$

(ⅲ) $x \ge 1$일 때,

$$\begin{aligned} F(x)=\int_0^x f(x)dx &= \int_0^1 -xdx+\int_1^x (x-2)dx \\ &=\left[-\frac{1}{2}x^2\right]_0^1+\left[\frac{1}{2}x^2-2x\right]_1^x \\ &=-\frac{1}{2}+\left(\frac{1}{2}x^2-2x\right)-\left(\frac{1}{2}-2\right) \\ &=\frac{1}{2}x^2-2x+1 \end{aligned}$$

따라서 그래프는 다음 그림과 같다.

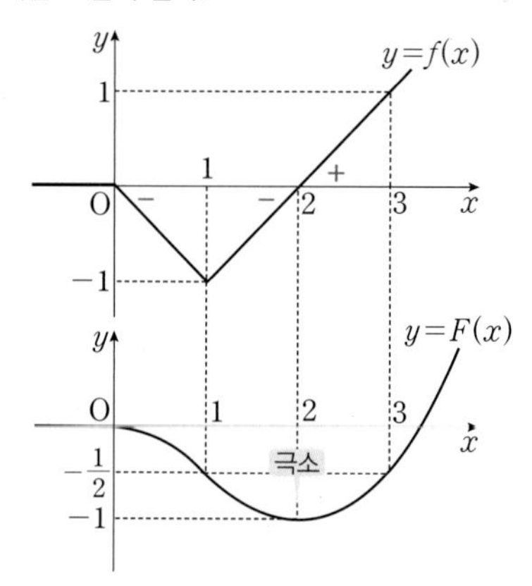

0725

실수 전체의 집합에서 정의되는 함수 $y=f(x)$의 그래프가 다음 그림과 같다.

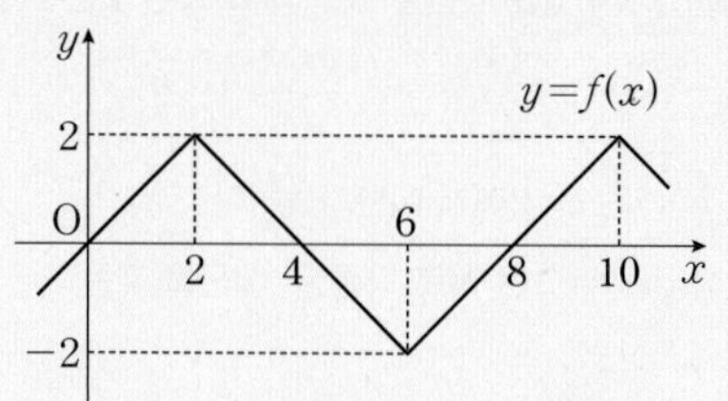

이때 함수 $g(x)=\int_0^x f(t)dt$의 극댓값을 a, 극솟값을 b라고 할 때, $a+b$의 값은?

① 2 ② 3 ③ 4
④ 5 ⑤ 8

STEP Ⓐ **함수 $g(x)$의 증가와 감소를 표로 나타내기**

$g(x)=\int_0^x f(t)dt$의 양변을 x에 대하여 미분하면

$g'(x)=f(x)$

이때 $g'(x)=f(x)=0$에서 $x=4$ 또는 $x=8$

함수 $g(x)$의 증가와 감소를 표로 나타내면 다음과 같다.

x	$\cdots$	4	$\cdots$	8	$\cdots$
$f(x)$	+	0	−	0	+
$g(x)$	↗	극대	↘	극소	↗

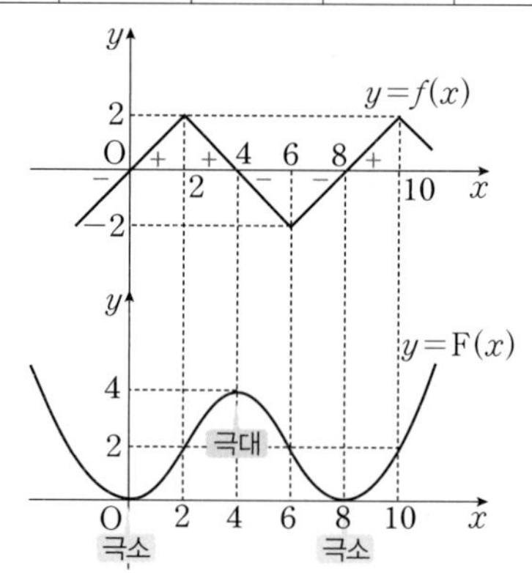

STEP Ⓑ **극댓값, 극솟값 구하기**

$$\begin{aligned} \text{극댓값 } a=g(4)&=\int_0^4 f(x)dx \\ &=\int_0^2 xdx+\int_2^4(-x+4)dx \\ &=\left[\frac{1}{2}x^2\right]_0^2+\left[-\frac{1}{2}x^2+4x\right]_2^4 \\ &=2+(-8+16)-(-2+8) \\ &=4 \end{aligned}$$

$$\begin{aligned} \text{극솟값 } b=g(8)&=\int_0^8 f(x)dx \\ &=\int_0^2 xdx+\int_2^6(-x+4)dx+\int_6^8(x-8)dx \\ &=\left[\frac{1}{2}x^2\right]_0^2+\left[-\frac{1}{2}x^2+4x\right]_2^6+\left[\frac{1}{2}x^2-8x\right]_6^8 \\ &=2+(-18+24)-(-2+8)+(32-64)-(18-48) \\ &=0 \end{aligned}$$

따라서 $a+b=4+0=4$

0726

다음 물음에 답하여라.

(1) 함수 $f(x)=\int_{-2}^{x}(2-|t|)dt$에 대하여 옳은 것만을 [보기]에서 있는 대로 고른 것은?

> ㄱ. 함수 $f(x)$는 모든 실수 x에 대하여 미분가능하다.
> ㄴ. 함수 $f(x)$는 극댓값과 극솟값을 갖는다.
> ㄷ. 방정식 $f(x)=a$의 서로 다른 세 실근을 갖도록 하는 a의 범위는 $0<a<4$이다.

① ㄱ ② ㄴ ③ ㄱ, ㄷ
④ ㄴ, ㄷ ⑤ ㄱ, ㄴ, ㄷ

(2) 함수 $f(x)$의 그래프가 닫힌구간 $[0, 7]$에서 오른쪽 그림과 같다. 함수 $g(x)$를 $g(x)=\int_{0}^{x}f(t)dt$라 하자. [보기]에서 옳은 것을 모두 고른 것은?

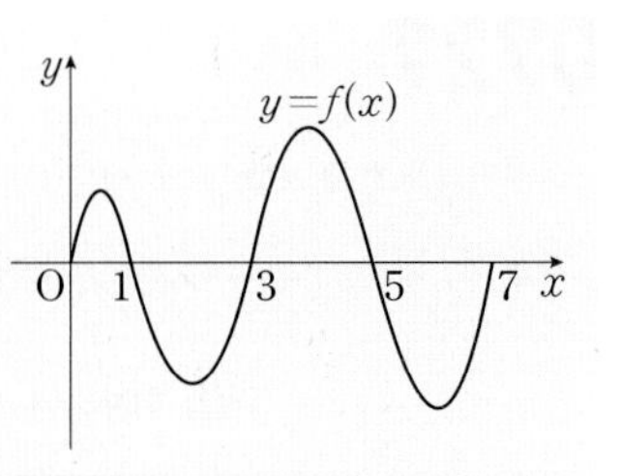

> ㄱ. $g(x)$는 $x=5$에서 극댓값을 갖는다.
> ㄴ. $g(x)$는 $x=1$에서 최솟값을 갖는다.
> ㄷ. $g(5)=g(1)-\left|\int_{1}^{3}f(t)dt\right|+\left|\int_{3}^{5}f(t)dt\right|$

① ㄱ ② ㄴ ③ ㄱ, ㄷ
④ ㄴ, ㄷ ⑤ ㄱ, ㄴ, ㄷ

---

(1)

STEP A 함수 $g(x)$의 증가와 감소를 표로 나타내기

ㄱ. $f(x)=\int_{-2}^{x}(2-|t|)dt$에서 $f'(x)=2-|x|$이므로
모든 실수 x에 대하여 $f'(x)$의 값이 존재한다.
즉 함수 $f(x)$는 모든 실수 x에 대하여 미분가능하다. [참]

ㄴ. $f'(x)=2-|x|=0$에서 $x=-2$ 또는 $x=2$
함수 $f(x)$의 증가와 감소를 표로 나타내면 다음과 같다.

x	$\cdots$	-2	$\cdots$	2	$\cdots$
$f'(x)$	$-$	0	$+$	0	$-$
$f(x)$	↘	극소	↗	극대	↘

함수 $f(x)$는 $x=-2$에서 극소이고 $x=2$에서 극대를 갖는다. [참]

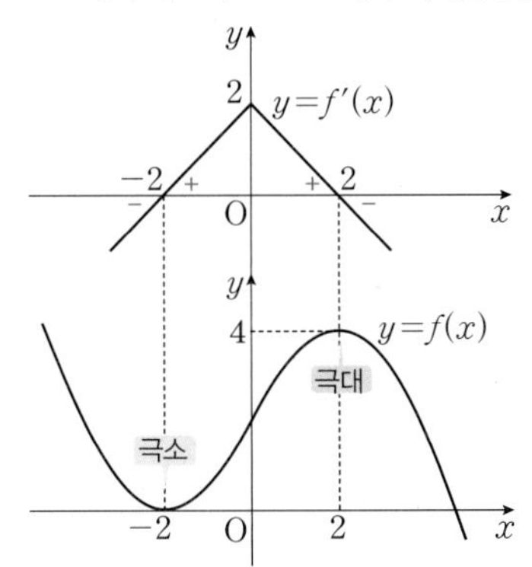

ㄷ. $f(-2)=\int_{-2}^{-2}(2-|t|)dt=0$

$f(2)=\int_{-2}^{2}(2-|t|)dt$

$=\int_{-2}^{0}(2+t)dt+\int_{0}^{2}(2-t)dt$

$=\left[2t+\frac{1}{2}t^2\right]_{-2}^{0}+\left[2t-\frac{1}{2}t^2\right]_{0}^{2}=4$

이므로 ㄴ에 의해 함수 $y=f(x)$의 그래프의 개형은 다음과 같다.

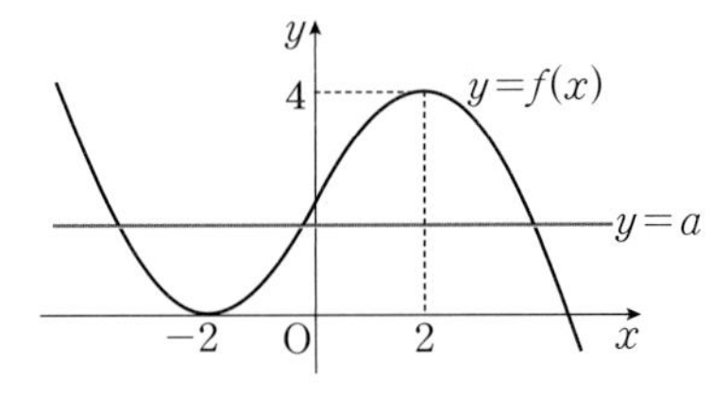

곡선 $y=f(x)$와 $y=a$가 서로 다른 세 점에서 만나기 위한 a의 범위는
$0<a<4$ [참]

따라서 옳은 것은 ㄱ, ㄴ, ㄷ이다.

ㄱ이 참인 이유
닫힌구간에서 정의된 연속함수의 정적분은 항상 존재하고 적분과 미분이 역연산의 관계이므로 피적분함수가 연속일 때, 정적분으로 정의된 새로운 함수는 미분가능하며, 그 도함수는 바로 피적분함수가 된다는 것을 알 수 있다.

(2)

STEP A 주어진 그래프를 이용하여 $g(x)$의 증감표 작성하기

$g(x)=\int_{0}^{x}f(t)dt$에서 $g'(x)=f(x)$

$g'(x)=f(x)=0$에서 $x=1$ 또는 $x=3$ 또는 $x=5$

함수 $g(x)$의 증가와 감소를 표로 나타내면 다음과 같다.

x	0	$\cdots$	1	$\cdots$	3	$\cdots$	5	$\cdots$	7
$g'(x)$		$+$	0	$-$	0	$+$	0	$-$	
$g(x)$		↗	극대	↘	극소	↗	극대	↘	

$g(x)$는 $x=1$, $x=5$에서 극댓값을 가지며 $x=3$에서 극솟값을 갖는다.

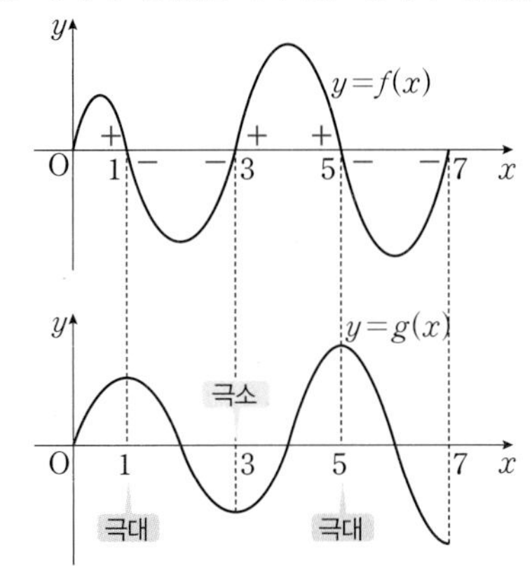

ㄱ. $g(x)$는 $x=5$에서 극댓값을 갖는다. [참]

ㄴ. $g(x)$는 $x=1$에서 극댓값을 가지므로 $x=1$에서 최솟값을 가질 수 없다. [거짓]

STEP B 정적분의 성질을 이용하여 ㄷ의 참, 거짓을 진위판단하기

ㄷ. $g(x)=\int_{0}^{x}f(t)dt$에서 $g(5)=\int_{0}^{5}f(t)dt$이므로
주어진 그래프에서 구간 $[0, 5]$의 정적분과 같으므로

$g(5)=\int_{0}^{1}f(t)dt+\int_{1}^{3}f(t)dt+\int_{3}^{5}f(t)dt$에서

$\int_{0}^{1}f(t)dt=g(1)$,

$\int_{1}^{3}f(t)dt=-\left|\int_{1}^{3}f(t)dt\right|$,

$\int_{3}^{5}f(t)dt=\left|\int_{3}^{5}f(t)dt\right|$이므로

$g(5)=g(1)-\left|\int_{1}^{3}f(t)dt\right|+\left|\int_{3}^{5}f(t)dt\right|$ [참]

따라서 옳은 것은 ㄱ, ㄷ이다.

0727

미분가능한 함수 $f(x)=\int_1^x (t^2-at-3)dt$가 $x=3$에서 극솟값을 가질 때, 함수 $f(x)$의 극댓값을 구하여라. (단, a는 상수)

STEP **A** **$f'(3)=0$임을 이용하여 a의 값 구하기**

$f(x)=\int_1^x (t^2-at-3)dt$의 양변을 x에 대하여 미분하면

$f'(x)=x^2-ax-3$ …… ㉠

함수 $f(x)$가 $x=3$에서 극솟값을 가지므로 $f'(3)=0$

㉠에서 $f'(3)=9-3a-3=0$에서 $a=2$

STEP **B** **함수 $f(x)$의 증가와 감소를 표로 나타내기**

$f'(x)=x^2-2x-3=(x+1)(x-3)$

$f'(x)=0$에서 $x=-1$ 또는 $x=3$

함수 $f(x)$의 증가와 감소를 표로 나타내면 다음과 같다.

x	$\cdots$	-1	$\cdots$	3	$\cdots$
$f'(x)$	$+$	0	$-$	0	$+$
$f(x)$	↗	극대	↘	극소	↗

STEP **C** **극댓값 구하기**

따라서 함수 $f(x)$는 $x=-1$에서 극대이므로 극댓값은

$$f(-1)=\int_1^{-1}(t^2-2t-3)dt=-2\int_0^1(t^2-3)$$
$$=-2\left[\frac{1}{3}t^3-3t\right]_0^1=-2\left(\frac{1}{3}-3\right)=\frac{16}{3}$$

극솟값은

$$f(3)=\int_1^3(t^2-2t-3)dt=\left[\frac{1}{3}t^3-t^2-3t\right]_1^3$$
$$=(9-9-9)-\left(\frac{1}{3}-1-3\right)=-\frac{16}{3}$$

0728

최고차항의 계수가 1인 삼차함수 $y=f(x)$의 그래프가 다음 그림과 같을 때,

$$F(x)=\int_0^x f(t)dt$$

를 만족시키는 함수 $F(x)$의 극댓값은?

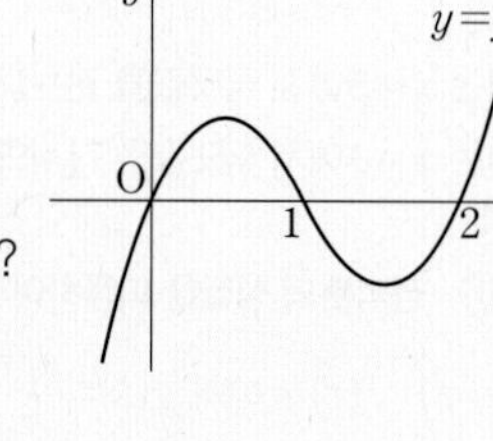

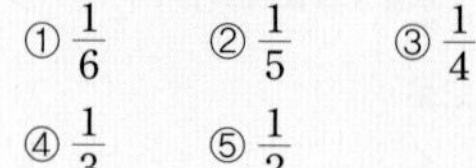

① $\frac{1}{6}$ ② $\frac{1}{5}$ ③ $\frac{1}{4}$
④ $\frac{1}{3}$ ⑤ $\frac{1}{2}$

STEP **A** **함수 $f(x)$의 증가와 감소를 표로 나타내기**

최고차항의 계수가 1인 삼차함수 $f(x)=x(x-1)(x-2)$이므로

$F(x)=\int_0^x f(t)dt=\int_0^x t(t-1)(t-2)dt$의 양변을 x에 대하여 미분하면

$F'(x)=x(x-1)(x-2)$

$F'(x)=0$에서 $x=0$ 또는 $x=1$ 또는 $x=2$

함수 $g(x)$의 증가와 감소를 표로 나타내면 다음과 같다.

x	$\cdots$	-1	$\cdots$	1	$\cdots$	2	$\cdots$
$f'(x)$	$-$	0	$+$	0	$-$	0	$+$
$f(x)$	↘	극소	↗	극대	↘	극소	↗

따라서 함수 $f(x)$는 $x=1$일 때, 극대이고 극댓값은

$$F(1)=\int_0^1 t(t-1)(t-2)dt=\int_0^1(t^3-3t^2+2t)dt=\left[\frac{1}{4}t^4-t^3+t^2\right]_0^1=\frac{1}{4}$$

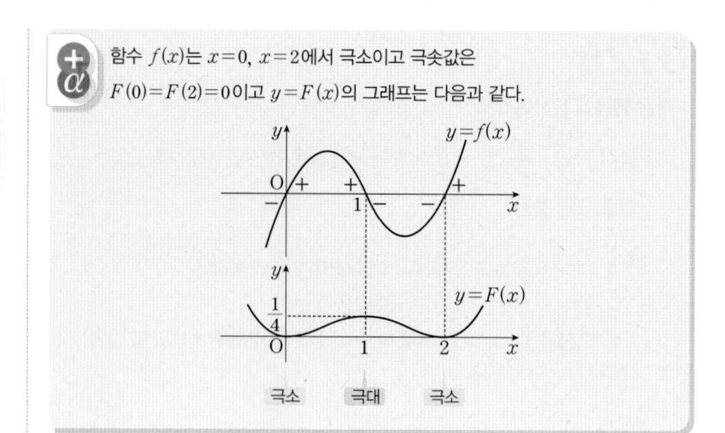

함수 $f(x)$는 $x=0$, $x=2$에서 극소이고 극솟값은 $F(0)=F(2)=0$이고 $y=F(x)$의 그래프는 다음과 같다.

0729

함수 $f(x)$가 $f(x)=\int_x^{x+1}(t^3-t)dt$일 때, 함수 $f(x)$의 극댓값을 M, 극솟값을 m이라 할 때, $M-m$의 값을 구하여라.

STEP **A** **함수 $f(x)$의 증가와 감소를 표로 나타내기**

$f(x)=\int_x^{x+1}(t^3-t)dt$의 양변을 x에 대하여 미분하면

$$f'(x)=\{(x+1)^3-(x+1)\}-(x^3-x)$$
$$=3x^2+3x=3x(x+1)$$

$f'(x)=0$에서 $x=0$ 또는 $x=-1$

함수 $f(x)$의 증가와 감소를 표로 나타내면 다음과 같다.

x	$\cdots$	-1	$\cdots$	0	$\cdots$
$f'(x)$	$+$	0	$-$	0	$+$
$f(x)$	↗	극대	↘	극소	↗

STEP **B** **함수 $f(x)$의 극댓값과 극솟값 구하기**

함수 $f(x)$는 $x=-1$에서 극대이므로 극댓값은

$$M=f(-1)=\int_{-1}^0(t^3-t)dt$$
$$=\left[\frac{1}{4}t^4-\frac{1}{2}t^2\right]_{-1}^0=\frac{1}{4}$$

또, $x=0$에서 극소이므로 극솟값은

$$m=f(0)=\int_0^1(t^3-t)dt$$
$$=\left[\frac{1}{4}t^4-\frac{1}{2}t^2\right]_0^1=-\frac{1}{4}$$

따라서 $M-m=\frac{1}{4}-\left(-\frac{1}{4}\right)=\frac{1}{2}$

0730

다항함수 $f(x)$가 다음 조건을 만족시킨다.

(가) 모든 실수 x에 대하여 $\int_0^x f(t)dt=xf(x)-\frac{4}{3}x^3+ax^2$이다.

(나) 함수 $f(x)$는 $x=1$에서 극솟값 0을 갖는다.

$f(2)$의 값을 구하여라. (단, a는 상수이다.)

STEP **A** **조건 (가)의 양변을 x로 미분하여 $f'(x)$ 구하기**

$\int_0^x f(t)dt=xf(x)-\frac{4}{3}x^3+ax^2$의 양변을 x에 대하여 미분하면

$f(x)=f(x)+xf'(x)-4x^2+2ax$

$f'(x)=4x-2a$

STEP B **조건 (나)를 이용하여 k의 값 구하기**

조건 (나)에서 다항함수 $f(x)$는 $x=1$에서 극솟값이 0이므로

$f'(1)=0$, $f(1)=0$이 성립한다.

$f'(1)=4-2a=0$

$\therefore a=2$

$\therefore f'(x)=4x-4$

STEP C **$f(1)=0$을 이용하여 적분상수 C를 구한 후 $f(2)$ 구하기**

$f'(x)=4x-4$의 양변을 적분하면

$f(x)=\int f'(x)dx$

$=\int(4x-4)dx$

$=2x^2-4x+C$ (단, C는 적분상수)

이때 $f(1)=2-4+C=0$이므로 $C=2$

$\therefore f(x)=2x^2-4x+2$

따라서 $f(2)=8-8+2=2$

0731

양수 a, b에 대하여 함수 $f(x)=\int_0^x(t-a)(t-b)dt$가 다음 조건을 만족시킬 때, $a+b$의 값은?

(가) 함수 $f(x)$는 $x=\frac{1}{2}$에서 극값을 갖는다.

(나) $f(a)-f(b)=\frac{1}{6}$

① 1 ② 2 ③ 3
④ 4 ⑤ 5

STEP A **조건 (가)를 이용하여 a, b가 가질 수 있는 값 구하기**

$f(x)=\int_0^x(t-a)(t-b)dt$의 양변을 x에 대하여 미분하면

$f'(x)=(x-a)(x-b)$

$f'(x)=0$에서 $x=a$ 또는 $x=b$이므로

함수 $f(x)$는 $x=a$ 또는 $x=b$일 때, 극값을 가진다.

조건 (가)에서

$f(x)$가 $x=\frac{1}{2}$에서 극값을 가지므로

$a=\frac{1}{2}$ 또는 $b=\frac{1}{2}$

STEP B **조건 (나)를 이용해 a, b의 관계식을 구하여 a, b 구하기**

조건 (나)에서

$$f(a)-f(b)=\int_0^a(t-a)(t-b)dt-\int_0^b(t-a)(t-b)dt$$
$$=\int_0^a(t-a)(t-b)dt+\int_b^0(t-a)(t-b)dt$$
$$=\int_b^a(t-a)(t-b)dt$$
$$=-\frac{(a-b)^3}{6}$$
$$=\frac{1}{6}$$

$(a-b)^3=-1$에서 $b-a=1$

$b=\frac{1}{2}$이면 $a=-\frac{1}{2}$ ($\because a>0$)이므로 모순이다.

따라서 $a=\frac{1}{2}$이고 $b=\frac{3}{2}$이므로 $a+b=\frac{1}{2}+\frac{3}{2}=2$

$\int_b^a(x-a)(x-b)dx=-\frac{1}{6}(a-b)^3$ **증명**

$$\int_b^a(x-a)(x-b)dx$$
$$=\int_b^a\{x^2-(a+b)x+ab\}dx$$
$$=\left[\frac{1}{3}x^3-\frac{1}{2}(a+b)x^2+abx\right]_b^a$$
$$=\left\{\frac{1}{3}a^3-\frac{1}{2}(a+b)a^2+a^2b\right\}-\left\{\frac{1}{3}b^3-\frac{1}{2}(a+b)b^2+ab^2\right\}$$
$$=\left(\frac{1}{3}a^3-\frac{1}{3}b^3\right)-\left\{\frac{1}{2}(a+b)a^2-\frac{1}{2}(a+b)b^2\right\}+(a^2b-ab^2)$$
$$=\frac{1}{6}(a-b)\{(2a^2+2ab+2b^2)-(3a^2+6ab+3b^2)+6ab\}$$
$$=\frac{1}{6}(a-b)(-a^2+2ab-b^2)=-\frac{1}{6}(a-b)^3$$

0732

최고차항의 계수가 양수인 삼차함수 $f(x)$가 다음 조건을 만족시킨다.

(가) 함수 $f(x)$는 $x=0$에서 극댓값, $x=k$에서 극솟값을 가진다. (단, k는 상수이다.)

(나) 1보다 큰 모든 실수 t에 대하여 $\int_0^t|f'(x)|dx=f(t)+f(0)$이다.

[보기]에서 옳은 것만을 있는 대로 고른 것은?

ㄱ. $\int_0^k f'(x)dx<0$
ㄴ. $0<k\le1$
ㄷ. 함수 $f(x)$의 극솟값은 0이다.

① ㄱ ② ㄷ ③ ㄱ, ㄴ
④ ㄴ, ㄷ ⑤ ㄱ, ㄴ, ㄷ

STEP A **주어진 조건을 이용하여 함수 $y=f'(x)$의 그래프 개형 그리기**

함수 $f(x)$는 최고차항의 계수가 양수인 삼차함수이므로

함수 $f'(x)$는 최고차항의 계수가 양수인 이차함수이다.

조건 (가)에서 함수 $f(x)$는 $x=0$에서 극댓값, $x=k$에서 극솟값을 가지므로

$f'(x)=0$의 두 근이 $x=0$과 $x=k$이며 $k>0$이다.

← 최고차항의 계수가 양수인 삼차함수의 그래프의 개형을 그리면 $k>0$임을 알 수 있다.

즉 $f'(x)=ax(x-k)(a>0,\ k>0)$라 하면

$y=f'(x)$의 그래프는 다음 그림과 같다.

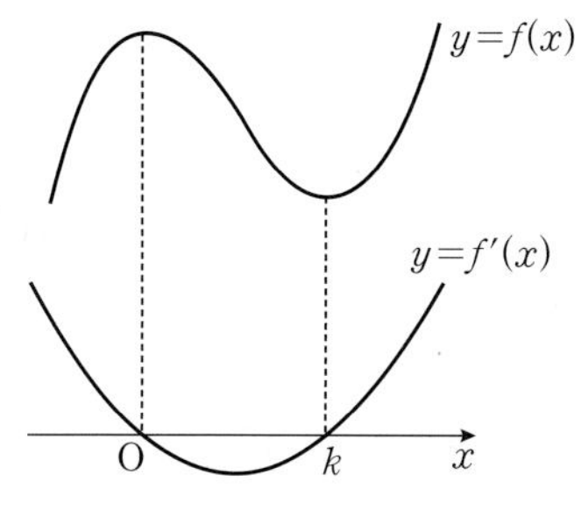

STEP B **삼차함수의 그래프의 개형을 이해하고 정적분과 미분의 관계를 이용하여 함수 $y=f'(x)$의 그래프 개형을 파악하여 [보기]의 참, 거짓의 진위판단하기**

ㄱ. 닫힌구간 $[0, k]$에서 $f'(x)\le0$이므로 $\int_0^k f'(x)dx<0$ [참]

ㄴ. 조건 (나)에서 $\int_0^t|f'(x)|dx=f(t)+f(0)$의 양변을 t에 대하여 미분하면

$|f'(t)|=f'(t)$ …… ㉠

이때 ㉠은 $t>1$인 모든 실수 t에 대하여 성립하므로 $f'(t)\ge0$

즉 $0<k\le1$이다. [참] ← $k>1$이면 $1<t<k$에서 $f'(t)<0$이므로 $t>1$인 모든 실수 t에 대하여 $f'(t)\ge0$이 성립하지 않는다.

STEP ⓒ 정적분을 이용하여 극솟값을 구하기

ㄷ. ㄴ에서 $0 < k \le 1$이고 조건 (나)에서
$t > 1$이므로 $t > k$임을 이용한다.

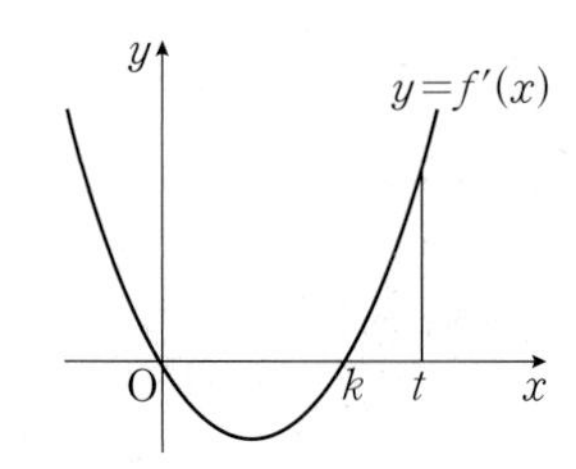

$$\int_0^t |f'(x)|dx = -\int_0^k f'(x)dx + \int_k^t f'(x)dx$$
$$= -\Big[f(x)\Big]_0^k + \Big[f(x)\Big]_k^t$$
$$= -\{f(k)-f(0)\}+\{f(t)-f(k)\}$$
$$= -2f(k)+f(0)+f(t)$$

즉 $\int_0^t |f'(x)|dx = f(t)+f(0)$이므로

$-2f(k)+f(0)+f(t)=f(t)+f(0)$에서 $-2f(k)=0$

따라서 $f(k)=0$이므로 함수 $f(x)$의 극솟값은 0이다. [참]

다른풀이 직접 정적분을 하여 풀이하기

ㄷ. $f'(x)=ax(x-k)=ax^2-akx$에서

$$\int_0^t |f'(x)|dx = -\int_0^k (ax^2-akx)dx + \int_k^t (ax^2-akx)dx$$
$$= -\left[\frac{a}{3}x^3 - \frac{ak}{2}x^2\right]_0^k + \left[\frac{a}{3}x^3 - \frac{ak}{2}x^2\right]_k^t$$
$$= -\left(\frac{ak^3}{3} - \frac{ak^3}{2}\right) + \left(\frac{at^3}{3} - \frac{akt^2}{2} - \frac{ak^3}{3} + \frac{ak^3}{2}\right)$$
$$= \frac{ak^3}{6} + \left(\frac{at^3}{3} - \frac{akt^2}{2} + \frac{ak^3}{6}\right)$$
$$= \frac{at^3}{3} - \frac{akt^2}{2} + \frac{ak^3}{3} \qquad \cdots\cdots ㉡$$

또한, $f(x) = \int (ax^2-akx)dx$
$= \frac{a}{3}x^3 - \frac{ak}{2}x^2 + C$ (C는 적분상수)

라 하면

$$f(t)+f(0) = \left(\frac{a}{3}t^3 - \frac{ak}{2}t^2 + C\right) + C$$
$$= \frac{a}{3}t^3 - \frac{ak}{2}t^2 + 2C \qquad \cdots\cdots ㉢$$

조건 (나)에서 ㉡, ㉢이 같아야 하므로

$\frac{ak^3}{3} = 2C$

$\therefore C = \frac{ak^3}{6}$

즉 $f(x) = \frac{a}{3}x^3 - \frac{ak}{2}x^2 + \frac{ak^3}{6}$이므로

극솟값 $f(k)$는 $f(k) = \frac{ak^3}{3} - \frac{ak^3}{2} + \frac{ak^3}{6} = 0$ [참]

따라서 옳은 것은 ㄱ, ㄴ, ㄷ이다.

0733

다음 물음에 답하여라.

(1) 삼차함수 $f(x)=x^3-3x+a$에 대하여 함수 $F(x)=\int_0^x f(t)dt$가 오직 하나의 극값을 갖도록 하는 양수 a의 최솟값은?

① 1 ② 2 ③ 3
④ 4 ⑤ 5

STEP Ⓐ 양변을 x에 대하여 미분하여 삼차함수 $f(x)$ 구하기

$F(x)=\int_0^x f(t)dt$의 양변을 x에 대하여 미분하면

$F'(x)=f(x)=x^3-3x+a$

STEP Ⓑ 사차함수 $F(x)$가 오직 하나의 극값을 갖기 위한 조건 구하기

방정식 $F'(x)=f(x)=x^3-3x+a$가
한 실근과 두 허근 또는 한 실근과 중근을 가져야 한다.

즉 $x^3-3x+a=0$에서 $x^3-3x=-a$이므로 $y=x^3-3x$의 그래프와 직선 $y=-a$의 교점의 개수가 한 개이거나 접하면 된다.

$g(x)=x^3-3x$에서

$g'(x)=3x^2-3=3(x-1)(x+1)$

$g'(x)=0$에서 $x=-1$ 또는 $x=1$

함수 $g(x)$의 증가와 감소를 표로 나타내면 다음과 같다.

x	$\cdots$	-1	$\cdots$	1	$\cdots$
$g'(x)$	$+$	0	$-$	0	$+$
$g(x)$	↗	극대	↘	극소	↗

$x=-1$일 때, 극대이고 극댓값은 $f(-1)=2$

$x=1$일 때, 극소이고 극솟값은 $f(1)=-2$

$y=g(x)$의 그래프는 그림과 같고 방정식 $f(x)=0$이
한 실근과 두 허근 또는 한 실근과 중근을 가질 조건은
$-a \ge 2$ 또는 $-a \le -2$

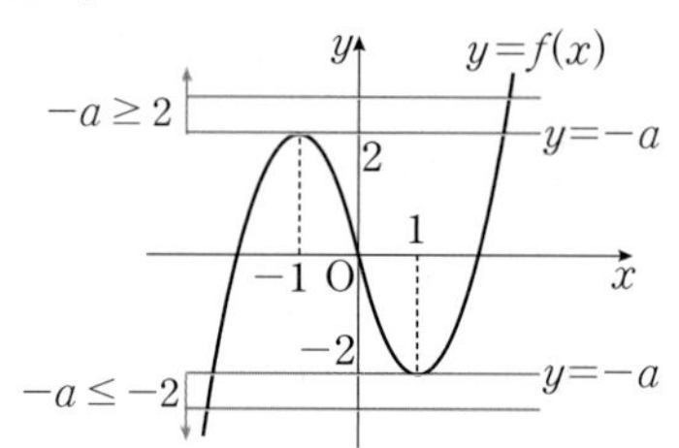

즉 $a > 0$이므로 $a \ge 2$

따라서 양수 a의 최솟값은 2

다른풀이 삼차방정식의 도함수를 이용한 실근의 개수 구하기

사차함수 $F(x)$가 오직 하나의 극값을 갖기 위해서는
$F'(x)=f(x)$의 부호가 오직 한 번 변해야 한다.

즉 삼차함수 $f(x)$가 x축과 오직 한 번 만나거나 x축과 접해야 하므로 삼차함수 $f(x)$의 극댓값과 극솟값의 곱이 0보다 크거나 같아야 한다.

$f(x)=x^3-3x+a$에서 $f'(x)=3x^2-3=3(x-1)(x+1)$

$f'(x)=0$에서 $x=-1$ 또는 $x=1$

함수 $f(x)$의 증가와 감소를 표로 나타내면 다음과 같다.

x	$\cdots$	-1	$\cdots$	1	$\cdots$
$f'(x)$	$+$	0	$-$	0	$+$
$f(x)$	↗	극대	↘	극소	↗

$x=-1$일 때, 극대이고 극댓값은 $f(-1)=2+a$

$x=1$일 때, 극소이고 극솟값은 $f(1)=-2+a$

즉 $f(1)f(-1) \ge 0$이므로

$(-2+a)(2+a) \ge 0$, $(a-2)(a+2) \ge 0$

$\therefore a \le -2$ 또는 $a \ge 2$

따라서 양수 a의 최솟값은 2

① $F(0)=0$이고 $f(0)=a>0$

함수 $F(x)$가 오직 하나의 극값을 가지려면 $y=F(x)$의 그래프의 개형이 다음과 같아야 한다.

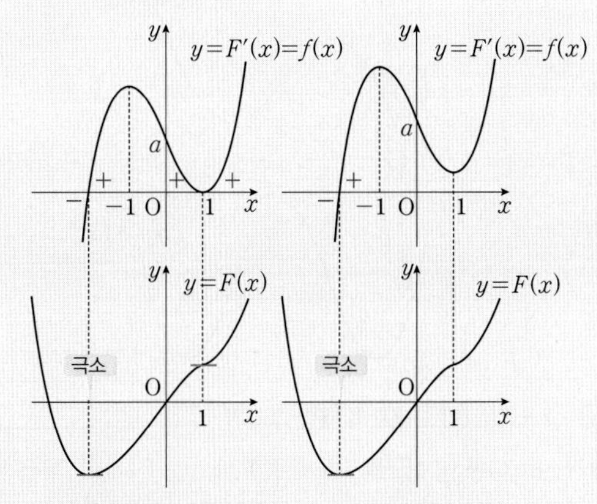

② $F(0)=0$이고 $f(0)=a<0$

함수 $F(x)$가 오직 하나의 극값을 가지려면 $y=F(x)$의 그래프의 개형이 다음과 같아야 한다.

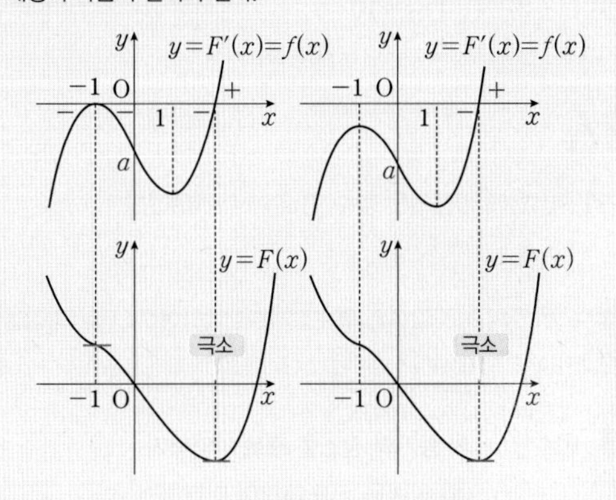

(2) 삼차함수 $f(x)=x^3-3x+a$에 대하여 함수 $F(x)=\int_0^x f(t)dt$가 극댓값을 갖도록 하는 정수 a의 개수는?

① 1 ② 2 ③ 3
④ 4 ⑤ 5

STEP A 양변을 x에 대하여 미분하여 삼차함수 $f(x)$ 구하기

$F(x)=\int_0^x f(t)dt$의 양변을 x에 대하여 미분하면 $F'(x)=f(x)$

$f(x)=x^3-3x+a$

사차함수 $F(x)$가 극댓값을 가지므로

방정식 $f(x)=x^3-3x+a=0$이 서로 다른 세 실근을 가져야 한다.

STEP B 삼차방정식이 서로 다른 세 실근을 가질 조건 구하기

$x^3-3x+a=0$에서 $x^3-3x^2=-a$이므로 방정식의 실근의 개수는 $y=x^3-3x$의 그래프와 직선 $y=-a$의 교점의 개수와 같다.

$g(x)=x^3-3x$라 하면

$g'(x)=3x^2-3=3(x+1)(x-1)$

$g'(x)=0$에서 $x=-1$ 또는 $x=1$

함수 $g(x)$의 증가와 감소를 표로 나타내면 다음과 같다.

x	$\cdots$	-1	$\cdots$	1	$\cdots$
$g'(x)$	$+$	0	$-$	0	$+$
$g(x)$	↗	2	↘	-2	↗

함수 $y=g(x)$의 그래프는 다음 그림과 같고 방정식 $x^3-3x+a=0$이 서로 다른 세 실근을 갖도록 하는 a의 값의 범위는 $-2<-a<2$

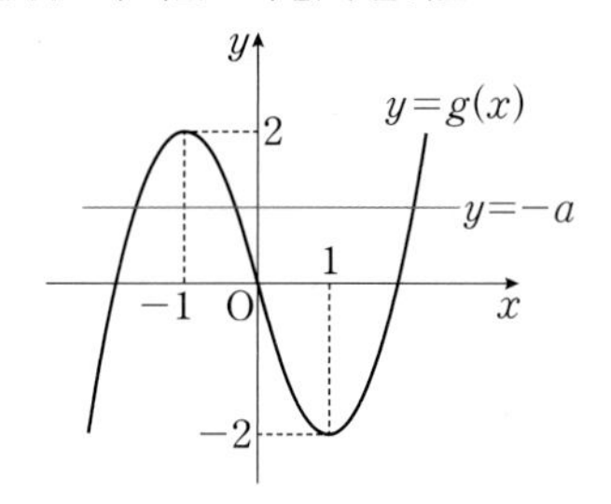

따라서 $-2<a<2$이므로 정수 a의 개수는 $-1, 0, 1$의 3개이다.

다른풀이 삼차방정식의 도함수를 이용한 실근의 개수 구하기

삼차방정식 $f(x)=0$이 서로 다른 세 실근을 가지는 경우는

(극댓값)×(극솟값)<0이어야 하므로

$(-2+a)(2+a)<0$, $(a-2)(a+2)<0$

$\therefore -2<a<2$

따라서 정수 a는 $-1, 0, 1$의 3개이다.

$F(0)=0$이고 사차함수 $F(x)$가 극댓값을 가지려면 $y=F(x)$의 그래프의 개형이 다음 그림과 같다.

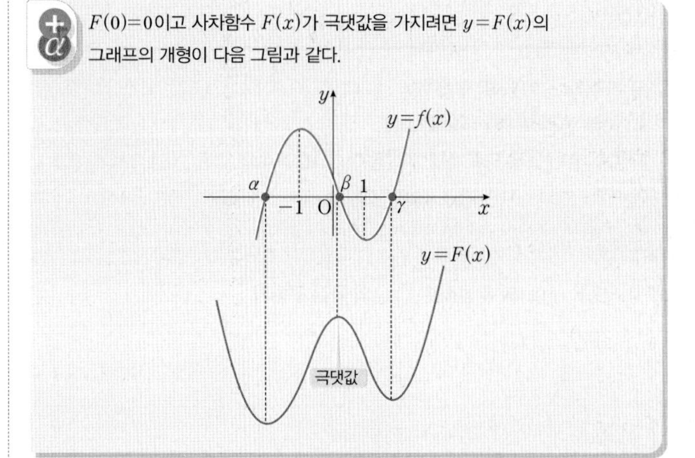

0734

삼차함수 $f(x)=x^3+6x^2+9x-a$에 대하여 함수

$$F(x)=\int_1^x f(t)dt$$

가 세 개의 극값을 갖도록 하는 정수 a의 합은?

① -8 ② -6 ③ -4
④ -2 ⑤ 0

STEP Ⓐ **양변을 x에 대하여 미분하여 삼차함수 $f(x)$ 구하기**

$F(x)=\int_1^x f(t)dt$의 양변을 x에 대하여 미분하면

$F'(x)=f(x)$

$F(x)$가 세 개의 극값을 가지므로 $F'(x)=f(x)=0$인 x의 값 좌우에서 $f(x)$의 부호가 세 번 바뀌어야 한다.

즉 방정식 $x^3+6x^2+9x-a=0$이 서로 다른 세 실근을 가져야 한다.

STEP Ⓑ **삼차방정식이 서로 다른 세 실근을 가질 조건 구하기**

$x^3+6x^2+9x-a=0$에서 $x^3+6x^2+9x=a$이므로 방정식의 실근의 개수는 $y=x^3+6x^2+9x$의 그래프와 직선 $y=a$의 교점의 개수와 같다.

$g(x)=x^3+6x^2+9x$라 하면

$g'(x)=3x^2+12x+9=3(x^2+4x+3)=3(x+3)(x+1)$

$g'(x)=0$에서 $x=-3$ 또는 $x=-1$

함수 $g(x)$의 증가와 감소를 표로 나타내면 다음과 같다.

x	$\cdots$	-3	$\cdots$	-1	$\cdots$
$g'(x)$	$+$	0	$-$	0	$+$
$g(x)$	↗	0	↘	-4	↗

따라서 함수 $y=g(x)$의 그래프는 오른쪽 그림과 같고 방정식 $x^3+6x^2+9x-a=0$이 서로 다른 세 실근을 갖도록 하는 a의 값의 범위는 $-4<a<0$이므로 $F(x)$가 세 개의 극값을 갖도록 하는 정수 a의 값은 -3, -2, -1이므로 합은 $-3+(-2)+(-1)=-6$

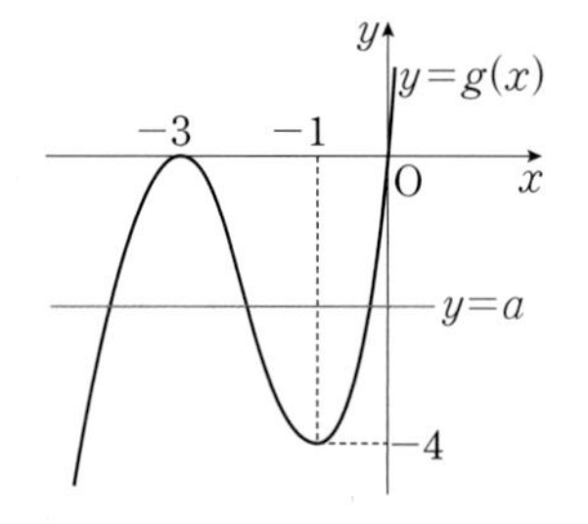

0735

삼차함수 $y=f(x)$의 그래프가 오른쪽 그림과 같고, $f(x)$는 $f(a)=f(b)=f(c)=0$이고

$\int_a^b f(x)dx=5$, $\int_a^c f(x)dx=0$

을 만족한다. $f(x)$의 부정적분 $F(x)$를 방정식 $F(x)=0$이 서로 다른 네 실근을 갖도록 정할 때, 정수 $F(a)$의 값의 합은? (단, $a<b<c$)

① -5 ② -10 ③ -15
④ -20 ⑤ -25

STEP Ⓐ **$f(x)$의 부정적분 $F(x)$의 극값 구하기**

$\int_a^b f(x)dx=\Big[F(x)\Big]_a^b=F(b)-F(a)=5$

$\therefore F(b)=F(a)+5$

$\int_a^c f(x)dx=\Big[F(x)\Big]_a^c=F(c)-F(a)=0$

$\therefore F(c)=F(a)$

또, $F'(x)=f(x)=0$인 점 $x=a$, b, c에서 사차함수 $y=F(x)$의 그래프는

$x=a$에서 극솟값 $F(a)$

$x=b$에서 극솟값 $F(b)=F(a)+5$

$x=c$에서 극솟값 $F(c)=F(a)$

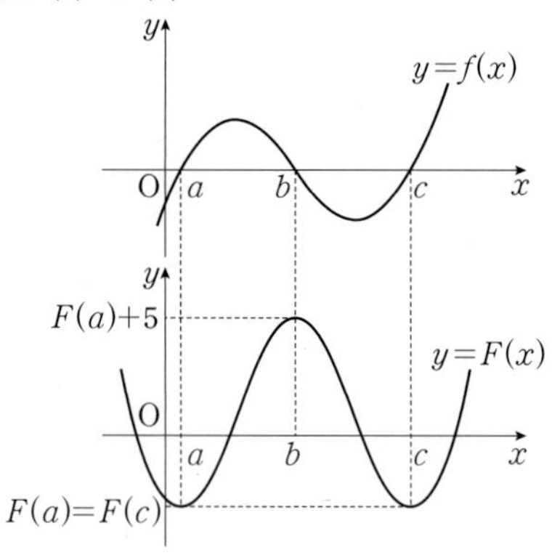

STEP Ⓑ **$y=F(x)$의 그래프의 개형 그리기**

$F(x)=0$가 서로 다른 네 실근을 갖도록 정할 때, $y=F(x)$의 그래프의 개형에서 극댓값 $F(b)=F(a)+5>0$, 극솟값 $F(a)<0$이므로

$-5<F(a)<0$

따라서 정수 $F(a)$는 -4, -3, -2, -1이므로 합은

$-4+(-3)+(-2)+(-1)=-10$

0736

닫힌구간 $[-1, 1]$에서 정의된 함수 $f(x)$에 대하여 함수

$$f(x)=\int_{-1}^x (t^2-2t)dt$$

일 때, 함수 $f(x)$의 최댓값 M, 최솟값 m에 대하여 $M+m$의 값을 구하여라.

STEP Ⓐ **함수 $f(x)$의 증가와 감소를 표로 나타내기**

$f(x)=\int_{-1}^x (t^2-2t)dt$의 양변을 x에 대하여 미분하면

$f'(x)=x^2-2x=x(x-2)$

$f'(x)=0$에서 $x=0$ 또는 $x=2$

닫힌구간 $[-1, 1]$에서 함수 $f(x)$의 증가와 감소를 표로 나타내면 다음과 같다.

x	-1	$\cdots$	0	$\cdots$	1
$f'(x)$		$+$	0	$-$	
$f(x)$		↗	극대	↘	

STEP Ⓑ **닫힌구간 $[-1, 1]$에서 $f(x)$의 최댓값과 최솟값 구하기**

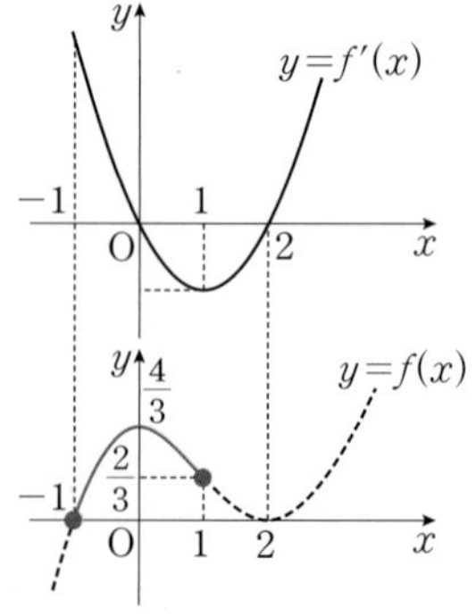

함수 $f(x)$는 $x=0$에서 극대이다.

$f(-1)=\int_{-1}^{-1} (t^2-2t)dt=0$

$f(0)=\int_{-1}^0 (t^2-2t)dt=\left[\frac{1}{3}t^3-t^2\right]_{-1}^0=\frac{4}{3}$

$f(1)=\int_{-1}^1 (t^2-2t)dt=2\int_0^1 t^2dt=2\left[\frac{1}{3}t^3\right]_0^1=\frac{2}{3}$

이므로 닫힌구간 $[-1, 1]$에서 $f(x)$의 최댓값 $M=\frac{4}{3}$, 최솟값 $m=0$

따라서 $M+m=\frac{4}{3}+0=\frac{4}{3}$

0737

닫힌구간 $[0, 4]$에서 정의된 함수 $f(x)$에 대하여 함수

$$f(x)=\int_0^x (t^3-4t^2+3t)dt \text{일 때,}$$

함수 $f(x)$의 최댓값 M, 최솟값 m에 대하여 Mm의 값은?

① -6　② -4　③ -2
④ 4　⑤ 6

STEP Ⓐ **함수 $f(x)$의 증가와 감소를 표로 나타내기**

$f(x)=\int_0^x (t^3-4t^2+3t)dt$의 양변을 x에 대하여 미분하면

$f'(x)=x^3-4x^2+3x=x(x-1)(x-3)$

$f'(x)=0$에서 $x=0$ 또는 $x=1$ 또는 $x=3$

닫힌구간 $[0, 4]$에서 함수 $f(x)$의 증가와 감소를 표로 나타내면 다음과 같다.

x	0	$\cdots$	1	$\cdots$	3	$\cdots$	4
$f'(x)$	0	$+$	0	$-$	0	$+$	$+$
$f(x)$	0	↗	극대	↘	극소	↗	

STEP Ⓑ **닫힌구간 $[0, 4]$에서 $f(x)$의 최댓값과 최솟값 구하기**

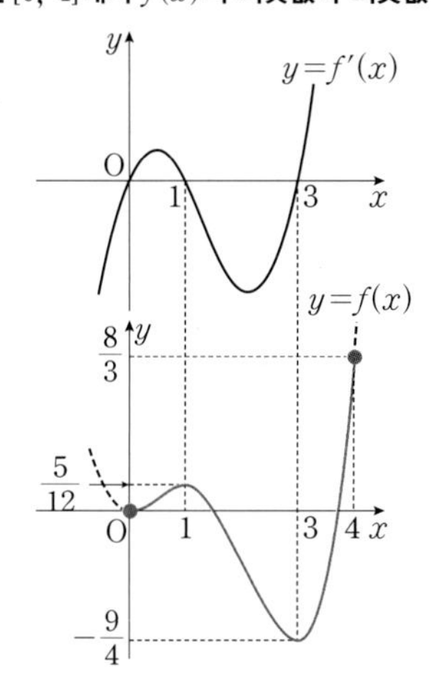

함수 $f(x)$는 $x=1$에서 극대이고 극댓값은

$f(1)=\int_0^1 (t^3-4t^2+3t)dt=\left[\frac{1}{4}t^4-\frac{4}{3}t^3+\frac{3}{2}t^2\right]_0^1=\frac{5}{12}$

$x=3$에서 극소이고 극솟값은

$f(3)=\int_0^3 (t^3-4t^2+3t)dt=\left[\frac{1}{4}t^4-\frac{4}{3}t^3+\frac{3}{2}t^2\right]_0^3=-\frac{9}{4}$

$f(0)=\int_0^0 (t^3-4t^2+3t)dt=0$

$f(4)=\int_0^4 (t^3-4t^2+3t)dt=\left[\frac{1}{4}t^4-\frac{4}{3}t^3+\frac{3}{2}t^2\right]_0^4=\frac{8}{3}$

이므로 닫힌구간 $[0, 4]$에서 함수 $f(x)$의

최댓값은 $M=f(4)=\frac{8}{3}$, 최솟값은 $m=f(3)=-\frac{9}{4}$

따라서 $Mm=\frac{8}{3}\cdot\left(-\frac{9}{4}\right)=-6$

0738

이차함수 $y=f(x)$의 그래프이다.

함수 $g(x)$를 $g(x)=\int_x^{x+1} f(t)dt$

라 할 때, $g(x)$의 최솟값은?

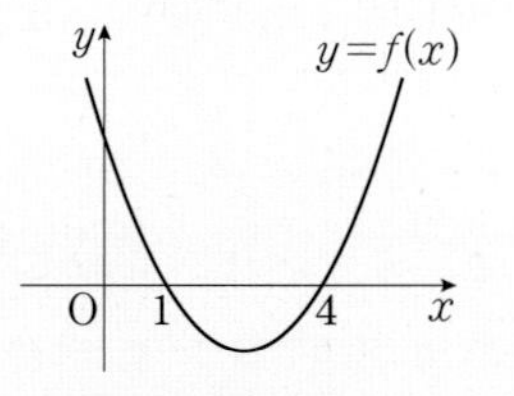

① $g(1)$　② $g(2)$
③ $g\left(\frac{5}{2}\right)$　④ $g\left(\frac{7}{2}\right)$
⑤ $g(4)$

STEP Ⓐ **함수 $f(x)$를 식으로 나타낸 후 $g'(x)=f(x+1)-f(x)$임을 이용하여 $g'(x)$의 식 작성하기**

주어진 $y=f(x)$의 그래프에 의하여

$f(x)=a(x-1)(x-4)\,(a>0)$로 놓을 수 있다.

$g(x)=\int_x^{x+1} f(t)dt$의 양변을 x에 대하여 미분하면

$$\begin{aligned}g'(x)=f(x+1)-f(x)&=ax(x-3)-a(x-1)(x-4)\\&=a(x^2-3x-x^2+5x-4)\\&=2a(x-2)\end{aligned}$$

STEP Ⓑ **함수 $g(x)$는 $x=2$일 때, 극소이므로 최솟값 구하기**

$g'(x)=0$에서 $x=2$

$a>0$이므로 함수 $g(x)$의 증가와 감소를 표로 나타내면 다음과 같다.

x	$\cdots$	2	$\cdots$
$g'(x)$	$-$	0	$+$
$g(x)$	↘	극소	↗

함수 $g(x)$는 $x=2$일 때, 극소이면서 최소이다.

따라서 $g(x)$의 최솟값은 $g(2)$

다른풀이 $y=f(x)$의 그래프의 성질을 파악하여 풀이하기

$g(x)=\int_x^{x+1} f(t)dt$는 함수 $f(x)$를 x부터 $x+1$까지 적분한 값이다.

이때 함수 $y=f(x)$의 그래프가 직선 $x=\frac{5}{2}$에 대하여 대칭이고

구간 $[1, 4]$에서 함수 $f(x)$의 정적분의 값이 음수이므로

$\int_{\frac{5}{2}-a}^{\frac{5}{2}+a} f(t)dt$에서 함수 $g(x)$가 최솟값을 가진다.

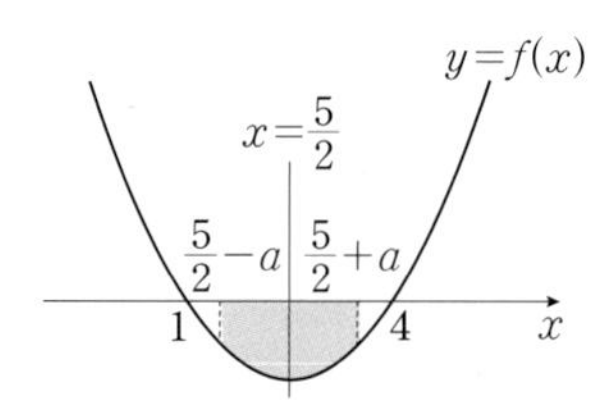

적분구간의 길이가 1이어야 하므로

$\frac{5}{2}+a-\left(\frac{5}{2}-a\right)=1$

$\therefore a=\frac{1}{2}$

따라서 함수 $g(x)$의 최솟값은 $g(2)=\int_2^3 f(t)dt$이므로 ②이다.

0739

다음 극한값을 구하여라.

(1) 함수 $f(x)=3x^2-5x$일 때, $\lim_{h\to 0}\frac{1}{h}\int_2^{2+2h} f(t)dt$의 값을 구하여라.

STEP Ⓐ **피적분함수의 부정적분 구하기**

$f(x)=3x^2-5x$라 하고

$f(x)$의 한 부정적분을 $F(x)$라 하면

$\int_2^{2+2h} f(t)dt=\left[F(t)\right]_2^{2+2h}=F(2+2h)-F(2)$

STEP Ⓑ **도함수의 정의를 이용하여 $F'(x)$에 대하여 나타내기**

$$\begin{aligned}\lim_{h\to 0}\frac{1}{h}\int_2^{2+2h} f(x)dx&=\lim_{h\to 0}\frac{F(2+2h)-F(2)}{h}\\&=\lim_{h\to 0}\left\{\frac{F(2+2h)-F(2)}{2h}\cdot 2\right\}\\&=2F'(2)\end{aligned}$$

따라서 $F'(x)=f(x)$라 하면 $2F'(2)=2f(2)=2(12-10)=4$

(2) 함수 $f(x)=x^3+4x^2-5x+2$일 때, $\lim_{x\to 2}\frac{1}{x^2-4}\int_2^x f(t)dt$의 값을 구하여라.

STEP A 피적분함수의 부정적분 구하기

$f(x)$의 한 부정적분을 $F(x)$라 하면

$F'(x)=f(x)$

$\int_2^x f(t)dt=\Big[F(t)\Big]_2^x=F(x)-F(2)$

STEP B 도함수의 정의를 이용하여 $F'(x)$에 대하여 나타내기

따라서 $\lim_{x\to 2}\frac{1}{x^2-4}\int_2^x f(t)dt=\lim_{x\to 2}\frac{1}{x+2}\cdot\frac{F(x)-F(2)}{x-2}$

$=\frac{1}{4}F'(2)=\frac{1}{4}f(2)$

$=\frac{1}{4}\cdot 16=4$ ← $f(2)=8+16-10+2=16$

0740

다항함수 $f(x)$가 $\lim_{x\to 1}\frac{\int_1^x f(t)dt-f(x)}{x^2-1}=2$를 만족할 때, $f'(1)$의 값은?

① -4 ② -3 ③ -2
④ -1 ⑤ 0

STEP A (분모)→0이므로 (분자)→0임을 이용하여 $f(1)$ 구하기

$\lim_{x\to 1}\frac{\int_1^x f(t)dt-f(x)}{x^2-1}=2$에서 $x\to 1$일 때,

(분모)→0이고 극한값이 존재하므로 (분자)→0이어야 한다.

즉 $\lim_{x\to 1}\left\{\int_1^x f(t)dt-f(x)\right\}=0$이므로

$\int_1^1 f(t)dt-f(1)=0$에서 $f(1)=0$

STEP B 정적분의 성질과 미분계수의 정의를 이용하여 구하기

$\lim_{x\to 1}\frac{\int_1^x f(t)dt-f(x)}{x^2-1}$

$=\lim_{x\to 1}\frac{\int_1^x f(t)dt-\{f(x)-f(1)\}}{x^2-1}$

$=\lim_{x\to 1}\left\{\frac{\int_1^x f(t)dt}{x-1}\cdot\frac{1}{x+1}\right\}-\lim_{x\to 1}\left\{\frac{f(x)-f(1)}{x-1}\cdot\frac{1}{x+1}\right\}$

$=f(1)\cdot\frac{1}{2}-f'(1)\cdot\frac{1}{2}$

$=0-\frac{f'(1)}{2}$

따라서 $-\frac{f'(1)}{2}=2$이므로 $f'(1)=-4$

$f(t)$의 부정적분을 $F(t)$라 하면

$\lim_{x\to 1}\left\{\frac{\int_1^x f(t)dt}{x-1}\cdot\frac{1}{x+1}\right\}=\lim_{x\to 1}\left\{\frac{F(x)-F(1)}{x-1}\cdot\frac{1}{x+1}\right\}$

$=F'(1)\cdot\frac{1}{2}$

$=f(1)\cdot\frac{1}{2}$

0741

오른쪽 그림과 같이 최고차항의 계수가 양수인 이차함수 $y=f(x)$의 그래프가 x축과 두 점 $(0, 0)$, $(3, 0)$에서 만날 때, 함수 $S(x)=\int_1^x f(t)dt$의 극댓값과 극솟값을 각각 M, m이라 하자.

$M-m=6$일 때, $\lim_{x\to 1}\frac{S(x)}{x-1}$의 값을 구하여라.

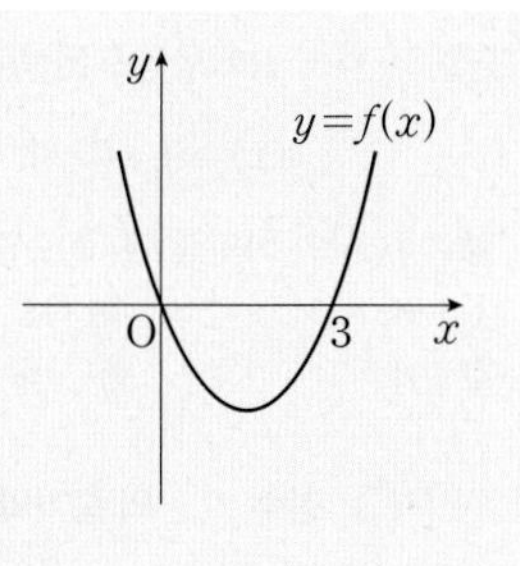

STEP A 이차함수 $f(x)$의 그래프를 이용하여 $S(x)$의 극댓값과 극솟값 구하기

$S(x)=\int_1^x f(t)dt$에서 양변을 x로 미분하면

$S'(x)=f(x)$

또한, 최고차항의 계수가 양수인 이차함수 $y=f(x)$의 그래프가 x축과 두 점 $(0, 0)$, $(3, 0)$에서 만나므로 $f(x)=ax(x-3)\,(a>0)$이라 하면

$f(x)=0$에서 $x=0$ 또는 $x=3$

함수 $S(x)$의 증가와 감소를 표로 나타내면 다음과 같다.

x	$\cdots$	0	$\cdots$	3	$\cdots$
$f(x)$	$+$	0	$-$	0	$+$
$S(x)$	↗	극대	↘	극소	↗

$x=0$에서 극대이고 극댓값은 $M=S(0)=\int_1^0 f(x)dx$

$x=3$에서 극소이고 극솟값은 $m=S(3)=\int_1^3 f(x)dx$

STEP B $M-m=6$을 이용하여 $f(x)$ 구하기

$M-m=\int_1^0 f(x)dx-\int_1^3 f(x)dx$

$=\int_1^0 f(x)dx+\int_3^1 f(x)dx$

$=\int_3^0 f(x)dx$

즉 $\int_3^0 f(x)dx=-\int_0^3 ax(x-3)dx$

$=-a\int_0^3(x^2-3x)dx$

$=-a\left[\frac{1}{3}x^3-\frac{3}{2}x^2\right]_0^3$

$=-a\left(9-\frac{27}{2}\right)$

$=\frac{9}{2}a$

$M-m=6$이므로 $\frac{9}{2}a=6$

$\therefore a=\frac{4}{3}$

STEP C $\lim_{x\to 1}\frac{S(x)}{x-1}$ 구하기

$f(x)=\frac{4}{3}x(x-3)$이고 $S(1)=\int_1^1 f(t)dt=0$

따라서 $\lim_{x\to 1}\frac{S(x)}{x-1}=\lim_{x\to 1}\frac{S(x)-S(1)}{x-1}=S'(1)=f(1)=-\frac{8}{3}$

FINAL EXERCISE
단원종합문제

정적분으로 나타내는 함수

BASIC

0742

다음 물음에 답하여라.

(1) 함수 $f(x)=x^3-3x^2+5x+6$에 대하여

$$\frac{d}{dx}\int_0^x f(t)\,dt-\int_0^x\left\{\frac{d}{dt}f(t)\right\}dt$$

의 값은?

① -3 ② 0 ③ 2
④ 4 ⑤ 6

STEP A 정적분과 도함수의 관계를 이용하여 정적분 계산하기

$\frac{d}{dx}\int_0^x f(t)dt=f(x)$이고

$\int_0^x\left\{\frac{d}{dt}f(t)\right\}dt=\Big[f(t)\Big]_0^x=f(x)-f(0)$

이므로

$\frac{d}{dx}\int_0^x f(t)dt-\int_0^x\left\{\frac{d}{dt}f(t)\right\}dt=f(x)-\{f(x)-f(0)\}=f(0)$

STEP B $f(0)$의 값 구하기

따라서 $f(x)=x^3-3x^2+5x+6$이므로 $f(0)=6$

(2) 함수 $f(x)=\int_1^x(2t-3)\,dt$에 대하여

$$\frac{d}{dx}\int_a^x f(t)\,dt=\int_a^x\left\{\frac{d}{dt}f(t)\right\}dt$$

를 만족하는 모든 실수 a의 값의 합은?

① 1 ② 3 ③ 5
④ 7 ⑤ 9

STEP A 정적분과 도함수의 관계를 이용하여 $f(a)$의 값 구하기

$\frac{d}{dx}\int_a^x f(t)dt=f(x)$, $\int_a^x\left\{\frac{d}{dt}f(t)\right\}dt=\Big[f(x)\Big]_a^x=f(x)-f(a)$

이므로

$\frac{d}{dx}\int_a^x f(t)dt=\int_a^x\left\{\frac{d}{dt}f(t)\right\}dt$에서 $f(x)=f(x)-f(a)$

$\therefore f(a)=0$

STEP B 모든 실수 a의 값의 합 구하기

$f(x)=\int_1^x(2t-3)dt$에서

$f(a)=\int_1^a(2t-3)dt=\Big[t^2-3t\Big]_1^a=a^2-3a+2$

이므로

$f(a)=0$에서 $a^2-3a+2=0$, $(a-1)(a-2)=0$

$\therefore a=1$ 또는 $a=2$

따라서 $f(a)=0$를 만족하는 모든 실수 a의 값의 합은 $1+2=3$

0743

다음 물음에 답하여라.

(1) 다항함수 $f(x)$가 $f(x)=3x^2+\int_0^1 xf(t)\,dt$를 만족시킬 때, $f(1)$의 값은?

① 3 ② 5 ③ 7
④ 8 ⑤ 9

STEP A $\int_0^1 f(t)dt$의 값이 상수임을 이용하여 $f(x)$식 정하기

$f(x)=3x^2+\int_0^1 xf(t)dt=3x^2+x\int_0^1 f(t)dt$에서

$\int_0^1 f(t)dt=a$ (a는 상수) …… ㉠

로 놓으면

$f(x)=3x^2+ax$ …… ㉡

STEP B $f(t)$를 적분하여 a의 값과 $f(x)$ 구하기

㉡을 ㉠에 대입하면

$a=\int_0^1(3t^2+at)dt$

$=\Big[t^3+\frac{a}{2}t^2\Big]_0^1$

$=1+\frac{a}{2}$

즉, $1+\frac{a}{2}=a$에서 $a=2$

따라서 $f(x)=3x^2+2x$이므로 $f(1)=3+2=5$

(2) 다항함수 $f(x)$가 모든 실수 x에 대하여

$$f(x)+\int_0^1 xf(t)\,dt+x^3=0$$

을 만족시킬 때, $f(-1)$의 값은?

① $\frac{5}{6}$ ② $\frac{22}{3}$ ③ $\frac{23}{3}$
④ 8 ⑤ $\frac{25}{3}$

STEP A $\int_0^1 f(t)dt$의 값이 상수임을 이용하여 $f(x)$식 정하기

$f(x)+\int_0^1 xf(t)dt+x^3=0$에서

$f(x)+x\int_0^1 f(t)dt+x^3=0$

$\int_0^1 f(t)dt=a$ (a는 상수) …… ㉠

로 놓으면

$f(x)+ax+x^3=0$이므로

$f(x)=-x^3-ax$ …… ㉡

STEP B $f(t)$을 적분하여 a의 값과 $f(x)$ 구하기

㉡을 ㉠에 대입하면

$a=\int_0^1 f(t)dt$

$=\int_0^1(-t^3-at)dt$

$=\Big[-\frac{1}{4}t^4-\frac{a}{2}t^2\Big]_0^1$

$=-\frac{1}{4}-\frac{a}{2}$

즉, $\frac{3}{2}a=-\frac{1}{4}$에서 $a=-\frac{1}{6}$

따라서 $f(x)=-x^3+\frac{1}{6}x$이므로 $f(-1)=1-\frac{1}{6}=\frac{5}{6}$

0744

다음 물음에 답하여라.

(1) 다항함수 $f(x)$가 $\int_{2}^{x} f(t)dt=x^2+ax+2$를 만족시킬 때, $f(10)$의 값은?

① 15 ② 17 ③ 19 ④ 21 ⑤ 22

STEP Ⓐ 주어진 식의 양변에 $x=2$를 대입하여 a의 값 구하기

$\int_{2}^{x} f(t)dt=x^2+ax+2$ ······ ㉠

㉠의 양변에 $x=2$를 대입하면

$0=4+2a+2 \quad \therefore a=-3$

STEP Ⓑ 주어진 식의 양변을 x로 미분하여 $f(10)$ 구하기

㉠의 양변을 x에 대하여 미분하면 $f(x)=2x-3$

따라서 $f(10)=20-3=17$

(2) 다항함수 $f(x)$가 모든 실수 x에 대하여 $\int_{1}^{x} f(t)dt=x^3+ax^2+1$을 만족시킬 때, $f(-1)$의 값은? (단, a는 상수이다.)

① 7 ② 9 ③ 11 ④ 13 ⑤ 15

STEP Ⓐ $\int_{1}^{1} f(x)dx=0$을 이용하여 a 구하기

$\int_{1}^{x} f(t)dt=x^3+ax^2+1$ ······ ㉠

㉠의 양변에 $x=1$을 대입하면 $0=1+a+1$

$\therefore a=-2$

STEP Ⓑ 주어진 식의 양변을 x로 미분하여 $f(-1)$ 구하기

㉠의 양변을 x에 대하여 미분하면 $f(x)=3x^2-4x$

따라서 $f(-1)=3\cdot(-1)^2-4\cdot(-1)=7$

(3) 다항함수 $f(x)$가 모든 실수 x에 대하여 $\int_{2}^{x} f(t)dt=x^4+ax$를 만족시킬 때, $\int_{-2}^{2} f(x)dx$의 값은? (단, a는 상수이다.)

① -32 ② -16 ③ 0 ④ 16 ⑤ 32

STEP Ⓐ $\int_{2}^{2} f(x)dx=0$을 이용하여 a의 값 구하기

$\int_{2}^{x} f(t)dt=x^4+ax$에 $x=2$를 대입하면

$\int_{2}^{2} f(t)dt=16+2a=0 \quad \therefore a=-8$

STEP Ⓑ $\int_{-2}^{2} f(x)dx$의 값 구하기

$\int_{2}^{x} f(t)dt=x^4-8x$에서 $\int_{2}^{-2} f(t)dt=(-2)^4-8\cdot(-2)=32$

따라서 $\int_{-2}^{2} f(x)dx=-\int_{2}^{-2} f(x)dx=-32$

0745

다음 물음에 답하여라.

(1) 다항함수 $f(x)$가 모든 실수 x에 대하여

$$\int_{1}^{x} f(t)dt=x^3+ax^2-3x+1$$

을 만족시킬 때, $f(a)$의 값은? (단, a는 상수이다.)

① -2 ② -1 ③ 0 ④ 1 ⑤ 2

STEP Ⓐ $\int_{1}^{1} f(x)dx=0$을 이용하여 a 구하기

$\int_{1}^{x} f(t)dt=x^3+ax^2-3x+1$ ······ ㉠

㉠의 양변에 $x=1$을 대입하면

$\int_{1}^{1} f(t)dt=1+a-3+1$에서 $0=a-1$

$\therefore a=1$

STEP Ⓑ 주어진 식에 a의 값을 대입한 후 양변을 미분하여 $f(x)$ 구하기

$\int_{1}^{x} f(t)dt=x^3+x^2-3x+1$의 양변을 x에 대하여 미분하면

$\frac{d}{dx}\int_{1}^{x} f(t)dt=\frac{d}{dx}(x^3+x^2-3x+1)$

$\therefore f(x)=3x^2+2x-3$

따라서 $f(a)=f(1)=3+2-3=2$

(2) 함수 $f(x)$와 상수 a가 모든 실수 x에 대하여 등식

$$6+\int_{a}^{x}\frac{f(t)}{t^2}dt=x$$

을 만족시킬 때, $f(a)$의 값은?

① 12 ② 24 ③ 36 ④ 48 ⑤ 60

STEP Ⓐ $\int_{a}^{a} f(x)dx=0$을 이용하여 a 구하기

$6+\int_{a}^{x}\frac{f(t)}{t^2}dt=x$ ······ ㉠

㉠의 양변에 $x=a$를 대입하면

$6+0=a \quad \therefore a=6$

STEP Ⓑ 양변을 x에 대하여 미분하여 $f(x)$ 구하기

또한, ㉠의 양변을 x로 미분하면

$\frac{f(x)}{x^2}=1 \quad \therefore f(x)=x^2$

따라서 $f(a)=f(6)=6^2=36$

(3) 다항함수 $f(x)$가 $\int_{1}^{x} f(t)dt=2x^3+ax^2-2x-3$을 만족할 때, $\lim_{n\to\infty} n\left\{f\left(3+\frac{1}{n}\right)-f(3)\right\}$의 값은?

① 18 ② 30 ③ 42 ④ 54 ⑤ 66

STEP Ⓐ $\int_{1}^{1} f(x)dx=0$과 양변을 x로 미분하여 $f(x)$ 구하기

$\int_{1}^{x} f(t)dt=2x^3+ax^2-2x-3$ ······ ㉠

㉠의 양변에 $x=1$을 대입하면

$\int_{1}^{1} f(t)dt=2+a-2-3=0$

$\therefore a=3$

㉠의 양변을 x로 미분하면

$f(x)=6x^2+2ax-2$

$\therefore f(x)=6x^2+6x-2$

STEP Ⓑ 미분계수를 이용하여 구하기

이때 $\frac{1}{n}=h$라 하면 $n\to\infty$이면 $h\to 0$이므로

$\lim_{n\to\infty} n\left\{f\left(3+\frac{1}{n}\right)-f(3)\right\}=\lim_{h\to 0}\frac{f(3+h)-f(3)}{h}=f'(3)$

$f(x)=6x^2+6x-2$에서 $f'(x)=12x+6$

따라서 $f'(3)=42$

0746

다음 물음에 답하여라.

(1) 다항함수 $f(x)$가 모든 실수 x에 대하여

$$\int_2^x f(t)\,dt = xf(x)+x^3-3x^2$$

을 만족시킬 때, $\dfrac{f'(1)}{f(2)}$의 값은?

① $\frac{1}{2}$ ② $\frac{3}{4}$ ③ 1
④ $\frac{3}{2}$ ⑤ 2

STEP A $\int_2^2 f(x)dx=0$**을 이용하여** $f(2)$**의 값 구하기**

$\int_2^x f(t)dt = xf(x)+x^3-3x^2$ …… ㉠

㉠의 양변에 $x=2$를 대입하면

$0=2f(2)+8-12$

$\therefore f(2)=2$ …… ㉡

STEP B 양변을 미분하여 $f'(1)$ **구하기**

㉠의 양변을 x에 대하여 미분하면

$f(x)=f(x)+xf'(x)+3x^2-6x$

$f'(x)=-3x+6$이므로

$f'(1)=3$ …… ㉢

따라서 ㉡, ㉢에서 $\dfrac{f'(1)}{f(2)}=\dfrac{3}{2}$

(2) 상수함수가 아닌 다항함수 $f(x)$가 모든 실수 x에 대하여

$$\int_1^x f(t)\,dt = \{f(x)\}^2$$

을 만족시킬 때, $f(3)$의 값은?

① 1 ② 2 ③ 3
④ 4 ⑤ 5

STEP A 주어진 식의 양변을 x**에 대하여 미분하여** $f'(x)$ **구하기**

$\int_1^x f(t)dt = \{f(x)\}^2$ …… ㉠

㉠의 양변을 x에 대하여 미분하면

$f(x)=f'(x)f(x)+f(x)f'(x)$

$f(x)\{1-2f'(x)\}=0$

$\therefore f(x)=0$ 또는 $f'(x)=\frac{1}{2}$

이때 함수 $f(x)$는 상수함수가 아닌 다항함수이므로

$f'(x)=\frac{1}{2}$

STEP B $\int_1^1 f(x)dx=0$**을 이용하여 적분상수** C**를 구하여** $f(x)$ **구하기**

또한, ㉠에 $x=1$을 대입하면

$\int_1^1 f(t)dt=\{f(1)\}^2=0$이므로

$f(1)=0$ …… ㉡

이때 $f(x)=\int f'(x)dx=\int \frac{1}{2}dx=\frac{1}{2}x+C$

㉡에서 $f(1)=\frac{1}{2}+C=0$ $\therefore C=-\frac{1}{2}$

따라서 $f(x)=\frac{1}{2}x-\frac{1}{2}$이므로 $f(3)=1$

0747

미분가능한 함수 $f(x)=\int_1^x(-3t^2+at+b)\,dt$가 $x=0$에서 극솟값 0을 가질 때, 두 상수 a, b에 대하여 $a+b$의 값은?

① 0 ② 1 ③ 2
④ 3 ⑤ 4

STEP A 미분가능한 함수 $f(x)$**가** $x=a$**에서 극값을 가지면** $f'(a)=0$**임을 이용하기**

$f(x)=\int_1^x(-3t^2+at+b)dt$의 양변을 x에 대하여 미분하면

$f'(x)=-3x^2+ax+b$

함수 $f(x)$는 $x=0$에서 극솟값 0을 가지므로

$f'(0)=0$, $f(0)=0$

STEP B 정적분을 이용하여 a, b**의 값 구하기**

$f'(0)=0$에서 $b=0$

$$f(0)=\int_1^0(-3t^2+at)\,dt=\left[-t^3+\frac{a}{2}t^2\right]_1^0$$
$$=0-\left(-1+\frac{a}{2}\right)$$
$$=-\frac{a}{2}+1=0$$

$\therefore a=2$

따라서 $a+b=2$

0748

다음 물음에 답하여라.

(1) 다항함수 $f(x)$에 대하여

$$f(x)+x^2+\int_{-2}^x f(t)\,dt \text{가 } (x+2)^2$$

으로 나누어떨어질 때, $f'(x)$를 $x+2$로 나눈 나머지를 구하여라.

STEP A $\int_2^2 f(x)dx=0$**임을 이용하여** $f(-2)$**의 값 구하기**

$f(x)+x^2+\int_{-2}^x f(t)dt$가 $(x+2)^2$으로 나누어떨어지므로

$f(x)+x^2+\int_{-2}^x f(t)dt=(x+2)^2Q(x)$ (단, $Q(x)$는 다항식) …… ㉠

㉠의 양변에 $x=-2$를 대입하면

$f(-2)+4+0=0$

$\therefore f(-2)=-4$

STEP B 양변을 미분하여 $f'(-2)$**의 값 구하기**

㉠의 양변을 x에 대하여 미분하면

$f'(x)+2x+f(x)=2(x+2)Q(x)+(x+2)^2Q'(x)$

$x=-2$를 대입하면

$f'(-2)-4+f(-2)=0$

$\therefore f'(-2)=8$

따라서 $f'(x)$를 $(x+2)$로 나눈 나머지는 $f'(-2)$이므로 $f'(-2)=8$

$F(x)$가 $(x+2)^2$으로 나누어떨어지면 $F(-2)=F'(-2)=0$

(2) $g(x)$는 다항함수이고 함수 $f(x)$가

$$f(x)=x^2-ax+\int_1^x g(t)\,dt$$

로 정의된다. 함수 $f(x)$가 $(x-1)^2$으로 나누어떨어질 때, $g(x)$를 $x-1$로 나눈 나머지를 구하여라.

STEP **A** $\int_1^1 f(x)dx=0$ **임을 이용하여** a**의 값 구하기**

$f(x)=x^2-ax+\int_1^x g(t)dt$가 $(x-1)^2$으로 나누어 떨어지므로

$f(x)=x^2-ax+\int_1^x g(t)dt$

$=(x-1)^2Q(x)$ (단, $Q(x)$는 다항식) ······ ㉠

㉠의 양변에 $x=1$을 대입하면 $f(1)=1-a=0$

$\therefore a=1$

STEP **B** **양변을 미분하여** $g(1)$**의 값 구하기**

$f(x)=x^2-x+\int_1^x g(t)dt=(x-1)^2Q(x)$

㉠의 양변을 x에 대하여 미분하면

$f'(x)=2x-1+g(x)$

$=2(x-1)Q(x)+(x-1)^2Q'(x)$

$x=1$을 대입하면 $f'(1)=2-1+g(1)=0$

$\therefore g(1)=-1$

따라서 $g(x)$를 $x-1$로 나눈 나머지는 $g(1)$이므로 -1

0749

다음 물음에 답하여라.

(1) $\lim_{x\to2}\frac{1}{x^2-4}\int_2^x(t^2+3t-2)\,dt$의 값은?

① 1 ② 2 ③ 3
④ 4 ⑤ 5

STEP **A** **정적분과 미분계수의 정의를 이용하여 구하기**

$f(t)=t^2+3t-2$이라 하고 $f(x)$의 한 부정적분을 $F(x)$라 하면

$$\lim_{x\to2}\frac{1}{x^2-4}\int_2^x(t^2+3t-2)dt=\lim_{x\to2}\frac{1}{x^2-4}\int_2^x f(t)dt$$
$$=\lim_{x\to2}\frac{1}{x^2-4}\Big[F(t)\Big]_2^x$$
$$=\lim_{x\to2}\frac{F(x)-F(2)}{x^2-4}$$
$$=\lim_{x\to2}\frac{1}{x+2}\cdot\frac{F(x)-F(2)}{x-2}$$
$$=\frac{1}{4}F'(2)=\frac{1}{4}f(2)$$

따라서 $\frac{1}{4}f(2)=\frac{1}{4}(2^2+3\cdot2-2)=2$

(2) $\lim_{x\to0}\frac{1}{x}\int_{1-x}^{1+2x}(6t^2-4t+3)\,dt$의 값은?

① 10 ② 11 ③ 12
④ 15 ⑤ 18

STEP **A** **정적분과 미분계수의 정의를 이용하여 구하기**

$f(t)=6t^2-4t+3$이라 하고 $f(x)$의 한 부정적분을 $F(x)$라 하면

$$\lim_{x\to0}\frac{1}{x}\int_{1-x}^{1+2x}f(t)dt=\lim_{x\to0}\frac{1}{x}\Big[F(t)\Big]_{1-x}^{1+2x}$$
$$=\lim_{x\to0}\frac{F(1+2x)-F(1-x)}{x}$$
$$=\lim_{x\to0}\frac{F(1+2x)-F(1)-F(1-x)+F(1)}{x}$$
$$=\lim_{x\to0}2\cdot\frac{F(1+2x)-F(1)}{2x}+\lim_{x\to0}\frac{F(1-x)-F(1)}{-x}$$
$$=2F'(1)+F'(1)$$
$$=3F'(1)=3f(1)=15$$

0750

다음 물음에 답하여라.

(1) 다음 그림은 함수 $y=f(x)$의 그래프이다.

$f(2)=3$이고 곡선 $y=f(x)$와 x축 및 두 직선 $x=2$, $x=t$로 둘러싸인 도형의 넓이를 $S(t)$라 할 때, $\lim_{h\to0}\frac{S(2+h)-S(2)}{h}$의 값을 구하여라. (단, $t\geq2$)

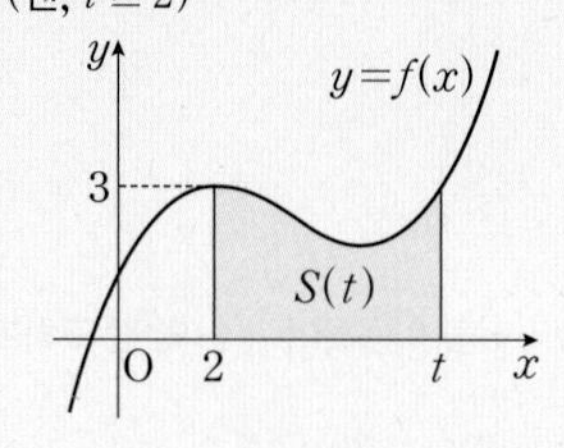

STEP **A** **정적분과 미분계수의 정의를 이용하여 구하기**

$S(t)=\int_2^t f(x)dx$이므로 양변을 x에 대하여 미분하면

$S'(x)=f(x)$

따라서 $\lim_{h\to0}\frac{S(2+h)-S(2)}{h}=S'(2)=f(2)=3$

(2) 모든 실수에서 연속인 함수 $f(x)$의 그래프가 다음 그림과 같다.

$S(x)=\int_1^x f(t)dt$라 할 때, $\lim_{x\to1}\frac{S(x)}{x-1}$의 값을 구하여라.

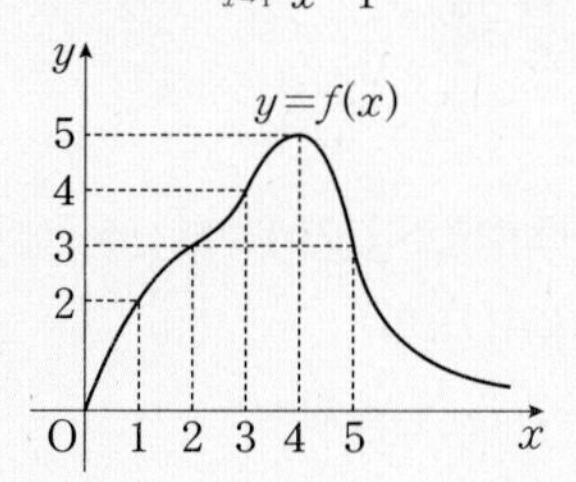

STEP **A** **정적분과 미분계수의 정의를 이용하여 구하기**

$S(x)=\int_1^x f(t)\,dt$의 양변을 x에 대하여 미분하면

$S'(x)=f(x)$

또한, $S(1)=\int_1^1 f(t)dt=0$

$\lim_{x\to1}\frac{S(x)}{x-1}=\lim_{x\to1}\frac{S(x)-S(1)}{x-1}=S'(1)=f(1)$

따라서 $y=f(x)$의 그래프에서 $f(1)=2$

NORMAL

0751

다음 물음에 답하여라.

(1) 모든 실수 x에 대하여 함수 $f(x)$는

$$\int_{12}^{x} f(t)\,dt = -x^3+x^2+\int_0^1 xf(t)\,dt$$

을 만족시킬 때, $\int_0^1 f(x)\,dx$의 값을 구하여라.

STEP A $\int_{12}^{12} f(x)\,dx=0$을 이용하여 $\int_0^1 f(x)\,dx$의 값 구하기

$\int_{12}^{x} f(t)\,dt = -x^3+x^2+x\int_0^1 f(t)\,dt$ …… ㉠

㉠의 양변에 $x=12$를 대입하면

$\int_{12}^{12} f(t)\,dt=0$이므로

$0=-12^3+12^2+12\int_0^1 f(t)\,dt$

따라서 $\int_0^1 f(x)\,dx=132$

다른풀이 양변을 x에 관하여 미분하여 풀이하기

$$\int_{12}^{x} f(t)\,dt = -x^3+x^2+\int_0^1 xf(t)\,dt$$
$$=-x^3+x^2+x\int_0^1 f(t)\,dt$$

$\int_0^1 f(t)\,dt=k$라 하고 위 등식의 양변을 x에 관하여 미분하면

$f(x)=-3x^2+2x+k$

$\int_{12}^{x} f(t)\,dt=-x^3+x^2+\int_0^1 xf(t)\,dt$에 대입하면

$$\int_{12}^{x}(-3t^2+2t+k)\,dt=\Big[-t^3+t^2+kt\Big]_{12}^{x}$$
$$=-x^3+x^2+kx-12(-132+k)$$
$$=-x^3+x^2+kx \quad \cdots\cdots ㉠$$

㉠에 $x=12$를 대입하면 $0=-132+k$

$\therefore k=132$

따라서 $\int_0^1 f(x)\,dx=132$

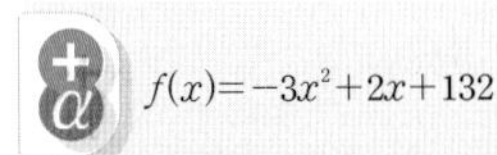

$f(x)=-3x^2+2x+132$

(2) 다항함수 $f(x)$가 모든 실수 x에 대하여

$$xf(x)=3x^4-x^3+\int_0^x f(t)\,dt-x^3\int_0^1 f'(t)\,dt$$

을 만족시킨다. $f(0)=0$일 때, $f(2)$의 값을 구하여라.

STEP A 주어진 식의 양변을 x에 대하여 미분하여 $f'(x)$ 구하기

$xf(x)=3x^4-x^3+\int_0^x f(t)\,dt-x^3\int_0^1 f'(t)\,dt$ …… ㉠

㉠의 양변을 x에 대하여 미분하면

$f(x)+xf'(x)=12x^3-3x^2+f(x)-3x^2\int_0^1 f'(t)\,dt$

$f(x)$가 다항함수이므로

$f'(x)=12x^2-3x-3x\int_0^1 f'(t)\,dt$

STEP B $\int_0^1 f'(t)\,dt$의 값이 상수임을 이용하여 $f'(x)$식을 정하기

$\int_0^1 f'(t)\,dt=k$ (k는 상수) …… ㉡

로 놓으면

$f'(x)=12x^2-3x-3kx$ …… ㉢

㉢을 ㉡에 대입하면

$$k=\int_0^1 f'(t)\,dt=\int_0^1(12t^2-3t-3kt)\,dt$$
$$=\Big[4t^3-\frac{3}{2}t^2-\frac{3}{2}kt^2\Big]_0^1$$
$$=4-\frac{3}{2}-\frac{3}{2}k$$

즉 $\frac{5}{2}k=\frac{5}{2}$에서 $k=1$

STEP C $f(0)=0$일 때, $f(x)$의 값 구하기

$f'(x)=-6x+12x^2$이므로

$f(x)=\int f'(x)\,dx=\int(-6x+12x^2)\,dx$

$=-3x^2+4x^3+C$ (단, C는 적분상수)

이때 $f(0)=0$이므로 $C=0$

따라서 $f(x)=-3x^2+4x^3$이므로 $f(2)=-12+32=20$

(3) 다항함수 $f(x)$가 모든 실수 x에 대하여

$$xf(x)=2x^3-x^2\int_0^1 f'(t)\,dt+\int_1^x f(t)\,dt$$

를 만족시킬 때, $f(2)$의 값을 구하여라.

STEP A $\int_a^a f(x)\,dx=0$을 이용하여 $f(1)$의 값 구하기

$xf(x)=2x^3-x^2\int_0^1 f'(t)\,dt+\int_1^x f(t)\,dt$ …… ㉠

㉠의 양변에 $x=1$을 대입하면

$$f(1)=2-\int_0^1 f'(t)\,dt+\int_1^1 f(t)\,dt$$
$$=2-\Big[f(t)\Big]_0^1+0=2-\{f(1)-f(0)\}$$

$\therefore 2f(1)=2+f(0)$ …… ㉡

STEP B 주어진 식의 양변을 x에 대하여 미분하여 $f'(x)$ 구하기

㉠의 양변을 x에 대하여 미분하면

$f(x)+xf'(x)=6x^2-2x\int_0^1 f'(t)\,dt+f(x)$

$f'(x)=6x-2\int_0^1 f'(t)\,dt$

STEP C $\int_0^1 f'(t)\,dt$이 상수임을 이용하여 $f'(x)$ 구하기

이때 $\int_0^1 f'(t)\,dt=k$ (k는 상수)라 하면

$f'(x)=6x-2k$

$\int_0^1(6t-2k)\,dt=\Big[3t^2-2kt\Big]_0^1=3-2k$

즉 $3-2k=k$이므로 $k=1$ $\therefore f'(x)=6x-2$

STEP D $f'(x)$를 적분하여 $f(x)$ 구하기

$f(x)=\int(6x-2)\,dx=3x^2-2x+C$ (C는 적분상수)

㉡에서 $2(1+C)=2+C$ $\therefore C=0$

따라서 $f(x)=3x^2-2x$이므로 $f(2)=12-4=8$

0752

다음 물음에 답하여라.

(1) 미분가능한 함수 $f(x)$가 등식

$$xf(x)=x^3+x^2+\int_2^x f(t)\,dt$$

를 만족할 때, $f(4)$의 값은?

① 20 ② 22 ③ 24
④ 26 ⑤ 28

STEP Ⓐ $\int_2^2 f(x)dx=0$을 이용하여 $f(2)$의 값 구하기

$xf(x)=x^3+x^2+\int_2^x f(t)dt$ ...... ㉠

㉠의 양변에 $x=2$를 대입하면

$2f(2)=8+4+0$에 의하여 $f(2)=6$ ...... ㉡

STEP Ⓑ 양변을 미분하여 $f'(x)$ 구하기

㉠의 양변을 x에 대하여 미분하면

$f(x)+xf'(x)=3x^2+2x+f(x)$

$xf'(x)=3x^2+2x$ $\therefore f'(x)=3x+2$

STEP Ⓒ $f'(x)$를 적분하여 $f(x)$ 구하기

$f(x)=\int(3x+2)dx=\frac{3}{2}x^2+2x+C$ (단, C는 적분상수)

위의 식에 $x=2$를 대입하면 ㉡에서 $f(2)=6$이므로

$f(2)=\frac{3}{2}\cdot 2^2+2\cdot 2+C=6$ $\therefore C=-4$

따라서 $f(x)=\frac{3}{2}x^2+2x-4$이므로 $f(4)=24+8-4=28$

(2) 다항함수 $f(x)$가 모든 실수 x에 대하여

$$x^2f(x)=2x^6-x^4+2\int_1^x tf(t)dt$$

를 만족시킬 때, $f(2)$의 값은?

① 20 ② 30 ③ 40
④ 50 ⑤ 60

STEP Ⓐ $\int_1^1 f(x)dx=0$을 이용하여 $f(1)$의 값 구하기

$x^2f(x)=2x^6-x^4+2\int_1^x tf(t)dt$ ...... ㉠

㉠의 양변에 $x=1$을 대입하면

$f(1)=2-1+0$에 의하여 $f(1)=1$ ...... ㉡

STEP Ⓑ 양변을 미분하여 $f'(x)$ 구하기

㉠의 양변을 x에 대하여 미분하면

$2xf(x)+x^2f'(x)=12x^5-4x^3+2xf(x)$

$x^2f'(x)=x^2(12x^3-4x)$

$x\neq 0$인 모든 실수 x에 대하여 $f'(x)=12x^3-4x$

STEP Ⓒ $f'(x)$를 적분하여 $f(x)$ 구하기

$f(x)=\int f'(x)dx=\int(12x^3-4x)dx$

$=3x^4-2x^2+C$ (단, C는 적분상수)

위의 식에 $x=1$을 대입하면

㉡에서 $f(1)=1$이므로 $f(1)=1+C$ $\therefore C=0$

따라서 $f(x)=3x^4-2x^2$이므로 $f(2)=3\cdot 16-2\cdot 4=40$

(3) 다항함수 $f(x)$가 모든 실수 x에 대하여

$$x^3f(x)=\frac{1}{2}x^4+\frac{9}{2}+3\int_1^x t^2f(t)dt$$

를 만족시킨다. $\int_1^2 x^2f(x)dx$의 값은?

① $\frac{9}{2}$ ② $\frac{13}{2}$ ③ $\frac{19}{2}$
④ $\frac{25}{2}$ ⑤ $\frac{29}{2}$

STEP Ⓐ $\int_1^1 f(x)dx=0$을 이용하여 $f(1)$의 값 구하기

$x^3f(x)=\frac{1}{2}x^4+\frac{9}{2}+3\int_1^x t^2f(t)dt$ ...... ㉠

㉠의 양변에 $x=1$을 대입하면

$f(1)=\frac{1}{2}+\frac{9}{2}+3\int_1^1 t^2f(t)dt$

$\int_1^1 t^2f(t)dt=0$이므로 $f(1)=\frac{1}{2}+\frac{9}{2}=5$ ...... ㉡

STEP Ⓑ 양변을 미분하여 $f'(x)$ 구하기

㉠의 양변을 x에 대하여 미분하면

$3x^2f(x)+x^3f'(x)=2x^3+3x^2f(x)$

$x^3f'(x)=2x^3$에서 $f(x)$는 다항함수이므로

$f'(x)=2$

STEP Ⓒ $f'(x)$를 적분하여 $f(x)$ 구하기

$f(x)=\int f'(x)dx=\int 2dx=2x+C$ (C는 적분상수)

위의 식에 $x=1$을 대입하면 ㉡에서 $f(1)=5$이므로

$f(1)=2+C=5$에서 $C=3$

따라서 $f(x)=2x+3$이므로

$\int_1^2 x^2f(x)dx=\int_1^2 x^2(2x+3)dx=\int_1^2(2x^3+3x^2)dx$

$=\left[\frac{1}{2}x^4+x^3\right]_1^2$

$=16-\frac{3}{2}=\frac{29}{2}$

0753

다음 물음에 답하여라.

(1) 다항함수 $f(x)$가 모든 실수 x에 대하여

$$x^2\int_1^x f(t)dt-\int_1^x t^2f(t)dt=x^4+ax^3+bx^2$$

을 만족시킬 때, $f(5)$의 값은? (단, a와 b는 상수이다.)

① 17 ② 19 ③ 21
④ 23 ⑤ 25

STEP Ⓐ 정적분의 아래끝과 같은 $x=1$을 대입하여 식 세우기

$x^2\int_1^x f(t)dt-\int_1^x t^2f(t)dt=x^4+ax^3+bx^2$ ...... ㉠

㉠의 양변에 $x=1$을 대입하면

$0=1+a+b$

$\therefore a+b=-1$ ...... ㉡

STEP Ⓑ 주어진 식의 양변을 미분하여 정리하기

㉠의 양변을 x로 미분하면

$2x\int_1^x f(t)dt+x^2f(x)-x^2f(x)=4x^3+3ax^2+2bx$

$\therefore 2x\int_1^x f(t)dt=4x^3+3ax^2+2bx$ ...... ㉢

STEP Ⓒ 정적분의 성질을 이용하여 a, b의 값 구하기

㉢의 양변에 $x=1$을 대입하면

$0=4+3a+2b$

$\therefore 3a+2b=-4$ ...... ㉣

㉡, ㉣을 연립하여 풀면 $a=-2$, $b=1$

STEP Ⓓ 양변을 미분하여 $f(5)$의 값 구하기

즉 $2x\int_1^x f(t)dt=4x^3-6x^2+2x$이므로

$\int_1^x f(t)dt=2x^2-3x+1$

양변을 x로 미분하면 $f(x)=4x-3$

따라서 $f(5)=20-3=17$

(2) 다항함수 $f(x)$가

$$\int_1^x (x-t)f(t)dt=x^3-ax^2+bx+3$$

을 만족시킬 때, $f(3)+a+b$의 값은? (단, a, b는 상수)

① 14 ② 15 ③ 16
④ 17 ⑤ 18

STEP A 정적분의 아래끝과 같은 $x=1$을 대입하여 식 세우기

좌변을 정리하면

$\int_1^x (x-t)f(t)dt = x\int_1^x f(t)dt - \int_1^x tf(t)dt$이므로

$x\int_1^x f(t)dt - \int_1^x tf(t)dt = x^3-ax^2+bx+3$ …… ㉠

㉠의 양변에 $x=1$을 대입하면

$\int_1^1 f(t)dt - \int_1^1 tf(t)dt = 1-a+b+3$

$0=1-a+b+3 \quad \therefore a-b=4$ …… ㉡

STEP B 주어진 식의 양변을 미분하여 정리하기

㉠의 양변을 x에 대하여 미분하면

$\int_1^x f(t)dt + xf(x) - xf(x) = 3x^2-2ax+b$

$\int_1^x f(t)dt = 3x^2-2ax+b$ …… ㉢

STEP C 정적분의 성질을 이용하여 a, b의 값 구하기

㉢의 양변에 $x=1$을 대입하면

$\int_1^1 f(t)dt = 3-2a+b$

$0=3-2a+b \quad \therefore 2a-b=3$ …… ㉣

㉡, ㉣를 연립하여 풀면 $a=-1$, $b=-5$

STEP D 양변을 미분하여 $f(x)$의 값 구하기

$\int_1^x f(t)dt = 3x^2+2x-5$이므로 양변을 x에 대하여 미분하면

$f(x)=6x+2$

따라서 $f(3)+a+b=20+(-1)+(-5)=14$

(3) 다항함수 $f(x)$가 모든 실수 x에 대하여

$$\int_0^x (2t-x)f(t)dt = \frac{3}{4}x^5 - \frac{1}{3}x^4 + ax^3$$

을 만족시킨다. $f(0)=0$, $f(1)=1$일 때, $f(2)$의 값은?
(단, a는 상수이다.)

① 24 ② 28 ③ 32
④ 36 ⑤ 40

STEP A 주어진 식의 양변을 미분하여 정리하기

좌변을 정리하면

$\int_0^x (2t-x)f(t)dt = \int_0^x 2tf(t)dt - x\int_0^x f(t)dt$이므로

$\int_0^x 2tf(t)dt - x\int_0^x f(t)dt = \frac{3}{4}x^5 - \frac{1}{3}x^4 + ax^3$ …… ㉠

㉠의 양변을 x에 대하여 미분하면

$2xf(x) - \int_0^x f(t)dt - xf(x) = \frac{15}{4}x^4 - \frac{4}{3}x^3 + 3ax^2$

STEP B 주어진 식의 양변을 미분하여 $f'(x)$ 구하기

$xf(x) - \int_0^x f(t)dt = \frac{15}{4}x^4 - \frac{4}{3}x^3 + 3ax^2$ …… ㉡

㉡의 양변을 x에 대하여 미분하면

$f(x)+xf'(x)-f(x) = 15x^3-4x^2+6ax$

$xf'(x) = 15x^3-4x^2+6ax$

$f(x)$는 다항함수이므로 $f'(x)=15x^2-4x+6a$

STEP C $f'(x)$을 적분하여 $f(x)$의 값 구하기

$f(x)=\int(15x^2-4x+6a)dx$

$\quad = 5x^3-2x^2+6ax+C$ (단, C는 적분상수)

$f(0)=0$이므로 $C=0$

$f(1)=1$이므로 $5-2+6a=1$에서 $a=-\frac{1}{3}$

따라서 $f(x)=5x^3-2x^2-2x$이므로 $f(2)=40-8-4=28$

0754

다음 물음에 답하여라.

(1) 삼차함수 $f(x)$에 대하여 함수 $f'(x)$의 증가와 감소를 표로 나타내면 다음과 같다.

x	0		1	…	3	…
$f'(x)$		+	0	−	0	+
$f(x)$	0	↗	10	↘	0	↗

$\int_0^3 |f'(x)|dx$의 값을 구하여라.

STEP A 주어진 증감표를 이용하여 $f(x)$의 부호 결정하기

함수 $f(x)$가 $x=1$에서 극댓값 10을 가지므로 $f'(1)=0$, $f(1)=10$

함수 $f(x)$가 $x=3$에서 극솟값 0을 가지므로 $f'(3)=0$, $f(3)=0$

STEP B $\int_0^3 |f'(x)|dx$의 값 구하기

또한, $f(0)=0$이므로 삼차함수 $y=f(x)$의 그래프의 개형은 오른쪽 그림과 같다.

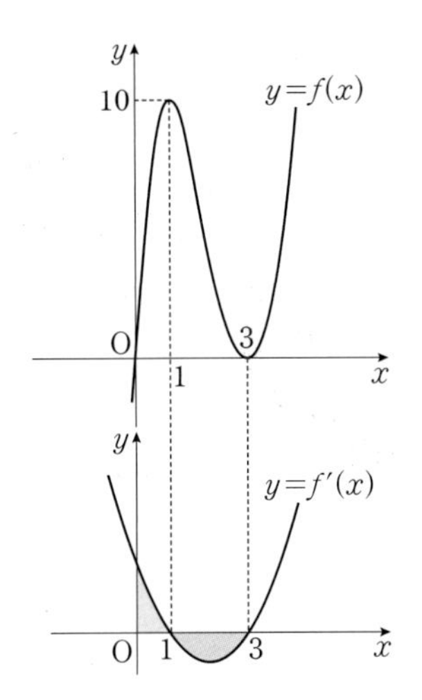

$\int_0^3 |f'(x)|dx$

$=\int_0^1 f'(x)dx - \int_1^3 f'(x)dx$

$=\Big[f(x)\Big]_0^1 - \Big[f(x)\Big]_1^3$

$=\{f(1)-f(0)\}-\{f(3)-f(1)\}$

$=2f(1)-f(0)-f(3)$

$=2\times10-0-0$

$=20$

(2) 삼차함수 $f(x)$에 대하여 함수 $g(x)$를 $g(x)=\int_0^x f(t)dt$라 할 때, 함수 $g(x)$의 증가와 감소를 표로 나타내면 다음과 같다.

x	…	0	…	a	…	b	…
$g'(x)$	−	0	+	0	−	0	+
$g(x)$	↘	0	↗	6	↘	2	↗

$\int_0^b |f(x)|dx$의 값을 구하여라. (단, a, b는 $0 < a < b$인 상수이다.)

STEP A 주어진 증감표를 이용하여 $f(x)$의 부호 결정하기

$g(x)=\int_0^x f(t)dt$에서 $g'(x)=f(x)$이므로 함수 $f(x)$는 함수 $g(x)$의 도함수이다.

열린구간 $(0, a)$에서 함수 $g(x)$가 증가하므로 $f(x)>0$이고
열린구간 (a, b)에서 함수 $g(x)$가 감소하므로 $f(x)<0$이다.
삼차함수 $y=f(x)$의 그래프의 개형은 오른쪽 그림과 같다.

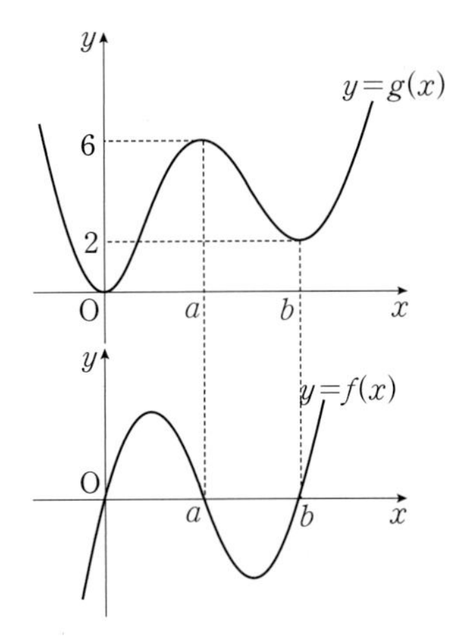

03 정적분과 함수

STEP Ⓑ $\int_0^b |f(x)|dx$의 값 구하기

따라서 $\int_0^b |f(x)|dx = \int_0^a f(x)dx - \int_a^b f(x)dx$

$= \int_0^a f(x)dx - \left\{\int_0^b f(x)dx - \int_0^a f(x)dx\right\}$

$= 2\int_0^a f(x)dx - \int_0^b f(x)dx$

$= 2g(a) - g(b)$

$= 2\cdot 6 - 2 = 10$

0755

함수 $f(x)$는 다음 두 조건을 동시에 만족한다.
이때 실수 a의 값을 구하여라.

(가) $\int_0^1 f(t)\,dt = 1$

(나) $\int_0^x f(t)\,dt = \frac{3}{2}x^2 \int_0^a tf(t)\,dt$

STEP Ⓐ $\int_0^a tf(t)dt = k$로 놓고 양변을 미분하여 k의 값 구하기

$\int_0^a tf(t)dt = k$ …… ㉠

로 놓으면

조건 (나)에서 $\int_0^x f(t)dt = \frac{3}{2}kx^2$

양변을 x에 대하여 미분하면 $f(x) = 3kx$
조건 (가)에 대입하면

$\int_0^1 f(t)dt = \int_0^1 3kt\,dt = \left[\frac{3}{2}kt^2\right]_0^1 = \frac{3}{2}k = 1$

$\therefore k = \frac{2}{3}$

STEP Ⓑ 조건 (가)를 이용하여 a의 값 구하기

조건 (나)에서 $\int_0^x f(t)dt = x^2$이므로

양변을 x에 대하여 미분하면 $f(x) = 2x$
㉠에 대입하면

$k = \int_0^a tf(t)dt = \int_0^a 2t^2 dt = \left[\frac{2}{3}t^3\right]_0^a = \frac{2}{3}a^3 = \frac{2}{3}$

따라서 $a = 1$

0756

모든 실수 x에서 정의된 함수 $f(x) = \int_1^x (x^2 - t)\,dt$에 대하여
직선 $y = 6x - k$가 곡선 $y = f(x)$에 접할 때, 양수 k의 값은?

① $\frac{11}{2}$ ② $\frac{13}{2}$ ③ $\frac{15}{2}$
④ $\frac{17}{2}$ ⑤ $\frac{19}{2}$

STEP Ⓐ 직선 $y = 6x - k$가 곡선 $y = f(x)$에 접하는 점의 x좌표 구하기

$f(x) = \int_1^x (x^2 - t)dt = \left[x^2 t - \frac{1}{2}t^2\right]_1^x$

$= x^3 - \frac{1}{2}x^2 - x^2 + \frac{1}{2}$

$= x^3 - \frac{3}{2}x^2 + \frac{1}{2}$

직선 $y = 6x - k$가 곡선 $y = f(x)$에 접하므로 접선의 기울기가 6이다.
즉 $f'(x) = 3x^2 - 3x = 6$, $3x^2 - 3x - 6 = 0$

$3(x-2)(x+1) = 0$

$\therefore x = -1$ 또는 $x = 2$

STEP Ⓑ 접점의 y좌표가 같음을 이용하여 k 구하기

즉 곡선 $f(x) = x^3 - \frac{3}{2}x^2 + \frac{1}{2}$와 직선 $y = 6x - k$이
$x = -1$과 $x = 2$에서 접하므로 함숫값이 같다.

(ⅰ) $x = -1$일 때, $-1 - \frac{3}{2} + \frac{1}{2} = -6 - k$ $\therefore k = -4$

(ⅱ) $x = 2$일 때, $8 - 6 + \frac{1}{2} = 12 - k$ $\therefore k = \frac{19}{2}$

따라서 양수 k의 값은 $k = \frac{19}{2}$

0757

모든 실수 x에서 연속인 함수 $f(x)$에 대하여 다음이 성립할 때,
상수 a의 값은?

$$\int_a^x f(t)\,dt = (x+1)|x-a|$$

① -2 ② -1 ③ 0
④ 1 ⑤ 2

STEP Ⓐ $x \ge a$, $x < a$으로 나누어 미분하여 함수 $f(x)$ 구하기

$x \ge a$일 때, $\int_a^x f(t)dt = (x+1)(x-a) = x^2 + (1-a)x - a$

위의 식의 양변을 x에 대하여 미분하면

$f(x) = 2x + 1 - a$ …… ㉠

$x < a$일 때, $\int_a^x f(t)dt = (x+1)(-x+a) = -x^2 + (a-1)x + a$

위의 식의 양변을 x에 대하여 미분하면

$f(x) = -2x + a - 1$ …… ㉡

STEP Ⓑ 연속조건을 이용하여 a의 값 구하기

$f(x) = \begin{cases} 2x + 1 - a & (x \ge a) \\ -2x + a - 1 & (x < a) \end{cases}$가 모든 실수에서 연속이면

$f(x)$는 $x = a$에서 연속이므로 $\lim_{x \to a+} f(x) = \lim_{x \to a-} f(x) = f(a)$

$\lim_{x \to a+}(2x + 1 - a) = \lim_{x \to a-}(-2x + a - 1) = 2a + 1 - a$

따라서 $a + 1 = -a - 1$이므로 $a = -1$

0758

다항함수 $f(x)$가 모든 실수 x에 대하여

$$\int_1^x (x-1)f(t)\,dt = x^3 - 3x + \frac{1}{2}\int_1^2 f(t)\,dt$$

를 만족시킬 때, $f(2)$의 값을 구하여라.

STEP Ⓐ 양변에 $x = 2$를 대입하여 $\int_1^2 f(t)dt$의 값 구하기

$\int_1^x (x-1)f(t)dt = x^3 - 3x + \frac{1}{2}\int_1^2 f(t)dt$ …… ㉠

㉠의 양변에 $x = 2$를 대입하면

$\int_1^2 f(t)dt = 2 + \frac{1}{2}\int_1^2 f(t)dt$

$\therefore \int_1^2 f(t)dt = 4$ …… ㉡

㉠, ㉡에서 $(x-1)\int_1^x f(t)dt = x^3 - 3x + 2$

STEP Ⓑ 양변을 x에 대하여 미분하여 $f(2)$의 값 구하기

$(x-1)\int_1^x f(t)dt = x^3 - 3x + 2$의 양변을 x에 대하여 미분하면

$\int_1^x f(t)dt + (x-1)f(x) = 3x^2 - 3$

양변에 $x = 2$를 대입하여 정리하면

$\int_1^2 f(t)dt = 9 - f(2)$ …… ㉢

따라서 ㉡, ㉢에서 $4 = 9 - f(2)$ $\therefore f(2) = 5$

0759

이차함수 $f(x)$의 그래프가 오른쪽 그림과 같을 때, 함수 $g(x)$를 $g(x)=2\int_{1}^{x} f(t)dt$로 정의한다.
$g(x)$의 극솟값은?

① -27 ② -16
③ -2 ④ -1
⑤ 27

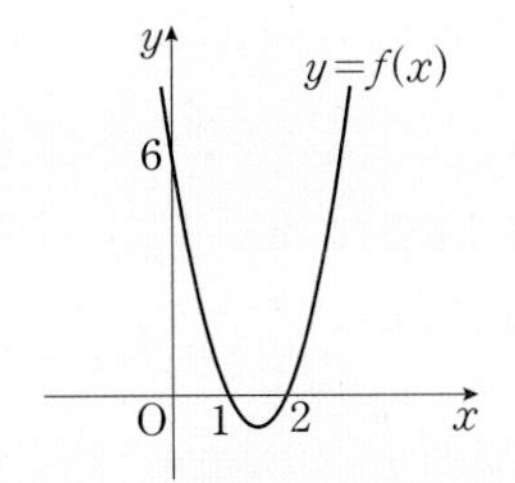

STEP A 이차함수 $f(x)$식 작성하기

주어진 이차함수 $f(x)$의 그래프에서
$f(x)=a(x-1)(x-2)$ $(a>0)$로 놓으면
$f(0)=2a=6$ $\therefore a=3$
$\therefore f(x)=3(x-1)(x-2)$

STEP B 함수 $g(x)$의 증가와 감소를 표로 나타내기

$g(x)=2\int_{1}^{x} 3(t-1)(t-2)dt$의 양변을 x로 미분하면
$g'(x)=2f(x)=6(x-1)(x-2)$
$g'(x)=0$에서 $x=1$ 또는 $x=2$
함수 $g(x)$의 증가와 감소를 표로 나타내면 다음과 같다.

x	$\cdots$	1	$\cdots$	2	$\cdots$
$g'(x)$	$+$	0	$-$	0	$+$
$g(x)$	↗	극대	↘	극소	↗

함수 $g(x)$는 $x=1$일 때, 극대이고 $x=2$일 때, 극소이다.

STEP C $g(x)$의 극솟값 구하기

따라서 $g(x)$의 극솟값은

$$\begin{aligned}g(2)&=2\int_{1}^{2} f(t)dt=2\int_{1}^{2} 3(t-1)(t-2)dt\\&=6\int_{1}^{2}(t^2-3t+2)dt\\&=6\left[\frac{1}{3}t^3-\frac{3}{2}t^2+2t\right]_{1}^{2}\\&=6\left\{\left(\frac{8}{3}-6+4\right)-\left(\frac{1}{3}-\frac{3}{2}+2\right)\right\}\\&=-1\end{aligned}$$

0760

삼차함수 $f(x)=x^3-12x+a$에 대하여 함수

$$F(x)=\int_{0}^{x} f(t)dt$$

가 단 하나의 극값을 갖도록 하는 상수 a의 범위를 구하여라.

STEP A $f(x)$의 극값 구하기

$F(x)=\int_{0}^{x} f(t)dt$의 양변을 x에 대하여 미분하면
$F'(x)=f(x)=x^3-12x+a$
$f'(x)=3x^2-12=3(x-2)(x+2)$
$f'(x)=0$에서 $x=-2$ 또는 $x=2$
함수 $f(x)$의 증가와 감소를 표로 나타내면 다음과 같다.

x	$\cdots$	-2	$\cdots$	2	$\cdots$
$f'(x)$	$+$	0	$-$	0	$+$
$f(x)$	↗	극대	↘	극소	↗

함수 $f(x)$는 $x=-2$에서 극댓값 $16+a$를 갖고
$x=2$에서 극솟값 $-16+a$을 갖는다.

STEP B 함수 $F(x)$가 단 하나의 극값을 가지는 조건 구하기

함수 $F(x)$가 단 하나의 극값을 가지려면 도함수 $f(x)$의 부호가 한 번만 바뀌어야 하므로 함수 $y=f(x)$의 그래프는 다음과 같다.

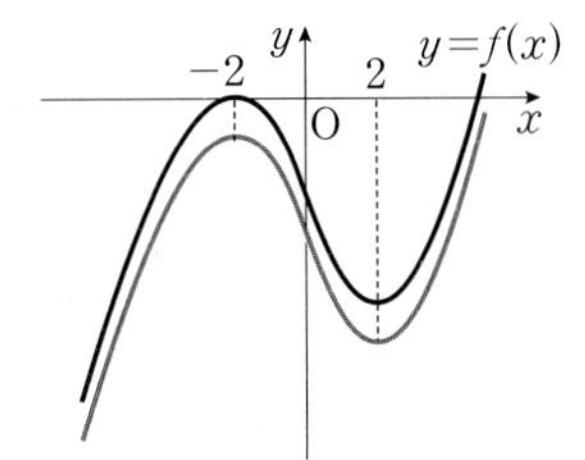

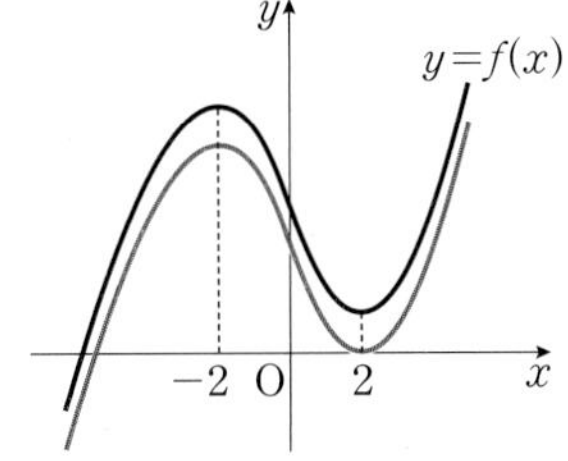

즉 삼차함수 $f(x)$의 극댓값과 극솟값의 부호가 같거나
극댓값 또는 극솟값이 0이어야 하므로 $f(-2)f(2)\ge 0$
$(16+a)(-16+a)\ge 0$
따라서 $a\le -16$ 또는 $a\ge 16$

다른풀이 사차함수가 극값을 세 개 가질 조건을 이용하여 풀이하기

$f(x)=x^3-12x+a$이므로 $F(x)$는 사차함수이고
사차함수 $F(x)$가 오직 하나의 극값을 가지려면
방정식 $f(x)=x^3-12x+a$이 서로 다른 세 실근을 갖지 않아야 한다.
즉 함수 $f(x)$는 $x=-2$에서
극댓값 $16+a$를 갖고 $x=2$에서
극솟값 $-16+a$을 가지므로
$f(x)=0$이 서로 다른 세 실근을
가지는 경우는
$a+16>0$, $a-16<0$
$\therefore -16<a<16$
즉 함수 $F(x)$가 오직 하나의 극값을
가지려면 $a\le -16$ 또는 $a\ge 16$
이어야 한다.

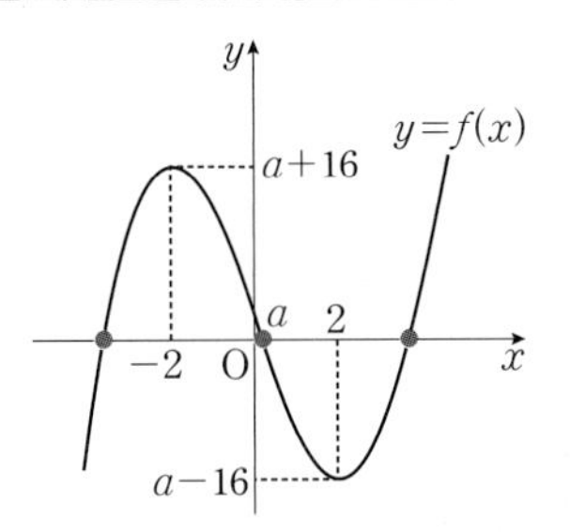

0761

다음 물음에 답하여라.
(1) 다음 그림은 함수 $y=f(x)$, $y=f'(x)$, $y=\int_{0}^{x} f(t)dt$의 그래프를 나타낸 것이다. 각각의 그래프가 어느 것의 그래프인지를 구하여라.

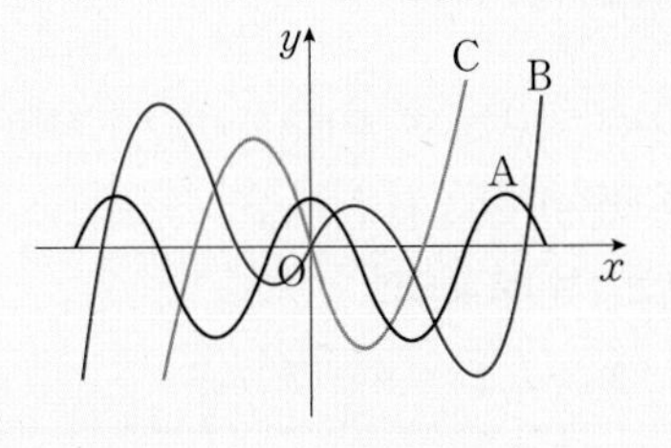

STEP A $\int_{0}^{0} f(t)dt=0$임을 이용하여 함수 결정하기

$F(x)=\int_{0}^{x} f(t)dt$로 놓으면 $F(0)=0$이므로
$y=F(x)$의 그래프는 원점을 지나는 B 또는 C이다.

STEP B A, B, C의 그래프 결정하기

한편 $F'(x)=\frac{d}{dx}\int_{0}^{x} f(t)dt=f(x)$이므로 $F'(0)=f(0)$
(ⅰ) $F(x)$의 그래프가 B일 때, $F'(0)=f(0)>0$
즉 $f(0)>0$이므로 $f(x)$의 그래프는 A이다.
(ⅱ) $F(x)$의 그래프가 C일 때, $F'(0)=f(0)<0$
즉 $f(0)<0$인 그래프는 없다.
따라서 A는 $y=f(x)$의 그래프이고 B는 $y=\int_{0}^{x} f(t)dt$의 그래프이고
C는 $y=f'(x)$의 그래프이다.

(2) 다음 그림은 $x \geq 0$에서 함수 $y=f(x)$, $y=f'(x)$, $y=\int_0^x f(t)\,dt$의 그래프를 나타낸 것이다. 각각의 그래프가 어느 함수의 그래프인지 구하여라.

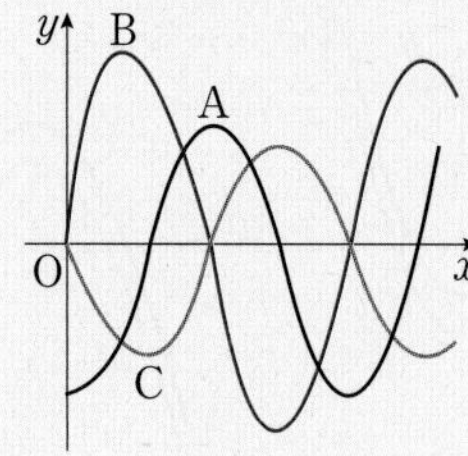

STEP Ⓐ $\int_0^0 f(t)\,dt=0$**임을 이용하여 함수 결정하기**

$F(x)=\int_0^x f(t)\,dt$로 놓으면 $F(0)=0$이므로

$y=F(x)$의 그래프는 원점을 지나는 B 또는 C이다.

한편 $F'(x)=\frac{d}{dx}\int_0^x f(t)\,dt=f(x)$이므로 $F'(0)=f(0)$

STEP Ⓑ A, B, C**의 그래프 결정하기**

$y=F(x)$의 그래프가 B일 때, $F'(0)=f(0)>0$

그러나 $f(0)>0$인 그래프는 없다.

즉 $y=F(x)$의 그래프는 C이다.

이때 $F'(0)=f(0)<0$이므로 $y=f(x)$의 그래프는 A이고

B는 $y=f'(x)$의 그래프이다.

0762

서술형

함수 $f(x)$가 등식

$$f(x)=3x^2+4x\int_0^1 f(t)\,dt+2$$

를 만족시킬 때, $f(5)$의 값을 구하는 과정을 다음 단계로 서술하여라.

[1단계] $\int_0^1 f(t)\,dt=k$(k는 상수)로 놓고 $f(x)$를 k를 포함한 식으로 나타낸다.

[2단계] k의 값을 구한다.

[3단계] $f(5)$의 값을 구한다.

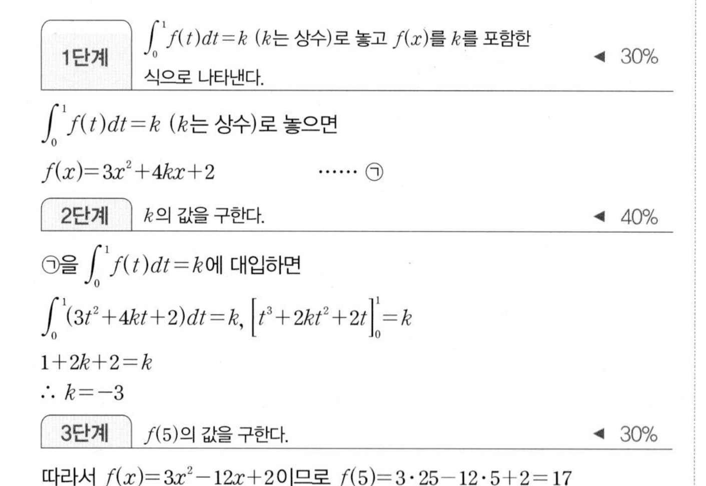

1단계 $\int_0^1 f(t)\,dt=k$ (k는 상수)로 놓고 $f(x)$를 k를 포함한 식으로 나타낸다. ◀ 30%

$\int_0^1 f(t)\,dt=k$ (k는 상수)로 놓으면

$f(x)=3x^2+4kx+2$ …… ㉠

2단계 k의 값을 구한다. ◀ 40%

㉠을 $\int_0^1 f(t)\,dt=k$에 대입하면

$\int_0^1 (3t^2+4kt+2)\,dt=k$, $\left[t^3+2kt^2+2t\right]_0^1=k$

$1+2k+2=k$

$\therefore k=-3$

3단계 $f(5)$의 값을 구한다. ◀ 30%

따라서 $f(x)=3x^2-12x+2$이므로 $f(5)=3\cdot25-12\cdot5+2=17$

0763

서술형

다항함수 $f(x)$가 모든 실수 x에 대하여 등식

$$\int_1^x f(t)\,dt=4x^3-ax^2-ax$$

를 만족할 때, $\lim_{x\to a}\frac{1}{x-a}\int_a^x f(t)\,dt$의 값을 구하는 과정을 다음 단계로 서술하여라.

[1단계] $\int_1^x f(t)\,dt=4x^3-ax^2-ax$를 만족하는 상수 a의 값을 구한다.

[2단계] 다항함수 $f(x)$를 구한다.

[3단계] $\lim_{x\to a}\frac{1}{x-a}\int_a^x f(t)\,dt$의 값을 구한다.

1단계 $\int_1^x f(t)\,dt=4x^3-ax^2-ax$를 만족하는 상수 a의 값을 구한다. ◀ 40%

등식 $\int_1^x f(t)\,dt=4x^3-ax^2-ax$의 양변에 $x=1$을 대입하면

$\int_1^1 f(t)\,dt=4-a-a$

즉 $4-2a=0$

$\therefore a=2$

2단계 다항함수 $f(x)$을 구한다. ◀ 30%

이때 $\int_1^x f(t)\,dt=4x^3-2x^2-2x$이므로

양변을 x에 대하여 미분하면

$f(x)=12x^2-4x-2$

3단계 $\lim_{x\to a}\frac{1}{x-a}\int_a^x f(t)\,dt$의 값을 구한다. ◀ 40%

따라서 함수 $f(x)$의 한 부정적분을 $F(x)$라 하면

$$\lim_{x\to a}\frac{1}{x-a}\int_a^x f(t)\,dt=\lim_{x\to 2}\frac{1}{x-2}\int_2^x f(t)\,dt$$
$$=\lim_{x\to 2}\frac{F(x)-F(2)}{x-2}$$
$$=F'(2)=f(2)$$
$$=48-8-2=38$$

0764

서술형

다항함수 $f(x)$가

$$\int_1^x (t-x)f(t)\,dt=x^3-3x^2+ax+b$$

를 만족할 때, 다음 단계로 서술하여라. (단, a, b는 상수)

[1단계] 상수 a, b의 값을 구한다.
[2단계] 함수 $f(x)$를 구한다.
[3단계] $\int_0^2 |f(x)|\,dx$의 값을 구한다.

1단계 상수 a, b의 값을 구한다. ◀ 50%

$\int_1^x (t-x)f(t)\,dt=x^3-3x^2+ax+b$에서

$$\int_1^x (t-x)f(t)\,dt=\int_1^x \{tf(t)-xf(t)\}dt$$
$$=\int_1^x tf(t)\,dt-\int_1^x xf(t)\,dt$$
$$=\int_1^x tf(t)\,dt-x\int_1^x f(t)\,dt$$ ⬅ x는 적분변수가 t이므로 상수

이므로

$$\int_1^x tf(t)\,dt-x\int_1^x f(t)\,dt=x^3-3x^2+ax+b \quad \cdots\cdots ㉠$$

㉠의 양변에 $x=1$을 대입하면
$1-3+a+b=0$
$\therefore a+b=2 \quad \cdots\cdots ㉡$
㉠의 양변을 미분하면

$$xf(x)-\int_1^x f(t)\,dt-xf(x)=3x^2-6x+a$$

$$\therefore \int_1^x f(t)\,dt=-3x^2+6x-a \quad \cdots\cdots ㉢$$

㉢의 양변에 $x=1$을 대입하면
$-3+6-a=0$
$\therefore a=3$
$a=3$을 ㉡에 대입하면 $b=-1$

2단계 함수 $f(x)$을 구한다. ◀ 20%

㉢에서
$\int_1^x f(t)\,dt=-3x^2+6x-3$의 양변을 x에 대하여 미분하면
$f(x)=-6x+6$

3단계 $\int_0^2 |f(x)|\,dx$의 값을 구하여라. ◀ 30%

$$\int_0^2 |f(x)|\,dx$$
$$=\int_0^2 |-6x+6|\,dx$$
$$=\int_0^1 (-6x+6)\,dx+\int_1^2 (6x-6)\,dx$$
$$=\Big[-3x^2+6x\Big]_0^1+\Big[3x^2-6x\Big]_1^2$$
$$=3+3=6$$

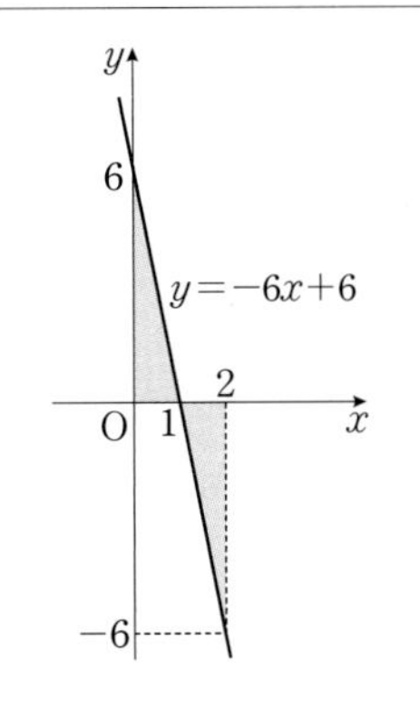

TOUGH

0765

다항함수 $f(x)$와 상수 a에 대하여 함수 $F(x)$를

$$F(x)=\int_x^a f(t)\,dt$$

라 할 때, $\lim_{x\to 2}\frac{x^2-4}{F(x)}=-3$이 성립한다. 이때 $af(2)$의 값을 구하여라.
(단, 함수 $F(x)$가 일대일대응이다.)

STEP A 함수 $F(x)$가 일대일대응임을 이용하여 a의 값 구하기

$\lim_{x\to 2}\frac{x^2-4}{F(x)}=-3$에서 $x\to 2$일 때,
(분자)$\to 0$이고 0이 아닌 극한값이 존재하므로 (분모)$\to 0$이어야 한다.
즉 $\lim_{x\to 2}F(x)=0$이므로 $F(2)=0$
이때 $F(x)=\int_x^a f(t)\,dt$에서 $F(a)=0$이고
함수 $F(x)$가 일대일대응이므로 $a=2$

STEP B 양변을 미분하여 $F'(x)=-f(x)$ 구하기

$F(x)=\int_x^2 f(t)\,dt=-\int_2^x f(t)\,dt$의 양변을 x에 대하여 미분하면
$F'(x)=-f(x)$

STEP C 정적분과 미분계수의 정의를 이용하여 $f(2)$ 구하기

$$\lim_{x\to 2}\frac{x^2-4}{F(x)}=\lim_{x\to 2}\frac{(x+2)(x-2)}{F(x)-F(2)}=\lim_{x\to 2}\left\{(x+2)\cdot\frac{x-2}{F(x)-F(2)}\right\}$$
$$=4\cdot\frac{1}{F'(2)}=-\frac{4}{f(2)}$$

이때 $\lim_{x\to 2}\frac{x^2-4}{F(x)}=-3$이므로 $-\frac{4}{f(2)}=-3$

따라서 $f(2)=\frac{4}{3}$이므로 $af(2)=2\cdot\frac{4}{3}=\frac{8}{3}$

0766

다음 물음에 답하여라.
(1) 두 함수 $f(x)$, $g(x)$에 대하여

$$f(x)=x^3-3x^2+\int_0^2 g(t)\,dt,\ g(x)=3x^2+2+\int_{-1}^1 f(t)\,dt$$

가 성립할 때, $f(2)+g(2)$의 값은?
① -6 ② -2 ③ 0
④ 2 ⑤ 6

STEP A $\int_0^2 g(t)\,dt$의 값이 상수임을 이용하여 $g(x)$의 식 정하기

$f(x)=x^3-3x^2+\int_0^2 g(t)\,dt$에서 $\int_0^2 g(t)\,dt$는 상수이므로

$\int_0^2 g(t)\,dt=k$ (단, k는 상수) $\cdots\cdots ㉠$

로 놓으면

$f(x)=x^3-3x^2+k \quad \cdots\cdots ㉡$

㉡을 $g(x)=3x^2+2+\int_{-1}^1 f(t)\,dt$에 대입하면

$$g(x)=3x^2+2+\int_{-1}^1 (t^3-3t^2+k)\,dt$$
$$=3x^2+2+2\int_0^1 (-3t^2+k)\,dt$$
$$=3x^2+2+2\Big[-t^3+kt\Big]_0^1$$
$$=3x^2+2-2+2k$$
$$=3x^2+2k \quad \cdots\cdots ㉢$$

STEP B $g(x)$를 적분하여 k의 값과 $f(x)$, $g(x)$의 값 구하기

㉢을 ㉠에 대입하면

$k=\int_0^2(3t^2+2k)dt$

$=\left[t^3+2kt\right]_0^2=8+4k$

즉 $8+4k=k$에서 $k=-\frac{8}{3}$

$\therefore f(x)=x^3-3x^2-\frac{8}{3}$, $g(x)=3x^2-\frac{16}{3}$

STEP C $f(2)+g(2)$의 값 구하기

따라서 $f(x)+g(x)=\left(x^3-3x^2-\frac{8}{3}\right)+\left(3x^2-\frac{16}{3}\right)=x^3-8$이므로

$f(2)+g(2)=8-8=0$

(2) 두 함수 $f(x)$, $g(x)$에 대하여

$f(x)=2x+\int_0^1\{f(t)+g(t)\}dt$, $g(x)=3x^2+\int_0^1\{f(t)-g(t)\}dt$

가 성립할 때, $f(1)+g(2)$의 값은?

① 7 ② 8 ③ 9
④ 10 ⑤ 11

STEP A $\int_0^1\{f(t)+g(t)\}dt$, $\int_0^1\{f(t)-g(t)\}dt$가 상수임을 이용하여 $f(x)$, $g(x)$의 값 구하기

$f(x)=2x+\int_0^1\{f(t)+g(t)\}dt$에서

$\int_0^1\{f(t)+g(t)\}dt=a$ (a는 상수) …… ㉠

로 놓으면

$f(x)=2x+a$ …… ㉡

또한, $g(x)=3x^2+\int_0^1\{f(t)-g(t)\}dt$에서

$\int_0^1\{f(t)-g(t)\}dt=b$ (b는 상수) …… ㉢

로 놓으면

$g(x)=3x^2+b$ …… ㉣

STEP B $f(t)+g(t)$, $f(t)-g(t)$을 적분하여 a, b의 값 구하기

㉡+㉣에서 $f(t)+g(t)=2t+a+(3t^2+b)$이므로

㉠에 대입하면

$a=\int_0^1\{f(t)+g(t)\}dt$

$=\int_0^1\{3t^2+2t+a+b\}dt$

$=\left[t^3+t^2+at+bt\right]_0^1$

$=2+a+b$

즉 $a=2+a+b$이므로 $b=-2$

㉡−㉣에서 $f(t)-g(t)=2t+a-(3t^2+b)$이므로

㉢에 대입하면

$b=\int_0^1\{f(t)-g(t)\}dt$

$=\int_0^1(-3t^2+2t+a-b)dt$

$=\left[-t^3+t^2+at-bt\right]_0^1$

$=a-b$

즉 $b=a-b$이므로 $a=2b=-4$

STEP C $f(1)+g(2)$의 값 구하기

따라서 $f(x)=2x-4$, $g(x)=3x^2-2$이므로 $f(1)+g(2)=-2+(12-2)=8$

0767

다음 물음에 답하여라.

(1) 최고차항의 계수가 1인 삼차함수 $f(x)$에 대하여 함수 $g(x)$를

$$g(x)=\int_2^x(t-2)f'(t)dt$$

라 하자. 함수 $g(x)$가 $x=0$에서만 극값을 가질 때, $g(0)$의 값은?

① -2 ② $-\frac{5}{2}$ ③ -3
④ $-\frac{7}{2}$ ⑤ -4

STEP A 주어진 식의 양변을 x에 대하여 미분하여 $g'(x)$ 구하기

함수 $g(x)=\int_2^x(t-2)f'(t)dt$에서 양변을 x로 미분하면

$g'(x)=(x-2)f'(x)$

STEP B 함수 $g(x)$가 $x=0$에서만 극값을 가지므로 삼차함수 $f(x)$의 도함수를 $f'(x)=ax(x-2)$로 놓고 $f'(x)$ 결정하기

함수 $g(x)$가 $x=0$에서만 극값을 가지므로 상수 a에 대하여

$g'(x)=(x-2)\times ax(x-2)$

$f'(x)=ax(x-2)$이고 함수 $f(x)$의 최고차항이 x^3이므로 $a=3$

$f'(x)=3x(x-2)$

STEP C $g(0)$ 구하기

따라서 $g(0)=\int_2^0 3t(t-2)^2dt=\left[\frac{3}{4}t^4-4t^3+6t^2\right]_2^0=-4$

(2) 최고차항의 계수가 1인 일차함수 $f(x)$에 대하여 함수 $g(x)$를

$$g(x)=\int_0^x(t^2-4t+4)f(t)dt$$

라 하자. 함수 $y=|g'(x)|$가 실수 전체의 집합에서 미분가능할 때, $g'(4)$의 값은?

① 2 ② 4 ③ 6
④ 8 ⑤ 10

STEP A 주어진 식의 양변을 x에 대하여 미분하여 $g'(x)$ 구하기

$g(x)=\int_0^x(t^2-4t+4)f(t)dt$의 양변을 x에 대하여 미분하면

$g'(x)=(x^2-4x+4)f(x)=(x-2)^2f(x)$

STEP B 함수 $y=|g'(x)|$가 실수 전체의 집합에서 미분가능하도록 하는 $g'(x)$ 구하기

그런데 $f(x)$는 최고차항의 계수가 1인 일차함수이므로

함수 $|g'(x)|=|(x-2)^2f(x)|$가 실수 전체의 집합에서 미분가능하려면

$f(x)=x-2$

따라서 $g'(x)=(x-2)^2(x-2)=(x-2)^3$이므로 $g'(4)=(4-2)^3=8$

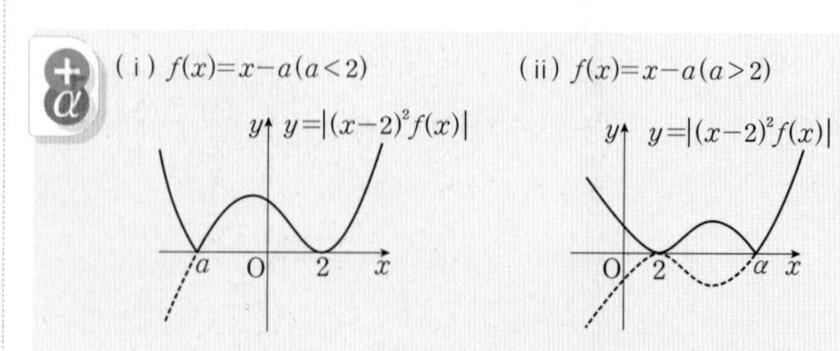

0768

최고차항의 계수가 양수이고 $f(1)=0$인 이차함수 $f(x)$에 대하여 함수 $g(x)$를

$$g(x)=\int_1^x f(t)\,dt$$

라 할 때, 함수 $g(x)$가 다음 조건을 만족시킨다.

(가) $g(2)=-6$
(나) 방정식 $|g(x)|=-g(3)$은 서로 다른 세 실근을 갖는다.

$g(-1)$의 값은?

① -68　② -66　③ -64
④ -62　⑤ -60

STEP A 최고차항의 계수가 양수인 삼차함수 $g(x)$의 식 구하기

$g(x)=\int_1^x f(t)dt$에 $x=1$을 대입하면

$g(1)=\int_1^1 f(t)dt=0$ …… ㉠

$g(x)=\int_1^x f(t)dt$를 x에 대하여 미분하면

$g'(x)=f(x)$이고 $f(1)=0$이므로

$g'(1)=0$ …… ㉡

$g(x)$는 최고차항의 계수가 양수인 삼차함수이므로

㉠과 ㉡에 의해

$g(x)=k(x-1)^2(x-a)$ ($k>0$, a는 상수)꼴이다.

STEP B 조건을 만족하는 함수 $g(x)$의 그래프 개형 구하기

$a=1$이면 (나)를 만족하지 않으므로 $a\neq1$인 경우에 대하여

함수 $g(x)=k(x-1)^2(x-a)$의 그래프는 그림 (ⅰ), (ⅱ) 중 하나이다.

(ⅰ)

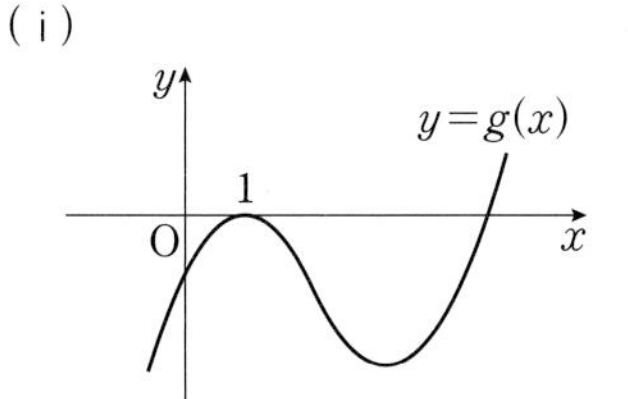

(ⅱ)

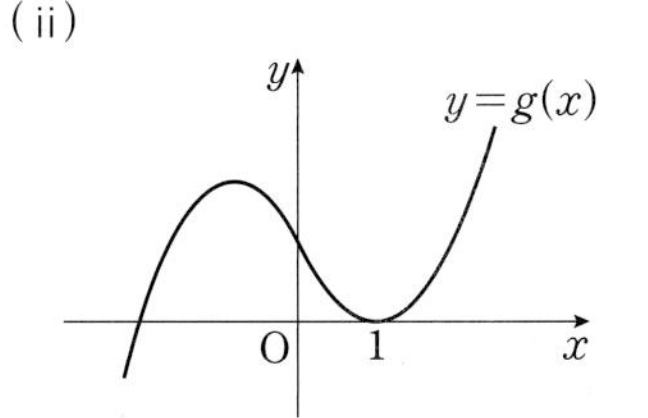

이때 조건 (가)에서 $g(2)=-6<0$이므로 함수 $g(x)$의 그래프는 (ⅰ)이다.

조건 (나)에서 $|g(x)|=-g(3)>0$이므로 $g(3)<0$

방정식 $|g(x)|=-g(3)$은 서로 다른 세 실근을 가지므로 함수 $y=|g(x)|$의 그래프와 직선 $y=-g(3)$의 그래프는 아래와 같다.

즉 $g'(3)=0$이어야 한다.

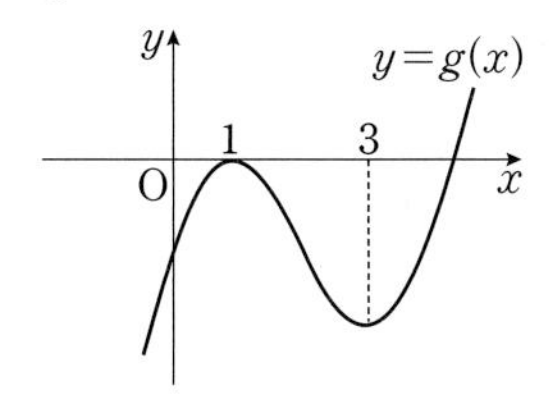

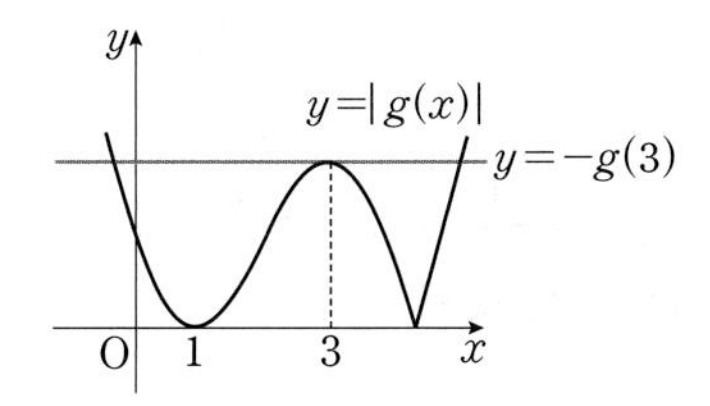

$g(x)=k(x-1)^2(x-a)$에서 $g'(x)=k(x-1)(3x-1-2a)$

$g'(3)=2k(8-2a)=0$

$\therefore a=4(\because k>0)$

$g(x)=k(x-1)^2(x-4)$이고 조건 (가)에서 $g(2)=-6$이므로

$g(2)=-2k=-6$

$\therefore k=3$

STEP C $g(-1)$ 구하기

따라서 $g(x)=3(x-1)^2(x-4)$이므로 $g(-1)=3\cdot(-2)^2\cdot(-5)=-60$

0769

다음 그림과 같이 최고차항의 계수가 음수인 이차함수 $y=f(x)$의 그래프가 두 점 $(-3,\,0)$, $(1,\,0)$을 지난다.

두 함수 $g(x)$, $h(x)$를

$g(x)=\int_0^x f(t)\,dt$, $h(x)=f(x)g(x)$

라 할 때, [보기]에서 옳은 것만을 있는 대로 고른 것은?

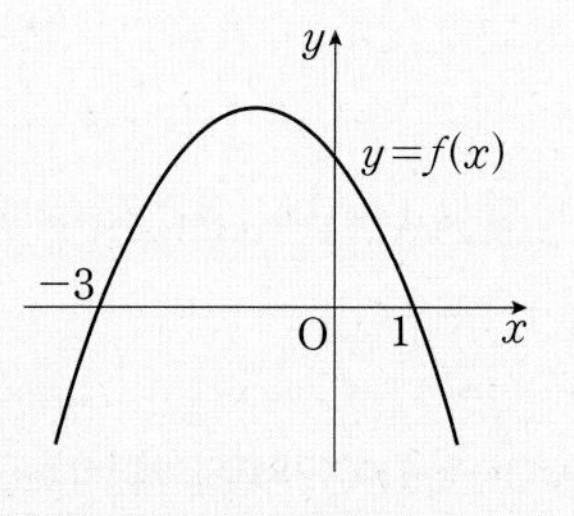

ㄱ. 함수 $g(x)$의 극댓값은 양수이다.
ㄴ. $h'(0)>0$
ㄷ. 함수 $h(x)$는 열린구간 $(0,\,1)$에서 극값을 갖는다.

① ㄱ　② ㄷ　③ ㄱ, ㄴ
④ ㄴ, ㄷ　⑤ ㄱ, ㄴ, ㄷ

STEP A 양변을 x로 미분하여 $g(x)$의 그래프 개형 그리기

함수 $g(x)=\int_0^x f(t)dt$의 양변을 x로 미분하면

$g'(x)=\dfrac{d}{dx}\int_0^x f(t)dt=f(x)$

$g'(x)=f(x)=0$에서 $x=-3$ 또는 $x=1$

함수 $g(x)$의 증가와 감소를 표로 나타내면 다음과 같다.

x	…	-3	…	1	…
$g'(x)$	$-$	0	$+$	0	$-$
$g(x)$	↘	극소	↗	극대	↘

함수 $g(x)$는 최고차항의 계수가 음수인 삼차함수이고

$x=-3$에서 극소, $x=1$에서 극대이다.

또, $g(0)=0$이므로 삼차함수 $y=g(x)$의 그래프의 개형은 그림과 같다.

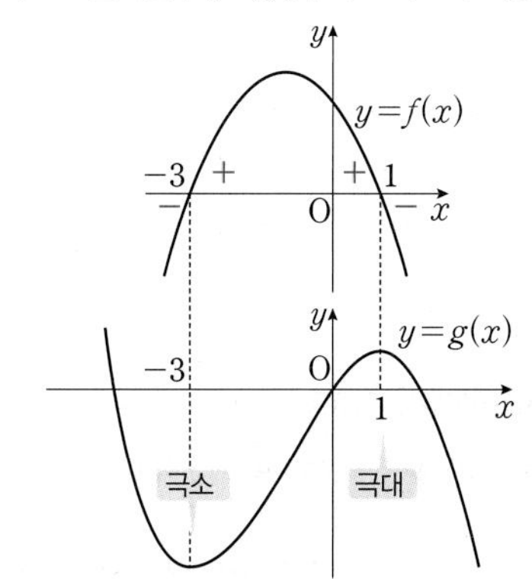

STEP B $g(x)$를 이용하여 [보기]의 참, 거짓의 진위판단하기

ㄱ. 함수 $g(x)$의 극댓값은 $g(1)>0$이다. [참]

ㄴ. 함수 $h(x)=f(x)g(x)$에 대하여

$h'(x)=f'(x)g(x)+f(x)g'(x)$이고

$f'(0)<0$, $f(0)>0$, $g(0)=0$, $g'(0)>0$이므로

$h'(0)=f'(0)g(0)+f(0)g'(0)>0$ [참]

ㄷ. ㄴ에서 $h'(0)>0$이고

$f'(1)<0$, $f(1)=0$, $g'(1)=0$, $g(1)>0$이므로

$h'(1)=f'(1)g(1)+f(1)g'(1)<0$

즉 함수 $h'(x)$는 닫힌구간 $[0,\,1]$에서 연속이고

$h'(0)>0$, $h'(1)<0$이므로 사잇값 정리에 의하여

$h'(\alpha)=0$인 α가 열린구간 $(0,\,1)$에 적어도 하나 존재한다.

이때 α 중에서 $x=\alpha$의 좌우에서 함수 $h'(x)$의 부호가 양에서 음으로 바뀌는 x의 값을 β라 하면 함수 $h(x)$는 $x=\beta$에서 극대이다.

즉 함수 $h(x)$는 열린구간 $(0,\,1)$에서 극값을 갖는다. [참]

따라서 옳은 것은 ㄱ, ㄴ, ㄷ이다.

0770

최고차항의 계수가 양수인 이차함수 $f(x)$에 대하여

$$g(x)=\int_{0}^{x} tf(t)dt$$

라 할 때, [보기]에서 옳은 것만을 있는 대로 고른 것은?

ㄱ. $g'(0)=0$
ㄴ. 양수 α에 대하여 $g(\alpha)=0$이면 방정식 $f(x)=0$은 열린구간 $(0, \alpha)$에서 적어도 하나의 실근을 갖는다.
ㄷ. 양수 β에 대하여 $f(\beta)=g(\beta)=0$이면 모든 실수 x에 대하여 $\int_{\beta}^{x} tf(t)dt \ge 0$이다.

① ㄱ ② ㄷ ③ ㄱ, ㄴ
④ ㄴ, ㄷ ⑤ ㄱ, ㄴ, ㄷ

STEP A 구간이 변수인 정적분의 함수 구하기

ㄱ. $g(x)=\int_{0}^{x} tf(t)dt$에서 $g(0)=0$이고
양변을 x로 미분하면 $g'(x)=xf(x)$ ← 삼차함수
$g'(0)=0\cdot f(0)=0$ [참]

STEP B 롤의 정리를 이용하여 적어도 하나의 실근을 가짐을 보이기

ㄴ. 함수 $g(x)$가 닫힌구간 $[0, \alpha]$에서 연속, 열린구간 $(0, \alpha)$에서 미분가능,
$g(0)=\int_{0}^{0} tf(t)dt=0$, $g(\alpha)=0$이므로 롤의 정리에 의하여
$g'(c)=cf(c)=0$인 c가 열린구간 $(0, \alpha)$에 적어도 하나 존재한다.
이때 $cf(c)=0$이고 $c\ne0$이므로 $f(c)=0$, 즉 방정식 $f(x)=0$은
열린구간 $(0, \alpha)$에서 적어도 하나의 실근을 갖는다. [참]

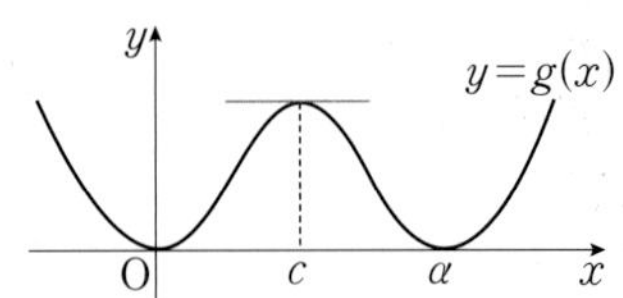

STEP C 함수 $y=g'(x)$의 그래프의 개형을 이용하여 $\int_{\beta}^{x} tf(t)dt=g(x)-g(\beta)\ge0$임을 확인하기

ㄷ. $g(\beta)=0$이므로 ㄴ에 의하여 방정식 $f(x)=0$은 열린구간 $(0, \beta)$에서
적어도 하나의 실근 γ를 갖는다.
즉 방정식 $f(x)=0$이 두 근 γ, β를 갖고 $f(x)$는 최고차항의 계수가
양수인 이차함수이므로 $f(x)=a(x-\gamma)(x-\beta)(a>0)$라 할 수 있다.
이때 $g'(x)=xf(x)=ax(x-\gamma)(x-\beta)$이므로 함수 $y=g'(x)$의
그래프와 함수 $y=g(x)$의 그래프의 개형은 다음 그림과 같다.
($\because$ $g(0)=0$, $g(\beta)=0$)

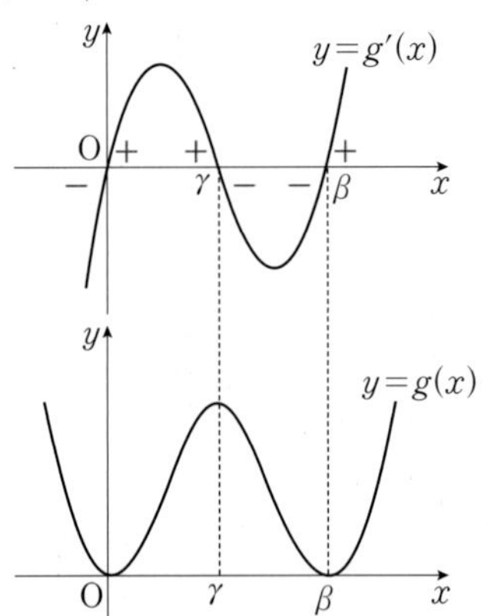

$$\therefore \int_{\beta}^{x} tf(t)dt=\int_{0}^{x} tf(t)dt-\int_{0}^{\beta} tf(t)dt$$
$$=g(x)-g(\beta) \quad \leftarrow g(\beta)=0$$
$$=g(x)\ge0 \text{ [참]}$$

다른풀이 넓이가 같음을 이용하여 참임을 보이기

ㄷ. $\beta>0$이고 $g(\beta)=0$이므로 ㄴ에 의하여 $g'(\gamma)=\gamma f(\gamma)=0$인
γ가 열린구간 $(0, \beta)$에 적어도 하나 존재한다.
$f(\gamma)=0$인 $\gamma(0<\gamma<\beta)$가 존재한다.

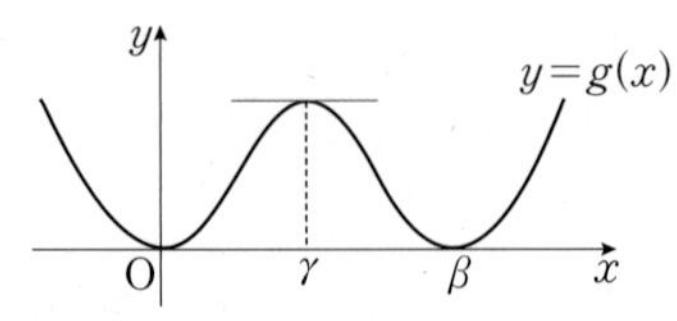

즉 $f(x)=a(x-\gamma)(x-\beta)(a>0)$이고
$g'(x)=xf(x)=ax(x-\gamma)(x-\beta)$
$S_1=\int_{0}^{\gamma}|xf(x)|dx$, $S_2=\int_{\gamma}^{\beta}|xf(x)|dx$라 하면
$y=xf(x)$의 그래프는 다음과 같다.

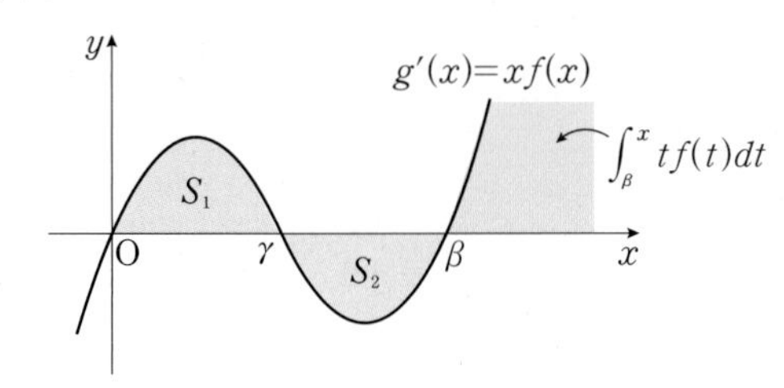

$g(\beta)=\int_{0}^{\beta} tf(t)dt=S_1-S_2=0$이므로 $S_1=S_2$
$\int_{\beta}^{x} tf(t)dt=g(x)-g(\beta)=g(x)=\int_{0}^{x} tf(t)dt\ge0$
이므로 모든 실수 x에 대하여 $\int_{\beta}^{x} tf(t)dt\ge0$ [참]

따라서 옳은 것은 ㄱ, ㄴ, ㄷ이다.

0771

함수 $f(x)=\begin{cases} -1 & (x<1) \\ -x+2 & (x\geq 1) \end{cases}$에 대하여 함수 $g(x)$를

$$g(x)=\int_{-1}^{x}(t-1)f(t)dt$$

라 하자. [보기]에서 옳은 것만을 있는 대로 고른 것은?

ㄱ. $g(x)$는 구간 $(1,\ 2)$에서 증가한다.
ㄴ. $g(x)$는 $x=1$에서 미분가능하다.
ㄷ. 방정식 $g(x)=k$가 서로 다른 세 실근을 갖도록 하는 실수 k가 존재한다.

① ㄴ ② ㄷ ③ ㄱ, ㄴ
④ ㄱ, ㄷ ⑤ ㄱ, ㄴ, ㄷ

STEP A $x<1$**일 때와** $x\geq 1$**일 때로 나누어** $g(x)$ **구하기**

(ⅰ) $x<1$일 때,

$$g(x)=\int_{-1}^{x}(t-1)f(t)dt=\int_{-1}^{x}(t-1)(-1)dt$$
$$=\left[-\frac{t^2}{2}+t\right]_{-1}^{x}$$
$$=-\frac{1}{2}x^2+x+\frac{3}{2}$$

(ⅱ) $x\geq 1$일 때,

$$g(x)=\int_{-1}^{x}(t-1)f(t)dt=\int_{-1}^{1}(t-1)(-1)dt+\int_{1}^{x}(t-1)(-t+2)dt$$
$$=\left[-\frac{t^2}{2}+t\right]_{-1}^{1}+\left[-\frac{t^3}{3}+\frac{3}{2}t^2-2t\right]_{1}^{x}$$
$$=-\frac{1}{3}x^3+\frac{3}{2}x^2-2x+\frac{17}{6}$$

STEP B $g(x)$**를 이용하여 [보기]의 참, 거짓의 진위판단하기**

ㄱ. 구간 $(1,\ 2)$에서

$g'(x)=-x^2+3x-2=-(x-1)(x-2)$

$g'(x)>0$이므로 $g(x)$는 증가한다. [참]

ㄴ. $g(x)=\begin{cases} -\frac{1}{2}x^2+x+\frac{3}{2} & (x<1) \\ -\frac{1}{3}x^3+\frac{3}{2}x^2-2x+\frac{17}{6} & (x\geq 1) \end{cases}$이므로

$g'(x)=\begin{cases} -x+1 & (x<1) \\ -x^2+3x-2 & (x>1) \end{cases}$

$\lim_{x\to 1+}g'(x)=\lim_{x\to 1-}g'(x)=0$이므로

$x=1$에서 미분가능하다. [참]

ㄷ. $x<1$일 때, $g'(x)=-x+1$

$x>1$일 때, $g'(x)=-(x-1)(x-2)$이므로

방정식 $g(x)=k$가 서로 다른 세 실근을 가지려면

$y=g(x)$와 $y=k$의 그래프가 서로 다른 세 점에서 만나야 한다.

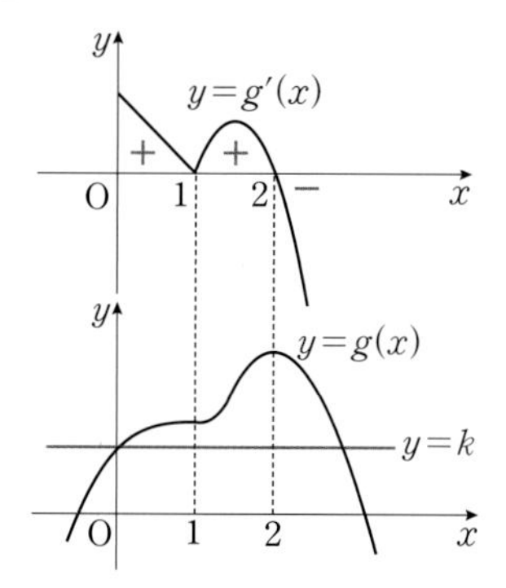

그런데 $g(x)$는 $x=2$에서만 극값을 가지므로 함수 $y=g(x)$의 그래프는 그림과 같고 직선 $y=k$와 서로 다른 세 점에서 만나는 실수 k가 존재하지 않는다. [거짓]

따라서 옳은 것은 ㄱ, ㄴ이다.

0772

삼차함수 $f(x)$는 $f(0)>0$을 만족시킨다. 함수 $g(x)$를

$$g(x)=\left|\int_{0}^{x}f(t)dt\right|$$

라 할 때, 함수 $y=g(x)$의 그래프가 다음 그림과 같다.
[보기]에서 옳은 것만을 있는 대로 고른 것은?

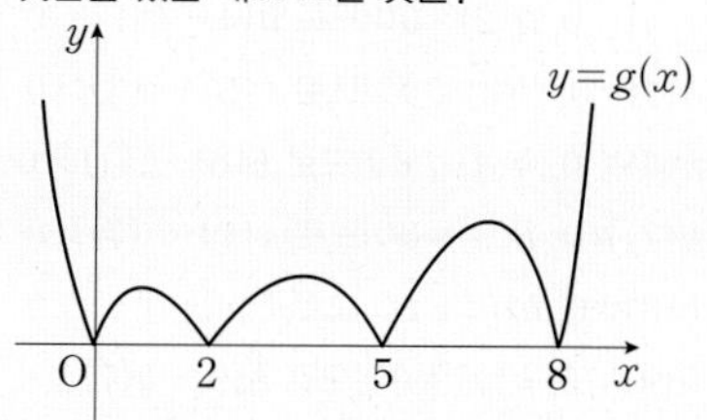

ㄱ. 방정식 $f(x)=0$은 서로 다른 3개의 실근을 갖는다.
ㄴ. $f'(0)<0$
ㄷ. $\int_{m}^{m+2}f(x)dx>0$을 만족시키는 자연수 m의 개수는 3이다.

① ㄴ ② ㄷ ③ ㄱ, ㄴ
④ ㄱ, ㄷ ⑤ ㄱ, ㄴ, ㄷ

STEP A 함수 $g(x)$**를 이용하여 함수** $h(x)=\int_{0}^{x}f(t)dt$**의 그래프의 개형 그리기**

$h(x)=\int_{0}^{x}f(t)dt$라 하면 $g(x)=|h(x)|$이므로 함수 $g(x)$는 삼차함수 $f(x)$에 대하여 사차함수 $h(x)=\int_{0}^{x}f(t)dt$의 그래프를 x축 위로 접어 올린 그래프이므로 $h(x)=\int_{0}^{x}f(t)dt$의 그래프는 최고차항의 계수가 양수인 경우와 음수인 경우에 따라 다음 두 가지 중 하나이다.

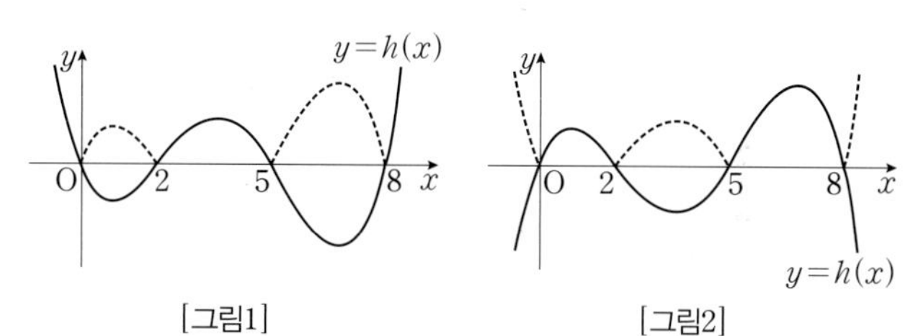

[그림1] [그림2]

$h'(x)=\frac{d}{dx}\int_{0}^{x}f(t)dt=f(x)$이고 삼차함수 $h'(0)=f(0)>0$이므로 함수 $y=h(x)$는 $x=0$에서 증가상태에 있다.

따라서 함수 $y=h(x)$의 그래프의 개형으로 적당한 것은 [그림2]이다.

STEP B 그래프의 개형을 이용하여 [보기]의 참, 거짓의 진위판단하기

ㄱ. $f(x)=h'(x)$이고 [그림2]를 이용하여 함수 $y=f(x)$의 그래프를 그리면 다음 그림과 같다.

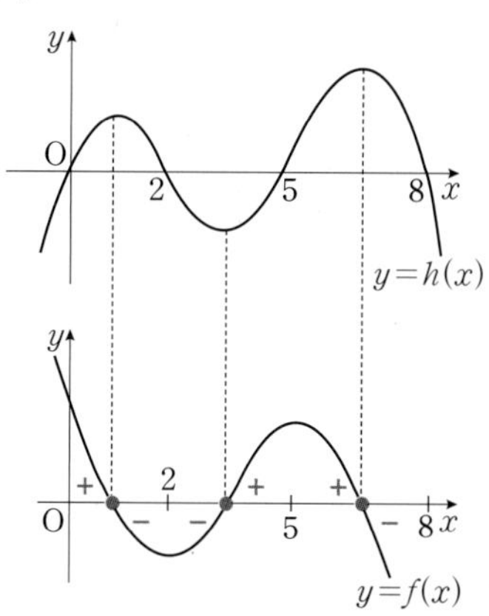

즉 방정식 $f(x)=0$은 서로 다른 3개의 실근을 갖는다. [참]

ㄴ. 함수 $y=f(x)$는 $x=0$에서 감소하므로 $f'(0)<0$ [참]

ㄷ. $f(x)=h'(x)$이므로 $\int_{m}^{m+2} f(x)dx=h(m+2)-h(m)$

함수 $y=h(x)$의 그래프를 이용하여 $h(m+2)-h(m)$의 부호를 조사하면

$m=1$일 때, $h(3)<0$, $h(1)>0$이므로 $h(3)-h(1)<0$

$m=2$일 때, $h(4)<0$, $h(2)=0$이므로 $h(4)-h(2)<0$

$m=3$일 때, $h(5)=0$, $h(3)<0$이므로 $h(5)-h(3)>0$

$m=4$일 때, $h(6)>0$, $h(4)<0$이므로 $h(6)-h(4)>0$

$m=5$일 때, $h(7)>0$, $h(5)=0$이므로 $h(7)-h(5)>0$

$m=6$일 때, $h(8)=0$, $h(6)>0$이므로 $h(8)-h(6)<0$

$m=7$일 때, $h(9)<0$, $h(7)>0$이므로 $h(9)-h(7)<0$

⋮

$m\geq 8$인 m에 대하여 항상 $h(m+2)<h(m)$이므로 $h(m+2)-h(m)<0$

즉 $\int_{m}^{m+2} f(x)dx>0$을 만족시키는 자연수 m은 3, 4, 5의 3개이다. [참]

따라서 옳은 것은 ㄱ, ㄴ, ㄷ 모두 옳다.

다른풀이 $f(x)$의 그래프의 개형을 이용하여 풀이하기

STEP A 함수 $g(x)$를 이용하여 함수 $f(x)$의 그래프 그리기

함수 $g(x)$는 함수 $f(t)$를 $t=0$부터 $t=x$까지 정적분하고 절댓값을 씌운 함수이다.

이때 주어진 함수 $g(x)$의 그래프에서

$g(2)=0$일 때,

$\int_{0}^{2} f(t)dt=0$이고 $f(0)>0$이므로 $f(2)<0$

$g(5)=0$일 때,

$\int_{2}^{5} f(t)dt=0$이고 $f(2)<0$이므로 $f(5)>0$

$\left(\because \int_{0}^{5} f(t)dt=\int_{0}^{2} f(t)dt+\int_{2}^{5} f(t)dt=0+\int_{2}^{5} f(t)dt\right)$

$g(8)=0$일 때,

$\int_{5}^{8} f(t)dt=0$이고 $f(5)>0$이므로 $f(8)<0$

$\left(\because \int_{0}^{8} f(t)dt=\int_{0}^{5} f(t)dt+\int_{5}^{8} f(t)dt=0+\int_{5}^{8} f(t)dt\right)$

즉 함수 $y=f(x)$의 그래프를 그리면 다음 그림과 같다.

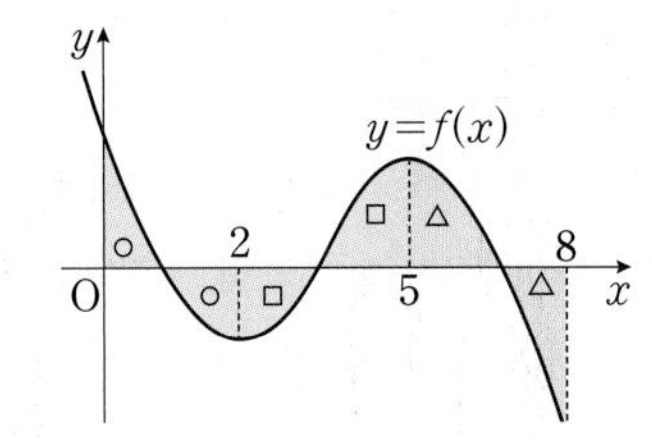

STEP B 그래프의 개형을 이용하여 [보기]의 참, 거짓의 진위판단하기

ㄱ. 방정식 $f(x)=0$의 해는 구간 $(0, 2)$, $(2, 5)$, $(5, 8)$에서 각각 하나씩 존재한다. [참]

ㄴ. 함수 $f(x)$는 $x=0$에서 감소하므로 $f'(0)<0$ [참]

ㄷ. 그래프에서 $\int_{0}^{2} f(t)dt=\int_{2}^{5} f(t)dt=\int_{5}^{8} f(t)dt=0$이므로

$\int_{m}^{m+2} f(x)dx>0$을 만족하는 자연수 m은 3, 4, 5로 3개이다. [참]

따라서 옳은 것은 ㄱ, ㄴ, ㄷ이다.

mapl YOUR MASTER PLAN

MEMO

04 정적분의 활용

0773

오른쪽 그림과 같이 곡선 $y=-x^2+8x+a$와 x축 및 y축으로 둘러싸인 부분의 넓이를 각각 P, Q라고 하고 $P:Q=1:2$일 때, 상수 a의 값을 구하여라.

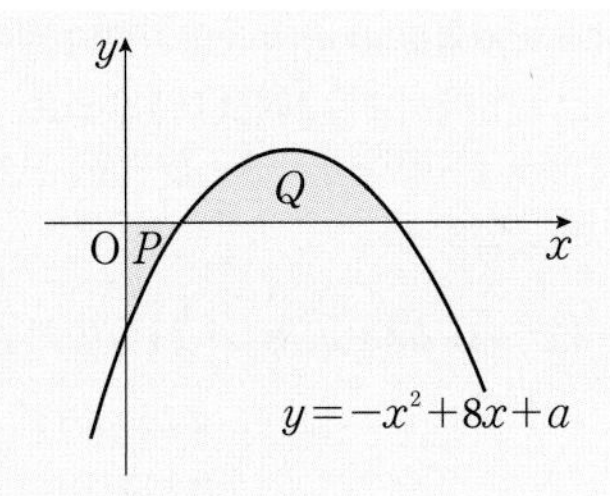

STEP A **이차함수가 $x=4$에서 대칭임을 이용하여 넓이의 관계 구하기**

$y=-x^2+8x+a$

$=-(x-4)^2+a+16$

이므로 곡선 $y=-x^2+8x+a$와 x축으로 둘러싸인 도형의 넓이 Q는 직선 $x=4$에 의해 이등분된다.

이때 $P:Q=1:2$이므로 $\frac{1}{2}Q=P$

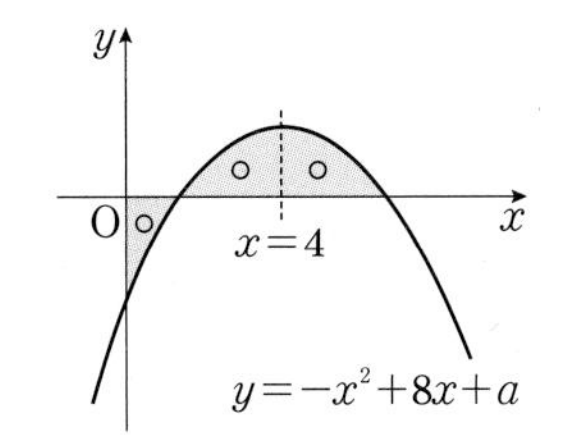

STEP B **구간 $[0, 4]$에서 정적분의 값이 0임을 이용하여 p의 값 구하기**

즉 $\int_0^4(-x^2+8x+a)dx=0$임을 알 수 있다.

$\int_0^4(-x^2+8x+a)dx=\left[-\frac{x^3}{3}+4x^2+ax\right]_0^4=-\frac{64}{3}+64+4a$

따라서 $\frac{32}{3}+a=0$이므로 $a=-\frac{32}{3}$

0774

오른쪽 그림과 같이 곡선 $f(x)=x^2-5x+4$와 x축 및 y축으로 둘러싸인 부분의 넓이를 S_1, 곡선 $y=f(x)$와 x축으로 둘러싸인 부분의 넓이를 S_2, 곡선 $y=f(x)$와 x축 및 $x=k(k>4)$로 둘러싸인 부분의 넓이를 S_3이라 하자.

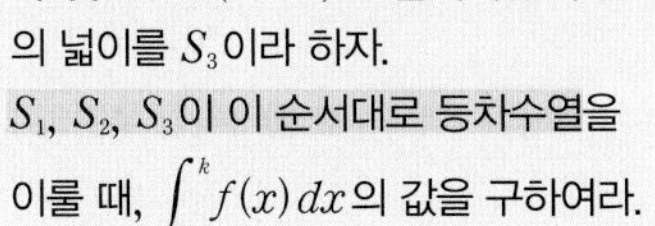

S_1, S_2, S_3이 이 순서대로 등차수열을 이룰 때, $\int_0^k f(x)dx$의 값을 구하여라.

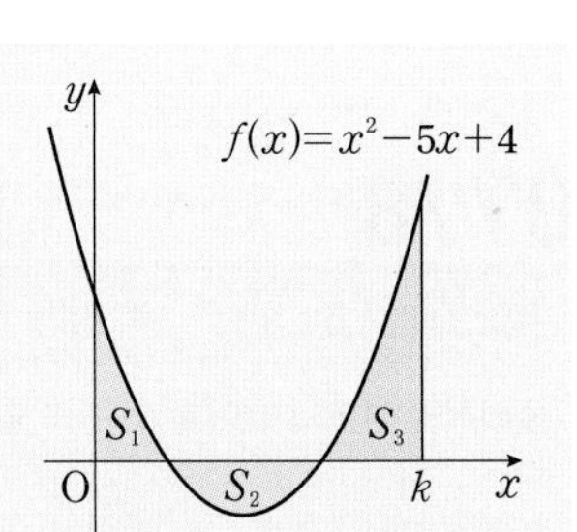

STEP A **등차중항을 이용하여 관계식 구하기**

S_1, S_2, S_3이 이 순서대로 등차수열을 이루므로 $2S_2=S_1+S_3$

$\int_0^k f(x)dx=S_1-S_2+S_3=2S_2-S_2=S_2$

이때 곡선 $f(x)=x^2-5x+4$와 x축의 교점의 x좌표는

$x^2-5x+4=0$에서 $(x-1)(x-4)=0$

$\therefore x=1$ 또는 $x=4$

STEP B **$y=f(x)$와 x축으로 둘러싸인 부분의 넓이를 구하여 S_2 구하기**

곡선 $y=f(x)$의 그래프와 x축으로 둘러싸인 부분의 넓이가 S_2

따라서 $\int_0^k f(x)dx=S_2=-\int_1^4(x^2-5x+4)dx$

$=-\left[\frac{1}{3}x^3-\frac{5}{2}x^2+4x\right]_1^4$

$=-\left\{\left(\frac{64}{3}-40+16\right)-\left(\frac{1}{3}-\frac{5}{2}+4\right)\right\}$

$=\frac{9}{2}$

다른풀이 공식을 이용하여 풀이하기

함수 $f(x)=a(x-\alpha)(x-\beta)(\alpha<\beta)$에 대해 $f(x)$의 그래프와 x축으로 둘러싸인 부분의 넓이

$\int_\alpha^\beta|f(x)|dx=\frac{|a|}{6}(\beta-\alpha)^3$을 이용하면

$S_2=\frac{1}{6}(4-1)^3=\frac{1}{6}\cdot 27=\frac{9}{2}$

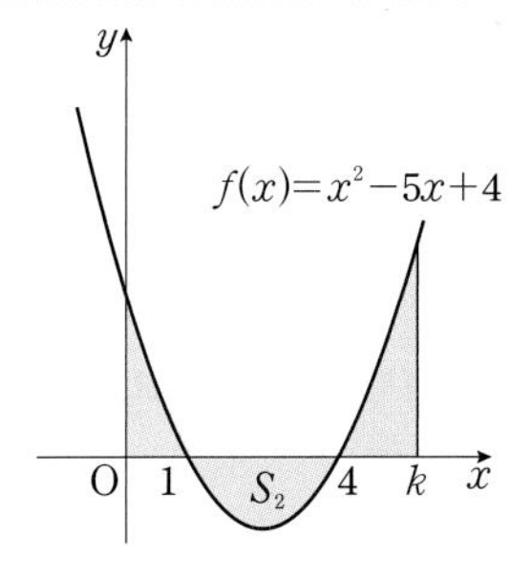

0775

함수 $f(x)=-x^2+x+2$에 대하여 다음 그림과 같이 곡선 $y=f(x)$와 x축으로 둘러싸인 부분을 y축과 직선 $x=k(0<k<2)$로 나눈 부분의 넓이를 각각 S_1, S_2, S_3이라 하자. S_1, S_2, S_3이 이 순서대로 등차수열을 이룰 때, S_2의 값은?

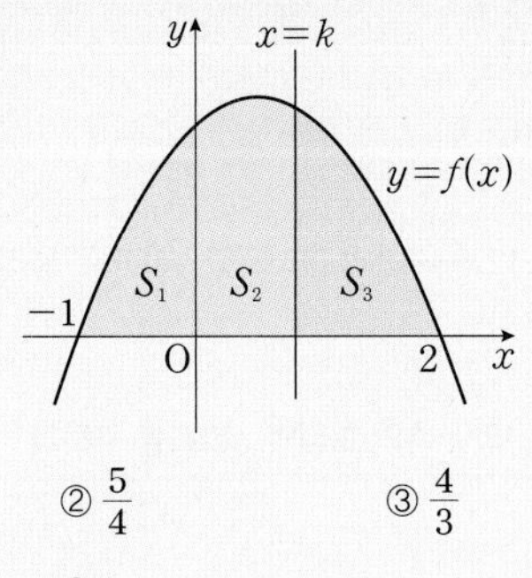

① 1 ② $\frac{5}{4}$ ③ $\frac{4}{3}$

④ $\frac{3}{2}$ ⑤ 2

STEP A **등차중항을 이용하여 관계식 구하기**

S_1, S_2, S_3이 이 순서대로 등차수열을 이루므로

$2S_2=S_1+S_3$

STEP B **$y=f(x)$와 x축으로 둘러싸인 부분의 넓이를 구하여 S_2 구하기**

$3S_2=S_1+S_2+S_3=\int_{-1}^2 f(x)dx$

$=\int_{-1}^2(-x^2+x+2)dx$

$=\left[-\frac{1}{3}x^3+\frac{1}{2}x^2+2x\right]_{-1}^2$

$=\left(-\frac{8}{3}+2+4\right)-\left(\frac{1}{3}+\frac{1}{2}-2\right)$

$=\frac{9}{2}$

따라서 $S_2=\frac{3}{2}$

다른풀이 공차를 이용하여 풀이하기

S_1, S_2, S_3이 이 순서대로 등차수열을 이루므로 공차를 d라 하자.

$S_1=\int_{-1}^0(-x^2+x+2)dx=\left[-\frac{1}{3}x^3+\frac{1}{2}x^2+2x\right]_{-1}^0=\frac{7}{6}$

$S_2=S_1+d=\frac{7}{6}+d$

$S_3=S_1+2d=\frac{7}{6}+2d$

이때 $S_1+S_2+S_3=\int_{-1}^2(-x^2+x+2)dx=\frac{9}{2}$이므로

$\frac{7}{6}+\left(\frac{7}{6}+d\right)+\left(\frac{7}{6}+2d\right)=\frac{7}{2}+3d=\frac{9}{2}$, $d=\frac{1}{3}$

따라서 $S_2=\frac{7}{6}+d=\frac{7}{6}+\frac{1}{3}=\frac{3}{2}$

0776

다음을 구하여라.

(1) 곡선 $y=2x^3$과 x축 및 두 직선 $x=-2$, $x=a$로 둘러싸인 도형의 넓이가 $\frac{17}{2}$일 때, 양수 a의 값을 구하여라.

STEP A y의 부호에 따라 구간별로 넓이 구하기

닫힌구간 $[-2, 0]$에서 $y \le 0$이고
닫힌구간 $[0, a]$에서 $y \ge 0$이므로
오른쪽 그림의 색칠한 부분에서 구하는 넓이를 S라 하면

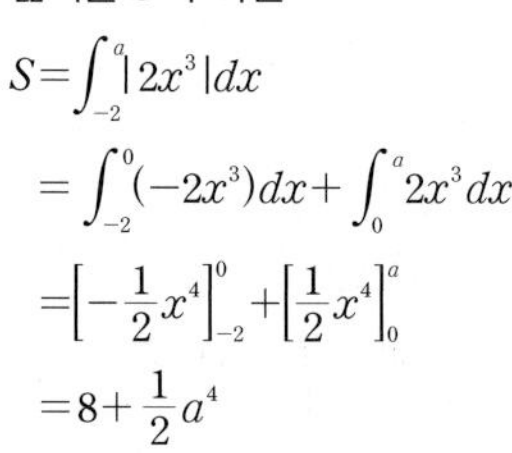

$$S=\int_{-2}^{a}|2x^3|dx$$
$$=\int_{-2}^{0}(-2x^3)dx+\int_{0}^{a}2x^3dx$$
$$=\left[-\frac{1}{2}x^4\right]_{-2}^{0}+\left[\frac{1}{2}x^4\right]_{0}^{a}$$
$$=8+\frac{1}{2}a^4$$

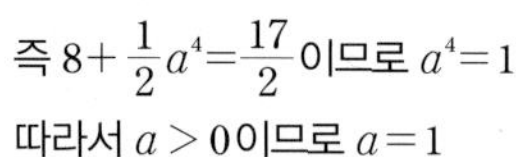

즉 $8+\frac{1}{2}a^4=\frac{17}{2}$이므로 $a^4=1$

따라서 $a>0$이므로 $a=1$

(2) 함수 $y=4x^3-12x^2+8x$의 그래프와 x축으로 둘러싸인 부분의 넓이를 구하여라.

STEP A 함수 $f(x)$와 x축의 교점의 x좌표를 구하기

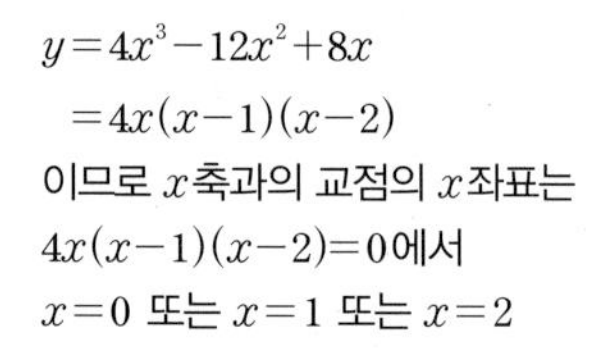

$y=4x^3-12x^2+8x$
$=4x(x-1)(x-2)$
이므로 x축과의 교점의 x좌표는
$4x(x-1)(x-2)=0$에서
$x=0$ 또는 $x=1$ 또는 $x=2$

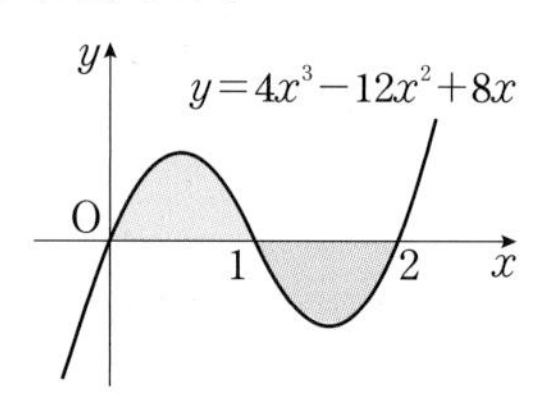

STEP B y의 부호에 따라 구간별로 넓이 구하기

따라서 닫힌구간 $[0, 1]$에서 $y \ge 0$, 닫힌구간 $[1, 2]$에서 $y \le 0$이므로
구하는 넓이를 S라 하면

$$S=\int_{0}^{2}|4x^3-12x^2+8x|dx$$
$$=\int_{0}^{1}(4x^3-12x^2+8x)dx+\int_{1}^{2}(-4x^3+12x^2-8x)dx$$
$$=\left[x^4-4x^3+4x^2\right]_{0}^{1}+\left[-x^4+4x^3-4x^2\right]_{1}^{2}$$
$$=1+1=2$$

0777

최고차항의 계수가 1인 이차함수 $f(x)$는 다음 조건을 만족한다.

(가) $f(2+x)=f(2-x)$
(나) $\int_{0}^{2020}f(x)dx=\int_{3}^{2020}f(x)dx$

이때 곡선 $y=f(x)$와 x축으로 둘러싸인 부분의 넓이가 S일 때, $15S$의 값을 구하여라.

STEP A $\int_{0}^{2020}f(x)dx-\int_{3}^{2020}f(x)dx=\int_{0}^{3}f(x)dx$임을 이용하기

조건 (나)에서

$$\int_{0}^{2020}f(x)dx=\int_{3}^{2020}f(x)dx$$

$\int_{0}^{2020}f(x)dx=\int_{0}^{3}f(x)dx+\int_{3}^{2020}f(x)dx$이므로

$\int_{0}^{3}f(x)dx=0$ …… ㉠

STEP B 조건을 만족하는 이차함수의 식 작성하기

이때 이차함수 $f(x)$의 최고차항의 계수가 1이고
조건 (가)에서 $x=2$에서 대칭이므로
$f(x)=(x-2)^2+n=x^2-4x+4+n$으로 놓고
㉠에 대입하면

$$\int_{0}^{3}(x^2-4x+4+n)dx=\left[\frac{1}{3}x^3-2x^2+4x+nx\right]_{0}^{3}$$
$$=9-18+12+3n$$
$$=3+3n=0$$

$\therefore n=-1$

STEP C 정적분을 이용하여 넓이 구하기

즉 $f(x)=x^2-4x+3=(x-1)(x-3)$
이므로 곡선 $y=f(x)$와 x축으로
둘러싸인 부분의 넓이 S는

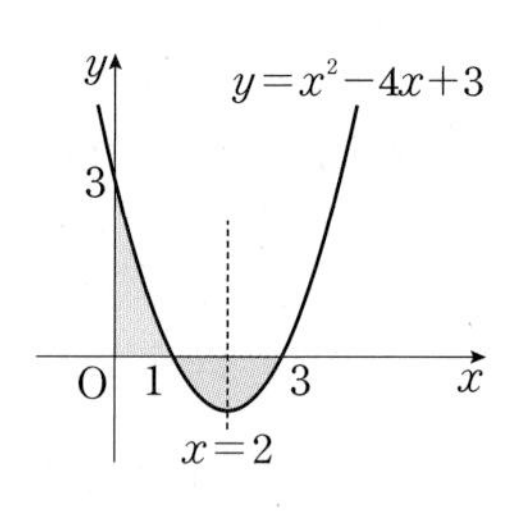

$$S=\int_{1}^{3}|x^2-4x+3|dx$$
$$=\int_{1}^{3}(-x^2+4x-3)dx$$
$$=\left[-\frac{1}{3}x^3+2x^2-3x\right]_{1}^{3}$$
$$=\frac{4}{3}$$

따라서 $15S=20$

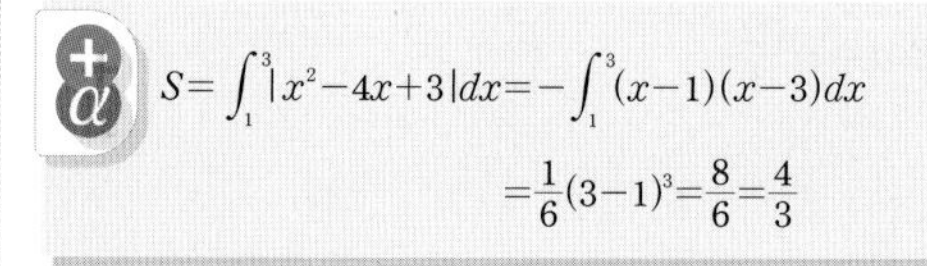

+α $S=\int_{1}^{3}|x^2-4x+3|dx=-\int_{1}^{3}(x-1)(x-3)dx$
$=\frac{1}{6}(3-1)^3=\frac{8}{6}=\frac{4}{3}$

0778

곡선 $f(x)=6x^2+1$과 x축 및 두 직선 $x=1-h$, $x=1+h(h>0)$로 둘러싸인 부분의 넓이를 $S(h)$라 할 때, $\lim_{h\to0+}\frac{S(h)}{h}$의 값을 구하여라.

STEP A 곡선과 x축 및 두 직선 $x=1-h$, $x=1+h$로 둘러싸인 부분의 넓이 $S(h)$ 구하기

곡선 $f(x)=6x^2+1$과 x축 및 두 직선
$x=1-h$, $x=1+h$ $(h>0)$로 둘러싸인
부분의 넓이는

$$S(h)=\int_{1-h}^{1+h}f(x)dx$$
$$=\left[F(x)\right]_{1-h}^{1+h}$$
$$=F(1+h)-F(1-h)$$

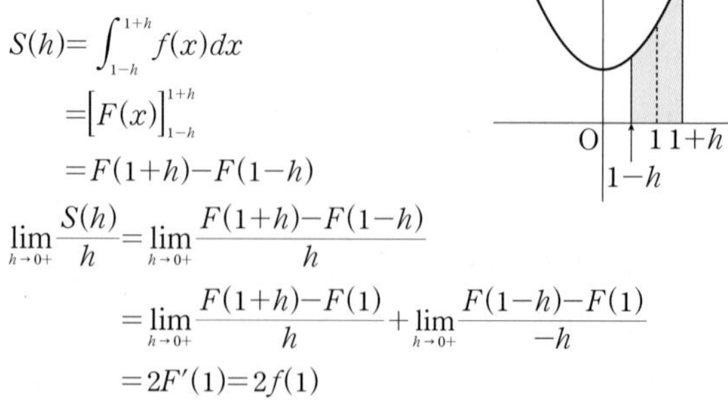

$$\lim_{h\to0+}\frac{S(h)}{h}=\lim_{h\to0+}\frac{F(1+h)-F(1-h)}{h}$$
$$=\lim_{h\to0+}\frac{F(1+h)-F(1)}{h}+\lim_{h\to0+}\frac{F(1-h)-F(1)}{-h}$$
$$=2F'(1)=2f(1)$$

STEP B $\lim_{h\to0+}\frac{S(h)}{h}$의 값 구하기

따라서 $f(x)=6x^2+1$에서 $f(1)=7$이므로

$$\lim_{h\to0+}\frac{S(h)}{h}=2f(1)=2\cdot7=14$$

다른풀이 $S(h)$를 직접 구하여 풀이하기

STEP A 정적분으로 나타내어진 함수의 극한과 도함수의 정의를 이용하기

$f(x)$의 한 부정적분을 $F(x)$라 하고 $h>0$일 때, $1-h<1+h$이므로

$$S(h)=\int_{1-h}^{1+h} f(x)dx=\Big[F(x)\Big]_{1-h}^{1+h}=\Big[2x^3+x\Big]_{1-h}^{1+h}=4h^3+14h$$

STEP B $\lim_{h\to0+}\frac{S(h)}{h}$의 값 구하기

따라서 $\lim_{h\to0+}\frac{S(h)}{h}=\lim_{h\to0+}\frac{4h^3+14h}{h}=\lim_{h\to0+}(4h^2+14)=14$

0779

오른쪽 그림과 같이 곡선 $y=-x^2+4x$와 x축으로 둘러싸인 도형을 직선 $y=x$로 나눈 두 부분의 넓이를 각각 S_1, S_2라 고 할 때, $\frac{S_1}{S_2}$의 값을 구하여라.

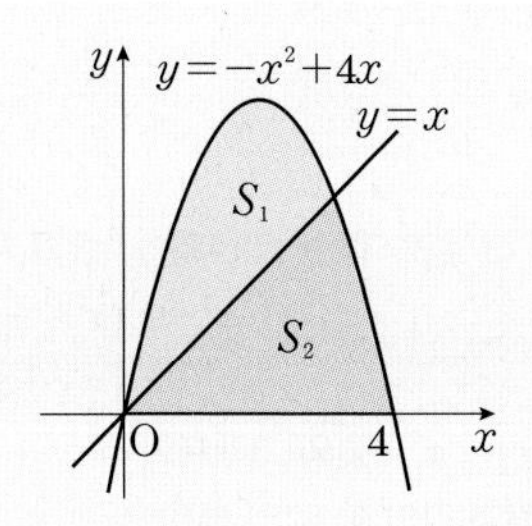

STEP A 곡선과 직선의 교점을 구하기

곡선 $y=-x^2+4x$와 직선 $y=x$의 교점의 x좌표는 $-x^2+4x=x$

즉 $x^2-3x=0$에서 $x(x-3)=0$이므로 $x=0$ 또는 $x=3$

STEP B 위쪽에 있는 함수에서 아래쪽에 있는 함수를 빼어 주어진 구간에서 적분하여 넓이 구하기

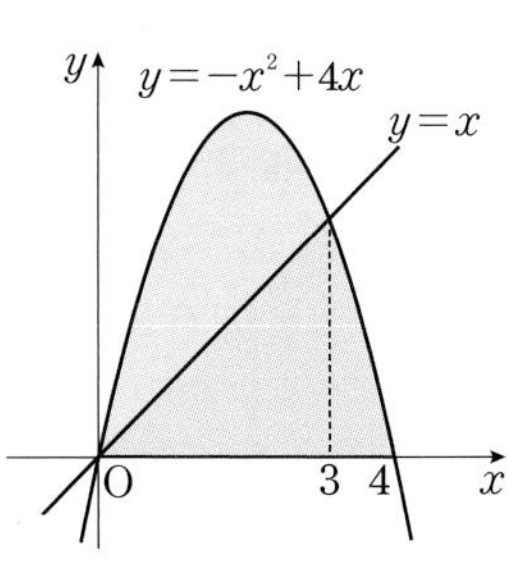

닫힌구간 $[0, 3]$에서 $-x^2+4x\ge x$이므로

$$S_1=\int_0^3\{(-x^2+4x)-x\}dx$$
$$=\int_0^3(-x^2+3x)dx$$
$$=\Big[-\frac{1}{3}x^3+\frac{3}{2}x^2\Big]_0^3=\frac{9}{2}$$

닫힌구간 $[0, 4]$에서 $-x^2+4x\ge0$이므로

$$S_2=\int_0^4\{-x^2+4x\}dx-S_1$$
$$=\Big[-\frac{1}{3}x^3+2x^2\Big]_0^4-\frac{9}{2}$$
$$=\frac{32}{3}-\frac{9}{2}=\frac{37}{6}$$

STEP C $\frac{S_1}{S_2}$의 값 구하기

따라서 $\frac{S_1}{S_2}=\frac{\frac{9}{2}}{\frac{37}{6}}=\frac{27}{37}$

0780

오른쪽 그림에서 이차함수 $y=f(x)$와 직선 $y=g(x)$로 둘러싸인 부분의 넓이는?

① 2 ② 4
③ 7 ④ 9
⑤ 12

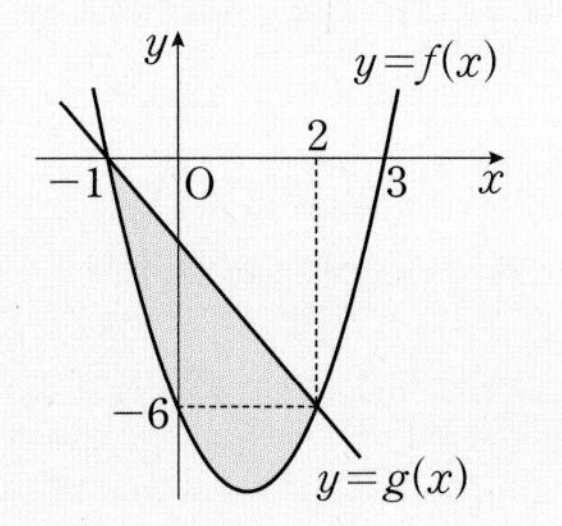

STEP A 이차함수와 직선의 방정식 작성하기

이차함수 $y=f(x)$는 점 $(-1, 0)$, $(3, 0)$을 지나므로

$f(x)=a(x+1)(x-3)\ (a>0)$이라 하면

이 곡선이 $(2, -6)$을 지나므로 대입하면 $-6=-3a$

$\therefore a=2$

즉 $f(x)=2(x+1)(x-3)=2x^2-4x-6$

또한, 두 점 $(-1, 0)$, $(2, -6)$을 지나는 직선의 방정식은

$g(x)=-2x-2$

STEP B 위쪽에 있는 함수에서 아래쪽에 있는 함수를 빼어 주어진 구간에서 적분하여 넓이 구하기

따라서 이차함수 $y=f(x)$와 직선 $y=g(x)$로 둘러싸인 부분의 넓이를

S라 하면 $S=\int_{-1}^2\{g(x)-f(x)\}dx$

$$=\int_{-1}^2(-2x^2+2x+4)dx$$
$$=\Big[-\frac{2}{3}x^3+x^2+4x\Big]_{-1}^2$$
$$=\Big(\frac{-16}{3}+4+8\Big)-\Big(\frac{2}{3}+1-4\Big)$$
$$=9$$

0781

다음 곡선과 직선 또는 두 곡선으로 둘러싸인 도형의 넓이를 구하여라.

(1) $y=x^3-x^2-x$, $y=x$

STEP A 주어진 곡선과 직선이 만나는 점의 x좌표 구하기

곡선 $y=x^3-x^2-x$와 직선 $y=x$의 교점의 x좌표는

$x^3-x^2-x=x$

즉 $x^3-x^2-2x=x(x+1)(x-2)=0$에서

$x=-1$ 또는 $x=0$ 또는 $x=2$

STEP B 위쪽에 있는 함수에서 아래쪽에 있는 함수를 빼어 주어진 구간에서 적분하여 넓이 구하기

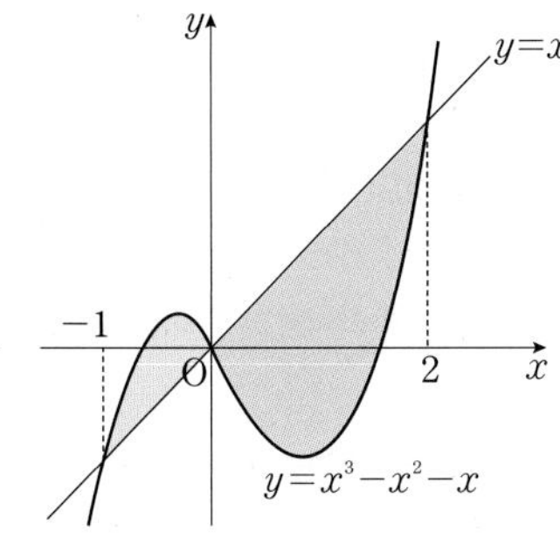

이때 닫힌구간 $[-1, 0]$에서 $x^3-x^2-x\ge x$이고

닫힌구간 $[0, 2]$에서 $x^3-x^2-x\le x$이므로 구하는 넓이를 S라 하면

$$S=\int_{-1}^0\{(x^3-x^2-x)-x\}dx+\int_0^2\{x-(x^3-x^2-x)\}dx$$
$$=\int_{-1}^0(x^3-x^2-2x)dx-\int_0^2(x^3-x^2-2x)dx$$
$$=\Big[\frac{1}{4}x^4-\frac{1}{3}x^3-x^2\Big]_{-1}^0-\Big[\frac{1}{4}x^4-\frac{1}{3}x^3-x^2\Big]_0^2$$
$$=\Big\{0-\Big(\frac{1}{4}+\frac{1}{3}-1\Big)\Big\}-\Big\{\Big(4-\frac{8}{3}-4\Big)-0\Big\}$$
$$=\frac{5}{12}+\frac{8}{3}$$
$$=\frac{37}{12}$$

(2) $y=x^2-2x$, $y=-x^3+x^2+2x$

STEP Ⓐ **주어진 곡선과 직선이 만나는 점의 x좌표 구하기**

두 곡선 $y=x^2-2x$, $y=-x^3+x^2+2x$의 교점의 x좌표는

$x^2-2x=-x^3+x^2+2x$

즉 $x^3-4x=0$에서 $x(x-2)(x+2)=0$

$\therefore x=-2$ 또는 $x=0$ 또는 $x=2$

STEP Ⓑ **위쪽에 있는 함수에서 아래쪽에 있는 함수를 빼어 주어진 구간에서 적분하여 넓이 구하기**

두 곡선 $y=x^2-2x$, $y=-x^3+x^2+2x$로 둘러싸인 부분은 오른쪽 그림과 같다.

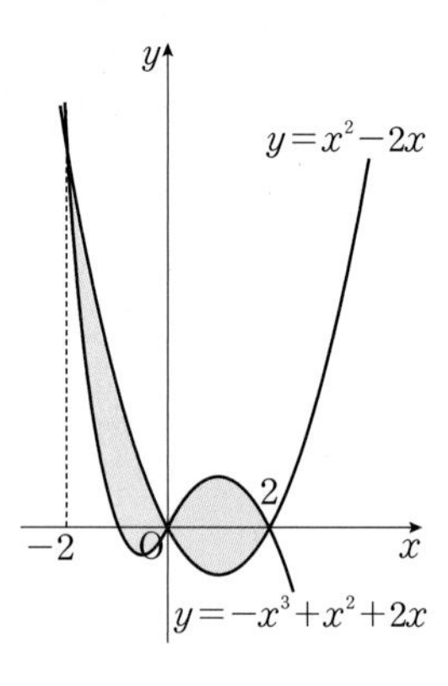

닫힌구간 $[-2, 0]$에서

$x^2-2x \ge -x^3+x^2+2x$이고

닫힌구간 $[0, 2]$에서

$x^2-2x \le -x^3+x^2+2x$

이므로 구하는 넓이를 S라 하면

$S=\int_{-2}^{0}\{(x^2-2x)-(-x^3+x^2+2x)\}dx$

$\quad+\int_{0}^{2}\{(-x^3+x^2+2x)-(x^2-2x)\}dx$

$=\int_{-2}^{0}(x^3-4x)dx+\int_{0}^{2}(-x^3+4x)dx$

$=\left[\frac{1}{4}x^4-2x^2\right]_{-2}^{0}+\left[-\frac{1}{4}x^4+2x^2\right]_{0}^{2}$

$=0-(4-8)+(-4+8)-0$

$=8$

0782

함수 $y=|x^2-4x+3|$의 그래프와 직선 $y=8$로 둘러싸인 부분의 넓이를 구하여라.

STEP Ⓐ **주어진 곡선과 직선이 만나는 점의 x좌표 구하기**

곡선 $y=x^2-4x+3$과 x축의 교점의 x좌표는

$x^2-4x+3=0$, $(x-3)(x-1)=0$

$\therefore x=1$ 또는 $x=3$

곡선 $y=x^2-4x+3$과 직선 $y=8$의 교점의 x좌표는

$x^2-4x+3=8$, $x^2-4x-5=0$, $(x-5)(x+1)=0$

$\therefore x=-1$ 또는 $x=5$

STEP Ⓑ **정적분을 이용하여 둘러싸인 부분의 넓이 구하기**

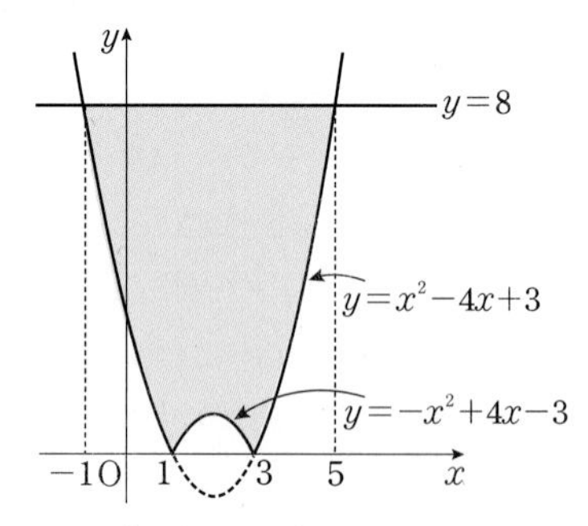

구하는 넓이는 곡선 $y=x^2-4x+3$과 직선 $y=8$로 둘러싸인 도형의 넓이에서 곡선 $y=-x^2+4x-3$과 x축으로 둘러싸인 도형의 넓이의 2배를 뺀 것과 같다.

$S=\int_{-1}^{5}\{8-(x^2-4x+3)\}dx-2\int_{1}^{3}(-x^2+4x-3)dx$

$=\left[5x+2x^2-\frac{1}{3}x^3\right]_{-1}^{5}-2\left[-\frac{1}{3}x^3+2x^2-3x\right]_{1}^{3}$

$=36-2\cdot\frac{4}{3}=\frac{100}{3}$

다른풀이 공식을 이용하여 풀이하기

곡선 $y=x^2-4x+3$과 직선 $y=8$로 둘러싸인 부분의 넓이에서

곡선 $y=-x^2+4x-3$과 x축으로 둘러싸인 부분의 넓이의 2배를 빼면 되므로

$S=\frac{1}{6}\{5-(-1)\}^3-2\cdot\frac{1}{6}(3-1)^3=36-\frac{8}{3}=\frac{100}{3}$

0783

함수 $f(x)=|x^2-2|$의 그래프와 직선 $y=k$가 서로 다른 세 점에서 만날 때, 다음 중 함수 $y=f(x)$의 그래프와 직선 $y=k$로 둘러싸인 부분의 넓이는? (단, k는 상수이다.)

① $\frac{16}{3}(2-\sqrt{2})$　② $\frac{16}{3}(3-\sqrt{2})$　③ $\frac{8}{3}(3-\sqrt{2})$

④ $\frac{32}{3}(2-\sqrt{2})$　⑤ $\frac{32}{3}(3-\sqrt{2})$

STEP Ⓐ **함수 $f(x)$와 $y=k$가 서로 다른 세 점에서 만날 때, 상수 k 구하기**

$f(x)=|x^2-2|=\begin{cases} x^2-2 & (x\le-\sqrt{2} \text{ 또는 } x\ge\sqrt{2}) \\ -x^2+2 & (-\sqrt{2}\le x\le\sqrt{2}) \end{cases}$

$f(x)=|x^2-2|$의 그래프와 직선 $y=k$가 서로 다른 세 점에서 만나려면 다음 그림과 같이 $k=2$일 때이다.

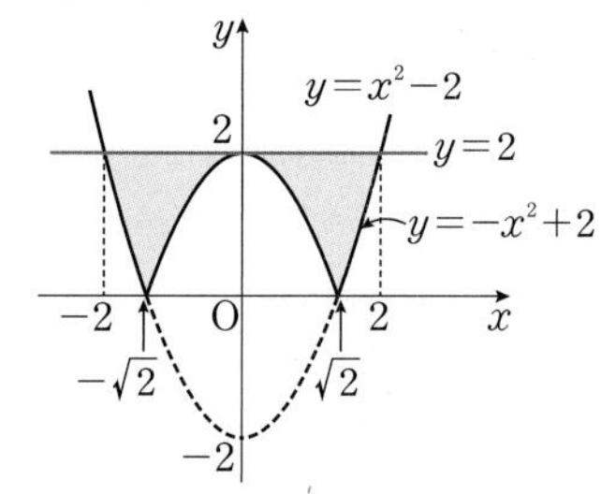

STEP Ⓑ **정적분을 이용하여 둘러싸인 부분의 넓이 구하기**

이때 함수 $f(x)=|x^2-2|$의 그래프와 직선 $y=2$가 만나는 점의 x좌표는 $x^2-2=2$에서 $x^2-4=0$, $(x+2)(x-2)=0$

$\therefore x=-2$ 또는 $x=2$

구하는 넓이는 곡선 $y=x^2-2$와 직선 $y=2$로 둘러싸인 도형의 넓이에서 곡선 $y=-x^2+2$와 x축으로 둘러싸인 도형의 넓이의 2배를 뺀 것과 같다.

따라서 구하는 넓이 S는

$S=\int_{-2}^{2}\{2-(x^2-2)\}dx-2\int_{-\sqrt{2}}^{\sqrt{2}}(-x^2+2)dx$

$=\left[-\frac{1}{3}x^3+4x\right]_{-2}^{2}-2\left[-\frac{1}{3}x^3+2x\right]_{-\sqrt{2}}^{\sqrt{2}}$

$=\left(-\frac{8}{3}+8\right)-\left(\frac{8}{3}-8\right)-2\left\{\left(-\frac{2\sqrt{2}}{3}+2\sqrt{2}\right)-\left(\frac{2\sqrt{2}}{3}-2\sqrt{2}\right)\right\}$

$=\frac{32}{3}-\frac{16\sqrt{2}}{3}$

$=\frac{16}{3}(2-\sqrt{2})$

함수 $f(x)=|x^2-2x-1|$의 그래프와 직선 $y=k$가 서로 다른 세 점에서 만날 때, 다음 중 함수 $y=f(x)$의 그래프와 직선 $y=k$로 둘러싸인 부분의 넓이와 같은 문제이다. (단, k는 상수)

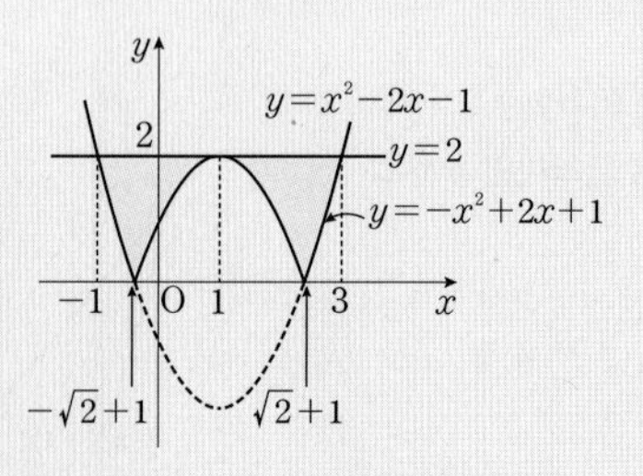

0784

곡선 $y=|x(x-1)|$과 직선 $y=x+3$으로 둘러싸인 도형의 넓이를 구하여라.

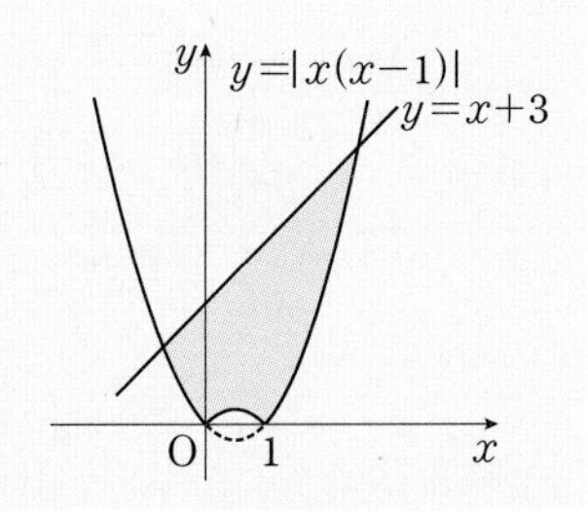

STEP Ⓐ **$y=|x(x-1)|$을 절댓값 기호 안의 식이 0이 되는 x의 값을 기준으로 구간을 나누기**

절댓값 기호 안의 식이 0이 되는 x의 값은

$x=0$ 또는 $x=1$이므로

$y=|x(x-1)|=\begin{cases} x^2-x & (x\le 0 \text{ 또는 } x\ge 1) \\ -x^2+x & (0<x<1) \end{cases}$

STEP Ⓑ **곡선 $y=|x(x-1)|$과 직선 $y=x+3$의 교점의 x좌표 구하기**

$y=x^2-x$과 직선 $y=x+3$의 교점의 x좌표는

$x^2-x=x+3$

즉 $x^2-2x-3=0$에서 $(x+1)(x-3)=0$이므로

$x=-1$ 또는 $x=3$

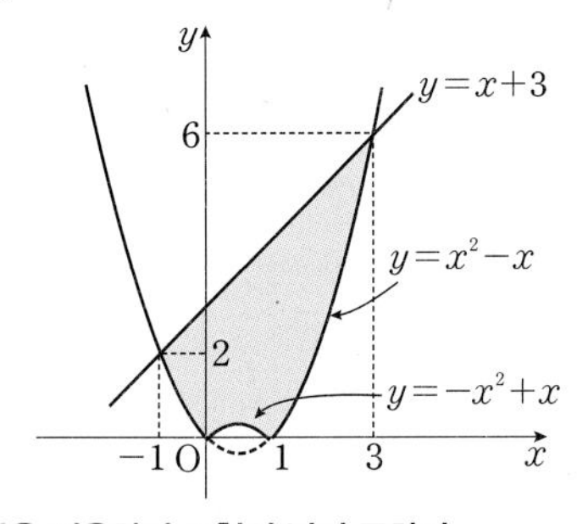

STEP Ⓒ **정적분을 이용하여 도형의 넓이 구하기**

구하는 넓이는 곡선 $y=x^2-x$와 직선 $y=x+3$으로 둘러싸인 도형의 넓이에서 곡선 $y=-x^2+x$와 x축으로 둘러싸인 도형의 넓이의 2배를 뺀 것과 같다.

$S=\int_{-1}^{3}\{(x+3)-(x^2-x)\}-2\int_{0}^{1}(-x^2+x)dx$

$=\int_{-1}^{3}(-x^2+2x+3)-2\int_{0}^{1}(-x^2+x)dx$

$=\left[-\frac{1}{3}x^3+x^2+3x\right]_{-1}^{3}-2\left[-\frac{1}{3}x^3+\frac{1}{2}x^2\right]_{0}^{1}$

$=\frac{32}{3}-\frac{1}{3}$

$=\frac{31}{3}$

> **+α** 구하는 넓이를 S라 하면
>
> $S=\int_{-1}^{0}\{(x+3)-(x^2-x)\}+\int_{0}^{1}\{(x+3)-(-x^2+x)\}$
>
> $+\int_{1}^{3}\{(x+3)-(x^2-x)\}dx$
>
> $=\int_{-1}^{0}(-x^2+2x+3)dx+\int_{0}^{1}(x^2+3)dx+\int_{1}^{3}(-x^2+2x+3)dx$
>
> $=\left[-\frac{1}{3}x^3+x^2+3x\right]_{-1}^{0}+\left[\frac{1}{3}x^3+3x\right]_{0}^{1}+\left[-\frac{1}{3}x^3+x^2+3x\right]_{1}^{3}$
>
> $=\frac{5}{3}+\frac{10}{3}+\frac{16}{3}=\frac{31}{3}$

0785

다음 물음에 답하여라.

(1) 직선 $y=ax$와 곡선 $y=x^2-2x$로 둘러싸인 도형의 넓이가 36일 때, 양수 a의 값을 구하여라.

STEP Ⓐ **두 곡선의 교점의 x좌표 구하기**

직선 $y=ax$와 곡선 $y=x^2-2x$의 교점의 x좌표를 구하면

$x^2-2x=ax$에서 $x\{x-(a+2)\}=0$

$\therefore$ $x=0$ 또는 $x=a+2$

STEP Ⓑ **이차함수와 직선으로 둘러싸인 넓이 공식을 이용하여 양수 a의 값 구하기**

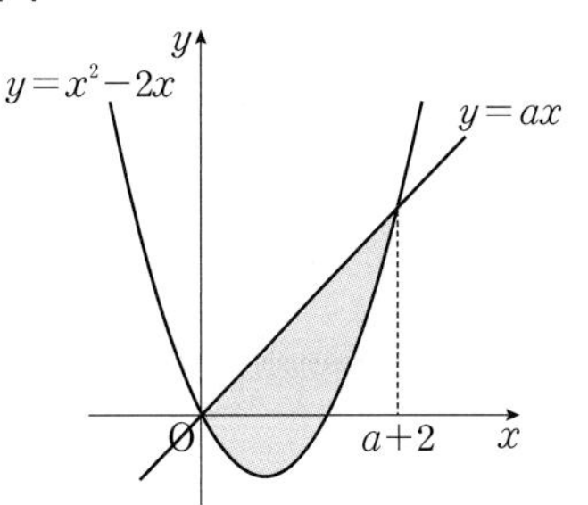

직선 $y=ax$와 곡선 $y=x^2-2x$로 둘러싸인 도형의 넓이가 36이므로

$\int_{0}^{a+2}\{ax-(x^2-2x)\}dx=\int_{0}^{a+2}\{(a+2)x-x^2\}dx$

$=\frac{|-1|\cdot(a+2)^3}{6}$

따라서 $\frac{(a+2)^3}{6}=36$에서 $a+2=6$이므로 $a=4$

(2) 곡선 $y=x^2-2x+5$와 곡선 $y=-x^2+4ax+5$로 둘러싸인 부분의 넓이가 72일 때, 양수 a에 대하여 $2a$의 값을 구하여라.

STEP Ⓐ **두 곡선의 교점의 x좌표 구하기**

두 곡선 $y=x^2-2x+5$, $y=-x^2+4ax+5$의 교점의 x좌표는

$x^2-2x+5=-x^2+4ax+5$에서 $2x(x-1-2a)=0$

$\therefore$ $x=0$ 또는 $x=2a+1$

STEP Ⓑ **두 이차함수로 둘러싸인 넓이 공식을 이용하여 a의 값 구하기**

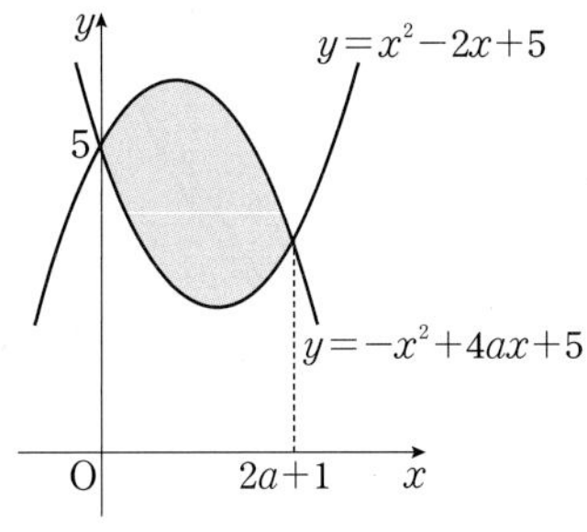

두 곡선으로 둘러싸인 부분의 넓이를 S라 하면

$S=\int_{0}^{2a+1}\{(-x^2+4ax+5)-(x^2-2x+5)\}dx$

$=\int_{0}^{2a+1}\{-2x^2+2(2a+1)x\}dx$

$=\frac{|1-(-1)|}{6}\cdot(2a+1-0)^3$

$\frac{1}{3}(2a+1)^3=72$에서 $(2a+1)^3=216=6^3$이므로 $2a+1=6$

$\therefore$ $a=\frac{5}{2}$

따라서 $2a=2\cdot\frac{5}{2}=5$

0786

곡선 $y=x^2+4$ 위의 점 $(6,\ 40)$에서의 접선과 곡선 $y=x^2$으로 둘러싸인 도형의 넓이는?

① 9　　② $\frac{28}{3}$　　③ 10　　④ $\frac{32}{3}$　　⑤ 11

STEP A **곡선 $y=x^2+4$ 위의 점 $(6,\ 40)$에서의 접선의 방정식 구하기**

$f(x)=x^2+4$라 하면 $f'(x)=2x$

점 $(6,\ 40)$에서의 접선의 기울기는 $f'(6)=12$이므로 접선의 방정식은

$y-40=12(x-6)$ $\therefore\ y=12x-32$

STEP B **곡선과 직선의 교점의 x좌표 구하기**

접선 $y=12x-32$와 곡선 $y=x^2$의 교점의 x좌표는

$12x-32=x^2$에서 $x^2-12x+32=0$이므로 $(x-4)(x-8)=0$

$\therefore\ x=4$ 또는 $x=8$

STEP C **이차함수와 직선으로 둘러싸인 넓이 공식을 이용하여 양수 a의 값 구하기**

닫힌구간 $[4,\ 8]$에서 $12x-32\ge x^2$

이므로 구하는 넓이를 S라 하면

$S=\int_4^8 (12x-32-x^2)dx$

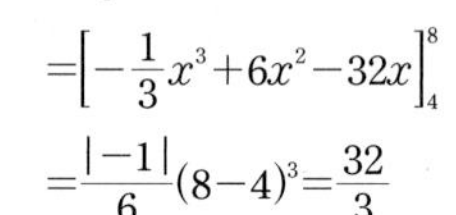

$=\left[-\frac{1}{3}x^3+6x^2-32x\right]_4^8$

$=\frac{|-1|}{6}(8-4)^3=\frac{32}{3}$

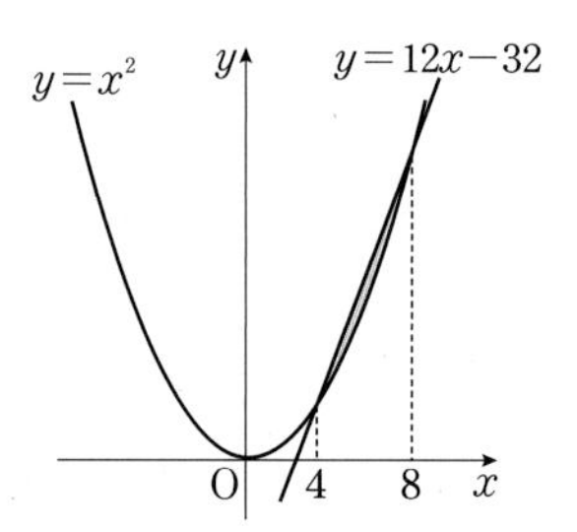

0787

곡선 $y=x^2$ 위에서 두 점 $\mathrm{P}(a,\ a^2)$, $\mathrm{Q}(b,\ b^2)$이 다음 조건을 만족하면서 움직이고 있다.

선분 PQ와 곡선 $y=x^2$으로 둘러싸인 도형의 넓이는 36이다.

이때 $\lim_{a\to\infty}\frac{\overline{\mathrm{PQ}}}{a}$의 값을 구하여라. (단, $a<b$)

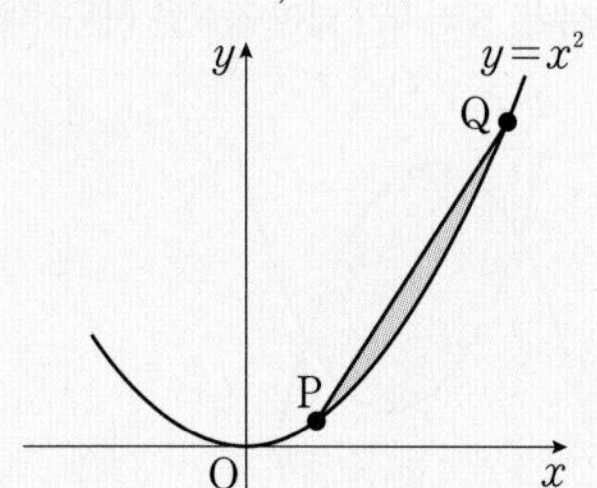

STEP A **선분 PQ와 곡선 $y=x^2$으로 둘러싸인 넓이를 이용하여 a, b의 관계식 구하기**

두 점 $\mathrm{P}(a,\ a^2)$, $\mathrm{Q}(b,\ b^2)$을 지나는 직선의 방정식은

$y-a^2=\frac{b^2-a^2}{b-a}(x-a)$, $y=(a+b)x-ab$

이 직선과 곡선 $y=x^2$으로 둘러싸인 부분의 넓이가 36이므로

$\int_a^b \{(a+b)x-ab-x^2\}dx$

$=\left[\frac{a+b}{2}x^2-abx-\frac{x^3}{3}\right]_a^b$

$=\frac{1}{6}(b-a)^3=36$

$\therefore\ b-a=6\ (\because\ b>a)$

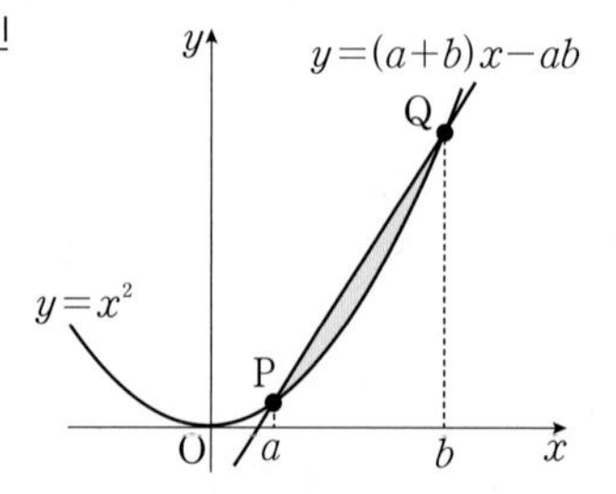

STEP B **$\lim_{a\to\infty}\frac{\overline{\mathrm{PQ}}}{a}$ 구하기**

따라서 $\lim_{a\to\infty}\frac{\overline{\mathrm{PQ}}}{a}=\lim_{a\to\infty}\frac{\sqrt{(b-a)^2+(b^2-a^2)^2}}{a}$

$=\lim_{a\to\infty}\frac{\sqrt{(b-a)^2+(b-a)^2(b+a)^2}}{a}$

$=\lim_{a\to\infty}\frac{\sqrt{6^2+6^2(2a+6)^2}}{a}$

$=\lim_{a\to\infty}\sqrt{\frac{36}{a^2}+36\left(2+\frac{6}{a}\right)^2}$

$=12$

공식을 이용하여 풀이하기

직선 $y=(a+b)x-ab$과 곡선 $y=x^2$으로 둘러싸인 부분의 넓이가 36이므로 $\frac{1}{6}(b-a)^3=36$

$\therefore\ b-a=6\ (\because\ b>a)$

0788

실수 m에 대하여 곡선 $y=x^2$과 직선 $y=mx+2$로 둘러싸인 도형의 넓이의 최솟값을 구하여라.

STEP A **이차곡선과 직선으로 둘러싸인 부분을 넓이 공식을 이용하여 구하기**

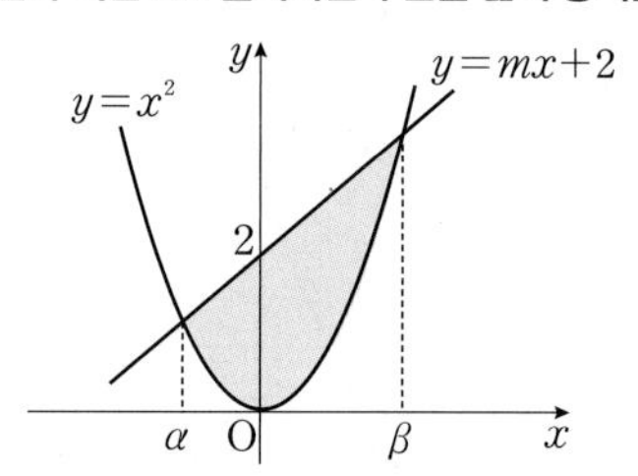

곡선 $y=x^2$과 직선 $y=mx+2$의 교점의 x좌표를 α, $\beta\ (\alpha<\beta)$라 하고

곡선과 직선으로 둘러싸인 도형의 넓이를 $S(m)$이라고 하면

$S(m)=\int_\alpha^\beta |x^2-(mx+2)|dx$

$=\int_\alpha^\beta \{(mx+2)-x^2\}dx$

$=\int_\alpha^\beta -(x-\alpha)(x-\beta)dx$

$=\frac{1}{6}(\beta-\alpha)^3$

STEP B **도형의 넓이의 최솟값 구하기**

이때 α, β는 방정식 $x^2=mx+2$, 즉 $x^2-mx-2=0$의 두 근이므로

근과 계수의 관계에서

$\alpha+\beta=m$, $\alpha\beta=-2$

$\therefore\ (\beta-\alpha)^2=(\alpha+\beta)^2-4\alpha\beta=m^2+8$

$\beta-\alpha=\sqrt{m^2+8}$이므로 $\frac{1}{6}(\beta-\alpha)^3=\frac{1}{6}(\sqrt{m^2+8})^3$

따라서 $m=0$일 때, 넓이의 최솟값은 $\frac{1}{6}\cdot(\sqrt{8})^3=\frac{8\sqrt{2}}{3}$

$f(x)=ax^2+bx+c\ (a\ne0)$와 $y=mx+n$으로 둘러싸인 도형의 넓이의 최솟값은 $ax^2+bx+c=mx+n$에서 $ax^2+(b-m)x+c-n=0$일 때, $S=\frac{4}{3}\left(\sqrt{|a(c-n)|}\right)^3$ (단, 상수항이 일정할 때, 사용한다.)

0789

곡선 $y=-x^2+4$와 이 곡선 위의 임의의 점 $(a, -a^2+4)$에서의 접선 및 두 직선 $x=0$, $x=2$로 둘러싸인 도형의 넓이의 최솟값은? (단, $0<a<2$)

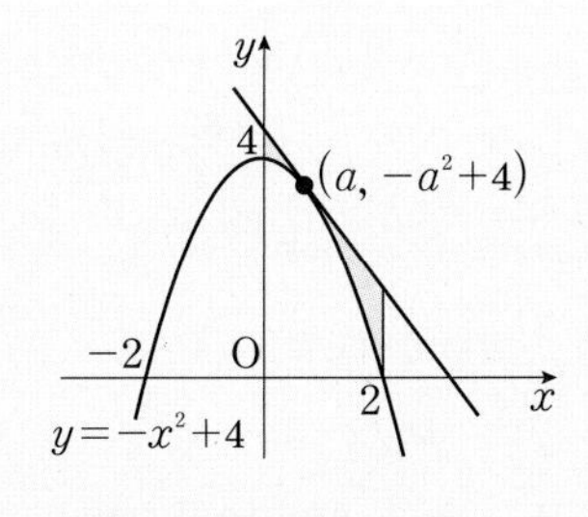

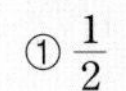
① $\frac{1}{2}$ ② $\frac{2}{3}$
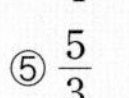
③ $\frac{3}{4}$ ④ $\frac{3}{2}$
⑤ $\frac{5}{3}$

STEP Ⓐ **곡선 위의 점에서 접선의 방정식 구하기**

$f(x)=-x^2+4$로 놓으면 $f'(x)=-2x$

곡선 $y=f(x)$ 위의 임의의 점 $(a, -a^2+4)$에서의 접선의 기울기는

$f'(a)=-2a$이므로 접선의 방정식은 $y-(-a^2+4)=-2a(x-a)$

$\therefore y=-2ax+a^2+4$

STEP Ⓑ **곡선과 직선 사이의 넓이를 a에 관한 식으로 나타내기**

곡선 $y=-x^2+4$와 접선 $y=-2ax+a^2+4$ 및 두 직선 $x=0$, $x=2$로 둘러싸인 도형의 넓이를 $S(a)$라 하면

$$S(a)=\int_0^2\{(-2ax+a^2+4)-(-x^2+4)\}dx$$
$$=\int_0^2(x^2-2ax+a^2)dx$$
$$=\left[\frac{1}{3}x^3-ax^2+a^2x\right]_0^2$$
$$=2a^2-4a+\frac{8}{3}$$

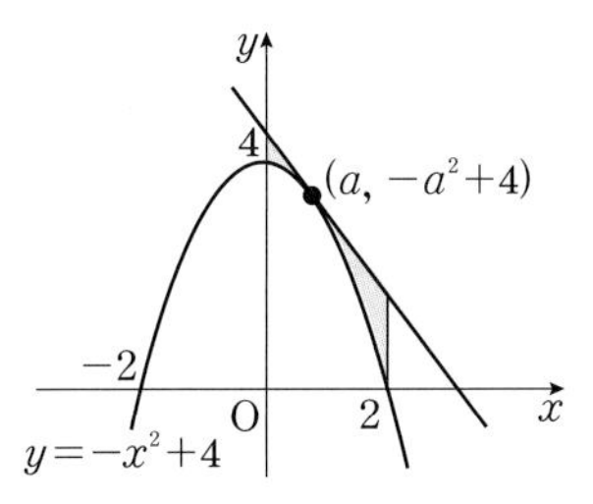

STEP Ⓒ **도형의 넓이의 최솟값 구하기**

$S(a)=2a^2-4a+\frac{8}{3}=2(a-1)^2+\frac{2}{3}$

따라서 $0<a<2$이므로 구하는 도형의 넓이의 최솟값은 $S(1)=\frac{2}{3}$

0790

오른쪽 그림과 같이 구간 $[0, 2]$에서 곡선 $y=4-x^2$과 y축 및 두 직선 $y=k$, $x=2$로 둘러싸인 두 부분의 넓이의 합이 최소가 되도록 하는 상수 k의 값을 구하여라.

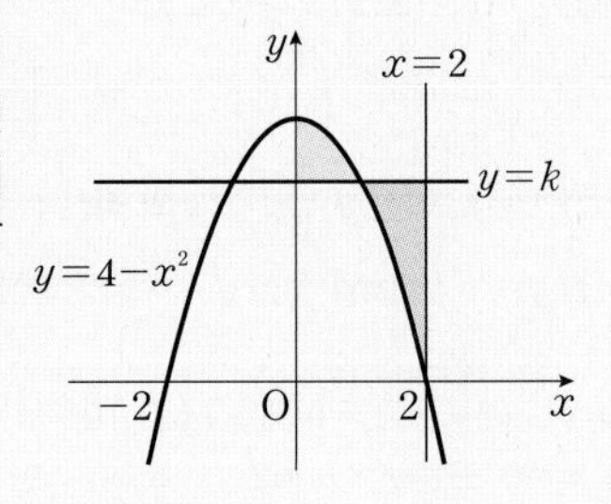

STEP Ⓐ **곡선과 직선의 교점의 x좌표의 관계식 구하기**

곡선 $y=4-x^2$과 직선 $y=k$의 교점의 x좌표를 α라고 하면

$k=4-\alpha^2$

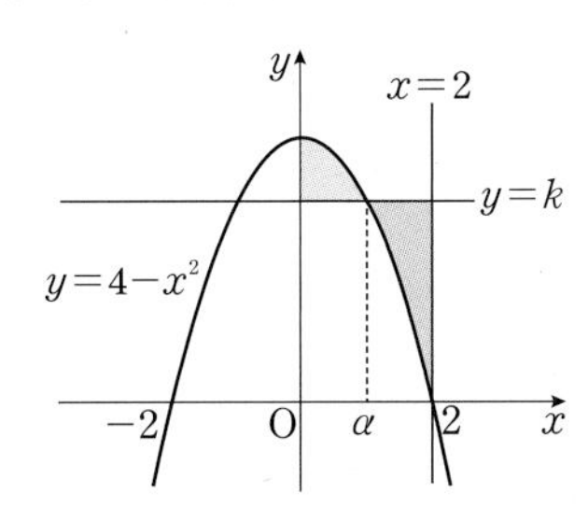

STEP Ⓑ **넓이의 합을 α에 관한 삼차함수로 나타내기**

닫힌구간 $[0, \alpha]$에서 $k\le 4-x^2$이고

닫힌구간 $[\alpha, 2]$에서 $k\ge 4-x^2$이므로

구하는 넓이를 $S(\alpha)$라 하면

$$S(\alpha)=\int_0^\alpha(4-x^2-k)dx+\int_\alpha^2\{k-(4-x^2)\}dx$$
$$=\left[4x-\frac{1}{3}x^3-kx\right]_0^\alpha+\left[kx-4x+\frac{1}{3}x^3\right]_\alpha^2$$
$$=-\frac{2}{3}\alpha^3+8\alpha-2k\alpha+2k-\frac{16}{3}$$

$k=4-\alpha^2$을 대입하여 정리하면

$$S(\alpha)=\frac{4}{3}\alpha^3-2\alpha^2+\frac{8}{3}$$

STEP Ⓒ **함수 $S(\alpha)$의 증가와 감소를 표로 나타내어 최소가 되는 k 구하기**

$S'(\alpha)=4\alpha^2-4\alpha=4\alpha(\alpha-1)$

$S'(\alpha)=0$에서 $\alpha=0$ 또는 $\alpha=1$

$0\le\alpha\le 2$에서 $S(\alpha)$의 증가와 감소를 표로 나타내면 다음과 같다.

x	0	$\cdots$	1	$\cdots$	2
$f'(x)$	0	$-$	0	$+$	$+$
$f(x)$		↘	극소	↗	

따라서 $S(\alpha)$는 $\alpha=1$일 때, 극소이면서 최소이므로 구하는 상수 k의 값은

$k=4-1=3$

0791

함수 $f(x)=x^3+ax^2+bx-3$이 $x=1$에서 극댓값 0을 가질 때, 곡선 $y=f(x)$와 x축으로 둘러싸인 도형의 넓이를 구하여라. (단, a, b는 상수)

STEP Ⓐ **$x=1$에서 극댓값 0임을 이용하여 상수 a, b의 값 구하기**

함수 $f(x)=x^3+ax^2+bx-3$에서 $f'(x)=3x^2+2ax+b$

함수 $f(x)$가 $x=1$에서 극댓값 0이므로 $f'(1)=0$, $f(1)=0$

$f'(1)=3+2a+b=0$ …… ㉠

$f(1)=1+a+b-3=0$ …… ㉡

㉠, ㉡을 연립하여 풀면 $a=-5$, $b=7$

STEP Ⓑ **정적분을 이용하여 도형의 넓이 구하기**

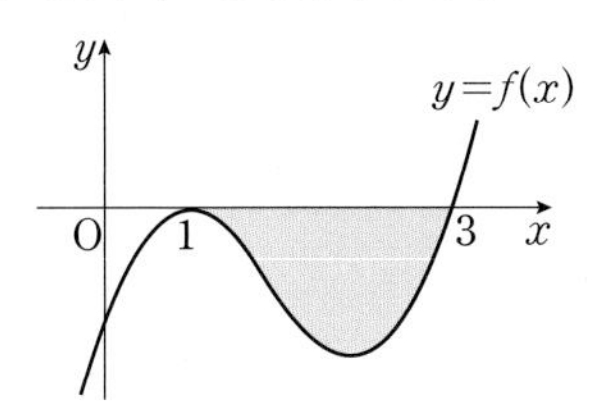

$f(x)=x^3-5x^2+7x-3$의 교점 x의 좌표는

$x^3-5x^2+7x-3=0$

$(x-1)^2(x-3)=0$에서 $x=1$ 또는 $x=3$

따라서 구하는 넓이를 S라 하면

$$S=-\int_1^3(x^3-5x^2+7x-3)dx$$
$$=-\left[\frac{1}{4}x^4-\frac{5}{3}x^3+\frac{7}{2}x^2-3x\right]_1^3$$
$$=\frac{4}{3}$$

다른풀이 공식을 이용하여 풀이하기

삼차함수와 접선으로 둘러싸인 넓이 공식 $S=\frac{|a|}{12}(\beta-\alpha)^4$을 이용하면

$$S=-\int_1^3(x^3-5x^2+7x-3)dx=\frac{1}{12}\{3-1\}^4=\frac{4}{3}$$

0792

삼차함수 $f(x)$가 다음 두 조건을 만족시킨다.

(가) $f'(x)=3x^2-4x-4$
(나) 함수 $y=f(x)$의 그래프는 $(2,\ 0)$을 지난다.

이때 함수 $y=f(x)$의 그래프와 x축으로 둘러싸인 도형의 넓이는?

① $\frac{56}{3}$　② $\frac{58}{3}$　③ 20
④ $\frac{62}{3}$　⑤ $\frac{64}{3}$

STEP Ⓐ **부정적분의 적분상수를 구하여 삼차함수 $f(x)$의 그래프 그리기**

조건 (가)에서 $f'(x)=3x^2-4x-4$이므로

$f(x)=\int(3x^2-4x-4)dx$

$=x^3-2x^2-4x+C$ (단, C는 적분상수)

이때 조건 (나)에서 함수 $y=f(x)$의 그래프가 점 $(2,\ 0)$을 지나므로

$f(2)=-8+C=0$

$\therefore C=8$

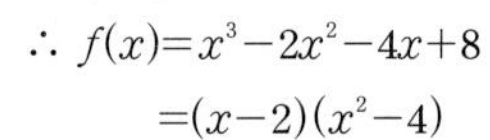

$\therefore f(x)=x^3-2x^2-4x+8$

$=(x-2)(x^2-4)$

$y=f(x)$의 교점의 x좌표는

$(x+2)(x-2)^2=0$에서

$x=-2$ 또는 $x=2$

함수 $y=f(x)$의 그래프는 오른쪽 그림과 같다.

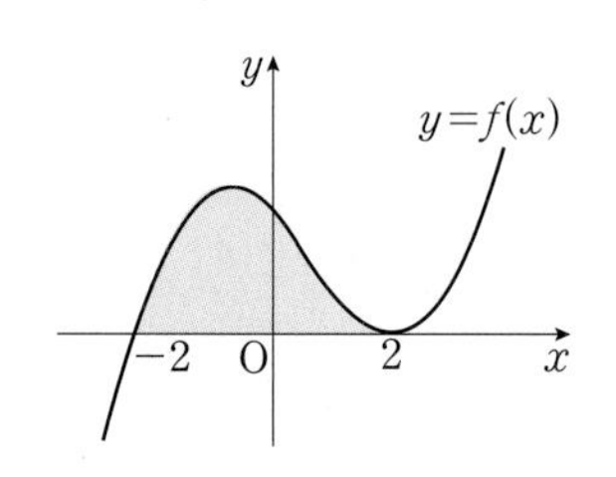

STEP Ⓑ **정적분을 이용하여 넓이 구하기**

따라서 함수 $y=f(x)$의 그래프와 x축으로 둘러싸인 부분의 넓이는

$\int_{-2}^{2}(x^3-2x^2-4x+8)dx=2\int_{0}^{2}(-2x^2+8)dx$

$=2\left[-\frac{2}{3}x^3+8x\right]_0^2$

$=\frac{64}{3}$

다른풀이 공식을 이용하여 풀이하기

삼차함수와 접선으로 둘러싸인 넓이공식 $S=\frac{|a|}{12}(\beta-\alpha)^4$을 이용하면

$\therefore \int_{-2}^{2}(x^3-2x^2-4x+8)dx=\frac{|1|}{12}\{2-(-2)\}^4=\frac{64}{3}$

0793

삼차함수 $y=f(x)$의 그래프가 오른쪽 그림과 같고, 이 곡선과 x축으로 둘러싸인 부분의 넓이가 27일 때, $f(x)$의 극솟값을 구하여라.

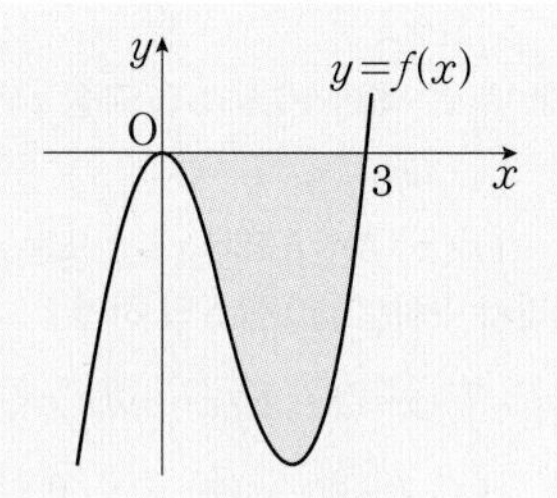

STEP Ⓐ **그래프에서 삼차함수의 식 세우기**

$f(x)=ax^2(x-3)(a>0)$으로 놓으면

함수 $y=f(x)$의 그래프와 x축으로 둘러싸인 부분의 넓이가 27이므로

$\int_0^3|f(x)|dx=\int_0^3|ax^2(x-3)|dx=27$

STEP Ⓑ **함수 $f(x)$와 x축으로 둘러싸인 넓이 이용하기**

그런데 $0<x<3$에서 $ax^2(x-3)<0$이므로

$\int_0^3|ax^2(x-3)|dx=\int_0^3\{-(ax^3-3ax^2)\}dx$

$=\left[-\frac{a}{4}x^4+ax^3\right]_0^3$

$=-\frac{81}{4}a+27a$

$=\frac{27}{4}a$

즉 $\frac{27}{4}a=27$이므로 $a=4$

$\therefore f(x)=4x^2(x-3)$

STEP Ⓒ **$f(x)$의 극솟값 구하기**

$f(x)=4x^2(x-3)$에서 $f'(x)=12x(x-2)$

$f'(x)=0$에서 $x=0$ 또는 $x=2$

$f(x)$의 증가와 감소를 표로 나타내면 다음과 같다.

x	$\cdots$	0	$\cdots$	2	$\cdots$
$f'(x)$	$+$	0	$-$	0	$+$
$f(x)$	↗	극대	↘	극소	↗

따라서 $x=2$에서 극소이고 $f(x)$의 극솟값은 $f(2)=-16$

x축에 접하는 삼차함수 $f(x)=ax^2(x-3)(a>0)$와 x축으로 둘러싸인 도형의 넓이 S는 $S=\frac{|a|}{12}(\beta-\alpha)^4$이므로

$S=\frac{a}{12}(3-0)^4=27\quad \therefore a=4$

0794

오른쪽 그림과 같이 곡선 $y=x^2-2x$와 직선 $y=mx$로 둘러싸인 도형의 넓이가 x축에 의해 이등분될 때, 상수 m의 값을 구하여라. (단, $m>0$)

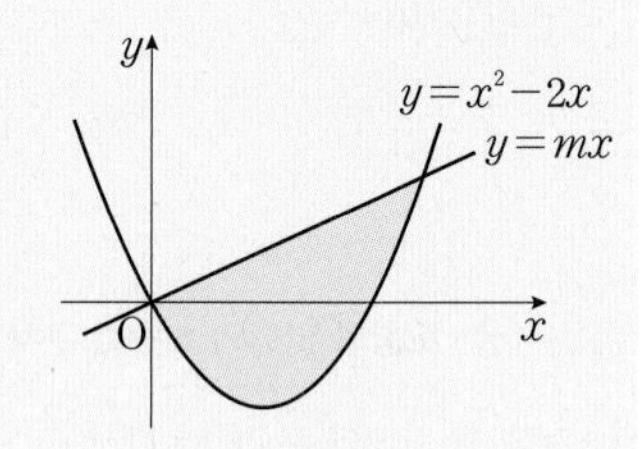

STEP Ⓐ **곡선 $y=x^2-2x$와 x축으로 둘러싸인 부분의 넓이 구하기**

곡선 $y=x^2-2x$와 x축의 교점의 x좌표는

$x^2-2x=0$에서 $x(x-2)=0$

$\therefore x=0$ 또는 $x=2$

곡선 $y=x^2-2x$와 x축으로 둘러싸인 부분의 넓이는

$\int_0^2|x^2-2x|dx=\int_0^2(-x^2+2x)dx=\left[-\frac{1}{3}x^3+x^2\right]_0^2=\frac{4}{3}$

STEP Ⓑ **곡선 $y=x^2-2x$와 직선 $y=mx$로 둘러싸인 부분의 넓이 구하기**

곡선 $y=x^2-2x$와 직선 $y=mx$의 교점의 x좌표를 구하면

$x^2-2x=mx$

즉 $x^2-(2+m)x=0$에서 $x\{x-(2+m)\}=0$

$\therefore x=0$ 또는 $x=m+2$

곡선 $y=x^2-2x$와 직선 $y=mx$로 둘러싸인 부분의 넓이가

$2\cdot\frac{4}{3}=\frac{8}{3}$이므로

$\frac{8}{3}=\int_0^{m+2}\{mx-(x^2-2x)\}dx$

$=\int_0^{m+2}\{-x^2+(m+2)x\}dx$

$=\left[-\frac{1}{3}x^3+\frac{1}{2}(m+2)x^2\right]_0^{m+2}$

$=-\frac{1}{3}(m+2)^3+\frac{1}{2}(m+2)^3$

$=\frac{(m+2)^3}{6}$

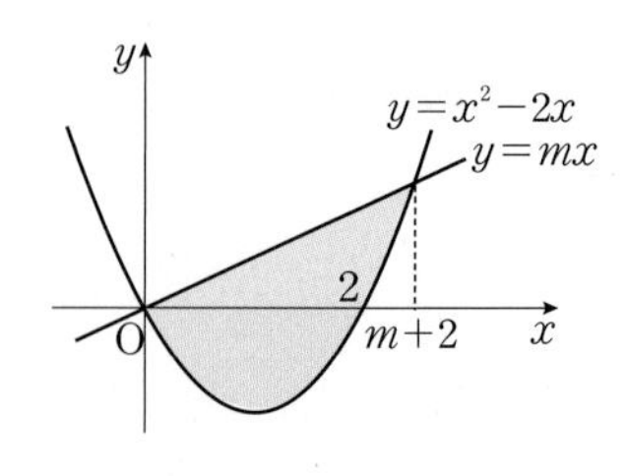

STEP **C** **상수 m의 값 구하기**

즉 $\frac{8}{3}=\frac{(m+2)^3}{6}$이므로 $(m+2)^3=16$

따라서 $m+2=\sqrt[3]{16}$이므로 $m=2\sqrt[3]{2}-2$

0795

오른쪽 그림과 같이 곡선 $y=-x^2+2x$와 x축으로 둘러싸인 도형의 넓이를 곡선 $y=ax^2$이 이등분할 때, 상수 a의 값은? (단, $a>0$)

① $\sqrt{2}-1$ ② $\sqrt{2}$

③ $\sqrt{2}+1$ ④ $\sqrt{2}+2$

⑤ $\sqrt{2}+4$

STEP **A** **곡선과 x축의 교점의 x좌표 구하기**

곡선 $y=-x^2+2x$와 x축의 교점의 x좌표는

$-x^2+2x=0$에서 $x(x-2)=0$

$\therefore x=0$ 또는 $x=2$

또한, 두 곡선의 교점의 x좌표를 구하면

$-x^2+2x=ax^2$에서 $(a+1)x^2-2x=0$, $x\{(a+1)x-2\}=0$

$\therefore x=0$ 또는 $\frac{2}{a+1}$

STEP **B** **곡선 $y=-x^2+2x$와 x축으로 둘러싸인 도형의 넓이 구하기**

곡선 $y=-x^2+2x$와 x축으로 둘러싸인 부분의 넓이는

$\int_0^2(-x^2+2x)dx=\left[-\frac{1}{3}x^3+x^2\right]_0^2=-\frac{8}{3}+4=\frac{4}{3}$

STEP **C** **두 곡선 $y=-x^2+2x$, $y=ax^2$으로 둘러싸인 부분의 넓이 구하기**

두 곡선 $y=-x^2+2x$, $y=ax^2$으로 둘러싸인 부분의 넓이가

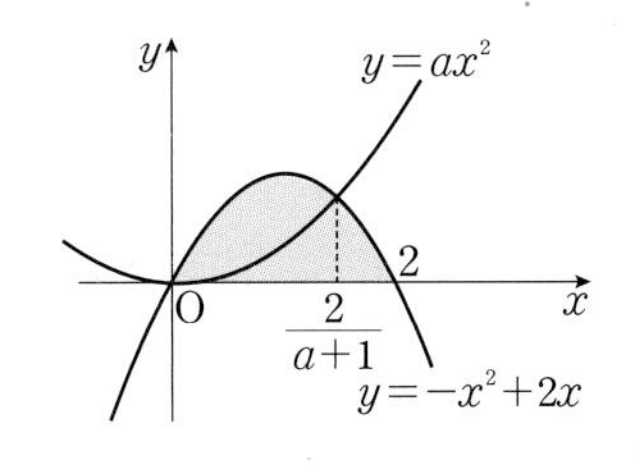

$\frac{1}{2}\cdot\frac{4}{3}=\frac{2}{3}$이므로

$\frac{2}{3}=\int_0^{\frac{2}{a+1}}\{(-x^2+2x)-ax^2\}dx$

$=\int_0^{\frac{2}{a+1}}\{-(a+1)x^2+2x\}dx$

$=\left[-\frac{1}{3}(a+1)x^3+x^2\right]_0^{\frac{2}{a+1}}$

$=-\frac{1}{3}(a+1)\left(\frac{2}{a+1}\right)^3+\left(\frac{2}{a+1}\right)^2$

$=\frac{4}{3(a+1)^2}$

$\frac{2}{3}=\frac{4}{3(a+1)^2}$에서 $(a+1)^2=2$

따라서 $a=\sqrt{2}-1$ ($\because a>0$)

0796

두 곡선 $y=x^4-x^3$, $y=-x^4+x$로 둘러싸인 도형의 넓이가 곡선 $y=ax(1-x)$에 의하여 이등분될 때, 상수 a의 값은? (단, $0<a<1$)

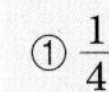

① $\frac{1}{4}$ ② $\frac{3}{8}$

③ $\frac{5}{8}$ ④ $\frac{3}{4}$

⑤ $\frac{7}{8}$

STEP **A** **두 곡선 $y=x^4-x^3$, $y=-x^4+x$로 둘러싸인 도형의 넓이 구하기**

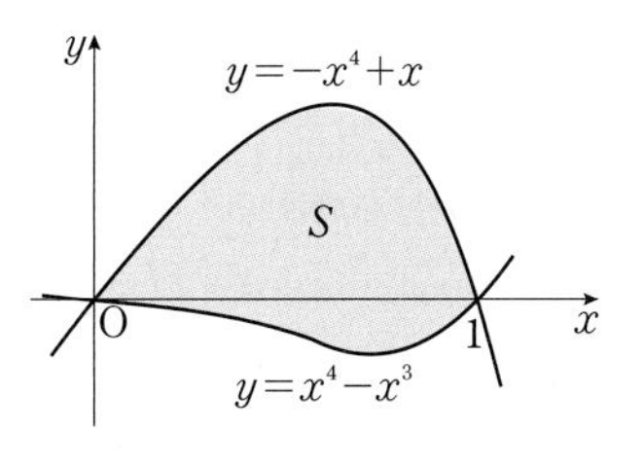

두 곡선 $y=x^4-x^3$, $y=-x^4+x$로 둘러싸인 도형의 넓이를 S라 하면

$S=\int_0^1\{-x^4+x-(x^4-x^3)\}dx$

$=\int_0^1(-2x^4+x^3+x)dx$

$=\left[-\frac{2}{5}x^5+\frac{1}{4}x^4+\frac{1}{2}x^2\right]_0^1$

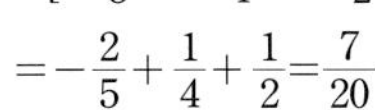

$=-\frac{2}{5}+\frac{1}{4}+\frac{1}{2}=\frac{7}{20}$

STEP **B** **곡선 $y=ax(1-x)$가 넓이 S를 이등분함을 이용하여 a의 값 구하기**

두 곡선 $y=x^4-x^3$, $y=ax(1-x)$로 둘러싸인 도형의 넓이를 S'이라 하면

$S'=\int_0^1\{ax(1-x)-(x^4-x^3)\}dx$

$=\int_0^1(-x^4+x^3-ax^2+ax)dx$

$=\left[-\frac{1}{5}x^5+\frac{1}{4}x^4-\frac{a}{3}x^3+\frac{a}{2}x^2\right]_0^1$

$=-\frac{1}{5}+\frac{1}{4}-\frac{a}{3}+\frac{a}{2}$

$=\frac{1}{20}+\frac{a}{6}$

$S=2S'$이므로 $\frac{7}{20}=2\left(\frac{1}{20}+\frac{a}{6}\right)$, $\frac{7}{20}=\frac{2}{20}+\frac{a}{3}$, $\frac{a}{3}=\frac{1}{4}$

따라서 $a=\frac{3}{4}$

두 곡선 $y=ax(1-x)$, $y=x^4-x^3$으로 둘러싸인 부분의 넓이는

$\frac{1}{2}\cdot\frac{7}{20}=\frac{7}{40}$이므로

$\frac{7}{40}=\int_0^1\{(-x^4+x)-(ax-ax^2)\}dx$

$=\int_0^1(-x^4+x^3-ax^2+ax)dx$

$=\left[-\frac{1}{5}x^5+\frac{1}{4}x^4-\frac{a}{3}x^3+\frac{a}{2}x^2\right]_0^1$

$=-\frac{1}{5}+\frac{1}{4}-\frac{a}{3}+\frac{a}{2}$

$=\frac{1}{20}+\frac{a}{6}$

따라서 $a=\frac{3}{4}$

다른풀이 $y=-x^4+x$, $y=ax(1-x)$로 둘러싸인 도형의 넓이와 $y=ax(1-x)$, $y=x^4-x^3$으로 둘러싸인 도형의 넓이가 같음을 이용하여 풀이하기

$f(x)=-x^4+x$, $g(x)=x^4-x^3$, $h(x)=ax(1-x)$라 하면

두 곡선 $f(x)$와 $g(x)$로 둘러싸인 도형의 넓이가 곡선 $y=h(x)$에 의하여 이등분되므로 두 곡선 $f(x)$, $h(x)$로 둘러싸인 도형의 넓이와 두 곡선 $g(x)$, $h(x)$로 둘러싸인 도형의 넓이는 같다.

따라서 $\int_0^1\{f(x)-h(x)\}dx=\int_0^1\{h(x)-g(x)\}dx$

$\int_0^1\{(-x^4+x)-ax(1-x)\}dx=\int_0^1\{ax(1-x)-(x^4-x^3)\}dx$

$\int_0^1\{(-x^4+x)+(x^4-x^3)-2ax(1-x)\}dx=0$

$\int_0^1\{(-x^3+x)-2ax+2ax^2\}dx=0$

$\left[-\frac{1}{4}x^4+\frac{1}{2}x^2-ax^2+\frac{2}{3}ax^3\right]_0^1=0$

$-\frac{1}{4}+\frac{1}{2}-a+\frac{2}{3}a=0$, $\frac{a}{3}=\frac{1}{4}$

따라서 $a=\frac{3}{4}$

0797

다음 물음에 답하여라.

(1) 곡선 $y=x^2(x-1)$과 x축으로 둘러싸인 도형을 A라 하고 곡선 $y=x^2(x-1)$과 직선 $x=a(a>1)$ 및 x축으로 둘러싸인 도형을 B라 하자. 두 도형 A, B의 넓이가 같을 때, 상수 a의 값을 구하여라.

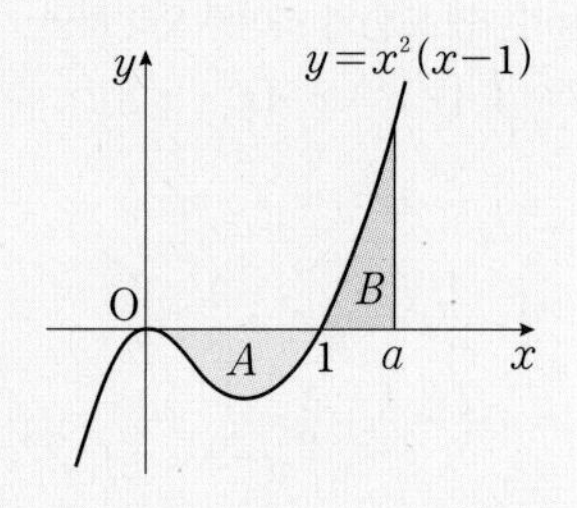

STEP Ⓐ 곡선과 x축으로 둘러싸인 두 도형의 넓이가 같으므로 정적분의 부호가 반대임을 이용하기

도형 A의 넓이와 도형 B의 넓이가 같으므로

$f(x)=x^2(x-1)$라 하면

$-\int_0^1 f(x)dx=\int_1^a f(x)dx$

즉 $\int_0^1 f(x)dx+\int_1^a f(x)dx=0$

$\therefore \int_0^a f(x)dx=0$

STEP Ⓑ $\int_0^a f(x)dx=0$임을 이용하여 a의 값 구하기

$$\int_0^a x^2(x-1)dx=\int_0^a (x^3-x^2)dx$$
$$=\left[\frac{1}{4}x^4-\frac{1}{3}x^3\right]_0^a$$
$$=\frac{a^4}{4}-\frac{a^3}{3}=0$$

$a>0$이므로 $\frac{a}{4}-\frac{1}{3}=0$

따라서 $a=\frac{4}{3}$

(2) 오른쪽 그림과 같이 곡선 $y=\frac{1}{2}x^2$과 직선 $y=kx$로 둘러싸인 부분의 넓이를 A, 곡선 $y=\frac{1}{2}x^2$과 두 직선 $x=2$, $y=kx$로 둘러싸인 부분의 넓이를 B라 하자. $A=B$일 때, $30k$의 값을 구하여라.
(단, k는 $0<k<1$인 상수이다.)

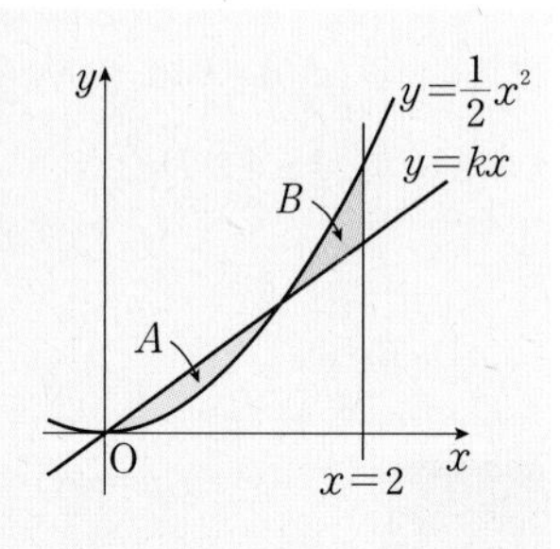

STEP Ⓐ 곡선과 직선의 교점 구하기

$y=\frac{1}{2}x^2$과 $y=kx$가 만나는 점의 x좌표는

$\frac{1}{2}x^2=kx$에서 $x\left(\frac{1}{2}x-k\right)=0$

$\therefore x=0$ 또는 $x=2k$

STEP Ⓑ 두 곡선 사이의 넓이가 서로 같을 조건을 이용하여 k 구하기

$A=\int_0^{2k}\left(kx-\frac{1}{2}x^2\right)dx$,

$B=\int_{2k}^2\left(\frac{1}{2}x^2-kx\right)dx$

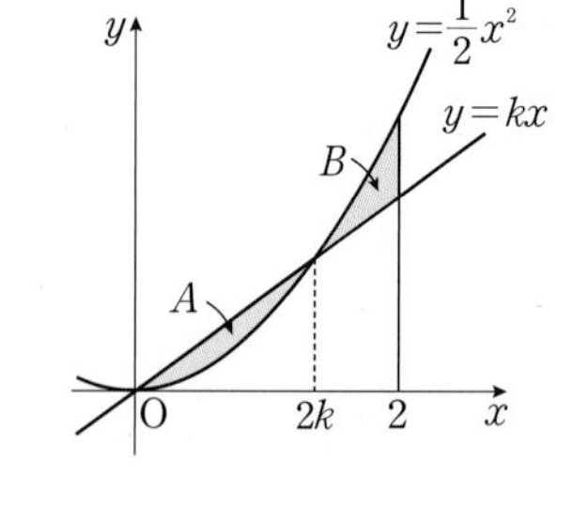

$A=B$이므로

$$\int_0^{2k}\left(kx-\frac{1}{2}x^2\right)dx$$
$$=\int_{2k}^2\left(\frac{1}{2}x^2-kx\right)dx$$
$$=-\int_{2k}^2\left(kx-\frac{1}{2}x^2\right)dx$$

$\int_0^{2k}\left(kx-\frac{1}{2}x^2\right)dx+\int_{2k}^2\left(kx-\frac{1}{2}x^2\right)dx=0$

$\therefore \int_0^2\left(kx-\frac{1}{2}x^2\right)dx=0$

즉 $\int_0^2\left(kx-\frac{1}{2}x^2\right)dx=\left[\frac{k}{2}x^2-\frac{1}{6}x^3\right]_0^2=2k-\frac{4}{3}=0$

따라서 $k=\frac{2}{3}$이고 $30k=20$

0798

다음 물음에 답하여라.

(1) 오른쪽 그림과 같이 삼차함수 $f(x)=-(x+1)^3+8$의 그래프가 x축과 만나는 점을 A라 하고 점 A를 지나고 x축에 수직인 직선을 l이라 하자. 또, 곡선 $y=f(x)$와 y축 및 직선 $y=k(0<k<7)$로 둘러싸인 부분의 넓이를 S_1이라 하고 곡선 $y=f(x)$와 직선 l 및 직선 $y=k$로 둘러싸인 부분의 넓이를 S_2라 하자. 이때 $S_1=S_2$가 되도록 하는 상수 k에 대하여 $4k$의 값을 구하여라.

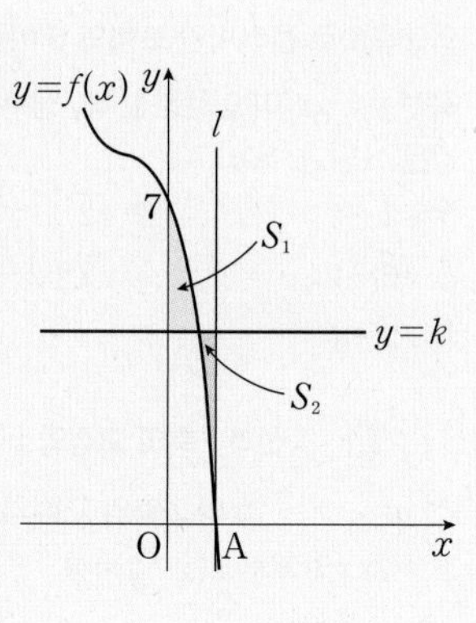

STEP Ⓐ 점 A의 좌표 구하기

함수 $f(x)=-(x+1)^3+8$의 그래프가 x축과 만나는 점이 A이므로

$-(x+1)^3+8=0$에서 $x=1$이고 점 A의 좌표는 A$(1, 0)$

즉 직선 l의 방정식은 $x=1$

STEP Ⓑ $S_1=S_2$이면 $\int_0^1\{f(x)-k\}dx=0$임을 이용하여 상수 k 구하기

$y=f(x)$의 그래프와 직선 $y=k$의 교점의 x좌표를 a라 하면

$S_1=\int_0^a\{f(x)-k\}dx$

$S_2=-\int_a^1\{f(x)-k\}dx$

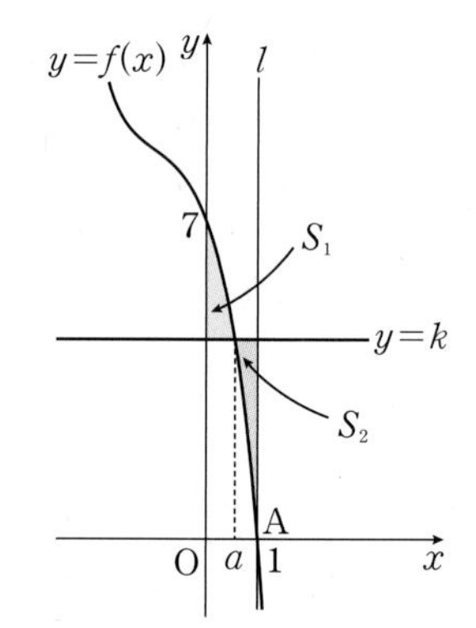

한편 $S_1=S_2$이므로

$\int_0^a\{f(x)-k\}dx=-\int_a^1\{f(x)-k\}dx$

$\int_0^a\{f(x)-k\}dx+\int_a^1\{f(x)-k\}dx=0$

$\therefore \int_0^1\{f(x)-k\}dx=0$

$$\int_0^1\{f(x)-k\}dx=\int_0^1\{-(x+1)^3+8-k\}dx$$
$$=\left[-\frac{1}{4}(x+1)^4+(8-k)x\right]_0^1$$

← $\int(ax+b)^n dx=\frac{1}{a}\cdot\frac{1}{n+1}(ax+b)^{n+1}+C$

$$=(-4+8-k)-\left(-\frac{1}{4}\right)$$
$$=-k+\frac{17}{4}$$

즉 $-k+\frac{17}{4}=0$에서 $k=\frac{17}{4}$

따라서 $4k=4\cdot\frac{17}{4}=17$

다른풀이 $y=f(x)$와 x축, y축으로 둘러싸인 넓이와 사각형 OABC의 넓이가 같음을 이용하여 풀이하기

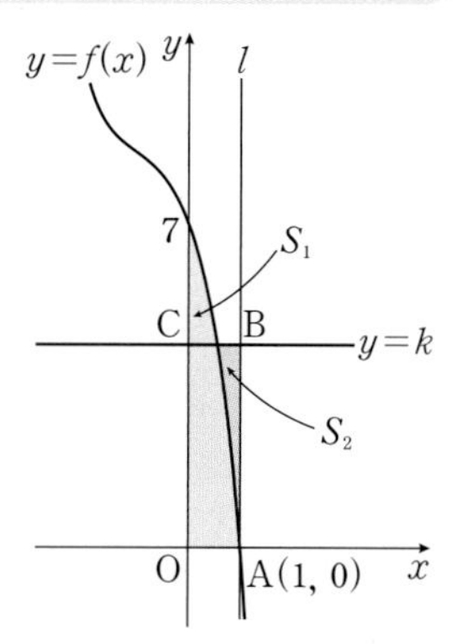

오른쪽 그림에서 $S_1=S_2$이므로 $y=f(x)$와 x축, y축으로 둘러싸인 넓이와 사각형 OABC의 넓이가 같다.

즉 $\int_0^1\{f(x)\}dx=1\cdot k$이므로

$\int_0^1\{-(x+1)^3+8\}dx=k$

$\left[-\frac{1}{4}(x+1)^4+8x\right]_0^1=k$

$(-4+8)-\left(-\frac{1}{4}\right)=\frac{17}{4}=k$

따라서 $4k=4\cdot\frac{17}{4}=17$

(2) 그림과 같이 네 점 $(0, -1)$, $(2, -1)$, $(2, 4)$, $(0, 4)$를 꼭짓점으로 하는 직사각형 내부가 곡선 $y=x^3-x^2$에 의하여 나누어지는 두 부분을 A, B, 직선 $y=ax$에 의하여 나누어지는 두 부분을 C, D라 하자. 영역 A의 넓이와 영역 C의 넓이가 같을 때, $300a$의 값을 구하여라.

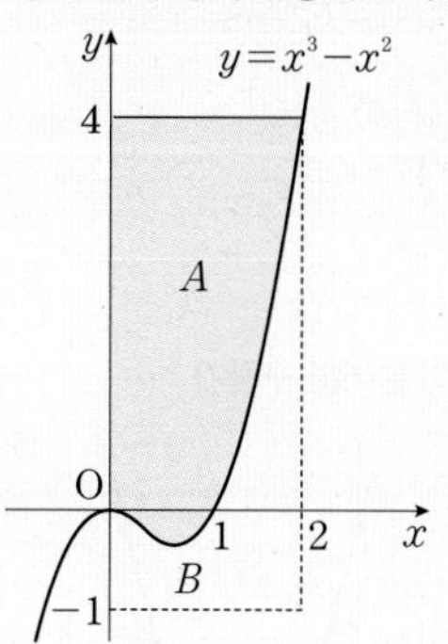

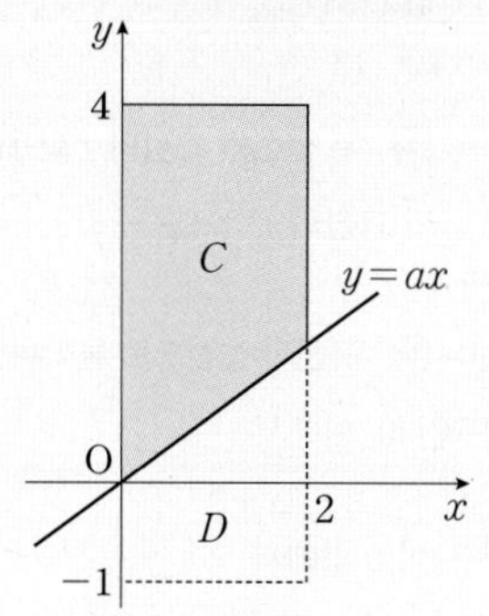

STEP A **두 영역 A, C의 넓이가 같으므로 두 영역을 겹쳐 놓고 공통부분이 아닌 영역의 넓이 구하기**

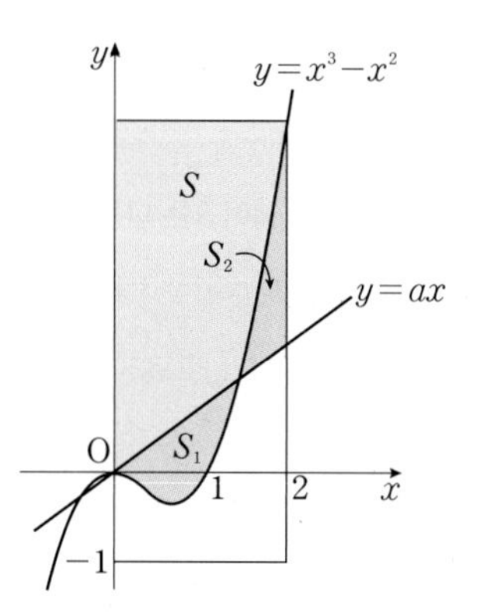

오른쪽 그림과 같이 영역 A의 넓이를 $S+S_1$,

영역 C의 넓이를 $S+S_2$라 하면

두 영역 A, C의 넓이는 같으므로

$S+S_1=S+S_2$

$\therefore S_1=S_2$

두 곡선으로 둘러싸인 두 도형 S_1, S_2의 넓이가 같으므로

$\int_0^2(x^3-x^2-ax)dx=0$에서

$\left[\frac{1}{4}x^4-\frac{1}{3}x^3-\frac{a}{2}x^2\right]_0^2=0$

$4-\frac{8}{3}-2a=0$, $2a=\frac{4}{3}$, $a=\frac{2}{3}$

따라서 $300a=200$

다른풀이 A, C의 넓이를 직접 구하여 풀이하기

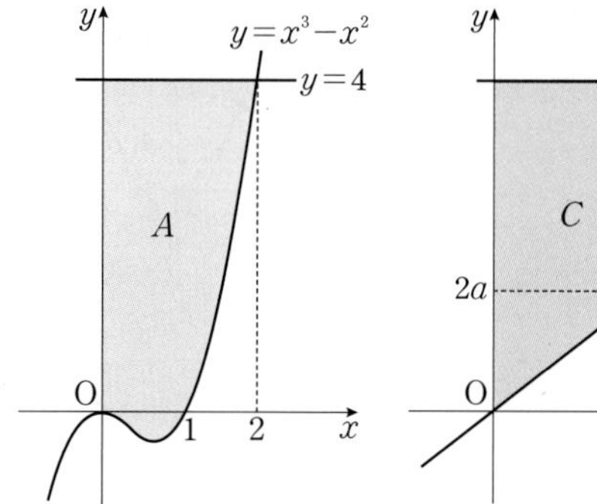

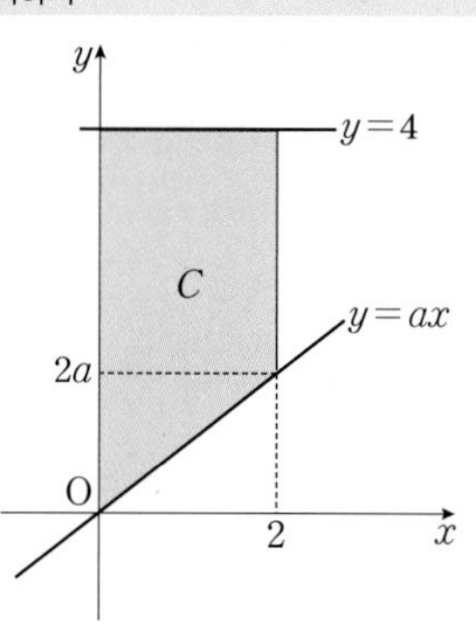

두 영역 A와 C의 넓이인

두 곡선 $y=4$, $y=x^3-x^2$과 $y=4$, $y=ax$ 사이의 넓이를 구하면

$A=\int_0^2\{4-(x^3-x^2)\}dx$, $C=\int_0^2(4-ax)dx$에서

$A=C$이므로

$\int_0^2(4-x^3+x^2)dx=\int_0^2(4-ax)dx$

$\left[4x-\frac{1}{4}x^4+\frac{1}{3}x^3\right]_0^2=\left[4x-\frac{a}{2}x^2\right]_0^2$

$8-4+\frac{8}{3}=8-2a$

$\therefore a=\frac{2}{3}$

따라서 $300a=300\cdot\frac{2}{3}=200$

0799

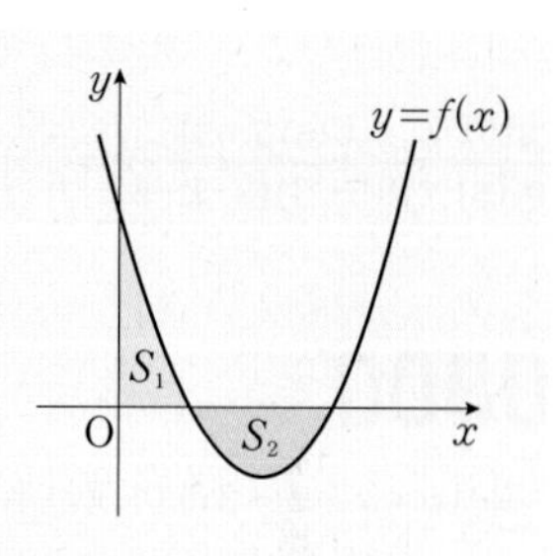

오른쪽 그림과 같이 이차함수 $f(x)=ax^2-4ax+b\,(0<b<4a)$에 대하여 곡선 $y=f(x)$와 x축, y축으로 둘러싸인 부분의 넓이를 S_1, 곡선 $y=f(x)$와 x축으로 둘러싸인 부분의 넓이를 S_2라 할 때, $S_1=S_2$이다.

함수 $g(x)$를 $g(x)=\int_0^x f(t)dt$라 할 때, $\frac{g(5)}{g'(5)}$의 값을 구하여라. (단, a, b는 상수이다.)

STEP A $g(x)$**의 그래프 개형 그리기**

$g(x)=\int_0^x f(t)dt$의 양변을 x에 대하여 미분하면

$g'(x)=f(x)$

방정식 $f(x)=0$의 두 실근을 α, $\beta\,(\alpha<\beta)$라 하면

함수 $g(x)$의 도함수가 $f(x)$이므로

$g'(x)=0$에서 $x=\alpha$ 또는 $x=\beta$

함수 $g(x)$의 증가와 감소를 표로 나타내면 다음과 같다.

x	$\cdots$	α	$\cdots$	β	$\cdots$
$g'(x)$	$+$	0	$-$	0	$+$
$g(x)$	↗	극대	↘	극소	↗

이때 $g(0)=\int_0^0 f(t)dt=0$이고 곡선 $y=f(x)$와 x축 및 y축으로 둘러싸인 부분의 넓이와 곡선 $y=f(x)$와 x축으로 둘러싸인 부분의 넓이가 서로 같으므로

$g(\beta)=\int_0^\beta f(t)dt=0$

함수 $y=g(x)$의 그래프는 다음 그림과 같다.

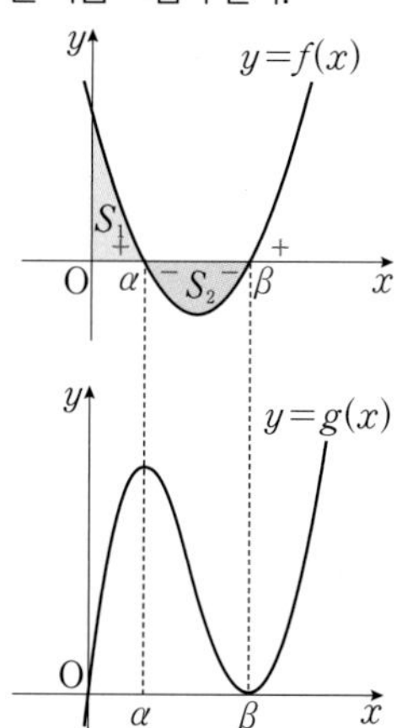

STEP Ⓑ **삼차함수 $g(x)$의 식 작성하기**

함수 $f(x)$가 이차함수이므로 함수 $g(x)$는 삼차함수이다.

$g(x)=kx(x-\beta)^2(k>0)$이라 하면

$g(x)=kx(x^2-2\beta x+\beta^2)$에서

$g'(x)=k(x^2-2\beta x+\beta^2)+kx(2x-2\beta)$

$\quad=k(x-\beta)^2+2kx(x-\beta)$

$\quad=k(x-\beta)(3x-\beta)$

$g'(x)=0$에서 $x=\beta$ 또는 $x=\frac{\beta}{3}$이므로 $\alpha=\frac{\beta}{3}$

이차방정식 $f(x)=ax^2-4ax+b=0$에서 근과 계수의 관계에 의하여

$\alpha+\beta=4$, $\frac{\beta}{3}+\beta=4$이므로 $\beta=3$

$\therefore g(x)=kx(x-3)^2$

STEP Ⓒ **$\frac{g(5)}{g'(5)}$의 값 구하기**

따라서 $g(x)=kx(x-3)^2$에서 $g'(x)=k(x-3)(3x-3)$이므로

$\frac{g(5)}{g'(5)}=\frac{k\cdot5(5-3)^2}{k(5-3)(3\cdot5-3)}=\frac{5}{6}$

0800

곡선 $y=x^3+x-3$과 이 곡선 위의 점 $(1, -1)$에서의 접선으로 둘러싸인 부분의 넓이가 $\frac{q}{p}$일 때, $p+q$의 값을 구하여라.
(단, p와 q는 서로소인 자연수이다.)

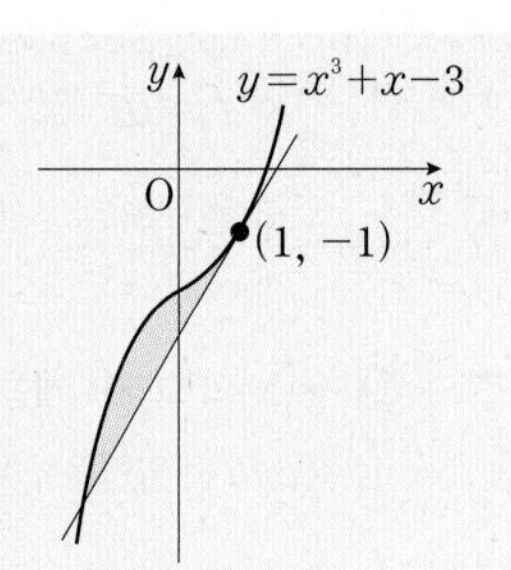

STEP Ⓐ **곡선 위의 점 $(1, -1)$에서의 접선의 방정식을 구하기**

$f(x)=x^3+x-3$으로 놓으면 $f'(x)=3x^2+1$

점 $(1, -1)$에서 접선의 기울기는 $f'(1)=3+1=4$

이므로 접선의 방정식은 $y+1=4(x-1)$

$\therefore y=4x-5$

STEP Ⓑ **접선과 곡선의 교점의 x좌표를 구하기**

곡선 $y=x^3+x-3$과 직선 $y=4x-5$의 교점의 x좌표는

$x^3+x-3=4x-5$

$x^3-3x+2=0$, $(x-1)^2(x+2)=0$ ⬅ $x=1$에서 접하므로 $(x-1)^2$의 인수를 가진다.

$\therefore x=-2$ 또는 $x=1$

STEP Ⓒ **곡선과 접선으로 둘러싸인 도형의 넓이를 구하기**

닫힌구간 $[-2, 1]$에서 $x^3+x-3\ge4x-5$

이므로 구하는 넓이를 S라 하면

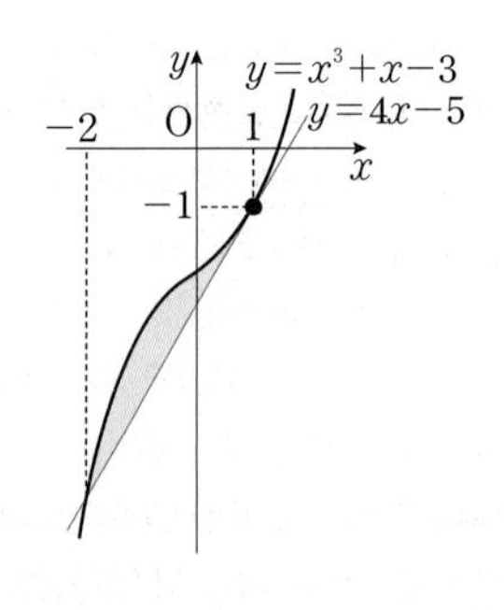

$S=\int_{-2}^{1}\{x^3+x-3-(4x-5)\}dx$

$=\int_{-2}^{1}(x^3-3x+2)dx$

$=\left[\frac{1}{4}x^4-\frac{3}{2}x^2+2x\right]_{-2}^{1}$

$=\left(\frac{1}{4}-\frac{3}{2}+2\right)-(4-6-4)$

$=\frac{27}{4}$

따라서 $p=4$, $q=27$이므로 $p+q=4+27=31$

+α 삼차곡선과 접선으로 둘러싸인 부분의 넓이 공식

$S=\frac{|a|}{12}(\beta-\alpha)^4$이므로 $S=\frac{1}{12}\{1-(-2)\}^4=\frac{27}{4}$

0801

오른쪽 그림과 같이 곡선 $y=x^2-4x+3$과 이 곡선 위의 두 점 $(0, 3)$, $(4, 3)$에서의 접선으로 둘러싸인 도형의 넓이는?

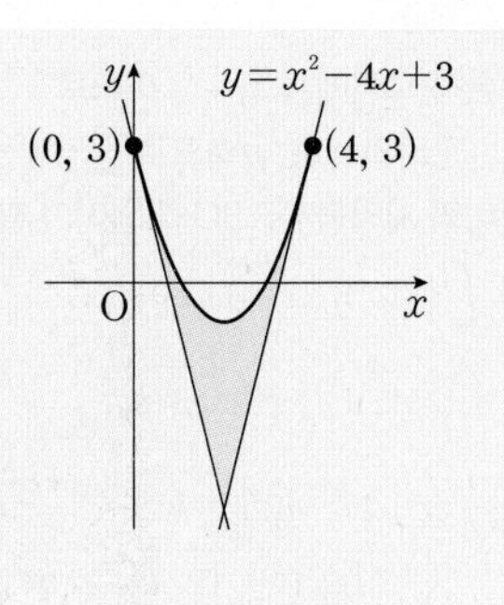

① $\frac{11}{3}$ ② $\frac{13}{3}$ ③ $\frac{16}{3}$ ④ $\frac{15}{2}$ ⑤ $\frac{27}{4}$

STEP Ⓐ **곡선 위의 점 $(0, 3)$, $(4, 3)$에서의 접선의 방정식을 구하기**

$f(x)=x^2-4x+3$으로 놓으면 $f'(x)=2x-4$

점 $(0, 3)$에서 접선의 기울기는 $f'(0)=-4$

이므로 접선의 방정식은 $y-3=-4(x-0)$

$\therefore y=-4x+3$ …… ㉠

또, 점 $(4, 3)$에서 접선의 기울기는 $f'(4)=4$이므로 접선의 방정식은

$y-3=4(x-4)$

$\therefore y=4x-13$ …… ㉡

STEP Ⓑ **두 접선의 교점의 x좌표를 구하기**

㉠과 ㉡의 교점의 x좌표를 구하면 $-4x+3=4x-13$

$\therefore x=2$

STEP Ⓒ **곡선과 접선으로 둘러싸인 도형의 넓이를 구하기**

닫힌구간 $[0, 2]$에서

$x^2-4x+3\ge-4x+3$

닫힌구간 $[2, 4]$에서

$x^2-4x+3\ge4x-13$

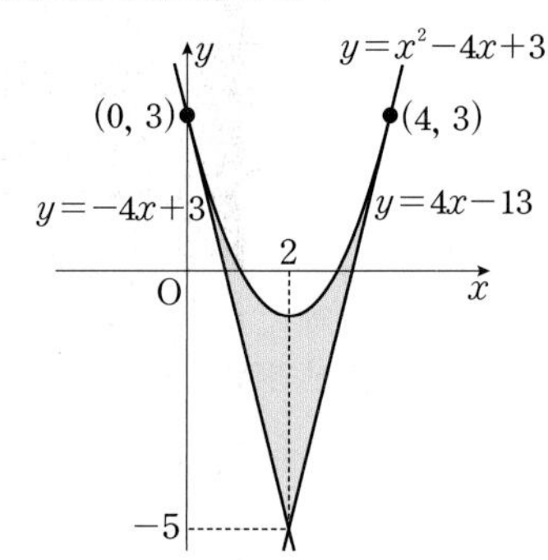

이므로 구하는 넓이 S는 다음과 같다.

$S=\int_0^2\{(x^2-4x+3)-(-4x+3)\}dx+\int_2^4\{(x^2-4x+3)-(4x-13)\}dx$

$=\int_0^2x^2dx+\int_2^4(x^2-8x+16)dx$

$=\left[\frac{1}{3}x^3\right]_0^2+\left[\frac{1}{3}x^3-4x^2+16x\right]_2^4$

$=\frac{16}{3}$

$f(x)=ax^2$ 위의 두 점 (t, at^2), $(-t, at^2)$에서의 접선과 $f(x)$로 둘러싸인 도형의 넓이는 $S=\frac{2}{3}at^3$이다.

설명

A의 넓이는 $\frac{|a|}{6}(t-(-t))^3=\frac{4}{3}at^3$

점 $\mathrm{P}(t, at^2)$에서 접선의 방정식

$y-at^2=2at(x-t)$

$\therefore y=2atx-at^2$

삼각형 PQR의 넓이는

$\frac{1}{2}\cdot t\cdot2at^2=at^3$

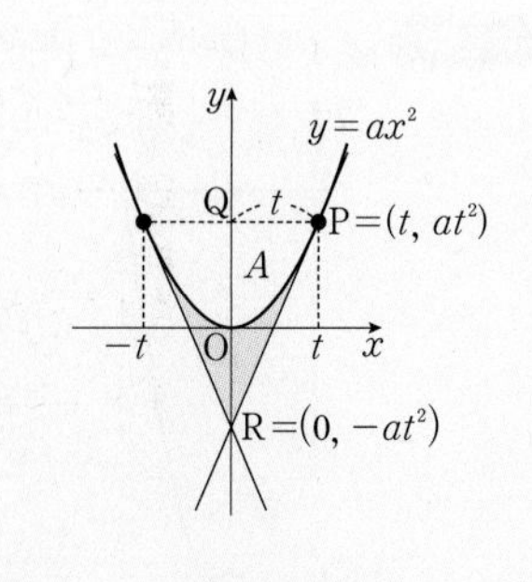

따라서 색칠한 부분의 넓이는

2(삼각형 PQR의 넓이)$-$(A 부분의 넓이)$=2at^3-\frac{4}{3}at^3=\frac{2}{3}at^3$

0802

오른쪽 그림과 같이 좌표평면 위의 점 $\mathrm{P}\left(\frac{1}{2}, -2\right)$에서 곡선 $y=x^2$에 그은 두 접선을 l, m이라고 할 때, 두 접선 l, m과 곡선 $y=x^2$으로 둘러싸인 부분의 넓이는?

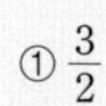

① $\frac{3}{2}$ ② $\frac{7}{4}$

③ $\frac{1}{2}$ ④ $\frac{9}{4}$

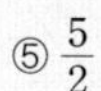

⑤ $\frac{5}{2}$

STEP Ⓐ **두 접선 l, m의 방정식과 접점의 좌표 구하기**

$f(x)=x^2$라 하면 $f'(x)=2x$

곡선 $y=f(x)$ 위의 점의 좌표를 (t, t^2)이라 하면

점 (t, t^2)에서의 접선의 기울기는 $f'(t)=2t$이므로 접선의 방정식은

$y-t^2=2t(x-t)$

즉 $y=2t(x-t)+t^2$ …… ㉠

㉠이 점 $\mathrm{P}\left(\frac{1}{2}, -2\right)$를 지나므로 $-2=2t\left(\frac{1}{2}-t\right)+t^2$

$t^2-t-2=0$, $(t-2)(t+1)=0$

$\therefore t=2$ 또는 -1

이때 접점을 B, C라 하면 $\mathrm{B}(2, 4)$, $\mathrm{C}(-1, 1)$이고 두 접선은

$l: y=4x-4$, $m: y=-2x-1$

STEP Ⓑ **곡선과 접선으로 둘러싸인 도형의 넓이 구하기**

닫힌구간 $\left[-1, \frac{1}{2}\right]$에서 $x^2 \geq -2x-1$

닫힌구간 $\left[\frac{1}{2}, 2\right]$에서 $x^2 \geq 4x-4$

오른쪽 그림과 같이 두 접선 l, m과 곡선 $y=x^2$으로 둘러싸인 부분의 넓이 S는

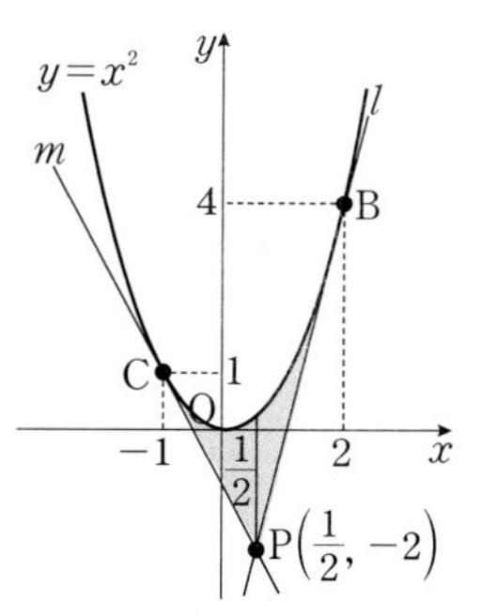

$$S=\int_{-1}^{\frac{1}{2}}\{x^2-(-2x-1)\}dx+\int_{\frac{1}{2}}^{2}\{x^2-(4x-4)\}dx$$

$$=\left[\frac{1}{3}x^3+x^2+x\right]_{-1}^{\frac{1}{2}}+\left[\frac{1}{3}x^3-2x^2+4x\right]_{\frac{1}{2}}^{2}$$

$$=\left\{\left(\frac{1}{24}+\frac{1}{4}+\frac{1}{2}\right)-\left(-\frac{1}{3}+1-1\right)\right\}+\left\{\left(\frac{8}{3}-8+8\right)-\left(\frac{1}{24}-\frac{1}{2}+2\right)\right\}$$

$$=\frac{9}{4}$$

다른풀이 공식을 이용하여 풀이하기

세 점 $\mathrm{P}\left(\frac{1}{2}, -2\right)$, $\mathrm{B}(2, 4)$, $\mathrm{C}(-1, 1)$인 삼각형 PBC의 넓이는 $\frac{27}{4}$

또한, 선분 BC와 곡선 $y=x^2$으로 둘러싸인 부분의 넓이는

$\frac{(2-(-1))^3}{6}=\frac{27}{6}=\frac{9}{2}$

따라서 접선과 곡선으로 둘러싸인 부분의 넓이는

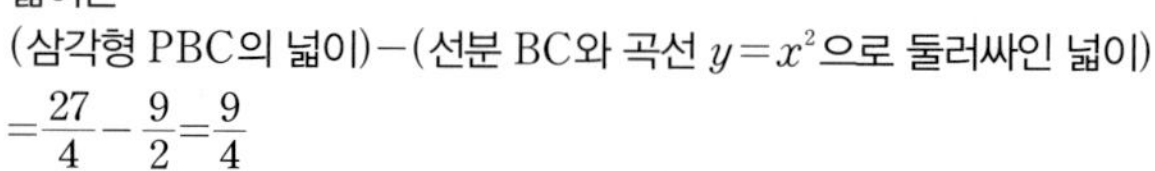

(삼각형 PBC의 넓이)$-$(선분 BC와 곡선 $y=x^2$으로 둘러싸인 넓이)

$=\frac{27}{4}-\frac{9}{2}=\frac{9}{4}$

0803

실수 전체의 집합에서 증가하는 연속함수 $f(x)$가 다음 조건을 만족시킨다.

(가) 모든 실수 x에 대하여 $f(x)=f(x-3)+4$이다.

(나) $\int_0^6 f(x)dx=0$

함수 $y=f(x)$의 그래프와 x축 및 두 직선 $x=6$, $x=9$로 둘러싸인 부분의 넓이는?

① 9 ② 12 ③ 15

④ 18 ⑤ 21

STEP Ⓐ **조건 (가)를 만족하는 증가하는 연속함수 $f(x)$의 개형 그리기**

조건 (가)에서

함수 $y=f(x)$의 그래프와 함수 $y=f(x)$의 그래프를 x축으로 3만큼, y축으로 4만큼 평행이동한 그래프가 일치해야 하므로 실수 전체의 집합에서 증가하는 연속함수 $y=f(x)$의 그래프의 개형은 다음 그림과 같다.

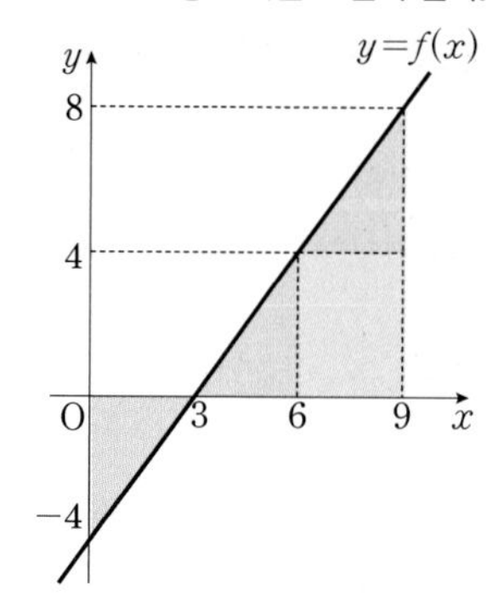

STEP Ⓑ **정적분의 평행이동을 이용하여 $\int_3^6 f(x)dx$의 정적분의 값 구하기**

또, 조건 (나)에서 $\int_0^6 f(x)dx=0$이므로

$$\int_0^6 f(x)dx=\int_0^3 f(x)dx+\int_3^6 f(x)dx$$

$$=\int_0^3 f(x)dx+\int_3^6 \{f(x-3)+4\}dx$$

$$=\int_0^3 f(x)dx+\int_3^6 f(x-3)dx+\int_3^6 4dx$$

$$=\int_0^3 f(x)dx+\int_0^3 f(x)dx+\Big[4x\Big]_3^6$$ ← x축으로 -3만큼 평행이동 $\int_3^6 f(x-3)dx=\int_{3-3}^{6-3} f(x+3-3)dx=\int_0^3 f(x)dx$

$$=2\int_0^3 f(x)dx+12$$

이때 $2\int_0^3 f(x)dx+12=0$이므로 $\int_0^3 f(x)dx=-6$

따라서 $\int_3^6 f(x)dx=6$이므로

$$\int_6^9 f(x)dx=12+\int_3^6 f(x)dx=12+6=18$$

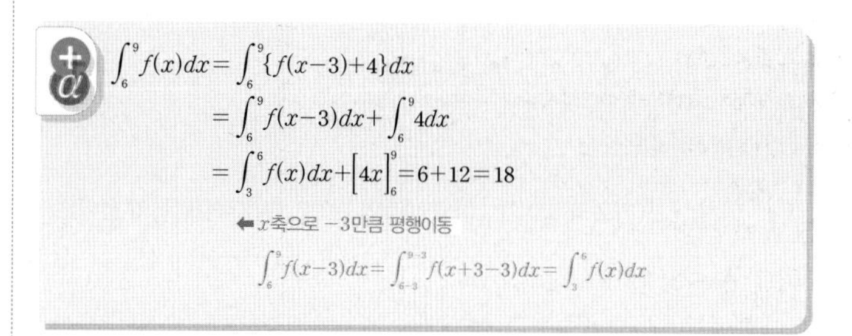

$+\alpha$ $\int_6^9 f(x)dx=\int_6^9 \{f(x-3)+4\}dx$

$=\int_6^9 f(x-3)dx+\int_6^9 4dx$

$=\int_3^6 f(x)dx+\Big[4x\Big]_6^9=6+12=18$

← x축으로 -3만큼 평행이동

$\int_6^9 f(x-3)dx=\int_{6-3}^{9-3} f(x+3-3)dx=\int_3^6 f(x)dx$

0804

실수 전체의 집합에서 연속인 함수 $f(x)$가 다음 조건을 만족시킨다.

(가) $f(x)=ax^2$ $(0 \le x < 2)$
(나) 모든 실수 x에 대하여 $f(x+2)=f(x)+2$이다.

$\int_1^7 f(x)dx$의 값은? (단, a는 상수이다.)

① 20 ② 21 ③ 22
④ 23 ⑤ 24

STEP Ⓐ **함수 $f(x)$의 그래프 그리기**

조건 (나)에서 $f(x+2)=f(x)+2$이고

$f(x)$는 실수 전체의 집합에서 연속이므로 양변에 $x=0$을 대입하면

$f(2)=f(0)+2$, $4a=2$

$\therefore a=\frac{1}{2}$

이때 $f(x)=\frac{1}{2}x^2$ $(0 \le x < 2)$이고 실수 전체의 집합에서

$f(x+2)=f(x)+2$가 성립하므로

함수 $y=f(x)$의 그래프의 개형은 다음과 같다.

⬅ $x+2=t$로 놓으면 $x=t-2$, 즉 $f(t)=f(t-2)+2$를 만족하므로

함수 $f(t)=\frac{1}{2}t^2$ $(0 \le t < 2)$은 함수 $y=f(t)$를 x축으로 2만큼,

y축으로 2만큼 평행이동한 그래프와 일치하는 연속인 함수를 의미한다.

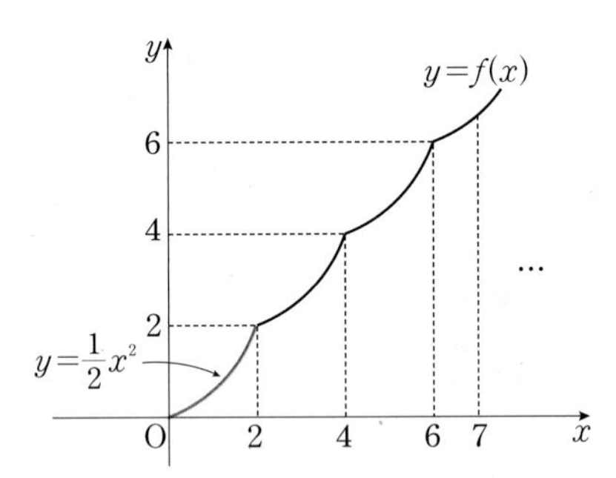

STEP Ⓑ **함수 $y=f(x)$의 그래프를 이용하여 $\int_1^7 f(x)dx$의 값 구하기**

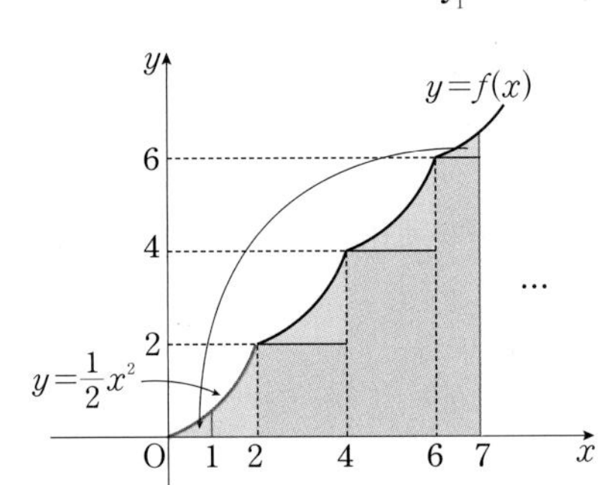

이때 $\int_0^1 f(x)dx=\int_6^7 \{f(x)-6\}dx$이므로

$\int_1^7 f(x)dx$의 값은

$=\int_0^6 f(x)dx+$(가로의 길이가 1이고 세로의 길이가 6인 직사각형의 넓이)

$=3\int_0^2 \frac{1}{2}x^2dx+2\cdot2+2\cdot4+1\cdot6$

$=3\left[\frac{1}{6}x^3\right]_0^2+4+8+6$

$=4+18=22$

0805

함수 $f(x)=x^3-6$의 역함수를 $g(x)$라 할 때,
두 곡선 $y=f(x)$, $y=g(x)$와 직선 $y=-x-6$으로 둘러싸인 부분의 넓이를 구하여라.

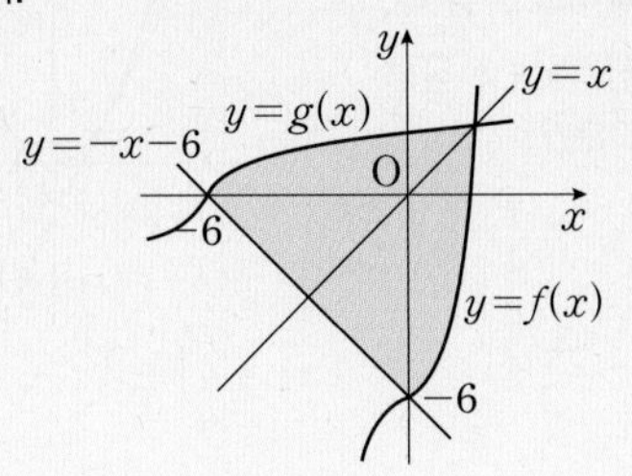

STEP Ⓐ **두 교점의 x좌표 구하기**

$f(x)=x^3-6$에서 $f'(x)=3x^2 \ge 0$이므로

함수 $f(x)$는 증가하는 함수이고 역함수를 갖는다.

두 곡선 $y=f(x)$, $y=g(x)$는 직선 $y=x$에 대하여 대칭이므로

두 곡선 $y=f(x)$, $y=g(x)$로 둘러싸인 부분의 넓이는

곡선 $y=f(x)$와 직선 $y=x$로 둘러싸인 부분의 넓이의 2배이다.

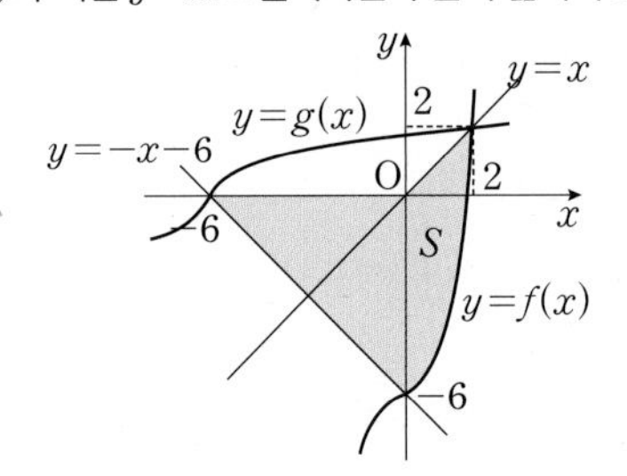

함수 $f(x)$의 역함수가 $g(x)$이므로 두 곡선 $y=f(x)$와 $y=g(x)$가

만나는 점은 곡선 $y=f(x)$와 직선 $y=x$가 만나는 점과 같다.

곡선 $y=x^3-6$과 직선 $y=x$가 만나는 점의 x좌표는

$x^3-6=x$에서 $x^3-x-6=0$

$(x-2)(x^2+2x+3)=0$이므로 $x=2$

STEP Ⓑ **$y=f(x)$와 $y=x$로 둘러싸인 부분의 넓이의 2배 구하기**

곡선 $y=f(x)$와 직선 $y=x$ 및 y축으로 둘러싸인 부분의 넓이를 S라 하면

$S=\int_0^2 \{x-(x^3-6)\}dx$

$=\left[\frac{1}{2}x^2-\frac{1}{4}x^4+6x\right]_0^2$

$=10$

또, 세 점 $(0, 0)$, $(-6, 0)$, $(0, -6)$을 꼭짓점으로 하는 직각삼각형의 넓이는

$\frac{1}{2}\cdot6\cdot6=18$

한편, 함수 $f(x)$의 역함수가 $g(x)$이므로 곡선 $y=g(x)$와

직선 $y=x$ 및 x축으로 둘러싸인 부분의 넓이도 S이다.

따라서 구하는 넓이는 $2S+18=2\cdot10+18=38$

0806

함수 $f(x)=ax^2(x \geq 0)$과 역함수 $y=g(x)$의 그래프로 둘러싸인 부분의 넓이가 27일 때, $90a$의 값은? (단, $a>0$)

① 3　② 4　③ 6　④ 8　⑤ 10

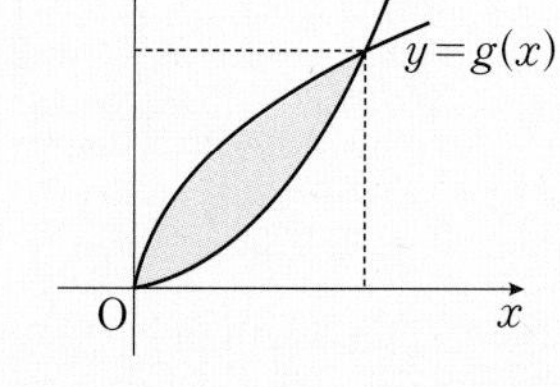

STEP A 두 교점의 x좌표 구하기

$f(x)=ax^2$과 $y=x$의 그래프의 교점의 x좌표는

$ax^2=x,\ x(ax-1)=0$

$\therefore\ x=0$ 또는 $x=\frac{1}{a}$

STEP B $y=f(x)$와 $y=x$로 둘러싸인 부분의 넓이의 2배 구하기

$y=f(x)$와 $y=g(x)$로 둘러싸인 부분의 넓이는

$f(x)=ax^2$과 $y=x$로 둘러싸인 부분의 넓이의 2배이므로

$$\int_0^{\frac{1}{a}}(x-ax^2)dx=\left[\frac{1}{2}x^2-\frac{a}{3}x^3\right]_0^{\frac{1}{a}}$$

$$=\frac{1}{6a^2}$$

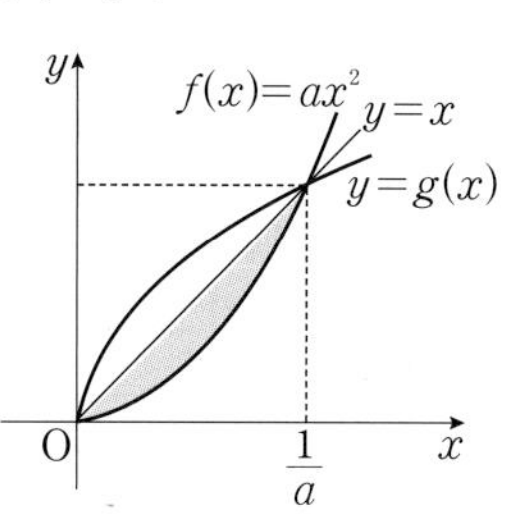

즉 $2\cdot\frac{1}{6a^2}=27,\ \frac{1}{a^2}=81$이므로

$a>0$에서 $a=\frac{1}{9}$

따라서 $90a=90\cdot\frac{1}{9}=10$

0807

함수 $f(x)=x^3-x^2+x$의 역함수를 $g(x)$라고 할 때, 두 곡선 $y=f(x)$와 $y=g(x)$로 둘러싸인 도형의 넓이를 구하여라.

STEP A 두 교점의 x좌표 구하기

$f(x)=x^3-x^2+x$에서

$f'(x)=3x^2-2x+1=3\left(x-\frac{1}{3}\right)^2+\frac{2}{3}>0$

이므로 함수 $f(x)$는 증가하는 함수이고 역함수를 갖는다.

$y=f(x)$와 $y=x$의 교점의 x좌표를 구하면

$x^3-x^2+x=x$에서 $x^2(x-1)=0$이므로

$x=0$ 또는 $x=1$

STEP B $y=f(x)$와 $y=x$로 둘러싸인 부분의 넓이 구하기

두 곡선 $y=f(x)$, $y=g(x)$는 직선 $y=x$에 대하여 대칭이므로

$y=f(x)$와 $y=g(x)$로 둘러싸인 부분의 넓이는 $y=f(x)$와 $y=x$로 둘러싸인 부분의 넓이의 2배이므로 구하는 넓이 S는

$$S=2\int_0^1\{x-(x^3-x^2+x)\}$$

$$=2\int_0^1(-x^3+x^2)dx$$

$$=2\left[-\frac{1}{4}x^4+\frac{1}{3}x^3\right]_0^1$$

$$=\frac{1}{6}$$

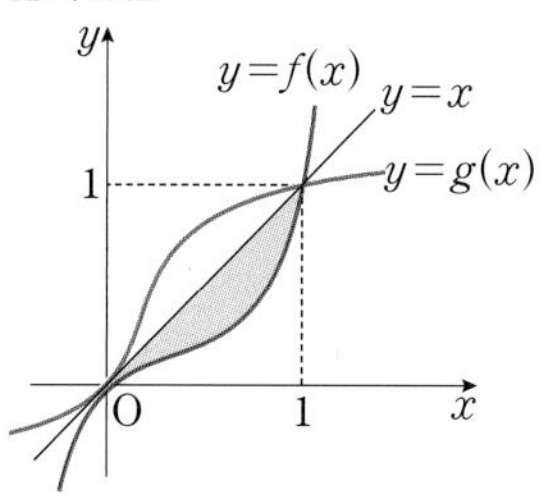

삼차함수와 접선으로 둘러싸인 넓이공식 $S=\frac{|a|}{12}(\beta-\alpha)^4$

을 이용하면 $2S=2\cdot\frac{1}{12}(1-0)^4=\frac{1}{6}$

0808

함수 $f(x)=x^3-2x^2+2x$의 역함수를 $g(x)$라고 할 때, $\int_1^2 f(x)dx+\int_1^4 g(x)dx$의 값을 구하여라.

STEP A 역함수의 관계를 이용하여 교점의 x좌표 구하기

$f(x)=x^3-2x^2+2x$에서

$f'(x)=3x^2-4x+2=3\left(x-\frac{2}{3}\right)^2+\frac{2}{3}>0$

이므로 함수 $f(x)$는 증가하는 함수이고 역함수가 존재한다.

$y=f(x)$와 $y=g(x)$의 그래프의 교점의 x좌표는

$y=f(x)$의 그래프와 직선 $y=x$의 교점과 같으므로

$x^3-2x^2+2x=x$에서 $x(x^2-2x+1)=0$

$x(x-1)^2=0$이므로 $x=0$ 또는 $x=1$

STEP B 직선 $y=x$에 대하여 대칭임을 이용하여 정적분의 값 구하기

$y=f(x)$와 $y=g(x)$의 그래프는 직선 $y=x$에 대하여 대칭이다.

다음 그림과 같이 $\int_1^4 g(x)dx$의 값은 색칠된 부분 B의 넓이이고

역함수의 성질에 의하여 직선 $y=x$에 대하여 대칭이동시킨 부분 B'의 넓이와 같다.

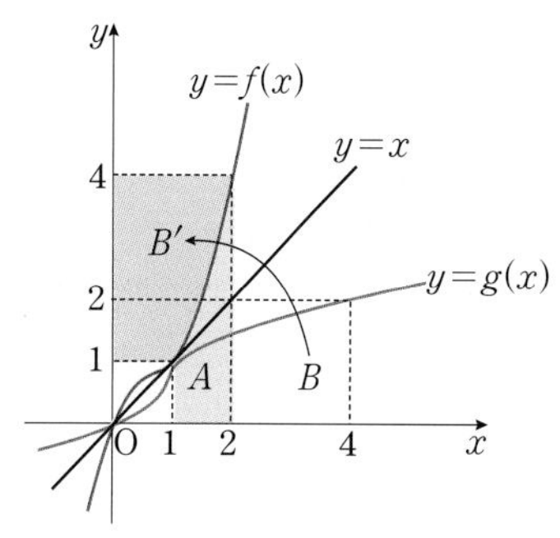

따라서 $\int_1^2 f(x)dx$의 값은 색칠된 부분 A의 넓이이므로

$$\int_1^2 f(x)dx+\int_1^4 g(x)dx=\mathrm{A}+\mathrm{B}'=(2\cdot4)-(1\cdot1)=7$$

0809

함수 $f(x)=x^3+x^2+x+k$의 역함수를 $g(x)$라 한다. $f(1)=a,\ f(2)=b$일 때,

$$\int_1^2 f(x)dx+\int_a^b g(x)dx=50$$

을 만족시키는 양수 k의 값은?

① 10　② 15　③ 18　④ 20　⑤ 25

STEP A 역함수의 관계를 이용하여 교점의 x좌표 구하기

$f(x)=x^3+x^2+x+k$에서

$f'(x)=3x^2+2x+1=3\left(x+\frac{1}{3}\right)^2+\frac{2}{3}>0$

이므로 함수 $f(x)$는 증가하는 함수이고 역함수를 갖는다.

이때 $f(1)=a,\ f(2)=b$이므로 역함수 $g(x)$에 대하여

$g(a)=1,\ g(b)=2$

STEP B 직선 $y=x$에 대하여 대칭임을 이용하여 정적분의 값 구하기

두 함수 $y=f(x)$, $y=g(x)$의 그래프는 직선 $y=x$에 대칭이다.

다음 그림과 같이 $\int_a^b g(x)dx$의 값은 영역 B의 넓이이고

역함수의 성질에 의하여 직선 $y=x$에 대하여 대칭이동 시킨 부분 B'의 넓이와 같다.

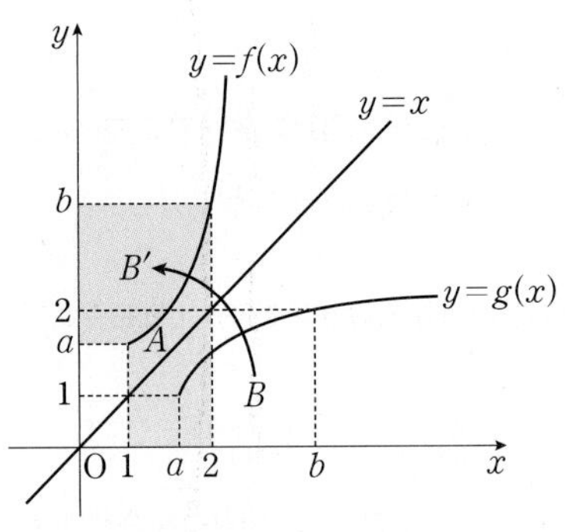

즉 $\int_1^2 f(x)dx$의 값은 색칠된 부분 A의 넓이이므로

$\int_1^2 f(x)dx+\int_a^b g(x)dx=A+B'=(2\cdot b)-(1\cdot a)=2b-a$

$\therefore\ 2b-a=50$ …… ㉠

이때 $a=f(1)=3+k$, $b=f(2)=14+k$이므로

㉠에 대입하면 $2b-a=28+2k-3-k=25+k=50$

따라서 $k=25$

0810

다음 물음에 답하여라.

(1) 함수 $f(x)=x^3+x-1$의 역함수를 $g(x)$라 할 때, $\int_1^9 g(x)dx$의 값은?

① $\frac{47}{4}$ ② $\frac{49}{4}$ ③ $\frac{51}{4}$ ④ $\frac{53}{4}$ ⑤ $\frac{55}{4}$

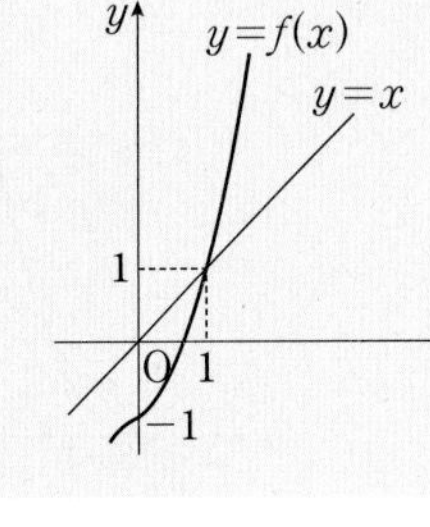

STEP Ⓐ **역함수의 관계를 이용하여 교점의 x좌표 구하기**

$f(x)=x^3+x-1$에서 $f'(x)=3x^2+1>0$

이므로 함수 $f(x)$는 증가하는 함수이고 역함수를 갖는다.

함수 $f(x)=x^3+x-1$와 직선 $y=x$의 교점의 x좌표는

$x^3+x-1=x$에서 $x^3-1=0$, $(x-1)(x^2+x+1)=0$

$\therefore\ x=1$

또한, $y=9$일 때, x좌표는 $x^3+x-1=9$

$x^3+x-10=0$, $(x-2)(x^2+2x+5)=0$

$\therefore\ x=2$

STEP Ⓑ **직선 $y=x$에 대하여 대칭임을 이용하여 정적분의 값 구하기**

두 함수 $y=f(x)$, $y=g(x)$의 그래프는 직선 $y=x$에 대칭이다.

다음 그림과 같이 $\int_1^9 g(x)dx$의 값은 영역 B의 넓이이고 역함수의 성질에 의하여 직선 $y=x$에 대하여 대칭이동 시킨 부분 B'의 넓이와 같다.

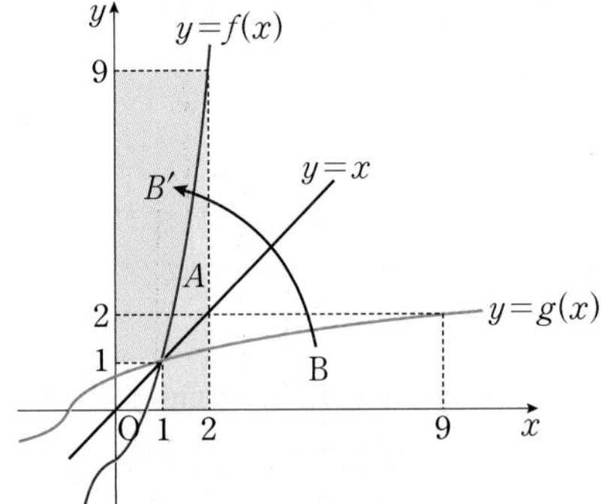

즉 $\int_1^2 f(x)dx$의 값은 색칠된 부분 A의 넓이이므로

$\int_1^2 f(x)dx+\int_1^9 g(x)dx=A+B'=(2\cdot 9)-(1\cdot 1)=17$

따라서 $\int_1^9 g(x)dx=17-\int_1^2 f(x)dx$

$=17-\int_1^2 (x^3+x-1)dx$

$=17-\left[\frac{1}{4}x^4+\frac{1}{2}x^2-x\right]_1^2$

$=17-\frac{17}{4}=\frac{51}{4}$

(2) 다음 그림과 같이 함수 $f(x)=x^2+x\,(x\geq 0)$의 역함수를 $g(x)$라 하자. 닫힌구간 $[f(1),\ f(2)]$에서 함수 $y=g(x)$와 x축 및 두 직선 $x=f(1)$, $x=f(2)$로 둘러싸인 부분의 넓이는?

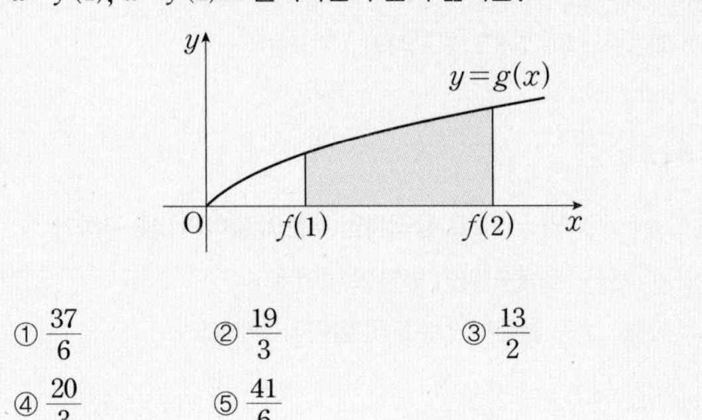

① $\frac{37}{6}$ ② $\frac{19}{3}$ ③ $\frac{13}{2}$ ④ $\frac{20}{3}$ ⑤ $\frac{41}{6}$

STEP Ⓐ **두 함수 $y=f(x)$, $y=g(x)$의 그래프가 $y=x$에 대칭임을 이용하기**

$f(x)=x^2+x$에서 $f'(x)=2x+1>0\ (\because\ x\geq 0)$

이므로 함수 $f(x)$는 $x\geq 0$에서 증가하는 함수이고 역함수를 갖는다.

함수 $f(x)=x^2+x$와 직선 $y=x$의 교점의 x좌표는

$x^2+x=x$에서 $x^2=0$

$\therefore\ x=0$

이때 $f(x)=x^2+x$에서 $f(1)=2$, $f(2)=6$

STEP Ⓑ **직선 $y=x$에 대하여 대칭임을 이용하여 정적분의 값 구하기**

두 함수 $y=f(x)$, $y=g(x)$의 그래프는 직선 $y=x$에 대칭이다.

곡선 $y=g(x)$와 x축 및 두 직선 $x=f(1)$, $x=f(2)$로 둘러싸인 부분의 넓이 B는 그림과 같이 곡선 $y=f(x)$와 y축 및 두 직선 $y=f(1)$, $y=f(2)$로 둘러싸인 부분의 넓이 B'와 같다.

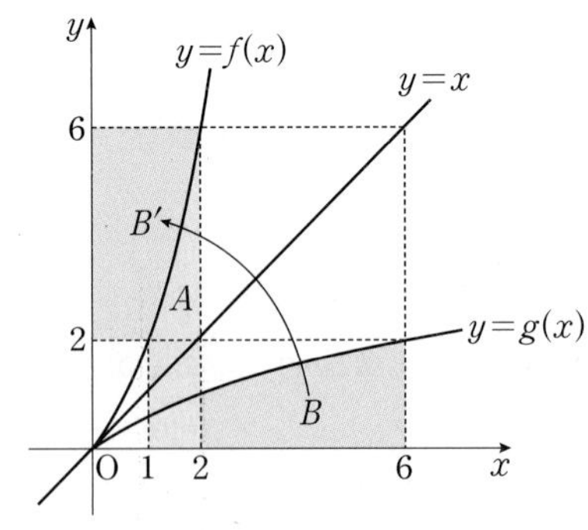

즉 $\int_1^2 f(x)dx$의 값은 색칠된 부분 A의 넓이이므로

$\int_1^2 f(x)dx+\int_{f(1)}^{f(2)} g(x)dx=A+B'=(2\cdot 6)-(1\cdot 2)=10$

따라서 $\int_2^6 g(x)dx=10-\int_1^2 f(x)dx$

$=10-\int_1^2 (x^2+x)dx$

$=10-\left[\frac{1}{3}x^3+\frac{1}{2}x^2\right]_1^2$

$=10-\left\{\left(\frac{8}{3}+2\right)-\left(\frac{1}{3}+\frac{1}{2}\right)\right\}$

$=\frac{37}{6}$

FINAL EXERCISE 단원종합문제

BASIC

0811

다음 물음에 답하여라.

(1) 곡선 $y=x^2-x+2$와 직선 $y=2$로 둘러싸인 부분의 넓이는?

① $\frac{1}{9}$ ② $\frac{1}{6}$ ③ $\frac{2}{9}$

④ $\frac{5}{18}$ ⑤ $\frac{1}{3}$

STEP A 곡선과 직선의 교점의 x좌표 구하기

곡선 $y=x^2-x+2$와 직선 $y=2$의
교점의 x좌표를 구하면
$x^2-x+2=2$에서
$x^2-x=x(x-1)=0$
$\therefore x=0$ 또는 $x=1$

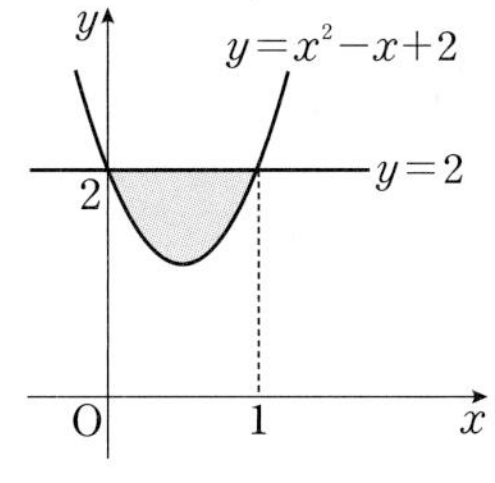

STEP B 위쪽에 있는 함수에서 아래쪽에 있는 함수를 빼어 주어진 구간에서 적분하여 넓이 구하기

따라서 구하는 도형의 넓이는

$$\int_0^1\{2-(x^2-x+2)\}dx=\int_0^1(-x^2+x)dx=\left[-\frac{1}{3}x^3+\frac{1}{2}x^2\right]_0^1$$
$$=-\frac{1}{3}+\frac{1}{2}=\frac{1}{6}$$

다른풀이 평행이동 이용하여 풀이하기

두 함수 $y=x^2-x+2$와 $y=2$를 각각 y축 방향으로 -2만큼 평행이동하면
$y=x^2-x$, $y=0$이 된다.

따라서 구하는 넓이는 곡선 $y=x^2-x$와 x축으로 둘러싸인 부분의 넓이가 된다.

$$\therefore \int_0^1|x^2-x|dx=\frac{1}{6}(1-0)^3=\frac{1}{6}$$

(2) 곡선 $y=x^2-4x+3$과 직선 $y=3$으로 둘러싸인 부분의 넓이는?

① 10 ② $\frac{31}{3}$ ③ $\frac{32}{3}$

④ 11 ⑤ $\frac{34}{3}$

STEP A 이차함수와 직선의 교점을 구하여 그래프 그리기

곡선 $y=x^2-4x+3$과
직선 $y=3$의 교점의 x좌표는
$x^2-4x+3=3$, $x(x-4)=0$
$\therefore x=0$ 또는 $x=4$
즉 곡선 $y=x^2-4x+3$과
직선 $y=3$의 두 교점의 x좌표는
0, 4이다.

STEP B 위쪽에 있는 함수에서 아래쪽에 있는 함수를 빼어 주어진 구간에서 적분하여 넓이 구하기

따라서 구하는 부분의 넓이는

$$\int_0^4\{3-(x^2-4x+3)\}dx=\int_0^4(-x^2+4x)dx=\left[-\frac{1}{3}x^3+2x^2\right]_0^4=\frac{32}{3}$$

0812

오른쪽 그림과 같이 곡선 $y=x^2-6x+a$와 x축 및 y축으로 둘러싸인 도형의 넓이를 A, 이 곡선과 x축으로 둘러싸인 도형의 넓이를 B라 하자.
$A:B=1:2$일 때, 상수 a의 값은?

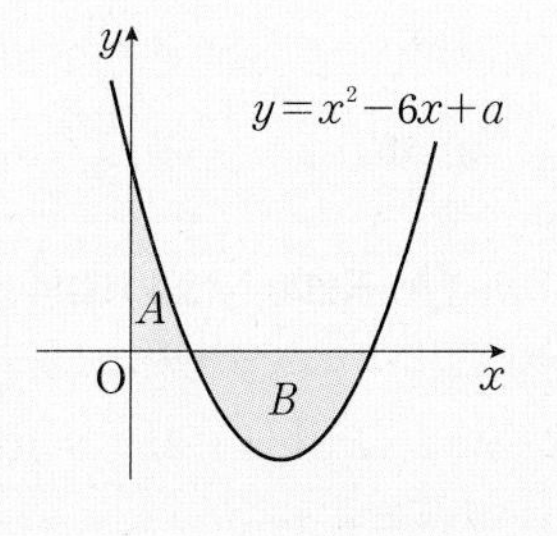

① 2 ② 4

③ 6 ④ 8

⑤ 10

STEP A $y=x^2-6x+a$와 x축 및 $x=3$으로 둘러싸인 도형의 넓이와 같음을 이용하여 a의 값 구하기

$y=x^2-6x+a=(x-3)^2+a-9$에서
주어진 그래프는 $x=3$에서 대칭이고
넓이 B는 $x=3$에 의해 이등분된다.
이때 $A:B=1:2$에서 $B=2A$이므로
A는 $y=x^2-6x+a$와 x축 및 $x=3$으로 둘러싸인 도형의 넓이와 같다.

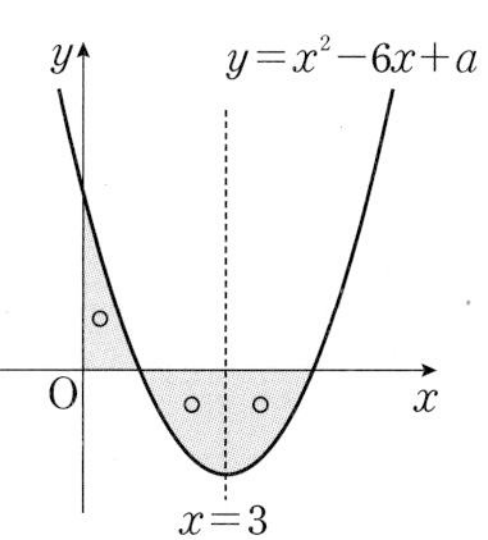

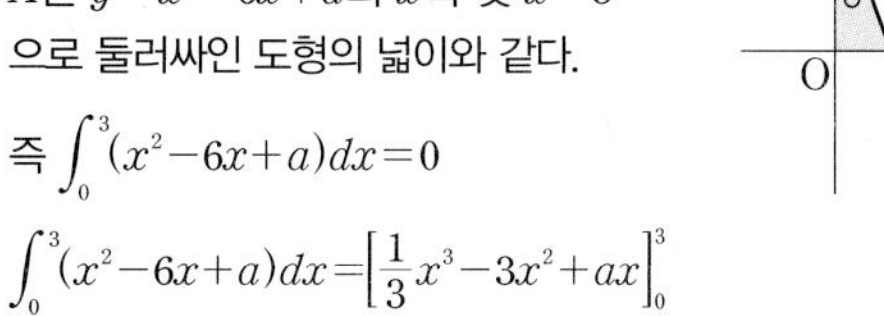

즉 $\int_0^3(x^2-6x+a)dx=0$

$$\int_0^3(x^2-6x+a)dx=\left[\frac{1}{3}x^3-3x^2+ax\right]_0^3$$
$$=9-27+3a=0$$

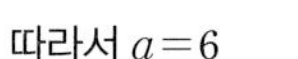

따라서 $a=6$

0813

다음 물음에 답하여라.

(1) 곡선 $y=-2x^2+3x$와 직선 $y=x$로 둘러싸인 부분의 넓이가 $\frac{q}{p}$일 때, $p+q$의 값은? (단, p와 q는 서로소인 자연수이다.)

① 4 ② 5 ③ 6

④ 7 ⑤ 8

STEP A 곡선과 직선의 교점을 구하여 그래프 그리기

곡선 $y=-2x^2+3x$와 직선 $y=x$의 교점의 x좌표는
$-2x^2+3x=x$
즉 $2x^2-2x=0$에서 $2x(x-1)=0$이므로
$x=0$ 또는 $x=1$

STEP B 위쪽에 있는 함수에서 아래쪽에 있는 함수를 빼어 주어진 구간에서 적분하여 넓이 구하기

구하는 넓이를 S라 하면

$S=\int_0^1\{(-2x^2+3x)-x\}dx$
$=\int_0^1(-2x^2+2x)dx$
$=\left[-\frac{2}{3}x^3+x^2\right]_0^1$
$=-\frac{2}{3}+1=\frac{1}{3}$

따라서 $p+q=3+1=4$

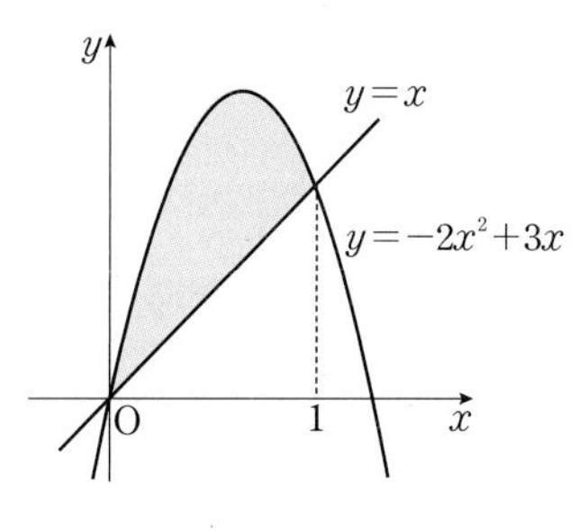

곡선 $y=-2x^2+3x$와 직선 $y=x$의 교점의 x좌표는
$x=0$ 또는 $x=1$이므로 구하는 넓이 S를 공식에 대입하면
$S=\frac{|-2|}{6}(1-0)^3=\frac{1}{3}$

(2) 곡선 $y=x^2-x+1$과 직선 $y=x+4$로 둘러싸인 부분의 넓이는?

① 8 ② $\frac{26}{3}$ ③ $\frac{28}{3}$

④ 10 ⑤ $\frac{32}{3}$

STEP Ⓐ **곡선과 직선의 교점의 x좌표 구하기**

곡선 $y=x^2-x+1$과 직선 $y=x+4$의 교점의 x좌표는

$x^2-x+1=x+4$, $x^2-2x-3=0$, $(x+1)(x-3)=0$이므로

$x=-1$ 또는 $x=3$

STEP Ⓑ **위쪽에 있는 함수에서 아래쪽에 있는 함수를 빼어 주어진 구간에서 적분하여 넓이 구하기**

닫힌구간 $[-1, 3]$에서

$x^2-x+1 \le x+4$이므로 구하는 넓이를 S라 하면

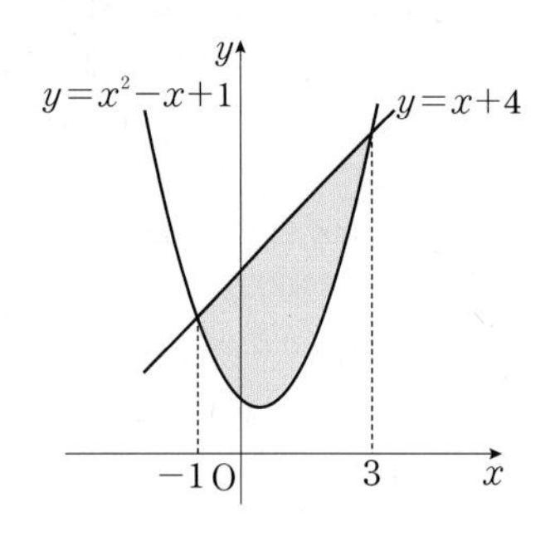

$S=\int_{-1}^{3}|(x^2-x+1)-(x+4)|dx$

$=\int_{-1}^{3}(-x^2+2x+3)dx$

$=\left[-\frac{1}{3}x^3+x^2+3x\right]_{-1}^{3}$

$=(-9+9+9)-\left(\frac{1}{3}+1-3\right)$

$=\frac{32}{3}$

이차함수와 직선으로 둘러싸인 도형의 넓이는

$S=\frac{|a|}{6}(\beta-\alpha)^3=\frac{|1|}{6}(3-(-1))^3=\frac{4^3}{6}=\frac{32}{3}$

(2) 곡선 $y=x^3-3x^2+x$와 직선 $y=x-4$로 둘러싸인 부분의 넓이는?

① $\frac{21}{4}$ ② $\frac{23}{4}$ ③ $\frac{25}{4}$

④ $\frac{27}{4}$ ⑤ $\frac{29}{4}$

STEP Ⓐ **곡선 $y=x^3-3x^2+x$와 직선 $y=x-4$의 교점의 x좌표 구하기**

곡선 $y=x^3-3x^2+x$와 직선 $y=x-4$가 만나는 점의 x좌표는

$x^3-3x^2+x=x-4$에서 $(x+1)(x-2)^2=0$

$\therefore x=-1$ 또는 $x=2$

STEP Ⓑ **위쪽에 있는 함수에서 아래쪽에 있는 함수를 빼어 주어진 구간에서 적분하여 넓이 구하기**

따라서 닫힌구간 $[-1, 2]$에서

$x^3-3x^2+x \ge x-4$이므로

곡선과 직선으로 둘러싸인 부분의 넓이 S는

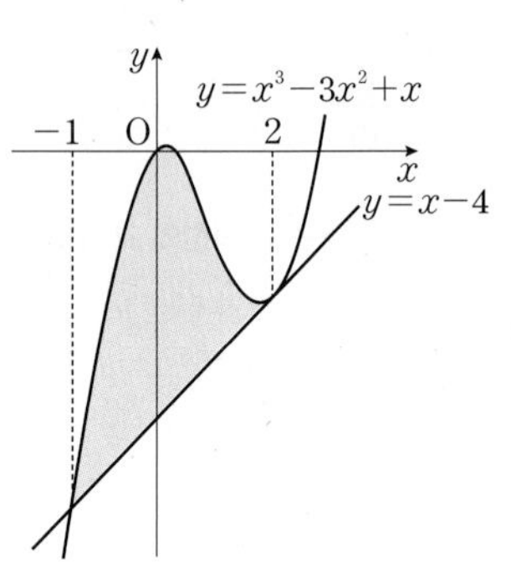

$S=\int_{-1}^{2}\{(x^3-3x^2+x)-(x-4)\}dx$

$=\int_{-1}^{2}(x^3-3x^2+4)dx$

$=\left[\frac{1}{4}x^4-x^3+4x\right]_{-1}^{2}$

$=(4-8+8)-\left(\frac{1}{4}+1-4\right)$

$=\frac{27}{4}$

삼차곡선과 접선으로 둘러싸인 도형의 넓이는

$S=\frac{|a|(\beta-\alpha)^4}{12}=\frac{\{2-(-1)\}^4}{12}=\frac{27}{4}$

0814

다음 물음에 답하여라.

(1) 곡선 $y=x^3-2x^2+k$와 직선 $y=k$로 둘러싸인 부분의 넓이는? (단, k는 상수이다.)

① $\frac{1}{3}$ ② $\frac{2}{3}$ ③ 1

④ $\frac{4}{3}$ ⑤ $\frac{5}{3}$

STEP Ⓐ **곡선 $y=x^3-2x^2+k$와 직선 $y=k$의 교점의 x좌표 구하기**

곡선 $y=x^3-2x^2+k$와 직선 $y=k$의 교점의 x좌표를 구하면

$x^3-2x^2+k=k$에서 $x^3-2x^2=0$

$\therefore x=0$ 또는 2

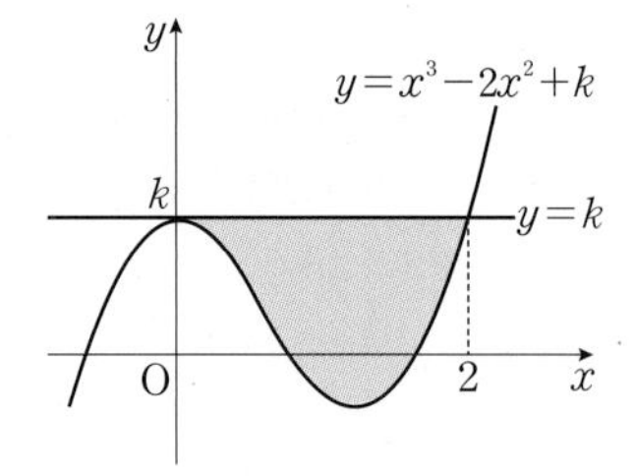

STEP Ⓑ **정적분을 이용하여 넓이 구하기**

따라서 닫힌구간 $[0, 2]$에서 $k \ge x^3-2x^2+k$이므로 곡선과 직선으로 둘러싸인 부분의 넓이 S는

$S=\int_{0}^{2}(k-x^3+2x^2-k)dx$

$=\left[-\frac{1}{4}x^4+\frac{2}{3}x^3\right]_{0}^{2}$

$=-4+\frac{16}{3}=\frac{4}{3}$

삼차곡선과 접선으로 둘러싸인 도형의 넓이는

$S=\frac{|a|(\beta-\alpha)^4}{12}=\frac{1}{12}(2-0)^4=\frac{4}{3}$

0815

다음 물음에 답하여라.

(1) 두 곡선 $y=x^3-2x+1$, $y=-x^2+1$로 둘러싸인 부분의 넓이는?

① $\frac{25}{6}$ ② $\frac{37}{12}$ ③ $\frac{9}{2}$

④ $\frac{29}{4}$ ⑤ $\frac{27}{2}$

STEP Ⓐ **두 곡선 교점의 x좌표 구하기**

주어진 두 곡선의 교점의 x좌표는 $x^3-2x+1=-x^2+1$에서

$x^3+x^2-2x=0$, $x(x+2)(x-1)=0$

$\therefore x=-2$ 또는 $x=0$ 또는 $x=1$

STEP Ⓑ **위쪽에 있는 함수에서 아래쪽에 있는 함수를 빼어 주어진 구간에서 적분하여 넓이 구하기**

닫힌구간 $[-2, 0]$에서

$x^3-2x+1 \ge -x^2+1$이고

닫힌구간 $[0, 1]$에서

$x^3-2x+1 \le -x^2+1$

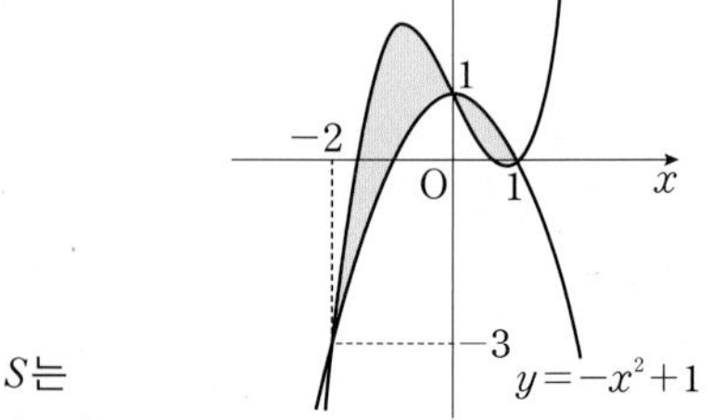

따라서 구하는 도형의 넓이 S는

$S=\int_{-2}^{1}|(x^3-2x+1)-(-x^2+1)|dx$

$=\int_{-2}^{0}\{(x^3-2x+1)-(-x^2+1)\}dx+\int_{0}^{1}\{(-x^2+1)-(x^3-2x+1)\}dx$

$=\int_{-2}^{0}(x^3+x^2-2x)dx+\int_{0}^{1}(-x^3-x^2+2x)dx$

$=\left[\frac{x^4}{4}+\frac{x^3}{3}-x^2\right]_{-2}^{0}+\left[-\frac{x^4}{4}-\frac{x^3}{3}+x^2\right]_{0}^{1}=\frac{37}{12}$

(2) 두 곡선 $y=4x^3-2x^2+3$, $y=2x^2+3$으로 둘러싸인 부분의 넓이는?

① $\frac{1}{3}$　② $\frac{2}{3}$　③ 1
④ $\frac{4}{3}$　⑤ $\frac{5}{3}$

STEP A 두 곡선 교점의 x좌표 구하기

두 곡선 $y=4x^3-2x^2+3$, $y=2x^2+3$의 교점의 x좌표는
$4x^3-2x^2+3=2x^2+3$, $4x^3-4x^2=0$, $4x^2(x-1)=0$이므로
$x=0$ 또는 $x=1$

STEP B 위쪽에 있는 함수에서 아래쪽에 있는 함수를 빼어 주어진 구간에서 적분하여 넓이 구하기

닫힌구간 $[0, 1]$에서
$4x^3-2x^2+3\le 2x^2+3$
따라서 구하는 넓이 S는

$$S=\int_0^1\{(2x^2+3)-(4x^3-2x^2+3)\}dx$$
$$=\int_0^1(-4x^3+4x^2)dx$$
$$=\left[-x^4+\frac{4}{3}x^3\right]_0^1$$
$$=-1+\frac{4}{3}=\frac{1}{3}$$

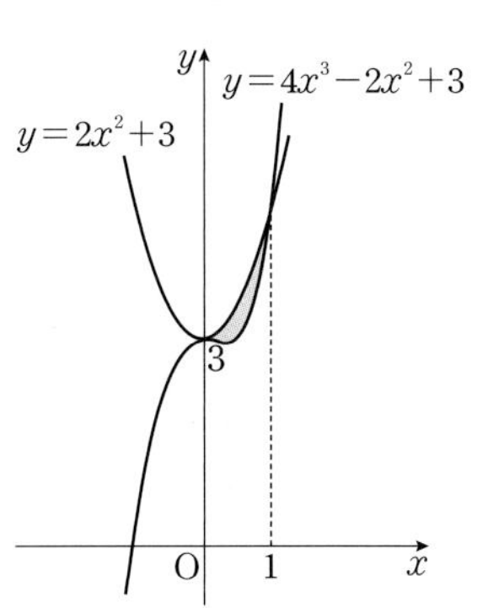

0816

다음 물음에 답하여라.

(1) 함수 $f(x)=\int_0^x(-6t^2+6t)\,dt$에 대하여 곡선 $y=f(x)$와 x축으로 둘러싸인 부분의 넓이는?

① $\frac{21}{32}$　② $\frac{23}{32}$　③ $\frac{25}{32}$
④ $\frac{27}{32}$　⑤ $\frac{29}{32}$

STEP A 정적분을 이용하여 $f(x)$ 구하기

$$f(x)=\int_0^x(-6t^2+6t)dt=\left[-2t^3+3t^2\right]_0^x$$
$$=-2x^3+3x^2$$
$$=x^2(-2x+3)$$

STEP B 그래프를 이용하여 넓이 구하기

이때 $f(x)=0$에서
$x=0$ 또는 $x=\frac{3}{2}$
따라서 곡선 $y=f(x)$와 x축으로 둘러싸인 부분의 넓이는

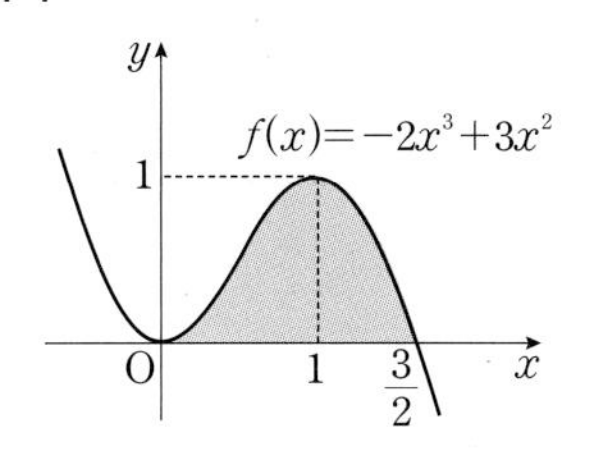

$$\int_0^{\frac{3}{2}}|f(x)|dx=\int_0^{\frac{3}{2}}(-2x^3+3x^2)dx$$
$$=\left[-\frac{1}{2}x^4+x^3\right]_0^{\frac{3}{2}}$$
$$=-\frac{81}{32}+\frac{27}{8}$$
$$=\frac{-81+108}{32}$$
$$=\frac{27}{32}$$

x축에 접하는 삼차함수 $f(x)=-2x^3+3x^2$와 x축으로 둘러싸인 도형의 넓이 S는 $S=\frac{|a|}{12}(\beta-\alpha)^4$이므로 $S=\frac{|-2|}{12}\left(\frac{3}{2}-0\right)^4=\frac{27}{32}$

(2) 함수 $f(x)=12x^3-24x^2+12x+a$가 극솟값 0을 가질 때, 곡선 $y=f(x)$와 x축으로 둘러싸인 부분의 넓이는? (단, a는 상수)

① $\frac{2}{3}$　② 1　③ $\frac{4}{3}$
④ 2　⑤ $\frac{9}{2}$

STEP A 함수 $f(x)$의 증가와 감소를 표로 나타내어 상수 a의 값 구하기

$f(x)=12x^3-24x^2+12x+a$에서
$f'(x)=36x^2-48x+12=12(3x-1)(x-1)$
$f'(x)=0$에서 $x=\frac{1}{3}$ 또는 $x=1$
함수 $f(x)$의 증가와 감소를 표로 나타내면 다음과 같다.

x	…	$\frac{1}{3}$	…	1	…
$f'(x)$	+	0	−	0	+
$f(x)$	↗	극대	↘	극소	↗

$x=1$에서 극소이고 극솟값이 0이므로
$f(1)=12-24+12+a=0$　$\therefore a=0$

STEP B 삼차곡선과 접선으로 둘러싸인 넓이 공식을 이용하여 a의 값 구하기

$f(x)=12x^3-24x^2+12x$
$=12x(x-1)^2$
따라서 구하는 넓이를 S라 하고 공식을 이용하면

$$S=\int_0^1(12x^3-24x^2+12x)dx$$
$$=\frac{|12|}{12}(1-0)^4=1$$

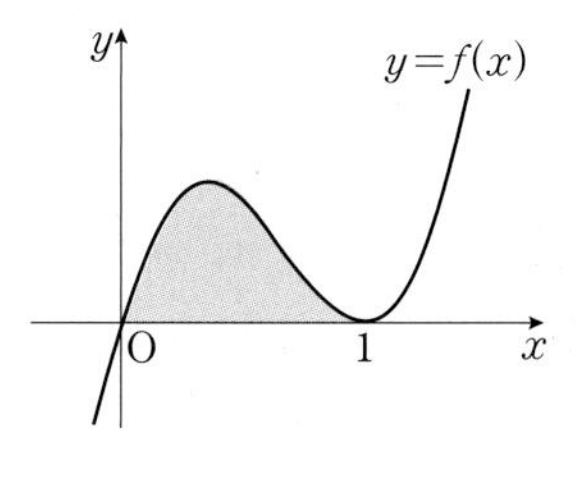

0817

오른쪽 그림과 같이 모든 실수 x에 대하여 $f(-x)=-f(x)$를 만족시키는 삼차함수 $y=f(x)$의 그래프와 직선 $y=mx$가 서로 다른 세 점에서 만난다.
모든 실수 x에 대하여
$f(x)-mx=-x(x+1)(x-1)$일 때, 곡선 $y=f(x)$와 직선 $y=mx$로 둘러싸인 부분의 넓이는? (단, $m>0$)

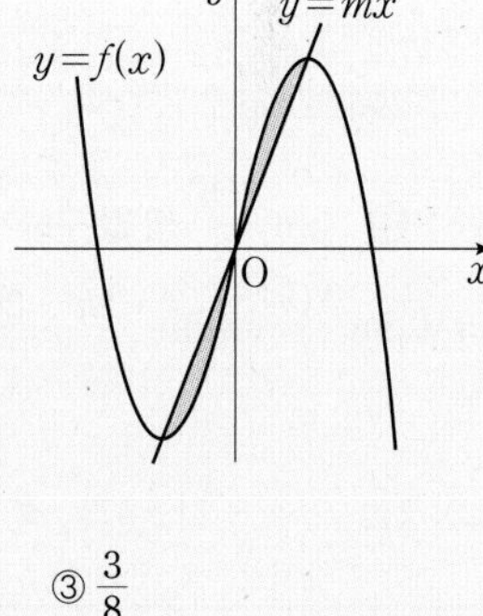

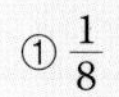
① $\frac{1}{8}$　② $\frac{1}{4}$　③ $\frac{3}{8}$

④ $\frac{1}{2}$　⑤ $\frac{5}{8}$

STEP A 두 곡선의 교점의 x좌표 구하기

함수 $y=f(x)$의 그래프가 원점에 대하여 대칭이므로
곡선 $y=f(x)$와 직선 $y=mx$가 만나는 점의 x좌표는 -1, 0, 1

STEP B 위쪽에 있는 함수에서 아래쪽에 있는 함수를 빼어 주어진 구간에서 적분하여 넓이 구하기

구하는 넓이를 S라 하면

$$\frac{1}{2}S=\int_0^1\{f(x)-mx\}dx=\int_0^1\{-x(x+1)(x-1)\}dx$$
$$=\int_0^1(-x^3+x)dx=\left[-\frac{1}{4}x^4+\frac{1}{2}x^2\right]_0^1$$
$$=-\frac{1}{4}+\frac{1}{2}=\frac{1}{4}$$

따라서 $S=2\cdot\frac{1}{4}=\frac{1}{2}$

0818

다음 물음에 답하여라.

(1) 함수 $f(x)=3x^2+2$의 그래프와 x축 및 두 직선

$x=2-h$, $x=2+h(h<0)$

으로 둘러싸인 부분의 넓이를 $S(h)$라고 할 때,

$\lim_{h\to0-}\frac{S(h)}{h}$의 값을 구하여라.

STEP Ⓐ **정적분으로 나타내어진 함수의 극한과 도함수의 정의를 이용하기**

$f(x)$의 한 부정적분을 $F(x)$라 하면

$h<0$일 때, $2+h<2-h$이므로

$$S(h)=\int_{2+h}^{2-h}f(x)dx=\Big[F(x)\Big]_{2+h}^{2-h}=F(2-h)-F(2+h)$$

$$\lim_{h\to0-}\frac{S(h)}{h}=\lim_{h\to0-}\frac{F(2-h)-F(2+h)}{h}$$

$$=-\lim_{h\to0-}\frac{F(2-h)-F(2)}{-h}-\lim_{h\to0-}\frac{F(2+h)-F(2)}{h}$$

$$=-2F'(2)=-2f(2)$$

STEP Ⓑ $\lim_{h\to0-}\frac{S(h)}{h}$**의 값 구하기**

또한, $f(x)=3x^2+2$에서 $f(2)=14$

따라서 $\lim_{h\to0-}\frac{S(h)}{h}=-2f(2)=-2\cdot14=-28$

다른풀이 넓이 $S(h)$를 직접 구하여 풀이하기

STEP Ⓐ **곡선과 x축 및 두 직선 $x=2-h$, $x=2+h(h>0)$로 둘러싸인 부분의 넓이 $S(h)$구하기**

곡선 $f(x)=3x^2+2$와 x축 및 두 직선 $x=2-h$, $x=2+h(h>0)$로 둘러싸인 부분의 넓이는 $h<0$일 때, $2+h<2-h$이므로

$$S(h)=\int_{2+h}^{2-h}(3x^2+2)dx$$

$$=\Big[x^3+2x\Big]_{2+h}^{2-h}$$

$$=\{(2-h)^3+2(2-h)\}-\{(2+h)^3-2(2+h)\}$$

$$=-2h^3-28h$$

STEP Ⓑ $\lim_{h\to0-}\frac{S(h)}{h}$**의 값 구하기**

따라서 $\lim_{h\to0-}\frac{S(h)}{h}=\lim_{h\to0-}\frac{-2h^3-28h}{h}=\lim_{h\to0-}(-2h^2-28)=-28$

(2) 곡선 $y=x^2+2x+3$과 x축 및 두 직선

$x=2-h$, $x=2+h(h>0)$

으로 둘러싸인 도형의 넓이를 $S(h)$라고 할 때,

$\lim_{h\to0+}\frac{S(h)}{h}$의 값을 구하여라.

STEP Ⓐ **정적분으로 나타내어진 함수의 극한과 도함수의 정의를 이용하기**

$f(x)$의 한 부정적분을 $F(x)$라 하고

$h>0$일 때, $2-h<2+h$이므로

$$S(h)=\int_{2-h}^{2+h}f(x)dx=\Big[F(x)\Big]_{2-h}^{2+h}=F(2+h)-F(2-h)$$

$$\lim_{h\to0+}\frac{S(h)}{h}=\lim_{h\to0+}\frac{\int_{2-h}^{2+h}f(x)\,dx}{h}$$

$$=\lim_{h\to0+}\frac{F(2+h)-F(2-h)}{h}$$

$$=\lim_{h\to0+}\left\{\frac{F(2+h)-F(2)}{h}+\frac{F(2-h)-F(2)}{h}\right\}$$

$$=2F'(2)=2f(2)$$

STEP Ⓑ $\lim_{h\to0+}\frac{S(h)}{h}$**의 값 구하기**

또한, $f(x)=x^2+2x+3$에서 $f(2)=11$

따라서 $\lim_{h\to0+}\frac{S(h)}{h}=2f(2)=2\cdot11=22$

다른풀이 넓이 $S(h)$를 직접 구하여 풀이하기

STEP Ⓐ **곡선과 x축 및 두 직선 $x=2-h$, $x=2+h(h>0)$로 둘러싸인 부분의 넓이 $S(h)$구하기**

곡선 $y=x^2+2x+3$과 x축 및 두 직선 $x=2-h$, $x=2+h(h>0)$로 둘러싸인 부분의 넓이는

$$S(h)=\int_{2-h}^{2+h}(x^2+2x+3)dx$$

$$=\left[\frac{1}{3}x^3+x^2+3x\right]_{2-h}^{2+h}$$

$$=\left\{\frac{1}{3}(2+h)^3+(2+h)^2+3(2+h)\right\}-\left\{\frac{1}{3}(2-h)^3+(2-h)^2+3(2-h)\right\}$$

$$=\frac{1}{3}h^3+22h$$

STEP Ⓑ $\lim_{h\to0+}\frac{S(h)}{h}$**의 값 구하기**

따라서 $\lim_{h\to0+}\frac{S(h)}{h}=\lim_{h\to0+}\frac{\frac{1}{3}h^3+22h}{h}=\lim_{h\to0+}\left(\frac{1}{3}h^2+22\right)=22$

0819

곡선 $f(x)=x^2-4x+4$를 y축의 방향으로 a만큼 평행이동시킨 곡선을 $y=g(x)$라 하자.

두 곡선 $y=f(x)$, $y=g(x)$와 y축 및 $x=6$으로 둘러싸인 부분의 넓이가 12일 때, $g(2)$의 값을 구하여라. (단, $a>0$)

STEP Ⓐ **평행이동시킨 곡선 $y=g(x)$의 식 작성하기**

곡선 $y=x^2-4x+4$를 y축의 방향으로 a만큼 평행이동시키면

$y-a=x^2-4x+4$이므로 $g(x)=x^2-4x+4+a$

STEP Ⓑ **두 곡선 $y=f(x)$, $y=g(x)$와 y축 및 $x=6$으로 둘러싸인 부분의 넓이가 12일 때, 양수 a의 값 구하기**

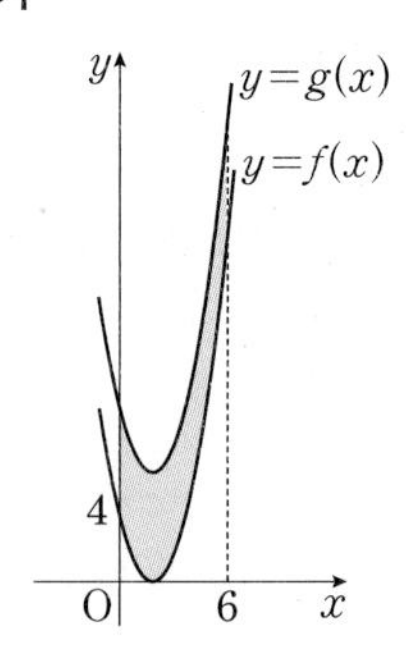

닫힌구간 $[0, 6]$에서 $f(x)<g(x)$이므로

구하는 넓이를 S라 하면

$$S=\int_0^6\{(x^2-4x+4+a)-(x^2-4x+4)\}dx$$

$$=\int_0^6 adx$$

$$=\Big[ax\Big]_0^6$$

$$=6a=12$$

$\therefore a=2$

STEP Ⓒ $g(2)$**의 값 구하기**

따라서 $g(x)=x^2-4x+6$이므로 $g(2)=4-8+6=2$

0820

함수 $f(x)=x^2-2x+3$에 대하여 직선 $x=0$, $x=3$, $y=0$과 곡선 $y=f(x)$로 둘러싸인 부분의 넓이와 직선 $x=0$, $x=3$, $y=0$, $y=f(c)$로 둘러싸인 사각형의 넓이가 같게 되는 c의 값은? (단, $0<c<3$이다.)

① 1.8 ② 1.9 ③ 2
④ 2.1 ⑤ 2.2

STEP Ⓐ $x=0$, $x=3$, $y=0$, $y=f(x)$로 둘러싸인 부분의 넓이 구하기

$x=0$, $x=3$, $y=0$, $y=f(x)$로 둘러싸인 부분의 넓이를 S_1이라 하면

$S_1=\int_0^3 f(x)dx$
$=\int_0^3 (x^2-2x+3)dx$
$=9$

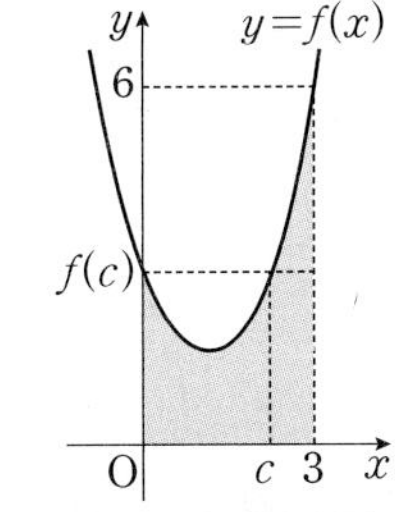

STEP Ⓑ $x=0$, $x=3$, $y=0$, $y=f(c)$로 둘러싸인 부분의 넓이 구하기

$x=0$, $x=3$, $y=0$, $y=f(c)$로 둘러싸인 부분의 넓이를 S_2이라고 하면

$S_2=3f(c)=3(c^2-2c+3)$

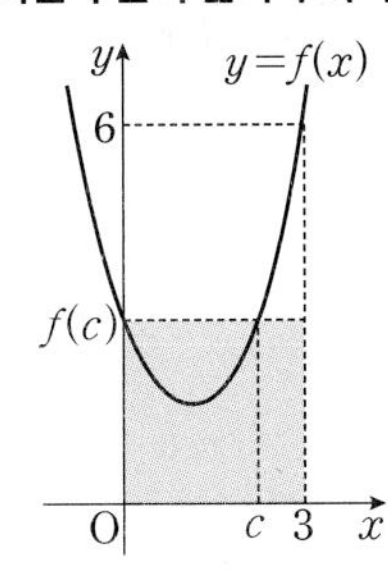

STEP Ⓒ $S_1=S_2$를 만족하는 c의 값 구하기

$S_1=S_2$이므로 $9=3(c^2-2c+3)$ $\therefore c(c-2)=0$

따라서 $0<c<3$이므로 $c=2$

0821

정사각형 모양의 타일이 좌표평면에 그림과 같이 가로, 세로가 각각 x축, y축과 일치되게 놓여 있다.
이 타일에 $y=f(x)$와 $y=g(x)$의 그래프를 경계로 하여 파란색과 노란색을 칠하려고 한다. 파란색과 노란색이 칠해지는 부분의 면적의 비가 2∶3일 때, $\int_0^{15} f(x)dx$의 값을 구하여라.

(단, 함수 $g(x)$는 $f(x)$의 역함수이다.)

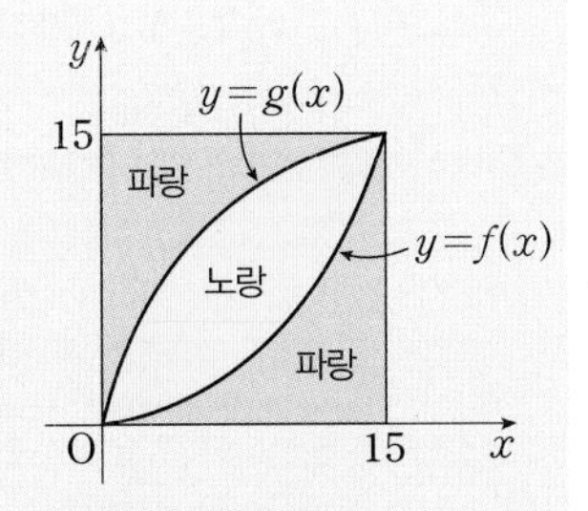

STEP Ⓐ $f(x)$와 $g(x)$가 역함수 관계이므로 아래쪽 파란색 부분과 위쪽 파란색 부분의 넓이가 같음을 이용하여 구하기

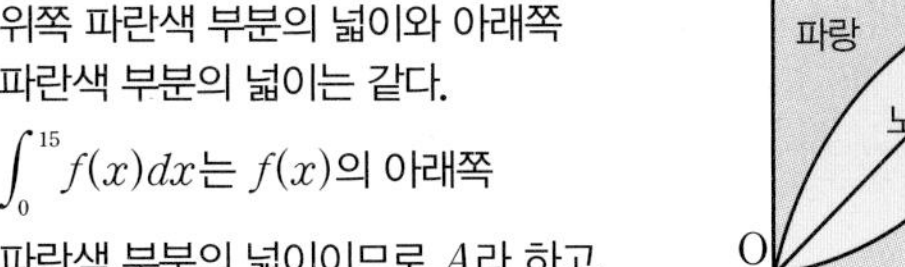

$y=f(x)$와 $y=g(x)$의 그래프가 직선 $y=x$에 대하여 대칭이므로 위쪽 파란색 부분의 넓이와 아래쪽 파란색 부분의 넓이는 같다.

$\int_0^{15} f(x)dx$는 $f(x)$의 아래쪽 파란색 부분의 넓이이므로 A라 하고 노란색으로 칠해지는 부분의 넓이를 B라 하면 파란색과 노란색이 칠해지는 부분의 면적의 비가 2∶3이므로

$2A:B=2:3$ $\therefore B=3A$ …… ㉠

또, 정사각형 모양의 타일 전체의 넓이는 가로, 세로의 길이가 15인 정사각형의 넓이이므로 $2A+B=15^2=225$ …… ㉡

㉠을 ㉡에 대입하면 $2A+3A=225$ $\therefore A=45$

따라서 $\int_0^{15} f(x)dx=45$

0822

다음 물음에 답하여라.

(1) 정의역이 $\{x\mid x\geq 0\}$인 함수 $f(x)=ax^2$의 역함수를 $g(x)$라 하자. 두 곡선 $y=f(x)$, $y=g(x)$로 둘러싸인 부분의 넓이가 $\frac{4}{3}$일 때, 양수 a의 값은?

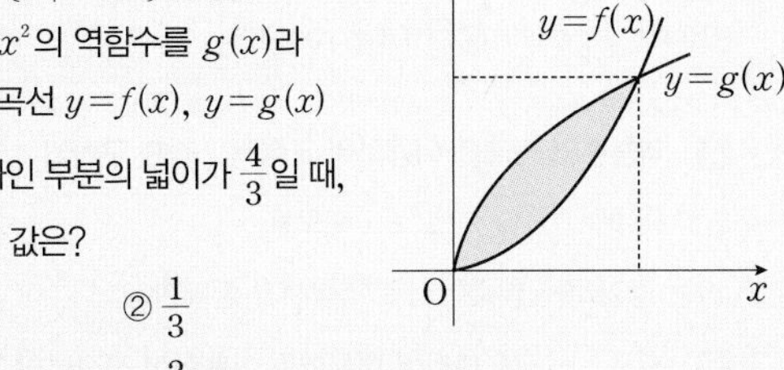

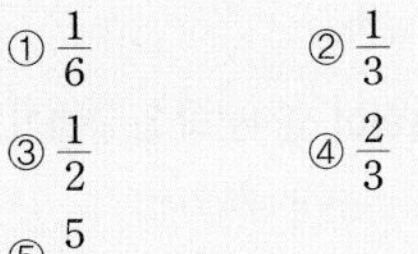

① $\frac{1}{6}$ ② $\frac{1}{3}$
③ $\frac{1}{2}$ ④ $\frac{2}{3}$
⑤ $\frac{5}{6}$

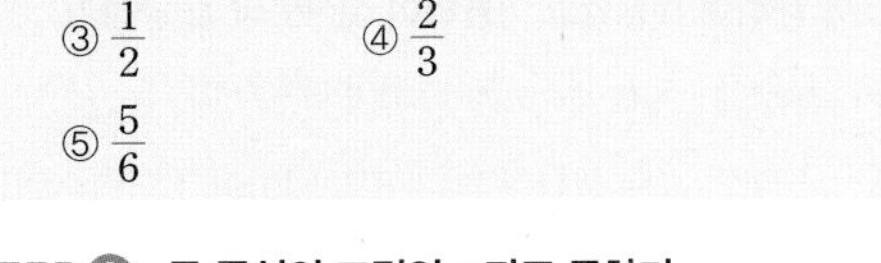

STEP Ⓐ 두 곡선의 교점의 x좌표 구하기

함수 $y=f(x)$의 그래프와 함수 $y=g(x)$의 그래프는 직선 $y=x$에 대하여 대칭이므로 두 곡선 $y=f(x)$, $y=g(x)$가 만나는 점의 x좌표는 곡선 $y=f(x)$와 직선 $y=x$가 만나는 점의 x좌표와 같다.

두 곡선 $y=f(x)$, $y=g(x)$가 만나는 점의 x좌표는 $ax^2=x$에서 $x(ax-1)=0$이므로 $x=0$ 또는 $x=\frac{1}{a}$

STEP Ⓑ $y=f(x)$와 $y=x$로 둘러싸인 부분의 넓이 구하기

두 곡선 $y=f(x)$, $y=g(x)$로 둘러싸인 부분의 넓이는 곡선 $y=f(x)$와 직선 $y=x$로 둘러싸인 부분의 넓이의 두 배이므로

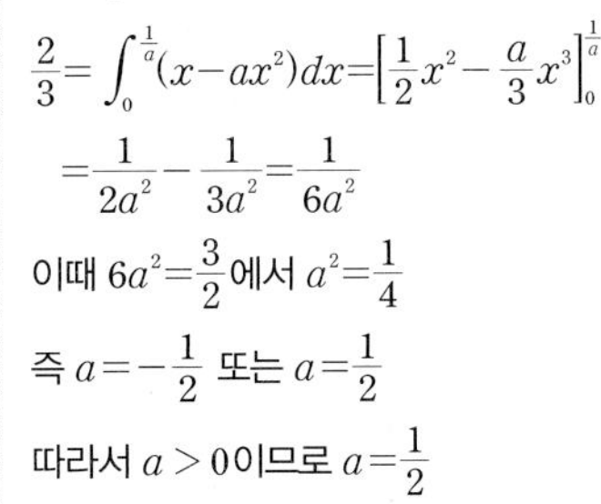

$\frac{2}{3}=\int_0^{\frac{1}{a}}(x-ax^2)dx=\left[\frac{1}{2}x^2-\frac{a}{3}x^3\right]_0^{\frac{1}{a}}$
$=\frac{1}{2a^2}-\frac{1}{3a^2}=\frac{1}{6a^2}$

이때 $6a^2=\frac{3}{2}$에서 $a^2=\frac{1}{4}$

즉 $a=-\frac{1}{2}$ 또는 $a=\frac{1}{2}$

따라서 $a>0$이므로 $a=\frac{1}{2}$

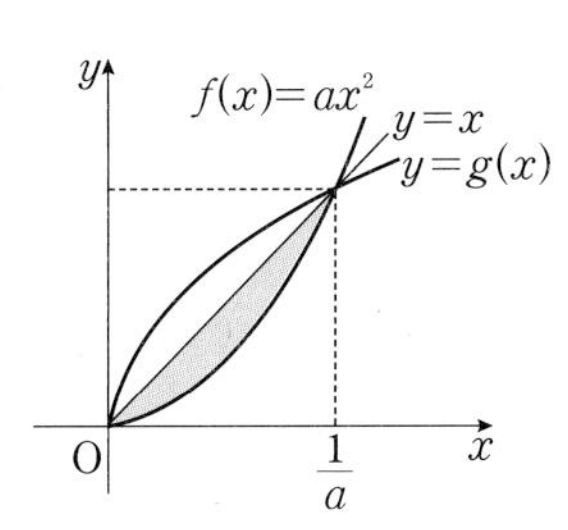

(2) 함수 $f(x)=x^2-2x+2\,(x\geq 1)$의 역함수를 $g(x)$라 하자. 두 곡선 $y=f(x)$, $y=g(x)$로 둘러싸인 부분의 넓이는?

① $\frac{1}{12}$ ② $\frac{1}{6}$ ③ $\frac{1}{4}$
④ $\frac{1}{3}$ ⑤ $\frac{5}{12}$

STEP Ⓐ 두 곡선의 교점의 x좌표 구하기

함수 $y=f(x)$의 그래프와 함수 $y=g(x)$의 그래프는 직선 $y=x$에 대하여 대칭이므로 두 곡선 $y=f(x)$, $y=g(x)$가 만나는 점의 x좌표는 곡선 $y=f(x)$와 직선 $y=x$가 만나는 점의 x좌표와 같다.

즉 $x^2-2x+2=x$에서 $x^2-3x+2=0$, $(x-1)(x-2)=0$

$x=1$ 또는 $x=2$

STEP Ⓑ $y=f(x)$와 $y=x$로 둘러싸인 부분의 넓이 구하기

두 곡선 $y=f(x)$와 $y=g(x)$로 둘러싸인 부분의 넓이는 곡선 $y=f(x)$와 직선 $y=x$로 둘러싸인 부분의 넓이의 2배이므로

$\int_1^2 |f(x)-g(x)|dx$
$=2\int_1^2\{x-(x^2-2x+2)\}dx$
$=2\int_1^2(-x^2+3x-2)dx$
$=2\left[-\frac{1}{3}x^3+\frac{3}{2}x^2-2x\right]_1^2$
$=2\left(-\frac{2}{3}+\frac{5}{6}\right)=\frac{1}{3}$

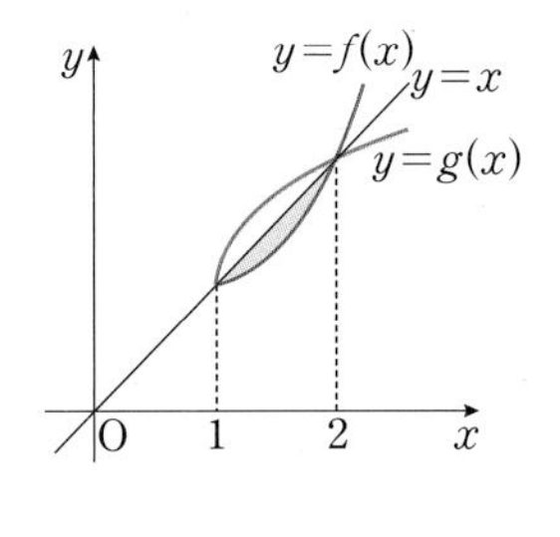

0823

함수 $f(x)=\frac{1}{3}x^3+3(x\ge 0)$의 역함수를 $g(x)$라 할 때,

$\int_0^3 f(x)dx+\int_3^{12} g(x)dx$의 값을 구하여라.

STEP Ⓐ 역함수의 관계를 이용하여 교점의 x좌표 구하기

$f(x)=\frac{1}{3}x^3+3$에서 $f'(x)=x^2\ge 0$이므로

함수 $f(x)$는 증가하는 함수이므로 역함수가 존재한다.

STEP Ⓑ 직선 $y=x$에 대하여 대칭임을 이용하여 정적분의 값 구하기

$y=f(x)$와 $y=g(x)$의 그래프는 직선 $y=x$에 대하여 대칭이다.

다음 그림과 같이 $\int_3^{12} g(x)dx$의 값은 색칠된 부분 B의 넓이이고 역함수의 성질에 의하여 직선 $y=x$에 대하여 대칭이동시킨 부분 B'의 넓이와 같다.

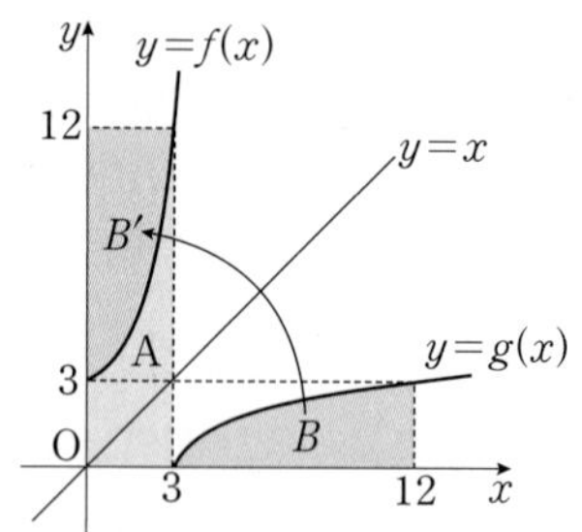

따라서 $\int_0^3 f(x)dx$의 값은 색칠된 부분 A의 넓이이므로

$\int_0^3 f(x)dx+\int_3^{12} g(x)dx=A+B'=3\cdot 12=36$

0824

다음 물음에 답하여라.

(1) 오른쪽 그림과 같이 곡선 $y=x^2-ax\,(0<a<3)$와 x축으로 둘러싸인 부분의 넓이를 S_1이라 하고 곡선 $y=x^2-ax$와 x축 및 직선 $x=3$으로 둘러싸인 부분의 넓이를 S_2라 하자. $S_1=S_2$일 때, 상수 a의 값을 구하여라.

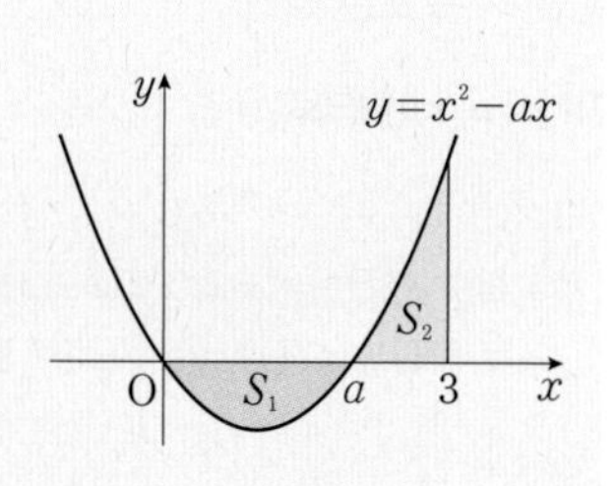

STEP Ⓐ 곡선과 x축의 교점의 x좌표 구하기

곡선 $y=x^2-ax$와 x축의 교점의 x좌표는

$x(x-a)=0$에서 $x=0$ 또는 $x=a$

STEP Ⓑ 곡선과 x축으로 둘러싸인 두 도형의 넓이가 같으므로 정적분의 부호가 반대임을 이용하여 상수 k 구하기

오른쪽 그림에서 곡선 $y=x^2-ax$와 x축 및 직선 $x=3$으로 둘러싸인 두 도형 S_1, S_2의 넓이가 같으므로

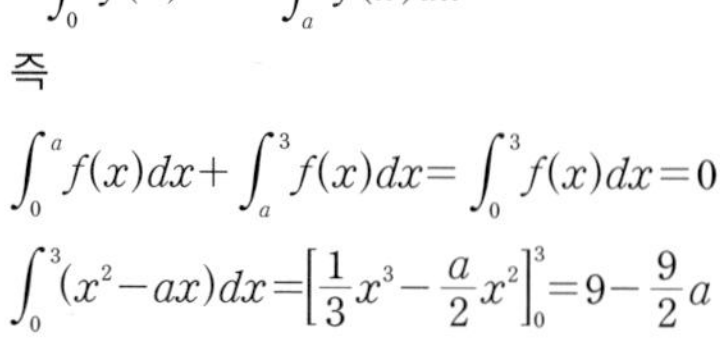

$f(x)=x^2-ax$라 두면

$-\int_0^a f(x)dx=\int_a^3 f(x)dx$

즉

$\int_0^a f(x)dx+\int_a^3 f(x)dx=\int_0^3 f(x)dx=0$

$\int_0^3 (x^2-ax)dx=\left[\frac{1}{3}x^3-\frac{a}{2}x^2\right]_0^3=9-\frac{9}{2}a$

따라서 $9-\frac{9}{2}a=0$이므로 $a=2$

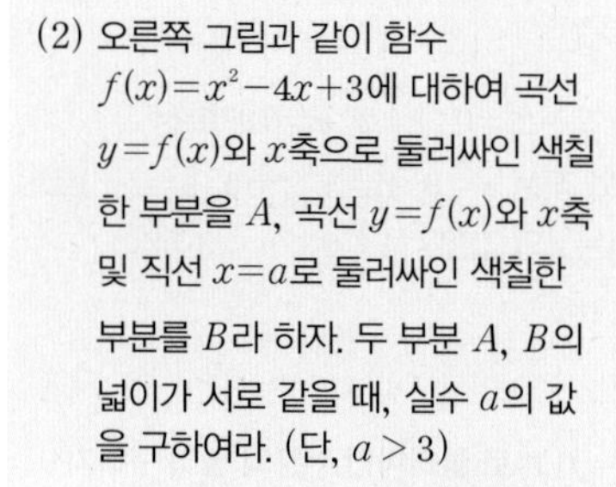

(2) 오른쪽 그림과 같이 함수 $f(x)=x^2-4x+3$에 대하여 곡선 $y=f(x)$와 x축으로 둘러싸인 색칠한 부분을 A, 곡선 $y=f(x)$와 x축 및 직선 $x=a$로 둘러싸인 색칠한 부분을 B라 하자. 두 부분 A, B의 넓이가 서로 같을 때, 실수 a의 값을 구하여라. (단, $a>3$)

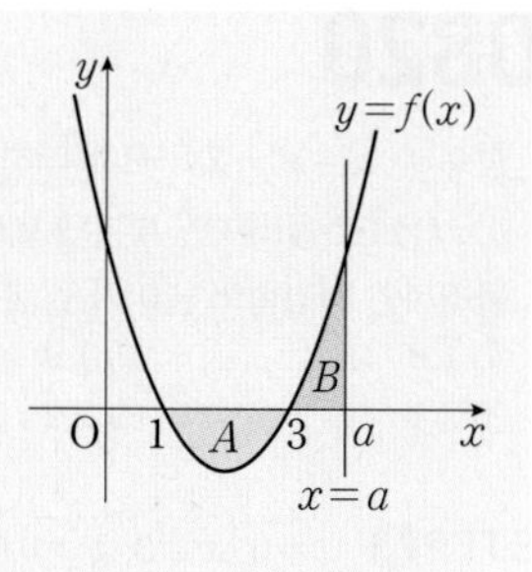

STEP Ⓐ 곡선과 x축으로 둘러싸인 두 도형의 넓이가 같으므로 정적분의 부호가 반대임을 이용하기

두 부분 A, B의 넓이가 서로 같으므로

$-\int_1^3 f(x)dx=\int_3^a f(x)dx$

즉 $\int_1^3 f(x)dx+\int_3^a f(x)dx=0$이므로 $\int_1^a f(x)dx=0$이 성립한다.

STEP Ⓑ 정적분의 계산과 인수분해를 이용하여 $a>3$인 a의 값 구하기

$$\int_1^a f(x)dx=\int_1^a (x^2-4x+3)dx$$
$$=\left[\frac{1}{3}x^3-2x^2+3x\right]_1^a$$
$$=\frac{1}{3}a^3-2a^2+3a-\frac{4}{3}$$

$\frac{1}{3}a^3-2a^2+3a-\frac{4}{3}=0$이므로 $a^3-6a^2+9a-4=0$

$(a-1)^2(a-4)=0$

$\therefore a=1$ 또는 $a=4$

따라서 $a>3$이므로 $a=4$

이차함수와 x축으로 둘러싸인 두 부분의 넓이가 같을 때, 성립조건

$f(x)=ax^2+bx+c\ (a>0)$에서

두 부분의 넓이가 A, B일 때,

즉 $\int_0^\alpha f(x)dx=\mathrm{A}$, $\int_\alpha^\beta |f(x)|dx=\mathrm{B}$에서

$A=B$이면 $\beta=3\alpha$이다.

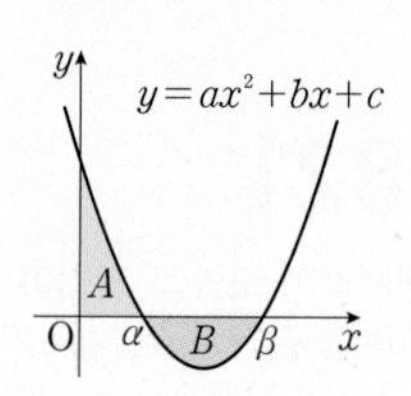

0825

오른쪽 그림과 같이 사차함수 $y=f(x)$의 그래프가 $x=1$과 $x=3$에서 극댓값 3을 갖고 $x=2$에서 극솟값 1을 가질 때, 사차함수 $f(x)$의 도함수 $y=f'(x)$의 그래프와 x축으로 둘러싸인 부분의 넓이는?

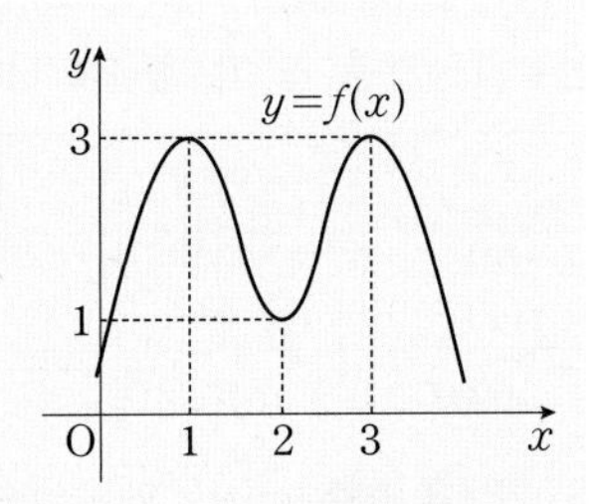

① 2 ② 3
③ 4 ④ 5
⑤ 6

STEP Ⓐ **도함수 $y=f'(x)$의 그래프와 x축으로 둘러싸인 부분의 넓이 구하기**

사차함수 $y=f(x)$의 그래프의 도함수 $y=f'(x)$의 그래프는 오른쪽 그림과 같다.

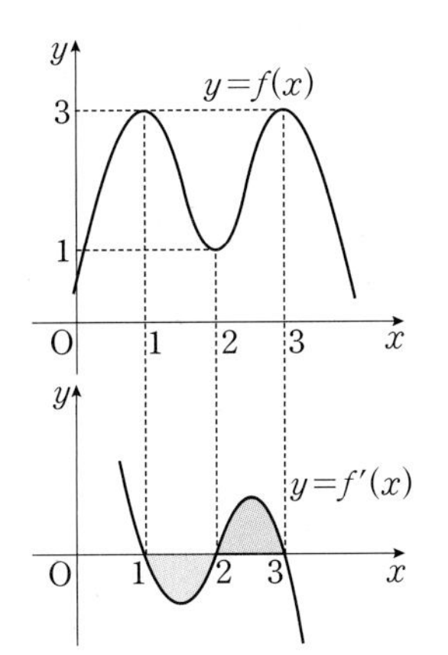

따라서 넓이 S를 구하면

$S=\int_1^3|f'(x)|dx$

$=\int_1^2\{-f'(x)\}dx+\int_2^3 f'(x)dx$

$=\Big[-f(x)\Big]_1^2+\Big[f(x)\Big]_2^3$

$=-\{f(2)-f(1)\}+\{f(3)-f(2)\}$

$=f(1)-2f(2)+f(3)$

$=3-2\times1+3=4$

0826

함수 $f(x)$의 도함수 $f'(x)$가 $f'(x)=x^2-1$과 $f(0)=0$을 만족할 때, 곡선 $y=f(x)$와 x축으로 둘러싸인 부분의 넓이는?

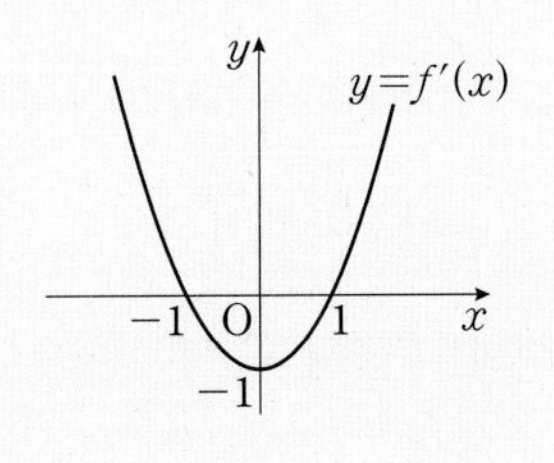

① $\frac{9}{8}$ ② $\frac{5}{4}$
③ $\frac{11}{8}$ ④ $\frac{3}{2}$
⑤ $\frac{13}{8}$

STEP Ⓐ **부정적분을 이용하여 $f(x)$ 구하기**

$f(x)=\int(x^2-1)dx=\frac{1}{3}x^3-x+C$ (단, C는 적분상수)

$f(0)=0$이므로 $C=0$ $\therefore f(x)=\frac{1}{3}x^3-x$

STEP Ⓑ **곡선 $y=f(x)$와 x축으로 둘러싸인 부분의 넓이 구하기**

$f(x)=\frac{1}{3}x^3-x$

$=\frac{1}{3}x(x-\sqrt{3})(x+\sqrt{3})$

이므로 $y=f(x)$는 원점에 대하여 대칭이다.

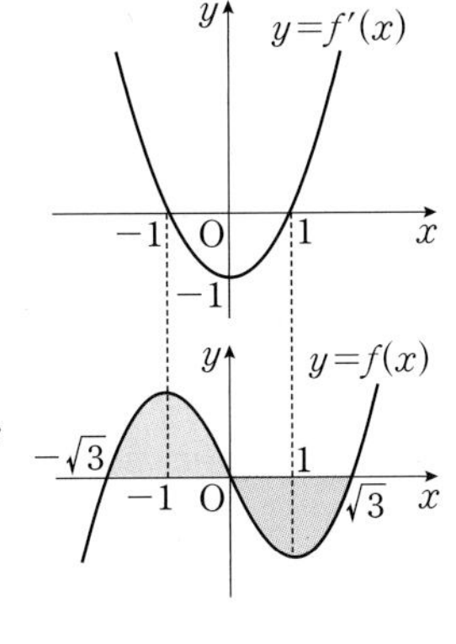

따라서 곡선 $y=f(x)$의 그래프와 x축으로 둘러싸인 부분의 넓이는

$\int_{-\sqrt{3}}^{\sqrt{3}}\left|\frac{1}{3}x^3-x\right|dx=2\int_0^{\sqrt{3}}\left(-\frac{1}{3}x^3+x\right)dx$

$=2\Big[-\frac{1}{12}x^4+\frac{1}{2}x^2\Big]_0^{\sqrt{3}}$

$=2\left(-\frac{9}{12}+\frac{3}{2}\right)$

$=-\frac{3}{2}+3=\frac{3}{2}$

NORMAL

0827

최고차항의 계수가 1인 이차함수 $f(x)$가 $f(3)=0$이고

$$\int_0^{2013}f(x)dx=\int_3^{2013}f(x)dx$$

를 만족시킨다. 곡선 $y=f(x)$와 x축으로 둘러싸인 부분의 넓이가 S일 때, $30S$의 값을 구하여라.

STEP Ⓐ **정적분의 식을 변형하기**

$\int_0^{2013}f(x)dx=\int_3^{2013}f(x)dx$에서

$\int_0^{2013}f(x)dx-\int_3^{2013}f(x)dx$

$=\left\{\int_0^3 f(x)dx+\int_3^{2013}f(x)dx\right\}-\int_3^{2013}f(x)dx$

$=\int_0^3 f(x)dx=0$ …… ㉠

STEP Ⓑ **정적분을 이용하여 이차함수 $f(x)$의 식 구하기**

$f(x)$가 최고차항의 계수가 1이고 $f(3)=0$인 이차함수이므로

$f(x)=(x-3)(x-a)=x^2-(a+3)x+3a$ (a는 상수)라 하고

㉠에 대입하면

$\int_0^3 f(x)dx=\int_0^3\{x^2-(a+3)x+3a\}dx$

$=\Big[\frac{1}{3}x^3-\frac{a+3}{2}x^2+3ax\Big]_0^3$

$=9-\frac{9}{2}a-\frac{27}{2}+9a$

$=\frac{9}{2}a-\frac{9}{2}=0$

즉 $a=1$이므로 $f(x)=x^2-4x+3$

STEP Ⓒ **정적분을 이용하여 넓이 구하기**

즉 $f(x)=x^2-4x+3$이므로 x축으로 둘러싸인 부분의 넓이 S는

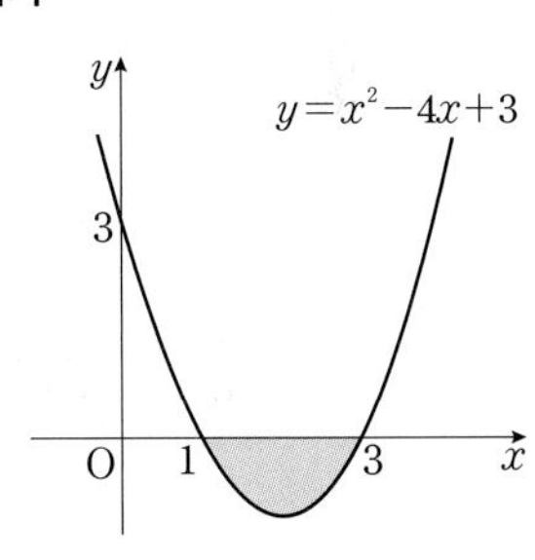

$S=\int_1^3|x^2-4x+3|dx$

$=\int_1^3(-x^2+4x-3)dx$

$=\Big[-\frac{1}{3}x^3+2x^2-3x\Big]_1^3$

$=(-9+18-9)-\left(-\frac{1}{3}+2-3\right)$

$=\frac{4}{3}$

따라서 $30S=30\cdot\frac{4}{3}=40$

다른풀이 이차함수를 $f(x)=x^2+ax+b$로 놓고 풀이하기

최고차항의 계수가 1인 이차함수 $f(x)$를 $f(x)=x^2+ax+b$라 하면

$\int_0^3 f(x)dx=0$에서

$\int_0^3(x^2+ax+b)dx=\Big[\frac{1}{3}x^3+\frac{1}{2}ax^2+bx\Big]_0^3=9+\frac{9}{2}a+3b=0$

$\therefore 3a+2b=-6$ …… ㉠

또, $f(3)=0$이므로 $f(3)=9+3a+b=0$

$\therefore 3a+b=-9$ …… ㉡

㉠, ㉡을 연립하여 풀면 $a=-4$, $b=3$

$\therefore f(x)=x^2-4x+3=(x-1)(x-3)$

따라서 곡선 $y=f(x)$와 x축으로 둘러싸인 부분의 넓이 S는

$S=\int_1^3|x^2-4x+3|dx=-\int_1^3(x-1)(x-3)dx=\frac{1}{6}(3-1)^3=\frac{8}{6}=\frac{4}{3}$

0828

다음 물음에 답하여라.

(1) 삼차함수 $f(x)$의 도함수 $f'(x)=-\frac{1}{9}(x^2-9)$이고 극솟값이 1일 때, 곡선 $y=f(x)$와 x축 및 두 직선 $x=-3$, $x=3$으로 둘러싸인 부분의 넓이는?

① 12 ② 15 ③ 18
④ 21 ⑤ 24

STEP Ⓐ 부정적분에서 적분상수 C를 구하여 삼차함수 $f(x)$ 구하기

$f'(x)=-\frac{1}{9}(x^2-9)$에서

$f(x)=-\frac{1}{9}\int(x^2-9)dx=-\frac{1}{9}\left(\frac{1}{3}x^3-9x\right)+C$ (단, C는 적분상수)

$f'(x)=0$에서 $x=-3$ 또는 $x=3$

함수 $f(x)$의 증가와 감소를 표로 나타내면 다음과 같다.

x	$\cdots$	-3	$\cdots$	3	$\cdots$
$f'(x)$	$-$	0	$+$	0	$-$
$f(x)$	↘	극소	↗	극대	↘

$x=-3$에서 극소이고 극솟값은

$f(-3)=-\frac{1}{9}(-9+27)+C=1$

$\therefore C=3$

즉 $f(x)=-\frac{1}{9}\left(\frac{1}{3}x^3-9x\right)+3$

$=-\frac{1}{27}x^3+x+3$ ⬅ $x=3$에서 극대이고 극댓값은 $f(3)=5$

STEP Ⓑ 함수 $y=f(x)$와 x축 및 두 직선 $x=-3$, $x=3$으로 둘러싸인 부분의 넓이 구하기

함수 $y=f(x)$의 그래프는 다음 그림과 같다.

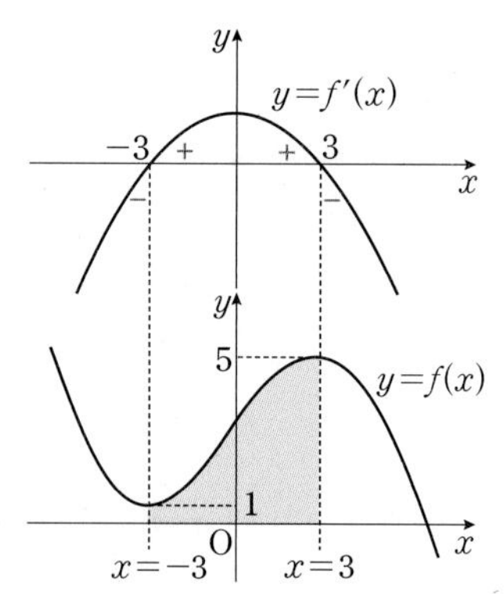

따라서 구하는 넓이를 S라 하면

$S=\int_{-3}^{3}\left(-\frac{1}{27}x^3+x+3\right)dx=2\int_0^3 3dx=2\Big[3x\Big]_0^3=18$

(2) 함수 $f(x)$의 도함수가 $f'(x)=4x^3-4x$이고 $f(x)$의 극댓값이 k일 때, 직선 $y=k$와 곡선 $y=f(x)$로 둘러싸인 부분의 넓이는?

① $\frac{8\sqrt{2}}{15}$ ② $\frac{2\sqrt{2}}{3}$ ③ $\frac{4\sqrt{2}}{5}$
④ $\frac{14\sqrt{2}}{15}$ ⑤ $\frac{16\sqrt{2}}{15}$

STEP Ⓐ 부정적분에서 적분상수 C를 구하여 사차함수 $f(x)$ 구하기

$f'(x)=4x^3-4x$에서

$f(x)=\int(4x^3-4x)dx=x^4-2x^2+C$ (단, C는 적분상수)

⬅ 함수 $f(x)$는 y축 대칭인 함수(우함수)

이때 $f'(x)=4x^3-4x=4x(x^2-1)=4x(x+1)(x-1)$

$f'(x)=0$에서 $x=-1$ 또는 $x=0$ 또는 $x=1$

함수 $f(x)$의 증가와 감소를 표로 나타내면 다음과 같다.

x	$\cdots$	-1	$\cdots$	0	$\cdots$	1	$\cdots$
$f'(x)$	$-$	0	$+$	0	$-$	0	$+$
$f(x)$	↘	극소	↗	극대	↘	극소	↗

$x=0$에서 극댓값 $f(0)=C=k$

STEP Ⓑ 함수 $y=f(x)$와 $y=k$의 교점의 x좌표 구하기

이때 $f(x)=x^4-2x^2+k$와 $y=k$의 교점의 x좌표를 구하면

$x^4-2x^2+k=k$, $x^4-2x^2=0$, $x^2(x^2-2)=0$

$\therefore x=0$ 또는 $x=-\sqrt{2}$ 또는 $x=\sqrt{2}$

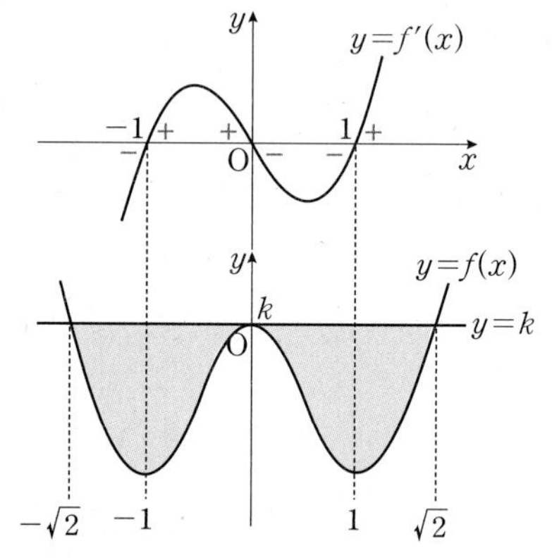

STEP Ⓒ 정적분을 이용하여 넓이 구하기

닫힌구간 $[-\sqrt{2}, \sqrt{2}]$에서 $k \ge x^4-2x^2+k$

따라서 직선 $y=k$와 곡선 $y=f(x)$로 둘러싸인 부분의 넓이 S는

$S=\int_{-\sqrt{2}}^{\sqrt{2}}\{k-(x^4-2x^2+k)\}dx$

$=2\int_0^{\sqrt{2}}(-x^4+2x^2)dx$

$=2\left[-\frac{1}{5}x^5+\frac{2}{3}x^3\right]_0^{\sqrt{2}}$

$=2\left(-\frac{4\sqrt{2}}{5}+\frac{4\sqrt{2}}{3}\right)$

$=\frac{16\sqrt{2}}{15}$

0829

다음 그림과 같이 네 점 $(0, 0)$, $(1, 0)$, $(1, 1)$, $(0, 1)$을 꼭짓점으로 하는 정사각형의 내부를 두 곡선 $y=\frac{1}{2}x^2$, $y=ax^2$으로 나눈 세 부분의 넓이를 각각 S_1, S_2, S_3이라 하자.

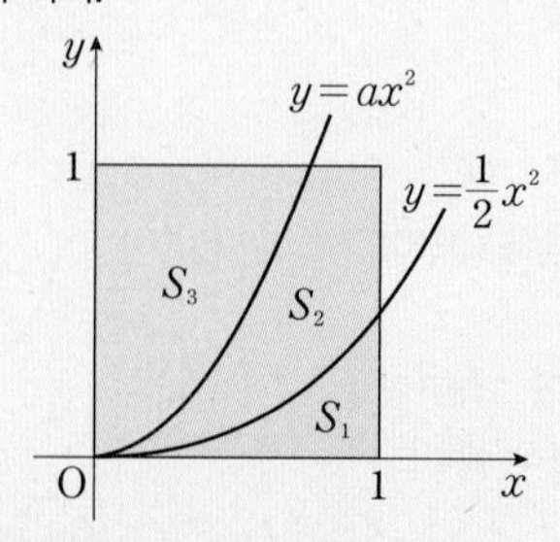

S_1, S_2, S_3이 이 순서로 등차수열을 이룰 때, 양수 a의 값은?

① $\frac{16}{9}$ ② $\frac{17}{9}$ ③ 2
④ $\frac{19}{9}$ ⑤ $\frac{20}{9}$

STEP A **등차중항과 정적분을 이용하여 S_1, S_2, S_3의 값 구하기**

S_1, S_2, S_3이 이 순서대로 등차수열을 이루므로

$S_1+S_2+S_3=1$, $2S_2=S_1+S_3$ …… ㉠

$S_1=\int_0^1 \frac{1}{2}x^2 dx=\frac{1}{6}$ …… ㉡

㉠에서 $S_1+S_2+S_3=3S_2=1$ $\therefore S_2=\frac{1}{3}$

㉠, ㉡에서 $S_3=\frac{1}{2}$

STEP B **S_3의 넓이를 구하여 a 구하기**

이때 $ax^2=1$에서 $x=\frac{1}{\sqrt{a}}$ ($\because x>0$)이므로 S_3은 다음 그림과 같이 사각형 OABC의 넓이에서 색칠하지 않은 부분의 넓이를 뺀 것과 같다.

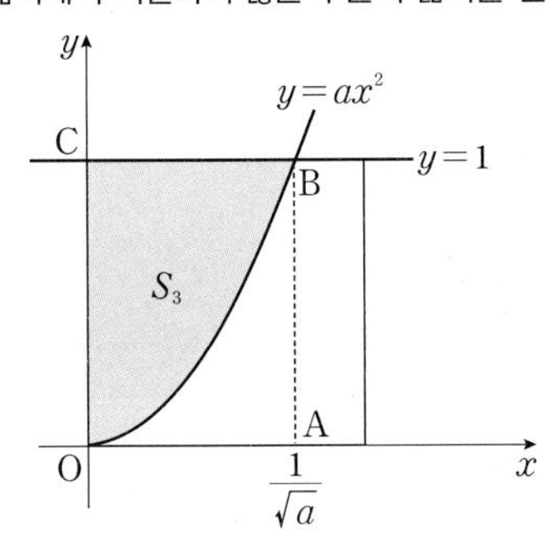

$S_3=\left(\frac{1}{\sqrt{a}}\cdot 1\right)-\int_0^{\frac{1}{\sqrt{a}}} ax^2 dx=\frac{1}{\sqrt{a}}-\left[\frac{a}{3}x^3\right]_0^{\frac{1}{\sqrt{a}}}$

$=\frac{1}{\sqrt{a}}-\frac{1}{3\sqrt{a}}$

$=\frac{2}{3\sqrt{a}}$

따라서 $\frac{2}{3\sqrt{a}}=\frac{1}{2}$이므로 $\sqrt{a}=\frac{4}{3}$ $\therefore a=\frac{16}{9}$

0830

곡선 $y=-x^2+1$과 이 곡선 위의 임의의 점 $(a, -a^2+1)$에서의 접선 및 두 직선 $x=0$, $x=1$로 둘러싸인 도형의 넓이의 최솟값을 구하여라. $(0<a<1)$

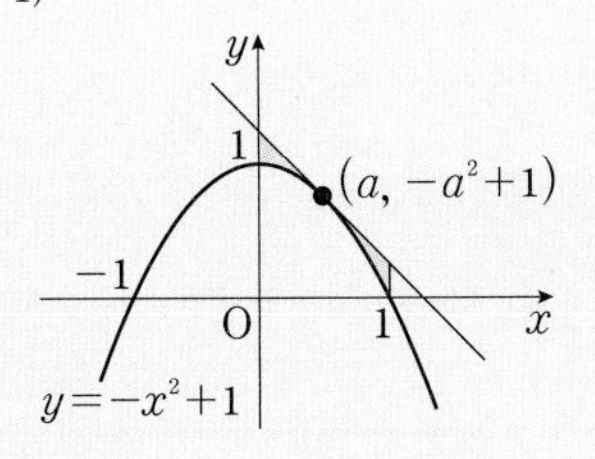

STEP A **곡선 위의 점에서 접선의 방정식 구하기**

$f(x)=-x^2+1$이라 하면 $f'(x)=-2x$

곡선 $y=f(x)$ 위의 임의의 점 $(a, -a^2+1)$에서의 접선의 기울기는 $f'(a)=-2a$이므로 접선의 방정식은 $y-(-a^2+1)=-2a(x-a)$

$y=-2ax+a^2+1$

STEP B **곡선과 직선 사이의 넓이를 a에 관한 식으로 나타내기**

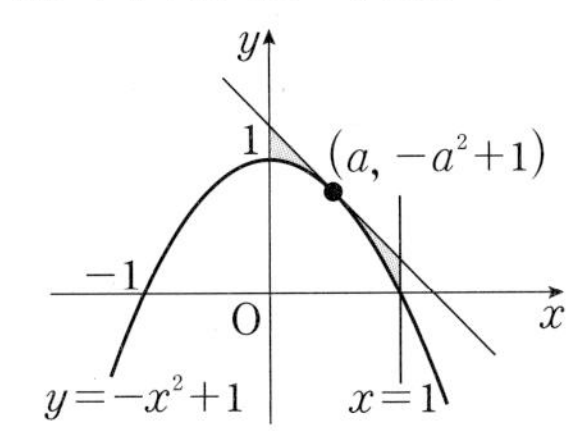

곡선 $y=-x^2+1$과 접선 $y=-2ax+a^2+1$ 및 두 직선 $x=0$, $x=1$로 둘러싸인 도형의 넓이를 $S(a)$라 하면

$S(a)=\int_0^1\{(-2ax+a^2+1)-(-x^2+1)\}dx$

$=\int_0^1(x^2-2ax+a^2)dx$

$=\left[\frac{1}{3}x^3-ax^2+a^2x\right]_0^1$

$=a^2-a+\frac{1}{3}$

STEP C **도형의 넓이의 최솟값 구하기**

$S(a)=a^2-a+\frac{1}{3}=\left(a-\frac{1}{2}\right)^2+\frac{1}{12}$

따라서 $0<a<1$이므로 구하는 도형의 넓이는 최솟값은 $S\left(\frac{1}{2}\right)=\frac{1}{12}$

0831

함수 $f(x)=x^3+\frac{3}{4}x$의 역함수를 $g(x)$라 할 때, 두 곡선 $y=f(x)$, $y=g(x)$로 둘러싸인 부분의 넓이는?

① $\frac{1}{32}$ ② $\frac{1}{16}$ ③ $\frac{3}{32}$ ④ $\frac{1}{8}$ ⑤ $\frac{5}{32}$

STEP A **두 곡선의 교점의 x좌표 구하기**

$f(x)=x^3+\frac{3}{4}x$에서 $f'(x)=3x^2+\frac{3}{4}\geq 0$

함수 $f(x)$는 증가하는 함수이므로 역함수를 갖는다.

두 곡선 $y=f(x)$, $y=g(x)$는 직선 $y=x$에 대하여 대칭이므로

두 곡선 $y=f(x)$, $y=g(x)$로 둘러싸인 부분의 넓이는 곡선 $y=f(x)$와 직선 $y=x$로 둘러싸인 부분의 넓이의 2배이다.

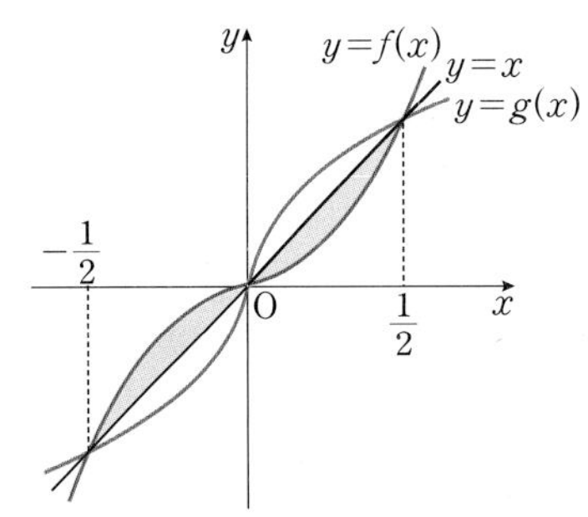

곡선 $y=f(x)$와 직선 $y=x$의 교점의 x좌표는

$x^3+\frac{3}{4}x=x$, $x^3-\frac{1}{4}x=0$, $x\left(x-\frac{1}{2}\right)\left(x+\frac{1}{2}\right)=0$

$x=-\frac{1}{2}$ 또는 $x=0$ 또는 $x=\frac{1}{2}$

STEP B **$y=f(x)$와 $y=x$로 둘러싸인 부분의 넓이 구하기**

이때 $y=f(x)$는 원점에 대하여 대칭이므로 구하는 넓이를 S라 하면

$S=4\int_0^{\frac{1}{2}}\{x-f(x)\}dx$

$=4\int_0^{\frac{1}{2}}\left\{x-\left(x^3+\frac{3}{4}x\right)\right\}dx$

$=4\int_0^{\frac{1}{2}}\left(\frac{1}{4}x-x^3\right)dx$

$=4\left[\frac{1}{8}x^2-\frac{1}{4}x^4\right]_0^{\frac{1}{2}}$

$=4\left\{\left(\frac{1}{32}-\frac{1}{64}\right)-0\right\}$

$=\frac{1}{16}$

0832

함수 $f(x)=-x(x-4)$의 그래프를 x축의 방향으로 2만큼 평행이동시킨 곡선을 $y=g(x)$라 하자.
다음 그림과 같이 두 곡선 $y=f(x)$, $y=g(x)$와 x축으로 둘러싸인 세 부분의 넓이를 각각 S_1, S_2, S_3이라 할 때, $\dfrac{S_2}{S_1+S_3}$의 값은?

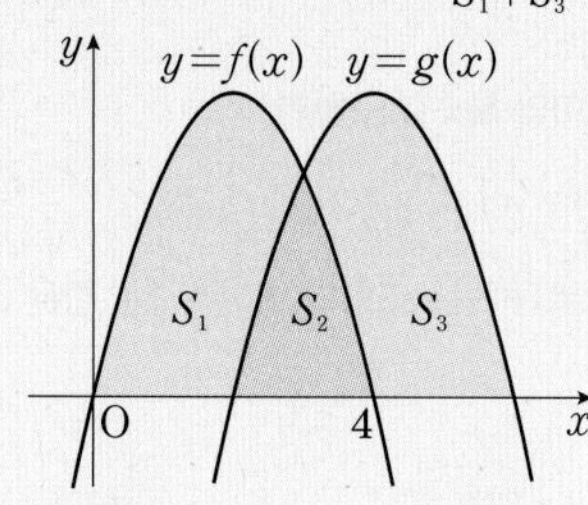

① $\dfrac{3}{22}$ ② $\dfrac{7}{44}$ ③ $\dfrac{2}{11}$
④ $\dfrac{9}{44}$ ⑤ $\dfrac{5}{22}$

STEP Ⓐ **곡선 $y=f(x)$와 평행이동한 곡선 $y=g(x)$와 대칭성 구하기**

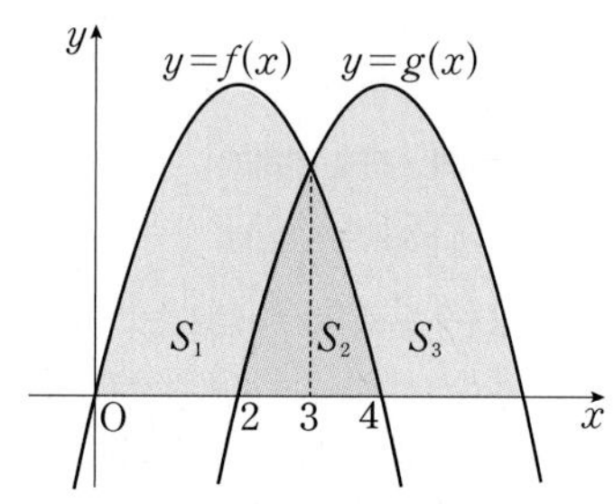

곡선 $y=g(x)$는 곡선 $y=f(x)$를 x축의 방향으로 2만큼 이동시킨 것이고 곡선 $y=f(x)$가 x축과 $x=0$, $x=4$에서 만나므로 곡선 $y=g(x)$는 x축과 $x=2$, $x=6$에서 만난다.

즉 두 곡선 $y=f(x)$와 $y=g(x)$는 직선 $x=\dfrac{4+2}{2}=3$에 대하여 대칭이므로 두 곡선의 교점의 x좌표는 3이고 $S_1=S_3$

STEP Ⓑ **정적분을 이용하여 S_1, S_2, S_3의 값을 각각 구하기**

$\int_0^3 f(x)dx=\int_0^3(-x^2+4x)dx=\left[-\dfrac{x^3}{3}+2x^2\right]_0^3=9$

$\int_3^4 f(x)dx=\int_3^4(-x^2+4x)dx=\left[-\dfrac{x^3}{3}+2x^2\right]_3^4=\dfrac{5}{3}$

$\int_2^3 g(x)dx=\int_3^4 f(x)dx$이므로

$S_1=\int_0^3 f(x)dx-\int_2^3 g(x)dx=9-\dfrac{5}{3}=\dfrac{22}{3}$

$S_2=\int_2^3 g(x)dx+\int_3^4 f(x)dx=2\cdot\dfrac{5}{3}=\dfrac{10}{3}$

따라서 $\dfrac{S_2}{S_1+S_3}=\dfrac{\frac{10}{3}}{2\cdot\frac{22}{3}}=\dfrac{5}{22}$

0833

점 $P(0, 3)$에 대하여 함수 $f(x)=x^2$의 그래프 위의 점 중 y좌표가 1이고 제 1사분면에 있는 점을 Q라 할 때, 선분 PQ와 곡선 $y=f(x)$ 및 y축으로 둘러 싸인 부분의 넓이는?

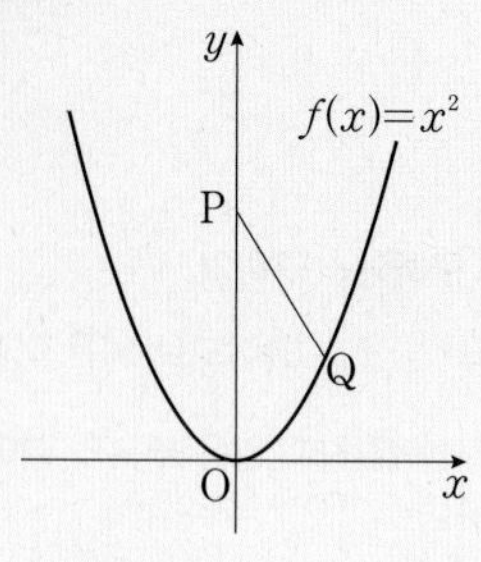

① $\dfrac{3}{2}$ ② $\dfrac{19}{12}$ ③ $\dfrac{5}{3}$
④ $\dfrac{7}{4}$ ⑤ $\dfrac{11}{6}$

STEP Ⓐ **점 Q의 좌표 구하기**

점 P의 좌표는 $(0, 3)$이고 $f(x)=x^2$이므로
점 Q의 좌표를 $(a, 1)$ $(a>0)$이라 하면
$a^2=1$에서 $a=1$ ($\because a>0$)
$\therefore Q(1, 1)$

STEP Ⓑ **정적분을 이용하여 넓이 구하기**

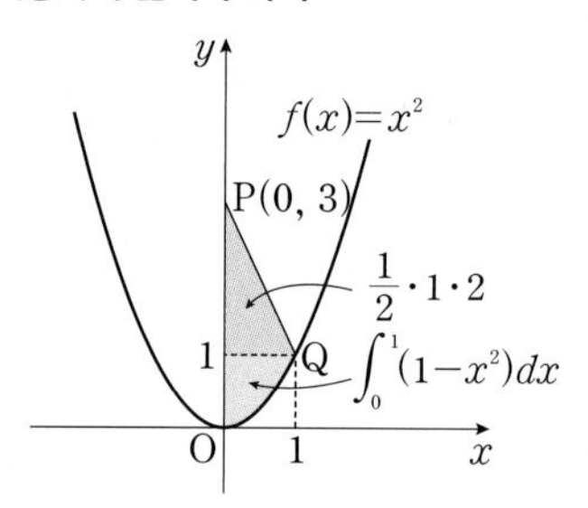

따라서 선분 PQ와 $f(x)=x^2$ 및 y축으로 둘러싸인 부분의 넓이 S는

$S=\dfrac{1}{2}\cdot1\cdot2+\int_0^1(1-x^2)dx$
$=1+\left[x-\dfrac{1}{3}x^3\right]_0^1$
$=1+\left(1-\dfrac{1}{3}\right)=\dfrac{5}{3}$

다른풀이 직선의 방정식을 유도하여 풀이하기

두 점 $P(0, 3)$, $Q(1, 1)$을 지나는 직선의 방정식은 $y-3=\dfrac{1-3}{1-0}(x-0)$
즉 $y=-2x+3$

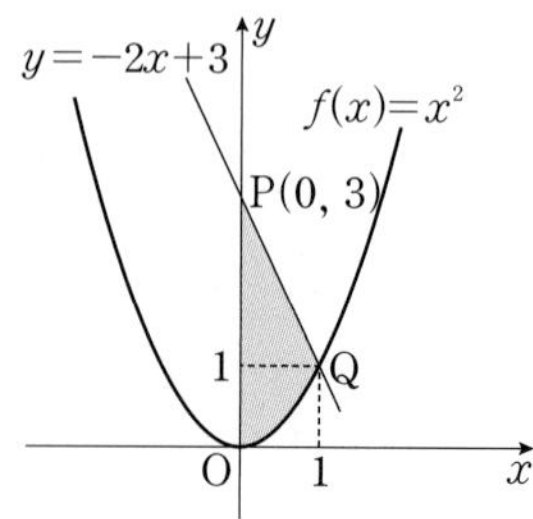

따라서 선분 PQ와 곡선 $f(x)=x^2$ 및 y축으로 둘러싸인 부분의 넓이는

$\int_0^1\{(-2x+3)-x^2\}dx=\int_0^1(-x^2-2x+3)dx$
$=\left[-\dfrac{1}{3}x^3-x^2+3x\right]_0^1$
$=\dfrac{5}{3}$

0834

다음 그림과 같이 좌표평면 위의 두 점 A$(2, 0)$, B$(0, 3)$을 지나는 직선과 곡선 $y=ax^2(a>0)$ 및 y축으로 둘러싸인 부분 중에서 제 1사분면에 있는 부분의 넓이를 S_1이라 하자. 또, 직선 AB와 곡선 $y=ax^2$ 및 x축으로 둘러싸인 부분의 넓이를 S_2라 하자.
$S_1 : S_2 = 13 : 3$일 때, 상수 a의 값은?

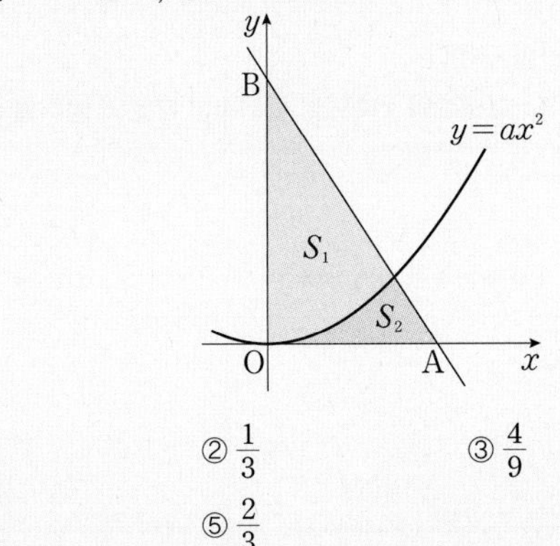

① $\frac{2}{9}$　② $\frac{1}{3}$　③ $\frac{4}{9}$
④ $\frac{5}{9}$　⑤ $\frac{2}{3}$

STEP A 두 그래프의 교점의 x좌표를 p로 놓고 정적분을 이용하여 넓이 S_1을 구하기

두 점 A$(2, 0)$, B$(0, 3)$을 지나는 직선의 방정식은 $\frac{x}{2}+\frac{y}{3}=1$

$\therefore y=-\frac{3}{2}x+3$

이 직선과 함수 $y=ax^2$의 그래프의 교점의 x좌표를 p라 하면

$-\frac{3}{2}p+3=ap^2$ …… ㉠

$S_1=\int_0^p\left\{\left(-\frac{3}{2}x+3\right)-ax^2\right\}dx$

$=\left[-\frac{3}{4}x^2+3x-\frac{1}{3}ax^3\right]_0^p$

$=-\frac{3}{4}p^2+3p-\frac{1}{3}ap^3$

$=-\frac{3}{4}p^2+3p-\frac{1}{3}p\left(-\frac{3}{2}p+3\right)$

$=-\frac{1}{4}p^2+2p$ …… ㉡

STEP B S_1, S_2 사이의 비례식과 삼각형 OAB의 넓이를 이용하여 S_1의 값을 구하여 a 구하기

$S_1 : S_2=13 : 3$에서 $13S_2=3S_1$이므로 $S_2=\frac{3}{13}S_1$

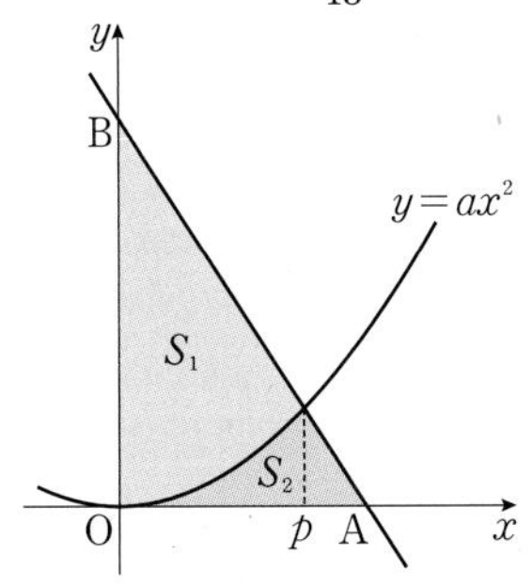

이때 삼각형 OAB의 넓이는 $\frac{1}{2}\cdot2\cdot3=3$이므로 $S_1+S_2=3$

$S_1+\frac{3}{13}S_1=3$, $\frac{16}{13}S_1=3$

$\therefore S_1=3\cdot\frac{13}{16}=\frac{39}{16}$ …… ㉢

㉡, ㉢에서 $-\frac{1}{4}p^2+2p=\frac{39}{16}$

$4p^2-32p+39=0$, $(2p-3)(2p-13)=0$

$\therefore p=\frac{3}{2}$ ($\because 0<p<2$)

따라서 ㉠에 대입하면 $-\frac{9}{4}+3=\frac{9}{4}a$이므로 $a=\frac{1}{3}$

0835

두 다항함수 $f(x)$, $g(x)$에 대하여 [보기]에서 옳은 것만을 있는 대로 고른 것은? (단, a, b는 상수)

ㄱ. $a\le x\le b$인 모든 실수 x에 대하여 $f(x)\ge g(x)$이면 $\int_a^b f(x)dx\ge\int_a^b g(x)dx$이다.
ㄴ. $a\le x\le b$인 모든 실수 x에 대하여 $\int_a^b|f(x)|dx\ge\int_a^b f(x)dx$이다.
ㄷ. $a\le x\le b$인 모든 실수 x에 대하여 $\int_a^b|f(x)|dx\ge\left|\int_a^b f(x)dx\right|$이다.

① ㄱ　② ㄴ　③ ㄱ, ㄴ
④ ㄴ, ㄷ　⑤ ㄱ, ㄴ, ㄷ

STEP A 정적분과 넓이 관계를 이용하여 참, 거짓 판단하기

ㄱ. $a\le x\le b$인 모든 실수 x에 대하여 $f(x)\ge g(x)$이면
$f(x)-g(x)\ge0$이므로
$\int_a^b\{f(x)-g(x)\}dx$의 값은 곡선 $y=f(x)-g(x)$와 x축으로 둘러싸인 도형의 넓이와 같다.
즉 $\int_a^b\{f(x)-g(x)\}dx\ge0$이므로
$\int_a^b f(x)dx-\int_a^b g(x)dx\ge0$
$\therefore \int_a^b f(x)dx\ge\int_a^b g(x)dx$ [참]

ㄴ. 아래 그림에서 $a\le x\le b$인 모든 실수 x에 대하여
곡선 $y=f(x)$와 x축 및 두 직선 $x=a$, $x=b$로 둘러싸인 도형 중에서 x축 위쪽에 있는 도형의 넓이의 총합을 S_1, x축의 아래쪽에 있는 도형의 넓이의 총합을 S_2라 하면

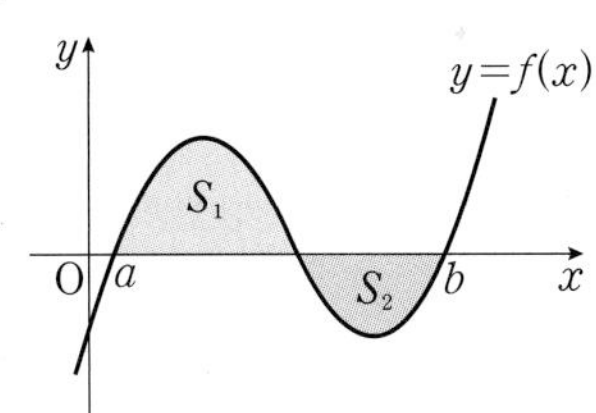

$\int_a^b|f(x)|dx=S_1+S_2$, $\int_a^b f(x)dx=S_1-S_2$
$S_2\ge0$이므로 $S_1+S_2\ge S_1-S_2$
$\therefore \int_a^b|f(x)|dx\ge\int_a^b f(x)dx$ [참]

ㄷ. ㄴ에서 $\int_a^b|f(x)|dx=S_1+S_2$, $\left|\int_a^b f(x)dx\right|=|S_1-S_2|$
$S_1\ge0$, $S_2\ge0$이므로 $S_1+S_2\ge|S_1-S_2|$
$\therefore \int_a^b|f(x)|dx\ge\left|\int_a^b f(x)dx\right|$ [참]

따라서 옳은 것은 ㄱ, ㄴ, ㄷ이다.

0836

미분가능한 사차함수 $y=f(x)$와 이차함수 $y=g(x)$의 도함수 $y=f'(x)$, $y=g'(x)$의 그래프가 그림과 같다.
두 곡선 $y=f(x)$, $y=g(x)$ 및 두 직선 $x=a$, $x=c$로 둘러싸인 부분의 넓이를 S라 할 때, 옳은 것만을 [보기]에서 있는 대로 고른 것은? (단, $a<b<c$)

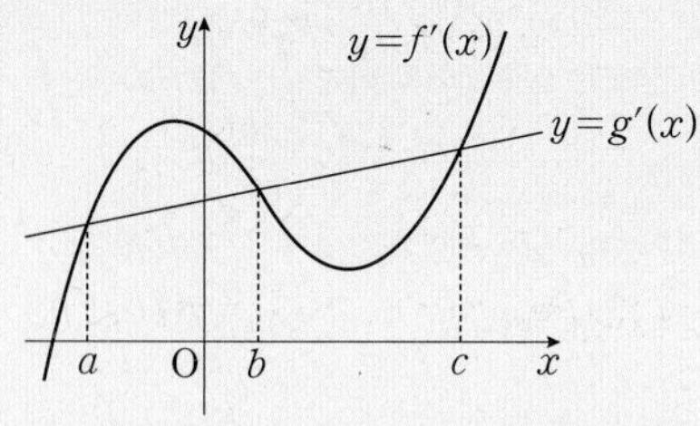

ㄱ. $f(a)=g(a)$이면 $S=\int_a^c\{f(x)-g(x)\}dx$이다.
ㄴ. $f(b)=g(b)$이면 $S=\int_a^c\{g(x)-f(x)\}dx$이다.
ㄷ. $\left|\int_a^c\{f(x)-g(x)\}dx\right|<S$이면 $f(b)>g(b)$이다.

① ㄱ ② ㄴ ③ ㄱ, ㄴ
④ ㄴ, ㄷ ⑤ ㄱ, ㄴ, ㄷ

STEP Ⓐ **$y=f(x)-g(x)$의 증가와 감소를 표로 나타내어 보기의 참, 거짓 판단하기**

$y=f(x)-g(x)$의 증가와 감소를 표로 나타내면 다음과 같다.

x	…	a	…	b	…	c	…
$f'(x)-g'(x)$	$-$	0	$+$	0	$-$	0	$+$
$f(x)-g(x)$	↘	극소	↗	극대	↘	극소	↗

ㄱ. $f(a)=g(a)$이면 $f(a)-g(a)=0$
그러나 $f(c)-g(c)<0$인 경우
오른쪽 그림에서
$S=\int_a^c|f(x)-g(x)|dx$
$\neq\int_a^c\{f(x)-g(x)\}dx$ [거짓]

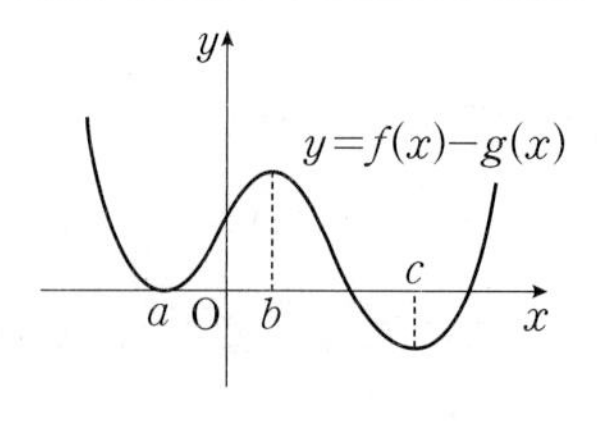

ㄴ. $f(b)=g(b)$이면 $f(b)-g(b)=0$
이므로 $y=f(x)-g(x)$의 그래프는
오른쪽 그림과 같다.
$\therefore S=\int_a^c|f(x)-g(x)|dx$
$=\int_a^c\{g(x)-f(x)\}dx$ [참]

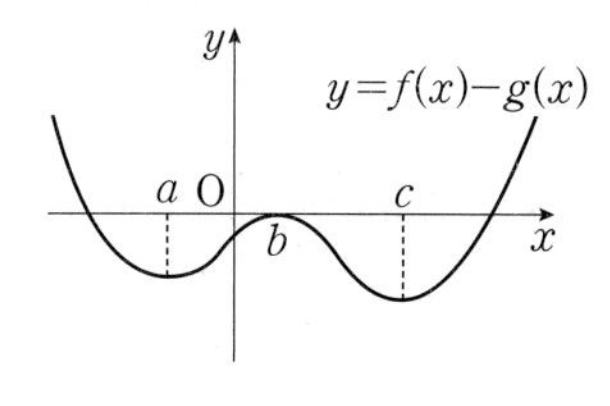

ㄷ. $\left|\int_a^c\{f(x)-g(x)\}dx\right|<S$이면
구간 $[a, c]$에서 $y=f(x)-g(x)$는
양, 음의 값을 모두 가져야 한다.
한편 $x=b$에서 $y=f(x)-g(x)$는
극대이므로 극댓값 $f(b)-g(b)$는
양의 값을 가져야 한다.
즉 $f(b)>g(b)$ [참]

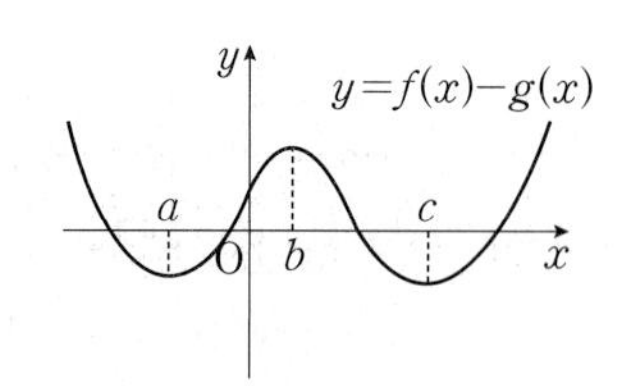

따라서 옳은 것은 ㄴ, ㄷ이다.

0837

서술형

$f(x)=x^3-3x+\int_0^2 f(t)\,dt$를 만족시키는 다항함수 $f(x)$에 대하여 $y=f(x)$의 그래프와 x축으로 둘러싸인 부분의 넓이를 다음 단계로 서술하여라.

[1단계] $\int_0^2 f(t)\,dt=k$로 놓고 k의 값을 구한다.
[2단계] 다항함수 $f(x)$를 구한다.
[3단계] 함수 $y=f(x)$의 그래프와 x축으로 둘러싸인 부분의 넓이를 구한다.

1단계 $\int_0^2 f(t)dt=k$로 놓고 k의 값을 구한다. ◀ 40%

$\int_0^2 f(t)dt=k$ (k는 상수) …… ㉠
로 놓으면
$f(x)=x^3-3x+k$ …… ㉡
㉡을 ㉠에 대입하면
$k=\int_0^2(t^3-3t+k)dt$
$=\left[\frac{1}{4}t^4-\frac{3}{2}t^2+kt\right]_0^2$
$=4-6+2k$
$=-2+2k$
즉 $-2+2k=k$
$\therefore k=2$

2단계 다항함수 $f(x)$를 구한다. ◀ 20%

$f(x)=x^3-3x+2$

3단계 함수 $y=f(x)$의 그래프와 x축으로 둘러싸인 부분의 넓이를 구한다. ◀ 40%

$f(x)=x^3-3x+2$와 x축의 교점의 x좌표는
$x^3-3x+2=0$에서 $(x-1)^2(x+2)=0$이므로
$x=-2$ 또는 $x=1$

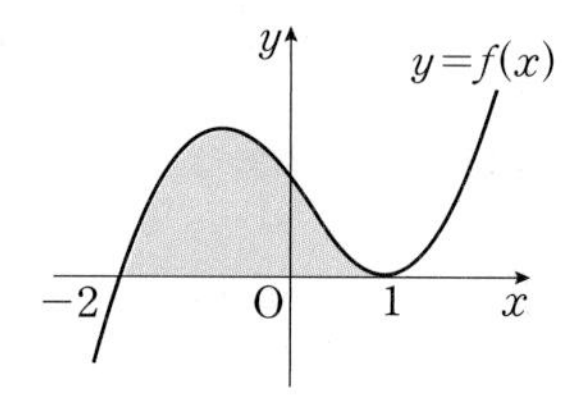

따라서 닫힌구간 $[-2, 1]$에서 $y\geq0$이므로 구하는 넓이를 S라 하면
$S=\int_{-2}^1|x^3-3x+2|dx$
$=\int_{-2}^1(x^3-3x+2)dx$
$=\left[\frac{1}{4}x^4-\frac{3}{2}x^2+2x\right]_{-2}^1$
$=\left(\frac{1}{4}-\frac{3}{2}+2\right)-\left(\frac{16}{4}-6-4\right)$
$=\frac{27}{4}$

삼차곡선과 접선으로 둘러싸인 도형의 넓이는
$S=\int_{-2}^1(x-1)^2(x+2)dx=\frac{1}{12}\{1-(-2)\}^4=\frac{27}{4}$

0838

서술형

다항함수 $f(x)$가 모든 실수 x에 대하여 $\int_{2}^{x} f(t)dt=x^3-ax^2$를 만족할 때, 함수 $y=f(x)$의 그래프와 x축으로 둘러싸인 부분의 넓이를 다음 단계로 서술하여라.

[1단계] $\int_{2}^{x} f(t)dt=x^3-ax^2$를 만족하는 상수 a를 구한다.
[2단계] 다항함수 $f(x)$를 구한다.
[3단계] 함수 $y=f(x)$의 그래프와 x축으로 둘러싸인 부분의 넓이를 구한다.

1단계 $\int_{2}^{x} f(t)dt=x^3-ax^2$를 만족하는 상수 a를 구한다. ◀ 20%

$\int_{2}^{x} f(t)dt=x^3-ax^2$의 양변에 $x=2$를 대입하면

$\int_{2}^{2} f(t)dt=2^3-a\cdot 2^2$

즉 $0=8-4a$

$\therefore a=2$

2단계 다항함수 $f(x)$를 구한다. ◀ 30%

등식 $\int_{2}^{x} f(t)dt=x^3-2x^2$의 양변을 x에 대하여 미분하면

$f(x)=3x^2-4x$

3단계 함수 $y=f(x)$의 그래프와 x축으로 둘러싸인 부분의 넓이를 구한다. ◀ 50%

곡선 $y=3x^2-4x=x(3x-4)$의 그래프의 개형은 오른쪽 그림과 같다.

따라서 구하는 도형의 넓이는

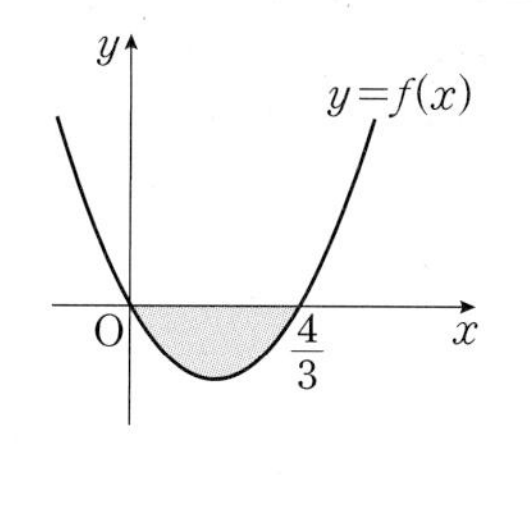

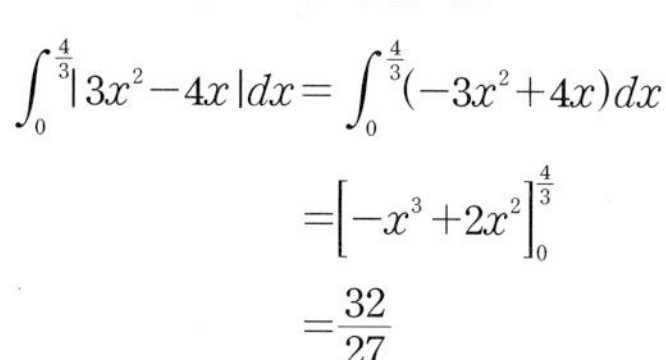

$$\int_{0}^{\frac{4}{3}}|3x^2-4x|dx=\int_{0}^{\frac{4}{3}}(-3x^2+4x)dx$$

$$=\Big[-x^3+2x^2\Big]_{0}^{\frac{4}{3}}$$

$$=\frac{32}{27}$$

0839

서술형

다음 극값이 존재하지 않는 곡선과 극값이 존재하는 곡선에 대한 물음에 서술하여라.

(1) 곡선 $y=x^3-3x^2+3x$ 위의 점 $(2,\ 2)$에서의 접선과 이 곡선으로 둘러싸인 도형의 넓이를 다음 단계로 서술하여라.

[1단계] 곡선 위의 점 $(2,\ 2)$에서의 접선의 방정식을 구한다.
[2단계] 접선과 곡선의 교점의 x좌표를 구한다.
[3단계] 곡선과 접선으로 둘러싸인 도형의 넓이를 구한다.

1단계 곡선 위의 점 $(2,\ 2)$에서의 접선의 방정식을 구한다. ◀ 30%

$f(x)=x^3-3x^2+3x$라 하면

$f'(x)=3x^2-6x+3$이므로 곡선 $y=f(x)$ 위의 점 $(2,\ 2)$에서의 접선의 기울기는 $f'(2)=3$이므로 접선의 방정식은 $y-2=3(x-2)$

$\therefore y=3x-4$

← $f'(x)=3(x^2-2x+1)=3(x-1)^2\geq 0$이므로 $f(x)$는 증가하는 함수이고 극값이 존재하지 않는다.

2단계 접선과 곡선의 교점의 x좌표를 구한다. ◀ 30%

곡선 $y=x^3-3x^2+3x$와 직선 $y=3x-4$의 교점의 x좌표를 구하면

$x^3-3x^2+3x=3x-4$

즉 $x^3-3x^2+4=0$에서 $(x+1)(x-2)^2=0$

$\therefore x=-1$ 또는 $x=2$

3단계 곡선과 접선으로 둘러싸인 도형의 넓이를 구한다. ◀ 40%

곡선과 접선으로 둘러싸인 부분은 오른쪽 그림의 색칠한 부분과 같다.

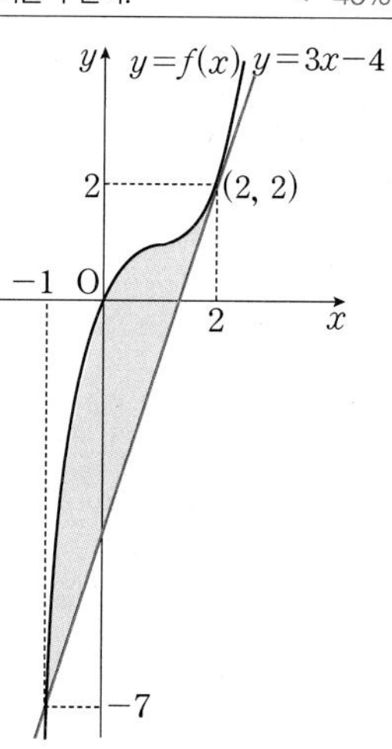

이때 닫힌구간 $[-1,\ 2]$에서

$x^3-3x^2+3x\geq 3x-4$

따라서 구하는 넓이를 S라 하면

$$S=\int_{-1}^{2}\{(x^3-3x^2+3x)-(3x-4)\}dx$$

$$=\int_{-1}^{2}(x^3-3x^2+4)dx$$

$$=\Big[\frac{1}{4}x^4-x^3+4x\Big]_{-1}^{2}$$

$$=\frac{27}{4}$$

삼차곡선과 접선으로 둘러싸인 도형의 넓이는

$$S=\frac{|a|(\beta-\alpha)^4}{12}=\frac{\{2-(-1)\}^4}{12}=\frac{27}{4}$$

(2) 곡선 $y=x^3-3x^2+x+5$ 위의 점 $(0,\ 5)$에서의 접선과 이 곡선으로 둘러싸인 도형의 넓이를 다음 단계로 서술하여라.

[1단계] 곡선 위의 점 $(0,\ 5)$에서의 접선의 방정식을 구한다.
[2단계] 접선과 곡선의 교점의 x좌표를 구한다.
[3단계] 곡선과 접선으로 둘러싸인 도형의 넓이를 구한다.

1단계 곡선 위의 점 $(0,\ 5)$에서의 접선의 방정식을 구한다. ◀ 30%

$f(x)=x^3-3x^2+x+5$라 하면 $f'(x)=3x^2-6x+1$이므로

곡선 $y=f(x)$ 위의 점 $(0,\ 5)$에서의 접선의 기울기는 $f'(0)=1$이므로

접선의 방정식은 $y-5=x-0$

$\therefore y=x+5$

← $f'(x)=3x^2-6x+1=0$에서 판별식 $\frac{D}{4}=9-3>0$이므로 $f(x)$는 극값이 존재한다.

2단계 접선과 곡선의 교점의 x좌표를 구한다. ◀ 30%

곡선 $y=x^3-3x^2+x+5$와 직선 $y=x+5$의 교점의 x좌표를 구하면

$x^3-3x^2+x+5=x+5$

즉 $x^3-3x^2=0$에서 $x^2(x-3)=0$

$\therefore x=0$(중근) 또는 $x=3$

3단계 곡선과 접선으로 둘러싸인 도형의 넓이를 구한다. ◀ 40%

곡선과 접선으로 둘러싸인 부분은 오른쪽 그림의 색칠한 부분과 같다.

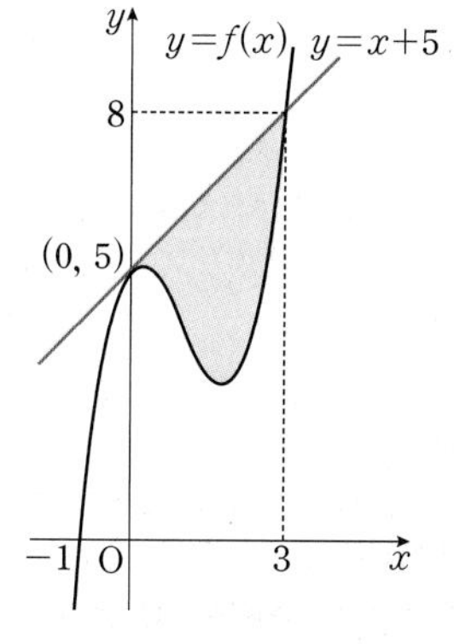

이때 닫힌구간 $[0,\ 3]$에서

$x^3-3x^2+x+5\leq x+5$

따라서 구하는 넓이를 S라 하면

$$S=\int_{0}^{3}\{(x+5)-(x^3-3x^2+x+5)\}dx$$

$$=\int_{0}^{3}\{(-x^3+3x^2)\}dx$$

$$=\Big[-\frac{1}{4}x^4+x^3\Big]_{0}^{3}$$

$$=\frac{27}{4}$$

삼차곡선과 접선으로 둘러싸인 도형의 넓이는

$$S=\frac{|a|(\beta-\alpha)^4}{12}=\frac{(3-0)^4}{12}=\frac{27}{4}$$

0840 서술형

곡선 $y=|x^2-3x+2|$와 직선 $y=x+2$으로 둘러싸인 도형의 넓이를 다음 단계로 서술하여라.

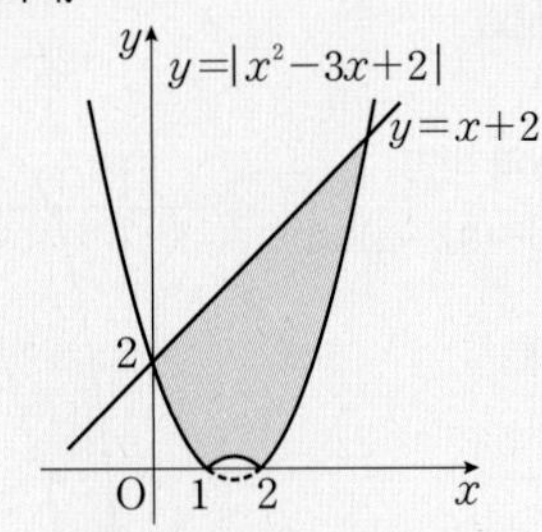

[1단계] $y=|x^2-3x+2|$를 절댓값 기호안의 식이 0이 되는 x의 값을 기준으로 구간을 나누어 나타낸다.

[2단계] 곡선 $y=|x^2-3x+2|$와 직선 $y=x+2$의 교점의 x좌표를 모두 구한다.

[3단계] 정적분을 이용하여 도형의 넓이를 구한다.

1단계 $y=|x^2-3x+2|$을 절댓값 기호 안의 식이 0이 되는 x의 값을 기준으로 구간을 나누어 나타낸다. ◀ 20%

절댓값 기호 안의 식이 0이 되는 x의 값은

$x=1$ 또는 $x=2$이므로

$$y=|x^2-3x+2|=\begin{cases}-x^2+3x-2 & (1\le x\le 2)\\ x^2-3x+2 & (x<1 \text{ 또는 } x>2)\end{cases}$$

2단계 곡선 $y=|x^2-3x+2|$과 직선 $y=x+2$의 교점의 x좌표를 모두 구한다. ◀ 30%

$y=x^2-3x+2$과 직선 $y=x+2$의 교점의 x좌표는

$x^2-3x+2=x+2$

즉 $x^2-4x=0$에서 $x(x-4)=0$

이므로

$x=0$ 또는 $x=4$

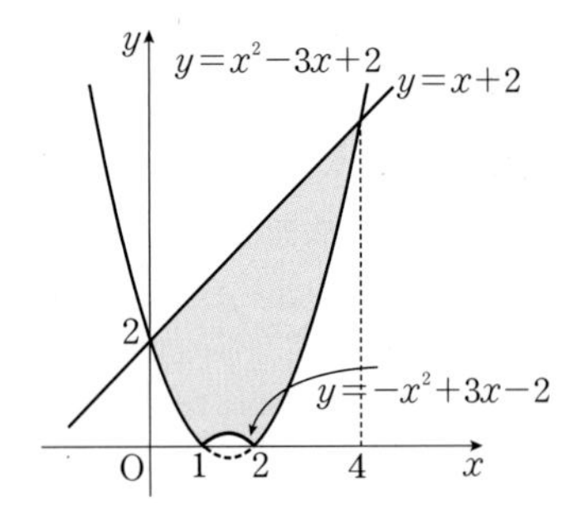

3단계 정적분을 이용하여 도형의 넓이를 구한다. ◀ 50%

따라서 닫힌구간 $[0, 4]$에서 $x+2\ge x^2-3x+2$이므로 구하는 넓이를 S라 하면

$$S=\int_0^4\{(x+2)-(x^2-3x+2)\}-2\int_1^2(-x^2+3x-2)dx$$
$$=\int_0^4(-x^2+4x)-2\int_1^2(-x^2+3x-2)dx$$
$$=\left[-\frac{1}{3}x^3+2x^2\right]_0^4-2\left[-\frac{1}{3}x^3+\frac{3}{2}x^2-2x\right]_1^2$$
$$=\frac{32}{3}-\frac{1}{3}$$
$$=\frac{31}{3}$$

구하는 넓이를 S라 하면

$$S=\int_0^1\{(x+2)-(x^2-3x+2)\}+\int_1^2\{(x+2)-(-x^2+3x-2)\}+\int_2^4\{(x+2)-(x^2-3x+2)\}$$
$$=\int_0^1(-x^2+4x)dx+\int_1^2(x^2-2x+4)dx+\int_2^4(-x^2+4x)dx$$
$$=\left[-\frac{1}{3}x^3+2x^2\right]_0^1+\left[\frac{1}{3}x^3-x^2+4x\right]_1^2+\left[-\frac{1}{3}x^3+2x^2\right]_2^4$$
$$=\frac{5}{3}+\frac{10}{3}+\frac{16}{3}=\frac{31}{3}$$

0841 서술형

삼차함수 $f(x)=x^3-x^2+x$와 그 역함수 $g(x)$에 대하여 $y=f(x)$, $y=g(x)$의 그래프가 그림과 같을 때, 다음 단계로 서술하여라.

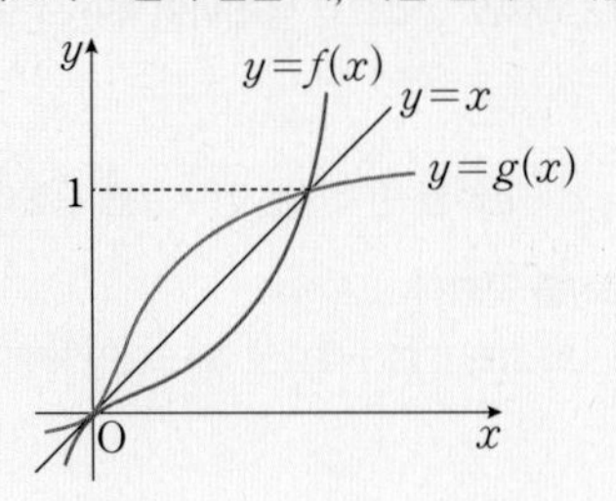

[1단계] 곡선 $y=g(x)$와 y축 및 직선 $y=1$로 둘러싸인 도형의 넓이를 구한다.

[2단계] 두 곡선 $y=f(x)$, $y=g(x)$로 둘러싸인 도형의 넓이를 구한다.

[3단계] $\int_0^1 f(x)dx+\int_0^1 g(x)dx$의 값을 구한다.

1단계 곡선 $y=g(x)$와 y축 및 직선 $y=1$로 둘러싸인 도형의 넓이를 구한다. ◀ 40%

삼차함수 $f(x)=x^3-x^2+x$와 그 역함수 $g(x)$의 그래프는 직선 $y=x$에 대하여 대칭이므로 교점의 x좌표는

$x^3-x^2+x=x$에서 $x^2(x-1)=0$

$\therefore x=0$ 또는 $x=1$

곡선 $y=g(x)$와 y축 및 직선 $y=1$로 둘러싸인 도형의 넓이는

곡선 $y=f(x)$와 x축 및 직선 $x=1$로 둘러싸인 도형의 넓이와 같다.

즉 구하는 넓이는

$$\int_0^1 f(x)dx=\int_0^1(x^3-x^2+x)dx$$
$$=\left[\frac{1}{4}x^4-\frac{1}{3}x^3+\frac{1}{2}x^2\right]_0^1$$
$$=\frac{5}{12}$$

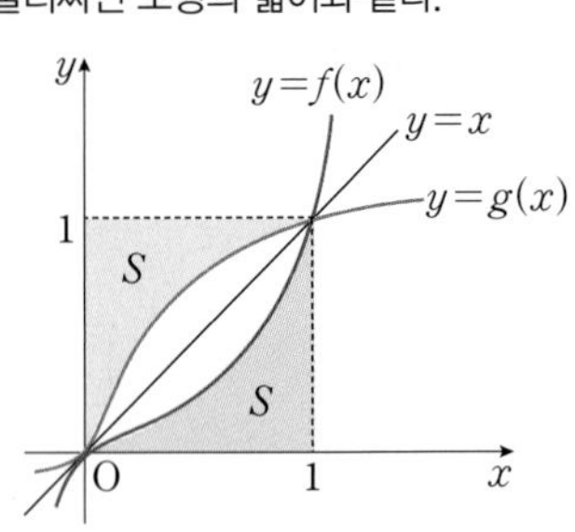

2단계 두 곡선 $y=f(x)$, $y=g(x)$로 둘러싸인 도형의 넓이를 구한다. ◀ 30%

두 곡선 $y=f(x)$, $y=g(x)$로 둘러싸인 도형의 넓이는

곡선 $y=f(x)$와 직선 $y=x$로 둘러싸인 도형의 넓이의 2배이다.

즉 구하는 도형의 넓이는

$$\int_0^1|f(x)-g(x)|dx$$
$$=2\int_0^1\{x-f(x)\}dx$$
$$=2\int_0^1(-x^3+x^2)dx$$
$$=2\left[-\frac{1}{4}x^4+\frac{1}{3}x^3\right]_0^1$$
$$=2\times\frac{1}{12}=\frac{1}{6}$$

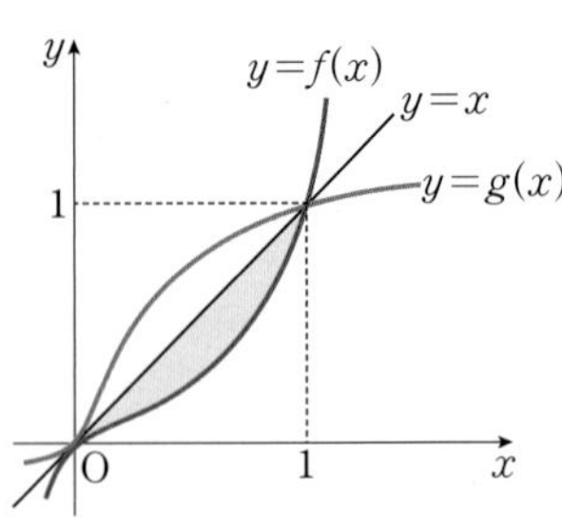

3단계 $\int_0^1 f(x)dx+\int_0^1 g(x)dx$의 값을 구한다. ◀ 30%

따라서 오른쪽 그림과 같이 $y=f(x)$와 $y=g(x)$의 그래프는 직선 $y=x$에 대하여 대칭이므로 $\int_0^1 f(x)dx$의 값은 색칠된 부분 A의 넓이이고 $\int_0^1 g(x)dx$의 값은 색칠된 부분 B의 넓이이므로

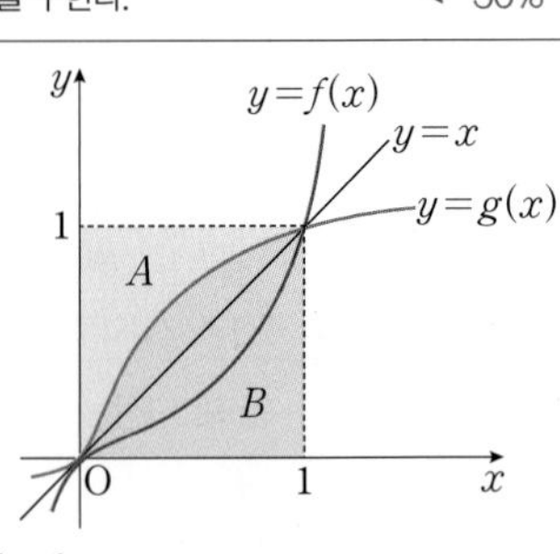

$$\int_0^1 f(x)dx+\int_0^1 g(x)dx=A+B=1\cdot1=1$$

TOUGH

0842

다음 그림과 같이 함수 $f(x)=ax^2+b(x\geq 0)$의 그래프와 그 역함수 $g(x)$의 그래프가 만나는 두 점의 x좌표는 1과 2이다. $0\leq x\leq 1$에서 두 곡선 $y=f(x)$, $y=g(x)$ 및 x축, y축으로 둘러싸인 부분의 넓이를 A라 하고 $1\leq x\leq 2$에서 두 곡선 $y=f(x)$, $y=g(x)$로 둘러싸인 부분의 넓이를 B라 하자. 이때 $A-B$의 값은? (단, a, b는 상수)

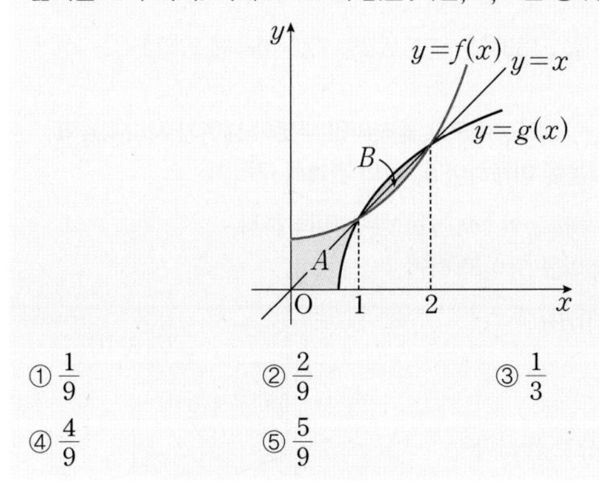

① $\frac{1}{9}$　② $\frac{2}{9}$　③ $\frac{1}{3}$
④ $\frac{4}{9}$　⑤ $\frac{5}{9}$

STEP A 함수 $y=f(x)$와 역함수 $y=g(x)$의 교점의 x좌표를 이용하여 a, b의 값을 구하여 $f(x)$ 구하기

$y=f(x)$, $y=g(x)$는 서로 역함수 관계에 있으므로 직선 $y=x$에 대하여 대칭이다.

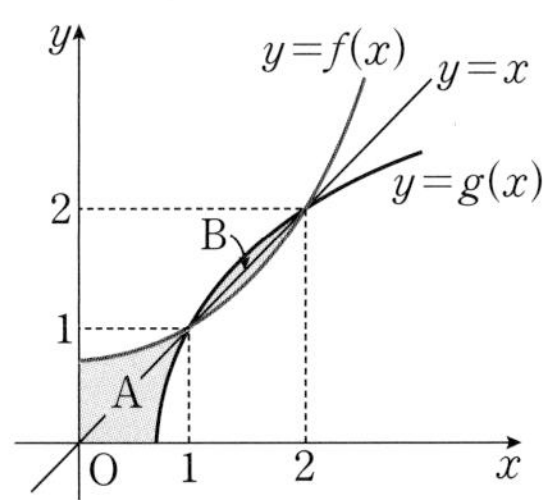

즉 $y=f(x)$, $y=g(x)$의 교점은 $(1, 1)$, $(2, 2)$이므로
$f(x)=ax^2+b\ (x\geq 0)$의 그래프는 $(1, 1)$, $(2, 2)$를 지난다.
$f(1)=a+b=1$, $f(2)=4a+b=2$을 연립하여 풀면 $a=\frac{1}{3}$, $b=\frac{2}{3}$
$\therefore f(x)=\frac{1}{3}x^2+\frac{2}{3}$ (단, $x\geq 0$)

STEP B 함수 $y=f(x)$의 그래프와 직선 $y=x$로 둘러싸인 영역의 넓이를 이용하여 $A-B$의 값 구하기

(i) $A=2\int_0^1|f(x)-x|dx=2\int_0^1\left(\frac{1}{3}x^2+\frac{2}{3}-x\right)dx$
$=2\left[\frac{1}{9}x^3+\frac{2}{3}x-\frac{1}{2}x^2\right]_0^1$
$=2\cdot\frac{5}{18}=\frac{5}{9}$

(ii) $B=2\int_1^2|f(x)-x|dx=2\int_1^2\left(x-\frac{1}{3}x^2-\frac{2}{3}\right)dx$
$=2\left[\frac{1}{2}x^2-\frac{1}{9}x^3-\frac{2}{3}x\right]_1^2$
$=2\cdot\frac{1}{18}=\frac{1}{9}$

따라서 $A-B=\frac{5}{9}-\frac{1}{9}=\frac{4}{9}$

0843

함수 $f(x)=(x-1)^3+(x-1)$의 역함수를 $g(x)$라 할 때, $\int_2^{10}g(x)dx$의 값은?

① $\frac{51}{4}$　② $\frac{59}{4}$　③ $\frac{67}{4}$
④ $\frac{75}{4}$　⑤ $\frac{83}{4}$

STEP A 그래프를 이용하여 역함수의 정적분의 결과 파악하기

$f(x)=(x-1)^3+(x-1)=x^3-3x^2+4x-2$에서
$f'(x)=3x^2-6x+4=3(x-1)^2+1>0$이므로
함수 $f(x)$는 증가하는 함수이다.
두 함수 $y=f(x)$, $y=g(x)$의 그래프는 $y=x$에 대하여 대칭이고
$f(2)=2$, $f(3)=10$이므로 다음 그림에서 색칠한 두 부분의 넓이가 같다.

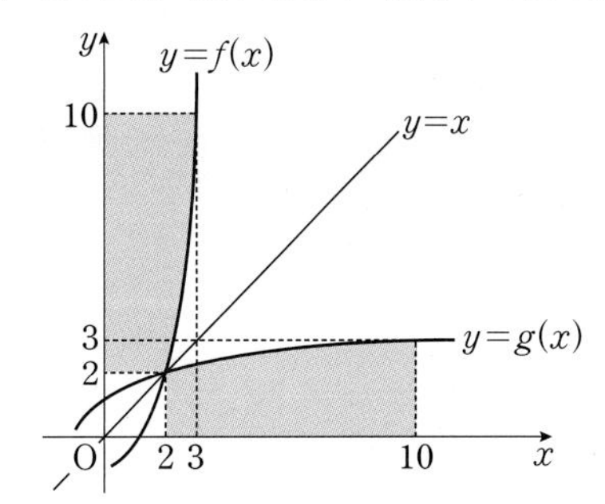

STEP B 역함수의 정적분의 값 구하기

즉 $\int_2^{10}g(x)dx$의 값은 가로의 길이가 3, 세로의 길이가 10인 직사각형의 넓이에서 한 변의 길이가 2인 정사각형의 넓이와 $\int_2^3 f(x)dx$의 값을 뺀 것과 같다.

$\int_2^{10}g(x)dx=3\cdot 10-2\cdot 2-\int_2^3 f(x)dx$
$=26-\int_2^3(x^3-3x^2+4x-2)dx$
$=26-\left[\frac{1}{4}x^4-x^3+2x^2-2x\right]_2^3$
$=26-\frac{21}{4}$
$=\frac{83}{4}$

0844

다음 그림과 같이 중심이 $A\left(0, \frac{3}{2}\right)$이고 반지름의 길이가 $r\left(r<\frac{3}{2}\right)$인 원 C가 있다.
원 C가 함수 $y=\frac{1}{2}x^2$의 그래프와 서로 다른 두 점에서 만날 때, C와 함수 $y=\frac{1}{2}x^2$의 그래프로 둘러싸인 ◡ 모양의 넓이는 $a+b\pi$이다.
$120(a+b)$의 값을 구하여라. (단, a, b는 유리수이다.)

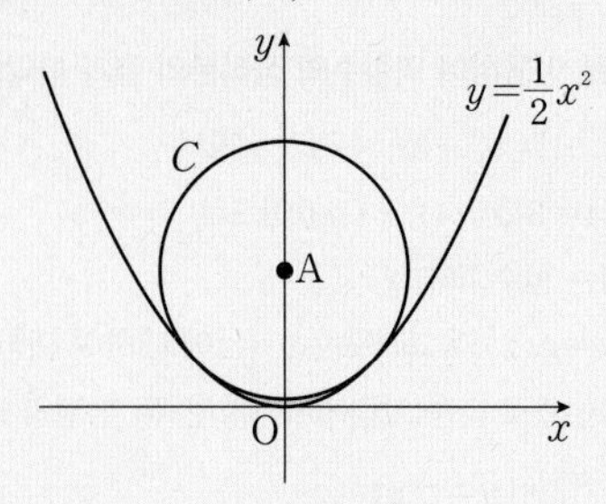

STEP A 원 위의 점에서 접선이 원의 중심을 지나는 직선과 수직임을 이용하여 원의 중심과 반지름의 길이 구하기

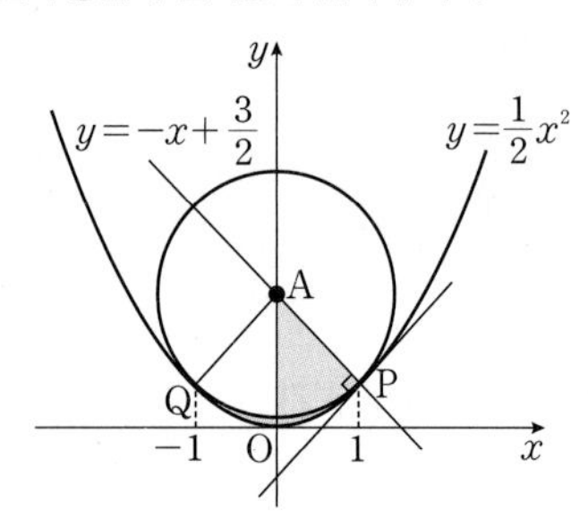

두 곡선의 교점의 좌표를 각각 $P\left(\alpha, \frac{1}{2}\alpha^2\right)$, $Q\left(-\alpha, \frac{1}{2}\alpha^2\right)$이라 하자.
$(\alpha>0)$

함수 $y=\frac{1}{2}x^2$의 그래프의 접점 P에서 접선의 기울기는 $f'(\alpha)=\alpha$이고
이 접선은 직선 AP와 수직이다.

이때 $\dfrac{\frac{1}{2}\alpha^2-\frac{3}{2}}{\alpha-0}=-\frac{1}{\alpha}$에서 $\alpha^2=1$이므로 $\alpha=1$

즉 $P\left(1, \frac{1}{2}\right)$, $Q\left(-1, \frac{1}{2}\right)$이고 직선 AP는 $y=-x+\frac{3}{2}$

STEP B 정적분을 이용하여 넓이 구하기

$\angle PAQ=90°$, 원의 반지름은 $\sqrt{2}$, 구하는 넓이를 S라 하면

$$S=2\left\{\int_0^1\left(-x+\frac{3}{2}-\frac{1}{2}x^2\right)dx-\frac{\pi}{4}\right\}$$
$$=2\left\{\left[-\frac{1}{6}x^3-\frac{1}{2}x^2+\frac{3}{2}x\right]_0^1-\frac{\pi}{4}\right\}$$
$$=\frac{5}{3}-\frac{\pi}{2}$$

따라서 $a=\frac{5}{3}$, $b=-\frac{1}{2}$이므로 $120(a+b)=140$

0845

오른쪽 그림과 같이 임의로 그은 직선 l이 y축과 만나는 점을 A,
점 C(6, 0)을 지나고 y축과 평행하게 그은 직선과 의 교점을 B라 하자.
사다리꼴 OABC의 넓이가 곡선 $f(x)=x^3-6x^2$과 x축으로 둘러싸인 부분의 넓이와 같을 때,
임의의 직선 l은 항상 일정한 점 D를 지난다.
이때 △ODC의 넓이를 구하여라. (단, $\overline{AB}$는 $\overline{OC}$ 아래에 있다.)

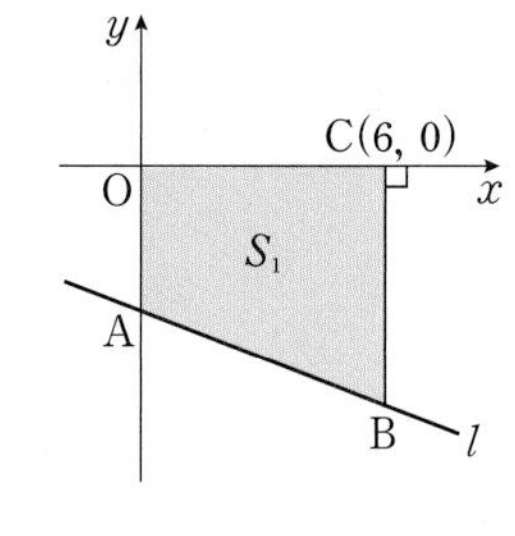

STEP A 곡선 $y=f(x)$와 x축으로 둘러싸인 부분의 넓이가 사다리꼴의 넓이와 같음을 이용하여 n, m의 관계식 구하기

직선 l의 방정식을 $y=mx+n$ (m, n은 상수)이라 하자.

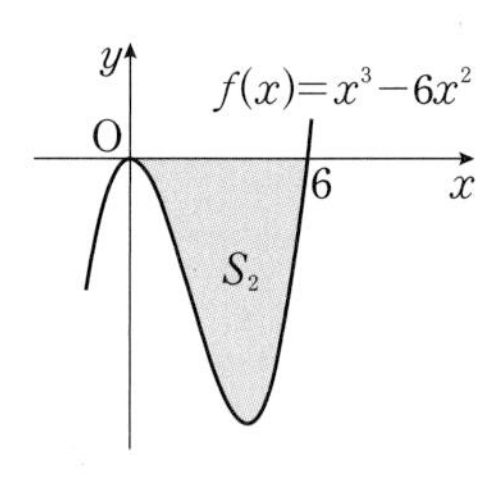

사다리꼴 OABC의 넓이를 S_1이라 하면

$$S_1=\int_0^6\{0-(mx+n)\}dx$$
$$=-\int_0^6(mx+n)dx$$

곡선 $y=f(x)$와 x축으로 둘러싸인 부분의 넓이를 S_2라 하면

$$S_2=\int_0^6\{0-(x^3-6x^2)\}dx$$
$$=-\int_0^6(x^3-6x^2)dx$$

사다리꼴 OABC의 넓이가 곡선 $f(x)=x^3-6x^2$과 x축으로 둘러싸인 부분의 넓이와 같으므로

$S_1=S_2$에서

$$-\int_0^6(mx+n)dx=-\int_0^6(x^3-6x^2)dx$$
$$\int_0^6\{(x^3-6x^2)-(mx+n)\}dx=0$$
$$\int_0^6(x^3-6x^2-mx-n)dx=\left[\frac{1}{4}x^4-2x^3-\frac{m}{2}x^2-nx\right]_0^6$$
$$=-108-18m-6n=0$$

$\therefore n=-3m-18$

STEP B m의 값에 관계없이 식을 만족시키는 x, y의 값을 구하여 삼각형 ODC의 넓이 구하기

직선 l의 방정식은 $y=mx-3m-18$
이 식을 정리하면 방정식 $m(x-3)-(y+18)=0$은 $x=3$, $y=-18$일 때, m의 값에 관계없이 항상 성립하므로 점 D의 좌표는 D(3, −18)

따라서 (△ODC의 넓이)$=\frac{1}{2}\cdot6\cdot18=54$

다른풀이 점 D는 $\overline{A'B'}$의 중점임을 이용하여 풀이하기

$f(x)$와 x축으로 둘러싸인 넓이는

$$\int_0^6|x^3-6x^2|dx=\frac{(6-0)^4}{12}=108$$

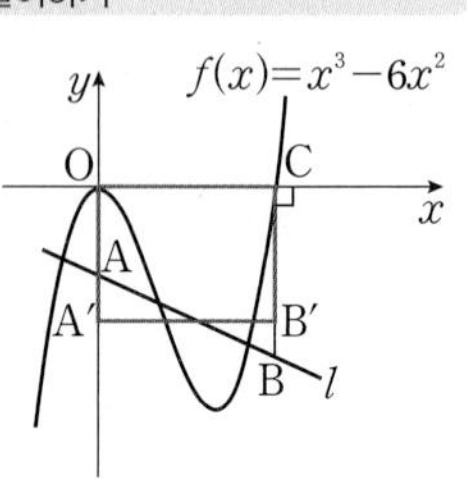

이때 $\overline{OC}$를 한 변으로 하고 넓이가 108이 되도록 두 점 A′, B′을 잡으면 점 A′(0, −18)
$\overline{A'B'}$의 중점을 지나는 직선과 두 직선 $x=0$, $x=6$과 만나는 점을 A, B라 하면 사각형 OABC의 넓이는 사각형 OA′B′C의 넓이와 같으므로 점 D는 $\overline{A'B'}$의 중점이다.

따라서 △ODC의 넓이는 $\frac{1}{2}\cdot6\cdot18=54$

0846

다음 그림과 같이 중심이 O이고 반지름의 길이가 2인 원의 둘레를 6등분하는 점을 각각 A, B, C, D, E, F라 하자.
두 점 A, B에서 두 직선 OA, OB에 접하는 포물선 C_1을 그리고, 두 점 B, C에서 두 직선 OB, OC에 접하는 포물선 C_2를 그린다.

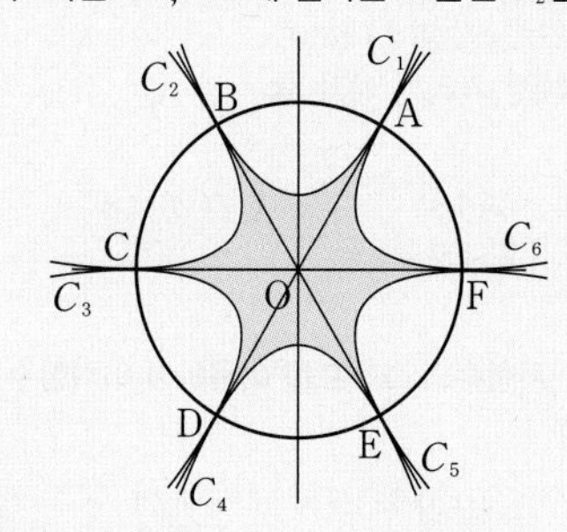

이와 같은 방법으로 포물선 C_3, C_4, C_5, C_6을 그릴 때, 6개의 포물선으로 둘러싸인 부분의 넓이는?

① $2\sqrt{3}$　② $\frac{5\sqrt{3}}{2}$　③ $3\sqrt{3}$
④ $\frac{7\sqrt{3}}{2}$　⑤ $4\sqrt{3}$

STEP Ⓐ **포물선 C_1의 방정식을 구하기**

직선 CF를 x축, 점 O를 원점으로 좌표평면 위에 나타내면 다음 그림과 같다.

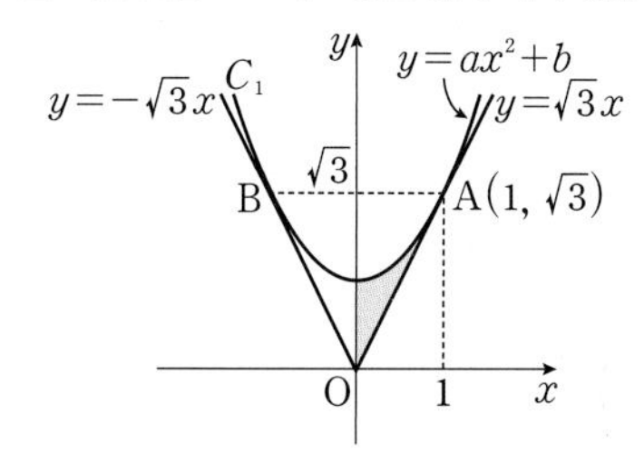

포물선 C_1의 방정식을 $y=ax^2+b$ (a, b는 상수)
로 놓으면 곡선 $y=ax^2+b$가 점 $(1, \sqrt{3})$을 지나므로
$\sqrt{3}=a+b$ …… ㉠
또, 점 $(1, \sqrt{3})$의 점에서 접선의 기울기가 $\sqrt{3}$이므로
$2a=\sqrt{3}$ …… ㉡
㉠, ㉡에서
$a=b=\frac{\sqrt{3}}{2}$이므로 $y=\frac{\sqrt{3}}{2}x^2+\frac{\sqrt{3}}{2}$

STEP Ⓑ **대칭인 점과 정적분을 이용하여 넓이 구하기**

포물선 C_1과 접선 $y=\sqrt{3}x$, $y=-\sqrt{3}x$로 둘러싸인 부분은 $x=0$에 대하여 대칭이다.
또한, 다른 포물선들로 둘러싸인 부분의 넓이가 서로 같으므로 구하는 영역의 넓이는 색칠한 부분의 넓이의 12배이다.
따라서 구하는 넓이를 S라 하면

$$S=12\int_0^1\left(\frac{\sqrt{3}}{2}x^2+\frac{\sqrt{3}}{2}-\sqrt{3}x\right)dx$$
$$=12\left[\frac{\sqrt{3}}{6}x^3+\frac{\sqrt{3}}{2}x-\frac{\sqrt{3}}{2}x^2\right]_0^1$$
$$=2\sqrt{3}$$

mapl YOUR MASTER PLAN MEMO

0847

원점을 출발하여 수직선 위를 움직이는 점 P의 시각 t에서의 속도를 $v(t)=t^2-4t+3$이라 한다. 다음을 구하여라.

(1) 처음으로 운동방향을 바꾸게 되는 시각에서의 점 P의 위치
(2) 점 P가 출발할 때의 방향과 반대방향으로 움직인 거리
(3) 점 P가 다시 원점으로 돌아올 때까지 걸린 시간

STEP Ⓐ $v(t)=0$**인 t의 값을 구하여 위치의 변화량 구하기**

(1) 점 P가 운동방향을 바꾸는 시간은 $v(t)$의 부호가 바뀔 때이므로
$v(t)=0$에서 $t^2-4t+3=0$, $(t-1)(t-3)=0$
$\therefore t=1$ 또는 $t=3$
즉 $t=1$일 때, 점 P가 처음으로 운동방향이 바뀐다.
$t=0$일 때, 점 P의 위치가 0이므로
$t=1$일 때, 점 P의 위치는

$$x(1)=x(0)+\int_0^1(t^2-4t+3)dt$$
$$=0+\left[\frac{1}{3}t^3-2t^2+3t\right]_0^1$$
$$=\frac{4}{3}$$

STEP Ⓑ **출발할 때의 방향과 반대방향으로 움직인 거리 구하기**

(2) 양의 방향의 반대방향으로 움직일 때의 점 P의 속도가 $v(t)\le 0$이므로
$v(t)=t^2-4t+3\le 0$, $(t-1)(t-3)\le 0$
$\therefore 1\le t\le 3$
따라서 $1\le t\le 3$에서 $v(t)\le 0$이므로
움직인 거리는

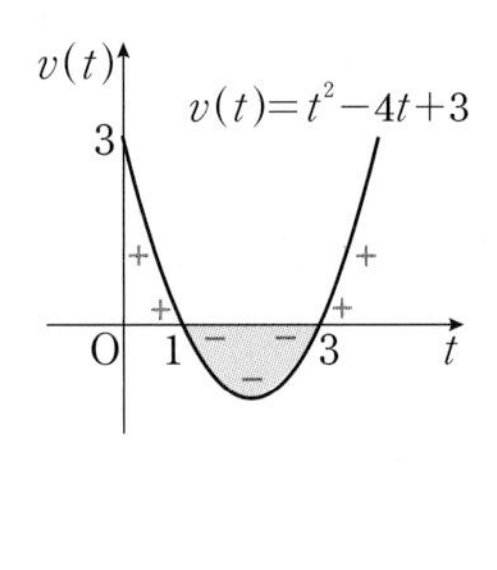

$$\int_1^3|v(t)|dt=\int_1^3|t^2-4t+3|dt$$
$$=-\int_1^3(t^2-4t+3)dt$$
$$=-\left[\frac{1}{3}t^3-2t^2+3t\right]_1^3$$
$$=\frac{4}{3}$$

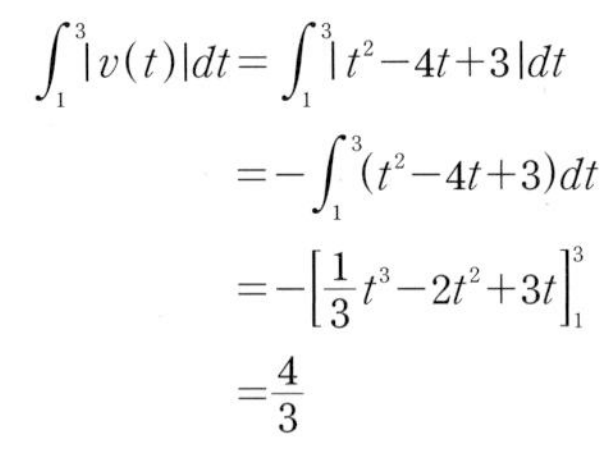

STEP Ⓒ **점 P의 위치가 0이 될 때의 시각 구하기**

(3) 점 P가 원점을 출발하여 다시 원점으로 돌아오는 데 걸리는 시간을 a초라 하면 출발한 지 a초 후의 점 P의 위치의 변화량은 0이므로

$$\int_0^a(t^2-4t+3)dt=\left[\frac{1}{3}t^3-2t^2+3t\right]_0^a$$
$$=\frac{1}{3}a^3-2a^2+3a$$
$$=0$$

$\frac{1}{3}a(a^2-6a+9)=0$, $\frac{1}{3}a(a-3)^2=0$
$\therefore a=0$ 또는 $a=3$
따라서 점 P는 출발 후 3초 만에 다시 원점으로 돌아온다.

0848

원점을 출발하여 수직선 위를 움직이는 점 P의 시각 t에서의 위치 $f(t)$에 대하여 이차함수 $y=f'(t)$의 그래프는 오른쪽 그림과 같다.
점 P가 출발할 때의 운동방향에 대하여 반대 방향으로 움직인 거리를 d라 할 때, $12d$의 값은?

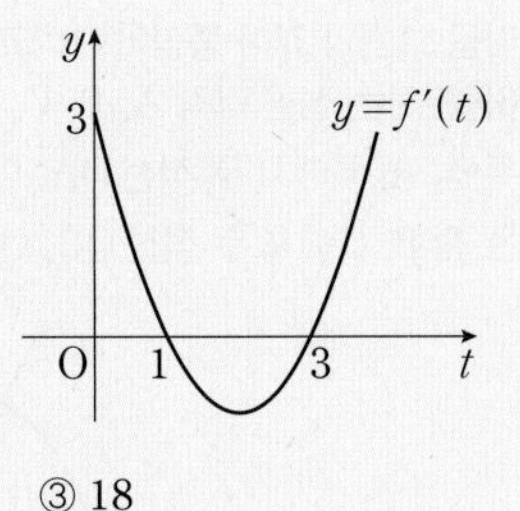

① 14 ② 16 ③ 18
④ 20 ⑤ 22

STEP Ⓐ **주어진 이차함수의 그래프를 이용하여 이차함수 $y=f'(t)$의 식 작성하기**

이차함수 $y=f'(t)$의 그래프가 두 점
$(1, 0)$, $(3, 0)$을 지나므로
$f'(t)=a(t-1)(t-3)$ (단, $a>0$)
이차함수 $y=f'(t)$의 그래프는
점 $(0, 3)$을 지나므로
$f'(0)=a(0-1)(0-3)=3a=3$
$\therefore a=1$
$f'(t)=(t-1)(t-3)$ (단, $t\ge 0$)

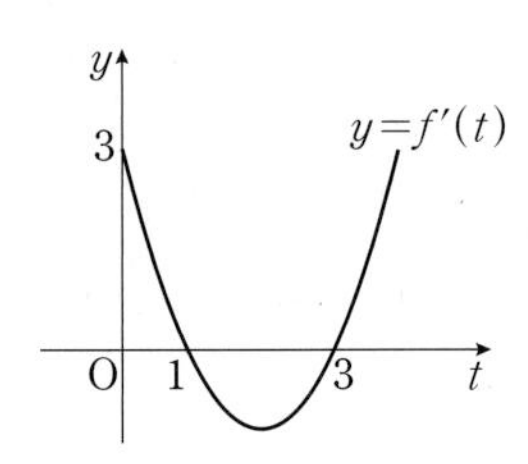

STEP Ⓑ **운동방향이 반대방향으로 움직인 시간 구하기**

점 P의 시각 t에서 위치함수 $f(t)$에 대하여 $f'(t)$의 함수는 속도함수이다.
점 P는 $f'(t)>0$일 때 양의 방향, $f'(t)<0$일 때 음의 방향으로 움직인다.
점 P가 출발할 때의 운동방향에 대하여 반대방향으로 움직인 시간은
$v(t)=t^2-4t+3\le 0$, $(t-1)(t-3)\le 0$
$\therefore 1\le t\le 3$

STEP Ⓒ $a\le t\le b$**에서 움직인 거리는** $\int_a^b|f'(t)|dt$**임을 이용하기**

$1\le t\le 3$에서 움직인 거리 d는

$$d=\int_1^3|f'(t)|dt=\int_1^3|(t-1)(t-3)|dt$$
$$=-\int_1^3(t^2-4t+3)dt$$
$$=-\left[\frac{1}{3}t^3-2t^2+3t\right]_1^3$$
$$=\frac{4}{3}$$

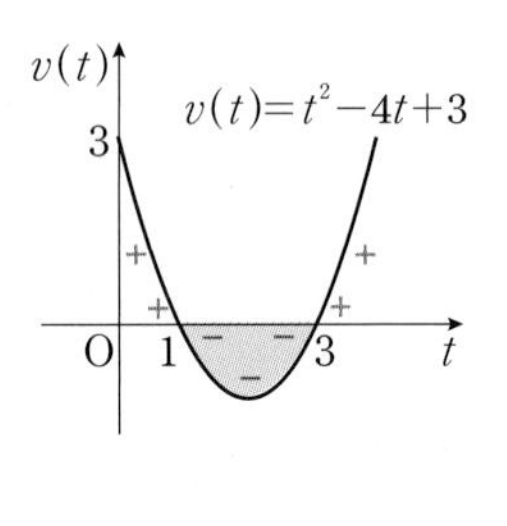

따라서 $12d=16$

다른풀이 $f'(t)=a(t-\alpha)(t-\beta)\,(a\ne 0,\ \alpha<\beta)$에서 $\int_1^3|f'(t)|dt=\frac{|a|}{6}(\beta-\alpha)^3$임을 이용하여 풀이하기

$d=\int_1^3|f'(t)|dt$이므로 $1\le t\le 3$에서 움직인 거리 d는 $1\le t\le 3$에서 이차함수 $y=f'(t)$의 그래프와 t축으로 둘러싸인 부분의 넓이이다.

$$d=\int_1^3|f'(t)|dt$$
$$=\int_1^3|(t-1)(t-3)|dt$$
$$=\frac{1}{6}(3-1)^3$$
$$=\frac{4}{3}$$

따라서 $12d=16$

0849

원점을 출발하여 수직선 위를 움직이는 점 P의 시각 t에서의 속도 $v(t)$에 대하여 $y=v(t)$의 그래프는 오른쪽 그림과 같다.
점 P가 움직이기 시작하여 $t=5$일 때, 다시 원점으로 돌아온다고 한다.
$\int_0^a v(t)dt=18$, $\int_a^7 v(t)dt=10$일 때,
$t=0$에서 $t=7$까지 점 P가 움직인 거리를 구하여라. (단, $0<a<5$)

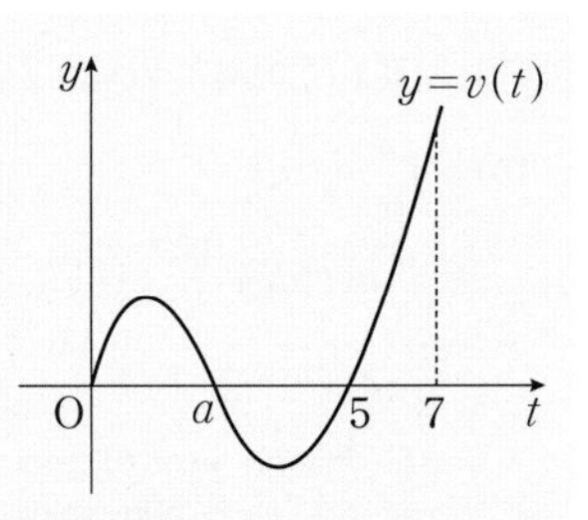

STEP Ⓐ **점 P가 움직이기 시작하여 $t=5$일 때, 다시 원점으로 돌아옴을 이용하기**

점 P가 움직이기 시작하여 $t=5$일 때,
다시 원점으로 돌아오면 위치가 0이어야 한다.
즉 $\int_0^5 v(t)dt=0$이므로 $\int_0^a v(t)dt=18$에서 $\int_a^5 v(t)dt=-18$

STEP Ⓑ **정적분의 성질을 이용하여 $\int_5^7 v(t)dt$의 값 구하기**

또, $\int_5^7 v(t)dt=\int_a^7 v(t)dt-\int_a^5 v(t)dt=10-(-18)=28$

STEP Ⓒ **$t=0$에서 $t=7$까지 점 P가 움직인 거리 구하기**

따라서 $t=0$에서 $t=7$까지
점 P가 실제로 움직인 거리는
$\int_0^7 |v(t)|dt$

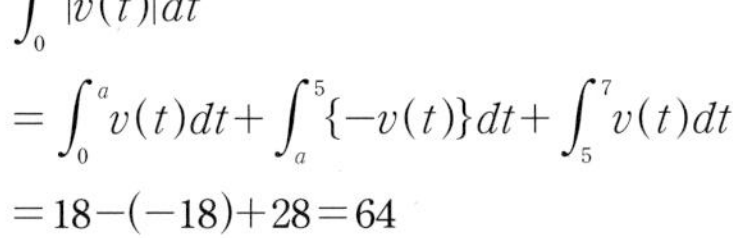

$=\int_0^a v(t)dt+\int_a^5 \{-v(t)\}dt+\int_5^7 v(t)dt$
$=18-(-18)+28=64$

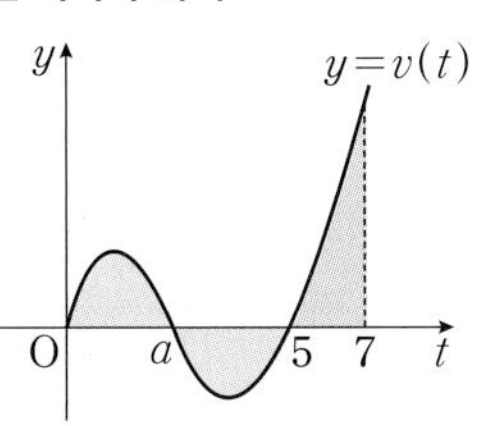

0850

지상 10 m의 높이에서 처음 속도 60 m/초로 똑바로 위로 쏘아 올린 물체의 t초 후의 속도가 $v(t)=60-10t$ (m/s)일 때, 다음을 구하여라.

(1) 물체를 쏘아 올린 2초 후 물체의 높이
(2) 물체가 최고지점에 도달할 때의 지면으로부터의 높이
(3) 물체를 쏘아 올린 후 7초 동안 물체가 움직인 거리

STEP Ⓐ **물체를 쏘아 올린 2초 후 물체의 높이 구하기**

물체가 쏘아 올린 후 t초가 지났을 때의 물체의 높이를 $x(t)$라 놓으면
(1) $t=2$일 때, 물체의 높이는
$x(2)=10+\int_0^2 (60-10t)dt=10+\left[60t-5t^2\right]_0^2=110(\text{m})$

STEP Ⓑ **물체가 최고지점에 도달할 때의 지면으로부터의 높이 구하기**

(2) 물체가 최고지점에 도달할 때의 속도는 0이므로 $60-10t=0$
$\therefore t=6$
즉 $t=6$일 때, 물체가 최고 높이에 도달하게 되므로 최고 높이는
$x(6)=10+\int_0^6 (60-10t)dt=10+\left[60t-5t^2\right]_0^6=190\text{m}$

STEP Ⓒ **물체를 쏘아 올린 후 7초 동안 물체가 움직인 거리 구하기**

(3) 물체를 쏘아 올린 후 7초 동안 물체가 움직인 거리를 s라 하면
$s=\int_0^7 |v(t)|dt$
$=\int_0^6 (60-10t)dt+\int_6^7 (-60+10t)dt$
$=\left[60t-5t^2\right]_0^6+\left[-60t+5t^2\right]_6^7$
$=180+5=185$

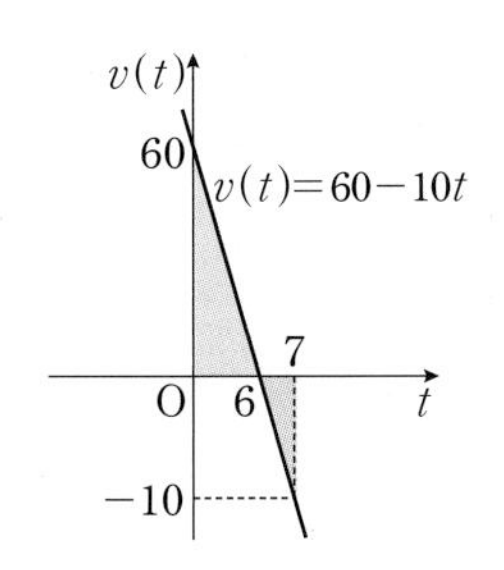

0851

지면에 정지해 있던 열기구가 수직 방향으로 출발한 후 t분일 때 속도 $v(t)$(m/분)를

$$v(t)=\begin{cases} t & (0\le t\le 20) \\ 60-2t & (20\le t\le 40) \end{cases}$$

라 하자. 출발한 후 $t=35$분일 때, 지면으로부터 열기구의 높이는?
(단, 열기구는 수직 방향으로만 움직이는 것으로 가정한다.)
① 225 ② 250 ③ 275
④ 300 ⑤ 325

STEP Ⓐ **$0\le t\le 20$에서 속도 $v(t)$의 그래프와 t축 사이의 정적분을 이용하여 구하기**

최초에 지면에 정지해 있었으므로 $t=35$일 때의 열기구의 높이를 $x(35)$라 하면
$x(35)=0+\int_0^{35} v(t)dt=\int_0^{20} tdt+\int_{20}^{35}(60-2t)dt$
$=\left[\frac{1}{2}t^2\right]_0^{20}+\left[60t-t^2\right]_{20}^{35}=\frac{1}{2}\cdot 20^2+(60\cdot 35-35^2)-(60\cdot 20-20^2)$
$=200+875-800=275(\text{m})$

다른풀이 그래프를 이용하여 풀이하기

시간 (t)와 속도 $v(t)$에 대한 그래프를 그리면 오른쪽 그림과 같다.
즉 $t=35$일 때, 열기구의 높이는
$0<t<30$에서의 삼각형의 넓이에서
$30<t<35$에서의 삼각형의 넓이를 빼면 된다.
따라서 구하는 높이는
$\frac{1}{2}\cdot 30\cdot 20-\frac{1}{2}\cdot 5\cdot 10=300-25$
$=275$

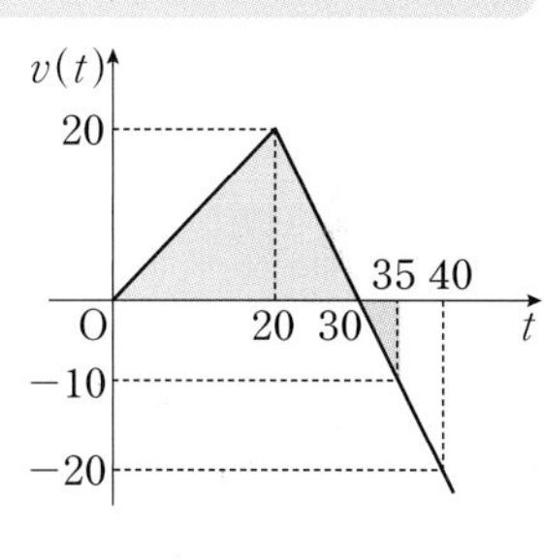

0852

수직선 위를 움직이는 점 P의 시각 $t\,(0\le t\le 10)$에서의 속도 $v(t)$는

$$v(t)=\begin{cases} 4t^3 & (0\le t<1) \\ -4t+8 & (1\le t\le 10) \end{cases}$$

이다. $t=0$에서의 위치가 2일 때, 점 P가 -3의 위치에 있을 때까지 움직인 거리를 구하여라.

STEP Ⓐ **점 P가 -3의 위치에 있을 때 시각 구하기**

점 P의 위치가 -3일 때의 시각을 $t=a$라 하면
위치의 변화량 $x=2+\int_0^a v(t)dt=-3$이므로 $\int_0^a v(t)dt=-5$
즉 위치의 변화량이 -5이고 $0\le t\le 1$일 때, $v(t)\ge 0$이므로 $a>1$
$\therefore \int_0^a v(t)dt=\int_0^1 4t^3dt+\int_1^a(-4t+8)dt=\left[t^4\right]_0^1+\left[-2t^2+8t\right]_1^a$
$=(1-0)+\{(-2a^2+8a)-(-2+8)\}=-2a^2+8a-5$
즉 $-2a^2+8a-5=-5$이므로 $2a(a-4)=0$
$\therefore a=4$ ($\because a>1$)

STEP Ⓑ **$t=4$까지 움직인 거리 구하기**

따라서 점 P가 $t=4$까지 움직인 거리는
$\int_0^4 |v(t)|dt$
$=\int_0^1 |4t^3|dt+\int_1^4 |-4t+8|dt$
$=\int_0^1 4t^3dt+\int_1^2(-4t+8)dt+\int_2^4(4t-8)dt$
$=\left[t^4\right]_0^1+\left[-2t^2+8t\right]_1^2+\left[2t^2-8t\right]_2^4$
$=1+2+8=11$

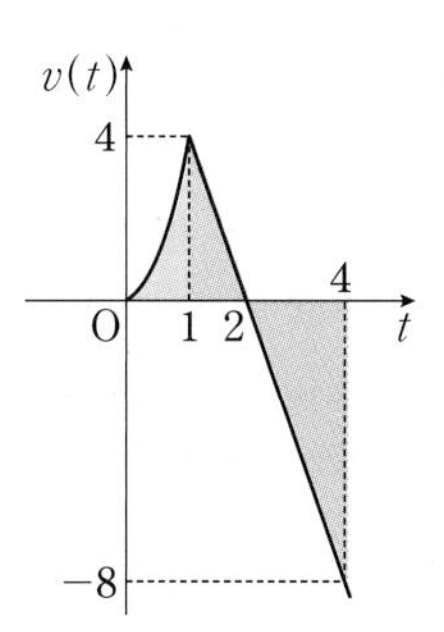

0853

좌표가 1인 점에서 출발하여 수직선 위를 움직이는 점 P의 시각 t에서의 속도 $v(t)$의 그래프가 오른쪽 그림과 같을 때, 다음을 구하여라.

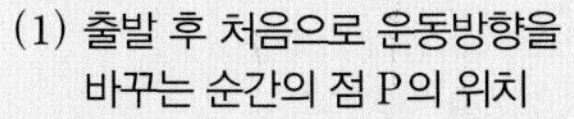

(1) 출발 후 처음으로 운동방향을 바꾸는 순간의 점 P의 위치

(2) 출발 후 5초 동안 점 P가 움직인 거리

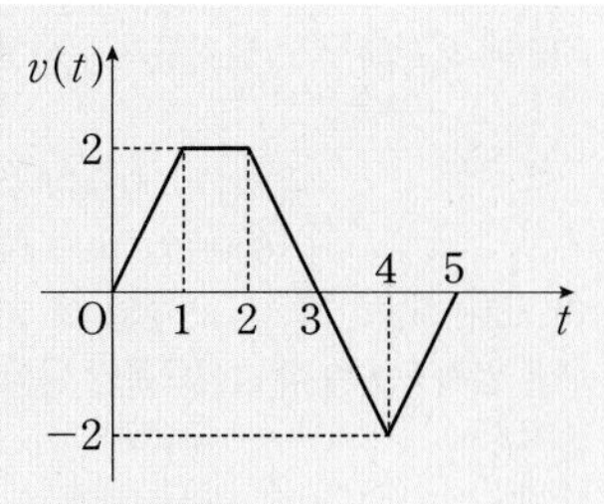

STEP **A** **주어진 그래프에서 속도 $v(t)$의 식을 구하기**

주어진 그래프에서 점 P의 속도 $v(t)$는

$$v(t)=\begin{cases} 2t & (0\le t\le 1) \\ 2 & (1\le t\le 2) \\ -2t+6 & (2\le t\le 4) \\ 2t-10 & (4\le t\le 5) \end{cases}$$

STEP **B** **속도 $v(t)$의 정적분을 이용하여 점 P의 위치 구하기**

운동 방향이 바뀌려면 속도가 0인 순간의 속도의 부호가 달라야 하므로 $t=3$일 때, $v(t)=0$이고 그 좌우에서 부호가 변한다.

시각 $t=0$에서의 위치가 1이므로 구하는 위치는

$$1+\int_0^3 v(t)dt=1+\int_0^1 2tdt+\int_1^2 2dt+\int_2^3(-2t+6)dt$$

$$=1+\Big[t^2\Big]_0^1+\Big[2t\Big]_1^2+\Big[-t^2+6t\Big]_2^3$$

$$=1+(1-0)+(4-2)+(-9+18+4-12)=5$$

$0\le t\le 3$에서 속도 $v(t)\ge 0$이므로 점 P의 위치는 $v(t)$의 그래프와 t축 및 직선 $t=6$로 둘러싸인 도형의 넓이와 같다.

$1+\int_0^3 v(t)dt=1+\frac{1}{2}\cdot(1+3)\cdot 2=5$

STEP **C** **속도 $v(t)$의 절댓값을 정적분하여 점 P가 움직인 거리 구하기**

따라서 $t=0$에서 $t=5$까지 점 P가 움직인 거리를 s라 하면

$$s=\int_0^5|v(t)|dt$$

$$=\int_0^1 2tdt+\int_1^2 2dt+\int_2^3(-2t+6)dt+\int_3^4(2t-6)dt+\int_4^5(-2t+10)dt$$

$$=\Big[t^2\Big]_0^1+\Big[2t\Big]_1^2+\Big[-t^2+6t\Big]_2^3+\Big[t^2-6t\Big]_3^4+\Big[-t^2+10t\Big]_4^5=6$$

$t=0$에서 $t=5$까지 점 P가 움직인 거리는 $0\le t\le 6$일 때, 속도 $v(t)$의 그래프와 t축 사이의 넓이와 같으므로 점 P가 움직인 거리를 s라 하면

$s=\int_0^5|v(t)|dt$

$=\int_0^3 v(t)dt+\int_3^5\{-v(t)\}dt$

$=\frac{1}{2}(3+1)\cdot 2+\frac{1}{2}\cdot 2\cdot 2$

$=4+2=6$

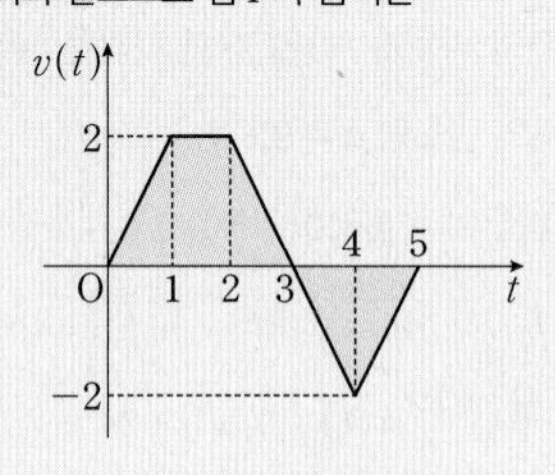

0854

오른쪽 그림은 원점을 출발하여 수직선 위를 움직이는 점 P의 시각 t초 $(0\le t\le 10)$에서의 속도 $v(t)$를 나타낸 것이다. 점 P의 시각 t초에서의 위치를 $x(t)$라 할 때, $x(10)=\frac{35}{3}$이다. 출발 후 10초 동안 점 P가 움직인 거리는?
(단, k는 양의 상수이고, 점선은 좌표축에 평행하다.)

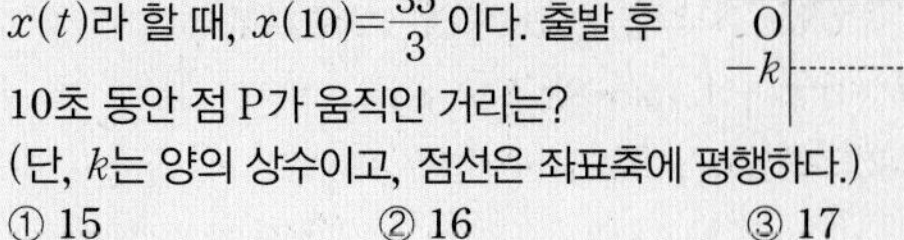

① 15 ② 16 ③ 17
④ 18 ⑤ 19

STEP **A** **위치가 $x(10)=\frac{35}{3}$임을 이용하여 k 구하기**

점 P의 시각 10초에서의 위치가 $x(10)=\frac{35}{3}$이므로

$$x(10)=\int_0^{10}v(t)dt$$

$$=\int_0^8 v(t)dt+\int_8^{10}v(t)dt$$

$$=\frac{1}{2}\cdot 8\cdot 2k-\frac{1}{2}\cdot 2\cdot k$$

$$=8k-k=7k$$ ← 속도의 그래프가 직선으로만 되어 있을 때에는 정적분을 구하는 것보다 도형의 넓이를 이용하는 것이 편리하다.

이때 $7k=\frac{35}{3}$이므로 $k=\frac{5}{3}$

STEP **B** **10초 동안 점 P가 움직인 거리 구하기**

이때 10초 동안 점 P가 움직인 거리는

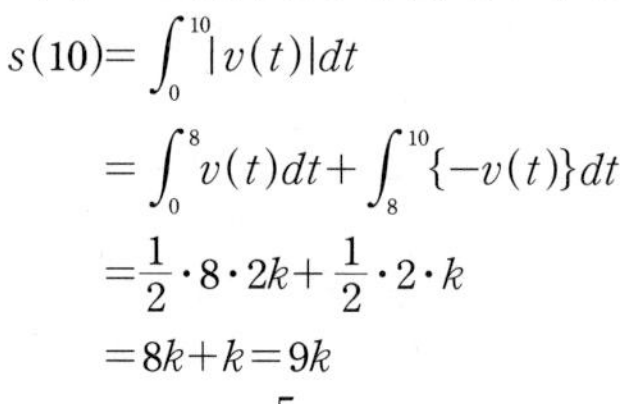

$$s(10)=\int_0^{10}|v(t)|dt$$

$$=\int_0^8 v(t)dt+\int_8^{10}\{-v(t)\}dt$$

$$=\frac{1}{2}\cdot 8\cdot 2k+\frac{1}{2}\cdot 2\cdot k$$

$$=8k+k=9k$$

따라서 $9k=9\cdot\frac{5}{3}=15$

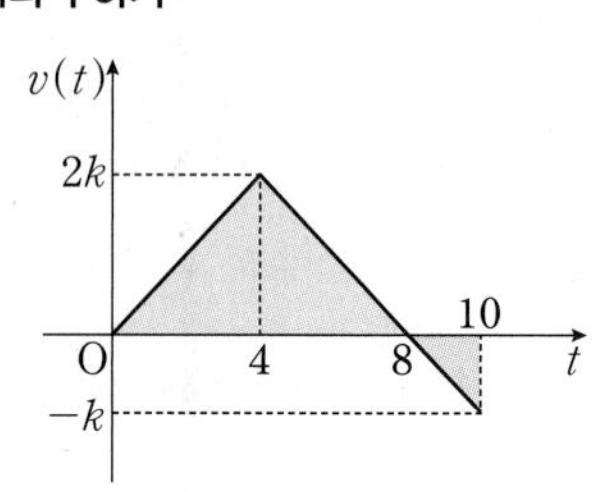

0855

원점을 출발하여 수직선 위를 움직이는 점 P의 시각 t에서의 속도 $v(t)$를 나타내는 그래프는 다음 그림과 같다. $t=8$일 때의 점 P의 위치가 21일 때, $t=0$에서 $t=10$까지의 점 P가 실제로 움직인 거리를 구하여라.

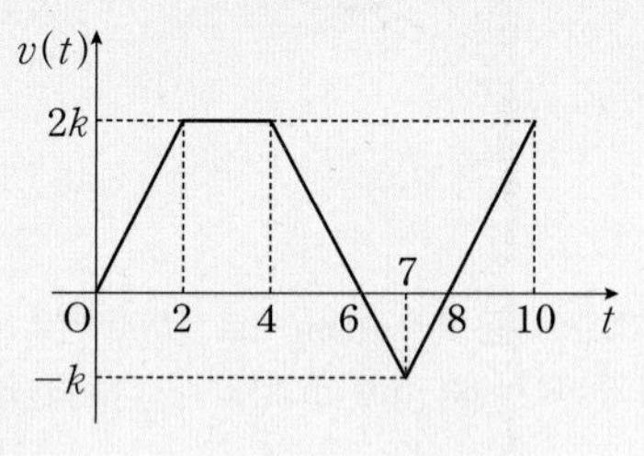

STEP **A** **위치가 $x(8)=21$임을 이용하여 k 구하기**

점 P의 시각 $t=8$일 때의 점 P의 위치가 21이므로

$$21=\int_0^8 v(t)dt$$

$$=\int_0^6 v(t)dt+\int_6^8 v(t)dt$$

$$=\frac{1}{2}\cdot(2+6)\cdot 2k-\frac{1}{2}\cdot 2\cdot k$$

$$=8k-k=21$$ ← t축 위의 등변사다리꼴의 넓이에서 t축 아래의 이등변삼각형의 넓이를 뺀 것과 같다.

이때 $7k=21$에서 $k=3$

STEP **B** **10초 동안 점 P가 움직인 거리 구하기**

$t=0$에서 $t=10$까지 실제로 움직인 거리는

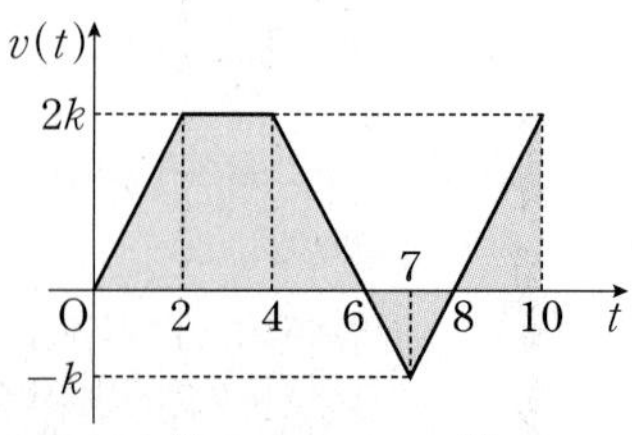

$$\int_0^{10}|v(t)|dt=\int_0^6 v(t)dt+\int_6^8\{-v(t)\}dt+\int_8^{10}v(t)dt$$

$$=\frac{1}{2}\cdot(2+6)\cdot 2k+\frac{1}{2}\cdot 2\cdot k+\frac{1}{2}\cdot 2\cdot 2k$$

$$=8k+k+2k=11k$$

따라서 $11k=11\cdot 3=33$

0856

원점을 출발하여 수직선 위를 8초 동안 움직이는 점 P의 t초 후의 속도 $v(t)$의 그래프가 다음 그림과 같을 때, 다음 [보기] 중 옳은 것을 모두 고르면?

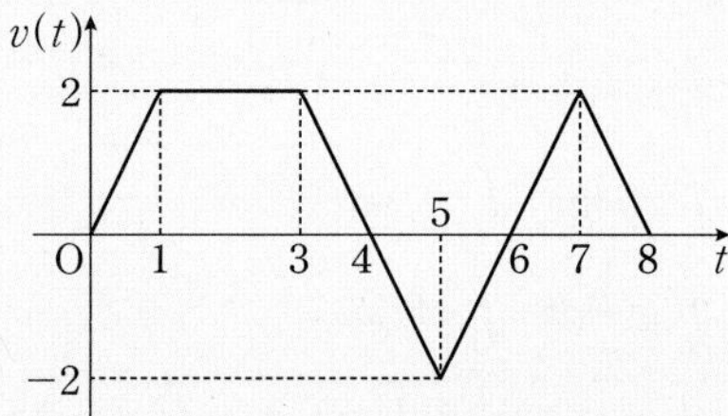

ㄱ. 점 P는 출발하고 나서 2초 동안 멈춘 적이 있다.
ㄴ. 점 P는 움직이고 나서 방향을 4번 바꿨다.
ㄷ. 점 P는 출발하고 나서 6초 후 출발점에 위치한다.
ㄹ. 점 P는 출발하고 나서 8초 동안 움직인 거리는 $\int_0^8 |v(t)|dt$이다.

① ㄱ ② ㄹ ③ ㄴ, ㄷ
④ ㄴ, ㄹ ⑤ ㄱ, ㄴ, ㄹ

STEP A 운동방향이 바뀌려면 속도가 0인 순간의 속도의 앞뒤 부호가 달라야 하고 출발점의 위치에 있으려면 위치의 변화량이 0이어야 함을 이용하여 진위판단하기

ㄱ. $v(t)=0$인 구간의 길이가 2인 부분이 존재하지 않으므로 출발하고 나서 2초 동안 멈춘 적이 없다. [거짓]
ㄴ. 방향을 바꾼다는 것은 $v(t)=0$이 그 좌우에서 부호가 바뀐다.
즉 $t=4$, $t=6$일 때, $v(t)=0$이고 그 좌우에서 $v(t)$의 부호가 바뀌었으므로 점 P는 방향을 2번 바꿨다. [거짓]
ㄷ. $\int_0^6 v(t)dt=\int_0^4 v(t)dt+\int_4^6 v(t)dt$
$=\frac{1}{2}(2+4)\cdot 2-\frac{1}{2}\cdot 2\cdot 2$
$=6-2=4$
이므로 출발하고 4인 위치에 있으므로 출발점에 위치하지 않는다. [거짓]
ㄹ. 출발하고 나서 8초 동안 움직인 거리는 $\int_0^8 |v(t)|dt$이다. [참]
따라서 옳은 것은 ㄹ이다.

0857

직선 운동을 하는 점 P의 시각 t에 대한 속도 $v(t)$의 그래프가 다음 그림과 같다. 다음 [보기] 중 옳은 것을 모두 고르면?

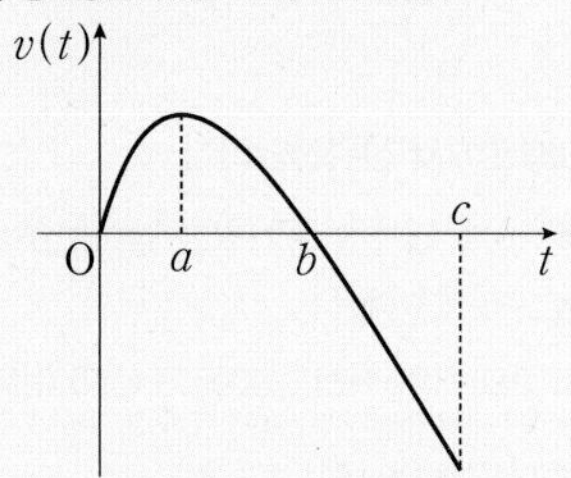

ㄱ. 점 P는 $t=b$일 때, 운동방향을 바꾸었다.
ㄴ. $t=a$에서 $t=b$까지 점 P가 움직인 거리는 $\int_a^b v(t)dt$이다.
ㄷ. $t=a$일 때, 점 P는 순간적으로 정지 상태에 있다.
ㄹ. $\int_0^c v(t)dt=0$이면 $t=c$일 때, 점 P는 출발점과 같은 위치에 있다.

① ㄱ, ㄴ ② ㄴ, ㄷ ③ ㄱ, ㄴ, ㄹ
④ ㄱ, ㄷ, ㄹ ⑤ ㄴ, ㄷ, ㄹ

STEP A 운동방향이 바뀌려면 속도가 0인 순간의 속도의 앞뒤 부호가 달라야 하고 출발점과 같은 위치에 있으려면 위치의 변화량이 0이어야 함을 이용하여 진위판단하기

ㄱ. $t=b$일 때, $v(b)=0$에서 $v(t)$의 부호가 양수에서 음수로 바뀌므로 점 P는 운동 방향을 바꾼다. [참]
ㄴ. $a\le t\le b$에서 $v(t)\ge 0$이므로 $\int_a^b v(t)dt$는 점 P가 움직인 거리이다. [참]
ㄷ. $t=a$일 때, $v(t)$는 극대이므로 최고의 속도로 움직이고 있다. [거짓]
ㄹ. $\int_0^c v(t)dt=0$이면 위치가 0이므로 $t=c$에서 점 P는 출발점과 같은 위치에 있다. [참]
따라서 옳은 것은 ㄱ, ㄴ, ㄹ이다.

0858

다음 물음에 답하여라.
(1) 원점으로 출발하여 수직선 위를 움직이는 점 P의 시각 t에서의 속도를 $v(t)$라 하면

$$v(t)=\begin{cases} t & (0\le t\le 1) \\ -t+2 & (1\le t\le 2) \\ 2(t-2)(t-4) & (2\le t\le 4)\end{cases}$$

이고 그림으로 나타내면 다음과 같다. 옳은 것만을 [보기]에서 있는 대로 고른 것은? (단, $0\le t\le 4$)

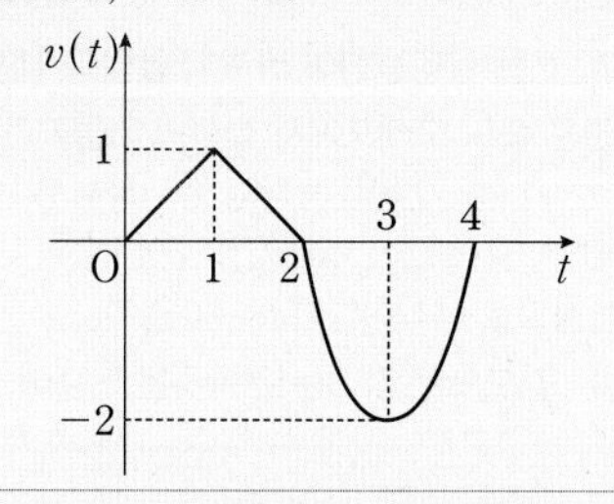

ㄱ. $t=1$일 때, 점 P는 운동방향을 바꾼다.
ㄴ. $t=4$일 때, 점 P는 원점에서 가장 멀리 떨어져 있다.
ㄷ. 점 P는 원점을 출발하고 나서 $t=2$와 $t=3$ 사이에서 원점을 다시 지난다.

① ㄱ ② ㄴ ③ ㄷ
④ ㄴ, ㄷ ⑤ ㄱ, ㄴ, ㄷ

STEP A 운동방향이 바뀌려면 속도가 0인 순간의 속도의 앞뒤 부호가 달라야 하고 출발점과 같은 위치에 있으려면 위치의 변화량이 0이어야 함을 이용하여 진위판단하기

ㄱ. $0\le t\le 2$일 때,
$v(t)\ge 0$이므로 점 P는 $t=1$에서 운동 방향을 바꾸지 않는다. [거짓]
ㄴ. $\int_0^2 v(t)dt=\frac{1}{2}\cdot 2\cdot 1=1$
$\int_2^4 v(t)dt=\int_2^4 2(t-2)(t-4)dt$
$=2\int_2^4 (t^2-6t+8)dt$
$=2\left[\frac{1}{3}t^3-3t^2+8t\right]_2^4$
$=2\left\{\left(\frac{64}{3}-48+32\right)-\left(\frac{8}{3}-12+16\right)\right\}$
$=-\frac{8}{3}$
이므로 $t=0$에서 $t=4$까지의 점 P의 위치의 변화량은
$\int_0^4 v(t)dt=1-\frac{8}{3}=-\frac{5}{3}$
즉 $t=4$일 때, 점 P는 원점에서 가장 멀리 떨어져 있다. [참]
ㄷ. ㄴ에서 $\int_2^4 v(t)dt=-\frac{8}{3}$
$\int_2^3 v(t)dt=-\frac{4}{3}$이고 $\int_0^2 v(t)dt=1$이므로
점 P는 원점을 출발하고 나서 $t=2$와 $t=3$ 사이에서 원점을 다시 지난다. [참]
따라서 옳은 것은 ㄴ, ㄷ이다.

(2) 다음은 원점을 출발한 세 점 A, B, C가 x축을 따라 이동하여 30초 후의 세 점 모두 동시에 만날 때까지의 시간 t에 따른 속도 $v(t)$를 각각 나타낸 그래프이다.

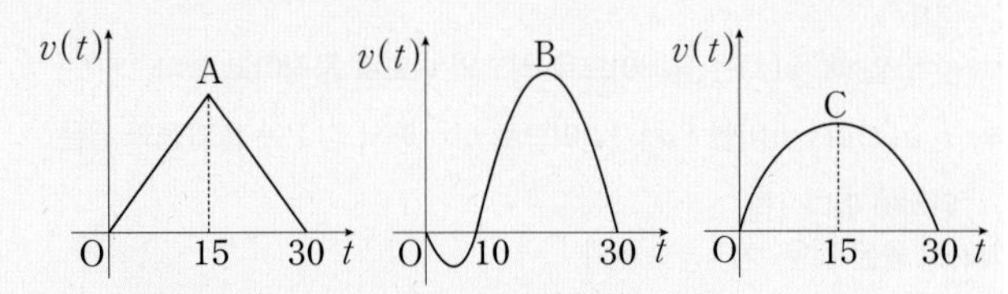

다음 [보기] 중 옳은 것만을 있는 대로 고른 것은?

> ㄱ. A와 C는 30초 동안 운동방향이 바뀌지 않았다.
> ㄴ. A, B, C는 모두 가속도가 0인 순간이 적어도 한 번 존재한다.
> ㄷ. B는 출발하고 나서 다시 원점을 지난다.

① ㄱ ② ㄴ ③ ㄱ, ㄷ
④ ㄴ, ㄷ ⑤ ㄱ, ㄴ, ㄷ

STEP A **주어진 속도 그래프에서 참, 거짓의 진위판단하기**

ㄱ. 운동방향이 바뀌는 시점은 속도의 부호가 바뀌는 시점이므로
$0 < t < 30$에서 A, C는 운동방향이 바뀌지 않았다. [참]

ㄴ. 가속도가 0인 순간은 속도 그래프에서 접선의 기울기가 0인 순간이므로 점 A는 가속도가 0인 순간이 존재하지 않는다. [거짓]

ㄷ. 점 B는 출발할 때,
점 A, C와 반대방향으로 움직이다가 $t=30$일 때,
세 점의 도착지점은 같으므로 점 B는 운동하는 도중에 원점을 지난다. [참]

따라서 옳은 것은 ㄱ, ㄷ이다.

0859

같은 지점에서 출발하여 직선으로 만들어진 두 개의 차선을 따라 같은 방향으로 달리는 두 대의 자동차 A, B가 있다.
다음 그림은 시각 $t\,(0 \le t \le c)$에서 자동차 A의 속도 $f(t)$와 자동차 B의 속도 $g(t)$를 나타낸 것이다.
$t=c$일 때, 두 자동차가 같은 지점에 있을 때, 다음 중 옳은 것만을 있는 대로 고른 것은?

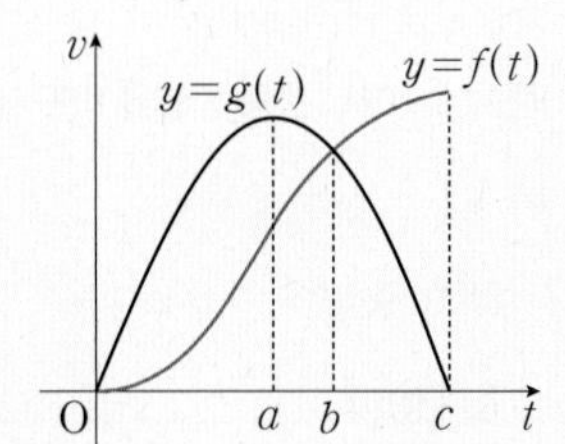

> ㄱ. $t=a$일 때, 자동차 B가 자동차 A보다 앞에 있다.
> ㄴ. $\int_a^c f(t)dt > \int_a^c g(t)dt$
> ㄷ. $t=b$일 때, 두 자동차 A와 B 사이의 거리가 최대이다.

① ㄱ ② ㄷ ③ ㄱ, ㄴ
④ ㄱ, ㄷ ⑤ ㄱ, ㄴ, ㄷ

STEP A **두 자동차 A, B가 달린거리가 $\int_0^t f(t)dt$, $\int_0^t g(t)dt$임을 이용하여 참, 거짓의 진위판단하기**

같은 지점에서 출발하여 $t=c$일 때, 같은 지점에 있으므로 위치의 변화량이 같다.

즉 $\int_0^c f(t)dt = \int_0^c g(t)dt$

ㄱ. $t=a$일 때, 자동차 A가 달린 거리는 $\int_0^a f(t)dt$

$t=a$일 때, 자동차 B가 달린 거리는 $\int_0^a g(t)dt$

그림에서 $\int_0^a g(t)dt > \int_0^a f(t)dt$이므로 B가 A보다 앞에 있다. [참]

ㄴ. $\int_0^c f(t)dt = \int_0^c g(t)dt$이고

$\int_a^c f(t)dt = \int_0^c f(t)dt - \int_0^a f(t)dt$,

$\int_a^c g(t)dt = \int_0^c g(t)dt - \int_0^a g(t)dt$,

$\int_0^a g(t)dt > \int_0^a f(t)dt$이므로 $\int_a^c f(t)dt > \int_a^c g(t)dt$ [참]

ㄷ. $0 \le t \le b$에서는 자동차 B의 속도가 자동차 A의 속도보다 크다가 $b \le t \le c$에서 A의 속도가 B의 속도보다 커지므로 $0 \le t \le b$에서는 A와 B의 거리가 멀어지다가 $b \le t \le c$에서 가까워진다. [참]

따라서 옳은 것은 ㄱ, ㄴ, ㄷ이다.

0860

다음 그림은 두 자동차 P, Q가 직선도로의 같은 지점에서 동시에 같은 방향으로 출발하여 b분 동안 달렸을 때, 각각의 속도 $f(t)$, $g(t)$의 그래프를 나타낸 것이다.

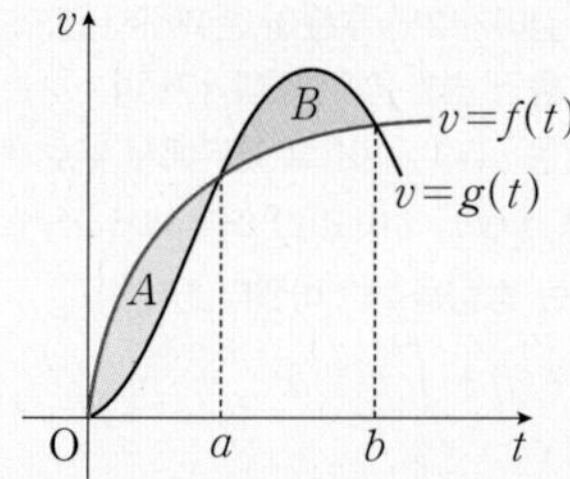

두 곡선 $v=f(t)$, $v=g(t)$로 둘러싸인 두 부분 A, B의 넓이가 각각 S_1, S_2일 때, 옳은 것만을 [보기]에서 있는 대로 고른 것은?

> ㄱ. $S_1=S_2$이면 두 점 P, Q는 $t=b$일 때, 만난다.
> ㄴ. $S_1 > S_2$이면 $\int_0^b f(t)dt > \int_0^b g(t)dt$이다.
> ㄷ. $S_1 < S_2$이면 $\int_0^c \{f(t)-g(t)\}dt=0$을 만족시키는 c가 열린구간 (a, b)에 존재한다.

① ㄱ ② ㄷ ③ ㄱ, ㄴ
④ ㄱ, ㄷ ⑤ ㄱ, ㄴ, ㄷ

STEP A **두 속도 그래프에서 진위판단하기**

ㄱ. $S_1=S_2$이면 두 자동차 P, Q의 이동거리가 같으므로 출발한 지 b분이 되었을 때, 처음으로 만난다. [참]

ㄴ. $S_1 > S_2$이면 자동차 P의 이동거리가 자동차 Q의 이동거리보다 크므로 $\int_0^b f(t)dt > \int_0^b g(t)dt$이다. [참]

ㄷ. $S_1 < S_2$이면 자동차 P가 자동차 Q보다 빨리 가다가 자동차 Q가 자동차 P를 추월하여 지나가므로 이동거리가 같은 지점이 반드시 생긴다. 그 때의 시간을 $t=c$라 하면
$\int_0^c f(t)dt = \int_0^c g(t)dt$인 c가 열린 구간 (a, b)안에 존재한다. [참]

따라서 옳은 것은 ㄱ, ㄴ, ㄷ이다.

$S_1 < S_2$이면 b분 후에 자동차 Q는 자동차 P를 앞선다.

0861

다음 그림은 원점을 출발하여 수직선 위를 움직이는 점 P의 시각 $t(0 \le t \le d)$에서의 속도 $v(t)$를 나타내는 그래프이다.

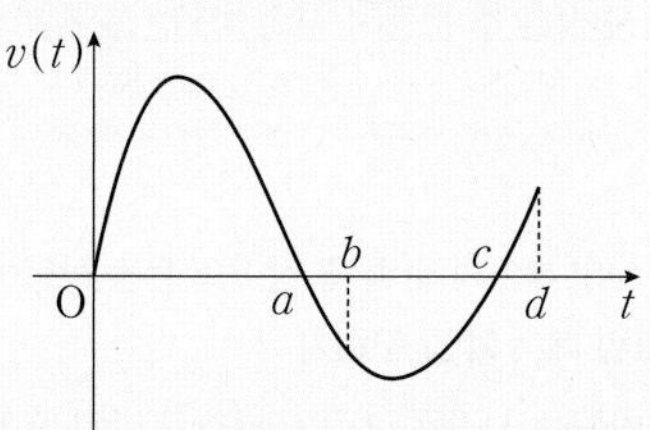

$\int_0^a |v(t)|dt = \int_a^d |v(t)|dt$일 때, [보기]에서 옳은 것을 모두 고른 것은? (단, $0 < a < b < c < d$)

ㄱ. 점 P는 출발하고 나서 원점을 다시 지난다.
ㄴ. $\int_0^c v(t)dt = \int_c^d v(t)dt$
ㄷ. $\int_0^b v(t)dt = \int_b^d |v(t)|dt$

① ㄴ ② ㄷ ③ ㄱ, ㄴ
④ ㄴ, ㄷ ⑤ ㄱ, ㄴ, ㄷ

STEP A $v(t) \ge 0$, $v(t) \le 0$인 구간을 구분하고 각 구간의 넓이에 대한 식을 S_1, S_2, S_3라 하여 $\int_0^a |v(t)|dt = \int_a^d |v(t)|dt$를 만족하는 식 세우기

아래 그림과 같이

$\int_0^a |v(t)|dt = S_1$, $\int_a^c |v(t)|dt = S_2$, $\int_c^d |v(t)|dt = S_3$이라 하면

$\int_0^a |v(t)|dt = \int_a^d |v(t)|dt$이므로 $S_1 = S_2 + S_3$

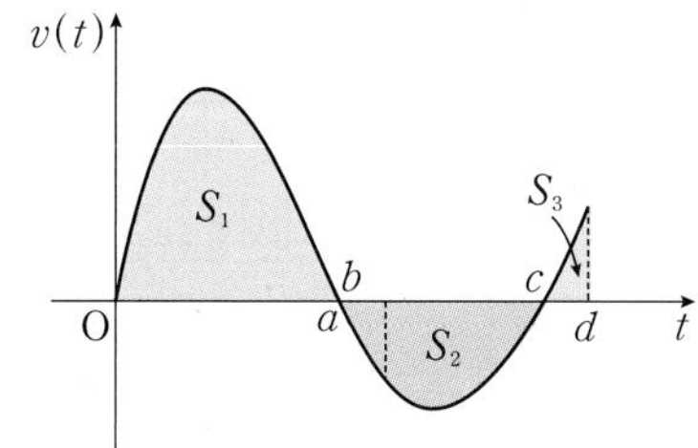

STEP B [보기]의 참, 거짓의 진위판단하기

ㄱ. $0 \le t \le a$일 때, 수직선의 양의 방향으로 S_1만큼 움직였다가 $a \le t \le c$일 때, 음의 방향으로 S_2만큼 움직이고 $c \le t \le d$일 때, 양의 방향으로 S_3만큼 움직인다.
이때 $S_1 > S_2 (S_1 - S_2 = S_3 > 0)$이므로 P점 는 $0 < t \le d$에서 원점을 지나지 않는다.
즉 원점 O를 출발하여 시각 a에서 방향을 바꾸어 돌아오다가 원점까지 되돌아오지 않고 시각 c에서 다시 방향을 바꿔서 움직인다. [거짓]

ㄴ. $\int_0^c v(t)dt = \int_0^a v(t)dt + \int_a^c v(t)dt$
$= S_1 + (-S_2) = S_3 \ (\because S_1 = S_2 + S_3)$
$= \int_c^d v(t)dt$ [참]

ㄷ. $\int_b^d |v(t)|dt = -\int_b^c v(t)dt + \int_c^d v(t)dt$
$= -\int_b^c v(t)dt + \int_0^c v(t)dt \ (\because$ ㄴ$)$
$= \int_0^c v(t)dt + \int_c^b v(t)dt$
$= \int_0^b v(t)dt$

$\therefore \int_0^b v(t)dt = \int_b^d |v(t)|dt$ [참]

따라서 옳은 것은 ㄴ, ㄷ이다.

속도와 거리

BASIC

0862

수직선 위에서 좌표가 5인 점을 출발하여 움직이는 어떤 물체의 시각 t일 때의 속도 $v(t)$의 그래프는 오른쪽 그림과 같다. 색칠한 세 부분의 넓이가 차례로 4, 6, 25일 때, 다음 조건을 만족하는 p, q, r에 대하여 $p+q+r$의 값은?

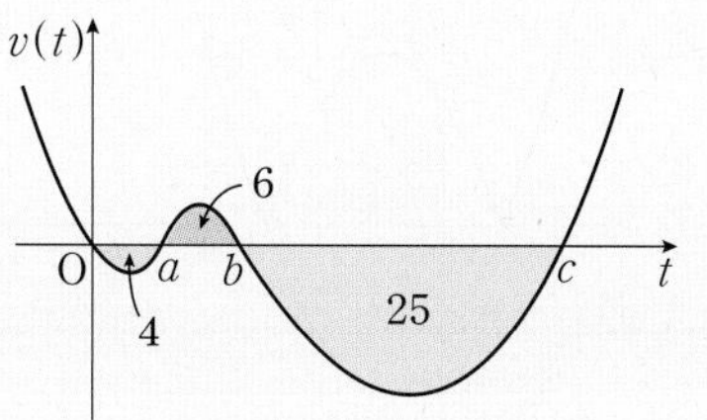

(가) $t=0$에서 $t=c$까지 이 물체의 위치의 변화량 p
(나) $t=0$에서 $t=c$까지 이 물체의 이동거리 q
(다) $t=c$일 때의 물체의 위치 r

① -12 ② -8 ③ -6
④ -4 ⑤ -2

STEP A 속도가 식으로 주어질 때의 위치와 위치의 변화량과 움직인 거리를 구하기

조건 (가)에서 $p = \int_0^c v(t)dt = -4+6-25 = -23$

조건 (나)에서 $q = \int_0^c |v(t)|dt = 4+6+25 = 35$

조건 (다)에서 $r = 5 + \int_0^c v(t)dt = 5-4+6-25 = -18$

따라서 $p+q+r = -23+35-18 = -6$

0863

다음 물음에 답하여라.

(1) 수직선 위를 움직이는 점 P의 시각 $t(t \ge 0)$에서의 속도 $v(t)$가
$v(t) = -2t+4$
이다. $t=0$부터 $t=4$까지 점 P가 움직인 거리는?
① 8 ② 9 ③ 10
④ 11 ⑤ 12

STEP A 속도의 절댓값을 정적분하여 점이 움직인 거리를 구하기

$0 \le t < 2$일 때, $v(t)$가 양수이고
$2 < t \le 4$일 때, $v(t)$가 음수이므로
$t=0$부터 $t=4$까지 점 P가 움직인 거리는

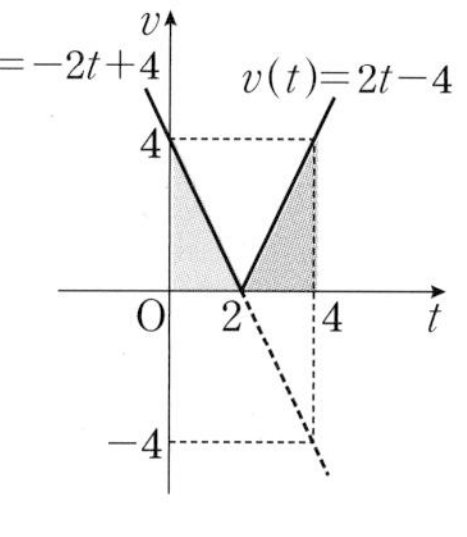

$\int_0^4 |v(t)|dt = \int_0^2 v(t)dt + \int_2^4 \{-v(t)\}dt$
$= \int_0^2 (-2t+4)dt + \int_2^4 (2t-4)dt$
$= \Big[-t^2+4t\Big]_0^2 + \Big[t^2-4t\Big]_2^4$
$= (-4+8) + \{(16-16)-(4-8)\}$
$= 4+4 = 8$

따라서 점 P가 움직인 거리는 8

(2) 수직선 위를 움직이는 점 P의 시각 $t\ (t \geq 0)$에서의 속도 $v(t)$가

$$v(t)=t^2-2t-3$$

이다. $t=0$부터 $t=4$까지 점 P가 움직인 거리는?

① $\frac{26}{3}$ ② $\frac{28}{3}$ ③ 10
④ $\frac{32}{3}$ ⑤ $\frac{34}{3}$

STEP Ⓐ **속도의 절댓값을 정적분하여 점이 움직인 거리를 구하기**

$v(t)=t^2-2t-3=(t+1)(t-3)$
$t=0$부터 $t=4$까지 점 P가 움직인 거리는

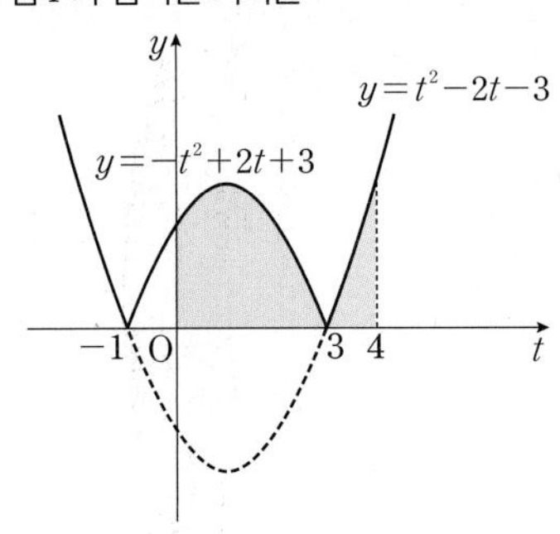

따라서 $\int_0^4 |v(t)|dt=\int_0^3(-t^2+2t+3)\,dt+\int_3^4(t^2-2t-3)\,dt$

$=\left[-\frac{1}{3}t^3+t^2+3t\right]_0^3+\left[\frac{1}{3}t^3-t^2-3t\right]_3^4$

$=\frac{34}{3}$

0864

다음 물음에 답하여라.

(1) 원점을 출발하여 수직선 위를 움직이는 점 P의 시각 $t\ (t \geq 0)$에서의 속도 $v(t)$가

$$v(t)=12t-3t^2$$

일 때, 점 P가 출발한 후 운동 방향이 바뀌는 순간의 점 P의 위치는?

① 26 ② 28 ③ 30
④ 32 ⑤ 34

STEP Ⓐ **속도 $v(t)$의 부호가 바뀔 때 점 P의 운동 방향이 바뀌므로 $v(t)=0$일 때, t의 값 구하기**

운동방향이 바뀌는 순간은 속도가 0이므로
$v(t)=12t-3t^2=0$에서 $3t(4-t)=0$
$\therefore t=4\ (\because t>0)$

STEP Ⓑ **$t=a$, $t=b$까지의 위치의 변화량은 $\int_a^b v(t)dt$임을 이용하기**

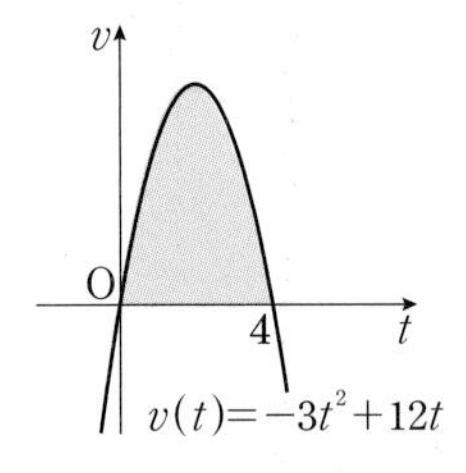

따라서 시각 $t=4$일 때, 점 P가 운동방향이 바뀌므로 $t=0$일 때, 점 P의 위치가 0이므로 $t=4$일 때, 점 P의 위치 $x(4)$는

$x(4)=0+\int_0^4 v(t)dt=\int_0^4(12t-3t^2)dt$

$=\left[6t^2-t^3\right]_0^4$

$=6\times4^2-4^3$

$=32$

(2) 원점을 출발하여 수직선 위를 움직이는 점 P의 시각 $t\ (t \geq 0)$에서의 속도 $v(t)$가

$$v(t)=t^2-2t-3$$

일 때, 점 P가 출발한 후 운동 방향이 바뀌는 순간까지 움직인 거리는?

① 6 ② 7 ③ 8
④ 9 ⑤ 10

STEP Ⓐ **속도 $v(t)$의 부호가 바뀔 때 점 P의 운동 방향이 바뀌므로 $v(t)=0$일 때, t의 값 구하기**

점 P가 운동방향을 바꾸는 시각은 $v(t)$의 부호가 바뀔 때이므로
$v(t)=0$에서 $v(t)=t^2-2t-3=0$
$(t+1)(t-3)=0$
$\therefore t=3\ (t \geq 0)$

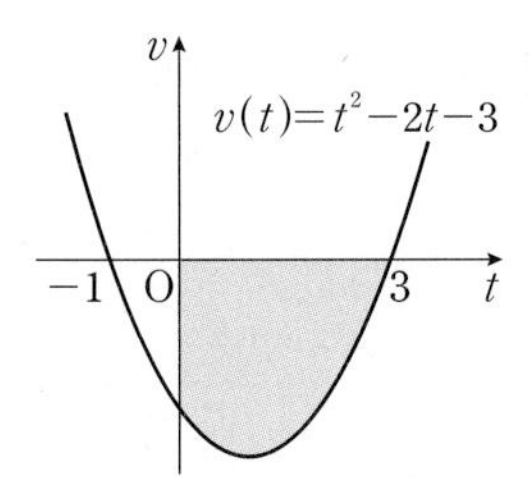

STEP Ⓑ **속도의 절댓값을 정적분하여 점이 움직인 거리를 구하기**

$0 \leq t \leq 3$일 때, $v(t) \leq 0$이므로 $t=3$까지 움직인 거리는

$\int_0^3|v(t)|dt=\int_0^3|t^2-2t-3|dt=-\int_0^3(t^2-2t-3)dt$

$=-\left[\frac{1}{3}t^3-t^2-3t\right]_0^3$

$=-(-9)=9$

따라서 점 P가 움직인 거리는 9

0865

다음 물음에 답하여라.

(1) 수직선 위를 움직이는 점 P의 시각 t에서의 속도 $v(t)$가

$$v(t)=40-at$$

이다. 시각 $t=4$에서 점 P의 운동방향이 바뀌었을 때, 점 P가 시각 $t=0$에서 $t=6$까지 움직인 거리는? (단, a는 상수)

① 90 ② 95 ③ 100
④ 105 ⑤ 110

STEP Ⓐ **속도 $v(t)$의 부호가 바뀔 때 점 P의 운동방향이 바뀌므로 $v(4)=0$일 때, a의 값 구하기**

시각 $t=4$에서 점 P의 운동 방향이 바뀌므로 $v(4)=0$
$v(4)=40-4a=0$에서 $a=10$

STEP Ⓑ **속도 $v(t)$의 절댓값을 정적분하여 점 P가 움직인 거리 구하기**

따라서 점 P가 시각 $t=0$에서 $t=6$까지 움직인 거리는

$\int_0^6|v(t)|dt$

$=\int_0^4 v(t)dt+\int_4^6\{-v(t)\}dt$

$=\int_0^4(40-10t)dt+\int_4^6(10t-40)dt$

$=\left[40t-5t^2\right]_0^4+\left[5t^2-40t\right]_4^6$

$=80+20=100$

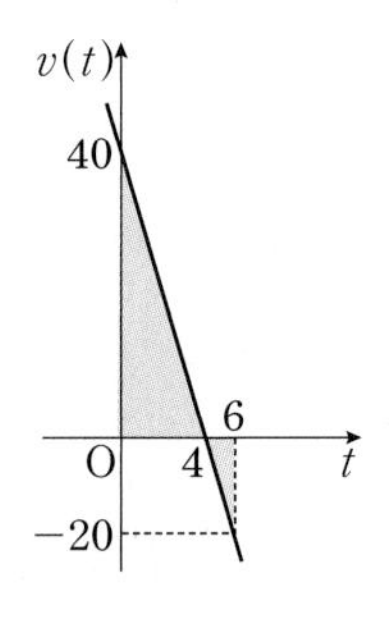

(2) 수직선 위를 움직이는 점 P의 시각 $t\,(t \geq 0)$에서의 위치 x가

$$x=t^4+at^3\ (a\text{는 상수})$$

이다. $t=2$에서 점 P의 속도가 0일 때, $t=0$에서 $t=2$까지 점 P가 움직인 거리는?

① $\frac{16}{3}$ ② $\frac{20}{3}$ ③ 8
④ $\frac{28}{3}$ ⑤ $\frac{32}{3}$

STEP Ⓐ $t=0$에서 점 P의 속도가 0임을 이용하여 a의 값 구하기

시각 t에서의 점 P의 속도 $v(t)$는

$v(t)=\frac{dx}{dt}=4t^3+3at^2$

$v(2)=32+12a=0$에서 $a=-\frac{8}{3}$이므로

$v(t)=4t^3-8t^2$

STEP Ⓑ $t=0$에서 $t=2$까지 점 P가 움직인 거리 구하기

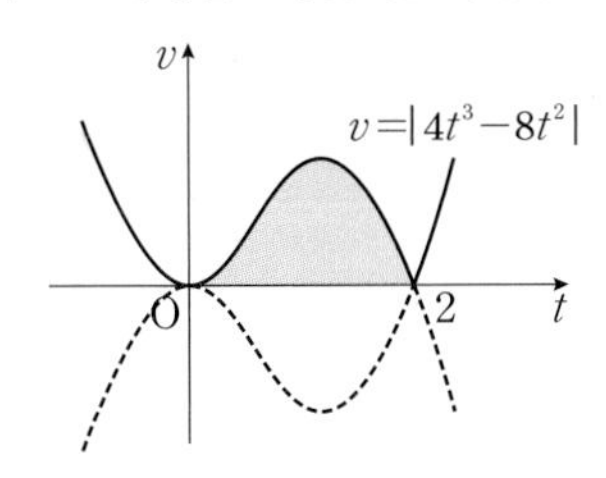

따라서 $t=0$에서 $t=2$까지 점 P가 움직인 거리를 s라 하면

$$s=\int_0^2 |4t^3-8t^2|dt=\int_0^2 (8t^2-4t^3)\,dt$$
$$=\left[\frac{8}{3}t^3-t^4\right]_0^2$$
$$=\frac{16}{3}$$

0866

수직선 위를 움직이는 점 P의 시각 t에서의 속도 $v(t)$가

$$v(t)=3t^2-8t$$

일 때, 출발 후 가속도가 4가 되는 시각까지 점 P의 위치의 변화량은?

① −8 ② −7 ③ −6
④ −5 ⑤ −4

STEP Ⓐ 가속도가 4가 되는 시각 t 구하기

$v(t)=3t^2-8t$에서 가속도를 $a(t)$라 하면

$a(t)=v'(t)=6t-8$

가속도가 4가 되는 순간은 $6t-8=4$에서 $6t=12$

$\therefore t=2$

STEP Ⓑ 점 P가 다시 원점을 지날 때까지 움직인 거리

따라서 $t=2$일 때이므로 출발 후 점 P의 위치의 변화량은

$$\int_0^2 (3t^2-8t)dt=\left[t^3-4t^2\right]_0^2=8-16=-8$$

0867

원점을 출발하여 수직선 위를 움직이는 점 P의 시각 t에서의 속도가 $at-t^2$이다. $t=6$에서의 점 P의 위치가 원점일 때, $t=0$에서 $t=6$까지 점 P가 움직인 거리는? (단, a는 상수이다.)

① $\frac{21}{2}$ ② $\frac{64}{3}$ ③ $\frac{83}{3}$
④ 32 ⑤ 72

STEP Ⓐ $t=6$에서의 점 P의 위치가 원점임을 이용하여 a 구하기

$t=6$에서의 점 P의 위치는 $\int_0^6 (at-t^2)dt$이므로

$$\int_0^6 (at-t^2)dt=\left[\frac{a}{2}t^2-\frac{1}{3}t^3\right]_0^6=18a-72=0$$

$\therefore a=4$

STEP Ⓑ $t=0$에서 $t=6$까지 점 P가 움직인 거리 구하기

따라서 $t=0$에서 $t=6$까지 점 P가 움직인 거리는

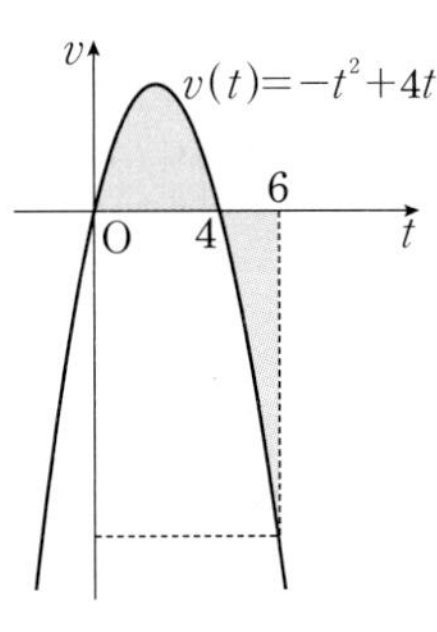

$$\int_0^6 |v(t)|dt$$
$$=\int_0^4 v(t)dt+\int_4^6 \{-v(t)\}dt$$
$$=\int_0^4 (4t-t^2)dt+\int_4^6 (t^2-4t)dt$$
$$=\left[2t^2-\frac{1}{3}t^3\right]_0^4+\left[\frac{1}{3}t^3-2t^2\right]_4^6$$
$$=\left(32-\frac{64}{3}\right)+(72-72)-\left(\frac{64}{3}-32\right)$$
$$=\frac{64}{3}$$

0868

원점을 출발하여 수직선 위를 움직이는 점 P의 시각 t에서의 속도가

$$v(t)=8-2t\ (\text{m/s})$$

일 때, 다음 조건을 만족하는 상수 a, b에 대하여 $a+b$의 값은?

(가) 점 P가 다시 원점을 지날 때까지 걸리는 시간을 a(초)
(나) 점 P가 다시 원점을 지날 때까지 움직인 거리를 b(m)

① 38 ② 40 ③ 42
④ 44 ⑤ 46

STEP Ⓐ 점 P가 다시 원점을 지날 때까지 걸리는 시간 구하기

$t=a\,(a>0)$일 때, 점 P의 위치의 변화량이 0이라 하면

$\int_0^a v(t)dt=0$이므로

$$\int_0^a (8-2t)dt=\left[8t-t^2\right]_0^a=8a-a^2=0$$

$a(a-8)=0$

즉 $a>0$이므로 $a=8$(초)

STEP Ⓑ 점 P가 다시 원점을 지날 때까지 움직인 거리 구하기

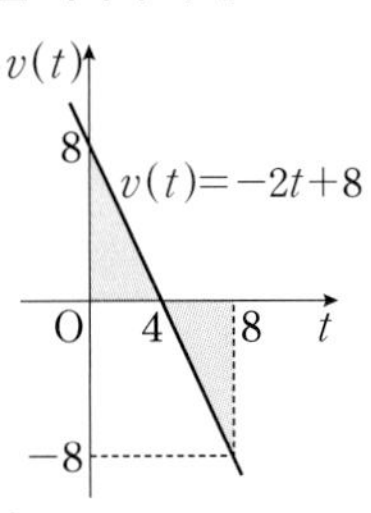

$$\int_0^8 |v(t)|dt$$
$$=\int_0^4 v(t)dt+\int_4^8 \{-v(t)\}dt$$
$$=\int_0^4 (8-2t)dt+\int_4^8 (-8+2t)dt$$
$$=\left[8t-t^2\right]_0^4+\left[-8t+t^2\right]_4^8$$
$$=16+16=32(\text{m})$$

따라서 $a=8$, $b=32$이므로 $a+b=40$

0869

원점을 출발하여 수직선 위를 움직이는 점 P의 시각 $t\,(0 \le t \le 8)$에서의 속도 $v(t)$의 그래프가 다음 그림과 같다. 점 P의 시각 $t=0$에서 $t=6$까지 위치의 변화량을 a, 움직인 거리를 b라 할 때, $a+b$의 값은?
(단, $v(0)=v(4)=v(8)=0$)

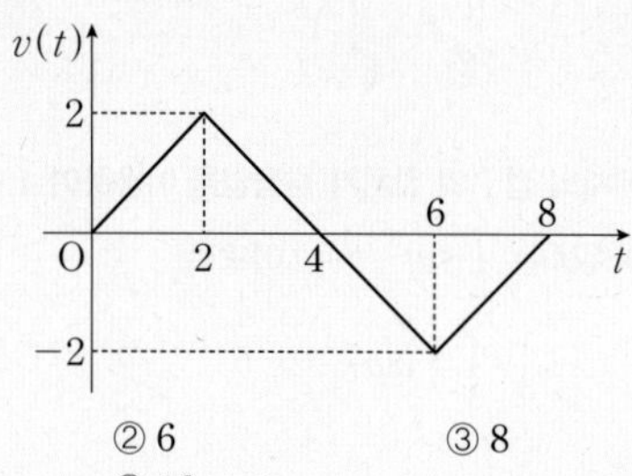

① 4　② 6　③ 8
④ 10　⑤ 12

STEP A 점 P의 시각 $t=0$에서 $t=6$까지 위치의 변화량 구하기

점 P의 시각 $t=0$에서 $t=6$까지 위치의 변화량 a는

$$a=\int_0^6 v(t)dt=\int_0^4 v(t)dt+\int_4^6 v(t)dt$$
$$=\frac{1}{2}\cdot4\cdot2-\frac{1}{2}\cdot2\cdot2$$
$$=4-2=2$$

STEP B 점 P의 시각 $t=0$에서 $t=6$까지 움직인 거리 구하기

점 P가 시각 $t=0$에서 $t=6$까지 움직인 거리 b는

$$b=\int_0^6 |v(t)|dt$$
$$=\int_0^4 v(t)dt+\int_4^6 \{-v(t)\}dt$$
$$=\frac{1}{2}\cdot4\cdot2+\frac{1}{2}\cdot2\cdot2$$
$$=4+2=6$$

따라서 $a+b=2+6=8$

0870

원점을 출발하여 수직선 위를 움직이는 점 P의 t초 후의 속도 $v(t)$의 그래프가 다음 그림과 같다. $t=3$에서의 점 P의 위치가 6일 때, $t=5$에서 점 P의 위치는? (단, $0 \le t \le 5$)

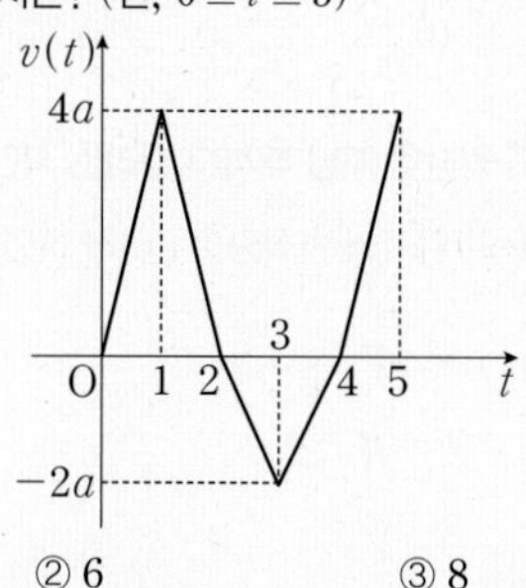

① 4　② 6　③ 8
④ 10　⑤ 12

STEP A 속도 $v(t)$의 정적분을 이용하여 점 P의 시각 $t=3$에서의 위치가 6임을 이용하여 상수 a의 값 구하기

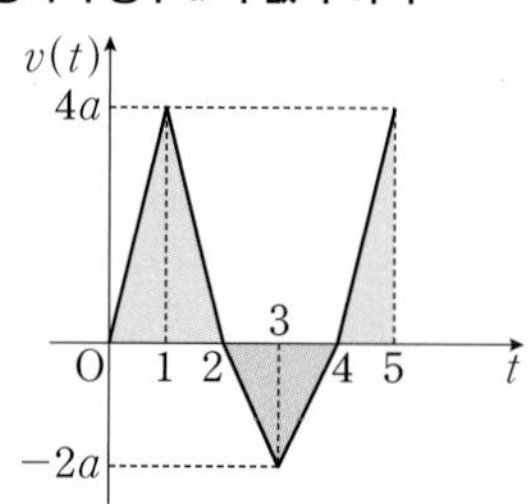

$t=3$일 때의 점 P의 위치가 6이므로

$$6=\int_0^3 v(t)dt=\int_0^1 v(t)dt+\int_1^2 v(t)dt+\int_2^3 v(t)dt$$
$$=\frac{1}{2}\cdot1\cdot4a+\frac{1}{2}\cdot1\cdot4a-\frac{1}{2}\cdot1\cdot2a$$
$$=2a+2a-a=3a$$

즉 $3a=6$이므로 $a=2$

STEP B $t=a,\ t=b$까지의 위치의 변화량은 $\int_a^b v(t)dt$임을 이용하기

따라서 $t=5$일 때의 점 P의 위치를 구하면

$$\int_0^5 v(t)dt=\int_0^1 v(t)dt+\int_1^2 v(t)dt+\int_2^3 v(t)dt+\int_3^4 v(t)dt+\int_4^5 v(t)dt$$
$$=\frac{1}{2}\cdot1\cdot8+\frac{1}{2}\cdot1\cdot8-\frac{1}{2}\cdot1\cdot4-\frac{1}{2}\cdot1\cdot4+\frac{1}{2}\cdot1\cdot8$$
$$=4+4-2-2+4=8$$

속도의 그래프가 직선으로만 되어 있을 때에는 정적분을 구하는 것보다 도형의 넓이를 이용하는 것이 편리하다.

0871

원점을 출발하여 수직선 위를 움직이는 점 P의 t초 후의 속도 $v(t)$의 그래프가 다음 그림과 같다.

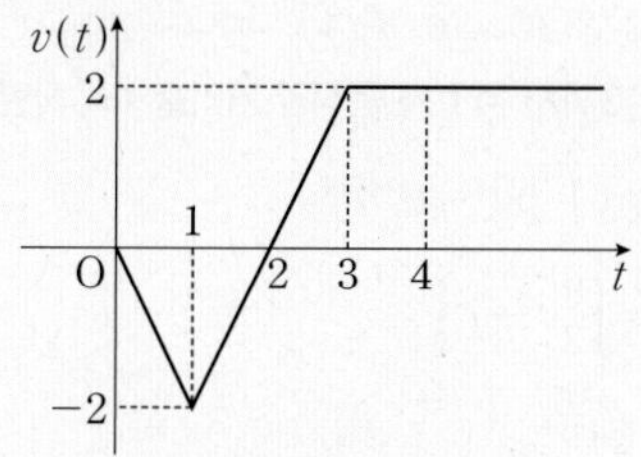

다음 조건을 만족하는 상수 a, b에 대하여 $a+b$의 값은?

(가) 운동방향을 바꿀 때까지 점 P가 움직인 거리 a
(나) 점 P가 시각 $t=0$에서 시각 $t=4$까지 움직인 거리 b

① 2　② 5　③ 7
④ 10　⑤ 12

STEP A 운동방향을 바꿀 때까지 점 P가 움직인 거리 구하기

그래프에서 $t=2$일 때, $v=0$이 되고 운동방향이 바뀌므로 움직인 거리는 오른쪽 그림의 색칠한 도형의 넓이와 같다.

$$a=\frac{1}{2}\cdot2\cdot2=2$$

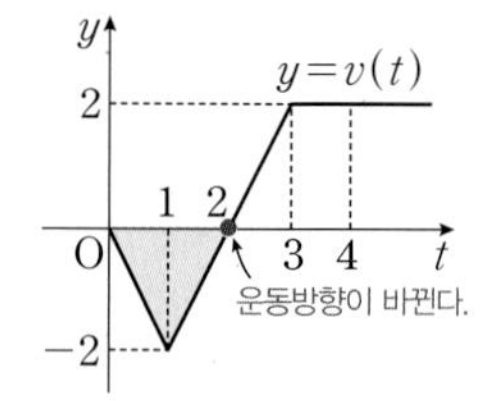

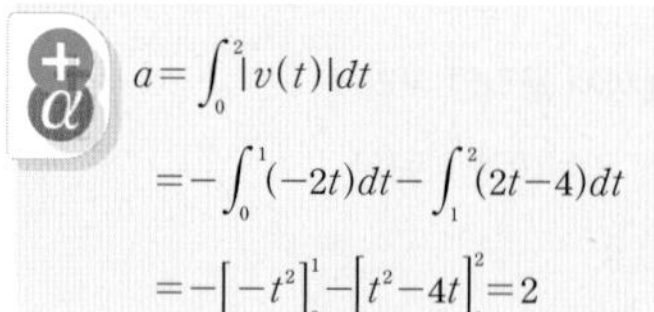

$$a=\int_0^2 |v(t)|dt$$
$$=-\int_0^1(-2t)dt-\int_1^2(2t-4)dt$$
$$=-\Big[-t^2\Big]_0^1-\Big[t^2-4t\Big]_1^2=2$$

STEP B 점 P가 시각 $t=0$에서 시각 $t=4$까지 움직인 거리 구하기

시각 $t=0$에서 $t=4$까지 점 P가 실제로 움직인 거리는 $\int_0^4 |v(t)|dt$이므로 오른쪽 그림의 색칠한 도형의 넓이와 같다.

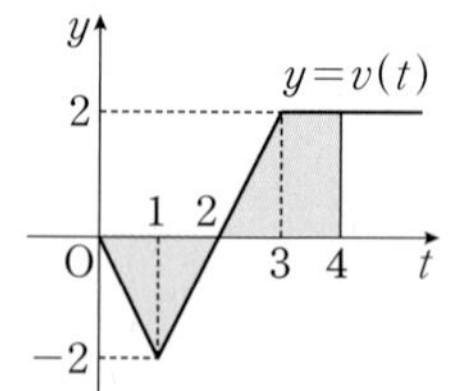

$$b=\frac{1}{2}\cdot2\cdot2+\frac{1}{2}(1+2)\cdot2$$
$$=2+3=5$$

따라서 $a+b=2+5=7$

NORMAL

0872

고속열차가 출발하여 3 km를 달리는 동안 시각 t분에서의 속력 $v(t)$ (km/분)은 $v(t)=\frac{3}{4}t^2+\frac{1}{2}t$이고 그 이후로는 속력이 일정하다고 한다. 출발 후 5분 동안 이 열차가 달린 거리는?

① 13 km ② 14 km ③ 15 km
④ 16 km ⑤ 17 km

STEP A 고속열차가 3km를 달리는데 걸리는 시간 구하기

고속열차가 출발하여 3km를 달리는 동안 걸리는 시간을 x분이라 하면

$$\int_0^x v(t)dt=\int_0^x\left(\frac{3}{4}t^2+\frac{1}{2}t\right)dt$$
$$=\left[\frac{1}{4}t^3+\frac{1}{4}t^2\right]_0^x=\frac{x^3}{4}+\frac{1}{4}x^2$$

이때 $\frac{x^3}{4}+\frac{1}{4}x^2=3$, $x^3+x^2-12=0$

$(x-2)(x^2+3x+6)=0$

$\therefore x=2\ \left(\because x^2+3x+6=\left(x+\frac{3}{2}\right)^2+\frac{15}{4}>0\right)$

STEP B 정적분을 이용하여 열차가 달린 거리 구하기

즉 고속열차가 출발하여 3km를 달리는 동안 걸리는 시간은 2분이고

그때의 속도는 $v(2)=\frac{3}{4}\cdot 4+\frac{1}{2}\cdot 2=4$

즉 출발하고 2분 후로는 4m/분의 일정한 속도로 달린다.

따라서 고속열차가 출발 후 5분 동안 움직인 거리는

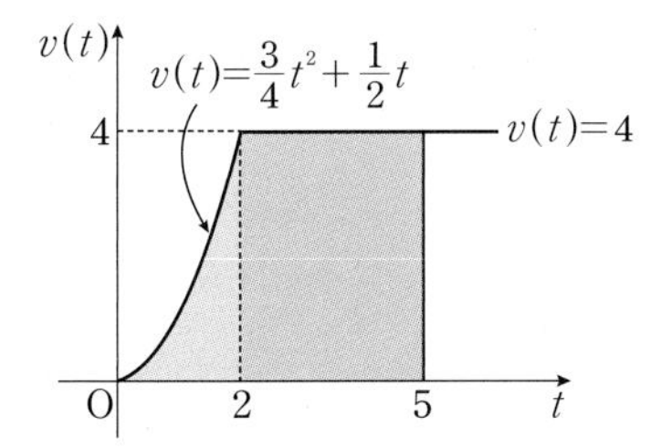

$$\int_0^5 v(t)dt=\int_0^2\left(\frac{3}{4}t^2+\frac{1}{2}t\right)dt+\int_2^5 4dt=3+\left[4t\right]_2^5=3+12=15(\text{km})$$

0873

다음 물음에 답하여라.

(1) 원점을 동시에 출발하여 수직선 위를 움직이는 두 점 P, Q의 시각 $t\ (t\geq 0)$에서의 속도가 각각 $3t^2+6t-6$, $10t-6$이다. 두 점 P, Q가 출발 후, $t=a$에서 다시 만날 때, 상수 a의 값은?

① 1 ② $\frac{3}{2}$ ③ 2
④ $\frac{5}{2}$ ⑤ 3

STEP A 점 P, Q의 시각 t에서의 위치 구하기

원점을 동시에 출발하여

점 P의 시각 $t=a$에서의 위치를 $f(a)$라 하면

$$f(a)=0+\int_0^a(3t^2+6t-6)dt=\left[t^3+3t^2-6t\right]_0^a$$
$$=a^3+3a^2-6a$$

점 Q의 시각 $t=a$에서의 위치를 $g(a)$라 하면

$$g(a)=0+\int_0^a(10t-6)dt=\left[5t^2-6t\right]_0^a$$
$$=5a^2-6a$$

STEP B 두 점 P와 Q가 만나는 시각 구하기

두 점 P와 Q가 만나려면 $f(a)=g(a)$이므로 $a^3+3a^2-6a=5a^2-6a$

$a^3-2a^2=0$, $a^2(a-2)=0$

따라서 $a>0$이므로 $a=2$

(2) 수직선 위를 움직이는 두 점 P, Q의 시각 t에서의 속도가 각각

$$v(t)=2t+3,\ u(t)=-4t-1$$

이다. 점 P는 원점에서 출발하고 점 Q는 점 A (20)에서 출발할 때, 두 점 P와 Q가 만나는 시각 t는?

① 1 ② 2 ③ 3
④ 4 ⑤ 5

STEP A 점 P, Q의 시각 t에서의 위치 구하기

점 P의 시각 t에서의 위치를 $f(t)$라 하면

$$f(t)=0+\int_0^t v(x)dx=\int_0^t(2x+3)dx$$
$$=\left[x^2+3x\right]_0^t=t^2+3t$$

점 Q의 시각 t에서의 위치 $g(t)$는

$$g(t)=20+\int_0^t u(x)dx=20+\int_0^t(-4x-1)dx$$
$$=20+\left[-2x^2-x\right]_0^t$$
$$=20-2t^2-t$$

STEP B 두 점 P와 Q가 만나는 시각 구하기

두 점 P와 Q가 만나려면 $f(t)=g(t)$이므로 $t^2+3t=20-2t^2-t$에서

$3t^2+4t-20=0$, $(3t+10)(t-2)=0$

$t\geq 0$이므로 $t=2$

따라서 구하는 시각 t는 2

0874

다음 물음에 답하여라.

(1) 시각 $t=0$일 때, 동시에 원점을 출발하여 수직선 위를 움직이는 두 점 P, Q의 시각 $t\ (t\geq 0)$에서 속도가 각각

$$v_1(t)=3t^2+t,\ v_2(t)=2t^2+3t$$

이다. 출발한 후, 두 점 P, Q의 속도가 같아지는 순간 두 점 P, Q 사이의 거리를 a라 할 때, $9a$의 값을 구하여라.

STEP A 두 점 P, Q의 속도가 같아지는 시각 구하기

출발한 후, 두 점 P, Q의 속도가 같아지는 순간 $v_1(t)=v_2(t)$이므로

$3t^2+t=2t^2+3t$, $t^2-2t=0$, $t(t-2)=0$

$t>0$이므로 $t=2$

STEP B $t=2$일 때, 두 점 P, Q의 위치 구하기

$t=2$일 때, 점 P의 위치는

$$x_1(t)=0+\int_0^2 v_1(t)dt=\int_0^2(3t^2+t)dt$$
$$=\left[t^3+\frac{1}{2}t^2\right]_0^2=10$$

$t=2$일 때, 점 Q의 위치는

$$x_2(t)=0+\int_0^2 v_2(t)dt=\int_0^2(2t^2+3t)dt$$
$$=\left[\frac{2}{3}t^3+\frac{3}{2}t^2\right]_0^2$$
$$=\frac{16}{3}+6=\frac{34}{3}$$

STEP C 두 점 P, Q 사이의 거리 구하기

따라서 두 점 사이의 거리 a는 $a=\left|\frac{34}{3}-10\right|=\frac{4}{3}$이므로 $9a=9\times\frac{4}{3}=12$

(2) 수직선 위를 움직이는 두 점 P, Q의 시각 $t\,(t\ge 0)$에서의 위치가 각각

$$P(t)=\frac{1}{3}t^3+9t-\frac{8}{3},\ Q(t)=2t^2-5$$

이다. 두 점 P, Q의 가속도가 같은 순간의 두 점 P, Q 사이의 거리를 구하여라.

STEP Ⓐ 두 점 P, Q의 속도가 같아지는 시각 구하기

두 점 P, Q의 속도를 각각 $v_P(t)$, $v_Q(t)$라 하면

$v_P(t)=t^2+9$, $v_Q(t)=4t$

두 점 P, Q의 가속도를 각각 $a_P(t)$, $a_Q(t)$라 하면

$a_P(t)=2t$, $a_Q(t)=4$

$2t=4$에서 $t=2$

STEP Ⓑ $t=2$일 때, 두 점 P, Q의 위치 구하기

$P(2)=18$, $Q(2)=3$

따라서 두 점 P, Q 사이의 거리는 $18-3=15$

0875

원점을 동시에 출발하여 수직선 위를 움직이는 동점 P, Q의 출발 t초 후의 속도가 각각

$$v_P=6t^2-2t+3,\ v_Q=3t^2+10t-2$$

이다. 동점 P, Q가 출발 후 두 번째로 만날 때, 점 P의 속도를 a, 점 Q의 속도를 b라 하면 $a-b$의 값은?

① 12　② 14　③ 16
④ 18　⑤ 20

STEP Ⓐ 속도의 정적분을 이용하여 두 점 P, Q의 시각 t에서의 위치 구하기

t초 동안 두 점 P, Q의 위치를 각각 $x_P(t)$, $x_Q(t)$라 하면

$$x_P(t)=\int_0^t(6t^2-2t+3)dt=\left[2t^3-t^2+3t\right]_0^t=2t^3-t^2+3t$$

$$x_Q(t)=\int_0^t(3t^2+10t-2)dt=\left[t^3+5t^2-2t\right]_0^t=t^3+5t^2-2t$$

STEP Ⓑ 동점 P, Q가 출발 후 두 번째로 만날 때 시각 t 구하기

두 점 P와 Q가 만나려면 $x_P(t)=x_Q(t)$이므로

$2t^3-t^2+3t=t^3+5t^2-2t$에서 $t^3-6t^2+5t=0$

$t(t-1)(t-5)=0$

$\therefore t=0$ 또는 $t=1$ 또는 $t=5$

점 P, Q가 출발 후 두 번째로 만나는 시각은 5초 후이다.

STEP Ⓒ $a-b$의 값 구하기

$t=5$일 때, 두 점 P, Q의 속도를 각각 구하면

$a=v_P(5)=150-10+3=143$

$b=v_Q(5)=75+50-2=123$

따라서 $a-b=143-123=20$

0876

원점을 출발하여 수직선 위를 움직이는 점 P의 시각 t에서의 속도 $v(t)$의 그래프가 다음 그림과 같을 때, [보기]에서 옳은 것을 모두 고르면?

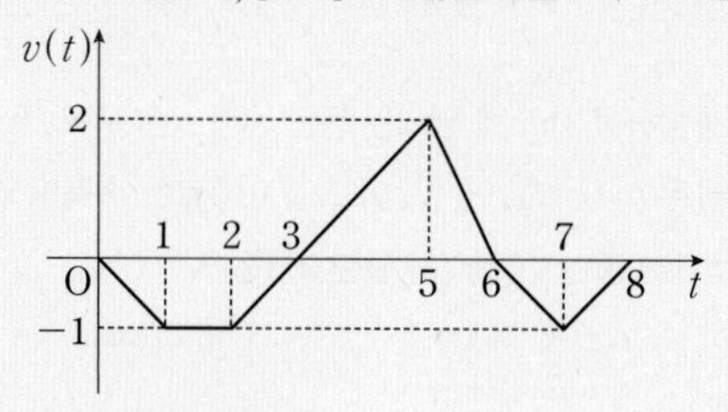

ㄱ. 점 P가 움직이는 방향은 출발 후 $t=8$일 때까지 두 번 바뀐다.
ㄴ. $t=5$일 때, 속력이 가장 크다.
ㄷ. 점 P는 출발하고 나서 8초 후 출발점에 있다.
ㄹ. $t=6$일 때, 점 P는 원점으로부터 가장 멀리 떨어져 있다.

① ㄱ　② ㄱ, ㄴ　③ ㄴ, ㄹ
④ ㄱ, ㄴ, ㄷ　⑤ ㄱ, ㄴ, ㄷ, ㄹ

STEP Ⓐ 운동방향이 바뀌려면 속도가 0인 순간의 속도의 앞뒤 부호가 달라야 하고 출발점의 위치에 있으려면 위치의 변화량이 0이어야 함을 이용하여 참, 거짓의 진위판단하기

ㄱ. 점 P가 움직이는 방향은 $v(t)=0$
즉 $t=3$ 또는 $t=6$일 때, 두 번 바뀐다. [참]

ㄴ. 속력 $|v(t)|$의 값이 가장 큰 것은 $t=5$일 때이다. [참]

ㄷ. $t=8$일 때, 점 P의 위치는

$$\int_0^8 v(t)dt=\int_0^3 v(t)dt+\int_3^6 v(t)dt+\int_6^8 v(t)dt$$
$$=-\frac{1}{2}(3+1)\cdot 1+\frac{1}{2}\cdot 3\cdot 2-\frac{1}{2}\cdot 2\cdot 1$$
$$=-2+3-1$$
$$=0$$

이므로 점 P는 출발하고 나서 8초 후 출발점에 있다. [참]

ㄹ. 반례 $t=3$일 때, 점 P의 위치는

$$\int_0^3 v(t)dt=-\frac{1}{2}(3+1)\cdot 1=-2$$

$t=6$일 때, 점 P의 위치는

$$\int_0^6 v(t)dt=\int_0^3 v(t)dt+\int_3^6 v(t)dt$$
$$=-\frac{1}{2}(3+1)\cdot 1+\frac{1}{2}\cdot 3\cdot 2$$
$$=-2+3=1$$

이므로 $t=3$일 때가 $t=6$일 때보다 원점에서 더 멀리 떨어져 있다. [거짓]

따라서 옳은 것은 ㄱ, ㄴ, ㄷ이다.

0877

다음 그림은 '가' 지점에서 출발하여 '나' 지점에 도착할 때까지 직선 경로를 따라 이동한 세 자동차 A, B, C의 시간 t에 따른 속도 v를 각각 나타낸 것이다.

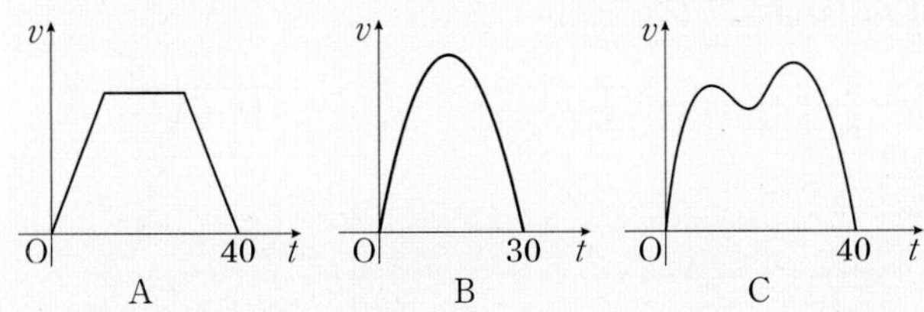

'가' 지점에서 출발하여 '나' 지점에 도착할 때까지의 상황에 대한 다음 [보기] 중 옳은 것을 모두 고른 것은?

ㄱ. A와 C의 평균속도는 같다.
ㄴ. B와 C 모두 가속도가 0인 순간이 적어도 한 번 존재한다.
ㄷ. A, B, C 각각의 속도 그래프와 t축으로 둘러싸인 영역의 넓이는 모두 같다.

① ㄱ ② ㄴ ③ ㄷ
④ ㄴ, ㄷ ⑤ ㄱ, ㄴ, ㄷ

STEP Ⓐ 속도, 가속도의 정의를 이용하여 참임을 판별하기

ㄱ. 자동차 A, C 모두 '가' 지점에서 '나' 지점으로 이동하였으므로 이동거리가 같고 걸린시간도 40으로 같으므로

$(\text{A의 평균속도})=\dfrac{(\text{이동 거리})}{40}$

$(\text{C의 평균속도})=\dfrac{(\text{이동 거리})}{40}$

즉 자동차 A와 C의 평균속도는 같다. [참]

ㄴ. 시간과 속도의 그래프에서 접선의 기울기는 가속도를 나타내므로 접선의 기울기가 0인 점,
즉 $v'(t)=0$인 점의 개수는 자동차 B는 한 번,
자동차 C는 세 번 존재한다. [참]

STEP Ⓑ 속도의 그래프와 t축으로 둘러싸인 영역의 넓이는 이동한 총 거리를 나타냄을 이용하여 참임을 판별하기

ㄷ. A, B, C 각각의 속도의 그래프와 t축으로 둘러싸인 영역의 넓이는
$\int_0^t |v|dt=\int_0^t vdt$이므로 이동한 총 거리를 나타낸다.
그런데 A, B, C 자동차 모두 '가' 지점에서 '나' 지점까지 직선 경로를 따라 같은 거리를 이동한 것이므로 세 영역의 넓이는 모두 같다. [참]

따라서 옳은 것은 ㄱ, ㄴ, ㄷ이다.

0878

서술형

지상 10 m의 높이에서 30 m/초의 속도로 위로 던진 물체의 t초 후의 속도는 $v(t)=30-10t$라 한다. 다음 단계로 서술하여라.

[1단계] 물체를 던지고 나서 2초 후의 지면으로부터 물체의 높이를 구한다.
[2단계] 물체를 던지고 나서 5초 동안의 물체의 운동거리를 구한다.
[3단계] 물체가 도달하는 최고 높이를 구한다.

1단계 물체를 던지고 나서 2초 후의 지면으로부터 물체의 높이를 구한다. ◀ 40%

$t=0$일 때의 높이가 $x_0=10$이므로
t초 뒤 물체의 지면으로부터의 높이 x는

$$x(t)=10+\int_0^t v(t)dt=10+\int_0^t(30-10t)dt$$
$$=10+\Big[30t-5t^2\Big]_0^t$$
$$=-5t^2+30t+10$$

즉 2초 후의 물체의 높이 $x(2)=-5\cdot 2^2+30\cdot 2+10=50(\text{m})$

2단계 물체를 던지고 나서 5초 동안의 물체의 운동거리를 구한다. ◀ 40%

$v(t)=30-10t$에서
$0\le t\le 3$일 때, $v(t)\ge 0$이고
$3\le t\le 5$일 때, $v(t)\le 0$이므로
물체가 던져지고 5초 동안 물체가 실제로 움직인 거리는

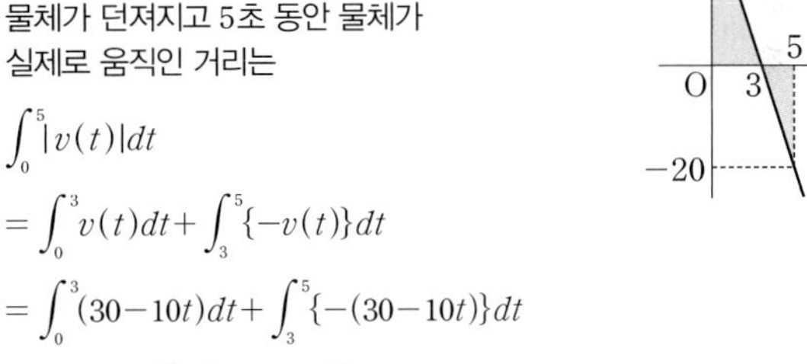

$$\int_0^5 |v(t)|dt$$
$$=\int_0^3 v(t)dt+\int_3^5\{-v(t)\}dt$$
$$=\int_0^3(30-10t)dt+\int_3^5\{-(30-10t)\}dt$$
$$=\Big[30t-5t^2\Big]_0^3+\Big[5t^2-30t\Big]_3^5$$
$$=45+20=65(\text{m})$$

3단계 물체가 도달하는 최고 높이를 구한다. ◀ 20%

최고점에서의 운동방향이 양에서 음으로 바뀌므로
$v(t)=0$
즉 $v(t)=30-10t=0$에서 $t=3$
따라서 구하는 최고 높이 $x(3)=-5\cdot 3^2+30\cdot 3+10=55(\text{m})$

0879

서술형

지면에서 출발하여 수직 방향으로 움직이는 열기구의 t분 후의 속도 $v(t)$ (m/분)가

$$v(t)=\begin{cases} 4t & (0\le t\le 5) \\ 70-10t & (5\le t\le 10) \end{cases}$$

일 때, 다음을 서술하여라.

(1) 열기구가 최고 지점에 도달할 때의 지면으로부터의 높이를 구한다.
(2) 출발한 후 9분 동안 열기구가 움직인 거리를 구한다.

1단계 열기구가 최고 지점에 도달할 때의 지면으로부터의 높이를 구한다. ◀ 50%

최고지점에 도달할 때, $v(t)=0$이므로

$70-10t=0$

$\therefore t=7$

이때의 지면으로부터의 열기구의 높이는

$\int_0^5 4t\,dt+\int_5^7 (70-10t)\,dt$

$=\Big[2t^2\Big]_0^5+\Big[70t-5t^2\Big]_5^7$

$=2\cdot 25+(490-245)-(350-125)$

$=70\,(\text{m})$ ⇐ 삼각형의 넓이 $\frac{1}{2}\cdot 7\cdot 20=70$

2단계 출발한 후 9분 동안 열기구가 움직인 거리를 구한다. ◀ 50%

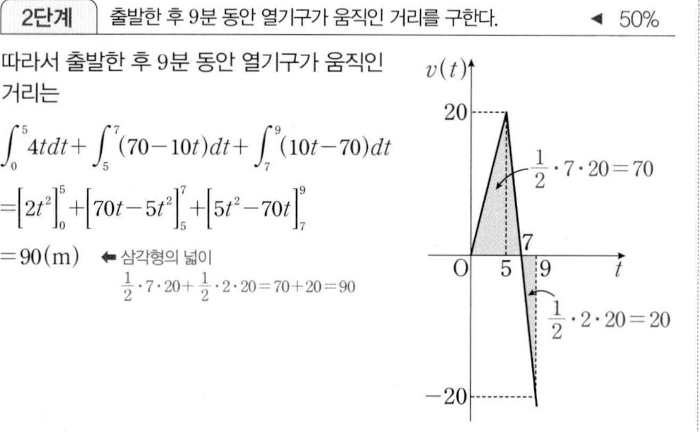

따라서 출발한 후 9분 동안 열기구가 움직인 거리는

$\int_0^5 4t\,dt+\int_5^7 (70-10t)\,dt+\int_7^9 (10t-70)\,dt$

$=\Big[2t^2\Big]_0^5+\Big[70t-5t^2\Big]_5^7+\Big[5t^2-70t\Big]_7^9$

$=90\,(\text{m})$ ⇐ 삼각형의 넓이 $\frac{1}{2}\cdot 7\cdot 20+\frac{1}{2}\cdot 2\cdot 20=70+20=90$

0880

서술형

수직선 위에서 원점을 출발하여 움직이는 점 P의 시각 t에서의 속도가

$$v(t)=9-3t$$

일 때, 출발 후 처음으로 움직이는 방향이 바뀌어 다시 원점에 올 때까지 점 P가 움직인 거리를 다음 단계로 서술하여라.

[1단계] 점 P가 움직이는 방향이 바뀌는 시간을 구한다.
[2단계] 다시 원점에 돌아오는 시각을 구한다.
[3단계] 점 P가 움직인 거리를 구한다.

1단계 점 P가 움직이는 방향이 바뀌는 시간을 구한다. ◀ 30%

점 P가 움직이는 방향이 바뀌는 것은 $v(t)=0$일 때이므로

$v(t)=9-3t=0$

$\therefore t=3$

2단계 다시 원점에 돌아오는 시각을 구한다. ◀ 30%

다시 원점에 돌아오는 시각을 x라고 하면

$\int_0^x (9-3t)\,dt=9x-\frac{3}{2}x^2=-\frac{3}{2}x(x-6)=0$

$\therefore x=6\,(\because x>0)$

3단계 점 P가 움직인 거리를 구한다. ◀ 40%

따라서 점 P가 움직인 거리는

$\int_0^6 |9-3t|\,dt$

$=\int_0^3 (9-3t)\,dt+\int_3^6 (-9+3t)\,dt$

$=\Big[9t-\frac{3}{2}t^2\Big]_0^3+\Big[-9t+\frac{3}{2}t^2\Big]_3^6$

$=\frac{27}{2}+\frac{27}{2}=27$

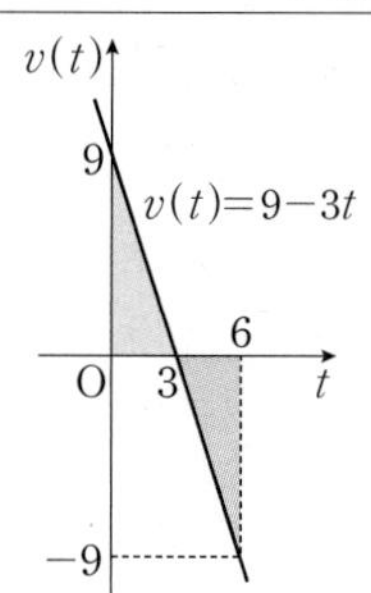

0881

서술형

수직선 위에서 원점을 출발하여 움직이는 두 점 P, Q의 시각 t에서의 속도는 각각

$$v(t)=t^2-2t,\ u(t)=-t^2+4t$$

일 때, 다음 단계로 서술하여라.

[1단계] 두 점 P, Q가 출발 후 t초 후의 위치를 각각 $f(t)$, $g(t)$라고 할 때, $f(t)$, $g(t)$를 t에 대한 식으로 나타낸다.
[2단계] 두 점 P, Q가 출발 후 처음으로 만날 때의 시각을 $t=a$라고 할 때, a의 값을 구한다.
[3단계] t초 후의 두 점 P, Q 사이의 거리를 $h(t)$라고 할 때, $y=h(t)$를 t에 대한 식으로 나타내고 두 점 P, Q 사이의 거리의 최댓값을 구한다. (단, $0\le t\le a$)

1단계 두 점 P, Q가 출발 후 t초 후의 위치를 각각 $f(t)$, $g(t)$라고 할 때, $f(t)$, $g(t)$를 t에 대한 식으로 나타낸다. ◀ 20%

원점을 출발하여 시각 t초 후의 각각의 위치는

$f(t)=\int_0^t (t^2-2t)\,dt=\Big[\frac{1}{3}t^3-t^2\Big]_0^t=\frac{1}{3}t^3-t^2$

$g(t)=\int_0^t (-t^2+4t)\,dt=\Big[-\frac{1}{3}t^3+2t^2\Big]_0^t=-\frac{1}{3}t^3+2t^2$

2단계 두 점 P, Q가 출발 후 처음으로 만날 때의 시각을 $t=a$라고 할 때, a의 값을 구한다. ◀ 30%

시각 $t=a$에서 만나므로 $f(a)=g(a)$이어야 한다.

$\frac{1}{3}a^3-a^2=-\frac{1}{3}a^3+2a^2$에서 $\frac{2}{3}a^3-3a^2=0$, $\frac{1}{3}a^2(2a-9)=0$

$\therefore a=\frac{9}{2}$

3단계 t초 후의 두 점 P, Q 사이의 거리를 $h(t)$라고 할 때, $y=h(t)$를 t에 대한 식으로 나타내고 두 점 P, Q 사이의 거리의 최댓값을 구한다. (단, $0\le t\le a$) 50%

두 점 P, Q 사이의 거리는

$h(t)=|f(t)-g(t)|=\left|\frac{2}{3}t^3-3t^2\right|$

$0\le t\le \frac{9}{2}$에서 $h(t)=-\frac{2}{3}t^3+3t^2$

이때 $h'(t)=-2t^2+6t=-2t(t-3)$

$h'(t)=0$에서 $t=0$ 또는 $t=3$

$h(t)$의 증가와 감소를 표로 나타내면 다음과 같다.

t	0	$\cdots$	3	$\cdots$	$\frac{9}{2}$
$h'(t)$	0	+	0	−	0
$h(t)$	0	↗	극대	↘	0

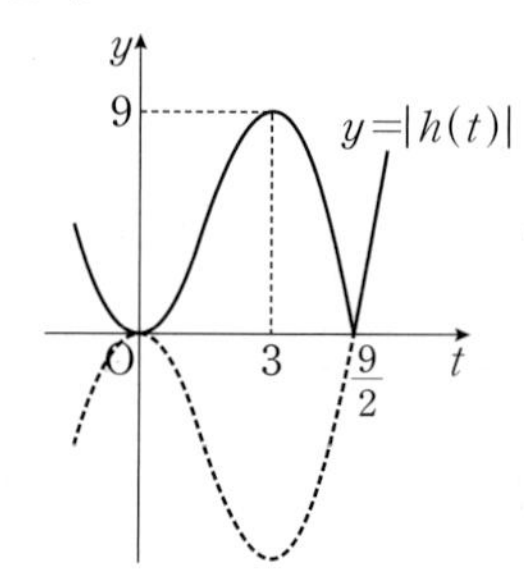

따라서 $t=3$일 때, 극대이고 최대이므로

최댓값은 $h(3)=-\frac{2}{3}\cdot 27+27=9$

TOUGH

0882

다음 물음에 답하여라.

(1) 수직선 위를 움직이는 두 점 P, Q가 있다. 점 P는 점 A (5)를 출발하여 시각 t에서의 속도가 $3t^2-2$이고 점 Q는 점 B (k)를 출발하여 시각 t에서의 속도가 1이다. 두 점 P, Q가 동시에 출발한 후 2번 만나도록 하는 정수 k의 값을 구하여라. (단, $k\neq 5$)

STEP A 속도의 정적분을 이용하여 두 점 P, Q의 위치 구하기

시각 t에서의 두 점 P, Q의 위치를 각각 x_P, x_Q라 하면

$x_P=5+\int_0^t (3t^2-2)dt=5+\left[t^3-2t\right]_0^t=t^3-2t+5$

$x_Q=k+\int_0^t 1dt=k+\left[t\right]_0^t=t+k$

STEP B 두 점이 동시에 출발한 후 2번 만나려면 두 점의 위치가 같도록 하는 시각 t의 값이 2개이어야 함을 이용하여 k 범위 구하기

두 점 P, Q가 만나려면 $x_P=x_Q$이어야 하므로

$t^3-2t+5=t+k$

$\therefore t^3-3t+5=k$ …… ㉠

이때 $f(t)=t^3-3t+5$라 하면

$f'(t)=3t^2-3=3(t-1)(t+1)$

$f'(t)=0$에서 $t=-1$ 또는 $t=1$

$t>0$에서 함수 $f(t)$의 증가와 감소를 표로 나타내면 다음과 같다.

t	0	…	1	…
$f'(t)$		$-$	0	$+$
$f(t)$		↘	3	↗

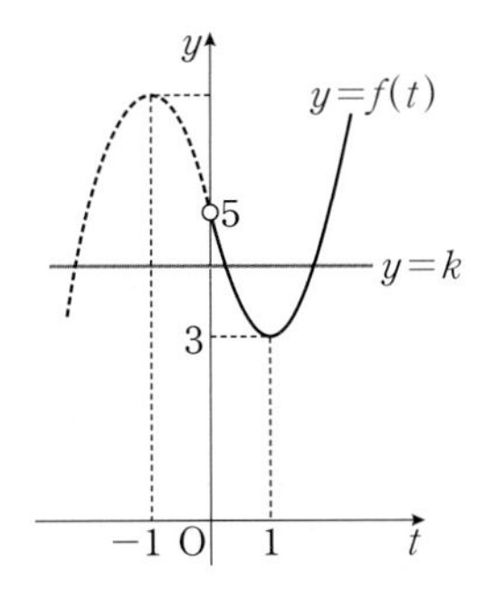

위의 표에 의해 함수 $y=f(x)$의 그래프는 오른쪽 그림과 같다.

점 P, Q가 동시에 출발한 후, 2번 만나려면 방정식 ㉠이 서로 다른 두 실근을 가져야 한다.

즉 직선 $y=k$와 곡선 $y=f(t)$가 서로 다른 두 점에서 만나야 하므로 $3<k<5$

따라서 구하는 정수 k의 값은 4

(2) 수직선 위를 움직이는 두 점 P, Q가 있다. 점 P는 좌표가 7인 점에서 출발하여 시각 t에서 속도가 $v(t)=3t^2-2$이고 점 Q는 좌표가 k인 점에서 출발하여 시각 t에서 속도가 1이다. 두 점 P, Q가 동시에 출발한 후 두 번 만나도록 하는 정수 k의 값을 구하여라.

STEP A 속도의 정적분을 이용하여 두 점 P, Q의 위치 구하기

시각 t에서의 두 점 P, Q의 위치를 각각 x_P, x_Q라 하면

$x_P=7+\int_0^t (3t^2-2)dt=7+\left[t^3-2t\right]_0^t=t^3-2t+7$

$x_Q=k+\int_0^t dt=k+\left[t\right]_0^t=t+k$

STEP B 두 점이 동시에 출발한 후 2번 만나려면 두 점의 위치가 같도록 하는 시각 t의 값이 2개이어야 함을 이용하여 k 범위 구하기

두 점 P, Q가 만나는 시각은 $x_P=x_Q$일 때이므로

$t^3-2t+7=t+k$, $t^3-3t+7=k$

이 방정식의 서로 다른 실근의 개수는 곡선 $y=t^3-3t+7$과 직선 $y=k$의 교점의 개수와 같다.

$f(t)=t^3-3t+7$이라 하면 $f'(t)=3t^2-3=3(t+1)(t-1)$

$f'(t)=0$에서 $t=-1$ 또는 $t=1$

$t>0$에서 함수 $f(t)$의 증가와 감소를 표로 나타내면 다음과 같다.

t	0	…	1	…
$f'(t)$		$-$	0	$+$
$f(t)$	7	↘	5	↗

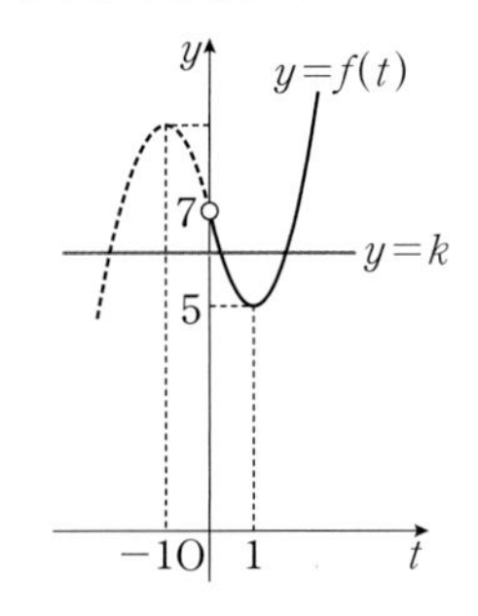

이때 두 점 P, Q가 두 번 만나려면 $t>0$에서 방정식 $f(t)=k$가 서로 다른 두 실근을 가져야 하므로 오른쪽 그림에서 곡선 $y=f(t)$와 직선 $y=k$가 두 점에서 만나도록 하는 k의 값의 범위는 $5<k<7$

따라서 정수 k의 값은 6

0883

원점을 동시에 출발하여 수직선 위를 움직이는 두 점 P, Q의 시각 $t\,(0\le t\le 8)$에서의 속도가 각각

$2t^2-8t$, t^3-10t^2+24t

이다. 두 점 P, Q 사이의 거리의 최댓값을 구하여라.

STEP A 두 점 P, Q의 위치 구하기

시각 $x\,(0\le x\le 8)$에서의 두 점 P, Q의 위치를 x_P, x_Q라 하면

$x_P=\int_0^x (2t^2-8t)dt=\left[\frac{2}{3}t^3-4t^2\right]_0^x=\frac{2}{3}x^3-4x^2$

$x_Q=\int_0^x (t^3-10t^2+24t)dt=\left[\frac{1}{4}t^4-\frac{10}{3}t^3+12t^2\right]_0^x$

$=\frac{1}{4}x^4-\frac{10}{3}x^3+12x^2$

STEP B 두 점 P, Q 사이의 거리 구하기

x초 후의 두 점 P, Q 사이의 거리는 다음과 같이 나타낼 수 있다.

$|x_P-x_Q|=\left|\frac{2}{3}x^3-4x^2-\left(\frac{1}{4}x^4-\frac{10}{3}x^3+12x^2\right)\right|$

$=\left|-\frac{1}{4}x^4+4x^3-16x^2\right|$

STEP C 거리의 최댓값 구하기

$h(x)=-\frac{1}{4}x^4+4x^3-16x^2$이라 하면

$h'(x)=-x^3+12x^2-32x=-x(x-4)(x-8)$

$h'(x)=0$에서 $x=0$ 또는 $x=4$ 또는 $x=8$

$0\le t\le 8$에서 $h(x)$의 증가와 감소를 표로 나타내면 다음과 같다.

x	0	…	4	…	8
$h'(x)$	0	$-$	0	$+$	0
$h(x)$	0	↘	극소	↗	0

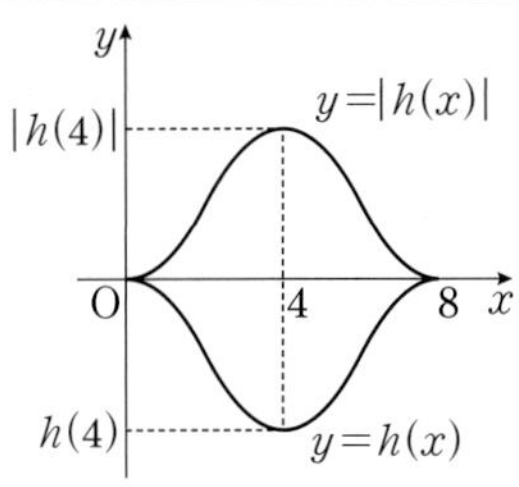

즉 $0\le t\le 8$에서 $h(x)\le 0$이고 함수 $h(x)$는 $x=4$에서 극소이고

$x=4$일 때,

$|h(4)|=\left|-\frac{1}{4}\cdot 4^4+4\cdot 4^3-16\cdot 4^2\right|=|(-1+4-4)4^3|=64$

$x=8$일 때,

$|h(8)|=\left|-\frac{1}{4}\cdot 8^4+4\cdot 8^3-16\cdot 8^2\right|=|(-2+4-2)8^3|=0$

따라서 $|h(x)|$는 $x=4$에서 최댓값 64이므로 두 점 P, Q 사이의 거리의 최댓값은 64

0884

다음 물음에 답하여라.

(1) 어느 고층 건물에 설치된 엘리베이터가 1층에서 출발하여 멈추지 않고 올라가서 맨 위층에 도착하여 멈추었다고 한다.

이때 t초 후의 엘리베이터의 속도 $v(t)$m/s는 다음과 같다.

$$v(t)=\begin{cases} 4t & (0 \le t \le 5) \\ 20 & (5 \le t \le 20) \\ -2t+60 & (20 \le t \le a) \end{cases}$$

이 엘리베이터가 출발한 지 a초 후에 멈추었을 때, 출발한 후 멈출 때까지 엘리베이터가 움직인 거리를 구하여라.

STEP A 엘리베이터가 멈추었을 시각 구하기

엘리베이터가 멈추었을 때,

$v(t)=0$이므로 $-2t+60=0$

$\therefore t=30$

STEP B $t=30$일 때, 엘리베이터가 움직인 거리 구하기

따라서 $a=30$일 때, 엘리베이터가 움직인 거리는

$$\int_0^{30}|v(t)|dx=\int_0^5 4tdt+\int_5^{20}20dt+\int_{20}^{30}(-2t+60)dt$$
$$=\left[2t^2\right]_0^5+\left[20t\right]_5^{20}+\left[-t^2+60t\right]_{20}^{30}$$
$$=50+300+100(\text{m})$$
$$=450(\text{m})$$

속도 $v(t)$를 그래프로 나타내면 다음과 같다.

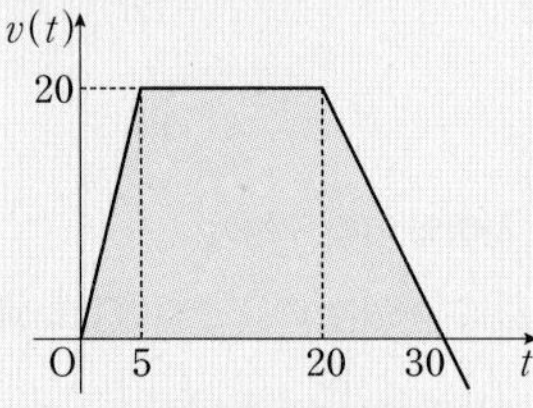

속도 $v(t)$의 그래프와 x축으로 둘러싸인 영역의 넓이가 움직인 거리이므로 움직인 거리는 $\frac{1}{2}(15+30)\cdot 20=450(\text{m})$

(2) 어떤 전망대에 설치된 엘리베이터는 1층에서 출발하여 꼭대기층까지 올라가는 동안, 출발 후 처음 2초까지는 $3(\text{m/s}^2)$의 가속도로 올라가고 2초 후부터 10초까지는 등속도로 올라가며 10초 후부터는 $-2(\text{m/s}^2)$의 가속도로 올라가서 멈춘다.

이 엘리베이터가 출발하여 멈출 때까지 움직인 거리를 구하여라.

STEP A 시간 t에 따른 속도 $v(t)$를 구하기

t초 일 때, 엘리베이터의 속도를 $v(t)$, 가속도를 $a(t)$라 할 때,

(i) $0 \le t \le 2$일 때,

$a(t)=3(\text{m/s}^2)$이므로

$v(t)=\int_0^t 3dt=3t(\text{m/s})$

(ii) $2 \le t \le 10$일 때,

$t=2$(초)일 때의 속도로 등속도 운동을 하므로

$v(t)=v(2)=3\cdot 2=6(\text{m/s})$

(iii) $t>10$일 때,

$v(10)=6$이고 $a(t)=-2(\text{m/s}^2)$이므로

$v(t)=6+\int_{10}^t(-2)dt=-2t+26(\text{m/s})$

이때 엘리베이터가 멈출 때, $v(t)=0$이므로

$-2t+26=0$, $t=13$

$$\therefore v(t)=\begin{cases} 3t & (0 \le t \le 2) \\ 6 & (2 < t \le 10) \\ -2t+26 & (10 < t \le 13) \end{cases}$$

STEP B 정적분을 이용하여 엘리베이터가 이동한 거리 구하기

따라서 엘리베이터가 움직인 총 거리는

$$\int_0^{13}|v(t)|dt=\int_0^2 3tdt+\int_2^{10}6dt+\int_{10}^{13}(-2t+26)dt$$
$$=\left[\frac{3}{2}t^2\right]_0^2+\left[6t\right]_2^{10}+\left[-t^2+26t\right]_{10}^{13}$$
$$=\frac{3}{2}\cdot 2^2+(6\cdot 10-6\cdot 2)+(-13^2+26\cdot 13+10^2-26\cdot 10)$$
$$=63(\text{m})$$

속도 $v(t)$를 그래프로 나타내면 다음과 같다.

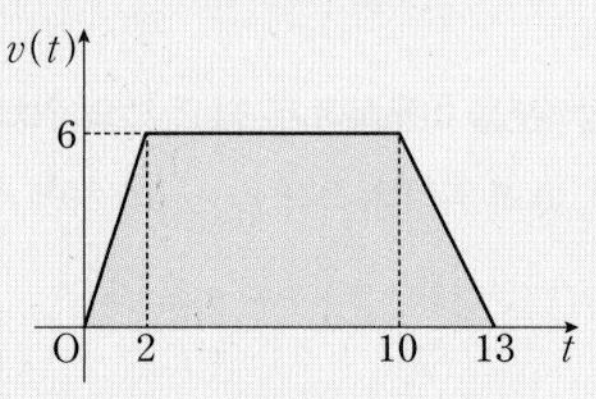

속도 $v(t)$의 그래프와 x축으로 둘러싸인 영역의 넓이가 움직인 거리이므로 움직인 거리는 $\frac{1}{2}(8+13)\cdot 6=63(\text{m})$

다른풀이 가속도를 구하여 풀이하기

엘리베이터가 1층에서 출발하여 맨 위층까지 올라가는 데 걸리는 시간을 a초라고 하고 시각 t에서의 속도를 $v(t)$라고 하면

$$v'(t)=\begin{cases} 3 & (0 \le t \le 2) \\ 0 & (2 < t \le 10) \\ -2 & (10 < t \le a) \end{cases}$$ 이므로

$$v(t)=\begin{cases} 3t+C_1 & (0 \le t \le 2) \\ C_2 & (2 < t \le 10) \\ -2t+C_3 & (10 < t \le a) \end{cases}$$

이때 $v(0)=0$이고 $v(t)$는 구간 $[0, a]$에서 연속이므로

$C_1=0$, $6+C_1=C_2$, $C_2=-20+C_3$

위 식을 연립하여 풀면 $C_1=0$, $C_2=6$, $C_3=26$

$$\therefore v(t)=\begin{cases} 3t & (0 \le t \le 2) \\ 6 & (2 < t \le 10) \\ -2t+26 & (10 < t \le a) \end{cases}$$

한편 $v(a)=0$이므로 $-2a+26=0$

$\therefore a=13$

따라서 엘리베이터가 움직인 거리는

$$\int_0^{13}|v(t)|dt=\int_0^2 3tdt+\int_2^{10}6dt+\int_{10}^{13}(-2t+26)dt$$
$$=\left[\frac{3}{2}t^2\right]_0^2+\left[6t\right]_2^{10}+\left[-t^2+26t\right]_{10}^{13}$$
$$=63(\text{m})$$

0885

원점을 출발하여 수직선 위를 움직이는 점 P의 시각 $t\,(0 \le t \le 5)$에서 속도 $v(t)$가 다음과 같다.

$$v(t)=\begin{cases} 4t & (0 \le t < 1) \\ -2t+6 & (1 \le t < 3) \\ t-3 & (3 \le t \le 5) \end{cases}$$

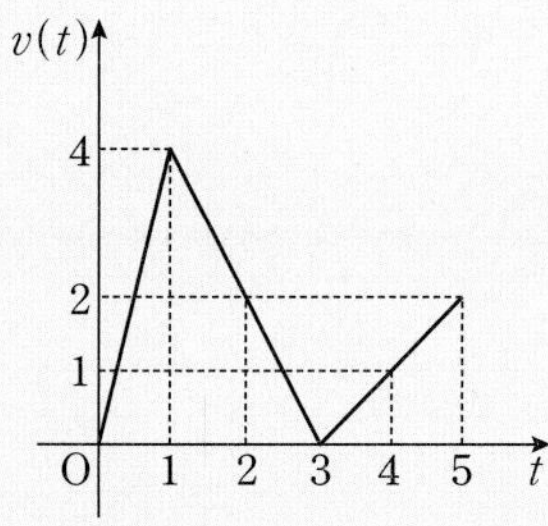

$0 < x < 3$인 실수 x에 대하여 점 P가 시각 $t=0$에서 $t=x$까지 움직인 거리, 시각 $t=x$에서 $t=x+2$까지 움직인 거리, 시각 $t=x+2$에서 $t=5$까지 움직인 거리 중에서 최소인 값을 $f(x)$라 할 때, 옳은 것만을 [보기]에서 있는 대로 고른 것은?

ㄱ. $f(1)=2$
ㄴ. $f(2)-f(1)=\int_1^2 v(t)\,dt$
ㄷ. 함수 $f(x)$는 $x=1$에서 미분가능하다.

① ㄱ　② ㄴ　③ ㄱ, ㄴ　④ ㄱ, ㄷ　⑤ ㄴ, ㄷ

STEP A 속도 $v(t)$의 그래프를 그리고 도형의 넓이 구하기 [보기]의 참, 거짓의 진위판단하기

$v(t)=\begin{cases} 4t & (0 \le t < 1) \\ -2t+6 & (1 \le t < 3) \\ t-3 & (3 \le t \le 5) \end{cases}$ 의 그래프는 다음과 같다.

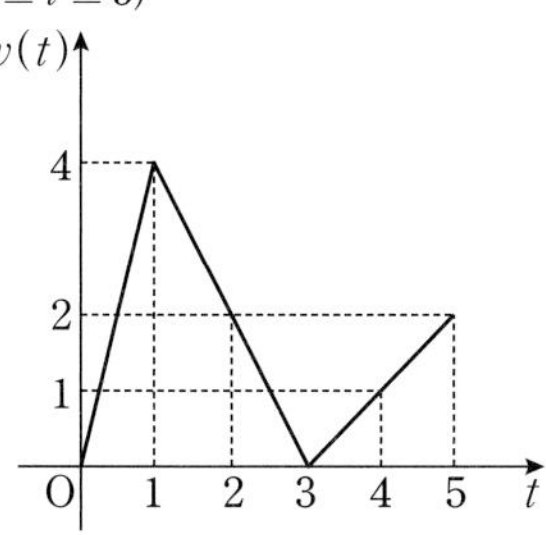

원점을 출발하여 수직선 위를 움직이는 점 P의 시각 $t\,(0 \le t \le 5)$에서의 속도 $v(t)$의 그래프는 그림과 같다.
시각 $t=0$에서 $t=x$까지 움직인 거리를 $p(x)$
시각 $t=x$에서 $t=x+2$까지 움직인 거리를 $q(x)$
시각 $t=x+2$에서 $t=5$까지 움직인 거리를 $r(x)$이라 하자.

ㄱ. $x=1$인 경우

$p(1)=\int_0^1 v(t)\,dt=\frac{1}{2}\cdot 1\cdot 4=2$

$q(1)=\int_1^3 v(t)\,dt=\frac{1}{2}\cdot(3-1)\cdot 4=4$

$r(1)=\int_3^5 v(t)\,dt=\frac{1}{2}\cdot(5-3)\cdot 2=2$

즉 $f(1)=p(1)=r(1)=2$ [참]

ㄴ. $x=2$인 경우

$p(2)=\int_0^2 v(t)\,dt=\frac{1}{2}\cdot 1\cdot 4+\frac{1}{2}\cdot(2+4)\cdot 1=5$

$q(2)=\int_2^4 v(t)\,dt=\frac{1}{2}\cdot 1\cdot 2+\frac{1}{2}\cdot 1\cdot 1=\frac{3}{2}$

$r(2)=\int_4^5 v(t)\,dt=\frac{1}{2}\cdot(1+2)\cdot 1=\frac{3}{2}$

즉 $f(2)=q(2)=r(2)=\frac{3}{2}$

$f(2)-f(1)=\frac{3}{2}-2=-\frac{1}{2}$

$\int_1^2 v(t)\,dt=\int_1^2(-2t+6)\,dt=\frac{1}{2}\cdot(2+4)\cdot 1=3$

$\therefore f(2)-f(1)\ne\int_1^2 v(t)\,dt$ [거짓]

STEP B x의 범위를 $0 < x < 1$일 때, $1 < x < 3$일 때로 나누고 좌미분계수, 우미분계수를 각각 구하여 거짓임을 판별하기

ㄷ. ㄱ, ㄴ에서 $0 < x < 1$일 때와 $1 < x < 3$일 때, 그래프에서 $p(x)$, $q(x)$, $r(x)$ 중 최소인 값은 $f(x)$를 결정하는 위치가 달라짐을 알 수 있다.

(ⅰ) $0 < x < 1$일 때, 다음 그림에서

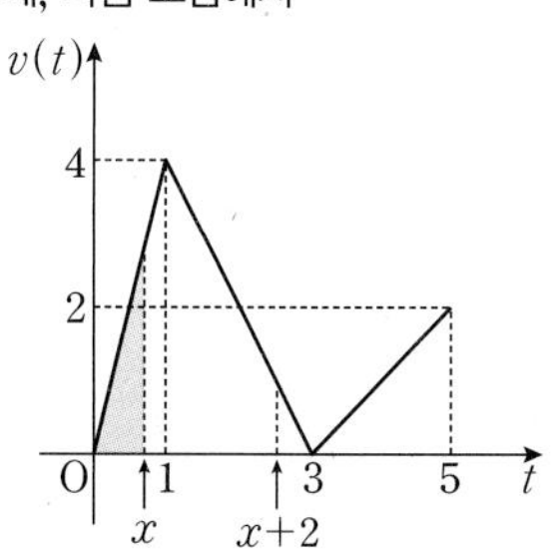

$f(x)=p(x)=\int_0^x v(t)\,dt$
$=\frac{1}{2}\cdot x\cdot 4x=2x^2$

이므로 $f'(x)=4x$

$\therefore f'(1)=4$

(ⅱ) $1 < x < 3$일 때, 다음 그림에서

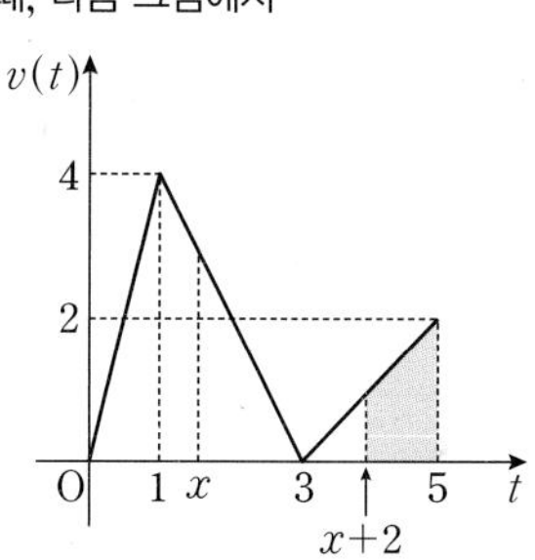

$f(x)=r(x)=\int_{x+2}^5 v(t)\,dt$
$=2-\frac{1}{2}\cdot(x-1)^2$
$=-\frac{1}{2}x^2+x+\frac{3}{2}$

이므로 $f'(x)=-x+1$

$\therefore f'(1)=0$

(ⅰ), (ⅱ)에서 $\lim_{x\to 1-}f'(1)=4$, $\lim_{x\to 1+}f'(1)=0$이므로 좌미분계수와 우미분계수가 서로 다르다.

즉 함수 $f(x)$는 $x=1$에서 미분가능하지 않다. [거짓]

따라서 옳은 것은 ㄱ이다.

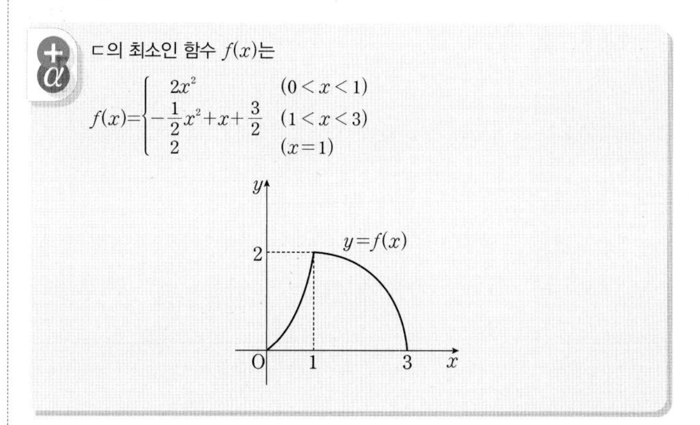

ㄷ의 최소인 함수 $f(x)$는

$$f(x)=\begin{cases} 2x^2 & (0 < x < 1) \\ -\frac{1}{2}x^2+x+\frac{3}{2} & (1 < x < 3) \\ 2 & (x=1) \end{cases}$$

mapl YOUR MASTER PLAN

MEMO

MEMO

mapl YOUR MASTER PLAN

mapl YOUR MASTER PLAN

MEMO